Stephen A. Ross
Massachusetts Institute of Technology

Randolph W. Westerfield
University of Southern California

Jeffrey Jaffe
University of Pennsylvania

Roberto Lamb
Escola de Administração UFRGS

administração financeira

Versão brasileira de
**corporate finance
10th edition**

AMGH Editora Ltda.

2015

Versão brasileira da obra originalmente publicada sob o título
Corporate Finance, 10th Edition
ISBN 0078034779 / 9780078034770

Original edition copyright ©2013, The McGraw-Hill Companies, Inc., New York, New York 10020. All rights reserved.
Portuguese translation edition copyright ©2015, AMGH Editora Ltda., a Grupo A Educação S.A. company.
All rights reserved.

Gerente editorial: *Arysinha Jacques Affonso*

Coordenadora editorial: *Verônica de Abreu Amaral*

Assistente editorial: *Danielle Oliveira da Silva Teixeira*

Tradução: *Scientific Linguagem Ltda.: Evelyn Tesche, Flávia Pritsch Simões Pires, Gabriel Rios Borges, Patrícia Varriale da Silva, Mauni Lima Oliveira, Laura Barcelos Martins e Janisa Scomazzon Antoniazzi*

Equipe BM&FBOVESPA: *Gustavo de Souza e Silva, José Alberto Netto Filho, Marcelo Cambria, Pedro Bustamante, Renato Tokiharu Issatugo, Tamara Ferreira Schmidt e Marita Bernhoeft*

Preparação de originais: *Edirnelis Moraes dos Santos e Silvana Silva*

Leitura final: *Cristhian Matheus Herrera*

Capa: *Maurício Pamplona (arte sobre capa original)*

Imagem de capa: *©getty images / Allan Baxter*

Editoração: *Techbooks*

Reservados todos os direitos de publicação, em língua portuguesa, à
AMGH EDITORA LTDA., uma parceria entre GRUPO A EDUCAÇÃO S.A. e McGRAW-HILL EDUCATION
Av. Jerônimo de Ornelas, 670 – Santana
90040-340 – Porto Alegre – RS
Fone: (51) 3027-7000   Fax: (51) 3027-7070

É proibida a duplicação ou reprodução deste volume, no todo ou em parte, sob quaisquer
formas ou por quaisquer meios (eletrônico, mecânico, gravação, fotocópia, distribuição na Web
e outros), sem permissão expressa da Editora.

Unidade São Paulo
Av. Embaixador Macedo Soares, 10.735 – Pavilhão 5 – Cond. Espace Center
Vila Anastácio – 05095-035 – São Paulo – SP
Fone: (11) 3665-1100   Fax: (11) 3667-1333

SAC 0800 703-3444 – www.grupoa.com.br

IMPRESSO NO BRASIL
PRINTED IN BRAZIL

administração financeira

A238   Administração financeira : versão brasileira de corporate
       finance / Stephen A. Ross ... [et al.] ; tradução : [Evelyn
       Tesche ... et al]. – 10. ed. – Porto Alegre : AMGH, 2015.
       xxvii, 1196 p. ; 28 cm.

       ISBN 978-85-8055-431-1

       1. Finanças. 2. Administração. I. Ross, Stephen A.

                                                    CDU 005.915

Catalogação na publicação: Poliana Sanchez de Araujo – CRB 10/2094

Os autores

STEPHEN A. ROSS *Professor da cátedra Franco Modigliani de Economia e Finanças na Sloan School of Management do Massachusetts Institute of Technology.* Um dos autores mais respeitados nas áreas de finanças e economia, o professor Ross é reconhecido por seu trabalho no desenvolvimento da Teoria de Precificação por Arbitragem (Arbitrage Pricing Theory – APT) e contribuiu muito para essa disciplina com sua pesquisa em sinalização, teoria de agência, precificação de opções a teoria da estrutura a termo das taxas de juros, além de outros assuntos. Ex-presidente da American Finance Association, atualmente trabalha como editor associado de vários periódicos acadêmicos. Também é membro do Conselho Consultivo da CalTech.

RANDOLPH W. WESTERFIELD *Marshall School of Business, University of Southern California.* Randolph W. Westerfield é diretor emérito da Marshall School of Business da University of Southern California e é professor da cátedra Charles B. Thornton de Finanças.

Ele entrou para a USC após passar pela Wharton School da University of Pennsylvania, onde atuou como chefe do Departamento de Finanças e foi membro do corpo docente da faculdade de finanças por 20 anos. O professor Westerfield é membro de muitos conselhos de administração de empresas abertas, incluindo a Health Management Associates, Inc., a William Lyons Homes e o fundo de investimento Nicholas Applegate. Atua nas áreas de finanças corporativas, gestão de investimentos e comportamento do preço das ações.

JEFFREY F. JAFFE *Wharton School of Business, University of Pennsylvania.* Jeffrey F. Jaffe é um colaborador frequente para a literatura de finanças e economia em revistas como a *Quarterly Economic Journal, The Journal of Finance, The Journal of Financial and Quantitative Analysis, The Journal of Financial Economics* e *The Financial Analysts Journal.* Seu trabalho mais conhecido trata de transações com informações privilegiadas e mostrou que *insiders* de empresas têm ganhos anormais com suas transações com ações, e que a regulamentação tem pouco efeito sobre esses ganhos. Ele também contribuiu para os temas ofertas públicas iniciais, regulamentação de concessões, comportamento de formadores de mercado, flutuação dos preços do ouro, efeito teórico da inflação nas taxas de juros, efeito empírico da inflação nos preços dos ativos financeiros, a relação entre ações de empresas com baixa capitalização e o "efeito janeiro" e a decisão de estrutura de capital.

ROBERTO LAMB *Escola de Administração, Universidade Federal do Rio Grande do Sul.* Roberto Lamb é professor de Finanças na Escola de Administração da UFRGS. Fez carreira no Banco do Brasil. Sua experiência financeira inclui longa atuação em conselhos fiscais de grandes empresas multinacionais brasileiras e de empresas multinacionais com atuação no Brasil. Seus principais interesses são finanças corporativas, gestão de riscos e governança corporativa.

Para nossas famílias e amigos,
com amor e gratidão.

Agradecimentos

Esta edição começou a ser planejada a partir de alguns de nossos colegas – professores em um curso introdutório de MBA –, que demonstraram interesse pelo livro. Nós agregamos seus comentários e recomendações no decorrer da décima edição. A seguir, os colaboradores desta edição:

Amanda Adkisson
Texas A&M University

K. Ozgur Demirtas
Baruch College

Melissa Frye
University of Central Florida–Orlando

Stuart Gillan
Texas Tech University

Bill Hamby
Indiana Wesleyan University

Qing (Grace) Hao
University of Missouri

Jim Howard
University of Maryland–University College

Timothy Michael
University of Houston–Clear Lake

Sheila Moore
California Lutheran University

Angela Morgan
Clemson University

Adam Reed
University of North Carolina–Chapel Hill

Bill Reese
Tulane University

Peter Ritchken
Case Western Reserve University

Denis Sosyura
University of Michigan

Mark Hoven Stohs
California State University–Fullerton

Gary Tripp
University of Southern New Hampshire

Joseph Vu
DePaul University

Ao longo dos anos, muitas pessoas contribuíram com seu tempo e conhecimento para o desenvolvimento e para a escrita deste livro. Agradecemos mais uma vez por sua assistência e incontáveis ideias:

Lucy Ackert
Kennesaw State University

R. Aggarwal
John Carroll University

Anne Anderson
Lehigh University

Christopher Anderson
University of Missouri–Columbia

James J. Angel
Georgetown University

Nasser Arshadi
University of Missouri–St. Louis

Kevin Bahr
University of Wisconsin–Milwaukee

Robert Balik
Western Michigan University

John W. Ballantine
Babson College

Thomas Bankston
Angelo State University

Brad Barber
University of California–Davis

Michael Barry
Boston College

Swati Bhatt
Rutgers University

Roger Bolton
Williams College

Gordon Bonner
University of Delaware

Oswald Bowlin
Texas Technical University

Ronald Braswell
Florida State University

William O. Brown
Claremont McKenna College

Kirt Butler
Michigan State University

Bill Callahan
Southern Methodist University

Steven Carvell
Cornell University

Indudeep S. Chhachhi
Western Kentucky University

Kevin Chiang
University of Vermont

Andreas Christofi
Monmouth University

Jonathan Clarke
Georgia Institute of Technology

Jeffrey L. Coles
Arizona State University

Mark Copper
Wayne State University

James Cotter
University of Iowa

Jay Coughenour
University of Massachusetts–Boston

Arnold Cowan
Iowa State University

Raymond Cox
Central Michigan University

John Crockett
George Mason University

Mark Cross
Louisiana Technical University

Ron Crowe
Jacksonville University

William Damon
Vanderbilt University

Sudip Datta
Bentley College

Ted Day
University of Texas, Dallas

Marcos de Arruda
Drexel University

Anand Desai
University of Florida

Miranda Lam Detzler
University of Massachusetts–Boston

David Distad
University of California–Berkeley

Dennis Draper
University of Southern California

Agradecimentos

Jean-Francois Dreyfus
New York University
Gene Drzycimski
University of Wisconsin–Oshkosh
Robert Duvic
The University of Texas at Austin
Demissew Ejara
University of Massachusetts–Boston
Robert Eldridge
Fairfield University
Gary Emery
University of Oklahoma
Theodore Eytan
City University of New York–Baruch College
Don Fehrs
University of Notre Dame
Steven Ferraro
Pepperdine University
Eliezer Fich
Drexel University
Andrew Fields
University of Delaware
Paige Fields
Texas A&M University
Adlai Fisher
New York University
Michael Fishman
Northwestern University
Yee-Tien Fu
Stanford University
Partha Gangopadhyay
St. Cloud University
Bruno Gerard
University of Southern California
Frank Ghannadian
Mercer University–Atlanta
Stuart Gillan
Texas Technical University
Ann Gillette
Kennesaw State University
Michael Goldstein
University of Colorado
Indra Guertler
Babson College
Re-Jin Guo
University of Illinois at Chicago
James Haltiner
College of William and Mary
Janet Hamilton
Portland State University
Qing Hao
University of Missouri-Columbia
Robert Hauswald
American University

Delvin Hawley
University of Mississippi
Hal Heaton
Brigham Young University
John A. Helmuth
University of Michigan–Dearborn
John Helmuth
Rochester Institute of Technology
Michael Hemler
University of Notre Dame
Stephen Heston
Washington University
Andrea Heuson
University of Miami
Edith Hotchkiss
Boston College
Charles Hu
Claremont McKenna College
Hugh Hunter
Eastern Washington University
James Jackson
Oklahoma State University
Raymond Jackson
University of Massachusetts–Dartmouth
Prem Jain
Tulane University
Narayanan Jayaraman
Georgia Institute of Technology
Thadavilil Jithendranathan
University of St. Thomas
Jarl Kallberg
New York University
Jonathan Karpoff
University of Washington
Paul Keat
American Graduate School of International Management
Dolly King
University of Wisconsin–Milwaukee
Brian Kluger
University of Cincinnati
Narayana Kocherlakota
University of Iowa
Robert Krell
George Mason University
Ronald Kudla
The University of Akron
Youngsik Kwak
Delaware State University
Nelson Lacey
University of Massachusetts
Gene Lai
University of Rhode Island
Josef Lakonishok
University of Illinois

Dennis Lasser
State University of New York–Binghamton
Paul Laux
Case Western Reserve University
Gregory LeBlanc
University of California, Berkeley
Bong-Su Lee
University of Minnesota
Youngho Lee
Howard University
Thomas Legg
University of Minnesota
James T. Lindley
University of Southern Mississippi
Dennis Logue
Dartmouth College
Michael Long
Rutgers University
Yulong Ma
Cal State–Long Beach
Ileen Malitz
Fairleigh Dickinson University
Terry Maness
Baylor University
Surendra Mansinghka
San Francisco State University
Michael Mazzco
Michigan State University
Robert I. McDonald
Northwestern University
Hugh McLaughlin
Bentley College
Joseph Meredith
Elon University
Larry Merville
University of Texas–Richardson
Joe Messina
San Francisco State University
Roger Mesznik
City College of New York–Baruch College
Rick Meyer
University of South Florida
Vassil Mihov
Texas Christian University
Richard Miller
Wesleyan University
Naval Modani
University of Central Florida
Edward Morris
Lindenwood University
Richard Mull
New Mexico State University

Jim Musumeci
Southern Illinois University–Carbondale

Robert Nachtmann
University of Pittsburgh

Edward Nelling
Georgia Tech

James Nelson
East Carolina University

Gregory Niehaus
University of South Carolina

Peder Nielsen
Oregon State University

Ingmar Nyman
Hunter College

Dennis Officer
University of Kentucky

Joseph Ogden
State University of New York

Darshana Palker
Minnesota State University, Mankato

Venky Panchapagesan
Washington University–St. Louis

Bulent Parker
University of Wisconsin–Madison

Ajay Patel
University of Missouri–Columbia

Dilip Kumar Patro
Rutgers University

Gary Patterson
University of South Florida

Glenn N. Pettengill
Emporia State University

Pegaret Pichler
University of Maryland

Christo Pirinsky
Ohio State University

Jeffrey Pontiff
University of Washington

Franklin Potts
Baylor University

Annette Poulsen
University of Georgia

N. Prabhala
Yale University

Mao Qiu
University of Utah–Salt Lake City

Latha Ramchand
University of Houston

Gabriel Ramirez
Virginia Commonwealth University

Narendar Rao
Northeastern Illinois University

Raghavendra Rau
Purdue University

Steven Raymar
Indiana University

Bill Reese
Tulane University

Kimberly Rodgers
American University

Stuart Rosenstein
East Carolina University

Bruce Rubin
Old Dominion University

Patricia Ryan
Drake University

Jaime Sabal
New York University

Anthony Sanders
Ohio State University

Ray Sant
St. Edwards University

Andy Saporoschenko
University of Akron

William Sartoris
Indiana University

James Schallheim
University of Utah

Mary Jean Scheuer
California State University at Northridge

Kevin Schieuer
Bellevue University

Faruk Selcuk
University of Bridgeport

Lemma Senbet
University of Maryland

Kuldeep Shastri
University of Pittsburgh

Betty Simkins
Oklahoma State University

Sudhir Singh
Frostburg State University

Scott Smart
Indiana University

Jackie So
Southern Illinois University

John Stansfield
Columbia College

Joeseph Stokes
University of Massachusetts, Amherst

John S. Strong
College of William and Mary

A. Charlene Sullivan
Purdue University

Michael Sullivan
University of Nevada–Las Vegas

Timothy Sullivan
Bentley College

R. Bruce Swensen
Adelphi University

Ernest Swift
Georgia State University

Alex Tang
Morgan State University

Richard Taylor
Arkansas State University

Andrew C. Thompson
Virginia Polytechnic Institute

Timothy Thompson
Northwestern University

Karin Thorburn
Dartmouth College

Satish Thosar
University of Massachusetts–Dorchester

Charles Trzcinka
State University of New York–Buffalo

Haluk Unal
University of Maryland–College Park

Oscar Varela
University of New Orleans

Steven Venti
Dartmouth College

Avinash Verma
Washington University

Lankford Walker
Eastern Illinois University

Ralph Walkling
Ohio State University

F. Katherine Warne
Southern Bell College

Sue White
University of Maryland

Susan White
University of Texas–Austin

Robert Whitelaw
New York University

Berry Wilson
Georgetown University

Robert Wood
Tennessee Tech University

Donald Wort
California State University, East Bay

John Zietlow
Malone College

Thomas Zorn
University of Nebraska–Lincoln

Kent Zumwalt
Colorado State University

Pela ajuda na décima edição, gostaríamos de agradecer a Stephen Dolvin, da Butler University; Joe Smolira, da Belmont University e Kay Johnson pelo trabalho desenvolvido no material complementar. Também somos muito gratos a Bradford D. Jordan, da University of Kentucky; Edward I. Altman, da New York University; Robert S. Hansen, da Virginia Tech; Suh-Pyng Ku, da University of Southern California; e Jay R. Ritter, da University of Florida, que nos auxiliaram com inúmeros comentários atenciosos e proporcionaram uma ajuda imensurável.

Agradecemos a David Fenz, Steve Hailey e Nathaniel Graham pela minuciosa revisão e por seu empenho na correção dos problemas.

No decorrer dos últimos três anos, os leitores vêm auxiliando ao detectarem e informarem erros. Nossa meta é oferecer o melhor livro disponível sobre o tema; portanto, essas informações foram inestimáveis enquanto preparávamos a nova edição.

Muitos profissionais talentosos da McGraw-Hill/Irwin contribuíram para o desenvolvimento do livro *Administração Financeira*, 10 ed.. Gostaríamos de agradecer especialmente a Michele Janicek, Jennifer Lohn, Melissa Caughlin, Christine Vaughan, Pam Verros, Michael McCormick e Emily Kline.

Por fim, gostaríamos de agradecer a nossas famílias e amigos, Carol, Kate, Jon, Mark e Lynne por sua paciência e ajuda.

Stephen A. Ross
Randolph W. Westerfield
Jeffrey F. Jaffe

Apresentação à Edição Brasileira

Esta versão brasileira de *Corporate Finance, 10th ed.*, de Ross, Westerfield e Jaffe continua o trabalho e o desafio a que nos propusemos junto à Editora Bookman, quando trabalhamos em **Fundamentos de Administração Financeira**, 9.ed., lançado em 2013 como versão de *Fundamentals of Corporate Finance, 9th ed.*, dos mesmos autores. O trabalho antes desenvolvido continua aqui, com novos capítulos da edição original e um capítulo inédito sobre derivativos no Brasil, especialmente desenvolvido em parceria com o Instituto Educacional BM&FBOVESPA.

Autores brasileiros têm trabalhado para que tenhamos textos nacionais de finanças de tão boa qualidade quanto os textos estrangeiros. Entretanto, livros estrangeiros traduzidos estão estabelecidos nas nossas práticas de ensino e estudo. Isso não é diferente em outros países, onde também se observa a publicação de edições adaptadas ao contexto local.

As ideias fundamentais em finanças são idênticas, qualquer que seja a língua e o país; é o quadro institucional que muda. É como a ideia de um metrô. Conceitualmente é a mesma coisa, em qualquer país: um trem subterrâneo para transporte de massa. Tente, entretanto, movimentar-se no metrô de São Paulo, por exemplo, usando o mapa do metrô de Nova Iorque!

Continuamos no caminho já trilhado para tentar suprir, ainda que em parte, a necessidade de um "mapa adequado", com enfoque brasileiro. Mantivemos os conteúdos sobre práticas nos Estados Unidos e as recomendações e os comentários dos autores norte-americanos e, ao longo do livro, trouxemos comentários sobre as práticas brasileiras. Isso por dois motivos.

Em primeiro lugar, porque consideramos importante o aluno habituar-se ao fato de que práticas e escolhas de caminhos diferentes são possíveis para uma mesma decisão, ou para um mesmo fato, e decorrem de arranjos institucionais diferentes de sociedades diferentes.

O segundo motivo é mais acadêmico. Entre outros, embora os "mundos sem impostos" sejam os mesmos, os "mundos com impostos" podem ser muito diferentes. As discussões do que talvez seja melhor para as empresas ou para os investidores são condicionadas a essas questões reais. Assim, também procuramos salientar as diferenças tributárias: um alerta para alunos e leitores de que algumas modelagens podem não fazer sentido quando o quadro tributário muda. Em nossa experiência, constatamos que alguns alunos precisam de tempo para dar-se conta dos ambientes distintos que fazem parte dos livros apenas traduzidos. Alguns talvez levem mais tempo ainda para dar-se conta do nível de sofisticação do mercado financeiro brasileiro. Procuramos fazer com que o livro reflita isso.

Este trabalho não teria sido possível sem o apoio do **Instituto Educacional BM&FBOVESPA**, que contribuiu, mais uma vez, com materiais sobre o funcionamento da bolsa de valores brasileira, participou da elaboração de um capítulo inédito sobre derivativos no Brasil, apresentado por esta edição, além de várias outras contribuições em diversos capítulos. Mais que o apoio institucional, contamos com o entusiasmo e a dedicação da equipe da Bolsa: Gustavo de Souza e Silva, Tamara Ferreira Schmidt, José Alberto Netto Filho, Marita Bernhoeft, Marcelo Cambria, Pedro Bustamante e Renato Tokiharu Issatugo.

Contamos também com o gentil e incondicional apoio dos professores André Luis Martinewski, Guilherme Kirch, Guilherme Ribeiro de Macêdo, Jairo Laser Procianoy, Marcelo Scherer Perlin e Tiago Pascoal Filomena, todos do grupo de finanças da Escola de Administração da UFRGS, que leram originais, fizeram sugestões e contribuições. Ao professor André Luis Martinewski, um agradecimento especial pela revisão de vários capítulos. Agradecemos aos outros professores do grupo que fizeram observações e comentários sobre a edição de *Fundamentos de Administração Financeira*.

Da mesma forma, somos gratos pelo trabalho e pelas contribuições de profissionais de outras instituições: Alexandre Fetter Kalikoski, Clarissa Sadock, Daniel Carvalho Cunha, Diego Chaves, Eduardo Miron, Felipe Guilherme Lamb, Frederico Schettini Batista, Harley Lorentz Scardoelli, Leandro Puccini Secunho, Lena Oliveira de Carvalho, Mauro Rodrigues da Cunha, Otavio Ladeira de Medeiros, Pedro de Freitas Almeida Bueno Vieira, Reginaldo Alexandre, Roberto Faldini e Sidney Ito.

Registramos também as contribuições para *Fundamentos de Administração Financeira* que foram aproveitadas aqui. Nossos agradecimentos aos colegas professores, alunos e profissionais de mercado que nos auxiliaram de forma direta naquela obra: Airton Ribeiro de Matos, Christian Damke, Débora Morsch, Francisco Olinto Velo Schmidt, Joaquim Dias de Castro, Juliano Pires Godoy, Leopoldo Schneider, Mario Shinzato, Newton Akira Fukumitsu, Paulo Vargas, Peter Vaz da Fonseca, Ricardo Araujo Rocha, Rinaldo Pecchio Jr., Roberta dos Reis Matheus e Tang David.

Nossos agradecimentos devem ser estendidos ao incentivo e à paciência da equipe editorial da Bookman: Danielle Oliveira da Silva Teixeira, Verônica de Abreu Amaral e Arysinha Affonso. Sem a sua acolhida, as dificuldades e o esforço necessários para produzir uma adaptação ao nosso mercado respeitando o original talvez não fossem superadas.

Certamente cada leitor encontrará nesta obra várias oportunidades de melhoria. Entrem em contato para que possamos aperfeiçoar as próximas edições desta versão brasileira.

Roberto Lamb
rlamb@ea.ufrgs.br

Prefácio

O ensino e a prática da administração financeira estão mais desafiadores e envolventes do que nunca. Na última década, foram observadas mudanças fundamentais nos mercados e nos instrumentos financeiros. Nos primeiros anos do século XXI, ainda vemos anúncios na imprensa sobre tomadas de controle, títulos especulativos, reestruturação financeira, ofertas públicas iniciais, falências e derivativos. Além disso, há novos reconhecimentos de opções "reais", *private equity* e *venture capital,* empréstimos imobiliários de alto risco, planos de resgate financeiro e expansão do crédito. A recente crise global do crédito e a queda do mercado de ações mostraram que os mercados financeiros do mundo estão mais integrados do que nunca. A teoria e a prática das finanças corporativas estão avançando em uma velocidade incomum, e nossos ensinamentos precisam seguir esse ritmo.

Esses avanços têm feito o ensino das finanças corporativas assumir novas responsabilidades. Se, por um lado, o mundo dinâmico das finanças faz com que seja mais difícil manter o conteúdo atualizado, o professor, por outro lado, deve diferenciar o permanente do temporário e evitar a tentação de seguir uma tendência passageira. Nossa solução para esse problema é enfatizar os princípios modernos da teoria financeira e fazer a teoria ganhar vida por meio de exemplos atuais que, aliás, são cada vez mais de outros países que não os Estados Unidos.

Frequentemente, os estudantes iniciantes encaram as finanças corporativas como uma coleção de assuntos não relacionados que se encontram unidos principalmente por estarem encadernados entre as capas de um livro. Queremos que nosso livro incorpore e reflita o princípio básico das finanças: a saber, que boas decisões financeiras agregarão valor à empresa e aos acionistas, e más decisões financeiras destruirão valor. O segredo para entender como agregar ou destruir valor é o fluxo de caixa. Para agregar valor, as empresas devem gerar mais caixa do que elas utilizam. Esperamos que esse simples princípio se manifeste em todas as partes deste livro.

O público-alvo deste livro

Este livro foi escrito para cursos introdutórios de Finanças Corporativas em nível MBA e para disciplinas intermediárias em muitos cursos de graduação.

Supomos que a maioria dos estudantes já terá cursado – ou estará matriculado em – disciplinas de contabilidade, estatística e economia. Esta apresentação ajudará os estudantes a entenderem alguns dos conteúdos mais difíceis. Entretanto, o livro independe de conteúdo externo, e um conhecimento anterior nessas áreas não é imprescindível. O único pré-requisito é álgebra básica.

Material de apoio

Para professores (em inglês)
Manual do professor, aulas estruturadas em PowerPoint®, banco de testes e banco de soluções

O manual do professor inclui sugestões para aulas com base em apresentações especialmente elaboradas com os conteúdos do livro. As sugestões de aulas visam ajudar os professores na organização de tópicos com as principais ideias de cada capítulo. Os professores contam também com um banco de testes com questões de múltipla escolha, além das soluções para as questões apresentadas no livro.

Para acessar o material de apoio, visite o site da editora em **www.grupoa.com.br** e procure pelo livro. Clique em Material para o Professor (o professor deverá se cadastrar para ter acesso a esse material).

Para estudantes (em inglês)
Excel Master®, apêndices e vídeos

O Excel Master é um suplemento com dicas e técnicas para utilizar planilhas do Excel® em questões financeiras. Estão disponíveis também apêndices complementares aos capítulos do livro que trazem exemplos, gráficos e atividades que ajudam o aluno no desenvolvimento de suas habilidades, além de vídeos sobre finanças.

Para acessar o material de apoio, visite o site da editora em **www.grupoa.com.br** e procure pelo livro. Clique em Conteúdo online.

Sumário

PARTE I Visão Geral

Capítulo 1
Introdução às Finanças Corporativas — 1

- 1.1 O que são Finanças Corporativas? — 1
  - O modelo do balanço patrimonial da empresa — 2
  - O gestor financeiro — 3
- 1.2 A empresa de capital aberto — 3
  - A empresa individual — 3
  - A sociedade — 5
  - A empresa de capital aberto — 6
  - Uma empresa de capital aberto com outro nome... — 7
- 1.3 A importância do fluxo de caixa — 7
- 1.4 O objetivo da administração financeira — 11
  - Objetivos possíveis — 11
  - O objetivo da administração financeira — 12
  - Um objetivo mais geral — 12
- 1.5 O problema de agência e o controle da empresa de capital aberto — 13
  - Relacionamentos de agência — 13
  - Objetivos dos administradores — 14
  - Os administradores buscam os interesses dos acionistas? — 14
  - Acionistas — 16
- 1.6 Regulamentação — 16
  - Regras de listagem em segmentos diferenciados da BM&FBOVESPA — 17
  - Legislação no mercado norte-americano: o Security Act de 1933 e o Securities Exchange Act de 1934 — 18
  - Legislação no mercado norte-americano: o Sarbanes-Oxley Act — 18
  - Resumo e conclusões — 20
  - Questões conceituais — 20

Capítulo 2
Demonstrações Contábeis e Fluxo de Caixa — 22

- 2.1 O balanço patrimonial — 22
  - Liquidez — 23
  - Dívida versus capital próprio — 24
  - Valor versus custo — 24
- 2.2 Demonstração de resultados — 25
  - Normas contábeis — 26
  - Itens que não afetam o caixa — 27
  - Tempo e custos — 27
- 2.3 Tributos — 28
  - Alíquotas tributárias sobre lucros da pessoa jurídica — 28
  - Alíquotas tributárias médias versus marginais — 29
- 2.4 Capital de giro — 32
- 2.5 Fluxo de caixa financeiro — 32
- 2.6 Demonstração de fluxos de caixa — 36
  - Fluxo de caixa de atividades operacionais — 36
  - Fluxo de caixa de atividades de investimento — 36
  - Fluxo de caixa de atividades de financiamento — 37
- 2.7 Administração do fluxo de caixa — 38
  - Resumo e conclusões — 38
  - Questões conceituais — 39
  - Questões e problemas — 39
  - Domine o Excel! — 44

Capítulo 3
Análise de Demonstrações e Modelos Contábeis — 47

- 3.1 Análise de demonstrações contábeis — 47
  - Uniformização das demonstrações — 47
  - Balanços patrimoniais de tamanho comum — 48
  - Demonstrações de resultado de tamanho comum — 49
  - LAJIDA e LAJIR: o que diz a CVM — 49
- 3.2 Análises de indicadores — 51
  - Indicadores de solvência de curto prazo ou de liquidez — 52
  - Indicadores de solvência de longo prazo — 54
  - Medidas de gestão de ativos ou de giro — 55
  - Medidas de lucratividade — 57
  - Medidas de valor de mercado — 58
- 3.3 A identidade DuPont — 61
  - Um exame mais detalhado do ROE — 61
  - Problemas com a análise das demonstrações contábeis — 63
- 3.4 Modelos contábeis — 64
  - Um modelo simples de planejamento financeiro — 64
  - A abordagem da porcentagem de vendas — 66
- 3.5 Necessidade de aportes financeiros e crescimento — 69
  - Necessidade de Aportes Financeiros (NAF) e crescimento — 70
  - Política financeira e crescimento — 72
  - Uma observação sobre os cálculos da taxa de crescimento sustentável — 76
- 3.6 Alguns alertas sobre os modelos de planejamento financeiro — 77
  - Resumo e conclusões — 78
  - Questões conceituais — 78
  - Questões e problemas — 80
  - Domine o Excel! — 85

PARTE II   Valor e Orçamento de Capital

Capítulo 4
Avaliação por Fluxos de Caixa Descontados — 89

- 4.1 Avaliação: caso de um período — 89
- 4.2 O caso de vários períodos — 92
  - Valor futuro e capitalização composta — 93
  - O poder de capitalização composta: uma digressão — 96
  - Valor presente e desconto — 97
  - Como encontrar o número de períodos — 99
  - A fórmula algébrica — 102
- 4.3 Períodos de capitalização composta — 102
  - Diferença entre taxa de juros nominal anual e taxa efetiva anual — 104
  - Taxas do mercado financeiro brasileiro — 105
  - Capitalização composta por muitos anos — 105
  - Capitalização contínua — 106
- 4.4 Simplificações — 107
  - Perpetuidade — 107
  - Perpetuidade crescente — 108
  - Anuidade — 111
  - Anuidade crescente — 116
- 4.5 Amortização de empréstimos — 117
- 4.6 O que vale uma empresa? — 120
  - Resumo e conclusões — 122
  - Questões conceituais — 123
  - Questões e problemas — 124
  - Domine o Excel! — 133

Capítulo 5
Valor Presente Líquido e Outras Regras de Análise de Investimentos — 136

- 5.1 Por que utilizar o valor presente líquido? — 136
- 5.2 O método do período de *payback* — 139
  - Definição da regra — 139
  - Problemas com o método de *payback* — 140
  - Perspectiva dos gestores — 141
  - Resumo do *payback* — 141
- 5.3 O método do período de *payback* descontado — 142
- 5.4 Taxa interna de retorno — 142
- 5.5 Problemas com a abordagem da TIR — 145
  - Definição de projetos independentes e mutuamente excludentes — 145
  - Dois problemas gerais que afetam projetos independentes e mutuamente excludentes — 145
  - Problemas específicos para projetos mutuamente excludentes — 149
  - As qualidades que redimem a TIR — 153
  - Um teste — 154
- 5.6 Índice de lucratividade — 154
  - Cálculo do índice de lucratividade — 154
- 5.7 Prática do orçamento de capital — 156
  - Resumo e conclusões — 159
  - Questões conceituais — 159
  - Questões e problemas — 161
  - Domine o Excel! — 168

Capítulo 6
Decisões de Investimento de Capital — 170

- 6.1 Fluxos de caixa incrementais: a chave para o orçamento de capital — 170
  - Fluxos de caixa – Não lucro contábil — 170
  - Custos irrecuperáveis — 171
  - Custos de oportunidade — 172
  - Efeitos colaterais — 172
  - Custos alocados — 173
- 6.2 Companhia Baldwin: um exemplo — 173
  - Capital de giro — 174
  - Depreciação — 174
  - Cálculo de depreciação — 175
  - Análise do projeto — 177
  - Qual conjunto de livros? — 181
  - Observação sobre o capital de giro — 182
  - Observação sobre a depreciação — 183
  - Depreciação acelerada — 184
  - Despesa com juros — 185
- 6.3 Inflação e orçamento de capital — 185
  - Taxas de juros e inflação — 185
  - Fluxos de caixa e inflação — 186
  - Desconto: nominal ou real? — 187
- 6.4 Definições alternativas de fluxo de caixa operacional — 189
  - Abordagem de cima para baixo — 190
  - Abordagem de baixo para cima — 190
  - Abordagem do benefício fiscal — 191
  - Conclusão — 192
- 6.5 Alguns casos especiais de análise por fluxos de caixa descontados — 192
  - Avaliação de propostas de redução de custos — 192
  - Definição do preço em uma licitação — 194
  - Investimentos com vidas úteis diferentes: método do custo anual equivalente — 196
  - Resumo e conclusões — 198
  - Questões conceituais — 198
  - Questões e problemas — 199
  - Domine o Excel! — 208

Capítulo 7
Análise de Riscos, Opções Reais e Orçamento de Capital — 210

- 7.1 Análise de sensibilidade, análise de cenários e análise de ponto de equilíbrio — 210
  - Análise de sensibilidade e análise de cenários — 211
  - Análise de ponto de equilíbrio — 214
- 7.2 Simulação de Monte Carlo — 217
  - Etapa 1: Especificar o modelo básico — 218
  - Etapa 2: Especificar uma distribuição para cada variável do modelo — 218
  - Etapa 3: O computador extrai um resultado — 220
  - Etapa 4: Repetir o procedimento — 221
  - Etapa 5: Calcular o VPL — 221

7.3	Opções reais	222		
	Opção de expansão	222		
	Opção de abandono	223		
	Opções de espera	225		
7.4	Árvores de decisão	226		
	Resumo e conclusões	228		
	Questões conceituais	228		
	Questões e problemas	229		
	Domine o Excel!	235		

Capítulo 8
Taxas de Juros e Avaliação de Títulos de Dívida — 238

- 8.1 Títulos de dívida e sua avaliação — 239
  - Características e preços dos títulos de dívida — 239
  - Valores e retornos dos títulos de dívida — 239
  - Risco da taxa de juros — 243
  - Como encontrar o retorno até o vencimento: mais tentativa e erro — 244
  - Títulos de cupom zero — 246
- 8.2 Títulos públicos e títulos corporativos — 248
  - Títulos públicos — 248
  - Títulos de dívida corporativos — 249
  - Classificação de risco de títulos de dívida — 251
- 8.3 Mercados de títulos de dívida — 252
  - Como os títulos de dívida são comprados e vendidos — 252
  - Relatórios de preços de títulos de dívida — 253
  - Uma observação sobre cotações de preços dos títulos de dívida — 256
- 8.4 Inflação e taxas de juros — 256
  - Taxas reais versus taxas nominais — 257
  - Risco de inflação e títulos de dívida indexados à inflação — 258
  - O efeito Fisher — 259
- 8.5 Determinantes dos retornos de títulos de dívida — 260
  - A estrutura a termo das taxas de juros — 260
  - Retornos de títulos de dívida e a curva de retornos: montando o quebra-cabeça — 263
- 8.6 Características gerais dos títulos de dívida brasileiros — 265
  - Títulos públicos federais — 265
  - Negociação, registro e liquidação de títulos públicos — 266
  - Tipos gerais de títulos públicos brasileiros — 268
  - Denominação de títulos públicos, contagem de dias e expressão de taxas — 269
  - Principais títulos de dívida corporativa no Brasil — 270
  - Títulos de dívida ou títulos de crédito? — 270
  - Títulos de dívida emitidos por empresas brasileiras no exterior — 272
  - Operações estruturadas — 272
  - Classificação de risco de títulos de dívida no Brasil — 274
  - Conclusão — 276
  - Resumo e conclusões — 276
  - Questões conceituais — 276
  - Questões e problemas — 277
  - Domine o Excel! — 281

Capítulo 9
Avaliação de Ações — 283

- 9.1 Valor presente de ações — 283
  - Dividendos versus ganhos de capital — 283
  - Avaliação de diferentes tipos de ações — 284
- 9.2 Estimativas de parâmetros no modelo de descontos de dividendos — 288
  - De onde vem g? — 288
  - De onde vem R? — 290
  - Ceticismo saudável — 291
  - Dividendos ou lucros: qual descontar? — 291
  - Empresa sem dividendos — 292
- 9.3 Oportunidades de crescimento — 292
  - VPLOCs de empresas do mundo real — 294
  - Crescimento de lucros e dividendos versus oportunidades de crescimento — 295
- 9.4 Avaliação com empresas comparáveis — 296
  - Índice Preço/Lucro — 296
  - Índices de valor da empresa — 298
- 9.5 Avaliação da empresa como um todo — 299
- 9.6 Mercados de ações — 301
  - Dealers e corretores — 301
  - Organização da Nyse — 301
  - Operações da Nasdaq — 303
  - Relatórios do mercado de ações — 304
  - Operações da BM&FBOVESPA — 305
  - Sistemas de negociação e processamento de operações — 306
  - Câmara de arbitragem do mercado — 307
  - Participantes — 308
  - Corretoras — 309
  - Mercados do segmento BOVESPA — 309
  - O funcionamento do pregão e do after-market — 310
  - Leilões — 311
  - Formas de liquidação — 313
  - Central depositária — 315
  - Situações especiais — 316
  - Índices — 317
  - Aluguel de ativos — 318
  - Considerações finais — 319
  - Resumo e conclusões — 320
  - Questões conceituais — 320
  - Questões e problemas — 321
  - Domine o Excel! — 326

PARTE III   Risco

Capítulo 10
Risco e Retorno: Algumas lições da história do mercado de capitais — 329

- 10.1 Retornos monetários — 329
  - Retornos percentuais — 331
- 10.2 Retornos nos períodos de investimento — 333
  - O caso do mercado brasileiro — 336
- 10.3 Estatísticas de retornos — 338

10.4	Retornos médios de ações e retornos sem risco	342
	O retorno sem risco no mercado brasileiro	343
10.5	Estatística dos riscos	344
	Variância	344
	Distribuição normal e suas implicações para o desvio padrão	345
10.6	Mais informações acerca dos retornos médios	346
	Média aritmética *versus* média geométrica	346
	Cálculo dos retornos médios geométricos	347
	Retorno médio aritmético ou retorno médio geométrico?	348
10.7	Prêmio pelo risco de ações dos Estados Unidos: perspectivas históricas e internacionais	349
	A evolução do mercado brasileiro	351
10.8	O ano de 2008: uma das piores crises financeiras	354
	Resumo e conclusões	355
	Questões conceituais	355
	Questões e problemas	356
	Domine o Excel!	359

Capítulo 11
Retorno e Risco: Modelo de precificação de ativos financeiros (CAPM) — 362

11.1	Títulos individuais	362
11.2	Retorno esperado, variância e covariância	363
	Retorno esperado e variância	363
	Covariância e correlação	365
11.3	Retorno e risco para carteiras	368
	Retorno esperado de uma carteira	368
	Variância e desvio padrão de uma carteira	369
11.4	Conjunto eficiente formado por dois ativos	372
11.5	Conjunto eficiente formado por vários títulos	376
	Variância e desvio padrão de uma carteira de vários ativos	377
	A fronteira eficiente no mercado brasileiro	379
11.6	Diversificação	379
	Componentes previstos e inesperados das notícias	380
	Risco: sistemático e não sistemático	380
	A essência da diversificação	381
11.7	Tomar e conceder empréstimos sem risco	382
	A carteira ótima	384
11.8	Equilíbrio de mercado	386
	Definição de carteira de equilíbrio de mercado	386
	Definição de risco quando os investidores têm a carteira de mercado	387
	Fórmula do *beta*	389
	Um teste	389
11.9	Relação entre risco e retorno esperado (CAPM)	390
	Retorno esperado do mercado	390
	Retorno esperado de um título individual	391
	Resumo e conclusões	393
	Questões conceituais	394
	Questões e problemas	395
	Domine o Excel!	401

Capítulo 12
Teoria de Precificação por Arbitragem: Uma perspectiva diferente sobre risco e retorno — 403

12.1	Introdução	403
12.2	Risco sistemático e *betas*	403
12.3	Carteiras e modelos fatoriais	406
	Carteiras e diversificação	408
12.4	*Betas*, arbitragem e retornos esperados	410
	Relação linear	410
	Carteira de mercado e fator único	411
12.5	Modelo de precificação de ativos e teoria de precificação por arbitragem	412
	Diferenças pedagógicas	412
	Diferenças na aplicação	413
12.6	Abordagens empíricas para precificação de ativos	414
	Modelos empíricos	414
	Carteiras estilizadas	415
	Resumo e conclusões	417
	Questões conceituais	417
	Questões e problemas	418
	Domine o Excel!	422
	Estudos do modelo de quatro fatores no mercado brasileiro	423

Capítulo 13
Risco, Custo de Capital e Avaliação — 424

13.1	Custo de capital	424
13.2	Estimativa do custo do capital próprio com o CAPM	425
	Taxa sem risco	427
	Prêmio pelo risco de mercado	428
13.3	Estimativa de *beta*	429
	Betas do mundo real	429
	Estabilidade de *beta*	431
	Uso do *beta* de um setor	432
13.4	Determinantes de *beta*	433
	Ciclicidade das receitas	433
	Alavancagem operacional	433
	Alavancagem financeira e *beta*	434
13.5	Abordagem do modelo de descontos de dividendos	435
	Comparação entre MDD e CAPM	436
	O modelo CAPM no mercado brasileiro	436
	Como encontrar exemplos de avaliações de empresas no mercado brasileiro	437
13.6	Custo de capital para divisões e projetos	437
13.7	Custo de títulos de renda fixa	439
	Custo da dívida	439
	Custo das ações preferenciais	440
13.8	Custo médio ponderado de capital	441
13.9	Avaliação com R_{CMPC}	443
	Avaliação de projetos e o R_{CMPC}	443
	Avaliação da empresa com o R_{CMPC}	443
13.10	Estimativa do custo de capital da Eastman Chemical	446

13.11	Custos de emissão e custo médio ponderado de capital	447	Ações preferenciais	506
			Segmentos especiais de listagem	506
	Abordagem básica	448	Novo mercado	507
	Custos de emissão e VPL	449	Nível 2	508
	Capital interno e custos de emissão	450	Nível 1	508
	Resumo e conclusões	450	BOVESPA MAIS	508
	Questões conceituais	451	15.2 Dívidas de longo prazo emitidas por empresas	509
	Questões e problemas	452	É dívida ou capital próprio?	509
	Estudos de estimação do custo de capital no mercado brasileiro	458	Dívida de longo prazo: o básico	510
			A escritura de emissão	512
			O mercado de debêntures no Brasil	515

PARTE IV Estrutura de Capital e Política de Dividendos

Capítulo 14
Eficiência do Mercado de Capitais e Desafios Comportamentais — 459

- 14.1 As decisões de financiamento podem criar valor? — 459
- 14.2 Uma descrição dos mercados de capital eficientes — 462
  - Bases da eficiência do mercado — 463
- 14.3 Os tipos diferentes de eficiência — 465
  - A forma fraca — 465
  - As formas semiforte e forte — 465
  - Algumas concepções erradas comuns sobre a hipótese dos mercados eficientes — 467
- 14.4 As evidências — 468
  - A forma fraca — 468
  - A forma semiforte — 470
  - A forma forte — 474
- 14.5 O desafio de Finanças Comportamentais para a eficiência do mercado — 474
- 14.6 Desafios empíricos para a eficiência de mercados — 476
- 14.7 Revisando as diferenças — 482
- 14.8 Consequências para Finanças Corporativas — 483
  1. Escolhas contábeis, escolhas financeiras e a eficiência de mercado — 483
  2. A escolha do momento da decisão — 484
  3. Especulação e mercados eficientes — 487
  4. A informação nos preços do mercado — 488
  - Resumo e conclusões — 489
  - Questões conceituais — 491
  - Questões e problemas — 494

Capítulo 15
Financiamento de Longo Prazo: Uma introdução — 498

- 15.1 Algumas características das ações ordinárias e preferenciais — 498
  - Características de ações ordinárias — 498
  - Eleição de conselheiros de administração de empresas no Brasil — 499
  - Conselho fiscal — 503
  - Características de ações preferenciais — 503
  - Espécies, classes, preferências e vantagens — 505
  - Ações ordinárias — 505

- 15.3 Alguns tipos diferentes de títulos de dívida — 516
  - Títulos com taxa flutuante — 516
  - Outros tipos de títulos — 517
  - Cenário brasileiro – títulos de longo prazo com taxa flutuante — 517
- 15.4 Empréstimos bancários — 519
- 15.5 Padrões de financiamento — 519
- 15.6 Tendências recentes na estrutura de capital nos Estados Unidos — 521
  - O que é melhor: valor contábil ou de mercado? — 523
  - Resumo e conclusões — 523
  - Questões conceituais — 524
  - Questões e problemas — 525

Capítulo 16
Estrutura de Capital: Conceitos básicos — 527

- 16.1 O problema da estrutura de capital e a teoria da pizza — 527
- 16.2 Maximização do valor da empresa *versus* maximização da participação dos acionistas — 528
- 16.3 Alavancagem financeira e valor da empresa: um exemplo — 530
  - Alavancagem e retornos para os acionistas — 530
  - Escolha entre dívida e capital próprio — 532
  - Pressuposto fundamental — 534
- 16.4 Modigliani e Miller: Proposição II (sem tributos) — 534
  - O risco para os acionistas sobe com a alavancagem — 534
  - Proposição II: o retorno exigido para os acionistas sobe com a alavancagem — 535
  - M&M: interpretação — 540
- 16.5 Tributos — 543
  - A ideia básica — 543
  - Valor presente do benefício fiscal — 544
  - Valor da empresa alavancada — 545
  - Retorno esperado e alavancagem com tributos sobre lucros da pessoa jurídica — 547
  - Custo médio ponderado de capital, R_{CMPC}, com tributos sobre o lucro da pessoa jurídica — 548
  - Preço da ação e alavancagem com tributos sobre lucros da pessoa jurídica — 549
  - Resumo e conclusões — 551
  - Questões conceituais — 551
  - Questões e problemas — 552

Capítulo 17
Estrutura de Capital: Limites para o uso de dívida — 558

- 17.1 Custos de dificuldades financeiras — 559
  - Risco de falência ou custo de falência? — 559
- 17.2 Descrição de custos de dificuldades financeiras — 561
  - Custos diretos de dificuldades financeiras: custos legais e administrativos de recuperação judicial — 561
  - Custos indiretos de dificuldades financeiras — 562
  - Custos de agência — 563
- 17.3 Os custos de endividamento podem ser reduzidos? — 566
  - Cláusulas protetoras — 566
  - Consolidação da dívida — 568
- 17.4 Integração de efeitos fiscais e custos de dificuldades financeiras — 568
  - A pizza de novo — 569
- 17.5 Sinalização — 571
- 17.6 Negligências, regalias e investimentos ruins: uma observação acerca do custo de agência do capital próprio — 573
  - Efeito dos custos de agência do capital próprio sobre o financiamento por dívida ou capital próprio — 575
  - Fluxo de caixa livre — 575
- 17.7 Teoria da ordem hierárquica de financiamento — 576
  - Regras da ordem hierárquica de financiamento — 577
  - Implicações — 578
- 17.8 Tributos sobre a renda da pessoa física — 579
  - Princípios básicos dos tributos sobre a renda de pessoas físicas — 579
  - Efeito dos tributos de pessoa física sobre a estrutura de capital nos EUA — 579
  - Efeito dos tributos de pessoa física sobre a estrutura de capital no Brasil — 581
- 17.9 Como as empresas estabelecem a estrutura de capital — 582
- 17.10 Estrutura de capital no Brasil — 585
  - Resumo e conclusões — 591
  - Questões conceituais — 592
  - Questões e problemas — 592

Capítulo 18
Avaliação e Orçamento de Capital da Empresa Alavancada — 597

- 18.1 A abordagem do valor presente ajustado — 597
- 18.2 A abordagem do fluxo de caixa para o acionista — 600
  - Etapa 1: Cálculo do fluxo de caixa alavancado (FC_A) — 600
  - Etapa 2: Cálculo de R_S — 600
  - Etapa 3: Avaliação — 601
- 18.3 O método do custo médio ponderado de capital — 601
- 18.4 A comparação das abordagens de VPA, FPA e CMPC — 602
  - Diretriz sugerida — 603
- 18.5 Avaliação quando a taxa de desconto precisa ser estimada — 605
- 18.6 Exemplo de VPA — 607
- 18.7 *Beta* e alavancagem — 610
  - Projeto que não é de aumento de escala — 611
  - Resumo e conclusões — 613
  - Questões conceituais — 613
  - Questões e problemas — 613

Capítulo 19
Dividendos e Outras Formas de Distribuição de Lucros — 619

- 19.1 Diferentes tipos de distribuição de lucros — 619
- 19.2 Método padrão de distribuição de dividendos — 620
- 19.3 Dividendos na legislação societária brasileira — 623
  - Juros sobre o capital próprio — 626
- 19.4 Caso de referência: uma ilustração da irrelevância da política de dividendos — 629
  - Política atual: dividendo no valor do fluxo de caixa — 630
  - Política alternativa: dividendo inicial maior que o fluxo de caixa — 630
  - A proposição de indiferença — 630
  - Dividendos caseiros — 631
  - Um teste — 632
  - Dividendos e a política de investimentos — 632
- 19.5 Recompra de ações — 633
  - Recompras de ações nos Estados Unidos — 633
  - Recompras de ações no Brasil — 634
  - Dividendo *versus* recompra: exemplo conceitual — 635
  - Dividendos *versus* recompras: considerações do mundo real — 636
  - Recompras de ações no Brasil — 637
- 19.6 Impostos para pessoa física, dividendos e recompra de ações — 637
  - Empresas sem dinheiro suficiente para pagar dividendos — 638
  - Empresas com dinheiro suficiente para pagar dividendos — 639
  - Dividendos sobre o lucro fiscal ou sobre o lucro societário? — 641
  - Resumo dos impostos para pessoa física nos EUA — 642
- 19.7 Fatores reais que apoiam uma política de dividendos elevados — 642
  - Desejo de renda corrente — 642
  - Finanças comportamentais — 643
  - Custos de agência — 644
  - Conteúdo informacional e sinalização com dividendos — 645
- 19.8 O efeito clientela: uma solução para os fatores do mundo real? — 647
- 19.9 O que sabemos e o que não sabemos sobre políticas de dividendos — 649
  - Dividendos corporativos são substanciais — 649
  - Menos empresas pagam dividendos — 650
  - Empresas suavizam os dividendos — 651
  - Algumas evidências de pesquisas sobre os dividendos — 653
  - O caso brasileiro dos diferentes tipos de *payouts* — 654

19.10	Montando o quebra-cabeça	655	20.10	Registro de prateleira	706
19.11	Bonificação em ações e desdobramento de ações	657	20.11	Como abrir o capital de uma empresa no Brasil	707

19.11 Bonificação em ações e desdobramento de ações — 657
  Alguns detalhes sobre os desdobramentos de ações e as bonificações em ações nos EUA — 658
  Valor dos desdobramentos de ações e das bonificações em ações — 659
  Grupamento de ações — 660
  Resumo e conclusões — 661
  Questões conceituais — 662
  Questões e problemas — 664
  Dividendos no Brasil: leituras sugeridas — 670

PARTE V Financiamentos de Longo Prazo

Capítulo 20
Captação de Recursos — 671

20.1 Financiamento inicial e *venture capital* — 671
  Venture capital — 672
  Estágios de financiamento — 674
  Algumas verdades sobre o *venture capital* — 675
  Investimentos de *venture capital* e condições econômicas — 675
  Histórico de *venture capital* no Brasil — 676

20.2 Emissão pública — 677
  Cenário brasileiro — 679
  Modernização regulatória — 681

20.3 Métodos alternativos de emissão — 681

20.4 Oferta de ações — 683
  Bancos de investimento — 686
  O preço de oferta — 688
  Subprecificação: uma explicação possível — 688

20.5 Anúncios de emissão de novas ações e valor da empresa — 690

20.6 Custos das novas emissões — 691
  Os custos de abertura de capital: um estudo de caso — 692
  Os custos de abertura de capital no Brasil — 694
  A organização de um processo de emissão subsequente — 696

20.7 Direitos de subscrição — 697
  A mecânica de uma oferta de direitos — 699
  Preço de subscrição — 699
  Número de direitos necessários para comprar uma ação — 700
  Efeito da oferta de direitos no preço da ação — 700
  Efeitos sobre os acionistas — 702
  Processo de subscrição em uma emissão de direitos — 702

20.8 O quebra-cabeça dos direitos — 702

20.9 Diluição — 703
  Diluição da propriedade proporcional — 703
  Diluição do preço da ação — 704
  Valor contábil — 704
  Lucros por ação — 705
  Conclusão — 705

20.10 Registro de prateleira — 706

20.11 Como abrir o capital de uma empresa no Brasil — 707
  Os segmentos de listagem das ações na BM&FBOVESPA — 708
  Ofertas para investidores residentes no exterior — 710
  Definição das características da emissão — 710
  Período de silêncio — 710
  Anúncio da oferta — 711

20.12 Emissão de dívida de longo prazo — 712
  Empréstimos do BNDES — 713
  BNDES Finame — 714
  BNDES Finame Agrícola — 715
  Clientes — 715
  Itens financiáveis — 715
  Resumo e conclusões — 716
  Questões conceituais — 716
  Questões e problemas — 719

Capítulo 21
Arrendamento Mercantil (*Leasing*) — 723

21.1 Tipos de arrendamento mercantil — 723
  Noções básicas — 723
  Arrendamentos mercantis operacionais — 724
  Arrendamentos mercantis financeiros — 725

21.2 Contabilidade e arrendamento — 726
  Arrendamento pela norma norte-americana (FASB) — 726
  Arrendamento pela norma brasileira (IFRS) — 727
  Arrendamento nas demonstrações contábeis do arrendatário — 728
  Arrendamento mercantil nas demonstrações contábeis do arrendador — 729
  Transação de venda e retroarrendamento (*leaseback*) conforme a norma IFRS — 729
  Arrendamento: convergência entre IASB E FASB para normas de contabilização — 729

21.3 Arrendamentos e tributos — 729

21.4 Os fluxos de caixa do arrendamento — 730

21.5 Um desvio por fluxos de caixa descontados e capacidade de endividamento com tributação sobre lucros — 732
  Valor presente de fluxos de caixa sem risco — 732
  Nível ótimo de dívida e fluxos de caixa sem risco — 733

21.6 Análise do VPL da decisão entre compra ou arrendamento — 734
  A taxa de desconto — 735

21.7 Substituição de dívidas e avaliação de arrendamentos — 735
  Um conceito básico de substituição de endividamento — 735
  Nível ótimo de endividamento no exemplo da Xomox — 736

21.8 O arrendamento pode compensar? O caso base — 738

21.9 Motivos para arrendar — 739
  Bons motivos para arrendar — 740
  Maus motivos para arrendar — 742

21.10	Algumas questões não respondidas	744		

Os usos de arrendamentos e de endividamento são complementares? 744
Por que os arrendamentos são oferecidos tanto por fabricantes quanto por terceiras partes arrendadoras? 744
Por que alguns ativos são mais arrendados do que outros? 744
Resumo e conclusões 745
Questões conceituais 746
Questões e problemas 747

PARTE VI   Opções, Futuros e Finanças Corporativas

Capítulo 22
Opções e Finanças Corporativas 751

- 22.1 Opções 751
  - As opções na BM&FBOVESPA 752
- 22.2 Opções de compra 754
  - Valor de uma opção de compra no vencimento 754
- 22.3 Opções de venda 755
  - Valor de uma opção de venda no vencimento 756
- 22.4 Venda de opções 756
  - A venda de opções na BM&FBOVESPA 758
- 22.5 Cotações de opções 758
  - As cotações das opções na BM&FBOVESPA 759
  - Opções exóticas (opções flexíveis) 760
- 22.6 Combinações de opções 761
- 22.7 Avaliação de opções 764
  - Determinando os limites do valor de uma opção de compra 764
  - Fatores que determinam os valores da opção de compra 765
  - Breve discussão sobre os fatores que determinam os valores da opção de venda 768
- 22.8 Fórmula de cálculo do preço da opção 769
  - Modelo binomial 769
  - Modelo Black-Scholes 772
- 22.9 Ações e títulos de dívida como opções 776
  - A empresa expressa em termos de opções de compra 777
  - A empresa expressa em termos de opções de venda 779
  - Conciliação das duas visões 779
  - Uma nota sobre garantias para empréstimos 781
- 22.10 Opções e decisões corporativas: algumas aplicações 782
  - Fusões e diversificação 782
  - Opções e orçamento de capital 783
- 22.11 Investimento em projetos e opções reais 785
  - Resumo e conclusões 787
  - Questões conceituais 788
  - Questões e problemas 789
  - Domine o Excel! 796

Capítulo 23
Opções e Finanças Corporativas: Extensões e aplicações 799

- 23.1 Opções de ações para executivos (*stock options*) 799
  - Por que opções? 799
  - Os desafios do incentivo de longo prazo no Brasil 801
  - Avaliação da remuneração dos executivos 802
- 23.2 Avaliação de empresas em estágio inicial 804
- 23.3 Mais sobre o modelo binomial 807
  - Óleo para aquecimento 807
- 23.4 Decisões de fechamento e reabertura 813
  - Avaliação de uma mina de ouro 813
  - Decisões de abandono e abertura 814
  - Avaliação da mina de ouro simples 815
  - Resumo e conclusões 820
  - Questões conceituais 820
  - Questões e problemas 821

Capítulo 24
Bônus de Subscrição e Títulos Conversíveis 824

- 24.1 Bônus de subscrição 824
- 24.2 Diferença entre bônus de subscrição e opções de compra 825
  - Como a empresa pode prejudicar os titulares de bônus de subscrição 828
- 24.3 Precificação de bônus de subscrição e o modelo Black-Scholes 828
- 24.4 Títulos de dívida conversíveis 829
- 24.5 Valor dos títulos de dívida conversíveis 830
  - Valor do título de dívida não conversível 830
  - Valor de conversão 831
  - Valor da opção 831
- 24.6 Motivos para emitir bônus de subscrição e títulos conversíveis 833
  - Dívida conversível *versus* dívida pura 833
  - Dívida conversível *versus* ações 834
  - O mito do "almoço grátis" 835
  - O mito do "almoço caro" 835
  - Uma conciliação 836
- 24.7 Por que bônus de subscrição e títulos conversíveis são emitidos? 836
  - Casamento de fluxos de caixa 836
  - Sinergia de riscos 836
  - Custos de agência 837
  - Capital próprio indireto 837
- 24.8 Política de conversão 837
  - Caso da Light S/A 839
  - Caso da Minerva S/A 839
  - Caso da Iochpe-Maxion S/A 839
  - Resumo e conclusões 843
  - Questões conceituais 844
  - Questões e problemas 844

Capítulo 25
Derivativos e Seus Riscos — 847

- 25.1 Derivativos, *hedge* e risco — 847
- 25.2 Contratos a termo — 848
- 25.3 Contratos de futuros — 849
- 25.4 *Hedge* — 854
- 25.5 Contratos de futuros de taxa de juros — 856
  - Precificação de títulos do Tesouro dos EUA — 856
  - Precificação de contratos a termo — 856
  - Contratos de futuros — 858
  - *Hedge* em futuros de taxa de juros — 858
- 25.6 *Hedge* de duração — 863
  - Caso dos títulos de dívida com cupom zero — 863
  - Caso de dois títulos de dívida com o mesmo vencimento, porém com cupons diferentes — 864
  - Duração — 865
  - Casamento de passivos com ativos — 866
- 25.7 Contratos de *swap* — 869
  - *Swaps* de taxa de juros — 869
  - *Swaps* de moedas — 871
  - *Swaps* de crédito (CDS) — 871
  - Derivativos exóticos — 872
- 25.8 Uso de derivativos na prática — 874
  - Resumo e conclusões — 875
  - Questões conceituais — 875
  - Questões e problemas — 877

Capítulo 26
Derivativos no Mercado Brasileiro — 881

- 26.1 Breve histórico das bolsas brasileiras — 881
- 26.2 Funcionamento dos mercados de derivativos brasileiros — 882
- 26.3 Benefícios e riscos no uso de derivativos — 882
- 26.4 Operacionalização do mercado de derivativos na BM&FBOVESPA — 884
- 26.5 Contratos derivativos negociados na BM&FBOVESPA — 888
- 26.6 Contratos de futuros de taxa de juros — 890
  - Taxas a termo (*forward*) — 894
  - O ajuste diário — 895
  - Taxas implícitas no PU de DI-1 — 898
  - Liquidação no vencimento e ajuste diário — 899
  - Ajustes diários no *hedge* — 900
  - Operações de *hedge* e arbitragem com contratos de futuros DI-1 — 900
  - Usos mais frequentes do DI — 903
  - Resultados do *hedge* no mercado de DI — 904
- 26.7 Estrutura temporal, inflação e taxas de juros no Brasil: instrumentos para gestão e análise das taxas de juros — 905
  - A distinção entre estrutura a termo de taxas de juros e curva de retornos — 907
  - Inflação implícita e arbitragem entre curvas — 911
- 26.9 Operações de *swap* no Brasil — 913
- 26.10 Derivativos agropecuários — 916
  - O risco de base — 918
  - *Hedge* de compra com risco de base — 920
  - *Hedge* de venda com risco de base — 921
- 26.11 Derivativos negociados fora de Bolsa no Brasil — 921
- 26.12 Derivativos e tributação — 922
- 26.13 Derivativos e governança — 923
  - Divulgação de derivativos — 923
  - Governança do processo decisório em derivativos — 924
  - Resumo e conclusões — 925
  - Questões conceituais — 926
  - Questões e problemas — 926

PARTE VII Finanças de Curto Prazo

Capítulo 27
Planejamento e Finanças de Curto Prazo — 929

- 27.1 No caminho do caixa e do capital de giro — 930
  - Uma visão integrada do capital de giro — 932
- 27.2 Ciclo operacional e ciclo financeiro — 935
  - Definição dos ciclos operacional e financeiro — 935
  - O ciclo operacional e o organograma da empresa — 937
  - Cálculo dos ciclos operacional e financeiro — 937
  - Interpretando o ciclo financeiro — 940
  - Exame dos ciclos operacional e financeiro — 940
- 27.3 Alguns aspectos da política financeira de curto prazo — 941
  - O tamanho do investimento de uma empresa em ativos circulantes — 941
  - Políticas alternativas de financiamento para ativos circulantes — 943
  - Qual é melhor? — 945
- 27.4 Orçamento financeiro de curto prazo — 946
  - Saídas de caixa — 947
  - O saldo de caixa — 948
- 27.5 Plano financeiro de curto prazo — 948
  - Empréstimos bancários para capital de giro — 948
  - Empréstimos para capital de giro com garantia de recebíveis — 950
  - Garantias para linhas de crédito — 952
  - Operações de fomento comercial (*Factoring*) — 952
  - Financiamento de estoques — 952
- 27.6 O capital de giro e o crescimento sustentável — 952
  - Crescimento sustentável *versus* efeito tesoura — 957
  - Resumo e conclusões — 959
  - Questões conceituais — 960
  - Questões e problemas — 961
  - Domine o Excel! — 970

Capítulo 28
Gestão do Caixa — 972

- 28.1 Motivos para manter saldos de caixa — 972
  - Os motivos especulação e precaução — 972
  - O motivo transação — 973

Saldos médios	973	
Custos de manter saldos de caixa	973	
Gestão de caixa *versus* gestão da liquidez	973	
Reservas bancárias	974	
As taxas Selic e DI	974	
Data de transação e data de liquidação financeira	975	
Exemplos de datas de liquidação financeira em negócios usuais	976	
O Sistema de Pagamentos Brasileiro – SPB	976	
Infraestrutura do sistema de pagamentos brasileiro	977	
Instrumentos de pagamento no Brasil	978	
Canais de atendimento	981	

28.2 O *float* — 983
- *Float* de desembolso — 983
- *Float* de cobrança e *float* líquido — 984
- Administração do *float* — 985
- Transferência eletrônica de dados: o fim do *float*? — 990

28.3 Cobrança e concentração de caixa — 991
- Componentes do prazo de recebimento — 991
- Cobrança — 991

28.4 Administração dos desembolsos de caixa — 992
- Aumento do *float* de desembolso — 992
- Controle de desembolsos — 992

28.5 Investimento do caixa ocioso — 993
- Excedentes temporários de caixa — 994
- Aplicações financeiras de curto prazo — 994
- Alguns tipos diferentes de títulos do mercado monetário — 995
- Mais estratégias de gestão do caixa — 997
- Resumo e conclusões — 998
- Questões conceituais — 999
- Questões e problemas — 1000

Capítulo 29
Administração de Crédito e de Estoques — 1002

29.1 Crédito e contas a receber — 1002
- Componentes da política de crédito — 1003
- Fluxos de caixa da concessão de crédito — 1003
- O investimento em contas a receber — 1004

29.2 Condições de venda — 1004
- A forma básica — 1004
- Prazo do crédito — 1005
- Descontos — 1007
- Instrumentos de crédito — 1009

29.3 Análise da política de crédito — 1010
- Efeitos da política de crédito — 1011
- Avaliação de uma política de crédito proposta — 1011

29.4 Política de crédito ótima — 1013
- A curva do custo total do crédito — 1013
- Organização da função de crédito — 1014

29.5 Análise de crédito — 1015
- Quando o crédito deve ser concedido? — 1015
- Informações de crédito — 1016
- Avaliação e classificação de crédito — 1017

29.6 Política de cobrança — 1017
- Monitoramento de contas a receber — 1017
- Esforço de cobrança — 1018

29.7 Gestão de estoques — 1019
- O administrador financeiro e a política de estoques — 1019
- Tipos de estoque — 1019
- Custos do estoque — 1020

29.8 Técnicas de gestão de estoques — 1020
- A abordagem ABC — 1020
- O modelo do lote econômico — 1021
- Extensões do modelo do lote econômico — 1025
- Gestão dos estoques de demanda derivada — 1025
- Resumo e conclusões — 1027
- Questões conceituais — 1028
- Questões e problemas — 1029

PARTE VIII Tópicos Especiais

Capítulo 30
Fusões, Aquisições e Desinvestimentos — 1033

30.1 Formas básicas de aquisição — 1033
- Fusão ou incorporação — 1033
- Aquisição de ações — 1034
- Aquisição de ativos — 1035
- Esquema de classificação — 1035
- Observação sobre tomadas de controle (*takeovers*) — 1036

30.2 Sinergia — 1037

30.3 Fontes de sinergia — 1039
- Aumento de receitas — 1039
- Redução de custos — 1040
- Ganhos de impostos — 1041
- Redução das necessidades de capital — 1044

30.4 Dois efeitos colaterais financeiros de aquisições — 1045
- Crescimento de lucros — 1045
- Diversificação — 1046

30.5 Custo para acionistas com a redução de riscos — 1046
- Caso base — 1047
- Ambas as empresas têm dívidas — 1047
- Como os acionistas podem reduzir seus prejuízos advindos do efeito de cosseguro? — 1049

30.6 VPL de uma fusão — 1049
- Caixa disponível — 1049
- Ações — 1050
- Dinheiro *versus* ações — 1051

30.7 Tomadas de controle amigáveis *versus* hostis — 1052

30.8 Táticas defensivas — 1055
- Dissuasão de tomadas de controle antes de a empresa estar em jogo — 1055
- Dissuasão de uma tomada de controle depois de a empresa estar em jogo — 1057

30.9 As fusões agregam valor? — 1060
- Retornos para as ofertantes — 1061
- Empresas-alvo — 1062
- Gestores *versus* acionistas — 1062

30.10 Formas tributárias de aquisições — 1064
- Tributação em fusões e aquisições no Brasil — 1066

30.11	Contabilização de aquisições	1067	
30.12	Fechamento de capital e aquisições alavancadas	1068	
30.13	Desinvestimentos	1070	
	Venda	1070	
	Distribuição de capital em ações de controlada	1071	
	Captação de recursos com emissão de ações de controlada	1071	
	Ações de monitoramento	1072	
	Resumo e conclusões	1072	
	Questões conceituais	1073	
	Questões e problemas	1074	

Capítulo 31
Dificuldades Financeiras — 1081

Primeira parte: considerações gerais sobre recuperação judicial e práticas nos Estados Unidos — 1082

- 31.1 O que são dificuldades financeiras? — 1082
- 31.2 O que acontece quando há dificuldades financeiras? — 1084
- 31.3 Liquidação e reorganização judicial nos Estados Unidos — 1086
  - Liquidação judicial — 1086
  - Reorganização judicial — 1088
- 31.4 Acordo privado ou recuperação judicial: qual é melhor? — 1091
  - A empresa média — 1092
  - Obstruções ao processo de recuperação — 1092
  - Complexidade — 1093
  - Falta de informação — 1093
- 31.5 Recuperação judicial programada — 1093
- 31.6 Previsão de falências de empresas: o modelo *z-score* — 1094

Segunda parte: considerações gerais sobre recuperação judicial e falência no Brasil — 1096

- 31.7 O caso brasileiro: recuperação judicial, liquidação e falência de empresas — 1096
  - A dificuldade em sair da recuperação judicial — 1099
  - O caso Busscar — 1100
  - Resumo e conclusões — 1101
  - Questões conceituais — 1102
  - Questões e problemas — 1102

Capítulo 32
Finanças Corporativas Internacionais — 1104

- 32.1 Terminologia — 1105
- 32.2 Mercados de câmbio e taxas de câmbio — 1107
  - Taxas de câmbio — 1108
- 32.3 Paridade do poder de compra — 1112
  - Paridade do poder de compra absoluta — 1112
  - Paridade do poder de compra relativa — 1114
- 32.4 Paridade de taxa de juros, taxas a termo não viesadas e o efeito Fisher Internacional — 1116
  - Arbitragem de juros coberta — 1116
  - Paridade da taxa de juros — 1117
  - Taxas a termo e taxas à vista no futuro — 1118
  - Montando o quebra-cabeça — 1118
- 32.5 Orçamento internacional de capital — 1120
  - Método nº 1: abordagem da moeda doméstica do investidor — 1121
  - Método nº 2: abordagem da moeda estrangeira — 1121
  - Fluxos de caixa bloqueados — 1122
  - O custo do capital para empresas com atuação internacional — 1122
- 32.6 Risco da taxa de câmbio — 1123
  - Exposição a curto prazo — 1123
  - Exposição a longo prazo — 1124
  - Exposição à conversão de demonstrações contábeis — 1125
  - Administração do risco da taxa de câmbio — 1127
- 32.7 Risco político — 1128
- 32.8 Captação de recursos e gestão do caixa no exterior — 1128
  - Captações locais por subsidiárias e controladas no exterior — 1133
  - Visão geral do mercado dos Estados Unidos — 1133
  - Aplicações de caixa — 1136
  - Sistema de pagamentos — 1136
  - Gestão de desembolsos de caixa — 1138
  - Tópicos de gestão de contas a receber nos Estados Unidos — 1140
  - Como acelerar as cobranças: um exemplo — 1141
  - Aumento do *float* de desembolso — 1142
  - Gestão de caixa internacional — 1142
  - Organização da função de crédito — 1143
  - Resumo e conclusões — 1144
  - Questões conceituais — 1145
  - Questões e problemas — 1146
  - Domine o Excel! — 1149

Referências — 1151
Glossário — 1157
Índice — 1175

Introdução às Finanças Corporativas

A remuneração dos executivos passou a ser uma questão de interesse dos investidores no mercado brasileiro e continua sendo uma questão complicada nos Estados Unidos. Em 2013, muitas companhias abertas brasileiras ainda não divulgavam a remuneração dos seus executivos, o que é exigido pelas normas da Comissão de Valores Mobiliários (CVM) desde 2009. Nos Estados Unidos, é de conhecimento geral que a remuneração de um diretor-presidente cresceu a níveis exorbitantes (pelo menos em alguns casos); parece que esse ainda não é caso no Brasil. Nos EUA, em julho de 2012, a *Dodd – Frank Wall Street Reform and Consumer Protection Act* (Lei Dodd-Frank de Reforma de Wall Street e Proteção ao Consumidor) entrou em vigor. A seção da lei que diz respeito ao direito de os acionistas opinarem sobre a política de remuneração (*say on pay*) exige que, a partir de janeiro de 2011, as empresas norte-americanas com um valor de mercado acima de $ 75 milhões permitam o voto de acionistas sobre o pacote de remuneração dos executivos (observe que, como a lei se aplica a empresas de capital aberto, ela não permite que eleitores decidam os honorários de senadores e representantes norte-americanos).

Especificamente, a Dodd-Frank permite que acionistas de empresas norte-americanas opinem sobre os planos de remuneração dos executivos de uma companhia norte-americana. Como a lei não vincula a decisão dos executivos, ela não permite que acionistas vetem um pacote de remuneração e não impõe limites à remuneração dos executivos. Em fevereiro de 2011, os acionistas do Beazer Homes USA e o grupo Jacobs Engineering tornaram-se os primeiros a votar contra a remuneração dos executivos sob a nova lei. Um analista previu que as duas companhias não estariam sozinhas. Ele previu que muitas companhias receberiam votos negativos de acionistas no futuro próximo.

Entender como uma empresa estabelece a remuneração dos executivos e qual o papel dos acionistas no processo nos remete a questões envolvendo a organização, o objetivo e o controle de uma empresa de capital aberto. Todas essas questões serão estudadas neste capítulo.

Para ficar por dentro dos últimos acontecimentos na área de finanças, visite **www.rwjcorporatefinance.blogspot.com**.

1.1 O que são Finanças Corporativas?

Suponha que você decida começar uma empresa para fabricar bolas de tênis. Para isso, você contrata gestores que comprarão a matéria-prima e monta uma força de trabalho para a produção e venda do produto final. Na linguagem das finanças, você faz um investimento em ativos como estoque, maquinário, terreno e no pagamento de trabalhadores. A quantidade de dinheiro que você investir em ativos deve corresponder à igual quantidade de dinheiro que você precisa levantar para financiar esses ativos. Quando você começar a vender bolas de tênis, sua empresa gerará caixa. Essa é a base da criação de valor. O objetivo da empresa é criar valor para você, o proprietário. O valor está refletido na estrutura do modelo simples de balanço patrimonial da empresa.

O modelo do balanço patrimonial da empresa

Imagine que capturamos uma imagem instantânea das finanças e das atividades da empresa em um dado momento. A Figura 1.1 mostra o balanço patrimonial graficamente e o ajudará na introdução às Finanças Corporativas.

Os ativos da empresa encontram-se ao lado esquerdo do balanço patrimonial. Esses ativos podem ser considerados circulantes e não circulantes. *Ativos não circulantes* são aqueles que terão uma duração prolongada, como prédios. Alguns ativos não circulantes são tangíveis, como máquinas e equipamentos, classificados na Contabilidade como Ativo Imobilizado. Outros ativos não circulantes são intangíveis, como patentes e marcas registradas, classificados na Contabilidade como Ativo Intangível. A outra categoria de ativos – os ativos circulantes – compreende aqueles de curta duração – um estoque, por exemplo. As bolas de tênis que sua empresa produziu, mas ainda não vendeu, são parte do estoque. A menos que você tenha produzido em excesso, elas deixarão a empresa em pouco tempo.

Antes que uma empresa possa investir em um ativo, ela deve arranjar o seu financiamento, o que significa que ela deve levantar fundos para pagar pelo investimento. As formas de financiamento estão representadas no lado direito do balanço patrimonial. Uma empresa emitirá (venderá) pedaços de papel chamados de *títulos de dívida* (títulos representativos de empréstimos) ou *ações* (certificados de participação patrimonial). Assim como os ativos são classificados como de curta ou longa duração, os passivos são classificados da mesma forma. Uma dívida de curto prazo é chamada de *passivo circulante*. Dívidas de curto prazo representam empréstimos e outras obrigações que precisam ser pagas dentro de um ano. Dívidas de longo prazo não precisam ser pagas dentro de um ano e, no balanço patrimonial, são chamadas de *passivo não circulante*. O patrimônio líquido dos acionistas representa a diferença entre o valor dos ativos e as dívidas da empresa. Nesse sentido, ele é um direito residual sobre os ativos da empresa.

A partir do modelo do balanço patrimonial da empresa, é fácil observar por que as finanças podem ser pensadas como o estudo das três questões a seguir:

1. Em que ativos de longa duração a empresa deveria investir? Essa questão diz respeito ao lado esquerdo do balanço patrimonial. Obviamente, o tipo e a proporção de ativos de que a empresa necessita costumam ser estabelecidos pela natureza do negócio. Usamos o termo

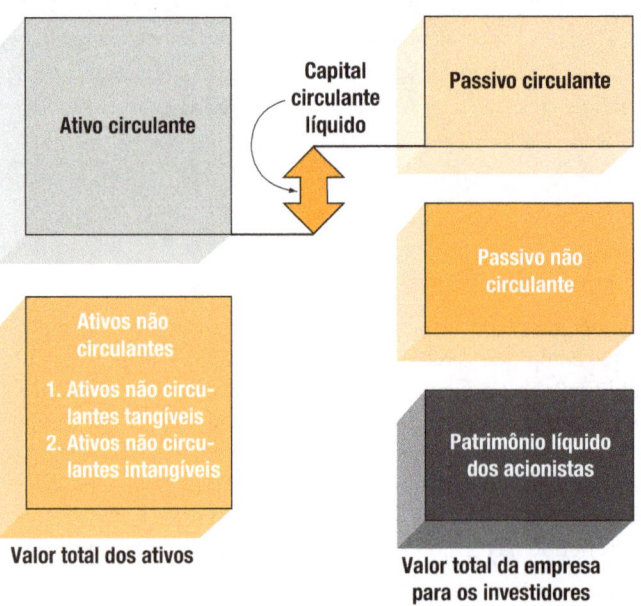

FIGURA 1.1 O modelo patrimonial da empresa.

orçamento de capital para descrever o processo de realizar e gerir as despesas envolvendo ativos de longo prazo.

2. Como a empresa pode reunir fundos para as despesas de capital exigidas? Essa questão diz respeito ao lado direito do balanço patrimonial. A resposta a essa questão envolve a **estrutura de capital** da empresa, representada pelas proporções do financiamento por dívidas com vencimentos de curto e de longo prazos e pelo capital dos acionistas.

3. Como fluxos de caixa de curto prazo devem ser administrados? Essa questão diz respeito à parte superior do balanço patrimonial. Muitas vezes, há um desequilíbrio entre a distribuição no tempo dos fluxos de entrada e de saída de caixa durante as atividades operacionais. Além disso, a quantidade e a distribuição no tempo dos fluxos de caixa operacionais não são totalmente conhecidas. Gestores financeiros devem tentar administrar as defasagens dos fluxos de caixa. Da perspectiva do balanço patrimonial, a gestão de curto prazo para o fluxo de caixa está associada à gestão do **capital de giro da empresa**. O valor do capital de giro é igual ao valor do capital circulante líquido. O *capital circulante líquido* é definido como os ativos circulantes menos os passivos circulantes, enquanto o *capital de giro* é igual à soma do patrimônio líquido e do passivo não circulante deduzida do ativo não circulante. O capital de giro é um recurso de longo prazo não aplicado em ativos imobilizados e, portanto, disponível para financiar as aplicações circulantes. De uma perspectiva financeira, os problemas de fluxo de caixa de curto prazo surgem do desequilíbrio de fluxos de entrada e saída de caixa. Esse é o tema de finanças de curto prazo.

O gestor financeiro

Em grandes empresas, a atividade financeira é geralmente associada com os cargos mais altos, tais como vice-presidente, diretor financeiro e alguns cargos um pouco abaixo desses. A Figura 1.2 (p. 4) representa uma estrutura organizacional geral, enfatizando as atividades financeiras dentro da empresa.

O tesoureiro e o *controller* reportam-se ao diretor financeiro. O tesoureiro é responsável por lidar com fluxos de caixa, gerenciar as decisões de despesas de capital e executar os planos financeiros. O *controller* lida com funções contábeis, o que inclui tributos, custos, contabilidade financeira e sistemas de informação.

Para questões atuais enfrentadas pelos diretores financeiros nos Estados Unidos, acesse **www.cfo.com**.

1.2 A empresa de capital aberto

A empresa é uma forma de organizar a atividade econômica de muitas pessoas. Um problema básico da empresa é como captar fundos. A organização de negócios na forma de empresa de capital aberto – isto é, organizar a empresa na forma de uma sociedade por ações de capital aberto (S/A aberta) – é o método padrão para resolver problemas encontrados no levantamento de grandes quantias de dinheiro (o termo "aberto" significa que a esse tipo de empresa é autorizado a buscar financiamento diretamente junto ao público investidor). Os negócios, no entanto, podem tomar outras formas. Nesta seção, consideramos três formas básicas legais de organizar uma empresa e observamos como cada uma delas se comporta diante da tarefa de levantar grandes quantias de dinheiro.

A empresa individual

Uma **empresa individual** é aquela que pertence a apenas uma pessoa. Suponha que você decida abrir um negócio para fabricar ratoeiras. Iniciar o negócio é simples: você anuncia para todos que estiverem escutando "Hoje, irei construir a melhor ratoeira".

Você pode optar entre ser um **microempreendedor individual** ou um **empresário individual**. O microempreendedor individual trabalha por conta própria como pequeno empresário e pode ter um empregado contratado. Porém, seu faturamento anual máximo é R$ 60.000,00, e não poderá ter participação em outra empresa como sócio ou titular. Se optar por ser um empre-

Para informações sobre a organização de microempresas e empresas individuais consulte: **http://www.portaldoempreendedor.gov.br/**

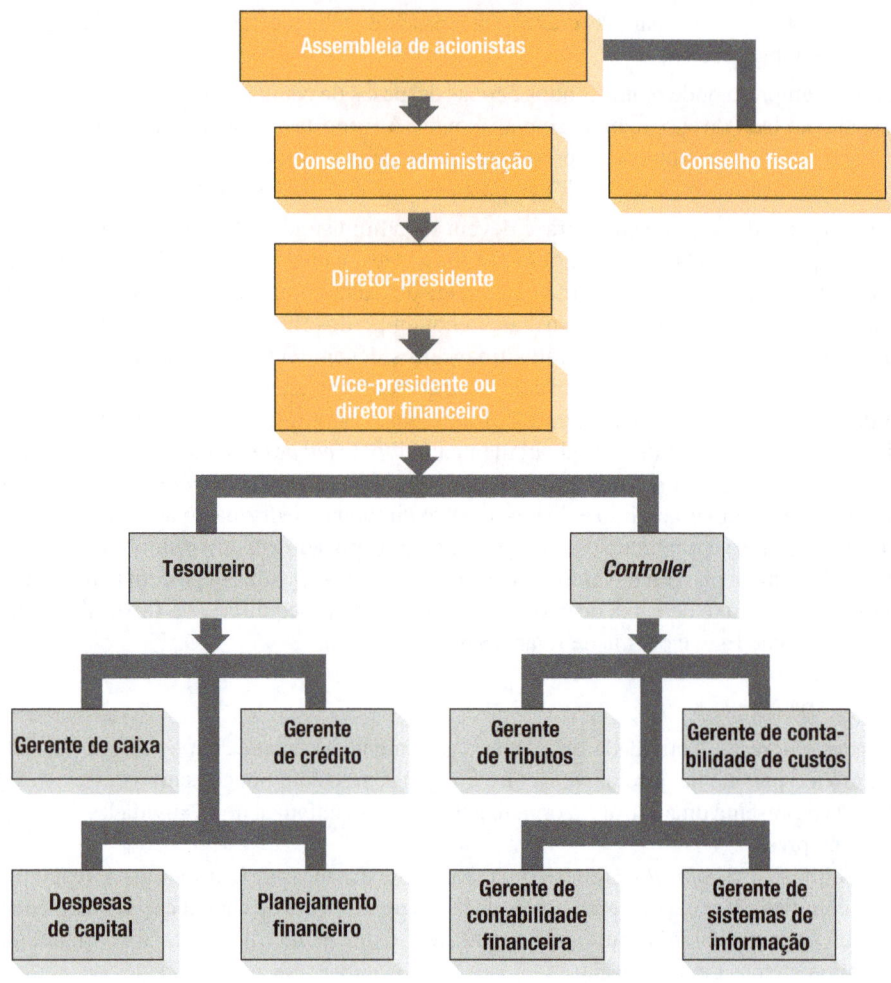

FIGURA 1.2 Quadro organizacional hipotético da função financeira.

sário individual, constituirá uma **EIRELI**[1]. Você precisa registrar a empresa na Junta Comercial e, em função da natureza das atividades constantes do objeto social, fazer inscrições em outros órgãos, como Receita Federal (CNPJ), Secretaria de Fazenda do Estado (inscrição estadual e ICMS) e Prefeitura Municipal (concessão do alvará de funcionamento e autorização de órgãos responsáveis pela saúde, segurança pública, meio ambiente e outros, conforme a natureza da atividade). Após isso, você pode começar a contratar as pessoas necessárias e talvez buscar empréstimos em dinheiro para o que precisar. Ao final do ano, todos os lucros e perdas serão seus.

Aqui estão alguns fatores importantes que devem ser considerados para uma empresa individual:

1. Uma empresa individual é a forma de negócio mais barata. Poucas características formais são exigidas e, na maioria dos setores, há poucas regulamentações governamentais a serem cumpridas.
2. Uma empresa individual paga impostos simplificados, e todos os lucros do negócio são tributados como renda de pessoa jurídica, no caso da EIRELI.

---

[1] Criada pela Lei nº 12.441, de 11 de julho 2011, a empresa individual de responsabilidade limitada é constituída por uma única pessoa titular da totalidade do capital social integralizado, não inferior a 100 vezes o maior salário-mínimo vigente no país. O nome empresarial deve ser formado pela inclusão da expressão "EIRELI" após o nome da firma ou da denominação social (Brasil, 2011). O patrimônio da EIRELI é apartado do patrimônio do titular de seu capital social; porém, quem constituir esse tipo de empresa só pode figurar em uma única empresa dessa modalidade.

3. Em decorrência da segregação de dívidas e obrigações decorrentes dos negócios na pessoa jurídica, a empresa individual tem passivos limitados à EIRELI, sem confundir os ativos pessoais do empresário individual e os do negócio.
4. A vida da empresa individual é limitada pela vida do proprietário.
5. Em razão de que o único dinheiro investido na empresa é o do proprietário, o capital próprio que pode ser levantado está limitado aos recursos do proprietário.

A sociedade

Duas ou mais pessoas podem formar uma sociedade. Elas se enquadram em duas categorias: (1) sociedades sem limitação de responsabilidades para os sócios e (2) sociedades com responsabilidades limitadas para os sócios.

Em uma *sociedade sem limitação de responsabilidades para os sócios*, todos concordam em contribuir com alguma parte do trabalho e do dinheiro e compartilhar os lucros e os prejuízos. Cada sócio é responsável por todas as dívidas da sociedade. O contrato social especifica a natureza do acordo. Para que o acordo seja estabelecido, deve ser redigido um documento formal que deve ser registrado na Junta Comercial, ou em Cartório, ou em um órgão de representação de classe, como é o caso de empresas de advogados, cujo registro deve ser feito na OAB; um CNPJ deve ser obtido na Secretaria da Receita Federal; as empresas comerciais devem ter registro no órgão estadual que controla o ICMS; alvarás de funcionamento devem ser obtidos junto à prefeitura.

Sociedades com responsabilidade limitada para os sócios permitem que as obrigações de alguns sócios limitem-se à quantidade de dinheiro contribuído. Sociedades limitadas frequentemente exigem que (1) no mínimo um sócio seja sócio sem limitação de responsabilidades e (2) que os sócios de sociedades com responsabilidade limitada não participem da gestão do negócio. Os passos e registros exigidos das sociedades sem limitação de responsabilidade também são exigidos para as com responsabilidade limitada. Aqui estão alguns fatores importantes que devem ser considerados em uma sociedade:

1. Sociedades geralmente não têm custo elevado para serem formadas e são relativamente fáceis de formar. Além do contrato social, pode haver um Estatuto e, em acordos mais complexos, um acordo de sócios. Além dos registros de praxe, licenças podem ser necessárias em alguns ramos. Há taxas de registro e custos administrativos, além do pagamento de eventuais licenças necessárias.

2. Em sociedades sem limitação de responsabilidades, todos os sócios têm responsabilidades ilimitadas e são solidários em relação a todas as obrigações da sociedade. Em algumas sociedades (sociedades por comandita), há duas categorias de sócios, os com responsabilidade limitada à contribuição em capital que cada um fez à sociedade (comanditários) que participam das deliberações, mas não participam da gestão e não podem ter seu nome na firma, e os sócios com responsabilidade ilimitada, responsáveis pela gestão.

3. Em sociedades limitadas, a responsabilidade de cada sócio é restrita ao capital que aportou à sociedade; o capital social é dividido em cotas iguais ou desiguais. A administração é de uma ou mais pessoas designadas no contrato social, ou em ato separado. É admitida a figura do administrador não sócio.

4. É difícil para uma sociedade levantar grandes quantias de dinheiro. Contribuições para o patrimônio da sociedade são geralmente limitadas à capacidade e vontade do sócio em contribuir com a sociedade. Muitas grandes empresas globais, como a Apple, começaram a vida como uma empresa individual ou uma pequena sociedade, mas, em algum ponto, escolheram mudar para uma empresa de capital aberto.

5. O lucro de uma sociedade é tributado na empresa, e a distribuição de lucros para os sócios é considerada rendimento tributado na fonte, isento de tributação na pessoa física dos sócios.

6. O controle de gestão está nas mãos dos sócios que não têm limitação de responsabilidades. Normalmente, o contrato social (ou o estatuto) exige o voto majoritário em assuntos importantes, tais como a quantidade de lucro a ser retida nos negócios.

Para informações sobre a organização de sociedades, consulte o Código Civil Brasileiro: http://www.planalto.gov.br/ccivil_03/Leis/2002/L10406.htm.

É difícil para organizações de grande porte existir como empresas individuais ou sociedades. A principal vantagem de uma empresa individual ou sociedade é o custo para iniciar. Por outro lado, as desvantagens, que podem se tornar severas, são (1) obrigação ilimitada dos sócios, (2) vida limitada do empreendimento e (3) dificuldade na transferência de proprietário. Essas três desvantagens levam a outra: (4) dificuldade em levantar dinheiro.

A empresa de capital aberto

Dos diversos tipos de empreendimentos empresariais, a **empresa de capital aberto**, ou sociedade por ações de capital aberto (S/A aberta), é, de longe, a mais importante. É uma entidade legal com vida própria. Esse tipo de empresa pode ter um nome e usufruir de muitos dos poderes legais de que uma pessoa física usufrui. Por exemplo, ela pode adquirir e trocar propriedades, celebrar contratos, processar e ser processada. Para fins jurisdicionais, a empresa de capital aberto é um cidadão do país em que está constituída (porém, ela não pode votar).

Para saber mais sobre a organização de empresas de capital aberto, consulte a Lei das Sociedades por Ações: http://www.planalto.gov.br/ccivil_03/Leis/L6404consol.htm.

Iniciar empresas de capital aberto é mais complexo do que iniciar empresas individuais ou sociedades. A constituição de companhia por subscrição pública depende do prévio registro da emissão na Comissão de Valores Mobiliários, e a subscrição somente poderá ser efetuada com a intermediação de instituição financeira. O pedido de registro de emissão junto à Comissão de Valores Mobiliários deve incluir os seguintes documentos: o estudo de viabilidade econômica e financeira do empreendimento; o projeto do estatuto social; e o prospecto, organizado e assinado pelos fundadores e pela instituição financeira intermediária. O estatuto deve incluir (com a observância da Lei Societária Brasileira e as normas da Comissão de Valores Mobiliários, CVM, no que couber) o que segue:

1. Nome da empresa, sede e duração.
2. Objeto social (quais os negócios em que a empresa atuará).
3. Composição do capital, número e classes de ações, forma e condições para a emissão de novas ações.
4. Direitos garantidos a cada classe de acionistas.
5. Normas gerais para a administração da empresa, para eleição e composição do conselho de administração e diretoria, atribuições do conselho de administração e diretoria e comitês do conselho de administração ou comitês executivos.
6. Número de componentes do conselho fiscal, suas atribuições e definição de seu funcionamento permanente ou instalação a cada assembleia geral ordinária.
7. Procedimentos para instalação da Assembleia Geral (Ordinária e Extraordinária) e seus poderes.
8. Previsão dos procedimentos em caso de liquidação da empresa.

As normas estabelecidas no Estatuto são as regras a serem usadas pela empresa a fim de regular a própria existência; elas atingem acionistas, conselheiros, diretores e funcionários. Elas vão desde regras simples e breves sobre a gestão da empresa até centenas de páginas de texto.

Em seu formato simples, a empresa de capital aberto abrange três grupos diferentes: os acionistas (os proprietários), os conselheiros de administração e a diretoria (alta administração). Os acionistas tradicionalmente controlam a direção, as políticas e as atividades da sociedade, por meio da eleição dos membros do conselho de administração que, por sua vez, elege a diretoria. Membros da diretoria trabalham como funcionários estatutários da empresa e dirigem as operações da empresa tendo em vista o interesse dos acionistas. Em empresas de capital fechado com poucos acionistas, pode haver uma grande sobreposição entre acionistas controladores, conselheiros de administração e diretoria. No entanto, em grandes sociedades por ações, os acionistas, os conselheiros de administração e a diretoria costumam ser formados por grupo diferentes. No caso brasileiro, em um grande número de empresas de capital aberto, o acionista controlador ou acionistas controladores podem ter controle quase total sobre a administração. Essa é a principal razão da existência do conselho fiscal, um órgão subordinado somente à assembleia de acionistas. No caso de empresas norte-americanas, acionistas, conselho de administração e diretoria podem constituir grupos com interesses distintos.

A possibilidade de separação entre a propriedade e a gestão dá às empresas de capital aberto muitas vantagens sobre empresas individuais e sociedades.

1. Como a propriedade em uma empresa de capital aberto é representada por ações, ela pode ser transferida facilmente para novos donos. Pelo fato de a empresa existir independentemente daqueles que detêm as ações, não há limites para a transferência de propriedade como há em outras sociedades.
2. A empresa de capital aberto tem uma vida ilimitada. Como ela está separada de seus proprietários, a morte ou a desistência de um proprietário não afeta sua existência legal. A empresa pode continuar após os proprietários originais terem se retirado.
3. A obrigação dos acionistas está limitada à quantidade investida na fatia de propriedade representada pelas ações. Por exemplo, se um acionista comprou $ 1.000 em ações de uma empresa de capital aberto, a sua perda potencial seria de $ 1.000. Em outro tipo de sociedade, um sócio sem limitação de responsabilidades, com uma contribuição de $ 1.000, poderia perder esse valor e mais o que vier a ser responsabilizado por dívidas assumidas pela empresa.

A responsabilidade limitada, a facilidade de transferência da propriedade e a sucessão de caráter perpétuo são a maior vantagem da organização de negócios na forma de uma empresa de capital aberto. Isso dá à empresa uma maior capacidade para levantar recursos.[2] O Quadro 1.1 (p. 8) resume nossa discussão sobre empresas de capital aberto e sociedades limitadas.

Uma empresa de capital aberto com outro nome...

A organização de negócios na forma de empresa de capital aberto apresenta muitas variações ao redor do mundo. Obviamente, as leis e as regulamentações exatas diferem de um país para outro, mas as características essenciais do domínio público e da responsabilidade limitada permanecem. Essas empresas quase sempre são chamadas de *sociedades por ações*, *sociedades abertas* ou *sociedades de responsabilidade limitada*, dependendo da natureza específica da empresa e do país de origem.

O Quadro 1.2 (p. 8) mostra os nomes de algumas conhecidas empresas internacionais de capital aberto, seus países de origem e uma tradução da abreviação que acompanha cada nome.

1.3 A importância do fluxo de caixa

A tarefa mais importante de um gestor financeiro é criar valor com as atividades de orçamento de capital, estrutura de capital e capital de giro da empresa. Como os gestores financeiros criam valor? Para responder a essa pergunta, considere que a empresa deveria:

1. Tentar comprar ativos que gerem mais caixa do que o gasto no seu custo.
2. Emitir títulos de dívida, ações e outros instrumentos financeiros que levantem mais caixa do que o seu custo.

---

[2] Nos Estados Unidos, atualmente, todos os Estados possuem leis que permitem a criação de uma forma de organização de negócios relativamente nova lá: a companhia limitada (*limited liability company* – LLC). O objetivo dessa entidade é operar e ser tributada como uma sociedade, mas conservar a responsabilidade limitada dos proprietários; assim, a LLC é essencialmente um híbrido entre outras formas de sociedade e empresas de capital aberto. Embora os Estados tenham definições diferentes para as LLCs, o que importa é a Receita Federal (*Internal Revenue Service* – IRS). O IRS a considera uma empresa de capital aberto, sujeitando-a à dupla tributação, a menos que ela atenda a determinados critérios específicos. Fundamentalmente, a LLC não pode ter muitas características de empresa de capital aberto; caso contrário, será tratada como uma corporação pelo IRS. As LLCs tornaram-se comuns. Por exemplo, a Goldman, Sachs and Co., uma das poucas sociedades remanescentes em Wall Street, resolveu passar de sociedade privada para LLC (mais tarde ela "tornou-se aberta", transformando-se em uma companhia de capital aberto). A maioria das grandes empresas de contabilidade e escritórios de advocacia se converteu em LLCs. Para saber mais sobre as LLCs nos Estados Unidos, visite www.incorporate.com.

QUADRO 1.1 Uma comparação entre empresas de capital aberto e sociedades

	Empresas de capital aberto	Sociedades
Liquidez e negociabilidade	Ações podem ser trocadas sem o encerramento da empresa. A ação de empresas abertas é listada em bolsas de valores.	Cotas estão sujeitas a restrições substanciais sobre sua transferência. Normalmente, não há mercado estabelecido para cotas de sociedades.
Direito de voto	Normalmente, cada ação dá ao titular o direito a um voto no assunto em questão e permite um voto na eleição dos conselheiros de administração. Os conselheiros determinam a composição da diretoria.	Sócios com responsabilidade limitada têm direito a voto; no entanto, o sócio sem limitação de responsabilidade tem o controle exclusivo sobre a gestão das operações.
Tributação	O lucro é tributado nas empresas; dividendos não são tributáveis para os acionistas. Juros sobre capital próprio são classificados como despesas na empresa e rendimento tributável para os acionistas.	O lucro é tributado nas empresas; a distribuição de lucros pra os sócios é classificada como rendimento tributado exclusivamente na fonte, isentos como rendimento de pessoas físicas.
Reinvestimento e pagamento de dividendos	Dividendos devem ser pagos conforme determinado pelo Estatuto. A lei estabelece percentuais mínimos no caso de não previsão no Estatuto. O reinvestimento de lucros deve ser suportado por um orçamento de capital aprovado pelo conselho de administração.	Os lucros são distribuídos ou reinvestidos conforme decisão dos sócios.
Responsabilidades	Os acionistas não são pessoalmente responsáveis pelas obrigações da empresa.	Sócios de responsabilidade limitada não são responsáveis por obrigações da sociedade. Sócios sem limitação de responsabilidade podem ter obrigações ilimitadas.
Tempo de existência	Podem ter vida perpétua.	Tempo de vida limitado.

Uma empresa, portanto, deve criar fluxos de caixa maiores do que o que consome. Os fluxos de caixa pagos aos credores e aos acionistas de uma empresa deveriam ser maiores do que os fluxos de caixa colocados na empresa pelos credores e acionistas. Para entendermos como isso é feito, podemos seguir os fluxos de caixa da empresa até os mercados financeiros e, em seguida, fazer o caminho inverso.

A interação das atividades da empresa com os mercados financeiros é ilustrada na Figura 1.3 (p. 10). As flechas na Figura 1.3 indicam o fluxo de caixa da empresa até os mercados financeiros e o caminho inverso.

QUADRO 1.2 Empresas estrangeiras de capital aberto

		Tipo de empresa	
Empresa	País de origem	No idioma original	Tradução
Bayerische Motoren Werke (BMW) AG	Alemanha	Aktiengesellschaft	Empresa de capital aberto.
Red Bull GmBH	Áustria	Gesellschaft mit Beschränkter Haftung	Companhia com características híbridas entre uma sociedade limitada e uma companhia aberta.
Rolls-Royce PLC	Reino Unido	Public Limited Company	Companhia aberta; os acionistas têm responsabilidade limitada ao capital.
Shell UK Ltd.	Reino Unido	Limited	Empresas de capital aberto.
Unilever NV	Holanda	Naamloze Vennootschap	Misto de sociedade por ações de capital aberto e companhia limitada; os acionistas têm responsabilidade sobre as dívidas da sociedade.
Fiat SpA	Itália	Società per Azioni	Misto de sociedade por ações de capital aberto e companhia limitada; os acionistas têm responsabilidade sobre as dívidas da sociedade.
Volvo AB	Suécia	Aktiebolag	Misto de sociedade por ações de capital aberto e companhia limitada; os acionistas têm responsabilidade sobre as dívidas da sociedade.
Peugeot SA	França	Société Anonyme	Misto de sociedade por ações de capital aberto e companhia limitada, os acionistas têm responsabilidade sobre as dívidas da sociedade.

COM A PALAVRA, OS EXECUTIVOS:

Habilidades necessárias para um diretor financeiro segundo a *eFinance.com*

Diretor estrategista: Diretores financeiros precisam usar informações financeiras em tempo real para tomar decisões cruciais.

Diretor negociador: Diretores financeiros devem ser especialistas em *venture capital*, fusões, aquisições e parcerias estratégicas.

Diretor de riscos: Limitar os riscos será ainda mais importante à medida que os mercados tornam-se mais globais e os instrumentos de proteção (*hedge*) mais complexos.

Diretor comunicador: Ganhar a confiança de Wall Street e da mídia é fundamental.

Fonte: BusinessWeek, August 28, 2000, p. 120.

Imagine que iniciemos com as atividades de financiamento da empresa. Para levantar dinheiro, a empresa vende títulos de dívidas e ações a investidores no mercado financeiro. Isso resulta em fluxos de caixa que partem dos mercados financeiros em direção à empresa (*A*). Esse caixa é investido em atividades de investimento (ativos) da empresa (*B*) pela administração da empresa. O caixa gerado pela empresa (*C*) é pago a acionistas e credores (*F*). Os acionistas recebem caixa na forma de dividendos e juros sobre o capital próprio; os credores recebem juros e, quando os empréstimos são pagos, recebem o valor principal dos empréstimos. Nem todo o caixa da empresa é utilizado para pagamentos a investidores. Uma parte é retida (*E*), e outra parte é paga ao governo em forma de impostos (*D*).

Com o tempo, se o caixa pago aos acionistas e credores (*F*) for maior do que o caixa levantado no mercado financeiro (*A*), terá sido criado valor.

Identificação de fluxos de caixa Infelizmente, não é fácil observar os fluxos de caixa diretamente. Grande parte da informação que obtemos está na forma de demonstrações contábeis, e grande parte do trabalho da análise financeira é obter informações sobre fluxos de caixa a partir das demonstrações contábeis. O exemplo a seguir ilustra como isso funciona.

EXEMPLO 1.1 Lucro contábil *versus* fluxos de caixa

A Companhia Midas refina e negocia ouro. Ao final do ano, ela vendeu 25 kg de ouro por $ 1 milhão, adquiridos por $ 900.000 no começo do ano. Ela pagou à vista pelo ouro, na compra. Infelizmente, ela ainda tem que cobrar do cliente para quem o ouro foi vendido. A seguir, temos o quadro contábil da situação da Midas ao final do ano:

Companhia Midas	
Demonstração de resultados do exercício (visão contábil)	
Ano encerrado em 31 de dezembro	
Venda	$ 1.000.000
– Custo	– 900.000
Lucro	$ 100.000

Pelas normas contábeis, a venda é registrada mesmo que o cliente ainda tenha que pagar. Espera-se que o cliente pague em breve. Da perspectiva contábil, a empresa parece ser rentável. No entanto, na perspectiva das Finanças Corporativas, é diferente – o foco é nos fluxos de caixa:

Companhia Midas	
Demonstração de resultados do exercício (visão financeira)	
Ano encerrado em 31 de dezembro	
Entrada de caixa	$ 0
Saída de caixa	–900.000
	–$ 900.000

Na perspectiva de Finanças Corporativas, estaremos interessados em saber se estão sendo criados fluxos de caixa com os negócios de venda do ouro. A criação de valor depende de fluxos de caixa. Para a Midas, o valor criado depende de *se* e *quando* ela recebe o pagamento de $ 1 milhão.

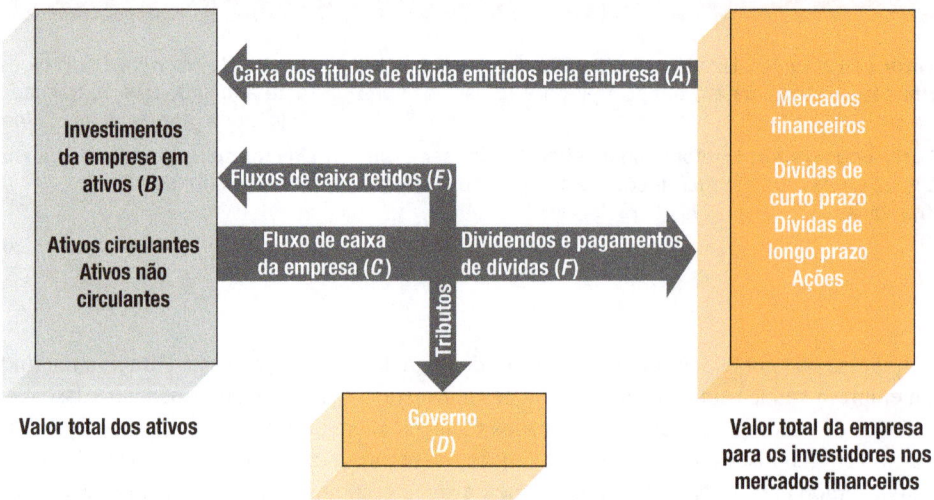

FIGURA 1.3 Fluxos de caixa entre empresa e mercados financeiros.

Distribuição dos fluxos de caixa no tempo O valor de um investimento realizado por uma empresa depende da distribuição dos fluxos de caixa no tempo. Um dos princípios mais importantes em Finanças é que as pessoas preferem receber os fluxos de caixa o quanto antes. Um real recebido hoje vale mais do que um real recebido no ano que vem.

EXEMPLO 1.2 — Distribuição de fluxos de caixa no tempo

A Midas está tentando escolher entre duas propostas para um novo produto. Ambas as propostas fornecerão fluxos de caixa em um período de quatro anos e custarão inicialmente $ 10.000. Os fluxos de caixa das propostas estão destacados seguir:

Ano	Produto novo A	Produto novo B
1	$ 0	$ 4.000
2	0	4.000
3	0	4.000
4	20.000	4.000
Total	$ 20.000	$ 16.000

A primeira impressão é a de que o produto novo A seria melhor. No entanto, os fluxos de caixa da proposta B chegam antes do que os da A. Sem outras informações, não podemos decidir qual grupo de fluxos de caixa criaria o maior valor para os credores e para os acionistas. Isso depende de se o valor de caixa conseguido com o produto B supera o caixa extra total do produto A. Os preços dos títulos de dívida e das ações refletem essa preferência por caixa a receber antes, e veremos como usar isso para então decidirmos entre A e B.

Risco de Fluxos de Caixa A empresa deve considerar o risco. A quantia e a distribuição dos fluxos de caixa no tempo geralmente não são totalmente conhecidas. A maioria dos investidores tem aversão ao risco.

EXEMPLO 1.3 — Risco

A Midas está considerando expandir suas operações para outros países. Ela está avaliando a Europa e o Japão como lugares possíveis. A Europa é considerada um local seguro, enquanto o Japão é visto como um local muito arriscado. A empresa encerraria as operações após um ano em ambos os casos.

Após realizar uma análise financeira completa, a Midas chegou aos seguintes fluxos de caixa para os planos alternativos de expansão em três cenários – pessimista, possível e otimista: Se ignorarmos o cenário pessimista, talvez o Japão seja a melhor alternativa. Quando incluímos o cenário pessimista, as escolhas são incertas. O Japão parece arriscado, mas ele também oferece uma expectativa de fluxos de caixa maiores. O que é o risco e como pode ser definido? Devemos tentar responder a essa importante questão. As Finanças Corporativas não podem deixar de enfrentar alternativas com risco, e grande parte deste livro está voltada ao desenvolvimento de métodos para avaliar oportunidades com risco.

	Pessimista	Possível	Otimista
Europa	$ 75.000	$ 100.000	$ 125.000
Japão	0	150.000	200.000

1.4 O objetivo da administração financeira

Se restringirmos nossa discussão aos negócios com fins lucrativos, o objetivo da administração financeira é ganhar dinheiro ou agregar valor para os proprietários. Obviamente, esse objetivo é um pouco vago, e examinaremos algumas maneiras diferentes de formulá-lo para chegarmos a uma definição mais exata. Tal definição é importante porque leva a uma base objetiva para tomar e avaliar decisões financeiras.

Objetivos possíveis

Se pensarmos nos objetivos financeiros possíveis, chegaremos a algumas ideias como as seguintes:

- Sobreviver.
- Evitar problemas financeiros e falência.
- Superar a concorrência.
- Maximizar as vendas ou a participação de mercado.
- Minimizar os custos.
- Maximizar os ganhos.
- Manter o crescimento constante dos lucros.

Esses são apenas alguns dos objetivos que poderíamos listar. Além disso, cada uma dessas possibilidades como objetivos do administrador financeiro apresenta problemas.

Por exemplo, é fácil aumentar a participação de mercado ou as vendas unitárias: basta diminuirmos nossos preços ou facilitarmos nossas condições de crédito. Da mesma forma, podemos cortar os custos simplesmente eliminando pesquisa e desenvolvimento e podemos evitar a falência se não tomarmos dinheiro emprestado nem assumirmos riscos, etc. Não está claro se alguma dessas ações busca o melhor interesse dos acionistas.

A maximização dos lucros provavelmente seria o objetivo mais citado, mas mesmo esse objetivo não é muito preciso. Trata-se dos lucros deste ano? Se for isso, devemos considerar que algumas atitudes, tais como postergar manutenções, permitir que os estoques se esgotem ou assumir outras medidas de corte de custos no curto prazo, tenderão a aumentar os lucros agora, mas essas atividades não são obrigatoriamente desejáveis.

O objetivo de maximizar os lucros pode se referir a algum tipo de lucro "médio" ou "de longo prazo", mas ainda não está muito claro o que isso significa. Primeiramente, estamos nos referindo a algo como lucro líquido contábil ou ganhos por ação? Como veremos com mais detalhes no próximo capítulo, números contábeis podem estar pouco relacionados com aquilo que é bom ou ruim para a empresa. Na verdade, estamos mais interessados nos fluxos de caixa. Em segundo lugar, o que queremos dizer com longo prazo? Como já observou um famoso economista, no longo prazo estaremos todos mortos! Mais precisamente, esse objetivo não nos diz qual é a ponderação apropriada entre lucros correntes e lucros futuros.

Os objetivos que listamos aqui são todos diferentes, porém tendem a se enquadrar em duas classes. A primeira delas diz respeito à lucratividade. Os objetivos que envolvem vendas, participação de mercado e controle de custos se relacionam, pelo menos potencialmente, às diferentes maneiras de ganhar ou aumentar os lucros. Os objetivos do segundo grupo, que envolvem evitar a falência, manter a estabilidade e a segurança, relacionam-se, de alguma maneira, ao controle do risco. Infelizmente, esses dois tipos de objetivos são um pouco contraditórios. A busca dos lucros normalmente envolve algum elemento de risco, de modo que não é possível maximizar tanto a segurança quanto os lucros. Assim, precisamos de um objetivo que inclua os dois fatores.

O objetivo da administração financeira

O administrador financeiro toma decisões para os acionistas da empresa. Por isso, em vez de listar os possíveis objetivos do administrador financeiro, queremos realmente responder a uma pergunta mais fundamental: do ponto de vista dos acionistas, o que é uma boa decisão financeira?

Supondo que os acionistas comprem ações porque buscam ganhos financeiros, então a resposta é óbvia: as decisões boas aumentam o valor das ações da empresa, e as decisões ruins diminuem o seu valor.

De acordo com nossas observações, o administrador financeiro age em busca do melhor interesse dos acionistas, tomando decisões que aumentam o valor das ações da empresa. O objetivo apropriado para o administrador financeiro pode, então, ser expresso facilmente:

> **O objetivo da administração financeira é maximizar o valor unitário corrente das ações existentes.**

O objetivo de maximizar o valor das ações da empresa evita os problemas associados aos diferentes objetivos listados anteriormente. Não há ambiguidade de critério nem problemas do tipo curto prazo *versus* longo prazo. Queremos dizer explicitamente que nosso objetivo é maximizar o valor *atual* das ações da empresa.

Se esse objetivo parece um pouco forte ou unidimensional, lembre-se de que os acionistas de uma empresa são proprietários residuais. Isso quer dizer que eles têm direito apenas àquilo que sobra depois que funcionários, fornecedores e credores (e todos que tenham um direito legítimo de receber algo) forem devidamente pagos. Se qualquer um desses grupos não for pago, os acionistas não recebem. Assim, se os acionistas estão ganhando porque a parte residual está crescendo, então é porque todos os outros também estão ganhando.

Como o objetivo da administração financeira é maximizar o valor da ação, precisamos aprender como identificar os investimentos e combinações de financiamento que tenham impacto favorável sobre o valor das ações. É exatamente isso que vamos estudar. Nas seções anteriores, enfatizamos a importância dos fluxos de caixa na criação de valor. De fato, poderíamos ter definido *Finanças Corporativas* como o estudo da relação entre as decisões de negócios, os fluxos de caixa e o valor do capital investido nos negócios.

Um objetivo mais geral

Dado nosso objetivo (maximizar o valor das ações da empresa), surge uma questão óbvia: qual é o objetivo apropriado quando as ações da empresa não são negociadas em bolsa? Sem dúvida, as empresas de capital aberto não são o único tipo de negócio, e, em algumas empresas, o capital investido raramente muda de mãos, de modo que é difícil saber o valor de uma participação no seu capital em determinado momento.

Enquanto estivermos lidando com negócios que visem ao lucro, é necessária somente uma pequena modificação. O valor total do capital próprio investido em uma companhia aberta é simplesmente igual ao valor do patrimônio dos proprietários. Assim, um modo mais geral de declarar nosso objetivo é o seguinte: maximizar o valor do patrimônio dos proprietários atuais.

Tendo isso em mente, não importa se a empresa é uma empresa individual, uma sociedade ou uma empresa de capital aberto. Para cada uma delas, as boas decisões financeiras aumentam o valor do patrimônio dos proprietários, e as decisões financeiras ruins o diminuem. Na verdade, embora nos concentremos nas empresas de capital aberto nos próximos capítulos, os princípios desenvolvidos aplicam-se a todas as formas de negócios. Muitos deles aplicam-se até mesmo ao setor de organizações sem fins lucrativos.

Veja mais sobre questões de ética nos negócios em **www.business-ethics.com**.

Por último, nosso objetivo não quer dizer que o administrador financeiro deva tomar medidas ilegais ou antiéticas ou descuidar de questões ambientais e de sustentabilidade na esperança de aumentar o valor do patrimônio dos sócios da empresa. Apenas defendemos que o administrador financeiro atenderá melhor aos proprietários da empresa ao identificar bens e serviços que agreguem valor, porque eles são desejados e valorizados em um mercado de livre concorrência.

1.5 O problema de agência e o controle da empresa de capital aberto

Já vimos que o administrador financeiro busca o melhor interesse dos acionistas ao adotar medidas que aumentam o valor das ações. Entretanto, em grandes empresas de capital aberto, a propriedade pode se diluir em um número enorme de acionistas.[3] Essa dispersão de propriedade possivelmente significa que quem realmente controla a empresa são os seus administradores. Nesse caso, a administração necessariamente agirá para buscar o melhor interesse dos acionistas? Caso exista um acionista controlador, ele necessariamente agirá para buscar o melhor interesse dos não controladores? Em outras palavras, a administração, ou o controlador, não poderia buscar seus próprios objetivos em detrimento daqueles dos acionistas em geral, e os dos acionistas minoritários, no caso de preeminência do controlador? Nas próximas páginas, faremos uma consideração rápida sobre alguns dos argumentos relacionados a essa questão.

Relacionamentos de agência

O relacionamento entre acionistas e administradores e entre acionistas controladores e não controladores é chamado de *relacionamento de agência*. Tal relacionamento existe sempre que alguém (o principal) contrata outra pessoa (o agente) para representar seus interesses.[4] Por exemplo, você pode contratar alguém (um agente) para vender um carro seu enquanto você está na faculdade. Nesses relacionamentos, existe a possibilidade de conflitos de interesses entre principal e agente. Tal conflito é conhecido como um **problema de agência**.

---

[3] Em muitos países – excluindo Estados Unidos e Reino Unido –, empresas de capital aberto são controladas geralmente por um ou mais acionistas. Além disso, em países em que os acionistas tenham menor proteção – comparados a países com proteção forte, como Estados Unidos e Reino Unido –, os acionistas majoritários podem ter melhores oportunidades de impor custos de agência em relação aos acionistas minoritários. Veja, por exemplo, os artigos *Investor Protection and Corporate Valuation*, de Rafael La Porta, Florencio Lopez-De-Silanes, Andrei Shleifer e Robert Vishny, *Journal of Finance* v. 57, p. 1147-1170, 2002; e *Cash Holdings, Dividend Policy, and Corporate Governance: A Cross-Country Analysis*, de Lee Pinkowitz, René M. Stulz e Rohan Williamson, *Journal of Applied Corporate Finance*, v. 19, n. 1, p. 81-87, 2007. Eles mostram que o quadro de proteção do investidor de um país é importante para entender a retenção de caixa na empresa e o pagamento de dividendos. Por exemplo, eles descobriram que acionistas não valorizam muito a retenção de caixa por empresas de países com baixa proteção ao investidor quando comparado a empresas nos Estados Unidos, em que a proteção ao investidor é alta.

Em uma configuração de governança corporativa básica, os acionistas elegem o conselho de administração que, por sua vez, nomeia os altos executivos, tal como o diretor-presidente. O diretor-presidente geralmente é um membro do conselho de administração. Um aspecto da governança corporativa que não costuma ser muito citado é a questão da figura do conselheiro independente na presidência do conselho de administração. Porém, em um considerável número de empresas nos EUA, o diretor-presidente e o presidente do conselho de administração são a mesma pessoa. No artigo *U.S. Corporate Governance: Accomplishments and Failings, A Discussion with Michael Jensen and Robert Monks* (escrito por Ralph Walkling), *Journal of Applied Corporate Finance*, v. 20, n. 1 (Winter, 2008), é apresentada a questão de como a combinação de diretor-presidente e presidência do conselho de administração pode contribuir para empobrecer a governança corporativa. Tanto Jensen quanto Monks ressaltam a liderança do Reino Unido em relação aos Estados Unidos quanto à governança, em parte porque em mais de 90% das empresas o Conselho de Administração é presidido por conselheiros externos, e não pelo diretor-presidente. Essa é uma questão controversa enfrentada por muitas empresas norte-americanas. Por exemplo, em maio de 2008, 19 investidores institucionais, incluindo alguns dos maiores acionistas da multinacional ExxonMobil e membros da Fundação Rockefeller, apoiaram uma resolução de separar as funções de diretor-presidente e presidente do conselho de administração. Aproximadamente 40% dos acionistas votaram pela separação. No Brasil, isso é diferente; para que uma empresa seja listada nos segmentos Novo Mercado e Nível 2, é preciso que o estatuto da empresa determine essa separação de funções.

[4] Contrato, aqui, tem sentido amplo. Quando um investidor adquire em bolsa ações de uma empresa, ele está "contratando" a gestão da empresa para criar valor.

Imagine que você contrate alguém para vender seu carro e concorde em pagar a essa pessoa uma comissão fixa quando o carro for vendido. O incentivo do representante, nesse caso, é para fazer a venda, e não necessariamente para conseguir o melhor preço. Se você oferecer uma comissão de, por exemplo, 10% sobre o preço da venda em vez de uma comissão fixa, então provavelmente não haverá esse problema. Esse exemplo mostra que a maneira como um agente é pago afeta os problemas de agência.

Objetivos dos administradores

Para ver como os interesses de administradores ou de acionistas controladores e não controladores podem ser diferentes, imagine que a empresa esteja considerando um novo investimento. O novo investimento deve ter impacto favorável sobre o valor das ações da empresa, mas também é um empreendimento relativamente arriscado. Os proprietários da empresa irão querer fazer o investimento (porque o valor da ação subirá), mas os administradores não proprietários podem não querer, porque existe a possibilidade de que as coisas não deem certo e eles percam seus empregos. Se a administração não aceitar o investimento, os acionistas podem perder uma oportunidade valiosa. No caso de haver um acionista controlador ou grupo de acionistas controladores, pode ocorrer que esse ou esses queiram realizar um investimento que os beneficie em detrimento dos não controladores. Esses são exemplos de um *custo de agência*.

De modo mais geral, o termo *custo de agência* se refere aos custos do conflito de interesses entre acionistas e administradores e controladores e não controladores. Esses custos podem ser indiretos ou diretos. Um custo de agência indireto é uma oportunidade perdida, como a que acabamos de descrever. O conflito entre acionistas e administradores é típico do mercado norte-americano, e o conflito entre controladores e não controladores é típico do mercado brasileiro (embora também já existam aqui empresas com dispersão acionária, sem controlador definido, situação em que o que ocorre nos Estados Unidos se aplica).

Os custos diretos de agência são de dois tipos. O primeiro é um tipo de gasto da empresa que beneficia os administradores, mas cujo custo é suportado pelos acionistas. Talvez a compra de um jatinho luxuoso e desnecessário possa ser vista como um gasto desse tipo (se o jatinho for para uso do controlador, isso será um custo para os demais acionistas não controladores). O segundo tipo é um gasto que surge da necessidade de monitorar as ações dos administradores. O custo com auditores externos para avaliar a exatidão das informações das demonstrações financeiras seria um exemplo disso.

Às vezes, argumenta-se que, se deixados por conta própria, os administradores tenderiam a maximizar os recursos sobre os quais têm controle ou, de maneira geral, o seu poder ou a riqueza da empresa. Esse objetivo levaria a uma ênfase excessiva no tamanho ou no crescimento da empresa. Por exemplo, são comuns os casos em que uma administração é acusada de realizar gastos muito superiores ao valor de mercado na compra de outra empresa apenas para aumentar o tamanho dos negócios ou para demonstrar poder empresarial. Obviamente, se o gasto exagerado realmente ocorrer, tal compra não beneficiará os acionistas da empresa compradora.

Nossa discussão indica que, no caso de empresas dominadas por gestores, a administração pode tender a enfatizar excessivamente a sobrevivência organizacional para garantir os seus empregos. Além disso, a administração pode não gostar de interferência externa, de modo que a independência e a autossuficiência corporativa podem ser objetivos importantes para os administradores desse tipo de empresa.

Os administradores buscam os interesses dos acionistas?

O fato de os administradores[5] realmente buscarem o melhor interesse dos acionistas vai depender de dois fatores. Em primeiro lugar, os objetivos dos administradores estão mesmo alinhados aos objetivos dos acionistas? Essa pergunta se relaciona, pelo menos em parte, ao modo como os administradores são remunerados. Em segundo lugar, a administração pode ser substituída se não buscar os mesmos objetivos dos acionistas? Essa pergunta se relaciona ao controle da empresa. Como discutiremos, existem vários motivos para pensar que, mesmo nas grandes empresas, os administradores possam ter incentivos significativos para buscar o melhor interesse dos acionistas.

---

[5] No Brasil, em geral, o administrador de fato poderá ser o controlador, pois é dele a palavra final.

Remuneração dos administradores É comum que a administração tenha incentivos econômicos significativos para aumentar o valor das ações por dois motivos. Primeiramente, a remuneração dos executivos, especialmente os que ocupam as posições mais altas, geralmente está ligada ao desempenho financeiro em geral, e quase sempre ao valor das ações da empresa em particular. Por exemplo, os administradores frequentemente recebem opções para comprar ações da empresa a preços de barganha. Quanto mais valer a ação, mais valiosa é essa opção. Na verdade, as opções costumam ser usadas para motivar os funcionários de todos os tipos, e não apenas os administradores do alto escalão. De acordo com o *The Wall Street Journal*, em 2010, Michael White, diretor-presidente da DIRECTV, recebeu US$ 1.448.000 de honorários e US$ 31,2 milhões em bônus ligados ao desempenho financeiro. Como mencionamos, muitas empresas também dão aos gestores umas participação patrimonial na empresa ao conceder ações ou opções de ações. Segundo o *The Wall Street Journal*, a remuneração total de Leslie Moonves, diretor-presidente da CBS, em 2010, estava pouco abaixo de US$ 54 milhões. Seus honorários base eram de US$ 3,53 milhões, com incentivos anuais de US$ 27,55 milhões, remuneração em opções de ações de US$ 14,9 milhões, remuneração de ações restritas de US$ 4 milhões e premiações de desempenho de US$ 4 milhões. Embora ainda se façam muitas críticas à alta remuneração de diretores-presidentes, segundo o ponto de vista dos acionistas, o mais importante é que o desempenho da empresa seja coerente com essa remuneração.

O segundo incentivo que os administradores têm se relaciona às perspectivas de emprego. Os administradores com melhor desempenho tendem a ser promovidos. De forma geral, os administradores bem-sucedidos na busca dos objetivos dos acionistas serão mais procurados pelo mercado de trabalho e, assim, poderão exigir maior remuneração.

Na verdade, os administradores bem-sucedidos nesse quesito podem receber enormes recompensas. Durante o ano de 2010 a mediana da remuneração para diretores-presidentes nas 350 maiores empresas norte-americanas foi de US$ 9,3 milhões. O executivo mais bem pago no mesmo ano foi Philippe Dauman, diretor-presidente da gigante empresa de mídia Viacom; de acordo com o *The Wall Street Journal*, ele recebeu em torno de US$ 84,3 milhões. Para fins de comparação, a estrela de TV Oprah Winfrey ganhou US$ 315 milhões, e o cineasta James Cameron cerca de US$ 210 milhões.[6]

Controle da empresa Em última instância, o controle da empresa está nas mãos dos acionistas. Eles elegem o conselho de administração, que, por sua vez, escolhe e demite os administradores.

Um mecanismo importante que os acionistas descontentes podem usar para substituir a administração é chamado de *disputa por procurações de voto* (*proxy fight*, nos Estados Unidos). A procuração de voto é uma autorização para votar com ações de outra pessoa. Uma disputa por procurações de voto se desenvolve quando um grupo faz ofertas agressivas por procurações para substituir o conselho existente e, portanto, substituir o conselho de administração existente. Por exemplo, no início de 2002, a proposta de incorporação entre a Hewlett-Packard (HP) e a Compaq deflagrou uma das disputas por procurações de voto mais divulgadas, amargas e caras da história, atingindo bem mais de US$ 100 milhões. No Brasil, a busca de procurações é um mecanismo importante para a indicação de conselheiros por minoritários, mas ainda não ocorrem disputas no grau em que isso ocorre nos Estados Unidos.

Outra maneira de substituir a administração é pela aquisição da empresa. Empresas mal administradas são mais atraentes como aquisições do que as bem administradas, porque o potencial de lucro é maior. Assim, evitar uma aquisição por outra empresa é algo que dá à administração um incentivo para agir no interesse dos acionistas, uma situação muito particular do mercado norte-americano. Acionistas de destaque que estejam descontentes podem sugerir estratégias diferentes de negócios para a alta administração da empresa. Esse foi o caso de Carl Icahn e a empresa que projeta chips para computadores Mentor Graphics. Carl Icahn é especializado em aquisições de empresas. Sua participação na Mentor Graphics atingiu 14,7% em 2011, fazendo dele um acionista especialmente importante (e descontente). Ele se ofereceu para comprar a empresa inteira, mas, em março de 2011, o conselho de administração rejeitou sua oferta de US$ 1,9 bilhão, justificando

---

[6] Isso levanta a questão sobre o nível dos pagamentos para a alta administração e sua relação com outros funcionários. Segundo o jornal *The New York Times*, a remuneração média de um diretor-presidente era 180 vezes maior do que a remuneração média de um funcionário em 2007 e apenas 90 vezes em 1994. No entanto, não há uma fórmula precisa que controle o abismo entre a remuneração do alto escalão e a dos funcionários.

que isso desvalorizava a empresa e suas perspectivas. Como resposta, Icahn apadrinhou três candidatos ao conselho de administração para a Mentor, todos os quais foram eleitos em maio de 2011.

Conclusão A teoria e as evidências disponíveis são coerentes com a visão de que os acionistas controlam a empresa e de que a maximização da riqueza do acionista é o objetivo mais importante da empresa. Mesmo assim, sem dúvida, há momentos em que os objetivos dos administradores tomam a dianteira em detrimento daqueles dos acionistas, ao menos temporariamente. O mesmo pode ocorrer na situação em que os controladores possam ter interesses não alinhados aos dos acionistas minoritários.

Acionistas

Nossa discussão até aqui faz parecer que a administração e os acionistas são as únicas partes que têm interesse nas decisões da empresa. Sem dúvida, essa é uma visão muito simplificada dos fatos. Funcionários, clientes, fornecedores e até mesmo o governo têm interesse financeiro na empresa. Juntos, esses diversos grupos são chamados de **partes interessadas**, de **públicos de relacionamento** da empresa e, às vezes, pelo termo em inglês, *stakeholders*. Em geral, uma parte interessada é alguém que não é acionista ou credor e que tem um interesse potencial sobre os fluxos de caixa da empresa. Tais grupos também tentarão exercer controle sobre a empresa, talvez às expensas dos proprietários. Entretanto, como as empresas cumprem também uma função social, para a sustentabilidade de seu valor para os acionistas, é necessário prestar atenção às necessidades das demais partes interessadas.

Para saber mais sobre as formas de organização de negócios nos Estados Unidos, veja a seção *Business Formation* em www.nolo.com.

1.6 Regulamentação

Até agora, falamos principalmente sobre as ações que os acionistas e o conselho de administração podem tomar para reduzir os conflitos de interesse entre eles mesmos e a administração. Não falamos sobre regulamentação.[7] Até recentemente, a principal ajuda da regulamentação foi exigir que as empresas divulgassem todas as informações relevantes aos investidores e potenciais investidores. O objetivo de divulgar informações relevantes é dar a todos os investidores igualdade de condições no que diz respeito ao nível de informações, reduzindo conflitos de interesse. Obviamente, as regulamentações impõem custos para as empresas, e qualquer análise da regulamentação deve incluir benefícios e custos. A seguir, apresentamos algumas normas importantes para o mercado de valores mobiliários no Brasil e, em seguida, os aspectos mais importantes do tema nos Estados Unidos.

Lei n° 6.385, de 7 de dezembro de 1976 A Lei n° 6.385, também conhecida como Lei do Mercado de Capitais, fornece a estrutura regulatória básica no Brasil para títulos mobiliários: emissão, distribuição, negociação e intermediação no mercado de valores mobiliários e derivativos; a organização, o funcionamento e as operações das Bolsas de Valores e das Bolsas de Mercadorias e Futuros; a administração de carteiras e a custódia de valores mobiliários; a auditoria das companhias abertas e os serviços de consultor e analista de valores mobiliários (Brasil, 1976). Essa lei criou a Comissão de Valores Mobiliários (CVM) e o Comitê de Política Monetária (COPOM).

Ao longo da história do mercado de capitais, muitos crimes foram cometidos contra os investidores, e a Lei n° 6.385 trata dos seguintes crimes contra o mercado de capitais:

Manipulação do Mercado Realizar operações simuladas ou executar outras manobras fraudulentas, com a finalidade de alterar artificialmente o regular funcionamento dos mercados de valores mobiliários em bolsa de valores, de mercadorias e de futuros, no mercado de balcão ou no mercado de balcão organizado, com o fim de obter vantagem indevida ou lucro, para si ou para outrem, ou causar dano a terceiros.

---

[7] Neste momento do livro, focamos os aspectos da regulação da governança corporativa das empresas. Não falamos sobre muitas outras regulações nos mercados financeiros. No Capítulo 8, discutiremos as organizações de classificação estatística de riscos reconhecidas que incluem empresas como a Fitch Ratings, a Moody's e a Standard & Poor's. Suas classificações de risco são usadas pelos participantes do mercado para auxiliar na avaliação de títulos, tais como os títulos de dívida das empresas de capital aberto. Muitos críticos de agências de classificação de risco culpam a crise de 2007–2009, conhecida como "crise do subprime", devido a uma fraca fiscalização regulatória dessas agências.

Uso indevido de informação privilegiada Utilizar informação relevante ainda não divulgada ao mercado de que tenha conhecimento e da qual deva manter sigilo, capaz de propiciar, para si ou para outrem, vantagem indevida mediante negociação em nome próprio ou de terceiro com valores mobiliários.

Exercício irregular de cargo, profissão, atividade ou função Atuar, ainda que a título gratuito, no mercado de valores mobiliários, como instituição integrante do sistema de distribuição, administrador de carteira coletiva ou individual, agente autônomo de investimento, auditor independente, analista de valores mobiliários, agente fiduciário ou exercer qualquer cargo, profissão, atividade ou função, sem estar, para esse fim, autorizado ou registrado junto à autoridade administrativa competente, quando exigido por lei ou regulamento.

Lei n° 6.404, de 15 de dezembro 1976* Também conhecida como Lei das S/A, é a lei que rege as Sociedades por Ações (abertas e fechadas) no Brasil. Ela trata do objeto social, da denominação, das características de sociedades por ações de capital aberto e de capital fechado, do capital social, das ações, suas espécie e classes, sua emissão, condições para sua negociação, da emissão de títulos de dívida e dos direitos de seus detentores, dos livros sociais, das obrigações e direitos dos acionistas em geral, das obrigações dos acionistas controladores, dos acordos de acionistas, da assembleia geral de acionistas, das competências e responsabilidades do conselho de administração, da diretoria e do conselho fiscal, do exercício social, das demonstrações financeiras, da destinação dos lucros, do dividendo obrigatório, da dissolução e liquidação da sociedade, entre outros assuntos societários (Brasil, 1976).

Instrução CVM n° 358, de 3 de janeiro de 2002 Conhecida como 358, dispõe sobre a divulgação e uso de informações sobre ato ou fato relevante relativo às companhias abertas, disciplina a divulgação de informações na negociação de valores mobiliários e na aquisição de lote significativo de ações de emissão de companhia aberta, estabelece vedações e condições para a negociação de ações de companhia aberta na pendência de fato relevante não divulgado ao mercado (Comissão de Valores Imobiliários, 2002). Essa Instrução ocupa-se da importante questão das informações privilegiadas. A questão da informação privilegiada ocorre quando qualquer pessoa que obteve informações especiais não públicas (i.e., informações internas, ou *insider information*) compra ou vende títulos com base nessas informações. Essa questão afeta pessoas com informações internas à empresa tais como conselheiros de administração, executivos e acionistas controladores, ou qualquer pessoa que tenha informações internas da empresa, não divulgadas ao mercado. A intenção é prevenir que o pessoal interno ou o pessoal que possua informação interna tire vantagem por possuir informações privilegiadas.

Para ilustrar, imagine que você foi informado de que a empresa ABC estava prestes a tornar público que ela havia sido adquirida por outra empresa por um preço significativamente maior do que seu preço corrente. Esse é um exemplo de informação interna. A Instrução o proíbe de comprar ações da ABC sem que os demais acionistas tenham essa informação. Essa proibição seria especialmente forte se você fosse um executivo da empresa ABC. Outros tipos de informações internas da empresa poderiam ser: o pagamento de um dividendo especial prestes a ser pago, a descoberta de uma medicação para a cura de uma doença ou uma atuação com impacto significativo sobre os resultados e com perda provável antes da sua divulgação.

Regras de listagem em segmentos diferenciados da BM&FBOVESPA

Em dezembro de 2000, a BOVESPA, atual BM&FBOVESPA, visando a buscar o alinhamento de interesses entre acionistas e a gestão das empresas listadas, lançou segmentos especiais de listagem das empresas com níveis diferenciados de governança corporativa, para os quais as empresas listadas na Bolsa podem aderir de forma voluntária. Os segmentos especiais de listagem são o Bovespa Mais, o Novo Mercado, o Nível 2 e o Nível 1. Todos os segmentos prezam por rígidas regras de governança corporativa. Essas regras vão além das obrigações que as companhias têm perante a Lei das Sociedades por Ações (Lei das S/A) e têm como objetivo melhorar a avaliação das companhias que decidem aderir a um desses níveis de listagem. Os

Saiba sobre os segmentos especiais de listagem da BM&FBOVESPA, em http://www.bmfbovespa.com.br/pt-br/servicos/solucoes-para-empresas/segmentos-de-listagem/o-que-sao-segmentos-de-listagem.aspx?idioma=pt-br.

---

* Material cedido pelo Instituto Educacional BM&FBOVESPA. Acesse: www.bmfbovespa.com.br/educacional.

níveis diferenciados visam a assegurar direitos e garantias aos acionistas e, mediante a exigência de divulgação de informações mais completas, também contribuem para reduzir riscos para controladores, gestores das companhias e participantes do mercado.

Legislação no mercado norte-americano: o Security Act de 1933 e o Securities Exchange Act de 1934

O Security Act de 1933 (também conhecido como Lei de 1933) e o Securities Exchange Act de 1934 (também conhecido como Lei de 1934) proveem a estrutura regulatória básica nos Estados Unidos para a negociação de títulos mobiliários.

A Lei de 1933 tem seu foco na emissão de novos títulos. Ela basicamente requer que uma empresa de capital aberto apresente uma declaração de registro para a Securities and Exchange Commission, SEC, que deve ser disponibilizado para cada comprador de um novo título. A intenção da declaração de registro é proporcionar a potenciais acionistas todas as informações necessárias para que uma decisão sensata possa ser tomada. A Lei de 1934 dá continuidade ao pedido de informações da Lei de 1933 para a negociação de títulos nos mercados após eles terem sido emitidos. Ela tornou efetivo o funcionamento da SEC e cobre um grande número de emissões, incluindo relatórios corporativos, oferta de aquisições de ações (*tender offers*) e informações privilegiadas. A Lei de 1934 exige que as empresas de capital aberto apresentem à SEC relatórios anuais (Formulário 10K para empresas norte-americanas e Formulário 20-F para emissores estrangeiros), trimestrais (Formulário 10Q) e mensais (Formulário 8K).

Como já mencionado, a Lei de 1934 ocupa-se da importante questão de transações com informações privilegiadas (*insider trading*). O uso ilegal de informações acontece quando qualquer pessoa que obteve informações especiais não públicas (i.e., informações internas) compra ou vende títulos baseados nessas informações. Uma seção da Lei de 1934 trata de pessoas com informações privilegiadas, tais como conselheiros de administração, executivos e maiores acionistas, enquanto outra trata de qualquer pessoa que tenha obtido informações internas. A intenção dessas seções é prevenir que o pessoal interno ou o pessoal que possua informação interna exerça uma vantagem injusta por possuir tais informações no momento da negociação.

Um exemplo de episódio com informação privilegiada nos Estados Unidos envolveu Raj Rajaratnam, o fundador do fundo de *hedge* Galleon Group. Ele foi acusado de buscar informações privilegiadas junto a amigos em diversas empresas. Por exemplo, uma escuta do governo interceptou uma conversa em que Rajaratnam disse "Eu ouvi ontem de alguém que está no conselho da Goldman Sachs que eles irão perder $ 2 por ação. O mercado acha que eles vão ganhar $ 2,50". Ele foi preso em outubro de 2009 e, em maio de 2011, foi condenado por 14 acusações de fraudes de valores mobiliários e por conspirar para a prática de fraudes com títulos mobiliários.

Legislação no mercado norte-americano: o Sarbanes-Oxley Act

Em resposta aos escândalos corporativos em companhias como a Enron, WorldCom, Tyco e Adelphia, em 2002, o Congresso dos Estados Unidos promulgou a Lei Sarbanes-Oxley. A lei, mais conhecida como "Sarbox" (no Brasil, como SOX), destina-se a proteger os investidores norte-americanos dos abusos corporativos. Por exemplo, uma seção da SOX proíbe empréstimos pessoais de uma empresa para seus executivos, tais como aqueles que foram feitos ao diretor-presidente Bernie Ebbers, da WorldCom.

Uma das principais seções da SOX entrou em vigor em 15 de novembro de 2004. A Seção 404 exige, entre outras coisas, que cada relatório anual de uma empresa listada em bolsa nos Estados Unidos tenha uma avaliação da estrutura de controles internos e dos relatórios financeiros. Em seguida, o auditor tem de analisar e atestar a avaliação da administração sobre essas questões. A SOX também criou nos Estados Unidos o Public Companies Accounting Oversight Board (PCAOB) para estabelecer diretrizes de auditoria e padrões éticos. Ela exige que comitês de auditoria dos conselhos das empresas abertas incluam apenas conselheiros externos e independentes para supervisionar as auditorias anuais e divulgar se os comitês possuem especialistas em finanças (e, se não têm, por que motivo?).

No caso de empresas brasileiras com títulos mobiliários listados em bolsas norte-americanas, o motivo para não ter um comitê de auditoria é simples: a existência do conselho fiscal. O conselho fiscal é previsto na legislação brasileira desde o Código Comercial de 1850 e, com as alterações mais recentes da Lei das S/A, adquiriu poderes em muito superiores ao de um comitê de auditoria.[8]

Comitês são órgãos de grande importância para o bom funcionamento dos conselhos de administração, especialmente o comitê de auditoria. Porém, comitês do conselho de administração, como é o comitê de auditoria, assessoram o conselho de administração, com mais dedicação de tempo e aprofundamento das questões tratadas no conselho de administração. Já o conselho fiscal é um conselho independente; o conselho fiscal, segundo a Lei Societária Brasileira, fiscaliza os atos dos administradores, portanto, fiscaliza a diretoria e o conselho de administração.

A SOX contém outras exigências-chave. Por exemplo, os executivos da empresa de capital aberto devem examinar e assinar os relatórios anuais. Eles precisam declarar explicitamente que o relatório anual da administração não contém afirmações falsas ou omissões importantes, que as demonstrações financeiras representam de modo justo os resultados financeiros e que são responsáveis por todos os controles internos. Por último, o relatório anual deve listar qualquer deficiência dos controles internos. Em essência, a SOX responsabiliza a administração das empresas norte-americanas pela exatidão de suas demonstrações financeiras.

No Brasil, essas sempre foram responsabilidades da administração, pois estão previstas ou decorrem da Lei das S/A. A teoria do domínio do fato trazida no julgamento da Ação Penal 470 pelo Supremo Tribunal Federal também pode ter consequências agravantes na interpretação dos tribunais sobre a responsabilidade dos administradores.

Como qualquer lei, obviamente há custos. A SOX aumentou as despesas com auditoria – algumas vezes drasticamente. Em 2004, a média de custos de conformidade para grandes empresas nos Estados Unidos era de US$ 4,51 milhões. Em 2007, essa média de custos de conformidade havia caído para US$ 1,7 milhão, dando a impressão de que o peso estava diminuindo, mas isso ainda não é comum, especialmente para empresas menores. O aumento de custos levou a muitos resultados não intencionais. Por exemplo, em 2003, 198 empresas cancelaram a listagem de suas ações nas bolsas norte-americanas (decidiram "sair dos holofotes"), e aproximadamente o mesmo número cancelou sua listagem em 2004 – números muito elevados em relação àqueles do ano de 1999, quando o número de cancelamentos foi de um pouco mais de 30. Muitas das empresas que cancelaram sua listagem em bolsa afirmaram que o motivo foi evitar o custo de cumprir a SOX.[9]

Uma empresa que cancela a listagem de suas ações em bolsa não precisa arquivar relatórios trimestrais e anuais junto à CVM (Comissão de Valores Mobiliários) ou, no caso de empresas listadas nos Estados Unidos, junto à SEC (*Securities Exchange Commission*). Auditorias anuais feitas por auditores independentes não são exigidas, e, no caso dos executivos norte-americanos, eles não precisam certificar a exatidão de relatórios financeiros, portanto, a economia pode ser enorme para essas empresas. É claro, há custos. Os preços das ações normalmente caem quando uma empresa anuncia que está cancelando sua listagem em bolsa (no Brasil, o cancelamento de listagem somente pode ser feito mediante prévia oferta pública de compra para fechamento de

---

[8] Segundo a SEC, a listagem de títulos mobiliários por emissores privados estrangeiros nos Estados Unidos está isenta de quaisquer exigências relativas ao comitê de auditoria se: *a) tiver um conselho auditor ou conselho similar, previsto no estatuto, estabelecido conforme a lei nacional do país do emissor; b) tal conselho for separado do conselho de administração; c) os membros do conselho não forem eleitos pelo conselho de administração e nenhum executivo da empresa for membro desse conselho; d) a lei do país estabelecer a independência desse conselho perante o emissor ou o seu conselho de administração; e) esse conselho for responsável – na extensão permitida pela lei nacional do emissor – pela supervisão dos trabalhos da auditoria independente.* Todas essas exigências são cumpridas pelo Conselho Fiscal no Brasil (ver art. 161 a 165 da Lei nº 6.404, de 15 de dezembro de 1976, a Lei das S/A). A SEC também reconhece que, embora órgãos como esses exerçam uma supervisão independente dos auditores externos, podem não ter condições de cumprir com todas as exigências da SOX e que, não obstante isso, nas palavras da SEC "[...] we believe that the supervisory or non-management board is the body within the company best equipped to comply with the requirements." Ver Securities Exchange Commission (SEC). Release nº 33-8220. Standards relating to listed company audit committees. Disponível em: <http://www.sec.gov/rules/final/33-8220.htm>.

[9] Porém, no artigo *Has New York Become Less Competitive in Global Markets? Evaluating Foreign Listing Choices Over Time Journal of Financial Economics,* v. 91, n. 3, mar. 2009, p. 253–77, Craig Doidge, Andrew Karolyi e René Stulz mostram que a queda nos cancelamentos não está diretamente relacionada à SOX. Eles concluem que a maioria dos cancelamentos em Nova York ocorreu em função de fusões e aquisições, dificuldades financeiras e reestruturações.

capital, para o que a ofertante precisa divulgar relatório de avaliação de suas ações produzido por uma empresa de avaliações independente). Além disso, é comum que tais empresas tenham acesso limitado aos mercados de capital e maiores juros em empréstimos bancários.

É provável que a SOX também tenha afetado o número de empresas que iriam abrir seu capital nos Estados Unidos. Por exemplo, quando a Peach Holdings, com sede em Boynton Beach, na Flórida, decidiu abrir seu capital em 2006, evitou os mercados de ações norte-americanos, escolhendo em seu lugar o *Alternative Investment Market* (AIM) da Bolsa de Valores de Londres. Para abrir seu capital nos Estados Unidos, a empresa teria que pagar uma taxa de $ 100.000, mais cerca de $ 2 milhões para estar de acordo com a SOX. Em vez disso, a empresa gastou apenas $ 500.000 em sua oferta de ações na AIM.

Embora a SOX seja uma lei norte-americana, específica para as empresas listadas nas bolsas nos Estados Unidos, dado o desenvolvimento do mercado de capitais norte-americano, as fraudes lá perpetradas exigiram um aparato defensivo tão elaborado e detalhado, que acaba servindo de base para outros mercados. Aqui no Brasil, isso não é diferente; some-se a isso o fato de que grande parte das principais empresas brasileiras tem títulos listados na NYSE, o que exige que as suas divulgações sigam o padrão SOX. Dado que a Comissão de Valores Mobiliários (CVM) brasileira exige que as divulgações realizadas pelas empresas listadas no Brasil divulguem as mesmas informações em todos os mercados (se diferente fosse, acionistas em alguns mercados teriam informações mais completas ou diferentes das fornecidas para acionistas em outros mercados), o padrão de divulgação no mercado brasileiro, das empresas brasileiras listadas nos Estados Unidos, também acaba seguindo o padrão SOX.

Resumo e conclusões

Este capítulo apresentou algumas ideias básicas sobre Finanças Corporativas:

1. As Finanças Corporativas têm três grandes áreas de interesse:
   a. *Orçamento de capital:* quais investimentos de longo prazo a empresa deve fazer?
   b. *Estrutura de capital atual:* onde a empresa conseguirá o financiamento de longo prazo para pagar seus investimentos? Em outras palavras, qual combinação entre passivo e patrimônio líquido deve ser usada para financiar as operações?
   c. *Administração do capital de giro:* como a empresa deve administrar suas atividades financeiras diárias?
2. O objetivo da administração financeira de uma empresa com fins lucrativos é tomar decisões que aumentem o valor das ações ou, de modo geral, que aumentem o valor de mercado do patrimônio dos acionistas investido na empresa.
3. A forma de organização das sociedades por ações é uma forma de organização superior a outras quando se trata de levantar dinheiro e transferir o direito de participação. Nos Estados Unidos, ela tem a desvantagem significativa da dupla tributação sobre os lucros.
4. Em uma grande empresa de capital aberto, existe a possibilidade de conflitos entre acionistas e administradores ou entre acionistas controladores e não controladores. Chamamos esses conflitos de *problemas de agência* e discutimos como eles podem ser controlados e reduzidos.
5. As vantagens de uma empresa de capital aberto são ampliadas pela existência dos mercados financeiros.

Dos tópicos que discutimos até agora, o mais importante é o que trata do objetivo da administração financeira: maximizar o valor das ações. Ao longo deste livro, analisaremos muitas decisões financeiras diferentes, mas sempre faremos a mesma pergunta: como tal decisão afeta o valor das ações?

QUESTÕES CONCEITUAIS

1. **Problemas de agência** Quem é o proprietário de uma empresa de capital aberto? Descreva o processo pelo qual os proprietários controlam a administração da empresa. Qual é o

principal motivo para a existência de um relacionamento de agência no modo organizacional de empresa de capital aberto? Nesse contexto, que tipos de problemas podem surgir?

2. **Objetivos de empresas sem fins lucrativos** Suponhamos que você seja o administrador financeiro de uma empresa sem fins lucrativos (um hospital beneficente, talvez). Quais objetivos você acha que seriam apropriados?

3. **Objetivo da empresa** Avalie a seguinte declaração: os administradores não devem se concentrar no valor corrente da ação, porque isso levará a uma ênfase excessiva nos lucros de curto prazo em detrimento dos lucros de longo prazo.

4. **Ética e objetivos da empresa** Nosso objetivo de maximizar o valor das ações pode entrar em conflito com outros objetivos, como, por exemplo, evitar um comportamento antiético e ilegal? Especificamente, você acha que temas como cliente, segurança no trabalho, meio ambiente e o bem geral da sociedade se ajustam a essa estrutura ou são essencialmente ignorados? Pense em cenários específicos para ilustrar sua resposta.

5. **Objetivo internacional da empresa** O objetivo de maximizar o valor das ações seria diferente se estivéssemos pensando na administração financeira de uma empresa localizada em outro país? Por quê?

6. **Problemas de agência** Suponhamos que você tenha ações de uma empresa. O preço atual por ação é $ 25. Outra empresa acaba de anunciar que deseja comprar a sua empresa e que pagará $ 35 por ação para adquirir todas as ações em circulação. A administração de sua empresa começa imediatamente a se opor a essa oferta hostil. A administração está agindo em busca do melhor interesse dos acionistas? Por quê?

7. **Problemas de agência e propriedade corporativa** A propriedade corporativa varia em todo o mundo. Historicamente, nos Estados Unidos, os indivíduos têm sido a maioria dos acionistas das empresas de capital aberto norte-americanas. Na Alemanha e no Japão, porém, os bancos, outras grandes instituições financeiras e outras empresas possuem a maioria das ações das empresas de capital aberto. Você acha que os problemas de agência podem ser mais ou menos sérios na Alemanha e no Japão em relação aos Estados Unidos? O problema de agência também ocorre no Brasil? Quem são os principais acionistas das empresas brasileiras de capital aberto?

8. **Problemas de agência e propriedade corporativa** Nos últimos anos, grandes instituições financeiras, como os fundos de investimento abertos e os fundos de pensão abertos e fechados, têm se tornado os acionistas dominantes, e essas instituições estão mais ativas nas questões corporativas. Quais são as implicações dessa tendência para os problemas de agência e o controle corporativo?

9. **Remuneração dos executivos** Os analistas têm indicado que a remuneração dos altos executivos nos Estados Unidos é alta demais e deve ser reduzida. Por exemplo, se nos concentrarmos nas grandes empresas de capital aberto nos Estados Unidos, Larry Ellison, da Oracle, era um dos diretores-presidentes mais bem pagos nos Estados Unidos em 2010, tendo ganhado cerca de $ 130 milhões somente naquele ano e mais de $ 1 bilhão entre os anos de 2006 e 2010. Tais valores são excessivos? Ao responder essa pergunta, seria importante reconhecer que superestrelas do esporte, como Tiger Woods, grandes celebridades, como James Cameron e Oprah Winfrey, e muitos outros profissionais de sucesso em suas respectivas áreas ganham tanto quanto ou mais do que eles.

10. **Objetivo da administração financeira** Por que o objetivo do administrador financeiro é maximizar o preço corrente das ações da empresa? Em outras palavras, por que o objetivo não é maximizar o preço futuro?

11. **Divulgação da remuneração dos executivos no Brasil** Duas normas que tratam da divulgação da remuneração do pessoal chave da administração de empresas de capital aberto no Brasil são o Pronunciamento Técnico CPC nº 05, Divulgação sobre Partes Relacionadas, do Comitê de Pronunciamentos Contábeis, e a Instrução CVM nº 480, da Comissão de Valores Mobiliários, CVM (Item 13 do Anexo 22). O que essas normas determinam quanto à divulgação da remuneração de executivos de empresas abertas?

2 Demonstrações Contábeis e Fluxo de Caixa

Para ficar por dentro dos últimos acontecimentos na área de finanças, visite www.rwjcorporatefinance.blogspot.com.

Uma baixa contábil realizada por uma empresa costuma significar a diminuição do valor dos seus ativos. Por exemplo, em 2010, nos Estados Unidos, o Bank of America anunciou uma baixa contábil de $ 34 bilhões devido a dívidas vencidas. Além disso, o banco anunciou uma baixa de $ 10,5 bilhões devido a uma legislação que reduziu o valor de suas atividades com cartões de crédito. As baixas do Bank of America em 2010 seguiram as baixas de $ 33,7 bilhões em 2009 e de $ 16,2 bilhões em 2008. Naturalmente, o Bank of America não foi o único. A Moody's Investor Services estima que a baixa contábil dos bancos norte-americanos totalizou $ 476 bilhões em 2009 e 2010 e projetou baixas de $ 286 bilhões em 2011.

Será que os acionistas desses bancos perderam centenas de bilhões de dólares (ou mais) devido às baixas contábeis? A resposta provável é não. Entender por que isso ocorre nos leva ao assunto principal deste capítulo: a importantíssima substância chamada *fluxo de caixa*.

Domine a habilidade de solucionar os problemas deste capítulo usando uma planilha. Acesse Excel Master no *site* www.grupoa.com.br, procure pelo livro e clique em Conteúdo *Online*.

2.1 O balanço patrimonial

ExcelMaster cobertura *online*
Esta seção apresentará a formatação de células e o rastreamento de dependentes e precedentes.

O **balanço patrimonial** é uma representação do valor contábil de uma empresa em uma data específica, como se a empresa estivesse momentaneamente congelada. Ele tem dois lados: no lado esquerdo, estão os *ativos*; no lado direito, os *passivos* e o *capital dos acionistas*. O balanço patrimonial declara o que a empresa possui e como ela é financiada. A definição contábil que fundamenta e descreve o balanço patrimonial é a seguinte:

$$\text{Ativos} \equiv \text{Passivos} + \text{Patrimônio líquido dos acionistas}$$

Colocamos um símbolo de igualdade com três traços na equação para indicar que a igualdade, por definição, deve sempre ser mantida. Na verdade, o patrimônio líquido dos acionistas é *definido* como a diferença entre os ativos e os passivos da empresa. Em princípio, o patrimônio líquido é o que restaria aos acionistas após a empresa ter quitado suas obrigações.

O Quadro 2.1 mostra o balanço patrimonial dos anos de 2012 e 2011 para a Companhia de Compósitos, empresa fictícia. Os ativos no balanço patrimonial são listados na ordem de tempo que uma empresa com operações em andamento normalmente levaria para convertê-los em caixa. A composição dos ativos depende da natureza dos negócios e de como a administração escolheu conduzi-los. A administração deve fazer escolhas como: caixa ou títulos negociáveis, venda à vista ou venda a crédito, comprar ou produzir *commodities*, alugar ou comprar itens, em quais negócios se concentrar, etc. No lado dos passivos e do patrimônio líquido, eles são listados na ordem típica em que seriam pagos ao longo do tempo.

Duas fontes excelentes de informação financeira corporativa são: finance.yahoo.com e money.cnn.com.

Esse lado reflete os tipos e proporções dos financiamentos, que dependem das decisões de estrutura de capital tomadas pela administração, como a escolha entre dívida e capital próprio e entre dívidas de curto prazo e de longo prazo.

QUADRO 2.1 Balanço patrimonial da Companhia de Compósitos

\multicolumn{6}{c}{COMPANHIA DE COMPÓSITOS Balanço patrimonial 2012 e 2011 (em milhões de $)}					
Ativos	**2012**	**2011**	**Passivos (obrigações) e patrimônio dos acionistas**	**2012**	**2011**
Ativo circulante			Passivo circulante		
Caixa e equivalentes	$ 140	$ 107	Fornecedores	$ 213	$ 197
Contas a receber	294	270	Empréstimos	50	53
Estoques	269	280	Despesas a pagar	223	205
Outros	58	50	Passivo circulante total	$ 486	$ 455
Ativo circulante total	$ 761	$ 707	Passivo não circulante		
Ativo Imobilizado			Impostos diferidos	$ 117	$ 104
Bens imóveis, fábrica e equipamentos	$ 1.423	$ 1.274	Dívidas de longo prazo*	471	458
Depreciação acumulada	550	460	Passivo não circulante total	$ 588	$ 562
Imobilizado líquido	873	814	Patrimônio líquido		
Ativos intangíveis e outros	245	221	Ações preferenciais	$ 39	$ 39
Ativo não circulante total	$ 1.118	$ 1.035	Ações ordinárias (valor nominal: $ 1)	55	32
			Reservas de capital	347	327
			Reserva de lucros	390	347
			Menos ações em tesouraria†	26	20
			Patrimônio líquido total	$ 805	$ 725
Ativo total	$ 1.879	$ 1.742	Passivo total e patrimônio líquido‡	$ 1.879	$ 1.742

*As dívidas de longo prazo cresceram $ 471 milhões – $ 458 milhões = $ 13 milhões. É a diferença entre $ 86 milhões em dívidas novas e $ 73 milhões em amortizações de dívidas antigas.
†As ações em tesouraria aumentaram em $ 6 milhões. Isso reflete a recompra de $ 6 milhões em ações da Compósitos.
‡A Compósitos relatou $ 43 milhões em capital próprio novo. A empresa emitiu 23 milhões de ações a um preço de $ 1,87. O valor nominal das ações aumentou em $ 23 milhões, e as reservas de capital aumentaram em $ 20 milhões.

Ao analisar um balanço patrimonial, o administrador financeiro deve ter três preocupações em mente: liquidez, dívida *versus* capital próprio e valor *versus* custo.

Liquidez

A *liquidez* diz respeito à facilidade e à rapidez com que os ativos podem ser convertidos em caixa (sem perda significativa de valor). O *ativo circulante* apresenta a maior liquidez e inclui o caixa e os ativos que serão convertidos em caixa em até um ano da data do balanço patrimonial. As *contas a receber* são valores ainda não cobrados relativos a serviços ou produtos vendidos aos clientes (após ajuste para perdas com valores de recebimento duvidoso). O *estoque* é composto pela matéria-prima que será utilizada na produção, no material em processo e nos bens acabados. O *ativo imobilizado* é o tipo de ativo com menor liquidez. Os ativos imobilizados tangíveis incluem bens imóveis, unidades fabris e equipamentos. Esses ativos não são convertidos em caixa durante a atividade normal de negócios e não costumam ser utilizados para pagar despesas, tais como a folha de pagamento.

Alguns ativos imobilizados são intangíveis. Eles não têm existência física, mas podem ser muito valiosos. São exemplos de ativos intangíveis o valor de uma marca registrada ou o valor de uma patente. Quanto maior for a liquidez dos ativos da empresa, menor é a possibilidade de ela ter dificuldades no cumprimento de obrigações de curto prazo. Desse modo, a liquidez da empresa pode ser associada à sua probabilidade de evitar problemas financeiros. Infelizmente, ativos líquidos costumam ter taxas de retorno menores do que as dos ativos imobilizados; por exemplo, o caixa não gera receitas de investimento. Ao investir em ativos líquidos, a empresa perde a oportunidade de investir em veículos de investimento mais lucrativos.

Demonstrações contábeis anuais e trimestrais das empresas brasileiras encontram-se no *site* da CVM em www.cvm.gov.br, ou no *site* da BM&FBOVESPA, em www.bmfbovespa.com.br; para a maioria das empresas abertas dos Estados Unidos, ver o banco de dados EDGAR, no *site* www.sec.gov.

Dívida *versus* capital próprio

Passivos são obrigações da empresa que requerem pagamentos em dinheiro em um prazo determinado. Muitos passivos envolvem obrigações contratuais de devolver uma quantidade determinada de dinheiro acrescida de juros sobre um período determinado de tempo. Desse modo, passivos são dívidas e costumam ser associados a encargos financeiros nominalmente fixos, chamados *serviço da dívida*; esses passivos fazem a empresa incorrer em inadimplência contratual caso as dívidas não sejam pagas. O capital próprio dos acionistas é chamado de *patrimônio líquido* no balanço patrimonial; é um direito a uma parte dos ativos da empresa que é residual e não é um direito fixo. Em termos gerais, quando a empresa toma dinheiro emprestado, ela dá aos credores a prioridade na reivindicação dos fluxos de caixa da empresa.[1] Os credores podem processar a empresa caso ela se torne inadimplente. Isso pode levar a empresa à falência. O patrimônio líquido dos acionistas é a diferença entre o ativo e o passivo:

$$\text{Ativo} - \text{Passivo} \equiv \text{Patrimônio líquido dos acionistas}$$

É essa a participação dos acionistas na empresa, representada em termos contábeis. O valor contábil do patrimônio líquido dos acionistas aumenta quando é adicionada a reserva de lucros. Isso ocorre quando a empresa retém parte dos lucros em vez de distribuí-los na forma de dividendos ou juros sobre o capital próprio.

Valor *versus* custo

O *site* do Comitê de Pronunciamentos Contábeis, o CPC, é www.cpc.org.br; para normas nos Estados Unidos, veja o Financial Accounting Standards Board – FASB –, cujo *site* é www.fasb.org.

O valor contábil dos ativos de uma empresa é às vezes chamado de *valor registrado* ou *valor de livros* do ativo.[2] De acordo com as **Normas Internacionais de Contabilidade (*International Financial Reporting Standards* – IFRS)** adotadas no Brasil, as demonstrações contábeis auditadas de empresas brasileiras devem informar a base ou bases de mensuração utilizadas nas demonstrações contábeis (p. ex., custo histórico, custo corrente, valor realizável líquido, valor justo ou valor recuperável).[3] Assim, os termos *valor registrado* e *valor de livros* não são adequados. Eles se referem especificamente a "valor" quando, na verdade, os números contábeis em geral se baseiam no custo. Isso leva muitos leitores de demonstrações contábeis à conclusão errônea de que o ativo da empresa é registrado com o valor real de mercado. O *valor de mercado* é o preço pelo qual vendedores e compradores dos ativos estão dispostos a transacionar. Seria mera coincidência se o valor contábil e o valor de mercado fossem equivalentes. Na realidade, a tarefa da administração é criar para a empresa valor que exceda o seu custo.

O balanço patrimonial é utilizado por várias pessoas, mas elas podem querer extrair informações diferentes dele. Os banqueiros podem procurar no balanço patrimonial evidências de liquidez contábil e de capital de giro. Os fornecedores também podem observar a quantidade de contas a pagar e, consequentemente, a rapidez geral com que os pagamentos são realizados. Muitos usuários das demonstrações contábeis, incluindo gestores e investidores, querem saber o valor da empresa, e não o seu custo. Essa informação não consta no balanço patrimonial. Na verdade, muitos dos recursos da empresa não aparecem no balanço patrimonial: boa administração, ativos de propriedade exclusiva da empresa, condições econômicas favoráveis e assim

---

[1] Os credores são investidores em dívidas da empresa.

[2] Muitos termos de contabilidade financeira têm o mesmo significado, o que pode gerar confusão. Isso constitui um problema de jargão para os leitores de demonstrações financeiras. Por exemplo, os seguintes termos são usados para se referir à mesma coisa: *ativos menos passivos*, *capital próprio*, *patrimônio dos acionistas*, *patrimônio líquido contábil* e *fundos próprios*. O mesmo ocorre com "demonstrações contábeis" e "demonstrações financeiras" que utilizamos como sinônimos neste livro.

[3] As IFRS exigem que os ativos sejam registrados de acordo com o seu custo histórico, o seu custo corrente, o seu valor realizável ou o seu valor corrente, sendo o custo histórico a base de mensuração mais comumente adotada pelas entidades na elaboração de suas demonstrações contábeis. Na maioria das vezes, o custo histórico é menor que o valor de mercado. Entretanto, o valor dos ativos pode ser ajustado para corresponder ao valor justo de mercado – por exemplo, no caso em que as condições econômicas se alterem e determinados ativos tenham que ter seu valor ajustado ao seu valor recuperável na nova conjuntura.

por diante. A partir desse ponto, sempre que falarmos do valor de um ativo ou do valor da empresa, normalmente estaremos nos referindo ao valor de mercado dela.

Dessa forma, por exemplo, ao dizermos que o objetivo do administrador financeiro é aumentar o valor das ações, geralmente queremos dizer aumentar o valor de mercado das ações, e não o seu valor contábil.

Com a crescente globalização dos negócios, há uma necessidade cada vez maior de tornar as normas contábeis de diferentes países mais compatíveis entre si. O Brasil adotou as normas internacionais de Contabilidade (*International Financial Reporting Standards* – IFRS), emitidas pelo *International Accounting Standards Board* (IASB), em dezembro de 2007. O Estados Unidos, mais reticentes na adoção de outras normas contábeis, desenvolvem um trabalho de aproximação das suas normas para o IFRS. Em particular, o *Financial Accounting Standards Board* – FASB dos Estados Unidos, que coordena as políticas dos US GAAP, e o IASB, que coordena as políticas das IFRS, têm trabalhado para a convergência de políticas contábeis, desenvolvendo uma série de projetos em conjunto. A expectativa é que o passo seguinte seja a adoção integral das IFRS para empresas sediadas nos Estados Unidos.

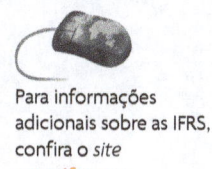

Para informações adicionais sobre as IFRS, confira o *site* **www.ifrs.org**.

EXEMPLO 2.1 Valor de mercado *versus* valor contábil

A Companhia Clone tem ativo imobilizado com valor contábil de $ 700 e um valor de mercado avaliado em cerca de $ 1.000. O capital de giro é de $ 400 nos livros contábeis, mas aproximadamente $ 600 seriam realizados se todas as contas atuais fossem liquidadas. A Clone tem $ 500 de obrigações de longo prazo, tanto em valor contábil quanto em valor de mercado. Qual é o valor do patrimônio líquido? Qual é o valor de mercado?

Podemos construir dois balanços patrimoniais simplificados, um em termos contábeis (valor contábil) e outro em termos econômicos (valor de mercado):

COMPANHIA CLONE Balanços patrimoniais Valor de mercado *versus* valor contábil						
Ativo			**Passivo e patrimônio dos acionistas**		
	Contábil	Mercado		Contábil	Mercado
Capital de giro	$ 400	$ 600	Dívidas de longo prazo	$ 500	$ 500
Ativo imobilizado líquido	700	1.000	Patrimônio dos acionistas	600	1.100
	$ 1.100	$ 1.600		$ 1.100	$ 1.600

Neste exemplo, o patrimônio dos acionistas é, na verdade, quase o dobro do que é mostrado nos livros. A distinção entre os valores contábil e de mercado é importante exatamente porque os valores contábeis podem ser muito diferentes do verdadeiro valor econômico.

2.2 Demonstração de resultados

A **demonstração de resultados do exercício (DRE)** mede o desempenho durante um período específico – um ano, por exemplo. A definição contábil de lucro é:

$$\text{Receitas} - \text{Despesas} \equiv \text{Lucro}$$

ExcelMaster cobertura *online*

Enquanto o balanço patrimonial é como um momento congelado, a demonstração de resultados é como uma gravação em vídeo do que as pessoas fizeram entre dois momentos. O Quadro 2.2 apresenta a demonstração de resultados da Companhia de Compósitos para o ano de 2012.

A DRE geralmente inclui várias seções. A seção de operações relata as receitas e despesas da empresa nas suas principais operações. Um número especialmente importante é o lucro antes de juros e imposto de renda, LAIR (em inglês, *earnings before interest and taxes* – EBIT), que resume os lucros antes dos impostos e dos custos financeiros; como no Brasil, além do imposto de renda, há a incidência da contribuição social sobre o lucro líquido, CSLL, é melhor exprimir

QUADRO 2.2 Demonstração de resultados do exercício da Companhia de Compósitos

COMPANHIA DE COMPÓSITOS Demonstração de resultados do exercício 2012 (em milhões de $)	
Receitas operacionais totais	$ 2.262
Custo dos bens vendidos	1.655
Despesas gerais, administrativas e de vendas	327
Depreciação	90
Resultados operacionais	$ 190
Outros resultados	29
Resultado antes do resultado financeiro e dos tributos	$ 219
Despesas de juros	49
Resultado antes dos tributos sobre o lucro	$ 170
Tributos	84
Correntes: $ 71	
Diferidos: 13	
Lucro líquido	$ 86
Acréscimo a reserva de lucros:	$ 43
Dividendos:	43

Observação: Há 29 milhões de ações em circulação. Podem-se calcular os lucros e dividendos por ação da seguinte forma:

$$\text{Lucros por ação} = \frac{\text{Resultado líquido}}{\text{Total de ações em circulação}}$$
$$= \frac{\$ 86}{29}$$
$$= \$ 2{,}97 \text{ por ação}$$

$$\text{Dividendos por ação} = \frac{\text{Dividendos}}{\text{Total de ações em circulação}}$$
$$= \frac{\$ 43}{29}$$
$$= \$ 1{,}48 \text{ por ação}$$

esse número como *Resultado antes do resultado financeiro e dos tributos*. Entre outras coisas, a seção dos resultados não operacionais na demonstração de resultados inclui todos os custos de financiamento, como as despesas de juros. Geralmente, uma segunda seção inclui separadamente a quantidade de impostos sobre os resultados. O último item na demonstração de resultados é o lucro líquido, que costuma ser expresso por ação.

Quando da análise de demonstrações de resultados, o administrador financeiro deve ter em mente as normas contábeis, os itens que não afetam o caixa, o tempo e os custos.

Normas contábeis

A receita é contabilizada nas demonstrações de resultados quando o processo de realização da receita está praticamente completo, e ocorreu a transação de bens ou serviços. Assim, o ganho não realizado decorrente da posse de propriedades não será contabilizado como resultado. Isso pode fornecer uma tática de uniformização de resultados por meio da venda de propriedades valorizadas em momentos convenientes. Por exemplo, se a empresa é proprietária de uma plantação de árvores que teve seu valor dobrado, ela poderá aumentar o lucro total por meio da venda de algumas árvores durante um ano de baixos lucros de outros negócios (isso seria uma receita não operacional se o negócio da empresa não for o de vender árvores). O princípio da confrontação afirma que as receitas devem ser confrontadas com as despesas. Assim, os resultados são contabilizados quando são recebidos ou faturados, mesmo que não tenha ocorrido fluxo de caixa (p. ex., quando bens são vendidos a crédito, as vendas e os lucros são contabilizados).

Itens que não afetam o caixa

O valor econômico dos ativos tem uma conexão intrínseca com os fluxos de caixa adicionais futuros. Contudo, o fluxo de caixa não aparece nas demonstrações de resultados. Há vários **itens que não afetam o caixa** que se confrontam como despesas frente a receitas, mas que não afetam o fluxo de caixa. O item mais importante que não afeta o caixa é a *depreciação*. A depreciação reflete a estimativa contábil do custo do equipamento desgastado no processo de produção. Suponhamos, por exemplo, que um ativo com uma vida útil de cinco anos seja comprado por $ 1.000. De acordo com os contadores, o custo de $ 1.000 deve ser incorrido durante a vida útil do ativo. Se for utilizado o método de depreciação linear, o valor será dividido em cinco parcelas iguais e haverá uma despesa de depreciação de $ 200 por ano. Da perspectiva financeira, o custo do ativo é o fluxo de caixa negativo realizado quando ele é adquirido (ou seja, $ 1.000, e *não* a despesa contábil uniformizada de depreciação de $ 200 por ano).

Outra despesa que não afeta o caixa são os *tributos diferidos*, que podem resultar de diferenças entre a receita contábil e a receita tributável.[4] Note que os tributos mostrados na demonstração de resultados da Companhia de Compósitos somam $ 84 milhões. Eles foram divididos em tributos correntes e tributos diferidos. Os tributos correntes são recolhidos de fato às autoridades fiscais (p. ex., a Receita Federal); os tributos diferidos, não. Entretanto, a teoria afirma que, se a receita tributável for menor que a receita contábil no ano atual, futuramente ela será maior que a receita contábil. Consequentemente, os tributos que não forem pagos agora precisarão ser pagos no futuro e representam um passivo para a empresa. Esse fato aparece no balanço patrimonial como passivo fiscal diferido. Da perspectiva de fluxo de caixa, entretanto, os tributos diferidos não são saída de caixa.

Na prática, a diferença entre lucro contábil e fluxo de caixa pode ser drástica. Portanto, é importante saber diferenciá-los. Considere, por exemplo, a Eurodisney, que administra a Disneylândia de Paris. A empresa relatou um prejuízo líquido de € 99,5 milhões na primeira metade de 2011. Parece terrível, mas a Eurodisney também relatou um fluxo de caixa *positivo* de € 6,4 milhões, uma diferença de cerca de € 106 milhões!

Tempo e custos

É útil pensar no futuro como se tivesse duas partes distintas: o *curto prazo* e o *longo prazo*. O curto prazo é o período durante o qual certos equipamentos, recursos e compromissos da empresa são fixos; mas esse prazo é longo o bastante para que a empresa possa aumentar sua produção com o uso de mais mão de obra e matérias-primas. Não é um período igual para todos os setores.

Entretanto, as empresas que tomam decisões de curto prazo têm alguns custos fixos, ou seja, custos que não serão alterados por serem compromissos fixos. Exemplos práticos de custos fixos incluem juros de títulos de dívida, despesas gerais e impostos sobre propriedade. Os custos que não são fixos são chamados de custos variáveis. Eles mudam conforme as variações na produção da empresa; são exemplos a matéria-prima e os salários dos trabalhadores na linha de produção (mas devemos lembrar que, embora os salários sejam um custo variável que acompanha a produção, no curto prazo, os custos e os prazos para demissão, assim como a necessidade de preparação de nova mão de obra, tornam menos flexível a decisão de ajustes no quadro funcional para ajustes às oscilações do mercado).

No longo prazo, todos os custos empresariais são variáveis. Em contabilidade financeira, não há distinção entre custos variáveis e fixos. Em vez de serem divididos dessa forma, os custos contábeis costumam ser classificados em custos por produto e custos por período. Os custos por produto são os custos totais de produção que ocorreram durante um determinado período: matéria-prima, mão de obra direta e custos gerais de fabricação. Eles são informados na demonstração de resultados como custo dos produtos vendidos. Tanto custos variáveis quanto

---

[4] Uma situação na qual a receita tributável pode ser menor do que a receita contábil é quando a empresa utiliza procedimentos de aceleração da despesa de depreciação para a Receita Federal, mas utiliza procedimentos lineares permitidos pelas IFRS para fins de demonstrações societárias.

custos fixos são incluídos nos custos por produto. Os custos por período são custos associados a um período de tempo; são chamados de *despesas gerais, administrativas e de vendas*. Um exemplo de custo por período seriam os honorários do presidente da empresa.

No Brasil, as empresas de capital aberto devem arquivar relatórios trimestrais e anuais junto à CVM. O trimestral é conhecido como ITR (Informações Trimestrais), e o anual como DFP (Demonstrações Financeiras Padronizadas). Em 2010, as empresas abertas brasileiras passaram a ter de produzir e arquivar na CVM o chamado Formulário de Referência – FR –, um extenso e detalhado relatório de informações da empresa. O FR pode ser atualizado a qualquer momento durante o exercício, e, assim, você poderá ver vários FR de um mesmo ano. Para ter acesso aos relatórios arquivados na CVM, você precisa baixar o arquivo de programas disponibilizado pela CVM. A maneira mais fácil de consultar esses relatórios é acessar a página de informações para investidores da companhia aberta de seu interesse. Para isso, acesse o *site* da companhia e procure a aba com uma indicação do tipo "Investidores" ou "Relações com Investidores". Para um exemplo, consulte a página da WEG, uma empresa brasileira que produz sistemas industriais e máquinas e equipamentos para produção, distribuição e conversão de energia elétrica em geral (Weg..., c2011).

2.3 Tributos

ExcelMaster
cobertura
online
Esta seção apresentará a função PROC.

Os tributos podem ser uma das maiores saídas de caixa de uma empresa, e não só no Brasil. De acordo com o Departamento de Comércio americano, o total de lucros de pessoas jurídicas antes dos impostos nos Estados Unidos em 2010 foi de US$ 1,68 trilhão, e os tributos sobre esses lucros foram de cerca de US$ 470 bilhões, ou 28%. O tamanho da carga tributária é determinado por meio do código tributário, um conjunto de regras alteradas com frequência. Nesta seção, examinamos as alíquotas tributárias da pessoa jurídica e mostramos como são calculadas.

Se as diversas regras de tributação parecem um pouco estranhas ou complicadas, lembre-se de que o código tributário é o resultado de forças políticas, e não econômicas. Assim, não há motivo para que ele tenha sentido econômico. Para ilustrar a complexidade dos impostos sobre pessoas jurídicas, a declaração de renda da General Electric em 2006 totalizou 24 mil páginas, volume muito grande para ser impresso. Registrada de forma eletrônica, a declaração ocupou 237 megabytes.

Alíquotas tributárias sobre lucros da pessoa jurídica

No Brasil há três regimes de tributação de lucros da pessoa jurídica. O primeiro, o Simples Nacional, aplica-se a microempresas e empresas de pequeno porte e, na verdade, não é um regime de tributação de lucros, mas uma tributação percentual fixa sobre o faturamento; os percentuais são diferentes para diferentes atividades. O Simples evita que a empresa optante realize cálculos e controles complicados para apurar tributos. Há limites de receita para opção pelo Simples. O segundo, o regime do Lucro Presumido, também evita que as empresas optantes tenham controles elaborados para cálculo de seu imposto de renda e contribuição social sobre o lucro. No regime do Lucro Presumido, presume-se que a empresa tenha um determinado percentual de lucro sobre os valores que fatura. Sobre esse percentual, incide a tributação sobre o lucro. O terceiro regime é o que nos interessa aqui: o regime do Lucro Real. *Lucro real* aqui significa lucro apurado por meio de lançamentos contábeis de receitas e despesas e sua confrontação, ou seja, decorre da realidade das operações da empresa e exige contabilidade apurada. Uma quarta situação é a do Lucro Arbitrado, mas essa é uma opção de iniciativa da Receita Federal do Brasil (RFB) para tributação de empresas em eventuais situações irregulares.

Todas as empresas cuja receita bruta total, no ano-calendário anterior, seja superior a R$ 72 milhões, ou a R$ 6 milhões multiplicados pelo número de meses de atividade do ano-calendário anterior, quando inferior a 12 meses, são obrigadas a adotar a tributação pelo Lucro Real.

A tributação sobre o lucro é constituída pelo Imposto de Renda da Pessoa Jurídica (IRPJ) e pela Contribuição Social sobre o Lucro Líquido (CSLL).

O IR tem duas alíquotas: uma para a faixa de Lucro Real mensal de até R$ 20.000, à alíquota de 15%, e uma alíquota adicional de 10% sobre o Lucro Real que exceder R$ 20.000 de lucro real mensal.

A pessoa jurídica optante pelo Lucro Real, Presumido ou Arbitrado deverá recolher a Contribuição Social sobre o Lucro Líquido (CSLL), também pela forma escolhida. Não é possível a empresa optar por recolher o IRPJ pelo Lucro Real e a CSLL pelo Lucro Presumido.

A CSLL tem alíquota de 9% para a maioria dos negócios, mas algumas atividades têm outros percentuais. Para uma empresa tributada na forma do Lucro Real, que é o tipo de empresa de interesse para nosso estudo, a tributação pode ser vista, para fins de praticidade, como sendo de 34%.

As alíquotas tributárias da pessoa jurídica vigentes no Brasil são mostradas no Quadro 2.3A; já as alíquotas tributárias da pessoa jurídica vigentes nos Estados Unidos são mostradas no Quadro 2.3B. Uma característica peculiar da tributação instituída pela Lei da Reforma Tributária dos Estados Unidos de 1986 e expandida pela Lei da Reconciliação Orçamentária de 1993 é que os impostos da pessoa jurídica não aumentam progressivamente. Como mostrado, as alíquotas da pessoa jurídica nos Estados Unidos aumentam de 15% para 39% e, depois, retrocedem a 34% para os lucros acima de US$ 335.000. Elas aumentam para 38% e logo caem para 35%.

De acordo com os criadores das regras fiscais atuais, existem nos Estados Unidos apenas quatro alíquotas para a pessoa jurídica: 15%, 25%, 34% e 35%, e as faixas de 38% e 39% surgem por causa de "sobretaxas" aplicadas às alíquotas de 34% e 35%. Entretanto, elas continuam sendo impostos; assim, na verdade, há seis faixas de impostos para pessoas jurídica nos Estados Unidos, como mostrado.

Alíquotas tributárias médias *versus* marginais

Ao tomar decisões financeiras, geralmente é importante separar alíquotas tributárias médias de alíquotas tributárias marginais sobre lucros. A **alíquota tributária média** é a carga tributária dividida pelo lucro tributável – em outras palavras, a porcentagem de lucro destinada aos impostos. A **alíquota tributária marginal** são os impostos que seriam pagos (em valores percentuais) se fosse adicionado um real aos lucros. Todas as alíquotas tributárias apresentadas nos Quadros 2.3A e 2.3B são marginais. Em outras palavras, elas se aplicam apenas à parte do lucro dentro do intervalo indicado, e não a todo o lucro.

Podemos entender melhor a diferença entre as alíquotas tributárias médias e marginais por meio de um exemplo simples. Suponhamos que, em determinado mês, sua empresa tenha um lucro tributável de $ 200 mil. Qual é a carga tributária? Consultando o Quadro 2.3A, vemos que nossa carga tributária é:

QUADRO 2.3A Alíquotas tributárias da pessoa jurídica no Brasil

Lucro tributável	Alíquota tributária
IRPJ	
R$ 0 – 240.000	15%
> 240.000	25%
CSLL	
Todas as faixas de lucro	9%

QUADRO 2.3B Alíquotas tributárias da pessoa jurídica nos Estados Unidos

Lucro tributável	Alíquota tributária
$ 0 – 50.000	15%
50.001 – 75.000	25
75.001 – 100.000	34
100.001 – 335.000	39
335.001 – 10.000.000	34
10.000.001 – 15.000.000	35
15.000.001 – 18.333.333	38
18.333.334 +	35

Se a empresa está sediada no Brasil:

IRPJ
$$0,15(\$\ 20.000) = \$\ 3.000$$
$$0,25(\$\ 200.000 - 20.000) = 45.000$$
$$\text{CSLL} \quad 0,09(\$\ 200.000) = \underline{18.000}$$
$$\text{Total de tributos sobre o lucro} = \underline{\$\ 66.000}$$

O total de tributos que a empresa com sede no Brasil pagaria é de $ 66.000

Se a empresa está sediada nos Estados Unidos:

$$0,15(\$\ 50.000) = \$\ 7.500$$
$$0,25(\$\ 75.000 - 50.000) = 6.250$$
$$0,34(\$\ 100.000 - 75.000) = 8.500$$
$$0,39(\$\ 200.000 - 100.000) = \underline{39.000}$$
$$\text{Total de tributos sobre o lucro} = \underline{\$\ 61.250}$$

O total de tributos que a empresa com sede nos Estados Unidos pagaria é de $ 61.250.

Em nosso exemplo, qual é a alíquota tributária média? O lucro tributável foi de $ 200.000 e a carga tributária foi respectivamente de $ 66.000 e de $ 61.250; logo, as alíquotas tributárias médias são de $ 66.000/200.000 = 33% e de $ 61.250/200.000 = 30,625%. Qual é a alíquota tributária marginal? Se fosse adicionado um real ao lucro da empresa brasileira, esse real adicional seria tributado em 25% mais 9%, de modo que a alíquota marginal da empresa brasileira é de 34%. Já o tributo sobre um dólar adicional de lucro da empresa norte-americana seria de 39 centavos, de modo que a alíquota marginal da empresa norte-americana, nesse caso, é de 39%.

O Quadro 2.4 apresenta diferentes receitas tributáveis, alíquotas tributárias marginais e alíquotas tributárias médias para pessoas jurídicas norte-americanas. Observe como as alíquotas tributárias média e marginal chegam aos mesmos 35% (34%, no caso do Brasil).

Para um imposto de *alíquota fixa*, existe apenas uma alíquota tributária, que é igual para todos os níveis de receita. Com isso, a alíquota tributária marginal é sempre igual à alíquota tributária média. No momento, a tributação sobre a pessoa jurídica nos Estados Unidos tem por base um imposto de alíquota fixa modificada, que se torna uma verdadeira alíquota fixa para as receitas mais altas.

Olhando o Quadro 2.4, observe que quanto mais uma corporação norte-americana lucrar, maior será a porcentagem do lucro tributável pago em impostos. Em outras palavras, de acordo com a lei fiscal atual dos Estados Unidos, a alíquota tributária média para as empresas norte-americanas nunca diminui, embora a alíquota tributária marginal diminua. Como mostrado, lá as alíquotas tributárias médias para pessoas jurídicas vão de 15% até um máximo de 35%.

A Receita Federal tem um ótimo *site*: **www.receita.fazenda.gov.br**.

QUADRO 2.4 Impostos da pessoa jurídica e alíquotas tributárias nos Estados Unidos

(1) Lucro tributável	(2) Alíquota tributária marginal	(3) Total de impostos	(3)/(1) Alíquota tributária média
$ 45.000	15%	$ 6.750	15,00%
70.000	25	12.500	17,86
95.000	34	20.550	21,63
250.000	39	80.750	32,30
1.000.000	34	340.000	34,00
17.500.000	38	6.100.000	34,86
50.000.000	35	17.500.000	35,00
100.000.000	35	35.000.000	35,00

Normalmente, a alíquota tributária marginal é relevante na tomada de decisões financeiras. O motivo é que todos os fluxos de caixa adicionais são tributados à alíquota marginal.

No caso das empresas tributadas no Brasil, a alíquota marginal será em geral de 34%, uma vez que temos somente duas faixas de alíquotas, 15% e 25%, às quais se soma a CSLL – Contribuição Social Sobre o Lucro Líquido –, que para a maioria das empresas é de 9%.

EXEMPLO 2.2 — Atingindo o coração dos impostos

A empresa norte-americana Algernon, Inc. tem um lucro tributável de $ 85.000. Qual é a sua carga tributária? Qual é a sua alíquota tributária média? Qual é a sua alíquota tributária marginal?

No Quadro 2.3B, vemos que a alíquota tributária aplicada sobre os primeiros $ 50.000 é de 15%; a alíquota sobre os $ 25.000 seguintes é de 25%, e a alíquota sobre os valores acima disso até $ 100.000 é de 34%. A Algernon, então, deve pagar $0,15 \times \$ 50.000 + 0,25 \times 25.000 + 0,34 \times (85.000 - 75.000) = \$ 17.150$. Logo, a alíquota tributária média é de $ 17.150/85.000 = 20,18%. A alíquota marginal é de 34%, porque os impostos da Algernon, Inc. aumentariam em 34 centavos caso ela tivesse um dólar a mais em receitas tributáveis.

Como, em geral, as decisões financeiras envolvem novos fluxos de caixa, ou alterações nos existentes, essa alíquota nos dirá o efeito marginal de uma decisão sobre nossa carga tributária.

Há uma última observação a ser feita sobre o modo como o código tributário dos Estados Unidos afeta as corporações de lá. É fácil verificar que a carga tributária sobre a pessoa jurídica nos Estados Unidos é apenas a alíquota fixa de 35% da receita tributável quando esta é maior do que $ 18,33 milhões. Além disso, muitas empresas de porte médio com lucros tributáveis entre $ 335.000 e $ 10.000.000 têm uma alíquota fixa de 34%.

Da mesma forma, como falaremos de grandes empresas brasileiras, vamos supor que as alíquotas tributárias média e marginal são de 34%, exceto quando for explicitamente declarado o contrário; essa é a alíquota total que é aplicável às grandes companhias abertas brasileiras.

Devemos observar duas coisas importantes: primeiro, só tratamos aqui dos tributos sobre o lucro da pessoa jurídica, uma vez que as decisões financeiras afetam lucros, pois juros sobre dívidas e financiamentos são dedutíveis como despesas operacionais, e, segundo, a abordagem tributária aqui foi simplificada para fins de nossa apresentação. Na realidade, o código tributário é muito mais complexo, tanto no Brasil quanto em outros países, com várias deduções e brechas permitidas para certos setores e tributação diferenciada em algumas situações. De fato, dados recentes nos Estados Unidos, por exemplo, mostram que a alíquota tributária média pode ser longe de 35% para muitas empresas. O Quadro 2.5 mostra alíquotas tributárias médias para várias indústrias nos Estados Unidos. Como você pode ver, a alíquota tributária média vai de 33,8% para o setor de energia elétrica até 4,5% para empresas de biotecnologia.

QUADRO 2.5 Alíquotas tributárias médias da pessoa jurídica nos Estados Unidos

Setor	Número de empresas	Alíquota tributária média
Energia elétrica	24	33,8%
Transporte rodoviário	33	32,7
Transporte ferroviário	15	27,4
Corretagem de títulos	30	20,5
Serviços bancários	481	17,5
Suprimentos médicos	264	11,2
Internet	239	5,9
Farmacêutico	337	5,6
Biotecnologia	121	4,5

Antes de continuar, devemos ainda observar que as alíquotas tributárias que discutimos nesta seção se relacionam apenas aos tributos federais. Nos Estados Unidos, as alíquotas gerais sobre lucros podem ser mais altas quando se consideram os tributos estaduais e municipais sobre lucros.

2.4 Capital de giro

ExcelMaster
cobertura
online
Esta seção apresentará referências entre planilhas.

O capital circulante líquido (CCL) é definido como o ativo circulante menos o passivo circulante. Quando o ativo circulante tem valor maior que o do passivo circulante, o capital circulante líquido é positivo, o que significa que o caixa a ser disponibilizado nos próximos 12 meses será maior do que o caixa a ser pago. O capital circulante líquido da Companhia de Compósitos foi de $ 275 milhões em 2012 e de $ 252 milhões em 2011.

	Ativo circulante (em milhões de $)	−	Passivo circulante (em milhões de $)	=	Capital circulante líquido (em milhões de $)
2012	$ 761	−	$ 486	=	$ 275
2011	707	−	455	=	252

Essa forma de apresentação do uso de capital de giro é muito comum e traduz uma abordagem contábil. É fácil de perceber que a diferença entre os valores do Ativo circulante e do Passivo circulante é igual à diferença entre a soma do Passivo não circulante e do Patrimônio líquido menos o Ativo não circulante, e a essa segunda diferença damos o nome de Capital de Giro. De fato, observe que o capital de giro é constituído pelos recursos não circulantes não empregados em imobilizações ou outros ativos não circulantes. Temos, então:

Foco em usos:

Capital circulante líquido = Ativo circulante − Passivo circulante
= CCL = AC − PC

Foco em fontes:

Capital de giro = (Passivo não circulante + patrimônio líquido) − Ativo não circulante
= CDG = (PNC+PL) − ANC

É fácil concluir que:

CDG = CCL.

A análise do Capital de giro é mais importante do que a análise do Capital circulante líquido, pois, quando analisamos o capital de giro pela parte de baixo do balanço, compreendemos melhor as fontes dos recursos da empresa e as diferentes situações que podem se apresentar de acordo com a necessidade de capital de giro dos negócios. A variável de interesse é o capital de giro, e, doravante, trataremos de capital de giro ou capital circulante líquido conforme nos referirmos a fontes ou a usos de capital de giro. Trataremos disso em mais detalhes no Capítulo 27.

Além de investirem em ativos imobilizados (i.e., despesas de capital), as empresas podem investir mais ou menos em ativos circulantes, e medimos isso pelo que é chamado de **variação no capital de giro**.

A variação no capital de giro em 2012 é a diferença entre os capitais circulantes líquidos de 2012 e de 2011, ou seja, $ 275 milhões − $ 252 milhões = $ 23 milhões. Em geral, a variação no capital circulante líquido de empresas em crescimento é positiva, refletindo a formação de capital de giro nas operações.

2.5 Fluxo de caixa financeiro

ExcelMaster
cobertura
online

O item mais importante que pode ser consultado em demonstrações contábeis talvez seja o **fluxo de caixa** real da empresa. Uma demonstração contábil oficial denominada *demonstração* *de fluxos de caixa* ajuda a explicar a variação no caixa e equivalentes, do ponto de vista contábil, que foi de $ 33 milhões em 2012 para a Compósitos. (Consulte a Seção 2.6.) Observe no Quadro 2.1 que o item "caixa e equivalentes" aumentou de $ 107 milhões em 2011 para $ 140 milhões em 2012. Entretanto, vamos examinar o fluxo de caixa sob outra perspectiva: a das finanças. Em finanças, o valor da empresa está na sua habilidade em gerar fluxos de caixa financeiros. (Falaremos mais sobre fluxos de caixa financeiros em um capítulo posterior.)

Primeiramente, devemos mencionar que fluxo de caixa não é o mesmo que capital circulante líquido. Para aumentar o estoque, por exemplo, é necessário fazer uso de caixa. Como tanto os estoques quanto o caixa são ativos circulantes, o capital circulante líquido não é afetado. Nesse caso, o aumento no estoque está associado à diminuição de caixa.

Do mesmo modo como estabelecemos que o valor do ativo total da empresa é sempre igual à soma dos valores do passivo e do patrimônio líquido, os fluxos de caixa recebidos do ativo da empresa (i.e., atividades operacionais), FC(A), devem ser equivalentes à soma dos fluxos de caixa para os credores, FC(B), e investidores de capital próprio, FC(S).

$$FC(A) \equiv FC(B) + FC(S)$$

A primeira etapa na determinação dos fluxos de caixa da empresa é encontrar o *fluxo de caixa de atividades operacionais*. Como pode ser observado no Quadro 2.6, o fluxo de caixa operacional é o fluxo de caixa gerado em atividades empresariais, incluindo vendas de bens e serviços.

QUADRO 2.6 Fluxo de caixa financeiro da Companhia de Compósitos

COMPANHIA DE COMPÓSITOS Fluxo de caixa financeiro 2012 (em milhões de $)	
Fluxo de caixa da empresa	
Fluxo de caixa operacional (Lucro antes de juros e tributos sobre renda mais depreciação menos impostos)	$ 238
Despesas de capital (Compras de ativos imobilizados menos vendas de ativos imobilizados)	−173
Acréscimos ao capital circulante líquido	−23
Total	$ 42
Fluxo de caixa destinado aos investidores da empresa	
Dívida (Juros mais amortização de dívidas menos novo financiamento com dívidas de longo prazo)	$ 36
Capitais próprios (Dividendos mais recompra de ações menos nova emissão de ações)	6
Total	$ 42

O fluxo de caixa operacional reflete os pagamentos de impostos, mas não reflete financiamentos, gastos de capital ou variações no capital de giro.

	em milhões de $
Lucros antes de juros e impostos	$ 219
Depreciação	90
Impostos correntes	−71
Fluxo de caixa operacional	$ 238

Outro componente importante do fluxo de caixa envolve a *movimentação do ativo imobilizado*. Por exemplo, quando a Compósitos vendeu sua subsidiária de sistemas de energia em 2012, gerou $ 25 milhões em fluxo de caixa. A movimentação líquida do ativo imobilizado equivale à diferença entre a aquisição de ativos imobilizados e a venda de ativos imobilizados. O resultado é o fluxo de caixa usado para gastos de capital:

Aquisição de ativos imobilizados	$ 198	
Venda de ativos imobilizados	−25	
Gastos de capital	$ 173	($ 149 + 24 = Aumento de bens imóveis, fábrica e equipamentos + Aumento de ativos intangíveis)

Também podemos simplesmente calcular os gastos de capital da seguinte forma:

Gastos de capital = Ativo imobilizado líquido final + Ativo imobilizado líquido inicial
 + Depreciação
= $ 1.118 − 1.035 + 90
= $ 173

Fluxos de caixa também são utilizados em investimentos em capital circulante líquido. Em 2012, na Compósitos, os *acréscimos ao capital circulante líquido* são:

Acréscimos ao capital circulante líquido	$ 23

Observe que esses $ 23 milhões equivalem à variação no capital de giro calculada anteriormente. Os fluxos de caixa totais gerados pelo ativo da empresa são iguais a:

Fluxo de caixa operacional	$ 238
Gastos de capital	−173
Acréscimos ao capital circulante líquido	− 23
Fluxo de caixa total da empresa	$ 42

O total de saídas de fluxo de caixa da empresa pode ser dividido em fluxo de caixa pago aos credores e fluxo de caixa pago aos acionistas. O fluxo de caixa pago aos credores representa um reagrupamento dos dados do Quadro 2.6 e um registro explícito das despesas com juros. Os credores recebem uma quantidade de dinheiro geralmente chamada de *serviço da dívida*. O serviço da dívida é a soma dos pagamentos de juros com os pagamentos de principal (i.e., amortização da dívida).

Uma fonte importante de fluxo de caixa é a emissão de novas dívidas. A dívida de longo prazo da Compósitos aumentou em $ 13 milhões (a diferença entre $ 86 milhões em dívidas novas e $ 73 milhões em amortização de dívidas antigas).[5] Portanto, o aumento na dívida de longo prazo é o efeito líquido de novos empréstimos e pagamento de obrigações com vencimento no período mais despesas de juros:

Fluxo de caixa pago aos credores (em milhões de $)	
Juros	$ 49
Amortização de dívidas	73
Serviço da dívida	122
Receita de emissões de dívidas de longo prazo	−86
Total	$ 36

O fluxo de caixa pago aos credores também pode ser calculado da seguinte forma:

Fluxo de caixa pago aos credores = Juros pagos − Novos empréstimos líquidos
= Juros pagos − (Dívida de longo prazo final
 − Dívida de longo prazo inicial)
= $ 49 − (471 − 458)
= $ 36

---

[5] Dívidas novas e amortização de dívidas antigas.

O fluxo de caixa da empresa também é pago aos acionistas. É o efeito líquido do pagamento de dividendos mais a recompra de ações em circulação e emissão de novas ações:

Fluxo de caixa para os acionistas (em milhões de $)	
Dividendos	$ 43
Recompra de ações	6
Caixa para os acionistas	49
Receitas de emissão de novas ações	−43
Total	$ 6

Em geral, o fluxo de caixa para os acionistas pode ser determinado da seguinte forma:

Fluxo de caixa para os acionistas = Dividendos pagos − Aumento de capital
= Dividendos pagos − (Ações vendidas − Ações recompradas)

Para determinar as ações vendidas, observe, em primeiro lugar, que as contas Ações ordinárias e Reservas de capital tiveram aumentos que somam $ 23 + 20 = $ 43, o que significa que a empresa emitiu $ 43 milhões em ações. Em segundo lugar, as ações em tesouraria aumentaram em $ 6, indicando que a empresa comprou de volta $ 6 milhões em ações. Logo, o aumento do patrimônio líquido é de $ 43 − 6 = $ 37.

Os dividendos pagos foram de $ 43 milhões. Assim, o fluxo de caixa para os acionistas foi de:

Fluxo de caixa para os acionistas = $ 43 − (43 − 6) = $ 6,

como calculado anteriormente.

Podem-se fazer observações importantes a partir de nossa discussão sobre fluxo de caixa:

1. Vários tipos de fluxo de caixa são relevantes na compreensão da situação financeira da empresa. O **fluxo de caixa operacional**, definido como o lucro antes de juros mais depreciação menos tributos sobre o lucro, mede o caixa gerado nas operações, sem contar os gastos de capital ou as demandas do capital de giro. Geralmente é positivo; se o fluxo de caixa operacional se mantém negativo por muito tempo, isso significa que a empresa está com problemas, pois não está gerando caixa suficiente para pagar os custos operacionais. O **fluxo de caixa total da empresa** inclui ajustes para gastos de capital e acréscimos ao capital de giro. Muitas vezes, será negativo. Quando a empresa está em rápido crescimento, os gastos com estoques e ativo imobilizado podem ser maiores do que o fluxo de caixa operacional.

2. O lucro líquido não é o mesmo que o fluxo de caixa. Em 2012, o lucro líquido da Compósitos foi de $ 86 milhões, enquanto o fluxo de caixa foi de $ 42 milhões. Os dois números, geralmente, não são os mesmos. O fluxo de caixa é mais revelador sobre a situação econômica e financeira da empresa.

O fluxo de caixa total da empresa recebe, às vezes, outro nome: **fluxo de caixa livre**. Obviamente, não existe dinheiro "livre", sem dono (quem dera!). Em vez disso, o nome se refere ao caixa que a empresa pode distribuir livremente aos credores e aos acionistas porque não é necessário para o capital de giro ou para investimentos em novos ativos imobilizados. Permaneceremos com "fluxo de caixa total da empresa" como rótulo para esse importante conceito, porque, na prática, existe certa variação na forma como o fluxo de caixa livre é calculado; usuários diferentes o calculam de maneiras diferentes. No entanto, sempre que ouvir "fluxo de caixa livre", entenda que a discussão se refere ao fluxo de caixa dos ativos que pode ser distribuído aos investidores. Quando o termo exato não é importante, frequentemente utilizamos o nome *fluxo de caixa distribuível*.

2.6 Demonstração de fluxos de caixa

Como mencionado anteriormente, existe uma demonstração contábil oficial chamada *demonstração de fluxos de caixa*. Ela ajuda a explicar a variação no caixa contábil, que, para a Companhia de Compósitos, foi de $ 33 milhões em 2012. Essa demonstração é muito útil para entender o fluxo de caixa financeiro.

A primeira etapa na determinação da variação de caixa é encontrar o fluxo de caixa das atividades operacionais. Trata-se do fluxo de caixa resultante das atividades normais da empresa relativas à produção e à venda de bens e serviços. A segunda etapa é fazer um ajuste relativo ao fluxo de caixa das atividades de investimento. A última etapa é fazer um ajuste relativo ao fluxo de caixa das atividades de financiamento, que são os pagamentos líquidos para os credores e acionistas (excluindo despesas com juros) feitos durante o ano.

Os três componentes da demonstração de fluxos de caixa serão determinados a seguir.

Fluxo de caixa de atividades operacionais

Para calcular o fluxo de caixa de atividades operacionais, começamos com o lucro líquido, que pode ser consultado na demonstração de resultados e é igual a $ 86 milhões. Agora devemos voltar a adicionar despesas que não afetam o caixa e fazer ajustes relativos a variações nos ativos e passivos circulantes (exceto caixa e empréstimos). O resultado é o fluxo de caixa de atividades operacionais. Os empréstimos serão incluídos na seção de atividades de financiamento.

COMPANHIA DE COMPÓSITOS	
Fluxo de caixa de atividades operacionais	
2012 (em milhões de $)	
Lucro líquido	$ 86
Depreciação	90
Tributos diferidos	13
Variação de ativos e passivos	
Contas a receber	−24
Estoques	11
Fornecedores	16
Despesas a pagar	18
Outros	−8
Fluxo de caixa de atividades operacionais	**$ 202**

Fluxo de caixa de atividades de investimento

O fluxo de caixa de atividades de investimento envolve variações nos ativos imobilizados: aquisições e vendas (i.e., despesas líquidas de capital). O resultado para a Compósitos é mostrado a seguir:

COMPANHIA DE COMPÓSITOS	
Fluxo de caixa de atividades de investimento	
2012 (em milhões de $)	
Aquisições de ativos imobilizados	−$ 198
Vendas de ativos imobilizados	25
Fluxo de caixa de atividades de investimento	**−$ 173**

Fluxo de caixa de atividades de financiamento

Fluxos de caixa de e para credores e acionistas incluem variações no capital próprio e na dívida:

COMPANHIA DE COMPÓSITOS Fluxo de caixa de atividades de financiamento 2012 (em milhões de $)	
Amortizações de dívidas de longo prazo	−$ 73
Receita de emissões de dívidas de longo prazo	86
Variações nos empréstimos	−3
Dividendos	−43
Recompra de ações	−6
Receitas de emissões de novas ações	43
Fluxo de caixa de atividades de financiamento	**$ 4**

A demonstração de fluxos de caixa é a soma dos fluxos de caixa operacionais, fluxos de caixa de atividades de investimento e fluxos de caixa de atividades de financiamento, apresentada no Quadro 2.7. Quando adicionamos todos os fluxos de caixa, chegamos à variação de caixa de $ 33 milhões no balanço patrimonial.

Há uma relação próxima entre a demonstração contábil oficial chamada de demonstração de fluxos de caixa e o fluxo de caixa total da empresa utilizado na área de finanças. Voltando à seção anterior, talvez você perceba aqui um leve problema conceitual. Os juros pagos deveriam entrar

QUADRO 2.7 Demonstrações consolidadas dos fluxos de caixa da Companhia de Compósitos

COMPANHIA DE COMPÓSITOS Demonstração de fluxos de caixa 2012 (em milhões de $)	
Operacional	
Lucro líquido	$ 86
Depreciação	90
Impostos diferidos	13
Variação de ativos e passivos	
Contas a receber	−24
Estoques	11
Fornecedores	16
Despesas a pagar	18
Outros	−8
Fluxo de caixa operacional total	**$ 202**
Atividades de investimento	
Aquisições de ativos imobilizados	−$ 198
Vendas de ativos imobilizados	25
Total de fluxos de caixa de atividades de investimento	**−$ 173**
Atividades de financiamento	
Amortizações de dívidas de longo prazo	−$ 73
Receita de emissões de dívidas de longo prazo	86
Variação nos empréstimos	−3
Dividendos	−43
Recompra de ações	−6
Receitas de emissões de novas ações	43
Total de fluxos de caixa de atividades de financiamento	**$ 4**
Variação de caixa (no balanço patrimonial)	**$ 33**

em atividades de financiamento, mas, infelizmente, pode não ser assim. As regras contábeis permitem deduzir os juros como despesa quando o lucro é calculado. Assim, uma diferença fundamental entre os fluxos de caixa contábil e financeiro (consulte o Quadro 2.6) são as despesas com juros. As normas contábeis não impedem que os juros pagos sejam classificados como atividade de financiamento, admitem os dois tratamentos, e as empresas fazem a escolha mais conveniente.

2.7 Administração do fluxo de caixa

Uma das razões pelas quais a análise de fluxo de caixa é popular é a dificuldade de se manipular os fluxos de caixa. As normas contábeis permitem a tomada de importantes decisões subjetivas referentes a áreas importantes. A utilização do fluxo de caixa como medida para avaliar a empresa vem da ideia de que haveria menos subjetividade e, portanto, seria mais difícil manipular os números. No entanto, vários exemplos recentes mostraram que as empresas ainda podem encontrar formas de fazer isso.

A Tyco utilizou diversas táticas para alterar os fluxos de caixa relatados. Por exemplo, a empresa comprou de revendedores de sistemas de segurança mais de US$ 800 milhões em contas de clientes. Os fluxos de caixa provenientes dessas transações foram relatados na seção de atividades de financiamento da demonstração contábil de fluxos de caixa. Quando a Tyco recebeu pagamentos dos clientes, as entradas de caixa foram relatadas como fluxos de caixa operacionais. Outro método utilizado pela Tyco foi o de fazer as empresas adquiridas pagarem antecipadamente as despesas operacionais. Em outras palavras, empresas adquiridas pela Tyco pagariam aos fornecedores por itens ainda não recebidos. Em um caso, os pagamentos totalizaram mais de US$ 50 milhões. Quando as empresas adquiridas eram consolidadas com a Tyco, os pagamentos antecipados reduziram as saídas de caixa desta, aumentando, assim, os fluxos de caixa operacionais.

A Dynegy, gigante do setor energético, foi acusada de tomar parte em diversas "transações de ida e volta", que envolviam, essencialmente, a venda de recursos naturais a uma contraparte, com a recompra dos recursos da mesma parte pelo mesmo preço. Basicamente, a Dynegy vendia um ativo por US$ 100 e, imediatamente, recomprava-o por US$ 100. O problema surgiu com a forma como os fluxos de caixa da venda foram tratados. A Dynegy tratou o caixa da venda dos ativos como fluxos de caixa operacionais, mas classificou a recompra como uma saída de caixa de investimento. Os fluxos de caixa totais negociados pela Dynegy nessas transações de ida e volta chegaram a US$ 300 milhões.

A Adelphia Communications foi outra empresa que, aparentemente, manipulou os fluxos de caixa. No caso da Adelphia, a empresa capitalizou a mão de obra necessária para instalar cabos. Em outras palavras, a empresa classificou essa despesa de mão de obra como um ativo fixo. Embora seja uma prática bastante comum no setor de telecomunicações, a Adelphia capitalizou uma porcentagem de mão de obra maior do que a normal. Essa classificação resultou no tratamento da mão de obra como um fluxo de caixa de investimento, o que aumentou o fluxo de caixa operacional.

Em cada um desses exemplos, as empresas estavam tentando aumentar os fluxos de caixa operacionais por meio da mudança de fluxos de caixa para outra seção. O importante a ser observado é que essas movimentações não afetam o fluxo de caixa total da empresa. Por esse motivo, recomendamos que se dê atenção a esse número, e não apenas ao fluxo de caixa operacional.

Resumo e conclusões

Além de apresentar a contabilidade para pessoas jurídicas, este capítulo teve como objetivo lhe ensinar a determinar o fluxo de caixa a partir das demonstrações contábeis de uma empresa típica.

1. Fluxos de caixa são gerados pela empresa e pagos a credores e acionistas. Eles podem ser classificados como:
    a. Fluxo de caixa operacional.
    b. Fluxo de caixa proveniente de variações no ativo imobilizado.
    c. Fluxo de caixa proveniente de variações no capital de giro.

2. Calcular fluxos de caixa não é difícil, mas é necessária cautela e especial atenção aos detalhes na contabilização correta de despesas que não envolvem o caixa, como depreciação e tributos diferidos. É de grande importância não confundir o fluxo de caixa com as variações no capital de giro e com o lucro líquido.

QUESTÕES CONCEITUAIS

1. **Liquidez** Verdadeiro ou falso: Todos os ativos são líquidos a algum preço. Explique.
2. **Contabilidade e fluxos de caixa** Por que os valores de receitas e custos mostrados em uma demonstração de resultados padronizada podem não ser representativos dos fluxos reais de entrada e saída de caixa do período?
3. **Demonstração contábil de fluxos de caixa** Observando a demonstração contábil de fluxos de caixa, o que significa o número da última linha? Qual é a utilidade desse número na análise de uma empresa?
4. **Fluxos de caixa** Em que pontos os fluxos de caixa financeiros e a demonstração de fluxos de caixa contábil diferem? Qual é mais útil na análise de uma empresa?
5. **Valores contábeis *versus* valores de mercado** De acordo com as normas contábeis, é possível que o passivo de uma empresa exceda seu ativo. Quando isso ocorre, o patrimônio líquido é negativo. Isso pode acontecer com valores de mercado? Por quê?
6. **Fluxo de caixa dos ativos** Por que não é necessariamente ruim que o fluxo de caixa dos ativos apresente um valor negativo em determinado período?
7. **Fluxo de caixa operacional** Por que não é necessariamente ruim que o fluxo de caixa operacional apresente um valor negativo em determinado período?
8. **Capital circulante líquido e gastos de capital** A variação do capital circulante líquido de uma empresa poderia ser negativa em determinado ano? (*Dica:* sim.) Explique como isso poderia ocorrer. E as despesas de capital líquidas?
9. **Fluxo de caixa para acionistas e credores** O fluxo de caixa para os acionistas poderia ser negativo em determinado ano? (*Dica:* sim.) Explique como isso poderia ocorrer. E o fluxo de caixa para os credores?
10. **Valores da empresa** Voltando ao exemplo do Bank of America no início do capítulo, observe que sugerimos que os acionistas do banco provavelmente não foram prejudicados em virtude das perdas demonstradas. Em sua opinião, qual foi a base de nossa conclusão?

QUESTÕES E PROBLEMAS

BÁSICO
(Questões 1-10)

1. **Montagem de um balanço patrimonial** A BisPop Ltda. tem ativo circulante de $ 5.700, ativo imobilizado líquido de $ 27.000, passivo circulante de $ 4.400 e passivo não circulante de $ 12.900. Qual é o valor do patrimônio líquido? Qual é o valor do capital circulante líquido?
2. **Montagem de uma demonstração de resultados** A Traves Ltda. tem vendas de $ 387.000, custos de $ 175.000, despesas de depreciação de $ 40.000, despesas de juros de $ 21.000 e uma alíquota tributária de 34%. Qual é o lucro líquido da empresa? Suponha que a empresa tenha pago $ 30.000 em dividendos. Qual é o acréscimo à reserva de lucros?
3. **Valores de mercado e valores contábeis** Há três anos, a Cruzadores Klingon Ltda. comprou novo maquinário têxtil por $ 9,5 milhões. Hoje, o maquinário pode ser vendido para os Romulanos por $ 6,5 milhões. O balanço patrimonial atual da Klingon mostra um ativo imobilizado líquido de $ 5,2 milhões, um passivo circulante de $ 2,4 milhões e capital circulante líquido de $ 800.000. Se todo o ativo circulante fosse liquidado hoje, a empresa receberia $ 2,6 milhões. Qual é o valor contábil dos ativos da Klingon hoje? Qual é o valor de mercado?
4. **Cálculo de tributos sobre o lucro** A Locker Ltda. teve R$ 273.000 de lucro tributável. Usando as alíquotas do Quadro 2.3A, calcule os tributos sobre a renda da empresa. Qual é a alíquota tributária média? Qual é a alíquota tributária marginal?

5. **Cálculo do FCO** A Ramos Ltda. tem vendas de $ 18.700, custos de $ 10.300, despesas de depreciação de $ 1.900 e despesas de juros de $ 1.250. Se a alíquota tributária for 34%, qual será o fluxo de caixa operacional, o FCO?

6. **Cálculo dos gastos líquidos de capital** O balanço patrimonial de 2011 do Centro de Formação de Condutores João mostrou ativo imobilizado líquido de $ 1,42 milhão, e o balanço patrimonial de 2012 mostrou ativo imobilizado líquido de $ 1,69 milhão. A demonstração de resultados da empresa em 2012 mostrou uma despesa com depreciação de $ 145.000. Quais foram os gastos líquidos de capital em 2012?

7. **Montagem de um balanço patrimonial** O quadro a seguir apresenta o passivo não circulante e o patrimônio líquido dos acionistas da Controle de Informação S/A um ano atrás:

Dívidas de longo prazo	$ 65.000.000
Ações preferenciais:	4.000.000
Ações ordinárias (valor ao par de $ 1)	15.000.000
Reserva de Lucros	135.000.000
Reserva de capital	45.000.000

Durante o ano passado, a Controle de Informação emitiu 10 milhões de novas ações a um preço total de $ 58 milhões e emitiu $ 35 milhões em novas dívidas de longo prazo. A empresa gerou $ 9 milhões de lucro líquido e pagou $ 2 milhões em dividendos. Construa o balanço patrimonial atual refletindo as variações que ocorreram na Controle de Informação S/A durante o ano.

8. **Fluxo de caixa para os credores** Em 2011, o balanço patrimonial da Loja de Tênis da Ana S/A mostrou dívidas de longo prazo de $ 1,45 milhão e o balanço patrimonial em 2012 apresentou dívidas de longo prazo de $ 1,52 milhões. A demonstração de resultados de 2012 mostrou despesas com juros de $ 127.000. Qual foi o fluxo de caixa para os credores em 2012?

9. **Fluxo de caixa para os acionistas** Em 2011, o balanço patrimonial da Loja de Tênis da Ana S/A mostrou $ 490.000 na conta das ações e $ 3,4 milhões na conta de reservas de capital. O balanço patrimonial de 2012 apresentou $ 525.000 e $ 3,7 milhões nas duas contas, respectivamente. Se a empresa pagou $ 275.000 em dividendos em 2012, qual foi o fluxo de caixa para os acionistas?

10. **Cálculo dos fluxos de caixa totais** Com as informações da Loja de Tênis da Ana S/A apresentadas nos dois problemas anteriores, suponhamos que você saiba também que os gastos líquidos de capital da empresa foram de $ 945.000 em 2012 e que ela reduziu seu investimento em capital circulante líquido em $ 87.000. Qual foi o fluxo de caixa operacional em 2012?

INTERMEDIÁRIO
(Questões 11–23)

11. **Fluxos de caixa** Os contadores da Companhia Ritter prepararam as seguintes demonstrações contábeis no final do ano de 2012:

    a. Explique a variação no caixa em 2012.

    b. Determine a variação no capital circulante líquido em 2012.

    c. Determine o fluxo de caixa gerado pelos ativos da empresa em 2012.

COMPANHIA RITTER Demonstração de resultados 2012	
Receita	$ 750
Despesas	565
Depreciação	90
Lucro líquido	$ 95
Dividendos	$ 75

	COMPANHIA RITTER Balanço patrimonial 31 de dezembro	
	2012	2011
Ativo		
Caixa	$ 65	$ 55
Outros ativos circulantes	170	165
Ativo imobilizado líquido	390	370
Ativo total	$ 625	$ 590
Passivo e patrimônio líquido		
Contas a pagar	$ 125	$ 115
Dívida de longo prazo	145	140
Patrimônio líquido	355	335
Total do passivo e do patrimônio líquido	$ 625	$ 590

12. **Fluxos de caixa financeiros** A Companhia Estância forneceu as seguintes informações correntes:

Captação de empréstimos de longo prazo	$ 17.000
Captação com venda de ações	4.000
Compra de ativos imobilizados	21.000
Compra de estoques	1.900
Pagamento de dividendos	14.500

   Determine os fluxos de caixa da empresa e os fluxos de caixa para os investidores.

13. **Montagem de uma demonstração de resultados** Durante o ano, a Sempé Pneus Econômicos Ltda. apresentou vendas brutas de $ 1,06 milhão. O custo dos produtos vendidos e despesas com vendas da empresa foram de $ 525.000 e $ 215.000, respectivamente. A Sempé também tinha $ 800.000 em títulos a pagar, com taxa de juros de 7%. A depreciação foi de $ 130,000. A alíquota tributária da Sempé foi de 34%.

    a. Qual foi o resultado líquido?

    b. Qual foi o fluxo de caixa operacional?

14. **Cálculo dos fluxos de caixa totais** A Companhia Sperta apresenta as seguintes informações na sua demonstração de resultados de 2012: vendas = $ 185.000; custos = $ 98.000; outras despesas = $ 6.700; gastos com depreciação = $ 16.500; despesas com juros = $ 9.000; impostos = $ 19.180; dividendos = $ 9.500. Além disso, a empresa emitiu $ 7.550 em novas ações em 2012 e resgatou $ 7.100 em dívidas de longo prazo.

    a. Qual foi o fluxo de caixa operacional em 2012?

    b. Qual foi o fluxo de caixa para os credores em 2012?

    c. Qual foi o fluxo de caixa para os acionistas em 2012?

    d. Se o ativo imobilizado líquido aumentou em $ 26.100 durante o ano, qual foi o acréscimo ao capital circulante líquido (CCL)?

15. **Utilização das demonstrações de resultados** Dadas as seguintes informações sobre a Companhia Marítima Mara, calcule os gastos com depreciação: vendas = $ 41.000; custos = $ 26.400; acréscimo à reserva de lucros = $ 4.900; dividendos pagos = $ 1.570; despesas com juros = $ 1.840; alíquota tributária = 34%.

16. **Direitos residuais** A Huang Ltda. é obrigada a pagar, em breve, $ 10.900 a seus credores.

    a. Qual é o valor de mercado do patrimônio líquido dos acionistas se o ativo tiver um valor de mercado de $ 12.400?

    b. E se o ativo for igual a $ 9.600?

17. **Alíquotas tributárias marginais *versus* médias** (Consulte o Quadro 2.3A.) A Companhia Crescimento teve um lucro tributável de $ 86.000, enquanto a Companhia Receita teve uma receita tributável de $ 8.600.000.

    a. Qual é a carga tributária de cada empresa?

    b. Suponha que ambas tenham identificado um projeto novo que aumentará o lucro tributável em $ 10.000. Qual é o valor adicional de impostos que cada empresa pagará? Por que os montantes são diferentes nesse caso?

18. **Lucro líquido e FCO** Durante o ano de 2012, a Sombrinha Chuvosa S/A teve vendas de $ 630.000.

    O custo dos produtos vendidos, as despesas administrativas e de vendas e as despesas de depreciação foram $ 470.000, $ 95.000 e $ 140.000, respectivamente. Além disso, a empresa teve despesas com juros de $ 70.000 e alíquota tributária de 34%. (Ignore quaisquer medidas de compensação prévia ou futura por perdas fiscais).

    a. Qual foi o lucro líquido em 2012?

    b. Qual foi o fluxo de caixa operacional?

    c. Explique seus resultados em (a) e (b).

19. **Valores contábeis *versus* fluxos de caixa** No Problema 18, suponha que a Sombrinha Chuvosa S/A tenha pago $ 34.000 em dividendos. Isso é possível? Se as despesas com ativo imobilizado líquido e capital circulante líquido foram zero e se nenhuma emissão de ações ocorreu durante o ano, qual foi a variação na conta de dívidas de longo prazo da empresa?

20. **Cálculo dos fluxos de caixa** As Indústrias Cunha tiveram os seguintes resultados operacionais em 2012: vendas = $ 19.900; custo dos produtos vendidos = $ 14.200; despesas de depreciação = $ 2.700; despesas com juros = $ 670; dividendos distribuídos = $ 650. No início do ano, o ativo imobilizado líquido foi de $ 15.340, o ativo circulante foi de $ 4.420 e o passivo circulante, $ 2.470. Ao final do ano, o ativo imobilizado líquido foi de $ 16.770, o ativo circulante foi de $ 5.135 e o passivo circulante, $ 2.535. A alíquota tributária em 2012 foi 34%.

    a. Qual foi o lucro líquido em 2012?

    b. Qual foi o fluxo de caixa operacional em 2012?

    c. Qual foi o fluxo de caixa dos ativos em 2012? Isso é possível? Explique.

    d. Se nenhuma dívida foi contraída durante o ano, qual foi o fluxo de caixa para os credores? Qual foi o fluxo de caixa para os acionistas? Explique e interprete os sinais positivos e negativos de suas respostas nas questões de (a) a (d).

21. **Cálculo dos fluxos de caixa** Considere as seguintes demonstrações contábeis simplificadas para as Empresas Weston:

EMPRESAS WESTON Balanços patrimoniais parciais de 2011 e 2012					
Ativo			**Passivo e patrimônio líquido**		
	2011	2012		2011	2012
Ativo circulante	$ 936	$ 1.015	Passivo circulante	$ 382	$ 416
Ativo imobilizado líquido	4.176	4.896	Dívidas de longo prazo	2.160	2.477

EMPRESAS WESTON Demonstração de resultados de 2012	
Vendas	$ 12.380
Custos	5.776
Depreciação	1.150
Juros pagos	314

a. Qual é o patrimônio líquido de 2011 e 2012?

b. Qual é a variação do capital circulante líquido de 2012?

c. Em 2012, as Empresas Weston compraram $ 2.160 em ativo imobilizado novo. Quanto venderam em ativo imobilizado? Qual foi o fluxo de caixa dos ativos no ano? (A alíquota tributária é de 34%.)

d. Em 2012, as Empresas Weston contraíram $ 432 em dívida nova de longo prazo. Qual é o valor de dívidas de longo prazo que a empresa pagou durante o ano? Qual foi o fluxo de caixa para os credores?

Use as seguintes informações sobre a Solar S/A nos Problemas 22 e 23 (considere que a alíquota tributária é 34%):

	2011	2012
Vendas	$ 7.835	$ 8.409
Depreciação	1.125	1.126
Custo dos produtos vendidos	2.696	3.060
Outras despesas	639	534
Juros	525	603
Caixa	4.109	5.203
Contas a receber	5.439	6.127
Títulos a pagar a curto prazo	794	746
Dívidas de longo prazo	13.460	16.050
Ativo imobilizado líquido	34.455	35.277
Contas a pagar	4.316	4.185
Estoques	9.670	9.938
Dividendos	956	1.051

22. **Demonstrações contábeis** Prepare a demonstração de resultados e o balanço patrimonial da empresa para 2011 e 2012.
23. **Cálculo do fluxo de caixa** Calcule o fluxo de caixa dos ativos, o fluxo de caixa para os credores e o fluxo de caixa para os acionistas em 2012.
24. **Fluxos de caixa** Você está fazendo uma pesquisa sobre a Indústrias Time e encontrou a seguinte demonstração de fluxos de caixa para o ano mais recente. Você também sabe que a empresa pagou $ 98 milhões em impostos correntes e teve uma despesa com juros de $ 48 milhões. Utilize a demonstração de fluxos de caixa contábil para construir a demonstração financeira de fluxos de caixa.

DESAFIO
(Questões 24–26)

INDÚSTRIAS TIME Demonstração de fluxos de caixa (em milhões de $)	
Operacional	
Lucro líquido	$ 173
Depreciação	94
Impostos diferidos	19
Variação em ativos e passivos	
Contas a receber	−18
Estoques	22
Contas a pagar	17
Despesas a pagar	−9
Outros	3
Fluxo de caixa operacional total	$ 301
Atividades de investimento	
Aquisições de ativos imobilizados	−$ 215
Vendas de ativos imobilizados	23
Total de fluxos de caixa de atividades de investimento	−$ 192

INDÚSTRIAS TIME	
Demonstração de fluxos de caixa	
(em milhões de $)	
Atividades de financiamento	
Amortizações de dívidas de longo prazo	−$ 162
Receita de emissões de dívidas de longo prazo	116
Variação em títulos a pagar	6
Dividendos	−86
Recompra de ações	−13
Receitas de emissões de novas ações	44
Total de fluxos de caixa de atividades de financiamento	−$ 95
Variação de caixa (no balanço patrimonial)	$ 14

25. **Ativo imobilizado e depreciação** No balanço patrimonial, a conta do ativo imobilizado líquido (AIL) é igual à conta do ativo imobilizado total (AIT), que registra o custo de aquisição dos ativos imobilizados, menos a conta da depreciação acumulada (DA), que registra a depreciação acumulada do ativo imobilizado. Sabendo que AIL = AIT − DA, mostre que a equação para gastos líquidos de capital, $AIL_{final} - AIL_{inicial} + D$ (onde D são as despesas de depreciação durante o ano), é igual a $AIT_{final} - AIT_{inicial}$.

26. **Alíquotas tributárias** Consulte as informações sobre alíquotas tributárias marginais no Quadro 2.3B.

    a. Em sua opinião, por que a alíquota tributária marginal nos Estados Unidos salta de 34% para 39% a um lucro tributável de $ 100.001 e, em seguida, volta para 34% a um lucro tributável de $ 335.001?

    b. Calcule a alíquota tributária média para uma corporação com uma receita tributária de exatamente $ 335.001. Isso confirma sua explicação na parte (a)? Qual é a alíquota tributária média para uma corporação com exatamente $ 18.333.334? A mesma explicação vale para esse caso?

    c. As alíquotas de 39% e 38% representam aquilo que é chamado de "bolha" de imposto. Suponhamos que o governo norte-americano queira diminuir o limite superior da faixa do imposto marginal de 39% de $ 335.000 para $ 200.000. Qual deveria ser a nova alíquota da bolha de 39%?

DOMINE O EXCEL!

É possível encontrar a alíquota tributária marginal no Excel por meio da função PROCV. Calcular a carga tributária total, contudo, é um pouco mais difícil. Apresentamos, a seguir, uma cópia da tabela de impostos do IRS dos Estados Unidos para pessoas físicas em 2011 (os limites dos rendimentos são indexados à inflação e variam com o tempo). Este exemplo visa também a familiarizar o leitor com normas tributárias de outro país.

Se a renda tributável for acima de…	Mas abaixo de…	O tributo é:
$ 0	$ 8.500	10% do montante acima de US$ 0
8.500	34.500	$ 850 mais 15% do montante acima de $ 8.500
34.500	83.600	$ 4.750 mais 25% do montante acima de $ 34.500
83.600	174.400	$ 17.025 mais 28% do montante acima de $ 83.600
174.400	379.150	$ 42.449 mais 33% do montante acima de $ 174.400
379.150		$ 110.016,50 mais 35% do montante acima de $ 379.150

Lendo a tabela, constata-se que a alíquota tributária marginal para rendas tributáveis menores que $ 8.500 é de 10%. Se a renda tributável estiver entre $ 8.500 e $ 34.500, a carga tributária será de $ 850 mais impostos marginais. Os impostos marginais são calculados subtraindo-se da receita tributável $ 8.500 vezes a alíquota tributária marginal de 15%.

a. Crie uma tabela de impostos corporativos nos Estados Unidos similar à tabela para pessoas físicas apresentada anteriormente.

b. Para uma determinada renda tributável, qual é a alíquota tributária marginal?

c. Para uma determinada renda tributável, qual é a carga tributária total?

d. Para uma determinada renda tributável, qual é a alíquota tributária média?

MINICASO

Fluxos de caixa na Warf Computadores Ltda.

A Warf Computadores Ltda. foi fundada há quinze anos por Nicolau Warf, um programador de computadores. O pequeno investimento inicial para começar a empresa foi feito por Nicolau e seus amigos. Ao longo dos anos, o mesmo grupo forneceu o reduzido investimento adicional de que a companhia precisava por meio de capital próprio e dívidas de curto e longo prazos. Recentemente, a empresa desenvolveu um teclado virtual. Esse teclado utiliza sofisticados algoritmos de inteligência artificial que, a partir da fala natural do usuário, transcrevem o texto, corrigem erros ortográficos e gramaticais e formatam o documento de acordo com as predefinições do usuário. Ele também sugere diferentes formulações e estruturas de frases e fornece diagnósticos estilísticos detalhados. Baseado em uma tecnologia híbrida de *software* e *hardware* patenteada e muito avançada, o sistema está uma geração à frente dos atualmente disponíveis no mercado. Para introduzir o teclado virtual no mercado, a empresa necessitará de um aporte significativo de novos investimentos.

Nicolau tomou a decisão de procurar esse aporte de recursos sob a forma de novos investimentos de capital próprio e empréstimos bancários. Naturalmente, novos investidores e bancos exigirão uma análise financeira detalhada. Sua empregadora, a Olho no Dinheiro Ltda., pediu que você examinasse as demonstrações contábeis fornecidas por Nicolau. A seguir, temos o balanço patrimonial dos dois últimos anos e a demonstração de resultados mais recente:

WARF COMPUTADORES
Balanço patrimonial
(em milhares de $)

	2012	2011		2012	2011
Ativo circulante			Passivo circulante		
Caixa e equivalentes	$ 348	$ 301	Fornecedores	$ 314	$ 294
Contas a receber	551	514	Empréstimos	85	79
Estoques	493	510	Despesas a pagar	190	308
Outros	71	60	Passivo circulante total	$ 589	$ 681
Ativo circulante total	$ 1.463	$ 1.385	Passivo não circulante		
			Impostos diferidos	$ 254	$ 124
Ativo imobilizado			Dívidas de longo prazo	907	883
Bens imóveis, fábrica e equipamentos	$ 3.191	$ 2.446	Passivo não circulante total	$ 1.161	$ 1.007
Menos depreciação acumulada	1.031	840	Patrimônio líquido dos acionistas		
Bens imóveis, fábrica e equipamentos líquidos	$ 2.160	$ 1.606	Ações preferenciais	$ 16	$ 16
Ativos intangíveis e outros	610	545	Ações ordinárias	97	97
Ativo imobilizado total	$ 2.770	$ 2.151	Reservas de capital	611	599
			Reservas de lucros	1.904	1.233
			Menos ações em tesouraria	145	97
			Patrimônio líquido total	$ 2.483	$ 1.848
Ativo total	$ 4.233	$ 3.536	Total do passivo e do patrimônio líquido	$ 4.233	$ 3.536

Nicolau também forneceu as seguintes informações: Durante o ano, a empresa emitiu $ 175.000 em novas dívidas de longo prazo e amortizou $ 151.000 em dívidas de longo prazo. A empresa também emitiu $ 12.000 em novas ações e recomprou $ 48.000 em ações. Comprou $ 1.140.000 e vendeu $ 330.000 em ativo imobilizado.

WARF COMPUTADORES Demonstração de resultados (em milhões de $)	
Vendas	$ 5.813
Custo dos produtos vendidos	3.430
Despesas gerais, administrativas e de vendas	652
Depreciação	191
Receita operacional	$ 1.540
Outras receitas	58
Lucro antes de juros e imposto de renda	$ 1.598
Despesas com juros	105
Lucro antes de impostos	$ 1.493
Impostos	597
Correntes: $ 467	
Diferidos: 130	
Lucro líquido	$ 896
Dividendos	$ 225
Reserva de lucros	$ 671

A Olho no Dinheiro solicitou que você elaborasse as demonstrações financeira e contábil de fluxos de caixa. Eles pediram especificamente que você respondesse às seguintes perguntas:

1. Como você descreveria os fluxos de caixa da Warf Computadores?

2. Que demonstração de fluxos de caixa descreve com maior precisão os fluxos de caixa da empresa?

3. Tendo em vista as respostas anteriores, comente os planos de expansão de Nicolau.

Análise de Demonstrações e Modelos Contábeis

3

Em 13 de maio de 2011, o preço de uma ação da fabricante de tratores John Deere fechou em torno de $ 88. A esse preço, o índice de Preço/Lucro (P/L) da John Deere era de 17. Isto é, os investidores se dispunham a pagar $ 17 para cada dólar de lucro obtido pela John Deere. Nesse mesmo período, os investidores se dispunham a pagar $ 9, $ 13 e $ 27 para cada dólar ganho pela Ford, pela Coca-Cola e pela Google, respectivamente. No outro extremo estavam o Bank of America e a United States Steel. Ambos tiveram prejuízo no ano anterior, mas o Bank of America estava valendo em torno de $ 12 por ação, e a United States Steel, cerca de $ 45. Como eles tiveram prejuízo, seus índices P/L seriam negativos, então eles não estão apresentados. Na época, a ação média no Índice S&P 500 de ações de grandes empresas era negociada a um P/L de quase 14, ou seja, quase 14 vezes o lucro, como se diz em Wall Street.

Comparações de Preço/Lucro são exemplos do uso de indicadores financeiros. Como veremos neste capítulo, há uma grande variedade de indicadores financeiros, todos destinados a resumir aspectos específicos da situação financeira de uma empresa. Além de discutirmos como analisar as demonstrações contábeis e como calcular indicadores, teremos um pouco a dizer sobre quem usa essas informações e por quê.

Para ficar por dentro dos últimos acontecimentos na área de finanças, visite www.rwjcorporatefinance.blogspot.com.

Domine a habilidade de solucionar os problemas deste capítulo usando uma planilha. Acesse Excel Master no *site* www.grupoa.com.br, procure pelo livro e clique em Conteúdo *Online*.

3.1 Análise de demonstrações contábeis

No Capítulo 2, discutimos alguns conceitos essenciais de demonstrações contábeis e de fluxos de caixa. Neste capítulo, continuamos a discussão do anterior. Nosso objetivo aqui é expandir sua compreensão sobre os usos (e abusos) das informações contidas em demonstrações contábeis.

Um bom conhecimento prático das demonstrações contábeis é desejável, simplesmente porque elas, e os números extraídos delas, são o principal meio de comunicação das informações financeiras tanto dentro quanto fora da empresa. Resumindo: grande parte da linguagem das Finanças Corporativas tem como base as ideias que discutiremos neste capítulo.

Sem dúvida, uma função importante do contador é fornecer informações financeiras ao usuário de uma forma útil para a tomada de decisões. Ironicamente, as informações dificilmente chegam ao usuário dessa forma. Em outras palavras, as demonstrações contábeis não vêm com um guia de usuário. Este capítulo é um primeiro passo para suprir essa lacuna.

Uniformização das demonstrações

Uma coisa óbvia que podemos querer fazer com as demonstrações contábeis de uma empresa é compará-las com as de outras empresas semelhantes. Entretanto, teríamos um problema.

ExcelMaster
cobertura
online
Esta seção apresentará a função de referência absoluta SE (*IF*) e a função SOMASE (*SUM IF*).

A comparação direta das demonstrações contábeis de duas empresas é quase impossível, devido a diferenças de tamanho.

Por exemplo, a Ford e a GM são fortes rivais do mercado de automóveis, mas a GM é maior, de modo que é difícil fazer uma comparação direta entre as duas. Nesse sentido, é difícil até mesmo comparar as demonstrações contábeis de diferentes momentos de uma mesma empresa caso o tamanho dela tenha mudado. O problema do tamanho ganha um agravante se tentarmos comparar a GM com a Toyota. Se as demonstrações contábeis da Toyota estão em ienes, temos uma diferença de tamanho e de moeda.

Para começar a fazer comparações, algo evidente que podemos tentar fazer é uniformizar as demonstrações contábeis de alguma forma. Uma maneira muito comum e útil de fazer isso é trabalhar com porcentagens em vez de trabalhar com valores em moeda. Chamamos as demonstrações resultantes de **demonstrações de tamanho comum**.[1] Consideraremos esses elementos a seguir.

Balanços patrimoniais de tamanho comum

Para facilitar a consulta, os balanços patrimoniais de 2011 e 2012 da Pedreira S/A são apresentados no Quadro 3.1. Por meio deles, construímos os balanços patrimoniais de tamanho comum expressando cada item como uma porcentagem do ativo total. Os balanços patrimoniais de tamanho comum de 2011 e 2012 da Pedreira são mostrados no Quadro 3.2.

Observe que alguns dos totais não batem, por causa de arredondamentos de valores. Note também que a variação total entre demonstrativos de períodos diferentes precisa ser zero, porque os números de cada um devem somar 100%.

Nessa forma, as demonstrações contábeis são relativamente fáceis de ler e comparar. Por exemplo, basta olhar os dois balanços patrimoniais da Pedreira para ver que o ativo circulante

QUADRO 3.1

PEDREIRA S/A Balanços patrimoniais de 31 de dezembro de 2011 e de 2012 (em milhões de $)		
Ativo	**2011**	**2012**
Ativo circulante		
Caixa	$ 84	$ 98
Contas a receber	165	188
Estoque	393	422
Total	$ 642	$ 708
Ativo não circulante		
Ativo Imobilizado: Instalações e equipamentos, líquido	$ 2.731	$ 2.880
Ativo total	$ 3.373	$ 3.588
Passivo e patrimônio líquido		
Passivo circulante		
Fornecedores	$ 312	$ 344
Dívidas de curto prazo	231	196
Total	$ 543	$ 540
Dívidas de longo prazo	$ 531	$ 457
Patrimônio líquido		
Capital social e ágio recebido na emissão de ações	$ 500	$ 550
Reserva de lucros	1.799	2.041
Total	$ 2.299	$ 2.591
Total do passivo e do patrimônio líquido	$ 3.373	$ 3.588

---

[1] Você encontrará este tema tratado também como "análise vertical e análise horizontal de demonstrações financeiras".

QUADRO 3.2

PEDREIRA S/A Balanços patrimoniais de tamanho comum 31 de dezembro de 2011 e 2012			
Ativo	2011	2012	Variação
Ativo circulante			
Caixa	2,5%	2,7%	+ 0,2%
Contas a receber	4,9	5,2	+ 0,3
Estoque	11,7	11,8	+ 0,1
Total	19,1	19,7	+ 0,6
Ativo não circulante			
Ativo Imobilizado: Instalações e equipamentos, líquidos	80,9	80,3	– 0,6
Ativo total	100,0%	100,0%	0,0%
Passivo e patrimônio líquido			
Passivo circulante	9,2%	9,6%	+ 0,4%
Fornecedores	6,8	5,5	– 1,3
Dívidas de curto prazo	16,0	15,1	– 0,9
Total	15,7	12,7	– 3,0
Dívidas de longo prazo			
Patrimônio líquido			
Capital social e ágio recebido na emissão de ações	14,8	15,3	+ 0,5
Reserva de lucros	53,3	56,9	+ 3,6
Total	68,1	72,2	+ 4,1
Total do passivo e do patrimônio líquido	100,0%	100,0%	0,0%

aumentou de 19,1% do ativo total em 2011 para 19,7% em 2012. O passivo circulante diminuiu de 16,0% para 15,1% do total do passivo e do patrimônio líquido no mesmo período. Da mesma maneira, o patrimônio líquido total aumentou de 68,1% do total do passivo e do patrimônio líquido para 72,2%.

De modo geral, a liquidez da Pedreira, medida pela comparação entre o ativo e o passivo circulantes, aumentou de um ano para outro. Ao mesmo tempo, o endividamento da Pedreira diminuiu como porcentagem do ativo total. Poderíamos nos sentir tentados a concluir que o balanço patrimonial ficou "mais forte".

Demonstrações de resultado de tamanho comum

O Quadro 3.3 descreve algumas medidas de lucro. Um modo útil de uniformizar a demonstração de resultados mostrada no Quadro 3.4 é expressar cada item como porcentagem do total de vendas, como no exemplo da Pedreira no Quadro 3.5.

Essa demonstração de resultados nos mostra o que acontece com cada real em vendas. Para a Pedreira, despesas de juros consomem até $ 0,061 de cada real em vendas, e os impostos consomem outros $ 0,081. No final, $ 0,157 de cada real chegam ao lucro líquido, e esse montante divide-se em $ 0,105 retidos na empresa e $ 0,052 distribuídos como dividendos.

Essas porcentagens são muito úteis em comparações. Por exemplo, um número muito importante é a porcentagem de custos. Para a Pedreira, 58,2% de cada $ 1 em vendas são usados para pagar o custo das mercadorias vendidas. Seria interessante calcular a mesma porcentagem para os principais concorrentes da empresa para saber como ela está em termos de controle de custos.

LAJIDA e LAJIR: o que diz a CVM

A divulgação voluntária de informações de natureza não contábil denominadas LAJIDA e LAJIR é normatizada pela Instrução CVM nº 527, de 4 de outubro de 2012 (Comissão de Valores Mobiliários, 2012). Conforme a instrução, o cálculo do LAJIDA e do LAJIR deve ter como

QUADRO 3.3 Medidas de lucros

Investidores e analistas fazem um exame detalhado da demonstração de resultados em busca de pistas sobre o desempenho da empresa em um ano específico. A seguir, apresentamos algumas medidas usuais de lucro (números em milhões).

Lucro líquido	É definido como as receitas totais menos as despesas totais. É também chamado de "a última linha". O lucro líquido da Pedreira no último período foi de $ 363 milhões. O lucro líquido reflete as diferenças na estrutura de capital e nos impostos, assim como no resultado operacional de uma empresa. No cálculo do lucro líquido, subtraem-se do resultado operacional as despesas com juros e os impostos. Os acionistas fazem um exame detalhado do lucro líquido, pois este tem uma forte ligação com a distribuição de dividendos e com a retenção de lucros.
LPA	Lucro líquido dividido pelo número de ações em circulação. Expressa o lucro líquido por ação. Para a Pedreira, o LPA = (Lucro líquido) / (Ações em circulação) = $ 363/33 = $ 11.
LAJIR	Lucro antes de juros e imposto de renda. Geralmente, é chamado de "lucro operacional" ou "lucro das operações continuadas" na demonstração de resultados. É o lucro, excluídos os itens não usuais, de operações descontinuadas ou de itens extraordinários. Para calcular o LAJIR, subtraem-se as despesas operacionais das receitas operacionais. O LAJIR é apreciado pelos analistas, porque não considera as diferenças no resultado que decorrem da estrutura de capital (despesas de juros) e dos impostos sobre o lucro da empresa. O LAJIR da Pedreira é de $ 691 milhões.
LAJIDA	Lucro antes de juros, imposto de renda, depreciação e amortização. LAJIDA é o LAJIR mais a depreciação e a amortização. A amortização se refere a uma despesa que não afeta o caixa e é semelhante à depreciação; a diferença é que se aplica a um ativo intangível (p. ex., uma patente), e não a um ativo tangível (p. ex., uma máquina). A palavra amortização, neste contexto, não se refere ao pagamento de dívidas. Não há amortização na demonstração de resultados da Pedreira. Para a Pedreira, o LAJIDA = $ 691 + $ 276 = $ 967 milhões. Os analistas costumam utilizar o LAJIDA, porque ele soma de volta ao LAJIR dois itens que não afetam o caixa (depreciação e amortização) e, assim, é uma melhor medida do fluxo de caixa operacional antes de impostos. No Brasil, é muito usado no mercado financeiro o termo em inglês *"EBITDA"*, *de earnings before interests, taxes, depreciation, and amortization.*

Essas medidas de lucros podem ser seguidas pelas letras LTM, que significam "últimos doze meses" (*last twelve months*). Por exemplo, o *EPS LTM* são os últimos doze meses do LPA, e o *EBITDA LTM* são os últimos doze meses do LAJIDA. Às vezes, também vemos as letras *TTM* (*trailing twelve months*) seguindo a uma medida de lucros. *LTM* e *TTM* significam a mesma coisa.

base os números apresentados nas demonstrações contábeis de propósito geral previstas no Pronunciamento Técnico CPC 26 – Apresentação das Demonstrações Contábeis (Comissão de Valores Mobiliários, 2012). Não podem compor o cálculo do LAJIDA e do LAJIR divulgados

QUADRO 3.4

PEDREIRA S/A Demonstração de resultados de 2012 (em milhões de $)	
Vendas	$ 2.311
Custos e despesas	1.344
Depreciação	276
Lucro antes de juros e impostos	$ 691
Juros pagos	141
Lucro tributável	$ 550
Impostos (34%)	187
Lucro líquido	$ 363
Dividendos	$ 121
Acréscimo à reserva de lucros	242

QUADRO 3.5

PEDREIRA S/A Demonstração de resultados de tamanho comum de 2012	
Vendas	100,0%
Custos e despesas	58,2
Depreciação	11,9
Lucro antes de juros e impostos	29,9
Juros pagos	6,1
Lucro tributável	23,8
Impostos (34%)	8,1
Lucro líquido	15,7%
Dividendos	5,2%
Acréscimo à reserva de lucros	10,5

ao mercado valores que não constem nas demonstrações contábeis, em especial na demonstração do resultado do exercício. A divulgação do cálculo do LAJIDA e do LAJIR deve ser acompanhada da conciliação dos valores constantes das demonstrações contábeis. O cálculo do LAJIDA e do LAJIR não pode excluir quaisquer itens não recorrentes, não operacionais ou de operações descontinuadas, sendo obtido da seguinte forma:

I – LAJIDA – resultado líquido do período, acrescido dos tributos sobre o lucro, das despesas financeiras líquidas das receitas financeiras e das depreciações, amortizações e exaustões;

II – LAJIR – resultado líquido do período, acrescido dos tributos sobre o lucro e das despesas financeiras líquidas das receitas financeiras.

A companhia pode optar por divulgar os valores do LAJIDA e do LAJIR excluindo os resultados líquidos vinculados às operações descontinuadas, como especificado no Pronunciamento Técnico CPC nº 31 – Ativo Não Circulante Mantido para Venda e Operação Descontinuada. O valor divulgado pode ser ajustado por outros itens que contribuam para a informação sobre o potencial de geração bruta de caixa. A divulgação deve ser acompanhada da descrição de sua natureza, bem como da forma de cálculo e da respectiva justificativa para a inclusão do ajuste. A divulgação deve ser sempre identificada pelo termo "ajustado". Toda a divulgação relativa ao LAJIDA ou LAJIR deve ser feita de forma consistente e comparável com a apresentação de períodos anteriores, e, em caso de mudança, deve ser apresentada justificativa, bem como a descrição completa da mudança introduzida. A divulgação dos valores do LAJIDA ou do LAJIR deve ser feita fora do conjunto completo de demonstrações contábeis previsto no pronunciamento Técnico CPC nº 26 – Apresentação das Demonstrações Contábeis. Para mais detalhes, ver a Instrução CVM nº 527 (Comissão de Valores Imobiliários, 2012).

3.2 Análises de indicadores

Outra forma de evitar os problemas da comparação de empresas que tenham tamanhos diferentes é calcular e comparar **indicadores financeiros**. Tais indicadores permitem comparar e investigar as relações entre as diferentes partes das informações financeiras. A seguir, abordaremos alguns dos indicadores mais comuns (há vários outros que não serão discutidos aqui).

ExcelMaster
cobertura
online
Esta seção apresentará a formatação condicional.

Um problema com indicadores é que diferentes pessoas e diferentes fontes frequentemente não os calculam exatamente da mesma forma, e isso leva a diversas confusões. As definições específicas que usamos podem ou não ser iguais àquelas que você viu ou verá em outro lugar. Ao usar indicadores como ferramentas de análise, tenha o cuidado de documentar o modo como calcula cada um deles e, se estiver comparando seus números com os de outra fonte, verifique se sabe como eles são calculados.

Acesse **www.reuters.com/finance/stocks** e encontre o *link* de finanças para examinar os indicadores comparativos de um grande número de empresas.

Deixaremos para mais tarde a questão dos usos dos indicadores e dos problemas que você pode encontrar ao usá-los. Por enquanto, para cada um dos indicadores que discutirmos, consideraremos várias questões:

1. Como ele é calculado?
2. O que se pretende medir com ele, e por que estaríamos interessados nisso?
3. Qual é a unidade de medida?
4. O que um valor alto ou baixo estaria indicando? De que modo tais valores poderiam ser enganosos?
5. Como essa medida poderia ser aperfeiçoada?

Os indicadores financeiros tradicionalmente são agrupados nas seguintes categorias:

1. Indicadores de solvência de curto prazo, ou de liquidez.
2. Indicadores de solvência de longo prazo, ou de alavancagem financeira.
3. Indicadores de eficiência na gestão de ativos, ou de giro.
4. Indicadores de rentabilidade.
5. Indicadores de valor de mercado.

Consideraremos cada um deles. Ao calcularmos esses números para a Pedreira, usaremos os números de final de período do balanço patrimonial (2012), a menos que informemos o contrário.

Indicadores de solvência de curto prazo ou de liquidez

Como o nome sugere, os indicadores de solvência de curto prazo são um grupo destinado a fornecer informações sobre a liquidez de uma empresa. Às vezes, eles são chamados de *medidas de liquidez*. A principal preocupação é a capacidade que a empresa tem para pagar suas contas de curto prazo, sem maior estresse. Consequentemente, esses indicadores se concentram no ativo e no passivo circulantes.

Por motivos óbvios, os indicadores de liquidez são particularmente interessantes para os credores de curto prazo. A compreensão desses indicadores é fundamental, pois os gestores financeiros lidam constantemente com bancos e outros provedores de financiamentos de curto prazo.

Uma vantagem de considerar o ativo e o passivo circulantes é que seus valores contábeis e de mercado são, provavelmente, semelhantes. Com frequência (embora nem sempre), o ativo e o passivo simplesmente não sobrevivem tempo suficiente para que fiquem seriamente desalinhados em relação a seus valores de mercado. Por outro lado, assim como qualquer tipo de "quase caixa", o ativo e o passivo circulantes podem variar rapidamente, de modo que os montantes de hoje podem não ser um guia confiável para o futuro.

Índice de liquidez corrente Um dos indicadores mais conhecidos e usados é o *índice de liquidez corrente*. Como você já deve ter adivinhado, ele é definido assim:

$$\text{Índice de liquidez corrente} = \frac{\text{Ativo circulante}}{\text{Passivo circulante}} \qquad (3.1)$$

Este é o índice de liquidez corrente da Pedreira em 2012:

$$\text{Índice de liquidez corrente} = \frac{\$\,708}{\$\,540} = 1{,}31 \text{ vez}$$

Como o ativo e o passivo circulantes são, em princípio, convertidos em caixa ao longo dos 12 meses seguintes, o índice de liquidez corrente é uma medida da liquidez de curto prazo. A unidade de medida é calculada em dinheiro ou em número de vezes. Assim, poderíamos dizer que a Pedreira tem $ 1,31 em ativo circulante para cada $ 1 em passivo circulante, ou poderíamos dizer que ela tem seu passivo circulante coberto 1,31 vez. Se não houver circunstância extraordinária, esperaríamos ver um índice de liquidez corrente de pelo menos 1; se ele for menor do que 1, significa que o capital circulante líquido (ativo circulante menos passivo circulante) é negativo.

O índice de liquidez corrente, assim como qualquer índice, é afetado por diversos tipos de transações. Por exemplo, suponhamos que a empresa faça um empréstimo de longo prazo para captar recursos. O efeito de curto prazo seria um aumento do caixa com os resultados da captação do empréstimo e um aumento da dívida de longo prazo. O passivo circulante não seria afetado, e, portanto, o índice de liquidez corrente aumentaria.

EXEMPLO 3.1 Eventos do dia a dia

Suponhamos que uma empresa tivesse a intenção de pagar parte de seus fornecedores e credores de curto prazo. O que aconteceria com o índice de liquidez corrente? Suponhamos que uma empresa compre estoque à vista. O que acontece? E se a empresa vendesse alguns produtos?

O primeiro caso é uma pergunta capciosa. O que ocorre é que o índice de liquidez corrente se distancia de 1. Se ele estiver acima de 1, ficará maior; mas, se for abaixo de 1, ficará menor. Para ver isso, suponhamos que a empresa tenha $ 4 em ativo circulante e $ 2 em passivo circulante, o que dá um índice de liquidez corrente de 2. Se usarmos $ 1 do caixa para reduzir o passivo circulante, o novo índice de liquidez corrente será de ($ 4 − $ 1) / ($ 2 − $ 1) = 3. Se mudarmos a situação original para $ 2 em ativo circulante e $ 4 em passivo circulante, a variação sugerida fará com que o índice de liquidez corrente caia de 1/2 para 1/3.

O segundo caso não é tão capcioso. Nada acontece ao índice de liquidez corrente, porque o caixa diminui enquanto o estoque aumenta. Assim, o ativo circulante não é afetado.

No terceiro caso, o índice de liquidez corrente, em geral, seria elevado, porque o estoque normalmente é mostrado com o valor de custo, e a venda deve ser maior do que o custo (a diferença é a margem de lucro). O aumento do caixa ou das contas a receber é, portanto, maior do que a diminuição do estoque. Isso aumenta o ativo circulante e, consequentemente, o índice de liquidez corrente.

Por último, observe que um índice de liquidez corrente aparentemente baixo pode não ser um mau sinal para uma empresa com grande capacidade não utilizada de linhas de financiamento.

Índice de liquidez imediata (ou liquidez seca) Em geral, o estoque é o ativo circulante menos líquido. Ele também é o que tem valores contábeis menos confiáveis como medidas do valor de mercado, porque a qualidade do estoque não é considerada. Pode ser que mais tarde se descubra que parte do estoque está danificada, parte pode tornar-se obsoleta ou ser perdida.

Para sermos mais exatos, estoques relativamente grandes quase sempre são um sinal de problemas no curto prazo. A empresa pode ter superestimado vendas ou ter comprado ou produzido em excesso. Nesses casos, ela terá uma parte substancial de sua liquidez presa em estoques de movimentação lenta.

Para avaliar melhor a liquidez, o *índice de liquidez imediata*, ou *liquidez seca*, é calculado como o índice de liquidez corrente, mas o estoque é omitido:

$$\text{Índice de liquidez imediata} = \frac{\text{Ativo circulante} - \text{Estoque}}{\text{Passivo circulante}} \qquad (3.2)$$

Observe que utilizar caixa para comprar estoques não afeta o índice de liquidez corrente, mas reduz o índice de liquidez imediata. A ideia é que o estoque é relativamente ilíquido quando comparado ao caixa.

No caso da Pedreira, esse índice em 2012 foi:

$$\text{Índice de liquidez imediata} = \frac{\$\,708 - 422}{\$\,540} = 0{,}53 \text{ vez}$$

O índice de liquidez imediata conta uma história um pouco diferente daquela do índice de liquidez corrente, porque o estoque representa mais da metade do ativo circulante da empresa. Para exagerar a questão, se esse estoque fosse composto de usinas nucleares não vendidas, isso seria motivo de preocupação.

Para dar um exemplo de índice de liquidez imediata em relação ao índice de liquidez corrente com base em demonstrações contábeis, em determinado ano, a Walmart e a Manpower Inc. tiveram índices de liquidez corrente de 0,89 e 1,12, respectivamente. Entretanto, a Manpower não tinha estoque, enquanto o ativo circulante da Walmart era praticamente só o estoque. Como resultado, o índice de liquidez imediata da Walmart foi de apenas 0,27, enquanto o da Manpower foi de 1,12, igual ao seu índice de liquidez corrente.

Índice de caixa Um credor de curtíssimo prazo poderia se interessar pelo índice de caixa:

$$\text{Índice de caixa} = \frac{\text{Caixa}}{\text{Passivo circulante}} \quad (3.3)$$

Você pode verificar que isso resulta em 0,18 vez no caso da Pedreira.

Indicadores de solvência de longo prazo

Os indicadores de solvência de longo prazo destinam-se a abordar a capacidade de a empresa cumprir suas obrigações de longo prazo ou, de modo geral, sua alavancagem financeira. Eles também são chamados de *índices de alavancagem financeira* ou simplesmente *índices de alavancagem*. Consideraremos três medidas mais usadas e algumas variações.

Índice de endividamento total O *índice de endividamento total* leva em conta todas as dívidas de todos os vencimentos e credores. Ele pode ser definido de várias maneiras, mas a mais fácil é a seguinte:

$$\text{Índice de endividamento total} = \frac{\text{Ativo total} - \text{Patrimônio líquido total}}{\text{Ativo total}}$$
$$= \frac{\$\ 3.588 - 2.591}{\$\ 3.588} = 0{,}28 \text{ vez} \quad (3.4)$$

Nesse caso, um analista poderia dizer que a Pedreira usa 28% de capital de terceiros.[2] O fato de isso ser alto ou baixo, ou mesmo de fazer qualquer diferença, depende de a estrutura do capital ser ou não importante, assunto que discutiremos em um capítulo posterior.

A Pedreira tem $ 0,28 de capital de terceiros para cada $ 1 de ativo. Assim, existe $ 0,72 de patrimônio líquido ($ 1 – $ 0,28) para cada $ 0,28 de dívida. Tendo isso em mente, podemos definir duas variações úteis do índice de endividamento total – o *índice Dívida/Capital Próprio* e o *multiplicador do patrimônio líquido*:

$$\text{Índice Dívida/Capital Próprio} = \text{Dívida total/Patrimônio líquido total}$$
$$= \$\ 0{,}28/\$\ 0{,}72 = 0{,}39 \text{ vez} \quad (3.5)$$

$$\text{Multiplicador do patrimônio líquido} = \text{Ativo total/Patrimônio líquido total}$$
$$= \$\ 1/\$\ 0{,}72 = 1{,}39 \text{ vez} \quad (3.6)$$

O fato de o multiplicador do patrimônio ser 1 mais o índice Dívida/Capital Próprio não é mera coincidência:

Multiplicador do
patrimônio líquido = Ativo total/Patrimônio líquido total = $ 1/$ 0,72 = 1,39 vez
   = (Patrimônio líquido total + Dívida total)/Patrimônio líquido total
   = 1 + Índice Dívida/Capital Próprio = 1,39 vez

É importante observar que, com qualquer um desses três indicadores, você pode calcular imediatamente os outros dois, uma vez que todos trazem exatamente a mesma informação.

---

[2] O patrimônio líquido total, aqui, inclui as ações preferenciais, se houver. Um numerador equivalente para esse índice seria (Passivo circulante + Passivo não circulante).

Índice de cobertura de juros Outra medida comum da solvência de longo prazo é o *índice de cobertura de juros* (ICJ). Para esse índice, também existem várias definições possíveis (e comuns), mas ficaremos com a mais tradicional:

$$\text{Índice de cobertura de juros} = \frac{\text{LAJIR}}{\text{Juros}}$$
$$= \frac{\$\,691}{\$\,141} = 4,9 \text{ vezes} \qquad (3.7)$$

Como sugere o nome, esse indicador mede a capacidade de a empresa cumprir com suas obrigações de pagamento de juros. No caso da Pedreira, a conta de juros é coberta 4,9 vezes.

Cobertura de caixa Um problema do índice ICJ é que ele se baseia no LAJIR, que não é realmente uma medida do caixa disponível para pagar juros. O motivo disso é que a depreciação e a amortização, despesas que não afetam o caixa, foram deixadas de fora. Como os juros são definitivamente uma saída de caixa (para os credores), uma forma de definir o *índice de cobertura de caixa* é:

$$\text{Índice de cobertura de caixa} = \frac{\text{LAJIR} + (\text{Depreciação e amortização})}{\text{Juros}}$$
$$= \frac{\$\,691 + 276}{\$\,141} = \frac{\$\,967}{\$\,141} = 6,9 \text{ vezes} \qquad (3.8)$$

O numerador aqui, LAJIR mais depreciação e amortização, pode ser abreviado como LAJIDA (lucro antes dos juros, dos impostos, da depreciação e da amortização). Essa é a medida básica da capacidade de uma empresa de gerar caixa a partir de operações e é comumente usada como medida do fluxo de caixa disponível para atender às obrigações financeiras.

Mais recentemente, outro indicador de solvência de longo prazo vem aparecendo cada vez mais em análises de demonstrações contábeis e em cláusulas de dívida. Ele utiliza o LAJIDA e endividamento. No caso específico da Pedreira:

$$\frac{\text{Endividamento}}{\text{LAJIDA}} = \frac{\$\,196 \text{ milhões} + 457 \text{ milhões}}{\$\,967 \text{ milhões}} = 0,68 \text{ vez}$$

No numerador estão todos os títulos remunerados por juros e as dívidas bancárias em geral, incluídos os endividamentos de curto e de longo prazo. No denominador está o LAJIDA. Também poderíamos chamar o numerador de "Obrigações remuneradas por juros", para distinguir essas obrigações das obrigações operacionais. Valores abaixo de 1 nesse índice são considerados muito fortes, e valores acima de 5, fracos. Entretanto, é necessária uma comparação cuidadosa com outras empresas comparáveis para interpretar o índice corretamente.

Medidas de gestão de ativos ou de giro

A seguir, veremos a eficiência com que a Pedreira utiliza seus ativos. Às vezes, as medidas dessa seção são chamadas de *índices de gestão* ou *de utilização dos ativos*. Todos os indicadores específicos que discutimos aqui podem ser interpretados como medidas de giro. Eles se destinam a descrever a eficiência ou a intensidade com que uma empresa utiliza seus ativos para gerar vendas. Em primeiro lugar, examinaremos dois ativos circulantes importantes: o estoque e as contas a receber.

Giro do estoque e prazo médio de estocagem Durante o ano, a Pedreira teve um custo das mercadorias vendidas de $ 1.344. O estoque, ao final do ano, era de $ 422. Com esses números, o *giro do estoque* pode ser calculado da seguinte forma:

$$\text{Giro do estoque} = \frac{\text{Custo das mercadorias vendidas}}{\text{Estoque}}$$
$$= \frac{\$\,1.344}{\$\,422} = 3,2 \text{ vezes} \qquad (3.9)$$

De certo modo, a Pedreira vendeu ou movimentou todo o estoque 3,2 vezes durante o ano. Desde que não fiquemos sem estoque e, portanto, não percamos vendas, quanto maior esse índice, mais eficiente é nossa gestão de estoques.

Se sabemos que giramos nosso estoque 3,2 vezes durante o ano, então podemos calcular imediatamente o tempo médio necessário para girá-lo. O resultado é o *prazo médio de estocagem*:

$$\text{Prazo médio de estocagem (PME)} = \frac{365 \text{ dias}}{\text{Giro do estoque}} = \frac{365}{3,2} = 114 \text{ dias} \quad (3.10)$$

Isso indica que, de modo aproximado, o estoque permanece 114 dias em média até ser vendido. Colocando de outra forma: supondo que usamos os números mais recentes de estoques e custos, demorará cerca de 114 dias até esgotar o estoque atual.

Por exemplo, em maio de 2011, a General Motors (GM) teria se beneficiado de uma aceleração nas vendas. Na época, a empresa tinha um estoque de picapes suficiente para 111 dias. Esses números significam que, na velocidade das vendas à época, a GM teria levado 111 dias para que o estoque disponível fosse esgotado. Um estoque de 60 dias é considerado o normal no setor. Felizmente, a GM tinha um estoque de *crossovers* para apenas 52 dias e de carros para apenas 48 dias. Obviamente, os dias em estoque são menores para modelos com maior número de vendas. Por exemplo, também em maio de 2011, o Lexus CT 200h tinha um prazo médio de estocagem de apenas sete dias, e o Hyundai Elantra tinha um estoque de oito dias.

Giro de contas a receber e prazo médio de recebimento   Nossas medidas de estoque nos dão alguma indicação da rapidez com que podemos vender mercadorias. Agora veremos a rapidez com que recebemos por essas vendas. O *giro de contas a receber* é definido da mesma forma que o giro do estoque:

$$\text{Giro de contas a receber} = \frac{\text{Vendas}}{\text{Contas a receber}} = \frac{\$\,2.311}{\$\,188} = 12,3 \text{ vezes} \quad (3.11)$$

De modo geral, recebemos as vendas a crédito e fornecemos crédito novamente 12,3 vezes no ano.[3]

Esse índice faz mais sentido se o convertermos em dias. Eis o *prazo médio de recebimento* (PMR):

$$\text{Prazo médio de recebimento (PMR)} = \frac{365 \text{ dias}}{\text{Giro de contas a receber}} = \frac{365}{12,3} = 30 \text{ dias} \quad (3.12)$$

Assim, na média, recebemos as vendas a crédito em 30 dias. Por motivos óbvios, esse indicador também é chamado de *prazo médio de contas a receber*. Observe também que, se usarmos os números mais recentes, também podemos dizer que temos 30 dias em vendas ainda não recebidas.

> **EXEMPLO 3.2**   Giro de contas a pagar
>
> Aqui temos uma variação do prazo médio de recebimento. Quanto tempo em média a Companhia Pedreira leva para *pagar* suas contas? Para responder, precisamos calcular o giro de contas a pagar usando o custo das mercadorias vendidas. Suponhamos que a empresa compre tudo a crédito.

---

[3] Pressupomos implicitamente que todas as vendas foram feitas a crédito.

O custo das mercadorias vendidas é de $ 1.344, e as contas a pagar somam $ 344. O giro, portanto, é de $ 1.344/$ 344 = 3,9 vezes. Assim, as contas a pagar giram mais ou menos a cada 365/3,9 = 94 dias. Dessa forma, em média, a Pedreira leva 94 dias para pagar suas contas. Como fornecedores potenciais de crédito, poderíamos nos interessar por esse fato.[4]

Giro do ativo total Saindo da parte de contas específicas, como estoque ou contas a receber, podemos considerar um indicador "abrangente": o do *giro do ativo total*. Como o nome sugere, o giro do ativo total é:

$$\text{Giro do ativo total} = \frac{\text{Vendas}}{\text{Ativo total}}$$
$$= \frac{\$\,2.311}{\$\,3.588} = 0,64 \text{ vez} \tag{3.13}$$

Em outras palavras, para cada real em ativos, a Pedreira gerou $ 0,64 em vendas.

EXEMPLO 3.3 Mais giro

Suponhamos que você descubra que determinada empresa gera $ 0,40 em vendas anuais para cada real em ativos. Com que frequência ela gira seu ativo total?

O giro do ativo total é de 0,40 vez por ano. São precisos 1/0,40 = 2,5 anos para movimentar completamente o ativo total.

Medidas de lucratividade

As três medidas que discutimos nesta seção provavelmente são os indicadores mais conhecidos e utilizados. De uma forma ou de outra, eles se destinam a medir a eficiência da empresa em utilizar seus ativos e administrar suas operações.

Margem líquida As empresas prestam muita atenção às suas margens líquidas:

$$\text{Margem líquida} = \frac{\text{Lucro líquido}}{\text{Vendas}}$$
$$= \frac{\$\,363}{\$\,2.311} = 15,7\% \tag{3.14}$$

Isso nos mostra que a Pedreira, em termos contábeis, gera um pouco menos de 16 centavos de lucro líquido para cada real vendido, se o resultado não for influenciado por outras receitas: financeiras, equivalência patrimonial, etc.

Margem LAJIDA Outra medida de lucratividade muito usada é a margem LAJIDA (também informada no mercado brasileiro como "margem *EBITDA*"). Como mencionado, o LAJIDA é uma medida do fluxo de caixa operacional antes de impostos. Ele soma de volta ao lucro despesas que não afetam o caixa e não inclui impostos ou despesas com juros. Como consequência, a margem LAJIDA está mais diretamente ligada aos fluxos de caixa operacionais do que o lucro líquido, e não inclui o efeito da estrutura de capital ou dos impostos. A margem LAJIDA da Pedreira é:

$$\frac{\text{LAJIDA}}{\text{Vendas}} = \frac{\$\,967 \text{ milhões}}{\$\,2.311 \text{ milhões}} = 41,8\%$$

---

[4] O exemplo, para mais simplicidade, trata de uma empresa comercial (daí o termo Custo das Mercadorias Vendidas). Além desse pressuposto, que vale também para o prazo médio de estocagem, o cálculo também pressupõe que o estoque de mercadorias não sofre variações significativas de um ano para o outro.

Obviamente, mantendo os outros fatores iguais, uma margem relativamente alta é desejável. Essa situação corresponde a índices baixos de despesas em relação às vendas. Entretanto, acrescentamos que nem sempre os outros fatores são iguais.

Por exemplo, a diminuição de nosso preço de venda, em geral, aumentará o volume unitário, mas fará as margens diminuírem. O lucro total ou, mais importante, o fluxo de caixa operacional pode aumentar ou diminuir. Assim, o fato de as margens serem menores não é necessariamente ruim. Afinal de contas, não é possível que, como dizem, "nossos preços sejam tão baixos, que perdemos dinheiro em tudo o que vendemos, mas compensamos no volume"?[5]

As margens diferem muito entre setores. O varejo tem uma margem líquida particularmente baixa, geralmente em torno de 2%. Em contrapartida, a margem líquida da indústria farmacêutica é de, em média, 13%. Por isso, por exemplo, não é de se surpreender que as margens de lucro recentes da Kroger (uma das maiores varejistas dos EUA) e da Pfizer tenham sido de 1,4% e 12,6%, respectivamente.

Retorno sobre o ativo O *retorno sobre o ativo* (*Return on Assets* – ROA) é uma medida do lucro por real em ativos. Ele pode ser definido de várias maneiras,[6] mas a mais comum é:

$$\text{Retorno sobre o ativo} = \frac{\text{Lucro líquido}}{\text{Ativo total}}$$
$$= \frac{\$\,363}{\$\,3.588} = 10,1\%$$
(3.15)

Retorno sobre o patrimônio líquido O *retorno sobre o patrimônio líquido* (*Return On Equity* – ROE) é uma medida de como foi o ano para os acionistas. Como nosso objetivo é beneficiar os acionistas, em termos contábeis, o ROE é a verdadeira medida do desempenho do lucro. Em geral, o ROE é medido assim:

$$\text{Retorno sobre o patrimônio líquido} = \frac{\text{Lucro líquido}}{\text{Patrimônio líquido}}$$
$$= \frac{\$\,363}{\$\,2.591} = 14\%$$
(3.16)

Portanto, para cada real de patrimônio líquido, a Pedreira gerou 14 centavos de lucro, mas isso, mais uma vez, está correto apenas em termos contábeis.

Como o ROA e o ROE são números muito citados, enfatizamos a importância de lembrar que eles são índices de retorno contábeis. Por esse motivo, seria mais adequado chamar essas medidas de *retorno sobre o ativo contábil* e de *retorno sobre o patrimônio contábil*. Seria inadequado comparar o resultado com, por exemplo, uma taxa de juros observada nos mercados financeiros.

O fato de o ROE exceder o ROA reflete o fato de que a Pedreira usa alavancagem financeira. Examinaremos o relacionamento entre essas duas medidas na próxima seção.

Medidas de valor de mercado

Nosso último grupo de medidas se baseia, em parte, em uma informação que não está necessariamente contida nas demonstrações contábeis – o preço de mercado por ação. Obviamente, essas medidas só podem ser calculadas para as empresas de capital aberto.

---

[5] Não, não é possível.

[6] Poderíamos, por exemplo, desejar uma medida do retorno sobre o ativo que seja neutra em relação à estrutura de capital (as despesas com juros) e impostos. Uma medida assim, no caso da Pedreira, seria:

$$\frac{\text{LAJIR}}{\text{Ativo total}} = \frac{\$\,691}{\$\,3.588} = 19,3\%$$

A interpretação dessa medida é natural. Se 19,3% excederem a taxa paga pelos empréstimos da Pedreira, ela receberá mais dinheiro de seus investimentos do que pagará aos credores. O que sobra será disponibilizado aos acionistas da empresa após a dedução dos impostos.

Consideramos que a Pedreira tenha 33 milhões de ações em circulação e que cada uma de suas ações é negociada por $ 88 no final do ano. Se lembrarmos que o lucro líquido da Pedreira foi de $ 363 milhões, podemos calcular que o seu lucro por ação foi:

$$\text{LPA} = \frac{\text{Lucro líquido}}{\text{Ações em circulação}} = \frac{\$\,363}{33} = \$\,11 \quad (3.17)$$

Índice Preço/Lucro A primeira de nossas medidas de valor de mercado, o índice (ou múltiplo) *Preço/Lucro* (P/L), é definida assim:

$$\text{Índice P/L} = \frac{\text{Preço por ação}}{\text{Lucro por ação}} \quad (3.18)$$

$$= \frac{\$\,88}{\$\,11} = 8 \text{ vezes}$$

Em linguagem de mercado, diríamos que uma ação da Pedreira é vendida por oito vezes o lucro, ou poderíamos dizer que suas ações têm ou "carregam" um múltiplo de oito para o P/L.

Como o índice P/L mede o quanto os investidores estão dispostos a pagar por real de lucro corrente, os P/Ls mais altos quase sempre significam que a empresa tem perspectivas significativas de crescimento. Se uma empresa não tiver nenhum ou quase nenhum lucro, seu P/L provavelmente será muito grande, de forma que é preciso ter cuidado ao interpretar esse indicador.

Índice Valor de Mercado/Valor Contábil Outra medida de valor de mercado bastante citada é o *índice Valor de Mercado/Valor Contábil:*

$$\text{Índice Valor de Mercado/Valor Contábil} = \frac{\text{Valor de mercado por ação}}{\text{Valor contábil por ação}} \quad (3.19)$$

$$= \frac{\$\,88}{\$\,2.591/33} = \frac{\$\,88}{\$\,78,5} = 1,12 \text{ vez}$$

Observe que o valor contábil por ação é o patrimônio líquido total (não apenas o capital social) dividido pelo número de ações em circulação.

O valor contábil por ação é um número contábil que reflete os custos históricos. De modo geral, o índice Valor de Mercado/Valor Contábil compara, portanto, o valor de mercado dos investimentos da empresa com seus custos. Um valor menor do que 1 significa que a empresa não foi bem-sucedida em criar valor para os seus acionistas.

Valor de mercado O valor de mercado de uma empresa de capital aberto é igual ao preço por ação da empresa multiplicado pelo número de ações em circulação. Para a Pedreira, é igual a:

Preço por ação $\times$ Ações em circulação = $ 88 $\times$ 33 milhões = $ 2.904 milhões

É um número útil para compradores potenciais de ações da Pedreira. Alguém com a intenção de comprar todas as ações em circulação da Pedreira (em uma fusão ou aquisição) precisaria de, pelo menos, $ 2.904 milhões acrescidos de um prêmio.

Valor da empresa (VE) É uma medida do valor da empresa estreitamente relacionada com o valor de mercado. Em vez de focar apenas o valor de mercado das ações em circulação, ao valor de mercado das ações em circulação, soma o valor de mercado das dívidas e subtrai o caixa disponível. Já conhecemos o valor de mercado da Pedreira, mas não o valor de mercado das dívidas. Nesta situação, a prática comum é usar como aproximação o valor contábil do endividamento menos o caixa disponível. Para a Pedreira, o valor da empresa é (em milhões):

$$\begin{aligned}\text{VE} &= \text{Valor de mercado} + \text{Valor de mercado das dívidas} - \text{Caixa} \\ &= \$\,2.904 + (\$\,196 + 457) - \$\,98 = \$\,3.459 \text{ milhões}\end{aligned} \quad (3.20)$$

O objetivo da medida de VE é fazer uma melhor estimativa de quanto dinheiro seria necessário para comprar todas as ações em circulação de uma empresa e, além disso, pagar todas as dívidas. A dedução do caixa deve-se ao fato de que, se fizéssemos a compra, o caixa seria utilizado imediatamente para recomprar as dívidas ou distribuir dividendos (se houver lucros para suportar a distribuição).

Múltiplos do valor da empresa Analistas utilizam múltiplos de avaliação baseados no valor da empresa quando o objetivo é estimar o valor total do negócio, e não apenas o valor do capital próprio. Para obter um múltiplo apropriado, o valor da empresa é dividido pelo LAJIDA. Para a Pedreira, o múltiplo do valor da empresa é:

$$\frac{\text{VE}}{\text{LAJIDA}} = \frac{\$ 3.459 \text{ milhões}}{\$ 967 \text{ milhões}} = 3,6 \text{ vezes}$$

Esse múltiplo é especialmente útil, porque permite a comparação entre empresas que são diferentes na estrutura de capital (as despesas com juros), impostos ou gastos de capital. Ele não é afetado diretamente por essas diferenças.

Assim como ocorre com os índices P/L, espera-se que empresas com oportunidades de alto crescimento tenham altos múltiplos VE.

Isso termina nossa definição de alguns indicadores comuns. Poderíamos falar sobre mais alguns indicadores, mas esses são suficientes por enquanto. Encerraremos por aqui e continuaremos com a discussão de algumas maneiras de utilizá-los, em vez de apenas mostrar as fórmulas. O Quadro 3.6 resume alguns dos índices que discutimos.

QUADRO 3.6 Indicadores financeiros comuns

I. Indicadores de solvência de curto prazo ou de liquidez

$$\text{Índice de liquidez corrente} = \frac{\text{Ativo circulante}}{\text{Passivo circulante}}$$

$$\text{Índice de liquidez imediata} = \frac{\text{Ativo circulante} - \text{Estoque}}{\text{Passivo circulante}}$$

$$\text{Índice de caixa} = \frac{\text{Caixa}}{\text{Passivo circulante}}$$

II. Indicadores de solvência de longo prazo ou de alavancagem financeira

$$\text{Índice de endividamento total} = \frac{\text{Ativo total} - \text{Patrimônio líquido}}{\text{Ativo total}}$$

$$\text{Índice Dívida/Capital Próprio} = \frac{\text{Dívida total}}{\text{Patrimônio líquido}}$$

$$\text{Multiplicador do patrimônio líquido} = \frac{\text{Ativo total}}{\text{Patrimônio líquido}}$$

$$\text{Índice de cobertura de juros} = \frac{\text{LAJIR}}{\text{Juros}}$$

$$\text{Índice de cobertura de caixa} = \frac{\text{LAJIDA}}{\text{Juros}}$$

III. Indicadores de gestão de ativos ou de giro

$$\text{Giro do estoque} = \frac{\text{Custo das mercadorias vendidas}}{\text{Estoque}}$$

$$\text{Prazo médio de estocagem (PME)} = \frac{365 \text{ dias}}{\text{Giro do estoque}}$$

$$\text{Giro de contas a receber} = \frac{\text{Vendas}}{\text{Contas a receber}}$$

$$\text{Prazo médio de recebimento (PMR)} = \frac{365 \text{ dias}}{\text{Giro de contas a receber}}$$

$$\text{Giro do ativo total} = \frac{\text{Vendas}}{\text{Ativo total}}$$

$$\text{Intensidade de capital} = \frac{\text{Ativo total}}{\text{Vendas}}$$

IV. Indicadores de lucratividade

$$\text{Margem líquida} = \frac{\text{Lucro líquido}}{\text{Vendas}}$$

$$\text{Retorno sobre o ativo (ROA)} = \frac{\text{Lucro líquido}}{\text{Ativo total}}$$

$$\text{Retorno sobre o patrimônio líquido (ROE)} = \frac{\text{Lucro líquido}}{\text{Patrimônio líquido}}$$

$$\text{ROE} = \frac{\text{Lucro líquido}}{\text{Vendas}} \times \frac{\text{Vendas}}{\text{Ativo}} \times \frac{\text{Ativo}}{\text{Patrimônio líquido}}$$

V. Indicadores de valor de mercado

$$\text{Índice preço/lucro} = \frac{\text{Preço por ação}}{\text{Lucro por ação}}$$

$$\text{Índice Valor de Mercado/Valor Contábil} = \frac{\text{Valor de mercado por ação}}{\text{Valor contábil por ação}}$$

$$\text{Múltiplo de Valor da Empresa (VE)} = \frac{\text{Valor da empresa}}{\text{LAJIDA}}$$

EXEMPLO 3.4

Considere os dados de 2010 da Lowe's Companies e da Home Depot, varejistas americanas de produtos para o lar e materiais de construção (em bilhões, exceto o preço por ação):

	Lowe's Company, Inc.	The Home Depot, Inc.
Vendas	$ 48,8	$ 68,0
LAJIR	$ 3,2	$ 5,8
Lucro líquido	$ 2,0	$ 3,3
Caixa	$ 0,7	$ 0,5
Depreciação	$ 1,6	$ 1,6
Endividamento	$ 6,5	$ 8,7
Ativo total	$ 33,7	$ 40,1
Preço por ação	$ 25	$ 37
Ações em circulação	1,3	1,6
Patrimônio líquido	$ 18,1	$ 18,9

1. Determine a margem líquida, o ROE, o valor de mercado, o valor da empresa, o múltiplo P/L e o múltiplo VE da Lowe's e da Home Depot.

	Lowe's Company, Inc.	The Home Depot, Inc.
Multiplicador do patrimônio líquido	33,7/18,1 = 1,9	40,1/18,9 = 2,1
Giro do ativo total	48,8/33,7 = 1,4	68,0/40,1 = 1,7
Margem líquida	2,0/48,8 = 4,1%	3,3/68,0 = 4,9%
ROE	2,0/18,1 = 11,0%	3,3/18,9 = 17,5%
Valor de mercado	1,3 × 25 = $ 32,5 bilhões	1,6 × 37 = $ 59,2 bilhões
Valor da empresa	(1,3 × 25) + 6,5 − 0,7 = $ 38,3 bilhões	(1,6 × 37) + 8,7 − 0,5 = $ 67,4 bilhões
Múltiplo P/L	25/1,54 = 16,3	37/2,1 = 17,9
LAJIDA	3,2 + 1,6 = $ 4,8	5,8 + 1,6 = $ 7,4
Múltiplo VE	38,3/4,80 = 8,0	67,4/7,4 = 9,1

2. Como você descreveria essas duas empresas do ponto de vista financeiro? Em geral, a situação delas é semelhante. Em 2010, a Home Depot teve um ROE mais elevado (em parte, devido ao giro do ativo total e a margem líquida terem sido mais altos), mas a Lowe's teve múltiplos P/L e VE ligeiramente menores. Os múltiplos P/L de ambas as empresas estavam um tanto acima da média do mercado, indicando possíveis perspectivas de crescimento futuro.

3.3 A identidade DuPont

Como mencionamos na discussão sobre ROA e ROE, a diferença entre essas duas medidas de lucratividade reflete o uso de dívida no financiamento dos ativos, ou a alavancagem financeira. Nesta seção, ilustraremos a relação entre essas medidas investigando um modo bastante conhecido de decompor o ROE em partes.

ExcelMaster
cobertura
online
Esta seção apresentará caixas de texto, formas e linhas.

Um exame mais detalhado do ROE

Para começar, vamos lembrar a definição do ROE:

$$\text{Retorno sobre o patrimônio líquido} = \frac{\text{Lucro líquido}}{\text{Patrimônio líquido}}$$

Se quiséssemos, poderíamos multiplicar esse índice por Ativo/Ativo sem alterar nada:

$$\text{Retorno sobre o patrimônio líquido} = \frac{\text{Lucro líquido}}{\text{Patrimônio líquido total}} = \frac{\text{Lucro líquido}}{\text{Patrimônio líquido total}} \times \frac{\text{Ativo}}{\text{Ativo}}$$

$$= \frac{\text{Lucro líquido}}{\text{Ativo}} \times \frac{\text{Ativo}}{\text{Patrimônio líquido total}}$$

Observe que expressamos o ROE como o produto de dois outros índices – o ROA e o multiplicador do patrimônio líquido:

ROE = ROA × Multiplicador do patrimônio líquido = ROA × (1 + Índice dívida/capital próprio)

Voltando à Pedreira, por exemplo, vemos que o índice Dívida/capital Próprio foi de 0,39 e que o ROA foi de 10,12%. Nosso trabalho implica o fato de que o ROE da empresa, como já calculamos antes, é:

ROE = 10,12% × 1,39 = 14%

A diferença entre o ROE e o ROA pode ser substancial, especialmente em determinados setores. Por exemplo: com base em demonstrações contábeis recentes, a U.S. Bancorp tem um ROA de apenas 1,11%, o que, na verdade, é bastante comum para um banco. Entretanto, os bancos costumam tomar muito dinheiro emprestado e, portanto, têm multiplicadores de patrimônio líquido relativamente grandes. O ROE da U.S. Bancorp é de cerca de 11,2%, implicando um multiplicador do patrimônio líquido de 10,1.

Podemos decompor ainda mais o ROE multiplicando o numerador e o denominador pelas vendas totais:

$$\text{ROE} = \frac{\text{Vendas}}{\text{Vendas}} \times \frac{\text{Lucro líquido}}{\text{Ativo}} \times \frac{\text{Ativo}}{\text{Patrimônio líquido total}}$$

Se reorganizarmos um pouco os itens, veremos que o ROE fica assim:

$$\text{ROE} = \underbrace{\frac{\text{Lucro líquido}}{\text{Vendas}} \times \frac{\text{Vendas}}{\text{Ativo}}}_{\text{Retorno sobre o ativo}} \times \frac{\text{Ativo}}{\text{Patrimônio líquido total}} \quad (3.21)$$

= Margem líquida × Giro do ativo total × Multiplicador do patrimônio líquido

O que fizemos foi decompor o ROA em duas partes: a margem líquida e o giro do ativo total. A última expressão da equação anterior é chamada de **identidade DuPont**, em homenagem à DuPont Corporation, que popularizou seu uso.

Podemos verificar essa relação na Pedreira observando que a margem líquida foi de 15,7% e o giro do ativo total foi de 0,64. Assim, o ROE será:

ROE = Margem líquida × Giro do ativo total × Multiplicador do patrimônio líquido
    = 15,7%   ×   0,64   ×   1,39
    = 14%

Esse ROE de 14% é exatamente aquele que obtivemos antes.

A identidade DuPont nos diz que o ROE é afetado por três fatores:

1. Eficiência operacional (medida pela margem líquida).
2. Eficiência no uso dos ativos (medida pelo giro do ativo total).
3. Alavancagem financeira (medida pelo multiplicador do patrimônio líquido).

Uma fragilidade na eficiência operacional ou na eficiência no uso de ativos, ou em ambas, resultará em um baixo retorno sobre o ativo, que se traduzirá em um ROE mais baixo.

Considerando a identidade DuPont, parece que o ROE poderia ser alavancado pelo aumento do montante de dívidas da empresa. Entretanto, observe que o aumento de dívidas também aumenta as despesas de juros, o que reduz as margens de lucro, as quais reduzem o ROE. Assim, o ROE poderia subir ou descer. Além disso, o uso de dívida acarreta vários outros efeitos, e, como discutiremos melhor em capítulos posteriores, o montante de alavancagem que uma empresa usa é determinado por sua política para a estrutura de capital.

A Yahoo! e a Google estão entre as empresas de Internet mais conhecidas. Elas fornecem bons exemplos de como a análise DuPont pode ajudar a fazer as perguntas certas sobre o desempenho financeiro de uma empresa. As análises DuPont da Yahoo! e da Google estão resumidas no Quadro 3.7. Como foi mostrado, em 2010 a Yahoo! teve um ROE de 9,8%, enquanto em 2008 seu ROE foi de 3,8%. Em contrapartida, em 2010 a Google teve um ROE de 18,4%, enquanto em 2008 seu ROE foi de 14,9%. Dadas essas informações, como é possível que a Google tenha um ROE tão elevado durante esse período em relação à Yahoo!, e como se explica o aumento do ROE da Yahoo!?

A decomposição do ROE, que discutimos nesta seção, é um modo de abordar sistematicamente a análise de demonstrações financeiras. Se o ROE for insatisfatório em algum ponto, então a identidade DuPont diz onde começar a procurar pelos motivos.[7]

Inspecionando a análise DuPont, vemos que o giro do ativo e a alavancagem financeira da Yahoo! e da Google são muito semelhantes. Contudo, a margem líquida da Yahoo! aumentou de 5,9% para 19,5%. Enquanto isso, a margem líquida da Google aumentou de 19,4% em 2008 para 29,0% em 2010. Como se explica o fato de a Google ter uma margem líquida maior do que a da Yahoo!? Eficiências operacionais podem resultar de maiores volumes, maiores preços e/ou menores custos. Fica claro que a grande diferença de ROE entre as duas empresas pode ser atribuída à diferença nas margens líquidas, independentemente da origem.

Problemas com a análise das demonstrações contábeis

Continuamos nosso capítulo discutindo alguns problemas adicionais que podem surgir no trabalho com demonstrações contábeis. De uma maneira ou de outra, o problema fundamental da análise dessas demonstrações é que não há teoria subjacente que nos ajude na identificação dos valores a serem examinados e que nos guie no estabelecimento de referências.

Como discutimos em outros capítulos, existem muitos casos em que a teoria financeira e a lógica econômica fornecem orientação para fazer julgamentos sobre valor e risco. No caso das demonstrações contábeis, não há muita ajuda desse tipo. Por isso, não podemos dizer quais são os índices mais importantes e qual seria um valor alto ou um valor baixo.

Um problema particularmente sério é que muitas empresas são conglomerados, que possuem ramos de negócios mais ou menos não relacionados. A GE é um bom exemplo. As demonstrações contábeis de tais empresas não se ajustam a qualquer categoria definida de setor. De modo geral, o tipo de análise de grupo de pares que descrevemos funcionará melhor quando

QUADRO 3.7 Análise DuPont da Yahoo! e da Google

Yahoo!							
Ano encerrado em	ROE	=	Margem líquida	×	Giro do ativo total	×	Multiplicador do patrimônio líquido
12/10	9,8%	=	19,5%	×	0,424	×	1,19
12/09	4,8	=	9,3	×	0,433	×	1,20
12/08	3,8	=	5,9	×	0,527	×	1,22
Google							
Ano encerrado em	ROE	=	Margem líquida	×	Giro do ativo total	×	Multiplicador do patrimônio líquido
12/10	18,4%	=	29,0%	×	0,507	×	1,25
12/09	18,1	=	27,6	×	0,584	×	1,12
12/08	14,9	=	19,4	×	0,686	×	1,12

---

[7] Talvez seja um bom momento para mencionar a célebre observação de Abraham Briloff, conhecido comentarista financeiro: "Demonstrações contábeis são como perfumes finos; devem ser cheiradas, mas não engolidas".

as empresas estiverem exatamente no mesmo ramo de negócios, quando a indústria for competitiva e houver apenas uma forma de operação.

Outro problema que se torna cada vez mais comum é que os principais concorrentes e membros naturais dos grupos de pares de uma indústria podem estar espalhados em todo o mundo. A indústria automobilística é um exemplo óbvio. O problema é que as demonstrações contábeis de empresas situadas em países diferentes podem ter que cumprir normas contábeis diferentes. A existência de diferentes padrões e procedimentos pode dificultar bastante a comparação entre as demonstrações contábeis de países diferentes.[8]

Até mesmo as empresas que estão claramente no mesmo ramo de negócios podem não ser comparáveis. Por exemplo, todas as concessionárias cujo negócio principal é a geração de energia são classificadas no mesmo grupo. Esse grupo quase sempre é visto como relativamente homogêneo. Entretanto, a maioria opera como monopólios regulados e, portanto, elas não competem muito entre si, pelo menos não historicamente. Muitas delas têm acionistas, e outras podem estar organizadas como cooperativas sem acionistas. Existem várias formas de gerar energia, variando da hidrelétrica à nuclear, de modo que as atividades operacionais dessas empresas podem ser bem diferentes. Por fim, a lucratividade é muito afetada pelo ambiente regulatório, de forma que empresas de serviços elétricos de países diferentes podem ser bastante parecidas, mas exibir lucros muito díspares.

Vários outros problemas gerais costumam surgir. Em primeiro lugar, empresas diferentes podem utilizar procedimentos contábeis diferentes – para estoques, nos EUA, por exemplo. Isso dificulta a comparação. Em segundo lugar, conforme o país, as empresas podem encerrar seus exercícios fiscais em épocas diferentes. Para empresas de negócios sazonais (como um varejista com grande movimentação no Natal), isso pode levar a dificuldades de comparação dos balanços por causa das flutuações nas contas durante o ano. Por fim, eventos incomuns ou passageiros, como o lucro pontual com a venda de um ativo, podem afetar o desempenho financeiro de determinada empresa. Ao comparar tais eventos, podemos observar sinais enganosos.

3.4 Modelos contábeis

O planejamento financeiro é outra utilidade importante das demonstrações contábeis. A maioria dos modelos de planejamento financeiro fornece demonstrações projetadas.[9] Em nosso caso, isso quer dizer que as demonstrações contábeis são a forma que usamos para resumir os diferentes eventos projetados para o futuro.

Um modelo simples de planejamento financeiro

Podemos iniciar nossa discussão sobre os modelos de planejamento de longo prazo com um exemplo relativamente simples. As demonstrações contábeis da Zona do Computador S/A do ano passado são apresentadas a seguir.

Salvo indicação em contrário, os planejadores financeiros da Zona do Computador pressupõem que todas as variáveis estão diretamente ligadas às vendas e que as relações estão no seu nível ideal. Isso significa que todos os itens aumentarão exatamente à mesma taxa das vendas. Essa visão é obviamente simplificada, de forma que a utilizaremos apenas para mostrar nosso ponto de vista.

---

[8] A convergência para as normas internacionais (IFRS) visa a eliminar esse problema. As normas US GAAP e IFRS tendem a convergir. FASB e IASB têm emitido vários pareceres e interpretações em conjunto.

[9] Em inglês, "*Pro-forma statements*". No Brasil, alguns mantêm o termo *pro forma* na tradução; entretanto, aqui as demonstrações *pro forma* somente podem tratar de efeitos de uma transação específica, como, por exemplo, reestruturações societárias, aquisições, vendas ou cisões de negócios, mensuráveis de maneira objetiva (a partir dos valores históricos). A apresentação de demonstrações *pro forma* é objeto da Orientação Técnica OCPC 06 – Apresentação de Informações Financeiras *Pro Forma* (Comitê de Pronunciamentos Contábeis, 2011). Assim, adotamos "demonstrações projetadas" como tradução de "*Pro-forma statements*".

ZONA DO COMPUTADOR S/A Demonstrações contábeis					
Demonstração de resultados			**Balanço patrimonial**		
Vendas	$ 1.000	Ativo	$ 500	Dívida	$ 250
Custos	800			Patrimônio líquido	250
Lucro líquido	$ 200	Total	$ 500	Total	$ 500

Suponha que as vendas aumentem em 20%, subindo de $ 1.000 para $ 1.200. Os planejadores também preveem um aumento de 20% nos custos, de $ 800 para $ 800 × 1,2 = $ 960. Assim, a demonstração de resultados projetada seria:

Demonstração de resultados projetada	
Vendas	$ 1.200
Custos	960
Lucro líquido	$ 240

A hipótese de que todas as variáveis crescerão 20% nos permite construir facilmente o balanço patrimonial projetado:

Balanço patrimonial projetado			
Ativo	$ 600 (+100)	Dívida	$ 300 (+50)
		Patrimônio líquido	300 (+50)
Total	$ 600 (+100)	Total	$ 600 (+100)

Observe que aumentamos apenas 20% em cada item. Os números entre parênteses são as variações em reais para os diferentes itens.

Agora temos de conciliar essas duas demonstrações projetadas. Por exemplo, como pode o lucro líquido ser igual a $ 240 e o aumento do patrimônio líquido ser de apenas $ 50? A resposta é que a Zona do Computador deve ter pago a diferença de $ 240 – $ 50 = $ 190, provavelmente em dividendos. Nesse caso, os dividendos são a variável "de fechamento".

Suponha que a Zona do Computador não pague os $ 190. Nesse caso, o acréscimo à reserva de lucros é de $ 240. Assim, o patrimônio líquido da Zona do Computador aumentará para $ 490, $ 250 (o montante inicial) mais $ 240 (lucro líquido), e parte da dívida deve ser resgatada para manter o ativo total em $ 600.

Com $ 600 de ativo total e $ 490 de patrimônio líquido, a dívida terá de ser de $ 600 – 490 = $ 110. Como iniciamos com $ 250 de dívida, a Zona do Computador terá de resgatar $ 250 – 110 = $ 140 dela. O balanço patrimonial projetado resultante seria assim:

A Planware fornece informações sobre previsões de fluxo de caixa em **www.planware.org**.

Balanço patrimonial projetado			
Ativo	$ 600 (+100)	Dívida	$ 110 (−140)
		Patrimônio líquido	490 (+240)
Total	$ 600 (+100)	Total	$ 600 (+100)

Neste caso, a dívida é a variável de fechamento utilizada para equilibrar os totais projetados do ativo e do passivo.

Esse exemplo mostra a interação entre o crescimento das vendas e a política financeira. À medida que as vendas aumentam, o total dos ativos também aumenta. Isso ocorre porque a empresa precisa investir em ativos circulantes e ativos não circulantes para permitir níveis de vendas mais altos. Como o ativo está aumentando, o total do passivo e do patrimônio líquido (o lado direito do balanço patrimonial) também aumentará.

Nesse nosso exemplo simples, é preciso observar que o modo como passivo e patrimônio líquido mudam depende da política de financiamento da empresa e de sua política de dividendos. O crescimento do ativo exige que a empresa decida como financiar esse crescimento. Essa é uma decisão estritamente de alçada da alta administração. Observe que, em nosso exemplo, a empresa não precisou de aportes financeiros. Em geral, esse não é o caso e, por isso, exploramos uma situação mais detalhada na próxima seção.

A abordagem da porcentagem de vendas

Na seção anterior, descrevemos um modelo simples de planejamento no qual todos os itens aumentaram à mesma taxa das vendas. Esse pode ser um pressuposto aceitável para alguns elementos. Para outros, como a dívida de longo prazo, provavelmente isso não funcione, porque o montante de dívidas de longo prazo é algo definido pela alta administração da empresa e pode não se relacionar diretamente com as vendas.

Nesta seção, descrevemos uma versão estendida de nosso modelo simples. A ideia básica é separar as contas da demonstração de resultados e do balanço patrimonial em dois grupos: contas que variam de forma direta com as vendas e contas que não variam com as vendas. Dada uma previsão de vendas, poderemos calcular o financiamento de que a empresa precisará para sustentar o nível previsto de vendas.

O modelo de planejamento financeiro que descrevemos a seguir se baseia na **abordagem da porcentagem de vendas**. Nosso objetivo é desenvolver uma maneira rápida e prática de gerar demonstrações projetadas. Deixaremos a discussão de alguns detalhes para uma seção posterior.

A demonstração de resultados Iniciamos com nossa mais recente demonstração de resultados da Mar de Rosas S/A apresentada no Quadro 3.8. Observe que simplificamos ainda mais os dados ao incluir custos, depreciação e juros em um único valor.

A Mar de Rosas projetou um aumento de 25% nas vendas para o próximo ano. Assim, estamos prevendo vendas de $ 1.000 × 1,25 = $ 1.250. Para gerar uma demonstração de resultados projetada, consideramos que os custos totais continuarão sendo $ 800/$ 1.000 = 80% das vendas. Com essa hipótese, a demonstração de resultados projetada da Mar de Rosas é mostrada no Quadro 3.9. Como entendemos que os custos sejam uma porcentagem constante das vendas, devemos considerar que a margem líquida seja constante. Para verificar isso, observe que a margem líquida foi de $ 132/$ 1.000 = 13,2%. Em nossa demonstração projetada, a margem líquida é de $ 165/$ 1.250 = 13,2%; portanto, continua inalterada.

A seguir, precisamos projetar o pagamento dos dividendos. Esse montante depende da alta administração da Mar de Rosas (que deverá observar o mínimo estatutário). Consideraremos que a empresa tenha uma política de distribuição de um percentual fixo do lucro líquido na forma de dividendos. No ano passado, a **taxa de distribuição de dividendos** foi:

$$\text{Taxa de distribuição de dividendos} = \text{Dividendos/Lucro líquido}$$
$$= \$ 44/132 = 33\ 1/3\% \qquad (3.22)$$

Também podemos calcular a razão entre acréscimo à reserva de lucros e lucro líquido:

$$\text{Acréscimo a Reserva de lucros/Lucro líquido} = \$ 88/\$ 132 = 66\ 2/3\%$$

QUADRO 3.8

MAR DE ROSAS S/A Demonstração de resultados	
Vendas	$ 1.000
Custos	800
Lucro tributável	$ 200
Impostos (34%)	68
Lucro líquido	$ 132
Dividendos $ 44	
Acréscimo à reserva de lucros 88	

QUADRO 3.9

MAR DE ROSAS S/A	
Demonstração de resultados projetada	
Vendas (projetadas)	$ 1.250
Custos (80% das vendas)	1.000
Lucro tributável	$ 250
Impostos (34%)	85
Lucro líquido	$ 165

Essa razão é chamada de **taxa de retenção** ou **taxa de reinvestimento de lucros** e é igual a 1 menos a taxa de distribuição de dividendos, porque tudo que não é distribuído é retido. Supondo que a taxa de distribuição de dividendos seja constante, a projeção de dividendos e de acréscimo à reserva de lucros será:

$$\text{Projeção de dividendos pagos aos acionistas} = \$ 165 \times 1/3 = \$ 55$$
$$\text{Projeção de acréscimo à reserva de lucros} = \$ 165 \times 2/3 = \underline{110}$$
$$\underline{\$ 165}$$

O balanço patrimonial Para gerar um balanço patrimonial projetado, começamos com a demonstração mais recente, como mostra o Quadro 3.10.

Em nosso balanço patrimonial, consideramos que alguns dos itens variam diretamente com as vendas, e outros, não. Para os que variam, expressamos cada um como uma porcentagem de vendas do ano recém-encerrado. Quando um item não varia diretamente com as vendas, escrevemos "n/a" para "não se aplica".

Por exemplo, no lado do ativo, o estoque é igual a 60% das vendas ($ 600/$ 1.000) para o ano recém-encerrado. Presumimos que essa porcentagem se aplique ao ano seguinte, e, portanto, para cada $ 1 em vendas, o estoque aumenta em $ 0,60. A razão entre ativo total e vendas do ano recém-encerrado é $ 3.000/$ 1.000 = 3, ou 300%.

Essa razão entre ativo total e vendas pode ser chamada de **intensidade de capital**. Ela indica o montante de ativos necessário para gerar $ 1 em vendas, e, portanto, quanto mais alta, mais intensiva em capital é a empresa. Observe também que essa razão é apenas o inverso do índice de giro do ativo total definido anteriormente.

Para a Mar de Rosas, considerando que a intensidade de capital seja constante, são necessários $ 3 em ativo total para gerar $ 1 em vendas (aparentemente, ela está em um negócio com

QUADRO 3.10

MAR DE ROSAS S/A — Balanço patrimonial					
Ativo			**Passivo e patrimônio líquido**		
	$	Porcentagem das vendas		$	Porcentagem das vendas
Ativo circulante			Passivo circulante		
Caixa	$ 160	16%	Contas a pagar	$ 300	30%
Contas a receber	440	44	Empréstimos de curto prazo	100	n/a
Estoque	600	60	Total	$ 400	n/a
Total	$ 1.200	120	Empréstimos de longo prazo	$ 800	n/a
Ativo não circulante			Patrimônio líquido		
Ativo Imobilizado: Instalações e equipamentos, líquidos	$ 1.800	180	Capital social e ágio recebido na emissão de ações	$ 800	n/a
			Reserva de lucros	1.000	n/a
			Total	$ 1.800	n/a
Ativo total	$ 3.000	300%	Total do passivo e do patrimônio líquido	$ 3.000	n/a

muita intensidade de capital). Portanto, se as vendas precisam aumentar em $ 100, a empresa terá de aumentar o ativo total em três vezes esse montante, ou seja, em $ 300.

No lado do passivo do balanço patrimonial, mostramos as contas a pagar que variam com as vendas. O motivo é que esperamos fazer mais pedidos aos nossos fornecedores à medida que o volume de vendas aumentar, e, portanto, as contas a pagar acompanharão "espontaneamente" as vendas. O item "Empréstimos de curto prazo", por outro lado, refere-se a empréstimos de curto prazo, como empréstimos bancários. Isso não varia, a menos que adotemos medidas específicas para mudar o montante; portanto, marcamos como "n/a".

Da mesma forma, marcamos "n/a" para os empréstimos de longo prazo, porque eles não variam automaticamente com as vendas. O mesmo vale para o capital social e o ágio recebido na emissão de ações. O último item da direita, a reserva de lucros, varia com as vendas, mas não representa uma porcentagem simples delas. Em vez disso, calcularemos explicitamente a variação da reserva de lucros com base na nossa projeção de dividendos e do lucro líquido.

Agora podemos construir um balanço patrimonial projetado parcial para a Mar de Rosas. Fazemos isso usando as porcentagens que acabamos de calcular, sempre que possível, nos cálculos de montantes projetados. Por exemplo, o ativo não circulante líquido é de 180% das vendas. Assim, com um novo nível de vendas de $ 1.250, o montante de ativo não circulante, líquido, será de 1,80 × $ 1.250 = $ 2.250, representando um aumento de $ 2.250 – $ 1.800 = $ 450 em instalações e equipamentos. É importante notar que, para itens que não variam diretamente com as vendas, não presumimos inicialmente qualquer variação e simplesmente escrevemos os montantes originais. O resultado é mostrado no Quadro 3.11. Observe que a variação da reserva de lucros é igual ao acréscimo de $ 110 na reserva de lucros que calculamos anteriormente.

Ao examinarmos nosso balanço patrimonial projetado, observamos que o ativo foi projetado para aumentar em $ 750. Entretanto, sem financiamento adicional, o passivo e o patrimônio líquido só aumentarão $ 185, restando uma falta de $ 750 – $ 185 = $ 565. Denominamos esse montante como *necessidade de aporte financeiro* (NAF).

Se quiséssemos, poderíamos, em vez de criar balanços projetados, calcular a NAF diretamente da seguinte forma:

$$NAF = \frac{\text{Ativo}}{\text{Vendas}} \times \Delta\text{Vendas} - \frac{\text{Passivos espontâneos}}{\text{Vendas}} \times \Delta\text{Vendas} - ML \times \text{Vendas projetadas} \times (1 - d)$$

(3.23)

QUADRO 3.11

MAR DE ROSAS S/A Balanço patrimonial projetado parcial					
Ativo			**Passivo e patrimônio líquido**		
	Próximo ano	Variação em relação ao ano atual		Próximo ano	Variação em relação ao ano atual
Ativo circulante			Passivo circulante		
Caixa	$ 200	$ 40	Contas a pagar	$ 375	$ 75
Contas a receber	550	110	Empréstimos de curto prazo	100	0
Estoque	750	150	Total	$ 475	$ 75
Total	$ 1.500	$ 300	Empréstimos de longo prazo	$ 800	$ 0
Ativo não circulante			Patrimônio líquido		
Ativo Imobilizado: Instalações e equipamento, líquidos	$ 2.250	$ 450	Capital social e ágio recebido na emissão de ações	$ 800	$ 0
			Reserva de lucros	1.110	110
			Total	$ 1.910	$ 110
Ativo total	$ 3.750	$ 750	Total do passivo e do patrimônio líquido	$ 3.185	$ 185
			Necessidade de aporte financeiro	$ 565	$ 565

Nessa expressão, "ΔVendas" é a variação projetada das vendas (em reais). Em nosso exemplo, as vendas projetadas para o próximo ano são de $ 1.250, um aumento de $ 250 em relação ao ano anterior. Assim, ΔVendas = $ 250. Por "passivos espontâneos", referimo-nos aos passivos que aumentam e diminuem naturalmente com as vendas. No caso da Mar de Rosas S/A, os passivos espontâneos são os $ 300 em contas a pagar. Por fim, *ML* e *d* são a margem líquida e a taxa de distribuição de dividendos, cujos valores calculados anteriormente foram de 13,2% e 33 1/3%, respectivamente. As vendas e os ativos totalizaram, respectivamente, $ 3.000 e $ 1.000 e, portanto, temos:

$$NAF = \frac{\$\,3.000}{1.000} \times \$\,250 - \frac{\$\,300}{1.000} \times \$\,250 - 0{,}132 \times \$\,1.250 \times \left(1 - \frac{1}{3}\right) = \$\,565$$

Note que o cálculo se divide em três partes. A primeira parte é o aumento projetado dos ativos, calculado utilizando o índice de intensidade de capital. A segunda é o aumento espontâneo dos passivos. A terceira parte é o produto da margem líquida e das vendas projetadas (lucro líquido projetado), multiplicado pelo índice de retenção. Assim, a terceira parte é o acréscimo projetado à reserva de lucros.

Um cenário em particular   Nosso modelo de planejamento financeiro lembra uma daquelas piadas da boa e da má notícia. A boa notícia é que estamos projetando um aumento de 25% nas vendas. A má notícia é que isso não acontecerá, a menos que a Mar de Rosas consiga, de alguma maneira, levantar $ 565 em novos financiamentos.

Esse é um bom exemplo de como o processo de planejamento pode indicar problemas e conflitos em potencial. Se, por exemplo, a empresa tiver o objetivo de não tomar emprestados fundos adicionais e não emitir novas ações, ou aportar recursos dos sócios na empresa de capital fechado, então um aumento de 25% nas vendas dificilmente será possível.

Se tomarmos como certa a necessidade de $ 565 de novos financiamentos, sabemos que existem três fontes possíveis: empréstimos de curto prazo, empréstimos de longo prazo e aporte de novo capital próprio, com retenção de lucros ou emissão de novas ações. A escolha de uma combinação entre essas três depende da alta administração. Ilustraremos apenas uma das várias possibilidades.

Suponhamos que a Mar de Rosas resolva tomar emprestados os fundos necessários. Nesse caso, a empresa pode optar por tomar emprestada uma parte a curto prazo e outra parte a longo prazo. Por exemplo, o ativo circulante aumentou em $ 300, enquanto o passivo circulante aumentou em apenas $ 75. Ela poderia financiar $ 300 – $ 75 = $ 225 com empréstimos de curto prazo e manter o capital circulante líquido total inalterado. Com os $ 565 necessários, os $ 565 – $ 225 = $ 340 restantes teriam de vir de empréstimos de longo prazo. O Quadro 3.12 mostra o balanço patrimonial projetado completo da Mar de Rosas.

Usamos uma combinação entre o empréstimo de curto prazo e a empréstimo de longo prazo como variável de fechamento, mas enfatizamos que é apenas uma das estratégias possíveis, e não necessariamente a melhor. Existem muitos outros cenários que poderíamos (e deveríamos) investigar. Os diversos índices discutidos anteriormente são muito úteis nesse processo. Por exemplo, no cenário que acabamos de observar, certamente examinaríamos o índice de liquidez corrente e o índice de endividamento total, para saber se nos sentimos à vontade com os novos níveis de dívida projetados.

3.5   Necessidade de aportes financeiros e crescimento

Obviamente, a necessidade de aportes financeiros (referida neste livro como NAF, ou seja, fundos de fora da operação), e o crescimento estão relacionados. Mantendo todas as variáveis iguais, quanto mais alta for a taxa de crescimento das vendas ou do ativo, maior será a necessidade de aportes financeiros. Na seção anterior, tomamos uma taxa de crescimento como dada e, em seguida, determinamos a quantidade de financiamento adicional necessário para permitir aquele crescimento. Nesta seção, invertemos um pouco os fatores. As políticas financeiras da empresa serão dadas e, em seguida, examinamos as relações entre essas políticas e a capacidade da empresa de financiar novos investimentos e, assim, crescer.

ExcelMaster
cobertura
online

Esta seção apresentará tabelas de dados e gráficos.

QUADRO 3.12

<table>
<tr><th colspan="6">MAR DE ROSAS S/A
Balanço patrimonial projetado</th></tr>
<tr><th colspan="3">Ativo</th><th colspan="3">Passivo e patrimônio líquido</th></tr>
<tr><th></th><th>Próximo ano</th><th>Variação em relação ao ano atual</th><th></th><th>Próximo ano</th><th>Variação em relação ao ano atual</th></tr>
<tr><td>Ativo circulante</td><td></td><td></td><td>Passivo circulante</td><td></td><td></td></tr>
<tr><td>Caixa</td><td>$ 200</td><td>$ 40</td><td>Contas a pagar</td><td>$ 375</td><td>$ 75</td></tr>
<tr><td>Contas a receber</td><td>550</td><td>110</td><td>Empréstimos de curto prazo</td><td>325</td><td>225</td></tr>
<tr><td>Estoque</td><td>750</td><td>150</td><td>Total</td><td>$ 700</td><td>$ 300</td></tr>
<tr><td>Total</td><td>$ 1.500</td><td>$ 300</td><td>Empréstimos de longo prazo</td><td>$ 1.140</td><td>$ 340</td></tr>
<tr><td>Ativo não circulante</td><td></td><td></td><td>Patrimônio líquido</td><td></td><td></td></tr>
<tr><td>Ativo Imobilizado: Instalações e equipamento, líquidos</td><td>$ 2.250</td><td>$ 450</td><td>Capital social e ágio recebido na emissão de ações</td><td>$ 800</td><td>$ 0</td></tr>
<tr><td></td><td></td><td></td><td>Reserva de lucros</td><td>1.110</td><td>110</td></tr>
<tr><td></td><td></td><td></td><td>Total</td><td>$ 1.910</td><td>$ 110</td></tr>
<tr><td>Ativo total</td><td>$ 3.750</td><td>$ 750</td><td>Total do passivo e do patrimônio líquido</td><td>$ 3.750</td><td>$ 750</td></tr>
</table>

Enfatizamos mais uma vez que estamos nos concentrando no crescimento não porque ele seja uma meta apropriada; no nosso caso, o crescimento é apenas um meio conveniente de examinar as interações entre as decisões de investimento e de financiamento. Na verdade, consideramos que tomar o crescimento como base do planejamento seja apenas um reflexo do altíssimo nível de agregação usado no processo de planejamento.

Necessidade de Aportes Financeiros (NAF) e crescimento

Em primeiro lugar, precisamos estabelecer a relação entre NAF e crescimento. Para tanto, introduzimos a demonstração de resultados e o balanço patrimonial simplificados da Hoffman S/A no Quadro 3.13. Observe que o balanço patrimonial foi simplificado pela combinação da dívida

QUADRO 3.13

<table>
<tr><th colspan="5">HOFFMAN S/A
Demonstração de resultados e balanço patrimonial</th></tr>
<tr><th colspan="5">Demonstração de resultados</th></tr>
<tr><td colspan="3">Vendas</td><td colspan="2">$ 500</td></tr>
<tr><td colspan="3">Custos</td><td colspan="2">400</td></tr>
<tr><td colspan="3">Lucro tributável</td><td colspan="2">$ 100</td></tr>
<tr><td colspan="3">Impostos (34%)</td><td colspan="2">34</td></tr>
<tr><td colspan="3">Lucro líquido</td><td colspan="2">$ 66</td></tr>
<tr><td colspan="2">Dividendos</td><td>$ 22</td><td colspan="2"></td></tr>
<tr><td colspan="2">Acréscimo à reserva de lucros</td><td>44</td><td colspan="2"></td></tr>
<tr><th colspan="5">Balanço patrimonial</th></tr>
<tr><th colspan="3">Ativo</th><th colspan="2">Passivo e patrimônio líquido</th></tr>
<tr><th></th><th>$</th><th>Porcentagem das vendas</th><th>$</th><th>Porcentagem das vendas</th></tr>
<tr><td>Ativo circulante</td><td>$ 200</td><td>40%</td><td>Dívida total</td><td>$ 250</td><td>n/a</td></tr>
<tr><td>Ativo não circulante líquido</td><td>300</td><td>60</td><td>Patrimônio líquido</td><td>250</td><td>n/a</td></tr>
<tr><td>Ativo total</td><td>$ 500</td><td>100%</td><td>Total do passivo e do patrimônio líquido</td><td>$ 500</td><td>n/a</td></tr>
</table>

de curto prazo e da dívida de longo prazo em um único número de dívida total. Na verdade, estamos considerando que nenhuma conta do passivo circulante varie espontaneamente com as vendas. Essa hipótese não é tão restritiva quanto parece. Se algum passivo circulante (como contas a pagar) variar com as vendas, podemos supor que tais contas foram compensadas no ativo circulante. Da mesma forma, combinamos depreciação, juros e custos na demonstração de resultados.

Suponhamos que a Hoffman S/A esteja prevendo um nível de vendas de $ 600 para o próximo ano, um aumento de $ 100. Observe que o aumento da porcentagem sobre as vendas é de $ 100/500 = 20%. Usando a abordagem da porcentagem das vendas e os números do Quadro 3.13, podemos preparar a demonstração de resultados e o balanço patrimonial projetados como no Quadro 3.14. Como está ilustrado, a uma taxa de crescimento de 20%, a Hoffman precisa de $ 100 em ativos novos. A projeção de acréscimo à reserva de lucros é de $ 52,8, de modo que a necessidade de aporte financeiro (NAF) é de $ 100 – $ 52,8 = $ 47,2.

Observe que, originalmente, o índice Dívida/Capital Próprio da Hoffman (no Quadro 3.13) era de $ 250/$ 250 = 1,0. Consideraremos que a empresa não deseja emitir novas ações. Neste caso, é preciso tomar emprestados os $ 47,2 para cobrir a NAF. Qual será o novo índice Dívida/Capital Próprio? Vemos no Quadro 3.14 que o patrimônio líquido é projetado a $ 302,8. A nova dívida total será os $ 250 originais mais $ 47,2 em novo empréstimo, ou $ 297,2 no total. O índice Dívida/Capital Próprio, portanto, cai ligeiramente de 1,0 para $ 297,2/$ 302,8 = 0,98.

O Quadro 3.15 mostra a NAF para diversas taxas de crescimento. Também são fornecidas a projeção de acréscimo da reserva de lucros e a projeção do índice Dívida/Capital Próprio para cada cenário (você pode calcular alguns deles para praticar). Ao determinar os índices Dívida/Capital Próprio, supomos que todos os fundos necessários foram tomados como Dívidas e também que quaisquer fundos excedentes foram usados para pagamento de dívidas. Assim, para o caso de crescimento zero, a dívida cai $ 44, de $ 250 para $ 206. No Quadro 3.15, observamos que o aumento necessário de ativos é simplesmente igual ao ativo original de $ 500 multiplicado pela taxa de crescimento. Da mesma forma, o acréscimo à reserva de lucros é igual aos $ 44 originais mais $ 44 multiplicados pela taxa de crescimento.

QUADRO 3.14

HOFFMAN S/A				
Demonstração de resultados e balanço patrimonial projetados				
Demonstração de resultados				
Vendas (projetadas)			$ 600,0	
Custos (80% das vendas)			480,0	
Lucro tributável			$ 120,0	
Impostos (34%)			40,8	
Lucro líquido			$ 79,2	
Dividendos		$ 26,4		
Acréscimo à reserva de lucros		52,8		
Balanço patrimonial				
Ativo		Passivo e patrimônio líquido		
	$	Porcentagem das vendas	$	Porcentagem das vendas
Ativo circulante	$ 240,0	40%	Dívida total	$ 250,0	n/a
Ativo não circulante líquido	360,0	60	Patrimônio líquido	302,8	n/a
Ativo total	$ 600,0	100%	Total do passivo e do patrimônio líquido	$ 552,8	n/a
			Necessidade de aporte financeiro	$ 47,2	n/a

O Quadro 3.15 mostra que, para taxas de crescimento relativamente baixas, a Hoffman terá sobras de fundos, e seu índice Dívida/Capital Próprio diminuirá. Quando a taxa de crescimento chega a cerca de 10%, contudo, a sobra se torna uma falta de fundos. Depois que a taxa de crescimento exceder aproximadamente 20%, o índice Dívida/Capital Próprio ultrapassará seu valor original de 1,0.

A Figura 3.1 ilustra com mais detalhes a conexão entre o crescimento das vendas e a necessidade de aportes financeiros, dispondo em um gráfico as necessidades de ativos e os acréscimos à reserva de lucros do Quadro 3.15 em relação às taxas de crescimento. Como mostramos, a necessidade de ativos novos aumenta a uma taxa muito mais rápida do que a do acréscimo à reserva de lucros, de forma que o financiamento interno fornecido por este desaparece rapidamente.

Como mostra esta discussão, o fato de uma empresa ter sobra ou falta de caixa dependerá do seu crescimento. A Microsoft é um bom exemplo. Seu crescimento de receitas nos anos 1990 foi surpreendente, atingindo médias bem acima dos 30% ao ano na década. O crescimento diminuiu muito no período entre 2000 e 2006, mas, mesmo assim, a combinação entre crescimento e margens líquidas substanciais levou a enormes excedentes de caixa. Como a Microsoft pagou relativamente poucos dividendos, o caixa acumulou bastante. Em 2011, o caixa e os investimentos de curto prazo excediam os $ 50 bilhões.

Política financeira e crescimento

Com base em nossa discussão anterior, vemos que há uma ligação direta entre o crescimento e as necessidades de aportes financeiros. Nesta seção, discutimos duas taxas de crescimento que são particularmente úteis para o planejamento de longo prazo.

A taxa de crescimento interna A primeira taxa de crescimento importante é a taxa máxima de crescimento que pode ser atingida sem qualquer aporte financeiro adicional. Ela recebe o nome de **taxa de crescimento interna** porque é a taxa de crescimento que a empresa pode manter somente com financiamento interno. Na Figura 3.1, ela é representada pelo ponto no qual as duas linhas se cruzam. Nesse ponto, o aumento necessário de ativos é exatamente igual ao acréscimo à reserva de lucros; portanto, a NAF é zero. Vimos que, no nosso exemplo, isso acontece quando a taxa de crescimento é ligeiramente menor do que 10%. Com um pouco de cálculo (consulte o Problema 28 no final do capítulo), podemos definir essa taxa de crescimento com mais exatidão:

$$\text{Taxa de crescimento interna} = \frac{\text{ROA} \times b}{1 - \text{ROA} \times b} \quad (3.24)$$

onde o ROA é o retorno sobre o ativo discutido anteriormente e b é a taxa de retenção também definida anteriormente neste capítulo.

QUADRO 3.15 Crescimento e projeção de NAF para a Hoffman S/A

Crescimento de vendas projetado	Aumento necessário de ativos	Acréscimo à reserva de lucros	Necessidade de aporte financeiro (NAF)	Projeção do índice Dívida/Capital Próprio
0%	$ 0	$ 44,0	–$ 44,0	0,70
5	25	46,2	–21,2	0,77
10	50	48,4	1,6	0,84
15	75	50,6	24,4	0,91
20	100	52,8	47,2	0,98
25	125	55,0	70,0	1,05

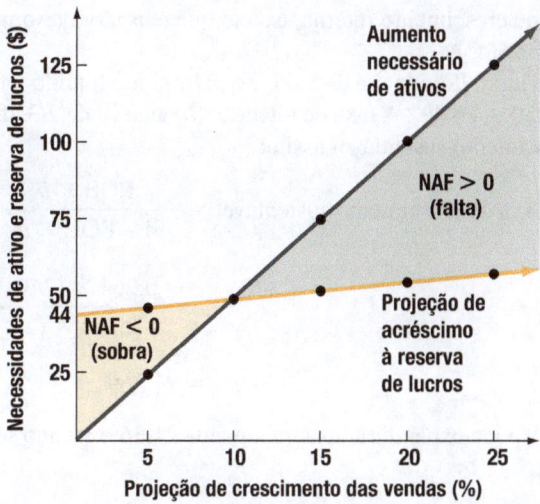

FIGURA 3.1 Crescimento e a necessidade de aporte financeiro para a Hoffman S/A.

Para a Hoffman S/A, o lucro líquido era de $ 66, e o ativo total era $ 500. Assim, o ROA é $ 66/$ 500 = 13,2%. Do lucro líquido de $ 66, $ 44 foram retidos, de modo que a taxa de retenção b é $ 44/66 = 2/3. Com esses números, podemos calcular a taxa de crescimento interna:

$$\text{Taxa de crescimento interna} = \frac{\text{ROA} \times b}{1 - \text{ROA} \times b}$$

$$= \frac{0{,}132 \times (2/3)}{1 - 0{,}132 \times (2/3)}$$

$$= 9{,}65\%$$

Assim, a Hoffman S/A pode expandir à taxa máxima de 9,65% ao ano sem novos aportes financeiros.

A taxa de crescimento sustentável Vimos que, se a Hoffman S/A quiser crescer mais do que a taxa de 9,65% ao ano, será necessário providenciar um aporte financeiro. A segunda taxa de crescimento importante é a taxa máxima de crescimento que uma empresa pode atingir sem o aporte de capital adicional dos sócios (sem emitir novas ações), ao mesmo tempo em que mantém um índice Dívida/Capital Próprio constante. Essa taxa costuma ser chamada de **taxa de crescimento sustentável**, porque é a taxa de crescimento máxima que uma empresa pode manter sem aumentar sua alavancagem financeira.

Existem vários motivos pelos quais uma empresa desejaria evitar o aporte de mais capital próprio. Por exemplo, pode ser caro devido aos custos consideráveis envolvidos. Além disso, os acionistas atuais podem não querer trazer novos acionistas ou contribuir com capital adicional. O motivo pelo qual uma empresa poderia ver um determinado índice Dívida/Capital Próprio como ideal será discutido posteriormente. Por enquanto, tomaremos isso como um pressuposto.

Com base no Quadro 3.15, a taxa de crescimento sustentável para a Hoffman é de aproximadamente 20%, porque o índice Dívida/Capital Próprio está próximo de 1,0 a essa taxa de crescimento. O valor exato pode ser calculado assim (consulte o Problema 28 no final do capítulo):

$$\text{Taxa de crescimento sustentável} = \frac{\text{ROE} \times b}{1 - \text{ROE} \times b} \qquad (3.25)$$

Isso é idêntico à taxa de crescimento interna, exceto que é usado o retorno sobre o patrimônio líquido (ROE) em vez do ROA.

Para a Hoffman, o lucro líquido era de $ 66, e o patrimônio líquido total era $ 250. O ROE, portanto, é de $ 66/$ 250 = 26,4%. A taxa de retenção (*b*) ainda é de 2/3, de modo que podemos calcular a taxa de crescimento sustentável assim:

$$\text{Taxa de crescimento sustentável} = \frac{\text{ROE} \times b}{1 - \text{ROE} \times b}$$

$$= \frac{0{,}264 \times (2/3)}{1 - 0{,}264 \times (2/3)}$$

$$= 21{,}36\%$$

Assim, a Hoffman S/A pode expandir à taxa máxima de 21,36% ao ano sem novos aportes dos acionistas.

EXEMPLO 3.5 — Crescimento sustentável

Suponha que a Hoffman cresça a uma taxa de crescimento sustentável de exatamente 21,36%. Como serão as demonstrações projetadas?

A uma taxa de crescimento de 21,36%, as vendas aumentarão de $ 500 para $ 606,8. A demonstração de resultados projetada será assim:

HOFFMAN S/A Demonstração de resultados projetada	
Vendas (projetadas)	$ 606,8
Custos (80% das vendas)	485,4
Lucro tributável	$ 121,4
Impostos (34%)	41,3
Lucro líquido	$ 80,1
Dividendos	$ 26,7
Acréscimo à reserva de lucros	53,4

Construímos o balanço patrimonial como fizemos antes. Observe, neste caso, que o patrimônio líquido aumentará de $ 250 para $ 303,4, porque o acréscimo à reserva de lucros é de $ 53,4.

HOFFMAN S/A — Balanço patrimonial projetado					
Ativo			**Passivo e patrimônio líquido**		
	$	Porcentagem das vendas		$	Porcentagem das vendas
Ativo circulante	$ 242,7	40%	Dívida total	$ 250,0	n/a
Ativo não circulante líquido	364,1	60	Patrimônio líquido	303,4	n/a
Ativo total	$ 606,8	100%	Total da dívida e do patrimônio líquido	$ 553,4	n/a
			Necessidade de aporte financeiro	$ 53,4	n/a

Como ilustramos, a NAF é de $ 53,4. Se a Hoffman tomar emprestado esse montante, a dívida total aumentará para $ 303,4, e o índice Dívida/Capital Próprio será exatamente 1,0, o que confere com nosso cálculo anterior. A qualquer outra taxa de crescimento, algo teria de mudar.

Determinantes do crescimento Anteriormente, vimos que o retorno sobre o patrimônio líquido (ROE) poderia ser decomposto em seus vários componentes usando a identidade DuPont. Como o ROE parece ser tão importante para a determinação da taxa de crescimento sustentável, é óbvio que os fatores importantes para a determinação do ROE também sejam fatores importantes do crescimento.

Com base na nossa discussão anterior, sabemos que o ROE pode ser escrito como o produto de três fatores:

ROE = Margem líquida × Giro do ativo total × Multiplicador do patrimônio líquido

Se examinarmos nossa expressão da taxa de crescimento sustentável, veremos que tudo que aumenta o ROE aumenta também a taxa de crescimento sustentável aumentando o numerador e reduzindo o denominador. O aumento da taxa de retenção tem o mesmo efeito.

Juntando tudo, a capacidade de uma empresa de sustentar o crescimento depende explicitamente destes quatro fatores:

1. *Margem líquida*: Um aumento na margem líquida aumenta a capacidade de a empresa gerar fundos internamente e, desse modo, aumentar seu crescimento sustentável.

2. *Política de dividendos*: Uma diminuição na porcentagem do lucro líquido distribuído como dividendos aumentará a taxa de retenção. Isso aumenta o capital próprio gerado internamente, aumentando o crescimento sustentável.

3. *Política financeira*: Um aumento do índice Dívida/Capital Próprio aumenta a alavancagem financeira da empresa. Como novas dívidas trazem financiamento adicional, aumenta a taxa de crescimento sustentável.

4. *Giro do ativo total*: Um aumento no giro do ativo total aumenta as vendas geradas para cada real em ativos. Isso diminui a necessidade de ativos novos para a empresa à medida que as vendas crescem, e, portanto, aumenta a sua taxa de crescimento sustentável. Observe que aumentar o giro do ativo total é o mesmo que diminuir a intensidade de capital.

A taxa de crescimento sustentável é um número muito útil para o planejamento. Ela ilustra o relacionamento explícito entre as quatro principais áreas de preocupação da empresa: a eficiência operacional, medida pela margem líquida, a eficiência do uso dos ativos, medida pelo giro do ativo total, a política de dividendos, medida pela taxa de retenção, e a política financeira, medida pelo índice Dívida/Capital Próprio.

EXEMPLO 3.6 Margem de lucro e crescimento sustentável

A Missionário S/A tem um índice Dívida/Capital Próprio de 0,5, uma margem líquida de 3%, uma taxa de distribuição de dividendos de 40% e intensidade de capital igual a 1. Qual é a taxa de crescimento sustentável da empresa? O que você pensaria se a Missionário quisesse ter uma taxa de crescimento sustentável de 10% e planejasse atingir esse objetivo aumentando as margens de lucro?

O ROE é de 0,03 × 1 × 1,5 = 4,5%. A taxa de retenção é de 1 − 0,40 = 0,60. O crescimento sustentável, portanto, é de 0,045(0,60)/[1 − 0,045(0,60)] = 2,77%.

Para que a empresa atinja uma taxa de crescimento de 10%, a margem líquida terá de subir. Para ver isso, considere que o crescimento sustentável seja igual a 10% e depois calcule a margem líquida (ML):

$$0{,}10 = ML(1{,}5)(0{,}6)/[1 - ML(1{,}5)(0{,}6)]$$
$$ML = 0{,}1/0{,}99 = 10{,}1\%$$

Para que o plano seja bem-sucedido, é necessário um aumento considerável da margem líquida, de 3% para cerca de 10%. Isso talvez não seja possível.

Se os valores para essas quatro variáveis estão dados, existe apenas uma taxa de crescimento que pode ser atingida. Isso é algo importante, então vale repetir:

> **Se uma empresa não deseja emitir novas ações e se a margem líquida, a política de dividendos, a política financeira e o giro do ativo total (ou a intensidade de capital) são todos fixos, então existe apenas uma taxa de crescimento possível.**

Um dos principais benefícios do planejamento financeiro é que ele assegura a consistência interna entre os diversos objetivos da empresa. O conceito de taxa de crescimento sustentável captura muito bem isso. Além disso, agora vemos como um modelo de planejamento financeiro pode ser usado para testar se uma taxa de crescimento planejada é plausível. Para que as vendas cresçam mais do que a taxa de crescimento sustentável, a empresa deve aumentar a margem líquida, aumentar o giro do ativo total, aumentar a alavancagem financeira, aumentar a retenção dos lucros ou emitir novas ações.

As duas taxas de crescimento, interna e sustentável, estão resumidas no Quadro 3.16.

Uma observação sobre os cálculos da taxa de crescimento sustentável

Usualmente, a taxa de crescimento sustentável é calculada utilizando apenas o numerador de nossa equação, ROE $\times$ b. Isso causa alguma confusão, que podemos esclarecer aqui. A questão está relacionada à forma como o ROE é calculado. Lembre-se de que ele é calculado pela divisão do lucro líquido pelo total do patrimônio líquido. Caso o patrimônio líquido total seja tomado dos números de fim de período do balanço patrimonial (como temos feito até aqui e, em geral, é feito na prática), nossa fórmula está correta. Entretanto, se o patrimônio líquido total corresponde ao início do período, então a fórmula simplificada será a correta.

Em princípio, você obterá exatamente a mesma taxa de crescimento sustentável, não importando a maneira como é calculada (desde que se calcule o ROE com a fórmula certa). Na realidade, haverá algumas diferenças em virtude de complicações relacionadas à contabilidade. A propósito, se você utilizar a média entre o patrimônio líquido inicial e final (como alguns defendem), será necessária outra fórmula. Esses comentários também se aplicam à taxa de crescimento interna.

QUADRO 3.16 Resumo das taxas de crescimento interna e sustentável

I. Taxa de crescimento interna

$$\text{Taxa de crescimento interna} = \frac{\text{ROA} \times b}{1 - \text{ROA} \times b}$$

onde

ROA = Retorno sobre o ativo = Lucro líquido/Ativo total
b = Taxa de retenção
= Acréscimo à reserva de lucros/Lucro líquido

A taxa de crescimento interna é a taxa máxima de crescimento que pode ser atingida sem qualquer aporte financeiro.

II. Taxa de crescimento sustentável

$$\text{Taxa de crescimento sustentável} = \frac{\text{ROE} \times b}{1 - \text{ROE} \times b}$$

onde

ROE = Retorno sobre o patrimônio líquido = Lucro líquido/Patrimônio líquido
b = Taxa de retenção
= Acréscimo à reserva de lucros/Lucro líquido

A taxa de crescimento sustentável é a taxa máxima de crescimento que pode ser atingida sem novos aportes dos acionistas ao mesmo tempo em que mantém um índice Dívida/Capital Próprio constante.

COM A PALAVRA, OS EXECUTIVOS:

Robert C. Higgins sobre crescimento sustentável

A maioria dos executivos financeiros sabe intuitivamente que é preciso gastar dinheiro para ganhar dinheiro. O crescimento rápido das vendas exige aumento do ativo na forma de contas a receber, estoque e imobilizações, o que, por sua vez, requer dinheiro para pagar por esses ativos. Eles também sabem que, se sua empresa não tiver dinheiro quando necessário, ela pode realmente "quebrar". A equação do crescimento sustentável declara explicitamente essas verdades intuitivas.

O crescimento sustentável quase sempre é usado pelos bancos e por analistas do mercado para avaliar a qualidade de crédito de uma empresa. Eles são auxiliados nesse exercício por vários *software* sofisticados que fornecem análise detalhada do histórico de desempenho financeiro da empresa, incluindo sua taxa de crescimento anual sustentável.

Os bancos usam essas informações de várias maneiras. Uma comparação rápida da relação entre a taxa de crescimento observada de uma empresa e sua taxa sustentável mostra ao banco quais questões estarão no topo das preocupações financeiras da administração. Se o crescimento observado exceder de forma consistente o crescimento sustentável, o problema dos seus administradores será onde obter caixa para financiar o crescimento. Nesse caso, o banco pode pensar em juros de empréstimos. Por outro lado, se o crescimento sustentável exceder de forma constante o crescimento realizado, é melhor o banco falar sobre as alternativas para investimentos de caixa, porque o problema da administração da empresa será o que fazer com todo o caixa acumulado.

Os bancos também consideram útil a equação do crescimento sustentável para explicar aos proprietários de pequenas empresas financeiramente inexperientes e aos empreendedores excessivamente otimistas que, para a viabilidade de longo prazo de suas empresas, é preciso manter o crescimento e a lucratividade adequadamente equilibrados.

Por último, a comparação entre a taxa de crescimento observada e a taxa sustentável ajuda o banco a entender por que um candidato a empréstimo precisa de dinheiro e por quanto tempo persistirá essa necessidade. Por exemplo, um candidato a empréstimo solicitou $ 100.000 para pagar vários fornecedores insistentes e prometeu pagar o empréstimo em alguns meses, quando recebesse algumas contas a receber com vencimento próximo. Uma análise do crescimento sustentável revelou que a empresa vinha crescendo de quatro a seis vezes a sua taxa de crescimento sustentável e que esse padrão provavelmente continuaria no futuro próximo. Isso alertou o banqueiro para o fato de que os fornecedores impacientes eram apenas um sintoma da doença do crescimento rápido demais, e um empréstimo de $ 100.000 provavelmente seria apenas a primeira parcela de um compromisso muito maior e de vários anos.

Robert C. Higgins é professor de finanças na Universidade de Washington. Ele foi pioneiro no uso do crescimento sustentável como ferramenta de análise financeira.

3.6 Alguns alertas sobre os modelos de planejamento financeiro

Nem sempre os modelos de planejamento financeiro fazem as perguntas certas. Um motivo para isso é que eles costumam depender de relações entre dados contábeis, e não de relações entre dados financeiros. Em particular, os três elementos básicos do valor da empresa geralmente ficam de fora – o tamanho dos fluxos de caixa, o risco que é associado a eles e a alocação no tempo desses fluxos.

Por causa disso, os modelos de planejamento financeiro, às vezes, não produzem muitas pistas significativas sobre quais são as estratégias que levarão a aumentos de valor. Em vez disso, eles desviam a atenção do usuário para questões relativas à associação, por exemplo, do índice Dívida/Capital Próprio com o crescimento da empresa.

O modelo financeiro que usamos para a Hoffman S/A era simples – na verdade, simples demais. Nosso modelo, assim como muitos que são usados, é, na sua essência, um gerador de demonstrações contábeis. Tais modelos são úteis para indicar inconsistências e nos lembrar das necessidades financeiras, mas eles oferecem pouca orientação sobre o que fazer a respeito desses problemas.

Ao encerrar nossa discussão, devemos acrescentar que o planejamento financeiro é um processo iterativo. Os planos são elaborados, reelaborados, examinados, reexaminados e modificados várias vezes. O plano final é resultado da negociação entre todas as diferentes partes envolvidas no processo. Na verdade, o planejamento financeiro de longo prazo, na maioria das empresas, depende daquilo que pode ser chamado de abordagem de Procusto.[10] O primeiro escalão da administração tem um objetivo em mente, e, para atingi-lo, a equipe de planejamento tem de trabalhar e entregar um plano que atenda a esse objetivo.

O plano final, portanto, conterá implicitamente objetivos diferentes de áreas diferentes e também terá de atender a muitas restrições. Por esse motivo, tal plano não precisa ser uma avaliação isenta daquilo que pensamos que o futuro nos trará. Em vez disso, ele pode ser um meio de conciliar planos elaborados por diferentes grupos e um modo de definir objetivos comuns para o futuro.

O planejamento financeiro empresarial, como quer que seja feito, não deve se tornar uma atividade exclusivamente mecânica. Se isso ocorrer, provavelmente o foco recairá sobre as atitudes erradas. No entanto, a alternativa ao planejamento financeiro é dar de cara com o futuro. Talvez o imortal Yogi Berra tenha definido isso melhor ao dizer: "É melhor tomar cuidado se não souber aonde vai. Você pode não chegar lá."[11]

Resumo e conclusões

O foco deste capítulo é o uso das informações apresentadas em demonstrações contábeis. Estudamos demonstrações contábeis padronizadas, análise de índices e planejamento financeiro de longo prazo.

1. Explicamos que as diferenças no tamanho das empresas dificultam a comparação entre as demonstrações contábeis e discutimos como criar demonstrações de tamanho comum para tornar as comparações mais fáceis e significativas.
2. Definimos alguns dos indicadores contábeis mais utilizados e discutimos a famosa identidade DuPont.
3. Mostramos como demonstrações contábeis projetadas podem ser geradas e utilizadas no planejamento de necessidades financeiras futuras.

Após ter estudado este capítulo, esperamos que você consiga ter uma visão sobre os usos e abusos das demonstrações contábeis. Você também descobrirá que seu vocabulário de termos financeiros e de negócios cresceu substancialmente.

QUESTÕES CONCEITUAIS

1. **Análise de indicadores financeiros** Um indicador financeiro, por si só, não nos diz muito sobre uma empresa, pois ele varia muito entre os setores. Existem dois métodos básicos para analisar os indicadores financeiros de uma empresa: análise de tendência no tempo e análise de grupo de pares. Na primeira análise, medem-se os indicadores da empresa durante certo período (cinco anos, por exemplo) e examina-se qual foi a variação de cada indicador durante o período. Na análise de grupo de pares, os indicadores financeiros da empresa são comparados com os dos pares dela. Por que os dois métodos de análise podem ser úteis? O que cada um deles indica sobre a saúde financeira da empresa?

2. **Indicadores de indústrias específicas** As chamadas "vendas de mesma loja" são uma medida muito importante para empresas tão diversificadas como o McDonald's e a Sears. Como o nome sugere, analisar as vendas de mesma loja significa comparar as receitas de uma loja ou de um restaurante em dois momentos diferentes. Por que as empresas se concentram nas vendas de mesma loja, e não nas vendas totais?

---

[10] Na mitologia grega, Procusto é um gigante que ataca os viajantes e os amarra a uma cama de ferro. Ele os estica ou corta suas pernas para que se ajustem à cama.

[11] Também não temos certeza do que isso significa, mas gostamos da frase.

3. **Previsão de vendas** Por que a maioria dos planos financeiros de longo prazo começa com previsões de vendas? Em outras palavras, por que as vendas futuras são o principal dado de entrada?

4. **Crescimento sustentável** No capítulo, usamos a Mar de Rosas S/A para demonstrar como calcular a NAF. O ROE da empresa é de aproximadamente 7,3%, e a taxa de retenção é cerca de 67%. Se você calcular a taxa de crescimento sustentável, descobrirá que ela é de apenas 5,14%. Em nosso cálculo da NAF, usamos uma taxa de crescimento de 25%. Isso é possível? (*Dica:* Sim. Como?)

5. **NAF e taxas de crescimento** A Barbosa S/A mantém uma taxa de retenção positiva e um índice Dívida/Capital Próprio constante a cada ano. Quando as vendas aumentam em 20%, a empresa tem uma NAF projetada negativa. O que isso diz sobre a taxa de crescimento sustentável? Você sabe com certeza se a taxa de crescimento interna é maior ou menor do que 20%? Por quê? O que acontece à NAF projetada quando a taxa de retenção aumenta? E se a taxa de retenção diminuir? E se a taxa de retenção for zero?

6. **Demonstrações contábeis de tamanho comum** Uma ferramenta comum na análise financeira são as demonstrações contábeis de tamanho comum. Por que, em sua opinião, utilizam-se demonstrações de resultados e balanços patrimoniais de tamanho comum? Observe que a demonstração de fluxos de caixa não é convertida em uma demonstração de tamanho comum. Por que, em sua opinião, isso acontece?

7. **Utilização de ativos e NAF** No cálculo da necessidade de aportes financeiros, fizemos a suposição implícita de que a empresa estivesse operando com plena capacidade. Se a empresa estiver operando a uma capacidade inferior à total, de que forma será afetada a necessidade de aportes financeiros?

8. **Comparação entre ROE e ROA** Tanto o ROA quanto o ROE medem a lucratividade. Qual é mais útil na comparação entre duas empresas? Por quê?

9. **Análise de indicadores** Considere o indicador LAJIDA/Ativo. O que esse indicador nos diz? Por que ele pode ser mais útil do que o ROA na comparação de duas empresas?

10. **Retorno sobre o investimento** Um indicador que é cada vez mais usado é o retorno sobre o investimento. Seu cálculo é feito dividindo-se o lucro líquido pela soma do passivo não circulante e capital próprio. O que, em sua opinião, pretende-se medir com o retorno sobre o investimento? Qual é a relação entre o retorno sobre o investimento e o retorno sobre o ativo?

Use as informações que seguem para responder às cinco próximas questões: Uma pequena empresa chamada Calendários da Vovó S/A começou a vender calendários personalizados com fotos. Os calendários foram um sucesso, e as vendas logo excederam as previsões. A corrida para comprar o produto criou um enorme acúmulo de pedidos, de modo que a empresa alugou espaço e expandiu a capacidade, mas ainda assim não conseguiu atender à demanda. O equipamento falhava por excesso de uso, e a qualidade piorou. O capital de giro foi consumido para expandir a produção, e, ao mesmo tempo, os clientes quase sempre atrasavam o pagamento até que o produto fosse enviado. Incapaz de atender os pedidos, a empresa sofreu com uma falta tão grande de caixa, que faltou dinheiro para o pagamento dos salários. Sem caixa no terceiro ano, a empresa encerrou totalmente as operações.

11. **Vendas** Você acha que a empresa teria o mesmo destino se o seu produto fosse menos conhecido? Por quê?

12. **Fluxos de caixa** A Calendários da Vovó S/A tinha um problema óbvio de fluxo de caixa. No contexto da análise de fluxos de caixa que desenvolvemos no Capítulo 2, qual foi o impacto do não pagamento pelos clientes que aguardavam o envio dos pedidos?

13. **Empréstimos para empresas** Se a empresa teve tanto sucesso de vendas, por que um banco ou outro financiador não apareceu para fornecer o caixa de que ela tanto precisava para continuar?
14. **Fluxos de caixa** Qual foi o principal culpado aqui: o excesso de pedidos, a falta de caixa ou a pouquíssima capacidade de produção?
15. **Fluxos de caixa** Quais são algumas das medidas que uma pequena empresa como a Calendários da Vovó pode adotar (além da expansão da capacidade) se ficar em uma situação na qual o crescimento das vendas excede a capacidade de produção?

QUESTÕES E PROBLEMAS

BÁSICO
(Questões 1-10)

1. **Identidade DuPont** Se a Jaime Ltda. tem um multiplicador do patrimônio líquido de 1,55, giro do ativo total de 1,75 e uma margem líquida de 4,3%, qual é o ROE da empresa?
2. **Multiplicador do patrimônio líquido e retorno sobre o patrimônio líquido** A Companhia Nunes tem um índice Dívida/Capital Próprio de 0,80. O retorno sobre o ativo é de 9,7%, e o patrimônio líquido total é de $ 735.000. Qual é o multiplicador do patrimônio líquido? E o retorno sobre o patrimônio líquido? E o lucro líquido?
3. **Aplicação da identidade DuPont** A Ano 3000 Ltda. tem vendas de $ 2.700, ativo total de $ 1.310 e índice Dívida/Capital Próprio de 1,20. Caso o retorno sobre o patrimônio seja de 15%, qual é o lucro líquido?
4. **NAF** As demonstrações contábeis mais recentes da Martin S/A são as seguintes:

Demonstração de resultados		Balanço patrimonial			
Vendas	$ 37.300	Ativo	$ 127.000	Dívida	$ 30.500
Custos	25.800			Patrimônio líquido	96.500
Lucro tributável	$ 11.500	Total	$ 127.000	Total	$ 127.000
Impostos (34%)	3.910				
Lucro líquido	$ 7.590				

O ativo e os custos são proporcionais às vendas. Já a dívida e o patrimônio líquido não são. A Martin pagou $ 2.500 em dividendos e deseja manter uma taxa de distribuição de dividendos constante. As vendas do próximo ano são projetadas a $ 42.300. Qual é o aporte financeiro necessário?

5. **Vendas e crescimento** As demonstrações contábeis mais recentes da Fontana S/A são as seguintes:

Demonstração de resultados		Balanço patrimonial			
Vendas	$ 54.000	Ativo circulante	$ 31.000	Dívida de longo prazo	$ 68.000
Custos	39.300	Ativo não circulante	118.000	Patrimônio líquido	81.000
Lucro tributável	$ 14.700	Total	$ 149.000	Total	$ 149.000
Impostos (34%)	4.998				
Lucro líquido	$ 9.702				

O ativo e os custos são proporcionais às vendas. A empresa mantém uma taxa de distribuição de dividendos constante de 30% e um índice Dívida/Capital Próprio também constante. Qual é o aumento máximo das vendas que pode ser sustentado sem emissão de novas ações?

6. **Crescimento sustentável** Se a Leila S/A tem um ROE de 13% e uma taxa de distribuição de dividendos de 20%, qual é a taxa de crescimento sustentável?

7. **Crescimento sustentável** Supondo que os indicadores a seguir sejam constantes, qual é a taxa de crescimento sustentável?

   Giro do ativo total = 2,20

   Margem líquida = 7,4%

   Multiplicador do patrimônio líquido = 1,40

   Taxa de distribuição de dividendos = 40%

8. **Cálculo da NAF** As demonstrações contábeis mais recentes da Bernardo S/A são as seguintes (considerando não haver imposto de renda):

Demonstração de resultados		Balanço patrimonial			
Vendas	$ 6.500	Ativo	$ 17.400	Dívida	$ 8.400
Custos	5.320			Patrimônio líquido	9.000
Lucro líquido	$ 1.180	Total	$ 17.400	Total	$ 17.400

O ativo e os custos são proporcionais às vendas. Já a dívida e o patrimônio líquido não são. Não há pagamento de dividendos. As vendas do próximo ano são projetadas a $ 7.280. Qual é o aporte financeiro necessário?

9. **Necessidade de aporte financeiro** Carla Costa, diretora financeira da Floricultura Encantada Ltda., elaborou o balanço patrimonial projetado da empresa para o próximo ano. O crescimento das vendas foi projetado em 10%, para um total de $ 420 milhões. O ativo circulante, o ativo não circulante e o passivo circulante são, respectivamente, de 20%, 75% e 15% das vendas. A Floricultura Encantada distribui 30% do lucro líquido em dividendos. A empresa, atualmente, tem $ 120 milhões em dívidas de longo prazo e $ 48 milhões em ações com valor ao par. A margem líquida é de 9%.

   a. Construa o balanço patrimonial atual da empresa utilizando o número de vendas projetadas.

   b. Com base na previsão de vendas feita por Carla, qual é o aporte financeiro necessário para o próximo ano?

   c. Construa o balanço patrimonial projetado para o próximo ano e confirme a necessidade de aporte financeiro calculada no item (b).

10. **Taxa de crescimento sustentável** A Companhia Steiner tem um ROE de 13,1% e uma taxa de distribuição de dividendos de 40%.

    a. Qual é a taxa de crescimento sustentável da empresa?

    b. É possível que a taxa de crescimento real da empresa seja diferente da taxa de crescimento sustentável? Por quê?

    c. De que forma a empresa pode aumentar a taxa de crescimento sustentável?

11. **Retorno sobre o patrimônio líquido** A empresa A e a empresa B têm índices Dívida/Ativo Total de 35 e 55% e retorno sobre o ativo total de 9 e 7%, respectivamente. Qual empresa tem maior retorno sobre o patrimônio?

12. **Indicadores e empresas estrangeiras** A Prince Albert Canning PLC teve prejuízo líquido de £ 37.543 sobre as vendas de £ 345.182. Qual foi a margem líquida da empresa? O fato de esses números estarem em moeda estrangeira faz alguma diferença? Por quê? Em dólares, as vendas foram de $ 559.725. Qual foi o prejuízo líquido em dólares? E em reais (consulte as taxas de câmbio de reais para libras e de reais para dólares vigentes no momento).

INTERMEDIÁRIO
(Questões 11-23)

13. **Necessidade de aporte financeiro** A Esquema Escâner S/A projetou para o próximo ano uma taxa de crescimento nas vendas de 15%. As demonstrações contábeis atuais são as seguintes:

Demonstração de resultados	
Vendas	$ 30.400.000
Custos	26.720.000
Lucro tributável	$ 3.680.000
Impostos	1.288.000
Lucro líquido	$ 2.392.000
Dividendos	$ 956.800
Acréscimo à reserva de lucros	1.435.200

Balanço patrimonial			
Ativo		**Passivo e patrimônio líquido**	
Ativo circulante	$ 7.200.000	Passivo circulante	$ 6.400.000
		Dívidas de longo prazo	4.800.000
Ativo não circulante	17.600.000		
		Ações	$ 3.200.000
		Reserva de lucros	10.400.000
		Patrimônio líquido total	$ 13.600.000
Ativo total	$ 24.800.000	Total do passivo e do patrimônio líquido	$ 24.800.000

a. Utilizando a equação apresentada neste capítulo, calcule a necessidade de aporte financeiro necessária para o próximo ano.

b. Construa o balanço patrimonial projetado para o próximo ano e confirme a necessidade de aporte financeiro calculada no item (a).

c. Calcule a taxa de crescimento sustentável da empresa.

d. É possível eliminar a necessidade de aporte financeiro da empresa por meio da alteração de sua política de dividendos? Que outras opções a empresa tem para atingir seus objetivos de crescimento?

14. **Prazo médio de recebimento** Uma empresa tem lucro líquido de $ 265.000, margem líquida de 9,3% e um saldo de contas a receber de $ 145.300. Supondo que 80% das vendas sejam a crédito, qual é o prazo médio de recebimento?

15. **Indicadores e ativos imobilizados** A Companhia Le Bleu tem um índice de endividamento a longo prazo de 0,35 e um índice de liquidez corrente de 1,25. O passivo circulante é de $ 950, as vendas são de $ 5.780, a margem líquida é 9,4% e o ROE é 18,2%. Qual é o valor do ativo imobilizado da empresa?

16. **Cálculo do índice de cobertura de caixa** O lucro líquido da Titã S/A no ano passado foi de $ 8.320. A alíquota de imposto foi 34%. A empresa pagou um total de $ 1.940 em despesas com juros e deduziu $ 2.730 de despesas com depreciação. Qual foi o índice de cobertura de caixa no ano?

17. **Identidade DuPont** A identidade DuPont apresentada neste capítulo é comumente chamada de identidade DuPont de três fatores. Outra forma comum de se expressar essa identidade é o modelo de cinco fatores, que consiste no seguinte:

$$ROE = \frac{\text{Lucro líquido}}{\text{LAIR}} \times \frac{\text{LAIR}}{\text{LAJIR}} \times \frac{\text{LAJIR}}{\text{Vendas}} \times \frac{\text{Vendas}}{\text{Ativo total}} \times \frac{\text{Ativo total}}{\text{Patrimônio líquido}}$$

Derive a identidade DuPont de cinco fatores (LAIR são os lucros antes do imposto de renda, mas após os juros). O que cada um dos termos mede?

18. **Demonstrações contábeis de tamanho comum e de ano-base comum** Além das demonstrações contábeis de tamanho comum (também chamadas de análise vertical de balanços), também são utilizadas as de ano-base comum (também chamadas de análise horizontal), que são construídas dividindo-se o valor da conta no ano atual pelo valor da conta no ano-base. Desse modo, o resultado mostra a taxa de crescimento da conta. Utilizando as seguintes demonstrações contábeis, construa os balanços patrimoniais de tamanho comum e de ano-base comum da empresa. Tome o ano de 2011 como base.

COMPANHA DOS JARROS
Balanços patrimoniais de 2011 e 2012

Ativo			Passivo e patrimônio líquido		
	2011	2012		2011	2012
Ativo circulante			Passivo circulante		
Caixa	$ 8.014	$ 9.954	Contas a pagar	$ 40.898	$ 45.884
Contas a receber	20.453	22.937	Dívidas de curto prazo	17.464	17.035
Estoque	36.822	41.797	Total	$ 58.362	$ 62.919
Total	$ 65.289	$ 74.688	Dívidas de longo prazo	$ 24.000	$ 31.000
Ativo não circulante			Patrimônio líquido		
Instalações e equipamentos, líquidos	$ 215.370	$ 243.340	Capital social e ágio recebido na emissão de ações	$ 38.000	$ 39.200
			Reserva de lucros	160.297	184.909
			Total	$ 198.297	$ 224.109
Ativo total	$ 280.659	$ 318.028	Total do passivo e do patrimônio líquido	$ 280.659	$ 318.028

Use as seguintes informações nos Problemas 19, 20 e 22:

A discussão sobre a NAF apresentada neste capítulo fez a suposição implícita de que a empresa opera com capacidade máxima. Isso não costuma acontecer. Por exemplo, suponhamos que a Mar de Rosas estivesse operando com 90% de sua capacidade. As vendas em capacidade máxima seriam $ 1.000/0,90 = $ 1.111. O balanço patrimonial indica $ 1.800 em ativo não circulante. O índice de intensidade de capital da empresa é

Índice de intensidade de capital = Ativo não circulante/Vendas em capacidade máxima
$$= \$ 1.800/\$ 1.111 = 1,62$$

Isso significa que a Mar de Rosas precisa de $ 1,62 em ativos não circulantes para cada real em vendas ao atingir a capacidade máxima. Com o nível de vendas projetado de $ 1.250, a empresa precisa de $ 1.250 × 1,62 = $ 2.025 em ativos não circulantes, que é $ 225 a menos em relação à nossa projeção de $ 2.250 em ativos não circulantes. Assim, a NAF é de apenas $ 565 − 225 = $ 340.

19. **Vendas em capacidade máxima** Atualmente, as Indústrias Torres Ltda. estão operando a apenas 90% da capacidade de seu ativo imobilizado (o ativo não circulante). As vendas atuais são de $ 725.000. Qual é o aumento máximo que as vendas podem atingir sem acréscimo do ativo imobilizado?

20. **Ativo imobilizado e uso da capacidade** Para a empresa do problema anterior, suponha que o ativo imobilizado seja de $ 690.000 e que estejam previstas vendas de $ 830.000. Quanto em ativos novos será necessário para permitir esse crescimento das vendas?

21. **Cálculo da NAF** A seguir estão as demonstrações contábeis mais recentes da Turismo da Onça S/A. As vendas de 2012 têm crescimento projetado de 20%. As despesas com juros, a alíquota tributária e a taxa de distribuição de dividendos permanecerão constantes. Os custos, as outras despesas, o ativo circulante, o ativo imobilizado e as contas a pagar au-

mentam na proporção das vendas. Se a empresa opera à capacidade máxima e não foram emitidas ações ou assumidas novas dívidas, qual é o aporte financeiro necessário para sustentar a taxa de crescimento de 20% nas vendas?

TURISMO DA ONÇA S/A
Demonstração de resultados de 2011

Vendas	$ 836.100
Custos	650.700
Outras despesas	17.100
Lucro antes de juros e impostos	$ 168.300
Despesas com juros	12.600
Lucro tributável	$ 155.700
Impostos	54.495
Lucro líquido	$ 101.205
Dividendos $ 30.300	
Acréscimo à reserva de lucros 70.905	

TURISMO DA ONÇA S/A
Balanço patrimonial de 31 de dezembro de 2011

Ativo		Passivo e patrimônio líquido	
Ativo circulante		Passivo circulante	
Caixa	$ 24.035	Contas a pagar	$ 64.600
Contas a receber	38.665	Dívidas de curto prazo	16.150
Estoque	82.555	Total	$ 80.750
Total	$ 145.255	Dívidas de longo prazo	$ 150.000
		Patrimônio líquido	
Ativo não circulante		Capital social e ágio recebido na emissão de ações	$ 130.000
Ativo Imobilizado: Instalações e equipamentos, líquidos	$ 392.350	Reserva de lucros	176.855
		Total	$ 306.855
Ativo total	$ 537.605	Total do passivo e do patrimônio líquido	$ 537.605

22. **Uso da capacidade e crescimento** No problema anterior, suponha que a empresa tenha operado a apenas 80% da capacidade em 2011. Qual é a NAF agora?

23. **Cálculo da NAF** No Problema 21, suponha que a empresa queira manter seu índice Dívida/Capital Próprio constante. Qual é a NAF agora?

DESAFIO
(Questões 24-30)

24. **NAF e crescimento interno** Refaça o Problema 21 usando agora, além da taxa de crescimento de vendas de 20%, as taxas de 15 e 25%. Ilustre graficamente a relação entre a NAF e a taxa de crescimento.

25. **NAF e crescimento interno** Refaça o Problema 23 usando agora, além da taxa de crescimento de vendas de 20%, as taxas de 30 e 35%. Ilustre graficamente a relação entre a NAF e a taxa de crescimento.

26. **Restrições ao crescimento** A Gravadora Bolha S/A pretende manter uma taxa de crescimento de 12% ao ano e um índice Dívida/Capital Próprio de 0,40. A margem líquida é de 5,3%, e a razão entre o ativo total e as vendas se mantém constante em 0,75. É possível essa taxa de crescimento? Para responder, determine qual deve ser a taxa de distribuição de dividendos. Como você interpreta o resultado?

27. **NAF** Defina o seguinte:

    V = Vendas do ano anterior

    A = Total do ativo

    P = Total do patrimônio líquido

g = Projeção de crescimento das vendas

ML = Margem de lucro

b = Taxa de retenção

Considerando constante o total das dívidas, mostre que a NAF pode ser escrita da seguinte forma:

$$\text{NAF} = -\text{ML}(V)b + [A - \text{ML}(V)b] \times g$$

Dica: As necessidades de ativo serão iguais a $A \times g$. O acréscimo à reserva de lucros será igual a $\text{ML}(V)b \times (1 + g)$.

28. **Taxas de crescimento sustentável** Com base nos resultados do Problema 27, mostre que as taxas de crescimento interna e sustentável podem ser calculadas como indicado nas Equações 3.23 e 3.24. (*Dica:* para a taxa de crescimento interna, defina NAF igual a zero e calcule g).

29. **Taxa de crescimento sustentável** Neste capítulo, discutimos um método de cálculo da taxa de crescimento sustentável:

$$\text{Taxa de crescimento sustentável} = \frac{\text{ROE} \times b}{1 - \text{ROE} \times b}$$

Na prática, é possível que o método mais usado para calcular a taxa de crescimento sustentável seja ROE × b. Essa equação fica idêntica à da taxa de crescimento sustentável apresentada neste capítulo se o ROE for calculado utilizando-se o patrimônio líquido do início do período. Derive essa equação a partir da apresentada neste capítulo.

30. **Taxa de crescimento sustentável** Utilize as equações de taxa de crescimento sustentável do problema anterior para responder às seguintes questões. A Não Tem Volta S/A tinha um ativo total de $ 285.000 e um patrimônio líquido de $ 176.000 no início do ano. Ao final do ano, a empresa tinha um ativo total de $ 310.000. Durante o ano, ela não emitiu novas ações. O lucro líquido foi de $ 90.000, e os dividendos foram de $ 43.000. Qual é a taxa de crescimento sustentável da empresa? Qual é a taxa de crescimento sustentável se você usar a fórmula ROE baseada no patrimônio líquido do início do período?

DOMINE O EXCEL!

O planejamento financeiro pode ser mais complexo do que o indicado pela abordagem da porcentagem de vendas. As suposições subjacentes a essa abordagem podem ter sido muito simplificadas. Um modelo mais sofisticado permite a variação dos itens importantes sem serem meramente porcentagens das vendas.

Considere um novo modelo no qual a depreciação é calculada como uma porcentagem do ativo imobilizado inicial e as despesas com juros dependem diretamente do montante de dívidas. A dívida ainda é a variável de fechamento. Perceba que, como a depreciação e os juros não variam necessariamente em relação direta com as vendas, a margem líquida deixa de ser constante. Além disso, pela mesma razão, os impostos e os dividendos deixam de ser uma porcentagem fixa das vendas. Os parâmetros utilizados no novo modelo são:

Porcentagem do custo = Custos / Vendas

Taxa de depreciação = Depreciação / Ativo imobilizado inicial

Taxa de juros = Juros pagos / Total da dívida

Alíquota tributária = Impostos / Lucro líquido

Taxa de distribuição de dividendos = Dividendos / Lucro líquido

Intensidade de capital por vendas = Ativo imobilizado / Vendas

Índice de imobilização = Ativo imobilizado / Ativo total

Os parâmetros do modelo podem ser determinados com quaisquer métodos que a empresa julgar apropriados. Por exemplo, poderiam ter como base valores médios dos últimos anos, padrões do setor, análises subjetivas ou mesmo metas da empresa. Como alternativa, podem ser usadas técnicas estatísticas sofisticadas para estimá-los.

A Companhia Lopes está preparando as demonstrações contábeis projetadas para o próximo ano utilizando este modelo. As demonstrações resumidas são apresentadas abaixo.

Crescimento das vendas		20%
Alíquota tributária		34%
Demonstração de resultados		
Vendas		$ 780.000
Custos		415.000
Depreciação		135.000
Juros		68.000
Lucro tributável		$ 162.000
Impostos		55.080
Lucro líquido		$ 106.920
Dividendos		$ 30.000
Acréscimos à reserva de lucros		76.920
Balanço patrimonial		
Ativo		**Passivo e patrimônio líquido**
Ativo circulante	$ 240.000	Dívida total	$ 880.000
Ativo imobilizado líquido	1.350.000	Patrimônio líquido	710.000
Ativo total	$ 1.590.000	Total da dívida e do patrimônio líquido	$ 1.590.000

a. Calcule cada um dos parâmetros necessários para construir o balanço patrimonial projetado.

b. Construa o balanço patrimonial projetado. Qual é o aporte financeiro necessário para equilibrar o balanço?

c. Neste modelo de planejamento financeiro, prove que é possível calcular o valor de novos empréstimos.

MINICASO

Índices e planejamento financeiro na Iates Litoral

Daniel Rodrigues foi contratado recentemente pela Iates Litoral para auxiliar no planejamento financeiro de curto prazo e na avaliação do desempenho financeiro da empresa. Daniel se formou em administração financeira há cinco anos e, desde então, trabalha na tesouraria de uma grande empresa.

A Iates Litoral foi fundada há 10 anos por Larissa Dias. As operações da empresa localizam-se em Florianópolis, Santa Catarina, e a empresa tem uma estrutura de sociedade por quotas com responsabilidade limitada. Durante esse período, a empresa fabricou iates customizados de tamanho médio e alto desempenho, e seus produtos obtiveram boas avaliações nos quesitos segurança e confiabilidade. Recentemente, os iates da empresa também receberam o prêmio mais importante de satisfação do cliente. Os iates são adquiridos principalmente por clientes abastados para fins de lazer. Ocasionalmente, alguma empresa compra o iate para fins de negócios.

O setor de iates customizados é fragmentado, com vários fabricantes. Assim como em qualquer setor, existem líderes de marcado, mas a natureza diversificada do setor garante que o mercado não seja dominado por um fabricante. A competição do setor, assim como o custo do produto, tornam necessária a atenção aos detalhes. Por exemplo, a Iates Litoral costuma passar de 80 a 100 horas polindo à mão o protetor de proa de aço inoxidável (uma cobertura de metal que protege o iate de colisões contra o cais ou contra outro barco).

Para que Daniel pudesse começar suas análises, Larissa forneceu a ele as seguintes demonstrações contábeis. Daniel, por sua vez, coletou dados do setor de fabricação de iates.

IATES LITORAL
Demonstração de resultados de 2012

Vendas	$ 234.300.000
Custos	165.074.000
Outras despesas	27.991.000
Depreciação	7.644.000
Lucro antes de juros e impostos (LAJIR)	$ 33.591.000
Juros	4.212.600
Lucro tributável	$ 29.378.400
Impostos (40%)	11.751.360
Lucro líquido	$ 17.627.040
Dividendos	$ 5.288.112
Acréscimo à reserva de lucros	$ 12.338.928

IATES LITORAL
Balanço patrimonial de 31 de dezembro de 2012

Ativo		Passivo e patrimônio líquido	
Ativo circulante		Passivo circulante	
Caixa	$ 3.650.700	Contas a pagar	$ 7.753.000
Contas a receber	6.567.600	Dívidas de curto prazo	15.936.300
Estoque	7.363.700		
Total	$ 17.582.000	Total	$ 23.689.300
Ativo não circulante		Dívidas de longo prazo	$ 40.480.000
Ativo imobilizado: Instalações e equipamentos, líquidos	$ 112.756.900		
		Patrimônio líquido	
		Ações subscritas	$ 6.200.000
		Reserva de lucros	59.969.600
		Patrimônio líquido total	$ 66.169.600
Ativo total	$ 130.338.900	Total do passivo e do patrimônio líquido	$ 130.338.900

Índices do setor de iates

	Quartil inferior	Mediana	Quartil superior
Índice de liquidez corrente	0,5	1,43	1,89
Índice de liquidez imediata	0,21	0,38	0,62
Giro do ativo total	0,68	0,85	1,38
Giro do estoque	6,85	9,15	16,13
Giro de contas a receber	6,27	11,81	21,45
Índice de endividamento	0,44	0,52	0,61
Índice dívida/capital próprio	0,79	1,08	1,56
Multiplicador do patrimônio líquido	1,79	2,08	2,56
Cobertura de juros	5,18	8,06	9,83
Margem líquida	4,05%	6,98%	9,87%
Retorno sobre o ativo (ROA)	6,05%	10,53%	15,83%
Retorno sobre o patrimônio líquido (ROE)	9,93%	16,54%	28,14%

1. Calcule para a Iates Litoral todos os índices que estão listados no quadro do setor.
2. Compare o desempenho da Iates Litoral com o do setor como um todo. Para cada índice, comente por que ele seria visto como positivo ou negativo em relação ao setor. Suponhamos que você crie um índice de estoques calculado dividindo o estoque pelo passivo circulante. Como você interpreta esse número? Qual é a situação da empresa em relação à média do setor?
3. Calcule a taxa de crescimento sustentável da Iates Litoral. Calcule a necessidade de aporte financeiro (NAF) e prepare demonstrações de resultados e balanços patrimoniais projetados, supondo que o crescimento seja igual à taxa de crescimento sustentável. Recalcule os índices da questão anterior. O que você observa?
4. Na prática, dificilmente a Iates Litoral estará disposta a buscar aportes de novos acionistas, em larga medida porque os proprietários não querem diluir suas posições atuais de propriedade e controle. Contudo, a empresa está planejando ter uma taxa de crescimento de 20% no próximo ano. Quais são as suas conclusões e recomendações quanto à viabilidade dos planos de expansão da Iates Litoral?
5. A maioria dos ativos pode ser aumentada como uma porcentagem das vendas. Por exemplo, qualquer montante pode ser acrescido ao caixa. Entretanto, o ativo imobilizado, muitas vezes, precisa ser aumentado em montantes específicos, porque é impossível, na prática, comprar parte de uma fábrica nova ou de uma máquina nova. Nesta situação, a estrutura de custos fixos da empresa é "em degraus". Suponhamos que a Iates Litoral esteja produzindo a 100% de sua capacidade. Assim, para expandir a produção, a empresa precisa construir uma nova linha de montagem ao custo de $ 30 milhões. Calcule a nova NAF a partir dessa hipótese. Qual é a implicação para a utilização da capacidade da empresa no próximo ano?

Avaliação por Fluxos de Caixa Descontados

4

A assinatura de contratos de atletas famosos normalmente é acompanhada de grande alarde, mas os números às vezes enganam. Por exemplo, no fim de 2010, o receptor Victor Martinez chegou a um acordo com a equipe de beisebol do Detroit Tigers, assinando um contrato com um valor informado de $ 50 milhões. Nada mau, especialmente para alguém que ganha a vida utilizando as "ferramentas da ignorância" (jargão de atletas para o equipamento de um receptor). Outro exemplo é o contrato assinado por Jayson Werth, do Washington Nationals, que tinha um valor declarado de $ 126 milhões.

Parece que Victor e Jayson se deram muito bem, mas depois houve Carl Crawford, que assinou um contrato para jogar à frente da nação Red Sox de Boston. O contrato de Carl tinha um valor anunciado de $ 142 milhões, mas essa quantia, na verdade, era pagável ao longo de vários anos. O contrato consistia em um bônus de assinatura de $ 6 milhões, juntamente com $ 14 milhões no primeiro ano mais $ 122 milhões em futuros salários a serem pagos nos anos de 2011 a 2017. Os pagamentos de Victor e Jayson foram similarmente espalhados ao longo do tempo. Como os três contratos exigiam pagamentos que seriam feitos em datas futuras, devemos considerar o valor do dinheiro no tempo, o que significa que nenhum desses jogadores recebeu as quantias citadas. Quanto eles realmente ganharam? Este capítulo fornece as "ferramentas de conhecimento" para responder a essa pergunta.

Para ficar por dentro dos últimos acontecimentos na área de finanças, visite www.rwjcorporatefinance.blogspot.com.

Domine a habilidade de solucionar os problemas deste capítulo usando uma planilha. Acesse Excel Master no *site* www.grupoa.com.br, procure pelo livro e clique em Conteúdo *Online*.

4.1 Avaliação: caso de um período

Carlos Silva está tentando vender uma área de terra virgem no Amapá. Ontem foram oferecidos $ 10.000 pela propriedade. Ele estava praticamente pronto para aceitar a oferta quando outra pessoa ofereceu $ 11.424. No entanto, a segunda oferta seria paga daqui a um ano. Carlos convenceu-se de que ambos os compradores são honestos e financeiramente solventes, portanto não tem receio de que a oferta que venha a selecionar dê problema. Essas duas ofertas estão representadas como fluxos de caixa na Figura 4.1. Qual oferta Carlos deve escolher?

Miguel Teixeira, o consultor financeiro de Carlos, salienta que, se Carlos ficar com a primeira oferta, pode investir os $ 10.000 no banco a uma taxa prefixada de 12%. Ao final do primeiro ano, terá:

$$\underset{\substack{\text{Restituição} \\ \text{de capital}}}{\$\,10.000} + \underset{\text{Juros}}{(0{,}12 \times \$\,10.000)} = \$\,10.000 \times 1{,}12 = \$\,11.200$$

Como isso é menos do que os $ 11.424 que Carlos poderia receber da segunda oferta, Miguel recomenda que ele opte por esta última. Essa análise utiliza o conceito de **valor futuro (VF)** ou

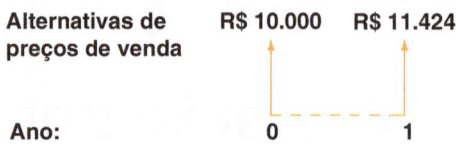

FIGURA 4.1 Fluxo de caixa para a venda de Carlos Silva.

valor composto, que é o valor de uma soma depois de investimento por um ou mais períodos. O valor composto ou futuro de $ 10.000 a 12% é $ 11.200.

Um método alternativo emprega o conceito de **valor presente (VP)**. Pode-se determinar o valor presente fazendo a seguinte pergunta: Quanto dinheiro Carlos deve colocar no banco hoje a fim de que tenha $ 11.424 no ano que vem? Podemos escrever isso algebricamente como:

$$VP \times 1,12 = \$ 11.424$$

Queremos encontrar VP, a quantia de dinheiro que rende $ 11.424 se investida a 12% hoje. Calculando VP, temos:

$$VP = \frac{\$ 11.424}{1,12} = \$ 10.200$$

A fórmula para VP pode ser escrita como se segue:

Valor presente de um investimento:

$$VP = \frac{C_1}{1 + r} \tag{4.1}$$

em que C_1 é o fluxo de caixa na data 1 e r é a taxa de retorno que Carlos requer na venda de seu terreno. Algumas vezes, ela é chamada de *taxa de desconto*.

A *análise do valor presente* nos informa que um pagamento de $ 11.424 a ser recebido no ano seguinte tem um valor presente de $ 10.200 hoje. Em outras palavras, a uma taxa de juros de 12%, Carlos é indiferente entre $ 10.200 hoje ou $ 11.424 no próximo ano. Dando-lhe $ 10.200 hoje, ele poderia colocá-los no banco e receber $ 11.424 no próximo ano.

Como a segunda oferta tem um valor presente de $ 10.200, enquanto a primeira oferta é de apenas $ 10.000, a análise de valor presente também indica que Carlos deve escolher a segunda oferta. Em outras palavras, ambas as análises, a de valor futuro e a de valor presente, levaram à mesma decisão. Como se viu, as análises de valor presente e de valor futuro sempre devem levar à mesma decisão.

Por mais simples que seja esse exemplo, ele contém os princípios básicos com os quais iremos trabalhar ao longo dos próximos capítulos. Agora utilizamos outro exemplo para desenvolver o conceito de valor presente líquido.

> **EXEMPLO 4.1** Valor presente
>
> Diana, uma analista financeira da Kaufman Imóveis, uma imobiliária líder, está pensando em recomendar que a Kaufman invista em um terreno que custa $ 85.000. Ela está segura de que, no próximo ano, o terreno valerá $ 91.000, um ganho certo de $ 6.000. Dado que a taxa de juros em investimentos alternativos similares é de 10%, a Kaufman deveria fazer o investimento no terreno? A escolha de Diana está descrita na Figura 4.2 com o gráfico de fluxos de caixa no tempo.
>
> Um momento de reflexão deve ser o suficiente para convencê-la de que esse não é um negócio atraente. Investindo $ 85.000 no terreno, ela terá $ 91.000 disponíveis no próximo ano. Suponhamos, em vez disso, que a Kaufman coloque os mesmos $ 85.000

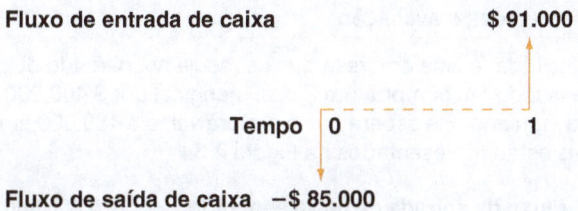

FIGURA 4.2 Fluxos de caixa para investimento em terreno.

em investimentos alternativos similares. Com taxa de juros de 10%, esses $ 85.000 iriam aumentar para:

$$(1 + 0{,}10) \times \$\,85.000 = \$\,93.500$$

no próximo ano.

Seria tolice comprar o terreno quando investir os mesmos $ 85.000 em investimentos alternativos similares produziria um extra de $ 2.500 (i.e., $ 93.500 do banco menos $ 91.000 do investimento no terreno). Esse é um cálculo de valor futuro.

Alternativamente, ela poderia calcular o valor presente do preço de venda no ano seguinte como:

$$\text{Valor presente} = \frac{\$\,91.000}{1{,}10} = \$\,82.727{,}27$$

Como o valor presente do preço de venda do próximo ano é menor do que o preço de compra de $ 85.000 deste ano, a análise de valor presente também indica que ela não deveria recomendar a compra do imóvel.

Frequentemente, analistas financeiros querem determinar o *custo* ou *benefício* exato de uma decisão. No Exemplo 4.1, a decisão de comprar neste ano e vender no seguinte pode ser avaliada como:

$$-\$\,2.273 = \underbrace{-\$\,85.000}_{\text{Custo do terreno hoje}} + \underbrace{\frac{\$\,91.000}{1{,}10}}_{\substack{\text{Valor presente do}\\ \text{preço de venda no}\\ \text{próximo ano}}}$$

A fórmula para o VPL pode ser escrita como segue:

Valor presente líquido de um investimento:

$$\text{VPL} = -\text{Custo} + \text{VP} \qquad (4.2)$$

A Equação 4.2 informa que o valor do investimento é −$ 2.273, com todos os benefícios e todos os custos na data 0. Dizemos que −$ 2.273 é o **valor presente líquido** (VPL) do investimento. Isto é, o VPL é o valor presente dos fluxos de caixa futuros menos o valor presente do custo do investimento. Como o valor presente líquido é negativo, Diana não deveria recomendar a compra do terreno.

Os exemplos de Carlos e Diana consideram um alto grau de certeza. Isto é, Carlos Silva sabe com um alto grau de certeza que ele pode vender seu terreno por $ 11.424 no próximo ano. Da mesma forma, Diana sabe com um alto grau de certeza que a Kaufman Imóveis poderia receber $ 91.000 pela venda de seu terreno. Infelizmente, os empresários frequentemente não sabem os fluxos de caixa futuros. Essa incerteza é abordada no próximo exemplo.

> **EXEMPLO 4.2** Incerteza e avaliação
>
> A Professional Artes Ltda. é uma empresa que especula no mercado de pinturas modernas. O gerente está pensando em comprar um Picasso original por $ 400.000 com a intenção de vendê-lo ao final de um ano. Ele espera que a pintura valha $ 480.000 em um ano. Os fluxos de caixa relevantes estão representados na Figura 4.3.)
>
>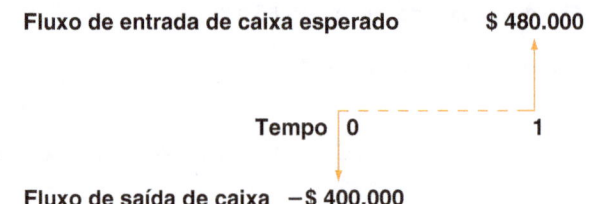
>
> **FIGURA 4.3** Fluxos de caixa para o investimento na pintura.
>
> Claro, isso é apenas uma expectativa – a pintura poderia valer mais ou menos do que $ 480.000. Suponha que a empresa tenha a garantia de empréstimos de bancos à taxa de juros de 10%. A empresa deveria comprar a obra de arte?
> Nossa primeira ideia poderia ser descontar na taxa de juros, resultando:
>
> $$\frac{\$480.000}{1,10} = \$436.364$$
>
> Como $ 436.364 é mais do que $ 400.000, parece à primeira vista que a pintura deveria ser comprada. No entanto, 10% é o retorno que se pode obter em um investimento de baixo risco. Como o investimento na pintura é bastante arriscado, uma taxa de desconto maior é exigida. O gerente escolhe uma taxa de 25% para refletir esse risco. Em outras palavras, ele argumenta que um retorno esperado de 25% é uma compensação justa para um investimento tão arriscado quanto o nessa pintura.
> O valor presente da pintura se torna:
>
> $$\frac{\$480.000}{1,25} = \$384.000$$
>
> Assim, o gerente acredita que a pintura está excessivamente cara atualmente a $ 400.000 e não faz a compra.

A análise anterior é típica da tomada de decisão nas empresas atualmente, embora os exemplos do mundo real sejam muito mais complexos. Infelizmente, qualquer exemplo com risco levanta um problema não enfrentado em um exemplo sem riscos. Conceitualmente, a taxa de desconto correta para um fluxo de caixa esperado é o retorno esperado disponível no mercado em outros investimentos de mesmo risco. Essa é a taxa de desconto apropriada a aplicar, pois representa um custo de oportunidade econômico aos investidores. É o retorno esperado que eles exigem antes de comprometerem fundos para um projeto. Contudo, a seleção da taxa de desconto para um investimento arriscado é uma tarefa bastante difícil. Simplesmente não sabemos neste ponto se a taxa de desconto do investimento na pintura no Exemplo 4.2 deveria ser 11%, 15%, 25% ou alguma outra percentagem.

Pelo fato de a escolha de uma taxa de desconto ser tão difícil, queríamos trazer uma simples abordagem ao assunto aqui. Precisamos esperar até que o material específico sobre risco e retorno seja tratado nos capítulos posteriores antes de uma análise ajustada aos riscos poder ser apresentada.

4.2 O caso de vários períodos

A seção anterior apresentava o cálculo de valor futuro e valor presente apenas para um período. Agora iremos realizar os cálculos para o caso de vários períodos.

Valor futuro e capitalização composta

Suponha que uma pessoa tomasse um empréstimo de $ 1. No término do primeiro ano, o mutuário (aquele que toma o empréstimo) deveria ao mutuante (o que concede o empréstimo) o valor principal de $ 1 mais os juros no empréstimo à taxa de juros r. Para o caso específico em que a taxa de juros seja, digamos, 9%, o mutuário deve ao mutuante:

$$\$ 1 \times (1 + r) = \$ 1 \times 1{,}09 = \$ 1{,}09$$

No final do ano, no entanto, o mutuante tem duas opções. Ele pode sacar o $ 1,09 – ou, mais genericamente, $(1 + r)$ – do mercado financeiro ou pode deixá-lo e emprestá-lo de novo por um segundo ano. O processo de manter o dinheiro no mercado financeiro e emprestá-lo por outro ano é chamado de **capitalização composta**.

Suponha que o mutuante decida capitalizar o resultado de seu empréstimo por outro ano. Ele o faz aplicando o principal e as receitas de seu primeiro empréstimo de um ano, $ 1,09, emprestando essa quantia para o ano seguinte. No final do próximo ano, então, o mutuário desse empréstimo deverá:

$$\$ 1 \times (1 + r) \times (1 + r) = \$ 1 \times (1 + r)^2 = 1 + 2r + r^2$$
$$\$ 1 \times (1{,}09) \times (1{,}09) = \$ 1 \times (1{,}09)^2 = \$ 1 + \$ 0{,}18 + \$ 0{,}0081 = \$ 1{,}1881$$

Esse é o total que o emprestador receberá daqui a dois anos pela capitalização do valor emprestado.

Em outras palavras, o mercado de capitais ao proporcionar uma oportunidade imediata de realizar empréstimos, permite que o investidor transforme $ 1 hoje em $ 1,1881 ao final de dois anos. Ao final de três anos, o dinheiro será $ 1 \times (1{,}09)^3 = \$ 1{,}2950$.

O ponto mais importante a notar é que a quantia total que o mutuante recebe não é apenas o $ 1 que emprestou mais o valor dos juros de dois anos sobre $ 1:

$$2 \times r = 2 \times \$ 0{,}09 = \$ 0{,}18$$

O mutuante também recebe de volta uma quantia de r^2, que são os juros no segundo ano sobre os juros que foram auferidos no primeiro ano. O termo $2 \times r$ representa os **juros simples** ao longo dos dois anos, e o termo r^2 é chamado de *juros sobre juros*. Em nosso exemplo, essa última quantia é exatamente:

$$r^2 = (\$ 0{,}09)^2 = \$ 0{,}0081$$

É importante mencionar que, no Brasil, a cobrança de juros sobre juros não é permitida pela legislação, exceto quando houver estipulação contratual que a autorize. A cobrança de juros sobre juros aqui é chamada de *anatocismo*.

Quando o dinheiro é investido a **juros compostos**, cada pagamento de juros é reinvestido. Com juros simples, os juros não são reinvestidos. Em outras palavras, quando a incidência de juros é composta, o emprestador não recebe os juros do período, somente no vencimento do contrato. Com juros simples, o tomador paga e o emprestador recebe juros a cada período.

A declaração de Benjamin Franklin "Dinheiro faz dinheiro, e o dinheiro que o dinheiro faz faz mais dinheiro" é uma maneira divertida de explicar os juros compostos. A diferença entre os juros compostos e os juros simples é ilustrada na Figura 4.4. Nesse exemplo, a diferença não chega a muito, porque o empréstimo é de $ 1. Se o empréstimo fosse de $ 1 milhão, o mutuante receberia $ 1.188.100 em dois anos. Dessa quantia, $ 8.100 são de juros sobre juros não pagos. A lição é que aqueles números pequenos além do ponto decimal podem chegar a grandes quantias quando as operações forem de grandes somas. Além disso, quanto maior for o prazo do empréstimo, mais importante os juros sobre juros se tornam.

A fórmula geral para um investimento por muitos períodos pode ser escrita como segue:

Valor futuro de um investimento:
$$\text{VF} = C_0 \times (1 + r)^T \tag{4.3}$$

em que C_0 é o dinheiro a ser investido na data 0 (p. ex., hoje), r é a taxa de juros por período e T é o número de períodos ao longo dos quais o dinheiro será investido.

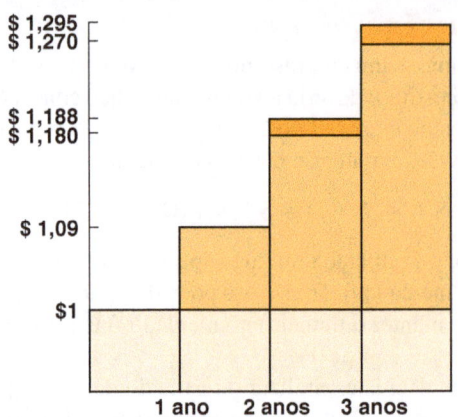

A área sombreada indica a diferença entre juros compostos e simples.
A diferença é substancial ao longo de períodos de muitos anos ou décadas.

FIGURA 4.4 Juros simples e compostos.

EXEMPLO 4.3 Juros sobre juros

Sara colocou R$ 500 em uma poupança no Banco da Praia. A conta poupança paga 7%, compostos anualmente. Quanto Sara terá ao final de três anos? A resposta é:

$$R\$\ 500 \times 1{,}07 \times 1{,}07 \times 1{,}07 = R\$\ 500 \times (1{,}07)^3 = \$\ 612{,}52$$

A Figura 4.5 ilustra o crescimento da conta de Sara.

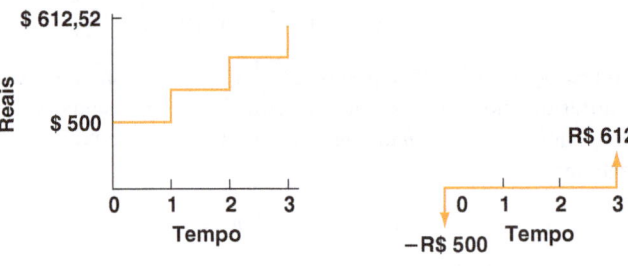

FIGURA 4.5 Poupança da Sara.

EXEMPLO 4.4 Crescimento composto

Jaime Rodrigues investiu R$ 1.000 nas ações da SDH S/A. A empresa paga um dividendo atual de R$ 2, que se espera que cresça em 20% por ano pelos próximos dois anos. Qual será o dividendo da SDH depois de dois anos? Um cálculo simples dá:

$$R\$\ 2 \times (1{,}20)^2 = R\$\ 2{,}88$$

A Figura 4.6 ilustra o valor crescente dos dividendos da SDH.

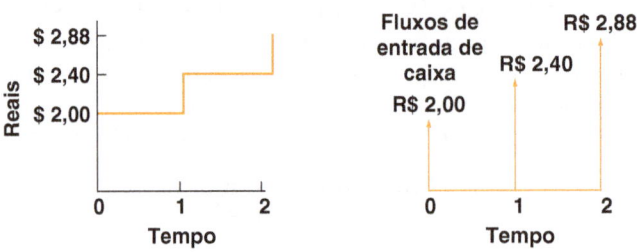

FIGURA 4.6 Crescimento dos dividendos da SDH.

Os dois exemplos anteriores podem ser calculados de diversas formas. Os cálculos podem ser feitos a mão, com calculadora, planilha ou com a ajuda de uma tabela. Apresentaremos as planilhas em breve e mostramos como usar uma calculadora no Apêndice 4B, disponível no *site*. A tabela apropriada é a Tabela A.3, também disponível no *site*. Essa tabela apresenta o *valor futuro de $ 1 ao final de T períodos*. A tabela é utilizada localizando a taxa de juros apropriada na horizontal e o número apropriado de períodos na vertical. Por exemplo, Sara examinaria a seguinte parte da Tabela A.3:

Período	Taxa de juros		
	6%	7%	8%
1	1,0600	1,0700	1,0800
2	1,1236	1,1449	1,1664
3	1,1910	1,2250	1,2597
4	1,2625	1,3108	1,3605

Ela poderia calcular o valor futuro de seus $ 500 como:

$$\underset{\text{Investimento inicial}}{\$\,500} \times \underset{\text{Valor futuro de \$ 1}}{1{,}2250} = \$\,612{,}50$$

No exemplo de Sara, demos o investimento inicial e a taxa de juros e pedimos que fosse calculado o valor futuro. Em outra situação, a taxa de juros poderia ser desconhecida, como mostrado no exemplo a seguir.

EXEMPLO 4.5 Descobrir a taxa

Carlos Voigt, que recentemente ganhou $ 10.000 na loteria, quer comprar um carro em cinco anos. Carlos estima que o carro custará $ 16.105 em cinco anos. Os fluxos de caixa dele são mostrados na Figura 4.7.

Que taxa de juros ele deve auferir para poder comprar o carro?

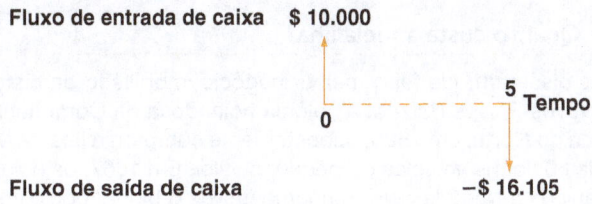

FIGURA 4.7 Fluxos de caixa para a compra do carro de Carlos Voigt.

O quociente do preço de compra para o valor inicial é:

$$\frac{\$\,16.105}{\$\,10.000} = 1{,}6105$$

Portanto, ele precisa auferir uma taxa de juros que permita que $ 1 se torne $ 1,6105 em cinco anos. A Tabela A.3 nos informa que uma taxa de juros de 10% permitirá que ele compre o carro.

Podemos expressar o problema algebricamente como:

$$\$\,10.000 \times (1 + r)^5 = \$\,16.105$$

em que *r* é a taxa de juros necessária para comprar o carro. Uma vez que $ 16.105/$ 10.000 = 1,6105, temos:

$$(1 + r)^5 = 1{,}6105 \qquad r = 10\%$$

A tabela, uma planilha ou uma calculadora manual nos permitem resolver *r*.

O poder de capitalização composta: uma digressão

A maioria das pessoas que tiveram alguma experiência com capitalização composta fica impressionada com seu poder em longos períodos. Pegue o mercado de ações, por exemplo. Ibbotson e Sinquefield calcularam o que o mercado de ações retornou como um todo de 1926 até 2010 no mercado norte-americano.[1] Eles descobriram que um dólar colocado em ações de grandes empresas dos Estados Unidos no início de 1926 valeria US$ 2.982,24 no final de 2010. Isso são 9,87% compostos anualmente por 85 anos – isto é, $(1,0987)^{85}$ = US$ 2.982,24, ignorando um pequeno erro de arredondamento.

O exemplo ilustra a grande diferença entre os juros compostos e simples. A 9,87%, os juros simples em US$ 1 são 9,87 centavos de dólar por ano. Os juros simples por 85 anos são US$ 8,39 (=85 × US$ 0,0987). Isto é, uma retirada individual de 9,87 centavos de dólar a cada ano teria retirado US$ 8,39 (=85 × $ 0,0987) por 85 anos. Isso é bastante abaixo dos US$ 2.982,24 que foram obtidos pelo reinvestimento de todo o principal e rendimento.

Os resultados são mais impressionantes por períodos ainda mais longos. Uma pessoa sem experiência em capitalização composta poderia pensar que o valor de US$ 1 ao final de 170 anos seria duas vezes o valor de US$ 1 ao final de 85 anos se a taxa de retorno anual continuasse a mesma. Na verdade, o valor de US$ 1 ao final de 170 anos seria o *quadrado* do valor de US$ 1 ao final de 85 anos. Isto é, se a taxa de retorno anual permanecesse a mesma, um investimento de US$ 1 em ações valeria US$ 8.893.755,42 (=US$ 1 × 2.982,24 × 2.982,24).

Há alguns anos, um arqueólogo desenterrou uma relíquia, declarando que Júlio César emprestou o equivalente romano a uma unidade monetária ($ 1) a alguém. Como não havia registro de o dinheiro jamais ter sido pago, o arqueólogo se perguntou quais seriam os juros e o principal se um descendente de César os tentasse arrecadar de um descendente do devedor no século XX. O arqueólogo pensou que uma taxa de 6% seria apropriada. Para sua surpresa, o principal e os juros devidos depois de mais de 2.000 anos seriam muito maiores do que toda a riqueza na Terra.

O poder da capitalização composta pode explicar por que os pais de famílias prósperas frequentemente legam riqueza a seus netos em lugar de seus filhos. Isto é, eles pulam uma geração. Os pais preferem tornar os netos muito ricos a tornar os filhos moderadamente ricos. Descobrimos que, nessas famílias, os netos têm uma visão mais positiva do poder da capitalização composta do que os filhos.

EXEMPLO 4.6 Quanto custa aquela ilha?

Algumas pessoas disseram que foi o melhor negócio imobiliário da história. Peter Minuit, diretor-geral da Novos Países Baixos, a colônia holandesa da Companhia das Índias Ocidentais na América do Norte, em 1626, supostamente comprou a Ilha de Manhattan dos nativos pelo valor de 60 florins em joias de pequeno valor. Em 1667, os holandeses foram forçados pelos britânicos a trocá-la pelo Suriname (talvez o pior negócio imobiliário de todos os tempos). Isso soa barato, mas será que os holandeses realmente se saíram melhor na transação? Há relatos de que 60 florins valiam cerca de US$ 24 na taxa de câmbio vigente. Se os nativos tivessem vendido as joias a um valor justo de mercado e investido os US$ 24 a 5% (livre de impostos), eles valeriam agora, cerca de 385 anos depois, mais de US$ 3,45 bilhões. Hoje, Manhattan sem dúvida vale mais do que US$ 3,45 bilhões, portanto, a uma taxa de retorno de 5%, os nativos ficaram com o pior da transação. No entanto, se investida a 10%, a quantia de dinheiro que receberam valeria cerca de:

$$US\$\ 24(1 + r)^T = 24 \times 1{,}1^{385} \cong US\$\ 207 \text{ quatrilhões}$$

Isso é muito dinheiro. De fato, US$ 207 quatrilhões são mais do que valem hoje todos os imóveis do mundo. Note que ninguém na história do mundo jamais conseguiu encontrar um investimento que rendesse 10% a cada ano por 385 anos.

---

[1] Ibbotson SBBI 2011 Valuation Year book: Market results for Stocks, Bonds, Bills, and Inflation, 1926-2010. Chicago: Morningstar, 2011. 210 p.

Valor presente e desconto

Sabemos agora que uma taxa de juros anual de 9% permite que o investidor transforme R$ 1 hoje em R$ 1,1881 daqui a dois anos. Além disso, gostaríamos de saber o seguinte:

Quanto um investidor precisaria emprestar hoje a fim de que pudesse receber R$ 1 daqui a dois anos?

Algebricamente, podemos escrever isso como:

$$VP \times (1{,}09)^2 = R\$\ 1$$

Na equação anterior, VP é o valor presente, a quantia de dinheiro que precisamos emprestar hoje para receber R$ 1 em dois anos.

Resolvendo VP nessa equação, temos:

$$VP = \frac{R\$\ 1}{1{,}1881} = R\$\ 0{,}84$$

Esse processo de cálculo do valor presente de um fluxo de caixa futuro é chamado de **desconto**. Ele é o oposto da capitalização composta. A diferença entre capitalização composta e desconto é ilustrada na Figura 4.8.

Para ter certeza de que R$ 0,84 é, de fato, o valor presente de R$ 1 a ser recebido em dois anos, precisamos verificar se, emprestando R$ 0,84 hoje e estendendo o empréstimo por dois anos, receberíamos exatamente R$ 1 de volta. Se esse fosse o caso, os mercados de capitais estariam dizendo que R$ 1 recebido em dois anos é o equivalente a ter R$ 0,84 hoje. Verificando os números exatos, obtemos:

$$R\$\ 0{,}84168 \times 1{,}09 \times 1{,}09 = R\$\ 1$$

Em outras palavras, quando temos mercados de capitais com uma taxa de juros certa de 9%, somos indiferentes entre receber R$ 0,84 hoje ou R$ 1 em dois anos. Não temos motivo para tratar essas duas opções diferentemente uma da outra, pois, se tivéssemos R$ 0,84 hoje e os emprestássemos por dois anos, receberíamos de volta R$ 1 no final desse período. O valor de 0,84 [$=1/(1{,}09)^2$] é chamado de **fator de valor presente**. Esse é o fator utilizado para calcular o valor presente de um fluxo de caixa futuro.

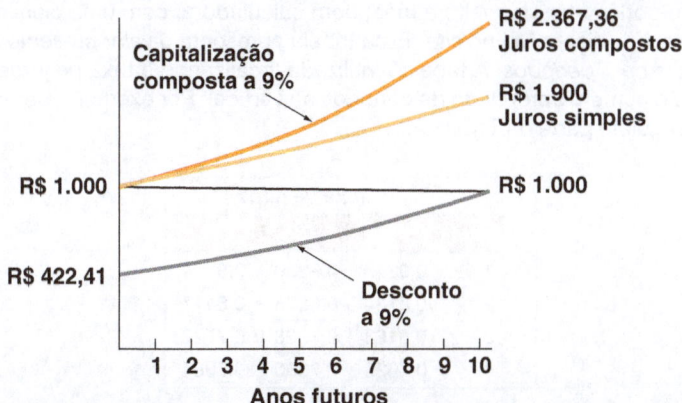

A linha de cima mostra o crescimento de R$ 1.000 a juros compostos com os fundos investidos a 9%: R$ 1.000 × (1,09)¹⁰ = R$ 2.367,36. Os juros simples são mostrados na próxima linha. Eles são R$ 1.000 + [10 × (R$ 1.000 × 0,09)] = R$ 1.900. A linha de baixo mostra o valor descontado de R$ 1.000 se a taxa de juros for 9%.

FIGURA 4.8 Capitalização composta e desconto.

Em um caso de vários períodos, a fórmula para VP pode ser escrita como segue:

Valor presente de investimento:

$$VP = \frac{C_T}{(1+r)^T} \qquad (4.4)$$

Aqui, C_T é o fluxo de caixa na data T, e r é a taxa de desconto apropriada.

EXEMPLO 4.7 Desconto por vários períodos

Bernardo Dumas receberá R$ 10.000 daqui a três anos. Bernardo pode auferir 8% em seus investimentos, portanto a taxa de desconto apropriada é 8%. Qual é o valor presente de seu fluxo de caixa futuro? A resposta é:

$$VP = R\$\ 10.000 \times \left(\frac{1}{1{,}08}\right)^3$$
$$= R\$\ 10.000 \times 0{,}7939$$
$$= R\$\ 7.938$$

A Figura 4.9 ilustra a aplicação do fator de valor presente ao investimento de Bernardo.

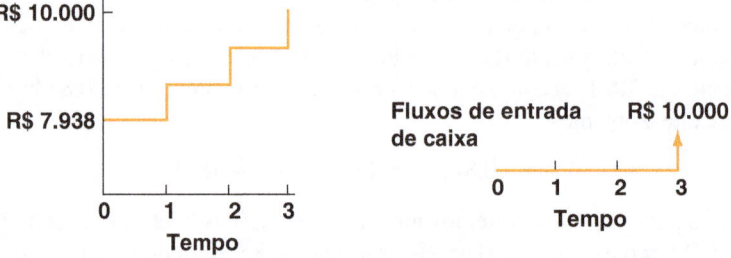

FIGURA 4.9 Desconto da oportunidade de Bernardo Dumas.

Quando seus investimentos crescem a uma taxa de juros de 8%, Bernardo Dumas está igualmente inclinado a receber R$ 7.938 agora ou receber R$ 10.000 em três anos. Afinal, ele poderia converter os R$ 7.983 que receber hoje em R$ 10.000 em três anos emprestando-os a uma taxa de juros de 8%.

Bernardo Dumas poderia ter realizado seu cálculo de valor presente de diversas formas. O cálculo poderia ter sido feito à mão, com calculadora, com uma planilha ou com a ajuda da Tabela A.1, disponível no *site*. Essa tabela apresenta o *valor presente de $ 1 a ser recebido depois de T períodos*. A tabela é utilizada localizando a taxa de juros apropriada na horizontal e o número apropriado de períodos na vertical. Por exemplo, Bernardo Dumas examinaria a seguinte parte da Tabela A.1:

	Taxa de juros		
Período	7%	8%	9%
1	0,9346	0,9259	0,9174
2	0,8734	0,8573	0,8417
3	0,8163	0,7938	0,7722
4	0,7629	0,7350	0,7084

O fator de valor presente apropriado é 0,7938.

No exemplo anterior, demos a taxa de juros e o fluxo de caixa futuro. Em outra situação, a taxa de juros poderia ser desconhecida.

EXEMPLO 4.8 — Como descobrir a taxa

Um cliente da Barkassa S/A que comprar um rebocador hoje. Em vez de pagar imediatamente, ele pagará $ 50.000 em três anos. A Barkassa terá um custo de $ 38.610 para construir o rebocador imediatamente. Os fluxos de caixa relevantes para a Barkassa são mostrados na Figura 4.10. Qual taxa de juros a Barkassa cobraria para não ganhar nem perder na venda?

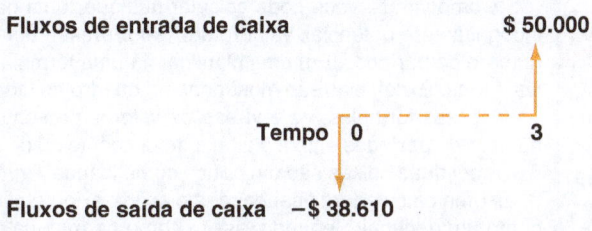

FIGURA 4.10 Fluxos de caixa para rebocador.

O quociente do custo de construção (valor presente) para o preço de venda (valor futuro) é:

$$\frac{\$\ 38.610}{\$\ 50.000} = 0{,}7722$$

Precisamos determinar a taxa de juros que permite que $ 1 a ser recebido em três anos tenha um valor presente de $ 0,7722. A Tabela A.1 nos informa que essa taxa de juros é 9%.

Como encontrar o número de períodos

Suponha que queiramos comprar um ativo que custa $ 50.000. No momento, temos $ 25.000. Se pudermos ganhar 12% sobre esses $ 25.000, quanto tempo levaria até termos $ 50.000? A resposta envolve a solução da última variável da equação de valor presente, o número de períodos. Você já sabe como obter uma resposta aproximada para esse problema específico. Observe que precisamos dobrar nosso dinheiro. A partir da Regra de 72 (consulte o Problema 74 ao final do capítulo), isso levará cerca de 72/12 = 6 anos a 12%.

Para chegar à resposta exata, podemos manipular novamente a equação básica do valor presente. O valor presente é de $ 25.000, e o valor futuro é de $ 50.000. Com uma taxa de desconto de 12%, a equação do valor presente assume uma das seguintes formas:

$$\$\ 25.000 = \$\ 50.000/1{,}12^t$$
$$\$\ 50.000/25.000 = 1{,}12^t = 2$$

Assim, temos um fator de valor futuro de 2 para uma taxa de 12%. Agora, precisamos calcular t. Se consultar a coluna correspondente a 12% na Tabela A.3, você verá que um fator de valor futuro de 1,9738 ocorre em seis períodos. Assim, serão necessários cerca de seis anos, como calculamos. Para obter a resposta exata, temos de calcular explicitamente t (utilizando uma calculadora financeira ou a planilha mostrada a seguir). Se o fizer, você verá que a resposta é 6,1163 anos e, portanto, nossa aproximação chegou bem perto nesse caso.

ESTRATÉGIAS DE PLANILHA

Uso de uma planilha eletrônica para calcular o valor do dinheiro no tempo

Cada vez mais, profissionais de diversas áreas (não apenas de finanças e de contabilidade) utilizam planilhas para fazer os diferentes tipos de cálculos que surgem no mundo real. Assim, nesta seção, mostraremos como utilizar uma planilha para tratar dos diversos problemas de valor do dinheiro no tempo que apresentamos neste capítulo. Utilizaremos o Microsoft Excel™, mas os comandos são similares aos de outros tipos de *software*. Presumimos que você já conheça as operações básicas de uma planilha.

Para descobrir	Digite esta fórmula
Valor futuro	= VF (taxa, nper, pgto, vt)
Valor presente	= VP (taxa, nper, pgto, vf)
Taxa de desconto	= TAXA (nper, pgto, vp, vf)
Número de períodos	= NPER (taxa, pgto, vp, vf)

Como vimos, você pode calcular qualquer uma das seguintes quatro incógnitas em potencial: valor futuro, valor presente, taxa de desconto ou número de períodos. Em uma planilha, há uma fórmula para cada uma delas. Para o Excel, elas são mostradas no quadro ao lado:

Nessas fórmulas, vp e vf são os valores presente e futuro, nper é o número de períodos e taxa é a taxa de desconto ou de juros.

Aqui duas coisas são um pouco complicadas. Primeiro, diferentemente de uma calculadora financeira, a planilha exige que a taxa seja inserida como um decimal. Segundo, assim como na maioria das calculadoras financeiras, é preciso inserir um sinal negativo no valor presente ou no valor futuro para calcular a taxa ou o número de períodos. Pela mesma razão, se você calcular um valor presente, a resposta terá um sinal negativo, a menos que se insira um valor futuro negativo. O mesmo vale quando se calcula um valor futuro.

Para ilustrar como se pode utilizar essas fórmulas, voltaremos a um exemplo do capítulo. Se investir $ 25.000 a 12% ao ano, em quanto tempo você terá $ 50.000? Pode-se começar uma planilha assim:

	A	B	C	D	E	F	G	H
1								
2	Uso de uma planilha eletrônica para calcular o valor do dinheiro no tempo							
3								
4	Se investirmos $ 25.000 a 12%, em quanto tempo teremos $ 50.000? Precisamos calcular							
5	o número desconhecido de períodos, então usamos a fórmula NPER (taxa, pgto, vp, vf).							
6								
7	Valor presente (vp):	$ 25.000						
8	Valor futuro (vf):	$ 50.000						
9	Taxa (taxa):	0,12						
10								
11	Períodos:	6,1162554						
12								
13	A fórmula inserida na célula B11 é 5NPER(B9,0,−B7,B8), note que pgto é zero e que vp tem um							
14	sinal negativo. Note também que a taxa é inserida como decimal, e não como percentagem.							

Aprenda mais sobre como usar o Excel para cálculos de valor temporal e outros em **www.studyfinance.com**.

EXEMPLO 4.9   Esperando Godot

Você está economizando para comprar a Godot S/A. O custo total será de $ 10 milhões. No momento, você tem cerca de $ 2,3 milhões. Se puder ganhar 5% sobre seu dinheiro, quanto tempo terá de esperar? A 16%, quanto tempo precisará esperar?

A 5%, você terá de esperar muito tempo. Partindo da equação do valor presente:

$$\$ 2{,}3 \text{ milhões} = \$ 10 \text{ milhões}/1{,}05^t$$
$$1{,}05^t = 4{,}35$$
$$t = 30 \text{ anos}$$

A 16%, as coisas ficam um pouco melhores. Verifique você mesmo que a espera levará cerca de 10 anos.

Frequentemente, um investidor ou um negócio receberá mais do que um fluxo de caixa. O valor presente de um conjunto de fluxos de caixa é simplesmente a soma dos valores presentes dos fluxos de caixa individuais. Isso é ilustrado nos dois exemplos a seguir.

EXEMPLO 4.10 — Avaliação de fluxos de caixa

Maria das Sortes ganhou na loteria e será paga em parcelas, recebendo o seguinte conjunto de fluxos de caixa pelos próximos dois anos:

Ano	Fluxos de caixa
1	$ 20.000
2	50.000

A Sra. Maria pode, no momento, auferir 6% em sua conta de poupança, portanto a taxa de desconto apropriada é 6%. O valor presente dos fluxos de caixa é:

Ano	Fluxo de caixa × Fator do valor presente = Valor presente
1	$ 20.000 × $\frac{1}{1,06}$ = $ 20.000 × $\frac{1}{1,06}$ = $ 18.867,90
2	$ 50.000 × $\left(\frac{1}{1,06}\right)^2$ = $ 50.000 × $\frac{1}{(1,06)^2}$ = $ 44.499,80
	Total $ 63.367,70

Em outras palavras, a Sra. Maria está igualmente inclinada a receber $ 63.367,70 hoje e a receber $ 20.000 e $ 50.000 nos próximos dois anos.

EXEMPLO 4.11 — VPL

A Finanças S/A tem uma oportunidade para investir em um novo computador de alta velocidade que custa $ 50.000. O computador irá gerar fluxos de caixa (em economia de custos) de $ 25.000 daqui a um ano, $ 20.000 daqui a dois anos e $ 15.000 daqui a três anos. O computador não terá valor depois de três anos, e não ocorrerá qualquer fluxo de caixa adicional. A Finanças determinou que a taxa de desconto apropriada é 7% para esse investimento. Ela deveria fazer esse investimento em um novo computador de alta velocidade? Qual é o valor presente líquido do investimento?

Os fluxos de caixa e os fatores do valor presente para o computador proposto são os seguintes:

	Fluxos de caixa	Fator do valor presente
Ano 0	−$ 50.000	1 = 1
1	$ 25.000	$\frac{1}{1,07}$ = 0,9346
2	$ 20.000	$\left(\frac{1}{1,07}\right)^2$ = 0,8734
3	$ 15.000	$\left(\frac{1}{1,07}\right)^3$ = 0,8163

O valor presente dos fluxos de caixa é:

Fluxos de caixa × Fator do valor presente = Valor presente

Ano 0	−$ 50.000 × 1	=	−$ 50.000
1	$ 25.000 × 0,9346	=	$ 23.365
2	$ 20.000 × 0,8734	=	$ 17.468
3	$ 15.000 × 0,8163	=	$ 12.244,50
	Total:		$ 3.077,50

A Finanças S/A deveria investir no novo computador de alta velocidade, porque o valor presente de seus fluxos de caixa futuros é maior do que o seu custo. O VPL é $ 3.077,50.

A fórmula algébrica

Para derivar uma fórmula algébrica para o valor presente líquido de um fluxo de caixa, lembre-se de que o VP de recebimento de um fluxo de caixa daqui a um ano é:

$$VP = C_1/(1 + r)$$

e o VP de recebimento de um fluxo de caixa daqui a dois anos é:

$$VP = C_2/(1 + r)^2$$

Podemos escrever o VPL de um projeto de T períodos como:

$$VLP = -C_0 + \frac{C_1}{1 + r} + \frac{C_2}{(1 + r)^2} + \cdots + \frac{C_T}{(1 + r)^T} = -C_0 + \sum_{i=1}^{T} \frac{C_i}{(1 + r)^i} \quad (4.5)$$

Presume-se que o fluxo inicial, $-C_0$, seja negativo, porque representa um investimento. O Σ é a abreviatura para a soma da série.

Fechamos esta seção respondendo à pergunta que fizemos no início do capítulo em relação ao contrato do jogador de beisebol Carl Crawford. Lembre-se de que o contrato pedia um bônus de assinatura de $ 6 milhões e $ 14 milhões em 2011. Os $ 122 milhões restantes deveriam ser pagos como $ 19,5 milhões em 2012, $ 20 milhões em 2013, $ 20,25 milhões em 2014, $ 20,5 milhões em 2015, $ 20,75 milhões em 2016 e $ 21 milhões em 2017. Se 12% for a taxa de juros apropriada, qual o valor do contrato que o defensor do Red Sox conseguiu?

Para responder, podemos calcular o valor presente descontando o salário de cada ano até o presente, como segue (observe que presumimos que todos os pagamentos são feitos ao final do ano):

$$\begin{aligned}
&\text{Ano 0 (2010): US\$ } 6.000.000 &&= \text{US\$ } 6.000.000{,}00 \\
&\text{Ano 1 (2011): US\$ } 14.000.000 \times 1/1{,}12^1 &&= \text{US\$ } 12.500.000{,}00 \\
&\text{Ano 2 (2012): US\$ } 19.500.000 \times 1/1{,}12^2 &&= \text{US\$ } 15.545.280{,}61 \\
&\text{Ano 3 (2013): US\$ } 20.000.000 \times 1/1{,}12^3 &&= \text{US\$ } 14.235.604{,}96 \\
&\qquad\qquad\vdots &&\qquad\qquad\vdots \\
&\text{Ano 7 (2017): US\$ } 21.000.000 \times 1/1{,}12^7 &&= \text{US\$ } 9.499.332{,}52
\end{aligned}$$

Se preencher as linhas que faltam e somar (faça-o para praticar), verá que o contrato de Carl tinha um valor presente de cerca de US$ 92,8 milhões, ou apenas cerca de 65% do valor anunciado de US$ 142 milhões (mas ainda muito bom).

4.3 Períodos de capitalização composta

Até aqui, presumimos que a capitalização composta e o desconto ocorrem anualmente. Algumas vezes, a capitalização composta pode ocorrer com maior frequência do que apenas uma vez por ano. Por exemplo, imagine que um banco pague uma taxa de juros de 10% "capitalizada semestralmente". Isso significa que um depósito de $ 1.000 no banco valeria $ 1.000 × 1,05 = $ 1.050 depois de seis meses e $ 1.050 × 1,05 = $ 1.102,50 no final do ano.

O montante do final do ano pode ser escrito como:

$$\$ 1.000 \left(1 + \frac{0{,}10}{2}\right)^2 = \$ 1.000 \times (1{,}05)^2 = \$ 1.102{,}50$$

É claro que um depósito de $ 1.000 valeria $ 1.100 (=$ 1.000 × 1,10) com a capitalização anual. Note que o valor futuro no final de um ano é maior com a capitalização semestral do que com a anual. Com a capitalização anual, os $ 1.000 originais são a base de investimento para o ano inteiro. Com a capitalização semestral, os $ 1.000 originais são a base de investimento apenas para os primeiros seis meses. A base pelos seis meses seguintes é $ 1.050. Por esse motivo, obtém-se *juros sobre juros* com a capitalização semestral.

Uma vez que $ 1.000 × 1,1025 = $ 1.102,50, 10% compostos semestralmente são o mesmo que 10,25% capitalizados anualmente. Em outras palavras, para uma investidora racional, não importaria se fosse fixada uma taxa de 10% capitalizada semestralmente ou uma taxa de 10,25% capitalizada anualmente.

A capitalização trimestral a 10% produz rendimentos ao final de um ano de:

$$\$ 1.000 \left(1 + \frac{0{,}10}{4}\right)^4 = \$ 1.103{,}81$$

Mais genericamente, a capitalização composta de um investimento m vezes por ano proporciona um rendimento ao final do ano de:

$$C_0\left(1 + \frac{r}{m}\right)^m \qquad (4.6)$$

em que C_0 é o investimento inicial e r é a **taxa de juros anual nominal**. A taxa de juros anual nominal é a taxa de juros anual sem considerar a capitalização composta, uma taxa cujo período não coincide com o período de capitalização. Os bancos e outras instituições financeiras podem utilizar outros nomes para a taxa de juros anual nominal. **Taxa percentual anual (TPa)** talvez possa ser um sinônimo. Doravante, quando nos referirmos a uma TPa, estaremos nos referindo a uma taxa nominal.

EXEMPLO 4.12 — TEFas

Qual é o saldo ao final do ano se Jane Christine receber uma taxa de juros anual nominal (TNa ou TPa) de 24% compostos mensalmente em um investimento de $ 1?

Utilizando a Equação 4.6, o fator de rendimento dela é:

$$\$ 1\left(1 + \frac{0{,}24}{12}\right)^{12} = \$ 1 \times (1{,}02)^{12}$$
$$= \$ 1{,}2682$$

A taxa de retorno anual é de 26,82%. Essa taxa de retorno anual é chamada de **taxa efetiva anual (TEFa)** ou de **rentabilidade efetiva anual (REA)**. Devido à capitalização composta, a taxa de juros efetiva anual é maior do que a taxa de juros anual nominal de 24%. Algebricamente, podemos reescrever a taxa de juros anual efetiva como segue:

Taxa efetiva anual

$$\left(1 + \frac{r}{m}\right)^m - 1 \qquad (4.7)$$

Os estudantes, muitas vezes, preocupam-se com a subtração de 1 na Equação 4.7. Note que o rendimento ao final do ano é composto pelos juros auferidos ao longo do ano e pelo principal original. Removemos o principal original subtraindo 1 na Equação 4.7. Multiplicamos por 100 para ter a taxa na forma percentual. Sem isso, teríamos a taxa na forma unitária.

EXEMPLO 4.13 — Frequências de capitalização composta

Se a taxa de juros anual nominal de 8% for capitalizada trimestralmente, qual será a taxa efetiva anual?

Utilizando a Equação 4.7, temos:

$$\left(1 + \frac{r}{m}\right)^m - 1 = \left(1 + \frac{0{,}08}{4}\right)^4 - 1 = 0{,}0824 = 8{,}24\%$$

Ao longo do capítulo, omitiremos o "× 100" nos cálculos para fins de simplificação.

(continua)

(continuação)

Voltando a nosso exemplo original, em que $C_0 = \$ 1.000$ e $r = 10\%$, podemos gerar a tabela a seguir:

C_0	Frequência de capitalização (m)	C_1	Taxa efetiva anual = $\left(1 + \frac{r}{m}\right)^m - 1$
$ 1.000	Anualmente ($m = 1$)	$ 1.100,00	0,10
1.000	Semestralmente ($m = 2$)	1.102,50	0,1025
1.000	Trimestralmente ($m = 4$)	1.103,81	0,10381
1.000	Diariamente ($m = 365$)	1.105,16	0,10516

Diferença entre taxa de juros nominal anual e taxa efetiva anual

A distinção entre a taxa de juros nominal anual (TNa ou TPa) e a taxa efetiva anual (TEFa) é frequentemente um problema para os estudantes. Podemos reduzir a confusão observando que a TNa se torna significativa somente se o intervalo de capitalização composta for dado. Por exemplo, para uma TNa de 10%, o valor futuro ao final de um ano com capitalização semestral é $[1 + (0,10/2)]^2 = 1,1025$. O valor futuro com capitalização trimestral é $[1 + (0,10/4)]^4 = 1,1038$. Se a taxa nominal for declarada como 10%, mas nenhum intervalo de capitalização composta for dado, não podemos calcular o valor futuro. Em outras palavras, não sabemos se devemos capitalizar semestralmente, trimestralmente ou por algum outro intervalo.

Em contraste, a TEFa é significativa *sem* um intervalo de capitalização composta. Por exemplo, uma TEFa de 10,25% significa que um investimento de $ 1 valerá $ 1,1025 em um ano. Podemos pensar nisso como uma TPa de 10% com capitalização semestral ou uma TPa de 10,25% com capitalização anual, ou alguma outra possibilidade.

Pode haver uma grande diferença entre uma TNa e uma TEFa quando as taxas de juros são elevadas. Por exemplo, considere "*payday loans*" nos Estados Unidos. Os empréstimos pessoais tipo *payday loans* são empréstimos de curto prazo feitos a consumidores nos Estados Unidos, muitas vezes por menos de duas semanas. Eles são oferecidos por empresas como a Check Into Cash e a AmeriCash Advance. Os empréstimos funcionam assim: Você faz hoje um cheque pré-datado. Quando a data do cheque chegar, você vai à loja e paga em dinheiro pelo cheque, ou a empresa o desconta. Por exemplo, em um determinado Estado, a Check Into Cash permite fazer um cheque de $ 115 datado para 14 dias no futuro, pelo qual eles lhe dão $ 100 hoje. Assim, quais são a TNa e a TEFa desse acordo? Primeiro, precisamos encontrar a taxa de juros, que podemos descobrir pela equação de VF da seguinte forma:

$$VF = VP \times (1 + r)^1$$
$$\$ 115 = \$ 100 \times (1 + r)^1$$
$$1,15 = (1 + r)$$
$$r = 0,15 \text{ ou } 15\%$$

Isso não parece tão ruim até você se lembrar de que essa é a taxa de juros para *14 dias*! A TNa do empréstimo é:

$$TNa = 0,15 \times 365/14$$
$$TNa = 3,9107 \text{ ou } 391,07\%$$

E a TEFa desse empréstimo é:

$$TEFa = (1 + \text{taxa cotada}/m)^m - 1$$
$$TEFa = (1 + 0,15)^{365/14} - 1$$
$$TEFa = 37,2366 \text{ ou } 3.723,66\%$$

Isso é que é taxa de juros! Apenas para ver o que uma pequena diferença em taxas pode fazer, a AmeriCash Advance pedirá que você faça um cheque de $ 117,50 pela mesma quantia. Confira você mesmo que a TNa desse acordo é de 456,25% e que a TEFa é de 6.598,65%. Continua sendo um empréstimo que não gostaríamos de fazer!

Pela lei norte-americana, os emprestadores devem informar a TNa em todos os empréstimos. Neste texto, calculamos a TNa como a taxa de juros por período multiplicada pelo número de períodos em um ano. De acordo com a lei federal dos Estados Unidos, a TNa é uma mensuração do custo do crédito do consumidor expressa como uma taxa anual e inclui juros e certos encargos e taxas sem juros. Na prática, a TNa pode ser muito maior do que a taxa de juros no empréstimo se o mutuante cobrar tarifas substanciais que devam ser incluídas no cálculo de TNa determinado pela legislação federal.

No Brasil, as instituições financeiras são obrigadas a informar o CET, o Custo Efetivo Total, de uma operação de empréstimo para pessoas físicas (também para micro e pequenas empresas). Aqui, além dos juros sobre os empréstimos, as instituições financeiras costumam cobrar tarifas por operação, e ainda há a incidência de IOF, o Imposto sobre Operações Financeiras. No final de 2013 um grande banco informava que, para clientes especiais, o cheque especial tinha taxa efetiva anual de 80,82% e que o CET era de 93,22%. Essa oferta era mais ou menos assim: tome $ 1 e pague $ 2 em um ano (e isso para clientes especiais!).

Taxas do mercado financeiro brasileiro

No mercado financeiro brasileiro, é prática expressar as taxas no formato de taxa efetiva anual. Em vez de dias corridos, a contagem é feita por dias úteis, e as taxas são expressas no formato anual com 252 dias úteis, número que corresponde a 12 meses com 21 dias úteis.

Suponha que você tenha tomado um empréstimo de capital de giro por 90 dias, com 61 dias úteis, cotado a 16 % a.a. Essa taxa está cotada para 252 dias úteis, e o empréstimo é por 61 dias.

Para calcular a taxa aplicável ao período, teremos que encontrar a taxa equivalente para 61 dias.

Inicialmente, calcularemos o fator de taxa diária da cotação, extraindo a raiz 252 do fator de taxa anual, o que corresponde a elevar o fator de taxa à potência 1/252:

$$(1+16/100)^{1/252} = 1,000589142$$

Em seguida, calculamos o fator de taxa do período de 61 dias úteis elevando o fator de taxa diária à potência 61, que corresponde à capitalização por 61 dias úteis:

$$1,000589142^{61} = 1,036580256$$

O passo seguinte, é do fator de taxa obter a taxa, para o que tomamos o fator, dele subtraímos 1 e o multiplicamos por 100:

$$(1,036580256 - 1) \times 100 = 3,65\%$$

Esse é o valor arredondado para a taxa de juros que será cobrada pelo prazo de 90 dias no empréstimo de capital de giro cotado a 16% a.a.

Trataremos mais dessa forma de expressar taxas no mercado brasileiro nos Capítulos 8 e 26.

Capitalização composta por muitos anos

A Equação 4.6 se aplica a um investimento por um ano. Para um investimento por um ou mais (T) anos, a fórmula se torna esta:

Valor futuro e capitalização composta:

$$\text{VF} = C_0\left(1 + \frac{r}{m}\right)^{mT} \tag{4.8}$$

EXEMPLO 4.14 Capitalização composta por vários anos

Armando DeAngelo está investindo $ 5.000 a uma taxa de juros nominal anual de 12% ao ano, composta trimestralmente, por cinco anos. Qual é o montante de seu investimento ao fim de cinco anos?

(continua)

(continuação)

Utilizando a Equação 4.8, o montante é:

$$\$\,5.000 \times \left(1 + \frac{0,12}{4}\right)^{4\times 5} = \$\,5.000 \times (1,03)^{20} = \$\,5.000 \times 1,8061 = \$\,9.030,50$$

Capitalização contínua

A discussão anterior mostra que podemos capitalizar muito mais frequentemente do que uma vez por ano. Podemos capitalizar semestralmente, trimestralmente, mensalmente, diariamente, a cada hora, a cada minuto ou com até mais frequência. O caso limitante seria capitalizar a cada instante infinitesimal, o que normalmente é chamado de **capitalização contínua**. Surpreendentemente, ao redor do mundo, os bancos e outras instituições financeiras, algumas vezes, cotam continuamente taxas compostas, que é o motivo de as estudarmos.

Embora a ideia de compor isso rapidamente possa confundir a mente, uma fórmula simples está envolvida. Com a capitalização contínua, o valor ao fim de *T* anos é expresso como:

$$C_0 \times e^{rT} \tag{4.9}$$

em que C_0 é o investimento inicial, *r* é a taxa de juros anual anunciada e *T* é o número de anos pelos quais o investimento se estende. O número *e* é uma constante e é aproximadamente igual a 2,718. Ele não é uma incógnita como C_0, *r* e *T*.

EXEMPLO 4.15 Capitalização contínua

Linda DeFond investiu $ 1.000 a uma taxa continuamente capitalizada de 10% por um ano. Qual é o valor de seu rendimento ao fim de um ano?

Partindo da Equação 4.9, temos:

$$\$\,1.000 \times e^{0,10} = \$\,1.000 \times 1,1052 = \$\,1.105,20$$

Esse número pode facilmente ser lido na Tabela A.5. Simplesmente definimos *r*, o valor na dimensão horizontal, para 10% e *T*, o valor na dimensão vertical, para 1. Para esse problema, a parte relevante da tabela é mostrada aqui:

Período (T)	Taxa continuamente composta (r)		
	9%	10%	11%
1	1,0942	1,1052	1,1163
2	1,1972	1,2214	1,2461
3	1,3100	1,3499	1,3910

Note que uma taxa continuamente composta de 10% é equivalente a uma taxa anualmente composta de 10,52%. Em outras palavras, Linda DeFond não se importaria se seu banco cotasse uma taxa continuamente composta de 10% ou uma taxa de 10,52% composta anualmente.

EXEMPLO 4.16 Capitalização contínua (continuação)

O irmão de Linda DeFond, Mark, investiu $ 1.000 a uma taxa continuamente composta de 10% por dois anos.

A fórmula apropriada aqui é:

$$\$\,1.000 \times e^{0,10 \times 2} = \$\,1.000 \times e^{0,20} = \$\,1.221,40$$

Utilizando a parte da tabela de taxas continuamente compostas mostrada no exemplo anterior, descobrimos que o valor é 1,2214.

A Figura 4.11 ilustra a relação entre as capitalizações anual, semestral e contínua em reais. A capitalização semestral origina uma curva mais suave e um valor final mais alto do que a

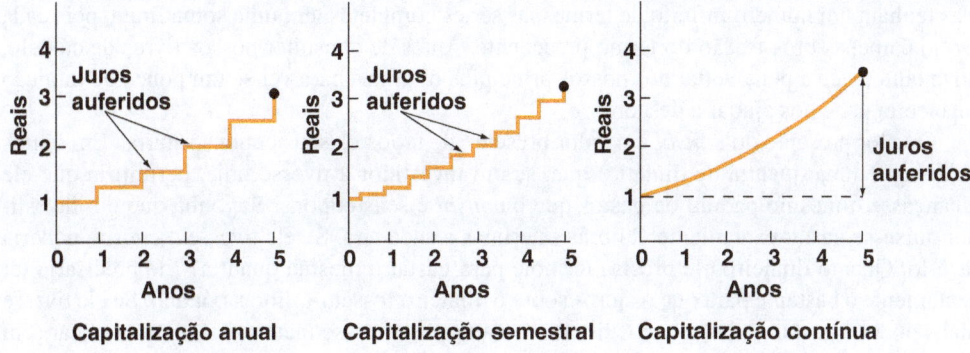

FIGURA 4.11 Capitalizações anual, semestral e contínua.

capitalização anual. A capitalização contínua tem a curva mais suave e o valor final mais alto de todos.

> **EXEMPLO 4.17** Valor presente com capitalização contínua
>
> Você receberá $ 100.000 ao final de quatro anos. Se a taxa anual continuamente composta de juros for 8%, qual é o valor presente desse pagamento?
>
> $$\$100.000 \times \frac{1}{e^{0,08 \times 4}} = \$100.000 \times \frac{1}{1,3771} = \$72.616,37$$

4.4 Simplificações

A primeira parte deste capítulo examinou os conceitos de valor futuro e valor presente. Embora esses conceitos nos permitam responder a uma série de problemas relativos ao valor do dinheiro no tempo, o esforço humano envolvido pode ser excessivo. Por exemplo, considere um banco calculando o valor presente de uma hipoteca mensal de 20 anos. Essa hipoteca tem 240 (=20 × 12) pagamentos, portanto é necessário muito tempo para executar uma tarefa conceitualmente simples.

Uma vez que muitos problemas financeiros básicos potencialmente tomam muito tempo, buscamos simplificações nesta seção. Fornecemos fórmulas de simplificação para quatro classes de fluxos de caixa:

- Perpetuidade
- Perpetuidade crescente
- Anuidade
- Anuidade crescente

Perpetuidade

Uma **perpetuidade** é uma série constante de fluxos de caixa sem fim. Se você estiver pensando que as perpetuidades não têm relevância para a realidade, ficará surpreso por haver um caso famoso de um fluxo de caixa ininterrupto: os títulos britânicos chamados *consols*. Um investidor comprando um *consol* tem direito a receber juros anuais do governo britânico para sempre.

Como se pode determinar o preço de um *consol*? Considere um *consol* que pague um cupom de *C* libras esterlinas todos os anos e vá fazê-lo para sempre. Simplesmente aplicar a fórmula de VP nos dá:

$$VP = \frac{C}{1+r} + \frac{C}{(1+r)^2} + \frac{C}{(1+r)^3} + \cdots$$

em que as reticências no fim da fórmula representam a série infinita de termos que continuam a fórmula. Séries como a anterior são chamadas de *séries geométricas*. Sabe-se que, embora elas tenham um número infinito de termos, as séries completas têm uma soma finita, pois cada termo é apenas uma fração do termo precedente. Antes de consultar nossos livros de cálculo, no entanto, vale a pena voltar aos nossos princípios originais para ver se um pouco de intuição financeira pode nos ajudar a descobrir o VP.

O valor presente do *consol* é o valor presente de todos os seus cupons futuros. Em outras palavras, é uma quantia de dinheiro que, se um investidor a tivesse hoje, permitiria que ele alcançasse o mesmo padrão de gastos que o *consol* e seus cupons. Suponha que um investidor quisesse gastar exatamente C libras esterlinas a cada ano. Se ele tivesse o *consol*, poderia fazê-lo. Quanto dinheiro ele precisa ter hoje para gastar a mesma quantia? Ele precisaria ter exatamente o bastante para que os juros sobre o dinheiro fossem C libras por ano. Se ele tivesse mais, poderia gastar mais do que C libras a cada ano. Se tivesse menos, iria, ao final, ficar sem dinheiro gastando C libras por ano.

A quantia que dará ao investidor C libras a cada ano e, portanto, o valor presente do *consol* é simplesmente:

$$\text{VP} = \frac{C}{r} \tag{4.10}$$

Para confirmar que essa é a resposta correta, note que, se emprestarmos a quantia C/r, os juros auferidos a cada ano serão:

$$\text{Juros} = \frac{C}{r} \times r = C$$

que é exatamente o pagamento do *consol*. Chegamos a esta fórmula para um *consol*:

Fórmula para o valor presente de perpetuidade:

$$\text{VP} = \frac{C}{1+r} + \frac{C}{(1+r)^2} + \frac{C}{(1+r)^3} + \cdots \tag{4.11}$$
$$= \frac{C}{r}$$

É reconfortante saber quão facilmente podemos utilizar um pouco de intuição financeira para resolver esse problema matemático.

EXEMPLO 4.18 Perpetuidades

Considere uma perpetuidade pagando $ 100 por ano. Se a taxa de juros relevante for 8%, qual é o valor do *consol*?
Utilizando a Equação 4.10, temos:

$$\text{VP} = \frac{\$\,100}{0{,}08} = \$\,1.250$$

Agora, suponha que as taxas de juros caiam para 6%. Utilizando a Equação 4.10, o valor da perpetuidade é:

$$\text{VP} = \frac{\$\,100}{0{,}06} = \$\,1.666{,}67$$

Note que o valor da perpetuidade se eleva com uma queda na taxa de juros. Inversamente, o valor da perpetuidade cai com uma elevação na taxa de juros.

Perpetuidade crescente

Imagine um prédio de apartamentos no qual os fluxos de caixa para o proprietário depois das despesas será $ 100.000 no próximo ano. Espera-se que esses fluxos de caixa subam 5% por ano. Presumindo-se que essa elevação continuará indefinidamente, o fluxo de caixa é chamado de **perpetuidade crescente**. A taxa de juros relevante é 11%. Portanto, a taxa de desconto apropriada é 11%, e o valor presente dos fluxos de caixa pode ser representado como:

$$VP = \frac{\$100.000}{1,11} + \frac{\$100.000(1,05)}{(1,11)^2} + \frac{\$100.000(1,05)^2}{(1,11)^3} + \cdots$$
$$+ \frac{\$100.000(1,05)^{N-1}}{(1,11)^N} + \cdots$$

Algebricamente, podemos escrever a fórmula como:

$$VP = \frac{C}{1+r} + \frac{C \times (1+g)}{(1+r)^2} + \frac{C \times (1+g)^2}{(1+r)^3} + \cdots + \frac{C \times (1+g)^{N-1}}{(1+r)^N} + \cdots$$

em que C é o fluxo de caixa a ser recebido daqui a um período, g é a taxa de crescimento por período, expressa como uma percentagem, e r é a taxa de desconto apropriada.

Felizmente, essa fórmula se reduz para a seguinte simplificação:

Fórmula para o valor presente de perpetuidade crescente:

$$VP = \frac{C}{r-g} \qquad (4.12)$$

Partindo da Equação 4.12, o valor presente dos fluxos de caixa do prédio de apartamentos é:

$$\frac{\$100.000}{0,11 - 0,05} = \$1.666,667$$

Há três pontos importantes em relação à fórmula de perpetuidade crescente:

1. *O numerador*: O numerador da Equação 4.12 é o fluxo de caixa daqui a um período, e não na data 0. Considere o exemplo a seguir.

EXEMPLO 4.19 Pagando dividendos

A Popovich S/A está *prestes* a pagar um dividendo de $ 3,00 por ação. Os investidores preveem que o dividendo anual subirá 6% por ano para sempre. A taxa de desconto aplicável é 11%. Qual é o preço da ação hoje?

O numerador na Equação 4.12 é o fluxo de caixa a ser recebido no próximo período. Como a taxa de crescimento é 6%, o dividendo no próximo ano será $ 3,18 (=$ 3,00 × 1,06). O preço da ação hoje é:

$$\$66,60 = \underbrace{\$3,00}_{\text{Dividendo iminente}} + \underbrace{\frac{\$3,18}{0,11 - 0,06}}_{\substack{\text{Valor presente de todos} \\ \text{os dividendos começando} \\ \text{daqui a um ano}}}$$

O preço de $ 66,60 inclui o dividendo a ser recebido imediatamente e o valor presente de todos os dividendos começando daqui a um ano. A Equação 4.12 torna possível calcular apenas o valor presente de todos os dividendos começando daqui a um ano. Certifique-se de entender esse exemplo, pois as perguntas de testes sobre esse assunto sempre parecem passar uma rasteira em alguns de nossos alunos.

2. *A taxa de desconto e a taxa de crescimento*: A taxa de desconto r deve ser maior do que a taxa de crescimento g para que a fórmula de perpetuidade crescente funcione. Considere o caso em que a taxa de crescimento se aproxima da taxa de juros em magnitude. Então, o denominador da fórmula de perpetuidade crescente se torna infinitamente pequeno, e o valor presente se torna infinitamente grande. O valor presente, na verdade, é indefinido quando r é menor do que g.

3. *A suposição de tempo*: Os fluxos de caixa ocorrem para dentro e para fora das empresas no mundo real, ambos de forma aleatória e quase contínua. No entanto, a Equação 4.12 pressupõe que os fluxos de caixa sejam recebidos e desembolsados em pontos regulares

e discretos no tempo. No exemplo do apartamento, presumimos que os fluxos de caixa líquidos de $ 100.000 tenham ocorrido somente uma vez por ano. Na realidade, os cheques de aluguéis normalmente são recebidos todos os meses. Os pagamentos de manutenção e outras despesas podem ocorrer a qualquer momento do ano.

Podemos aplicar a fórmula de perpetuidade crescente da Equação 4.12 somente supondo um padrão regular e discreto de fluxos de caixa. Embora essa suposição seja sensata, porque a fórmula economiza muito tempo, o usuário nunca deve se esquecer de que ela é uma *suposição*. Esse ponto será mencionado de novo nos capítulos à frente.

Algumas palavras devem ser ditas a respeito da terminologia. Os autores de livros didáticos financeiros geralmente utilizam uma das duas convenções para se referir ao tempo. Uma minoria de escritores financeiros trata os fluxos de caixa como sendo recebidos em *datas* exatas – por exemplo, Data 0, Data 1 e assim por diante. Segundo essa convenção, a Data 0 representa o tempo presente. Contudo, como um ano é um intervalo, não um momento específico de tempo, a grande maioria dos autores se refere aos fluxos de caixa que ocorrem no fim de um ano (ou, alternativamente, no fim de um *período*). Segundo essa convenção de *fim do ano*, o fim do Ano 0 é o agora, o fim do Ano 1 ocorre daqui a um período, e assim por diante (o início do Ano 0 já passou e geralmente não é mencionado).[2]

A permutabilidade das duas convenções pode ser vista a partir do seguinte gráfico:

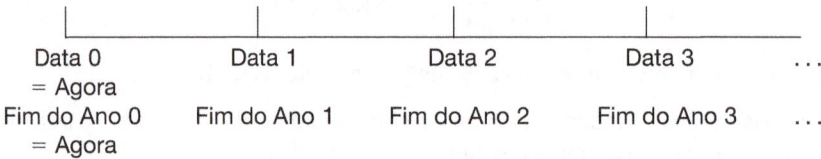

Acreditamos firmemente que a *convenção de datas* reduz a ambiguidade. Contudo, utilizamos ambas as convenções, pois você provavelmente verá a *convenção de fim do ano* em disciplinas posteriores. De fato, ambas as convenções podem aparecer no mesmo exemplo por uma questão de prática.

Outra forma de convencionar a alocação de fluxos de caixa é alocação em *início de período*. Você provavelmente já se deparou em lojas com a oferta de venda com pagamento em 3 vezes com entrada e também em 3 vezes sem entrada. O que acontece na oferta com entrada é que você estará pagando a compra com fluxos de caixa em início de período, enquanto na oferta sem entrada você estará pagando a compra com fluxos de caixa em fim de período.

Suponha que você esteja considerando uma compra no valor de $ 450,00. Você tem duas ofertas – ou paga em três vezes sem entrada (modo fim de período), ou paga em três vezes com entrada (modo início de período); em cada situação, o pagamento é de $ 150,00 por período. Os diagramas de fluxos de caixa a seguir representam essas duas ofertas.

Modo fim de período:

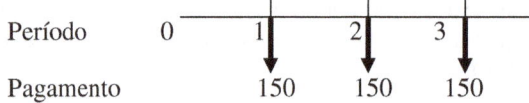

Modo início de período:

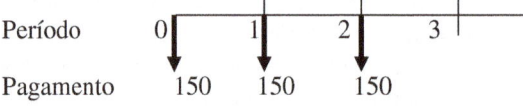

---

[2] Algumas vezes, os autores financeiros falam meramente de um fluxo de caixa no Ano x. Embora essa terminologia seja ambígua, esses escritores geralmente querem dizer o *fim do Ano x*.

As calculadoras financeiras estão preparadas para as duas situações com o modo INÍCIO (*BEGIN*) ou o modo FIM (*END*). Portanto, ao utilizar uma calculadora financeira, certifique-se de que ela está preparada para o tipo de fluxo de caixa que você avaliará.

Anuidade

Uma **anuidade** é um fluxo uniforme de pagamentos regulares que dura um número fixo de períodos. Não é de se admirar que as anuidades estejam entre os tipos mais comuns de instrumentos financeiros. As pensões que as pessoas recebem quando se aposentam, muitas vezes, estão na forma de uma anuidade. Arrendamentos e hipotecas também, frequentemente, são anuidades.

Para entender o valor presente de uma anuidade, precisamos avaliar a equação a seguir:

$$\frac{C}{1+r} + \frac{C}{(1+r)^2} + \frac{C}{(1+r)^3} + \cdots + \frac{C}{(1+r)^T}$$

O valor presente do recebimento de cupons para apenas T períodos deve ser menor do que o valor presente de um *consol*, mas quão menor? Para responder, precisamos examinar os *consols* um pouco mais a fundo.

Considere o seguinte gráfico de tempo:

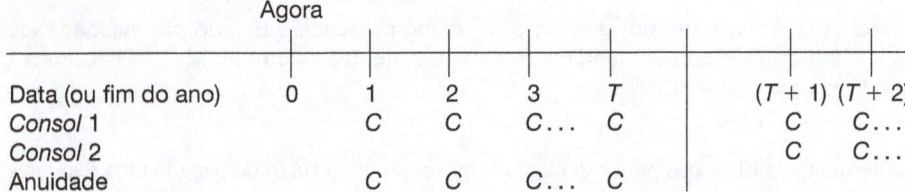

O *Consol* 1 é do tipo normal, com seu primeiro pagamento na Data 1. O primeiro pagamento do *Consol* 2 ocorre na Data $T + 1$.

O valor presente de ter um fluxo de caixa C em cada uma das datas T é igual ao valor presente do *Consol* 1 menos o valor presente do *Consol* 2. O valor presente do *Consol* 1 é dado por:

$$\text{VP} = \frac{C}{r} \qquad (4.13)$$

O *Consol* 2 é apenas um *consol* com seu primeiro pagamento na Data $T + 1$. Partindo da fórmula de perpetuidade, esse *consol* valerá C/r na Data T.[3] No entanto, não queremos o valor na Data T; queremos o valor agora – em outras palavras, o valor presente na Data 0. Precisamos descontar C/r de volta por T períodos. Portanto, o valor presente do *Consol* 2 é:

$$\text{VP} = \frac{C}{r}\left[\frac{1}{(1+r)^T}\right] \qquad (4.14)$$

O valor presente de ter fluxos de caixa por T anos é o valor presente de um *consol* com seu primeiro pagamento na Data 1 menos o valor presente de um *consol* com seu primeiro pagamento na Data $T + 1$. Assim, o valor presente de uma anuidade é a Equação 4.13 menos a Equação 4.14. Isso pode ser escrito como:

$$\frac{C}{r} - \frac{C}{r}\left[\frac{1}{(1+r)^T}\right]$$

Que é simplificada para o seguinte:

Fórmula para o valor presente de anuidade:

$$\text{VP} = C\left[\frac{1}{r} - \frac{1}{r(1+r)^T}\right]$$

---

[3] Os alunos frequentemente pensam que C/r é o valor presente na Data $T + 1$, porque o primeiro pagamento do *consol* é na Data $T + 1$. Contudo, a fórmula avalia o *consol* a partir de um período anterior ao primeiro pagamento.

Isso também pode ser escrito assim:

$$VP = C\left[\dfrac{1 - \dfrac{1}{(1+r)^T}}{r}\right] \quad (4.15)$$

EXEMPLO 4.20 — Avaliação de loteria

Mark Young recém ganhou uma loteria estadual nos Estados Unidos, que pagará US$ 50.000 ao ano por 20 anos. Ele deve receber seu primeiro pagamento daqui a um ano. O Estado a anuncia como a Loteria de Um Milhão de Dólares, porque US$ 1.000.000 = US$ 50.000 × 20. Se a taxa de juros for 8%, qual é o valor presente da loteria?

A Equação 4.15 produz:

$$\text{Valor presente da Loteria de Um Milhão de Dólares} = US\$\,50.000 \times \left[\dfrac{1 - \dfrac{1}{(1{,}08)^{20}}}{0{,}08}\right]$$

$$= \underset{\text{Pagamento periódico}}{US\$\,50.000} \times \underset{\text{Fator de anuidade}}{9{,}8181}$$

$$= US\$\,490.905$$

Em vez de ficar exultante por ganhar, o Sr. Young processa o Estado por falsidade ideológica e fraude. Seu parecer jurídico declara que lhe prometeram US$ 1 milhão, mas ele recebeu apenas US$ 490.905.

O termo que utilizamos para calcular o valor presente do fluxo de pagamentos regulares, C, por T anos é chamado de **fator de valor presente para anuidades**. O fator de valor presente para anuidades no exemplo atual é 9,8181. Devido ao fator de valor presente para anuidades ser tão frequentemente utilizado em cálculos de VP, ele foi incluído na Tabela A.2, disponível no *site*. A tabela fornece os valores desses fatores para uma gama de taxas de juros, r, e datas de vencimento, T.

O fator de valor presente para anuidades, como expresso nos colchetes da Equação 4.15, é uma fórmula complexa. Para simplificar, podemos, de vez em quando, mencionar o fator de anuidade como:

$$\text{VPA}\,(r, T)$$

Essa expressão representa o valor presente de $ 1 ao ano por T anos a uma taxa de juros de r.

Também podemos fornecer uma fórmula para o valor futuro de uma anuidade:

$$VF = C\left[\dfrac{(1+r)^T}{r} - \dfrac{1}{r}\right] = C\left[\dfrac{(1+r)^T - 1}{r}\right] \quad (4.16)$$

Como com os fatores de valor presente para anuidades, compilamos fatores de valor futuro na Tabela A.4, disponível no *site*.

EXEMPLO 4.21 — Investimento para aposentadoria

Suponha que você coloque $ 3.000 por ano em uma conta de aposentadoria individual. A conta paga 6% de juros por ano. Quanto você terá ao se aposentar em 30 anos?

Essa pergunta pede o valor futuro de uma anuidade de $ 3.000 ao ano por 30 anos a 6%, que podemos calcular desta forma:

$$VF = C\left[\dfrac{(1+r)^T - 1}{r}\right] = \$\,3.000 \times \left[\dfrac{1{,}06^{30} - 1}{0{,}06}\right]$$

$$= \$\,3.000 \times 79{,}0582$$

$$= \$\,237.174{,}56$$

Portanto, você terá perto de um quarto de milhão na conta.

Nossa experiência é que as fórmulas de anuidade não são difíceis, mas complicadas para o aluno iniciante. A seguir, apresentamos quatro truques.

ESTRATÉGIAS DE PLANILHA

Valores presentes de anuidade

Utilizar uma planilha para encontrar os valores presentes de anuidade funciona assim:

	A	B	C	D	E	F	G
1							
2	Uso de uma planilha para encontrar os valores presentes de anuidades						
3							
4	Qual é o valor presente de $ 500 por ano durante três anos se a taxa de desconto for 10%?						
5	Precisamos calcular o valor presente desconhecido, portanto usamos a fórmula VP(taxa, nper, pgto, VF).						
6							
7	Montante do pagamento por período:	$ 500					
8	Número de pagamentos:	3					
9	Taxa de desconto:	0,1					
10							
11	Valor presente da anuidade:	$ 1.243,43					
12							
13	A fórmula inserida na célula B11 é = VP(B9,B8,−B7,0); note que vf é zero e que pgto tem um sinal negativo.						
14	Note também que a taxa é inserida como decimal, e não como percentagem.						
15							
16							
17							

Truque 1: Uma anuidade diferida Um dos truques ao trabalhar com anuidades ou perpetuidades é obter o tempo exatamente correto. Isso é especialmente verdadeiro quando uma anuidade ou perpetuidade começa em uma data a muitos períodos no futuro. Descobrimos que mesmo os alunos iniciantes mais brilhantes podem cometer erros aqui. Considere o exemplo a seguir.

EXEMPLO 4.22 — Anuidades diferidas

Daniela Carvalho receberá uma anuidade de quatro anos de $ 500 ao ano, começando na Data 6. Se a taxa de juros for 10%, qual é o valor presente de sua anuidade? Essa situação pode ser representada desta forma:

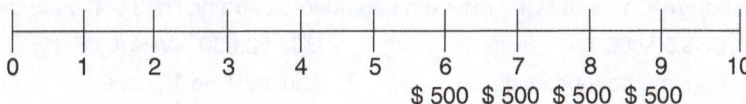

A análise envolve duas etapas:

1. Calcular o valor presente da anuidade utilizando a Equação 4.15:

Valor presente da anuidade na Data 5:

$$\$500\left[\frac{1-\frac{1}{(1,10)^4}}{0,10}\right] = \$500 \times \text{VPA}(0,10, 4)$$
$$= \$500 \times 3,1699$$
$$= \$1.584,95$$

Observe que $ 1.584,95 representa o valor presente na *Data 5*.

Os alunos frequentemente pensam que $ 1.584,95 é o valor presente na Data 6, porque a anuidade começa nessa data. Contudo, nossa fórmula avalia a anuidade a partir de um período anterior ao primeiro pagamento. Isso pode ser visto no caso mais típico em que o primeiro pagamento ocorre na Data 1. A fórmula avalia a anuidade a partir da Data 0 nesse caso.

(continua)

(continuação)

2. Desconto do valor presente da anuidade de volta até a Data 0:

Valor presente na Data 0:

$$\frac{\$ 1.584{,}95}{(1{,}10)^5} = \$ 984{,}13$$

Novamente, vale a pena mencionar que, visto que a fórmula de anuidade traz a anuidade até a Data 5, o segundo cálculo precisa realizar o desconto sobre os cinco períodos restantes. O procedimento em duas etapas está representado na Figura 4.12.

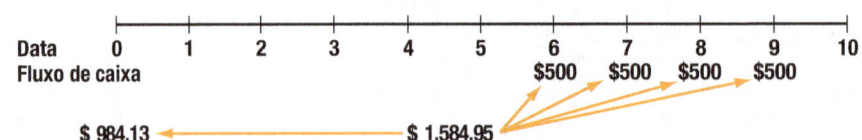

Etapa um: Desconte os quatro pagamentos até a Data 5 utilizando a fórmula de anuidade.
Etapa dois: Desconte o valor presente na Data 5 ($ 1.584,95) até o valor presente na Data 0.

FIGURA 4.12 Desconto da anuidade de Daniela Carvalho.

Truque 2: Anuidade antecipada A fórmula de anuidade da Equação 4.15 pressupõe que o primeiro pagamento da anuidade comece em um período completo. Esse tipo de anuidade, algumas vezes, é chamado de *anuidade postecipada* ou de *anuidade ordinária*. O que acontece se a anuidade começar hoje – em outras palavras, na Data 0?

EXEMPLO 4.23 Anuidade antecipada

Em um exemplo anterior, Mark Young recebeu da loteria estadual $ 50.000 ao ano por 20 anos. Nesse exemplo, ele deveria receber o primeiro pagamento em um ano da data em que ganhou na loteria. Suponhamos que o primeiro pagamento ocorra imediatamente. O número total de pagamentos permanece 20.

Segundo essa nova suposição, temos uma anuidade de 19 datas, com o primeiro pagamento ocorrendo na Data 1 – mais um pagamento extra na Data 0. O valor presente é:

$$\underset{\text{Pagamento na data 0}}{\text{US\$ 50.000}} + \underset{\text{Anuidade de 19 anos}}{\text{US\$ 50.000} \times \text{VPA}(0{,}08,\ 19)}$$

$$= \text{US\$ 50.000} + (\text{US\$ 50.000} \times 9{,}6036)$$

$$= \text{US\$ 530.180}$$

US$ 530.180, o valor presente nesse exemplo, é maior do que $ 490.905, o valor presente no exemplo da loteria anterior. Isso é esperado, pois a anuidade do exemplo atual começa antes. Uma anuidade com um pagamento inicial imediato é chamada de *anuidade antecipada* ou de *anuidade vencida*. Lembre-se sempre de que a Equação 4.15 e a Tabela A.2 disponível no *site* se referem a uma *anuidade ordinária*.

Truque 3: A anuidade com outra frequência O exemplo a seguir apresenta uma anuidade com pagamentos ocorrendo com frequência em prazo maior do que uma vez por ano.

EXEMPLO 4.24 Anuidades com outras frequências

Ana Chaves recebe uma anuidade de $ 450, pagável uma vez a cada dois anos. A anuidade se estende por 20 anos. O primeiro pagamento ocorre na Data 2 – isto é, daqui a dois anos. A taxa de juros anual é 6%.

O truque é determinar a taxa de juros ao longo de um período de dois anos. A taxa de juros sobre dois anos é:

$$(1{,}06 \times 1{,}06) - 1 = 12{,}36\%$$

Isto é, $ 100 investidos por dois anos renderão $ 112,36.

O que queremos é o valor presente de uma anuidade de $ 450 por 10 períodos, com uma taxa de juros de 12,36% por período:

$$\$ 450 \left[\frac{1 - \frac{1}{(1 + 0,1236)^{10}}}{0,1236} \right] = \$ 450 \times \text{VPA}(0,1236, 10) = \$ 2.505,57$$

Truque 4: Equiparação do valor presente de duas anuidades O exemplo a seguir equipara o valor presente de fluxos de entrada com o valor presente de fluxos de saída.

EXEMPLO 4.25 Como trabalhar com anuidades

Haroldo e Helena Neves estão economizando para a faculdade de sua filha recém-nascida, Susana. Os Neves estimam que as despesas com educação sejam em torno de $ 30.000 por ano quando sua filha for para universidade aos 18 anos. A taxa de juros anual sobre as próximas décadas será 14%. Quanto dinheiro eles precisam depositar no banco a cada ano a fim de que sua filha seja completamente sustentada nos quatro anos de universidade?

Para simplificar os cálculos, suponhamos que Susana tenha nascido hoje. Seus pais estimam que farão o primeiro de seus quatro pagamentos anuais para a universidade em seu 18º aniversário. Para isso, eles farão depósitos bancários iguais em cada um de seus 17 aniversários, mas nenhum depósito na Data 0. Isso é ilustrado a seguir:

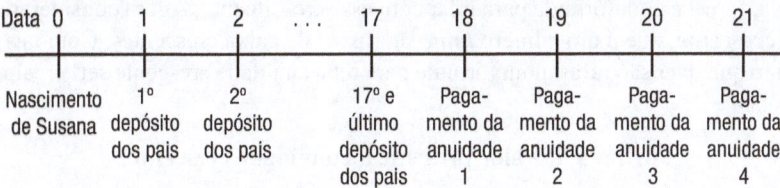

O Sr. e a Sra. Neves farão depósitos no banco pelos próximos 17 anos e retirarão $ 30.000 por ano pelos quatro anos seguintes. Podemos ter certeza de que eles poderão retirar $ 30.000 por ano se o valor presente dos depósitos for igual ao valor presente das quatro retiradas de $ 30.000.

Esse cálculo exige três etapas. As duas primeiras determinam o valor presente das retiradas. A etapa final determina os depósitos anuais que terão um valor presente igual ao das retiradas.

1. Calculamos o valor presente dos quatro anos na universidade utilizando a fórmula de anuidades:

$$\$ 30.000 \times \left[\frac{1 - \frac{1}{(1,14)^4}}{0,14} \right] = \$ 30.000 \times \text{VPA}(0,14, 4)$$
$$= \$ 30.000 \times 2,9137 = \$ 87.411$$

Suponhamos que Susana entre na universidade em seu 18º aniversário. Dada a nossa discussão no Truque 1, $ 87.411 representam o valor presente na Data 17.

2. Calculamos o valor presente do custo da educação universitária na Data 0 assim:

$$\frac{\$ 87.411}{(1,14)^{17}} = \$ 9.422,91$$

3. Pressupondo que Haroldo e Helena Neves façam depósitos no banco no fim de cada um dos 17 anos, calculamos o depósito anual que irá render o valor presente de todos os depósitos de $ 9.422,91. Isso é calculado desta forma:

$$C \times \text{VPA}(0,14, 17) = \$ 9.422,91$$

(continua)

(continuação)

Visto que VPA (0,14, 17) = 6,3729,

$$C = \frac{\$9.422,91}{6,3729} = \$1.478,59$$

Portanto, depósitos de $ 1.478,59 feitos ao fim de cada um dos primeiros 17 anos e investidos a 14% provisionarão dinheiro suficiente para fazer os pagamentos das anuidades de $ 30.000 pelos quatro anos seguintes.

Um método alternativo no Exemplo 4.25 seria (1) calcular o valor presente dos pagamentos das anuidades no 18º aniversário de Susan e (2) calcular os depósitos anuais de modo que o valor futuro dos depósitos no 18º aniversário dela igualasse o valor presente dos pagamentos das mensalidades nessa data. Embora essa técnica também possa fornecer a resposta correta, descobrimos que é mais provável de conduzir a erros. Portanto, equiparamos apenas os valores presentes em nossa apresentação.

Anuidade crescente

Os fluxos de caixa em negócios provavelmente crescerão com o tempo, devido ao crescimento real ou à inflação. A perpetuidade com crescimento, que pressupõe um número infinito de fluxos de caixa, fornece uma fórmula para lidar com esse crescimento. Agora consideraremos uma **anuidade crescente**, que é um número *finito* de fluxos de caixa crescentes. Como as perpetuidades de tipo qualquer são raras, uma fórmula para uma anuidade crescente seria realmente útil. Aqui está ela:

Fórmula do valor presente da anuidade crescente:

$$\text{VP} = C\left[\frac{1}{r-g} - \frac{1}{r-g} \times \left(\frac{1+g}{1+r}\right)^T\right] = C\left[\frac{1 - \left(\frac{1+g}{1+r}\right)^T}{r-g}\right] \quad (4.17)$$

Como antes, C é o pagamento a ocorrer no fim do primeiro período, r é a taxa de juros, g é a taxa de crescimento por período, expressa como uma percentagem, e T é o número de períodos da anuidade.

EXEMPLO 4.26 Anuidades crescentes

Gabriel Esteves, um estudante do segundo ano de MBA, recém recebeu uma oferta de trabalho de $ 80.000 por ano. Ele prevê que seu salário aumente 9% por ano até sua aposentadoria em 40 anos. Dada a taxa de juros de 20%, qual é o valor presente do salário de toda a sua vida?

Simplificamos pressupondo que ele receberá seu salário de $ 80.000 exatamente daqui a um ano e que seu salário continuará a ser pago em parcelas anuais. A taxa de desconto apropriada é 20%. Partindo da Equação 4.17, o cálculo é:

$$\text{Valor presente do salário de toda a vida de Gabriel} = \$80.000 \times \left[\frac{1 - \left(\frac{1,09}{1,20}\right)^{40}}{0,20 - 0,09}\right] = \$711.730,71$$

Embora a fórmula de anuidade crescente seja bastante útil, é mais tediosa do que outras fórmulas de simplificação. Embora calculadoras mais sofisticadas tenham programas especiais para perpetuidade, perpetuidade crescente e anuidade, não há um programa especial para uma anuidade crescente. Por isso, precisamos calcular todos os termos na Equação 4.17 diretamente.

> **EXEMPLO 4.27** Mais anuidades crescentes
>
> Em um exemplo anterior, Helena e Haroldo Neves planejavam fazer 17 pagamentos idênticos para custear a educação universitária de sua filha, Susana. Agora, imagine que eles planejaram aumentar seus pagamentos a 4% por ano. Qual seria seu primeiro pagamento?
> As primeiras duas etapas do exemplo anterior da família Neves mostrou que o valor presente das despesas universitárias era $ 9.422,91. Essas duas etapas seriam as mesmas aqui. No entanto, a terceira etapa precisa ser alterada. Agora, precisamos perguntar de quanto deveria ser seu primeiro pagamento a fim de que, se os pagamentos aumentam a 4% por ano, o valor presente de todos os pagamentos seja $ 9.422,91?
> Igualamos a fórmula de anuidade crescente a $ 9.422,91 e calculamos C:
>
> $$C\left[\frac{1-\left(\frac{1+g}{1+r}\right)^T}{r-g}\right] = C\left[\frac{1-\left(\frac{1,04}{1,14}\right)^{17}}{0,14-0,04}\right] = \$9.422,91$$
>
> Aqui, C = $ 1.192,78. Portanto, o depósito no primeiro aniversário da filha é de $ 1.192,78, o depósito no segundo aniversário é de $ 1.240,49 (=1,04 × $ 1.192,78), e assim por diante.

4.5 Amortização de empréstimos

Sempre que um mutuante concede um empréstimo, alguma condição será feita para o pagamento do principal (o montante original do empréstimo). Um empréstimo pode, por exemplo, ser pago em parcelas iguais ou com um pagamento único. A forma como o principal e os juros são pagos depende das partes envolvidas, e, na verdade, existe um número ilimitado de possibilidades.

Nesta seção, descrevemos os empréstimos com pagamento parcelado. Trabalhar com esses empréstimos é uma aplicação muito direta dos princípios do valor presente que já desenvolvemos.

Um *empréstimo com pagamento parcelado* pode exigir do mutuário o pagamento de partes do montante do empréstimo ao longo do tempo. O processo de prever que um empréstimo seja pago fazendo reduções regulares no principal é chamado de *amortização* do empréstimo.

Uma maneira simples de amortizar um empréstimo é fazer com que o mutuário pague os juros a cada período mais uma quantia fixa. Essa abordagem é comum nos empréstimos comerciais de médio prazo. Por exemplo, suponhamos que uma empresa tome um empréstimo de $ 5.000 por cinco anos a 9%. O contrato de mútuo exige que o mutuário pague os juros sobre os saldos do empréstimo a cada ano e reduz o saldo do empréstimo em $ 1.000 a cada ano. Como o montante do empréstimo diminui em $ 1.000 a cada ano, ele é totalmente pago em cinco anos. Chamamos esse esquema de *Sistema de Amortizações Constantes*, *SAC*.

No caso que estamos examinando, observe como o pagamento anual diminuirá a cada ano. O motivo é que o saldo do empréstimo cai, resultando em uma cobrança de juros menor a cada ano, ao passo que a redução do principal em $ 1.000 é constante. Por exemplo, os juros do primeiro ano serão de $ 5.000 × 0,09 = $ 450. O pagamento será $ 1.000 + 450 = $ 1.450. No segundo ano, o saldo do empréstimo será $ 4.000, então os juros serão $ 4.000 × 0,09 = $ 360, e o pagamento será $ 1.360. Podemos calcular o pagamento de cada um dos anos restantes preparando um simples *cronograma de amortização* da seguinte maneira:

Ano	Saldo inicial	Pagamento total	Juros pagos	Principal pago	Saldo final
1	$ 5.000	$ 1.450	$ 450	$ 1.000	$ 4.000
2	4.000	1.360	360	1.000	3.000
3	3.000	1.270	270	1.000	2.000
4	2.000	1.180	180	1.000	1.000
5	1.000	1.090	90	1.000	0
Totais		$ 6.350	$ 1.350	$ 5.000	

Observe que, a cada ano, os juros pagos são dados pelo saldo inicial multiplicado pela taxa de juros. Observe também que o saldo inicial em cada ano é dado pelo saldo final do ano anterior.

Provavelmente a forma mais comum de amortizar um empréstimo seja fazer com que o mutuário faça um único pagamento fixo a cada período. Quase todos os empréstimos ao consumidor (como os empréstimos para a compra de automóveis) e hipotecas funcionam assim. Por exemplo, suponhamos que nosso empréstimo de $ 5.000 a 9% por cinco anos seja amortizado dessa maneira. Como ficaria o cronograma de amortização?

Primeiro, precisamos determinar o pagamento. A partir de nossa discussão anteriormente neste capítulo, sabemos que os fluxos de caixa desse empréstimo estão na forma de uma anuidade ordinária. Nesse caso, podemos calcular o pagamento da seguinte maneira:

$$\$\,5.000 = C \times \{[1 - (1/1{,}09^5)]/0{,}09\}$$
$$= C \times [(1 - 0{,}6499)/0{,}09]$$

Isso nos dá:

$$C = \$\,5.000/3{,}8897$$
$$= \$\,1.285{,}46$$

O mutuário, portanto, fará cinco pagamentos iguais de $ 1.285,46. Isso pagará o empréstimo? Verificaremos preenchendo um cronograma de amortização.

Em nosso exemplo anterior, sabíamos qual era a redução do principal a cada ano. Então, calculamos os juros devidos para obter o pagamento anual. Neste exemplo, sabemos qual é o pagamento anual. Desse modo, iremos calcular os juros e subtraí-los do pagamento anual para calcular a parte do principal em cada pagamento.

No primeiro ano, os juros são de $ 450, como calculamos antes. Como o pagamento desse ano é de $ 1.285,46, o principal pago no primeiro ano deve ser:

$$\text{Principal pago} = \$\,1.285{,}46 - 450 + \$\,835{,}46$$

O saldo do empréstimo ao final do ano 1 é, portanto:

$$\text{Saldo no final do ano 1} = \$\,5.000 - 835{,}46 = \$\,4.164{,}54$$

Os juros do segundo ano são $ 4.164,54 × 0,09 = $ 374,81, e o saldo do empréstimo declina por $ 1.285,46 − 374,81 = $ 910,65. Podemos resumir todos os cálculos relevantes no seguinte cronograma:

Ano	Saldo inicial	Pagamento total	Juros pagos	Principal pago	Saldo final
1	$ 5.000,00	$ 1.285,46	$ 450,00	$ 835,46	$ 4.164,54
2	4.164,54	1.285,46	374,81	910,65	3.253,88
3	3.253,88	1.285,46	292,85	992,61	2.261,27
4	2.261,27	1.285,46	203,51	1.081,95	1.179,32
5	1.179,32	1.285,46	106,14	1.179,32	0,00
Totais		$ 6.427,30	$ 1.427,31	$ 5.000,00	

Como o saldo devedor diminui até zero, os cinco pagamentos iguais saldam o empréstimo. Observe que os juros pagos diminuem a cada período. Isso não é surpreendente, pois o saldo do empréstimo está diminuindo. Dado que o pagamento total é fixo, o principal pago deve estar se elevando a cada período. O sistema de amortizações com pagamentos periódicos fixos é conhecido como Sistema PRICE.

Se você comparar as duas amortizações de empréstimos desta seção, SAC e PRICE, verá que os juros totais são maiores no caso de pagamentos iguais: $ 1.427,31 *versus* $ 1.350. O motivo disso é que o empréstimo é pago mais lentamente no início e, portanto, o montante dos juros é um pouco mais alto. Isso não quer dizer que um empréstimo seja melhor do que o outro, simplesmente significa que um é pago mais rapidamente do que o outro. Por exemplo, a redução do principal no primeiro ano é de $ 835,46 no caso de pagamentos iguais (PRICE), em comparação aos $ 1.000 do primeiro caso (SAC).

Capítulo 4 Avaliação por Fluxos de Caixa Descontados

EXEMPLO 4.28 — Amortização parcial, ou "enfrente a situação"

Alguns arranjos em empréstimos podem estabelecer um empréstimo por cinco anos com, digamos, uma amortização de 15 anos. Isso significa que o mutuário realiza mensalmente pagamentos de um montante fixo com base em uma amortização de 15 anos. Entretanto, após 60 meses, o mutuário deve fazer um pagamento único muito maior, chamado de "balão", para quitar o empréstimo. Como os pagamentos mensais não quitam totalmente o empréstimo, diz-se que ele é parcialmente amortizado.

Suponha que você tenha um empréstimo com hipoteca de um imóvel comercial de $ 100.000 com uma taxa nominal anual (TNa) cotada a 12% e amortização mensal em 20 anos (240 meses). Suponha ainda que a hipoteca exija um pagamento balão para liquidação em cinco anos. Qual será o pagamento mensal? De quanto será o pagamento balão?

O pagamento mensal pode ser calculado com base em uma anuidade ordinária com um valor presente de $ 100.000. São 240 pagamentos, e a taxa de juros é de 1% ao mês. O pagamento é:

$$\$\,100.000 = C \times \{[1 - (1/1,01^{240})]/0,01$$
$$= C \times 90,8194$$
$$C = \$\,1.101,09$$

Agora, há um modo fácil e um modo difícil para determinar o pagamento balão. O modo difícil é realmente amortizar o empréstimo por 60 meses para ver qual será o saldo na época. O modo fácil é reconhecer que, após 60 meses, teremos um empréstimo de 240 − 60 = 180 meses. O pagamento ainda é de $ 1.101,09 por mês, e a taxa de juros ainda é de 1% ao mês. O saldo do empréstimo, portanto, é o valor presente dos pagamentos restantes:

$$\text{Saldo do empréstimo} = \$\,1.101,09 \times [1 - (1/1,01^{180})]/0,01$$
$$= \$\,1.101,09 \times 83,3217$$
$$= \$\,91.744,69$$

O pagamento balão é o valor substancial de $ 91.744. Por que é tão grande? Para se ter uma ideia, pense no primeiro pagamento da hipoteca. Os juros do primeiro mês são de $ 100.000 × 0,01 = $ 1.000. Seu pagamento é de $ 1.101,09, de modo que o saldo do empréstimo diminui em apenas $ 101,09. Como o saldo do empréstimo diminui lentamente, a redução do montante acumulada ao longo de cinco anos não é grande.

Encerraremos esta seção com um exemplo que pode ser de especial relevância para você se você estiver planejando estudar nos Estados Unidos. Os empréstimos da Federal Stafford são uma fonte importante de financiamento para muitos universitários norte-americanos, ajudando a cobrir o custo de mensalidades, livros, carros novos, condomínios e muitas outras coisas. Algumas vezes, os estudantes não parecem compreender totalmente que os empréstimos da Stafford têm uma séria desvantagem: eles precisam ser pagos em parcelas mensais, geralmente começando seis meses após o estudante terminar a faculdade.

Alguns dos empréstimos da Stafford são subsidiados, o que quer dizer que os juros não são cobrados antes de o pagamento começar (isso é bom). Se você for um estudante de graduação na condição de dependente, nessa opção em particular, a sua dívida total pode chegar, no máximo, a $ 23.000. A taxa de juros anual nominal máxima é 8,25%, ou 8,25/12 = 0,6875% ao mês. Segundo o "plano de pagamento padrão", os empréstimos são amortizados ao longo de 10 anos (sujeitos a um pagamento mínimo de $ 50).

Suponhamos que você obtenha o valor máximo de empréstimo desse programa e também tenha de pagar a taxa de juros máxima. Começando seis meses depois de se formar, qual será seu pagamento mensal? Quanto você deverá após fazer os pagamentos durante quatro anos?

Dada a nossa discussão anterior, veja se você não concorda que seu pagamento mensal, supondo um empréstimo total de $ 23.000, é de $ 282,10 por mês. Além disso, como explicado no Exemplo 4.28, após fazer pagamentos por quatro anos, você ainda deve o valor presente dos pagamentos restantes. São 120 prestações ao todo. Depois de 48 delas (os primeiros quatro anos), restam 72. A essa altura, deve ser fácil para você verificar que o valor presente de $ 282,10 por mês durante 72 meses, a 0,6875% ao mês, é pouco menos de $ 16.000, portanto você ainda terá um longo caminho a percorrer.

ESTRATÉGIAS DE PLANILHA

Amortização de empréstimo com uso de uma planilha

O cálculo de amortizações de empréstimos é uma aplicação comum de planilhas. Para ilustrar, tomemos o problema que examinamos antes: um empréstimo de $ 5.000 por cinco anos com taxa de 9% e com pagamentos constantes. Esta é a aparência de nossa planilha:

	A	B	C	D	E	F	G	H
1								
2			Como utilizar uma planilha para calcular a amortização de um empréstimo					
3								
4		Montante do empréstimo:		$ 5.000				
5		Taxa de juros:		0,09				
6		Prazo do empréstimo:		5				
7		Pagamento do empréstimo:		$ 1.285,46				
8					Observação: O pagamento é calculado utilizando PGTO (taxa, nper, −vp, vf).			
9		Tabela de amortização:						
10								
11		Ano	Saldo	Pagamento	Juros	Principal	Saldo	
12			inicial		pagos	pago		
13		1	$ 5.000,00	$ 1.285,46	$ 450,00	$ 835,46	$ 4.164,54	
14		2	4.164,54	1.285,46	374,81	910,65	3.253,88	
15		3	3.253,88	1.285,46	292,85	992,61	2.261,27	
16		4	2.261,27	1.285,46	203,51	1.081,95	1.179,32	
17		5	1.179,32	1.285,46	106,14	1.179,32	0,00	
18		Totais		6.427,31	1.427,31	5.000,00		
19								
20		Fórmulas na tabela de amortização:						
21								
22		Ano	Saldo	Pagamento	Juros	Principal	Saldo	
23			inicial		pagos	pago		
24		1	=+D4	=$D$7	=+$D$5*C13	=+D13-E13	=+C13-F13	
25		2	=+G13	=$D$7	=+$D$5*C14	=+D14-E14	=+C14-F14	
26		3	=+G14	=$D$7	=+$D$5*C15	=+D15-E15	=+C15-F15	
27		4	=+G15	=$D$7	=+$D$5*C16	=+D16-E16	=+C16-F16	
28		5	=+G16	=$D$7	=+$D$5*C17	=+D17-E17	=+C17-F17	
29								
30		Observação: Os totais na tabela de amortização são calculados com a fórmula SOMA.						
31								

É possível acumular dívidas muito maiores. De acordo com a Association of American Medical Colleges, os estudantes norte-americanos de medicina que fizeram empréstimos para pagar a faculdade e se formaram em 2009 tinham, em média, um saldo médio de empréstimos de $ 160.000. Ai! Quanto tempo cada estudante levará, em média, para liquidar seus empréstimos estudantis?

4.6 O que vale uma empresa?

Suponhamos que você seja um avaliador de negócios tentando determinar o valor de empresas de pequeno porte. Como você pode determinar quanto vale uma empresa? Uma forma de pensar na questão de quanto uma empresa vale é calcular o valor presente de seus fluxos de caixa futuros.

Consideremos o exemplo de uma empresa que espera gerar fluxos de caixa líquidos (fluxos de entrada de caixa menos fluxos de saída de caixa) de $ 5.000 no primeiro ano e $ 2.000 para cada um dos próximos cinco anos. A empresa pode ser vendida por $ 10.000 daqui a sete anos. Depois de considerar outros investimentos disponíveis no mercado com riscos similares, os proprietários da firma gostariam de poder ter um retorno de 10% sobre seu investimento na empresa.

O valor da empresa é encontrado multiplicando-se os fluxos de caixa líquidos pelo fator de valor presente apropriado. O valor da empresa é simplesmente a soma dos valores presentes dos fluxos de caixa líquidos individuais.

O valor presente dos fluxos de caixa líquidos é dado a seguir.

	O valor presente da empresa		
Fim do ano	Fluxo de caixa líquido da empresa	Fator de valor presente (10%)	Valor presente de fluxos de caixa líquidos
1	$ 5.000	0,90909	$ 4.545,45
2	2.000	0,82645	1.652,90
3	2.000	0,75131	1.502,62
4	2.000	0,68301	1.366,02
5	2.000	0,62092	1.241,84
6	2.000	0,56447	1.128,94
7	10.000	0,51316	5.131,58
		Valor presente da empresa	$ 16.569,35

Também podemos utilizar a fórmula simplificada de uma anuidade:

$$\frac{\$ 5.000}{1,1} + \frac{(\$ 2.000 \times \text{VPA}(0,10, 5))}{1,1} + \frac{\$ 10.000}{(1,1)^7} = \$ 16.569,35$$

Suponhamos que você tenha a oportunidade de adquirir a empresa por $ 12.000. Você deveria adquiri-la? A resposta é sim, porque o VPL é positivo:

$$\text{VPL} = \text{VP} - \text{custo}$$
$$\$ 4.569,35 = \$ 16.569,35 - \$ 12.000$$

O valor incremental (VPL) de aquisição da empresa nesse caso é $ 4.569,35.

EXEMPLO 4.29 Avaliação de empresa

A Troia Pizzas está pensando em investir $ 1 milhão em quatro novos pontos de venda em São Paulo. André Lo, o diretor financeiro da empresa, estimou que os investimentos trarão fluxos de caixa de $ 200.000 por ano durante nove anos e nada depois disso. (Os fluxos de caixa ocorrerão no fim de cada ano, e não haverá fluxo de caixa depois do ano 9.) O Sr. Lo determinou que a taxa de desconto relevante para esse investimento é 15%. Essa é a taxa de retorno que a empresa pode auferir em projetos comparáveis. A Troia Pizzas deveria fazer os investimentos em novos pontos de venda?

A decisão pode ser avaliada da seguinte maneira:

$$\text{VPL} = -\$ 1.000.000 + \frac{\$ 200.000}{1,15} + \frac{\$ 200.000}{(1,15)^2} + \cdots + \frac{\$ 200.000}{(1,15)^9}$$
$$= -\$ 1.000.000 + \$ 200.000 \times \text{VPA}(0,15, 9)$$
$$= -\$ 1.000.000 + \$ 954.316,78$$
$$= -\$ 45.683,22$$

O valor presente dos quatro novos pontos de venda é de apenas $ 954.316,78 à taxa de 15%. A essa taxa, os pontos de venda valem menos do que custam. A Troia Pizzas não deveria fazer o investimento, porque o VPL é −$ 45.683,22. Se a Troia Pizzas exigir uma taxa de retorno de 15%, os novos pontos de venda não serão um bom investimento.

ESTRATÉGIAS DE PLANILHA

Como calcular valores presentes com vários fluxos de caixa futuros usando uma planilha

Podemos montar uma planilha básica para calcular os valores presentes de fluxos de caixa individuais como segue. Observe que simplesmente calculamos os valores presentes separadamente e os somamos:

	A	B	C	D	E
1					
2	\multicolumn{4}{c}{Como utilizar uma planilha para avaliar vários fluxos de caixa futuros}			
3					
4	Qual é o valor presente de $ 200 em um ano, $ 400 no ano seguinte, $ 600 no ano posterior e				
5	$ 800 no último ano se a taxa de desconto for 12%?				
6					
7		Taxa:	0,12		
8					
9		Ano	Fluxos de caixa	Valores presentes	Fórmula utilizada
10		1	$ 200	$ 178,57	=VP($B$7,A10,0,−B10)
11		2	$ 400	$ 318,88	=VP($B$7,A11,0,−B11)
12		3	$ 600	$ 427,07	=VP($B$7,A12,0,−B12)
13		4	$ 800	$ 508,41	=VP($B$7,A13,0,−B13)
14					
15			VP Total:	$ 1.432,93	=SOMA(C10:C13)
16					
17	Observe os sinais negativos inseridos nas fórmulas de VP. Eles só fazem com que os valores				
18	presentes tenham sinais positivos. Além disso, a taxa de desconto na célula B7 é inserida como				
19	$B$7 (uma referência "fixa"), pois é utilizada muitas e muitas vezes. Poderíamos ter simplesmente				
20	inserido "0,12", mas nossa abordagem é mais flexível.				
21					
22					

Resumo e conclusões

1. Dois conceitos básicos, *valor futuro* e *valor presente*, foram apresentados no início deste capítulo. Com uma taxa de juros de 10%, um investidor com $ 1 hoje pode gerar um valor futuro de $ 1,10 em um ano, $ 1,21 [=$ 1 × (1,10)^2] em dois anos e assim por diante. De modo inverso, uma análise de valor presente apresenta o valor atual de um valor futuro. Com a mesma taxa de juros de 10%, $ 1 a ser recebido em um ano tem um valor presente de $ 0,909 (=$ 1/1,10) no Ano 0; $1 a ser recebido em dois anos tem um valor presente de $ 0,826 [=$ 1/(1,10)^2].

2. Podemos expressar uma taxa de juros como, digamos, 12% ao ano. Contudo, se essa taxa de juros corresponde a 3% por trimestre, embora a taxa de juros anual anunciada permaneça como taxa nominal de 12% (=3% × 4), a taxa de juros anual efetiva é 12,55% [=(1,03)^4 − 1]. Em outras palavras, o processo de capitalização composta aumenta o valor futuro de um investimento. O caso limite é a capitalização contínua, em que se supõe que os fundos sejam reinvestidos a cada instante infinitesimal.

3. Uma técnica quantitativa básica de tomada de decisões financeiras é a análise de valor presente líquido. A fórmula de valor presente líquido para um investimento que gere fluxos de caixa (C_i) em períodos futuros é:

$$VPL = -C_0 + \frac{C_1}{(1+r)} + \frac{C_2}{(1+r)^2} + \cdots + \frac{C_T}{(1+r)^T} = -C_0 + \sum_{i=1}^{T} \frac{C_i}{(1+r)^i}$$

A fórmula supõe que o fluxo de caixa na data 0 seja o investimento inicial (um fluxo de saída de caixa). *r* é a taxa de juros apropriada refletindo o tempo e o risco.

4. Frequentemente, o cálculo real do valor presente é longo e tedioso. O cálculo do valor presente de uma hipoteca com prazo longo e pagamentos mensais é um bom exemplo disso. Apresentamos quatro fórmulas simplificadoras:

$$\text{Perpetuidade: VP} = \frac{C}{r}$$

$$\text{Perpetuidade crescente: VP} = \frac{C}{r-g}$$

$$\text{Anuidade: VP} = C\left[\frac{1 - \frac{1}{(1+r)^T}}{r}\right]$$

$$\text{Anuidade crescente: VP} = C\left[\frac{1 - \left(\frac{1+g}{1+r}\right)^T}{r-g}\right]$$

5. Enfatizamos algumas considerações práticas na aplicação dessas fórmulas:
   a. O numerador em cada uma das fórmulas, C, é o fluxo de caixa a ser recebido *daí a um período completo*.
   b. Os fluxos de caixa são geralmente irregulares na prática. Para evitar problemas de difícil controle, as suposições para criar fluxos de caixa mais regulares são feitas neste livro didático e no mundo real.
   c. Um número de problemas de valor presente envolve anuidades (ou perpetuidades) começando daqui a alguns períodos. Os alunos devem praticar a combinação da fórmula de anuidade (ou perpetuidade) com a fórmula de desconto para resolver esses problemas.
   d. As anuidades e perpetuidades podem ter períodos a cada dois ou a cada n anos em lugar de uma vez por ano. As fórmulas de anuidade e perpetuidade podem facilmente lidar com essas circunstâncias.
   e. Frequentemente, encontramos problemas em que o valor presente de uma anuidade precisa ser equiparado com o valor presente de outra.

6. Vimos que, no mercado brasileiro, fazemos a contagem de prazos em dias úteis e que as taxas são expressas no formato de taxa efetiva anual para 252 dias úteis. Em operações financeiras, a incidência de taxas, tanto para aplicações quanto para empréstimos e financiamentos, leva em conta o número efetivo de dias úteis do período.

QUESTÕES CONCEITUAIS

1. **Capitalização e o tempo** À medida que você aumenta o tempo envolvido, o que acontece com os valores futuros? O que acontece aos valores presentes?
2. **Taxas de juros** O que acontecerá com o valor futuro de uma anuidade se você aumentar a taxa r? O que acontecerá com o valor presente?
3. **Valor presente** Suponhamos que dois atletas assinem contratos de 10 anos por $ 80 milhões. Em um dos casos, sabemos que os $ 80 milhões serão pagos em 10 parcelas iguais. No outro caso, sabemos que os $ 80 milhões serão pagos em 10 parcelas, mas elas aumentarão em 5% ao ano. Quem conseguiu o melhor negócio?
4. **TNa e TEFa** As leis que disciplinam empréstimos deveriam exigir que os emprestadores reportem as taxas efetivas anuais (TEFas) ou as taxas nominais anuais (TNas)? Por quê?
5. **Valor do dinheiro no tempo** Nos empréstimos subsidiados da Stafford, uma fonte comum de auxílio financeiro para estudantes universitários norte-americanos, os juros não incidem antes que os pagamentos comecem. Quem recebe um subsídio maior: um calouro ou um formando? Explique.

Utilize as seguintes informações para responder às cinco próximas questões: A Toyota Motor Credit Corporation (TMCC), uma subsidiária da Toyota Motor Corporation, ofereceu alguns títulos para venda ao público em 28 de março de 2008 nos Estados Unidos. Segundo os termos da oferta, a TMCC prometia pagar ao detentor de um desses títulos US$ 100.000 em 28 de março de 2038, mas os investidores não receberiam nada até aí. Os investidores pagaram à TMCC US$ 24.099 por cada um desses títulos, portanto, deram esse valor em 28 de março de 2008 pela promessa de um pagamento de US$ 100.000 30 anos depois.

6. **Valor do dinheiro no tempo** Por que a TMCC estaria disposta a aceitar um montante tão pequeno hoje (US$ 24.099) em troca da promessa do pagamento de cerca de quatro vezes esse valor (US$ 100.000) no futuro?

7. **Opção de compra** A TMCC tem o direito de recomprar os títulos, nas datas de aniversário, a um preço prestabelecido na emissão (essa é uma cláusula específica dessa emissão). Qual é o impacto dessa condição sobre a atratividade desse título como investimento?

8. **Valor do dinheiro no tempo** Você estaria disposto a pagar US$ 24.099 hoje em troca de US$ 100.000 em 30 anos? Quais seriam as principais considerações ao responder sim ou não? Sua resposta depende de quem está fazendo a promessa de pagamento?

9. **Comparação de investimentos** Suponha que, quando a TMCC ofereceu o título por US$ 24.099, o Tesouro dos Estados Unidos também tenha oferecido um título essencialmente idêntico. Você acha que esse título teria um preço mais alto ou mais baixo? Por quê?

10. **Período do investimento** O título da TMCC é comprado e vendido na Bolsa de Valores de Nova York. Se soubesse o preço hoje, acha que ele excederia os US$ 24.099 do preço original? Por quê? E se fosse em 2019, você pensa que o preço seria mais alto ou mais baixo do que o atual? Por quê?

QUESTÕES E PROBLEMAS

BÁSICO
(Questões 1-20)

1. **Juros simples versus juros compostos** O Primeiro Banco da Praça paga 8% de juros simples sobre suas contas poupança, enquanto o Segundo Banco da Praça paga 8% de juros compostos anualmente. Se você fizesse um depósito de $ 5.000 em cada banco, quanto teria a mais em sua conta do Segundo Banco da Praça ao fim de 10 anos?

2. **Cálculo de valores futuros** Calcule o valor futuro de $ 1.000 compostos anualmente para
   a. 10 anos a 5%
   b. 10 anos a 10%
   c. 20 anos a 5%
   d. Por que os juros auferidos na parte (c) não são o dobro do auferido na parte (a)?

3. **Cálculo de valores presentes** Para cada conjunto de dados seguintes, calcule o valor presente:

Valor presente	Anos	Taxa de juros	Valor futuro
	6	7%	$ 13.827
	9	15	43.852
	18	11	725.380
	23	18	590.710

4. **Cálculo de taxas de juros** Calcule a taxa de juros para cada conjunto de dados seguintes:

Valor presente	Anos	Taxa de juros	Valor futuro
$ 242	4		$ 307
410	8		896
51.700	16		162.181
18.750	27		483.500

5. **Cálculo do número de períodos** Calcule o número de anos em cada conjunto de dados seguintes:

Valor presente	Anos	Taxa de juros	Valor futuro
$ 625		9%	$ 1.284
810		11	4.341
18.400		17	402.662
21.500		8	173.439

6. **Cálculo do número de períodos** A 8% de juros, quanto tempo leva até dobrar seu dinheiro? E para quadruplicá-lo?

7. **Cálculo dos valores presentes** A Imprudente S/A tem um passivo atuarial de plano de pensão de $ 630 milhões a ser pago em 20 anos. Para calcular o valor da ação da empresa, os analistas financeiros querem descontar esse passivo até o presente. Se a taxa de desconto relevante for 7,1%, qual é o valor presente desse passivo?

8. **Cálculo de taxas de retorno** Apesar de ser atraente para gostos mais refinados, a arte como item colecionável nem sempre foi muito lucrativa. Durante 2010, a Deutscher-Menzies vendeu *Arkie under the Shower*, uma obra do conhecido pintor australiano Brett Whiteley, em leilão por um preço de US$ 1.100.000. Infelizmente para o dono anterior, ele a havia comprado três anos antes por um preço de US$ 1.680.000. Qual foi a taxa de retorno anual do investimento nessa pintura?

9. **Perpetuidades** Um investidor comprando um *consol* britânico tem direito a receber pagamentos anuais do governo britânico para sempre. Qual é o preço de um *consol* que pague $ 150 anualmente se o próximo pagamento ocorrer daqui a um ano? A taxa de juros do mercado é 4,6%.

10. **Capitalização contínua** Calcule o valor futuro de $ 1.900 compostos continuamente por
    a. sete anos a uma taxa de juros anual nominal de 12%.
    b. cinco anos a uma taxa de juros anual nominal de 10%.
    c. doze anos a uma taxa de juros anual nominal de 5%.
    d. dez anos a uma taxa de juros anual nominal de 7%.

11. **Valor presente e vários fluxos de caixa** A Conoly S/A. identificou um projeto de investimento com os fluxos de caixa a seguir. Se a taxa de desconto for 10%, qual é o valor presente desses fluxos de caixa? Qual é o valor presente a 18%? E a 24%?

Ano	Fluxo de caixa
1	$ 960
2	840
3	935
4	1.350

12. **Valor presente e vários fluxos de caixa** O investimento X oferece o pagamento de $ 4.500 por ano ao longo de nove anos, enquanto o investimento Y oferece $ 7.000 por ano ao longo de cinco anos. Qual desses fluxos de caixa tem o valor presente mais elevado se a taxa de desconto for 5%? E se a taxa de desconto for 22%?

13. **Cálculo do valor presente de uma anuidade** Um investimento oferece $ 4.900 ao ano por 15 anos, com o primeiro pagamento ocorrendo daqui a um ano. Se o retorno exigido for 8%, qual é o valor do investimento? Qual seria o valor se os pagamentos ocorressem por 40 anos? E por 75 anos? E para sempre?

14. **Cálculo de valores de perpetuidade** A Companhia de Seguros Perpétua S/A está tentando lhe vender uma apólice de investimento que pagará a você e a seus herdeiros $ 15.000

ao ano para sempre. Se o retorno exigido sobre esse investimento for 5,2%, quanto você pagará pela apólice? Suponha que a Companhia de Seguros Perpétua S/A tenha dito que a apólice custa $ 320.000. A qual taxa de juros o negócio seria justo?

15. **Cálculo da TEFa** Encontre a TEFa em cada um dos seguintes casos:

Taxa anunciada (TPa)	Número de capitalizações	Taxa efetiva (TEFa)
7%	Trimestralmente	
16	Mensalmente	
11	Diariamente	
12	Infinito	

16. **Cálculo da TPa** Encontre a TPa anunciada, ou taxa nominal, em cada um dos seguintes casos:

Taxa anunciada (TPa)	Número de capitalizações	Taxa efetiva (TEFa)
	Semestralmente	9,8%
	Mensalmente	19,6
	Semanalmente	8,3
	Infinito	14,2

17. **Cálculo da TEFa** O Primeiro Banco da Praça cobra 11,2% capitalizados mensalmente sobre seus empréstimos comerciais. O Primeiro Banco do Campo cobra 11,4% capitalizados semestralmente. Como mutuário em potencial, qual banco você procuraria para um novo empréstimo?

18. **Taxas de juros** O famoso autor financeiro Andrew Tobias argumenta que pode ganhar 177% ao ano comprando vinhos por caixa. Especificamente, ele pressupõe que consumirá uma garrafa de US$ 10 de Bordeaux fino por semana pelas próximas 12 semanas. Ele pode pagar US$ 10 por semana ou comprar uma caixa com 12 garrafas hoje. Se comprar a caixa, terá um desconto de 10% e, assim, auferirá os 177%. Suponha que ele compre o vinho e consuma a primeira garrafa hoje. Você concorda com a análise dele? Vê algum problema com seus cálculos?

19. **Cálculo do número de períodos** Um de seus clientes está inadimplente no saldo de suas contas a pagar. Vocês concordaram em fazer um cronograma de pagamento de $ 700 por mês. Você irá cobrar 1,3% de juros ao mês sobre o saldo em atraso. Se o saldo atual for de $ 21.500, quanto tempo levará para que a conta seja liquidada?

20. **Cálculo da TEFa** A Empréstimos Amigos Rápidos S/A lhe oferece "três por quatro ou uma visita no ato". Isso significa que você toma $ 3 hoje e paga $ 4 quando receber seu salário em uma semana (ou outro prazo). Qual é o retorno anual efetivo que a Empréstimos Amigos Rápidos aufere nesse negócio de empréstimos? Se você tivesse coragem suficiente para perguntar, qual taxa percentual anual (TPa) a empresa diria que você está pagando?

INTERMEDIÁRIO
(Questões 21-50)

21. **Valor futuro** Qual é o valor futuro em seis anos de $ 1.000 investidos em uma conta com uma taxa de juros anual anunciada de 9%

    a. capitalizada anualmente?
    b. capitalizada semestralmente?
    c. capitalizada mensalmente?
    d. capitalizada continuamente?
    e. Por que o valor futuro aumenta à medida que o período de capitalização composta diminui?

22. **Juros simples *versus* juros compostos** O Banco Simples S/A paga 5% de juros simples sobre suas contas de investimento. Se o Banco Composto S/A pagar juros capitalizados anualmente sobre suas contas, qual taxa o banco deve definir se quiser se comparar ao Banco Simples S/A em um horizonte de investimento de 10 anos?

23. **Cálculo de anuidades** Você está planejando economizar para a aposentadoria pelos próximos 30 anos. Para tanto, investirá mensalmente $ 800 em um fundo de ações e $ 350 em um fundo de renda fixa. O retorno do fundo de ações é estimado em 11%, e o fundo de renda fixa pagará 6%. Quando se aposentar, você juntará seu dinheiro em uma só conta com retorno de 8%. Quanto você pode sacar a cada mês da sua conta pressupondo um período de 25 anos de saques?

24. **Cálculo de taxas de retorno** Suponha que um investimento ofereça quadruplicar seu dinheiro em 12 meses (não acredite nisso). Qual taxa de retorno por trimestre está sendo oferecida?

25. **Cálculo de taxas de retorno** Você está tentando escolher entre dois investimentos diferentes, ambos com saída de caixa inicial de $ 65.000. O investimento G retorna $ 125.000 em seis anos. O investimento H retorna $ 185.000 em 10 anos. Qual desses investimentos tem a taxa de retorno mais elevada?

26. **Perpetuidades crescentes** Marcos Weinstein tem trabalhado em uma tecnologia avançada de cirurgia ocular a laser. Sua tecnologia estará disponível em um futuro próximo. Ele prevê que seu primeiro fluxo de caixa anual da tecnologia será de $ 175.000, a serem recebidos daqui a dois anos. Os fluxos de caixa anuais subsequentes crescerão a 3,5% em perpetuidade. Qual é o valor presente da tecnologia se a taxa de desconto for 10%?

27. **Perpetuidades** Um prestigiado banco de investimento desenvolveu um novo título que paga um dividendo trimestral de $ 4,50 em perpetuidade. O primeiro dividendo ocorrerá daqui a um trimestre. Qual é o preço do título se a taxa de juros anual anunciada for 6,5%, capitalizada trimestralmente?

28. **Valores presentes de anuidade** Qual é o valor presente de uma anuidade de $ 6.500 ao ano com o primeiro fluxo de caixa recebido em três anos a partir de hoje e o último daqui a 25 anos? Utilize uma taxa de desconto de 7%.

29. **Valores presentes de anuidade** Qual é o valor hoje de uma anuidade de 15 anos que pague $ 650 ao ano? O primeiro pagamento da anuidade ocorrerá daqui a seis anos. A taxa de juros anual é 11% para os Anos 1 até 5 e 13% daí em diante.

30. **Pagamentos balão** André Sanbo acaba de combinar a compra de uma casa para férias, no valor de $ 550.000 nas Bahamas com uma entrada de 20%. A hipoteca tem uma taxa de juros anual anunciada de 6,1%, capitalizada mensalmente, e exige pagamentos mensais iguais pelos próximos 30 anos. Seu primeiro pagamento vencerá daqui a um mês. No entanto, a hipoteca tem um pagamento balão de oito anos, o que quer dizer que o saldo do empréstimo precisa ser liquidado no final do Ano 8. Não houve outros custos de operação ou encargos financeiros. De quanto será o pagamento balão de André em oito anos?

31. **Cálculo de despesa financeira** Você recebe uma proposta de cartão de crédito do Banco Sombrio S/A oferecendo uma taxa inicial de 2,40% ao ano capitalizada mensalmente nos primeiros seis meses, aumentando daí em diante para 18% ao ano capitalizados mensalmente. Supondo que transfira o saldo de $ 7.500 de seu atual cartão de crédito e não faça pagamentos subsequentes, quanto de juros você deverá ao final do primeiro ano?

32. **Perpetuidades** A Barreto Farmacêutica está analisando um projeto de produção de medicamentos com investimento de $ 2,5 milhões hoje e expectativa de geração de fluxos de caixa anuais de fim de ano de $ 277.000 para sempre. A qual taxa de desconto seria indiferente para a Barreto aceitar ou rejeitar o projeto?

33. **Anuidade crescente** A Companhia Publicadora Financeira está tentando decidir se revisa seu popular livro didático *Psicanálise Financeira, Uma abordagem simples*. A empresa

estimou que a revisão custará $ 75.000. Os fluxos de caixa do aumento das vendas serão de $ 21.000 no primeiro ano. Esses fluxos de caixa aumentarão a 4% por ano. O livro sairá de circulação daqui a cinco anos. Suponha que o custo inicial seja pago agora e que os rendimentos sejam recebidos no fim de cada ano. Se a empresa exigir um retorno de 10% por tal investimento, ela deveria empreender a revisão?

34. **Anuidade crescente** O seu trabalho lhe paga somente uma vez por ano por tudo o que você realizou nos 12 meses anteriores. Hoje, 31 de dezembro, você acaba de receber seu pagamento de $ 65.000 e planeja gastar tudo. Entretanto, você quer começar a poupar para a aposentadoria a partir do próximo ano. Você decidiu que, daqui a um ano, começará a depositar 5% de seus ganhos anuais em uma conta que renderá 10% ao ano. Os seus ganhos aumentarão 4% ao ano ao longo de sua carreira. Quanto dinheiro você terá na data de sua aposentadoria daqui a 40 anos?

35. **Valor presente e taxas de juros** Qual é a relação entre o valor de uma anuidade e o nível das taxas de juros? Suponha que você tenha acabado de comprar uma anuidade de 15 anos que lhe paga $ 6.800 fixos ao ano, e que a precificação da compra foi feita à taxa de juros atual de 10% ao ano. O que acontece ao valor de seu investimento se as taxas de juros repentinamente caírem para 5%? E se as taxas de juros repentinamente subirem para 15%?

36. **Cálculo do número de pagamentos** Você está preparado para fazer depósitos mensais de $ 350, a partir do final deste mês, em uma conta que paga 10% de juros anuais capitalizados mensalmente. Quantos depósitos você terá feito quando o saldo da conta chegar a $ 35.000?

37. **Cálculo de valores presentes de anuidade** Você quer tomar emprestados $ 65.000 de seu banco para comprar um barco novo. Você pode arcar com pagamentos mensais de $ 1.320, mas nada além disso. Supondo capitalização mensal, qual é a maior TPa que você pode pagar em um empréstimo de 60 meses?

38. **Cálculo de pagamentos de empréstimo** Você precisa de um empréstimo de 30 anos com taxa fixa para comprar uma casa nova por $ 250.000, com garantia de hipoteca. Seu banco lhe emprestará o dinheiro a 5,3% de TPa para esse empréstimo de 360 meses. Entretanto, você só pode arcar com pagamentos mensais de $ 950, assim, oferece pagar todo o saldo restante no fim do empréstimo na forma de um único pagamento balão. De quanto terá de ser esse pagamento balão para que você mantenha seus pagamentos mensais a $ 950?

39. **Valores presente e futuro** O valor presente do fluxo de caixa a seguir é $ 7.300 quando descontado a 8% anualmente. Qual é o valor do fluxo de caixa que está faltando?

Ano	Fluxo de caixa
1	$ 1.500
2	?
3	2.700
4	2.900

40. **Cálculo de valores presentes** Você acaba de ganhar uma loteria nos Estados Unidos. Você receberá US$ 1 milhão hoje mais outros 10 pagamentos anuais que aumentam em US$ 275.000 por ano. Portanto, em um ano, você receberá US$ 1,275 milhão. Em dois anos, obterá US$ 2 milhões, e assim por diante. Se a taxa de juros apropriada for 9%, qual é o valor presente do prêmio?

41. **TEFa versus TPa** Você acaba de comprar um novo armazém. Para financiar a compra, você fez uma hipoteca de 30 anos por 80% do preço de compra de $ 4.500.000. O pagamento mensal sobre esse empréstimo será de $ 27.500. Qual é a TPa desse empréstimo? E a TEFa?

42. **Valor presente e juros de ponto de equilíbrio** Considere uma empresa com um contrato para vender um ativo por US$ 115.000 daqui a três anos. Os custos para a produção do ativo são de US$ 76.000 hoje. Dada uma taxa de desconto relevante sobre esse ativo de 13% ao ano, a empresa terá lucro sobre ele? A qual taxa de juros a empresa apenas empata?

43. **Valor presente e fluxos de caixa diferidos** Qual é o valor presente de US$ 5.000 por ano a uma taxa de desconto de 6% se o primeiro pagamento for recebido daqui a seis anos e o último, daqui a 25 anos?

44. **Taxas de juros variáveis** Uma anuidade de 15 anos paga US$ 1.500 por mês, e os pagamentos são feitos ao final de cada mês. Se a taxa de juros for 12% capitalizados mensalmente nos sete primeiros anos e 6% capitalizados mensalmente daí em diante, qual é o valor presente da anuidade?

45. **Comparação de fluxos de caixa** Você tem a opção de duas contas de investimento. O investimento A é uma anuidade de 15 anos com pagamentos de $ 1.500 ao final de cada mês e tem taxa de juros de 8,7% capitalizados mensalmente. O investimento B é um pagamento único com taxa anual de 8% com capitalização contínua também válido por 15 anos. Quanto você precisa investir em B hoje para que ele valha tanto quanto o investimento A daqui a 15 anos?

46. **Cálculo do valor presente de uma perpetuidade** Dada uma taxa de juros de 6,1% ao ano, qual é o valor na Data $t = 7$ de um fluxo perpétuo de pagamentos anuais de $ 2.500 que comece na Data $t = 15$?

47. **Cálculo da TEFa** Uma financeira cota uma taxa de juros de 16% sobre empréstimos de um ano. Portanto, se você tomar emprestados $ 26.000, os juros para o ano serão de $ 4.160. Como você deve pagar o total de $ 30.160 em um ano, a financeira exige que pague $ 30.160/12, ou $ 2.513,33 por mês, ao longo dos próximos 12 meses. Esse é um empréstimo a 15%? Qual taxa seria cotada pelo banco se ele anunciasse a taxa nominal atual (TPa)? Qual é a taxa efetiva anual (TEFa) que estará sendo cobrada?

48. **Cálculo de valores presentes** Uma anuidade por cinco anos com 10 pagamentos semestrais de $ 5.300 começará daqui a nove anos, com o primeiro pagamento em 9,5 anos. Se a taxa de desconto for 12% capitalizados mensalmente, qual será o valor dessa anuidade daqui a cinco anos? Qual será o valor daqui a três anos? Qual é o valor atual da anuidade?

49. **Cálculo de anuidades antecipadas** Suponha que você vá receber $ 20.000 por ano durante cinco anos. A taxa de juros apropriada é 7%.
    a. Qual é o valor presente dos pagamentos se estiverem na forma de uma anuidade ordinária? Qual é o valor presente se os pagamentos forem uma anuidade antecipada?
    b. Suponha que planeje investir os pagamentos por cinco anos. Qual é o valor futuro se os pagamentos forem uma anuidade ordinária? E se os pagamentos forem uma anuidade antecipada?
    c. Qual tem o maior valor presente, a anuidade ordinária ou a antecipada? Qual tem o maior valor futuro? Isso sempre será assim?

50. **Cálculo de anuidades antecipadas** Você quer comprar um carro esportivo novo da Músculo Motores por $ 73.000. O contrato de financiamento está na forma de uma anuidade antecipada de 60 meses a uma TPa de 6,45% ao ano. Qual será o pagamento mensal?

51. **Cálculo de anuidades antecipadas** Você quer arrendar um conjunto de tacos de golfe da Ping Pong Ltda. O contrato de arrendamento está na forma de 24 pagamentos mensais iguais e uma taxa de juros anual cotada a 10,4%, capitalizada mensalmente. Como os tacos custam $ 2.300, a Ping Pong quer que o VP dos pagamentos de arrendamento iguale esse valor. Suponha que seu primeiro pagamento vença imediatamente. De quanto serão seus pagamentos mensais?

DESAFIO
(Questões 51-75)

52. **Anuidades** Você está economizando para a educação universitária de seus dois filhos. Eles têm diferença de dois anos; um começará a faculdade daqui a 15 anos, e o outro,

daqui a 17 anos. Você estima que as despesas com a universidade de seus filhos serão de $ 45.000 ao ano por filho, pagáveis no início de cada ano letivo. A taxa de juros anual é 7,5%. Quanto você precisa depositar em uma conta todos os anos para custear a educação de seus filhos? Seus depósitos começam daqui a um ano. O último depósito será feito quando seu filho mais velho ingressar na universidade. Simule quatro anos de faculdade.

53. **Anuidades crescentes** Antônio Adams recebeu uma oferta de emprego de um grande banco de investimentos para uma carreira de escriturário. Seu salário anual base será $ 55.000. Ele receberá seu primeiro pagamento de salário anual um ano depois do dia em que começar a trabalhar. Além disso, obterá um bônus imediato de $ 10.000 por ingressar na empresa. Seu salário aumentará 3,5% a cada ano. A cada ano, ele receberá um bônus igual a 10% de seu salário. Espera-se que o Sr. Adams trabalhe por 25 anos. Qual é o valor presente da oferta se a taxa de desconto for 9%?

54. **Cálculo de anuidades** Você recentemente ganhou o superprêmio de uma loteria. Ao ler as letras miúdas, você descobre que tem as duas seguintes opções:
    a. Você receberá 31 pagamentos anuais de $ 250.000, com o primeiro pagamento sendo entregue hoje. A renda será tributada à alíquota de 30%. Os impostos serão retidos na fonte quando os cheques forem emitidos.
    b. Você receberá $ 530.000 agora e não terá de pagar impostos sobre esse montante. Além disso, começando daqui a um ano, você receberá $ 200.000 a cada ano por 30 anos. Os fluxos de caixa dessa anuidade serão tributados a 30%.

    Utilizando uma taxa de desconto de 7%, qual opção você deve selecionar?

55. **Cálculo de anuidades crescentes** Faltam 30 anos para sua aposentadoria e você quer se aposentar com $ 2 milhões. Seu salário é pago anualmente, e você receberá $ 70.000 no fim deste ano. Seu salário aumentará 3% ao ano, e você pode auferir um retorno de 9% sobre o dinheiro que investir. Se você poupa uma parcela constante de seu salário, qual percentagem dele deve ser economizada a cada ano?

56. **Pagamentos balão** Em 1º de setembro de 2009, Susana Chaves comprou uma moto por $ 30.000. Ela pagou $ 1.000 no ato e financiou o saldo com um empréstimo de cinco anos a uma taxa de juros anual anunciada de 7,2%, capitalizada mensalmente. Ela começou os pagamentos mensais exatamente um mês depois da compra (i.e., em 1º de outubro de 2009). Dois anos depois, no fim de outubro de 2011, Susana conseguiu um novo trabalho e decidiu quitar o empréstimo. Se o banco cobrou dela uma multa de pré-pagamento de 1% baseada no saldo do empréstimo, quanto ela teve que pagar ao banco em 1º de novembro de 2011?

57. **Cálculo de valores de anuidade** Bilbo Bolseiro quer poupar dinheiro para atender a três objetivos. Primeiro, ele gostaria de poder se aposentar daqui a 30 anos com uma renda de $ 23.000 por mês durante 20 anos, com o primeiro pagamento recebido daqui a 30 anos e um mês. Segundo, gostaria de comprar uma casa em Valfenda em 10 anos a um custo estimado de $ 320.000. Terceiro, se falecer ao final dos 20 anos de saques, gostaria de deixar uma herança de $ 1.000.000 para seu sobrinho Frodo. Ele pode economizar $ 2.100 por mês pelos próximos 10 anos. Se ele puder ganhar uma TEFa de 11% antes e uma TEFa de 8% depois de se aposentar, quanto terá de economizar a cada mês entre os anos 11 e 30?

58. **Cálculo de valores de anuidade** Você decidiu comprar um carro novo; você pode financiá-lo com um *leasing* ou com um empréstimo de três anos. O carro que você quer comprar custa $ 31.000. A revendedora tem um plano de *leasing* especial em que você paga $ 1.500 hoje e $ 405 por mês nos próximos três anos. Se comprar o carro, você o quitará com prestações mensais pelos próximos três anos a uma TPa de 6%. Você acredita que conseguirá vender o carro por $ 20.000 em três anos. Você deve comprar o carro ou fazer um *leasing*? Qual preço de ponto de equilíbrio de revenda em três anos tornaria a compra e o *leasing* iguais?

59. **Cálculo de valores de anuidade** Um jogador está em negociações de contrato com um novo clube. O time ofereceu a seguinte estrutura salarial:

Prazo	Salário
0	$ 8.500.000
1	3.900.000
2	4.600.000
3	5.300.000
4	5.800.000
5	6.400.000
6	7.300.000

Todos os salários serão pagos em uma única parcela. O jogador pediu que você, como seu agente, renegociasse as condições. Ele quer um bônus de assinatura de $ 10 milhões pagável hoje e um aumento no valor do contrato de $ 1.500.000. Ele também quer um salário igual pago a cada três meses, com o primeiro pagamento daqui a três meses. Se a taxa de juros for 5% capitalizados diariamente, qual é o montante desse pagamento trimestral? Considere que haja 365 dias em um ano e que a capitalização seja realizada em dias corridos.

60. **Empréstimos tipo desconto** Esta questão ilustra aquilo que é conhecido como *operação de desconto*. Imagine que você esteja discutindo um empréstimo. Você quer tomar emprestados $ 20.000 por um ano. A taxa de juros é 15%. Você e o credor concordam que os juros sobre o empréstimo serão 0,15 × $ 20.000 = $ 3.000. O credor deduz esse montante de juros do empréstimo no início e lhe dá $ 17.000. Neste caso, dizemos que o desconto é de $ 3.000. Qual é a taxa efetiva de juros nesta operação? A operação de empréstimo bancário para empresas conhecida como *Desconto de Duplicatas* funciona assim.

61. **Cálculo de valores de anuidade** Você está atuando em um júri. Um querelante está processando a cidade por danos sofridos em um acidente com uma máquina de varrer ruas fora de controle. No julgamento, os médicos testemunharam que levará cinco anos até que o querelante possa voltar a trabalhar. O júri já decidiu em favor do querelante. Você é o presidente do júri e propõe que seja oferecida uma indenização para cobrir o seguinte: (1) O valor presente de salários retroativos de dois anos. O salário anual do querelante nos últimos dois anos seria $ 37.000 e $ 39.000, respectivamente. (2) O valor presente de salários futuros de cinco anos: suponha que o salário será de $ 43.000 por ano. (3) $ 150.000 pela dor e pelo sofrimento. (4) $ 25.000 pelos custos com o processo. Suponha que os pagamentos de salário sejam montantes iguais pagos ao final de cada mês. Se a taxa de juros escolhida for uma TEFa de 9%, qual é o tamanho da indenização? Se você fosse o querelante, gostaria de ver aplicada uma taxa de juros maior ou menor?

62. **Cálculo da TEFa com pontos** Você está examinando um empréstimo de $ 10.000 por um ano. A taxa de juros foi cotada a 8% mais três pontos. Um *ponto* em um empréstimo é simplesmente 1% (um ponto percentual) do montante do empréstimo. Cotações similares a essa são muito comuns em hipotecas residenciais nos Estados Unidos. A cotação da taxa de juros, neste exemplo, exige que o mutuário pague uma comissão de 3% ao financiador à vista e pague o empréstimo mais tarde com 8% de juros. Qual é a taxa efetiva de juros que você estaria realmente pagando se o banco descontar os 3% do valor emprestado? Qual é a TEFa para um empréstimo de um ano com uma taxa de juros cotada de 11% mais dois pontos? Sua resposta é afetada pelo montante do empréstimo?

63. **TEFa *versus* TPa** Dois bancos oferecem hipotecas de $ 200.000 por 30 anos a 5,3% e cobram uma tarifa de análise de crédito de $ 2.400. A tarifa cobrada pelo Banco Inseguro é restituída se o pedido de empréstimo for negado, ao passo que a cobrada pelo Banco Ávido não é. Quais são as TEFas sobre esses dois empréstimos? Quais são as TPas?

64. **Cálculo da TEFa com juros acrescidos** Este problema ilustra uma maneira enganosa de cotar taxas de juros que ocorre nos Estados Unidos, chamada de *juros acrescidos* (*add on interests*).

    Imagine que você veja um anúncio da Crazy Judy's Stereo City dizendo algo assim: "Crédito instantâneo de $ 1.000! A 18% de juros simples! Três anos para pagar! Pagamentos mensais bem baixinhos!". Você não tem muita certeza do que isso tudo quer dizer, e alguém derrubou tinta sobre a TPa anunciada para o contrato de empréstimo, então você pede esclarecimentos ao gerente.

    Judy explica que, se você tomar emprestados US$ 1.000 por três anos a juros de 18%, em três anos deverá:

    $$US\$ 1.000 \times 1,18^3 = US\$ 1.000 \times 1,64303 = US\$ 1.643,03$$

    Porém, Judy reconhece que ter $ 1.643,04 de uma vez pode ser complicado, assim, ela permite que você faça "pagamentos baixinhos" de US$ 1.643,03/36 = US$ 45,64 por mês, embora isso seja trabalho contábil extra para ela.

    A taxa de juros sobre esse empréstimo é de 18%? Por quê? Qual seria a TPa divulgada nesse empréstimo? Qual é a TEFa? Por que você acha que esse esquema é chamado de *juros acrescidos*?

65. **Cálculo de número de períodos** Suas férias no Natal, em uma estação de esqui no exterior, foram ótimas, mas, infelizmente, ultrapassaram um pouco o seu orçamento. Nem tudo está perdido: você acaba de receber uma oferta pelo correio para transferir o saldo de seu cartão de crédito atual de $ 10.000, que cobra uma taxa anual de 18,6%, para um novo cartão de crédito cobrando uma taxa de 8,2%. Com que rapidez você quitaria o empréstimo fazendo seus pagamentos mensais planejados de $ 200 com o novo cartão? E se houvesse uma taxa de 2% cobrada sobre os saldos transferidos?

66. **Valor futuro e múltiplos fluxos de caixa** Uma companhia de seguros está oferecendo uma nova apólice a seus clientes. Em geral, a apólice é comprada por um pai ou avô para um filho na data do nascimento dele. Os detalhes da apólice são os seguintes: O comprador (p. ex., o pai) faz seis pagamentos para a companhia de seguros:

Primeiro aniversário:	$ 500
Segundo aniversário:	$ 600
Terceiro aniversário:	$ 700
Quarto aniversário:	$ 800
Quinto aniversário:	$ 900
Sexto aniversário:	$ 1.000

    Após o sexto aniversário da criança, nenhum pagamento é feito. Quando a criança chegar à idade de 65 anos, receberá $ 275.000. Se a taxa de juros relevante for 11% para os primeiros seis anos e de 7% para todos os anos subsequentes, vale a pena comprar a apólice?

67. **Valores presentes de anuidade e taxas efetivas** Você tem um ativo pelo qual receberá $ 2.500.000 hoje e, depois, 40 pagamentos de $ 1.250.000. Esses pagamentos começarão daqui a um ano e serão feitos a cada seis meses. Um representante da Folhazul Investimentos ofereceu-se para comprar todos os seus pagamentos por $ 23 milhões. Se a taxa de juros apropriada for uma TPa de 9% capitalizada diariamente, você deve aceitar a oferta? Suponha que haja 12 meses em um ano, cada um com 30 dias.

68. **Cálculo de taxas de juros** Um serviço de planejamento financeiro oferece um programa de poupança para a faculdade. O plano pede que você faça seis pagamentos anuais de $ 11.000 cada um, com o primeiro pagamento ocorrendo hoje, no 12º aniversário do seu filho. A partir do 18º aniversário dele, o plano fornecerá $ 25.000 por ano durante quatro anos. Qual taxa de retorno o investimento está oferecendo?

69. **Ponto de equilíbrio de retornos sobre investimentos** Seu planejador financeiro oferece dois planos de investimentos diferentes. O plano X é uma perpetuidade anual de $ 15.000. O plano Y é uma anuidade de $ 26.000 por 10 anos. Ambos os planos farão seu primeiro pagamento daqui a um ano. A qual taxa de desconto você diria que tanto faz escolher entre um e outro?

70. **Fluxos de caixa perpétuos** Qual é o valor de um investimento que paga $ 30.000 a cada *dois* anos para sempre se o primeiro pagamento ocorrer daqui a um ano e a taxa de desconto for 13% capitalizada diariamente? Qual é o valor hoje se o primeiro pagamento ocorrer daqui a quatro anos? Considere 365 dias em um ano.

71. **Anuidades ordinárias e anuidades antecipadas** Conforme discutido no texto, uma anuidade antecipada é idêntica a uma ordinária, exceto pelo fato de os pagamentos periódicos ocorrerem no início de cada período, e não em seu fim. Mostre que a relação entre o valor de uma anuidade ordinária e o valor de uma anuidade antecipada equivalente exceto por isso é:

$$\text{Valor de anuidade antecipada} = \text{Valor de anuidade ordinária} \times (1 + r)$$

Mostre isso para os valores presente e futuro.

72. **Cálculo da TEFa** Uma financeira está no ramo de fazer empréstimos pessoais para clientes. A financeira faz apenas empréstimos de uma semana a 7% de juros por semana.

    a. Qual TPa a financeira anuncia a seus clientes? Qual é a TEFa que os clientes estão pagando na verdade?

    b. Agora, suponha que a financeira faça empréstimos de uma semana a juros de desconto de 7% por semana (consulte a Pergunta 60). Qual é a TPa agora? E a TEFa?

    c. A financeira também faz empréstimos de um mês com juros acrescidos a juros de desconto a 7% capitalizados por semana. Assim, se você tomar emprestados $ 100 por um mês (quatro semanas), os juros serão de ($ 100 \times 1,07^4$) – 100 = $ 31,08. Como esses são juros de desconto, sua receita líquida do empréstimo hoje será $ 68,92. Você precisa pagar à financeira $ 100 no fim do mês. No entanto, para ajudá-lo, a financeira permite que você quite esses $ 100 em parcelas de $ 25 por semana. Qual é a TPa desse empréstimo? Qual é a TEFa?

73. **Valor presente de uma perpetuidade crescente** Qual é a equação para o valor presente de uma perpetuidade crescente com um pagamento de *C* daqui a um período se os pagamentos aumentarem em *C* por período?

74. **Regra dos 72** Uma regra de ouro útil para se saber o tempo que um investimento leva para se duplicar com capitalização discreta é a "Regra dos 72". Para utilizar a Regra dos 72, você simplesmente divide 72 pela taxa de juros para determinar o número de períodos que o valor de hoje leva para se duplicar. Por exemplo, se a taxa de juros for 6%, a Regra dos 72 diz que levará 72/6 = 12 anos para se duplicar. Isso é aproximadamente igual à resposta real de 11,90 anos. A Regra dos 72 também pode ser aplicada para determinar qual taxa de juros é necessária para duplicar o dinheiro em um período especificado. Essa é uma aproximação útil para muitos períodos e taxas de juros. Para que taxa a Regra dos 72 é exata?

75. **Regra dos 69,3** Um corolário da Regra dos 72 é a Regra dos 69,3. A Regra dos 69,3 é exatamente correta, exceto para arredondamento, quando as taxas de juros forem capitalizadas continuamente. Teste a Regra dos 69,3 para juros capitalizados continuamente.

DOMINE O EXCEL!

O Excel é uma ótima ferramenta para resolver problemas, mas com muitos problemas de valor do dinheiro no tempo, você ainda pode precisar traçar uma linha do tempo. Por exemplo, considere um clássico problema de aposentadoria. Uma amiga está celebrando o aniversário hoje e quer começar a economizar para sua aposentadoria prevista. Ela tem os seguintes anos para a aposentadoria e metas de gastos na aposentadoria:

Anos até a aposentadoria	30
Montante a retirar a cada ano	$ 90.000
Anos de retirada na aposentadoria	20
Taxa de juros	8%

Como sua amiga está planejando com antecedência, a primeira retirada não acontecerá até um ano após se aposentar. Ela quer fazer depósitos anuais iguais em sua conta para seu fundo de aposentadoria.

a. Se ela começar a fazer esses depósitos em um ano e fizer o último no dia em que se aposentar, qual montante deve depositar anualmente para poder fazer as retiradas desejadas na aposentadoria?

b. Suponha que sua amiga recém tenha herdado uma grande quantia em dinheiro. Em vez de fazer pagamentos anuais iguais, ela resolveu fazer um pagamento único hoje para cobrir suas necessidades na aposentadoria. Qual é o montante que ela tem de depositar hoje?

c. Suponha que o empregador de sua amiga contribuirá com a conta todos os anos como parte do plano de participação nos lucros da empresa. Além disso, sua amiga espera uma distribuição de um fundo de investimento de família daqui a vários anos. Qual montante ela deve depositar anualmente agora para fazer as retiradas desejadas na aposentadoria? Os detalhes são:

Contribuição anual do empregador	$ 1.500
Anos até a distribuição do fundo de família	20
Montante da distribuição do fundo de família	$ 25.000

MINICASO

A decisão sobre o MBA

Alberto Botas formou-se na faculdade há seis anos com uma habilitação em finanças. Embora esteja satisfeito com seu trabalho atual, seu objetivo é se tornar um banqueiro de investimentos. Ele acha que um MBA no exterior permitiria que atingisse esse objetivo. Após analisar faculdades, ele diminuiu o número de opções para a Wilton University ou a Mount Perry College. Apesar dos estágios serem incentivados por ambas as universidades, para receber os créditos pelo estágio, não se pode receber salário. Além dos estágios, nenhuma das universidades permite que seus alunos trabalhem enquanto estiverem matriculados em seu programa de MBA.

Alberto trabalha atualmente na empresa de gestão financeira DV Investimentos S/A. Seu salário anual na empresa é de $ 65.000 por ano e deve aumentar a 3% ao ano até sua aposentadoria. Atualmente, ele está com 28 anos e espera trabalhar por mais 40 anos. Seu emprego atual oferece um plano completo de seguro saúde, e sua alíquota tributária média atual é de 26%. Alberto tem uma conta poupança com dinheiro suficiente para cobrir todo o custo do programa de MBA.

A Ritter College of Business na Wilton University é um dos melhores programas de MBA. O grau de MBA exige dois anos de matrícula em período integral na universidade. A anuidade é de $ 70.000, pagos no início de cada ano letivo. Os livros e outros materiais têm custo estimado de $ 3.000 por ano. Alberto espera que, depois de se formar na Wilton, vá receber uma oferta de trabalho de cerca de $ 110.000 por ano com um bônus de assinatura de contrato de $ 20.000. O salário nesse emprego aumentaria 4% ao ano. Devido ao salário mais alto, sua alíquota média do imposto de renda aumentaria para 27%.

A Bradley School of Business na Mount Perry College começou seu programa de MBA há 16 anos. A Bradley School é menor e menos conhecida do que a Ritter College. A Bradley oferece um programa acelerado de um ano com custo de $ 85.000 a ser pago na matrícula. Os livros e outros materiais para o programa têm custo estimado de $ 4.500. Alberto acredita que receberá uma oferta de $ 92.000 por ano depois da formatura, com um bônus de assinatura de contrato de $ 18.000. O salário nesse emprego aumentaria 3,5% ao ano. Sua alíquota tributária média, nesse nível de renda, seria de 26,5%.

Ambos os cursos oferecem um plano de seguro saúde que custará $ 3.000 por ano, pagáveis no início do ano. Alberto também estima que as despesas com moradia e alimentação custarão em ambas as faculdades $ 2.000 por ano a mais do que suas despesas atuais, pagáveis no início de cada ano. A taxa de desconto apropriada é 6,5%.

1. Como a idade de Alberto afeta sua decisão de fazer um MBA?
2. Quais outros fatores, talvez não quantificáveis, afetam a decisão de Alberto de fazer um MBA?
3. Supondo que todos os salários sejam pagos ao final de cada ano, qual é a melhor opção para Alberto do ponto de vista estritamente financeiro?
4. Alberto acredita que a análise apropriada seria calcular o valor futuro de cada opção. Como você avaliaria essa afirmação?
5. Qual salário inicial Alberto precisaria receber para que fosse indiferente escolher entre ir para a Wilton University e manter sua posição atual?
6. Suponha que, em vez de poder pagar o MBA em dinheiro, ele precisasse tomar emprestado o dinheiro. A taxa de empréstimo atual é de 5,4%. Como isso afetaria a decisão?

APÊNDICE 4A **Valor presente líquido: primeiros princípios de finanças**

APÊNDICE 4B **Como utilizar calculadoras financeiras**

Para acessar os apêndices deste capítulo, cadastre-se no *site* do Grupo A (www.grupoa.com.br) e procure pela página deste livro. Clique em conteúdo online.

5 Valor Presente Líquido e Outras Regras de Análise de Investimentos

Para ficar por dentro dos últimos acontecimentos na área de finanças, visite **www.rwjcorporatefinance.blogspot.com**.

A indústria de semicondutores está se movendo rapidamente, com cada vez mais avanços tecnológicos. Assim, novas fábricas estão constantemente sendo construídas. Em 2011, a Intel anunciou que gastaria US$ 5 bilhões para construir a fábrica de semicondutores de alto volume mais avançada do mundo no Estado do Arizona, Estados Unidos. A fábrica, que empregaria cerca de 1.000 pessoas, tinha previsão de abertura em 2013. Logo depois, a Samsung Electronics anunciou planos de gastar US$ 3,6 bilhões para construir uma fábrica no Estado do Texas, Estados Unidos, que manufaturaria chips lógicos para iPhones e iPads da Apple. Embora possam parecer grandes investimentos, mais ou menos ao mesmo tempo, a fabricante de aço sul-coreana POSCO anunciou planos de construir uma siderúrgica de US$ 12 bilhões na Índia. Porém, nada disso se compara com o plano de investimentos da Petrobras para o quinquênio de 2013 a 2017. O Plano de Negócios e Gestão 2013-2017 na área de Exploração e Produção previa o total de US$ 236,7 bilhões (US$ 207,1 bilhões para projetos em implantação em 2013). A área de Exploração e Produção tinha previsão de US$ 147,5 bilhões, principalmente para desenvolver o pré-sal e a cessão onerosa. A área de Abastecimento tinha previsão de US$ 64,8 bilhões de investimentos para a ampliação do parque de refino, melhorias operacionais, petroquímica, entre outros. Decisões como essas são grandes empreendimentos, e os riscos e recompensas devem ser cuidadosamente pesados. Neste capítulo, discutiremos as ferramentas básicas usadas para tomar tais decisões.

No Capítulo 1, mostramos que aumentar o valor das ações de uma empresa é o objetivo da gestão financeira. Portanto, precisamos saber como identificar se um investimento específico alcançará esse fim ou não. Este capítulo considera uma variedade de técnicas que os analistas financeiros utilizam rotineiramente. Mais importante, ele mostra como muitas dessas técnicas podem ser enganosas e explica por que a abordagem do valor presente líquido é a correta.

 Domine a habilidade de solucionar os problemas deste capítulo usando uma planilha. Acesse Excel Master no *site* www.grupoa.com.br, procure pelo livro e clique em Conteúdo *Online*.

ExcelMaster
cobertura *online*
Esta seção apresenta as funções VPL e VPLX.

5.1 Por que utilizar o valor presente líquido?

Este capítulo, bem como os dois a seguir, foca o *orçamento de capital*, o processo de tomada de decisão para aceitar ou rejeitar projetos. Este capítulo desenvolve os métodos básicos de orçamento de capital, deixando muito da aplicação prática para os capítulos subsequentes. Contudo, não temos que desenvolver esses métodos do zero. No Capítulo 4, indicamos que $ 1 recebido no futuro vale menos do que $ 1 recebido hoje. A razão, claro, é que o $ 1 de hoje pode ser reinvestido, rendendo um montante maior no futuro. Também mostramos no Capítulo 4 que o valor exato hoje de $ 1 a ser recebido no futuro é seu valor presente. Além disso, a Seção 4.1 sugeria calcular o *valor presente líquido* de qualquer projeto. Isto é, a seção sugeria calcular a diferença entre a soma dos valores presentes dos fluxos de caixa futuros do projeto e o custo inicial dele.

O método do valor presente líquido (VPL) é o primeiro a ser considerado neste capítulo. Começamos revendo a abordagem com um exemplo simples. A seguir, perguntamos por que o método leva a boas decisões.

Encontre mais informações sobre orçamento de capital para pequenas empresas em **www.missouribusiness.net**.

EXEMPLO 5.1 — Valor presente líquido

A Companhia Alfa S/A está pensando em investir em um projeto sem riscos com custo de $ 100. O projeto receberá $ 107 em um ano e não tem outros fluxos de caixa. A taxa de desconto sem risco é 6%.

O VPL do projeto pode ser facilmente calculado desta maneira:

$$\$ 0{,}94 = -\$ 100 + \frac{\$ 107}{1{,}06} \qquad (5.1)$$

Com base no Capítulo 4, sabemos que o projeto deveria ser aceito, pois seu VPL é positivo. Se o VPL do projeto fosse negativo, como seria o caso com uma taxa de juros maior do que 7%, o projeto deveria ser rejeitado.

A regra básica de investimento pode ser generalizada como:

Aceite um projeto se o VPL for maior do que zero.
Rejeite um projeto se o VPL for menor do que zero.

Referimo-nos a isso como a **regra do VPL**.

Por que a regra do VPL leva a boas decisões? Considere as duas estratégias seguintes disponíveis para os gestores da Alfa S/A:

1. Utilizar $ 100 do dinheiro da empresa para investir no projeto. Os $ 107 serão pagos como um dividendo em um ano.
2. Renunciar ao projeto e pagar os $ 100 do dinheiro da empresa como um dividendo hoje.

Se a Estratégia 2 for empregada, o acionista poderia depositar o dividendo em um banco por um ano. Com uma taxa de juros de 6%, a Estratégia 2 produziria um valor de $ 106 (=$ 100 × 1,06) no fim do ano. O acionista preferiria a Estratégia 1, pois a Estratégia 2 produz menos do que $ 107 no fim do ano.

Nosso ponto básico é:

> **Aceitar projetos com VPL positivo beneficia os acionistas.**

Como interpretamos o VPL exato de $ 0,94? A interpretação é: esse é o aumento no valor da empresa com o projeto. Por exemplo, imagine que a empresa hoje produza ativos que valham $ V e tenha $ 100 em caixa. Se ela rejeitar o projeto, o valor da empresa hoje seria simplesmente:

$$\$ V + \$ 100$$

Se aceitar o projeto, a empresa receberá $ 107 em um ano, mas não terá caixa hoje. Portanto, o valor da empresa hoje seria:

$$\$ V + \frac{\$ 107}{1{,}06}$$

A diferença entre essas equações é de apenas $ 0,94, o valor presente líquido da Equação 5.1. Assim:

> **O valor da empresa sobe no valor do VPL do projeto.**

Note que o valor da empresa é meramente a soma dos valores dos diferentes projetos, divisões ou outras entidades da empresa. Essa propriedade, chamada de **aditividade do valor**, é muito importante. Ela implica que a contribuição de qualquer projeto para o valor de uma empresa é simplesmente o VPL do projeto. Como veremos depois, métodos alternativos, discutidos neste capítulo, geralmente não têm essa atrativa propriedade.

> **A regra do VPL utiliza a taxa de desconto correta.**

Resta um detalhe. Partimos do pressuposto de que o projeto não tinha riscos, uma hipótese pouco plausível. Os fluxos de caixa futuros de projetos no mundo real são invariavelmente arriscados. Em outras palavras, os fluxos de caixa só podem ser estimados, e não conhecidos. Imagine que os gestores da Alfa *esperem* que o fluxo de caixa do projeto seja $ 107 no próximo ano. Isto é, o fluxo de caixa poderia ser maior, digamos $ 117, ou menor, $ 97. Com essa ligeira mudança, o projeto é arriscado. Suponha que o projeto seja tão arriscado quanto o mercado de ações como um todo, no qual o retorno esperado deste ano talvez seja 10%. Então, 10% se torna a taxa de desconto, implicando que o VPL do projeto seria:

$$-\$ 2{,}73 = -\$ 100 + \frac{\$ 107}{1{,}10}$$

Como o VPL é negativo, o projeto deveria ser rejeitado. Isso faz sentido: Um acionista da Alfa recebendo um dividendo de $ 100 hoje poderia investir no mercado de ações esperando um retorno de 10%. Por que aceitar um projeto com o mesmo risco que o mercado, mas com um retorno esperado de apenas 7%?

ESTRATÉGIAS DE PLANILHA

Cálculo de VPLs com uma planilha

As planilhas são muito usadas para calcular os VPLs. Examinar o uso de planilhas nesse contexto também nos permite fazer uma advertência importante. Considere o seguinte:

	A	B	C	D	E	F	G	H
1								
2			Como utilizar uma planilha para calcular valores presentes líquidos					
3								
4	O custo de um projeto é $ 10.000. Os fluxos de caixa são de $ 2.000 ao ano nos dois primeiros anos,							
5	$ 4.000 ao ano nos dois anos seguintes e $ 5.000 no último ano. A taxa de desconto é							
6	10%. Qual é o VPL?							
7								
8		Ano	Fluxos de caixa					
9		1	−$ 10.000	Taxa de desconto =		10%		
10		2	2.000					
11		3	2.000		VPL =	$ 2.102,72	(resposta *errada*)	
12		4	4.000		VPL =	$ 2.312,99	(resposta *certa*)	
13		5	4.000					
14		6	5.000					
15								
16	A fórmula digitada na célula F11 é =VPL (F9, C9:C14). Contudo, essa resposta está errada, pois a							
17	função VPL do Excel, na verdade, calcula os valores presentes, não os valores presentes *líquidos*.							
18								
19	A fórmula digitada na célula F12 é =VPL (F9, C10:C14) + C9. Assim, obtém-se a resposta correta, pois a							
20	função VPL é usada para calcular o valor presente dos fluxos de caixa e, em seguida, o custo inicial é							
21	subtraído para calcular a resposta. Observe que somamos a célula C9 porque ela já tem valor negativo.							

Em nosso exemplo de planilha, observe que fornecemos duas respostas. A primeira resposta está errada, embora tenhamos utilizado a fórmula VPL da planilha. O que aconteceu é que a função "VPL" da planilha é, na verdade, uma função VP; infelizmente, há muitos anos, um dos primeiros programadores de planilhas compreendeu mal a definição e os subsequentes o copiaram! Nossa segunda resposta mostra como usar a fórmula adequadamente.

O exemplo aqui ilustra o perigo de utilizar cegamente calculadoras ou computadores sem entender o que está acontecendo; temos medo só de pensar em quantas decisões de orçamento de capital no mundo real se baseiam no uso incorreto dessa função em particular.

Conceitualmente, a taxa de desconto em um projeto arriscado é o retorno que se pode esperar auferir em um ativo financeiro de risco comparável. Essa taxa de desconto é, muitas vezes, chamada de *custo de oportunidade*, porque o investimento da empresa no projeto tira a opção do acionista de investir dividendos em outras oportunidades. Conceitualmente, devemos examinar o retorno esperado dos investimentos com riscos similares disponíveis no mercado. O cálculo da taxa de desconto de forma alguma é impossível. Deixamos de apresentar o cálculo neste capítulo, mas o apresentaremos em capítulos posteriores do livro.

Tendo mostrado que o VPL é uma abordagem sensata, como podemos identificar se métodos alternativos são tão bons quanto ele? A chave para o VPL são seus três atributos:

1. *O VPL utiliza fluxos de caixa.* Os fluxos de caixa de um projeto podem ser utilizados para outros fins empresariais (como pagamentos de dividendos, outros projetos de orçamento de capital ou pagamentos de juros de empréstimos). Em contraste, os lucros são uma construção artificial. Embora os lucros sejam úteis para contabilistas, eles não devem ser utilizados no orçamento de capital, pois não representam caixa.

2. *O VPL utiliza todos os fluxos de caixa do projeto.* Outras abordagens ignoram os fluxos de caixa além de uma data específica; tenha cuidado com elas.

3. *O VPL desconta os fluxos de caixa adequadamente.* Outras abordagens podem ignorar o valor do dinheiro no tempo ao lidar com fluxos de caixa. Tenha cuidado com elas também.

Calcular VPLs à mão pode ser entediante. O box *Estratégias de planilha* da página anterior mostra como fazê-lo da forma fácil e também ilustra uma importante *advertência quanto a calculadoras*.

5.2 O método do período de *payback*

Definição da regra

Uma das mais populares alternativas ao VPL é o *payback*. O *payback* funciona assim: Considere um projeto com um investimento inicial de −$ 50.000. Os fluxos de caixa são $ 30.000, $ 20.000 e $ 10.000 nos primeiros três anos, respectivamente. Esses fluxos são ilustrados na Figura 5.1. Uma forma útil de registrar investimentos como o anterior é com a notação:

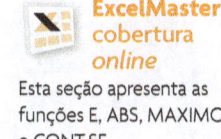

ExcelMaster
cobertura
online

Esta seção apresenta as funções E, ABS, MAXIMO e CONT.SE.

(−$ 50.000, $ 30.000, $ 20.000, $ 10.000)

O sinal negativo em frente dos $ 50.000 nos lembra de que essa é uma saída de caixa para o investidor, e as vírgulas entre os diferentes números indicam que eles serão recebidos – ou, se forem saídas de caixa, que serão pagas – em momentos diferentes. Neste exemplo, estamos supondo que os fluxos de caixa ocorram com intervalo de um ano, com o primeiro ocorrendo no momento em que decidirmos assumir o investimento.

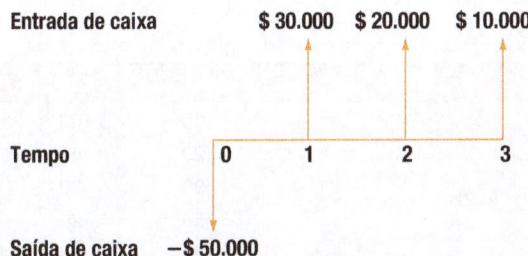

FIGURA 5.1 Fluxos de caixa de um projeto de investimento.

A empresa recebe os fluxos de caixa de $ 30.000 e $ 20.000 nos primeiros dois anos, que se somam ao investimento original de $ 50.000. Isso significa que a empresa recuperou seu investimento dentro de dois anos. Nesse caso, dois anos é o *período de payback* do investimento.

A regra do período de *payback* para tomar decisões de investimento é simples. Um prazo de corte específico, digamos dois anos, é selecionado. Todos os projetos de investimento que tiverem períodos de *payback* de dois anos ou menos serão aceitos, e todos os que se pagarem em mais de dois anos – se o fizerem – serão rejeitados.

Problemas com o método de *payback*

Há ao menos três problemas com o *payback*. Para ilustrar os dois primeiros problemas, consideremos os três projetos no Quadro 5.1. Todos os três projetos têm o mesmo período de *payback* de três anos, portanto eles deveriam ser todos igualmente atraentes, certo?

Na verdade, eles não são igualmente atraentes, como pode ser visto por uma comparação de diferentes *pares* de projetos.

Problema 1: Distribuição no tempo dos fluxos de caixa dentro do período de *payback*

Comparemos o Projeto *A* com o Projeto *B*. Nos anos 1 até 3, os fluxos de caixa do Projeto *A* se elevam de $ 20 para $ 50, enquanto os fluxos de caixa do Projeto *B* caem de $ 50 para $ 20. Como o grande fluxo de caixa de $ 50 vem antes com o Projeto *B*, seu valor presente líquido deve ser mais alto. Todavia, recém vimos que os períodos de *payback* dos dois projetos são idênticos. Portanto, um problema com o método de *payback* é não considerar a distribuição no tempo dos fluxos de caixa dentro do período de *payback*. Esse exemplo mostra que o método de *payback* é inferior ao VPL porque, como indicamos anteriormente, o método de VPL *desconta os fluxos de caixa adequadamente*.

Problema 2: Fluxos de caixa depois do período de *payback*

Agora, considere os Projetos *B* e *C*, que têm fluxos de caixa idênticos dentro do período de *payback*. No entanto, o Projeto *C* é preferencial, pois tem um fluxo de caixa de $ 60.000 no quarto ano. Portanto, outro problema com o método de *payback* é ignorar todos os fluxos de caixa que ocorrem depois do período de *payback*. Por causa da orientação de curto prazo do método de *payback*, alguns projetos de longo prazo valiosos provavelmente serão rejeitados. O método de VPL não tem essa falha, porque, como indicamos anteriormente, esse método *utiliza todos os fluxos de caixa do projeto*.

Problema 3: Padrão arbitrário do período de *payback*

Não precisamos consultar o Quadro 5.1 ao considerar um terceiro problema com o método de *payback*. Os mercados de capitais nos ajudam a estimar a taxa de desconto utilizada no método de VPL. A taxa sem risco, talvez representada pelo rendimento de um instrumento do Tesouro, seria a taxa adequada para um investimento sem riscos. Capítulos posteriores deste livro mostram como utilizar os retornos históricos nos mercados de capitais para estimar a taxa de desconto de um projeto arriscado. Contudo, não existe um guia comparativo para escolher o prazo de corte do *payback*, portanto a escolha é um tanto arbitrária.

QUADRO 5.1 Fluxos de caixa esperados para os Projetos de *A* a *C* ($)

Ano	A	B	C
0	−$ 100	−$ 100	−$ 100
1	20	50	50
2	30	30	30
3	50	20	20
4	60	60	60.000
Período de *payback* (anos)	3	3	3

Perspectiva dos gestores

O método de *payback* é, muitas vezes, utilizado por empresas sofisticadas de grande porte ao tomar decisões relativamente pequenas. A decisão de construir um pequeno armazém, por exemplo, ou pagar pela regulagem do motor de um caminhão é o tipo de decisão que, muitas vezes, é tomada pela gerência de nível inferior. Normalmente, um gestor poderia pensar que uma regulagem custaria, digamos, $ 200 e, se economizasse $ 120 a cada ano em custos reduzidos com combustível, ela se pagaria em menos do que dois anos. A decisão seria tomada nessa base.

Embora o tesoureiro da empresa pudesse não ter tomado a decisão da mesma forma, a empresa endossa essa tomada de decisão. Por que a gestão superior iria consentir ou mesmo encorajar essa atividade retrógrada em seus empregados? Uma resposta seria que é fácil tomar decisões utilizando o *payback*. Multiplique a decisão sobre a regulagem por 50 dessas decisões por mês, e o atrativo desse método simples se tornará mais claro.

O método de *payback* também tem algumas características desejáveis para o controle gerencial. Tão importante quanto a decisão do investimento em si é a capacidade da empresa para avaliar a capacidade de tomada de decisão do gestor. Segundo o método de VPL, um longo tempo pode passar antes que se chegue à conclusão de se uma decisão foi correta. Com o método de *payback*, saberemos em dois anos se a avaliação dos fluxos de caixa do gestor foi correta.

Também foi sugerido que empresas com boas oportunidades de investimento, mas sem caixa disponível, podem justificadamente utilizar o *payback*. Por exemplo, o método de *payback* poderia ser utilizado por empresas de capital fechado, de pequeno porte, com boas perspectivas de crescimento, mas acesso limitado aos mercados de capitais. A recuperação rápida do caixa aumenta as possibilidades de reinvestimento para tais empresas.

Por fim, os profissionais, muitas vezes, argumentam que as críticas acadêmicas padrão ao método de *payback* exageram qualquer problema no mundo real com o método. Por exemplo, os livros didáticos normalmente fazem pouco do *payback*, colocando um projeto com baixas entradas de caixa nos primeiros anos, mas uma enorme entrada de caixa logo depois da data de corte do *payback*. Esse projeto provavelmente será rejeitado segundo o método de *payback*, embora sua aceitação fosse, na verdade, beneficiar a empresa. O Projeto *C* em nosso Quadro 5.1 é um exemplo desse tipo de projeto. Os profissionais salientam que o padrão de fluxos de caixa nesses exemplos de livros didáticos é estilizado demais para espelhar o mundo real. De fato, vários executivos nos disseram que, para a esmagadora maioria dos projetos do mundo real, tanto o *payback* quanto o VPL levam à mesma decisão. Além disso, esses executivos indicam que, se um tipo de investimento com o Projeto *C* fosse encontrado no mundo real, os tomadores de decisão quase certamente fariam ajustes *ad hoc* à regra de *payback* a fim de que ele fosse aceito.

Não obstante todo o raciocínio anterior, não é surpreendente descobrir que, conforme as decisões aumentam em importância – isto é, quando as empresas examinam projetos maiores –, o VPL se torna a ordem do dia. Quando as questões relativas a controlar e avaliar os gestores se tornam menos importantes do que tomar a decisão certa de investimento, o *payback* é utilizado com menos frequência. Para decisões de grandes valores, como comprar ou não uma máquina, construir uma fábrica ou adquirir uma empresa, o método de *payback* raramente é utilizado.

Resumo do *payback*

O método de *payback* difere do VPL e é, portanto, conceitualmente errado. Com seu prazo de corte arbitrário e sua cegueira para os fluxos de caixa depois dessa data, ele pode levar a algumas decisões claramente insensatas se utilizado muito literalmente. Todavia, por causa de sua simplicidade, bem como suas outras vantagens mencionadas, as empresas o utilizam como um filtro para tomar a miríade de decisões em investimentos menores com que se confrontam continuamente.

Embora isso signifique que você deva ser cauteloso ao tentar modificar abordagens como o método de *payback* quando encontrá-las em empresas, você provavelmente deve ter cuidado para não aceitar o pensamento financeiro desleixado que representam. Depois desta disciplina, você faria um desserviço à sua empresa se utilizasse o *payback* em lugar do VPL quando tivesse o poder de escolha.

5.3 O método do período de *payback* descontado

Cientes das armadilhas do *payback*, alguns tomadores de decisão utilizam uma variante chamada **método do período de *payback* descontado**. Segundo essa abordagem, primeiro descontamos os fluxos de caixa. Então, perguntamos quanto tempo leva para que os fluxos de caixa descontados igualem o investimento inicial.

Por exemplo, suponha que a taxa de desconto seja 10% e que os fluxos de caixa de um projeto sejam dados por:

$$(-\$100, \$50, \$50, \$20)$$

Esse investimento tem um período de *payback* de dois anos, porque o investimento é saldado nesse tempo.

Para calcular o período de *payback* descontado do projeto, primeiro descontamos cada um dos fluxos de caixa a uma taxa de desconto de 10%. Esses fluxos de caixa descontados são:

$$[-\$100, \$50/1{,}1, \$50/(1{,}1)^2, \$20/(1{,}1)^3] = (-\$100, \$45{,}45, \$41{,}32, \$15{,}03)$$

O período de *payback* descontado do investimento original é simplesmente o período de *payback* desses fluxos de caixa descontados. O período de *payback* dos fluxos de caixa descontados é ligeiramente menor do que três anos, pois os fluxos de caixa descontados ao longo de três anos são $101,80 (=$ 45,45 + 41,32 + 15,03). Enquanto os fluxos de caixa e a taxa de desconto forem positivos, o período de *payback* descontado nunca será menor do que o período de *payback*, pois o desconto reduz o valor dos fluxos de caixa.

À primeira vista, o *payback* descontado pode parecer uma alternativa atraente, mas, olhando mais de perto, vemos que tem algumas das grandes falhas do *payback*. Como o *payback*, o *payback* descontado primeiro exige que se escolha um período de corte arbitrário e, depois, ignora todos os fluxos de caixa após essa data.

Se já tivermos nos dado ao trabalho de descontar os fluxos de caixa, podemos igualmente somar todos os fluxos de caixa descontados e utilizar o VPL para tornar a decisão. Embora o *payback* descontado se pareça um pouco com o VPL, ele é apenas um meio-termo entre o método do *payback* e o do VPL.

5.4 Taxa interna de retorno

Esta seção apresenta as funções TIR e XTIR.

Agora, chegamos à mais importante alternativa para o método de VPL: a taxa interna de retorno, conhecida como TIR. A TIR é o mais próximo que se pode chegar ao VPL sem ser realmente o VPL. O raciocínio básico por trás do método da TIR é fornecer um único número resumindo os méritos de um projeto. Esse número não depende da taxa predominante no mercado de capitais. É por isso que é chamada de taxa interna de retorno; o número é interno ou intrínseco ao projeto e não depende de qualquer coisa, exceto dos fluxos de caixa do projeto.

Por exemplo, considere o projeto simples (−$ 100, $ 110) na Figura 5.2. Para uma determinada taxa, o valor presente líquido desse projeto pode ser descrito como:

$$VPL = -\$100 + \frac{\$110}{1+R}$$

em que R é a taxa de desconto. Qual deve ser a taxa de desconto para tornar o VPL do projeto igual a zero?

Capítulo 5 Valor Presente Líquido e Outras Regras de Análise de Investimentos

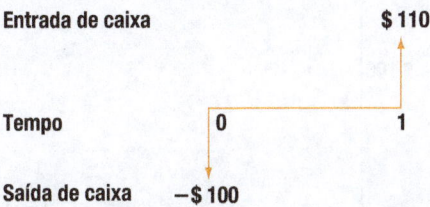

FIGURA 5.2 Fluxos de caixa de um projeto simples.

Começamos utilizando uma taxa de desconto arbitrária de 0,08, que gera:

$$\$\,1{,}85 = -\$\,100 + \frac{\$\,110}{1{,}08}$$

Como o VPL nessa equação é positivo, agora tentamos uma taxa de desconto maior, como 0,12. Isso gera:

$$-\$\,1{,}79 = -\$\,100 + \frac{\$\,110}{1{,}12}$$

Como o VPL nessa equação é negativo, tentamos diminuir a taxa de desconto para 0,10. Isso gera:

$$0 = -\$\,100 + \frac{\$\,110}{1{,}10}$$

Esse procedimento de tentativa e erro nos informa que o VPL do projeto é zero quando R equivale a 10%.[1] Portanto, dizemos que 10% é a **taxa interna de retorno** (TIR) do projeto. Como regra geral, a TIR é a taxa que faz com que o VPL do projeto seja zero. A implicação desse exercício é muito simples. A empresa deve estar igualmente disposta a aceitar ou rejeitar o projeto se a taxa de desconto for 10%. A empresa deve aceitar o projeto se a taxa de desconto adequada ao projeto estiver abaixo de 10%. A empresa deve rejeitar o projeto se a taxa de desconto adequada ao projeto estiver acima de 10%.

A regra geral da TIR para investimentos é clara:

> **Aceite o projeto se a TIR for maior do que a taxa de desconto adequada ao projeto. Rejeite o projeto se a TIR for menor do que essa taxa de desconto.**

Fazemos referência a isso como a **regra básica da TIR**. Agora, podemos experimentar o exemplo mais complicado (−$ 200, $ 100, $ 100, $ 100) na Figura 5.3.

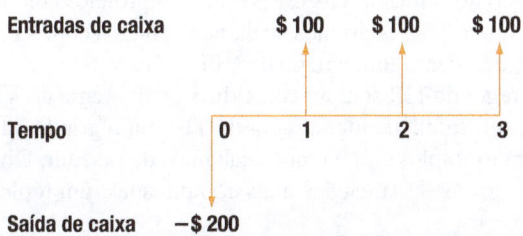

FIGURA 5.3 Fluxos de caixa de um projeto mais complexo.

---

[1] Claro, poderíamos ter calculado diretamente R nesse exemplo depois de definir o VPL igual a zero. Contudo, com uma longa série de fluxos de caixa, em geral não se pode calcular R diretamente. Em vez disso, é preciso utilizar o método de tentativa e erro (ou permitir que uma máquina o faça).

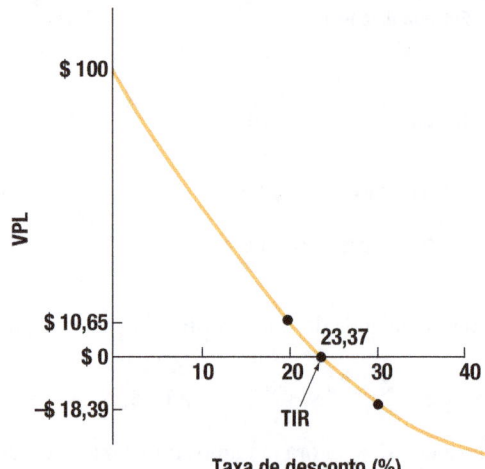

O VPL é positivo para taxas de desconto abaixo da TIR e negativo para taxas de desconto acima da TIR.

FIGURA 5.4 Valor presente líquido (VPL) e taxas de desconto de um projeto mais complexo.

Como fizemos anteriormente, utilizaremos o método de tentativa e erro para calcular a taxa interna de retorno. Tentamos 20% e 30%, gerando o seguinte:

Taxa de desconto	VPL
20%	$ 10,65
30	−18,39

Depois de muito mais tentativa e erro, descobrimos que o VPL do projeto é zero quando a taxa de desconto for 23,37%. Portanto, a TIR é 23,37%. Com uma taxa de desconto de 20%, o VPL seria positivo, e iríamos aceitá-lo. No entanto, se a taxa de desconto fosse 30%, iríamos rejeitá-lo.

Algebricamente, a TIR é a incógnita da equação a seguir:[2]

$$0 = -\$200 + \frac{\$100}{1 + \text{TIR}} + \frac{\$100}{(1 + \text{TIR})^2} + \frac{\$100}{(1 + \text{TIR})^3}$$

A Figura 5.4 ilustra o que a TIR de um projeto significa. A figura representa graficamente o VPL como uma função da taxa de desconto. A curva cruza o eixo horizontal na TIR de 23,37% porque é aí que o VPL se iguala a zero.

Também deve ficar claro que o VPL é positivo para taxas de desconto abaixo da TIR e negativo para taxas de desconto acima da TIR. Se aceitarmos projetos como esse quando a taxa de desconto for menor do que a TIR, estaremos aceitando projetos com VPL positivo. Portanto, a regra da TIR coincide exatamente com a regra do VPL.

Se fosse só isso, a regra da TIR sempre coincidiria com a regra do VPL. Mas o mundo das finanças não é tão amável. Infelizmente, a regra da TIR e a regra do VPL são coerentes uma com a outra apenas para exemplos como o que acabamos de discutir. Diversos problemas com a abordagem da TIR ocorrem em situações mais complicadas, um tópico a ser examinado na próxima seção.

A TIR do exemplo anterior era calculada pelo método de tentativa e erro. Esse processo trabalhoso pode ser evitado por meio de planilhas. O quadro a seguir, *Estratégias de planilha*, mostra como fazê-lo.

---

[2] Pode-se derivar a TIR diretamente para um problema com uma saída de caixa inicial e até quatro entradas subsequentes. No caso de duas entradas subsequentes, por exemplo, a fórmula quadrática será necessária. Contudo, em geral, somente o método de tentativa e erro funcionará para uma saída e cinco ou mais entradas subsequentes.

Capítulo 5 Valor Presente Líquido e Outras Regras de Análise de Investimentos

ESTRATÉGIAS DE PLANILHA

Como as TIRs são bastante cansativas de calcular à mão, geralmente são usadas calculadoras financeiras e, especialmente, planilhas. Os procedimentos utilizados por várias calculadoras financeiras são muito diferentes para ilustrarmos aqui, portanto focaremos o uso de planilhas. Como o exemplo a seguir ilustra, é muito fácil utilizar uma planilha.

	A	B	C	D	E	F	G	H
1								
2		Como utilizar uma planilha para calcular taxas internas de retorno						
3								
4		Suponha que tenhamos um projeto de quatro anos que custa $ 500. Os fluxos de caixa ao longo do período de quatro						
5		anos do projeto serão $ 100, $ 200, $ 300 e $ 400. Qual é a TIR?						
6								
7			Ano	Fluxos de caixa				
8			0	–$ 500				
9			1	100		TIR =	27,3%	
10			2	200				
11			3	300				
12			4	400				
13								
14								
15		A fórmula inserida na célula F9 é =TIR(C8:C12). Observe que o fluxo de caixa do Ano 0 tem um						
16		sinal negativo representando o custo inicial do projeto.						
17								

5.5 Problemas com a abordagem da TIR

Definição de projetos independentes e mutuamente excludentes

Um **projeto independente** é um cuja aceitação ou rejeição é independente da aceitação ou rejeição de outros projetos. Por exemplo, imagine que o McDonald's esteja considerando colocar um ponto de vendas de hambúrgueres em uma ilha remota. A aceitação ou rejeição dessa unidade provavelmente não esteja relacionada à aceitação ou rejeição de qualquer outro restaurante em seu sistema. O caráter remoto do ponto de vendas em questão garante que ele não vá tirar vendas de outros pontos.

Agora, considere o outro extremo, **investimentos mutuamente excludentes**. O que significa para dois projetos, *A* e *B*, ser mutuamente excludentes? Você pode aceitar *A* ou pode aceitar *B*, ou pode rejeitar os dois, mas não pode aceitar ambos. Por exemplo, *A* poderia ser uma decisão de construir um prédio de apartamentos em um lote de esquina que você possui, e *B* poderia ser uma decisão de construir um cinema no mesmo lote.

Agora, apresentaremos dois problemas gerais com a abordagem da TIR que afetam os projetos independentes e os mutuamente excludentes. Em seguida, lidaremos com dois problemas afetando somente os projetos mutuamente excludentes.

ExcelMaster
cobertura
online

Esta seção apresenta as funções MTIR.

Dois problemas gerais que afetam projetos independentes e mutuamente excludentes

Começamos nossa discussão com o Projeto *A*, que tem os seguintes fluxos de caixa:

$$(-\$\,100, \$\,130)$$

A TIR do Projeto *A* é de 30%. O Quadro 5.2 fornece outras informações relevantes sobre o projeto. A relação entre o VPL e a taxa de desconto é mostrada para esse projeto na Figura 5.5. Como se pode ver, o VPL declina à medida que a taxa de desconto sobe.

Problema 1: Investimento ou financiamento? Agora, considere o Projeto *B*, com fluxos de caixa de:

$$(\$\,100, -\$\,130)$$

QUADRO 5.2 A taxa interna de retorno e o valor presente líquido

	Projeto A			Projeto B			Projeto C		
Datas:	0	1	2	0	1	2	0	1	2
Fluxos de caixa	−$ 100	$ 130		$ 100	−$ 130		−$ 100	$ 230	−$ 132
TIR	30%			30%			10% e 20%		
VPL a 10%	$18,2			−$18,2			0		
Aceitar se a taxa de mercado for	<30%			>30%			>10%, mas <20%		
Financiamento ou investimento	Investimento			Financiamento			Mistura		

Esses fluxos de caixa são exatamente o oposto dos fluxos do Projeto A. No Projeto B, a empresa recebe os fundos primeiro e os paga posteriormente. Embora sejam incomuns, projetos desse tipo existem. Por exemplo, considere uma empresa conduzindo um seminário em que os participantes paguem antecipadamente. Como, muitas vezes, ocorrem despesas grandes no dia do seminário, as entradas precedem as saídas de caixa.

Considere nosso método de tentativa e erro para calcular a TIR:

$$-\$ 4 = +\$ 100 - \frac{\$ 130}{1,25}$$

$$\$ 3,70 = +\$ 100 - \frac{\$ 130}{1,35}$$

$$\$ 0 = +\$ 100 - \frac{\$ 130}{1,30}$$

Como com o Projeto A, a taxa interna de retorno é de 30%. Contudo, note que o valor presente líquido será *negativo* quando a taxa de desconto estiver *abaixo* de 30%. De modo contrário, o valor presente líquido será positivo quando a taxa de desconto estiver acima de 30%. A regra de decisão é exatamente o oposto de nosso resultado anterior. Para esse tipo de projeto, aplica-se a regra a seguir:

> **Aceite o projeto quando a TIR for menor do que a taxa de desconto do projeto. Rejeite o projeto quando a TIR for maior do que essa taxa de desconto.**

Essa regra de decisão incomum decorre do gráfico do Projeto B na Figura 5.5. A curva é ascendente, implicando que o VPL está *positivamente* relacionado à taxa de desconto.

O gráfico faz sentido intuitivamente. Suponha que a empresa queira obter $ 100 imediatamente. Ela pode (1) aceitar o Projeto B ou (2) tomar $ 100 emprestados de um banco. Portanto, o

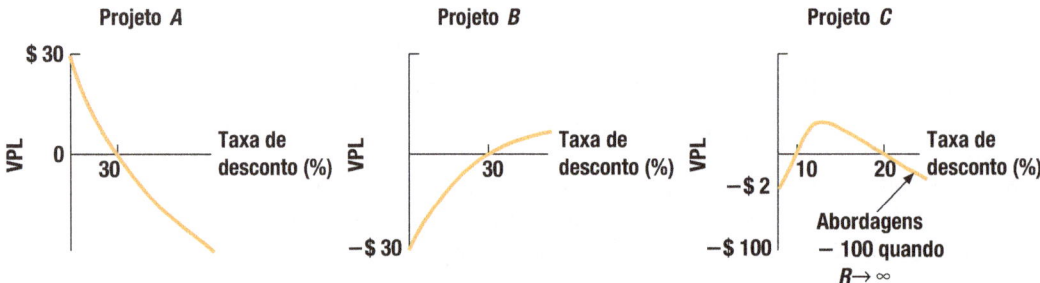

O Projeto A tem uma saída de caixa na Data 0, seguida de uma entrada de caixa na Data 1. Seu VPL está negativamente relacionado à taxa de desconto.
O Projeto B tem uma entrada de caixa na Data 0, seguida de uma saída de caixa na Data 1. Seu VPL está positivamente relacionado à taxa de desconto.
O Projeto C tem duas alterações de sinal em seus fluxos de caixa. Ele tem uma saída na Data 0, uma entrada na Data 1 e uma saída na Data 2. Projetos com mais de uma mudança de sinal podem ter múltiplas taxas de retorno.

FIGURA 5.5 Valor presente líquido e taxas de desconto para os projetos A, B e C.

projeto, na verdade, é um substituto para um empréstimo. De fato, como a TIR é de 30%, aceitar o Projeto B equivale a tomar um empréstimo a 30%. Se a empresa puder tomar um empréstimo de um banco a, digamos, 25%, ela deve rejeitar o projeto. Contudo, se a empresa puder tomar um empréstimo de um banco somente a, digamos, 35%, ela deve aceitar o projeto. Portanto, o Projeto B será aceito se e somente se a taxa de desconto do projeto estiver acima da TIR.[3]

Isso deve ser contrastado com o Projeto A. Se a empresa tiver $ 100 em caixa para investir, poderá (1) aceitar o Projeto A ou (2) aplicar $ 100 num banco. O projeto, na verdade, substitui uma aplicação financeira. De fato, como a TIR é de 30%, aceitar o Projeto A é equivalente à aplicação a 30%. A empresa deve aceitar o Projeto A se a taxa da aplicação estiver abaixo de 30%. De modo contrário, a empresa deve rejeitar o Projeto A se a taxa da aplicação financeira for superior a 30%.

Como a empresa inicialmente desembolsa o dinheiro com o Projeto A, mas recebe inicialmente o dinheiro com o Projeto B, nos referimos ao Projeto A como um *projeto do tipo investimento* e ao Projeto B como um *projeto do tipo financiamento*. Os projetos do tipo investimento são a norma. Como a regra da TIR é invertida para os projetos do tipo financiamento, tenha cuidado ao utilizá-la com esse tipo de projetos.

Problema 2: Múltiplas taxas de retorno Suponha que os fluxos de caixa de um projeto sejam:

$$(-\$ 100, \$ 230, -\$ 132)$$

Como esse projeto tem um fluxo de caixa negativo, um fluxo de caixa positivo e outro fluxo de caixa negativo, dizemos que os fluxos de caixa do projeto exibem duas mudanças de sinal, ou "mudanças de raiz". Embora esse padrão de fluxos de caixa possa parecer inicialmente um pouco estranho, muitos projetos exigem saídas de caixa depois de algumas entradas. Um exemplo seria um projeto de mineração. O primeiro estágio desse tipo de projeto é o investimento inicial na escavação da mina. Os lucros da operação da mina são recebidos no segundo estágio. O terceiro estágio envolve mais um investimento para recuperar o terreno e satisfazer as exigências da legislação de proteção ambiental. Os fluxos de caixa são negativos nesse estágio.

Os projetos financiados por contratos de arrendamento podem produzir um padrão similar de fluxos de caixa. Os arrendamentos, muitas vezes, proporcionam subsídios tributários substanciais, gerando entradas de caixa depois de um investimento inicial. Contudo, esses subsídios diminuem ao longo do tempo, frequentemente levando a fluxos de caixa negativos em anos posteriores. (Os detalhes de arrendamentos serão discutidos em um capítulo posterior.)

É fácil verificar que esse projeto não tem uma, mas duas TIRs, 10% e 20%.[4] Em um caso como esse, a TIR não faz qualquer sentido. Qual TIR devemos utilizar, 10% ou 20%? Como não há uma boa razão para utilizar uma ou outra, a TIR simplesmente não pode ser utilizada aqui.

Por que esse projeto tem múltiplas taxas de retorno? O Projeto C gera múltiplas taxas internas de retorno porque uma entrada e uma saída ocorrem depois do investimento inicial. Em geral, essas mudanças de raiz ou alterações de sinal produzem múltiplas TIRs. Na teoria, um fluxo de caixa com K alterações de sinal pode ter até K taxas internas de retorno razoáveis

---

[3] Este parágrafo pressupõe implicitamente que os fluxos de caixa dos projetos não tenham riscos. Dessa forma, podemos tratar a taxa de tomada de empréstimos como a taxa de desconto para uma empresa precisando de $ 100. Com fluxos de caixa arriscados, outra taxa de desconto seria escolhida. No entanto, a intuição por trás da decisão de aceitar quando a TIR for menor do que a taxa de desconto ainda se aplicaria.

[4] Os cálculos são:

$$-\$ 100 + \frac{\$ 230}{1,1} - \frac{\$ 132}{(1,1)^2}$$

$$-\$ 100 + 209{,}09 - 109{,}09 = 0$$

e

$$-\$ 100 + \frac{\$ 230}{1,2} - \frac{\$ 132}{(1,2)^2}$$

$$-\$ 100 + 191{,}67 - 91{,}67 = 0$$

Portanto, temos múltiplas taxas de retorno.

(TIRs acima de −100%). Portanto, como o Projeto C tem duas alterações de sinal, pode ter até duas TIRs. Como mostramos, projetos cujos fluxos de caixa mudam de sinal repetidamente podem ocorrer no mundo real.

Regra do VPL   É claro que não devemos nos preocupar muito com múltiplas taxas de retorno. Afinal, sempre podemos voltar para a regra do VPL. A Figura 5.5 representa graficamente o VPL do Projeto C (−$ 100, $ 230, −$ 132) como uma função da taxa de desconto. Como mostra a figura, o VPL é zero a 10% e a 20% e negativo fora dessa variação. Portanto, a regra do VPL nos diz para aceitar o projeto se a taxa de desconto apropriada estiver entre 10% e 20%. O projeto deve ser rejeitado se a taxa de desconto estiver fora dessa faixa.

TIR modificada   Como uma alternativa ao VPL, agora apresentamos o método da **TIR modificada (TIRM)**, que trata do problema da TIR múltipla combinando fluxos de caixa até que apenas uma alteração de sinal permaneça. Para ver como ele funciona, considere o Projeto C de novo. Com uma taxa de desconto de, digamos, 14%, o valor do último fluxo de caixa, −$ 132, é:

$$-\$132/1{,}14 = -\$115{,}79$$

na Data 1. Como $ 230 já são recebidos nesse momento, o fluxo de caixa "ajustado" na Data 1 é $ 114,21 (= $ 230 − 115,79). Portanto, a abordagem da TIRM produz os dois fluxos de caixa a seguir para o projeto:

$$(-\$100, \$114{,}21)$$

Note que, descontando e combinando os fluxos de caixa, ficamos com apenas uma alteração de sinal. Agora a regra da TIR pode ser aplicada. A TIR desses dois fluxos de caixa é de 14,21%, implicando que o projeto deve ser aceito, dada a nossa taxa de desconto presumida de 14%.

É claro que o Projeto C é relativamente simples para começar: ele só tem três fluxos de caixa e duas alterações de sinal. No entanto, o mesmo procedimento pode facilmente ser aplicado a projetos mais complexos – isto é, simplesmente continue descontando e combinando os fluxos de caixa posteriores até que apenas uma alteração de sinal permaneça.

Embora esse ajuste corrija múltiplas TIRs, ele parece, ao menos para nós, violar o "espírito" da abordagem da TIR. Conforme declarado anteriormente, o raciocínio básico por trás do método da TIR é fornecer um único número resumindo os méritos de um projeto. Esse número não depende da taxa de desconto. De fato, é por isso que é chamado de taxa interna de retorno: o número é *interno*, ou intrínseco, para o projeto e não depende de qualquer coisa exceto dos fluxos de caixa do projeto. Em contraste, a TIRM é uma função da taxa de desconto. Contudo, uma empresa que utiliza esse ajuste evitará o problema das TIRs múltiplas, assim como uma empresa que utiliza a regra do VPL irá evitá-lo.[5]

---

[5] Há mais do que uma versão da TIR modificada. Nessa discussão, a TIRM combina os valores presentes dos fluxos de caixa posteriores, deixando um conjunto de fluxos de caixa com apenas uma alteração de sinal. Alternativamente, os investidores, muitas vezes, combinam os valores presentes dos fluxos de caixa na data de encerramento do projeto. Em nosso exemplo, a soma dos valores futuros na Data 2 é:

Data do fluxo de caixa	1	2	Soma
Valor futuro na Data 2	$ 230 (1,14) = $ 262,20	−$ 132	$ 130,02 = 262,20 + (−132)

Segundo essa versão, a TIRM do projeto se torna:

$$-100 + \frac{130{,}02}{(1 + \text{TIRM})^2}$$

implicando uma TIRM de 14,11%.

A TIRM aqui difere da TIRM de 14,21% do texto. Contudo, ambas estão acima da taxa de desconto de 14%, implicando a aceitação do projeto. Essa consistência sempre deve se manter entre as duas variantes da TIR modificada. E, como na versão do texto, o problema da TIR múltipla será evitado.

A garantia contra múltiplas TIRs Se o primeiro fluxo de caixa de um projeto for negativo (porque é o investimento inicial) e se todos os fluxos restantes forem positivos, só pode haver uma única TIR, não importa por quantos períodos o projeto dure. Isso é fácil de entender utilizando o conceito do valor do dinheiro no tempo. Por exemplo, é simples verificar que o Projeto *A* no Quadro 5.2 tem uma TIR de 30%, porque utilizar uma taxa de desconto de 30% gera:

$$\text{VPL} = -\$\,100 + \$\,130/(1,3)$$
$$= \$\,0$$

Como sabemos que essa é a única TIR? Suponha que tentássemos uma taxa de desconto maior do que 30%. No cálculo do VPL, a alteração da taxa de desconto não altera o valor do fluxo de caixa inicial de $-\$\,100$, porque esse fluxo de caixa não é descontado. O aumento da taxa de desconto só pode reduzir o valor presente dos fluxos de caixa futuros. Em outras palavras, como o VPL é zero a 30%, qualquer aumento na taxa irá empurrar o VPL para o intervalo negativo. Similarmente, se tentarmos uma taxa de desconto de menos do que 30%, o VPL geral do projeto será positivo. Embora esse exemplo só tenha um fluxo positivo, o raciocínio acima ainda implica uma única TIR se houver muitas entradas (mas não saídas) depois do investimento inicial.

Se o fluxo de caixa inicial for positivo – e se todos os fluxos restantes forem negativos –, também só pode haver uma única TIR. Esse resultado decorre de um raciocínio similar. Ambos os casos só têm uma alteração de sinal ou mudança radical dos fluxos de caixa. Portanto, estamos isentos de TIRs múltiplas sempre que só houver uma alteração de sinal nos fluxos de caixa.

Regras gerais O quadro a seguir resume nossas regras:

Fluxos	Número de TIRs	Critério da TIR	Critério do VPL
O primeiro fluxo de caixa é negativo, e todos os restantes são positivos.	1	Aceite se TIR > R Rejeite se TIR < R	Aceite se VPL > 0 Rejeite se VPL < 0
O primeiro fluxo de caixa é positivo, e todos os restantes são negativos.	1	Aceite se TIR < R Rejeite se TIR > R	Aceite se VPL > 0 Rejeite se VPL < 0
Alguns fluxos de caixa depois do primeiro são positivos e alguns são negativos.	Pode ser mais do que 1	Nenhuma TIR válida	Aceite se VPL > 0 Rejeite se VPL < 0

Note que o critério do VPL é o mesmo para cada um dos três casos. Em outras palavras, a análise do VPL é sempre apropriada. De modo contrário, a TIR só pode ser utilizada em certos casos.

Problemas específicos para projetos mutuamente excludentes

Como mencionado anteriormente, dois ou mais projetos são mutuamente excludentes se a empresa puder aceitar apenas um deles. Agora, apresentamos dois problemas lidando com a aplicação da abordagem da TIR a projetos mutuamente excludentes. Esses dois problemas são bastante similares, embora logicamente distintos.

O problema de escala Um professor que conhecemos motiva as discussões em aula desse tópico com esta declaração: "Alunos, estou preparado para permitir a um de vocês escolher entre duas propostas de 'negócios' mutuamente excludentes. Oportunidade 1 – Você me dá $ 1 agora, e eu lhe darei $ 1,50 de volta no fim do período de aula. Oportunidade 2 – Você me dá $ 10, e eu lhe darei $ 11 de volta no fim do período de aula. Você só pode escolher uma das duas oportunidades. E não pode escolher cada uma das oportunidades mais do que uma vez. Escolherei o primeiro voluntário".

Qual oportunidade você escolheria? A resposta correta é a Oportunidade 2.[6] Para ver isso, examine o seguinte quadro:

	Fluxo de caixa no início da aula	Fluxo de caixa no fim da aula (90 minutos depois)	VPL[7]	TIR
Oportunidade 1	−$ 1	+$ 1,50	$ 0,50	50%
Oportunidade 2	−10	+11,00	1,00	10

Como enfatizamos anteriormente no texto, deve-se escolher a oportunidade com o VPL maior. Ela é a Oportunidade 2 do exemplo. Ou, como um dos alunos do professor explicou, "Sou maior do que o professor, logo sei que vou receber meu dinheiro de volta. E tenho $ 10 em meu bolso agora, portanto posso escolher qualquer das oportunidades. No fim da aula, vou poder comprar uma música no iTunes com a Oportunidade 2 e ainda terei meu investimento original são e salvo. O lucro na Oportunidade 1 paga apenas metade de uma música".

Essa proposta de negócio ilustra um defeito com o critério da taxa interna de retorno. A regra básica da TIR indica a seleção da Oportunidade 1, porque a TIR é de 50%. A TIR é de apenas 10% para a Oportunidade 2.

Por que a TIR dá errado aqui? O problema com a TIR é ela ignorar as questões de *escala*. Embora a Oportunidade 1 tenha uma TIR maior, o investimento é muito menor. Em outras palavras, a alta porcentagem de retorno na Oportunidade 1 é mais do que superada pela capacidade de auferir ao menos um bom retorno[8] em um investimento muito maior segundo a Oportunidade 2.

Como a TIR parece estar mal orientada aqui, podemos ajustá-la ou corrigi-la? Ilustramos como fazê-lo no próximo exemplo.

EXEMPLO 5.2 VPL *versus* TIR

Joaquim Joia e Manuel Mano acabaram de comprar os direitos de *Finanças Corporativas: O Filme*. Eles produzirão esse grande filme seja com um orçamento menor ou um orçamento maior. Aqui estão os fluxos de caixa estimados:

	Fluxo de caixa na Data 0	Fluxo de caixa na Data 1	VPL a 25%	TIR
Orçamento menor	−$ 10 milhões	$ 40 milhões	$ 22 milhões	300%
Orçamento maior	−25 milhões	65 milhões	27 milhões	160

Por causa do alto risco, uma taxa de desconto de 25% é considerada apropriada. Manuel quer adotar o orçamento maior, porque o VPL é maior. Joaquim quer adotar o orçamento menor, porque a TIR é maior. Quem está certo?

Pelas razões adotadas no exemplo da sala de aula, o VPL está correto. Por isso, Manuel está certo. No entanto, Joaquim é muito teimoso no que se refere à TIR. Como Manuel pode justificar o orçamento maior para Joaquim utilizando a abordagem da TIR?

É aí que a *TIR incremental* entra. Manuel calcula os fluxos de caixa incrementais da escolha do orçamento maior em lugar do orçamento menor desta forma:

	Fluxo de caixa na Data 0 (em $ milhões)	Fluxo de caixa na Data 1 (em $ milhões)
Fluxos de caixa incrementais da escolha do orçamento maior em vez do orçamento menor	−$ 25 − (−10) = −$ 15	$ 65 − 40 = $ 25

---

[6] O professor utiliza dinheiro de verdade aqui. Embora muitos estudantes tenham se saído mal nas provas do professor ao longo dos anos, nenhum estudante jamais escolheu a Oportunidade 1. O professor diz que seus alunos "jogam a dinheiro".

[7] Pressupomos uma taxa de juros zero porque essa aula durou apenas 90 minutos. Só pareceu mais longa.

[8] Um retorno de 10% é mais do que bom em um intervalo de 90 minutos!

Esse quadro mostra que os fluxos de caixa incrementais são de −$ 15 milhões na Data 0 e $ 25 milhões na Data 1. Manuel calcula a TIR Incremental assim:

Fórmula para calcular a TIR incremental:

$$0 = -\$\,15 \text{ milhões} + \frac{\$\,25 \text{ milhões}}{1 + \text{TIR}}$$

A TIR equivale a 66,67% nessa equação, implicando que a **TIR incremental** seja de 67,67%. A TIR incremental é a TIR do investimento incremental resultante da escolha do projeto maior em lugar do menor.

Além disso, podemos calcular o VPL dos fluxos de caixa incrementais:

VPL dos fluxos de caixa incrementais:

$$-\$\,15 \text{ milhões} + \frac{\$\,25 \text{ milhões}}{1,25} = \$\,5 \text{ milhões}$$

Sabemos que o filme do orçamento menor seria aceitável como um projeto independente, porque seu VPL é positivo. Queremos saber se é benéfico investir $ 15 milhões adicionais para fazer o filme do orçamento maior em lugar do filme do orçamento menor. Em outras palavras, é benéfico investir $ 15 milhões adicionais para receber $ 25 milhões adicionais no próximo ano? Primeiro, nossos cálculos mostram que o VPL no investimento incremental é positivo. Segundo, a TIR incremental de 66,67% é maior do que a taxa de desconto de 25%. Por ambas as razões, o investimento incremental pode ser justificado, portanto o filme com orçamento maior deve ser feito. A segunda razão é o que Joaquim precisava ouvir para ser convencido disso.

Em síntese, podemos lidar com esse exemplo (ou qualquer exemplo de projetos mutuamente excludentes) com uma das três formas:

1. *Comparar os VPLs das duas opções.* O VPL do filme do orçamento maior é maior do que o VPL do filme do orçamento menor. Isto é, $ 27 milhões são mais do que $ 22 milhões.

2. *Calcular o VPL incremental de fazer o filme do orçamento maior em lugar do filme do orçamento menor.* Como o VPL incremental equivale a $ 5 milhões, escolhemos o filme do orçamento maior.

3. *Comparar a TIR incremental com a taxa de desconto.* Como a TIR incremental é de 66,67% e a taxa de desconto é de 25%, escolhemos o filme do orçamento maior.

Todas as três abordagens sempre dão a mesma decisão. Contudo, *não* devemos comparar as TIRs dos dois filmes. Senão, estaríamos fazendo a escolha errada. Isto é, aceitaríamos o filme do orçamento menor.

Embora os estudantes, muitas vezes, pensem que problemas de escala são relativamente sem importância, a verdade é exatamente o oposto. Nenhum projeto do mundo real vem em um tamanho claro. Em vez disso, a empresa tem que *determinar* o melhor tamanho para o projeto. O orçamento de $ 25 milhões para o filme não está gravado em pedra. Talvez $ 1 milhão extra para contratar uma estrela mais importante ou para filmar em uma localização melhor vá aumentar a receita do filme. Similarmente, uma empresa industrial deve decidir se quer um armazém de, digamos, 500 mil metros quadrados ou 600 mil metros quadrados. E, anteriormente no capítulo, imaginamos que o McDonald's abriria um ponto de vendas em uma ilha remota. Se o fizer, ele precisa decidir quão grande o ponto de vendas deve ser. Para quase qualquer projeto, alguém na empresa tem que decidir seu tamanho, implicando que problemas de escala abundam no mundo real.

Uma observação final aqui. Os estudantes, muitas vezes, perguntam qual projeto deve ser subtraído do outro no cálculo de fluxos incrementais. Note que estamos subtraindo os fluxos de caixa do projeto menor dos fluxos de caixa do projeto maior. Isso deixa uma *saída de caixa* na Data 0. Então, utilizamos a regra básica da TIR com os fluxos incrementais.[9]

---

[9] Alternativamente, poderíamos ter subtraído os fluxos de caixa do projeto maior dos fluxos de caixa do projeto menor. Isso teria deixado uma *entrada de caixa* na Data 0, tornando necessário utilizar a regra da TIR para situações de financiamento. Isso funcionaria, mas achamos mais confuso.

O problema da distribuição no tempo A seguir, ilustraremos outro problema um tanto similar com a abordagem da TIR para avaliar projetos mutuamente excludentes.

Os padrões de fluxo de caixa para os projetos aparecem na Figura 5.6. O Projeto A tem um VPL de $ 2.000 a uma taxa de desconto zero. Isso é calculado simplesmente somando os fluxos de caixa sem descontá-los. O Projeto B tem um VPL de $ 4.000 a taxa zero. Contudo, o VPL do Projeto B diminui mais rapidamente do que o do Projeto A à medida que a taxa de desconto aumenta. Conforme mencionamos, isso ocorre porque os fluxos de caixa de B ocorrem posteriormente aos de A. Ambos os projetos têm o mesmo VPL a uma taxa de desconto de 10,55%.

EXEMPLO 5.3 Investimentos mutuamente excludentes

Suponha que a Companhia Armazenadora S/A tenha dois usos alternativos para um armazém. Ela pode armazenar contêineres de lixo tóxico (Investimento A) ou equipamentos eletrônicos (Investimento B). As entradas de caixa são as seguintes:

	Fluxo de caixa ao ano				VPL			
Ano:	0	1	2	3	a 0%	a 10%	a 15%	TIR
Investimento A	−$ 10.000	$ 10.000	$ 1.000	$ 1.000	$ 2.000	$ 669	109	16,04%
Investimento B	−10.000	1.000	1.000	12.000	4.000	751	−484	12,94

Descobrimos que, com taxas de desconto baixas, o VPL do Investimento B é maior, e, com taxas de desconto altas, o VPL do Investimento A é maior. Isso não causa surpresa se você examinar com atenção os padrões de fluxos de caixa. Os fluxos de caixa de A ocorrem de forma mais antecipada, enquanto os fluxos de caixa de B ocorrem mais tarde. Se supusermos uma taxa de desconto alta, favoreceremos o Investimento A, porque estamos supondo implicitamente que o fluxo de caixa antecipado (p. ex., $ 10.000 no Ano 1) possa ser reinvestido a essa taxa. Como a maioria dos fluxos de caixa do Investimento B ocorre no Ano 3, o valor de B é relativamente alto, com taxas de desconto baixas.

A TIR de um projeto é a taxa com a qual o seu VPL é igual a zero. Como o VPL de B diminui mais rapidamente, B, de fato, tem uma TIR menor.

Como no exemplo do filme, podemos selecionar o melhor projeto com um dos três diferentes métodos:

1. *Comparar os VPLs dos dois projetos.* A Figura 5.6 auxilia nossa decisão. Se a taxa de desconto estiver abaixo de 10,55%, devemos escolher o Projeto B, pois B tem um VPL maior.

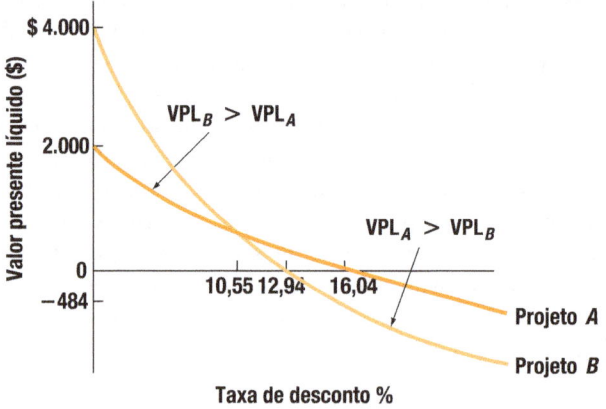

FIGURA 5.6 Valor presente líquido e taxa interna de retorno para projetos mutuamente excludentes.

Capítulo 5 Valor Presente Líquido e Outras Regras de Análise de Investimentos   153

Se a taxa de desconto estiver acima de 10,55%, devemos escolher o Projeto A, pois A tem um VPL maior.

2. *Comparar a TIR incremental com a taxa de desconto.* O Método 1 empregava o VPL. Outra maneira de determinar que B é um projeto melhor é subtrair os fluxos de caixa de A dos fluxos de caixa de B e calcular a TIR. Essa é a abordagem da TIR incremental de que falamos anteriormente.

Aqui estão os fluxos de caixa incrementais:

	VPL de fluxos de caixa incrementais							
Ano:	0	1	2	3	TIR incremental	a 0%	a 10%	a 15%
B − A	0	−$ 9.000	0	$ 11.000	10,55%	$ 2.000	$ 83	−$ 593

Esse quadro mostra que a TIR incremental é de 10,55%. Em outras palavras, o VPL do investimento incremental é zero quando sua taxa de desconto é 10,55%. Portanto, se a taxa de desconto relevante for inferior a 10,55%, o Projeto B será preferido em relação ao Projeto A. Se a taxa de desconto relevante for superior a 10,55%, o Projeto A será preferido em relação ao Projeto B.

A Figura 5.6 mostra que os VPLs dos dois projetos são iguais quando a taxa de desconto for 10,55%. Em outras palavras, a *taxa de interseção* na figura é 10,55. O gráfico dos fluxos de caixa incrementais mostra que a TIR incremental também é de 10,55%. Não é uma coincidência que a taxa de interseção e a TIR incremental sejam iguais; essa igualdade deve *sempre* se manter. A TIR incremental é a taxa que faz com que os fluxos de caixa incrementais tenham VPL zero. Os fluxos de caixa incrementais têm VPL zero quando os dois projetos têm o mesmo VPL.

3. *Calcular o VPL dos fluxos de caixa incrementais.* Por fim, podemos calcular o VPL dos fluxos de caixa incrementais. O gráfico que aparece com o método anterior exibe esses VPLs. Achamos que o VPL incremental é positivo quando a taxa de desconto for 0% ou 10%. O VPL incremental é negativo se a taxa de desconto for 15%. Se o VPL for positivo nos fluxos incrementais, devemos escolher B. Se o VPL for negativo, devemos escolher A.

Em resumo, a mesma decisão é alcançada se (1) compararmos os VPLs dos dois projetos, (2) compararmos a TIR incremental à taxa de desconto relevante ou (3) examinarmos o VPL dos fluxos de caixa incrementais. Contudo, como mencionado anteriormente, *não* devemos comparar a TIR do Projeto A com a TIR do Projeto B.

Sugerimos anteriormente que devemos subtrair os fluxos de caixa do projeto menor dos fluxos de caixa do projeto maior. O que fazemos aqui quando os dois projetos têm o mesmo investimento inicial? Nossa sugestão, nesse caso, é realizar a subtração, a fim de que o *primeiro* fluxo de caixa diferente de zero seja negativo. No exemplo da Companhia Armazenadora, conseguimos isso subtraindo A de B. Com essa forma de cálculo dos fluxos incrementais, ainda podemos utilizar a regra básica da TIR para avaliar fluxos de caixa.

Os exemplos anteriores ilustram problemas com a abordagem da TIR na avaliação de projetos mutuamente excludentes. Os exemplos do professor e alunos e o do filme ilustram o problema que surge quando projetos mutuamente excludentes têm investimentos iniciais diferentes. O exemplo da Cia. Armazenadora ilustra o problema que surge quando projetos mutuamente excludentes têm diferentes distribuições de fluxos de caixa no tempo. Ao trabalhar com projetos mutuamente excludentes, não é necessário determinar se o que existe é o problema de escala ou o problema de distribuição no tempo. É muito provável que ambos ocorram em qualquer situação do mundo real. Em vez disso, o profissional simplesmente utilizaria uma abordagem de TIR incremental ou de VPL.

As qualidades que redimem a TIR

A TIR provavelmente sobrevive porque preenche uma necessidade que o VPL não consegue preencher. As pessoas parecem querer uma regra que resuma as informações sobre um projeto em uma única taxa de retorno. Essa única taxa lhes dá uma forma simples de discutir projetos. Por exemplo, um gestor de uma empresa poderia dizer a outro: "A remodelação da ala norte tem uma TIR de 20%".

Para seu crédito, no entanto, as empresas que empregam a abordagem da TIR parecem entender as deficiências dela. Por exemplo, as empresas frequentemente restringem projeções gerenciais de fluxos de caixa para serem negativas no início e estritamente positivas depois. Talvez, então, tanto a capacidade da abordagem de a TIR captar um projeto de investimento complexo em um único número quanto a facilidade de comunicação desse número expliquem a sobrevivência da TIR.

Um teste

Para testar seus conhecimentos, considere as duas afirmações a seguir:

1. É preciso saber a taxa de desconto para calcular o VPL de um projeto, mas se calcula a TIR sem fazer referência à taxa de desconto.
2. Assim, a regra da TIR é mais fácil de aplicar do que a regra do VPL, porque não se utiliza a taxa de desconto ao aplicar a TIR.

A primeira afirmação é verdadeira. A taxa de desconto é necessária para *calcular* o VPL. A TIR é *calculada* descobrindo-se a taxa em que o VPL é zero. Nenhuma menção é feita à taxa de desconto no mero cálculo. Contudo, a segunda afirmação é falsa. Para *aplicar* a TIR, é preciso comparar a taxa interna de retorno com a taxa de desconto. Portanto, a taxa de desconto é necessária para tomar uma decisão segundo a abordagem do VPL ou da TIR.

5.6 Índice de lucratividade

ExcelMaster
cobertura
online

Outro método utilizado para avaliar projetos é o chamado **índice de lucratividade**. Ele é o quociente do valor presente dos fluxos de caixa futuros esperados *após* o investimento inicial dividido pela quantia do investimento inicial. O índice de lucratividade pode ser representado desta forma:

$$\text{Índice de lucratividade (IL)} = \frac{\text{VP dos fluxos de caixa } \textit{subsequentes} \text{ ao investimento inicial}}{\text{Investimento inicial}}$$

EXEMPLO 5.4 Índice de lucratividade

A HFI aplica uma taxa de desconto de 12% a duas oportunidades de investimento.

Projeto	Fluxos de caixa ($ 000.000)			VP a 12% dos fluxos de caixa subsequentes ao investimento inicial ($ 000.000)	Índice de lucratividade	VPL a 12% ($ 000.000)
	C_0	C_1	C_2			
1	–$ 20	$ 70	$ 10	$ 70,5	3,53	$ 50,5
2	–10	15	40	45,3	4,53	35,3

Cálculo do índice de lucratividade

O índice de lucratividade é calculado para o Projeto 1 como segue. O valor presente dos fluxos de caixa *depois* do investimento inicial é:

$$\$\,70{,}5 = \frac{\$\,70}{1{,}12} + \frac{\$\,10}{(1{,}12)^2}$$

O índice de lucratividade é obtido dividindo esse resultado pelo investimento inicial de $ 20. Isso gera:

$$3{,}53 = \frac{\$\,70{,}5}{\$\,20}$$

Aplicação do índice de lucratividade Como utilizamos o índice de lucratividade? Consideremos três situações:

1. *Projetos independentes*: Suponha que os dois projetos da HFI sejam independentes.

   De acordo com a regra do VPL, ambos os projetos deveriam ser aceitos, pois o VPL é positivo em cada caso. O índice de lucratividade (IL) será maior do que 1 sempre que o VPL for positivo. Portanto, a *regra de decisão* do IL é:

   • Aceite um projeto independente se IL > 1.
   • Rejeite se IL < 1.

2. *Projetos mutuamente excludentes*: Suporemos agora que a HFI só possa aceitar um de seus dois projetos. A análise do VPL diz para aceitar o Projeto 1, porque ele tem o maior VPL. Como o Projeto 2 tem o maior IL, o índice de lucratividade leva à seleção errada.

   Para projetos mutuamente excludentes, o índice de lucratividade sofre do problema de escala de que a TIR também sofre. O Projeto 2 é menor do que o Projeto 1. Como o IL é um quociente, ele ignora o investimento maior do Projeto 1. Portanto, como a TIR, o IL ignora diferenças de escala para projetos mutuamente excludentes.

   Contudo, como na TIR, a falha na abordagem do IL pode ser corrigida utilizando a análise incremental. Escrevemos os fluxos de caixa incrementais depois de subtrair o Projeto 2 do Projeto 1 desta forma:

Projeto	Fluxos de caixa ($ 000.000)			VP a 12% dos fluxos de caixa subsequentes ao investimento inicial ($ 000.000)	Índice de lucratividade	VPL a 12% ($ 000.000)
	C_0	C_1	C_2			
1-2	-$ 10	$ 55	-$ 30	$ 25,2	2,52	$ 15,2

Como o índice de lucratividade dos fluxos de caixa incrementais é maior do que 1,0, devemos escolher o projeto maior – isto é, o Projeto 1. Essa é a mesma decisão que obtemos com a abordagem do VPL.

3. *Racionamento de capital*: Os dois primeiros casos tinham a suposição implícita de que a HFI sempre poderia atrair capital suficiente para fazer qualquer investimento lucrativo. Agora, considere o caso quando a empresa não tem capital suficiente para financiar todos os projetos com VPL positivo. Esse é o caso do **racionamento de capital**.

   Imagine que a empresa tenha um terceiro projeto, adicional aos dois primeiros. O Projeto 3 tem os seguintes fluxos de caixa:

Projeto	Fluxos de caixa ($ 000.000)			VP a 12% dos fluxos de caixa subsequentes ao investimento inicial ($ 000.000)	Índice de lucratividade	VPL a 12% ($ 000.000)
	C_0	C_1	C_2			
3	-$ 10	-$ 5	$ 60	$ 43,4	4,34	$ 33,4

Para além disso, imagine que (1) os projetos da HFI sejam independentes, mas (2) a empresa só tenha $ 20 milhões para investir. Como o Projeto 1 tem um investimento inicial de $ 20 milhões, a empresa não pode escolher ambos os projetos e um terceiro. De outra forma, como os Projetos 2 e 3 têm investimentos iniciais de $ 10 milhões cada, ambos podem ser escolhidos. Em outras palavras, a restrição de caixa força a empresa a escolher ou o Projeto 1 ou os Projetos 2 e 3.

O que a empresa deve fazer? Individualmente, os Projetos 2 e 3 têm VPLs menores do que o Projeto 1. Contudo, quando os VPLs dos Projetos 2 e 3 são somados, o resultado é maior do que o VPL do Projeto 1. Portanto, o senso comum dita que os Projetos 2 e 3 devem ser os projetos aceitos.

O que nossa conclusão tem a dizer sobre a regra do VPL ou a regra do IL? No caso de recursos limitados, não podemos classificar os projetos de acordo com seus VPLs. Em vez disso, devemos ordená-los de acordo com o quociente de valor presente para investimento inicial. Essa é a regra do IL. Tanto o Projeto 2 quanto o Projeto 3 têm quocientes de IL maiores do que o Projeto 1. Portanto, eles devem ser classificados à frente do Projeto 1 quando o capital for racionado.

Deve-se notar que o índice de lucratividade não funciona se os recursos também forem limitados além do período inicial. Por exemplo, se saídas de caixa pesadas em outra parte da empresa devessem ocorrer na Data 1, o Projeto 3, que também tem uma saída de caixa na Data 1, talvez precisasse ser rejeitado. Em outras palavras, o índice de lucratividade não pode lidar com o racionamento de capital durante múltiplos períodos.

Além disso, o que os economistas chamam de *indivisibilidades* pode reduzir a efetividade da regra do IL. Imagine que a HFI tenha $ 30 milhões disponíveis para investimento de capital, não apenas $ 20 milhões. A empresa agora tem caixa suficiente para os Projetos 1 e 2. Como a soma dos VPLs desses dois projetos é maior do que a soma dos VPLs dos Projetos 2 e 3, a empresa estaria mais bem servida aceitando os Projetos 1 e 2. Porém, como os Projetos 2 e 3 ainda têm os maiores índices de lucratividade, agora a regra do IL leva à decisão errada. Por que a regra do IL nos desvia do caminho aqui? A chave é que os Projetos 1 e 2 utilizam todos os $ 30 milhões, ao passo que os Projetos 2 e 3 têm um investimento inicial combinado de apenas $ 20 milhões (= $ 10 + 10). Se os Projetos 2 e 3 forem aceitos, os $ 10 milhões restantes ficam no banco.

Essa situação indica que se deve ter cuidado ao utilizar o índice de lucratividade no mundo real. Todavia, embora não seja perfeito, o índice de lucratividade contribui muito para lidar com a situação de racionamento de capital na escolha de projetos.

5.7 Prática do orçamento de capital

Até agora, este capítulo tem perguntado "Quais métodos de orçamento de capital as empresas deveriam estar utilizando?". Uma pergunta igualmente importante é esta: Quais métodos as empresas *estão* utilizando? O Quadro 5.3 ajuda a responder a essa pergunta. Como pode ser visto no quadro, aproximadamente três quartos das empresas dos Estados Unidos e Canadá utilizam os métodos da TIR e do VPL. Isso não é surpreendente, dadas as vantagens teóricas dessas abordagens. Mais da metade dessas empresas utilizam o método de *payback*, um resultado bastante surpreendente, dados os problemas conceituais dessa abordagem. E, enquanto o *payback* descontado representa uma melhoria teórica sobre o *payback* normal, a utilização aqui é muito menor. Talvez as empresas sejam atraídas pela natureza acessível do *payback*. Além disso, as falhas dessa abordagem, como mencionado neste capítulo, podem ser relativamente fáceis de corrigir. Por exemplo, enquanto o método de *payback* ignora todos os fluxos de caixa depois do período de *payback*, um gestor alerta pode fazer ajustes *ad hoc* para um projeto com fluxos de caixa posteriores.

QUADRO 5.3 Porcentagem de gestores financeiros que sempre ou quase sempre utilizam uma dada técnica

	Sempre ou quase sempre (%)
Taxa interna de retorno (TIR)	75,6%
Valor presente líquido (VPL)	74,9
Método de *payback*	56,7
Payback descontado	29,5
Índice de lucratividade	11,9

Fonte: Figura 2 de John R. Graham e Campbell R. Harvey, "The Theory and Practice of Corporate Finance: Evidence from the Field", *Journal of Financial Economics* 60 (2001). Baseado em uma pesquisa com 392 diretores financeiros.

Os gastos de capital por empresas individuais podem somar até valores enormes para a economia como um todo. Por exemplo, em 2011, a ExxonMobil anunciou que esperava ter cerca de US$ 34 bilhões em gastos de capital durante o ano, 6% a mais do que no ano anterior. A empresa indicou ainda que esperava gastar de US$ 33 bilhões a US$ 37 bilhões por ano até 2015. Ao mesmo tempo, a ChevronTexaco anunciou que iria aumentar seu orçamento de capital de 2011 para US$ 26 bilhões, 21% a mais do que no ano anterior, e a ConocoPhillips anunciou um aumento de 23% em gastos de capital para US$ 13,5 bilhões em 2011. Outras empresas com grandes orçamentos de gastos de capital em 2011 foram a Intel, que projetou gastos de capital de cerca de US$ 10,2 bilhões, e a empresa de semicondutores Samsung Electronics, que projetou gastos de capital de cerca de US$ 9 bilhões.

Gastos de capital de grande escala são uma ocorrência frequente no setor industrial. Por exemplo, em 2011, os gastos de capital na indústria de semicondutores tinham expectativa de alcançar US$ 60,4 bilhões. Essa soma organizada representou um aumento de 47% sobre os gastos de capital da indústria em 2010. Como já referimos na abertura deste capítulo, compare com o plano de investimentos da Petrobras para o quinquênio de 2013 a 2017 de US$ 236,7 bilhões, principalmente para desenvolver o pré-sal.

De acordo com informações liberadas pelo censo dos Estados Unidos em 2011, o investimento de capital para a economia norte-americana como um todo foi de US$ 1,090 trilhão em 2009, US$ 1,374 trilhão em 2008 e US$ 1,355 trilhão em 2007. Portanto, os totais para os três anos igualaram aproximadamente US$ 3,819 trilhões! Dadas as somas em jogo, não é muito surpreendente que empresas bem-sucedidas analisem cuidadosamente gastos de capital.

Pode-se esperar que os métodos de orçamento de capital de empresas de grande porte sejam mais sofisticados do que os métodos de empresas de pequeno porte. Afinal, empresas de grande porte têm os recursos financeiros para contratar funcionários mais sofisticados. Os Quadros 5.4A e 5.4B fornecem algum suporte para essa ideia. No Quadro 5.4A, são indicadas as frequências de utilização dos vários métodos de orçamento de capital na escala de 0 (nunca) a 4 (sempre) para empresas norte-americanas. Os métodos da TIR e do VPL são utilizados com mais frequência, e o de *payback*, com menos frequência em empresas de grande porte do que nas de pequeno porte. Por outro lado, as empresas de grande e pequeno portes empregam as três últimas abordagens quase igualmente nos Estados Unidos. O Quadro 5.4B traz dados de pesquisas sobre os critérios de rentabilidade usados como critério principal por empresas brasileiras de grande porte. Os dados foram coletados em 1990 e 1991 por Fensterseifer e Saul (1993).[10]

O uso de técnicas quantitativas no orçamento de capital varia com o ramo de indústria. Como se pode imaginar, as empresas mais capazes de estimar fluxos de caixa são mais propensas a utilizar o VPL. Por exemplo, a estimativa de fluxo de caixa em certos aspectos da indústria do petróleo é bastante viável. Por causa disso, as empresas relacionadas à energia estavam entre as primeiras a utilizar a análise do VPL. De modo contrário, os fluxos de caixa no negócio de filmes são muito difíceis de projetar. As receitas de grandes sucessos como *Homem-Aranha*, *Harry Potter* e *Star Wars* foram muito maiores do que se imaginava. Os grandes fracassos como *O Álamo* e *Waterworld – O Segredo das Águas* também foram inesperados. Por causa disso, a análise do VPL é rejeitada na indústria do cinema.

Como Hollywood realiza o orçamento de capital? As informações que um estúdio utiliza para aceitar ou rejeitar a ideia de um filme vêm da apresentação do conceito do filme que é apresentado pelo produtor de maneira sucinta e atraente para convencer o estúdio a investir no filme. Um produtor de filmes independentes marca uma reunião extremamente breve com um

---

[10] Fensterseifer, J. E.; Saul, N. Investimentos de capital nas grandes empresas. *Revista de Administração*, v. 28, n. 3 jul./set., 1993.

QUADRO 5.4A Frequência de uso de vários métodos de orçamento de capital nos Estados Unidos

	Empresas de grande porte	Empresas de pequeno porte
Taxa interna de retorno (TIR)	3,41	2,87
Valor presente líquido (VPL)	3,42	2,83
Método de *payback*	2,25	2,72
Payback descontado	1,55	1,58
Índice de lucratividade	0,75	0,78

As empresas indicaram o uso em uma escala de 0 (nunca) a 4 (sempre). Os números no quadro são médias dos respondentes.
Fonte: Tabela 2 de Graham e Harvey (2001), *op. cit.*

QUADRO 5.4B Percentual de uso de vários métodos de orçamento de capital no Brasil

Critérios de rentabilidade usados como critério principal (1990/1)	Empresas brasileiras de grande porte (1989)
Taxa interna de retorno (TIR)	49,6%
Valor presente líquido (VPL)	10,9%
Método de *payback*	4,8%
Payback descontado	14,3%
Índice de lucratividade	6,8%
Outros critérios	13,6%

Os percentuais são os de respondentes em uma amostra de 566 empresas de maior faturamento em setores de atividade classificados conforme a revista *Visão, Quem é Quem na Economia Brasileira* para o ano de 1989 na pesquisa de Fensterseifer J. E. e Saul, N, *op.cit.*
Adaptado de: Gaslene, Fensterseifere Lamb (1999).

estúdio para lançar sua ideia para um filme. Considere os quatro parágrafos seguintes de citações relacionadas a lançamento de filmes, do encantador livro *Reel Power*:[11]

"Eles [os executivos do estúdio] não querem saber muito", diz Ron Simpson. "Eles querem saber o conceito... Querem saber qual é o resumo do história em três linhas, pois querem que ele sugira a campanha publicitária. Querem um título... Eles não querem ouvir qualquer esoterismo. E se a reunião durar mais do que cinco minutos, provavelmente não farão o projeto."

"Um cara entra e diz esta é minha ideia: '*Tubarão* em uma nave espacial'", diz o roteirista Clay Frohman (*Sob Fogo Cerrado*). "E eles dizem, 'Brilhante, fantástico'. Vira *Alien*. Isso, em última análise, é *Tubarão* em uma nave espacial... E é isso. É tudo o que eles querem ouvir. A atitude deles é 'Não nos confunda com os detalhes da história'. "

"... Algumas histórias de alto conceito são mais atraentes para os estúdios do que outras. As ideias preferidas são suficientemente originais para que a audiência não sinta que já viu o filme, mas similares a sucessos anteriores o suficiente para tranquilizar os executivos desconfiados de qualquer coisa muito fora do padrão. Por isso, a forma abreviada para descrever o conceito é frequentemente utilizada: É *Flashdance* no interiorzão (*Footloose*) ou É *Matar ou Morrer* no espaço (*Outland*).

"... Uma manobra que não se deve utilizar durante um lançamento", diz a executiva Barbara Boyle, "é falar sobre as grandes arrecadações de bilheteria que a sua história certamente terá; os executivos sabem, tão bem quanto qualquer pessoa, que é impossível prever quanto dinheiro um filme fará, e declarações em contrário são consideradas pura asneira."

---

[11] Litwak, M. Reel Power: the struggle for influence and success in the New Hollywood. Nova York: William Morrow and Company, 1986. p. 73, 74, 77.

Resumo e conclusões

1. Neste capítulo, abordamos diferentes regras para análise da decisão de investimento. Avaliamos as alternativas ao VPL mais populares: o período de *payback*, o período de *payback* descontado, a taxa interna de retorno e o índice de lucratividade. Ao fazê-lo, aprendemos mais sobre o VPL.

2. Embora tenhamos descoberto que as alternativas têm algumas qualidades positivas, no fim das contas, elas não são a regra do VPL; para nós da área de Finanças, isso as torna decididamente de segunda categoria.

3. Dos concorrentes com o VPL, a TIR deve ser classificada acima do *payback*. De fato, a TIR sempre chega à mesma decisão que o VPL no caso normal em que as saídas iniciais de um projeto de investimento independente são seguidas somente por uma série de entradas.

4. Classificamos as falhas da TIR em dois tipos. Primeiro, consideramos o caso geral que se aplica aos projetos independentes e aos mutuamente excludentes. Parecia haver dois problemas aqui:

    a. Alguns projetos têm entradas de caixa seguidas por uma ou mais saídas. A regra da TIR é invertida aqui: deve-se aceitar o projeto quando a TIR for *inferior* à taxa de desconto.

    b. Alguns projetos têm mais de uma mudança de sinal em seus fluxos de caixa. Aqui, há provavelmente múltiplas taxas internas de retorno. O profissional deve utilizar o VPL ou a taxa interna de retorno modificada aqui.

5. A seguir, consideramos os problemas específicos com o VPL para projetos mutuamente excludentes. Mostramos que, devido às diferenças de tamanho ou de distribuição dos fluxos de caixa no tempo, o projeto com a maior TIR poderia não ter o maior VPL. Por isso, a regra da TIR não devia ser aplicada. (É claro que o VPL ainda podia ser aplicado.)

    Presentes essas considerações, calculamos, então, os fluxos de caixa incrementais. Para facilitar o cálculo, sugerimos subtrair os fluxos de caixa do projeto menor dos fluxos de caixa do projeto maior. Dessa maneira, o fluxo de caixa incremental inicial é negativo. Pode-se sempre chegar à decisão correta aceitando o projeto maior se a TIR incremental for maior do que a taxa de desconto.

6. Descrevemos o racionamento de capital como o caso em que os recursos são limitados a um montante fixo de reais. Com racionamento de capital, o índice de lucratividade é um método útil para ajustar o VPL.

QUESTÕES CONCEITUAIS

1. **Período de *payback* e valor presente líquido** Se um projeto com fluxos de caixa convencionais tem um período de *payback* menor do que a vida do projeto, você pode afirmar com certeza o sinal algébrico do VPL? Por quê? Se você souber que o período de *payback* descontado é menor do que a vida do projeto, o que é possível dizer sobre o VPL? Explique.

2. **Valor presente líquido** Suponha que um projeto tenha fluxos de caixa convencionais e um VPL positivo. O que você sabe sobre seu *payback*? E sobre seu *payback* descontado? E sobre seu índice de lucratividade? E sobre sua TIR? Explique.

3. **Comparação de critérios de análise de investimento** Defina cada uma das seguintes regras de análise de investimento e discuta qualquer defeito potencial de cada uma. Em sua definição, declare o critério para aceitar ou rejeitar projetos independentes segundo cada regra.

    a. Período de *payback*
    b. Taxa interna de retorno
    c. Índice de lucratividade
    d. Valor presente líquido

4. **Payback e taxa interna de retorno** Um projeto tem fluxos de caixa perpétuos de C por período, um custo de I e um retorno exigido de R. Qual é a relação entre o *payback* do projeto e sua TIR? Quais implicações sua resposta tem para os projetos de longo prazo com fluxos de caixa relativamente constantes?

5. **Projetos de investimento internacional** Em 2013, a BMW anunciou planos de gastar US$ 600 milhões para montar uma fábrica no Estado de Santa Catarina. A direção da montadora alemã anunciou que o 320i – que compõe a Série 3 da marca – seria o primeiro modelo a ser montado no Brasil, seguido de um hatch da Série 1 e dois utilitários esportivos – X1 e X3 – e do Mini Cooper na versão Countryman. Aparentemente, a BMW pensou que aumentaria seu poder de concorrência e agregaria valor com instalações no Brasil. No mesmo ano de 2013, a Land Rover anunciou um investimento de US$ 750 milhões na construção de uma fábrica no Rio de Janeiro. Nos Estados Unidos, em 2010, a Samsung Electronics anunciou planos de construir uma fábrica de US$ 3,6 bilhões no Texas, e a Novartis anunciou planos de abrir uma fábrica de mais de US$ 1 bilhão na Carolina do Norte. Quais são alguns dos motivos pelos quais fabricantes de produtos estrangeiros tão diferentes, como automóveis, equipamentos eletrônicos e produtos farmacêuticos, chegariam à mesma conclusão de construir fábricas fora de seus países?

6. **Problemas de orçamento de capital** Quais são algumas das dificuldades que podem surgir em aplicações reais dos diversos critérios que discutimos neste capítulo? Qual deles seria mais fácil de implementar em aplicações reais? E qual seria o mais difícil?

7. **Orçamento de capital em entidades sem fins lucrativos** Existe algum critério, dentre os que discutimos, que se aplique às entidades sem fins lucrativos? Como essas entidades deveriam tomar decisões de orçamento de capital? E o governo? Ele deveria avaliar as propostas de gastos usando essas técnicas?

8. **Valor presente líquido** O investimento no Projeto A é de $ 1 milhão, e o investimento no Projeto B é de $ 2 milhões. Ambos os projetos têm uma taxa interna de retorno única de 20%. A afirmação a seguir é verdadeira ou falsa?

    Para qualquer taxa de desconto de 0% a 20%, o Projeto B tem um VPL duas vezes maior que o do Projeto A.

    Explique sua resposta.

9. **Valor presente líquido *versus* índice de lucratividade** Considere os projetos mutuamente excludentes a seguir disponíveis para a Global Investimentos:

	C_0	C_1	C_2	Índice de Lucratividade	VPL
A	−$ 1.000	$ 1.000	$ 500	1,32	$ 322
B	−500	500	400	1,57	285

    A taxa de desconto apropriada para os projetos é 10%. A Global Investimentos escolheu empreender o Projeto A. Em um almoço para acionistas, o gestor de um fundo de pensões que possui um montante substancial de ações da empresa pergunta por que ela escolheu o Projeto A ao invés do Projeto B quando este tem um índice de lucratividade maior.

    Como você, o diretor financeiro, justificaria a decisão de sua empresa? Existe alguma circunstância segundo a qual a Global Investimentos deveria escolher o Projeto B?

10. **Taxa interna de retorno** Os Projetos A e B têm os seguintes fluxos de caixa:

Ano	Projeto A	Projeto B
0	−$ 1.000	−$ 2.000
1	C1A	C1B
2	C2A	C2B
3	C3A	C3B

a. Se os fluxos de caixa dos projetos forem idênticos, qual dos dois teria uma TIR maior? Por quê?

b. Se C1B = 2C1A, C2B = 2C2A e C3B = 2C3A, então $TIR_A = TIR_B$?

11. **Valor presente líquido** Você está avaliando o Projeto A e o Projeto B. O Projeto A tem um curto período de fluxos de caixa futuros, enquanto o Projeto B tem fluxos de caixa futuros em período relativamente longo. Qual projeto será mais sensível às alterações no retorno exigido? Por quê?

12. **Taxa interna de retorno modificada** Uma das interpretações menos lisonjeiras da sigla TIRM é "taxa interna de retorno menosprezável". Em sua opinião, por que isso é dito da TIRM?

13. **Valor presente líquido** Algumas vezes, afirma-se que "a abordagem do valor presente líquido supõe o reinvestimento dos fluxos de caixa intermediários à taxa de retorno exigida". Essa alegação está correta? Para responder, suponha que você calcule o VPL de um projeto da forma tradicional. A seguir, suponha que você faça o seguinte:

    a. Calcule o valor futuro (até o final do projeto) de todos os fluxos de caixa, menos o desembolso inicial, supondo que eles sejam reinvestidos à taxa de retorno exigida, produzindo um único valor futuro para o projeto.

    b. Calcule o VPL do projeto usando o valor futuro único calculado na etapa anterior e o desembolso inicial. É fácil verificar que você somente obterá o mesmo VPL do seu cálculo original se usar a taxa de retorno exigida como a taxa de reinvestimento da etapa anterior.

14. **Taxa interna de retorno** Algumas vezes, afirma-se que "a abordagem da taxa interna de retorno supõe o reinvestimento dos fluxos de caixa intermediários à taxa interna de retorno". Essa alegação está correta? Para responder, suponha que você calcule a TIR de um projeto da forma tradicional. A seguir, suponha que você faça o seguinte:

    a. Calcule o valor futuro (a partir do final do projeto) de todos os fluxos de caixa, menos o desembolso inicial, supondo que eles sejam reinvestidos à TIR, produzindo um único valor futuro para o projeto.

    b. Calcule a TIR do projeto usando o valor futuro único calculado na etapa anterior e o desembolso inicial. É fácil verificar que você somente obterá a mesma TIR de seu cálculo inicial se usar a TIR como a taxa de reinvestimento da etapa anterior.

QUESTÕES E PROBLEMAS

1. **Cálculo do período de *payback* e do VPL** A Fuji Software tem os seguintes projetos mutuamente excludentes.

    BÁSICO (Questões 1-8)

Ano	Projeto A	Projeto B
0	−$ 15.000	−$ 18.000
1	9.500	10.500
2	6.000	7.000
3	2.400	6.000

    a. Suponha que o prazo de corte do período de *payback* da Fuji seja dois anos. Qual desses dois projetos deve ser escolhido?

    b. Suponha que a Fuji utilize a regra do VPL para classificar esses dois projetos. Qual projeto deve ser escolhido se a taxa de desconto apropriada for 15%?

2. **Cálculo do *payback*** Um projeto de investimento oferece entradas de caixa de $ 840 ao ano por oito anos. Qual é o período de *payback* do projeto se o custo inicial for $ 3.200? E se o custo inicial for $ 4.800? E se ele for $ 7.300?

3. **Cálculo do *payback* descontado** Um projeto de investimento tem fluxos de caixa anuais de $ 5.000, $ 5.500, $ 6.000 e $ 7.000, e uma taxa de desconto de 14%. Qual é o período de *payback* descontado para esses fluxos de caixa se o custo inicial for $ 8.000? E se o custo inicial for $ 12.000? E se ele for $ 16.000?

4. **Cálculo do *payback* descontado** Um projeto de investimento custa $ 15.000 e tem fluxos de caixa anuais de $ 3.800 por seis anos. Qual é o período de *payback* descontado se a taxa de desconto for 0%? E se a taxa de desconto for 10%? E se for 15%?

5. **Cálculo da TIR** A Pedra Azeda tem um projeto com os seguintes fluxos de caixa:

Ano	Fluxos de caixa ($)
0	−$ 20.000
1	8.500
2	10.200
3	6.200

A empresa avalia todos os projetos aplicando a regra da TIR. Se a taxa de juros apropriada for 9%, a empresa deve aceitar o projeto?

6. **Cálculo da TIR** Calcule a taxa interna de retorno dos fluxos de caixa dos dois projetos a seguir:

	Fluxos de caixa ($)	
Ano	Projeto A	Projeto B
0	−$ 5.300	−$ 2.900
1	2.000	1.100
2	2.800	1.800
3	1.600	1.200

7. **Cálculo do índice de lucratividade** Francisco planeja abrir um salão de beleza *self-service* em uma loja. O equipamento custará $ 385.000, a serem pagos imediatamente. Francisco espera fluxos de caixa, após tributação, de $ 84.000 anualmente por sete anos, depois do que ele planeja livrar-se do equipamento e ir para as praias de Nevis (Antilhas). A primeira entrada de caixa ocorre no fim do primeiro ano. Suponha que o retorno exigido seja 13%. Qual é o IL do projeto? Ele deve ser aceito?

8. **Cálculo do índice de lucratividade** Suponha que as duas oportunidades de investimentos independentes a seguir estejam disponíveis para a empresa Campo Verde. A taxa de desconto apropriada é 10%.

Ano	Projeto Alfa	Projeto Beta
0	−$ 2.300	−$ 3.900
1	1.200	800
2	1.100	2.300
3	900	2.900

a. Calcule o índice de lucratividade de cada um dos dois projetos.

b. Qual(is) projeto(s) a Campo Verde deve aceitar com base na regra do índice de lucratividade?

INTERMEDIÁRIO
(Questões 9-19)

9. **Percepção do fluxo de caixa** Um projeto tem um custo inicial de I, um retorno exigido de R e paga C anualmente por N anos.

a. Encontre C em termos de I e N de forma que o projeto tenha um período de *payback* exatamente igual à sua vida útil.

b. Encontre C em termos de I, N e R de forma que esse seja um projeto lucrativo de acordo com a regra de decisão do VPL.

c. Encontre C em termos de I, N e R de modo que o projeto tenha um quociente de benefício/custo de 2.

10. **Problemas com a TIR** Suponha que lhe ofereçam $ 7.000 hoje, mas que você tenha que fazer os seguintes pagamentos:

Ano	Fluxos de caixa ($)
0	$ 7.000
1	–3.700
2	–2.400
3	–1.500
4	–1.200

a. Qual é a TIR dessa oferta?
b. Se a taxa de desconto apropriada for 10%, você deve aceitar essa oferta?
c. Se a taxa de desconto apropriada for 20%, você deve aceitar essa oferta?
d. Qual é o VPL da oferta se a taxa de desconto apropriada for 10%? E se for 20%?
e. As decisões segundo a regra do VPL na parte (d) são consistentes com a regra da TIR?

11. **VPL versus TIR** Considere os fluxos de caixa a seguir em dois projetos mutuamente excludentes para a Férias em Noronha S/A (FNSA). Ambos os projetos exigem um retorno anual de 14%.

Ano	Pesca em águas profundas	Novo passeio de submarino
0	–$ 950.000	–$ 1.850.000
1	370.000	900.000
2	510.000	800.000
3	420.000	750.000

Como analista financeiro da FNSA, perguntam-lhe o seguinte:

a. Se sua regra de decisão é aceitar o projeto com a maior TIR, qual projeto você deve escolher?
b. Como você está totalmente ciente do problema de escala da regra da TIR, calcula a TIR incremental dos fluxos de caixa. Baseado em seus cálculos, qual projeto você deve escolher?
c. Para ser prudente, você calcula o VPL de ambos os projetos. Qual projeto você deve escolher? Ele é coerente com a regra da TIR incremental?

12. **Problemas com o índice de lucratividade** A Robusto Computadores S/A está tentando escolher entre os dois seguintes projetos de design mutuamente excludentes:

Ano	Fluxo de caixa (I)	Fluxo de caixa (II)
0	–$ 30.000	–$ 12.000
1	18.000	7.500
2	18.000	7.500
3	18.000	7.500

a. Se o retorno exigido for 10% e a Robusto aplicar a regra de decisão do índice de lucratividade, qual projeto dever aceitar?
b. Se a empresa aplicar a regra de decisão do VPL, qual projeto deve aceitar?
c. Explique por que suas respostas para (a) e (b) são diferentes.

13. **Problemas com a TIR** A empresa Marlin Petróleo está tentando avaliar um projeto de extração com os seguintes fluxos de caixa:

Ano	Fluxo de caixa
0	–$ 85.000.000
1	125.000.000
2	–15.000.000

    a. Se a empresa exigir um retorno de 10% sobre seus investimentos, ela deve aceitar esse projeto? Por quê?

    b. Calcule a TIR desse projeto. Quantas TIRs existem? Se aplicar a regra de decisão da TIR, ela deve aceitar o projeto ou não? O que está acontecendo?

14. **Comparação de critérios de investimento** A Mario Brothers, uma fabricante de jogos, tem uma nova ideia para um jogo de aventura. Ela pode comercializar o jogo como um jogo tradicional de tabuleiro ou como um DVD interativo, mas não ambos. Considere os seguintes fluxos de caixa dos dois projetos mutuamente excludentes para a Mario Brothers. Suponha que a taxa de desconto para a Mario Brothers seja 10%.

Ano	Jogo de tabuleiro	DVD
0	–$ 750	–$ 1.800
1	600	1.300
2	450	850
3	120	350

    a. Com base na regra do período de *payback*, qual projeto deve ser escolhido?

    b. Com base no VPL, qual projeto deve ser escolhido?

    c. Com base na TIR, qual projeto deve ser escolhido?

    d. Com base na TIR incremental, qual projeto deve ser escolhido?

15. **Índice de lucratividade *versus* VPL** O Grupo TSF, um conglomerado de eletrônicos de consumo, está revisando seu orçamento anual em tecnologia sem fio. Ele está considerando investimentos em três tecnologias diferentes para desenvolver dispositivos de comunicação sem fio. Considere os seguintes fluxos de caixa dos três projetos independentes para o TSF. Suponha que a taxa de desconto para o TSF seja 10%. Além disso, o Grupo TSF tem apenas $ 20 milhões para investir em novos projetos neste ano.

	Fluxos de caixa (em milhões de $)		
Ano	CDMA	G4	Wi-Fi
0	–$ 8	–$ 12	–$ 20
1	11	10	18
2	7,5	25	32
3	2,5	20	20

    a. Com base na regra de decisão do índice de lucratividade, classifique esses investimentos.

    b. Com base no VPL, classifique esses investimentos.

    c. Com base em suas conclusões em (a) e (b), o que recomendaria ao diretor financeiro do Grupo TSF e por quê?

16. **Comparação de critérios de investimento** Considere os seguintes fluxos de caixa de dois projetos mutuamente excludentes para a AZ-Motores. Suponha que a taxa de desconto para a AZ-Motores seja 10%.

Ano	AZM Mini-SUV	AZF SUV completo
0	−$ 450.000	−$ 800.000
1	320.000	350.000
2	180.000	420.000
3	150.000	290.000

a. Com base no período de *payback*, qual projeto deve ser aceito?

b. Com base no VPL, qual projeto deve ser aceito?

c. Com base na TIR, qual projeto deve ser aceito?

d. Com base nessa análise, a análise da TIR incremental é necessária? Se for, realize a análise.

17. **Comparação de critérios de análise de investimentos** O tesoureiro da Amaro Frutas Enlatadas projetou os fluxos de caixa dos projetos *A*, *B* e *C* da seguinte forma:

Ano	Projeto *A*	Projeto *B*	Projeto *C*
0	−$ 150.000	−$ 300.000	−$ 150.000
1	110.000	200.000	120.000
2	110.000	200.000	90.000

Suponha que a taxa de desconto relevante seja 12% ao ano.

a. Calcule o índice de lucratividade de cada um dos três projetos.

b. Calcule o VPL de cada um dos três projetos.

c. Suponha que esses três projetos sejam independentes. Qual(is) projeto(s) a Amaro deve aceitar com base na regra do índice de lucratividade?

d. Suponha que esses três projetos sejam mutuamente excludentes. Qual(is) projeto(s) a Amaro deve aceitar com base na regra do índice de lucratividade?

e. Suponha que o orçamento da Amaro para esses projetos seja de $ 450.000. Os projetos não são divisíveis. Qual(is) projeto(s) a Amaro deve aceitar?

18. **Comparação de critérios de análise de investimentos** Considere os seguintes fluxos de caixa de dois projetos mutuamente excludentes para a Tokyo Cia. de Borrachas. Suponha que a taxa de desconto para a Tokyo seja 10%.

Ano	Resina seca	Resina solúvel
0	−$ 1.700.000	−$ 750.000
1	1.100.000	375.000
2	900.000	600.000
3	750.000	390.000

a. Com base no período de *payback*, qual projeto deve ser escolhido?

b. Com base no VPL, qual projeto deve ser escolhido?

c. Com base na TIR, qual projeto deve ser escolhido?

d. Com base nessa análise, a análise da TIR incremental é necessária? Se for, realize a análise.

19. **Comparação de critérios de análise de investimentos** Considere dois projetos de lançamento de novos produtos mutuamente excludentes que a Nagano Golf está analisando. Suponha que a taxa de desconto para a Nagano Golf seja 15%.

Projeto A: Nagano NP-30.

Tacos profissionais, o que exigirá um investimento inicial de $ 550.000 no momento 0.

Os próximos cinco anos (Anos 1-5) de vendas gerarão um fluxo de caixa consistente de $ 185.000 ao ano.

A apresentação de um novo produto no Ano 6 terminará com os fluxos de caixa desse projeto.

Projeto B: Nagano NX-20.

Tacos de alta qualidade para amadores, o que exigirá um investimento inicial de $ 350.000 no momento 0.

O fluxo de caixa no Ano 1 é de $ 100.000. Em cada ano subsequente, o fluxo de caixa aumentará a 10% por ano.

A apresentação de um novo produto no Ano 6 terminará com os fluxos de caixa desse projeto.

Ano	NP-30	NX-20
0	−$ 550.000	−$ 350.000
1	185.000	100.000
2	185.000	110.000
3	185.000	121.000
4	185.000	133.100
5	185.000	146.410

Preencha o quadro a seguir:

	NP-30	NX-20	Implicações
Payback			
TIR			
IL			
VPL			

DESAFIO
(Questões 20-28)

20. **VPL e múltiplas TIRs** Você está avaliando um projeto que custa $ 75.000 hoje. O projeto tem uma entrada de $ 155.000 em um ano e uma saída de $ 65.000 em dois anos. Quais são as TIRs do projeto? Que taxa de desconto resulta no VPL máximo desse projeto? Como você pode concluir que esse é o VPL máximo?

21. **Payback e VPL** Um investimento sob análise tem um *payback* de seis anos e um custo de $ 434.000. Se o retorno exigido for 12%, qual é o VPL do pior caso possível? E o VPL do melhor caso? Explique. Suponha que os fluxos de caixa sejam convencionais.

22. **TIRs múltiplas** Esse problema é útil para testar a capacidade de calculadoras financeiras e *software* de computadores. Considere os seguintes fluxos de caixa. Quantas TIRs diferentes existem? (*Dica*: Procure entre 20 e 70%.) Quando deveríamos aceitá-lo?

Ano	Fluxo de caixa
0	−$ 1.008
1	5.724
2	−12.140
3	11.400
4	−4.000

Capítulo 5 Valor Presente Líquido e Outras Regras de Análise de Investimentos

23. **Avaliação do VPL** A CêFoi S/A quer abrir um negócio de cemitérios particulares. De acordo com o diretor financeiro, Alberto Profundo, os negócios estão "melhorando". Como resultado, o projeto do cemitério trará uma entrada de caixa líquida de $ 290.000 para a empresa durante o primeiro ano, e os fluxos de caixa têm projeção de crescimento a uma taxa de 5% ao ano para sempre. O projeto exige um investimento inicial de $ 3.900.000.
    a. Se a CêFoi exigir um retorno de 11% sobre tais empreendimentos, o negócio de cemitérios deve ser começado?
    b. A empresa está um pouco insegura a respeito da premissa de uma taxa de crescimento de 5% em seus fluxos de caixa. A qual taxa de crescimento constante a empresa atingiria o equilíbrio se ainda precisasse de um retorno de 11% sobre o investimento?

24. **Cálculo da TIR** A Aurífera Cia. Mineradora S/A está disposta a abrir uma mina de ouro perto de Ourolândia. De acordo com o tesoureiro, Auro Goldstein, "Essa é uma oportunidade de ouro". A mina custará $ 2.400.000 para ser aberta e terá uma vida econômica de 11 anos. Ela irá gerar uma entrada de caixa de $ 345.000 no fim do primeiro ano, e os fluxos de caixa têm projeção de crescimento a 8% por ano pelos próximos 10 anos. Depois de 11 anos, a mina será abandonada. As despesas de abandono serão de $ 400.000 no fim do ano 11.
    a. Qual é a TIR da mina de ouro?
    b. A Aurífera Cia. Mineradora exige um retorno de 10% em tais empreendimentos. A mina deve ser aberta?

25. **VPL e TIR** A Maitre Internacional Ltda. está avaliando um projeto em Aquionde.

    O projeto irá gerar os seguintes fluxos de caixa:

Ano	Fluxo de caixa
0	−US$ 950.000
1	285.000
2	345.000
3	415.000
4	255.000

    Todos os fluxos de caixa ocorrerão em Aquionde e são expressos em dólares. Em uma tentativa de melhorar sua economia, o governo de Aquionde declarou que todos os fluxos de caixa criados por uma empresa estrangeira estão "bloqueados" e devem ser reinvestidos com o governo por um ano. A taxa de reinvestimento desses fundos é de 4%. Se a Maitre usar um retorno exigido de 11% sobre esse projeto, quais serão o VPL e a TIR dele? A TIR que você calculou é a TIRM do projeto? Por quê?

26. **Cálculo da TIR** Considere duas séries de fluxos de caixa, *A* e *B*. O primeiro fluxo de caixa da Série *A* é de $ 8.900 e é recebido daqui a três anos. Os fluxos de caixa futuros na Série *A* aumentam a 4% em perpetuidade. O primeiro fluxo de caixa da Série *B* é de −$ 10.000, recebido daqui a dois anos, e continuará em perpetuidade. Suponha que a taxa de desconto apropriada seja 12%.
    a. Qual é o valor presente de cada série?
    b. Suponha que as duas séries sejam combinadas em um projeto, chamado de *C*. Qual é a TIR do Projeto *C*?
    c. Qual é a regra da TIR correta para o Projeto *C*?

27. **Cálculo de fluxos de caixa incrementais** Dario Chaves, o diretor financeiro da FasGrana S/A, tem que decidir entre os dois projetos a seguir:

Ano	Projeto milhão	Projeto bilhão
0	−$ 1.200	−$ I_o
1	I_o + 160	I_o + 400
2	960	1.200
3	1.200	1.600

A taxa de retorno esperada dos dois projetos é de 12%. Qual é o intervalo de investimento inicial (I_o) para que o Projeto bilhão seja mais atraente financeiramente do que o Projeto milhão?

28. **Problemas com a TIR** A MakCaquinho S/A tem um projeto com os seguintes fluxos de caixa:

Ano	Fluxo de caixa
0	$ 20.000
1	−26.000
2	13.000

Qual é a TIR do projeto? O que está acontecendo?

DOMINE O EXCEL!

Como você já viu, o Excel não tem uma função para calcular o período de *payback*. Mostramos três formas de calculá-lo, mas também existem inúmeros outros métodos. Os fluxos de caixa de um projeto são mostrados a seguir. Você precisa calcular o período de *payback* utilizando dois métodos diferentes:

a. Calcule o período de *payback* em uma tabela. Use os dados do quadro e elabore uma tabela em que as primeiras três colunas serão o ano, o fluxo de caixa desse ano e o fluxo de caixa acumulado. A quarta coluna mostrará a parte inteira do ano do *payback*; em outras palavras, se o período de *payback* for de mais de três anos, essa coluna terá um 3, caso contrário, terá um zero. A próxima coluna calculará a parte fracionária do período de *payback*, ou irá mostrar zero. A última coluna irá somar as duas colunas anteriores e mostrar o cálculo do período de *payback*. Você também deve ter uma célula que mostre o período de *payback* exigido e uma que mostre a decisão correta "Aceitar" ou "Rejeitar" com base no critério do *payback*.

b. Insira uma rotina iterativa com a função lógica "SE" que calcule o período de *payback* utilizando apenas a coluna de fluxo de caixa do projeto. O resultado da rotina iterativa "SE" deve mostrar um valor de "Nunca" se o projeto não tiver um período de *payback*. Em contraste com o exemplo mostrado anteriormente, a rotina "SE" deve testar o período de *payback* começando com os períodos mais curtos de *payback* e avançando em direção aos períodos mais longos. Outra célula deve exibir a decisão correta de aceitar ou rejeitar baseada nos critérios do *payback*.

Ano	Fluxo de caixa
0	−$ 250.000
1	41.000
2	48.000
3	63.000
4	79.000
5	88.000
6	64.000
7	41.000
Payback exigido:	5

MINICASO

Mineradora Goldsmidt

Álvaro Goldsmidt, o proprietário da Mineradora Goldsmidt S/A, está avaliando uma nova mina de ouro em Ourinhos. Pedro Terras, o geólogo da empresa, acaba de concluir sua análise do local da mina. Ele estimou que a mina seria produtiva por oito anos, e, depois disso, o ouro estaria completamente esgotado. Pedro levou uma estimativa dos depósitos de ouro para Alma Argenta, a diretora financeira da empresa. Pedro solicitou que Alma realizasse uma análise da nova mina e apresentasse sua recomendação sobre a empresa dever abrir ou não a nova mina.

Alma usou as estimativas fornecidas por Pedro para determinar as receitas que podem ser esperadas da mina. Ela também projetou os gastos de abertura da mina e as despesas operacionais anuais. Se a empresa abrir a mina, ela custará US$ 750 milhões hoje e terá uma saída de caixa de US$ 75 milhões daqui a nove anos, devido aos custos associados ao fechamento da mina e à recuperação da sua área de entorno. Os fluxos de caixa esperados da mina a cada ano são mostrados no quadro a seguir. A Mineradora Goldsmidt exige uma taxa de retorno de 12% sobre todas as suas minas de ouro.

Ano	Fluxo de caixa
0	−US$ 750.000.000
1	130.000.000
2	180.000.000
3	190.000.000
4	245.000.000
5	205.000.000
6	155.000.000
7	135.000.000
8	95.000.000
9	−75.000.000

1. Crie uma planilha para calcular o período de *payback*, a taxa interna de retorno, a taxa interna de retorno modificada e o valor presente líquido da mina proposta.
2. Com base em sua análise, a empresa deve abrir a mina?
3. Questão extra: A maioria das planilhas não tem uma fórmula incorporada para calcular o período de *payback*. Escreva uma rotina de VBA (*Visual Basic for Application*) que calcule o período de *payback* de um projeto.

6 Decisões de Investimento de Capital

Para ficar por dentro dos últimos acontecimentos na área de finanças, visite **www.rwjcorporatefinance.blogspot.com**.

Há "verdinhas" em iniciativas verdes? A General Electric (GE) acredita que sim. Com seu programa "Ecomagination", a empresa planejava dobrar os gastos em pesquisa e desenvolvimento de produtos verdes. De fato, a GE investiu originalmente mais de $ 5 bilhões no programa Ecomagination e anunciou planos de investir outros US$ 10 bilhões de 2011 a 2015. Com produtos como uma locomotiva híbrida (descrita como uma "Prius nos trilhos", de 200 toneladas e 6 mil cavalos de potência), a iniciativa verde da GE parece estar valendo a pena. A receita dos produtos verdes foi de $ 19 bilhões em 2009, e a meta naquele ano para 2010 era de $ 20 bilhões. Mais ainda, as receitas dos produtos Ecomagination cresciam o dobro da taxa do restante das receitas da empresa. O comprometimento interno da empresa para reduzir o consumo de energia por meio de "caças ao tesouro" verdes economizou mais de $ 100 milhões e, em 2010, a empresa reduziu o seu consumo de água em 30% de seu patamar de 2006, uma redução considerável de custos.

Como se reconhece do estudo do capítulo anterior, a decisão da GE de desenvolver e de comercializar tecnologia verde representa uma decisão de orçamento de capital. Neste capítulo, investigaremos essas decisões, a saber, como são tomadas e como examiná-las objetivamente. Temos duas tarefas principais. Recorde que, no último capítulo, vimos que as estimativas de fluxos de caixa são uma informação crítica em uma análise de valor presente líquido, mas não falamos muito sobre de onde esses fluxos de caixa vêm. Primeiramente, examinaremos essa questão em detalhes. Nossa segunda meta é a de aprender como examinar criticamente estimativas de VPL e, em especial, como avaliar a sensibilidade dessas estimativas aos pressupostos feitos acerca do incerto futuro.

Domine a habilidade de solucionar os problemas deste capítulo usando uma planilha. Acesse Excel Master no *site* www.grupoa.com.br, procure pelo livro e clique em Conteúdo *Online*.

O capítulo anterior discutiu os princípios básicos subjacentes às abordagens de orçamento de capital, tais como valor presente líquido, taxa interna de retorno e *payback*. Mencionamos então que todas as três utilizam fluxos de caixa. Contudo, não indicamos como os fluxos de caixa devem ser estimados no mundo real. O Capítulo 6 trata dessa tarefa. Começaremos com a ideia de que se devem estimar os fluxos de caixa *incrementais*.

6.1 Fluxos de caixa incrementais: a chave para o orçamento de capital

Fluxos de caixa – Não lucro contábil

Talvez você não tenha pensado nisso, mas há uma grande diferença entre cursos de Finanças Corporativas e cursos de Contabilidade Financeira. As técnicas em Finanças Corporativas geralmente utilizam fluxos de caixa, ao passo que a Contabilidade Financeira, em geral, enfatiza o lucro ou as receitas. Certamente, nosso texto segue essa tradição: nossas técnicas de valor presente líquido descontam fluxos de caixa, e não receitas. Ao considerar um projeto isolado, descontamos os fluxos de caixa que a empresa recebe dele. Ao avaliar a empresa como um todo, descontamos os dividendos, e não os lucros, porque os dividendos são os fluxos de caixa que o investidor recebe.

EXEMPLO 6.1 Fluxos de caixa relevantes

A Companhia General do Leite (CGL) pagou $ 1 milhão em caixa por um prédio como parte de um novo projeto de orçamento de capital. Esse $ 1 milhão é uma saída de caixa imediata. Contudo, se estivermos diante de uma depreciação linear de 20 anos, apenas o montante de $ 50 mil (=$ 1 milhão/20) é considerado uma despesa contábil no ano corrente. As receitas atuais são, com isso, reduzidas em somente $ 50 mil. Os $ 950 mil restantes serão lançados como despesas pelos 19 anos seguintes. Para fins de orçamento de capital, a saída de caixa relevante na Data 0 é o $ 1 milhão inteiro, e não a redução de receitas de apenas $ 50 mil.

Sempre desconte fluxos de caixa, não lucros, ao realizar um cálculo de orçamento de capital. Os lucros não representam dinheiro real. Você não pode usar lucros para gastar, não pode gastar lucros para se alimentar nem pode pagar dividendos com eles. Só se podem fazer essas transações com fluxos de caixa.

Além disso, não é suficiente utilizar meramente fluxos de caixa. No cálculo do VPL de um projeto, somente os fluxos de caixa que sejam *incrementais* em relação ao projeto devem ser utilizados. Esses são as alterações nos fluxos de caixa da empresa que ocorrem como uma consequência direta da aceitação de um projeto. Isto é, estamos interessados na diferença entre os fluxos de caixa da empresa com um projeto e os fluxos de caixa da empresa sem ele.

O uso de fluxos de caixa incrementais parece bem fácil, mas há muitas armadilhas no mundo real. Descrevemos como evitar algumas delas na determinação desses fluxos de caixa incrementais.

Custos irrecuperáveis

Um **custo irrecuperável** ou custo incorrido[1] é um custo que já ocorreu. Como os custos irrecuperáveis estão no passado, eles não podem ser alterados pela decisão de aceitar ou rejeitar o projeto. Assim como "deixamos o passado para trás", devemos ignorar esses custos. Os custos irrecuperáveis não constituem saídas de caixa incrementais.

EXEMPLO 6.2 Custos irrecuperáveis

A CGL atualmente está avaliando o VPL para estabelecer uma linha de chocolate ao leite. Como parte do processo de avaliação, a empresa pagou no último ano $ 100 mil a uma empresa de consultoria por testes de *marketing*. Esse custo é relevante para a decisão de orçamento de capital com que a administração da CGL se confronta agora?

A resposta é não. Os $ 100 mil não são recuperáveis, porque o gasto com pesquisa antecede a decisão de investir; se o resultado fosse desfavorável, o investimento não seria realizado. Portanto, essa despesa é um custo irrecuperável. Em outras palavras, é preciso perguntar: "Qual é a diferença entre os fluxos de caixa da empresa inteira com o projeto do chocolate ao leite e os sem ele?". Como os $ 100 mil já foram gastos, a aceitação do projeto não afetará esse fluxo de caixa. Portanto, esse fluxo de caixa deve ser ignorado para fins de orçamento de capital.

É claro que a decisão de gastar $ 100 mil em uma análise de *marketing* foi, em si, uma decisão de orçamento de capital e foi perfeitamente relevante *antes* de ser irrecuperável. Nosso ponto é que, uma vez que a empresa tenha incorrido na despesa, o custo se tornou irrelevante para qualquer decisão futura.

---

[1] *Sunk cost*, em inglês.

Custos de oportunidade

Sua empresa pode ter um ativo que pensa em vender, arrendar ou empregar em outra parte do negócio. Se o ativo for utilizado em um novo projeto, as potenciais receitas de seus usos alternativos estarão perdidas. Essas receitas perdidas podem ser vistas significativamente como custos.

Eles são chamados de **custos de oportunidade** porque, assumindo o projeto, a empresa renuncia a outras oportunidades de utilizar os ativos.

EXEMPLO 6.3 — Custos de oportunidade

Suponha que a Companhia de Comério tenha um armazém vazio que possa ser utilizado para armazenar uma nova linha de mesas de bilhar. A empresa espera vender essas mesas a consumidores ricos do sudeste. O armazém deveria ser considerado um custo na decisão de vender as mesas? A resposta é sim. A empresa poderia vender o armazém se decidisse não comercializar mesas de bilhar. Logo, o preço de venda do armazém é um custo de oportunidade na decisão sobre o negócio de mesas de bilhar.

Efeitos colaterais

Outra dificuldade de determinar fluxos de caixa incrementais advém dos efeitos colaterais[2] do projeto proposto que ocorrem em outras partes da empresa. Um efeito colateral é classificado ou como **erosão**,[3] ou como **sinergia**. A erosão ocorre quando um novo produto reduz as vendas e, com isso, reduz os fluxos de caixa de produtos existentes. Por exemplo, uma das preocupações da Walt Disney ao construir a Euro Disney era a de que o novo parque subtrairia o número de visitantes do parque da Flórida, um conhecido destino de férias para os europeus. A sinergia ocorre quando um novo projeto aumenta os fluxos de caixa de projetos existentes. Por exemplo, enquanto uma empresa de produtos de barbear poderia perder dinheiro com o seu novo barbeador, o aumento geral nas vendas de suas novas lâminas de barbear tornaria ele um sucesso para a empresa.

EXEMPLO 6.4 — Erosão

Suponha que a Companha Inovativa de Motores S/A (CIM) esteja determinando o VPL de um novo carro esportivo conversível. Alguns dos potenciais compradores são proprietários de sedãs compactos da CIM. Todos os lucros e vendas do novo carro conversível esportivo são incrementais?

A resposta é não, porque uma parte do fluxo de caixa representa transferências de outros produtos da linha da CIM. Isso é a erosão, que deve ser incluída no cálculo do VPL. Sem levá-la em conta, a CIM poderia erroneamente calcular que o VPL do carro esportivo seja de, digamos, $ 100 milhões. Se metade dos clientes for transferências dos sedãs e as vendas perdidas de sedãs tiverem um VPL de −$ 150 milhões, o VPL real será −$ 50 milhões (=$ 100 milhões − $ 150 milhões).

Sinergia A CIM também está pensando na formação de uma equipe de corridas. Prevê-se que a equipe perca dinheiro no futuro previsível, com a melhor projeção talvez mostrando um VPL de −$ 35 milhões para a operação. No entanto, os gestores da CIM estão cientes de que a equipe provavelmente possa trazer grande publicidade para todos os seus produtos. Um consultor estima que o aumento nos fluxos de caixa em outras partes da empresa tenha um valor presente de $ 65 milhões. Pressupondo que as estimativas de sinergia do consultor sejam confiáveis, o valor presente líquido da equipe é de $ 30 milhões (=$ 65 milhões − $ 35 milhões). Os gestores deveriam formar a equipe.

---

[2] *Side effects.*
[3] A erosão também é referida como "canibalismo".

Custos alocados

Frequentemente, uma determinada despesa beneficia inúmeros projetos. Os contadores alocam esse custo em alguma proporção nos diferentes projetos ao determinar a receita.[4] Contudo, para fins de orçamento de capital, esse **custo alocado** deveria ser visto como uma saída de caixa de um projeto somente se for um custo incremental dele.

EXEMPLO 6.5 Custos alocados

A Voealto S/A dedica uma ala de seu conjunto de escritórios para uma biblioteca, o que exige uma saída de caixa de $ 100 mil ao ano em manutenção. Espera-se que um projeto de orçamento de capital proposto gere uma receita igual a 5% das vendas globais da empresa. Um executivo da empresa, Davi Pedreira, argumenta que $ 5 mil (5% × $ 100 mil) deveriam ser alocados ao projeto proposto como participação nos custos da biblioteca. Isso é adequado para o orçamento de capital?

A resposta é não. É preciso perguntar qual é a diferença entre os fluxos de caixa totais da empresa com o projeto e os fluxos de caixa da empresa sem ele. A empresa irá gastar $ 100 mil na manutenção da biblioteca, seja o projeto proposto aceito ou não. Como a aceitação do projeto proposto não afetará esse fluxo de caixa, ele deveria ser ignorado ao calcular o VPL do projeto.

6.2 Companhia Baldwin: um exemplo

A seguir, consideraremos o exemplo de um investimento proposto em maquinário e bolas coloridas de boliche. Nosso exemplo envolve a Companhia Baldwin.

ExcelMaster cobertura *online*

Esta seção apresenta a função BDV.

A Companhia Baldwin, originalmente estabelecida há 16 anos na produção de bolas de futebol, agora é uma fabricante líder de bolas de tênis, basebol, futebol e golfe. Há nove anos, a empresa introduziu as "High Flite", suas primeiras bolas de golfe de alto desempenho. A administração da Baldwin tem buscado oportunidades em qualquer negócio que pareça ter algum potencial para fluxo de caixa. Recentemente, Walter Meadow, o vice-presidente da companhia, identificou outro segmento do mercado de bolas esportivas aparentemente promissor, acreditando que ele não era adequadamente atendido pelos grandes fabricantes. Esse mercado era voltado para bolas de boliche com cores brilhantes, e ele acreditava que muitos jogadores de boliche valorizavam a aparência e o estilo acima do desempenho. Ele também pensava que seria difícil para os concorrentes tirar proveito da oportunidade por causa das vantagens de custos da Baldwin e de suas habilidades de *marketing* altamente desenvolvidas.

Como resultado, a Companhia Baldwin investigou o potencial de *marketing* de bolas de boliche com cores brilhantes. A Baldwin enviou um questionário para consumidores de três mercados diferentes. Os resultados dos três questionários foram muito mais favoráveis do que o esperado e apoiaram a conclusão de que as bolas de boliche com cores brilhantes poderiam obter uma participação de 10% a 15% do mercado. É claro que algumas pessoas na Baldwin reclamaram do custo dos testes de *marketing*, que foi de $ 250 mil. (Como veremos a seguir, esse é um custo irrecuperável e não deveria ser incluído na avaliação do projeto.)

Entretanto, a Companhia Baldwin está agora pensando em investir em uma máquina para produzir bolas de boliche. As bolas de boliche seriam fabricadas em um prédio de propriedade da empresa localizado perto de sua sede. A venda desse prédio, que está vazio, e do terreno traria $ 150 mil após deduzida a tributação.

Trabalhando com sua equipe, Meadow está preparando uma análise do novo produto proposto. Ele resume suas hipóteses da seguinte forma: o custo da máquina de bolas de boliche é $ 100 mil, e espera-se que ela dure cinco anos. Ao fim dos cinco anos, a máquina será vendida a um preço estimado de $ 30 mil. Espera-se que a produção anual durante a vida útil de cinco

---

[4] Alguns chamam isso de "rateio de custos", embora outros considerem que alocação e rateio sejam coisas diferentes: rateio como distribuição segundo uma fórmula, e alocação como distribuição segundo processo decisório distinto.

anos da máquina seja a seguinte: 5 mil, 8 mil, 12 mil, 10 mil e 6 mil unidades. O preço das bolas de boliche no primeiro ano será de $ 20. O mercado de bolas de boliche é altamente competitivo; por isso, Meadows acredita que o preço das bolas de boliche aumentará em apenas 2% por ano, em comparação com a taxa de inflação geral antecipada de 5%. Além disso, o plástico utilizado para produzir as bolas de boliche está rapidamente se tornando mais caro. Em função disso, espera-se que as saídas de caixa de produção aumentem a 10% por ano. Os custos de produção do primeiro ano serão de $ 10 por unidade. A alíquota tributária para a pessoa jurídica com o projeto de bolas de boliche é de 34%.

Capital de giro

O **capital de giro** é definido como os recursos necessários para financiar a diferença entre os ativos circulantes operacionais e os passivos circulantes operacionais. Como qualquer outro fabricante, a Baldwin acredita que deva manter um investimento em ativos circulantes. Ela comprará matérias-primas antes da produção e venda, dando origem a um investimento em estoques. Um valor em caixa será mantido como um amortecedor contra despesas não previstas, e suas vendas a crédito não irão gerar caixa até que o pagamento seja feito em uma data posterior. A administração estima que um investimento inicial (no Ano 0) de $ 10 mil em capital de giro será necessário. Subsequentemente, as necessidades de capital de giro no fim de cada ano serão iguais a 10% das vendas do ano. No ano final do projeto, a necessidade de capital de giro declinará até zero à medida que o projeto termina. Em outras palavras, o investimento em capital de giro deve ser completamente recuperado no fim da vida útil do projeto.

As projeções baseadas nessas hipóteses e na análise de Meadow aparecem nos Quadros 6.1 a 6.4. Neles, supõe-se que todos os fluxos de caixa ocorram no *fim* do ano. Por causa da grande quantidade de informações, é importante ver como esses quadros estão relacionados. Os Quadros 6.1A e B (p. 176) mostram os dados básicos tanto do investimento quanto da receita. Os cronogramas de operações e depreciação suplementares, conforme apresentados nos Quadros 6.2 e 6.3A e B (p. 177 e 178), ajudam a explicar os números nos Quadros 6.1. Nossa meta é obter as projeções de fluxo de caixa. Todos os dados nos Quadros 6.1A e B são necessários para calcular os fluxos de caixa relevantes, como mostrado nos Quadros 6.4A e B (p. 178 e 179). Mantivemos as planilhas do exemplo no mercado norte-americano e, em paralelo, desenvolvemos as mesmas planilhas para o caso brasileiro. A única diferença é a taxa de depreciação anual, que é diferente conforme as normas tributárias de cada país. Como a depreciação é importante aqui, acrescentamos uma seção relativa ao tema. Começamos, então, falando sobre a depreciação.

Depreciação

Como já observamos anteriormente neste livro, a depreciação contábil é uma dedução da receita que não afeta o caixa. A depreciação tem consequências para o fluxo de caixa porque influencia a conta dos tributos. Como é a depreciação fiscal que traz efeitos tributários, é o método fiscal de depreciação que importa para as decisões de investimento de capital. Não é surpresa, portanto, que, quando se faz a consideração dos efeitos da depreciação, isso é feito com base na legislação fiscal.

É necessário alertar que, no Brasil, a consideração da depreciação para fins fiscais e para avaliação de fluxos de caixa somente se aplica para aquelas empresas que declaram seus lucros com base no **lucro real**. Nos regimes de tributação pelo regime de lucro presumido e pelo regime Simples, os tributos são calculados com base em percentuais sobre o faturamento, e quaisquer despesas, inclusive as despesas de depreciação, não influem na base de cálculo para o lucro tributável. Também é preciso distinguir entre a depreciação para fins fiscais e a depreciação para fins societários. Temos ainda, para alguns setores regulados, a depreciação regulatória, estabelecida pelo órgão que regula o setor.

As taxas de **depreciação para fins fiscais** para cálculo do lucro real e da CSLL podem ser consultadas no *site* da Receita Federal (Brasil, 1999). Conforme a norma, para fins de apuração do lucro real, somente são admitidas as despesas de depreciação de bens móveis ou imóveis que estejam intrinsecamente relacionadas com a produção ou a comercialização de bens e serviços objeto da atividade. A norma também define que a *taxa de depreciação* será fixada em função do prazo durante o qual possa esperar a utilização econômica do bem e que os prazos de *vida útil* admissíveis para fins de depreciação são fixados por Instrução Normativa da Secretaria da Receita Federal.

A **depreciação para fins societários** decorre das regras contábeis instituídas pela Lei nº 11.638/07 (Brasil, 2007). O Comitê de Pronunciamentos Contábeis, em seu CPC 27,[5] estabelece o tratamento contábil para ativos imobilizados e o tratamento da depreciação.

Conforme o Comitê de Pronunciamentos Contábeis, *valor depreciável* é o custo de um ativo, ou outro valor que substitua o custo, menos o seu valor residual, e *depreciação* é a alocação sistemática do valor depreciável de um ativo ao longo da sua vida útil.

A **depreciação para fins regulatórios** é um caso especial que se aplica a algumas empresas reguladas. É o caso, por exemplo, das concessionárias de serviços de distribuição de energia elétrica. A tarifa cobrada pelas distribuidoras é estabelecida pela ANEEL (Agência Nacional de Energia Elétrica) com base em diversos fatores, sendo um deles a chamada "base de remuneração" constituída pelos ativos da concessão. O valor desses ativos, para fins regulatórios, é depreciado conforme taxas que refletem a vida útil dos ativos calculada pelo regulador. Assim, a decisão de investimento no caso especial das empresas distribuidoras de energia precisa levar em conta três depreciações:

a. A depreciação regulatória, que afeta a base de remuneração, a receita bruta da concessionária e os fluxos de caixa.

b. A depreciação fiscal, que afeta a base de cálculo do imposto de renda e da CSLL, e os fluxos de caixa.

c. A depreciação societária, que afeta o valor dos ativos para cálculo de juros sobre o capital próprio, e o lucro líquido, que afeta a distribuição de dividendos.

Cálculo de depreciação

O cálculo da depreciação é normalmente mecânico. Embora existam várias ressalvas, a ideia básica é que cada ativo é atribuído a uma determinada classe. A classe de um ativo estabelece sua vida útil para fins fiscais. Depois que a vida útil fiscal de um ativo é determinada, a depreciação de cada ano é calculada multiplicando-se o custo do ativo por uma porcentagem fixa.[6] O valor residual esperado (aquilo que achamos que o ativo valerá quando o descartarmos) não é considerado explicitamente no cálculo da depreciação fiscal.

Algumas classes e taxas de depreciação vigentes são mostradas no Quadro 6.3A para os Estados Unidos[7] e no Quadro 6.3B para o Brasil.

O Quadro 6.3A mostra a depreciação acelerada permitida nos Estados Unidos, conforme a Publicação 946 *How to Depreciate Property* do *IRS* (a Receita Federal dos Estados Unidos).[8] A depreciação continua, na verdade, por mais um ano, pois o IRS pressupõe que a compra é feita no meio do ano. No caso de o projeto ser realizado nos Estados Unidos, a taxa de depreciação utilizada foi a de 5 anos do MACRS.

---

[5] O CPC 27 – Ativo Imobilizado – trata dos principais pontos a serem considerados na contabilização dos ativos imobilizados. Ver Comitê de Pronunciamentos Contábeis, CPC 27, de 31 de julho de 2009. Disponível em: <http://www.cpc.org.br/CPC/Documentos-Emitidos/Pronunciamentos/Pronunciamento?Id=58>.

[6] Sob determinadas circunstâncias, o custo do ativo pode ser ajustado antes de calcular a depreciação. O resultado é chamado de *valor depreciável*, e a depreciação é calculada usando esse número em vez do custo real.

[7] As porcentagens de depreciação do sistema norte-americano originam-se de um esquema de saldo de duplo declínio com uma mudança para o método linear quando este se torna vantajoso. Além disso, existe uma convenção de meio ano, ou seja, assume-se que todos os ativos estão em funcionamento na metade do ano fiscal. Essa convenção é mantida, a não ser que mais de 40% do custo de um ativo sejam incorridos no último trimestre. Nesse caso, uma convenção de meio de trimestre é usada.

[8] Internal revenue service. Publication 946, de 28 de janeiro de 2014. Disponível em: <http://www.irs.gov/uac/Publication-946,-How-To-Depreciate-Property>.

QUADRO 6.1A Planilha de fluxos de caixa da Companhia Baldwin (em milhares de $, todos os fluxos de caixa ocorrem no *fim* do ano)

O investimento é realizado nos Estados Unidos	Ano 0	Ano 1	Ano 2	Ano 3	Ano 4	Ano 5
Investimentos:						
(1) Máquina de bolas de boliche	−$ 100,00					$ 21,76*
(2) Depreciação acumulada		$ 20,00	$ 52,00	$ 71,20	$ 82,72	94,24
(3) Base ajustada da máquina depois da depreciação (fim do ano)		80,00	48,00	28,80	17,28	5,76
(4) Custo de oportunidade (armazém)	−150,00					150,00
(5) Capital de giro (fim do ano)	10,00	10,00	16,32	24,97	21,22	
(6) Mudança no capital de giro	−10,00		−6,32	−8,65	3,75	21,22
(7) Fluxo de caixa total do investimento [(1) + (4) + (6)]	−260,00		−6,32	−8,65	3,75	192,98
Receita:						
(8) Receitas de vendas		$ 100,00	$ 163,20	$ 249,70	$ 212,24	$ 129,89
(9) Custos operacionais		−50,00	−88,00	−145,20	−133,10	−87,85
(10) Depreciação		−20,00	−32,00	−19,20	−11,52	−11,52
(11) Receita antes da tributação [(8) + (9) + (10)]		$ 30,00	$ 43,20	$ 85,30	$ 67,62	$ 30,53
(12) Tributação a 34%		−10,20	−14,69	−29,00	−22,99	−10,38
(13) Lucro líquido		$ 19,80	$ 28,51	$ 56,30	$ 44,63	$ 20,15

* Investimento nos EUA. Presumimos que o preço de venda da máquina de bolas de boliche no Ano 5 será $ 30 (em milhares). A máquina terá sido depreciada a $ 5,76 nesse momento. Portanto, o lucro tributável da venda será de $ 24,24 (=$ 30 − $ 5,76). O valor residual pós-tributação será de $ 30 − [0,34 × ($ 30 − $ 5,76)] = $ 21,76.

QUADRO 6.1B Planilha de fluxos de caixa da Companhia Baldwin (em milhares de $, todos os fluxos de caixa ocorrem no *fim* do ano)

O investimento é realizado no Brasil	Ano 0	Ano 1	Ano 2	Ano 3	Ano 4	Ano 5
Investimentos:						
(1) Máquina de bolas de boliche	$ −100					$ 30*
(2) Depreciação acumulada		$ 5**	$ 15	$ 25	$ 35	$ 45
(3) Base ajustada da máquina depois da depreciação (fim do ano)		95	85	75	65	55
(4) Custo de oportunidade (armazém)	−150					150
(5) Capital de giro (fim do ano)	10	10	16,32	24,97	21,22	
(6) Mudança no capital de giro	−10		−6,32	−8,65	3,75	21,22
(7) Fluxo de caixa total do investimento [(1) + (4) + (6)]	−260	0	−6,32	−8,65	3,75	201,22
Receita:						
(8) Receitas de vendas		$ 100	$ 163,2	$ 249,7	$ 212,24	$ 129,89
(9) Custos operacionais		−50	−88	−145,2	−133,1	−87,85
(10) Depreciação		−5	−10	−10	−10	−10
(11) Receita antes da tributação [(8) + (9) + (10)]		$ 45	$ 65,2	$ 94,5	$ 69,14	$ 32,04
(12) Tributação a 34%		−15,30	−22,17	−32,13	−23,51	−10,89
(13) Lucro líquido		$ 29,70	$ 43,03	$ 62,37	$ 45,63	$ 21,15

*Investimento no Brasil. Presumimos que o preço de venda da máquina de bolas de boliche no Ano 5 será $ 30 (em milhares). Neste caso, a máquina terá sido depreciada a $ 55 nesse momento. A receita da venda não terá tributação, e dela resultará um prejuízo contábil de $ 25 (=$ 30 − $ 55). Haverá um crédito fiscal de $ 8,50 (=25 × 0,34) como efeito colateral que reduzirá tributos em outras linhas lucrativas da Baldwin e será somado ao fluxo de caixa do Ano 5.

** A depreciação anual é de $ 10; consideramos que o projeto inicia sua vida útil na metade do ano.

QUADRO 6.2 Receitas e custos operacionais da Companhia Baldwin

(1) Ano	(2) Quantidade vendida	(3) Preço	(4) Receitas das vendas	(5) Custo por unidade	(6) Custos operacionais
1	5.000	$ 20,00	$ 100.000	$ 10,00	$ 50.000
2	8.000	20,40	163.200	11,00	88.000
3	12.000	20,81	249.696	12,10	145.200
4	10.000	21,22	212.242	13,31	133.100
5	6.000	21,65	129.892	14,64	87.846

O preço aumenta a 2% por ano. O custo unitário aumenta a 10% por ano. Os preços e custos relatados (colunas 3 e 5) estão arredondados até dois dígitos depois do decimal. As receitas das vendas e os custos operacionais (colunas 4 e 6) são calculados utilizando-se preços e custos exatos, isto é, não arredondados.

QUADRO 6.3A Depreciação nos Estados Unidos segundo o sistema de recuperação acelerada de custo modificado (MACRS*)

	Período de recuperação conforme a classe					
Ano	3 anos	5 anos	7 anos	10 anos	15 anos	20 anos
1	0,3333	0,2000	0,1429	0,1000	0,0500	0,03750
2	0,4445	0,3200	0,2449	0,1800	0,0950	0,07219
3	0,1481	0,1920	0,1749	0,1440	0,0855	0,06677
4	0,0741	0,1152	0,1249	0,1152	0,0770	0,06177
5		0,1152	0,0893	0,0922	0,0693	0,05713
6		0,0576	0,0892	0,0737	0,0623	0,05285
7			0,0893	0,0655	0,0590	0,04888
8			0,0446	0,0655	0,0590	0,04522
9				0,0656	0,0591	0,04462
10				0,0655	0,0590	0,04461
11				0,0328	0,0591	0,04462
12					0,0590	0,04461
13					0,0591	0,04462
14					0,0590	0,04461
15					0,0591	0,04462
16					0,0295	0,04461
17						0,04462
18						0,04461
19						0,04462
20						0,04461
21						0,02231

*Modified Accelerated Cost Recovery System.

O Quadro 6.3B apresenta taxas de depreciação permitidas pela Receita Federal do Brasil. Os períodos e taxas de depreciação foram extraídos da Instrução Normativa SRF nº 162, de 31 de dezembro de 1998 (Brasil, 1998).

Fizemos um resumo exemplificativo no Quadro 6.5. Na hipótese de o projeto da Baldwin ser realizado no Brasil, a taxa de depreciação foi utilizada à depreciação linear de "Motores, máquinas motrizes, máquinas-ferramenta e aparelhos em geral", que é de 10% a.a.

Análise do projeto

Para a maioria dos projetos, os fluxos de caixa seguem um padrão comum. Primeiro, no início do projeto, a empresa investe, com o que o projeto tem de saídas de caixa. Segundo, as vendas

QUADRO 6.3B Taxas de depreciação típicas vigentes no Brasil*

	Taxa de depreciação no ano						
Ano	2 anos	3 anos	4 anos	5 anos	10 anos	20 anos	25 anos
1	25%	16,65%	12,50%	10%	5%	2,50%	2%
2	50%	33,30%	25%	20%	10%	5%	4%
3	50%	33,30%	25%	20%	10%	5%	4%
4	25%	33,30%	25%	20%	10%	5%	4%
5		16,65%	25%	20%	10%	5%	4%
6			12,50%	20%	10%	5%	4%
7				10%	10%	5%	4%
8					10%	5%	4%
9					10%	5%	4%
10					10%	5%	4%
11					10%	5%	4%
12					5%	5%	4%
13						5%	4%
14						5%	4%
15						5%	4%
16						5%	4%
17						5%	4%
18						5%	4%
19						5%	4%
20						5%	4%
21						5%	4%
22						2,50%	4%
23							4%
24							4%
25							4%
26							4%
27							2%

*Projetos iniciando e terminando no meio do ano.

do produto fornecem entradas de caixa durante a vida útil do projeto. Terceiro, a fábrica e os equipamentos são vendidos no fim do projeto, gerando uma entrada de caixa adicional. Discutiremos agora os fluxos de caixa da Baldwin para cada uma dessas três etapas.

QUADRO 6.4A Fluxos de caixa incrementais da Companhia Baldwin (em milhares de $) – EUA

O investimento é realizado nos Estados Unidos	Ano 0	Ano 1	Ano 2	Ano 3	Ano 4	Ano 5
(1) Receita de vendas [Linha 8, Quadro 6.1A]		$ 100,00	$ 163,20	$ 249,70	$ 212,24	$ 129,89
(2) Custos operacionais [Linha 9, Quadro 6.1A]		−50,00	−88,00	−145,20	−133,10	−87,85
(3) Tributos [Linha 12, Quadro 6.1A]		−10,20	−14,69	−29,00	−22,99	−10,38
(4) Fluxo de caixa das operações [(1) + (2) + (3)]		39,80	60,51	$ 75,50	$ 56,15	$ 31,67
(5) Fluxo de caixa total do investimento [Linha 7, Quadro 6.1A]	−$ 260,00		−6,32	−8,65	3,75	192,98
(6) Fluxo de caixa total do projeto [(4) + (5)]	−260,00	39,80	54,19	66,85	$ 59,90	$ 224,65
VPL a 4%	$ 123,64					
10%	$ 51,59					
15%	$ 5,47					
15,68%	$ 0,00					
20%	($ 31,35)					

QUADRO 6.4B Fluxos de caixa incrementais da Companhia Baldwin (em milhares de $) – Brasil

O investimento é realizado no Brasil	Ano 0	Ano 1	Ano 2	Ano 3	Ano 4	Ano 5
(1) Receita de vendas [Linha 8, Quadro 6.1B]		100,00	163,20	249,70	212,24	129,89
(2) Custos operacionais [Linha 9, Quadro 6.1B]	−50,00	−88,00	−145,20	−133,10	−87,85	−87,85
(3) Tributos [Linha 12, Quadro 6.1B]	−22,17	−32,13	−23,51	−10,89	−23,51	−10,89
(4) Fluxo de caixa das operações [(1) + (2) + (3)]		34,70	53,03	72,37	55,63	31,15	31,15
(5) Fluxo de caixa total do investimento [Linha 7, Quadro 6.1B]	−260,00	−6,32	−8,65	3,75	201,22	
(*) Crédito fiscal da venda com prejuízo contábil						8,50
(6) Fluxo de caixa total do projeto [(4) + (5)]	−260,00	34,70	46,71	63,72	59,38	240,87
VPL a 4,00%	121,94					
10,00%	48,14					
15,00%	1,10					
15,13%	0,00					
20,00%	−36,33					

O Quadro 6.4B apresenta uma linha a mais, linha (*), em relação ao Quadro 6.4A, pois agora há um crédito fiscal gerado com a venda a valor menor do que o valor contábil no Ano 5.

Investimentos Os gastos com investimentos para o projeto estão resumidos no segmento superior dos Quadros 6.1A e B. Eles consistem em três partes:

1. *Investimento na máquina de bolas de boliche*: a compra requer uma saída de caixa imediata (Ano 0) de $ 100 mil. A empresa realizará uma entrada de caixa quando a máquina for vendida no Ano 5. Esses fluxos de caixa são mostrados na Linha 1 dos Quadros 6.1A e B. Conforme indicado na nota de rodapé do quadro, os tributos incorrem quando o ativo for vendido.

2. *O custo de oportunidade de não vender o armazém*: se a Baldwin aceitar o projeto das bolas de boliche, utilizará um armazém e um terreno que poderiam ser vendidos. O preço de venda estimado pós-tributação do armazém e do terreno é, portanto, incluído como um *custo de oportunidade* no Ano 0, conforme apresentado na Linha 4. Os custos de oportunidade são tratados como saídas de caixa para fins de orçamento de capital. Contudo, note que, se o projeto for aceito, a administração pressupõe que o armazém será vendido por $ 150 mil (depois da tributação) no Ano 5.

    O custo dos testes de *marketing* de $ 250 mil não está incluído. Como dissemos anteriormente, os testes ocorreram no passado e devem ser vistos como um *custo irrecuperável*.

3. *O investimento em capital de giro*: o capital de giro necessário aparece na Linha 5 dos Quadros 6.1A e B. O capital de giro aumenta nos anos iniciais do projeto conforme a expansão ocorre. Contudo, presume-se que todo o capital de giro seja recuperado no fim, uma suposição comum no orçamento de capital. Em outras palavras, todo o estoque é vendido no final, o saldo de caixa mantido como um amortecedor é liquidado e todas as contas a receber são cobradas.

    Os aumentos na necessidade de capital de giro nos anos iniciais precisam ser financiados pelo caixa gerado em outra parte da empresa. Por isso, esses aumentos são vistos como *saídas* de caixa. Para reiterar, é o *aumento* no capital de giro ao longo de um ano que leva a uma saída de caixa nesse ano. Mesmo se o capital de giro estiver em um nível alto, não haverá saídas de caixa por um ano se ele se mantiver constante por esse período. De modo contrário, as reduções na necessidade de capital de giro nos anos posteriores são vistas como entradas de caixa. Todos esses fluxos de caixa são apresentados na Linha 6 dos Quadros 6.1A e B. Uma discussão mais completa sobre capital de giro será realizada posteriormente nesta seção.

Para recapitular, há três investimentos neste exemplo: a máquina de bolas de boliche (Linha 1 nos Quadros 6.1A e B), o custo de oportunidade do armazém (Linha 4) e as mudanças no capital de giro (Linha 6). O fluxo de caixa total desses três investimentos é mostrado na Linha 7 dos Quadros 6.1A e B.

Lucro e tributos A seguir, a determinação do lucro é apresentada no segmento inferior dos Quadros 6.1A e B. Apesar de estarmos interessados principalmente no fluxo de caixa, e não no lucro, precisamos do cálculo dele para determinar os tributos. As Linhas 8 e 9 dos Quadros 6.1A e B mostram as receitas das vendas e os custos operacionais, respectivamente. As projeções nessas linhas são baseadas nas receitas das vendas e nos custos operacionais calculados nas Colunas 4 e 6 do Quadro 6.2. As estimativas de receitas e custos partem de suposições feitas pela equipe de planejamento corporativo da Baldwin. Em outras palavras, as estimativas dependem da previsão de que os preços dos produtos vão aumentar a 2% por ano e os custos por unidade a 10% por ano.

A depreciação do investimento de capital de $ 100 mil é mostrada na Linha 10 dos Quadros 6.1A e B. De onde vêm esses números? A depreciação para fins fiscais para empresas norte-americanas está baseada no Sistema de Recuperação Acelerada de Custo Modificado (MACRS). Atribui-se a cada ativo uma vida útil segundo o MACRS, com um cronograma de depreciação o como mostrado no Quadro 6.3A. No caso norte-americano, a Baldwin deprecia seu investimento de capital de forma acelerada por cinco anos; assim, a segunda coluna do Quadro 6.3A se aplica a este caso. Como a depreciação no quadro é expressa como um percentual do custo do ativo, multiplicam-se os percentuais nessa coluna por $ 100 mil para chegar ao valor da depreciação. Os mesmos cálculos são feitos para o Quadro 6.1B, para o caso brasileiro, em que a depreciação ocorre não em 5, mas, em linha reta, em10 anos. Logo a taxa de depreciação anual é de 10%; no Ano 1, a taxa é 5%, porque presumimos que o projeto inicie sua produção na metade do ano. Observe que os percentuais em cada coluna dos Quadros 6.3A e B somam 100%, implicando que o ativo seja depreciado até zero, se mantido até o fim de sua vida contábil.

A receita antes da tributação é calculada na Linha 11 dos Quadros 6.1A e B. Os tributos são fornecidos na Linha 12 desses quadros, e o lucro líquido é mostrado na Linha 13. Observe os efeitos dos diferentes critérios utilizados para a depreciação.

Valor residual Ao vender um ativo, deve-se pagar ou compensar tributos sobre a diferença entre o seu preço de venda e o seu valor contábil. Dissemos anteriormente que a Baldwin planeja vender a máquina de bolas de boliche no final do Ano 5, estimando o preço de venda em $ 30 mil.

No caso de o projeto ser realizado nos Estados Unidos, no fim do quinto ano, o valor contábil da máquina seria $ 5.760, como mostrado na Linha 3 do Quadro 6.1A. Se a empresa vendesse a máquina por $ 30 mil, nos Estados Unidos pagaria tributos sobre a diferença entre esse preço de venda e o valor contábil de $ 5.760. Com uma alíquota tributária de 34%, a obrigação fiscal seria de $0,34 \times (\$ 30.000 - \$ 5.760) = \$ 8.242$. O valor residual pós-tributação do equipamento, uma entrada de caixa para a empresa, seria de $ 30.000 $-$ $ 8.242 $=$ $ 21.758, conforme indicado na Linha 1 do Quadro 6.1A.

Alternativamente, se o valor contábil exceder o valor de mercado, a diferença é tratada como um prejuízo para fins fiscais. Isso ocorre com esse exemplo caso o projeto seja realizado no Brasil. No fim do quinto ano, o valor contábil da máquina seria $ 55.000, como mostrado na Linha 3 do Quadro 6.1B. Se a empresa vendesse a máquina por $ 30 mil, o valor contábil excederia o valor de mercado em $ 25.000. Nesse caso, tributos de $0,34 \times \$ 25.000 = \$ 8.500$ seriam economizados, e essa economia de imposto sobre os lucros em outras linhas é somada ao caixa gerado no último período, conforme indicado na Linha (*) do Quadro 6.4B.

Fluxo de caixa O fluxo de caixa é determinado nos Quadros 6.4A e B. Começamos reproduzindo as Linhas 8, 9 e 12 nos Quadros 6.1A e B como Linhas 1, 2 e 3 nos Quadros 6.4A e B. O fluxo de caixa de operações, que é as vendas menos os custos operacionais e tributos, é fornecido na Linha 4 dos Quadros 6.4A e B. O fluxo de caixa total do investimento, tirado da Linha 7 dos Quadros 6.1A e B, aparece como Linha 5 dos Quadros 6.4A e B. O fluxo de caixa de operações mais o fluxo de caixa total do investimento resultam no fluxo de caixa total do projeto, que é mostrado como Linha 6 dos Quadros 6.4A e B.[9]

---

[9] O fluxo de caixa total do projeto é frequentemente chamado de "fluxo de caixa livre". O fluxo de caixa livre é o montante de caixa que pode ser distribuído a todos os investidores (investidores de dívida e capital próprio) depois de todos os investimentos necessários terem sido feitos.

Valor presente líquido O VPL do projeto de bolas de boliche da Baldwin pode ser calculado a partir dos fluxos de caixa na Linha 6 dos Quadros 6.4A e B. A seguir, os números para o caso brasileiro estão entre parênteses. Como podemos ver na parte inferior dos Quadros 6.4A e B, o VPL é de $ 51.590 (48.140) se 10% for a taxa de desconto apropriada e de −$ 31.350 (−36.330) se ela for 20%. Se a taxa de desconto for 15,68% (15,21%), o projeto terá um VPL zero. Em outras palavras, a taxa interna de retorno do projeto é 15,68% (15,13%). Se a taxa de desconto do projeto de bolas de boliche da Baldwin estiver acima de 15,68% (15,13%), não deve ser aceita, pois seu VPL seria negativo.

Qual conjunto de livros?

As empresas devem fornecer o cálculo dos lucros ou prejuízos a seus acionistas e às autoridades fiscais. Embora se possa pensar que os números para ambos os grupos sejam os mesmos, não é assim. Na verdade, as empresas mantêm dois conjuntos de livros, um para a Receita, chamado de *livros fiscais*, e outro para seus relatórios anuais, chamado de *livros dos acionistas*, com números diferentes nos dois conjuntos.

Como isso é possível? Os dois conjuntos de livros diferem porque suas regras foram desenvolvidas por órgãos diferentes. Os livros fiscais seguem as normas das receitas federais de cada país, e os livros dos acionistas seguem as normas contábeis. Nos Estados Unidos, do *Financial Accounting Standards Board* (FASB), e no Brasil do *International Accounting Standards Board* (IASB), pois o Brasil aderiu às normas internacionais de Contabilidade em dezembro de 2007. Por exemplo, nos Estados Unidos, os municípios podem emitir títulos de dívidas, e os juros sobre títulos de dívida municipais são ignorados para fins fiscais (porque são isentos de impostos de renda), apesar de lá o FASB tratar os juros como receita. Como outro exemplo, quando é possível utilizar a depreciação acelerada, as empresas normalmente utilizam essa depreciação para pagar seu imposto de renda enquanto usam a depreciação linear para seus livros de acionistas.

As diferenças, nos Estados Unidos, quase sempre beneficiam a empresa. As regras permitem que a receita nos livros de acionistas seja maior do que a nos livros fiscais; isso também pode ocorrer no Brasil, mas, por aqui, é necessária uma exceção que permita o uso da depreciação acelerada. Assim, pode ocorrer que a administração possa se mostrar lucrativa para seus acionistas sem ter de pagar tributos sobre todo o lucro reportado.[10] No Brasil, as empresas também têm dois conjuntos de livros: o societário, e o fiscal (Lalur). Os dividendos têm por base o lucro apurado no livro societário e os tributos têm por base o lucro apurado no Lalur. É sobre o resultado apurado pelo Lalur que o imposto de renda e a contribuição social sobre o lucro líquido são calculados à alíquota geral (IR+CSLL) de 34% (um detalhe que não será aprofundado aqui é que, para o cálculo do lucro fiscal, adições e exclusões podem ser feitas, então a alíquota tributária efetiva sobre o lucro societário pode ser alguma percentagem *em torno* de 34%, podendo ser, por exemplo, 30% ou 37%).

Qual conjunto de livros é relevante para o presente capítulo? Os números nos livros fiscais é que são os relevantes, já que só se podem calcular fluxos de caixa depois de subtrair os tributos sobre o lucro. Apesar de os livros de acionistas serem relevantes para a Contabilidade e a análise financeira, eles não são utilizados para o orçamento de capital.

Por fim, embora sejam permitidos dois conjuntos de livros para as empresas tanto dos Estados Unidos quanto do Brasil, esse pode não ser o caso em outros países – ou talvez até mesmo na maioria deles. O conhecimento das regras locais é necessário antes de estimar fluxos de

---

[10] Os autores norte-americanos informam que, nos Estados Unidos, muitas grandes empresas reportam receitas positivas consistentemente a seus acionistas, embora reportem prejuízos ao IRS. Eles dizem que uma interpretação cínica disso seria que os membros do Congresso dos Estados Unidos, que, de forma coletiva, fazem a política fiscal, desenvolvem regras favoráveis para ajudar seus eleitores. Dizem eles que, seja essa interpretação verdadeira ou não, um fato é claro: as empresas estão seguindo a lei ao criar dois conjuntos de livros, e não desrespeitando a lei, como se poderia pensar. Poderíamos acrescentar que talvez, de fato, os congressistas norte-americanos pensem nos seus eleitores ao criar condições para que as empresas norte-americanas paguem menos impostos e invistam mais, gerando, assim, mais empregos e riqueza.

caixa internacionais. É por isso que, neste capítulo, estamos apresentando cálculos de análise de atratividade de projetos no ambiente norte-americano e no ambiente brasileiro, embora isso possa tornar o capítulo um pouco mais complicado para o leitor.

Observação sobre o capital de giro

O investimento de capital de giro[11] é uma parte importante de qualquer análise de orçamento de capital, pois afeta os fluxos de caixa. Apesar de termos considerado o capital de giro nas Linhas 5 e 6 dos Quadros 6.1A e B, vocês podem estar se perguntando de onde os números dessas linhas vieram. Um investimento de capital de giro surge sempre que (1) o estoque for comprado, (2) o caixa for mantido no projeto como um amortecedor contra despesas inesperadas e (3) forem feitas vendas a crédito, gerando contas a receber em lugar de caixa. (O investimento de capital de giro é reduzido por compras a crédito, que geram contas a pagar.) Esse investimento de capital no projeto é uma *saída* de caixa, pois o caixa gerado em outra parte da empresa está vinculado ao projeto.

Para verificar como o investimento de capital de giro é construído a partir de seus componentes, foquemo-nos no Ano 1. Vemos nos Quadros 6.1A e B que os gestores da Baldwin preveem que as vendas no Ano 1 sejam de $ 100 mil e os custos operacionais, de $ 50 mil. Se as vendas e os custos fossem transações de caixa, a empresa receberia $ 50 mil (=$ 100.000 − $ 50.000). Conforme foi dito anteriormente, esse fluxo de caixa ocorreria no *fim* do Ano 1.

Agora fornecemos mais informações. Os gestores:

1. Preveem que $ 9 mil das vendas serão a crédito, implicando que os recebimentos de caixa no final do Ano 1 serão de apenas $ 91 mil (=$ 100.000 − $ 9.000). As contas a receber de $ 9 mil serão cobradas no final do Ano 2.

2. Acreditam que podem adiar o pagamento em $ 3 mil dos $ 50 mil de custos, implicando que os desembolsos de caixa no final do Ano 1 serão de apenas $ 47 mil (=$ 50.000 − $ 3.000). A Baldwin liquidará os $ 3 mil de contas a pagar no final do Ano 2.

3. Decidem que um estoque de $ 2.500 deveria ser deixado disponível no final do Ano 1 para evitar *faltas de estoque*.

4. Decidem que um caixa de $ 1.500 deveria ser destinado para o projeto no final do Ano 1 para evitar ficar sem caixa.

Assim, o investimento de capital de giro no final do Ano 1 é:

$ 9.000	−	$ 3.000	+	$ 2,500	+	$ 1.500	=	$ 10.000
Contas a receber		Contas a pagar		Estoque		Caixa		Capital de giro

Como $ 10 mil de caixa gerados em outra parte da empresa precisam ser utilizados para suprir essa necessidade de capital de giro, os gestores da Baldwin veem esse investimento corretamente como uma saída de caixa do projeto (talvez devêssemos escrever *consumo* de caixa do projeto). Conforme o projeto cresça ao longo do tempo, as demandas por capital de giro aumentarão. As *alterações* no capital de giro de ano a ano representam mais fluxos de caixa, conforme indicado pelos números negativos para os primeiros anos na Linha 6 dos Quadros 6.1A e B. No entanto, nos anos de declínio do projeto, o capital de giro será reduzido até chegar a zero. Isto é, as contas a receber serão, por fim, cobradas, o amortecedor de caixa do projeto será devolvido ao restante da empresa e todo o estoque remanescente será vendido. Isso libera caixa nos últimos anos, conforme indicado pelos números positivos nos Anos 4 e 5 da Linha 6.

---

[11] O Capítulo 27 trata em mais detalhes o capital de giro. Mostraremos no Capítulo 27 que o descasamento entre as aplicações em ativos circulantes operacionais e os finciamentos obtidos com os passivos circulantes operacionais é medido pela necessidade de capital de giro (NCG).

Tipicamente, as planilhas das empresas (como os Quadros 6.1A e B) tratam o uso de capital de giro como um todo. Os componentes individuais do uso de capital de giro (contas a receber, estoque e similares) geralmente não aparecem nas planilhas. Contudo, o leitor deve se lembrar de que os valores que consomem capital de giro nas planilhas não são "tirados do nada". Eles resultam de uma meticulosa previsão dos componentes, exatamente como ilustramos para o Ano 1.

Observação sobre a depreciação

No caso Baldwin, fizemos algumas pressupostos acerca da depreciação. De onde vieram esses pressupostos? As normas de depreciação no Estados Unidos estão estabelecidas na Publicação 946 do IRS, intitulada *How to Depreciate Property*. Essa publicação separa os diferentes tipos de ativos em classes, determinando, assim, suas vidas úteis depreciáveis para fins fiscais. Por exemplo:

- A classe de três anos inclui certos bens especializados de curta vida útil. Unidades de tratores e cavalos de corrida com mais de dois anos estão entre os poucos itens que se encaixam nessa classe.
- A classe de cinco anos inclui carros, caminhões, computadores e equipamentos periféricos e maquinário de escritório, assim como bens utilizados em pesquisas.
- A classe de sete anos inclui móveis de escritório e instalações bem como maquinário e equipamento agrícola.
- A classe de 10 anos inclui embarcações, barcas e rebocadores, bem como algumas estruturas agrícolas e de horticultura.
- A classe de 15 anos inclui melhorias na terra, como plantação de arbustos, cercas, estradas, calçadas e pontes, bem como certos bens de restaurantes.
- A classe de 20 anos inclui edificações agrícolas, bem como melhorias em terrenos de concessionárias de energia elétrica.
- Os bens imóveis são separados em duas classes, residenciais e não residenciais. O custo do imóvel residencial é recuperado ao longo de 27 anos e meio, e o do imóvel não residencial, ao longo de 39 anos.

Os itens nas classes de três, cinco, sete, 10, 15 e 20 anos são depreciados de acordo com os cronogramas no Quadro 6.3A. Todos os imóveis são depreciados em uma base linear.

Os cálculos de depreciação incluem uma convenção de meio ano, que trata todos os bens como se fossem colocados em serviço no meio do ano. Para ser coerente, o IRS permite meio ano de depreciação para o ano em que o bem for transferido ou alienado. O efeito disso é estender as deduções para bens ao longo de mais um ano que o nome de sua classe – por exemplo, seis anos fiscais para bens de cinco anos.

A norma fiscal brasileira não é muito diferente, porém as taxas típicas de depreciação obedecem ao critério linear, não o acelerado, como é o MACRS. A taxa de depreciação no primeiro e no último anos corresponde ao produto de 1/12 da taxa anual pelo número de meses de atividade no ano.

Antes, no Quadro 6.3B, mostramos a situação das taxas de depreciação para o caso de projetos que iniciam e terminam na metade do exercício fiscal, apenas para seguir o mesmo critério. No próximo quadro, Quadro 6.3C, apresentamos alguns exemplos de ativos e suas respectivas taxas de depreciação.

A tabela da qual extraímos o quadro pode ser buscada na norma "Depreciação de Bens do Ativo Imobilizado" (Brasil, 1998). As normas gerais são estabelecidas pelo Decreto nº 3.000, de 26 de março de 1999 (Brasil, 1999).

QUADRO 6.5 Algumas taxas e prazos de depreciação de ativos no Brasil

Ativos	Taxa anual	Prazo (anos)
Animais vivos, aves	50,00%	2
Discos, fitas e cartões magnéticos	33,33%	3
Caminhões fora da estrada	25,00%	4
Tratores, máquinas e aparelhos para obras públicas, construção civil ou trabalhos semelhantes	25,00%	4
Veículos automotores para transporte de 10 pessoas ou mais, incluindo o motorista	25,00%	4
Veículos automóveis para transporte de mercadoria	25,00%	4
Animais vivos, excetos aves	20,00%	4
Aquisição e desenvolvimento de *software*	20,00%	5
Computadores e periféricos, máquinas para processamento de dados, leitores magnéticos	20,00%	5
Ferramentas em geral	20,00%	5
Veículos de passageiros e outros veículos automóveis principalmente concebidos para transporte de pessoas, incluídos os veículos de uso misto e os automóveis de corrida	20,00%	5
Instalações	10,00%	10
Motores, máquinas motrizes, máquinas-ferramentas e aparelhos em geral	10,00%	10
Reatores nucleares	10,00%	10
Edificações	4,00%	25
Terrenos, salvo os melhoramentos ou construções Prédios ou construções não alugados nem utilizados na produção dos seus rendimentos e os destinados à venda Bens que normalmente têm o valor aumentado com o tempo, como obras de arte e antiguidades Bens para os quais seja registrada quota de exaustão	Não depreciáveis	

Depreciação acelerada

Conforme a Receita Federal do Brasil, há duas espécies de depreciação acelerada:

a. a reconhecida e registrada contabilmente, relativa à depreciação acelerada dos bens móveis, resultante do desgaste pelo uso em regime de operação superior ao normal, calculada com base no número de horas diárias de operação (turnos de trabalho); e

b. a relativa à depreciação acelerada incentivada, considerada benefício fiscal e reconhecida apenas pela legislação tributária, para fins da apuração do lucro real, sendo registrada no Lalur, sem qualquer lançamento contábil.

Para bens móveis do Ativo Imobilizado, a depreciação acelerada fiscal, em função do número de horas diárias de operação, tem os seguintes coeficientes de depreciação acelerada sobre as taxas normalmente utilizáveis:

a. 1,0 – para um turno de oito horas de operação;

b. 1,5 – para dois turnos de oito horas de operação; e

c. 2,0 – para três turnos de oito horas de operação.

Nessas condições, um bem cuja taxa normal de depreciação é de 10% ao ano poderá ser depreciado em 15% ao ano se operar 16 horas por dia, ou 20% ao ano, se em regime de operação de 24 horas por dia.

É permitida a aplicação dos coeficientes de aceleração da depreciação dos bens móveis do ativo imobilizado, em razão dos turnos de operação, conjuntamente com os coeficientes multiplicativos concedidos como incentivo fiscal a determinados setores da atividade econômica.

Em qualquer caso, o montante acumulado das quotas de depreciação deduzidas na apuração do lucro real não pode ultrapassar o custo de aquisição do bem integrado contabilmente.

Despesa com juros

Você pode ter ficado incomodado pelo fato de a despesa com juros ser ignorada no exemplo da Baldwin. Afinal, muitos projetos são, ao menos parcialmente, financiados com dívidas, principalmente uma máquina de bolas de boliche que provavelmente aumente a capacidade de endividamento da empresa. Acontece que pressupor nenhum financiamento de dívidas é fato comum no mundo real. As empresas normalmente calculam os fluxos de caixa de um projeto segundo o pressuposto de que ele seja financiado apenas com capital próprio. Nesta análise, pretendemos determinar o VPL do projeto independentemente das decisões sobre o seu financiamento. Qualquer ajuste para financiamento de dívidas será refletido na taxa de desconto, não nos fluxos de caixa. O tratamento das dívidas no orçamento de capital será abordado em profundidade no Capítulo 13.

6.3 Inflação e orçamento de capital

A inflação é um importante fato da vida econômica e deve ser considerada no orçamento de capital. Começamos nosso exame da inflação considerando a relação entre ela e as taxas de juros.

ExcelMaster
cobertura
online

Esta seção apresenta a função SLN.

Taxas de juros e inflação

Suponha que um banco ofereça uma taxa de juros de 10% por um ano. Isso significa que um indivíduo que deposite $ 1 mil receberá $ 1.100 (=$ 1.000 × 1,10) em um ano. Embora 10% possam parecer um bom retorno, somente se pode colocá-lo em perspectiva depois de examinar a taxa de inflação.

Imagine que a taxa de inflação seja 6% ao longo do ano e que afete todos os bens por igual. Por exemplo, um restaurante de *fast-food* que cobre hoje $ 1,00 por um hambúrguer cobrará $ 1,06 pelo mesmo hambúrguer no final do ano. Você pode utilizar seu $ 1 mil para comprar mil hambúrgueres hoje (Data 0). Alternativamente, se colocar seu dinheiro no banco em uma aplicação em renda fixa a 10%, poderá comprar 1.038 (=$ 1.100/$ 1,06) hambúrgueres na Data 1. Assim, a aplicação financeira aumentará seu consumo de hambúrgueres em apenas 3,8%.

Como os preços de todos os bens aumentam nessa taxa de 6%, a aplicação financeira permite que você aumente seu consumo de um único bem ou qualquer combinação de bens em 3,8%. Portanto, 3,8% é o que você está *realmente* recebendo por meio de sua conta poupança depois do ajuste da inflação. Os economistas referem-se ao número de 3,8% como *taxa de juros real*. E à taxa de 10% como *taxa de juros nominal*, ou simplesmente *taxa de juros*. Essa discussão está ilustrada na Figura 6.1.

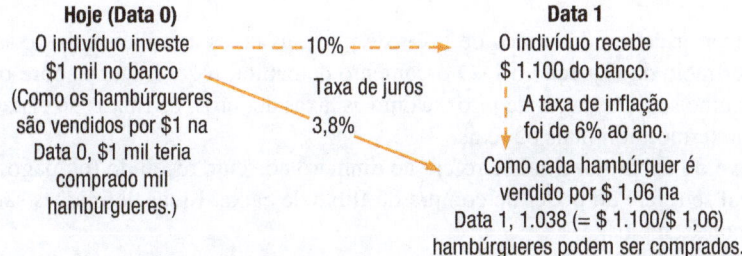

FIGURA 6.1 Cálculo da taxa de juros real.

Utilizamos um exemplo com uma taxa de juros nominal e uma taxa de inflação específica. Em geral, a fórmula entre as taxas de juros real e nominal pode ser escrita desta forma:

$$1 + \text{Taxa de juros nominal} = (1 + \text{Taxa de juros real}) \times (1 + \text{Taxa de inflação})$$

Reorganizando os termos, temos:

$$\text{Taxa de juros real} = \frac{(1 + \text{Taxa de juros nominal})}{(1 + \text{Taxa de inflação})} - 1 \tag{6.1}$$

A fórmula indica que a taxa de juros real em nosso exemplo é 3,8% (= 1,10/1,06 − 1).

A Equação 6.1 determina precisamente a taxa de juros real. A fórmula a seguir é uma aproximação:

$$\text{Taxa de juros real} \cong \text{Taxa de juros nominal} - \text{Taxa de inflação} \tag{6.2}$$

O símbolo $\cong$ indica que a equação é aproximadamente verdadeira. Essa última fórmula calcula a taxa real em nosso exemplo como:

$$4\% = 10\% - 6\%$$

Você deve estar ciente de que, embora possa parecer mais intuitiva que a Equação 6.1, a Equação 6.2 é apenas uma aproximação. Essa aproximação é razoavelmente precisa para taxas baixas de juros e inflação. Em nosso exemplo, a diferença entre o cálculo aproximado e o exato é de apenas 0,2% (=4% − 3,8%). Infelizmente, a aproximação se torna ruim quando as taxas são maiores.

EXEMPLO 6.6 Taxas reais e nominais

A monarquia pouco conhecida de Gerberóvia teve recentemente uma taxa de juros nominal de 300% e uma taxa de inflação de 280%. De acordo com a Equação 6.2, a taxa de juros real é:

$$300\% - 280\% = 20\% \quad (\text{Fórmula aproximada})$$

Contudo, de acordo com a Equação 6.1, essa taxa é:

$$\frac{1 + 300\%}{1 + 280\%} - 1 = 5{,}26\% \quad (\text{Fórmula exata})$$

Como sabemos que a segunda fórmula é realmente a exata? Pensemos novamente em termos de hambúrgueres. Se você tivesse depositado $ 1 mil no Banco gerberoviano há um ano, a conta valeria $ 4 mil [=$ 1.000 × (1 + 300%)] hoje. No entanto, apesar de um hambúrguer custar $ 1 há um ano, hoje ele custa $ 3,80 (=1 + 280%). Portanto, você poderia agora comprar 1.052,6 (=$ 4.000/3,80) hambúrgueres, implicando uma taxa de juros real de 5,26%.

Fluxos de caixa e inflação

A análise anterior define dois tipos de taxas de juros, as taxas nominais e as taxas reais, e as relaciona por meio da Equação 6.1. O orçamento de capital requer dados sobre os fluxos de caixa, bem como sobre as taxas de juros. Como as taxas de juros, os fluxos de caixa podem ser expressos em termos nominais ou reais.

Um **fluxo de caixa nominal** se refere ao dinheiro corrente recebido (ou pago). Um **fluxo de caixa real** se refere ao poder de compra do fluxo de caixa. Essas definições são mais bem explicadas por exemplos.

EXEMPLO 6.7 Fluxo de caixa nominal *versus* fluxo de caixa real

A Editora Damassa adquiriu os direitos do próximo livro da famosa romancista Barbara Fama. O livro, que ainda não foi escrito, deverá estar disponível para o público em quatro anos. Atualmente, os romances em brochura da editora são vendidos por $ 10,00. Os editores acreditam que a inflação será de 6% ao ano pelos próximos quatro anos. Como os romances são tão populares, os editores preveem que seus preços aumentarão cerca de 2% por ano acima da taxa de inflação pelos próximos quatro anos. A Editora Damassa planeja vender o romance por $ 13,60 [=(1,08)^4 × $ 10,00] daqui a quatro anos, esperando vendas de 100 mil cópias.

O fluxo de caixa esperado de $ 1,36 milhão (=$ 13,60 × 100.000) no quarto ano é um *fluxo de caixa nominal*. Isto é, a empresa espera receber $ 1,36 milhão nessa época. Em outras palavras, um fluxo de caixa nominal se refere ao dinheiro corrente a ser recebido no futuro.

O poder de compra de $ 1,36 milhão em quatro anos é (em valores aproximados):

$$\$\,1{,}08 \text{ milhão} = \frac{\$\,1{,}36 \text{ milhão}}{(1{,}06)^4}$$

O valor de $ 1,08 milhão é um *fluxo de caixa real*, porque é expresso em termos de poder de compra. Continuando nosso exemplo dos hambúrgueres, o $ 1,36 milhão a ser recebido em quatro anos comprará apenas 1,08 milhão de hambúrgueres, pois o preço de um hambúrguer aumentará de $ 1 para $ 1,26 [=$ 1 × (1,06)^4] no período.

EXEMPLO 6.8 Depreciação

A Editora EiBom, uma concorrente da Damassa, comprou uma impressora por $ 2 milhões a ser depreciada até zero pelo método linear durante cinco anos. Isso implica uma depreciação anual de $ 400 mil (=$ 2.000.000/5). Esse valor de $ 400 mil é uma quantidade real ou nominal?

A depreciação é uma quantidade *nominal*, porque $ 400 mil é a dedução fiscal corrente por cada um dos próximos cinco anos. A depreciação torna-se uma quantidade real se for ajustada para o poder de compra. Supondo uma taxa de inflação anual de 6%, a depreciação no quarto ano expressa como uma quantidade real é de $ 316.837 [=$ 400.000/(1,06)^4].

Desconto: nominal ou real?

Nossa discussão anterior mostrou que as taxas de juros podem ser expressas em termos nominais ou reais. De forma similar, os fluxos de caixa podem ser expressos em termos nominais ou reais. Dadas essas opções, como se deveria expressar as taxas de juros e os fluxos de caixa ao realizar um orçamento de capital?

Os profissionais de Finanças corretamente enfatizam a necessidade de manter a *coerência* entre os fluxos de caixa e as taxas de desconto. Isto é:

Fluxos de caixa *nominais* devem ser descontados à taxa *nominal*.

Fluxos de caixa *reais* devem ser descontados à taxa *real*.

Desde que se mantenha a coerência, ambas as abordagens estarão corretas. Para minimizar os erros de cálculo, geralmente é aconselhável escolher a abordagem que for mais fácil na prática. Essa ideia é ilustrada nos dois exemplos a seguir.

EXEMPLO 6.9 — Desconto real e nominal

A Escudo Elétrico prevê os seguintes fluxos de caixa nominais em um determinado projeto:

Fluxo de caixa	0	1	2
	−$ 1.000	$ 600	$ 650

A taxa de desconto nominal é 14%, e prevê-se que a taxa de inflação seja 5%. Qual é o valor do projeto?

Uso de valores nominais   O VPL pode ser calculado como:

$$\$ 26{,}47 = -\$\,1.000 + \frac{\$\,600}{1{,}14} + \frac{\$\,650}{(1{,}14)^2}$$

O projeto deveria ser aceito.

Uso de valores reais   Os fluxos de caixa reais são estes:

Fluxo de caixa	0	1	2
	−$ 1.000	$ 571,43 = $\left(\frac{\$\,600}{1{,}05}\right)$	$ 589,57 = $\left(\frac{\$\,650}{(1{,}05)^2}\right)$

De acordo com a Equação 6.1, a taxa de desconto real é 8,57143% (=1,14/1,05 − 1). O VPL pode ser calculado como:

$$\$ 26{,}47 = -\$\,1.000 + \frac{\$\,571{,}43}{1{,}0857143} + \frac{\$\,589{,}57}{(1{,}0857143)^2}$$

O VPL será o mesmo quer os fluxos de caixa sejam expressos em quantidades nominais ou reais. O VPL sempre deve ser o mesmo segundo as duas diferentes abordagens.

Como ambas produzem o mesmo resultado, qual deveria ser utilizada? Utilize a abordagem que for mais simples, pois ela geralmente leva a menos erros de cálculo. O exemplo da Escudo Elétrico começa com fluxos de caixa nominais, de modo que as quantidades nominais produzem um cálculo mais simples.

EXEMPLO 6.10 — VPL real e nominal

A Velhescola S/A gerou a seguinte previsão para um projeto de orçamento de capital:

	Ano 0	Ano 1	Ano 2
Despesas de capital	$ 1.210		
Receitas (em termos reais)		$ 1.900	$ 2.000
Despesas de caixa (em termos reais)		950	1.000
Depreciação (linear)		605	605

O diretor-presidente, David Velho, estima que a inflação seja de 10% ao ano pelos próximos dois anos. Além disso, ele acredita que os fluxos de caixa do projeto devem ser descontados na taxa nominal de 15,5%. A alíquota tributária da empresa é de 40%.

O Sr. Velho prevê todos os fluxos de caixa em termos *nominais*, levando ao quadro e cálculo de VPL a seguir:

	Ano 0	Ano 1	Ano 2
Despesas de capital	$ 1.210		
Receitas		$ 2.090 (=1.900 × 1,10)	$ 2.420 [=2.000 × (1,10)^2]
−Despesas		−1.045 (=950 × 1,10)	−1.210 [=1.000 × (1,10)^2]
−Depreciação		−605 (=1.210/2)	−605
Lucro tributável		440	605
−Tributos (40%)		−176	−242
Receita depois dos tributos		264	363
+Depreciação		605	605
Fluxo de caixa		869	968

$$NPV = -\$\,1.210 + \frac{\$\,869}{1{,}155} + \frac{\$\,968}{(1{,}155)^2} = \$\,268$$

O diretor financeiro da empresa, Sr. Claro, prefere trabalhar em termos reais. Ele primeiro calcula que a taxa real é 5% (=1,155/1,10 − 1). A seguir, gera este quadro em valores *reais*:

	Ano 0	Ano 1	Ano 2
Despesas de capital	−$ 1.210		
Receitas		$ 1.900	$ 2.000
−Despesas		−950	−1.000
−Depreciação		−550 (=605/1,10)	−500 [=605/(1,10)^2]
Lucro tributável		400	500
−Tributos (40%)		−160	−200
Receita depois dos tributos		240	300
+Depreciação		550	500
Fluxo de caixa		790	800

O Sr. Claro calcula o valor do projeto como:

$$NPV = -\$\,1.210 + \frac{\$\,790}{1{,}05} + \frac{\$\,800}{(1{,}05)^2} = \$\,268$$

Ao explicar seus cálculos ao Sr. Velho, o Sr. Claro salienta estes fatos:

1. A despesa de capital ocorre na Data 0 (hoje), portanto seu valor nominal e seu valor real são iguais.
2. Por a depreciação anual de $ 605 ser uma quantidade nominal, ela é convertida em uma quantidade real descontando-se a taxa de inflação de 10%.

Não é uma coincidência que o Sr. Velho e o Sr. Claro cheguem ao mesmo valor de VPL. Ambos os métodos sempre devem gerar o mesmo VPL.

6.4 Definições alternativas de fluxo de caixa operacional

Conforme podemos ver nos exemplos deste capítulo, o cálculo adequado do fluxo de caixa é essencial para o orçamento de capital. Inúmeras definições diferentes de fluxo de caixa operacional são de uso comum, um fato que frequentemente inferniza os estudantes de Finanças Corporativas. Contudo, a boa notícia é que essas definições são coerentes entre si. Isto é, se utilizadas corretamente, irão nos levar à mesma resposta para um dado problema. Consideraremos agora algumas das definições comuns, mostrando, no processo, que são idênticas umas às outras.[12]

---

[12] Para simplificação, o capital de giro é ignorado nesta discussão.

Na discussão a seguir, lembre-se de que, quando falamos de fluxo de caixa, queremos dizer literalmente entrada de dinheiro menos saída de dinheiro. Isso é tudo o que nos interessa.

Para um determinado projeto e ano, suponha que tenhamos as seguintes estimativas:

$$\text{Vendas} = \$\ 1.500$$
$$\text{Custos em caixa}^{13} = \$\ 700$$
$$\text{Depreciação} = \$\ 600$$

Com essas estimativas, o lucro antes do imposto de renda (LAIR) é:

$$\begin{aligned} \text{LAIR} &= \text{Vendas} - \text{Custos em caixa} - \text{Depreciação} \\ &= \$\ 1.500 - 700 - 600 \\ &= \$\ 200 \end{aligned} \quad (6.3)$$

Como é habitual no orçamento de capital, pressupomos que nenhum juro seja pago, e, portanto, o encargo fiscal é:

$$\begin{aligned} \text{Tributos} &= (\text{Vendas} - \text{Custos em caixa} - \text{Depreciação}) \times t_c = \text{LAIR} \times t_c \\ &(\$\ 1.500 - 700 - 600) \times 0{,}34 = \$\ 200 \times 0{,}34 = \$\ 68 \end{aligned} \quad (6.4)$$

em que t_c, a alíquota tributária da pessoa jurídica, é de 34%.

Agora que calculamos as receitas antes da tributação na Equação 6.3 e os tributos na Equação 6.4, como determinamos o fluxo de caixa operacional (FCO)? A seguir, mostramos três abordagens diferentes, todas coerentes entre si. A primeira talvez seja a de mais senso comum, pois simplesmente pergunta "Quanto dinheiro vai para o bolso do dono e quanto dinheiro sai do bolso dele?".

Abordagem de cima para baixo

Vamos seguir o dinheiro. O proprietário recebe vendas de $ 1.500, paga $ 700 de despesas de caixa e $ 68 de tributos. Assim, o fluxo de caixa operacional deve ser igual a:

$$\begin{aligned} \text{FCO} &= \text{Vendas} - \text{Despesas de caixa} - \text{Tributos} \\ &= \$\ 1.500 - 700 - 68 \\ &= \$\ 732 \end{aligned} \quad (6.5)$$

Nós a chamamos de abordagem *de cima para baixo* porque começamos no alto da demonstração de resultados do exercício (DRE) e avançamos para baixo no fluxo de caixa, subtraindo custos, tributos e outras despesas.

Ao longo do caminho, deixamos a depreciação de fora. Por quê? Porque ela não é uma saída de caixa. Em outras palavras, o dono não está fazendo um cheque de $ 600 para uma Sra. Depreciação! Embora a depreciação seja um conceito contábil, ela não é um fluxo de caixa. Mesmo assim, perguntamos: a depreciação tem um papel no cálculo do fluxo de caixa? Sim, mas só indiretamente. Segundo as regras fiscais atuais, a depreciação é uma dedução, diminuindo o lucro tributável. Uma receita menor leva a tributos menores, que, por sua vez, levam a um maior fluxo de caixa.

Abordagem de baixo para cima

Esta é a abordagem que você teria em uma aula de Contabilidade. Primeiramente, a receita é calculada como:

$$\begin{aligned} \text{Lucro líquido do projeto} &= \text{LAIR} - \text{Tributos} \\ &= \$\ 200 - 68 \\ &= \$\ 132 \end{aligned}$$

---

[13] Os custos em caixa ignoram a depreciação.

A seguir, a depreciação é novamente adicionada, dando:

$$FCO = \text{Lucro líquido} + \text{Depreciação}$$
$$= \$ 132 + 600 \quad (6.6)$$
$$= \$ 732$$

Expressando o lucro líquido em termos de seus componentes, poderíamos escrever o FCO de maneira mais completa como:

$$FCO = (\text{Vendas} - \text{Custos em caixa} - \text{Depreciação})(1 - t_c) + \text{Depreciação} \quad (6.6')$$
$$= (\$ 1.500 - 700 - 600)(1 - 0,34) + 600 = \$ 732$$

Essa é a abordagem *de baixo para cima*, seja escrita como na Equação 6.6 ou como na Equação 6.6'. Aqui começamos com a última linha do contador (o lucro líquido) e somamos de volta todas as deduções que não afetam o caixa, como a depreciação. É crucial lembrar que essa definição de fluxo de caixa operacional como lucro líquido mais depreciação só é correta se não houver despesas financeiras subtraídas no cálculo do lucro líquido.

Uma pessoa comum geralmente acharia a abordagem de cima para baixo mais fácil de entender, e é por isso que a apresentamos primeiro. A abordagem de cima para baixo simplesmente pergunta quanto dinheiro entra e quanto sai. No entanto, qualquer pessoa com formação contábil pode achar a abordagem de baixo para cima mais fácil, porque os contadores a utilizam o tempo todo. De fato, um estudante que tenha feito uma disciplina de Contabilidade sabe por força do hábito que a depreciação deve ser adicionada de volta para se obter o fluxo de caixa.

Podemos explicar intuitivamente por que se deve adicionar de volta a depreciação como fizemos aqui? Os textos de Contabilidade dedicam muito espaço para explicar a intuição por trás da abordagem de baixo para cima, e não queremos repetir seus esforços em um texto de Finanças. Assim, vamos tentar dar uma explicação com duas frases. Como mencionado antes, apesar de a depreciação reduzir a receita, ela *não* é uma saída de caixa. Portanto, é preciso adicionar a depreciação de volta ao passar do lucro para o fluxo de caixa.

Abordagem do benefício fiscal

A abordagem do benefício fiscal é apenas uma variante da abordagem de cima para baixo, conforme apresentado na Equação 6.5. Um dos termos abrangendo o FCO na Equação 6.5 são os tributos, que são definidos na Equação 6.4. Se ligarmos a fórmula de tributos fornecida em 6.4 à Equação 6.5, obtemos:

$$FCO = \text{Vendas} - \text{Custos em caixa} - (\text{Vendas} - \text{Custos em caixa} - \text{Depreciação}) \times t_c$$

que é simplificada para:

$$FCO = (\text{Vendas} - \text{Custos em caixa}) \times (1 - t_c) + \text{Depreciação} \times t_c \quad (6.7)$$

em que t_c novamente é a alíquota tributária da pessoa jurídica. Supondo que $t_c = 34\%$, o FCO resulta em:

$$FCO = (\$ 1.500 - 700) \times 0,66 + 600 \times 0,34$$
$$= \$ 528 + 204$$
$$= \$ 732$$

Isso é exatamente o que obtivemos antes.

Segundo essa abordagem, o FCO tem dois componentes. A primeira parte é o que o fluxo de caixa do projeto seria se não houvesse despesas de depreciação. Em nosso exemplo, esse provável fluxo de caixa seria de $ 528.

A segunda parte do FCO nessa abordagem é a dedução da depreciação multiplicada pela alíquota tributária. Isso é chamado de **benefício fiscal da depreciação**. Sabemos que a depreciação é uma despesa que não afeta o caixa. O único efeito da dedução da depreciação sobre o fluxo de caixa é a redução de nossos tributos, um benefício para nós. Com a atual alíquota tributária da pessoa jurídica de 34%, cada real gasto em despesas de depreciação economiza 34 centavos em tributos. Assim, em nosso exemplo, a dedução da depreciação de $ 600 economiza $ 600 × 0,34 = $ 204 em tributos.

Os alunos, muitas vezes, pensam que a abordagem do benefício fiscal contradiz a abordagem de baixo para cima, porque a depreciação é adicionada de volta na Equação 6.6, mas apenas o benefício fiscal sobre a depreciação é adicionado de volta na Equação 6.7. Contudo, as duas fórmulas são perfeitamente coerentes uma com a outra, uma ideia facilmente vista pela comparação da Equação 6.6' com a Equação 6.7. A depreciação é subtraída no primeiro termo do lado direito de 6.6'. Nenhuma subtração comparável ocorre no lado direito de 6.7. Somamos a quantia inteira da depreciação no fim da Equação 6.6' (e, no fim de sua equivalente, a Equação 6.6), porque subtraímos a depreciação anteriormente nela.

Conclusão

Agora que já vimos que todas essas abordagens são iguais, provavelmente você esteja se perguntando por que todos não concordam em usar apenas uma delas. Um motivo é as diferentes abordagens serem úteis em diferentes circunstâncias. A melhor a utilizar é aquela que for mais conveniente para o problema em questão.

6.5 Alguns casos especiais de análise por fluxos de caixa descontados

ExcelMaster
cobertura
online

Esta seção apresenta a função SOLVER.

Para encerrar nosso capítulo, examinaremos três casos comuns envolvendo a análise por fluxos de caixa descontados (FCD). O primeiro caso considera os investimentos para corte de custos. O segundo caso considera as ofertas competitivas. O terceiro caso compara equipamentos com diferentes vidas úteis.

Existem muitos outros casos especiais, mas esses três são os mais comuns. Além disso, eles ilustram algumas aplicações diversas da análise de fluxos de caixa e da avaliação por FCD.

Avaliação de propostas de redução de custos

Frequentemente as empresas precisam decidir se tornam as instalações existentes eficientes em termos de custos ou não. A questão é saber se as economias de custo são ou não suficientemente grandes para justificar os gastos de capital necessários.

Por exemplo, suponha que estejamos pensando em automatizar parte de um processo de produção existente. A compra e a instalação dos equipamentos necessários custam $ 80 mil. A automação economizará $ 22 mil por ano (antes dos tributos) com a redução na mão de obra e nos custos de materiais. Para simplificar, presuma que o equipamento tenha vida útil de cinco anos e seja depreciado até zero em base linear nesse período. Ele valerá $ 20 mil no final do Ano 5. Devemos fazer a automatização? A alíquota tributária é de 34%, e a taxa de desconto, 10%.

Comecemos identificando os fluxos de caixa relevantes. A determinação dos gastos de capital relevantes é bastante simples. O custo inicial é de $ 80 mil. O valor residual pós-tributação é $ 20.000 × (1 − 0,34) = $ 13.200, porque o valor contábil será zero em cinco anos. Não há consequências para o capital de giro, portanto não precisamos nos preocupar com as suas variações.

Os fluxos de caixa operacionais também devem ser considerados. A compra dos novos equipamentos afeta nossos fluxos de caixa operacionais de três formas. Primeiro, economizamos $ 22 mil antes da tributação todos os anos.

Em outras palavras, a receita operacional da empresa aumenta em $ 22 mil, de modo que essa é a receita operacional incremental relevante do projeto.

Em segundo lugar, temos a dedução da depreciação adicional (que é fácil de esquecer). Neste caso, a depreciação é $ 80.000/5 = $ 16.000 por ano.

Como o projeto tem uma receita operacional de $ 22 mil (a economia de custos anual pré-tributação) e a dedução de depreciação, de $ 16 mil, o projeto aumentará os lucros da empresa antes dos juros e tributos (LAJIR) em $ 22.000 − 16.000 = $ 6.000. Em outras palavras, o LAJIR do projeto é $ 6 mil.

Terceiro, como o LAJIR está subindo para a empresa, os tributos aumentarão. Esse aumento dos tributos será de $ 6.000 × 0,34 = $ 2.040. Com essas informações, podemos calcular normalmente o fluxo de caixa operacional:

LAJIR	$ 6.000
+Depreciação	16.000
−Tributos	2.040
Fluxo de caixa operacional	$ 19.960

Assim, nosso fluxo de caixa operacional pós-tributação é de $ 19.960.

Também podemos calcular o fluxo de caixa operacional utilizando uma abordagem diferente. O que acontece, de fato, é muito simples. Primeiro, a economia de custos aumenta nossa receita pré-tributação em $ 22 mil. Precisamos pagar tributos sobre esse montante, portanto nossa carga tributária aumenta em 0,34 × $ 22.000 = $ 7.480. Em outras palavras, a economia de $ 22 mil pré-tributação resulta em $ 22.000 × (1 − 0,34) = $ 14.520 depois dos tributos.

Segundo, apesar de os $ 16 mil extras em depreciação não serem um fluxo de saída de caixa, eles reduzem nossos tributos em $ 16.000 × 0,34 = $ 5.440. A soma desses dois componentes é $ 14.520 + $ 5.440 = $ 19.960, exatamente o que obtivemos antes. Note que os $ 5.440 são o benefício fiscal da depreciação que já discutimos, e utilizamos essa abordagem efetivamente aqui.

Agora podemos terminar nossa análise. Com base em nossa discussão, os fluxos de caixa relevantes são os seguintes:

	Ano					
	0	1	2	3	4	5
Fluxo de caixa operacional		$ 19.960	$ 19.960	$ 19.960	$ 19.960	$ 19.960
Gasto de capital	−$ 80.000					13.200
Fluxo de caixa total	−$ 80.000	$ 19.960	$ 19.960	$ 19.960	$ 19.960	$ 33.160

A 10%, a verificação de que o VPL de $ 3.860 é simples, portanto deveríamos ir em frente e fazer a automatização.

EXEMPLO 6.11 Comprar ou não comprar

Estamos pensando na compra de um sistema computacional de gerenciamento de estoques que custa $ 200 mil. Ele terá depreciação linear até zero ao longo de sua vida útil de quatro anos. Ao fim desse período, ele valerá $ 30 mil. O sistema economizará $ 60 mil antes dos tributos em custos relacionados ao estoque. A alíquota tributária relevante é de 34%. Como a nova configuração é mais eficiente do que a existente, precisaremos manter menos estoque total, liberando, com isso, $ 45 mil de capital de giro. Qual é o VPL a 16%? Qual é a TIR desse investimento?

    Primeiro calcularemos o fluxo de caixa operacional. A economia de custos pós-tributação é de $ 60.000 × (1 − 0,34) = $ 39.600 por ano. A depreciação é de $ 200.000/4 = $ 50.000 por ano, de modo que o benefício fiscal da depreciação é de $ 50.000 × 0,34 = $ 17.000. O fluxo de caixa operacional é de $ 39.600 + $ 17.000 = $ 56.600 por ano.

    O sistema envolve um custo inicial de compra de $ 200 mil. O valor residual pós-tributação é de $ 30.000 × (1 − 0,34) = $ 19.800. Por fim, e esta é a parte um tanto complicada, o investimento inicial em capital de giro (CDG) é uma *entrada* de $ 45 mil, pois o sistema libera capital de giro. Além disso, teremos de colocar isso de volta no final da vida útil do projeto. O que isso realmente significa é simples: enquanto o sistema estiver funcionando, teremos $ 45 mil para usar no que for necessário.

(continua)

(continuação)

Para encerrar nossa análise, podemos calcular o total dos fluxos de caixa:

	Ano				
	0	1	2	3	4
Fluxo de caixa operacional		$ 56.100	$ 56.100	$ 56.100	$ 56.100
Variação no CDG	$ 45.000				−45.000
Gasto de capital	−200.000				18.300
Fluxo de caixa total	−$ 155.000	$ 56.100	$ 56.100	$ 56.100	$ 29.400

A 16%, o VPL é de −$ 12.768, portanto o investimento não é atraente. Após um pouco de tentativa e erro, descobrimos que o VPL é igual a zero quando a taxa de desconto é de 11,48%, implicando uma TIR de aproximadamente 11,5%.

Definição do preço em uma licitação

Geralmente, utiliza-se a abordagem do VPL para avaliar um novo projeto. Essa abordagem também pode ser utilizada ao submeter uma licitação ou oferta competitiva para ganhar um trabalho. Nessas circunstâncias, o vencedor será aquele que submeter a oferta mais baixa.

Uma velha piada a respeito desse processo: quem faz a oferta mais baixa é quem comete o maior erro. Isso é chamado de maldição do vencedor. Em outras palavras, se você ganhar, há boas chances de ter feito uma oferta abaixo do que deveria. Nesta seção, veremos como definir o preço da oferta de modo a evitar a maldição do vencedor. O procedimento descrito será útil sempre que precisarmos definir um preço para um produto ou serviço.

Assim como com qualquer outro projeto de orçamento de capital, devemos ser cuidadosos para levar em conta todos os fluxos de caixa relevantes. Por exemplo, analistas do setor estimam que os materiais do Xbox 360 da Microsoft custem $ 470 antes da montagem. Outros itens, como a fonte de alimentação, os cabos e os controles, aumentaram o custo dos materiais em outros $ 55. A um preço de varejo de $ 399, a Microsoft obviamente perde um montante significativo em cada Xbox 360 vendido. Por que um fabricante venderia a um preço bem abaixo do ponto de equilíbrio? Um porta-voz da Microsoft declarou que a empresa acreditava que as vendas de *software* para os jogos fariam do Xbox 360 um projeto lucrativo.

Para ilustrar como definir um preço de oferta, imagine que estejamos em um ramo em que compramos carretas de caminhões desmontadas e as modificamos de acordo com as especificações dos clientes para revenda. Um distribuidor local solicitou cotações para cinco caminhões especialmente modificados, por ano, pelos próximos quatro anos, totalizando 20 caminhões.

Precisamos decidir que preço oferecer por caminhão. O objetivo de nossa análise é determinar o menor preço que podemos cobrar com o lucro. Isso maximiza nossas chances de conseguir o contrato, ao mesmo tempo em que nos resguardamos da maldição do vencedor.

Suponha que possamos comprar cada carreta por $ 10 mil. As instalações físicas necessárias podem ser alugadas a $ 24 mil por ano. A mão de obra e os materiais para a modificação custam cerca de $ 4 mil por caminhão. Assim, o custo total por ano será de $ 24.000 + 5 × (10.000 + 4.000) = $ 94.000.

Teremos de investir $ 60 mil em novos equipamentos. Esses equipamentos serão depreciados linearmente até um valor residual de zero ao longo dos quatro anos. Eles valerão cerca de $ 5 mil ao fim desse período. Também precisamos investir $ 40 mil em estoques de matéria-prima e outros itens de uso de capital de giro. A alíquota tributária relevante é de 34%. Qual deve ser o preço por caminhão para obtermos 20% de retorno sobre nosso investimento?

Começamos examinando os gastos de capital e o investimento em capital de giro. Temos de gastar $ 60 mil hoje em equipamentos novos. O valor residual pós-tributação é de $ 5.000 × (1 − 0,34) = $ 3.300. Além disso, temos de investir $ 40 mil hoje em capital de giro. Esse montante será recuperado em quatro anos.

Ainda não podemos determinar o fluxo de caixa operacional (FCO), porque não sabemos o preço de venda. Portanto, traçando uma linha do tempo, eis o que temos até agora:

	Ano				
	0	1	2	3	4
Fluxo de caixa operacional		+FCO	+FCO	+FCO	+FCO
Variação no CDG	−$ 40.000				$ 40.000
Gastos de capital	− 60.000				3.300
Fluxo de caixa total	−$ 100.000	+FCO	+FCO	+FCO	+FCO + $ 43.300

Pensando nisso, note que a observação mais importante é a seguinte: o menor preço possível que podemos cobrar para obter lucro resultará em um VPL de zero a 20%. A esse preço, receberemos exatamente 20% sobre nosso investimento.

Feita essa observação, primeiro precisamos determinar qual deve ser o fluxo de caixa operacional para que o VPL seja igual a zero. Para fazê-lo, calculamos o valor presente do fluxo de caixa não operacional de $ 43.300 do último ano e o subtraímos do investimento inicial de $ 100 mil:

$$\$\,100.000 - 43.300/1{,}20^4 = \$\,100.000 - 20.882 = \$\,79.118$$

Uma vez que isso tenha sido feito, nossa linha do tempo será:

	Ano				
	0	1	2	3	4
Fluxo de caixa total	−$ 79.118	+FCO	+FCO	+FCO	+FCO

Como a linha do tempo sugere, o fluxo de caixa operacional agora é a incógnita do montante da anuidade ordinária. O fator de anuidade para 20%, VPA (0,20; 4), é 2,58873, portanto, temos:

$$\text{VPL} = 0 = -\$\,79.118 + \text{FCO} \times 2{,}58873$$

Isso implica que:

$$\text{FCO} = \$\,79.118/2{,}58873 = \$\,30.563$$

Assim, o fluxo de caixa operacional precisa ser de $ 30.563 por ano.

Ainda não terminamos: o último problema é descobrir qual preço de venda resulta em um fluxo de caixa operacional de $ 30.563. A maneira mais fácil de fazer isso é lembrar que o fluxo de caixa operacional pode ser escrito como o lucro líquido mais a depreciação (a definição de baixo para cima).

A depreciação é de $ 60.000/4 = $ 15.000. Dessa forma, podemos determinar qual deve ser o lucro líquido:

$$\text{Fluxo de caixa operacional} = \text{Lucro líquido} + \text{Depreciação}$$
$$\$\,30.563 = \text{Lucro líquido} + \$\,15.000$$
$$\text{Lucro líquido} = \$\,15.563$$

A partir daqui, retornamos até a DRE. Se o lucro líquido for de $ 15.563, então nossa DRE será a seguinte:

Vendas	?
Custos	$ 94.000
Depreciação	15.000
Tributos (34%)	?
Lucro líquido	$ 15.563

Podemos calcular as vendas observando que:

$$\text{Lucro líquido} = (\text{Vendas} - \text{Custos} - \text{Depreciação}) \times (1 - T)$$
$$\$\,15.563 = (\text{Vendas} - \$\,94.000 - \$\,15.000) \times (1 - 0{,}34)$$
$$\text{Vendas} = \$\,15.563/0{,}66 + 94.000 + 15.000$$
$$= \$\,132.580$$

As vendas por ano devem ser de $ 132.580. Como o contrato pede cinco caminhões por ano, o preço de venda precisa ser $ 132.580/5 = $ 26.516. Se arredondarmos um pouco, parece que precisamos oferecer cerca de $ 27 mil por caminhão. A esse preço, se conseguíssemos o contrato, nosso retorno estaria um pouco acima de 20%.

Investimentos com vidas úteis diferentes: método do custo anual equivalente

Suponha que uma empresa deva escolher entre duas máquinas com vidas úteis diferentes. Ambas as máquinas podem fazer o mesmo trabalho, mas têm custos operacionais diferentes e irão durar por períodos de tempo distintos. Uma aplicação simples da regra do VPL sugere optar pela máquina cujos custos tenham o menor valor presente. No entanto, essa escolha pode ser um erro, pois a máquina de baixo custo pode precisar ser substituída antes da outra.

Consideremos um exemplo. O Clube Atlético do Centro precisa escolher entre dois lançadores mecânicos de bolas de tênis. A Máquina *A* custa menos que a Máquina *B*, mas não dura tanto quanto ela. As *saídas* de caixa das duas máquinas são mostradas aqui:

Máquina	Data 0	1	2	3	4
A	$ 500	$ 120	$ 120	$ 120	
B	$ 600	$ 100	$ 100	$ 100	$ 100

A Máquina *A* custa $ 500 e dura três anos. Haverá despesas de manutenção de $ 120 a serem pagas no fim de cada um dos três anos. A Máquina *B* custa $ 600 e dura quatro anos. Haverá despesas de manutenção de $ 100 a serem pagas no fim de cada um dos quatro anos. Expressamos todos os custos em termos reais, um pressuposto que simplifica bastante a análise. Supõe-se que as receitas por ano sejam as mesmas, independentemente da máquina, por isso elas não são consideradas na análise. Observe que todos os números no gráfico são *saídas*. Para simplificar, ignoramos os tributos.

Para entender a decisão, vamos tomar o valor presente dos custos de cada uma das duas máquinas. Supondo uma taxa de desconto de 10%, temos:

$$\text{Máquina } A: \$\,798{,}42 = \$\,500 + \frac{\$\,120}{1{,}1} + \frac{\$\,120}{(1{,}1)^2} + \frac{\$\,120}{(1{,}1)^3}$$

$$\text{Máquina } B: \$\,916{,}99 = \$\,600 + \frac{\$\,100}{1{,}1} + \frac{\$\,100}{(1{,}1)^2} + \frac{\$\,100}{(1{,}1)^3} + \frac{\$\,100}{(1{,}1)^4}$$

A Máquina *B* tem um valor presente de saídas maior. Uma abordagem ingênua seria selecionar a Máquina *A* por causa de seu valor presente menor. No entanto, a Máquina *B* tem uma vida útil mais longa, então talvez seu custo anual seja, na verdade, menor.

Como se poderia ajustar adequadamente a diferença em vida útil na comparação de duas máquinas? A abordagem mais fácil pode envolver o cálculo de algo chamado de *custo anual equivalente* de cada máquina. Essa abordagem coloca os custos em uma base anual.

A equação anterior da Máquina *A* mostrava que os pagamentos de $ 500, $ 120, $ 120 e $ 120 eram equivalentes a um único pagamento de $ 798,42 na Data 0. Agora desejamos comparar o pagamento único de $ 798,42 na Data 0 com uma anuidade de três anos. Utilizando técnicas de capítulos anteriores, temos:

$$\$\ 798{,}42 = C \times \text{VPA}\ (0{,}10,\ 3)$$

O VPA (0,10; 3) é uma anuidade de $ 1 por ano durante três anos, descontada a 10%. *C* é a incógnita – o pagamento da anuidade de forma que a soma dos valores presentes de todos os pagamentos seja igual a $ 798,42. Como o VPA (0,10; 3) é igual a 2,4869, *C* é igual a $ 321,05 (=$ 798,42/2,4869). Portanto, um fluxo de pagamentos de $ 500, $ 120, $ 120 e $ 120 é equivalente a pagamentos de anuidade de $ 321,05 feitos no *fim* de cada ano por três anos. Referimo-nos aos $ 321,05 como o *custo anual equivalente* da Máquina *A*.

Essa ideia está resumida no quadro a seguir:

	Data			
	0	1	2	3
Saídas de caixa da Máquina *A*	$ 500	$ 120	$ 120	$ 120
Custo anual equivalente da Máquina *A*		321,05	321,05	321,05

Para o Clube Atlético do Centro, saídas de caixa de $ 500, $ 120, $ 120 e $ 120 ou de $ 0, $ 321,05, $ 321,05 e $ 321,05 não fariam diferença. Alternativamente, pode-se dizer que a compra da máquina é financeiramente equivalente a um contrato de arrendamento que exija pagamentos anuais de $ 321,05.

Agora, vamos para a Máquina *B*. Calculamos seu custo anual equivalente a partir de:

$$\$\ 916{,}99 = C \times \text{VPA}\ (0{,}10,\ 4)$$

Como o VPA (0,10; 4) é igual a 3,1699, *C* é igual a $ 916,99/3,1699, ou $ 289,28.

Conforme fizemos com a Máquina *A*, podemos criar o seguinte quadro para a Máquina *B*:

	Data				
	0	1	2	3	4
Saídas de caixa da Máquina *B*	$ 600	$ 100	$ 100	$ 100	$ 100
Custo anual equivalente da Máquina *B*		289,28	289,28	289,28	289,28

A decisão é fácil uma vez que os quadros das duas máquinas são comparados. Seria preferível fazer pagamentos anuais de arrendamento de $ 321,05 ou de $ 289,28? Colocado dessa forma, o problema se torna simples: uma pessoa racional preferiria pagar a quantia menor. Portanto, a Máquina *B* é a opção preferencial.

Ainda cabem duas observações finais. Primeiro, não foi por acaso que especificamos os custos das máquinas de bolas de tênis em termos reais. Embora *B* ainda fosse a máquina preferencial se os custos tivessem sido informados em termos nominais, a solução em termos correntes teria sido muito mais difícil. Como regra geral, sempre converta os fluxos de caixa em termos reais ao calcular problemas desse tipo.

Segundo, essa análise só se aplica se considerarmos que ambas as máquinas podem ser substituídas. A análise diferiria se não fosse possível fazer alguma substituição. Por exemplo, imagine que a única empresa que fabricasse lançadores de bolas de tênis saísse do ramo e não se esperasse que novos produtores entrassem em cena. Nesse caso, a Máquina *B* geraria receitas no quarto ano, ao passo que a Máquina *A* não o faria. Aqui, a análise simples do valor presente líquido para projetos mutuamente excludentes incluindo receitas e custos seria apropriada.

Resumo e conclusões

Este capítulo discutiu algumas aplicações práticas do orçamento de capital.

1. O orçamento de capital deve ser determinado segundo uma base incremental. Isso significa que os custos irrecuperáveis devem ser ignorados, ao passo que os custos de oportunidade e os efeitos colaterais precisam ser considerados.
2. No caso Baldwin, calculamos o VPL utilizando os dois passos a seguir:
   a. Cálculo do fluxo de caixa líquido de todas as fontes para cada período.
   b. Cálculo do VPL utilizando esses fluxos de caixa.
3. Deve-se lidar de forma coerente com a inflação. Uma abordagem é expressar os fluxos de caixa e a taxa de desconto em termos nominais. A outra é expressar os fluxos de caixa e a taxa de desconto em termos reais. Como ambas as abordagens produzem o mesmo cálculo de VPL, o método mais simples deve ser utilizado. O método mais simples geralmente dependerá do tipo de problema de orçamento de capital.
4. Os fluxos de caixa operacionais (FCO) podem ser calculados de várias formas diferentes. Apresentamos três métodos diferentes para calcular o FCO: a abordagem de cima para baixo, a de baixo para cima e a do benefício fiscal. As três abordagens são coerentes entre si.
5. A abordagem do fluxo de caixa descontado pode ser aplicada a muitas áreas do orçamento de capital. A última seção deste capítulo aplicou a abordagem para investimentos de corte de custos, ofertas competitivas e escolhas entre equipamentos com diferentes vidas úteis.

QUESTÕES CONCEITUAIS

1. **Custo de oportunidade** No contexto do orçamento de capital, o que é um custo de oportunidade?
2. **Fluxos de caixa incrementais** Qual das seguintes alternativas deve ser tratada como um fluxo de caixa incremental ao calcular o VPL de um investimento?
   a. Uma redução nas vendas de outros produtos da empresa causada pelo investimento.
   b. Uma despesa em fábrica e equipamentos que ainda não foi feita e somente o será se o projeto for aceito.
   c. Os custos de pesquisa e desenvolvimento empreendidos em conexão com o produto durante os últimos três anos.
   d. A despesa de depreciação anual a partir do investimento.
   e. Os pagamentos de dividendos pela empresa.
   f. O valor de revenda da fábrica e dos equipamentos no fim da vida útil do projeto.
   g. O salário e as despesas médicas do pessoal de produção que será empregado somente se o projeto for aceito.
3. **Fluxos de caixa incrementais** Sua empresa atualmente produz e vende tacos de golfe com cabo de aço. O conselho de administração quer que você pense na introdução de uma nova linha de tacos de madeira e titânio com cabos de grafite. Quais dos seguintes custos *não* são relevantes?
   a. Um terreno que você já possui será utilizado para o projeto, e, caso contrário, ele seria vendido por $ 700 mil, seu valor de mercado.
   b. Uma queda de $ 300 mil em suas vendas de tacos com cabo de aço se os tacos de madeira e titânio com cabos de grafite forem introduzidos.
   c. Os $ 200 mil gastos em pesquisa e desenvolvimento de cabos de grafite no último ano.
4. **Depreciação** Se tivesse opção, uma empresa preferiria utilizar a depreciação acelerada ou a linear? Por quê?

5. **Capital de giro** Em nossos exemplos de orçamento de capital, presumimos que uma empresa recuperaria todo o capital de giro que investisse em um projeto. Essa hipótese é razoável? Quando ela pode não ser válida?

6. **Princípio da independência** Suponha que um gestor financeiro tenha declarado: "Nossa empresa utiliza o princípio da independência. Como tratamos os projetos como miniempresas em nosso processo de avaliação, incluímos os custos financeiros, porque eles são relevantes para a empresa". Avalie criticamente essa declaração.

7. **Custo anual equivalente** Quando a análise do CAE é apropriada para comparar dois ou mais projetos? Por que esse método é usado? Existe alguma suposição implícita exigida por esse método que você ache problemática? Explique.

8. **Fluxo de caixa e depreciação** "Ao avaliar projetos, estamos preocupados apenas com os fluxos de caixa incrementais relevantes pós-tributação. Portanto, como a depreciação é uma despesa que não afeta o caixa, devemos ignorar seus efeitos ao avaliar projetos." Avalie criticamente essa declaração.

9. **Considerações sobre o orçamento de capital** Uma grande editora de livros universitários tem um livro sobre finanças. A editora está discutindo se deve ou não produzir uma versão resumida, ou seja, um livro menor e com preço mais baixo. Quais são as considerações que devem ser feitas?

Para responder às próximas três perguntas, tome por base o seguinte exemplo. Em 2003, a Porsche divulgou seu novo veículo utilitário esportivo (SUV), o Cayenne. Com um preço de mais de $ 40 mil, o Cayenne vai de zero a 100 km/h em 8,5 segundos. A decisão da Porsche de entrar no mercado dos SUVs foi uma resposta ao sucesso de outros SUVs com preço alto, como a classe M da Mercedes-Benz. Os veículos dessa classe geraram anos de lucros muito altos. O Cayenne certamente esquentou o mercado, e, em 2006, a Porsche apresentou o Cayenne Turbo S, que vai de zero a 96 km/h em 4,8 segundos e tem velocidade máxima de 270 km/h. Qual era o preço base do Cayenne Turbo S em 2011? Quase $ 105 mil!

Alguns analistas questionaram a entrada da Porsche no mercado de SUVs de luxo. Eles estavam preocupados não apenas porque a Porsche fazia uma entrada atrasada no mercado, mas porque o lançamento do Cayenne também poderia prejudicar a reputação como fabricante de automóveis de alto desempenho dela.

10. **Erosão** Ao avaliar o Cayenne, você consideraria como erosão o possível prejuízo à reputação da Porsche?

11. **Orçamento de capital** A Porsche foi um dos últimos fabricantes a entrar no mercado de veículos utilitários esportivos. Por que essa empresa decidiu investir em um produto quando outras empresas, pelo menos inicialmente, resolveram não entrar no mercado?

12. **Orçamento de capital** Ao avaliar o Cayenne, o que você acha que a Porsche precisa presumir quanto às margens de lucro substanciais que existem nesse mercado? É provável que elas sejam mantidas à medida que o mercado se torne mais competitivo, ou a Porsche poderá manter a margem de lucro por causa de sua imagem e do desempenho do Cayenne?

QUESTÕES E PROBLEMAS

1. **Cálculo do VPL do projeto** O Restaurante Raphael está pensando em comprar uma máquina de fazer suflês que custa $ 9 mil. Essa máquina tem uma vida útil de cinco anos e será totalmente depreciada pelo método linear. Ela produzirá 1.500 suflês por ano, com custo de produção de $ 2,30 cada e preço de $ 4,75. Presuma que a taxa de desconto seja de 14% e que a alíquota tributária seja 34%. O Restaurante Raphael deveria fazer a aquisição?

BÁSICO
(Questões 1-10)

2. **Cálculo do VPL do projeto** A Companhia Melhor Máquina está pensando em fazer um novo investimento. As projeções financeiras dele estão dispostas a seguir. A alíquota tributária da pessoa jurídica é de 34%. Presuma que toda a receita de vendas seja recebida em dinheiro, todos os custos operacionais e tributos sobre receitas sejam pagos em

dinheiro e todos os fluxos de caixa ocorram no fim do ano. Todo o capital de giro será recuperado no fim do projeto.

	Ano 0	Ano 1	Ano 2	Ano 3	Ano 4
Investimento	$ 24.000				
Receita das vendas		$ 12.500	$ 13.000	$ 13.500	$ 10.500
Custos operacionais		2.700	2.800	2.900	2.100
Depreciação		6.000	6.000	6.000	6.000
Gastos com capital de giro	300	350	400	300	?

    a. Calcule o lucro líquido incremental do investimento para cada ano.

    b. Calcule os fluxos de caixa incrementais do investimento para cada ano.

    c. Suponha que a taxa de desconto apropriada seja 12%. Qual é o VPL do projeto?

3. Cálculo do VPL do projeto A Bumerangue S/A está pensando em um novo projeto de expansão em três anos que exige um investimento inicial em ativos não circulantes de $ 1,4 milhão. Os ativos não circulantes serão depreciados linearmente até zero ao longo de sua vida útil fiscal de três anos, depois da qual não terão valor. Estima-se que o projeto gere $ 1,12 milhão em vendas anuais, com custos de $ 480 mil. A alíquota tributária é de 34%, e o retorno exigido, 12%. Qual é o VPL do projeto?

4. Cálculo do fluxo de caixa dos ativos do projeto No problema anterior, suponha que o projeto exija um investimento inicial em capital de giro de $ 285 mil e que os ativos não circulantes tenham um valor de mercado de $ 225 mil ao fim do projeto. Qual é o fluxo de caixa líquido do projeto no Ano 0? E no Ano 1? E no Ano 2? E no Ano 3? Qual é o novo VPL?

5. VPL e MACRS No problema anterior, suponha que os ativos não circulantes sejam depreciados na classe de três anos do sistema norte-amerciano MACRS. Todos os outros fatos permanecem os mesmos. Qual é o fluxo de caixa líquido no Ano 1 do projeto? E no Ano 2? E no Ano 3? Qual é o novo VPL?

6. Avaliação de projeto Sua empresa está considerando a compra de um novo sistema de entrada de pedidos baseado em computadores no valor de $ 670 mil. O sistema será depreciado linearmente até zero ao longo de sua vida útil de cinco anos. Ele valerá $ 50 mil no fim desse período. Você economizará $ 240 mil por ano antes da tributação em custos de processamento de pedidos e poderá reduzir o capital de giro em $ 85 mil (essa é uma redução única). Se a alíquota tributária for de 34%, qual será a TIR desse projeto?

7. Avaliação do projeto A Dog Up! está procurando um novo sistema de produção de salsichas com um custo de instalações de $ 375 mil. Esse custo será depreciado linearmente até zero ao longo da vida útil de cinco anos do projeto, ao fim da qual o sistema poderá ser vendido por $ 40 mil. Esse sistema economizará $ 105 mil por ano para a empresa em custos operacionais pré-tributação e exige um investimento inicial em capital de giro de $ 28 mil. Se a alíquota tributária for de 34% e a taxa de desconto for de 10%, qual será o VPL desse projeto?

8. Cálculo do valor residual Um ativo utilizado em um projeto de quatro anos fica na classe de cinco anos para fins fiscais. O ativo tem custo de aquisição de $ 7,1 milhões e será vendido por $ 1,4 milhão ao fim do projeto. Se a alíquota tributária for de 34%, qual será o valor residual do ativo pós-tributação?

9. Cálculo do VPL A Obah Petróleo está pensando em um novo projeto que complemente seus negócios existentes. A máquina exigida pelo projeto custa $ 3,8 milhões. O departamento de *marketing* prevê que as vendas relacionadas a ele serão de $ 2,5 milhões por ano durante os próximos quatro anos, depois dos quais o mercado não existirá mais. A máquina será depreciada até zero ao longo de sua vida econômica de quatro anos com uso do método linear. Prevê-se que o custo dos produtos vendidos e as despesas operacionais relacionadas ao projeto correspondam a 25% das vendas. A Obah também precisa adicionar imediatamente $ 150 mil de capital de giro. O capital de giro adicional será totalmente recuperado no fim da vida útil do projeto. A alíquota tributária da pessoa jurídica é de 34%. A taxa de retorno exigida pela Howell é de 16%. A Obah deve dar continuidade ao projeto?

10. **Cálculo do CAE** Você está avaliando duas fresadoras de pastilhas de silício diferentes. A Techron I custa $ 215 mil, tem vida útil de três anos e custos operacionais pré-tributação de $ 35 mil por ano. A Techron II custa $ 270 mil, tem vida útil de cinco anos e custos operacionais pré-tributação de $ 44 mil por ano. Para ambas as fresadoras, utilize a depreciação linear até zero ao longo da vida útil do projeto e suponha um valor residual de $ 20 mil. Se sua alíquota tributária for de 34% e sua taxa de desconto for de 12%, calcule o CAE de ambas as máquinas. Qual você prefere? Por quê?

INTERMEDIÁRIO
(Questões 11-27)

11. **Propostas para corte de custos** A Massey Machine Shop está considerando um projeto de quatro anos para melhorar a eficiência de sua produção nos Estados Unidos. A compra de uma nova prensa por $ 640 mil deve resultar em uma economia de custos anual pré-tributação de $ 270 mil. A prensa cai na classe de cinco anos do MACRS e terá um valor residual de $ 70 mil no fim do projeto. Ela também requer um investimento inicial em estoque de peças de reposição de $ 20 mil, juntamente com $ 3.500 adicionais em estoque para cada ano sucessivo do projeto. Se a alíquota tributária da loja for 35% e a taxa de desconto for 14%, a Massey deve comprar e instalar a prensa?

12. **Comparação de projetos mutuamente excludentes** A Companhia Hagar Industrial está tentando escolher entre dois sistemas de correias de transporte diferentes. O sistema A custa $ 290 mil, tem vida útil de quatro anos e requer $ 85 mil em custos operacionais anuais pré-tributação. O sistema B custa $ 405 mil, tem vida útil de seis anos e requer $ 75 mil em custos operacionais anuais pré-tributação. Ambos os sistemas serão depreciados linearmente até zero ao longo de suas vidas úteis e não terão valor residual. Seja qual for o sistema escolhido, ele *não* será substituído quando se desgastar. Se a alíquota tributária for 34% e a taxa de desconto for 11%, qual sistema a empresa deve escolher?

13. **Comparação de projetos mutuamente excludentes** Suponha, no problema anterior, que a Hagar sempre precise de um sistema de correias de transporte: quando um sistema se desgastar, tem de ser substituído. Qual sistema a empresa deve escolher agora?

14. **Comparação de projetos mutuamente excludentes** As Indústrias Vandalay estão pensando em comprar uma nova máquina para a produção de látex. A máquina A custa $ 2,9 milhões e durará seis anos. Os custos variáveis são de 35% das vendas, e os custos fixos são de $ 195 mil por ano. A máquina B custa $ 5,7 milhões e durará nove anos. Os custos variáveis dessa máquina são de 30% das vendas, e os custos fixos são de $ 165 mil por ano. As vendas de cada máquina serão de $ 12 milhões por ano. O retorno exigido é de 10%, e a alíquota tributária é 35%. Ambas as máquinas serão depreciadas em uma base linear. Se a empresa planejar substituir a máquina sempre que se desgastar, qual você deve escolher?

15. **Orçamento de capital com inflação** Considere os fluxos de caixa a seguir para dois projetos mutuamente excludentes:

Ano	Projeto A	Projeto B
0	−$ 50.000	−$ 65.000
1	30.000	29.000
2	25.000	38.000
3	20.000	41.000

Os fluxos de caixa do projeto *A* são expressos em termos reais, ao passo que os do projeto *B* são expressos em termos nominais. A taxa de desconto nominal apropriada é 13%, e a taxa de inflação é 4%. Qual projeto você deve escolher?

16. **Inflação e valor da empresa** A Água Gaseificada espera vender 2,8 milhões de garrafas de água potável por ano para sempre. Neste ano, em termos reais, cada garrafa será vendi-

da por $ 1,25 e custará $ 0,90. A receita de vendas e os custos ocorrem no fim do ano. As receitas aumentarão a uma taxa real de 6% anualmente, enquanto os custos reais, a uma taxa real de 5% anuais. A taxa de desconto real é 10%. A alíquota tributária da pessoa jurídica é de 34%. Quanto vale a Água Gaseificada hoje?

17. **Cálculo de fluxo de caixa nominal** A Etonic S/A está pensando em fazer um investimento de $ 365 mil em um ativo com uma vida útil econômica de cinco anos. A empresa estima que as receitas e despesas de caixa anuais no fim do primeiro ano serão de $ 245 mil e $ 70 mil, respectivamente. Com isso, ambas aumentarão a uma taxa de inflação anual de 3%. A Etonic utilizará o método linear para depreciar seu ativo até zero ao longo de cinco anos. Estima-se que o valor residual do ativo seja $ 45 mil em termos nominais nessa época. O investimento único em capital de giro de $ 10 mil é exigido imediatamente e será recuperado no final do projeto. Todos as receitas da empresa estão sujeitas a uma alíquota tributária de 34%. Qual é o fluxo de caixa nominal total dos ativos do projeto a cada ano?

18. **Avaliação de fluxo de caixa** As Indústrias Phillips têm uma operação de produção de pequena escala. Para este exercício fiscal, elas esperam fluxos de caixa líquidos reais de $ 190 mil. A Phillips espera que pressões da concorrência sempre erodam seus fluxos de caixa líquidos reais a 4% por ano. A taxa de desconto real apropriada para a Phillips é 11%. Todos os fluxos de caixa líquidos são recebidos no fim do ano. Qual é o valor presente dos fluxos de caixa líquidos das operações da Phillips?

19. **Custo anual equivalente** A Academia de Golfe Tacobol está avaliando equipamentos diferentes para a prática de golfe. O equipamento "Dimple-Max" custa $ 94.000, tem uma vida útil de três anos e tem custo operacional de $ 8.600 por ano. A taxa de desconto relevante é de 12%. Suponha que o método de depreciação linear seja utilizado e que o equipamento seja totalmente depreciado até zero. Além disso, suponha que ele tenha um valor residual de $ 18 mil no fim da vida útil do projeto. A alíquota tributária relevante é de 34%. Todos os fluxos de caixa ocorrem no fim do ano. Qual é o custo anual equivalente (CAE) desse equipamento?

20. **Cálculo do VPL do projeto** A Corretora Escoteiro está pensando em adquirir um computador de $ 360 mil com uma vida útil econômica de cinco anos. Ele estará totalmente depreciado ao longo de cinco anos com uso do método linear. O valor de mercado do computador será de $ 60 mil em cinco anos. Ele substituirá cinco funcionários do escritório cujos salários anuais combinados somam $ 105 mil. A máquina também reduzirá o capital de giro exigido da empresa em $ 80 mil. Esse montante de capital de giro precisará ser substituído uma vez que a máquina seja vendida. A alíquota tributária da pessoa jurídica é de 34%. Vale a pena comprar o computador se a taxa de desconto apropriada for 12%?

21. **Cálculo do VPL e da TIR de uma substituição** Uma empresa está pensando em investir em uma nova máquina com um preço de $ 18 milhões para substituir a existente. A máquina atual tem um valor contábil de $ 6 milhões e um valor de mercado de $ 4,5 milhões. Espera-se que a nova máquina tenha uma vida útil de quatro anos, e a máquina antiga ainda tem quatro anos de uso possível. Se a empresa substituir a máquina antiga pela nova, espera economizar $ 6,7 milhões em custos operacionais por ano ao longo dos próximos quatro anos. Ambas as máquinas não terão valor residual em quatro anos. Se a empresa adquirir a nova máquina, também precisará de um investimento de $ 250 mil em capital de giro. O retorno exigido do investimento é de 10%, e a alíquota tributária, 34%. Quais são o VPL e a TIR da escolha de substituir a máquina antiga?

22. **Análise do projeto e inflação** A Sandra S/A está considerando a aquisição de novas instalações físicas de produção por $ 270 mil. Elas devem ser totalmente depreciadas em uma base linear ao longo de sete anos. Espera-se que não tenham valor de revenda depois dos sete anos. As receitas operacionais esperadas são de $ 105 mil, em termos nominais, ao fim do primeiro ano. Espera-se que as receitas aumentem a uma taxa de inflação de 5%. Os custos de produção ao fim do primeiro ano serão de $ 30 mil, em termos nomi-

nais, e espera-se que aumentem a 6% por ano. A taxa de desconto real é 8%. A alíquota tributária da pessoa jurídica é de 34%. A Sandra tem outras operações lucrativas permanentes. A empresa deve aceitar o projeto?

23. **Cálculo do VPL do projeto** Com a crescente popularidade de roupas casuais com estampas de surf, dois egressos de um MBA decidiram ampliar esse conceito de surfe casual para abranger um "estilo de vida surfista para a casa". Com capital limitado, eles decidiram investir em decoração de interiores e produzir luminárias de mesa e de chão com estampas de surf. Eles projetaram que as vendas unitárias dessas luminárias serão de 7 mil no primeiro ano, com crescimento de 8% a cada ano pelos próximos cinco anos. A produção dessas luminárias exigirá $ 35 mil em capital de giro para começar. Os custos fixos totais são de $ 95 mil por ano, os custos variáveis de produção são de $ 20 por unidade e as unidades são vendidas a $ 48 cada. Os equipamentos necessários para começar a produção custarão $ 175 mil. Eles serão depreciados com uso do método linear ao longo de uma vida útil de cinco anos e não se espera que tenham valor residual. A alíquota tributária efetiva é de 34% e a taxa de retorno exigida 25%. Qual é o VPL desse projeto?

24. **Cálculo do VPL do projeto** Você foi contratado como consultor da Pristine Urbano-Técnica Zither S/A (PUTZ), fabricante de cítaras de qualidade. O mercado de cítaras está crescendo rapidamente. A empresa comprou um terreno há três anos por $ 1 milhão, prevendo o seu uso como depósito de lixo tóxico, mas contratou outra empresa para lidar com todo o material tóxico. Com base em uma avaliação recente, a empresa acredita que poderia vender o terreno por $ 900 mil em uma base pós-tributação. Em quatro anos, o terreno poderia ser vendido, com uma receita de $ 1,2 milhão depois dos impostos. A empresa também contratou uma empresa de *marketing* para analisar o mercado de cítaras a um custo de $ 125 mil. Este é um trecho extraído do relatório de *marketing*:

> A indústria de cítaras terá uma expansão rápida nos próximos quatro anos. Com o reconhecimento de marca que a PUTZ traz, pensamos que a empresa poderá vender 6.700, 7.500, 9.100 e 6.200 unidades por ano pelos próximos quatro anos, respectivamente. Mais uma vez, aproveitando o reconhecimento da PUTZ, acreditamos que um preço-prêmio de $ 275 por cítara possa ser cobrado. Como as cítaras parecem ser uma moda passageira, pensamos que, ao fim do período de quatro anos, as vendas devam ser descontinuadas.

A PUTZ acredita que os custos fixos do projeto serão de $ 350 mil por ano e os custos variáveis correspondam a 15% das vendas. Os equipamentos necessários para a produção custarão $ 3,1 milhões e serão depreciados de acordo com um cronograma linear de três anos. Ao fim do projeto, eles poderão ser vendidos para o ferro-velho por $ 300 mil. Um capital de giro de $ 120 mil será exigido imediatamente. A PUTZ tem uma alíquota tributária de 34% e o retorno exigido sobre o projeto é de 13%. Qual é o VPL do projeto? Suponha que a empresa tenha outros projetos lucrativos. Refaça o problema supondo que a fábrida seja instalada nos Estados Unidos, a alíquota tributária sobre os lucros da pessoa jurídica seja de 38% e a depreciação seja conforme o cronograma MACRS de três anos.

25. **Cálculo do VPL do projeto** A Canetas Piloto+ S/A está decidindo quando substituir sua máquina antiga. O valor residual atual da máquina é de $ 2,2 milhões. Seu valor contábil atual é $ 1,4 milhão. Se não for vendida, ela exigirá custos de manutenção de $ 845 mil ao fim do ano pelos próximos cinco anos. A depreciação sobre a máquina antiga é de $ 280 mil por ano. Ao final de cinco anos, ela terá um valor residual de $ 120 mil e um valor contábil de $ 0. Uma máquina substituta custa $ 4,3 milhões agora e requer custos de manutenção de $ 330 mil ao fim de cada ano durante sua vida útil econômica de cinco anos. Ao fim dos cinco anos, a nova máquina terá um valor residual de $ 800 mil. Ela será totalmente depreciada pelo método linear. Em cinco anos, uma máquina substituta custará $ 3,2 milhões. A Piloto+ precisará adquirir essa máquina independentemente da escolha que fizer hoje. A alíquota tributária da pessoa jurídica é de 34%, e a taxa de desconto apropriada é de 8%. Supõe-se que a empresa receba receitas suficientes para gerar benefícios fiscais a partir da depreciação. A Piloto+ deve substituir a máquina antiga agora ou ao fim de cinco anos?

26. **CAE e inflação** A Office Automação deve escolher entre duas copiadoras, a XX40 ou a RH45. A XX40 custa $ 900 e irá durar três anos. A copiadora exigirá um custo real pós-tributação de $ 120 por ano depois de todas as despesas relevantes. A RH45 custa $ 1.400 e irá durar cinco anos. O custo real pós-tributação da RH45 será de $ 95 por ano. Todos os fluxos de caixa ocorrem no fim do ano. Espera-se que a taxa de inflação seja de 5% por ano e a taxa de desconto nominal 14%. Qual copiadora a empresa deve escolher?

27. **Análise do projeto e inflação** A Irmãos Brothers S/A está pensando em investir em uma máquina para produzir teclados de computador. O preço da máquina será $ 975 mil, e sua vida útil econômica é de cinco anos. Ela será totalmente depreciada pelo método linear. A máquina produzirá 20 mil teclados por ano. O preço de cada teclado será $ 40 no primeiro ano e aumentará em 5% por ano. O custo de produção por teclado será de $ 15 no primeiro ano e aumentará em 6% por ano. O projeto terá um custo fixo anual de $ 195 mil e exigirá um investimento imediato de $ 25 mil em capital de giro. A alíquota tributária da pessoa jurídica da empresa é 34%. Se a taxa de desconto apropriada for 11%, qual será o VPL do investimento?

DESAFIO
(Questões 28-38)

28. **Avaliação do projeto** A Acústicos Aguilera Industrial (AAI) projeta vendas unitárias para um novo implante de emulação de voz de sete oitavas da seguinte maneira:

Ano	Vendas unitárias
1	83.000
2	92.000
3	104.000
4	98.000
5	84.000

A produção dos implantes exigirá $ 1,5 milhão em capital de giro para começar e investimentos anuais em capital de giro adicionais equivalentes a 15% do aumento projetado para as vendas do ano seguinte. Os custos fixos totais são de $ 2,4 milhões por ano, os custos variáveis de produção são de $ 190 por unidade, e as unidades são vendidas a $ 345 cada. Os equipamentos necessários para começar a produção têm um custo de instalação de $ 23 milhões. Como os implantes são destinados a cantores profissionais, esses equipamentos são considerados um maquinário industrial e podem ser depreciados de forma acelerada e linear em sete anos. Em cinco anos, esses equipamentos podem ser vendidos por cerca de 20% de seu custo de aquisição. A AAI está na faixa de imposto marginal de 34% e exige um retorno exigido de 18% sobre todos os seus projetos. Com base nessas estimativas preliminares do projeto, qual é o VPL dele? E qual é a TIR?

29. **Cálculo de economia exigida** Um dispositivo proposto para economizar custos tem um custo de instalação de $ 640 mil. Ele será usado em um projeto de cinco anos, mas pode ser depreciado de forma acelerada linear em três anos para fins fiscais. O investimento necessário em capital de giro inicial é de $ 55 mil, a alíquota tributária marginal é de 34%, e a taxa de desconto do projeto é de 12%. O dispositivo tem um valor residual estimado de $ 60 mil no Ano 5. Qual nível de economia de custos pré-tributação é necessário para que esse projeto seja lucrativo?

30. **Cálculo do preço de oferta** Outra utilização da análise de fluxos de caixa é a definição do preço de oferta de um projeto. Para calcular o preço de oferta, definimos o VPL do projeto como zero e encontramos o preço necessário. Dessa forma, o preço de oferta representa o ponto de equilíbrio financeiro de um projeto. A Empresas Guthrie está realizando uma tomada de preços para o fornecimento de 140 mil caixas de parafusos por ano para sua linha de fabricação ao longo dos próximos cinco anos e você resolveu entrar na licitação. Os custos de instalação dos equipamentos necessários para iniciar a produção são de $ 1,8 milhão; esses custos serão depreciados linearmente até zero ao longo da vida útil do projeto. Você estima que, em cinco anos, esses equipamentos possam ser recuperados por

$ 150 mil. Seus custos fixos de produção serão de $ 265 mil por ano, e seus custos variáveis de produção devem ser de $ 8,50 por caixa. Você também precisa de um investimento inicial em capital de giro de $ 130 mil. Se sua alíquota tributária for 34% e você exigir uma taxa de retorno de 14% sobre seu investimento, deve submeter qual preço de oferta?

31. **Análise de equilíbrio financeiro** A técnica para calcular um preço de oferta pode ser estendida para muitos outros tipos de problemas. Responda às perguntas a seguir utilizando a mesma técnica para definição de um preço de oferta, isto é, defina o VPL do projeto como zero e calcule a variável em questão.

   a. No problema anterior, suponha que o preço por caixa seja $ 16 e encontre o VPL do projeto. O que sua resposta diz sobre seu preço de oferta? O que você sabe sobre o número de caixas que pode vender e ainda manter o ponto de equilíbrio? E quanto ao seu nível de custos?

   b. Solucione o problema anterior de novo com o preço ainda a $ 16, mas encontre a quantidade de caixas por ano que você pode fornecer e ainda manter o equillíbio. (*Dica*: É menos do que 140 mil.)

   c. Repita (b) com um preço de $ 16 e uma quantidade de 140 mil caixas por ano e encontre o mais alto nível de custos fixos que você poderia pagar e ainda manter o equilíbrio. (*Dica*: É mais do que $ 265 mil.)

32. **Cálculo de preço de oferta** Sua empresa foi consultada para participar de uma licitação para a venda de 15 mil teclados de computador com reconhecimento de voz por ano durante quatro anos. Devido aos aperfeiçoamentos tecnológicos, depois desse período, eles estarão desatualizados e nenhuma venda será possível. O equipamento necessário para a produção custará $ 3,4 milhões e será depreciado em base linear até um valor residual zero. A produção exigirá um investimento em capital de giro de $ 75 mil a ser devolvido ao fim do projeto, e o equipamento pode ser vendido por $ 200 mil ao fim da produção. Os custos fixos são de $ 700 mil por ano, e os custos variáveis, $ 105 por unidade. Além do contrato, você acredita que sua empresa possa vender 4 mil, 12 mil, 14 mil e 7 mil unidades adicionais a empresas de outros países ao longo dos próximos quatro anos, respectivamente, a um preço de $ 205. Esse preço é fixo. A alíquota tributária é 34% e o retorno exigido 13%. Além disso, o presidente da empresa só realiza o empreendimento no se ele tiver um VPL de pelo menos $ 100 mil. Qual preço de oferta deve ser definido para o contrato?

33. **Decisões sobre substituição** Suponha que estejamos pensando em substituir um computador antigo por um novo. O antigo nos custou $ 450 mil, o novo custará $ 580 mil. A nova máquina será depreciada linearmente até zero ao longo de sua vida útil de cinco anos. Ela provavelmente valerá cerca de $ 130 mil após cinco anos. O computador antigo está sendo depreciado a uma taxa de $ 90 mil por ano. Sua baixa contábil estará completa em três anos. Se não o substituirmos agora, teremos de fazê-lo em dois anos. Podemos vendê-lo agora por $ 230 mil, e, em dois anos, ele provavelmente valerá $ 60 mil. A nova máquina nos economizará $ 85 mil por ano em custos operacionais. A alíquota tributária é 38% e a taxa de desconto 14%.

   a. Suponha que reconheçamos que, se não substituirmos o computador agora, nós o faremos em dois anos. Devemos substituí-lo agora ou aguardar? (*Dica*: O que temos aqui, na verdade, é uma decisão sobre "investir" no computador antigo (sem vendê-lo) ou no novo. Observe que os dois investimentos têm vidas úteis distintas.)

   b. Suponha que estejamos considerando apenas se devemos ou não substituir o computador antigo agora, sem nos preocuparmos com o que acontecerá em dois anos. Quais são os fluxos de caixa relevantes? Devemos substituí-lo ou não? (*Dica*: Considere a variação líquida nos fluxos de caixa pós-tributação da empresa se fizermos a substituição.)

34. **Análise de projeto** A Empresas Bonsom está avaliando usos alternativos para o prédio de uma de fábrica com armazém de três andares que foi comprado por $ 1,45 milhão. A empresa pode continuar a alugar o prédio aos ocupantes atuais por $ 61 mil por ano. Esses ocupantes demonstraram interesse em permanecer no prédio por, pelo menos, outros 15 anos. Alternati-

vamente, a empresa poderia modificar a estrutura existente para utilizá-la para suas próprias demandas de produção e armazenagem. O engenheiro de produção da Bonsom acredita que o prédio poderia ser adaptado para comportar uma das duas novas linhas de produtos. Os dados de custos e receitas de duas alternativas de produtos são os seguintes:

	Produto A	Produto B
Desembolso de caixa inicial para modificações no prédio	$ 95.000	$ 125.000
Desembolso de caixa inicial para equipamentos	195.000	230.000
Receitas anuais em caixa pré-tributação (geradas por 15 anos)	180.000	215.000
Despesas anuais pré-tributação (geradas por 15 anos)	70.000	90.000

O prédio será utilizado por apenas 15 anos pelo Produto A ou o Produto B. Depois de 15 anos, o prédio será muito pequeno para a produção eficiente das duas linhas de produtos. Nesse momento, então, a Bonsom planeja alugar o prédio a empresas similares aos ocupantes atuais. Para alugar novamente o prédio, a Bonsom terá de restaurá-lo para o seu leiaute atual. O custo de caixa estimado para a restauração do prédio se a escolha de produção for do Produto A é de $ 55 mil. Se a escolha for do Produto B, o custo de caixa será $ 80 mil. Esses custos de caixa podem ser deduzidos para fins fiscais no ano em que as despesas ocorrerem.

A Bonsom depreciará a estrutura original do prédio (adquirida por $ 1,45 milhão) ao longo de uma vida útil de 30 anos até zero, independentemente de qual alternativa escolher. Estima-se que as modificações no prédio e as aquisições de equipamentos para qualquer dos produtos tenham uma vida útil de 15 anos. Elas serão totalmente depreciadas pelo método linear. A alíquota tributária da empresa é 34%, e a taxa de retorno exigida em tais investimentos é de 12%.

Para simplificar, suponha que todos os fluxos de caixa ocorram no fim do ano. Os desembolsos iniciais para modificações e equipamentos ocorrerão hoje (Ano 0), e os desembolsos de restauração ocorrerão no fim do Ano 15. A Bonsom tem outras operações lucrativas permanentes que são suficientes para cobrir qualquer prejuízo. Que uso do prédio você recomendaria à administração?

35. **Análise de projeto e inflação** A Companhia de Controle Biológico de Insetos (CCBI) o contratou como consultor para avaliar o VPL de uma proposta de fazenda para criação de sapos. A CCBI planeja produzir sapos e vendê-los como mecanismos de controle de insetos ecologicamente corretos. Ela prevê que o negócio continuará para sempre. Depois dos custos insignificantes de partida, a CCBI espera os seguintes fluxos de caixa nominais no fim do ano:

Receitas	$ 265.000
Custos com mão de obra	185.000
Outros custos	55.000

A empresa arrendará o maquinário por $ 90 mil ao ano. Os pagamentos do arrendamento começam no fim do Ano 1 e são expressos em termos nominais. As receitas aumentarão a 4% por ano em termos reais. Os custos com mão de obra aumentarão a 3% por ano em termos reais. Outros custos aumentarão a 1% por ano em termos reais. Estima-se que a taxa de inflação seja 6% por ano. A taxa de retorno exigida pela CCBI é de 10% em termos reais. A empresa tem uma alíquota tributária de 34%. Todos os fluxos de caixa ocorrem no fim do ano. Qual é o VPL da proposta de fazenda para criação de sapos da CCBI hoje?

36. **Análise de projetos e inflação** A Sony International tem uma oportunidade de investimento para produzir uma nova HDTV. O investimento exigido em 1º de janeiro deste ano é de $ 165 milhões. A empresa depreciará o investimento até zero utilizando o método linear ao longo de quatro anos. O investimento não tem valor de revenda depois da con-

clusão do projeto. A empresa está na faixa fiscal de 34%. O preço do produto será $ 495 por unidade, em termos reais, e não mudará ao longo de sua vida útil. Os custos com mão de obra do Ano 1 serão de $ 15,75 por hora, em termos reais, e aumentarão a 2% por ano também em termos reais. Os custos com energia do Ano 1 serão de $ 3,80 por unidade física, em termos reais, e aumentarão a 3% por ano também em termos reais. A taxa de inflação estimada é de 5% por ano. As receitas são recebidas, e os custos são pagos no fim do ano. Consulte o quadro a seguir para o cronograma de produção:

	Ano 1	Ano 2	Ano 3	Ano 4
Produção física, em unidades	140.000	150.000	170.000	160.000
Gastos com mão de obra, em horas	1.120.000	1.200.000	1.360.000	1.280.000
Gastos com energia, unidades físicas	210.000	225.000	255.000	240.000

A taxa de desconto real da Sony é 4%. Calcule o VPL desse projeto.

37. **Análise de projeto e inflação** Após extensas pesquisas médicas e de *marketing*, a Pilulasa acredita que possa entrar no mercado de analgésicos. Ela está considerando dois produtos alternativos. O primeiro é um medicamento para dor de cabeça. O segundo é um comprimido para dor de cabeça e artrite. Ambos os produtos seriam introduzidos no mercado a um preço de $ 8,35 por embalagem em termos reais. O medicamento apenas para dor de cabeça tem projeção de vendas de 3 milhões de embalagens ao ano, ao passo que o remédio para dor de cabeça e artrite venderia 4,5 milhões de embalagens ao ano. Espera-se que os custos de caixa da produção no primeiro ano sejam de $ 4,10 por embalagem, em termos reais, para o medicamento apenas para dor de cabeça. Os custos de produção esperados são de $ 4,65 em termos reais para os comprimidos para dor de cabeça e artrite. Todos os preços e custos devem acompanhar a taxa de inflação geral estimada em 3%.

Qualquer um dos produtos requer mais investimentos. O comprimido apenas para dor de cabeça poderia ser produzido usando um equipamento com custo de $ 23 milhões. Esse equipamento duraria três anos e não teria valor de revenda. O maquinário necessário para produzir o remédio de uso mais amplo iria custar $ 32 milhões e durar três anos. A empresa espera que o equipamento tenha um valor de revenda de $ 1 milhão (em termos reais) ao fim do Ano 3.

A Pilulasa usa a depreciação linear. A empresa está sujeita a uma alíquota tributária da pessoa jurídica de 34% e acredita que a taxa de desconto real apropriada seja 7%. Qual analgésico deveria ser produzido?

38. **Cálculo de VPL de projeto** A Madejoia fabrica móveis finos. A empresa está decidindo se introduz um novo conjunto de mesa de jantar de mogno. A mesa será vendida por $ 6.100. A empresa acredita que as vendas serão de 1.800, 1.950, 2.500, 2.350 e 2.100 mesas por ano pelos próximos cinco anos, respectivamente. Os custos variáveis chegarão a 45% das vendas, e os custos fixos serão de $ 1,9 milhão por ano. As novas mesas exigirão um estoque chegando a 10% das vendas, produzido e estocado no ano anterior às vendas. Acredita-se que a inclusão da nova mesa venha a causar por ano uma perda de 250 das mesas de carvalho que a empresa produz. Essas mesas são vendidas por $ 4.500 e têm custos variáveis de 40% das vendas. O estoque para essa mesa de carvalho também é de 10% das vendas. A Madejoia atualmente tem capacidade de produção excedente. Se a empresa comprar os equipamentos necessários hoje, eles custarão $ 18 milhões. Contudo, o excedente de capacidade de produção significa que a empresa pode produzir a nova mesa sem comprar os equipamentos novos. A controladora da empresa disse que a capacidade excedente atual terminará em dois anos com a produção corrente. Isso significa que, se a empresa utilizar a capacidade excedente atual para a nova mesa, será forçada a gastar os $ 18 milhões em dois anos para ter capacidade de acompanhar o aumento das vendas de seus produtos atuais. Em cinco anos, o novo equipamento terá um valor de mercado de $ 3,1 milhões se adquirido hoje e de $ 7,4 milhões se adquirido em dois anos. O equipa-

mento pode ser depreciado de forma acelerada em 5 anos. A empresa tem uma alíquota tributária de 34%, e o retorno exigido para o projeto é de 11%.

a. A Madejoia deve empreender o novo projeto?

b. Você pode realizar a análise da TIR desse projeto? Quantas TIRs você esperaria encontrar?

c. Como você interpretaria o índice de lucratividade?

DOMINE O EXCEL!

Para a tarefa Domine o Excel!, consulte o caso da Goodweek Pneus S/A no fim deste capítulo. Por uma questão de conveniência, inserimos os valores relevantes, como o preço e os custos variáveis do caso, na próxima página. Para esse projeto, responda às seguintes perguntas:

a. Qual é o índice de lucratividade do projeto?

b. Qual é a TIR do projeto?

c. A qual preço de OEM a aceitação do projeto não faria diferença para a Goodweek Pneus? Pressuponha que o preço de mercado de reposição seja constante.

d. Em qual nível de custos variáveis por unidade a aceitação do projeto não faria diferença para a Goodweek Pneus?

MINICASOS

Companhia Bethesda Mining

A Bethesda Mining é uma mineradora de carvão de médio porte nos Estados Unidos, com 20 minas localizadas em Ohio, Pensilvânia, West Virginia e Kentucky. A empresa opera minas profundas, bem como minas a céu aberto. A maior parte do carvão extraído é vendida mediante contratos, e a produção excedente é vendida no mercado à vista.

A indústria de extração do carvão, especialmente as operações de carvão com alto teor de enxofre, como a Bethesda, foi duramente impactada pelas normas ambientais. No entanto, uma combinação de demanda por carvão aumentada e de novas tecnologias para reduzir a poluição levou a uma maior demanda de mercado por carvão com alto teor de enxofre. A Bethesda acaba de ser contatada pela Mid-Ohio Electric Company com um pedido para fornecimento de carvão para seus geradores elétricos pelos próximos quatro anos. A Bethesda Mining não tem capacidade excedente suficiente em suas minas existentes para garantir o contrato. Ela está pensando em abrir uma mina a céu aberto em Ohio em 5 mil acres de terra comprados há 10 anos por $ 5 milhões. Baseada em uma recente avaliação, a empresa acredita que poderia receber $ 5,5 milhões em uma base pós-tributação se vendesse as terras hoje.

A mineração a céu aberto é um processo em que camadas do solo superficial acima de um veio de carvão são removidas e o carvão exposto é extraído. Há algum tempo, a empresa simplesmente removeria o carvão e deixaria a terra em condições inutilizáveis. Mudanças nas normas de mineração agora forçam a empresa a recuperar a terra – isto é, quando a mineração for concluída, a terra deve ser restaurada para algo próximo à sua condição original. Então, ela poderá ser utilizada para outras finalidades. Por estar atualmente operando em sua capacidade total, a Bethesda precisará adquirir equipamentos necessários adicionais, que custarão $ 85 milhões. Eles serão depreciados em um cronograma com MACRS de sete anos.

O contrato dura apenas quatro anos. Por essa época, o carvão do local terá sido completamente extraído. A empresa acredita que os equipamentos possam ser vendidos por 60% de seu preço de compra inicial em quatro anos. Contudo, a Bethesda planeja abrir outra mina a céu aberto nesse momento e utilizará os equipamentos na nova mina.

O contrato exige a entrega de 500 mil toneladas de carvão por ano a um preço de $ 82 por tonelada. A Bethesda Mining acredita que a produção de carvão será de 620 mil, 680 mil, 730 mil e 590 mil toneladas, respectivamente, pelos próximos quatro anos. A produção excedente será vendida no mercado à vista a uma média de $ 76/tonelada. Os custos variáveis chegam a $ 31 por tonelada, e os custos fixos são de $ 4,1 milhões por ano. A mina exigirá um investimento em capital de giro de 5% das vendas. O CDG terá que ser formado no ano anterior às vendas.

A Bethesda será responsável pela recuperação da terra ao término da exploração da mina. Isso ocorrerá no Ano 5. Uma empresa externa é contratada para a recuperação de todas as suas minas a céu aberto. Estima-se que o custo da recuperação será de $ 2,7 milhões. Para obter as autorizações necessárias para a mina a céu aberto, a empresa concordou em doar a terra, depois da recuperação de seu estado, para uso como um parque público e área de recreação. Isso irá ocorrer no Ano 6 e resultará em despesas de doação de $ 6 milhões. A Bethesda está sujeita a uma alíquota tributária de 38% e exige um retorno de 12% em novos projetos de minas a céu aberto. Suponha que um prejuízo em qualquer ano resulte em um crédito fiscal.

Você foi contatado pelo presidente da empresa com um pedido para analisar o projeto. Calcule o período de *payback*, o índice de lucratividade, o valor presente líquido e a taxa interna de retorno da nova mina a céu aberto. A Bethesda Mining deveria aceitar o contrato e abrir a mina?

Goodweek Pneus S/A

Depois de extensas pesquisas e desenvolvimento, a Goodweek Pneus S/A desenvolveu um novo pneu, o SuperTread, e deve decidir sobre fazer ou não o investimento necessário para o produzir e comercializar. O pneu seria ideal para motoristas que enfrentem um clima muito úmido e dirijam frequentemente fora de estradas, além do uso normal em rodovias. Os custos de pesquisa e desenvolvimento até agora totalizaram cerca de $ 10 milhões. O SuperTread seria colocado no mercado no início deste ano, e a Goodweek espera que ele se mantenha por um total de quatro anos. Os testes de *marketing* com custo de $ 5 milhões mostraram que existe um mercado significativo para um pneu do tipo do SuperTread.

Por você ser o analista financeiro da Goodweek Pneus, o diretor-presidente, Adão Smith, solicitou que você avaliasse o projeto do SuperTread e fizesse uma recomendação quanto a seguir adiante ou não com o investimento. Exceto pelo investimento inicial, que ocorrerá imediatamente, suponha que todos os fluxos de caixa ocorram no fim do ano.

A Goodweek inicialmente deve investir $ 160 milhões em equipamentos de produção para fazer o SuperTread. Estima-se que os equipamentos possam ser vendidos por $ 65 milhões ao fim de quatro anos. A Goodweek pretende vender o SuperTread a dois mercados distintos:

1. *O mercado de fabricantes de equipamentos originais* (conhecido como OEM, de *original equipment manufacturer*): o mercado de OEM consiste principalmente em grandes montadoras de automóveis que compram pneus para carros novos. No mercado de OEM, espera-se que o SuperTread seja vendido a $ 41 por pneu. O custo variável para produzir cada pneu é de $ 29.
2. *O mercado de reposição*: o mercado de reposição consiste em todos os pneus comprados depois que o automóvel deixou a fábrica. Esse mercado permite margens maiores, e a Goodweek espera vender o SuperTread por $ 62 por pneu. Os custos variáveis são os mesmos dos praticados no mercado de OEM.

A Goodweek Pneus S/A pretende aumentar os preços a 1% acima da taxa de inflação, acompanhando os custos variáveis, que estima que também aumentarão 1% acima dela. Além disso, o projeto do SuperTread incorrerá em $ 43 milhões em custos de *marketing* e de administração geral no primeiro ano. Estima-se que esses custos acompanhem a taxa de inflação nos anos subsequentes.

A alíquota tributária da pessoa jurídica da Goodweek é de 34%. Espera-se que a inflação anual permaneça constante a 3,25%. A empresa utiliza uma taxa de desconto de 13,4% para avaliar as decisões de produtos novos. Os analistas da indústria automobilística esperam que as montadoras produzam 6,2 milhões de carros novos neste ano e que a produção cresça a 2,5% por ano daí em diante. Cada carro novo precisa de quatro pneus (os estepes são pequenos e de uma categoria diferente). A Goodweek Pneus espera que o SuperTread obtenha 11% do mercado de OEM.

Os analistas do setor estimam que o tamanho do mercado de pneus de reposição será de 32 milhões de pneus neste ano e que ele cresça anualmente a 2%. A Goodweek espera que o SuperTread obtenha uma participação no mercado de 8%.

A depreciação para os equipamentos pode ser feita de forma acelerada, em sete anos e em linha reta. A demanda imediata de capital de giro inicial é $ 9 milhões. Depois disso, as demandas de capital de giro corresponderão a 15% das vendas. Quais são o VPL, o período de *payback*, o período de *payback* descontado, a TIR e o IL desse projeto?

7 Análise de Riscos, Opções Reais e Orçamento de Capital

Para ficar por dentro dos últimos acontecimentos na área de finanças, visite www.rwjcorporatefinance.blogspot.com.

No verão de 2008, o filme *Speed Racer*, com os atores Emile Hirsch e Christina Ricci, patinou nas bilheterias. O slogan de *Speed Racer* era "Vai, Speed, vai!", mas os críticos diziam "Não vá (ver) *Speed Racer*, não vá!". Um crítico disse que "as corridas eram muito chatas". Outros foram ainda mais duros, dizendo que o filme "era como passar duas horas de um lado para outro em uma máquina de *pinball*" e "um trabalho longo e monótono que dá dor de cabeça".

Olhando para os números, a Warner Brothers gastou quase $150 milhões para produzir o filme, mais vários milhões em *marketing* e distribuição. Infelizmente para a Warner Brothers, *Speed Racer* foi um fracasso de bilheteria, arrecadando apenas $90 milhões em todo o mundo. De fato, cerca de quatro de 10 filmes perdem dinheiro nos cinemas, embora as vendas de DVD, muitas vezes, ajudem no balanço final. É claro que existem filmes que se saem muito bem. Também em 2008, o filme da Paramount *Indiana Jones e o Reino da Caveira de Cristal* arrecadou por volta de $780 milhões em todo o mundo, a um custo de produção de $185 milhões.

É óbvio que a Warner Brothers não *planejava* perder algo em torno de $ 60 milhões com *Speed Racer*, mas aconteceu. Assim como a derrapada de *Speed Racer*, os projetos nem sempre saem como as empresas pensaram. Este capítulo explora como isso acontece e o que as empresas podem fazer para analisar e, possivelmente, evitar essas situações.

 Domine a habilidade de solucionar os problemas deste capítulo usando uma planilha. Acesse Excel Master no *site* www.grupoa.com.br, procure pelo livro e clique em Conteúdo *Online*.

7.1 Análise de sensibilidade, análise de cenários e análise de ponto de equilíbrio

ExcelMaster cobertura *online*

Esta seção apresenta células de nomeação, tabelas de dados de sentido único e as funções Gerenciador de Cenários e Atingir Meta.

Um dos nossos principais argumentos neste livro é que a análise do VPL é uma técnica superior de orçamento de capital. De fato, como a abordagem do VPL utiliza fluxos de caixa em lugar de lucros, utiliza todos os fluxos e os desconta de maneira adequada, é difícil encontrar alguma falha teórica. Contudo, em nossas conversas com empresários práticos, ouvimos, com frequência, a frase "uma falsa sensação de segurança". Essas pessoas apontam que a documentação para propostas de orçamento de capital é, muitas vezes, bem impressionante. Os fluxos de caixa são projetados até os últimos milhares de reais (ou até mesmo o último real) para cada ano (ou mesmo cada mês). Os custos de oportunidade e efeitos colaterais são tratados de forma apropriada. Os custos irrecuperáveis são ignorados – também adequadamente. Quando um valor presente líquido alto aparece na parte inferior, a tentação é de dizer sim de imediato. Todavia, o fluxo de caixa projetado não se cumpre na prática, e a empresa termina com um projeto perdedor de dinheiro.

Análise de sensibilidade e análise de cenários

Como a empresa pode fazer com que a técnica do valor presente líquido alcance o seu potencial? Uma abordagem é a **análise de sensibilidade**, que examina o quão sensível um cálculo específico de VPL pode ser diante das alterações em hipóteses subjacentes. A análise de sensibilidade também é conhecida como análise *e se* e análise *mop* (melhor, otimista e pessimista).

Considere o exemplo a seguir. A Solar Eletrônicos S/A (SEL) recentemente desenvolveu um motor a jato movido a energia solar e quer avançar com a produção em grande escala. O investimento inicial (Ano 1)[1] é de $ 1.500 milhão, seguido por produção e vendas pelos próximos cinco anos. A projeção de fluxo de caixa preliminar aparece no Quadro 7.1. Se a SEL avançar com o investimento no motor a jato e em sua produção, o VPL a uma taxa de desconto de 15% é (em milhões):

$$\text{VPL} = -\$\,1.500 + \sum_{t=1}^{5} \frac{\$\,900}{(1,15)^t}$$
$$= -\$\,1.500 + \$\,900 \times \text{VPAC}\,(0,15,\,5)$$
$$= \$\,1.517$$

Como o VPL é positivo, a teoria financeira básica sugere que a SEL deveria aceitar o projeto. Contudo, isso é tudo que se tem a dizer sobre o empreendimento? Antes de buscar financiamento para o projeto, devemos verificar suas hipóteses subjacentes a respeito de receitas e custos.

Receitas Suponha que o departamento de *marketing* tenha projetado as vendas anuais como:

Número de motores a jato vendidos por ano	=	Participação no mercado	×	Tamanho do mercado de motores a jato por ano
3.000	=	0,30	×	10.000

Receitas anuais de vendas	=	Número de motores a jato vendidos	×	Preço por motor
$ 6.000 milhões	=	3.000	×	$ 2 milhões

Desse modo, tem-se que as estimativas de rendimento dependem de três suposições:

1. Participação no mercado.
2. Tamanho do mercado de motores a jato.
3. Preço por motor.

QUADRO 7.1 Previsões de fluxo de caixa para motor a jato da Solar Eletrônicos S/A: Caso-base (milhões)*

	Ano 1	Anos 2–6
Receitas		$ 6.000
Custos variáveis		3.000
Custos fixos		1.791
Depreciação		300
Lucro antes da tributação		$ 909
Tributação ($t_c = 0{,}34$)		309
Lucro líquido		$ 600
Fluxo de caixa		$ 900
Custos iniciais de investimento	$ 1.500	

*Hipóteses: (1) O investimento é depreciado nos Anos de 2 a 6 com uso do método linear; (2) a taxa de tributação é de 34%; (3) a empresa não recebe benefícios fiscais para os custos iniciais de desenvolvimento.

---

[1] Em geral, o costume financeiro designa o Ano 0 como "hoje". No entanto, neste exemplo, utilizamos o Ano 1 como hoje, porque, mais à frente neste capítulo, consideraremos outra decisão tomada um ano antes. Essa decisão teria ocorrido no Ano 0.

Custos Os analistas financeiros frequentemente dividem os custos em dois tipos: custos variáveis e custos fixos. Os **custos variáveis** mudam à medida que a produção muda e são zero quando a produção é zero. Os custos da mão de obra direta e de matérias-primas, como regra, são variáveis. É comum supor que um custo variável seja constante por unidade de produção, implicando que os custos totais variáveis são proporcionais ao nível de produção. Por exemplo, se a mão de obra direta é variável e, por ela, uma unidade de produção final requer $ 10, então 100 unidades de produção final devem exigir $ 1.000 de mão de obra direta.

Os **custos fixos** não dependem da quantidade de bens ou serviços produzidos durante o período. Os custos fixos normalmente são medidos como custos por unidade de tempo, como aluguel por mês ou salários por ano. É evidente que os custos fixos não são fixos para sempre, pois eles são fixos por um período de tempo predeterminado.

O departamento de engenharia estimou que os custos variáveis serão de $ 1 milhão por motor. Os custos fixos são de $ 1.791 milhão por ano. A análise detalhada dos custos é:

$$\begin{aligned}\text{Custo variável por ano} &= \text{Custo variável por unidade} \times \text{Número de motores a jato vendidos por ano}\\ \$\,3.000 \text{ milhões} &= \$1 \text{ milhão} \times 3.000\end{aligned}$$

$$\begin{aligned}\text{Custo total antes de tributação por ano} &= \text{Custo variável por ano} + \text{Custo fixo por ano}\\ \$\,4.791 \text{ milhões} &= \$\,3.000 \text{ milhões} + \$\,1.791 \text{ milhão}\end{aligned}$$

Essas estimativas de tamanho do mercado, participação no mercado, preço, custo variável e custo fixo, bem como a estimativa de investimento inicial, são apresentadas na coluna do meio do Quadro 7.2. Os números representam as projeções ou melhores estimativas da empresa para esses diferentes parâmetros. Para comparação, os analistas da empresa também prepararam previsões otimistas e pessimistas para cada uma das diferentes variáveis. Essas previsões também são fornecidas no quadro.

A análise de sensibilidade padrão exige o cálculo do VPL para as três possibilidades de uma única variável, mantida a previsão esperada para todas as demais. Isso é ilustrado no Quadro 7.3. Por exemplo, considere o cálculo do VPL de $ 8.154 milhões fornecido no canto superior direito desse quadro. Esse VPL ocorre quando a previsão otimista de 20.000 unidades por ano é utilizada para o tamanho do mercado, e as previsões esperadas do Quadro 7.2 para as demais. Cada linha da coluna do meio do Quadro 7.3 mostra um valor de $ 1.517 milhão, que é o VPL que ocorre com a previsão esperada para todas as variáveis. Os demais VPLs resultam da seleção de cada uma das demais variáveis, mantida a previsão esperada para todas as outras.

O Quadro 7.3 pode ser usado para muitas finalidades. Primeiramente, como um todo, o quadro pode indicar quando se deve confiar na análise do VPL. Em outras palavras, ele reduz a falsa sensação de segurança de que falamos antes. Suponha que o VPL seja positivo quando a previsão esperada para cada variável for utilizada e que todos os números na coluna pessimista sejam muito negativos e todos os números na coluna otimista, muito positivos.

Uma mudança em uma previsão altera grandemente a estimativa do VPL, fazendo com que se desconfie da abordagem do valor presente líquido. Um gestor conservador poderia muito bem jogar fora a análise inteira do VPL nessa situação. Felizmente, o motor solar de aeronaves

QUADRO 7.2 Diferentes estimativas para motor solar de aeronaves da Solar Eletrônicos S/A

Variável	Pessimista	Esperada ou melhor	Otimista
Tamanho do mercado (por ano)	5.000	10.000	20.000
Participação no mercado	20%	30%	50%
Preço	$ 1,9 milhão	$ 2 milhões	$ 2,2 milhões
Custo variável (por aeronave)	$ 1,2 milhão	$ 1 milhão	$ 0,8 milhão
Custo fixo (por ano)	$ 1.891 milhão	$ 1.791 milhão	$ 1.741 milhão
Investimento	$ 1.900 milhão	$ 1.500 milhão	$ 1.000 milhão

QUADRO 7.3 Cálculos do VPL (em milhões de $) para o motor solar de aeronaves usando a análise de sensibilidade

	Pessimista	Esperada ou melhor	Otimista
Tamanho do mercado	–$ 1.802*	$ 1.517	$ 8.154
Participação no mercado	–696*	1.517	5.942
Preço	853	1.517	2.844
Custo variável	189	1.517	2.844
Custo fixo	1.295	1.517	1.628
Investimento	1.208	1.517	1.903

Com a análise de sensibilidade, uma entrada é variada, enquanto se presume que todas as outras se mantenham nas suas respectivas expectativas. Por exemplo, um VPL de –$1.802 ocorre quando a previsão pessimista de 5.000 é utilizada para o tamanho do mercado, enquanto todas as outras variáveis são definidas com suas previsões esperadas do Quadro 7.2.

*Presumimos que as outras divisões da empresa sejam rentáveis. Um prejuízo no projeto contrabalança a receita em outra parte da empresa, reduzindo o imposto de renda sobre o lucro geral. Para obter os dados do Quadro 7.3, monte o fluxo de caixa com os cálculos com os dados esperados e obtenha o VPL 1.517. Nesse fluxo de caixa, substitua um a cada vez os cálculos com as variáveis do Quadro 7.2 e coloque num segundo o VPL obtido na mesma posição da variável escolhida.

não exibe essa ampla dispersão, já que todos os números no Quadro 7.3, exceto dois, são positivos. É provável que os gestores que visualizarem o quadro considerem a análise do VPL útil para o motor a jato movido a energia solar.

Em segundo lugar, a análise de sensibilidade mostra onde se precisa de mais informações. Por exemplo, um erro na estimativa de investimento parece ser sem importância, pois, mesmo conforme o cenário pessimista, o VPL de $ 1.208 milhão ainda é altamente positivo. Em contraste, a previsão pessimista para a participação no mercado leva a um VPL negativo de –$ 696 milhões, e uma previsão pessimista para o tamanho do mercado leva a um VPL substancialmente negativo de –$ 1.802 milhão. Como o efeito de estimativas incorretas sobre as receitas é muito maior do que o de estimativas incorretas sobre os custos, mais informações sobre os fatores que determinam as receitas podem ser necessárias.

Por causa dessas vantagens, a análise de sensibilidade é amplamente utilizada na prática. Graham e Harvey[2] relatam que um pouco mais de 50% das 392 empresas em sua amostra sujeitam seus cálculos de orçamento de capital à análise de sensibilidade. Esse número é grande quando se considera que apenas cerca de 75% das empresas em sua amostra utilizam a análise do VPL.

Entretanto, a análise de sensibilidade também tem alguns inconvenientes. Por exemplo, ela pode involuntariamente *aumentar* a falsa sensação de segurança entre os gestores. Suponha que todas as previsões pessimistas forneçam VPL positivos. O gestor pode sentir que não há nenhuma forma de perder dinheiro com o projeto. É claro que os analistas podem ter uma visão otimista de uma previsão pessimista. Para combatê-la, algumas empresas não tratam as previsões otimistas e pessimistas subjetivamente. Em vez disso, suas previsões pessimistas são sempre, digamos, 20% menores do que as esperadas. Infelizmente, a cura, neste caso, pode ser pior do que a doença: um desvio em porcentagem fixa ignora o fato de que algumas variáveis são mais fáceis de prever do que outras.

Além disso, a análise de sensibilidade trata cada variável de maneira isolada quando, na realidade, as diferentes variáveis provavelmente estão relacionadas. Por exemplo, se uma administração ineficiente permitir que os custos percam o controle, é provável que os custos variáveis, os custos fixos e o investimento aumentem acima das expectativas ao mesmo tempo. Se o mercado não for receptivo a um motor solar de aeronaves, a participação no mercado e o preço deveriam declinar juntos.

Os gestores frequentemente realizam uma **análise de cenários**, que é uma variante da análise de sensibilidade, para minimizar esse problema. Simplificando, essa abordagem examina um número de diferentes cenários prováveis, com cada cenário envolvendo uma

---

[2] Consulte a Figura 2 de Graham, J.; Harvey, C. The theory and pratice of corporate finance: evidence from the field. *Journal of Financial Economics*, v. 60, p. 187-243, maio/jun. 2001.

confluência de fatores. Como um exemplo simples, considere o efeito de alguns acidentes de companhias aéreas. Certamente, esses acidentes vão reduzir o total de voos, limitando com isso a demanda por novos motores. Além disso, mesmo se os acidentes não envolverem aeronaves movidas a energia solar, o público poderia se tornar mais avesso a qualquer tecnologia inovadora e controversa. Por esse motivo, a participação de mercado da SEL também poderia cair. Talvez os cálculos de fluxo de caixa fossem semelhantes àqueles do Quadro 7.4, de acordo com o cenário de um acidente aéreo. Dados os cálculos no quadro, o VPL (em milhões) seria:

$$-\$\,2.023 = -\$\,1.500 - \$\,156 \times \text{VPAC}\,(0,15,\,5)$$

Uma série de cenários como esse poderia esclarecer melhor questões relacionadas ao projeto do que a aplicação padrão da análise de sensibilidade.

Análise de ponto de equilíbrio

Nossa discussão da análise de sensibilidade e da análise de cenários sugere que existem muitas formas de examinar a variabilidade em previsões. Apresentamos agora outra abordagem: a **análise de ponto de equilíbrio**. Como seu nome sugere, essa abordagem determina as vendas necessárias para chegar ao equilíbrio. Ela é um complemento útil para a análise de sensibilidade, pois também traz luz à gravidade de previsões incorretas. Calculamos o ponto de equilíbrio em termos de lucro contábil e valor presente.

Lucro contábil Os lucros líquidos anuais, conforme quatro diferentes previsões de vendas, são os seguintes:

Vendas unitárias anuais	Lucro líquido (em milhões de $)
0	–$ 1.380
1.000	–720
3.000	600
10.000	5.220

Uma apresentação mais completa dos custos e receitas aparece no Quadro 7.5.

Representamos receitas, custos e lucros de acordo com as diferentes suposições sobre as vendas na Figura 7.1. As curvas de receitas e custos se cruzam a 2.091 motores a jato. Esse é o ponto de equilíbrio, isto é, o ponto em que o projeto não gera lucros nem prejuízos. Quando as vendas anuais estiverem acima de 2.091 motores a jato, o projeto terá lucro.

QUADRO 7.4 Previsão de fluxo de caixa (em milhões de $) segundo o cenário de um acidente aéreo*

	Ano 1	Anos 2-5
Receitas		$ 2.800
Custos variáveis		1.400
Custos fixos		1.791
Depreciação		300
Lucro antes da tributação		–691
Tributação ($t_c = 0,34$)[†]		235
Lucro líquido		$ –456
Fluxo de caixa		$ –156
Custo inicial de investimento	–$ 1.500	

*As pressuposições são:

   Tamanho do mercado   7.000 (70% do esperado)
   Participação no mercado 20% (2/3 do esperado)

As previsões para todas as outras variáveis são as esperadas, conforme fornecido pelo Quadro 7.2.
[†]Os prejuízos fiscais compensam os lucros em outras partes da empresa.

QUADRO 7.5 Receitas e custos do projeto segundo diferentes suposições de vendas (em milhões de $, exceto vendas unitárias)

Ano 1	Anos 2–6								
Investimento inicial	Unidades vendidas por ano	Receitas	Custos variáveis	Custos fixos	Depreciação	Tributação* (t_c 0,34)	Lucro líquido	Fluxos de caixa operacionais	VPL (avaliado na Data 1)
$ 1.500	0	$ 0	$ 0	–$ 1.791	–$ 300	$ 711	–$ 1.380	–$ 1.080	–$ 5.120
1.500	1.000	2.000	–1.000	–1.791	–300	371	–720	–420	–2.908
1.500	3.000	6.000	–3.000	–1.791	–300	–309	600	900	1.517
1.500	10.000	20.000	–10.000	–1.791	–300	–2.689	5.220	5.520	17.004

*O prejuízo ocorre nas duas primeiras linhas. Para fins fiscais, esse prejuízo compensa lucros em outras partes da empresa.

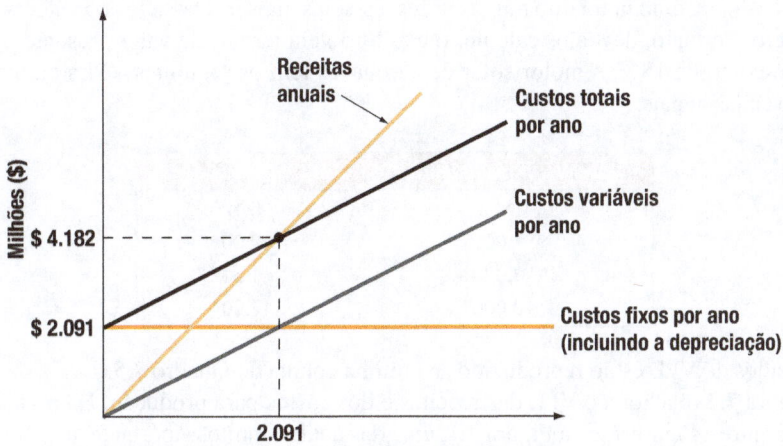

A margem de contribuição antes da tributação por aeronave é de $1 milhão. A empresa pode recuperar seus custos fixos anuais de $ 2.091 milhões vendendo 2.091 aeronaves. Por isso, o ponto de equilíbrio ocorre com vendas anuais de 2.091 aeronaves.

FIGURA 7.1 Ponto de equilíbrio utilizando números contábeis.

Esse ponto de equilíbrio pode ser facilmente calculado. Como o preço de venda é de $ 2 milhões por motor e o custo variável é de $ 1 milhão por motor,[3] a diferença entre o preço de venda e o custo variável por motor é:

$$\text{Preço de venda} - \text{Custo variável} = \$ 2 \text{ milhões} - \$ 1 \text{ milhão}$$
$$= \$ 1 \text{ milhão}$$

Essa diferença é chamada de **margem de contribuição** antes da tributação, pois cada motor adicional contribui com essa quantia para o lucro bruto (a margem de contribuição também pode ser expressa segundo uma base após a tributação).

Os custos fixos são de $ 1.791 milhão, e a depreciação é de $ 300 milhões, logo, a soma desses custos é:

$$\text{Custos fixos} + \text{Depreciação} = \$ 1.791 \text{ milhão} + \$ 300 \text{ milhões}$$
$$= \$ 2.091 \text{ milhões}$$

Isto é, a empresa incorre em custos de $ 2.091 milhões por ano, independentemente do número de vendas. Como cada motor contribui com $ 1 milhão, as vendas anuais devem atingir o seguinte nível para compensar os custos:

---

[3] Embora a seção anterior considerasse as previsões otimistas e pessimistas para o preço de venda e o custo variável, a análise de equilíbrio utiliza apenas as estimativas esperadas ou melhores dessas variáveis.

Ponto de equilíbrio de lucro contábil:

$$\frac{\text{(Custos fixos + Depreciação)}}{\text{(Preço de venda – Custos variáveis)}} = \frac{\$\ 2.091\ \text{milhões}}{\$\ 1\ \text{milhão}} = 2.091$$

Portanto, 2.091 motores é o ponto de equilíbrio necessário para um lucro contábil.

O leitor perspicaz pode estar se perguntando "por que os impostos foram ignorados no cálculo do lucro contábil de equilíbrio?". A razão é que uma empresa com um lucro bruto de $ 0 também terá um lucro líquido de $ 0, pois nenhum imposto será pago se nenhum lucro for reportado. Desse modo, o número de unidades necessárias para o equilíbrio em uma base pré-tributação tem de ser igual ao número de unidades necessárias para o equilíbrio em uma base pós-tributação.

Valor presente Como já foi dito muitas vezes, estamos mais interessados no valor presente do que no lucro. Portanto, devemos calcular o equilíbrio em termos de valor presente. Dada uma taxa de desconto de 15%, o motor solar de aeronaves tem os seguintes VPLs para diferentes níveis de vendas anuais:

Vendas unitárias anuais	VPL (milhões de $)
0	–5.120
1.000	–2.908
3.000	1.517
10.000	17.004

Esses cálculos do VPL estão reproduzidos na última coluna do Quadro 7.5.

A Figura 7.2 relaciona o VPL das receitas e dos custos para produção. Há ao menos duas diferenças entre a Figura 7.2 e a Figura 7.1, uma das quais é muito importante, e a outra, menos. Primeiramente, o ponto menos importante: As quantias monetárias na dimensão vertical da Figura 7.2 são maiores do que as na dimensão vertical da Figura 7.1, pois os VPLs são calculados ao longo de cinco anos. Já o ponto mais importante é notar que o equilíbrio contábil ocorre quando 2.091 unidades são vendidas por ano, ao passo que o equilíbrio do VPL ocorre quando 2.315 unidades são vendidas por ano.

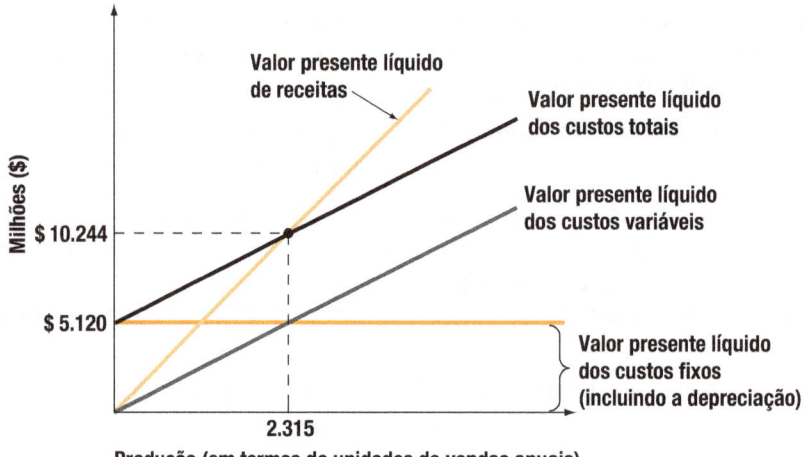

O equilíbrio em termos de VPL ocorre em um nível mais alto de vendas do que aquele para receitas contábeis. As empresas que apenas chegam ao equilíbrio no que diz respeito a uma base contábil não estão recuperando o custo de oportunidade do investimento inicial.

FIGURA 7.2 Ponto de equilíbrio utilizando o valor presente líquido.*

* Os valores presentes líquidos de receitas e custos são calculados de acordo com bases pós-tributação.

É claro que o ponto de equilíbrio do VPL pode ser diretamente calculado. A empresa investiu $ 1.500 milhão. Esse investimento inicial pode ser expresso como um custo anual equivalente (CAE) de cinco anos, determinado pela divisão do investimento inicial pelo fator de anuidade de cinco anos apropriado:

$$\text{CAE} = \frac{\text{Investimento inicial}}{\text{Fator de anuidade de 5 anos de 15\%}} = \frac{\text{Investimento inicial}}{\text{VPA }(0{,}15, 5)}$$

$$= \frac{\$\,1.500 \text{ milhão}}{3{,}3522} = \$\,447{,}5 \text{ milhões}$$

Observe que o CAE de $ 447,5 milhões é maior do que a depreciação anual de $ 300 milhões. Isso deve ocorrer porque o cálculo do CAE supõe implicitamente que o investimento de $ 1.500 milhão poderia ter sido investido a 15%.

Os custos pós-tributação, independentemente da produção, podem ser vistos assim:

$$\underset{= \text{CAE}}{\$\,1.528 \text{ milhão}} = \underset{}{\$\,447{,}5 \text{ milhões}} + \underset{+ \text{ Custos fixos}}{\$\,1.791 \text{ milhão}} \times \underset{\times (1 - t_c)}{0{,}66} - \underset{- \text{ Depreciação}}{\$\,300 \text{ milhões}} \times \underset{\times\ t_c}{0{,}34}$$

Isto é, além do custo anual equivalente do investimento inicial de $ 447,5 milhões, a empresa paga custos fixos a cada ano e recebe um benefício fiscal de depreciação todo ano. O benefício fiscal de depreciação é escrito como um número negativo, porque compensa os custos na equação. Cada aeronave contribui com $ 0,66 milhão para o lucro líquido, de modo que precisará das seguintes vendas para compensar os custos:

Ponto de equilíbrio do valor presente:

$$\frac{\text{CAE} + \text{Custos fixos} \times (1 - t_c) - \text{Depreciação} \times t_c}{(\text{Preço de vendas} - \text{Custos variáveis}) \times (1 - t_c)} = \frac{\$\,1.528 \text{ milhão}}{\$\,0{,}66 \text{ milhão}} = 2.315$$

Portanto, o número de 2.315 aeronaves é o ponto de equilíbrio na perspectiva do valor presente.

Por que o ponto de equilíbrio contábil é diferente do ponto de equilíbrio financeiro? Quando empregamos o lucro contábil como a base para o cálculo do equilíbrio, subtraímos a depreciação. A depreciação do projeto de motores solares a jato é de $ 300 milhões por ano. Se 2.091 motores solares a jato forem vendidos por ano, a SEL gerará receitas suficientes para cobrir a despesa de depreciação de $ 300 milhões e de outros custos. No entanto, nesse nível de vendas, a SEL não irá cobrir os custos de oportunidade econômica dos $ 1.500 milhão gastos para o investimento. Se levarmos em conta que os $ 1.500 poderiam ter sido investidos a 15%, o custo anual real do investimento é de $ 447,5 milhões, e não de $ 300 milhões. A depreciação minimiza os custos reais da recuperação do investimento inicial. Assim, as empresas que chegam ao equilíbrio, de acordo com uma base contábil, na verdade, estão perdendo dinheiro, pois estão perdendo o custo de oportunidade do investimento inicial.

A análise de equilíbrio é importante? Muito: todos os executivos de empresas temem prejuízos. A análise de equilíbrio determina o quanto as vendas podem cair antes de o projeto estar perdendo dinheiro, seja em um sentido contábil, seja de VPL.

7.2 Simulação de Monte Carlo

Tanto a análise de sensibilidade quanto a de cenários tentam responder à pergunta "E se?". Contudo, embora ambas as análises sejam, com frequência, utilizadas no mundo real, cada uma tem suas próprias limitações. A análise de sensibilidade permite que apenas uma variável mude por vez. Em contraste, provavelmente muitas variáveis mudem ao mesmo tempo no mundo real. A análise de cenários segue cenários específicos, como mudanças na inflação, na regulamentação governamental ou no número de concorrentes. Embora essa metodologia, muitas vezes, seja útil, ela não pode abranger todas as fontes de variabilidade. De fato, os projetos são propensos a exibir muita variabilidade em apenas um cenário econômico.

ExcelMaster cobertura *online*
Esta seção apresenta RAND, Distribuição de Frequência e Gráficos de Distribuição de Frequência.

A **simulação de Monte Carlo** é mais uma tentativa de dar forma à incerteza do mundo real. Essa abordagem tem o nome de um famoso cassino europeu, pois analisa projetos da forma que se poderia analisar estratégias de jogo. Imagine um jogador sério de *blackjack* que pergunta a si mesmo se ele deve pegar uma terceira carta sempre que suas duas primeiras cartas totalizarem 16. A princípio, um modelo matemático formal seria complexo demais para ser prático aqui. Contudo, ele poderia jogar milhares de mãos em um cassino, algumas vezes pegando uma terceira carta e outras não, quando suas duas primeiras somarem 16. Ele poderia comparar seus ganhos (ou perdas) segundo as duas estratégias para determinar qual foi a melhor. Talvez ele perdesse muito dinheiro realizando esse teste em um cassino real, de modo que a simulação de resultados das duas estratégias em um computador poderia ser mais barata. A simulação de Monte Carlo de projetos de orçamento de capital está dentro desse espírito.

Imagine que a BBI Assados no Jardim, uma fabricante de grelhas a carvão e a gás, tenha um projeto de uma nova grelha que cozinhe com hidrogênio comprimido. O diretor financeiro, Eduardo Churras, insatisfeito com técnicas de orçamento de capital mais simples, quer uma simulação de Monte Carlo para essa nova grelha. Um consultor especializado na abordagem de Monte Carlo, Lúcio Matos, irá guiá-lo pelas cinco etapas básicas do método.

Etapa 1: especificar o modelo básico

Lúcio Matos divide o fluxo de caixa em três componentes: receita anual, custos anuais e investimento inicial. A receita em qualquer ano é vista como:

$$\text{Número de grelhas vendidas pelo setor inteiro} \times \text{Participação de mercado da grelha a hidrogênio da BBI (em percentagem)} \times \text{Preço por grelha a hidrogênio} \quad (7.1)$$

O custo em qualquer ano é visto como:

$$\text{Custos fixos de fabricação} + \text{Custos variáveis de fabricação} + \text{Custos de marketing} + \text{Custos de venda}$$

O investimento inicial é visto como:

$$\text{Custo da patente} + \text{Custos de testes de marketing} + \text{Custo das instalações de produção}$$

Etapa 2: especificar uma distribuição para cada variável do modelo

Agora vem a parte difícil. Comecemos com as receitas, que têm três componentes na Equação 7.1. O consultor primeiro modela o tamanho geral do mercado – isto é, o número de grelhas vendidas por todo o setor. A publicação de negócios *Comer Fora* (*CF*) relatou que 10 milhões de grelhas de todos os tipos foram vendidas no último ano e prevê vendas de 10,5 milhões no próximo ano. Lúcio Matos, utilizando a previsão da *CF* e sua própria intuição, cria a seguinte distribuição das vendas de grelhas no próximo ano para todo o setor:

Probabilidade	20%	60%	20%
Vendas unitárias do setor no próximo ano	10 milhões	10,5 milhões	11 milhões

A distribuição rigorosa aqui reflete o crescimento histórico lento, porém constante, do mercado de grelhas. Essa distribuição de probabilidades está representada no Painel A da Figura 7.3.

Lúcio Matos percebe que a estimativa da participação no mercado da grelha a hidrogênio da BBI é mais difícil. Mesmo assim, depois de muita análise, ele determina a distribuição da participação no mercado no próximo ano:

Probabilidade	10%	20%	30%	25%	10%	5%
Participação no mercado da grelha a hidrogênio da BBI no próximo ano	1%	2%	3%	4%	5%	8%

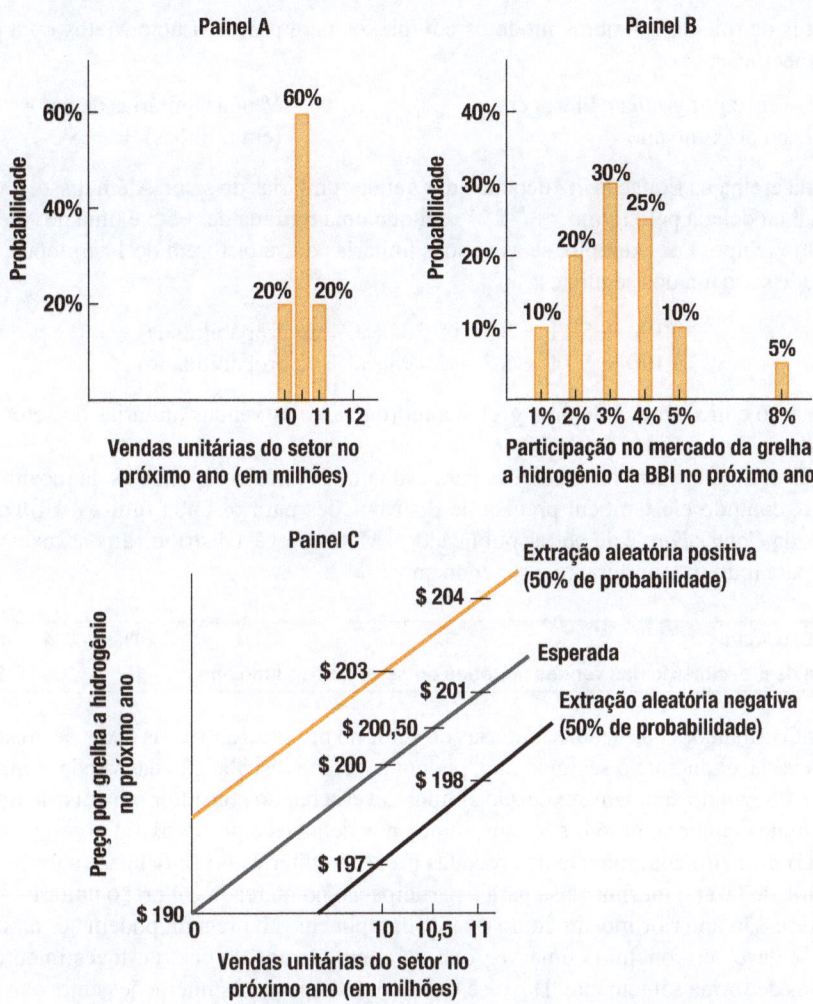

Para cada uma das três variáveis, um desenho é gerado por simulação computadorizada. Além disso, o preço por grelha depende das vendas unitárias do setor.

FIGURA 7.3 Distribuições de probabilidade para vendas unitárias do setor, participação no mercado da grelha a hidrogênio da BBI e preço da grelha a hidrogênio.

Embora o consultor tenha pressuposto uma distribuição simétrica das vendas unitárias do setor, ele acredita que uma distribuição assimétrica faz mais sentido para a participação do projeto no mercado. Em sua opinião, sempre existe a pequena possibilidade de que as vendas da grelha a hidrogênio realmente decolem. Essa distribuição de probabilidades está representada no Painel B da Figura 7.3.

Essas previsões supõem que as vendas unitárias do setor em geral não estejam relacionadas à participação do projeto no mercado. Em outras palavras, as duas variáveis são *independentes* entre si. O consultor acredita também que, embora um *boom* econômico pudesse aumentar as vendas de grelhas do setor e uma recessão pudesse diminuí-las, a participação do projeto no mercado não tende a se relacionar com as condições econômicas.

Neste momento, Lúcio Matos deve determinar a distribuição do preço por grelha. Churras, o diretor financeiro, informa que o preço estará na faixa de $ 200 por grelha, baseado no que outros concorrentes estão cobrando. No entanto, o consultor acredita que o preço por grelha a hidrogênio dependerá do tamanho do mercado global de grelhas. Como em qualquer negócio, é comum se cobrar mais se a demanda for alta.

Depois de rejeitar inúmeros modelos complexos para preços, Lúcio Matos opta pela seguinte especificação:

$$\text{Preço por grelha a hidrogênio no próximo ano} = \$\,190 + \$\,1 \times \text{Vendas unitárias do setor (em milhões)} +/- \$\,3 \quad (7.2)$$

O preço da grelha na Equação 7.2 depende das vendas unitárias do setor. Além disso, a variação aleatória é modelada pelo termo "+/–$ 3", em que uma retirada de +$ 3 e uma de –$ 3 ocorre em 50% do tempo. Por exemplo, se as vendas unitárias do setor forem de 11 milhões, o preço por unidade seria um dos seguintes:

$$\$\,190 + \$\,11 + \$\,3 = \$\,204 \text{ (50\% de probabilidade)}$$
$$\$\,190 + \$\,11 - \$\,3 = \$\,198 \text{ (50\% de probabilidade)}$$

A relação entre o preço de uma grelha a hidrogênio e as vendas unitárias do setor está representada no Painel C da Figura 7.3.

O consultor agora tem distribuições para cada um dos três componentes da receita do próximo ano, contudo ele também precisa de distribuições para os anos futuros. Utilizando as previsões da *Comer Fora* e de outras publicações, Matos prevê a distribuição das taxas de crescimento para todo o setor durante o segundo ano:

Probabilidade	20%	60%	20%
Taxa de crescimento das vendas unitárias do setor no segundo ano	1%	3%	5%

Dadas as distribuições das vendas unitárias do setor no próximo ano e das taxas de crescimento para essa variável durante o segundo ano, podemos gerar a distribuição das vendas unitárias do setor para o segundo ano. Uma extensão similar deveria dar ao consultor uma distribuição para anos seguintes também, porém não entraremos nos detalhes aqui. E, assim como o consultor estendeu o primeiro componente das receitas (vendas unitárias do setor) para anos seguintes, ele gostaria de fazer a mesma coisa para a participação no mercado e o preço unitário.

A discussão anterior mostra como os três componentes da receita podem ser modelados. A Etapa 2 deve ser concluída uma vez que os componentes de custo e investimento sejam modelados de forma semelhante. Deve-se dar atenção especial às interações entre as variáveis aqui, pois uma administração ineficaz provavelmente permitirá que os diferentes componentes de custo aumentem juntos. Contudo, é provável que você já esteja pegando a ideia agora, então pularemos o resto desta etapa.

Etapa 3: o computador extrai um resultado

Conforme dissemos, a receita do próximo ano em nosso modelo é o produto de três componentes. Imagine que o computador selecione aleatoriamente vendas unitárias de 10 milhões para o setor, uma participação no mercado para a grelha a hidrogênio da BBI de 2% e uma variação de preço aleatória de +$ 3. Dadas essas extrações, o preço por grelha a hidrogênio do próximo ano será:

$$\$\,190 + \$\,10 + \$\,3 = \$\,203$$

e a receita do próximo ano para a grelha a hidrogênio da BBI será:

$$10 \text{ milhões} \times 0{,}02 \times \$\,203 = 40{,}6 \text{ milhões}$$

É claro que ainda não terminamos de lidar com o *resultado* inteiro. Teríamos de realizar extrações de receita e de custos em cada ano futuro. Além disso, uma extração de investimento inicial também seria feita. Dessa forma, um único resultado, constituído por uma extração de cada variável no modelo, geraria um fluxo de caixa do projeto em cada ano futuro.

Qual é a probabilidade de o resultado específico discutido ser extraído? É possível responder porque sabemos a probabilidade de cada componente. Como vendas de $ 10 milhões para o setor têm uma probabilidade de 20%, uma participação no mercado de 2% também tem uma probabilidade de 20%, e uma variação de preço aleatória de +$ 3 tem uma probabilidade de 50%, a probabilidade dessas três extrações juntas no mesmo resultado é:

$$0,02 = 0,20 \times 0,20 \times 0,50 \tag{7.3}$$

É claro que a probabilidade poderia ficar ainda menor uma vez que extrações de receitas futuras, custos futuros e investimento inicial forem incluídas no resultado.

Essa etapa gera o fluxo de caixa para cada ano a partir de um único resultado. Na verdade, estamos interessados é na *distribuição* dos muitos resultados do fluxo de caixa em cada ano. Solicitamos ao computador que faça várias extrações aleatoriamente para nos dar essa distribuição, e isso é feito na próxima etapa.

Etapa 4: repetir o procedimento

As primeiras três etapas geram um resultado, mas a essência da simulação de Monte Carlo consiste nos resultados repetidos. Dependendo da situação, pode-se solicitar ao computador que gere milhares ou até mesmo milhões de resultados. O resultado de todas essas extrações é uma distribuição de fluxo de caixa para cada ano futuro; tal distribuição é o resultado básico da simulação de Monte Carlo.

Considere a Figura 7.4. Aqui, as extrações repetidas produziram a distribuição simulada do fluxo de caixa do terceiro ano. Haveria uma distribuição como essa na figura para cada ano futuro. Isso nos deixa com apenas mais uma etapa.

Etapa 5: calcular o VPL

Dada a distribuição do fluxo de caixa para o terceiro ano na Figura 7.4, pode-se determinar o fluxo de caixa esperado para esse ano. De forma semelhante, também se pode determinar o fluxo de caixa esperado para cada ano futuro e, então, calcular o valor presente líquido do projeto, descontando esses fluxos de caixa esperados a uma taxa adequada.

A simulação de Monte Carlo, por vezes, é vista como uma etapa além da análise de sensibilidade ou da análise de cenários. As interações entre as variáveis são especificadas na Monte Carlo, assim (ao menos na teoria), essa metodologia fornece uma análise mais completa. E, como subproduto, o trabalho de construção de um modelo preciso aprofunda o entendimento do projeto pelo analista.

Como as simulações de Monte Carlo existem há pelo menos 35 anos, você pode pensar que agora a maioria das empresas a execute, porém esse não parece ser o caso. Em nossa experiência, os executivos frequentemente são céticos devido à complexidade dessa simulação,

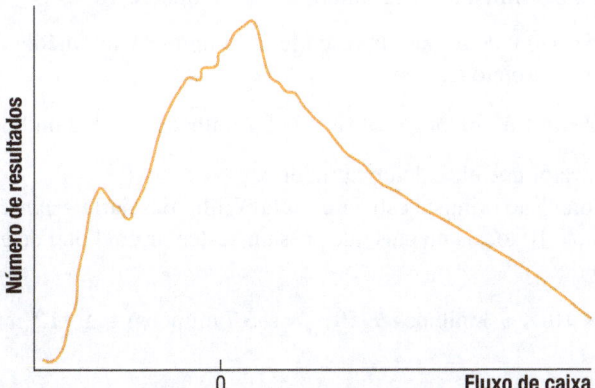

Nas simulações de Monte Carlo, a amostragem repetida de todas as variáveis de um modelo específico gera uma distribuição estatística.

FIGURA 7.4 Distribuição simulada do fluxo de caixa do terceiro ano para a nova grelha a hidrogênio da BBI.

pois é difícil modelar as distribuições de cada variável ou as interações entre elas. Além disso, o resultado computacional, muitas vezes, é desprovido de intuição econômica. Portanto, embora as simulações de Monte Carlo sejam utilizadas em certas situações do mundo real,[4] a abordagem não tende a ser "a onda do futuro". De fato, Graham e Harvey[5] relatam que apenas 15% das empresas em sua amostra utilizam simulações de orçamento de capital.

7.3 Opções reais

No Capítulo 5, enfatizamos a superioridade da análise do valor presente líquido (VPL) sobre outras abordagens ao avaliar projetos de orçamento de capital. No entanto, tanto os estudiosos quanto os profissionais apontaram problemas com o VPL. A ideia básica é que a análise do VPL, bem como todas as outras abordagens no Capítulo 5, ignora os ajustes que uma empresa pode fazer após um projeto ser aceito. Esses ajustes são chamados de **opções reais**. Nesse sentido, o VPL subestima o valor real de um projeto. O conservadorismo do VPL é mais bem explicado por meio de uma série de exemplos.

Opção de expansão

Há pouco tempo, Conrad Willig, um empreendedor, soube de um tratamento químico que faz com que a água congele a 38 °C ao invés de a 0 °C. De todas as aplicações práticas desse tratamento, Willig gostou muito da ideia de hotéis feitos de gelo e estimou que os fluxos de caixa anuais de um único hotel de gelo podem ser de $ 2 milhões, baseado em um investimento inicial de $ 12 milhões. Ele achou que 20% era uma taxa de desconto apropriada, dado o risco desse novo empreendimento. Acreditando que os fluxos de caixa seriam perpétuos, Willig determinou o VPL do projeto da seguinte forma:

$$-\$ 12.000.000 + \$ 2.000.000/0,20 = -\$ 2 \text{ milhões}$$

A maioria dos empresários teria rejeitado esse empreendimento, dado o seu VPL negativo, mas Conrad não é o típico empreendedor. Ele raciocinou que a análise do VPL não percebeu uma fonte oculta de valor. Enquanto estava certo de que o investimento inicial custaria $ 12 milhões, havia alguma incerteza em relação aos fluxos de caixa anuais. Sua estimativa de fluxo de caixa de $ 2 milhões por ano, na verdade, refletia sua crença de que havia uma probabilidade de 50% de que os fluxos de caixa anuais seriam de $ 3 milhões e uma probabilidade de 50% de que seriam de $ 1 milhão.

Os cálculos do VPL para as duas previsões são dados aqui:

Previsão otimista: –$ 12 milhões + $ 3 milhões/0,20 = $ 3 milhões
Previsão pessimista: –$ 12 milhões + $ 1 milhão/0,20 = –$ 7 milhões

Na superfície, esse novo cálculo não parece ajudá-lo muito. Uma média das duas previsões produz um VPL para o projeto de:

$$50\% \times \$ 3 \text{ milhões} + 50\% \times (-\$ 7 \text{ milhões}) = -\$ 2 \text{ milhões}$$

que é exatamente o valor que ele calculou primeiro.

Contudo, se a previsão otimista estiver correta, Willig desejaria *expandir*. Se ele acreditar que existam, digamos, 10 locais no país que possam sustentar um hotel de gelo, o VPL real do empreendimento seria:

$$50\% \times 10 \times \$ 3 \text{ milhões} + 50\% \times (-\$ 7 \text{ milhões}) = \$ 11,5 \text{ milhões}$$

---

[4] Talvez mais do que qualquer outra, a indústria farmacêutica é pioneira na aplicação dessa metodologia. Por exemplo, consulte Nichols, N. A. Scientific Management at Merck: an interview with CFO Judy Lewent. *Harvard Business Review*, p. 88-99, jan./fev. 1994.

[5] Consulte a Figura 2 de Graham e Harvey, op. cit.

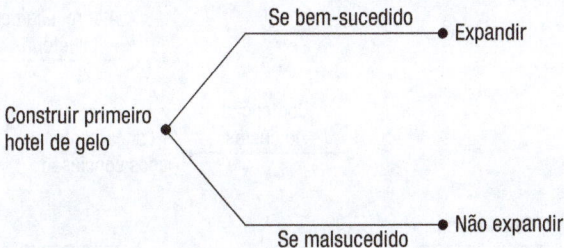

FIGURA 7.5 Árvore de decisão para o hotel de gelo.

A Figura 7.5, que representa a decisão de Willig, é chamada de árvore de decisão. A ideia expressa na figura é básica e universal. O empreendedor tem a opção de expandir se o local-piloto for bem-sucedido. Por exemplo, pense em todas as pessoas que abrem restaurantes, a maioria falindo ao final. Esses indivíduos não são otimistas demais. Eles podem perceber a possibilidade de fracasso, mas vão em frente por causa da pequena chance de lançar o próximo McDonald's ou Burger King.

Opção de abandono

Os gestores também têm a opção de abandonar projetos existentes. O abandono pode parecer covardia, contudo pode economizar muito dinheiro para as empresas. Por causa disso, a opção de abandono aumenta o valor de qualquer potencial projeto.

O exemplo de hotéis de gelo, que ilustrava a opção de expansão, também pode ilustrar a opção de abandono. Para verificar isso, imagine que o Willig agora acredite que haja uma probabilidade de 50% de que os fluxos de caixa anuais sejam de $ 6 milhões e uma probabilidade de 50% de que sejam de –$ 2 milhões. Os cálculos do VPL, segundo as duas previsões, tornam-se:

Previsão otimista: –$ 12 milhões + $ 6 milhões/0,2 = $ 18 milhões
Previsão pessimista: –$ 12 milhões – $ 2 milhões/0,2 = –$ 22 milhões

produzindo um VPL para o projeto de:

$$50\% \times \$ 18 \text{ milhões} + 50\% \times (-\$ 22 \text{ milhões}) = -\$ 2 \text{ milhões} \qquad (7.4)$$

Agora, imagine ainda que o empreendedor queira ter, no máximo, um hotel apenas, implicando que não há a opção de expandir. Como o VPL na Equação 7.3 é negativo, é provável que ele não vá construir o hotel.

Mas as coisas mudam quando consideramos a opção de abandono. A partir da Data 1, o empreendedor saberá qual previsão se tornou realidade. Se os fluxos de caixa se igualarem à previsão otimista, Willig manterá o projeto vivo. Porém, se os fluxos de caixa se igualarem à previsão pessimista, ele abandonará o hotel. Se Willig souber dessas possibilidades com antecedência, o VPL do projeto se torna:

$$50\% \times \$ 18 \text{ milhões} + 50\% \times (-\$ 12 \text{ milhões} - \$ 2 \text{ milhões}/1,20) = \$ 2,17 \text{ milhões}$$

Como Willig opta pelo abandono depois de experimentar o fluxo de caixa de –$ 2 milhões na Data 1, não tem de suportar essa saída de caixa em qualquer dos anos posteriores. O VPL agora é positivo; dessa forma, Willig irá aceitar o projeto.

O exemplo aqui é claramente estilizado, já que muitos anos podem se passar antes de um projeto ser abandonado no mundo real. Nosso hotel de gelo foi abandonado logo após o primeiro ano. Valores de recuperação, em geral, acompanham o abandono, mas não presumimos um valor de recuperação para o hotel de gelo. Todavia, as opções de abandono permeiam o mundo real.

Por exemplo, considere a indústria cinematográfica. Como mostrado na Figura 7.6, os filmes começam com a compra ou o desenvolvimento do roteiro. Um roteiro concluído pode custar a um estúdio de cinema alguns milhões de dólares e ter o potencial de ser produzido.

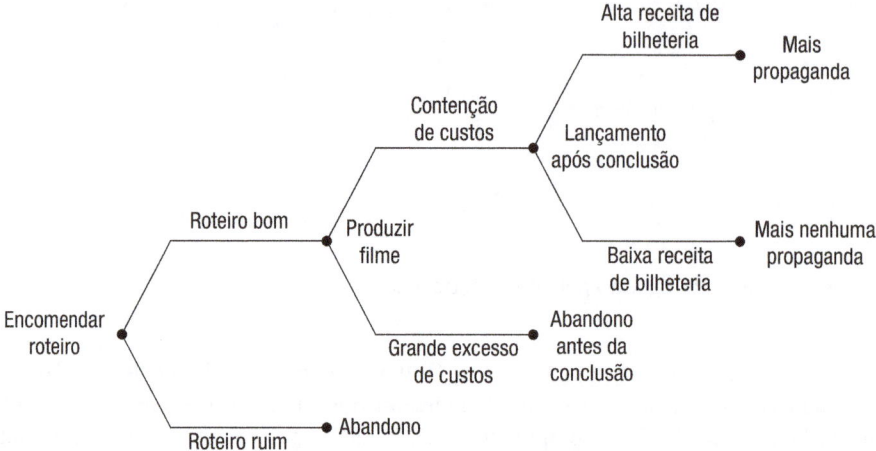

Os estúdios de cinema têm opções de abandono ao longo da produção de um filme.

FIGURA 7.6 A opção de abandono na indústria cinematográfica.

Contudo, a maioria dos roteiros (talvez 80%) é abandonada. Por que os estúdios abandonariam os roteiros que eles próprios encomendaram? Os estúdios sabem antecipadamente que apenas alguns roteiros serão promissores, mas não sabem quais são eles. Assim, jogam uma rede ampla, encomendando muitos para obter alguns que poderão ser bons. Os estúdios têm de ser impiedosos com os roteiros ruins, pois os custos aos comprá-los não são nada em comparação aos prejuízos enormes advindos da produção de um filme ruim.

Alguns roteiros sortudos, então, passam à produção, cujos custos podem ser orçados em dezenas de milhões de dólares, senão mais. Nesse estágio, a frase temida é que a produção no *site* de filmagem fique "atolada" em estouros de custos. Mas os estúdios são também impiedosos aqui. Se esses estouros se tornarem grandes, é provável que a produção seja abandonada na metade. É interessante observar que o abandono quase sempre ocorre devido aos altos custos, e não devido ao medo de que o filme não consiga ter público. Pouca informação sobre isso será obtida até que o filme seja, de fato, lançado.

O lançamento do filme é acompanhado por despesas significativas de propaganda, talvez na faixa de $ 10 a $ 20 milhões. A propaganda continuará seguindo fortes vendas de ingressos, mas provavelmente será abandonada depois de algumas semanas de fraco desempenho de público.

A produção cinematográfica é um dos negócios mais arriscados que existem, com estúdios recebendo centenas de milhões de dólares de um campeão de bilheteria em uma questão de semanas, enquanto recebem praticamente nada de um fracasso durante esse período. As opções de abandono freiam custos que poderiam levar a indústria à falência.

Para ilustrar algumas dessas ideias, considere o caso da Euro Disney. O acordo para abrir a Euro Disney ocorreu em 1987, e o parque abriu suas portas nos arredores de Paris em 1992. A administração da Disney achou que os europeus se sentiriam atraídos pelo novo parque, mas logo os problemas começaram. O número de visitantes nunca correspondeu às expectativas, em parte porque a empresa colocou preços muito altos nos ingressos. A Disney também decidiu não servir álcool em um país que estava acostumado a ingerir vinho durante as refeições. Os fiscais franceses do trabalho lutaram contra os códigos de vestimenta rígidos da Disney, e assim por diante.

Depois de vários anos de operação, o parque começou a servir vinho em seus restaurantes, baixou os preços dos ingressos e fez outros ajustes. Percebe-se que a administração exerceu a opção de reformular o produto. O parque começou a produzir um pequeno lucro. Então, a empresa exerceu a opção de se expandir adicionando um "segundo portão", que era outro parque temático próximo à Euro Disney chamado Walt Disney Studios. O segundo portão tinha o intuito de incentivar os visitantes a prolongarem suas estadas, porém o novo parque fracassou. Os motivos variaram de preços altos de ingressos, atrações voltadas à produção cinematográfica de Hollywood em vez da europeia, greves de trabalhadores em Paris e uma onda de calor no verão.

No verão de 2003, a Euro Disney estava novamente perto da falência. Os executivos discutiram uma gama de opções, que iam de deixar a empresa falir (a opção de abandonar) até retirar o nome Disney do parque. Em 2005, a empresa finalmente concordou com uma reestruturação com a ajuda do governo francês.

A ideia toda das opções gerenciais foi habilmente resumida por Jay Rasulo, o administrador dos parques temáticos da Disney, quando disse: "Uma coisa que sabemos com certeza é que nunca se acerta 100% da primeira vez. Abrimos cada um dos nossos parques com a noção de que vamos adicionar conteúdo".

Um exemplo recente de uma empresa exercendo a opção de abandono ocorreu em 2011, quando a Cisco Systems anunciou que ia parar de fabricar sua filmadora Flip Video. A empresa admitiu que estava tentando fazer coisas demais e que iria limitar seu foco no futuro. O que tornou a jogada incomum foi a Cisco ter comprado a Pure Digital Technologies, a fabricante original da Flip Video, dois anos antes a um preço de $ 590 milhões. Além disso, embora a Flip Video fosse a câmera de vídeo campeã de vendas de seu tipo nos Estados Unidos, com uma participação no mercado de 26%, isso perfazia apenas 2,5 milhões de unidades por ano. Desse modo, a Cisco concluiu que o mercado futuro para a Flip Video estava limitado e, por isso, decidiu deixar de produzi-la.

Outro abandono, talvez mais espetacular, ocorreu em junho de 2010, quando a Microsoft anunciou que não iria continuar as vendas de seu celular Kin, o qual havia sido lançado no mercado apenas 48 dias antes, tendo a Microsoft gastado diversos anos em seu desenvolvimento a um custo de mais de $ 1 bilhão.

Opções de espera

É comum pensar em um terreno urbano vago por muitos anos e que é comprado e vendido de tempos em tempos. Por que alguém pagaria por um terreno que não tem qualquer fonte de receita? Certamente, não se poderia chegar a um valor positivo por meio da análise do VPL. No entanto, o paradoxo pode ser explicado em termos de opções reais.

Suponha que o maior e melhor uso do terreno seja a construção de um edifício de escritórios. Estima-se que os custos totais de construção do edifício serão de $ 1 milhão. Atualmente, os aluguéis líquidos (depois de todos os custos) estão estimados em $ 90.000 por ano em perpetuidade, e a taxa de desconto é 10%. O VPL desse edifício proposto seria:

$$-\$ 1 \text{ milhão} + \$ 90.000/0{,}10 = -\$ 100.000$$

Como esse VPL é negativo, não seria desejável fazer a construção no momento. No entanto, suponha que a prefeitura municipal esteja planejando vários programas de revitalização urbana para a cidade. Os aluguéis dos escritórios provavelmente aumentarão se os programas forem bem-sucedidos. Nesse caso, o dono da propriedade poderia querer construir o edifício de escritórios. De forma inversa, os aluguéis dos escritórios permanecerão os mesmos, ou até cairão, se os programas fracassarem. O proprietário não irá construí-lo, nesse caso.

Dizemos que o dono do terreno tem uma *opção de espera*. Embora não queira construir no momento, desejará fazê-lo no futuro se os aluguéis na área subirem substancialmente. Essa opção de espera explica o porquê de um terreno vazio, muitas vezes, ter valor. Existem custos, como impostos, pela posse de um terreno, mas o valor de um edifício de escritórios depois de um aumento substancial nos aluguéis pode compensá-los ainda mais. É claro que o valor exato do terreno vazio depende da probabilidade de sucesso no programa de revitalização e da dimensão do aumento nos aluguéis. A Figura 7.7 ilustra essa opção de espera.

As operações de mineração quase sempre também oferecem opções de espera. Suponha que você possua uma mina de cobre, na qual o custo de mineração de cada tonelada de cobre exceda a receita de vendas. É fácil dizer que você não desejaria minerar cobre no momento. E, como existem custos inerentes à propriedade, como impostos, seguro e segurança, você talvez queira pagar a alguém para livrar suas mãos da mina. Contudo, recomendaríamos que não o fizesse tão precipitadamente. Os preços do cobre no futuro poderiam aumentar o suficiente para que a produção fosse rentável. Dada essa possibilidade, você poderia encontrar alguém que pagaria um preço positivo pela propriedade hoje.

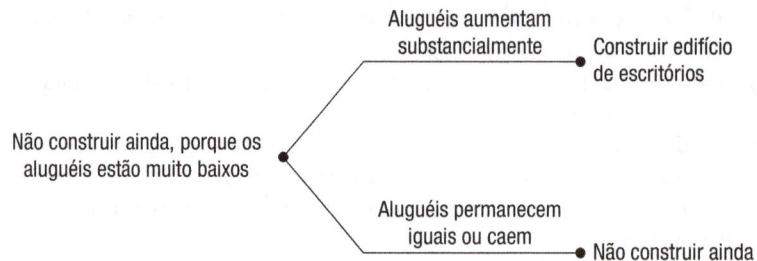

Hoje, o terreno vazio pode ter valor, porque o proprietário pode construir um edifício de escritórios rentável se os aluguéis aumentarem.

FIGURA 7.7 Árvore de decisão para o terreno vazio.

7.4 Árvores de decisão

> **ExcelMaster**
> cobertura
> *online*
> Esta seção introduz formas e linhas.

Conforme mostrado na seção anterior, os gestores ajustam suas decisões com base em novas informações. Por exemplo, um projeto pode ser expandido se a experiência inicial for promissora, ao passo que o mesmo projeto poderia ser abandonado na sequência de resultados ruins. Como já foi dito, as escolhas disponíveis para gestores são chamadas de *opções reais*, e um projeto individual pode ser visto como uma série de opções reais, levando a abordagens de avaliação além da metodologia básica do valor presente dos capítulos anteriores.

Neste capítulo, citamos o projeto de motores a jato movidos a energia solar da Solar Eletrônicos S/A (SEL), com fluxos de caixa como mostrado no Quadro 7.1. Nesse exemplo, a SEL planejava investir $ 1.500 milhão no Ano 1 e esperava receber $ 900 milhões por ano em cada um dos próximos cinco anos. Nossos cálculos mostraram um VPL de $ 1.517 milhão, por isso, presume-se que a empresa desejaria avançar com o projeto.

Para ilustrar as árvores de decisão com mais detalhes, vamos voltar ao Ano 0, quando a decisão da SEL era mais complicada. Nessa época, o grupo de engenharia tinha desenvolvido a tecnologia para um motor de aeronave movido a energia solar, mas os testes de *marketing* não haviam começado. O departamento de *marketing* propôs à SEL que desenvolvesse alguns protótipos e conduzisse testes de *marketing* do motor. Um grupo de planejamento empresarial, incluindo representantes de produção, *marketing* e engenharia, estimou que essa fase preliminar teria um ano de duração e custaria $ 100 milhões. Além disso, o grupo acreditava que havia uma chance de 75% de que o teste de *marketing* se provasse bem-sucedido. Depois da conclusão desses testes, a SEL decidiria sobre o empreendimento da produção em grande escala, com investimento de $ 1.500 milhão.

Os testes de *marketing* adicionam uma camada de complexidade à análise. Nosso trabalho anterior sobre o exemplo presumiu que os testes de *marketing* já tivessem mostrado ser bem-sucedidos. Como analisamos se queremos ir adiante com os testes de *marketing* em primeiro lugar? É aqui que entram as árvores de decisão.

Para recapitular, a SEL lida com duas decisões, ambas representadas na Figura 7.8. De início, a empresa deve decidir ir adiante com os testes de *marketing*. E, se os testes forem realizados, em seguida, a empresa tem de decidir se os resultados garantem uma produção em grande escala. O ponto importante, como veremos, é que as árvores de decisão respondem às duas perguntas na ordem *inversa*. Portanto, vamos trabalhar da frente para trás, primeiro considerando o que fazer com os resultados dos testes, que podem ser bem ou malsucedidos.

Presumir que os testes tenham sido bem-sucedidos (75% de probabilidade). O Quadro 7.1 nos mostra que a produção em grande escala custará $ 1.500 milhões e gerará um fluxo de caixa anual de $ 900 milhões por cinco anos, produzindo um VPL de:

$$= -\$\,1.500 + \sum_{t=1}^{5} \frac{\$\,900}{(1{,}15)^t}$$
$$= -\$\,1.500 + \$\,900 \times \text{VPA}\,(0{,}15,\ 5)$$
$$= \$\,1.517$$

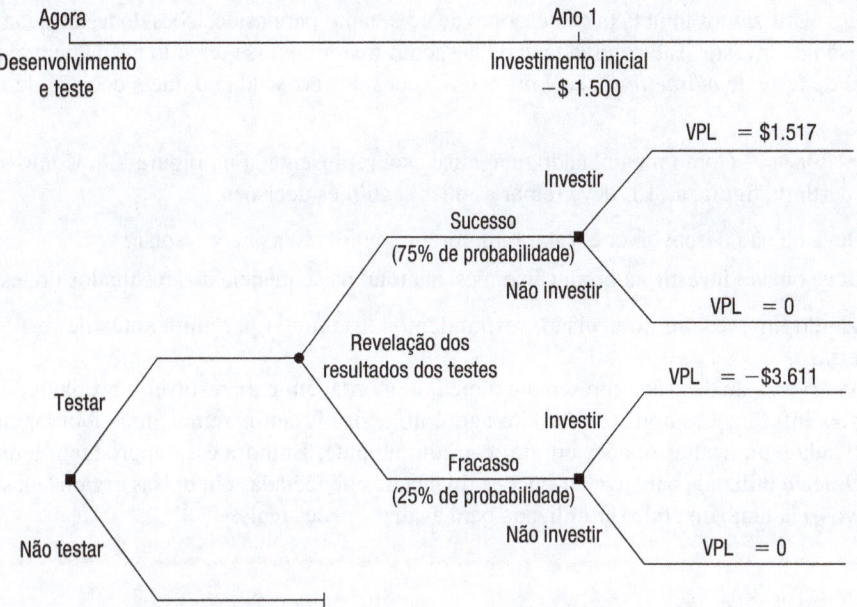

Os quadrados representam os pontos de decisão. O círculo representa o recebimento de informações.
A SEL deve tomar duas decisões:
1. Desenvolver e testar o motor ou não fazê-lo.
2. Investir ou não na produção em grande escala.
Com as árvores, as decisões são tomadas na ordem inversa.

FIGURA 7.8 Árvore de decisão para a SEL (milhões de $).

Como o VPL é positivo, o sucesso dos testes de *marketing* deve levar à produção em escala total. (Note que o VPL foi calculado para o Ano 1, ano em que o investimento de $ 1.500 milhão foi realizado. Adiante, vamos discutir esse número para trás, para o Ano 0, quando a decisão sobre o teste de *marketing* é tomada).

Presumir que os testes não tenham sido bem-sucedidos (25% de probabilidade). Aqui o investimento da SEL iria produzir um VPL de –$ 3.611 milhões, calculados a partir do Ano 1. (Para poupar espaço, não vamos trazer os números que conduziram esse cálculo.) Aqui, como o VPL é negativo, a SEL não vai querer iniciar a produção em escala total se os testes de *marketing* foram negativos.

Decisão sobre os testes de marketing. Agora nós sabemos o que fazer com os resultados do teste de *marketing*. Vamos usar esses dados e voltar um ano para trás. Ou seja, agora queremos saber se a SEL deveria investir $ 100 milhões para o teste de *marketing* no início.

O retorno esperado avaliado na Data 1 (em milhões) é:

$$\begin{aligned}\text{Retorno esperado} &= \begin{pmatrix}\text{Probabilidade} \\ \text{de} \\ \text{sucesso}\end{pmatrix} \times \begin{pmatrix}\text{Retorno} \\ \text{se} \\ \text{bem-sucedido}\end{pmatrix} + \begin{pmatrix}\text{Probabilidade} \\ \text{de} \\ \text{fracasso}\end{pmatrix} \times \begin{pmatrix}\text{Retorno} \\ \text{se} \\ \text{malsucedido}\end{pmatrix} \\ &= (0{,}75 \times \$1.517) + (0{,}25 \times \$0) \\ &= \$1.138\end{aligned}$$

O VPL dos testes calculado na Data 0 (em milhões) é:

$$\begin{aligned}\text{VPL} &= -\$100 + \frac{\$1.138}{1{,}15} \\ &= \$890\end{aligned}$$

Como o VPL é positivo, a empresa deve testar o mercado para os motores a jato movidos a energia solar.

Alerta Utilizamos uma taxa de desconto de 15% tanto para as decisões de testar quanto para a decisão de investir. Talvez uma taxa de desconto maior devesse ter sido usada para a decisão inicial de teste de *marketing*, que é propensa a ser mais arriscada do que a decisão de investimento.

Recapitulação Como mencionado, a análise está representada na Figura 7.8. Como se pode ver a partir da figura, a SEL deve tomar as duas seguintes decisões:

1. Deve ou não desenvolver e testar o motor a jato movido a energia solar?
2. Deve ou não investir na produção em escala total na sequência dos resultados do teste?

Utilizando uma árvore de decisão, respondemos à segunda pergunta antes de responder à primeira.

As árvores de decisão representam a melhor abordagem para resolver o problema da SEL, dadas as informações apresentadas até agora no texto. Examinaremos uma abordagem mais sofisticada para avaliar opções em um capítulo adiante. Embora essa abordagem tenha sido inicialmente utilizada para avaliar opções financeiras negociadas em bolsas organizadas de derivativos, ela também pode ser utilizada para avaliar opções reais.

Resumo e conclusões

Este capítulo discutiu várias aplicações práticas do orçamento de capital.

1. Mesmo que o VPL seja a melhor abordagem conceitual de orçamento de capital, ele tem sido criticado na prática por dar aos gestores uma falsa sensação de segurança. A análise de sensibilidade mostra o VPL a partir de variadas suposições, dando aos gestores uma melhor percepção dos riscos do projeto. Infelizmente, a análise de sensibilidade modifica apenas uma variável por vez, mas muitas variáveis tendem a mudar juntas no mundo real. A análise de cenários examina o desempenho de um projeto para diferentes cenários (como uma guerra sendo deflagrada ou os preços do petróleo indo às alturas). Por fim, os gestores querem saber como as previsões ruins podem ser antes de um projeto perder dinheiro. A análise de ponto de equilíbrio calcula o número de vendas em que o projeto não ganha nem perde. Apesar de a análise de ponto de equilíbrio ser realizada com frequência com base em lucros contábeis, sugerimos que a análise mais apropriada deva basear-se em valores presentes líquidos.

2. A simulação de Monte Carlo começa com um modelo dos fluxos de caixa da empresa baseado nas interações entre diferentes variáveis e na movimentação de cada variável individual ao longo do tempo. Uma amostragem aleatória gera uma distribuição desses fluxos de caixa para cada período, levando a um cálculo de valor presente líquido.

3. Analisamos as opções ocultas no orçamento de capital, como a opção de expansão, a opção de abandono e a opção de espera.

4. As árvores de decisão representam uma abordagem para avaliar projetos com essas opções ocultas, ou opções reais.

QUESTÕES CONCEITUAIS

1. **Risco de previsão** O que é o risco de previsão? Em geral, o grau de risco de previsão seria maior para um produto novo ou para uma proposta de redução de custos? Por quê?
2. **Análise de sensibilidade e análise de cenários** Qual é a diferença essencial entre a análise de sensibilidade e a análise de cenários?
3. **Fluxos de caixa marginais** Um colega de trabalho diz que analisar todos esses marginais e incrementais é apenas um monte de bobagens e afirma: "Escuta, se nossos resultados médios não excederem nossos custos médios, teremos um fluxo de caixa negativo e vamos falir!". Como você reage?

Capítulo 7 Análise de Riscos, Opções Reais e Orçamento de Capital 229

4. **Ponto de equilíbrio** Como acionista de uma empresa que está pensando em um novo projeto, você estaria mais preocupado com o ponto de equilíbrio contábil, o ponto de equilíbrio de caixa (o ponto em que o fluxo de caixa operacional é zero) ou o ponto de equilíbrio financeiro? Por quê?

5. **Ponto de equilíbrio** Suponha que uma empresa esteja pensando em um novo projeto que exija um investimento inicial e tenha vendas e custos constantes ao longo de sua vida útil. O projeto atingirá primeiro o ponto de equilíbrio contábil, de caixa ou financeiro? E a seguir? E o último? Essa ordem será sempre aplicável?

6. **Opções reais** Por que a análise tradicional do VPL tende a subestimar o valor real de um projeto de orçamento de capital?

7. **Opções reais** A República da Manga recentemente liberalizou seus mercados e agora está permitindo investidores financeiros. A Tesla Manufacturing analisa começar um projeto no país e determinou que ele tem um VPL negativo. Por que a empresa iria adiante com o projeto? Que tipo de opção tem maior probabilidade de adicionar valor a ele?

8. **Análise de sensibilidade e de equilíbrio** Como a análise de sensibilidade interage com a análise de equilíbrio?

9. **Opção de espera** Uma opção pode, muitas vezes, ter mais de uma fonte de valor. Considere uma madeireira. A empresa pode cortar a madeira hoje ou esperar outro ano (ou mais) para fazê-lo. Quais vantagens potenciais teria a espera de um ano?

10. **Análise de projetos** Você está discutindo uma análise de projeto com um colega de trabalho. O projeto envolve opções reais, como a expansão – se for bem-sucedido – ou o seu abandono – se malsucedido. Seu colega faz a seguinte declaração: "Essa análise é ridícula. Examinamos a expansão ou o abandono do projeto em dois anos, mas há outras opções que deveríamos considerar. Por exemplo, poderíamos expandir em um ano e expandir mais em dois anos ou poderíamos expandir em um ano e abandonar o projeto em dois. Existem opções demais para examinarmos. Por causa disso, o que quer que essa análise nos forneça, será inútil". Como você avaliaria essa declaração? Considerando que em qualquer projeto de orçamento de capital existe um número infinito de opções reais, quando você deve interromper a análise de opções sobre um projeto individual?

QUESTÕES E PROBLEMAS

BÁSICO (Questões 1-10)

1. **Análise de sensibilidade e ponto de equilíbrio** Estamos avaliando um projeto que custa $ 644.000, que tem uma vida útil de oito anos e não tem valor residual. Suponha que a depreciação seja linear até zero ao longo da vida do projeto. As vendas estão projetadas para 70.000 unidades por ano. O preço por unidade é $ 37, o custo variável por unidade é de $ 21 e os custos fixos são de $ 725.000 anuais. A alíquota tributária é 34%, e requeremos um retorno de 15% nesse projeto.

   a. Calcule o ponto de equilíbrio contábil.

   b. Calcule o fluxo de caixa e o VPL do caso-base. Qual é a sensibilidade do VPL em relação às variações no número de vendas? Explique o que sua resposta diz sobre uma diminuição de 500 unidades nas vendas projetadas.

   c. Qual é sensibilidade do FCO no que diz respeito às variações nos custos variáveis? Explique o que sua resposta diz sobre uma diminuição de $ 1 nos custos variáveis estimados.

2. **Análise de cenários** No problema anterior, suponha que as projeções fornecidas de preço, quantidade, custos variáveis e custos fixos estejam corretas, com variação de ±10%. Calcule o VPL do melhor caso e do pior caso.

3. **Cálculo do ponto de equilíbrio** Em cada um dos seguintes casos, encontre a variável desconhecida. Ignore os tributos.

Equilíbrio contábil	Preço unitário	Custo unitário variável	Custos fixos	Depreciação
95.300	$ 41	$ 30	$ 820.000	?
143.806	?	56	2.750.000	$ 1.150.000
7.835	97	?	160.000	105.000

4. **Equilíbrio financeiro** A L. J. Brinquedos S/A recém comprou uma máquina de $ 390.000 para produzir carros de brinquedo. A máquina estará completamente depreciada pelo método linear ao longo de sua vida útil econômica de cinco anos. Cada brinquedo é vendido por $ 25. O custo variável por brinquedo é de $ 11, e a empresa incorre custos fixos de $ 280.000 a cada ano. A alíquota tributária da pessoa jurídica para a empresa é 34%. A taxa de desconto apropriada é de 12%. Qual é o ponto de equilíbrio financeiro do projeto?

5. **Opção de espera** Sua empresa está decidindo se investe em uma nova máquina. A nova máquina aumentará o fluxo de caixa em $ 475.000 por ano. Você acredita que a tecnologia utilizada na máquina tenha uma vida útil de 10 anos, isto é, não importa quando compre a máquina, ela estará obsoleta daqui a 10 anos. O preço atual da máquina é $ 2.900.000. O custo da máquina declinará a $ 210.000 por ano até que atinja $ 2.270.000, aí permanecendo. Se o retorno exigido for de 9%, você deveria comprar a máquina? Caso afirmativo, quando deveria fazê-lo?

6. **Árvores de decisão** A Eletrônica Anjos S/A desenvolveu um novo DVDR. Se o DVDR for bem-sucedido, o valor presente do resultado quando o produto for levado ao mercado será $ 34 milhões. Se falhar, o valor presente do resultado será $ 12 milhões. Se o produto for diretamente para o mercado, há uma chance de 50% de sucesso. Como alternativa, a Anjos pode postergar o lançamento por um ano e gastar $ 1,3 milhão para testar o DVDR no mercado. O teste de *marketing* permitiria que a empresa melhorasse o produto e aumentasse a probabilidade de sucesso para 80%. A taxa de desconto apropriada é de 11%. A empresa deveria conduzir o teste de *marketing*?

7. **Árvores de decisão** O gestor de uma empresa em crescimento está pensando em lançar um novo produto. Se o produto for diretamente para o mercado, há uma chance de 50% de sucesso. Por $ 175.000, o gestor pode fazer uso de um grupo de foco que aumentará a chance de sucesso do produto para 65%. Como alternativa, o gestor tem a opção de pagar $ 390.000 a uma empresa de consultoria para pesquisar o mercado e refinar o produto. A empresa de consultoria lança novos produtos com sucesso em 80% dos casos. Se a empresa lançar o produto de maneira bem-sucedida, o retorno será de $ 1,9 milhão. Se o produto for um fracasso, o VPL será zero. Qual ação resultará no maior retorno esperado para a empresa?

8. **Árvores de decisão** A B&B tem um novo talco para bebês pronto para ser lançado. Se a empresa for de imediato ao mercado com o produto, há uma chance de apenas 55% de sucesso. No entanto, a empresa pode realizar uma pesquisa de segmentos de clientes, que levará um ano e custará $ 1,2 milhão. Passando pela pesquisa, a B&B poderá identificar melhor os clientes potenciais e aumentará a probabilidade de sucesso para 70%. Se bem-sucedido, o talco para bebês trará um lucro em valor presente (no momento das vendas iniciais) de $ 19 milhões. Senão, o retorno em valor presente será apenas $ 6 milhões. A empresa deveria conduzir a pesquisa de segmento de clientes ou seguir para o mercado? A taxa de desconto apropriada é de 15%.

9. **Análise de equilíbrio financeiro** Você está pensando em investir em uma empresa que cultiva haliotes para venda a restaurantes. Utilize as seguintes informações:

Preço de venda por haliote	= $ 35
Custos variáveis por haliote	= $ 6,10
Custos fixos por ano	= $ 375.000
Depreciação por ano	= $ 120.000
Alíquota tributária	= 35%

A taxa de desconto para a empresa é de 15%, o investimento inicial em equipamentos é de $ 840.000 e a vida econômica do projeto é sete anos. Suponha que o equipamento seja depreciado em uma base linear ao longo da vida útil do projeto.

    a. Qual é o ponto de equilíbrio contábil do projeto?

    b. Qual é o ponto de equilíbrio financeiro do projeto?

10. **Equilíbrio financeiro** A Niko comprou uma nova máquina para produzir sua linha de sapatos High Flight. A máquina tem uma vida útil econômica de cinco anos. O cronograma de depreciação da máquina é linear e sem valor residual. A máquina custa $ 575.000. O preço de venda por par de sapatos é $ 60, enquanto o custo variável é de $ 14. Custos fixos de $ 165.000 por ano são atribuídos à máquina. Suponha que a alíquota tributária seja 34% e a taxa de desconto apropriada, 8%. Qual é o ponto de equilíbrio financeiro?

11. **Intuição de equilíbrio** Considere um projeto com um retorno exigido de $R\%$ que custe $ I e vá durar por N anos. O projeto utiliza a depreciação linear até zero ao longo da vida útil de N anos, e não há valor residual ou requisitos de capital de giro.

    INTERMEDIÁRIO
    (Questões 11-25)

        a. No nível de produção no ponto de equilíbrio contábil, qual é a TIR desse projeto? E o período de *payback*? E o VPL?

        b. No nível de produção no ponto de equilíbrio de caixa, qual é a TIR desse projeto? E o período de *payback*? E o VPL?

        c. No nível de produção no ponto de equilíbrio financeiro, qual é a TIR desse projeto? E o período de *payback*? E o VPL?

12. **Análise de sensibilidade** Considere um projeto de quatro anos com as seguintes informações: Investimento inicial em ativos imobilizados = $ 480.000; depreciação linear até zero ao longo da vida útil de quatro anos; valor residual = 0; preço = $ 37; custos variáveis = $ 23; custos fixos = $ 195.000; quantidade vendida = 90.000 unidades; alíquota tributária = 34%. Qual é a sensibilidade do FCO às variações na quantidade vendida?

13. **Análise de projetos** Você está pensando em lançar um novo produto. O projeto irá custar $ 820.000, ter uma vida útil de quatro anos e nenhum valor residual – a depreciação é linear até zero. As vendas são projetadas para 450 unidades anuais. O preço por unidade será de $ 18.000, o custo variável por unidade, de $ 15.400, e os custos fixos, de $ 610.000 por ano. O retorno exigido do projeto é de 15%, e a alíquota tributária relevante é 34%.

        a. Com base em sua experiência, você acredita que as projeções de vendas unitárias, custo variável e custos fixos fornecidas possam se desviar em até ±10%. Quais são os limites superior e inferior dessas projeções? Qual é o VPL do caso-base? Quais são os cenários do melhor e do pior caso?

        b. Avalie a sensibilidade do VPL do seu caso-base em relação às variações nos custos fixos.

        c. Qual é o nível de produção do ponto de equilíbrio contábil desse projeto?

14. **Análise de projetos** A Gorila Golfe decidiu vender uma nova linha de tacos de golfe, os quais serão vendidos a $ 875 por conjunto e têm um custo variável de $ 430 por conjunto. A empresa gastou $ 150.000 para realizar um estudo de *marketing* que estimou a venda de 60.000 conjuntos ao ano por sete anos. O estudo de *marketing* também definiu que a empresa perderá vendas de 12.000 conjuntos de seus tacos mais caros, que são vendidos a $ 1.100 e têm custos variáveis de $ 620. A empresa também aumentará as vendas de seus tacos baratos em 15.000 conjuntos, os quais são vendidos a $ 400 e têm custos variáveis de $ 210 por conjunto. Os custos fixos serão de $ 9.300.000 por ano. A empresa também gastou $ 1.000.000 em pesquisa e desenvolvimento dos novos tacos. As instalações e os equipamentos necessários custarão $ 29.400.000 e terão depreciação linear. Os novos tacos também exigirão um aumento de capital de giro de $ 1.400.000,

que será retornado ao fim do projeto. A alíquota tributária é 34%, e o custo de capital é 14%. Calcule o período de *payback*, o VPL e a TIR.

15. **Análise de cenários** No problema anterior, você acredita que os valores se desviem em apenas ±10%. Quais são os VPL do melhor e do pior caso? (*Dica*: Sabe-se com certeza o preço e os custos variáveis dos dois conjuntos de tacos existentes, apenas as vendas obtidas ou perdidas são incertas.)

16. **Análise de sensibilidade** A Gorila Golfe gostaria de saber a sensibilidade do VPL diante das alterações no preço dos novos tacos e na quantidade de novos tacos vendidos. Qual é a sensibilidade do VPL a cada uma dessas variáveis?

17. **Valor de abandono** Estamos examinando um novo projeto. Esperamos vender 9.000 unidades por ano a $ 35 de fluxo de caixa líquido por unidade pelos próximos 10 anos. Em outros termos, o fluxo de caixa operacional anual está projetado para ser $ 35 × 9.000 = $ 315.000. A taxa de desconto relevante é de 16%, e o investimento inicial exigido é de $ 1.350.000.

    a. Qual é o VPL do caso-base?

    b. Depois do primeiro ano, o projeto pode ser desmontado e vendido por $ 950.000. Se as vendas esperadas forem revisadas com base no desempenho do primeiro ano, quando faria sentido abandonar o investimento? Isto é, em qual nível das vendas esperadas faria sentido abandonar o projeto?

    c. Explique como o valor de abandono de $ 950.000 pode ser visto como o custo de oportunidade de manutenção do projeto em um ano.

18. **Abandono** No problema anterior, suponha que você pense ser provável que as vendas esperadas sejam revisadas para cima, para 11.000 unidades, se o primeiro ano for bem-sucedido, e para baixo, para 4.000 unidades, se não o for.

    a. Se o sucesso e o fracasso são igualmente prováveis, qual é o VPL do projeto? Considere a possibilidade do abandono ao responder.

    b. Qual é o valor da opção de abandono?

19. **Abandono e expansão** No problema da questão 17, suponha que a escala do projeto possa ser dobrada em um ano, levando em consideração que duas vezes mais unidades possam ser produzidas e vendidas. É evidente que a expansão somente será desejável se o projeto for um sucesso. Isso implica que, se houver sucesso, as vendas projetadas depois da expansão serão de 22.000 unidades. Novamente, supondo que o sucesso e o fracasso sejam igualmente prováveis, qual é o VPL do projeto? Note que o abandono ainda será uma opção se o projeto for um fracasso. Qual é o valor da opção de expandir?

20. **Análise de equilíbrio** Seu amigo chega para você com uma maneira infalível de fazer dinheiro rápido e ajudá-lo a pagar seus empréstimos estudantis. Sua ideia é vender camisetas com as palavras "I get" (eu tenho). "Entende?" Ele diz: "A gente vê todos aqueles adesivos e camisetas que dizem 'got milk' (tem leite) ou 'got surf' (tem surfe). Então, esta diz, 'I get'. É engraçado! Tudo o que temos que fazer é comprar uma prensa para serigrafia usada por $ 5.600 e estamos no negócio!". Presuma que não haja custos fixos e deprecie os $ 5.600 no primeiro período. Os impostos são de 30%.

    a. Qual é o ponto de equilíbrio contábil se cada camiseta custar $ 4,50 para ser feita e puder ser vendida por $ 10 a unidade?

    Agora, suponha que tenha passado um ano e você tenha vendido 5.000 camisetas! Você descobre que a Dairy Farmers of America (cooperativa leiteira dos Estados Unidos) assegurou o copyright do slogan "got milk" e está exigindo que você pague $ 15.000 para continuar as operações. Você espera que essa mania vá durar por outros três anos e que sua taxa de desconto seja de 12%.

    b. Qual é o ponto de equilíbrio financeiro de seu empreendimento agora?

Capítulo 7 Análise de Riscos, Opções Reais e Orçamento de Capital 233

21. **Árvores de decisão** O jovem roteirista Carl Draper recém terminou seu primeiro *script*. Ele tem ação, drama e humor, e Carl acha que será um campeão de bilheteria. Ele leva o *script* a todos os estúdios de cinema da cidade e tenta vendê-lo, sem sucesso. Finalmente, os estúdios ACME fazem a oferta de comprar o *script* por (a) $ 10.000 ou (b) 1% dos lucros do filme. O estúdio terá de tomar duas decisões. A primeira é decidir se o *script* é bom ou ruim, e a segunda, se o filme é bom ou ruim. A princípio, existe uma chance de 90% de que o *script* seja ruim. Se for ruim, o estúdio não faz mais nada e o joga fora. Se for bom, eles vão rodar o filme. Depois de o filme ser feito, o estúdio irá revisá-lo, e há uma chance de 60% de que o filme seja ruim. Se o filme for ruim, não terá promoção e não dará lucro. Se for bom, o estúdio irá promovê-lo pesadamente. O lucro médio desse tipo de filme é $ 15 milhões. Carl rejeita os $ 10.000 e diz que quer o 1% dos lucros. Carl tomou uma boa decisão?

22. **Opção de esperar** A Minasa Mineradora está avaliando quando poderá abrir uma mina de ouro. A mina ainda tem 48.000 onças (1.360 quilos) de ouro que podem ser minerados, e as operações de mineração produzirão 6.000 onças (170 quilos) por ano. O retorno exigido da mina de ouro é de 12%, e a abertura da mina custará $ 34 milhões. Quando a mina for aberta, a empresa assinará um contrato que garantirá o preço do ouro pela vida útil remanescente da mina. Se a mina for aberta hoje, cada onça (28 gramas) de ouro irá gerar um fluxo de caixa pós-tributação de $ 1.400. Se a empresa esperar um ano, há uma probabilidade de 60% de que o preço contratado gere um fluxo de caixa pós-tributação de $ 1.600 por onça e uma probabilidade de 40% de que gere um fluxo de caixa pós-tributação de $ 1.300 por onça. Qual é o valor da opção de esperar?

23. **Decisões de abandono** A Produtos do Além S/A está pensando no lançamento de um novo produto. A empresa espera ter um fluxo de caixa operacional anual de $ 10,5 milhões pelos próximos 10 anos. A Além utiliza uma taxa de desconto de 13% para lançamentos de produtos. O investimento inicial é de $ 51 milhões. Suponha que o projeto não tenha um valor residual ao fim de sua vida útil econômica.

    a. Qual é o VPL do novo produto?

    b. Depois do primeiro ano, o projeto pode ser desmontado e vendido por $ 31 milhões. Se as estimativas dos fluxos de caixa remanescentes forem revisadas com base na experiência do primeiro ano, em qual nível do fluxo de caixa esperado faz sentido abandonar o projeto?

24. **Decisões de expansão** A Nanoteq está pensando em introduzir uma nova máquina de limpeza de superfícies. O departamento de *marketing* estima que a Nanoteq poderá vender 15 unidades por ano a um fluxo de caixa líquido de $ 305.000 por unidade pelos próximos cinco anos. O departamento de engenharia chegou à estimativa de que o desenvolvimento da máquina precisará de um investimento inicial de $ 15 milhões. O departamento financeiro estimou que uma taxa de desconto de 16% deveria ser utilizada.

    a. Qual é o VPL do caso-base?

    b. Se malsucedido, depois do primeiro ano, o projeto pode ser desmontado e terá um valor residual pós-tributação de $ 11 milhões. Além disso, após o primeiro ano, os fluxos de caixa esperados serão revisados para até 20 ou 0 unidades por ano, com probabilidades iguais. Assim, qual é o VPL revisado?

25. **Análise de cenários** Você é o analista financeiro de um fabricante de raquetes de tênis. A empresa está pensando em utilizar um material parecido com grafite em suas raquetes. Foram estimadas as informações para uma raquete com o novo material. Elas estão no quadro a seguir sobre o mercado. A empresa espera vender a raquete por seis anos. O equipamento necessário para o projeto não tem valor residual. O retorno exigido para projetos desse tipo é de 13%, e a empresa tem uma alíquota tributária de 34%. Você deveria recomendar esse projeto?

	Pessimista	Esperado	Otimista
Tamanho do mercado	105.000	120.000	145.000
Participação no mercado	20%	23%	25%
Preço de venda	$ 150	$ 155	$ 161
Custos variáveis por unidade	$ 104	$ 99	$ 98
Custos fixos por ano	$ 965.000	$ 920.000	$ 890.000
Investimento inicial	$ 1.900.000	$ 1.800.000	$ 1.700.000

DESAFIO
(Questões 26-30)

26. **Análise de cenários** Considere um projeto para fornecer 35.000 toneladas de parafusos anualmente para a produção automotiva. Você precisará de um investimento inicial de $ 2.900.000 em equipamento de roscagem para começar o projeto, que durará cinco anos. O departamento contábil estima que os custos fixos anuais serão de $ 495.000 e que os custos variáveis devem ser de $ 285 por tonelada. A contabilização depreciará o investimento de ativo imobilizado inicial linearmente até zero ao longo da vida útil do projeto. Também se estima um valor residual de $ 300.000 após os custos de desmontagem. O departamento de *marketing* estima que os fabricantes de automóveis aceitarão o contrato a um preço de venda de $ 345 por tonelada. Já o departamento de engenharia acredita que você precisará de um investimento em capital de giro inicial de $ 450.000. Você exige um retorno de 13% e tem uma alíquota tributária marginal de 34% sobre esse projeto.

    a. Qual é o FCO estimado desse projeto? E o VPL? Você deveria seguir com esse projeto?

    b. Suponha que você acredite que as projeções de custo inicial e de valor residual do departamento contábil tenham um desvio de até ±15%, você espera que a estimativa de preço do departamento de *marketing* tenha um desvio de até ±10% e que a estimativa para o capital de giro do departamento de engenharia tenha um desvio de até ±5%. Qual é o cenário de pior caso para esse projeto? E o cenário de melhor caso? Você ainda quer seguir com o projeto?

27. **Análise de sensibilidade** No Problema 26, suponha que você esteja confiante em suas próprias projeções, mas um pouco inseguro quanto à demanda real de parafusos pela indústria automobilística. Qual é a sensibilidade do FCO do projeto no que concerne às variações na quantidade fornecida? E quanto à sensibilidade do VPL em relação às alterações na quantidade fornecida? Dado o valor de sensibilidade que você calculou, existe algum nível mínimo de produção abaixo do qual não desejaria operar? Por quê?

28. **Decisões de abandono** Considere o seguinte projeto da Bate Palmas S/A. A empresa está pensando em um projeto de quatro anos para produzir abridores de garagem comandados por palmas. Esse projeto requer um investimento inicial de $ 8 milhões, que será depreciado linearmente até zero ao longo de sua vida útil. Um investimento inicial em capital de giro de $ 950.000 é exigido para custear o estoque de peças de reposição. Tal custo será totalmente recuperável assim que o projeto acabar. A empresa acredita que pode gerar $ 6,85 milhões em receitas pré-tributação, com $ 2,8 milhões em custos operacionais totais pré-tributação. A alíquota tributária é de 34%, e a taxa de desconto é de 16%. O valor de mercado do equipamento durante a vida útil do projeto é o seguinte:

Ano	Valor de mercado (milhões de $)
1	$ 5,1
2	3,8
3	3,2
4	0,0

    a. Pressupondo que a Bate Palmas opere esse projeto por quatro anos, qual é o VPL?

b. Agora, calcule os VPL do projeto, supondo que ele seja abandonado após um ano, após dois anos e após três anos. Qual é a vida econômica desse projeto que maximiza seu valor para a empresa? O que esse problema diz sobre pensar a respeito das possibilidades de abandono ao avaliar projetos?

29. **Decisões de abandono** Você foi contratado pela M. V. P. Games S/A para realizar um estudo de viabilidade de um novo videogame que requer um investimento inicial de $ 7 milhões. A M. V. P. espera um fluxo de caixa operacional anual total de $ 1,3 milhão pelos próximos 10 anos. A taxa de desconto relevante é de 10%. Os fluxos de caixa ocorrem no fim do ano.

   a. Qual é o VPL do novo videogame?

   b. Depois de um ano, a estimativa dos fluxos de caixa anuais remanescentes será revisada em $ 2,2 milhões para cima ou em $ 285.000 para baixo. Cada revisão tem uma probabilidade igual de ocorrer. Nessa época, o projeto do videogame pode ser vendido por $ 2,6 milhões. Qual é o VPL revisado, sabendo que a empresa pode abandonar o projeto após um ano?

30. **Equilíbrio financeiro** A Cortamilho S/A está avaliando a compra de uma nova colheitadeira e contratou você para determinar o preço de compra de equilíbrio em termos do valor presente da colheitadeira. Esse preço de compra de equilíbrio é o preço em que o VPL do projeto é zero. Baseie sua análise nos seguintes fatos:

   - Não se espera que a nova colheitadeira afete as receitas, mas as despesas operacionais pré-tributação serão reduzidas em $ 13.000 ao ano por 10 anos.
   - A antiga colheitadeira tem agora cinco anos, com ainda 10 anos restantes de sua vida útil inicialmente programada. Ela foi comprada por $ 65.000 e tem sido depreciada pelo método linear.
   - A antiga colheitadeira pode ser vendida por $ 21.000 hoje.
   - A nova colheitadeira será depreciada pelo método linear ao longo de sua vida útil de 10 anos.
   - A alíquota tributária é de 34%.
   - A taxa de retorno exigida pela empresa é de 15%.
   - O investimento inicial, as receitas da venda da antiga colheitadeira e qualquer efeito fiscal resultante ocorrem imediatamente.
   - Todos os outros fluxos de caixa ocorrem no fim do ano.
   - O valor de mercado de cada colheitadeira no fim de sua vida útil econômica é zero.

DOMINE O EXCEL!

Dália Simão, a diretora financeira das Empresas Ulisses S/A, está analisando um novo projeto para vender baterias alimentadas com energia solar para celulares. Dália estimou as seguintes distribuições de probabilidades para as variáveis do projeto:

Probabilidade	10%	30%	40%	20%		
Demanda do setor	80.000.000	95.000.000	108.000.000	124.000.000		
Probabilidade	5%	20%	20%	25%	20%	10%
Participação no mercado da Ulisses	1%	2%	3%	4%	5%	6%
Probabilidade	20%	70%	10%			
Custo inicial	$ 60.000.000	$ 65.000.000	$ 72.000.000			
Probabilidade	20%	65%	15%			
CV por unidade	$ 24	$ 26	$ 29			
Probabilidade	15%	25%	40%	20%		
Custos fixos	$ 20.000.000	$ 24.000.000	$ 27.000.000	$ 31.000.000		

O preço unitário depende da demanda do setor, já que uma demanda maior resultará em um preço mais alto. Dália determina que o preço por unidade será dado pela equação:

$$\text{Preço} = \text{Demanda do setor} / 2.000.000 +/- \$ 2$$

O termo aleatório "+/– $ 2" representa um aumento ou redução no preço de acordo com a seguinte distribuição:

Probabilidade	45%	55%
Aleatoriedade do preço	–$ 2	$ 2

O horizonte de prazo do projeto, a alíquota tributária e o retorno exigido são:

Horizonte de prazo do projeto (anos)	6
Alíquota tributária	34%
Retorno exigido	14%

a. Crie uma simulação de Monte Carlo para o projeto com ao menos 500 rodadas. Calcule a TIR de cada rodada. Note que a função TIR no Excel retornará um erro se a TIR do projeto for muito baixa. Por exemplo, qual é a TIR se o fluxo de caixa inicial e os fluxos de caixa operacionais forem negativos? A TIR é menor que –100%. Isso não é um problema quando se está calculando a TIR uma vez, pois pode-se ver que ela é muito baixa, porém, quando se está executando 500 ou mais repetições, ela pode criar um problema ao tentar resumir os resultados. Por causa desse problema, você deve criar uma condição SE em que teste se o fluxo de caixa operacional, dividido pelo valor absoluto do investimento inicial, é menor que 0,1. Se esse for o caso, a célula irá retornar uma TIR de –99,99%, caso contrário, ela calculará a TIR.

b. Crie um gráfico da distribuição das TIR a partir da simulação de Monte Carlo para diferentes faixas de TIR.

c. Crie um gráfico para a função de probabilidade acumulada da distribuição da TIR.

MINICASO

Bunyan Lumber LLC

O minicaso a seguir foi mantido com seus dados originais, com medidas e prazos usados nos Estados Unidos.

A Bunyan Lumber LLC corta madeira e entrega os troncos a serrarias para venda. A empresa foi fundada há 70 anos por Pete Bunyan. A neta do fundador, Paula Bunyan, é agora a CEO. A empresa atualmente está avaliando uma floresta de 5.000 acres que possui em Oregon, Estados Unidos. Paula pediu a Steve Boles, o diretor financeiro da empresa, para avaliar o projeto. A preocupação de Paula é saber quando a empresa deveria cortar a madeira.

A madeira é vendida pela empresa por um valor predefinido, que corresponde ao montante que a serraria pagará por um tronco entregue em sua localização. O preço pago por troncos entregues a uma serraria é cotado em dólares por milhares de pés cúbicos (MBF, em inglês), e o valor dependerá também da qualidade dos troncos. A floresta que a Bunyan Lumber está avaliando foi plantada pela empresa há 20 anos e é totalmente composta por abetos Douglas. O quadro aqui mostra o preço atual por MBF para as três qualidades de madeira que a empresa pensa que virão do lugar:

Qualidade de madeira	Preço por MBF
1P	$ 620
2P	605
3P	595

Steve acredita que o valor da madeira acompanhará a taxa de inflação. A empresa está planejando desbastar a floresta hoje e espera realizar um fluxo de caixa positivo de $ 1.000 por acre de desbaste. O desbaste é feito pra aumentar a taxa de crescimento das árvores remanescentes, sendo realizado sempre 20 anos após o plantio.

A principal decisão com a qual a empresa se depara é saber quando derrubar a floresta. Quando ela o fizer, imediatamente replantará mudas que irão permitir uma futura colheita. Quanto mais se deixar a floresta crescer, maior se tornará a ceifa por acre. Por consequência, uma floresta mais antiga tem uma qualidade mais alta de madeira. Steve compilou o quadro a seguir com a ceifa esperada por acre em milhares de pés cúbicos, juntamente com o detalhamento das qualidades de madeira:

Anos a partir de hoje para começar a colheita	Colheita (MBF) por acre	Qualidade de madeira		
		1P	2P	3P
20	14,1	16%	36%	48%
25	16,4	20	40	40
30	17,3	22	43	35
35	18,1	24	45	31

A empresa espera perder 5% da madeira que cortar devido a defeitos e quebras.

A floresta será completamente cortada quando a empresa fizer a ceifa. Esse método de ceifa permite um crescimento mais rápido das árvores replantadas. Toda a ceifa, o processamento, o replantio e o transporte serão conduzidos por subcontratados da Bunyan Lumber. Espera-se que o custo da derrubada seja de $ 140 por MBF. O sistema de estradas tem de ser construído, prevendo um custo médio de $ 50 por MBF. Calcula-se que a preparação das vendas e os custos administrativos, excluindo os custos gerais de escritório, serão de $18 por MBF.

Assim que a colheita estiver concluída, a empresa reflorestará a terra. Os custos de reflorestamento incluem:

	Custo por acre
Empilhamento de escavadeira	$ 150
Queima de transmissão	300
Preparação do local	145
Custos de plantio	225

Espera-se que todos os custos aumentem na taxa de inflação.

Pressuponha que todos os fluxos de caixa ocorram no ano da colheita. Por exemplo, se a empresa começar a colheita em 20 anos, o fluxo de caixa da colheita será recebido daqui a 20 anos. Quando a empresa derrubar a madeira, imediatamente replantará novas mudas na terra. O período de ceifa escolhido será repetido no futuro previsível. O retorno nominal exigido pela empresa é de 10%, acreditando-se que a taxa de inflação será de 3,7% ao ano. A Bunyan Lumber tem uma alíquota tributária de 35%.

O corte total é um método controverso de gestão de florestas. Para obter as autorizações necessárias, a Bunyan Lumber concordou em contribuir para um fundo de conservação sempre que fizer uma colheita. Se a empresa fizesse a colheita hoje, a contribuição exigida seria de $ 250.000. A empresa concordou que a contribuição exigida aumentará a 3,2% por ano. Quando a empresa deveria fazer a ceifa?

Investigue as características da indústria da madeira no Brasil, compare os prazos para corte e refaça o caso com dados e medidas utilizados no Brasil.

8 Taxas de Juros e Avaliação de Títulos de Dívida

Para ficar por dentro dos últimos acontecimentos na área de finanças, visite **www.rwjcorporatefinance.blogspot.com**.

Quando cidades ou outros governos locais nos Estados Unidos precisam levantar fundos, eles buscam auxílio nos mercados de títulos municipais. Com aproximadamente $ 2,8 trilhões em títulos de dívida municipais em circulação em meados de 2011 nos Estados Unidos, parece que esse mercado é muito procurado! Considerado normalmente um mercado financeiro relativamente calmo, o mercado de títulos de dívida municipais nos Estados Unidos tornou-se muito mais empolgante em 2010 e no início de 2011 em razão da possibilidade de inadimplência dos emissores desses títulos. De acordo com a Standard & Poor's, 110 municípios norte-americanos entraram em inadimplência durante o ano de 2010, somando $ 2,65 bilhões em títulos de dívida. O que preocupava os investidores ainda mais era a possibilidade de que inadimplências maiores ocorressem futuramente. Estados como Califórnia e Illinois estavam tendo grandes déficits, e a inadimplência de mais títulos municipais parecia prestes a acontecer. Os congressistas americanos contribuíram para aumentar esses receios de estouro das dívidas municipais ao propor mudanças na legislação, permitindo mais facilidades para as prefeituras declararem falência.

Claro, nenhum título municipal norte-americano até hoje excedeu os "*Whoops bonds*". Essa é uma gíria para os títulos emitidos pelo Sistema Público de Abastecimento de Energia de Washington (*Washington Public Power Supply System – WPPSS*) para financiar a construção de cinco usinas nucleares. Em 1983, o WPPSS tinha uma dívida em títulos de $ 2,25 bilhões, a maior inadimplência de títulos municipais da história norte-americana. Ao final, o valor recebido pelos investidores ficou apenas entre 10 e 40% do investimento original.

Um caso interessante no mercado brasileiro é o da Santa Catarina Participações e Investimentos – S.A. – INVESC. Em 1995, ela emitiu $ 100 milhões em debêntures subordinadas com direito a permutabilidade, com data de vencimento em 31 de outubro de 2000. A finalidade era investir os recursos em investimentos públicos no território catarinense. Em 19 de abril de 1999, em virtude do não pagamento de juros vencidos em outubro de 1997 e 1998, foi declarado o vencimento antecipado de todos os títulos de dívida constantes da escritura de emissão. A emissão teria descumprido uma série de normas que regem uma empresa pública. Em 2014, a ação ainda tramitava na justiça, e a dívida da INVESC girava em torno de $ 4 bilhões.

Domine a habilidade de solucionar os problemas deste capítulo usando uma planilha. Acesse Excel Master no *site* www.grupoa.com.br, procure pelo livro e clique em Conteúdo *Online*.

Este capítulo irá apresentá-lo aos títulos de dívida. Primeiro, utilizamos as técnicas apresentadas no Capítulo 4 para avaliar os títulos de dívida. Em seguida, discutimos características desses títulos e como eles são comprados e vendidos. Uma coisa importante é que os valores dos títulos de dívida dependem, em grande parte, das taxas de juros. Então, abordamos o comportamento das taxas de juros. Por fim, na última seção do capítulo, abordamos em mais profundidade os títulos de dívida emitidos no Brasil.

8.1 Títulos de dívida e sua avaliação

Quando uma empresa (ou um governo) deseja tomar dinheiro emprestado do público, em longo prazo, é comum que faça isso emitindo dívida na forma de títulos, também chamados, às vezes, de obrigações (a obrigação é do emitente) e que recebem nomes como títulos públicos, *debêntures*, notas promissórias ou bônus. Nesta seção, descrevemos as diversas características dos títulos representativos de dívidas emitidos por empresas e parte da terminologia associada a eles. Em seguida, discutimos os fluxos de caixa associados a títulos de dívida e como eles podem ser avaliados usando nossos procedimentos de fluxos de caixa descontados.

ExcelMaster cobertura *online*
Esta seção introduz as funções PREÇO, LUCRO, DURAÇÃO e MDURAÇÃO.

Características e preços dos títulos de dívida

Um título de dívida normalmente é um empréstimo com pagamento de juros intermediários. Isso quer dizer que o tomador pagará juros a cada período, mas o principal não será pago antes do final do empréstimo. Por exemplo, suponhamos que a Cruz e Souza Ltda. queira tomar emprestado $ 1.000 por 30 anos. A taxa de juros de uma dívida semelhante emitida por empresas comparáveis é de 12%. A Cruz e Souza, portanto, pagará 0,12 × $ 1.000 = $ 120 de juros ao ano durante 30 anos. Ao final dos 30 anos, a Cruz e Souza pagará os $ 1.000. Como este exemplo sugere, um título de dívida é uma forma de financiamento bastante simples. Há um amplo jargão associado aos títulos de dívida, e usaremos este exemplo para definir alguns dos termos mais importantes.

Em nosso exemplo, os $ 120 referentes aos pagamentos regulares de juros que a Cruz e Souza promete fazer são chamados de **cupons**. Como o cupom é constante e é pago anualmente, o tipo de título que estamos descrevendo também é chamado de *título de cupom fixo*.[1] O montante a ser pago ao final do empréstimo é chamado de **valor nominal**, **valor de face** ou **valor ao par do título**. Como em nosso exemplo, o valor de face costuma ser de $ 1.000 para títulos corporativos, e um título de dívida que é negociado pelo seu valor ao par é chamado de *título ao par*. Os títulos do governo, com frequência, têm valores de face muito maiores. O cupom anual dividido pelo valor de face é chamado de **taxa de cupom**. Nesse caso, como $ 120/$ 1.000 = 12%, esse título tem uma taxa de cupom de 12%.

O número de anos até que o valor de face seja pago é chamado de **prazo de vencimento** do título. No mercado norte-americano, é comum empresas emitirem títulos de dívida com prazo de vencimento de 30 anos no momento da emissão, mas isso varia. Depois que o título foi emitido, o número de anos até o vencimento diminui à medida que o tempo passa.

Valores e retornos dos títulos de dívida

As taxas de juros de mercado variam ao longo do tempo. Os fluxos de caixa de um título de dívida, porém, permanecem os mesmos, e é por isso que os títulos de dívida também são chamados de títulos de renda fixa. Como resultado da variação dos juros de mercado, o valor do título flutuará. Quando as taxas de juros aumentam, o valor presente dos fluxos de caixa restantes diminui, e o título vale menos. Quando as taxas de juros caem, o título vale mais.

Para determinar o valor de um título de dívida em um dado momento, precisamos saber o número de períodos restantes até o vencimento, o valor de face, o cupom e a taxa de juros de mercado para títulos com características semelhantes. Essa taxa de juros exigida no mercado para um título é chamada de **retorno até o vencimento** (*yield to maturity* – YTM). Às vezes, essa taxa é chamada simplesmente de *retorno*, para encurtar. Dadas todas essas informações, podemos calcular o valor presente dos fluxos de caixa como estimativa do valor corrente de mercado do título.

---

[1] *Level-cupon Bond.*

Por exemplo, suponhamos que a Xanth S/A precisasse emitir dívidas com títulos para resgate em 10 anos. Os títulos da Xanth têm um cupom anual de $ 80. Títulos de dívida semelhantes têm retorno até o vencimento de 8%. Com base na discussão anterior, o título da Xanth pagará $ 80 por ano pelos próximos 10 anos em juros de cupom. Em 10 anos, a Xanth pagará $ 1.000 para o titular. Os fluxos de caixa do título são mostrados na Figura 8.1.

Como ilustrado na figura, os fluxos de caixa do título da Xanth têm um componente de anuidade (os cupons) e um pagamento do principal (o valor de face que é pago no vencimento).

Supondo que títulos de dívida semelhantes tenha um retorno de 8%, por quanto esse título será vendido? Estimamos o valor de mercado desse título calculando o valor presente desses dois componentes separadamente e somando os resultados.

Em primeiro lugar, à taxa constante de 8%, o valor presente dos $ 1.000 a serem pagos em 10 anos é:

$$\text{Valor presente} = \$\,1.000/1,08^{10} = \$\,1.000/2,1589 = \$\,463,19$$

Em segundo lugar, o título agora oferece $ 80 ao ano por nove anos. O valor presente dessa série de pagamentos, ou anuidade, a 10% é:

$$\begin{aligned}
\text{Valor presente da anuidade} &= \$\,80 \times (1 - 1/1,08^{10})/0,08 \\
&= \$\,80 \times (1 - 1/2,1589)/0,08 \\
&= \$\,80 \times 6,7101 \\
&= \$\,536,81
\end{aligned}$$

Agora podemos somar os valores das duas partes para obter o valor do título:

$$\text{Valor total do título} = \$\,463,19 + 536,81 = \$\,1.000$$

Esse título é vendido exatamente pelo seu valor de face. Isso não é coincidência. A taxa de juros em vigor no mercado é de 8%. Sendo apenas um empréstimo com pagamentos de juros intermediários, qual é taxa de juros desse título? Com um cupom de $ 80, esse título pagará exatamente 8% de juros somente se for negociado por $ 1.000.

Para ilustrar o que acontece quando as taxas de juros variam, suponhamos que um ano tenha se passado. O título representativo da dívida da Xanth agora tem nove anos até o vencimento. Se a taxa de juros do mercado subiu para 10%, quanto valerá o título? Para descobrir isso, repetimos os cálculos do valor presente com nove anos em vez de 10 e um retorno de 10% em vez de 8%. Em primeiro lugar, o valor presente dos $ 1.000 pagos em nove anos a 10% é:

$$\text{Valor presente} = \$\,1.000/1,10^9 = \$\,1.000/2,3579 = \$\,424,10$$

Em segundo lugar, o título agora oferece $ 80 ao ano por nove anos. O valor presente dessa anuidade a 10% é:

$$\begin{aligned}
\text{Valor presente da anuidade} &= \$\,80 \times (1 - 1/1,10^9)/0,10 \\
&= \$\,80 \times (1 - 1/2,3579)/0,10 \\
&= \$\,80 \times 5,7590 \\
&= \$\,460,72
\end{aligned}$$

Fluxos de caixa

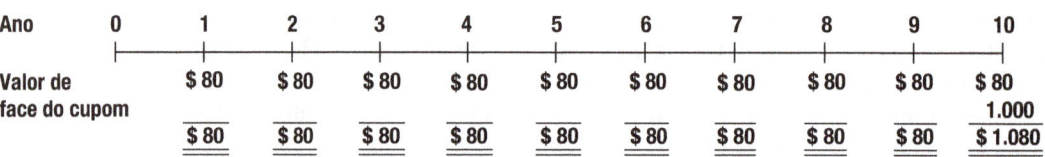

Conforme mostrado, o título da Xanth tem cupom anual de $ 80 e um principal de $ 1.000 a ser pago no vencimento daqui a 10 anos

FIGURA 8.1 Fluxos de caixa para o título de dívida da Xanth S/A.

Agora podemos somar os valores das duas partes para obter o valor do título:

$$\text{Valor total do título} = \$\ 424{,}10 + 460{,}72 = \$\ 884{,}82$$

Assim, o título deve ser negociado por cerca de $ 885. Na linguagem de mercado, dizemos que esse título, com cupom de 8%, está precificado para render 10% a $ 885.

O título da Xanth S/A agora é vendido por menos do que seu valor de face de $ 1.000. Por quê? A taxa de juros do mercado é de 10%. Sendo um empréstimo de $ 1.000 com pagamento de juros intermediários, esse título paga apenas 8%, que é sua taxa de cupom. Como esse título paga menos do que a taxa em vigor no mercado, os investidores estarão dispostos a emprestar menos do que o pagamento prometido de $ 1.000. Como o título é vendido por menos do que o valor de face, diz-se que ele é um *título com deságio*.

O *site* **finance.yahoo.com/ bonds** possui muitas informações úteis sobre títulos de dívida.

A única maneira de obter taxa de juros de 10% é diminuir o preço para menos do que $ 1.000, de modo que o comprador tenha como efeito um ganho incorporado no preço. Para o título da Xanth, o preço de $ 885 é $ 115 menor do que o valor de face, de modo que um comprador receberia $ 80 por ano e também um ganho de $ 115 no vencimento. Esse ganho compensa o financiador pela taxa de cupom abaixo da taxa em vigor no mercado.

Outra maneira de ver por que o título tem um deságio de $ 115 é observar que o cupom de $ 80 está $ 20 abaixo do cupom de um título de valor ao par recém-emitido com base nas condições de mercado atuais.

O título valeria $ 1.000 apenas se ele tivesse um cupom de $ 100 por ano. De certo modo, o comprador desistiria de $ 20 por ano por nove anos. A 10%, essa série anuidade de $ 20 valeria:

$$\begin{aligned}\text{Valor presente da anuidade} &= \$\ 20 \times (1 - 1/1{,}10^9)/0{,}10 \\ &= \$\ 20 \times 5{,}7590 \\ &= \$\ 115{,}18\end{aligned}$$

Isso é exatamente o montante do desconto.

Por quanto seria vendido o título da Xanth se as taxas de juros caíssem em 2% em vez de aumentarem em 2%? Como você pode adivinhar, o título seria vendido por mais de $ 1.000. Tal título é vendido com um *prêmio* e é chamado de *título com ágio*.

Este caso é exatamente o oposto de um título com deságio. O título representativo do título da Xanth tem uma taxa de cupom de 8%, enquanto a taxa de mercado é de apenas 6%. Os investidores estão dispostos a pagar um prêmio para obter esse valor adicional do cupom. Nesse caso, a taxa de desconto pertinente é de 6%, e restam nove anos. O valor presente do valor de face de $ 1.000 é:

$$\text{Valor presente} = \$\ 1.000/1{,}06^9 = \$\ 1.000/1{,}6895 = \$\ 591{,}89$$

Você encontra calculadoras de títulos de dívida *online* do mercado norte-americano em **personal.fidelity.com**; informações sobre taxa de juros podem ser encontradas em **money. cnn.com/data/bonds** e **www.bankrate.com**.

O valor presente do cupom é:

$$\begin{aligned}\text{Valor presente da série de pagamentos} &= \$\ 80 \times (1 - 1/1{,}06^9)/0{,}06 \\ &= \$\ 80 \times (1 - 1/1{,}6895)/0{,}06 \\ &= \$\ 80 \times 6{,}8017 \\ &= \$\ 544{,}14\end{aligned}$$

Agora podemos somar os valores das duas partes para obter o valor do título:

$$\text{Valor total do título} = \$\ 591{,}89 + 544{,}14 = \$\ 1.136{,}03$$

O valor total do título, portanto, é de cerca de $ 136 além do valor de face. Novamente, podemos verificar esse montante observando que agora o cupom está $ 20 acima das condições de mercado atuais. O valor presente de $ 20 por ano por nove anos a 6% é:

$$\begin{aligned}\text{Valor presente da anuidade} &= \$\ 20 \times (1 - 1/1{,}06^9)/0{,}06 \\ &= \$\ 20 \times 6{,}8017 \\ &= \$\ 136{,}03\end{aligned}$$

Isso é exatamente o que obtivemos antes.

Com base em nossos exemplos, agora podemos escrever a expressão geral do valor de um título de dívida. Se um título tem (1) um valor de face (F) pagável no vencimento; (2) um cupom (C) pagável por período; (3) t períodos até o vencimento; e (4) um retorno de r por período, seu valor é:

$$\text{Valor do título de dívida} = C \times [1 - 1/(1 + r)^t]/r + F/(1 + r)^t$$

$$\text{Valor do título de dívida} = \text{Valor presente dos cupons} + \text{Valor presente do valor de face} \tag{8.1}$$

EXEMPLO 8.1 Cupons semestrais

Os títulos de dívida emitidos nos Estados Unidos normalmente fazem pagamentos de cupom duas vezes ao ano. Assim, se um título comum tiver uma taxa de cupom de 14%, o seu titular terá um total de $ 140 por ano, mas esses $ 140 virão em dois pagamentos de $ 70 cada.

Suponha que o retorno até o vencimento esteja cotado a 16%. Os retornos dos títulos no mercado norte-americano são cotados em taxa nominal anual; a taxa anual cotada é igual à taxa efetiva do período multiplicada pelo número de períodos.[2] Nesse caso, com um retorno cotado a 16% e pagamentos semestrais, o verdadeiro retorno é de 8% a cada seis meses. O título é resgatado em sete anos. Qual é o preço dos títulos representativos dessa dívida? Qual é o retorno anual efetivo desses títulos?

Com base em nossa discussão, sabemos que o título será negociado com desconto, porque ele tem uma taxa de cupom de 7% a cada seis meses quando o mercado exige 8% a cada seis meses. Assim, se nossa resposta exceder $ 1.000, está claro que cometemos um erro.

Para ter o preço exato, primeiro calculamos o valor presente do valor de face de $ 1.000 pagos em sete anos. Esse período de sete anos tem 14 períodos de seis meses. A 8% por período, o valor é:

$$\text{Valor presente} = \$ 1.000/1,08^{14} = \$ 1.000/2,9372 = \$ 340,46$$

Os cupons podem ser vistos como uma anuidade de 14 períodos a $ 70 por período. A uma taxa de desconto de 8%, o valor presente de tal anuidade é:

$$\begin{aligned}\text{Valor presente da anuidade} &= \$ 70 \times (1 - 1/1,08^{14})/0,08 \\ &= \$ 70 \times (1 - 0,3405)/0,08 \\ &= \$ 70 \times 8,2442 \\ &= \$ 577,10\end{aligned}$$

O valor presente total nos mostra o valor pelo qual o título deverá ser vendido:

$$\text{Valor presente total} = \$ 340,46 + 577,10 = \$ 917,56$$

Para calcular o retorno efetivo desse título quando negociado a 917,56, observe que 8% a cada seis meses equivale a:

$$\text{Taxa efetiva anual} = (1 + 0,08)^2 - 1 = 16,64\%$$

O retorno efetivo, portanto, é de 16,64% a.a.

Como ilustramos nesta seção, preços dos títulos de dívida e taxas de juros sempre se movimentam em direções opostas. Quando as taxas de juros aumentam, o valor de um título de dívida, como qualquer outro valor presente, diminui. Da mesma forma, quando as taxas de juros caem, os valores dos títulos aumentam. Mesmo que estejamos considerando um título sem risco, no caso de termos certeza de que o tomador vai fazer todos os pagamentos, ainda há risco em ser titular de um título de dívida. Discutiremos isso a seguir.

Aprenda mais sobre títulos de dívida em **investorguide.com**.

---

[2] Mostraremos adiante que os títulos emitidos em reais são cotados em taxa efetiva anual, com base em 252 dias úteis.

Risco da taxa de juros

O risco causado pela flutuação das taxas de juros para o investidor em títulos de renda fixa é chamado de *risco da taxa de juros*. O risco da taxa de juros para um título de dívida depende do quanto o preço desse título é sensível às variações das taxas de juros. Essa sensibilidade depende diretamente de duas coisas: prazo até o vencimento e taxa de cupom. Como veremos, ao examinarmos um título de dívida, devemos ter o seguinte em mente:

1. Mantidas as demais variáveis, quanto maior for o prazo até o vencimento, maior será o risco da taxa de juros.
2. Mantidas as demais variáveis, quanto menor for a taxa de cupom, maior será o risco da taxa de juros.

Ilustramos o primeiro desses dois pontos na Figura 8.2. Como a figura mostra, calculamos o valor de um título com uma taxa de cupom de 10% para diferentes cenários de taxas de juros para os prazos de 1 ano e 30 anos. Observe como a inclinação da curva da linha que conecta os preços é muito maior para o vencimento de 30 anos do que para o vencimento de 1 ano.

Essa curva abrupta nos mostra que uma variação relativamente pequena nas taxas de juros levará a uma variação substancial no valor do título. Em comparação, o preço do título de um ano é relativamente insensível às variações das taxas de juros.

De forma intuitiva, podemos perceber que os títulos de dívida com prazo mais longo têm maior sensibilidade às taxas de juros, porque uma grande parte do seu valor vem do valor de face. O valor presente desse montante não é muito afetado por uma pequena variação das taxas de juros quando o montante deve ser recebido em um ano. Entretanto, até mesmo uma pequena variação na taxa de juros, quando composta por 30 anos, pode ter um efeito significativo sobre o valor presente. Como resultado, o valor presente do valor de face será muito mais volátil em um título de prazo mais longo.

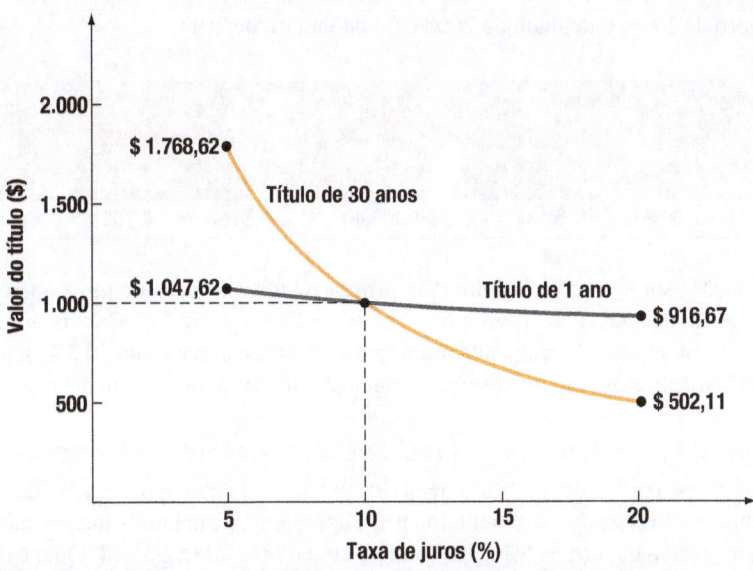

Valor de um título com taxa de cupom de 10% para diferentes taxas de juros e vencimentos

	Prazo até o vencimento	
Taxa de juros	1 ano	30 anos
5%	$ 1.047,62	$ 1.768,62
10	1.000,00	1.000,00
15	956,52	671,70
20	916,67	502,11

FIGURA 8.2 Risco da taxa de juros e prazo até o vencimento.

A outra coisa que você precisa saber sobre o risco da taxa de juros é que, assim como a maioria das coisas em Finanças e Economia, ele aumenta a taxas decrescentes. Em outras palavras, um título de 10 anos tem um risco da taxa de juros muito maior do que um título de um ano. Entretanto, um título de 30 anos terá um risco de taxas de juros apenas um pouco maior do que um de 10 anos.

O motivo de os títulos com cupons menores terem maior risco de taxa de juros é essencialmente o mesmo. Como discutimos antes, o valor de um título de dívida depende do valor presente de seus cupons e do valor presente do valor de face. Quando dois títulos com taxas de cupom diferentes têm o mesmo prazo de vencimento, então o valor do título com cupom menor é proporcionalmente mais dependente do valor de face a ser recebido no vencimento. Como resultado, mantidas inalteradas as demais variáveis, seu valor flutuará mais à medida que as taxas de juros variarem. Em outras palavras, o título com cupom maior tem um fluxo de caixa maior no início de sua vida, de modo que seu valor é menos sensível às variações na taxa de desconto.

Os títulos de dívida raramente são emitidos com prazos maiores do que 30 anos, embora existam exceções. Nos anos 1990, a Walt Disney emitiu *bonds* "Bela Adormecida" com prazo de 100 anos. Da mesma forma, a BellSouth (atualmente conhecida como AT&T), a Coca-Cola e o gigante holandês do ramo bancário ABN AMRO emitiram títulos com vencimento em 100 anos. Evidentemente, essas empresas queriam travar as históricas taxas de juros baixas por um *longo período*. O recorde atual para empresas parece pertencer ao Republic National Bank, que vendeu títulos com prazo de vencimento de 1.000 anos. Antes dessas emissões, parece que a última vez em que houve emissão de títulos de 100 anos foi em maio de 1954, pela Chicago and Eastern Railroad. Só para o caso de você estar se perguntando quando os próximos títulos de 100 anos serão emitidos, informamos que você terá de esperar muito. A Receita Federal dos Estados Unidos advertiu as empresas sobre tais emissões de longo prazo e ameaçou impedir o lançamento de juros desses títulos de dívida como despesa para fins de apuração do imposto de renda da pessoa jurídica.

Podemos ilustrar o efeito do risco da taxa de juros usando a emissão de 100 anos da BellSouth. O quadro a seguir oferece informações básicas sobre essa emissão, com seus preços em 31 de dezembro de 1995, 6 de maio de 2008 e 24 de janeiro de 2011.

Vencimento	Taxa de cupom	Preço em 31/12/95	Preço em 06/05/2008	Variação no percentual do preço 1995–2008	Preço em 24/01/2011	Variação no percentual do preço 2008–2011
2095	7,00%	$ 1.000	$ 1.008,40	+0,84%	$ 702,95	−30,3%

Várias informações surgem desse quadro. Em primeiro lugar, as taxas de juros aparentemente caíram entre 31 de dezembro de 1995 e 6 de maio de 2008 (por quê?). Depois disso, porém, elas aumentaram (por quê?). O preço dos títulos subiu 0,84% e depois caiu 30,3%. Esses altos e baixos mostram que títulos com prazos mais longos têm um risco de taxa de juros significativo.

Como encontrar o retorno até o vencimento: mais tentativa e erro

É comum sabermos o preço de um título de dívida, a sua taxa de cupom e a data de seu vencimento, mas não o seu retorno até o vencimento. Suponha que estejamos interessados em um título de seis anos com cupom de 8%. Um corretor cota o preço de $ 955,14. Qual é o prazo de vencimento desse título?

Já vimos que o preço de um título de dívida pode ser escrito como a soma dos componentes de sua série de pagamentos de juros e seu principal. Sabendo que há um cupom de $ 80 durante seis anos e que o valor de face é de $ 1.000, podemos dizer que o preço é:

$$\$\,955{,}14 = \$\,80 \times [1 - 1/(1+r)^6]/r + 1.000/(1+r)^6$$

em que r é a incógnita da taxa de desconto (o retorno até o vencimento). Temos aqui uma equação e uma incógnita, mas não podemos calcular r explicitamente sem utilizarmos uma calculadora financeira ou um aplicativo de planilha. A única maneira de encontrar a resposta é usar o método de tentativa e erro.

Este problema é essencialmente idêntico àquele que examinamos no Capítulo 4, quando tentamos encontrar a incógnita da taxa de juros de uma anuidade. Entretanto, encontrar a taxa (ou o retorno) de um título é mais complicado, por causa do valor de face de $ 1.000.

Podemos agilizar o processo de tentativa e erro usando aquilo que conhecemos sobre preços e retornos de títulos de dívida. Neste caso, o título tem um cupom de $ 80 e é vendido com deságio. Portanto, sabemos que o retorno é maior do que 8%. Se calcularmos o preço a 10%:

$$\text{Valor do título} = \$\,80 \times (1 - 1/1,10^6)/0,10 + 1.000/1,10^6$$
$$= \$\,80 \times 4,3553 + 1.000/1,7716$$
$$= \$\,912,89$$

A 10%, o valor que calculamos é mais baixo do que o preço real, e, portanto, 10% é muito alto. O retorno real deve estar entre 8 e 10%. Nesse ponto, é tentativa e erro até encontrar a resposta. Você provavelmente vai querer tentar 9%. Se fizer isso, verá que esse é, na verdade, o retorno até o vencimento do título.

O retorno até o vencimento de um título não deve ser confundido com seu **retorno corrente**, que é apenas a soma dos cupons pagos a cada ano pelo título dividida pelo preço de mercado do título. No exemplo que acabamos de apresentar, o cupom anual do título foi de $ 80, e seu preço foi de $ 955,14. Dados esses números, vemos que o retorno corrente é de $ 80/$ 955,14 = 8,38%, que é menos do que o retorno até o vencimento, de 9%. O motivo pelo qual o retorno corrente é tão baixo é que ele considera apenas a parte de cupom do seu retorno. Ele não considera o ganho incorporado do desconto no preço. O inverso vale para um título com ágio e significa que o retorno corrente seria mais alto, porque ele ignora a perda incorporada.

Nossa discussão sobre avaliação de títulos de dívida está resumida no Quadro 8.1. Na página 247, um quadro contendo um aplicativo de planilha eletrônica mostra como calcular preços e retornos de uma maneira fácil.

Taxas correntes de mercado estão disponíveis no *site* **www.bankrate.com**.

QUADRO 8.1 Resumo da avaliação de títulos de dívida

I. Como encontrar o valor de um título de dívida

Valor do título = $C \times [1 - 1/(1 + r)^t]/r + F/(1 + r)^t$, em que
C = cupom pago a cada período
r = taxa por período
t = número de períodos
F = valor de face do título

II. Como encontrar o retorno de um título de dívida

Dados o valor do título, o cupom, o prazo até o vencimento e o valor de face, é possível encontrar a taxa de desconto implícita (ou retorno até o vencimento) por meio de tentativa e erro. Para tal, tente diferentes taxas de desconto até que o valor calculado para o título seja igual ao valor dado (ou deixe que uma planilha eletrônica faça por você). Lembre-se de que aumentar a taxa *diminui* o valor do título.

EXEMPLO 8.2 Eventos correntes

Um título tem preço cotado de $ 1.080,42. O valor de face é de $ 1.000, o cupom semestral é de $ 30, e o vencimento ocorre em cinco anos. Qual é o retorno corrente? Qual é o retorno até o vencimento? Qual é maior? Por quê?

Observe que esse título faz pagamentos semestrais de $ 30, de modo que o pagamento anual é de $ 60. O retorno corrente é, portanto, de $ 60/1.080,42 = 5,55%. Para calcular o retorno até o vencimento, consulte novamente o Exemplo 8.1. Neste caso, o título paga $ 30 a cada seis meses e tem 10 períodos de seis meses até o vencimento. Assim, precisamos encontrar o *r* da seguinte maneira:

$$\$\,1.080{,}42 = \$\,30 \times [1 - 1/(1 + r)^{10}]/r + 1.000/(1 + r)^{10}$$

(continua)

(continuação)

Após um pouco de tentativa e erro, descobrimos que *r* é igual a 2,1%. Mas a parte complicada é que esses 2,1% são o retorno por *seis meses*. Temos de dobrá-los para obter o retorno até o vencimento, e, portanto, o retorno até o vencimento é de 4,2%, que é menos do que o retorno corrente. O motivo para isso é que o retorno corrente ignora o prejuízo incorporado do ágio desde agora até o vencimento. Esse é, entretanto, o retorno nominal, pois o retorno corrente efetivo deveria considerar que o retorno de 2,1% é composto em dois períodos dentro do ano. Logo, seria talvez mais adequado dizer que o retorno corrente é de 4,24% = [$(1 + 2,1/100)^2 - 1$] × 100. O primeiro é a forma de cálculo no mercado norte-americano, e o segundo, no mercado brasileiro.

EXEMPLO 8.3 — Retorno até o vencimento (*yield*)

Você está considerando dois títulos de dívida iguais em tudo, exceto por seus cupons e, obviamente, por seus preços. Ambos têm 12 anos até o vencimento. O primeiro título tem uma taxa de cupom de 10% e é vendido por $ 935,08. O segundo tem uma taxa de cupom de 12%. Por quanto você acha que ele seria vendido?

Como os dois títulos são muito semelhantes, eles serão cotados para render mais ou menos a mesma taxa. Primeiro, precisamos calcular o retorno do título com cupom de 10%. Procedendo como anteriormente, sabemos que o retorno deve ser maior do que 10%, pois o título está sendo negociado com deságio. O título tem um vencimento bastante longo de 12 anos. Vimos que os preços de um título de longo prazo são relativamente sensíveis às variações na taxa de juros, e, assim, o retorno provavelmente está próximo de 10%. Um pouco de tentativa e erro revela que o retorno, na verdade, é de 11%:

$$\text{Valor do título de dívida} = \$100 \times (1 - 1/1{,}11^{12})/0{,}11 + 1.000/1{,}11^{12}$$
$$= \$100 \times 6{,}4924 + 1.000/3{,}4985$$
$$= \$649{,}24 + 285{,}84$$
$$= \$935{,}08$$

Com um retorno de 11%, o segundo título será vendido com ágio por conta de seu cupom de $ 120. Seu valor é:

$$\text{Valor do título de dívida} = \$120 \times (1 - 1/1{,}11^{12})/0{,}11 + 1.000/1{,}11^{12}$$
$$= \$120 \times 6{,}4924 + 1.000/3{,}4985$$
$$= \$779{,}08 + 285{,}84$$
$$= \$1.064{,}92$$

Títulos de cupom zero

Um título que não paga cupons deve ser oferecido a um preço muito mais baixo do que seu valor de face. Tais títulos são chamados de **títulos de cupom zero**, ou, simplesmente, *zeros*.[3]

EXEMPLO 8.4 — Retorno até o vencimento de um cupom zero com capitalização anual

Suponha que a empresa Eletrônicos S/A emita um título de cupom zero por oito anos e valor de face de $ 1.000. Qual é o retorno até o vencimento do título se ele for oferecido a $ 627? Suponha uma capitalização anual.

O retorno até a vencimento, *y*, pode ser calculado na equação:

$$\frac{\$1.000}{(1+y)^8} = \$627$$

Resolvendo a equação, vemos que o resultado de *y* é igual a 6%. Portanto, o retorno até o vencimento é 6%.

---

[3] Um título emitido com uma taxa de cupom muito baixa (mas não uma taxa de cupom zero) é um título com deságio de emissão (*original-issue discount bond* – OID).

O exemplo expressa o retorno como um retorno anual efetivo. Apesar de não serem pagos juros sobre o título, nos Estados Unidos, os cálculos de títulos de cupom zero usam períodos semestrais para serem coerentes com os demais títulos. Ilustramos como fazê-lo no próximo exemplo. Mais adiante neste capítulo, apresentaremos a forma como os títulos de cupom zero emitidos em reais são precificados. Como veremos, no mercado brasileiro, o cálculo do preço é realizado em dias úteis, com taxas efetivas expressas no formato anual, como 252 dias úteis.

ESTRATÉGIAS DE PLANILHA

Como calcular preços e retornos de títulos de dívida usando uma planilha eletrônica

A maioria das planilhas eletrônicas tem rotinas bastante elaboradas disponíveis para o cálculo dos valores e retornos de títulos de dívida. Muitas dessas rotinas envolvem detalhes que não discutimos. Entretanto, a criação de uma planilha simplificada para calcular preços ou retornos é um procedimento simples, como mostram estas duas planilhas:

	A	B	C	D	E	F	G	H
1								
2		Como usar uma planilha para calcular valores de títulos de dívida						
3								
4	Suponha que tenhamos um título com 22 anos até o vencimento, uma taxa de cupom de 8%							
5	e um retorno até o vencimento de 9%. Se o título faz pagamentos semestrais, qual é o seu preço hoje?							
6								
7	Data de liquidação:	1/1/00						
8	Data de vencimento:	1/1/22						
9	Taxa anual do cupom:	0,08						
10	Retorno até o vencimento:	0,09						
11	Valor de face (% do par):	100						
12	Cupons por ano:	2						
13	Preço do título (% do par):	**90,49**						
14								
15	A fórmula digitada na célula B13 é =PREÇO(B7;B8;B9;B10;B11;B12). Observe que o valor de face e o preço do título							
16	são dados como porcentagem do valor ao par.							

	A	B	C	D	E	F	G	H
1								
2		Como usar uma planilha para calcular retornos de títulos						
3								
4	Suponha que tenhamos um título com 22 anos até o vencimento, uma taxa de cupom de 8% e um preço de $ 960,17.							
5	Se o título faz pagamentos semestrais, qual é o seu retorno até o vencimento?							
6								
7	Data de liquidação:	1/1/00						
8	Data de vencimento:	1/1/22						
9	Taxa anual do cupom:	0,08						
10	Preço do título (% do par):	96,017						
11	Valor de face (% do par):	100						
12	Cupons por ano:	2						
13	Retorno até o vencimento:	**0,084**						
14								
15	A fórmula digitada na célula B13 é =LUCRO(B7;B8;B9;B10;B11;B12). Observe que o valor de face e o preço do título são							
16	dados como porcentagem do valor de face.							
17								

O retorno até o vencimento é calculado pela função "LUCRO" do Microsoft Excel.
Observe, em nossa planilha eletrônica, que tivemos de inserir duas datas, uma de liquidação e uma de vencimento. A data de liquidação é apenas aquela na qual você paga pela compra do título, e a data de vencimento é o dia em que o título vence. A maioria de nossos problemas não traz essas datas explicitamente, e, portanto, tivemos que apresentá-las. Por exemplo, como nosso título tem 22 anos até o vencimento, apenas usamos 1/1/00 (1º de janeiro de 2000) como a data de liquidação e 1/1/22 (1º de janeiro de 2022) como a data de vencimento. Quaisquer datas serviriam, desde que houvesse um período de exatamente 22 anos entre elas, mas as datas que usamos são as mais fáceis de trabalhar neste exemplo. Por último, observe que tivemos de inserir a taxa de cupom e o retorno até o vencimento em termos anuais e também fornecemos explicitamente o número de pagamentos de cupom por ano.

EXEMPLO 8.5 Retorno até o vencimento de um cupom zero com capitalização semestral

Suponha que a empresa Sete Polegadas emita um título de cupom zero por cinco anos e valor de face de $ 1.000. O preço inicial é definido a $ 508,35. Qual é o retorno até o vencimento com capitalização semestral?

O retorno pode ser expresso como:

$$\frac{\$ 1.000}{(1 + y)^{10}} = \$ 508,35$$

O expoente do denominador é 10, porque cinco anos contêm 10 semestres. O retorno, y, é igual a 7%. Como y é expresso como um retorno em um intervalo de seis meses, o retorno até o vencimento, expresso em uma taxa percentual, é de 14%.

8.2 Títulos públicos e títulos corporativos

Até agora, consideramos apenas os princípios básicos da avaliação dos títulos de dívida, sem maiores discussões sobre títulos públicos e títulos corporativos. Nesta seção, discutiremos as diferenças entre eles.

Títulos públicos

Se você está nervoso com o nível da dívida acumulada pelo governo norte-americano, não acesse www.publicdebt.treas.gov ou www.brillig.com/debt_clock!
Aprenda tudo sobre títulos de dívida do governo norte-americano em www.newyorkfed.org. Outro *site* interessante sobre o mercado de títulos de dívida é money.cnn.com.

O maior mutuário do mundo – com ampla margem – é o membro favorito da família, o Tio Sam. Em 2011, a dívida total do governo dos Estados Unidos foi de $ 14,4 *trilhões*, ou cerca de $ 46.200 por cidadão (e está crescendo!). Quando o governo deseja tomar dinheiro emprestado por mais de um ano, ele vende os chamados títulos e notas do Tesouro ao público (na verdade, ele faz isso todos os meses). Atualmente, os títulos e as notas do Tesouro norte-americano em circulação têm prazos de vencimento originais, que variam de 2 a 30 anos.

A maioria das emissões do Tesouro dos Estados Unidos é composta apenas por títulos de dívida comuns com cupom. Algumas emissões mais antigas têm opção de resgate, e algumas têm cláusulas incomuns. Entretanto, existem duas coisas importantes a ser lembradas. Em primeiro lugar, as emissões do Tesouro, ao contrário de todos os outros títulos de dívida, não têm risco de inadimplência, porque (assim esperamos) o Tesouro sempre tem dinheiro para fazer os pagamentos. Em segundo lugar, as emissões do Tesouro norte-americano são isentas de imposto de renda estadual nos Estados Unidos (embora não estejam isentas do imposto de renda federal lá). Em outras palavras, os cupons que os cidadãos norte-americanos recebem sobre um título ou uma nota do Tesouro são tributados apenas no nível federal nos Estados Unidos.

Os governos estadual e municipal norte-americanos também tomam dinheiro emprestado vendendo notas e títulos. Tais emissões são chamadas de notas e títulos municipais, ou simplesmente "munis". Ao contrário das emissões do Tesouro norte-americano, os munis têm graus variados de risco de inadimplência e, na verdade, são classificados de forma muito semelhante às emissões de empresas. Além disso, eles quase sempre têm opção de resgate. A coisa mais intrigante sobre os munis é que seus cupons são isentos do imposto de renda federal (embora não necessariamente do imposto de renda estadual) nos Estados Unidos, o que os torna muito atraentes para os investidores de alta renda (e altos impostos). Nos Estados Unidos, em virtude da enorme redução de impostos que recebem, os retornos sobre os títulos municipais são muito mais baixos do que os retornos sobre títulos tributáveis.

EXEMPLO 8.6 Comparação de retornos após impostos

Suponha, nos Estados Unidos, que um título de dívida municipal de longo prazo negociado ao par esteja retornando 4,21%, enquanto um título do Tesouro de longo prazo negociado ao par retorna 6,07%.[4] Além disso, suponha que um investidor esteja na faixa de tributação

---
[4] Os ganhos de capital em títulos de dívida municipais são tributados, complicando a análise de certa forma. Evitamos ganhos de capital ao presumir que ambos os títulos são cotados ao par.

de 30%. Ignorando qualquer diferença no risco de inadimplência, o investidor iria preferir o título de dívida do Tesouro ou do muni?

Para responder a essa questão, precisamos comparar os *retornos após impostos* dos dois títulos de dívida. Ignorando os impostos estadual e municipal, o muni paga 4,21% tanto antes quanto depois dos impostos. A emissão do Tesouro paga 6,07% antes dos impostos, mas paga apenas 0,0607 × (1 − 0,30) = 0,0425, ou 4,25%, depois que calculamos a mordida de 30% dos impostos. Assim, o título do Tesouro ainda tem o melhor retorno.

EXEMPLO 8.7 Títulos de dívida tributáveis *versus* títulos de dívida municipais nos Estados Unidos

Suponha que títulos tributáveis estejam rendendo atualmente 8%, enquanto títulos de dívida municipais com risco e vencimento comparáveis rendem 6%. Qual é mais atrativo para um investidor na faixa de tributação de 40% nos Estados Unidos? Qual é o ponto de equilíbrio da alíquota tributária? Como você interpreta essa taxa?

Para um investidor em uma faixa de tributação de 40%, um título de dívida tributável rende 8 × (1 − 0,40) = 4,8% após os impostos, portanto o título municipal é muito mais atraente. O ponto de equilíbrio para a alíquota tributária é aquele no qual um investidor ficaria indiferente frente a uma emissão tributável e uma não tributável. Se t^* representar o ponto de equilíbrio da alíquota tributária, podemos solucionar esses impostos da seguinte forma:

$$0,08 \times (1 - t^*) = 0,06$$
$$1 - t^* = 0,06/0,08 = 0,75$$
$$t^* = 0,25$$

Assim, um investidor norte-americano na faixa de tributação de 25% poderia conseguir 6% após os impostos de ambos os títulos.

Títulos de dívida corporativos

Ressaltamos que, apesar de as emissões do Tesouro norte-americano não terem risco de inadimplência, títulos municipais enfrentam essa possibilidade lá. Títulos de dívida corporativos também enfrentam a possibilidade de inadimplência. Essa possibilidade gera um afastamento entre o *retorno prometido* e o *retorno esperado* em um título de dívida.

Para entender esses dois termos, imagine um título de dívida corporativa de um ano com um valor a par de $ 1.000 e um cupom anual de $ 80. Ainda, imagine que analistas de renda fixa acreditem que esse título tenha 10% de chance de inadimplência e que, caso isso ocorra, cada credor receberá $ 800 (os credores provavelmente receberão algum valor após uma liquidação, pois os resultados de qualquer liquidação ou reorganização da empresa seguem primeiro para eles; os acionistas costumam receber o que resultar após o total pagamento dos credores). Como há 90% de probabilidade de que o título da dívida seja pago integralmente e 10% de probabilidade de inadimplência, o resultado esperado do título, no vencimento, é:

$$0,90 \times \$ 1.080 + 0,10 \times \$ 800 = \$ 1.052$$

Supondo que a taxa de desconto dos títulos que apresentam risco, como a citada há pouco, seja de 9%, o valor dos títulos torna-se:

$$\frac{\$ 1.052}{1,09} = \$ 965,14$$

Qual é o retorno esperado do título? O retorno esperado é claramente de 9%, pois 9% é a taxa de desconto na equação anterior. Em outras palavras, um investimento de $ 965,14 proporciona hoje um resultado esperado no vencimento de $ 1.052, implicando um retorno esperado de 9%.

Qual é o retorno prometido? A empresa está prometendo $ 1.080 em um ano, pois o cupom é de $ 80. Como o preço do título de dívida é $ 965,14, o retorno prometido pode ser calculado a partir da Equação 8.2 a seguir:

$$\$\,965{,}14 = \frac{\$\,1.080}{1 + y} \tag{8.2}$$

Nessa equação, y, que é o retorno prometido, é 11,9%. Por que o retorno prometido é superior ao retorno esperado? O cálculo do retorno prometido supõe que os credores *receberão* o total de $\$\,1.080$. Em outras palavras, o cálculo do retorno prometido ignora a probabilidade de inadimplência. Em contraste, o cálculo do retorno esperado considera especificamente a probabilidade de inadimplência. E quanto a um título que não apresenta riscos? O retorno prometido e o retorno esperado são iguais aqui, pois a probabilidade de inadimplência é zero; por definição, temos um título sem risco.

Agora, como calculamos na Equação 8.2, o retorno prometido em um título de dívida corporativa é simplesmente o retorno até o vencimento da seção anterior. O retorno prometido pode ser calculado para qualquer título de dívida, seja ele corporativo ou público. Tudo de que precisamos é a taxa de cupom, o valor ao par e o vencimento. Não precisamos saber nada sobre a probabilidade de inadimplência. Calcular o retorno prometido em um título corporativo é tão fácil quanto calcular o retorno até o vencimento em um título público. Na verdade, os dois cálculos são o mesmo. Entretanto, em um título público, o retorno prometido ou seu equivalente, o retorno até o vencimento, é, de certo modo, ilusório. Nosso retorno prometido de 11,9% significa apenas que os credores receberão um retorno de 11,9% se os títulos forem pagos. O retorno prometido não nos diz o que os credores *esperam* receber.

Por exemplo, a Vanguard Intermediate-Term Treasury Bond Fund (TB Fund), um fundo composto de títulos públicos de prazo intermediário, tinha um retorno de 3,86% em junho de 2011. A Vanguard High Yield Corporate Bond Fund (HY Fund), um fundo composto por títulos corporativos de prazo intermediário com alta probabilidade de inadimplência, tinha um retorno de 7,16% no mesmo dia. O retorno para o HF Fund foi 1,85 ($=7{,}16/3{,}86$) vez maior do que o retorno do TB Fund. Isso significa que um investidor no HY Fund espera um retorno 2 vezes maior do que um investidor do TB Fund? Com certeza não. Os retornos cotados anteriormente são retornos prometidos. Eles não levam em conta nenhuma possibilidade de inadimplência.

Um analista profissional pode descobrir que, em razão da alta probabilidade de inadimplência, o retorno esperado para o HY Fund está, na verdade, abaixo do esperado para o YB Fund. Entretanto, simplesmente não temos como saber se isso é verdade. Calcular o retorno esperado em um título de dívida corporativa é muito difícil, pois devemos avaliar a probabilidade de inadimplência. Não importa qual seja o número, se ele puder ser calculado, será de grande ajuda. Como seu nome sugere, ele nos diz qual taxa de retorno os credores realmente esperam receber.

EXEMPLO 8.8 **Retornos de títulos públicos e corporativos**

Tanto um título público de dois anos sem risco de inadimplência quanto um título corporativo de dois anos pagam um cupom de 7%. No entanto, o título público é negociado ao par (ou $\$\,1.000$), e o título corporativo é negociado a $\$\,982{,}16$. Quais são os retornos desses dois títulos de dívida? Por que há uma diferença nos retornos? Esses retornos são promessas? Imagine pagamentos anuais de cupons.

Ambos os títulos pagam um cupom de $\$\,70$ por ano. O retorno do título público pode ser calculado na equação:

$$\$\,1.000 = \frac{\$\,70}{1 + y} + \frac{\$\,1.070}{(1 + y)^2}$$

O retorno do título público, y, é de 7%.

O retorno sobre o título corporativo pode ser calculado na equação:

$$\$\,982{,}16 = \frac{\$\,70}{1 + y} + \frac{\$\,1.070}{(1 + y)^2}$$

O retorno do título corporativo, y, é de 8%.

O retorno do título público está abaixo do retorno do título corporativo, porque o título corporativo possui risco de inadimplência, enquanto o título público não possui.

Para os dois títulos, os retornos que calculamos são retornos prometidos, pois os cupons são cupons prometidos. Esses cupons não serão totalmente pagos se houver inadimplência. O retorno prometido é igual ao retorno esperado para os títulos públicos, pois não há possibilidade de inadimplência. Entretanto, o retorno prometido é maior do que o retorno esperado para o título corporativo, porque a inadimplência é uma possibilidade.

Apesar de nossa discussão anterior sobre títulos corporativos depender fortemente do conceito de probabilidade de inadimplência, a estimativa de probabilidade de inadimplência vai além do escopo deste capítulo. Entretanto, há uma maneira fácil de obter uma avaliação qualitativa quanto ao risco de inadimplência de títulos de dívida.

Classificação de risco de títulos de dívida

Com frequência, as empresas pagam para que suas dívidas sejam classificadas. As duas principais empresas de classificação de risco de títulos de dívida são a Moody's e a Standard & Poor's (S&P). As classificações do risco de dívidas (*ratings*) são uma avaliação da qualidade de crédito da empresa emitente. As definições de crédito usadas pela Moody's e pela S&P se baseiam na probabilidade de a empresa ficar inadimplente e na proteção que os credores têm contra a inadimplência.

É importante reconhecer que as classificações de risco se preocupam *somente* com a possibilidade de inadimplência. Anteriormente, discutimos o risco da taxa de juros, que definimos como o risco de uma variação no valor de um título resultante de uma variação nas taxas de juros. As classificações de títulos de dívida *não* levam isso em conta. Como resultado, o preço de um título com classificação alta ainda pode ser bastante volátil.

As classificações de risco de títulos de dívida são formadas a partir das informações fornecidas pela empresa e outras fontes. As classificações e outras informações são mostradas no Quadro 8.2, a seguir:

QUADRO 8.2 Classificações de risco de títulos de dívida

	Classificações de risco de títulos com qualidade de investimento				Classificações de risco de títulos especulativos e/ou com qualidade baixa (*junk bonds*)				
	Alto grau		Médio grau		Baixo grau		Baixíssimo grau		
Standard & Poor's	AAA	AA	A	BBB	BB	B	CCC	CC	C	D
Moody's	Aaa	Aa	A	Baa	Ba	B	Caa	Ca	C	

Moody's	S&P	
Aaa	AAA	Uma dívida classificada como Aaa e AAA tem a melhor nota. A capacidade de pagar juros e principal é extremamente forte.
Aa	AA	Uma dívida classificada como Aa e AA tem forte capacidade de pagar juros e principal. Juntamente com a nota mais alta, este grupo forma a classe dos títulos de alto grau.
A	A	Uma dívida classificada como A tem forte capacidade de pagar juros e principal, mas é um pouco mais suscetível a efeitos adversos de mudanças no cenário econômico do que as classes mais elevadas.
Baa	BBB	Uma dívida classificada como Baa e BBB é vista com uma capacidade adequada para pagar juros e principal. Apesar de normalmente oferecer parâmetros adequados de proteção, em um cenário econômico adverso, a capacidade de pagamento de juros e principal pode ser mais afetada do que nas classes mais elevadas. Esses títulos são de médio grau.
Ba; B Caa Ca C	BB; B CCC CC C	Uma dívida pertencente a estas classes é considerada predominantemente especulativa no que diz respeito ao pagamento de juros e principal de acordo com os termos da obrigação. BB e Ba indicam o grau mais baixo de características especulativas, enquanto Ca, CC e C representam o mais alto. Apesar de tal tipo de dívida provavelmente ter alguma qualidade e proteção, estas são superadas pelas incertezas e pelos riscos diante de condições adversas. Emissões classificadas como C pela Moody's geralmente estão em situação de inadimplência.
	D	Uma dívida classificada como D está em situação de inadimplência, e o pagamento de juros e/ou principal está atrasado.

Nota: Às vezes, tanto a Moody's quanto a S&P utilizam ajustem (*notches*) para essas classificações. A S&P utiliza sinais de mais (+) e menos (−). A+ é a classificação A mais forte, e A− é a mais fraca. A Moody's utiliza uma designação 1, 2 ou 3, sendo 1 a mais alta. A Moody's não tem classificação D.

Quer saber mais sobre que critérios são normalmente usados para classificar as dívidas corporativas e municipais dos Estados Unidos? Acesse www.standardandpoors.com, www.moodys.com ou www.fitchratings.com.

A classificação mais alta que a dívida de uma empresa pode ter é AAA ou Aaa, e tal dívida é julgada a de melhor qualidade e de mais baixo grau de risco. Por exemplo, a emissão de 100 anos da BellSouth, que discutimos anteriormente, foi classificada como AAA. As classificações AA ou Aa indicam dívida de qualidade muito boa e são muito mais comuns. Na última parte deste capítulo, trataremos da classificação nacional para o Brasil e sua correspondência com a classificação internacional.

Uma grande parte das dívidas corporativas assume a forma de títulos de baixo grau, ou, especulativos (*junk*). Esses títulos de dívida são classificados abaixo do grau de investimento pelas principais agências de classificação. Títulos de dívida com grau de investimento são aqueles com classificação mínima BBB pela S&P ou Baa pela Moody's.

As agências de classificação de risco nem sempre concordam. Por exemplo, algumas títulos de dívida são conhecidas como "crossover" ou títulos de dívida "5B". O motivo é que elas são classificadas como B triplo (ou Baa) por uma agência de classificação e como B duplo (ou Ba) por outra, uma "classificação dividida". Por exemplo, em maio de 2011, a companhia elétrica Duquesne Light emitiu $ 350 milhões em notas de 10 anos e meio que haviam sido recentemente classificados como Ba1 pela Moody's e BBB pela S&P.

A classificação de crédito de um título pode variar à medida que a força financeira do emitente melhora ou piora. Assim como acontece com as dívidas corporativas, o rebaixamento na classificação também pode acontecer à dívida de um país, também conhecida como dívida "soberana". Por exemplo, em maio de 2010, a S&P, a Moody's e a Fitch (outra das principais classificadoras) rebaixaram a dívida da Grécia. A Moody's rebaixou a dívida da Grécia de A3 para Ba1. Os maiores motivos para o rebaixamento foram a quantidade relativamente grande de dívidas do governo grego e a fraca perspectiva de crescimento do país. A combinação desses motivos fez com que as agências de classificação concluíssem que as opções políticas do governo estavam ficando mais limitadas.

As classificações do risco de crédito são importantes, porque inadimplências realmente ocorrem, e, nesse caso, os investidores podem sofrer grandes prejuízos. Por exemplo, em 2000, a AmeriServe Food Distribution S/A, que abastecia restaurantes como o Burger King, desde os hambúrgueres até os brindes, ficou inadimplente em $ 200 milhões em títulos especulativos. Depois da inadimplência, os títulos foram negociados a apenas $ 0,18, deixando os investidores com um prejuízo de mais de $ 160 milhões.

No caso da AmeriServe, o pior foi que os títulos haviam sido emitidos apenas quatro meses antes, o que a tornaria uma campeã da NCAA. Embora isso possa ser um bom título para um time de basquete de uma universidade, aqui NCAA significa "*No Cupon At All*" no mercado de dívidas, o que não é nada bom para os investidores.

8.3 Mercados de títulos de dívida

ExcelMaster cobertura *online*
Esta seção apresenta as funções CUPDIASPROX (*COUPDAYSNC*) e JUROSACUM (*ACCRINT*).

Os títulos de dívida são comprados e vendidos em quantidades enormes todos os dias. Você pode se surpreender ao saber que o volume de negociação (i. e., o montante de dinheiro que vai de uma mão para outra) de títulos de dívida em um dia normal é muitas e muitas vezes maior do que o volume de negociação de ações. Eis uma pergunta comum sobre finanças: quais são os maiores mercados de títulos mobiliários do mundo? A maioria das pessoas pensaria na Bolsa de Valores de Nova York. Na verdade, o maior mercado do mundo, em termos de volume de negociação, é o mercado de *Treasuries*, os títulos do Tesouro dos Estados Unidos.

Como os títulos de dívida são comprados e vendidos

A maioria dos negócios com títulos de dívida ocorre no mercado de balcão (*over-the-counter*, OTC). No mercado de balcão, não há local em particular de compra e venda. Em vez disso, os corretores de todo o país (e de todo o mundo) estão sempre prontos para comprar e vender. Os diversos corretores estão conectados eletronicamente. Os negócios nos mercados de balcão não são públicos nem divulgados em tempo real, como nas bolsas.

Um motivo pelo qual o mercado de títulos de dívida é tão grande é que o número de emissões de títulos de dívida excede em muito o número de emissões de ações. Existem dois motivos para isso. Em primeiro lugar, uma empresa normalmente tem apenas uma emissão de ações ordinárias em circulação, embora existam exceções; porém, uma única grande empresa poderia facilmente ter várias emissões de títulos de dívida em circulação. Além disso, o volume de empréstimos tomados pelos governos é simplesmente imenso. Nos Estados Unidos, por exemplo, mesmo uma cidade pequena teria uma ampla variedade de notas e títulos de dívida em circulação, representando o dinheiro tomado emprestado para pagar coisas como estradas, esgotos e escolas. Quando você pensa em quantas cidades pequenas existem nos Estados Unidos, você começa a imaginar a situação!

Como o mercado de títulos de dívida é quase totalmente de balcão, historicamente ele tem tido pouca ou nenhuma *transparência*. Um mercado financeiro é transparente quando é possível observar facilmente seus preços e volumes de negociação. Na bolsa de valores, por exemplo, é possível ver o preço e a quantidade de cada transação. No mercado de títulos de dívida, porém, frequentemente ambos são obscuros. As transações são realizadas de modo privado entre as partes, e há pouca ou nenhuma geração centralizada de relatórios.

Embora o volume total de negócios com títulos de dívida exceda em muito o de ações, apenas uma fração muito pequena das emissões existentes é realmente negociada em determinado dia. Esse fato, combinado à falta de transparência do mercado, significa que a obtenção de preços atualizados de títulos específicos pode ser difícil ou impossível, especialmente nas emissões de empresas menores ou emissões municipais. Em vez disso, várias fontes com preços estimados são muito utilizadas.

Relatórios de preços de títulos de dívida

Em 2002, a transparência do mercado de títulos de dívida corporativa começou a melhorar de modo impressionante. De acordo com novas regulamentações, os corretores de títulos de dívida corporativa nos Estados Unidos devem relatar as informações dos negócios por meio do Mecanismo de Registro e Conformidade de Transações (*Transactions Report and Compliance Engine* – TRACE).

As cotações de títulos do TRACE estão disponíveis no *site* cxa.marketwatch.com/finra/marketdata. Acessamos o *site* e buscamos por "Deere & Co", procurando pelo famoso fabricante de tratores verdes. Encontramos um total de 10 emissões de títulos de dívida em circulação na data consultada. No quadro, é possível ver as informações de sete títulos emitidos:

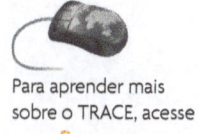

Para aprender mais sobre o TRACE, acesse **www.finra.org**.

Include in Watchlist	Bond Symbol	Issuer Name	Coupon	Maturity	Callable	Moody's	S&P	Fitch	Price	Yield
☐	DE.IO	DEERE & CO	6.95	04/25/2014	No	A2	A	-	116.127	1.267
☐	DE.LY	DEERE & CO	4.38	10/16/2019	No	A2	A	-	107.179	3.382
☐	DE.GB	DEERE & CO	8.50	01/09/2022	No	A2	A	-	133.375	-
☐	DE.GC	DEERE & CO	6.55	10/01/2028	No	A2	A	-	117.519	5.023
☐	DE.LZ	DEERE & CO	5.38	10/16/2029	No	A2	A	-	109.480	4.604
☐	DE.GF	DEERE & CO	8.10	05/15/2030	No	A2	A	-	138.259	-
☐	DE.GG	DEERE & CO	7.13	03/03/2031	No	A2	A	-	128.373	-

Se você acessar o *site* e clicar em um determinado título, receberá muitas informações sobre ele, incluindo classificação de crédito, programação de resgate antecipado, informações sobre a emissão original e sobre os negócios com o título. Por exemplo, quando realizamos a busca, o primeiro título listado não havia sido negociado por duas semanas.

Como mostra a Figura 8.3, a Autoridade Financeira de Regulamentação da Indústria (*Financial Industry Regulatory Authority* – FINRA) dos Estados Unidos oferece um relatório diário dos dados do TRACE que reporta as emissões mais ativas. As informações mostradas são autoexplicativas. Observe que o preço do título da JP Morgan Chase & Co aumentou

O Federal Reserve Bank de St. Louis mantém dezenas de arquivos *online* com dados macroeconômicos e índices das emissões do Tesouro dos Estados Unidos. Acesse **research.stlouisfed.org/fred2**.

Most Active Investment Grade Bonds

Issuer Name	Symbol	Coupon	Maturity	Rating Moody's/S&P/Fitch	High	Low	Last	Change	Yield%
HSBC USA INC	HBC.HCI	3,125%	Dec 2011	Aaa /AAA /AAA	101.603	101.596	101.602	-0,007	0,165
AT&T WIRELESS SVCS INC	T.KY	8,125%	May 2012	A2 /A- /A	106.792	106.765	106.780	0,011	0,670
CITIGROUP INC FDIC GTD TLGP	C.CR	2,875%	Dec 2011	Aaa /AAA /AAA	101.428	101.000	101.253	-0,132	0,457
WELLS FARGO & CO NEW	WFC.GDT	5,625%	Dec 2017	A1 /AA- /AA-	113.094	111.500	112.793	0,293	3,421
JPMORGAN CHASE & CO	JPM.LVL	4,650%	Jun 2014	Aa3 /A+ /AA-	108.837	107.874	108.040	-0,161	1,879
BANK OF AMERICA FDIC GTD TLGP	BAC.HGP	3,125%	Jun 2012	Aaa /AAA /AAA	103.034	102.642	102.938	-0,014	0,283
BB&T CORPORATION	BBT.GZ	3,850%	Jul 2012	A2 /A /A+	103.681	103.487	103.641	0,131	0,673
BANK AMER CORP	BAC.ACQ	5,000%	May 2021	A2 /A /	102.063	99.525	102.009	1,550	4,744
LLOYDS TSB BK PLC	LYG.HS	6,375%	Jan 2021	Aa3 /A+ /	107.902	105.390	107.831	2,310	5,324
JPMORGAN CHASE & CO	JPM.NAN	4,400%	Jul 2020	Aa3 /A+ /AA-	101.805	98.223	100.928	1,306	4,276

FIGURA 8.3 Amostra de cotações de títulos de dívida do TRACE.

Fonte: Relatórios FINRA de preços do TRACE.

mais de 1,306 ponto percentual nesse dia. O que você acha que aconteceu com o seu retorno até o vencimento? A Figura 8.3 se concentra nos títulos mais ativos e em seus graus de investimento, mas os títulos conversíveis e os com alto retorno, mais ativos, também estão disponíveis no *site*.

Como já mencionamos, o mercado de títulos do Tesouro dos Estados Unidos é o maior mercado de títulos do mundo. Assim como os mercados de títulos em geral, esse é um mercado de balcão, e, portanto, a transparência é limitada. Entretanto, ao contrário da situação da maioria dos mercados de títulos de dívida, os negócios com as emissões do Tesouro, principalmente das emissões recentes, são muito grandes. Todos os dias, os preços representativos das emissões em circulação do Tesouro são reportados.

A Figura 8.4 mostra uma parte das listagens diárias de títulos do Tesouro encontradas no *site* wsj.com. A entrada que começa com "2021 Nov 15" está destacada. Essa informação indica que aquele título vence em novembro de 2021. A coluna ao lado representa a taxa de cupom, que é de 8,000%. Todos os títulos do Tesouro norte-americano fazem pagamentos semestrais e têm valor de face de $ 1.000, de modo que esse título pagará $ 40 a cada seis meses até o vencimento.

As duas informações seguintes são os preços de **oferta de compra** (*bid*) e de **oferta de venda** (*asked*). Em qualquer mercado de balcão ou em corretoras, o preço de oferta de compra representa aquilo que um corretor está disposto a pagar por um título, e o preço de oferta de venda é aquilo que um corretor está disposto a aceitar por ele. A diferença entre os dois é chamada de **margem entre compra e venda** (*bid-ask spread*), ou simplesmente *spread*, e representa o lucro do corretor.

Por motivos históricos, os preços dos títulos emitidos pelo Tesouro norte-americano são cotados em 32 avos. Assim, o preço de oferta de compra do título de 8% em novembro de 2021, 143:27, na verdade, significa $143^{27}/_{32}$, ou 143,844% do valor de face. Com um valor de face de $ 1.000, isso representa $ 1.438,44. Como os preços são cotados em 32 avos, a menor variação de preço possível é $^{1}/_{32}$. Isso é chamado de oscilação mínima admitida (*tick size*).

O próximo número cotado é o preço de oferta de venda, que é de 143:29 ou $143^{29}/_{32}$ % do valor ao par. O próximo número é a oscilação no preço de oferta de venda do dia anterior, medido em tamanho da oscilação admitida (os seja, em 32 avos), portanto o valor de oferta de venda dessa emissão caiu a $^{6}/_{32}$ de 1%, ou 0,1875%, do valor de face em comparação ao dia anterior.

O último número reportado é o retorno até o vencimento (*yield to maturity*), baseado no preço de oferta de venda. Observe que esse é um título com ágio, porque é vendido por mais do que seu valor de face. Assim, não é surpresa que seu retorno até o vencimento (3,0612%) seja menor do que sua taxa de cupom (8%).

O último título comum listado, o 2041 Maio15, quase sempre é chamado de título-guia (*bellwether bond*[5]). O retorno desse título é aquele que normalmente é reportado no noticiário

Informações atuais e históricas sobre retornos no Tesouro dos Estados Unidos se encontram no site **www.treasurydirect.gov**.

Notas & títulos do tesouro

Vencimento	Cupom	Compra	Venda	Oscilação	Retorno exigido na venda
2013 Maio 31	3,500	106:03	106:04	inalt.	0,4214
2015 Abr 30	2,500	104:30	104:31	+1	1,1992
2016 Mar 31	2,250	102:27	102:28	inalt.	1,6305
2018 Maio 15	9,125	144:10	144:13	−2	2,2053
2018 Maio 31	2,375	99:28	99:28	+2	2,3945
2018 Nov 15	3,750	108:23	108:24	+1	2,4595
2019 Fev 15	8,875	145:03	145:06	−2	2,4162
2019 Maio 15	3,125	103:19	103:20	−1	2,6172
2019 Ago 15	8,125	140:29	141:00	−4	2,5561
2019 Nov 15	3,375	104:23	104:24	−1	2,7417
2020 Fev 15	3,625	106:10	106:11	−2	2,7998
2020 Nov 15	2,625	96:25	96:25	−3	3,0187
2021 Fev 15	3,625	104:31	104:31	−3	3,0292
2021 Ago 15	8,125	144:19	144:22	−6	3,0096
2021 Nov 15	8,000	143:27	143:29	−6	3,0612
2022 Ago 15	7,250	137:27	137:29	−6	3,1987
2022 Nov 15	7,625	141:24	141:26	−6	3,2294
2023 Fev 15	7,125	136:31	137:01	−6	3,2898
2023 Ago 15	6,250	128:14	128:16	−7	3,3810
2024 Nov 15	7,500	142:25	142:27	−9	3,4842
2025 Fev 15	7,625	144:14	144:16	−9	3,5078
2025 Ago 15	6,875	136:12	136:13	−8	3,5827
2026 Fev 15	6,000	126:10	126:12	−9	3,6640
2027 Fev 15	6,625	134:16	134:17	−8	3,7062
2028 Ago 15	5,500	120:29	120:30	−8	3,8274
2028 Nov 15	5,250	117:18	117:20	−9	3,8546
2029 Fev 15	5,250	117:19	117:20	−8	3,8658
2029 Ago 15	6,125	129:14	129:16	−10	3,8549
2030 Maio 15	6,250	131:16	131:18	−11	3,8823
2031 Fev 15	5,375	119:17	119:18	−9	3,9382
2036 Fev 15	4,500	105:16	105:18	−10	4,1390
2037 Fev 15	4,750	109:11	109:13	−11	4,1519
2037 Maio 15	5,000	113:15	113:17	−12	4,1440
2038 Fev 15	4,375	102:29	102:31	−11	4,1889
2038 Maio 15	4,500	104:30	105:00	−11	4,1886
2039 Fev 15	3,500	87:31	88:01	−10	4,2389
2039 Maio 15	4,250	100:12	100:14	−11	4,2240
2039 Nov 15	4,375	102:11	102:12	−11	4,2306
2040 Fev 15	4,625	106:20	106:22	−12	4,2215
2040 Nov 15	4,250	100:01	100:02	−12	4,2462
2041 Fev 15	4,750	108:24	108:25	−12	4,2287
2041 Maio 15	4,375	102:08	102:09	−12	4,2406

FIGURA 8.4 Amostra do *Wall Street Journal* de preços de notas e títulos de dívida do Tesouro dos Estados Unidos.

Fonte: Reimpresso com a permissão do *The Wall Street Journal*, por Copyright Clearance Center © 2011 por Dow Jones & Company, Inc., 27 de maio de 2011. Todos os direitos reservados em todo o mundo.

---

[5] No mercado norte-americano, um título *bellwether* é aquele que é usado como indicador da tendência do mercado.

da noite. Assim, por exemplo, quando você ouvir que as taxas de juros de longo prazo subiram, na verdade, estão dizendo que o retorno desse título subiu (e o seu preço baixou). No início de 2001, o Tesouro dos Estados Unidos anunciou que não iria mais vender títulos de 30 anos, tornando as notas de 10 anos as emissões vendidas com maior prazo de vencimento. Entretanto, em 2006, os títulos de dívida de 30 anos foram ressuscitados e, mais uma vez, assumiram *status* de títulos-guia.

Se você examinar os retornos das diversas emissões na Figura 8.4, verá claramente que seus vencimentos variam. Por que isso ocorre e o que isso poderia significar são duas das coisas que discutiremos na próxima seção.

EXEMPLO 8.9 — Cotações do Tesouro dos Estados Unidos

Na Figura 8.4, localize o título do Tesouro norte-americano com vencimento em maio de 2019. Qual é sua taxa de cupom? Qual é seu preço de oferta de compra? Qual foi o preço de oferta de venda no *dia anterior*?

A taxa de cupom é 3,125 ou 3,125% do valor de face. O preço de oferta de compra é 103:19, ou 103,59375%, do valor de face. O preço de oferta de venda é de 103:20, o que está abaixo por um *tick* (tamanho da oscilação admitida) do dia anterior. Isso significa que o preço de oferta de venda no dia anterior era igual a $103^{20}/_{32} + 1/_{32} = 103^{21}/_{32} = 103,21$.

Uma observação sobre cotações de preços dos títulos de dívida

Se você comprar um título de dívida entre as datas de pagamento de cupom, o preço será normalmente maior do que o preço cotado. O motivo é que a convenção padrão do mercado de títulos de dívida é cotar os preços líquidos de "juros acumulados". Isso quer dizer que os juros acumulados são deduzidos para chegar ao preço cotado. Esse preço cotado é chamado de **preço vazio**. O preço que você realmente paga, porém, inclui os juros acumulados. Esse é o **preço cheio**, também conhecido como preço "sujo" ou "da fatura" (*full, dirty, or invoice price*).

Um exemplo é o modo mais fácil de entender essas questões. Suponhamos que você compre um título com um cupom anual de 12% com pagamento semestral. Você paga $ 1.080 por ele, de modo que $ 1.080 é o seu preço sujo. Além disso, no dia da compra, o próximo cupom vence em quatro meses, e você está entre as datas dos cupons. Observe que o próximo cupom será de $ 60.

Os juros acumulados sobre um título são calculados tomando a fração do período do cupom decorrida (neste caso, dois meses em seis) e multiplicando essa fração pelo próximo cupom ($ 60). Assim, os juros acumulados deste exemplo são 2/6 × $ 60 = $ 20. O preço cotado do título (ou seja, seu preço limpo) seria de $ 1.080 − $ 20 = $ 1.060.[6]

8.4 Inflação e taxas de juros

Até agora, neste capítulo, não levamos em conta o papel da inflação sobre as taxas de juros. Entretanto, já abordamos essa questão na Seção 6.3. Revisaremos brevemente nossa discussão anterior adicionando novas ideias para o tópico.

---

[6] Na verdade, o cálculo dos juros acumulados depende do tipo de título que é cotado – por exemplo, título emitido por empresa ou pelo Tesouro. A diferença relaciona-se exatamente com a maneira como o período fracional do cupom é calculado. No exemplo anterior, tratamos implicitamente os meses como tendo exatamente o mesmo número de dias (ou seja, 30 dias cada um, 360 dias em um ano, para o mercado norte-americano), o que é coerente com a forma como são cotados os títulos corporativos norte-americanos. Entretanto, a contagem de dias para os títulos do Tesouro norte-americano é feita na forma de dias corridos (*actual day counts*). A cotação entre datas de vencimento de cupons de títulos brasileiros será tratada na parte final do capítulo.

Taxas reais *versus* taxas nominais

Suponha que uma taxa de juros seja de 15,5% ao ano, assim, se alguém depositar $ 100 em um banco hoje, terá $ 115,50 no próximo ano. Além disso, imagine que uma fatia de pizza custe hoje $ 5, significando que $ 100 podem comprar 20 fatias de pizza. Por fim, suponha que a taxa de inflação seja de 5%, fazendo com que o preço da fatia de pizza venha a ser de $ 5,25 no próximo ano. Quantas fatias de pizza poderão ser compradas no próximo ano se um depósito de $ 100 for feito hoje? Obviamente, poderão ser compradas 22 fatias de pizza = $ 115,50/5,25. Isso é mais do que 20 fatias de pizza, significando um aumento de 10% no poder de compra. Os economistas dizem que, enquanto a taxa *nominal* de juros for de 15,5%, a taxa de juros *real* é de apenas 10%.

A diferença entre as taxas nominal e real é importante e vale a pena ser repetida:

> **A taxa nominal de um investimento é a variação percentual na quantidade de dinheiro que você tem. A taxa real de um investimento é a variação percentual do quanto seu dinheiro pode comprar. Em outras palavras, a variação percentual de seu poder de compra.**

Podemos generalizar a relação entre as taxas nominais, as reais e a inflação desta forma:

$$1 + R = (1 + r) \times (1 + h)$$

em que R é a taxa nominal, r é a taxa real e h é a taxa de inflação.

No exemplo anterior, a taxa nominal foi de 15,50%, e a taxa de inflação foi de 5%. Qual é a taxa real? Podemos determiná-la usando a fórmula:

$$1 + 0,1550 = (1 + r) \times (1 + 0,05)$$
$$1 + r = (1,1550/1,05) = 1,10$$
$$r = 10\%$$

Essa é a mesma taxa real que mostramos antes.

Podemos reorganizar um pouco as coisas da seguinte maneira:

$$1 + R = (1 + r) \times (1 + h) \qquad (8.3)$$
$$R = r + h + r \times h$$

O que isso nos diz é que a taxa nominal tem três componentes. Em primeiro lugar, existe a taxa real sobre o investimento (r). A seguir, há a remuneração pela diminuição no valor do dinheiro investido originalmente por causa da inflação (h). O terceiro componente representa a correção dos ganhos do investimento, que também valem menos por causa da inflação.

Esse terceiro componente costuma ser pequeno e, portanto, quase sempre é ignorado. A taxa nominal é, portanto, aproximadamente igual à taxa real mais a taxa de inflação:

$$R \approx r + h$$

É importante observar que índices financeiros, como taxas de juros, taxas de desconto e taxas de retorno, quase sempre são cotados em termos nominais. Para lembrá-lo disso, usaremos o símbolo R em vez de r na maior parte de nossas discussões sobre tais taxas.

EXEMPLO 8.10 Taxas reais *versus* nominais

Se os investidores exigem uma taxa de retorno real de 10%, e a taxa de inflação é de 8%, qual deve ser a taxa nominal aproximada? E a taxa nominal exata?

Em primeiro lugar, a taxa nominal é aproximadamente igual à taxa real mais a taxa da inflação: 10% + 8% = 18%. Da Equação 8.3, temos que:

$$1 + R = (1 + r) \times (1 + h)$$
$$= 1,10 \times 1,08$$
$$= 1,1880$$

Portanto, a taxa nominal será, na realidade, próxima a 19%.

Risco de inflação e títulos de dívida indexados à inflação[7]

Consideremos um título do Tesouro dos Estados Unidos, de 20 anos, com cupom de 8%. Se o valor ao par, o montante principal, é de $ 1.000, o titular receberá $ 80 por ano nos próximos 20 anos, e, somado a isso, receberá $ 1.000 em 20 anos. Como o governo norte-americano nunca foi inadimplente, os credores consideram a garantia de receber o pagamento prometido inerente a esses títulos. Como consequência, pode ser dito que esse é um título de dívida que não apresenta riscos.

Mas o título é realmente livre de riscos? A resposta dependerá de como definimos risco. Suponha que não exista possibilidade de inflação, significando que as fatias de pizza custarão sempre $ 5. Podemos ter certeza de que $ 1.080 ($ 1.000 do principal e $ 80 de juros) no vencimento permitirão que compremos $ 1.080/$ 5 = 216 fatias. Por outro lado, suponha, que nos próximos 20 anos, haja 50% de probabilidade de que não ocorra inflação e 50% de probabilidade de uma taxa de inflação anual de 10%. Com uma taxa de inflação a 10%, em 20 anos, uma fatia de pizza custará $ 5 $\times$ $(1{,}10)^{20}$ = $ 33,64. O pagamento de $ 1,080 permitirá ao titular comprar o reduzido número de $ 1.080/$ 33,64 = 32,1 fatias, não as 216 fatias que calculamos em um mundo sem inflação. Dada a incerteza da taxa de inflação, o investidor enfrenta o **risco de inflação**; apesar de ele saber que receberá $ 1.080 no vencimento, ele não sabe se poderá pagar por 216 ou por 32,1 fatias de pizza.

Falaremos agora em termos de quantias nominais e reais. O *valor nominal* do pagamento no vencimento é simplesmente de $ 1.080, porque essa é a quantia efetiva que o investidor receberá. Supondo uma inflação de 10%, o *valor real* desse pagamento é de apenas $ 1.080/$(1{,}10)^{20}$ = $ 160,54. O valor real mede o poder de compra do pagamento. Como os credores estão preocupados com o poder de compra dos pagamentos feitos pelos títulos de dívida, eles estão basicamente interessados no valor real, não no valor nominal. A inflação pode desgastar o valor real dos valores a receber, o que significa dizer que o risco de inflação é uma preocupação séria, principalmente em um momento de inflação alta e variável.

Algum título de dívida dos Estados Unidos está isento do risco de inflação? Para falar a verdade, sim. O governo dos Estados Unidos emite os títulos de dívida do Tesouro protegidos da inflação (*Treasury inflation-protected securities* – TIPS), com promessas de pagamento especificadas em termos reais, e não nominais Um grande número de outros países também emite títulos indexados à inflação. Imagine que um título de dívida indexado a inflação em particular que vença em dois anos tenha um valor a par de $ 1.000 e pague um cupom de 2%, em que tanto o valor ao par quanto o valor do cupom sejam especificados em termos reais. Supondo pagamentos anuais, o credor receberá o seguinte pagamento *real*:

Fim do 1º ano	Fim do 2º ano
$ 20	$ 1.020

Assim, o emitente está prometendo pagamentos em termos reais.

Que quantidades o credor receberá, expressando em termos nominais? Imagine que a taxa de inflação no primeiro ano seja 3% e a taxa de inflação no segundo ano seja 5%. O credor receberá os seguintes pagamentos nominais:[8]

Fim do 1º ano	Fim do 2º ano
$ 20 $\times$ 1,03 = $ 20,60	$ 1.020 $\times$ 1,03 $\times$ 1,05 = $ 1.103,13

Embora o credor saiba o tamanho dos pagamentos a serem recebidos em termos reais quando ele compra o título, ele não sabe o tamanho dos pagamentos em termos nominais até que os números da inflação sejam anunciados a cada período. Como os TIPS e outros títulos indexados à inflação garantem pagamentos em termos reais, dizemos que esses títulos eliminam o risco de inflação.

---

[7] Também chamados de títulos pós-fixados.

[8] Esse exemplo está simplificado. Cálculos de pagamentos reais são sempre complexos e diferem de país para país. Por exemplo, TIPS têm pagamentos semestrais com uma defasagem no ajuste da inflação.

Títulos de dívida indexados à inflação são cotados em retornos reais. Por exemplo, suponha que o título seja negociado a $ 971,50. O retorno, y, será resolvido pela seguinte equação:

$$971,50 = \frac{20}{1+y} + \frac{1.020}{(1+y)^2}$$

Neste exemplo, verifica-se que y é 3,5%. Assim, dizemos que o retorno real do título é de 3,5%.

Os retornos sobre os títulos normais do Tesouro dos Estados Unidos estão relacionados aos retornos sobre os TIPS? Em maio de 2012, o retorno real sobre um TIPS de 20 anos era de cerca de 0%, e o retorno (nominal) sobre um título do Tesouro era de cerca de 2,6%. Em uma estimativa inicial, alguém poderia argumentar que a diferença de 2,6% significa que o mercado espera a taxa anual de inflação de 2,6% ao longo do próximos 20 anos.[9]

O efeito Fisher

Imagine um mundo em que, inicialmente, não haja inflação e em que a taxa de juros nominal seja de 2%. Suponha que alguma coisa, uma ação do Federal Reserve ou uma mudança na taxa de câmbio, inesperadamente provoque uma inflação de 5%. O que você acha que acontecerá à taxa de juros nominal? Seu primeiro pensamento pode ser de que a taxa de juros subirá, porque, se a taxa permanecer em 2%, a taxa real se tornará negativa. Ou seja, um depósito bancário de $ 100 hoje ainda aumentará para $ 102 ao final do ano. Entretanto, se um pão que hoje custa $ 1 custar $ 1,05 no ano seguinte, $ 102 comprarão apenas 97 pães no próximo ano (=102/1,05), aproximadamente. Como o valor inicial de $ 100 permite que sejam comprados 100 pães hoje, há uma redução no poder de compra.

O quanto a taxa de juros deveria subir? Um economista conhecido, Irving Fisher, conjeturou há muitas décadas que a taxa de juros nominal deveria subir o suficiente para manter a taxa de juros real em 2%. Podemos utilizar a Equação 8.3 para determinar que a nova taxa nominal será:

$$2\% + 5\% + 2\% \times 5\% = 7,1\%$$

O pensamento de Fisher é de que os investidores não são ingênuos. Eles sabem que a inflação reduz o poder de compra e, portanto, exigirão um aumento na taxa nominal antes de emprestar dinheiro. A hipótese de Fisher, tipicamente chamada de **efeito Fisher**, pode ser definida como:

> **Uma subida na taxa de inflação faz com que a taxa nominal suba apenas o suficiente para que a taxa de juros real não seja afetada. Em outras palavras, a taxa real não varia com a taxa da inflação.**

Embora o raciocínio de Fisher faça sentido, é importante destacar que a afirmação de que a taxa nominal subirá para 7,1% é apenas uma hipótese. Tanto pode ser verdadeira quanto pode ser falsa em qualquer situação do mundo real; não *tem* que ser verdadeira. Por exemplo, se os investidores forem ingênuos, afinal, a taxa nominal poderia ser de 2%, mesmo na presença da inflação. Por outro lado, mesmo que os investidores entendam o impacto da inflação, a taxa nominal pode não fazer todo o caminho até atingir 7,1%. Ou seja, pode haver alguma força desconhecida impedindo uma subida total.

Como o efeito Fisher pode ser testado empiricamente? Embora um teste empírico preciso esteja além do escopo deste capítulo, a Figura 8.5 fornece uma evidência.

A figura traça os retornos do título do Tesouro de um ano e a taxa de inflação nos Estados Unidos. As duas linhas parecem se movimentar juntas, significando que a taxa de inflação é um determinante importante da taxa de juros de curto prazo.

---

[9] Como já mencionado antes, títulos normais do Tesouro estão sujeitos ao risco de inflação, enquanto as TIPS não correm o mesmo risco. Como os riscos dos dois títulos não são equivalentes, essa abordagem deve ser vista apenas como uma primeira estimativa da inflação prevista.

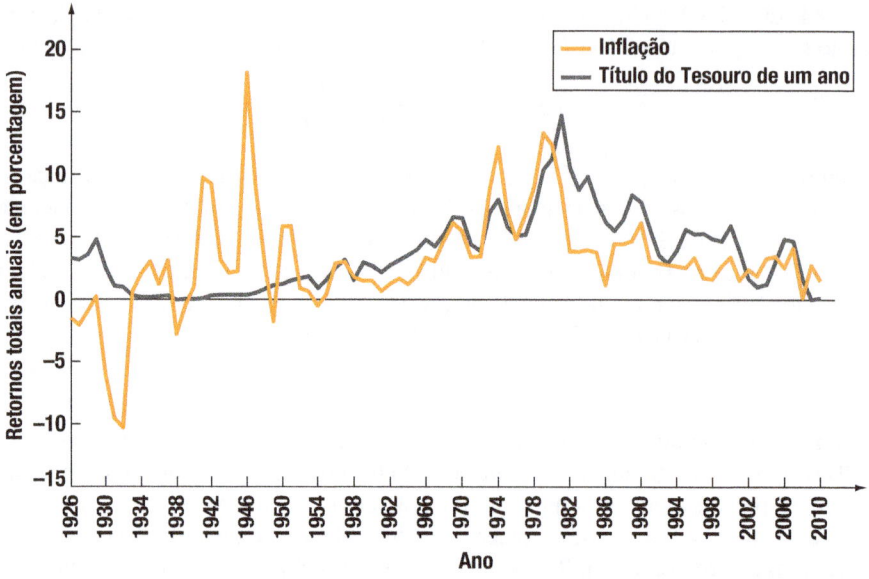

A figura traça os retornos do título do Tesouro de um ano e a taxa de inflação nos Estados Unidos. As duas linhas parecem se movimentar juntas, significando que a taxa de inflação é um determinante importante da taxa de juros de curto prazo.

FIGURA 8.5 A relação entre retornos de títulos do Tesouro de um ano e a inflação nos Estados Unidos.

Fonte: *2011 Ibbotson SBBI ® Classic Yearbook.*

A figura assinala duas curvas, uma mostrando retornos de títulos do Tesouro de um ano ao longo de 85 anos, e a outra mostrando a taxa de inflação no mesmo período. Vê-se que as duas curvas movem-se juntas. Tanto as taxas de juros quanto as taxas de inflação subiram entre a década de 1950 e o início da década de 1980, caindo nas décadas seguintes. Embora uma análise estatística seja necessária para que uma relação precisa seja estabelecida, a figura sugere que a inflação é um determinante importante na taxa de juros nominal.

8.5 Determinantes dos retornos de títulos de dívida

ExcelMaster
cobertura
online
Esta seção introduz barras de rolagem e a função HLOOKUP do Excel.

Agora já podemos discutir os determinantes do retorno de um título de dívida. Como veremos, o retorno de determinado título é um reflexo de uma série de fatores, alguns comuns a todos os títulos, e outros específicos a determinada emissão.

A estrutura a termo das taxas de juros

É normal que as taxas de juros de curto prazo e de longo prazo, em qualquer período, sejam diferentes. Às vezes, as taxas de curto prazo são mais altas, outras vezes, são mais baixas. A Figura 8.6 nos dá uma perspectiva de longo prazo sobre isso, mostrando quase dois séculos de taxas de juros de curto e de longo prazos nos Estados Unidos. Como mostrado, a diferença entre as taxas de curto e de longo prazo tem variado de praticamente zero até vários pontos percentuais positivos ou negativos.

A relação entre as taxas de juros de curto e de longo prazos é conhecida como **estrutura a termo das taxas de juros**. Para sermos um pouco mais precisos, a estrutura a termo das taxas de juros nos informa as taxas de juros *nominais* de títulos *tipo desconto puro* e *sem risco* referentes a todos os prazos de vencimento. Essas são, em essência, taxas de juros "puras", porque não envolvem risco e cada uma envolve um único pagamento futuro. Em outras palavras, a estrutura a termo nos diz o valor puro do dinheiro no tempo para diferentes períodos.

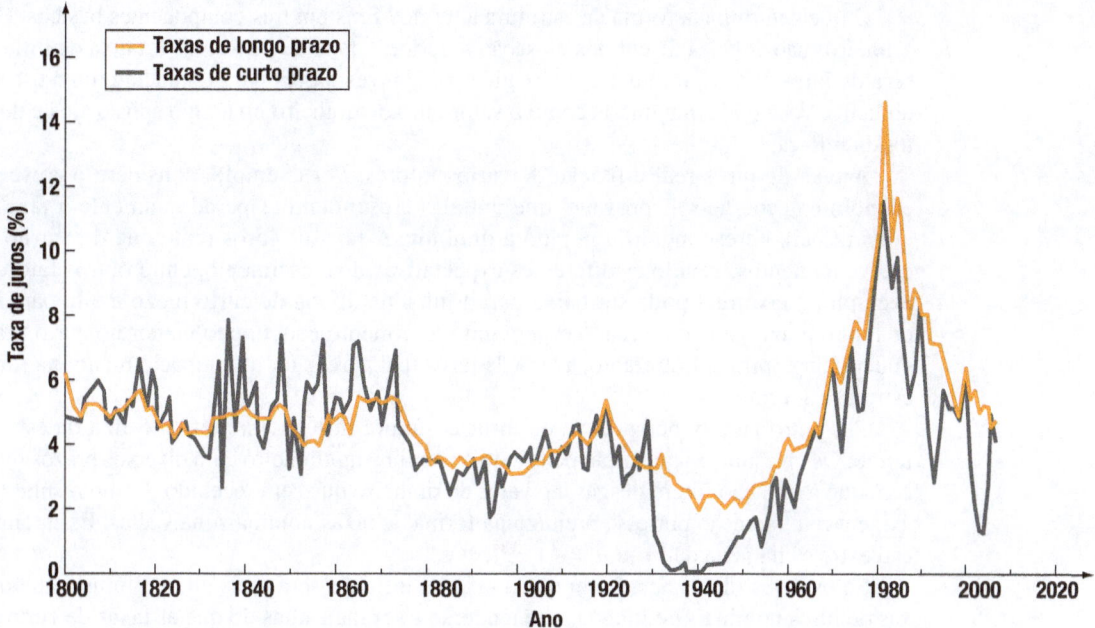

FIGURA 8.6 Taxas de juros nos Estados Unidos: 1800–2010.

Fonte: Jeremy J. Siegel, *Stocks for the Long Run*, 4ª edição, © McGraw-Hill, 2008, atualizado pelos autores.

Quando as taxas de longo prazo são mais altas do que as taxas de curto prazo, dizemos que a estrutura a termo tem inclinação ascendente e, quando ocorre o inverso, dizemos que ela tem inclinação descendente. A estrutura a termo também pode apresentar uma "corcunda".

Quando isso ocorre, em geral, é porque as taxas primeiro aumentam, e, em seguida, começam a diminuir à medida que os prazos se tornam cada vez mais longos. A forma mais comum da estrutura a termo, particularmente nos tempos atuais, é a ascendente, mas o grau de inclinação varia bastante.

O gráfico para a estrutura de juros privados no Brasil, mostrado a seguir, foi extraído da edição de 13 de agosto de 2014 do jornal *Valor Econômico*. Ele é um exemplo de estrutura a termo de taxas de juros.

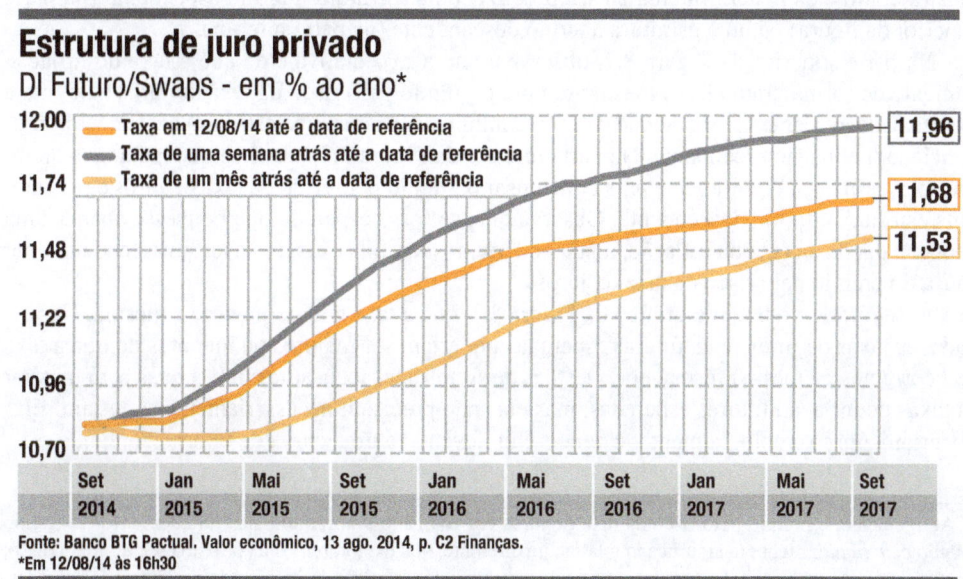

Fonte: Valor Econômico (2014).

O que determina a forma da estrutura a termo? Existem três componentes básicos. Os dois primeiros são aqueles discutidos na seção anterior: a taxa de juros real e a taxa de inflação. A taxa de juros real é a remuneração exigida pelos investidores para renunciarem ao uso de seu dinheiro. Você pode imaginá-la como o valor puro do dinheiro no tempo após o ajuste dos efeitos da inflação.

A taxa de juros real é função de vários fatores. Por exemplo, considere o crescimento econômico esperado. É provável que um alto crescimento esperado aumente a taxa real e que um baixo crescimento esperado a diminua. A taxa de juros real pode diferir ao longo dos vencimentos, devido às diferentes expectativas de crescimento, entre outros fatores. Por exemplo, a taxa real pode ser baixa para títulos de dívida de curto prazo e alta para títulos de longo prazo, pois o mercado espera um crescimento econômico menor no curto prazo do que no longo prazo. Entretanto, a taxa de juros real parece ter um impacto menor na forma da estrutura a termo.

Por outro lado, a perspectiva de inflação futura influencia muito a forma da estrutura a termo. Os investidores que estão pensando em emprestar dinheiro com diversos prazos reconhecem que a inflação futura desgasta o valor do dinheiro que será recebido. Como resultado, eles exigem remuneração por esse prejuízo na forma de taxas nominais mais altas. Essa remuneração extra é chamada de **prêmio pela inflação**.

Se os investidores acreditam que a taxa de inflação será mais alta no futuro, então as taxas de juros nominais de longo prazo tenderão a ser mais altas do que as taxas de curto prazo. Assim, uma estrutura a termo ascendente pode ser um reflexo de estimativas de aumentos da inflação. Da mesma forma, uma estrutura a termo descendente provavelmente reflete a crença de que a inflação diminuirá no futuro.

O terceiro e último componente da estrutura a termo tem a ver com o risco da taxa de juros. Como discutimos anteriormente neste capítulo, títulos de prazo mais longo têm muito mais risco de perdas com aumentos das taxas de juros se comparados a títulos de prazo mais curto. Os investidores reconhecem esse risco e exigem remuneração extra na forma de taxas maiores. Essa remuneração extra é chamada de **prêmio pelo risco da taxa de juros**. Quanto mais longo for o prazo até o vencimento, maior será o risco da taxa de juros, de modo que o prêmio por esse risco aumenta com o prazo de vencimento. Entretanto, como já foi discutido, o risco da taxa de juros aumenta a uma taxa decrescente; assim, o prêmio por esse risco também aumenta a uma taxa decrescente.[10]

Juntando o quebra-cabeças, vemos que a estrutura a termo reflete o efeito combinado da taxa de juros real, do prêmio pela inflação e do prêmio pelo risco da taxa de juros. A Figura 8.7 mostra como eles podem interagir para produzir uma estrutura a termo ascendente (na parte superior da figura) ou uma estrutura a termo descendente (na parte inferior).

Na parte superior da Figura 8.7, observe como a expectativa é de que a taxa de inflação aumente de forma gradual. Ao mesmo tempo, o prêmio pelo risco da taxa de juros aumenta a uma taxa decrescente, de modo que o efeito combinado produz uma estrutura a termo com pronunciada inclinação ascendente. Na parte inferior da Figura 8.7, prevê-se queda na taxa de inflação, e essa queda é suficiente para compensar o prêmio pelo risco da taxa de juros e produzir uma estrutura a termo descendente. Observe que, se fosse esperado que houvesse apenas uma pequena queda na taxa da inflação, ainda poderíamos ter uma estrutura a termo ascendente, por causa do prêmio pelo risco da taxa de juros.

Assumimos, ao traçar o gráfico da Figura 8.7, que a taxa real permanece a mesma. Na verdade, as taxas de juros reais futuras esperadas poderiam ser maiores ou menores do que a taxa real corrente. Da mesma forma, por questões de simplificação, usamos linhas retas para mostrar as taxas de inflação futuras esperadas, mas elas não precisam necessariamente ser assim. Elas poderiam, por exemplo, aumentar e depois cair, levando a uma curva de retorno corcunda.

---

[10] Antigamente, o prêmio pelo risco da taxa de juros era chamado de prêmio pela "liquidez". Hoje, o termo *prêmio pela liquidez* tem um significado totalmente diferente, que exploraremos na próxima seção. Além disso, o prêmio pelo risco da taxa de juros também pode ser chamado de prêmio pelo risco de vencimento. Nossa terminologia é coerente com a visão moderna da estrutura a termo.

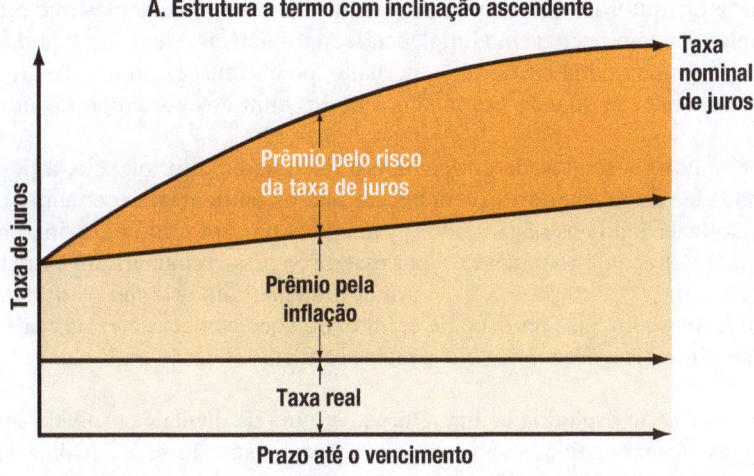

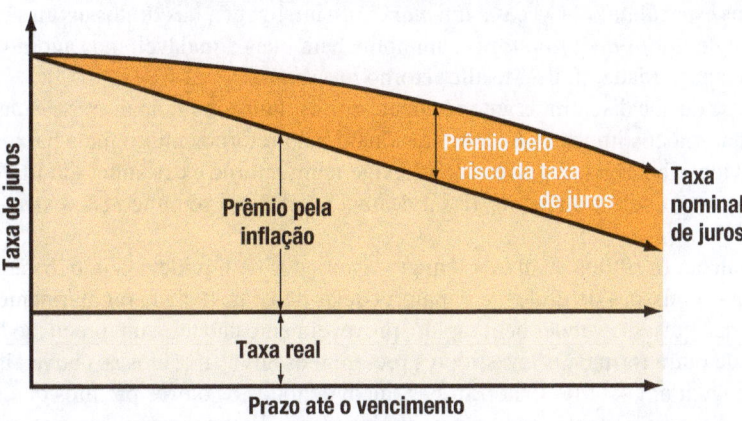

FIGURA 8.7 A estrutura a termo das taxas de juros.

Retornos de títulos de dívida e a curva de retornos: montando o quebra-cabeça

Voltando à Figura 8.4, lembre-se de que os retornos das notas e dos títulos diferem ao longo dos vencimentos. Todos os dias, além dos preços e dos retornos do Tesouro norte-americano mostrados na Figura 8.4, o *The Wall Street Journal* oferece um gráfico dos retornos dos títulos do Tesouro em relação ao vencimento. Esse gráfico é chamado de **curva de retorno dos títulos do Tesouro** (*Treasury yield curve*), ou apenas curva de retornos (*yield curve*). A Figura 8.8 mostra a curva de retornos de maio de 2011.

Informações *online* sobre a curva de retornos estão disponíveis no *site* **http://www.bloomberg.com/markets**.

Como você provavelmente já deve suspeitar, a forma da curva de retornos é um reflexo da estrutura a termo das taxas de juros. Na verdade, a curva de retornos dos títulos do Tesouro e a estrutura a termo das taxas de juros são quase a mesma coisa.[11] A única diferença é que a estrutura a termo se baseia em títulos tipo desconto puro, enquanto a curva de retornos se baseia nos retornos de títulos de cupom fixo. Como resultado, os retornos dos títulos do Tesouro dependem dos três componentes fundamentais da estrutura a termo – a taxa real, a inflação futura esperada e o prêmio pelo risco da taxa de juros.

---

[11] No Capítulo 26, Seção 26.7, pág. 905 e seguintes, apresentamos de forma mais detalhada a distinção entre estrutura a termo e curva de retornos.

As notas e os títulos do Tesouro têm três características importantes que precisam ser lembradas: eles não têm risco de inadimplência, são tributáveis e têm alta liquidez. Isso não vale para os títulos de dívida em geral, e, portanto, precisamos examinar os fatores adicionais que entram em ação quando examinamos títulos emitidos por empresas ou municipalidades.

A primeira coisa a ser levada em conta é o risco de crédito, ou seja, a possibilidade de inadimplência. Os investidores reconhecem que os emitentes, excetuando o Tesouro, podem ou não fazer todos os pagamentos prometidos por um título e, assim, eles exigem um retorno mais alto como remuneração por esse risco. Essa remuneração extra é chamada de **prêmio pelo risco de inadimplência**. Anteriormente, vimos como os títulos de dívida foram classificados com base no risco de crédito. Se você começar a examinar títulos com classificações diferentes, descobrirá que aqueles com classificação mais baixa têm retornos mais altos.

Já afirmamos neste capítulo que um retorno de título de dívida é calculado supondo que todos os pagamentos prometidos serão cumpridos. Como resultado, esse é realmente um retorno prometido e pode ou não ser aquilo que você ganhará. Se o emitente não pagar, seu retorno real será mais baixo – provavelmente muito mais baixo. Esse fato é particularmente importante para os títulos especulativos. Graças a um *marketing* inteligente, tais títulos agora são chamados normalmente de *títulos de alto retorno*, um nome bem mais agradável, mas agora você já sabe que esses são, na verdade, títulos de alto retorno *prometido*.

Lembre-se de que discutimos anteriormente que os títulos municipais norte-americanos são isentos da maioria dos impostos e, como resultado, têm retornos muito mais baixos do que os títulos de dívida tributáveis. Os investidores exigem um retorno extra sobre um título tributável como remuneração pelo tratamento fiscal desfavorável. Essa remuneração extra é o **prêmio pela tributação**.

Para finalizar, os títulos de dívida têm graus variados de liquidez. Como discutimos antes, existem muitas emissões de títulos, e a maioria delas não é negociada regularmente. Como resultado, se você quisesse vender bem rápido, provavelmente não teria um preço tão bom quanto conseguiria de outra forma. Os investidores preferem os ativos líquidos aos ativos ilíquidos, de modo que exigem um **prêmio pela liquidez**, além de todos os outros prêmios que discutimos. Como resultado, se o restante for igual, os títulos menos líquidos terão retornos mais altos do que os mais líquidos.

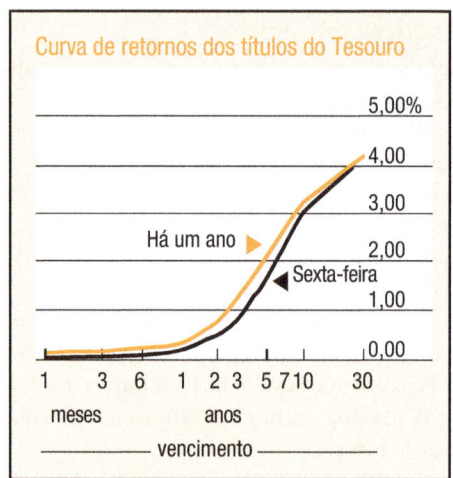

FIGURA 8.8 Curva de retornos dos títulos do Tesouro dos Estados Unidos: maio de 2011.

Fonte: Reimpresso com a permissão do *The Wall Street Journal*, por Copyright Clearance Center © 2011 por Dow Jones & Company, Inc. Todos os direitos reservados em todo o mundo.

8.6 Características gerais dos títulos de dívida brasileiros*

Até aqui, apresentamos uma visão geral do mercado de títulos de dívida e formas de cálculos vigentes no mercado norte-americano. Apresentaremos agora o mercado brasileiro de títulos de dívida. Iniciamos discutindo os títulos públicos federais emitidos pelo Tesouro Nacional e, em seguida, trataremos dos títulos emitidos por empresas.

Títulos públicos federais

Trataremos os títulos públicos federais emitidos no Brasil de forma mais detalhada do que fizemos com os títulos emitidos nos Estados Unidos. Ao comparar as diferentes formas de cálculo do preço de um título público emitido pelo Tesouro brasileiro com o apresentado sobre os títulos de dívida até aqui, talvez você ache os títulos públicos brasileiros um pouco mais complicados. Porém, examinando de forma conjunta as práticas do mercado brasileiro, veremos que, na verdade, são simples.

Os títulos públicos compõem a dívida pública mobiliária, representada por títulos emitidos pela União, Estados e Municípios. A Resolução do Senado Federal nº 78, de 01 de julho de 1998, proibiu as unidades federadas (Estados e municípios) que tiverem sua dívida mobiliária refinanciada pela União de emitir, sob qualquer pretexto, novos títulos públicos. A Resolução nº 43 de 2001, também do Senado Federal, determinou que o impedimento se aplique até 31 de dezembro de 2020. O Banco Central do Brasil não emite títulos da dívida pública desde 2002, dois anos após a publicação da Lei Complementar nº 101, de 04/05/2000, conhecida como Lei de Responsabilidade Fiscal.[12]

Os títulos emitidos em leilão pelo Tesouro Nacional para circulação no país (mercado doméstico)[13] são denominados em reais e têm a modalidade escritural, nominativa e negociável. O Tesouro também emite títulos para circulação no exterior (títulos soberanos, no mercado externo).[14] Esses títulos geralmente são denominados em moeda estrangeira, mas também podem ser denominados em reais. Os títulos vendidos no mercado externo são registrados em uma central de custódia no exterior. As emissões de títulos em moedas estrangeiras, além de disponibilizar recursos em moeda estrangeira para o país, servem para estabelecer curvas de referência para emissões de dívidas no exterior por empresas brasileiras.

A Lei de Responsabilidade Fiscal   A Lei de Responsabilidade Fiscal (Lei Complementar nº 101, de 04/05/2000[15]), conhecida também como LRF, estabelece normas voltadas para dois grandes pilares: 1) a transparência e 2) a responsabilidade na gestão das finanças públicas.

A lei estabelece, em regime nacional, parâmetros a serem seguidos relativos ao gasto público de cada ente federativo (Estados e municípios) brasileiro. As restrições orçamentárias visam a preservar a situação fiscal dos entes federativos, de acordo com seus balanços anuais, com o objetivo de garantir a saúde financeira de Estados e municípios, a aplicação de recursos nas esferas adequadas e uma boa herança administrativa para os futuros gestores. Entre seus itens, está previsto que cada aumento de gasto precisa vir de uma fonte de financiamento correlata e os gestores precisam respeitar questões relativas ao fim de cada mandato, não excedendo o limite permitido e entregando contas saudáveis para seus sucessores. Um dos mais fortes instrumentos de transparência em relação aos gastos públicos, indicando os parâmetros para uma administração eficiente, a LRF brasileira se inspirou em outros exemplos bem-sucedidos ao redor do mundo, como Estados Unidos e Nova Zelândia. Ver: http://www.tesouro.fazenda.gov.br/lei-de-responsabilidade-fiscal.

---

* Seção elaborada com base em material cedido pelo Instituto Educacional BM&FBOVESPA. Acesse: www.bmfbovespa.com.br/educacional.

[12] Os títulos necessários para a realização da política monetária do BC são emitidos pelo Tesouro Nacional, conforme será explicado à frente.

[13] Dívida Pública Mobiliária Federal interna (DPMFi).

[14] Dívida Pública Mobiliária Federal externa (DPMFe).

[15] Brasil. Lei Complementar nº 101, de 4 de maio de 2000. Disponível em: <http://www.planalto.gov.br/ccivil03/leis.lcp101.htm>.

A Lei n⁰ 10.179, de 6 de fevereiro de 2001,[16] consolida a legislação sobre os títulos da dívida pública de responsabilidade do Tesouro Nacional, e o Decreto n⁰ 3.859, de 4 de julho de 2001,[17] estabelece as características dos Títulos da Dívida Pública Mobiliária Federal interna. A definição sobre quais títulos serão emitidos é de competência do Ministro da Fazenda, delegada para o Secretário do Tesouro Nacional que a delegou para o Subsecretário da Dívida Pública.

A Secretaria do Tesouro Nacional (STN) emite os títulos sob três formas: leilão, emissão no Tesouro Direto ou emissão direta. No Tesouro Direto, as emissões são realizadas diretamente para pessoas físicas. A STN define a programação dos leilões em função das diretrizes de política econômica, publicados em cronograma anual de leilões com as datas e as características dos títulos a serem ofertados. A cada trimestre é divulgado cronograma com os vencimentos dos títulos a serem ofertados. O montante de títulos a ser ofertado é divulgado em Portaria publicada no *site* do Tesouro Nacional na data do leilão, ou na véspera, no caso de alguns leilões.[18] A realização dos leilões ocorre no Sistema de Liquidação e Custódia (Selic), do Banco Central.[19]

No Brasil, a grande maioria das transações com títulos de renda fixa (públicos e privados) é realizada no mercado de balcão em sistemas de liquidação e custódia (Selic, no caso dos títulos públicos; Letras e Notas e Câmara de Liquidação e Custódia – CETIP –, no caso dos demais títulos públicos e dos títulos privados). Uma parcela menor das negociações é transacionada em plataformas eletrônicas, dentre as quais se destacam o Sisbex, na Clearing de Ativos da BM&FBOVESPA, o CETIP Trader, plataforma provida pela Bloomberg, e outra de propriedade do Banco Central do Brasil (exclusiva para títulos públicos). A Associação Brasileira das Entidades dos Mercados Financeiros e de Capitais – ANBIMA (ver www.anbima.com.br) divulga informações relativas a taxas, preços e volumes negociados no mercado secundário de títulos públicos.

Negociação, registro e liquidação de títulos públicos

Selic No segmento de títulos da dívida pública federal interna, os negócios realizados com títulos emitidos pelo Tesouro Nacional têm registro no Selic,[20] o Sistema Especial de Liquidação e de Custódia, do Banco Central do Brasil. Além da custódia de títulos, o Selic é encarregado do registro e da liquidação de operações com títulos públicos. Integram o Selic os seguintes módulos:[21]

Ofpub (Oferta Pública) e **Ofdealers** (Oferta a *Dealers*), que acolhem propostas e apuram resultados de ofertas públicas de compra e venda de títulos públicos em operações definitivas e compromissadas.

Lastro, que tem por finalidade auxiliar a especificação dos títulos objeto das operações compromissadas.

Negociação, plataforma eletrônica de negociação de títulos públicos federais acessível aos participantes do Selic.

A administração do Selic e de seus módulos complementares é de competência exclusiva do Demab/BACEN, e o sistema é operado em parceria com a Associação Brasileira das Entidades dos Mercados Financeiro e de Capitais (Anbima).[22]

Taxa Selic A taxa média ponderada pelo volume das operações de financiamento por um dia (operações compromissadas), lastreadas em títulos públicos federais e realizadas no SELIC.

---

[16] Brasil. Lei n⁰ 10.179, de 6 de fevereiro de 2001. Disponível em: <http://www.planalto.gov.br/ccivil_03/leis/leis_2001/l10179.htm>.

[17] Brasil. Decreto n⁰ 3.859, de 4 de julho de 2001. Disponível em: <http://www.planalto.gov.br/ccivil_03/decreto/2001/D3859.htm>.

[18] Tesouro Nacional (Brasil). Disponível em: <http://www3.tesouro.fazenda.gov.br/serviços/faq/faq_dividapublica.asp>.

[19] Tesouro Nacional (Brasil). Disponível em: <http://www3.tesouro.fazenda.gov.br/web/stn/leilões>.

[20] O Certificado do Tesouro Nacional (CTN), o Certificado Financeiro do Tesouro (CFT), o Certificado da Dívida Pública (CDP), o Título da Dívida Agrária (TDA) Securitizada e a Dívida Securitizada são registrados na Cetip.

[21] Banco Central (Brasil). *Selic*: mercado de títulos públicos. Disponível em: <http://www.bcb.gov.br/?selic>.

[22] Para maiores informações, consultar Banco Central do Brasil, http://www.bcb.gov.br/?selic.

Operações compromissadas Operações de venda de títulos com compromisso de recompra assumido pelo vendedor, concomitante com compromisso de revenda assumido pelo comprador, para liquidação no dia útil seguinte. Operações compromissadas diferem das operações definitivas, pois estas são operações de compra ou venda final de títulos sem compromisso de revenda ou recompra. Estão aptas a realizar operações compromissadas, por um dia útil, fundamentalmente, as instituições financeiras habilitadas, tais como bancos, sociedades corretoras de títulos e valores mobiliários e sociedades distribuidoras de títulos e valores mobiliários.

Tesouro Nacional e Banco Central do Brasil Nas operações com títulos públicos, é necessário separar as atuações da Secretaria do Tesouro Nacional (STN) e as atuações do Banco Central do Brasil (BC). A gestão da Dívida Pública Federal está a cargo da STN, enquanto o BC é o responsável pela condução da política monetária. Enquanto o Tesouro emite e administra a dívida pública, o BC utiliza títulos de sua carteira emitidos pelo Tesouro para gestão da liquidez do sistema por meio de operações compromissadas. Essas operações afetam temporariamente a liquidez bancária no período compreendido desde a data da operação até a data de revenda ou recompra. Quando os títulos na carteira do BC vencem, o Tesouro emite e entrega novos títulos para substituir o principal da dívida com o BC. Se o controle de liquidez da economia exige aumento da carteira do BC, o Tesouro emite títulos diretamente em favor do BC. Nos leilões informais, conhecidos como *go around*, ocorre a negociação de títulos públicos do Tesouro Nacional entre o BACEN e instituições financeiras credenciadas, os chamados *dealers* (escolhidos mediante análises que levam em conta o volume de negócios e a qualidade na prestação de informações ao BACEN e ao Tesouro Nacional).

Investidores em títulos públicos federais Muitos investidores e agentes de mercado constituem o mercado para títulos públicos. Dentre os principais, estão:

i. Fundos de Investimento;
ii. Fundos de Previdência;
iii. Investidores não residentes;
iv. Tesourarias dos bancos;
v. Seguradoras; e
vi. Demais (principalmente empresas e pessoas físicas).

Os Fundos de Investimento constituem uma forma importante de distribuição de títulos públicos para o público, permitindo a pessoas físicas e empresas realizar aplicações em cotas desses fundos.

Ao adquirir um título público, uma instituição financeira pode mantê-lo em carteira própria, ou revendê-lo no mercado secundário para outras instituições financeiras. Após sua aquisição pelas instituições financeiras no mercado primário (leilão), os títulos são vendidos para grandes investidores, fundos de investimento em renda fixa e, finalmente, para o investidor de varejo quando este adquire quotas de fundos de investimento.

Os títulos públicos federais também têm um grande mercado junto às tesourarias das instituições financeiras. Elas necessitam ter reservas bancárias[23] para fazer frente à necessidade de movimentação dos correntistas e recolhimento de compulsório ao BC. As reservas podem tanto ser captadas junto ao público mediante depósitos à vista e a prazo quanto por meio do mercado interbancário, com a venda de títulos públicos e com a emissão de CDI. Uma carteira de títulos públicos funciona como colchão de liquidez para recomposição de reservas no mercado. Da mesma forma que utilizam títulos públicos em carteira para recompor suas reservas, as instituições financeiras utilizam títulos públicos para aplicar suas sobras de reservas bancárias.

O volume diário de operações compromissadas tem sido maior que o volume negociado no mercado secundário na forma definitiva – nas compromissadas os títulos servem tão somente como lastro das operações. O volume mais significativo das operações compromissadas pouco ou nada contribui para a liquidez dos títulos, exceto no caso das operações em que

---

[23] Depósitos imediatamente disponíveis que os bancos devem manter no Banco Central para realizar transações entre si, em nome próprio ou de terceiros, e com o Banco Central.

se permite a livre movimentação do lastro – compromissadas de três e seis meses –, as quais representam em torno de 20% do volume total, ou R$ 160 bilhões, no momento da conclusão desta edição.

As pessoas físicas podem negociar títulos públicos federais no **Tesouro Direto**, um ambiente *online* em que a compra, a venda, a liquidação e a custódia de títulos públicos são viabilizadas para pessoas físicas. As operações são realizadas de forma direta na internet ou por meio de um agente de custódia. Os Agentes de Custódia são instituições que cuidam da administração das Contas de Custódia dos investidores junto à BM&FBOVESPA, sendo responsáveis pelas informações cadastrais de cada investidor, pela guarda dos títulos públicos na BM&FBOVESPA, pela intermediação financeira entre os investidores e o Tesouro Nacional e pelo recolhimento de taxas e impostos. O Tesouro garante liquidez semanal aos títulos adquiridos no Tesouro Direto. Nas quartas-feiras, a instituição promove a recompra dos títulos dos investidores que desejam vender esses ativos, com base nos preços de mercado.

A seguir, á apresentada uma tela do sistema de informações do Tesouro Direto.

Título	Vencimento	Taxa(a.a.)		Preço Unitário Dia	
		Compra	Venda	Compra	Venda
Indexados ao IPCA					
NTNB Principal 150519	15/05/2019	5,68%	-	R$ 1.888,36	-
NTNB Principal 150824	15/08/2024	5,99%	-	R$ 1.372,88	-
NTNB 150535	15/05/2035	5,97%	-	R$ 2.501,71	-
NTNB Principal 150535	15/05/2035	6,03%	-	R$ 730,54	-
Prefixados					
LTN 010117	01/01/2017	11,70%	-	R$ 768,06	-
LTN 010118	01/01/2018	11,84%	-	R$ 685,61	-
NTNF 010125	01/01/2025	11,95%	-	R$ 903,07	-
Indexados à Taxa Selic					
LFT 070317	07/03/2017	-0,01%	-	R$ 6.274,11	-

Atualizado em: **12/08/2014 9:00:24**
Fonte: Brasil (2014).

Emissões diretas A colocação de títulos públicos também pode ser realizada por meio de Emissões Diretas, sem a realização de leilões, que visam a atender a necessidades específicas determinadas em lei. Isso é feito, por exemplo, para o aumento de capital de empresas públicas, para pagamento de equalização do Programa de Financiamento às Exportações (PROEX), para renegociação de dívida com Estados e Municípios, dentre outros.

Tipos gerais de títulos públicos brasileiros

Os títulos públicos federais emitidos pelo Tesouro brasileiro, em linhas gerais, podem ser vistos como sendo de dois tipos, títulos prefixados e títulos pós-fixados, ambos podendo ou não pagar cupons de juros:

Conheça características de títulos públicos brasileiros em: https://www.tesouro.fazenda.gov.br/pt/caracteristicas-dos-titulos-publicos.

- **Títulos tipo prefixados:**
    - Sem cupons, com um único pagamento pelo valor de face no vencimento, sem atualização monetária.
    - Com cupons, com pagamentos semestrais de juros calculados na emissão e pagamento do valor de face no vencimento, todos sem atualização monetária.
- **Títulos tipo pós-fixados:**
    - Sem cupons, com um único pagamento pelo valor de face no vencimento, com atualização monetária.
    - Com cupons, com pagamentos semestrais de juros calculados na emissão e pagamento do valor de face no vencimento, todos com atualização monetária.

Atualização monetária. As características de atualização monetária visam a atender a diferentes clientelas para os títulos públicos; assim, há títulos com atualização pelos seguintes índices:

- Taxa básica de juros da economia: taxa SELIC.
- Outras referências de taxa de juros: TR.
- Índices de inflação: IPCA.

Os diferentes índices de inflação divulgados no Brasil são índices setoriais ou relativos a classes de renda, com divulgação mensal em data fixa do mês. Isso exige que os títulos com rentabilidade atrelada a índices não diários tenham seu fator de atualização ajustado para os períodos intermediários. Por essa razão, os títulos com atualização monetária podem ter regras próprias para o cálculo *pro rata*. O Apêndice 8 apresenta alguns exemplos.

Denominação de títulos públicos, contagem de dias e expressão de taxas

Para os títulos referenciados em reais, tanto no leilão primário quanto no mercado secundário, a contagem de dias entre duas datas é feita em dias úteis. As taxas são expressas em taxa efetiva anual, com base em ano de 252 dias úteis,[24] e sua apuração para períodos diferentes de 252 dias é feita na forma de taxas equivalentes de juros compostos. Para o cálculo de taxas, primeiro calcula-se o fator diário da taxa cotada para 252 dias, e, em seguida, o fator diário é capitalizado pelo número efetivo de dias do período.

EXEMPLO 8.11

Suponha que, para determinado título, o prazo de vencimento contenha 254 dias úteis a decorrer e a taxa exigida para esse título e esse prazo seja de 11,00% a.a. Nessas condições, a taxa do período para esse título será calculada assim:

$$Taxa_{254du} = \left[\left(1 + \frac{11,00}{100}\right)^{254/252} - 1\right] \times 100 = 11,092\%$$

A expressão nos mostra que, se a taxa na curva da estrutura a termo de taxas de juros para o período de 254 dias e para esse tipo de título é de 11,00% a. a., então o retorno equivalente desse título é 11,092% no período.

    O expoente 254/252 significa que primeiro extraímos a raiz 252 do fator de taxa anualizada para obter o fator de taxa diária e, em seguida, elevamos o fator de taxa diária à potência 254 para, assim, obter o fator de taxa efetiva para o período de 254 dias úteis e, em seguida, a taxa. Esse procedimento vale para *quaisquer prazos* em dias úteis; *sempre extraímos primeiro a raiz 252* do fator da taxa informada e, em seguida, nós elevamos à potência de número efetivo de dias úteis do período.

Esse exemplo mostra que uma coisa é a *forma de cotar o retorno esperado*, na forma de taxa anualizada, outra coisa é *o retorno exigido do título* para aquele vencimento. Ás vezes, a primeira é referida como *taxa periódica*, e a segunda, como *taxa do período*.

A exceção na forma de cálculo é dos títulos referenciados à variação cambial para os quais a taxa obedece a forma de taxa nominal anual, e a convenção de contagem de dias é a 30/360. A apuração de taxas para períodos diferentes de 360 dias é feita na forma de taxas proporcionais, para juros simples (como no mercado americano, pois o ativo subjacente é o dólar dos Estados Unidos).

Termos relativos a títulos públicos. A seguir, definimos alguns dos principais termos utilizados para títulos públicos federais brasileiros.

    Data de emissão: Data em que o título é criado por decisão da STN e registrado nos controles do Tesouro Nacional e do BC (Selic).

    Data do leilão: Data em que o título é ofertado ao mercado.

---

[24] Banco Central (Brasil). Comunicado nº 7.818, de 31 de agosto de 2000. Disponível em: <http://www.dou.jusbrasil.com.br>.

Data de liquidação: Data em que o investidor transfere as reservas bancárias referentes à aquisição do título no leilão para o Tesouro Nacional ou o investidor no mercado secundário transfere as reservas bancárias para o vendedor do título. É a data considerada para cálculo do retorno até o vencimento do título.

Data de pagamento: Data em que um pagamento previsto pelo fluxo de caixa do título é realizado em reservas bancárias. A data de pagamento poderá ser o próximo dia útil se o vencimento ocorrer em dia não útil.

Data-base: Data de referência para atualização do valor nominal, quando previsto no edital, podendo ser anterior à data de emissão. É a data considerada base da atualização monetária, quando prevista no título.

Prazo: Compreende o período entre a data de liquidação da compra (inclusive) até a data de resgate (exclusive). A contagem do prazo entre duas datas é feita em número de dias úteis (du).

Data de vencimento: Data em que ocorre o pagamento da parcela final pelo valor de face (valor nominal) e do último cupom, quando houver. É a data considerada para a definição das datas de pagamento dos cupons de juros, quando o título paga juros periódicos.

Preço Unitário – PU: Os títulos públicos são negociados em múltiplos. No leilão primário, para a maioria dos títulos, é exigido que sejam feitas ofertas em quantidades múltiplas de 50 títulos. O uso de múltiplos, tanto no leilão primário quanto nos negócios no mercado secundário, exige que se conheça o preço de mercado de uma unidade. O preço de um título é chamado de Preço Unitário, conhecido no mercado como PU. As formas de cálculo do PU dos principais títulos públicos de emissão do Tesouro Nacional são apresentadas no Apêndice 8.

Principais títulos de dívida corporativa no Brasil

No Brasil, a captação de recursos no mercado por endividamento das empresas é realizada principalmente por meio de emissão de debêntures e notas promissórias (*Commercial Paper*) e pode ser realizada por Sociedade por Ações (S/A), de capital fechado ou aberto. Entretanto, somente as S/A de capital aberto podem efetuar emissões de debêntures e notas promissórias (e outros títulos) para colocação junto ao público; as fechadas somente podem realizar captações privadas. Além da emissão de debêntures e notas promissórias, as empresas brasileiras têm a possibilidade de emitir outros títulos para captação de recursos de dívida, inclusive emissão de títulos de dívida no exterior (*bonds*). Mais adiante, apresentamos alguns dos principais títulos classificados por área de atuação do emissor.

Títulos de dívida ou títulos de crédito?

É necessária a caracterização dos títulos de dívida emitidos no Brasil. No direito comercial brasileiro, os títulos de dívida aqui referidos são *denominados títulos de crédito*,[25] e, para serem assim classificados, devem ter as características de abstração, autonomia, cartularidade e literalidade.

Abstração diz respeito à ausência de causa necessária para a existência da obrigação expressa no título; o título de crédito é, em si, abstrato em relação ao negócio que lhe tenha dado origem.

Autonomia refere-se ao fato de que o direito e a obrigação expressa no título não estão subjugados a qualquer contraprestação. A obrigação expressa é autônoma.

Cartularidade diz respeito a direito e título se confundirem. O titular só pode exercer seu direito com a apresentação do título, o que protege o emitente de duplicidade de exigência da obrigação.

Literalidade refere-se ao direito ser expresso pelo que está escrito no título. O direito expresso tem a exata medida do que está escrito.

---

[25] Dívida ou crédito são os dois lados da transação. O devedor emite títulos representativos de sua obrigação de fazer pagamentos em serviço de uma dívida assumida, e o credor adquire títulos representativos dessa dívida. Do ponto de vista dos mercados financeiros, o que importa é o título enquanto instrumento negociável.

Esse conjunto de características permite que os títulos de crédito sejam negociados no mercado sem qualquer relação com os fatos que lhes deram existência, o que os torna títulos mobiliários. Talvez você ache estranhas algumas dessas condições, como as que estabelecem que uma obrigação de pagamento não tenha relação com uma contraprestação de serviço ou venda e que seja abstrata em relação ao negócio que lhe tenha dado origem. Ocorre que a existência de um título pressupõe que ele tenha sido emitido em conformidade com as leis e as práticas comerciais. A abstração e a autonomia do título são apenas características necessárias para o título ser negociável, dando liquidez ao credor, com a concordância legal do devedor.

Nem todo o título que expressa obrigação e tem características de título de crédito é realmente um título de crédito. Por exemplo, letras de câmbio vinculadas em garantia de um contrato não têm abstração nem autonomia. Neste livro, usamos o termo "título de dívida" com o significado que o Direito dá aos títulos de crédito. O termo *título de dívida* é o conceito corriqueiramente utilizado nos mercados financeiros. O credor é titular de direitos de crédito de uma dívida representada por tais títulos.

Saiba mais sobre debêntures consultando http://www.debentures.com.br/.

A Figura 8.9 apresenta um resumo das emissões primárias e secundárias de alguns dos principais valores mobiliários no Brasil, de 1995 a 2014. Os dados são da Anbima e estão expressos em milhões de reais (Anbima, 2014).

(Valores em milhões)					
Ano	Ações	Debêntures	Notas Promissórias	CRI	FIDC
1995	1.935,25	6.883,38	1.116,68	0	0
1996	9.179,37	8.395,48	499,35	0	0
1997	3.965,21	7.517,78	5.147,01	0	0
1998	5.968,38	9.657,30	12.903,49	314,01	0
1999	4.638,79	6.676,38	8.044,00	12,9	0
2000	13.537,49	8.748,00	7.590,70	171,67	0
2001	5.919,87	15.162,14	5.266,24	222,8	0
2002	6.151,12	14.635,60	3.875,92	142,18	200
2003	2.723,37	5.282,40	2.127,83	287,6	1.540,00
2004	9.152,55	9.613,81	2.241,00	403	5.134,65
2005	14.142,01	41.538,85	2.631,54	2.102,32	8.579,13
2006	31.306,92	69.464,00	5.278,50	1.071,44	14.262,00
2007	75.499,00	48.073,00	9.726,00	1.520,00	12.088,00
2008	34.882,13	24.049,00	25.438,00	4.809,00	12.878,00
2009	47.130,72	27.614,00	22.643,00	3.242,00	10.112,00
2010	150.285,00	52.293,00	18.737,00	7.592,00	13.720,00
2011	18.982,00	48.500,00	18.019,00	12.427,00	14.734,00
2012	14.300,00	88.446,00	22.652,00	10.361,00	6.058,00
2013	23.895,00	66.136,00	20.809,00	14.480,00	5.923,00
2014	14.992,00	36.304,00	16.187,00	6.868,00	3.323,00

FIGURA 8.9 Volume de emissões primárias e secundárias dos principais valores mobiliários no Brasil desde 1995.

Fontes: CVM e Anbima (2014).

A seguir, são apresentados alguns dos principais títulos de dívida privada emitidos por diferentes setores da economia brasileira.

Títulos emitidos por empresas não financeiras. Nota Promissória (de coloção no mercado, também conhecida como *Commercial paper*), Debênture, Cédula de Crédito Bancário (CCB), Duplicata mercantil e Letra de Câmbio.

Títulos de emissão de instituições financeiras. Certificado de Depósito Interfinanceiro (CDI), Certificado de Depósito Bancário (CDB), Recibo de Depósito Bancário (RDB), Letra Financeira (LF), Letra Imobiliária (LI), Letra de Crédito Imobiliário (LCI), Letra de Crédito do Agronegócio (LCA), Letra Hipotecária (LH), Letra de Câmbio (LC).

Títulos vinculados à cadeia do agronegócio. Certificado de Recebíveis do Agronegócio (CRA), Certificado de Depósito Agropecuário (CDA), *Warrant* Agropecuário (WA), Certificado de Direitos Creditórios do Agronegócio (CDCA), Cédula de Produto Rural (CPR), Cédula Rural Pignoratícia.

Títulos vinculados a operações de exportação. Cédula de Crédito à Exportação (CCE), *Export Note*, Nota de Crédito à Exportação (NCE).

Títulos vinculados à área imobiliária. Cédula de Crédito Imobiliário (CCI), Certificado de Recebíveis Imobiliários (CRI).

Fundos de investimento. Fundo de Investimento em Direitos Creditórios – FIDC. O FIDC não é um título, mas um instrumento, ou estrutura, mediante o qual uma empresa pode comercializar sua carteira de créditos a receber. Esses créditos são "direitos creditórios", e o FIDC, como o seu nome diz, reúne direitos creditórios e os "securitiza". O FIDC é como um "bolo" de direitos creditórios, do qual se vendem "fatias" a investidores.

Saiba mais sobre títulos de dívida privada emitidos no Brasil consultando http://www.cetip.com.br/InstFinanceiro/instrumentos-financeiro.

Títulos de dívida emitidos por empresas brasileiras no exterior

As empresas brasileiras também emitem títulos de dívida em moeda estrangeira e, com isso, captam recursos no exterior (os títulos de dívida emitida no exterior por empresas brasileiras são referidos com frequência como "bônus" como tradução de *bonds*). Empresas brasileiras também emitem títulos de dívida de longo prazo, inclusive na forma de títulos perpétuos (não há vencimento para o valor de face da dívida). Em 2005, a siderúrgica Gerdau efetuou emissão de bônus perpétuos no mercado internacional no valor de $ 600 milhões. Também em 2005, o banco Bradesco anunciou a captação internacional de $ 300 milhões em bônus perpétuos com juros anuais de 8,81%. Em 2006, o Banco do Brasil captou $ 500 milhões. Voltaremos a esse tema no Capítulo 32.

Operações estruturadas

No ano de 2014, um título começou a ganhar notoriedade no mercado financeiro brasileiro, o Certificado de Operações Estruturadas – COE.[26] O COE possibilita realizar operações complexas por meio de um único contrato, como investimentos que combinam ativos de renda fixa e variável com estrutura de rentabilidades típica de instrumentos financeiros derivativos, com estrutura de rentabilidades com características de instrumentos financeiros derivativos.

De uma forma geral, o COE é um instrumento de captação, único e indivisível que mistura o componente caixa com as funcionalidades de um derivativo, porém com maior transparência para investidores, emissores e reguladores, garantindo grande flexibilidade e dinamismo.

Uma das grandes vantagens desse certificado é a customização das combinações entre ativo subjacente e funcionalidades com as necessidades individuais do investidor. Dessa forma, aqueles que procuram diversificação de investimento em busca de retornos, com ponderações entre renda fixa e renda variável, têm acesso a um grande leque de opções com esses novos produtos.

---

[26] Ver a Lei nº 12.249/2010, de 11 de junho de 2010 (Brasil, 2010), a Resolução nº 4.263 do Conselho Monetário Nacional (Banco Central, 2013) e as Circulares nº 3.684 e nº 3.685 (Banco Central, 2013) do BACEN, que tratam do COE. Ver também o Relatório de Estabilidade Financeira, de março 2014 (Banco Central, 2014). Somente as instituições financeiras, bancos múltiplos, bancos comerciais, bancos de investimento e caixas Econômicas podem emitir esse certificado.

Na BM&FBOVESPA, em 2014 havia a possibilidade de registro de 53 estruturas públicas de COEs, divididas em quatro grandes famílias. A combinação de funcionalidades e regras de remuneração disponíveis dentro de cada uma dessas estruturas gera centenas de diferentes alternativas de registro.

As estruturas estão divididas nas seguintes famílias:

- *COE Digital*: a taxa de remuneração depende da observação de regras estabelecidas pelo preço do ativo subjacente;
- *COE Duplo Indexador*: a remuneração é dada por um de dois indexadores, de acordo com a regra de comparação entre eles estabelecida;
- *COE Participação*: a remuneração replica a compra/venda de um ativo subjacente, com o proprietário recebendo a participação sobre o desempenho positivo e/ou negativo desse ativo em relação a um preço de exercício estabelecido; e
- *COE Volatilidade*: replica ao titular a compra/venda de opção de compra e de opção de venda, recebendo a participação sobre o desempenho positivo/negativo desse ativo em um cenário de alta/baixa volatilidade em relação ao(s) preço(s) de exercício(s) estabelecido(s) no momento do registro.

As combinações de funcionalidades como limitadores, barreiras, proteção contra eventos corporativos, percentuais diferentes de participação, opções de recompra antes do vencimento e regras de remuneração geram centenas de diferentes *payoffs*, oferecendo aos emissores uma grande gama de estruturas para registro.

Negócios com títulos privados Pessoas físicas e jurídicas participam do segmento de títulos privados de renda fixa junto às instituições financeiras, e os negócios ocorrem de forma direta entre as partes, geralmente por telefone. Nos negócios com títulos privados (como debêntures e *commercial paper*), bem como papéis de emissão de Estados e Municípios, o mecanismo de compensação ocorre em sistemas eletrônicos autorizados a atuar pelo Banco Central, como a Cetip e a BM&FBOVESPA. O registro, que é obrigatório em alguns casos, é feito, em geral, em sistemas disponibilizados pela BM&FBOVESPA e também pela Cetip.

A negociação de títulos públicos e privados no Brasil é realizada em diversos ambientes cuja origem remonta aos anos 1970. Após a implantação do Sistema de Pagamentos Brasileiro (SPB) em 2001, sistemas foram adaptados, e novas instituições participam ativamente do mercado de taxa de juro, que é o ativo subjacente de importantes derivativos.

No Brasil, todas as transações no mercado secundário com títulos de renda fixa (públicos e privados) são realizadas no **mercado de balcão** com apoio de sistemas de negociação, registro e liquidação, dentre os quais se destacam os organizados pela BM&FBOVESPA. Os produtos negociados atendem às necessidades específicas ("customizadas") dos clientes. São contratos feitos "sob medida". Dentro do mercado de títulos de renda fixa, é possível diferenciar segmentos do mercado de balcão com características próprias derivadas dos sistemas disponibilizados e das instituições atuantes.

A captação de recursos pelas empresas com o lançamento em mercado de títulos de dívida (como debêntures) tem o custo não só de juros, mas também o custo de estruturação da operação. A estruturação de uma emissão envolve, entre outras coisas, as despesas com: estudos técnicos para preparar o prospecto de emissão, auditoria independente, agente fiduciário e bancos que farão a colocação, preparação dos atos societários para a emissão, divulgação, registro na bolsa e na CVM, escritura de emissão e manutenção do serviço de registro e custódia. O custo efetivo para o emissor será o custo representado pelos juros pagos aos investidores mais as despesas de estruturação (referido no mercado como custos *all in*).

Investidores qualificados, especialmente investidores institucionais, têm participação majoritária no mercado de debêntures no Brasil. Isso ocorre em razão da ainda reduzida liquidez das debêntures no mercado brasileiro, assim como da complexidade dos cálculos para determinar seu valor, o que dificulta a participação de investidores de varejo. Fundos de pensão têm especial interesse nas debêntures indexadas aos índices de inflação. Por outro lado, a tendência de queda das taxas de juros no mercado brasileiro tem como efeito o aumento do interesse dos investidores em geral por títulos de dívida de empresas, pois esses apresentam retornos maiores do que os proporcionados pelos títulos públicos e os títulos indexados à taxa DI.

Os títulos de renda fixa estão sujeitos aos mesmos tributos dos investimentos em fundos de renda fixa. São eles o Imposto sobre Operações de Crédito, Câmbio e Seguros ou relativas a Títulos ou Valores Mobiliários (IOF), conhecido também como Imposto sobre Operações Financeiras (IOF), e o Imposto de Renda (IR), que incidem sobre os rendimentos do título.

O IOF é cobrado sobre o rendimento das aplicações sacadas em prazos inferiores a 30 dias da aplicação. O IOF incide de forma regressiva, à alíquota de 96% sobre o rendimento do primeiro dia da aplicação, a 3% no 29º dia e a 0% no 30º dia da aplicação (dias corridos). Para a tabela completa do IOF, consulte a página da Receita Federal do Brasil (Brasil, 2007).

O Imposto de Renda tem alíquotas conforme o prazo de dias corridos da aplicação e conforme a tabela a seguir:

Prazo em dias corridos	Alíquota de IRRF
0 – 180	22,50%
181 – 360	20,00%
361 – 720	17,50%
721 em diante	15,00%

Classificação de risco de títulos de dívida no Brasil

O Quadro 8.3 mostra a correspondência entre a classificação de risco global e para o Brasil, conforme a Moody's.[27] O Quadro 8.3 deve ser lido em conjunto com o Quadro 8.2, Classificações de risco de títulos de dívida, apresentado na Seção 8.2.

QUADRO 8.3 Classificação para títulos emitidos no Brasil

Brazil as of August 2010		
Global Scale	National Scale Long Term Rating	National Scale Short Term Rating
Baa2 and above	Aaa.br	BR-1
Baa3	Aaa.br to Aa1.br	BR-1
Ba1	Aa1.br to Aa2.br	BR-1
Ba2	Aa2.br to A1.br	BR-1
Ba3	A2.br to A3.br	BR-1 to BR-2
B1	Baa1.br to Baa3.br	BR-2 to BR-3
B2	Baa3.br to Ba2.br	BR-3 to BR-4
B3	Ba2.br to B1.br	BR-4
Caa1	B1.br to Caa.br	BR-4
Caa2	Caa2.br	BR-4
Caa3	Caa3.br	BR-4
Ca	Ca.br	BR-4
C	C.br	BR-4

Fonte: Moody's, 2010.

---

[27] Para mais informações sobre *ratings*, ver em:

Standard & Poor's. Ratings services. Disponível em: >http://www.standardandpoors.com/pt_LA/web/guest/ratings/ratings-criteria/-/articles/criteria/general/filter/all>.

Fitch. Ratings. Disponível em: <https://www.fitchratings.com/jsp/general/RatingsDefinitions.faces?context=5&detail=507&context_ln=5&detail_ln=500>.

Moody's. *Relatórios e Ratings*: Brasil – Metodologia. Disponível em: <https://www.moodys.com/Pages/rr004_0.aspx?bd=4294965756&rd=4294965756%204294966667&ed=4294966848&tb=0&po=0&sb=&sd=0&rdt=&rdtid=&lang=pt&cy=br>.

Um exemplo prático dessa correspondência é o anúncio em relação à emissão da Vale S. A., apresentado a seguir. Esse anúncio classifica os títulos a que se refere, usando as classificações do Quadro 8.2 e as correspondências apresentadas no Quadro 8.3. Ele também traz exemplo dos fundamentos utilizados para expressar a opinião da agência classificadora.

Reproduzimos parte do anúncio. Para o texto completo do anúncio, ver: Cowan e Oak (2013).

MOODY'S
INVESTORS SERVICE

Rating Action: Moody's atribuiu rating na escala global e em moeda local Baa2 e Aaa.br na Escala Nacional Brasileira (NSR) para a planejada emissão de debêntures simples quirografárias da Vale; perspectiva estável

Global Credit Research - 13 Dec 2013

Sao Paulo, December 13, 2013 -- A Moody's América Latina ("Moody's") atribuiu rating na escala global e moeda local Baa2 e Aaa.br na Escala Nacional Brasileira (NSR) para a planejada emissão de R$ 750 milhões em debêntures simples quirografárias (Debêntures de Infraestrutura) da Vale S.A. As debêntures terão datas de vencimento variadas. A empresa pretende utilizar os recursos derivados da emissão para projetos de infraestrutura. Todos os outros ratings permanecem inalterados. A perspectiva é estável.

FUNDAMENTOS DOS RATINGS

O rating Aaa.br na escala nacional para as debêntures simples quirografárias da Vale reflete o posicionamento da qualidade de crédito da empresa em relação aos seus pares domésticos.

O rating na escala global e moeda local Baa2 da Vale reflete a base diversificada de produtos da empresa, índices fortes de cobertura, apesar da retração em 2013 por preços e fundamentos mais enfraquecidos nos seus segmentos de negócios, posição competitiva de custo e carteira substancial de ativos de longo prazo. O rating também considera a capacidade da companhia para ter bom desempenho, diante de sua base de ativos, em um ambiente de mercado em baixa e manter indicadores, em grande medida, em linha com seu rating. Enquanto a Vale tem diversificado sua abrangência geográfica por intermédio de diversas aquisições no Canadá, Austrália e em outras regiões, os principais determinantes para receita, lucros e fluxo de caixa continuam a ser suas operações de minério de ferro no Brasil e sua posição importante no mercado transoceânico de minério de ferro. (Vale, Rio Tinto e BHP Billiton têm combinadas uma participação de mercado de aproximadamente 70% a 75%). A participação da empresa (anunciada em 27 de novembro de 2013) no acordo tributário federal (REFIS), com relação aos procedimentos judiciais e litígio relativo a impostos e outros pagamentos de subsidiárias estrangeiras, é um fator favorável ao rating.

No entanto, o rating leva em consideração os desafios que continuarão a ter impacto sobre o perfil de custo operacional da empresa, particularmente mão de obra, bem como aumentos nos royalties, embora as iniciativas de redução de custos devam ajudar a minimizar o impacto do avanço dos custos. O rating também incorpora a volatilidade nos preços do minério de ferro e de metais e a sensibilidade dos lucros e fluxo de caixa às variações nos preços de seus principais minerais, particularmente minério de ferro, diante da predominância deste segmento no desempenho geral da companhia. Além disso, a empresa permanece sensível ao câmbio, particularmente o dólar norte-americano em relação ao real e ao dólar canadense. Embora a Vale tenha indicado redução nos investimentos em imobilizado (CAPEX) em 2013, em comparação a anos recentes, e um foco mais disciplinado na alocação de capital, o CAPEX, em combinação com os níveis de dividendos (US$ 4 bilhões anunciados para 2013), permanece elevado, em nossa visão, em relação à retração nos lucros e é uma consideração no rating.

Observamos que a empresa redefiniu e moderou seus objetivos de crescimento, que incluem foco em um número menor de projetos simultâneos e projetos que são de longo prazo e baixo custo, reduzindo os gastos em pesquisa e desenvolvimento (P&D), e sendo disciplinada na gestão de sua estrutura de capital. Espera-se que estas ações resultem fluxo de caixa livre em equilíbrio ou levemente negativo nos próximos trimestres.

A perspectiva estável reflete a expectativa da Moody's de que a Vale, apesar dos preços mais fracos do minério de ferro e outras commodities nas quais a empresa tem atuação, irá continuar a apresentar índices de cobertura de dívida e desempenho dos lucros aceitáveis em relação ao seu rating Baa2 em moeda estrangeira. A perspectiva também antecipa que os preços do minério de ferro, embora ficando, na média, mais baixos do que nos anos recentes, irão permanecer em um nível que permita continuidade de boa rentabilidade, em decorrência da posição competitiva e de melhoria de custos da empresa, na medida em que produção de menor custo e conteúdo mais elevado em ferro entrarem em operação. A perspectiva também antecipa que a Vale continuará a equilibrar seus investimentos, dividendos e outros pagamentos exigidos, com sua capacidade de geração de caixa e seus níveis absolutos de dívida incorrida.

Conclusão

Se combinarmos tudo o que discutimos sobre retornos de títulos de dívida (ou obrigações), descobriremos que eles resultam do efeito combinado de não menos do que seis fatores. O primeiro é a taxa de juros real, e sobre ela são cobrados cinco prêmios que representam remuneração por: (1) inflação futura esperada, (2) risco da taxa de juros, (3) risco de inadimplência, (4) tributação e (5) falta de liquidez. Como resultado, a determinação do retorno apropriado sobre um título exige análise cuidadosa de cada um desses efeitos.

Resumo e conclusões

Este capítulo explorou os títulos de dívida, seus retornos e as taxas de juros. Vimos que:

1. A determinação dos preços e dos retornos dos títulos de dívida é uma aplicação dos princípios básicos dos fluxos de caixa descontados.
2. Os valores dos títulos de dívida se movimentam na direção oposta ao das taxas de juros, gerando a possibilidade de ganhos ou perdas para os investidores em títulos de dívida.
3. Os títulos de dívida são classificados com base em seu risco de inadimplência. Alguns títulos, tais como os títulos do Tesouro, não têm risco de inadimplência, enquanto os chamados títulos especulativos têm um risco de inadimplência significativo.
4. Quase todos os negócios com títulos de dívida são feitos em mercados de balcão, com pouca ou nenhuma transparência. Como resultado, as informações de preço e volume dos títulos negociados podem ser difíceis de encontrar em alguns casos.
5. Os retornos dos títulos de dívida e as taxas de juros refletem o efeito de seis fatores diferentes: a taxa de juros real e cinco prêmios que os investidores exigem, como remuneração por inflação, risco da taxa de juros, risco de inadimplência, tributação e falta de liquidez.

Ao encerrar este capítulo, observamos que as dívidas são uma fonte vital de financiamento para governos e empresas de todos os tipos. Seus preços e retornos são um assunto amplo, e nosso único capítulo sobre esse assunto trata apenas dos conceitos e das ideias mais importantes. Existem muitas informações que deixamos de abordar. No capítulo seguinte, passaremos para o assunto das ações.

QUESTÕES CONCEITUAIS

1. **Títulos do Tesouro** É verdade que um título do Tesouro dos Estados Unidos não apresenta riscos?
2. **Risco da taxa de juros** Qual dos dois tem o maior risco da taxa de juros: um título do Tesouro de 30 anos ou um título corporativo de 30 anos classificado como BB?
3. **Precificação dos *Treasuries*** Em relação aos preços de oferta de compra e de venda de um título do Tesouro, é possível que o preço de oferta de compra seja mais alto? Por quê?
4. **Retorno até o vencimento** Os preços de oferta de compra e de venda dos títulos do Tesouro, às vezes, são dados em termos de retornos, e, portanto, haverá um retorno de compra e um retorno de venda. Qual você acha que será maior? Explique.
5. **Taxa de cupom** Como um emitente de títulos de dívida define a taxa de cupom apropriada? Explique a diferença entre a taxa de cupom e o retorno exigido sobre um título de dívida.
6. **Retornos real e nominal** Existe alguma circunstância em que um investidor poderia se preocupar mais com o retorno nominal do que com o retorno real sobre um investimento?
7. **Classificações de dívidas** As empresas pagam agências de classificação de risco como a Moody's e a S&P para classificarem suas dívidas, e os custos podem ser substanciais. Entretanto, as empresas não são obrigadas a ter seus títulos de dívida classificados; isso é feito de forma totalmente voluntária. Por que você acha que elas fazem isso?
8. **Classificações de dívidas** Os títulos do Tesouro norte-americano não são classificados. Por quê? Com frequência, títulos especulativos não são classificados. Por quê?

9. **Estrutura a termo** Qual é a diferença entre a estrutura a termo das taxas de juros e a curva de retornos?
10. **Títulos de dívida *crossover*** Voltando aos títulos de dívida *crossover* que discutimos neste capítulo, por que você acha que ocorrem classificações divididas como essas?
11. **Dívidas municipais** Por que os títulos de dívida municipais não têm tributos federais, mas têm tributos estaduais? Por que os títulos do Tesouro norte-americano não têm tributos estaduais? (Talvez você precise tirar o pó de alguns livros de história antigos para responder).
12. **Mercado de títulos de dívida** Quais são as consequências para os investidores da falta de transparência no mercado de títulos de dívida?
13. **Mercado dos *Treasuries*** Olhe novamente a Figura 8.4. Observe a ampla variação das taxas dos cupons. Por que elas são diferentes?
14. **Agências de classificação** Uma controvérsia relativa às agências de classificação de risco surgiu quando algumas começaram a fornecer classificações não solicitadas. Por que você acha que isso é controverso?
15. **Títulos de dívida como patrimônio** Os títulos de dívida de 100 anos que discutimos neste capítulo têm algo em comum com os títulos especulativos. Em ambos os casos, as críticas dizem que os emitentes, na verdade, estão vendendo participações patrimoniais disfarçadas. Quais são os problemas aqui? Por que uma empresa iria vender "patrimônio disfarçado"?
16. **Preços *versus* retornos de títulos de dívida**
    a. Qual é a relação entre o preço de um título e seu retorno até o vencimento (YTM)?
    b. Explique por que alguns títulos de dívida são vendidos com um ágio acima do valor de face, enquanto outros são vendidos com desconto. O que você sabe sobre a relação entre a taxa de cupom e o YTM dos títulos com ágio? E quanto aos títulos de dívida com desconto? E para títulos vendidos ao valor ao par?
    c. Qual é a relação entre o retorno corrente e o YTM para os títulos com ágio? E para títulos com desconto? E para títulos vendidos ao valor ao par?
17. **Risco de taxa de juros** Com tudo o mais igual, qual tem maior risco de taxa de juros: um título de longo prazo ou um de curto prazo? E quanto a um título com taxa de cupom baixa comparado a um título com taxa de cupom alta? E um título com taxa de cupom alta de longo prazo comparado a um título com taxa de cupom baixa de curto prazo?

QUESTÕES E PROBLEMAS

1. **Avaliação de títulos** Qual é o preço de um título de cupom zero de 15 anos que pague $ 1.000 no vencimento se o YTM for:

    BÁSICO
    (Questões 1-13)

    a. 5%?
    b. 10%?
    c. 15%?

2. **Avaliação de títulos** A empresa Microhard emitiu um título de dívida com as seguintes características:

    Valor ao par: $ 1.000
    Prazo até o vencimento: 15 anos
    Taxa de cupom: 7%
    Pagamentos semestrais

    Calcule o preço desse título se a YTM for:
    a. 7%
    b. 9%
    c. 15%

3. **Retornos de títulos de dívida** A Corporação E.N. Gata emitiu títulos de 15 anos há dois anos com uma taxa de cupom de 6,4%. Os pagamentos são semestrais. Se esses títulos forem vendidos hoje por 105% do valor ao par, qual é o YTM?

4. **Taxas de cupom** A Cinzas Divididas S/A tem títulos no mercado com 11,5 anos até o vencimento, um YTM de 7,6% e um preço corrente de $ 1.060 Os pagamentos são semestrais. Qual deve ser a taxa de cupom dos títulos?

5. **Avaliação de títulos** Mesmo que a maioria dos títulos corporativos nos Estados Unidos faça pagamentos de cupons semestralmente, títulos emitidos em outros lugares costumam ter pagamentos anuais. Suponha que uma empresa alemã emita um título com valor ao par de € 1.000, 19 anos de vencimento e uma taxa de cupom de 4,5% paga anualmente. Se o retorno até o vencimento é de 3,9%, qual é o preço corrente do título?

6. **Retornos de títulos** Uma empresa japonesa tem um título em circulação que é vendido por 92% de seu valor ao par de ¥ 100.000. O título tem uma taxa de cupom de 2,8% pago anualmente e vence em 21 anos. Qual é o retorno até o vencimento do título?

7. **Cálculo de taxas reais de retorno** Se os títulos do Tesouro estão pagando 4,5% e a taxa de inflação é de 2,1%, qual é a taxa de juros real aproximada? E a taxa real exata?

8. **Inflação e retornos nominais** Suponhamos que a taxa real seja de 2,4% e a taxa da inflação seja de 3,1%. Qual taxa você esperaria em uma nota do Tesouro?

9. **Retorno nominal e retorno real** Um investimento oferece retorno total de 14% no próximo ano. Tony Tombini acredita que o retorno total real sobre esse investimento será de apenas 10%. Para Tony, qual será a taxa de inflação no próximo ano?

10. **Retorno nominal *versus* retorno real** Digamos que você tenha um ativo que gerou um retorno total no último ano de 12,5%. Se a taxa de inflação no último ano foi de 5,3%, qual foi seu retorno real?

11. **Uso das cotações dos *Treasuries*** Na Figura 8.4, localize o título do Tesouro com vencimento em fevereiro de 2037. Qual é sua taxa de cupom? Qual é seu preço de oferta de compra? Qual foi o preço de oferta de venda no dia anterior?

12. **Uso das cotações dos *Treasuries*** Na Figura 8.4, localize o título do Tesouro com vencimento em novembro de 2039. Ele é um título com ágio ou um título com desconto? Qual é o retorno corrente? Qual é o retorno até o vencimento? Qual é a margem entre compra e venda?

13. **Títulos de cupom zero** No começo do ano, você compra um título de cupom zero que tem um valor de face de $ 1.000, um YTM de 7% e 25 anos para o vencimento. Se você mantiver o título por um ano, qual valor da renda de juros você terá que declarar em sua declaração de ajuste anual do imposto de renda?

INTERMEDIÁRIO
(Questões 14-25)

14. **Movimentações do preço de títulos de dívida** O título X é vendido com ágio e faz pagamentos anuais. Ele paga um cupom de 8%, tem YTM de 6% e 13 anos até o vencimento. O título Y é vendido com desconto e faz pagamentos semestrais. Ele paga um cupom de 6%, tem YTM de 8% e também 13 anos até o vencimento. Se as taxas de juros permanecerem inalteradas, qual é o preço esperado para esses títulos daqui a um ano? E daqui a 3 anos? E daqui a 8 anos? E daqui a 12 anos? E daqui a 13 anos? O que está acontecendo? Ilustre suas respostas com um gráfico dos preços dos títulos *versus* o prazo até o vencimento.

15. **Risco de taxa de juros** O título Samuel e o título Davi têm cupons de 7% em circulação, fazem pagamentos semestrais e são cotados ao par. O título Samuel tem dois anos até o vencimento, enquanto o título Davi tem 15 anos até o vencimento. Se as taxas de juros subirem repentinamente em 2%, qual será a variação percentual no preço desses títulos? Se, em vez disso, as taxas de juros caírem repentinamente em 2%, qual será a variação percentual no preço dos títulos? Ilustre suas respostas com um gráfico dos preços dos títulos *versus* o YTM. O que este problema mostra em relação ao risco da taxa de juros dos títulos de prazo mais longo?

16. **Risco de taxa de juros** O título J tem cupom de 6% em circulação. O título K tem cupom de 12% em circulação. Ambos têm 12 anos até o vencimento, fazem pagamentos semestrais e têm YTM de 10%. Se as taxas de juros subirem repentinamente em 2%, qual será a variação percentual no preço desses títulos? E se as taxas caírem repentinamente em 2%? O que este problema mostra em relação ao risco da taxa de juros dos títulos com cupom mais baixo?

17. **Retornos de títulos de dívida** A Softwares De Novo Ltda. tem títulos de dívida no mercado com cupom de 6,2% e nove anos até o vencimento. Eles fazem pagamentos semestrais e são vendidos atualmente por 105% do valor ao par. Qual é o retorno atual dos títulos? E o YTM? E o retorno efetivo anual?

18. **Retornos de títulos de dívida** A Gomes & Cia. quer emitir novos títulos de dívida de 20 anos para alguns projetos de expansão extremamente necessários. A empresa, no momento, tem títulos vendidos por $ 1.063, com cupom de 7%, que fazem pagamentos semestrais e têm vencimento em 20 anos. Qual taxa de cupom deve ser definida pela empresa para seus novos títulos de dívida se ela quiser que sejam vendidos ao par?

19. **Juros acumulados** Você compra um título ao preço cheio de $ 950. O título tem taxa de cupom de 6,8% e dois meses até a próxima data de pagamento do cupom semestral. Qual é o preço vazio desse título?

20. **Juros acumulados** Você compra um título com uma taxa de cupom de 5,9% e um preço vazio de $ 1.053. Se o próximo pagamento de cupom semestral for devido em quatro meses, qual é o preço cheio?

21. **Cálculo do vencimento de um título** A Argos S/A tem títulos com cupons de 9% com pagamentos anuais e que têm YTM de 7,81%. O retorno corrente desses títulos é 8,42%. Quantos anos eles têm até o vencimento?

22. **Como usar as cotações de títulos de dívida** Suponha que as cotações dos títulos da DPV S/A a seguir apareçam na página financeira dos jornais de hoje. Assuma que o título tem um valor de face de $ 1.000 e que a data atual seja domingo, 15 de abril de 2012. Qual é o retorno até o vencimento do título? Qual é o seu retorno corrente?

Empresa (*Ticker*)	Cupom	Vencimento	Último preço	Último retorno	Vol. (000s)
DPV	7,240	15 de abril de 2021	105,312	??	1.827

23. **Cálculo do prazo de vencimento** Você acaba de encontrar um título com cupom de 10% que é vendido pelo valor ao par. Qual é o prazo de vencimento desse título?

24. **Juros sobre títulos de cupom zero** A Tesla Corporation precisa levantar recursos para financiar uma expansão de fábrica nos Estados Unidos e resolveu emitir títulos de cupom zero com vencimento em 25 anos. O retorno exigido sobre esses títulos será de 7%.
    a. Por quanto serão vendidos esses títulos no dia da emissão?
    b. Usando a regra de amortização do Imposto de Renda dos Estados Unidos, qual dedução de juros a empresa tem sobre esses seus títulos de dívida no primeiro ano? E no último ano?
    c. Repita a parte (b) usando o método de base linear para a dedução de juros.
    d. Com base em suas respostas para (b) e (c), qual método de dedução de juros a Tesla preferiria? Por quê?

25. **Títulos de cupom zero** Suponhamos que sua empresa precise levantar $ 45 milhões e que você queira emitir títulos de dívida de 30 anos com essa finalidade. Assuma que o retorno exigido sobre a emissão de seu título seja de 6% e que você esteja avaliando duas emissões alternativas: um título com cupom semestral de 6% e um título de cupom zero. A alíquota tributária de sua empresa é de 34%.

a. Quantos títulos de dívida com cupom você precisaria emitir para levantar os $ 45 milhões? E quantos títulos de cupom zero?

b. Em 30 anos, qual será o pagamento da sua empresa se você emitir títulos com cupom? E se emitir títulos de cupom zero?

c. Com base nas respostas para (a) e (b), por que você emitiria os títulos de cupom zero? Para responder, calcule os fluxos de caixa de saída após os impostos da empresa no primeiro ano para os dois cenários. Assuma que as regras de amortização do Imposto de Renda se apliquem aos títulos de cupom zero.

DESAFIO
(Questões 26-32)

26. Componentes dos retornos dos títulos de dívida O título P é vendido com ágio e tem cupom de 9%. O título D tem cupom de 5% e é vendido com deságio. Ambos fazem pagamentos anuais, têm YTM de 7% e dez anos até o vencimento. Qual é o retorno corrente do título P? E o do título D? Se as taxas de juros permanecerem inalteradas, qual será o retorno esperado em ganhos de capital no próximo ano para o título P? E o do título D? Explique suas respostas e a relação entre os diversos tipos de retornos.

27. Retorno do período de manutenção do investimento O YTM sobre um título é a taxa de juros que você ganha sobre seu investimento caso as taxas de juros não mudem. Se você vender o título antes de seu vencimento, o retorno realizado é conhecido como retorno do período de investimento (*holding period yield* – HPY).

a. Suponhamos que você compre hoje um título com cupom anual de 5,6% por $ 930. Ele tem 10 anos até o vencimento. Qual taxa de retorno você espera ganhar sobre seu investimento?

b. Daqui a dois anos, o YTM sobre seu título diminui em 1%, e você resolve vendê-lo. Por qual preço seu título será vendido? Qual é o retorno sobre seu investimento? Compare esse retorno ao retorno até o vencimento (YTM) de quando você comprou o título. Por que eles são diferentes?

28. Avaliação de títulos de dívida A Corporação Pereira tem duas séries diferentes de títulos de dívida em circulação. O título M tem valor de face de $ 30.000 e vencimento em 20 anos. Ele não faz pagamentos nos primeiros seis anos; em seguida, paga $ 800 a cada seis meses durante os oito anos subsequentes; e, por último, paga $ 1.000 a cada seis meses nos seis anos restantes. O título N também tem valor de face de $ 30.000 e vencimento em 20 anos; ele não tem cupom. Se o retorno exigido de ambas as títulos de dívida for de 8% capitalizados semestralmente, qual é o preço atual do título M? E do título N?

29. Títulos do Tesouro A seguinte cotação dos títulos do Tesouro aparece no *The Wall Street Journal* de 11 de maio de 2004:

9,125	9 de maio	100:03	100:04	—	–2,15

Por que alguém compraria esse título do Tesouro com um retorno negativo até o vencimento? Como isso é possível?

30. Fluxos de caixa reais Quando Marilyn Monroe morreu, seu ex-marido, Joe DiMaggio, prometeu colocar flores novas em seu túmulo todos os domingos enquanto ele vivesse. Na semana seguinte à morte de Marilyn Monroe, em 1962, um buquê de flores que o ex-jogador de beisebol achava apropriado para a estrela custava cerca de $ 8. Com base em tabelas atuariais, Joe tinha uma expectativa de vida de 30 anos após a morte da atriz. Assuma que a taxa efetiva anual seja de 6,9%. Da mesma forma, considere que o preço das flores aumentará em 3,2% ao ano, quando expresso em taxa efetiva anual. Assumindo que cada ano tenha exatamente 52 semanas, qual é o valor presente desse compromisso? Joe começou a comprar as flores uma semana depois que Marilyn morreu.

31. Fluxos de caixa reais Você pretende poupar para sua aposentadoria pelos próximos 30 anos. Para isso, investirá mensalmente $ 900 em valor corrente em uma conta de ações e mensalmente $ 300 em valor corrente em uma conta de títulos de dívida. A expectativa de retorno efetivo anual da conta de ações é de 12%, e o ganho da conta de títulos de dívida será de 7%. Quando se aposentar, você unirá em uma só conta os dois investimentos com um retorno efetivo de 8%. A taxa de inflação ao longo desse período é estimada em 4%. Quanto você pode sacar mensalmente de sua conta em termos reais, supondo um período de saque de 25 anos? Qual é o montante nominal em reais de sua última retirada?

32. **Fluxos de caixa reais** Paulo Adams é proprietário de uma academia de ginástica. Ele cobra de seus clientes uma anuidade de $ 500, e sua academia possui 600 clientes. Paulo planeja aumentar a anuidade em 6% a cada ano e espera que o número de usuários da academia cresça a uma taxa constante de 3% pelos próximos cinco anos. As despesas totais de gerenciamento da academia são de $ 125.000 por ano e estima-se que cresçam a uma taxa de 2% por ano. Em cinco anos, Paulo planeja comprar um barco de luxo por $ 500.000, fechar a academia e viajar pelo mundo em seu barco pelo resto da vida. Qual é o valor anual que Paulo poderá gastar durante seu *tour* pelo mundo para que não haja dinheiro no banco quando ele morrer? Suponha que Paulo ainda tenha 25 anos de vida e receba 9% de retorno sobre suas economias.

DOMINE O EXCEL!

As empresas costumam comprar títulos de dívida para atender a passivos futuros ou a desembolsos de caixa. Tal investimento é uma carteira dedicada, pois os resultados da carteira são dedicados aos títulos de dívida futuras. Em tais casos, a carteira está sujeita ao risco de reinvestimento. O risco de reinvestimento acontece porque a empresa estará reinvestindo os pagamentos de cupom que recebe. Se a YTM em títulos semelhantes cai, esses pagamentos de cupom serão reinvestidos a uma taxa de juros menor, o que resultará em um valor de carteira mais baixo do que o desejado no vencimento. Obviamente, se a taxa de juros aumentar, o valor da carteira no vencimento será maior do que o necessário.

Imagine que a Cubos de Gelo S/A tenha a seguinte obrigação a ser cumprida em cinco anos: A empresa comprará títulos de cinco anos hoje para que seja possível cumprir as futuras títulos de dívida. A seguir, temos a obrigação e o YTM atual:

Montante de títulos de dívida	$ 100.000.000
YTM atual	8%

a. Com o YTM atual, qual é o valor de face dos títulos que a empresa deve adquirir hoje a fim de cumprir sua obrigação futura? Suponha que títulos de dívida na faixa relevante tenham o mesmo cupom que o YTM atual e que esses títulos façam pagamentos semestrais de cupom.

b. Imagine que as taxas de juros permaneçam constantes pelos próximos cinco anos. Desta forma, quando a empresa reinvestir os pagamentos de cupom, ela irá reinvestir no YTM atual. Qual será o valor da carteira em cinco anos?

c. Suponha que, imediatamente após a empresa comprar os títulos, as taxas de juros subam ou desçam em 1%. Qual será o valor da carteira em cinco anos nessas circunstâncias?

Uma forma de eliminar o risco de investimento é chamada de imunização. Em vez de comprar títulos com o mesmo vencimento que a obrigação, a empresa compra título de dívida com a mesma duração (*duration*) que a obrigação. Se você pensar sobre a carteira dedicada, se a taxa de juros cair, o valor futuro dos pagamentos de cupom reinvestidos diminui. Entretanto, como as taxa de juros caem, o preço dos títulos aumenta. Esses efeitos compensam um o outro em carteiras imunizadas.

Outra vantagem de usar a duração para imunizar uma carteira é que a duração de uma carteira é simplesmente a média ponderada de duração dos ativos na carteira. Em outras palavras, para descobrir a duração de uma carteira, você simplesmente multiplica o peso de cada ativo na carteira por sua duração e, então, soma os resultados.

d. Qual é a duração da obrigação para a Cubos de Gelo S/A?

e. Imagine que os dois títulos mostrados a seguir sejam os únicos títulos disponíveis para imunizar a obrigação. Qual valor de face dos títulos a empresa precisará comprar para imunizar o portfólio?

	Título A	Título B
Acordo	1/1/2000	1/1/2000
Vencimento	1/1/2003	1/1/2008
Taxa de cupom	7,00%	8,00%
YTM	7,50%	9,00%
Cupons por ano	2	2

MINICASO

Financiando os planos de expansão da Iates Litoral com uma emissão de dívida

Depois de analisar a necessidade de aportes financeiros (NAF) da Iates Litoral (veja o Minicaso do Capítulo 3), Larissa resolveu expandir as operações da empresa. Ela solicitou que Daniel conseguisse um banco de investimentos para ajudar a vender $ 50 milhões em novos títulos de dívida de 20 anos a fim de financiar as construções. Daniel consultou Carla de Souza, uma subscritora da empresa Bertoldi & Machado, sobre quais cláusulas a Iates deveria considerar e qual taxa de cupom a emissão teria. Embora Daniel tenha conhecimento sobre as características dos títulos de dívida, ele não tem certeza sobre os custos e benefícios de alguns deles, de modo que tem dúvidas sobre como cada característica afetaria a taxa de cupom da emissão.

1. Você é assistente de Carla, e ela pediu que você preparasse um memorando para Daniel descrevendo o efeito de cada uma das seguintes características sobre a taxa de cupom do título. Ela também gostaria que você listasse todas as vantagens ou desvantagens de cada cláusula:

   a. A segurança do título – ou seja, se o título tem garantia.

   b. A preferência do titular sobre outros títulos de dívida da emissora.

   c. A presença de um fundo de amortização.

   d. Uma opção de resgate antecipado com datas e preços especificados.

   e. Uma opção de resgate diferido que acompanha aquela de resgate antecipado.

   f. Uma cláusula de opção de compra *make whole* (veja o Capítulo 15).

   g. Alguma cláusula protetora positiva (*positive covenant*). Discuta também algumas cláusulas protetoras positivas possíveis que a Iates Litoral poderia considerar.

   h. Alguma cláusula protetora negativa. Discuta também possíveis cláusulas protetoras negativas que a Iates Litoral poderia considerar.

   i. Uma cláusula de conversibilidade (observe que a Iates Litoral não é uma empresa com capital aberto).

   j. Um cupom com taxa flutuante.

   Daniel também está pensando se deve emitir títulos com juros ou títulos de cupom zero. O YTM nas duas emissões de título será de 7,5%. O título de cupom terá uma taxa de cupom de 6,5%. A alíquota tributária da empresa é de 34%.

2. Quantos títulos com cupom a Iates Litoral deveria emitir para levantar $ 50 milhões? Quantos de cupom zero devem ser emitidos?

3. Em 20 anos, qual será o pagamento da Iates Litoral se ela emitir títulos com cupom? E se emitir títulos de cupom zero?

4. O que a empresa está considerando ao emitir um título com cupom comparado a um título de cupom zero?

5. Imagine que a Iates Litoral emita os títulos com cupom com uma cláusula de opção *make-whole*. A taxa de opção de compra *make-whole* é a taxa do Tesouro mais 0,40%. Se a Iates Litoral recomprar os títulos em sete anos, quando a taxa do Tesouro for de 4,8%, qual é preço da opção de compra do título? E se ele for de 8,2%?

6. Os investidores realmente conseguiram tudo o que podiam com uma cláusula de opção de compra *make-whole*?

7. Depois de considerar todos os fatores importantes, você recomendaria um título de cupom zero ou uma emissão de cupom regular? Por quê? Você recomendaria uma opção de resgate antecipado comum ou uma opção de resgate antecipado *make-whole*? Por quê?

APÊNDICE 8

Para acessar o apêndice deste capítulo, cadastre-se no *site* do Grupo A (www.grupoa.com.br) e procure pela página deste livro. Clique em conteúdo online.

Avaliação de Ações 9

Quando o mercado de ações fechou em 18 de outubro de 2011, as ações da McGraw-Hill, uma editora de livros universitários de alta qualidade, eram negociadas a $ 44,24 por ação. Nesse mesmo dia, a DIRECTV, empresa de televisão por satélite, fechou a $ 46,68 por ação, enquanto a AmeriGas Partners, que distribui gás propano, fechou a $ 45,10. Como os preços das ações dessas três empresas eram muito similares, você poderia esperar que estivessem oferecendo dividendos semelhantes a seus acionistas, mas estaria errado. Na realidade, os dividendos anuais da AmeriGas eram de $ 2,60 por ação, os da McGraw-Hill era de US$ 1 e a DIRECTV nem pagava dividendos!

Conforme veremos neste capítulo, o dividendo corrente é um dos principais fatores na avaliação de ações. No entanto, ao analisar a DIRECTV, é óbvio que os dividendos correntes não são o fim da história. Este capítulo examinará os dividendos, os valores de ações e a conexão entre os dois.

Para ficar por dentro dos últimos acontecimentos na área de finanças, visite **www.rwjcorporatefinance.blogspot.com**.

Domine a habilidade de solucionar os problemas deste capítulo usando uma planilha. Acesse Excel Master no *site* www.grupoa.com.br, procure pelo livro e clique em Conteúdo *Online*.

No capítulo anterior, apresentamos os títulos de dívida e sua avaliação. Aqui, voltamos nossa atenção para outra grande fonte de financiamento das empresas: as ações. Primeiro, descreveremos os fluxos de caixa associados a uma ação e desenvolveremos um famoso resultado: o modelo de crescimento de dividendos. A seguir, examinaremos as oportunidades de crescimento. Salientaremos que as ações, com frequência, são precificadas com o uso de valores comparáveis. Também mostraremos que a abordagem de fluxos de caixa descontados – apresentada nos Capítulos 5 e 6 – funciona para empresas e para ações como um todo, bem como para projetos. Fecharemos o capítulo com uma discussão sobre o modo como as ações são negociadas e como os preços delas e outras informações importantes são reportados na imprensa especializada.

9.1 Valor presente de ações

Dividendos *versus* ganhos de capital

A meta desta seção é avaliar ações. Aprendemos em capítulos anteriores que o valor de um ativo é determinado pelo valor presente de seus fluxos de caixa futuros. Uma ação apresenta dois tipos de fluxos de caixa. Em primeiro lugar, ações geralmente pagam dividendos de forma regular. Em segundo lugar, o acionista recebe o preço da venda quando vende a ação. Assim, para avaliar as ações, precisamos responder a uma importante pergunta: O preço de uma ação é igual:

ExcelMaster cobertura *online*

1. Ao valor presente descontado da soma do dividendo do próximo período mais o preço da ação no próximo período, ou
2. Ao valor presente descontado de todos os dividendos futuros?

Esse é o tipo de pergunta que os alunos adorariam ver em um teste de múltipla escolha, pois tanto (1) quanto (2) estão corretas.

Para ver que (1) e (2) estão corretas, tomemos o exemplo de um indivíduo que vai comprar uma ação e mantê-la por um ano. Logo, o *período de manutenção em carteira* é de um ano. Além disso, ele está disposto a pagar P_0 pela ação hoje. Ele calcula que:

$$P_0 = \frac{\text{Div}_1}{1+R} + \frac{P_1}{1+R} \qquad (9.1)$$

Div_1 é o dividendo esperado pago no fim do ano e P_1 é o preço esperado no fim do ano. P_0 é o valor presente do investimento na ação. O termo no denominador (R) é a taxa de desconto apropriada para a ação e representa o retorno esperado que os investidores exigem para disponibilizar fundos para as ações (i.e., o retorno exigido).

Parece bastante fácil, mas de onde vem P_1? P_1 não vem do nada. Na verdade, precisa haver um comprador no fim do Ano 1 que esteja interessado em adquirir a ação por P_1. Esse comprador determina o preço por:

$$P_1 = \frac{\text{Div}_2}{1+R} + \frac{P_2}{1+R} \qquad (9.2)$$

Ao substituirmos o valor de P_1 da Equação 9.2 na Equação 9.1, teremos:

$$P_0 = \frac{1}{1+R}\left[\text{Div}_1 + \left(\frac{\text{Div}_2 + P_2}{1+R}\right)\right]$$
$$= \frac{\text{Div}_1}{1+R} + \frac{\text{Div}_2}{(1+R)^2} + \frac{P_2}{(1+R)^2} \qquad (9.3)$$

Podemos fazer uma pergunta similar para a Fórmula 9.3: De onde vem P_2? Um investidor no fim do Ano 2 está disposto a pagar P_2 por causa do dividendo e do preço da ação no Ano 3. Esse processo pode ser repetido até a exaustão.[1] No fim, ficamos com

$$P_0 = \frac{\text{Div}_1}{1+R} + \frac{\text{Div}_2}{(1+R)^2} + \frac{\text{Div}_3}{(1+R)^3} + \cdots = \sum_{t=1}^{\infty} \frac{\text{Div}_t}{(1+R)^t} \qquad (9.4)$$

Portanto, o preço de uma ação para o investidor é igual ao valor presente de todos os dividendos futuros esperados.

Esse é um resultado bastante útil. Uma objeção comum à aplicação da análise do valor presente a ações é que os investidores são muito limitados ao curto prazo para se preocuparem com o fluxo de longo prazo dos dividendos. Esses críticos argumentam que um investidor não verá além de seu horizonte de tempo. Assim, os preços em um mercado dominado por investidores de curto prazo refletiriam somente dividendos de curto prazo. Contudo, nossa discussão mostra que um modelo de descontos de dividendos de longo prazo se mantém até mesmo quando os investidores têm horizontes de curto prazo. Embora um investidor possa querer seu investimento mais cedo, ele precisa encontrar outro investidor que esteja disposto a comprar. O preço que esse segundo investidor vai pagar dependerá dos dividendos *depois* da data de aquisição.

Avaliação de diferentes tipos de ações

A discussão anterior mostra que o preço de uma ação é o valor presente de seus dividendos futuros. Como aplicamos essa ideia na prática? A Equação 9.4 representa um modelo geral que se aplica quando se espera que os dividendos aumentem, declinem ou permaneçam iguais. O modelo geral pode ser simplificado se houver a expectativa de que os dividendos sigam alguns

---

[1] Esse procedimento nos faz lembrar da aula de um físico sobre as origens do universo. Ele foi abordado por um senhor idoso que não concordava com a aula. Esse senhor dizia que o universo repousava sobre as costas de uma enorme tartaruga. Quando o físico perguntou em quê a tartaruga se apoiava, ele disse que era em outra tartaruga. Já prevendo as objeções do físico, o senhor disse: "Não se canse, meu jovem. São tartarugas infinitas".

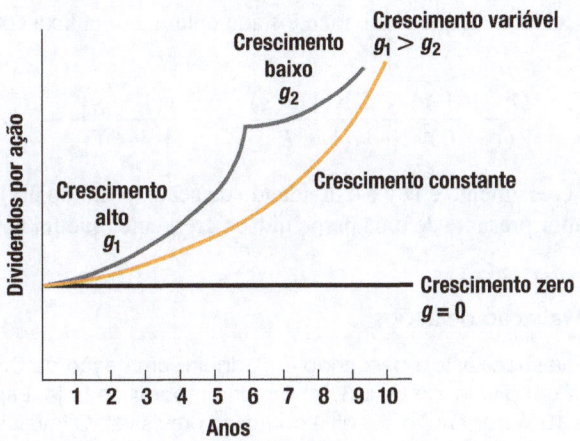

Modelos de crescimento de dividendos

Crescimento zero: $P_0 = \dfrac{\text{Div}}{R}$

Crescimento constante: $P_0 = \dfrac{\text{Div}}{R - g}$

Crescimento variável: $P_0 = \sum_{t=1}^{T} \dfrac{\text{Div}(1 + g_1)^t}{(1 + R)^t} + \dfrac{\text{Div}_{T+1}}{R - g_2} \times \dfrac{1}{(1 + R)^T}$

FIGURA 9.1 Padrões de crescimento zero, crescimento constante e crescimento variável.

padrões básicos: (1) crescimento zero, (2) crescimento constante e (3) crescimento variável. Esses casos são ilustrados na Figura 9.1.

Caso 1 (Crescimento zero) O preço da ação com um dividendo constante é dado por:

$$P_0 = \dfrac{\text{Div}_1}{1 + R} + \dfrac{\text{Div}_2}{(1 + R)^2} + \cdots = \dfrac{\text{Div}}{R}$$

Aqui, supõe-se que $\text{Div}_1 = \text{Div}_2 = \cdots = \text{Div}$. Essa é apenas uma aplicação da fórmula de perpetuidade do Capítulo 4.

Caso 2 (Crescimento constante) Espera-se que os dividendos aumentem a uma taxa g, como segue:

Fim do ano	1	2	3	4	...
Dividendo	Div	Div$(1 + g)$	Div$(1 + g)^2$	Div$(1 + g)^3$	...

Note que Div é o dividendo no fim do *primeiro* período.

EXEMPLO 9.1 Dividendos projetados

A Limeira S/A pagará dividendos de $ 4 por ação daqui a um ano. Os analistas acreditam que os dividendos aumentem a 6% por ano no futuro previsível. Qual é o dividendo por ação no fim de cada um dos primeiros cinco anos?

Fim do ano	1	2	3	4	5
Dividendo	$ 4,00	$ 4 × (1,06) = $ 4,24	$ 4 × (1,06)² = $ 4,4944	$ 4 × (1,06)³ = $ 4,7641	$ 4 × (1,06)⁴ = $ 5,0499

Se houver a expectativa de que os dividendos aumentem a uma taxa constante, o preço de uma ação será:

$$P_0 = \frac{\text{Div}}{1+R} + \frac{\text{Div}(1+g)}{(1+R)^2} + \frac{\text{Div}(1+g)^2}{(1+R)^3} + \frac{\text{Div}(1+g)^3}{(1+R)^4} + \cdots = \frac{\text{Div}}{R-g}$$

em que g é a taxa de crescimento e Div é o dividendo da ação no fim do primeiro período. Essa é a fórmula para o valor presente de uma perpetuidade crescente, que foi apresentada no Capítulo 4.

EXEMPLO 9.2 Avaliação de ações

Suponha que um investidor esteja pensando em adquirir uma ação da Companhia Mineira S/A. A ação pagará um dividendo de $ 3 em um ano a partir de hoje. Espera-se que esse dividendo cresça a 10% por ano (g = 10%) no futuro previsível. O investidor estima que o retorno exigido (R) da ação é de 15%, dada a sua avaliação do risco da Mineira. Também nos referimos a R como a taxa de desconto da ação. Qual é o preço de uma ação da Companhia Mineira S/A?

Utilizando a fórmula de crescimento constante do Caso 2, verificamos que o preço é $ 60:

$$\$60 = \frac{\$3}{0{,}15 - 0{,}10}$$

P_0 depende muito do valor de g. Se g tivesse sido estimado como 12,5%, o valor da ação teria sido:

$$\$120 = \frac{\$3}{0{,}15 - 0{,}125}$$

O preço da ação dobra (de $ 60 para $ 120) quando g aumenta em apenas 25% (de 10% para 12,5%). Por causa da dependência de P_0 de g, deve-se manter um saudável ceticismo na utilização desse modelo de crescimento constante dos dividendos.

Além disso, note que P_0 é igual a infinito quando a taxa de crescimento (g) equivale à taxa de desconto (R). Como os preços das ações nunca são infinitos, uma estimativa de g igual ou maior que R implica um erro – isso será tratado posteriormente.

A suposição de crescimento estável de dividendos poderia parecer estranha. Por que os dividendos cresceriam a uma taxa constante? O motivo é que, para muitas empresas, o crescimento constante dos dividendos é um objetivo explícito. Por exemplo, em 2011, a Procter & Gamble, fabricante de produtos de higiene pessoal e limpeza doméstica com base em Cincinnati (Estados Unidos), aumentou seus dividendos em 8,9%, para $ 1,97 por ação; esse aumento foi notável por ser o 55º consecutivo. O assunto do crescimento de dividendos se enquadra no título geral de política de dividendos, então deixaremos os detalhes dessa discussão para um capítulo posterior.[2]

---

[2] Até aqui, pressupomos que os dividendos sejam apenas pagamentos em dinheiro da empresa para seus acionistas. Nos Estados Unidos, é comum as empresas pagarem dinheiro aos acionistas, comprando de volta ações em circulação. Lá, os pagamentos para recompra de ações podem ser considerados substitutos dos pagamentos de dividendos em dinheiro – analisaremos os prós e contras dos dividendos *versus* os pagamentos para recompra de ações no Capítulo 19, quando veremos que isso é menos comum no Brasil, por questões tributárias.

Para ver como os pagamentos para recompra de ações podem funcionar na versão de crescimento constante do modelo de descontos de dividendos, suponha que a Trojan Industries tenha 100 milhões de ações em circulação e espere um lucro líquido de $ 400 milhões no fim do ano. A Trojan planeja pagar 60% de seu lucro líquido, pagando 30% em dividendos e 30% em recompra de ações. Ela espera que o lucro líquido aumente sempre em 5% ao ano. Se o retorno exigido for de 10%, qual é o preço das ações?
Solução:

$$\text{VP total} = \frac{\$240 \text{ milhões}}{0{,}10 - 0{,}05} = \$4{,}8 \text{ bilhões}$$

$$\text{Preço por ação} = \frac{\$4{,}8 \text{ bilhões}}{100 \text{ milhões de ações}} = \$48 \text{ por ação}$$

Caso 3 (Crescimento variável) Neste caso, uma fórmula algébrica seria muito complicada. Em vez disso, apresentaremos exemplos.

EXEMPLO 9.3 — Crescimento variável

Considere a Companhia do Elixir S/A, que tem a expectativa de um rápido crescimento a partir da introdução de sua nova pomada para dores nas costas. Espera-se que o dividendo de uma ação da Elixir daqui a um ano seja $ 1,15. Pelos próximos quatro anos, estima-se que o dividendo cresça a 15% por ano ($g_1 = 15\%$). Depois disso, o crescimento (g_2) será igual a 10% por ano. Calcule o valor presente de uma ação se o retorno exigido (R) for 15%.

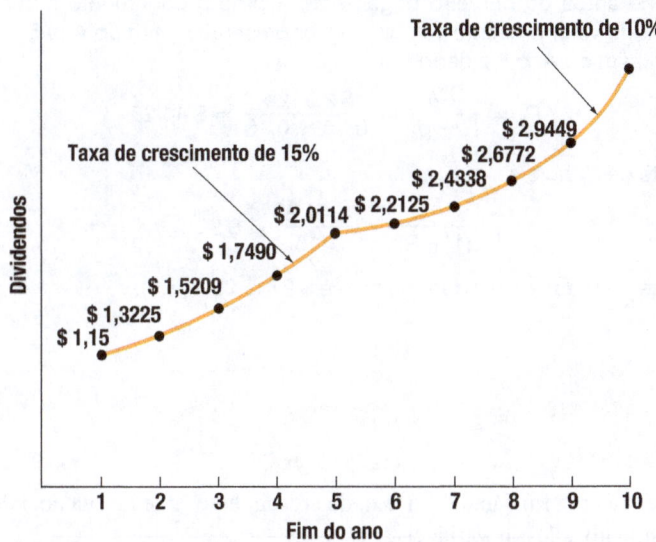

FIGURA 9.2 Crescimento em dividendos da Companhia do Elixir S/A.

A Figura 9.2 mostra o crescimento dos dividendos. Precisamos aplicar um processo em duas etapas para descontar esses dividendos. Primeiro, calculamos o valor presente dos dividendos crescendo a 15% por ano. Isto é, calculamos primeiramente o valor presente dos dividendos no fim de cada um dos primeiros cinco anos. Em segundo lugar, calculamos o valor presente dos dividendos começando no fim do Ano 6.

Valor presente dos primeiros cinco dividendos O valor presente dos pagamentos de dividendos nos anos de 1 a 5 é calculado assim:

Ano futuro	Taxa de crescimento (g_1)	Dividendo esperado	Valor presente
1	0,15	$ 1,15	$ 1
2	0,15	1,3225	1
3	0,15	1,5209	1
4	0,15	1,7490	1
5	0,15	2,0114	1
Anos 1-5		O valor presente dos dividendos =	$ 5

A fórmula de anuidade crescente do capítulo anterior talvez pudesse ser utilizada nessa etapa. Contudo, note que os dividendos crescem a 15% por ano, que também é a taxa de desconto. Como $g = R$, a fórmula de anuidade crescente não pode ser utilizada neste exemplo.

(continua)

(continuação)

Valor presente dos dividendos começando no fim do Ano 6 Utilizamos o procedimento das obrigações perpétuas diferidas e das anuidades diferidas apresentado no Capítulo 4. Os dividendos começando no fim do Ano 6 são:

Fim do ano	6	7	8	9	...
Dividendo	$Div_5 \times (1 + g_2)$ $\$2{,}0114 \times 1{,}10$ $= \$2{,}2125$	$Div_5 \times (1 + g_2)^2$ $2{,}0114 \times (1{,}10)^2$ $= \$2{,}4338$	$Div_5 \times (1 + g_2)^3$ $2{,}0114 \times (1{,}10)^3$ $= \$2{,}6772$	$Div_5 \times (1 + g_2)^4$ $2{,}0114 \times (1{,}10)^4$ $= \$2{,}9449$	... ...

Conforme afirmamos no Capítulo 4, a fórmula de perpetuidade crescente calcula o valor presente um ano antes do primeiro pagamento. Como o pagamento começa no fim do Ano 6, a fórmula do valor presente calcula o valor presente no fim do Ano 5.

O preço no fim do Ano 5 é dado por:

$$P_5 = \frac{Div_6}{R - g_2} = \frac{\$2{,}2125}{0{,}15 - 0{,}10} = \$44{,}25$$

O valor presente de P_5 hoje é:

$$\frac{P_5}{(1+R)^5} = \frac{\$44{,}25}{(1{,}15)^5} = \$22$$

O valor presente de *todos* os dividendos hoje é $\$27$ ($\$22 + \$5$).

9.2 Estimativas de parâmetros no modelo de descontos de dividendos

O valor da empresa é uma função de sua taxa de crescimento (g) e de sua taxa de desconto (R). Como se faz a estimativa dessas variáveis?

De onde vem g?

A discussão anterior presumia que os dividendos crescem a uma taxa g. Agora, queremos estimar essa taxa de crescimento. Pense em um negócio cujas receitas esperadas para o próximo ano sejam as mesmas deste ano, a menos que um *investimento líquido* seja feito. Essa situação é bastante plausível, pois o investimento líquido é igual ao investimento bruto ou total menos a depreciação. Um investimento líquido de zero ocorre quando o *investimento total* equivale à depreciação. Se o investimento total for igual à depreciação, apenas se mantém o ativo físico da empresa, sem qualquer crescimento nos lucros.

O investimento líquido só será positivo se parte dos lucros não for paga como dividendos, isto é, se algum lucro for reservado.[3] Isso nos leva à seguinte equação:

$$\underbrace{\begin{array}{c}\text{Lucros}\\\text{no próximo}\\\text{ano}\end{array} = \begin{array}{c}\text{Lucros}\\\text{neste}\\\text{ano}\end{array} + \overbrace{\begin{array}{c}\text{Reserva}\\\text{de lucros}\\\text{neste ano}\end{array} \times \begin{array}{c}\text{Retorno sobre}\\\text{a reserva de}\\\text{lucros}\end{array}}^{\text{Aumento nos lucros}}} \quad (9.5)$$

O aumento nos lucros é uma função tanto de *reserva de lucros* quanto de *retorno sobre a reserva de lucros*.

Agora dividimos ambos os lados da Equação 9.5 pelos lucros neste ano, produzindo

$$\frac{\text{Lucros no próximo ano}}{\text{Lucros neste ano}} = \frac{\text{Lucros neste ano}}{\text{Lucros neste ano}} + \left(\frac{\text{Reserva de lucros neste ano}}{\text{Lucros neste ano}}\right) \quad (9.6)$$
$$\times \text{Retorno sobre a reserva de lucros}$$

---

[3] Ignoramos a emissão de novas ações ou a recompra das existentes. Essas possibilidades são consideradas em capítulos posteriores.

O lado esquerdo da Equação 9.6 é um mais a taxa de crescimento em lucros, que escrevemos como 1 + g. A proporção da reserva de lucros para os lucros é chamada de **taxa de retenção**. Portanto, podemos escrever

$$1 + g = 1 + \text{Taxa de retenção} \times \text{Retorno sobre reserva de lucros} \qquad (9.7)$$

É difícil para um analista determinar o retorno esperado sobre a reserva de lucros no momento, devido ao fato de os detalhes sobre projetos futuros geralmente não serem informações públicas. Contudo, presume-se que os projetos selecionados no ano corrente tenham um retorno previsto igual aos retornos dos projetos passados. Logo, podemos estimar o retorno previsto para a reserva de lucros no momento pelo histórico do **retorno do patrimônio líquido**, ou ROE. Afinal, o ROE é o retorno sobre todo o patrimônio da empresa, que é o retorno sobre o acúmulo de todos os projetos passados dela.

Partindo da Equação 9.7, temos uma forma simples de estimar o crescimento sobre os lucros:

Fórmula da taxa de crescimento da empresa:
$$g = \text{Taxa de retenção} \times \text{Retorno sobre reserva de lucros (ROE)} \qquad (9.8)$$

A estimativa da taxa de crescimento nos lucros (g) também é a estimativa da taxa de crescimento nos dividendos, segundo a suposição comum de que a proporção de dividendos para lucros se mantém constante.[4]

EXEMPLO 9.4 — Crescimento dos lucros

A Mestre das Páginas reportou lucros de $ 2 milhões. A empresa planeja reter 40% de seus lucros em todos os anos daqui para frente. Ou seja, a taxa de retenção é de 40%. Também poderíamos dizer que 60% dos lucros serão pagos como dividendos. A proporção de dividendos para lucros, muitas vezes, é chamada de **taxa de distribuição.** Pode-se dizer que a taxa de distribuição da Mestre das páginas é 60%. O retorno do patrimônio líquido (ROE) histórico tem sido de 0,16. Este é valor que deve se manter no futuro. Qual será o crescimento dos lucros ao longo do próximo ano?

De início, realizamos o cálculo sem referência à Equação 9.8. Em seguida, nós a utilizamos para verificação.

Cálculo sem referência à Equação 9.8 A empresa reterá $ 800 mil (40% × $ 2 milhões). Supondo que o ROE histórico seja uma estimativa apropriada para os retornos futuros, o aumento previsto da reserva de lucros é:

$$\$\,800.000 \times 0{,}16 = \$\,128.000$$

A porcentagem de crescimento dos lucros é:

$$\frac{\text{Variação nos lucros}}{\text{Total de lucro}} = \frac{\$\,128.000}{\$\,2\text{ milhões}} = 0{,}064$$

Isso implica que os lucros daqui a um ano serão de $ 2.128.000 (=$ 2.000.000 × 1,064).

Verificação com uso da Equação 9.8 Utilizamos g = Taxa de retenção × ROE. Assim, temos:

$$g = 0{,}4 \times 0{,}16 = 0{,}064$$

Como a proporção de dividendos para lucros da Mestre das Páginas – isto é, sua taxa de distribuição – é constante daqui para frente, tem-se que 0,064 é a taxa de crescimento *tanto* dos lucros *quanto* dos dividendos.

---

[4] No Capítulo 3, também discutimos os métodos para calcular g.

De onde vem R?

Temos aceitado a taxa de retorno exigido ou de desconto (R) como dada. Melhor conceituando R, podemos definir o retorno exigido como o retorno sobre os ativos com o mesmo risco que as ações da empresa – mostraremos como estimar R no Capítulo 13. Por enquanto, queremos examinar as implicações do modelo de crescimento de dividendos para esse retorno exigido. Antes, calculamos P_0 como:

$$P_0 = \text{Div}/(R - g)$$

Reorganizando a equação para calcular R, obtemos:

$$R - g = \text{Div}/P_0$$
$$R = \text{Div}/(P_0 + g) \quad (9.9)$$

A Equação 9.9 nos mostra que o retorno exigido (R) tem dois componentes. Um deles (Div/P_0) é chamado de **retorno em dividendos**. Como o seu cálculo é feito a partir dos dividendos em dinheiro esperados divididos pelo preço atual, ele é definido de forma semelhante ao retorno corrente de um título de dívida.

A segunda parte do retorno total é a taxa de crescimento esperado (g). Conforme verificaremos em breve, a taxa de crescimento dos dividendos também é a taxa de crescimento do preço da ação. Portanto, essa taxa de crescimento pode ser interpretada como o **retorno em ganhos de capital**, ou seja, a taxa com que o valor do investimento cresce.

Para ilustrar os componentes do retorno exigido, suponha uma ação negociada a $ 20. Espera-se que os próximos dividendos sejam de $ 1 por ação. Você estima que os dividendos aumentarão a 10% por ano mais ou menos indefinidamente. Qual retorno esperado essa ação oferece?

O modelo de crescimento de dividendos calcula o retorno total assim:

$$R = \text{Retorno em dividendos} + \text{Retorno em ganhos de capital}$$
$$R = \text{Div}/P_0 + g$$

Nesse caso, o retorno total é:

$$R = \$\,1/20 + 10\%$$
$$= 5\% + 10\%$$
$$= 15\%$$

Essa ação, portanto, tem um retorno esperado de 15%.

Podemos verificar essa resposta calculando o preço em um ano (P_1) e usando 15% como o retorno esperado que é exigido. Como os dividendos que se espera receber em um ano são de $ 1 e a taxa de crescimento esperado dos dividendos é 10%, os dividendos que se espera receber em dois anos (Div_2) são de $ 1,10. Baseado no modelo de crescimento de dividendos, o preço da ação em um ano será:

$$P_1 = \text{Div}_2 / (R - g)$$
$$= \$\,1{,}10/(0{,}15 - 0{,}10)$$
$$= \$\,1{,}10/0{,}05$$
$$= \$\,22$$

Observe que $ 22 é $ 20 $\times$ 1,1, por isso o preço da ação cresceu em 10%, como deveria. Ou seja, o retorno em ganhos de capital é de 10%, o que equivale à taxa de crescimento em dividendos.

Qual é o retorno esperado total do investidor? Se você pagar $ 20 pela ação hoje, obterá um dividendo de $ 1 ao fim do ano e terá um ganho de $ 22 − $ 20 = $ 2. Seu retorno em dividendos é de $ 1/20 = 5%. Seu retorno em ganhos de capital é de $ 2/20 = 10%, então seu retorno esperado total seria de 5% + 10% = 15%, exatamente como calculado.

Para ter uma ideia dos números reais nesse contexto, considere que, de acordo com uma pesquisa de investimento de 2011 da *Value Line*, esperava-se que o crescimento dos dividendos da Procter & Gamble crescesse em 5,2% por volta dos próximos cinco anos, comparado à taxa de crescimento histórica de 11,5% nos cinco anos precedentes e de 11% nos 10 anos anteriores. Em 2011, o dividendo projetado para o ano seguinte foi dado como $ 2,10. O preço de cada ação, na época, era de $ 60,93. Qual era o retorno esperado que os investidores exigiam da P&G? Aqui, o retorno em dividendos é de 3,4% (2,10/60,93), e o retorno em ganhos de capital é de 5,2%, dando um retorno exigido total de 8,6% para as ações da P&G.

EXEMPLO 9.5 Cálculo do retorno exigido

A Mestre das Páginas, empresa examinada em um exemplo anterior, tem 1 milhão de ações em circulação. Cada ação é negociada a $ 10. Qual é o retorno exigido dessa ação?

Como a taxa de retenção é de 40%, a taxa de distribuição é de 60% (1 − Taxa de retenção). A taxa de distribuição é a proporção de dividendos/lucros. Como os lucros daqui a um ano serão de $ 2.128.000 ($ 2.000.000 × 1,064), os dividendos serão de $ 1.276.800 (0,60 × $ 2.128.000). Os dividendos por ação serão de $ 1,28 ($ 1.276.800/1.000.000). Dado o nosso resultado anterior de que $g = 0,064$, calculamos R a partir de (9.9):

$$0,192 = \frac{\$\,1,28}{\$\,10,00} + 0,064$$

Ceticismo saudável

É importante enfatizar que nossa abordagem *estima* g, ela não a *determina* com precisão. Mencionamos antes que nossa estimativa de g é baseada em inúmeras premissas. Por exemplo, supomos que o retorno sobre o investimento dos futuros lucros acumulados equivalha ao ROE anterior da empresa. Supomos que a taxa de retenção futura seja igual à taxa de retenção passada. Nossa estimativa de g estará errada se essas premissas se provarem incorretas.

Infelizmente, a determinação de R depende muito de g. Se for estimado que g para a Mestre das Páginas é 0, R equivale a 12,8% ($ 1,28/$ 10,00). Se for estimado que g é 12%, R equivale a 24,8% ($ 1,28/$ 10,00 + 12%). Por isso, deve-se olhar a estimativa de R com um saudável ceticismo.

Devido ao exposto, alguns economistas da área de finanças argumentam que o erro da estimativa de R para uma única ação é grande demais para ser prático. Portanto, sugere-se o cálculo do R médio de um setor inteiro. Esse R seria então usado para descontar os dividendos de uma determinada ação do mesmo setor.

Deve-se ser especialmente cético quanto a dois casos opostos ao fazer a estimativa de R para ações individuais. O primeiro ao considerar uma empresa que não pague dividendos atualmente. Se ela iniciar o pagamento de dividendos em algum ponto, sua taxa de crescimento de dividendos no intervalo se tornará *infinita*. Assim, a Equação 9.9 deve ser utilizada com muito cuidado aqui. Esse é um ponto enfatizado mais à frente neste capítulo.

O segundo mencionamos antes, ao dizer que o preço das ações é infinito quando g equivale a R. Como os preços das ações nunca são infinitos no mundo real, um analista cuja estimativa de g para uma determinada empresa seja igual ou superior a R deve ter cometido um erro. Provavelmente, a alta estimativa de g do analista esteja correta para alguns dos próximos anos. Contudo, as empresas não mantêm uma taxa de crescimento alta anormal *para sempre*. O erro do analista seria o da utilização de uma estimativa de curto prazo de g em um modelo que requer uma taxa de crescimento contínuo.

Dividendos ou lucros: qual descontar?

Como citado, este capítulo aplicou a fórmula de perpetuidade crescente à avaliação de ações. Nessa aplicação, descontamos os dividendos, e não os lucros. Isso é razoável, porque os investidores selecionam uma ação pelo dinheiro que podem obter dela. Eles só obtêm duas coisas de uma ação: dividendos e o preço final de venda, que é determinado pelo que os futuros investidores esperam receber em dividendos.

O preço calculado das ações seria muito alto se os lucros fossem descontados em lugar dos dividendos. Conforme vimos em nossa estimativa da taxa de crescimento de uma empresa, apenas uma parte dos lucros vai para os acionistas como dividendos, e o restante é reservado para gerar futuros dividendos. Em nosso modelo, a reserva de lucros equivale ao investimento da empresa. Descontar os lucros em vez dos dividendos seria ignorar o investimento que a empresa deve fazer hoje para gerar lucros e dividendos futuros.

Empresa sem dividendos

Diversas vezes, os alunos fazem a seguinte pergunta: Se o modelo de desconto de dividendos está correto, por que as ações sem dividendos não são negociadas a zero? Essa é uma boa pergunta e tem a ver com as metas da empresa. Uma empresa com muitas oportunidades de crescimento é confrontada com um dilema: ela pode pagar os dividendos agora, ou abster-se deles de modo que possa fazer investimentos que vão gerar dividendos ainda maiores no futuro.[5] Muitas vezes, essa é uma decisão difícil, pois a estratégia de diferimento dos dividendos pode ser ideal, mas pouco popular entre certos acionistas.

Várias empresas norte-americanas optam por não pagar dividendos e têm preços de venda positivos. Por exemplo, a maioria das empresas virtuais, como Amazon.com, Google e eBay, não paga dividendos. Acionistas racionais acreditam que receberão dividendos em algum ponto do tempo ou algo tão bom quanto. Ou seja, ainda que não venha a pagar dividendos, a empresa poderá ser adquirida em uma fusão, e, nesse momento, os acionistas receberão dinheiro ou ações.

É claro que a aplicação real do modelo de descontos de dividendos é difícil para empresas sem dividendos. O modelo de crescimento constante de dividendos claramente não se aplica. Embora o modelo de crescimento variável possa funcionar na teoria, as dificuldades para estimar a data do primeiro dividendo, a taxa de crescimento dos dividendos depois dela e o preço final de uma fusão ou aquisição tornam a sua aplicação bastante difícil.

Evidências empíricas sugerem que as empresas com altas taxas de crescimento tendem a pagar dividendos menores, um resultado coerente com a análise anterior. Por exemplo, considere a Microsoft Corporation. A empresa começou em 1975 e cresceu rapidamente por muitos anos. Ela pagou seu primeiro dividendo em 2003, mesmo sendo uma empresa de bilhões de dólares (tanto em vendas quanto em valor de mercado) antes dessa data. Por que ela esperou tanto para pagar dividendos? A Microsoft esperou porque tinha muitas oportunidades positivas de crescimento, como novos *softwares*, para financiar (ela também pode ter acumulado níveis excessivos de caixa e de títulos de curto prazo de forma deliberada).

9.3 Oportunidades de crescimento

ExcelMaster cobertura *online*
Esta seção apresenta a função ARRED (*ROUND*).

Já falamos da taxa de crescimento esperado dos dividendos, então agora queremos abordar um conceito relacionado: o das oportunidades de crescimento. Imagine uma empresa com um nível regular e contínuo de lucros por ação. Ela paga todos esses lucros aos acionistas como dividendos. Por isso,

$$\text{LPA} = \text{Div}$$

em que LPA é o *lucro por ação* e Div são os dividendos por ação. Uma empresa desse tipo é chamada de *vaca leiteira*.

Partindo da fórmula de perpetuidade do capítulo anterior, o valor de uma ação é:

Valor de uma ação quando a empresa age como uma vaca leiteira:

$$\frac{\text{LPA}}{R} = \frac{\text{Div}}{R}$$

em que R é a taxa de desconto das ações da empresa.

Essa política de pagar todos os lucros como dividendos pode não ser a ideal. Muitas empresas têm oportunidades de *crescimento*, isto é, oportunidades para investir em projetos lucrati-

---

[5] No Brasil, a empresa terá que observar seu estatuto. A lei societária determina que os acionistas têm o direito de receber como dividendo obrigatório, em cada exercício, a parcela dos lucros estabelecida no estatuto. Uma terceira alternativa é emitir ações a fim de que a empresa tenha caixa suficiente tanto para pagar dividendos quanto para investir. Essa possibilidade será explorada em um capítulo posterior.

vos. Como esses projetos podem representar uma fração significativa do valor da empresa, seria uma bobagem desistir deles para pagar todos os lucros como dividendos.

Ainda que as empresas pensem em termos de um *conjunto* de oportunidades de crescimento, focaremos a oportunidade de investir em um único projeto. Suponha que a empresa retenha todos os dividendos na Data 1 para investir em um projeto de orçamento de capital específico. O valor presente líquido *por ação* do projeto a partir da Data 0 é o *VPLOC*, que significa *valor presente líquido (por ação) da oportunidade de crescimento*.

Qual é o preço de uma ação na Data 0 se a empresa decidir empreender o projeto na Data 1? Como o valor por ação do projeto é adicionado ao preço da ação original, o preço da ação agora deve ser:

Preço da ação depois de a empresa se comprometer com um novo projeto:

$$\frac{LPA}{R} + VPLOC \tag{9.10}$$

Assim, a Equação 9.10 indica que o preço de uma ação pode ser visto como a soma de dois itens diferentes. O primeiro termo (LPA/R) é o valor da empresa – caso se deitasse nos louros, ou seja, se distribuísse todos os lucros aos acionistas. O segundo termo é o valor *adicional* – caso a empresa fizesse uma reserva de lucros para financiar novos projetos.

EXEMPLO 9.6 Oportunidades de crescimento

A Cerro Marítimo S/A espera ter lucros de $ 1 milhão por ano para sempre se não empreender qualquer oportunidade nova de investimento. Há 100 mil ações em circulação, portanto o lucro por ação equivale a $ 10 ($ 1.000.000/100.000). A empresa tem uma oportunidade de gastar $ 1 milhão em uma nova campanha de marketing na Data 1. A nova campanha aumentaria os lucros em todo o período subsequente em $ 210 mil (ou $ 2,10 por ação). Esse é um retorno de 21% ao ano sobre o projeto. A taxa de desconto da empresa é 10%. Qual é o valor por ação antes e depois da decisão de aceitar a campanha de marketing?

O valor de uma ação da Cerro Marítimo antes da campanha é:

Valor de uma ação da Cerro quando a empresa atua como vaca leiteira:

$$\frac{LPA}{R} = \frac{\$10}{0,1} = \$100$$

O valor da campanha de marketing a partir da Data 1 é:

Valor da campanha de marketing na Data 1:

$$-\$1.000.000 + \frac{\$210.000}{0,1} = \$1.100.000 \tag{9.11}$$

Como o investimento é feito na Data 1 e a primeira entrada de caixa ocorre na Data 2, a Equação 9.11 representa o valor da campanha de marketing com base na Data 1. Determinamos o valor na Data 0 descontando um período, desta maneira:

Valor da campanha de marketing na Data 0:

$$\frac{\$1.100.000}{1,1} = \$1.000.000$$

Assim, o VPLOC por ação é de $ 10 ($ 1.000.000/100.000).

O preço por ação é:

$$LPA/R + VPLOC = \$100 + \$10 = \$110$$

O cálculo também pode ser feito diretamente pelo valor presente líquido. Como todos os lucros na Data 1 são gastos nos esforços de marketing, nenhum dividendo é pago aos acionistas nessa data. Os dividendos em todos os períodos subsequentes serão de $ 1.210.000 ($ 1.000.000 + 210.000). Nesse caso, $ 1 milhão é o dividendo anual da Cerro como vaca leiteira. A contribuição adicional para os dividendos a partir dos esforços de marketing é de $ 210 mil. Os dividendos por ação são de $ 12,10 ($ 1.210.000/100.000). Como esses dividendos começam na Data 2, o preço por ação na Data 1 é $ 121 ($ 12,10/0,1). O preço por ação na Data 0 é $ 110 ($ 121/1,1).

Note que é criado valor no Exemplo 9.6, porque o projeto teve uma taxa de retorno de 21% quando a taxa de desconto era de apenas 10%. Nenhum valor teria sido criado se o projeto tivesse uma taxa de retorno de 10%. Em outras palavras, o VPLOC teria sido zero. O VPLOC teria sido negativo se o projeto tivesse um porcentual de retorno abaixo de 10%.

Duas condições precisam ser atendidas para aumentar o valor:

1. Lucros precisam ser retidos a fim de que os projetos possam ser financiados.[6]
2. Os projetos precisam ter um valor presente líquido positivo.

Várias empresas, de forma surpreendente, parecem investir em projetos com valores presentes líquidos sabidamente *negativos*. Por exemplo, no fim dos anos 1970, as empresas petrolíferas e de tabaco tinham bastante caixa. Devido ao declínio dos mercados de ambos os setores, a ação racional teria sido altos dividendos e baixo investimento. Entretanto, diversas empresas de ambos os setores reinvestiram pesadamente em projetos que previam VPLOC negativo.

Visto que a análise do VPL (como apresentada nos Capítulos 5 e 6) é de conhecimento comum em negócios, por que os gestores escolheriam projetos com VPL negativos? Uma hipótese é que alguns gestores gostam de controlar uma empresa de grande porte. Como o pagamento de dividendos em lugar de reinvestir os lucros reduz o tamanho da empresa, alguns gestores acham difícil pagar altos dividendos.

VPLOCs de empresas do mundo real

A Cerro Marítimo S/A do Exemplo 9.6 tinha um novo projeto. Na realidade, as empresas têm toda uma série de projetos, alguns a serem desenvolvidos a médio prazo, e outros, a longo prazo. O preço das ações de qualquer empresa no mundo real deveria refletir a percepção de mercado dos valores presentes líquidos de todos esses projetos futuros. Quer dizer, o preço da ação deveria refletir a estimativa do mercado do VPLOC da empresa.

Pode-se estimar o VPLOC de empresas reais? Sim, embora a Equação 9.10 talvez pareça de natureza conceitual, pode ser utilizada para estimar os VPLOCs no mundo real. Por exemplo, considere a Home Depot (HD). Uma edição da *Value Line* previu que os lucros da HD por ação seriam de $ 2,25 em 2011. Com uma taxa de desconto de 7,3%,[7] o preço de uma ação da HD, supondo que os lucros nominais projetados sejam constantes ao longo do tempo e totalmente pagos como dividendos, seria:

$$\frac{\$ 2,25}{0,073} = \$ 30,82$$

Em outras palavras, as ações da HD valeriam $ 30,82 se nenhum lucro fosse retido para investimento.

A HD era negociada por $ 30,82 quando a edição da *Value Line* saiu? Não, ela era negociada por $ 36,29. Por que a diferença? A diferença entre o preço de mercado da HD e seu valor por ação como vaca leiteira é de $ 5,47 (=36,29 − 30,82), que podem ser vistos como o VPLOC da empresa. Isto é, o mercado esperava que a estratégia de investimento da HD teria como resultado um aumento de $ 5,47 acima do valor da empresa como vaca leiteira. O VPLOC da HD, conforme calculado, representava 15,1% (=5,47/36,29) do preço por ação da HD.

Calculamos a proporção do VPLOC/Preço da ação de cada uma das empresas a seguir, todas no índice Dow-Jones 30 Industrials (DJIA).

---

[6] Mais adiante, falaremos da emissão de ações ou dívidas para financiar projetos.

[7] Lembre-se de que as taxas de desconto representam os retornos esperados que os investidores exigem para investir em uma ação. Utilizamos a metodologia do Capítulo 13 para determinar a taxa de desconto da HD. Especificamente, empregamos o modelo de precificação de ativos segundo a premissa de que a taxa sem risco é de 1%, o prêmio de risco esperado da carteira de mercado acima da taxa sem risco é de 7% e o *beta* da HD é de 0,9, gerando uma taxa de desconto para as ações da HD de:

$$1\% + 0,9 \times 7\% = 7,3\%$$

Nome da empresa	Proporção do VPLOC para o preço da ação
Alcoa	0,553
American Express	0,230
Bank of America	0,461
Caterpillar	0,443
Disney (Walt)	0,216
DuPont	0,252
Home Depot	0,151

As empresas representam vários setores, indicando que as oportunidades de crescimento vêm de vários nichos diferentes de mercado.

Crescimento de lucros e dividendos *versus* oportunidades de crescimento

Já foi dito que o valor de uma empresa aumenta quando ela investe em oportunidades de crescimento com VPLOC positivos. Por conseguinte, o valor de uma empresa cai quando ela seleciona oportunidades com VPLOC negativos. No entanto, os lucros e os dividendos crescem tanto com projetos com VPL positivos quanto com projetos com VPL negativos. Esse resultado surpreende e pode ser explicado pelo exemplo a seguir.

EXEMPLO 9.7   VPL *versus* dividendos

A Supermercados da Rua S/A, uma empresa nova, terá lucros de $ 100 mil ao ano, em perpetuidade, se pagar todos os seus lucros como dividendos. Contudo, a empresa planeja investir 20% de seus lucros em projetos que tenham expectativa de ganho de 10% ao ano. O retorno que os investidores exigem para compensar os riscos da nova empresa – por exemplo, a taxa de desconto – é de 18%.

Essa política de investimentos leva a uma diminuição ou a um aumento do valor da empresa? A política reduz o valor, porque o retorno esperado de 10% sobre projetos futuros é menor do que a taxa de desconto de 18%. Dessa forma, a empresa estaria investindo em projetos com VPL negativo, implicando que seu valor teria sido maior na Data 0 se tivesse optado por pagar todos os seus lucros como dividendos.

Se investir no projeto, a empresa crescerá? Sim, a empresa crescerá ao longo do tempo, tanto em lucros quanto em dividendos. A Equação 9.8 nos mostra que a taxa de crescimento anual dos lucros é:

g = Taxa de retenção × Retorno sobre a reserva de lucros = 0,2 × 0,10 = 2%

Como os lucros no primeiro ano serão de $ 100 mil, os lucros no segundo ano serão de $ 100.000 × 1,02 = $ 102.000, os no terceiro ano serão de $ 100.000 × $(1,02)^2$ = $ 104.040, e assim por diante.

Os dividendos devem crescer também a 2% por ano, pois são uma proporção constante dos lucros. Visto que a taxa de retenção da Supermercados da Rua é 20%, os dividendos são (1 − 20%) = 80% dos lucros. No primeiro ano da nova política, os dividendos serão de $ 80 mil [=(1 − 0,2) × $ 100.000], os do próximo ano serão de $ 81.600 (=$ 80.000 × 1,02), no ano seguinte serão de $ 83.232 [=$ 80.000 × $(1,02)^2$], e assim por diante.

Concluindo, a política da Supermercados da Rua de investir em projetos com VPL negativo produz dois resultados: (1) a política reduz o valor da empresa; (2) ela gera um crescimento tanto em lucros quanto em dividendos. Portanto, a política de crescimento da Supermercados da Rua, na verdade, *destrói* valor na empresa.

Sob quais condições os lucros e dividendos da Supermercados da Rua *cairiam* ao longo do tempo? Eles somente cairiam ao longo do tempo se a empresa investisse em projetos com taxas de retorno negativas.

O exemplo anterior nos leva a duas conclusões:

1. Projetos com VPL negativo diminuem o valor da empresa. Em outras palavras, projetos com taxas de retorno abaixo da taxa de desconto diminuem o valor da empresa.

2. Tanto os lucros quanto os dividendos de uma empresa crescerão desde que seus projetos tenham taxas de retorno positivas.

Assim, como no caso da Supermercados da Rua, qualquer empresa que selecione projetos com taxas de retorno abaixo da taxa de desconto crescerá em termos de lucros e dividendos, mas destruirá valor.

9.4 Avaliação com empresas comparáveis

Até este ponto do capítulo, avaliamos as ações descontando seus dividendos ou determinando o VPLOC. Além dessas duas abordagens, os profissionais também fazem avaliações por meio de valores comparáveis. Tal abordagem é similar à avaliação de imóveis. Se a casa de seu vizinho foi negociada por $ 200 mil e tem tamanho e comodidades similares aos da sua, o valor de sua casa provavelmente também será de cerca de $ 200 mil. No mercado de ações, presume-se que as empresas comparáveis tenham *múltiplos* similares. Para ver como a abordagem de valores comparáveis funciona, examinaremos o múltiplo Preço/Lucro, ou índice P/L, que é o mais comum.

Índice Preço/Lucro

Um índice Preço/Lucro de uma ação é, como o nome sugere, a razão entre o preço da ação e o lucro por ação. Por exemplo, se cada ação da Sistemas Aerodinâmicos Sol (SAS) for negociada a $ 27,00 e seu lucro por ação no último ano foi de $ 4,50, o índice P/L da SAS seria 6 (=27/4,50).

Presume-se que empresas semelhantes tenham índices P/L similares. Imagine que o índice P/L médio de todas as empresas de capital aberto especializadas na indústria varejista seja 12 e que uma empresa específica do setor tenha lucros de $ 10 milhões. Julgando que essa empresa seja similar ao resto do setor, é possível estimar que o valor dela seja de $ 120 milhões (=12 × $ 10 milhões).

A avaliação via P/L parece mais fácil do que aquela via fluxos de caixa descontados (FCD), já que a abordagem de FCD exige estimativas de fluxos de caixa anuais. Mas a abordagem de P/L é melhor? Isso depende da semelhança entre os valores comparáveis.

Em um dia de maio de 2011, o preço da ação da Google era $ 535,30, e seu LPA era de $ 26,69, implicando um índice P/L acima de 20.[8] No mesmo dia em 2011, o P/L da Hewlett Packard era 10, o da Microsoft era 10 e o da Dell era 12. Por que ações do mesmo setor seriam negociadas com diferentes índices P/L? As diferenças implicam que a Google estava com ações acima do preço e a Dell, abaixo, ou existem motivos racionais para essas diferenças?

Tanto o modelo de desconto de dividendos (em 9.1) quanto o modelo de VPLOC (em 9.10) implicam que o índice P/L está relacionado às oportunidades de crescimento. Como exemplo, considere duas empresas, cada uma tendo lucros reportados de $ 1 por ação. No entanto, uma empresa tem muitas oportunidades valiosas de crescimento, ao passo que a outra não as tem. A empresa com oportunidades de crescimento deveria ser negociada a um preço maior, pois o investidor compra tanto o lucro corrente de $ 1 quanto as oportunidades de crescimento. Suponha que essa empresa seja negociada por $ 16 e a outra por $ 8. O valor do lucro de $ 1 por ação aparece no denominador do índice P/L de ambas as empresas. Assim, o índice P/L é 16 para a empresa com oportunidades de crescimento, mas apenas 8 para a que não tem.

Essa explicação parece razoável no mundo real. As ações de empresas de produtos eletrônicos e outras de alta tecnologia são negociadas com altos índices P/L, porque o mercado as percebe como empresas que têm altas taxas de crescimento. De fato, algumas ações de empresas de tecnologia são negociadas a preços altos mesmo que as empresas nunca tenham obtido lucro. Os índices P/L dessas empresas são infinitos. De modo contrário, as empresas de ferrovias, insumos e aço são negociadas a múltiplos menores por causa das perspectivas de crescimento mais baixo. O Quadro 9.1 contém os índices P/L de 2011 para algumas empresas conhecidas e o índice S&P 500. Observe as variações entre os setores.

---

[8] Calculamos P/L como a razão entre o preço corrente e o LPA do ano passado. Uma alternativa é calcular o P/L como a razão entre o preço corrente e o LPA projetado para o próximo ano.

QUADRO 9.1 Índices P/L selecionados, 2011

Empresa	Setor	Índice P/L
Adobe Systems	Aplicativos	20
Charles Schwab	Serviços financeiros	32
Chubb	Seguros	9
Coca-Cola	Bebidas	13
Pfizer	Farmacêutica	20
Whirlpool	Utilidades domésticas	11
Média do S&P 500	n/a	16,84

Existem ao menos dois fatores adicionais para explicar o índice P/L. O primeiro é a taxa de desconto (R). Como R aparece no denominador do modelo de desconto de dividendos (em 9.1) e no modelo de VPLOC (em 9.10), a fórmula implica que o índice P/L está *negativamente* relacionado à taxa de desconto da empresa. Já sugerimos que a taxa de desconto está positivamente relacionada ao risco ou à variabilidade dos retornos das ações. Logo, o índice P/L está negativamente relacionado ao risco das ações.

Para ver como esse é um resultado sensato, considere duas empresas, A e B, comportando-se como vacas leiteiras. O mercado de ações *espera* que ambas tenham um lucro anual contínuo de $ 1 por ação. Contudo, sabe-se com certeza quais são os lucros da Empresa A, ao passo que os da Empresa B são bastante variáveis. Um acionista racional tende a pagar mais por uma ação da Empresa A por causa da ausência de risco. Se uma ação da Empresa A for negociada a um preço mais alto e ambas as empresas tiverem o mesmo LPA, o índice P/L da Empresa A tem de ser mais alto.

O segundo fator adicional diz respeito à escolha de métodos contábeis da empresa. De acordo com as normas contábeis atuais dos Estados Unidos, as empresas lá têm uma margem de manobra razoável. Por exemplo, considere a contabilidade de estoques, na qual tanto o PEPS (*Primeiro a Entrar, Primeiro a Sair*) quanto o UEPS (*Último a Entrar, Primeiro a Sair*) podem ser utilizados. Em um ambiente inflacionário, a contabilidade *PEPS* minimiza o custo real do estoque e, por isso, inflaciona os lucros reportados. O estoque é avaliado conforme os custos mais recentes do UEPS, implicando que os lucros reportados são menores aqui do que seriam com o PEPS. Assim, a contabilidade de estoque UEPS é um método mais *conservador* do que o PEPS. Uma margem similar de manobra para contabilidade existe para os custos com construção (*métodos de contratos finalizados* versus *da porcentagem completada*)[9] e a depreciação (*depreciação acelerada* versus *depreciação linear*). No Brasil, a Receita Federal aceita somente o critério PEPS ou o custo médio. O IAS 2 – CPC 16, no Brasil – também prevê somente o uso dos métodos PEPS e critério do custo médio ponderado.

Considere, nos Estados Unidos, duas empresas idênticas, C e D. A Empresa C utiliza o UEPS e reporta lucros de $ 2 por ação. A Empresa D utiliza as premissas contábeis menos conservadoras do PEPS e reporta lucros de $ 3 por ação. O mercado sabe que as duas empresas são idênticas e dá o preço de $ 18 por ação para ambas. O índice P/L é 9 ($ 18/$ 2) para a Empresa C e 6 ($ 18/$ 3) para a Empresa D. Portanto, a empresa com os princípios mais conservadores tem o índice P/L mais alto.

Concluindo, argumentamos que o índice P/L de uma ação tende a ser uma função de três fatores:

1. *Oportunidades de crescimento*. Empresas com oportunidades significativas de crescimento tendem a ter índices P/L altos.
2. *Risco*. As ações com baixo risco tendem a ter índices P/L altos.
3. *Práticas contábeis*. Empresas que seguem práticas contábeis conservadoras provavelmente terão índices P/L altos.

---

[9] Para os critérios de contabilização de estoques em contratos de construção no Brasil, ver Pronunciamento técnico CPC 17, de 19 de outubro de 2012. Brasília, 2012. Disponível em: <http://www.cpc.org.br/CPC/Documentos_Emitidos/Pronunciamentos/>.

Qual desses fatores é mais importante no mundo real? O consenso entre os profissionais financeiros é que as oportunidades de crescimento têm o maior impacto sobre os índices P/L. As empresas de alta tecnologia, por exemplo, geralmente têm índices P/L maiores do que, digamos, as de insumos, pois estas últimas têm menos oportunidades de crescimento, embora tenham um risco menor. Em um mesmo setor, as diferenças entre as oportunidades de crescimento também geram as maiores diferenças nos índices P/L. No caso apresentando no início desta seção, o P/L alto da Google certamente se deve a suas oportunidades de crescimento, e não a seu risco baixo ou seu conservadorismo contábil. Por ser nova, a Google tem risco maior do que o de muitas de suas concorrentes. O P/L da Microsoft é menor do que o da Google, porque as suas oportunidades de crescimento são uma pequena fração de suas linhas de negócios existentes. Contudo, a Microsoft tinha um P/L muito maior há décadas, quando tinha oportunidades enormes de crescimento, mas pouco em termos de negócios existentes.

Apesar de múltiplos, como o índice P/L, serem utilizados para precificar ações, é preciso ter cuidado. Empresas do mesmo setor tendem a ter diferentes múltiplos se tiverem taxas de crescimento, níveis de risco e tratamentos contábeis diferentes. Os múltiplos médios não devem ser calculados para todas as empresas de qualquer setor. Em vez disso, ele deve ser calculado apenas para as empresas de um setor que tenham características similares.

Índices de valor da empresa

O índice P/L é um índice de capital próprio em que o numerador é o preço de cada *ação* e o denominador é o lucro de cada *ação*. Além disso, os profissionais costumam utilizar os índices que envolvem tanto o capital próprio quanto as dívidas. Talvez o mais comum seja a relação entre o valor da empresa (VE) e o LAJIDA. O valor da empresa equivale ao valor de mercado do capital próprio da empresa mais o valor de mercado da dívida menos o caixa da empresa. Recorde-se: LAJIDA significa lucro antes de juros, imposto de renda, depreciação e amortização (no mercado brasileiro, é muito usado o termo em inglês *EBITDA*, de *earnings before interests, taxes, depreciation, and amortization*).

Por exemplo, imagine que a Illinois Food Products Co. (IFPC) tenha capital próprio com valor de $ 800 milhões, dívida de $ 300 milhões e caixa de $ 100 milhões. O valor da empresa aqui é $ 1 bilhão (=800 + 300 − 100). Imagine ainda que a empresa tenha a seguinte demonstração de resultados do exercício:

Receita	$ 700 milhões
−Custo dos produtos vendidos	−500 milhões
Lucros antes dos juros, imposto de renda, depreciação e amortização (LAJIDA)	$ 200 milhões
−Depreciação e amortização	−100 milhões
−Juros	−24 milhões
Lucro antes do imposto de renda	76 milhões
−Imposto de renda (a 30%)	−22,8 milhões
Lucro depois do imposto de renda	$ 53,2 milhões

A razão entre o VE e o LAJIDA é 5 (=1 bilhão/200 milhões). Observe que todos os itens na DRE abaixo do LAJIDA são ignorados ao calcular esse índice.

Como acontece com os índices P/L, presume-se que empresas semelhantes tenham índices VE/LAJIDA similares. Por exemplo, imagine que o índice VE/LAJIDA médio de um setor seja 6. Se a QRT S/A, uma empresa com um LAJIDA de $ 50 milhões, for considerada similar ao restante do setor, seu valor pode ser estimado em $ 300 milhões (=6 × 50). Imagine também que a QRT tenha $ 75 milhões em dívidas e $ 25 milhões em caixa. Dada a nossa estimativa do valor da QRT, suas ações valeriam $ 250 milhões (=300 − 75 + 25).

Várias perguntas surgem com relação aos índices de valor:

1. Existe alguma vantagem do índice VE/LAJIDA sobre o índice P/L? Sim. Empresas do mesmo setor podem diferir em alavancagem, isto é, na razão entre dívidas e capital próprio.

No Capítulo 16, você aprenderá que a alavancagem aumenta o risco do capital próprio, com impacto na taxa de desconto (R). Mesmo que empresas do mesmo setor possam ser comparadas em outros termos, elas tendem a ter diferentes índices P/L se tiverem graus diferentes de alavancagem. Como o valor da empresa inclui dívidas e capital próprio, o impacto da alavancagem sobre o índice VE/LAJIDA é menor.[10]

2. Por que o LAJIDA é utilizado no denominador? O numerador e o denominador de um índice devem ser coerentes. Como o numerador do índice P/L é o preço de uma *ação*, faz sentido que o denominador seja o lucro por ação (LPA) de cada *ação*. Ou seja, os juros são subtraídos antes de o LPA ser calculado. Em contraste, como o VE envolve a soma de dívidas e capital próprio, é sensato que o denominador não seja afetado pelos pagamentos de juros. Esse é o caso do LAJIDA, pois, como seu nome sugere, esse lucro é calculado antes de os juros serem subtraídos.

3. Por que o denominador, LAJIDA, ignora a depreciação e a amortização? Muitos profissionais argumentam que, como a depreciação e a amortização não são fluxos de caixa, os lucros devem ser calculados antes de subtraí-las. Melhor dizendo, elas refletem o custo já incorrido de uma aquisição anterior, porém essa visão não é universal. Outros salientam que os ativos depreciáveis serão, por fim, substituídos em um negócio em marcha. Como as despesas de depreciação refletem o custo da futura substituição, pode-se argumentar que elas deveriam ser consideradas no cálculo desse lucro.

4. Que outros denominadores são utilizados em índices de valor? Os profissionais podem utilizar o LAJIR (lucro antes de juros e imposto de renda), o LAJIRA[11] (lucro antes de juros, imposto de renda e amortizações) e o fluxo de caixa livre.

5. Por que o caixa é subtraído? Muitas empresas parecem manter um montante de caixa muito maior do que o necessário. Por exemplo, a Microsoft manteve dezenas de bilhões de dólares em caixa e investimentos de curto prazo no decorrer da última década, muito mais do que muitos analistas acreditavam ser ideal. Como um índice de valor da empresa deve refletir a capacidade dos ativos *produtivos* de gerar lucros ou fluxo de caixa, o caixa deve ser subtraído ao fazer o cálculo do valor da empresa. No entanto, a abordagem de que todo o caixa deva ser ignorado pode ser criticada. Algum saldo em caixa é necessário para gerir um negócio, e esse montante de caixa deve ser incluído no VE.

9.5 Avaliação da empresa como um todo

Nos Capítulos 5 e 6, avaliamos projetos empresariais descontando seus fluxos de caixa. Os fluxos de caixa eram determinados por uma abordagem de cima para baixo, começando com as estimativas das receitas e despesas. Até este ponto do capítulo, descontamos os dividendos para estabelecer o preço de uma única ação. Como alternativa, pode-se avaliar empresas inteiras descontando seus fluxos de caixa de forma análoga à avaliação de projetos dos Capítulos 5 e 6.

Como exemplo, considere a Sistemas de Controle Harmônico Global (SCHG). Espera-se que as receitas, previstas para ser de $ 500 milhões em um ano, cresçam a 10% por ano por dois anos seguintes, 8% por ano pelos próximos dois anos e 6% ao ano depois disso. Os custos, incluindo a depreciação, são 60% das receitas. O investimento líquido, incluindo o capital de giro e os gastos com capital menos a depreciação, é 10% das receitas. Como todos os custos são proporcionais às receitas, o fluxo de caixa líquido (algumas vezes, chamado de fluxo de caixa livre) cresce conforme a mesma taxa que as receitas. A SCHG é uma empresa financiada somente por capital próprio com 12 milhões de ações em circulação. Uma taxa de desconto de 16% é apropriada para uma empresa com o seu risco.

---

[10] No entanto, a alavancagem impacta, até certo ponto, a razão entre VE e LAJIDA. Veremos, no Capítulo 16, que a alavancagem gera um benefício fiscal, aumentando o VE. Como ela não deve ter impacto no LAJIDA, o índice deve aumentar com alavancagem.

[11] Em inglês, *EBITA* (*earnings before interest, taxes, and amortization*).

Os números relevantes para os primeiros cinco anos, arredondados para duas casas decimais, são:

Ano (000.000)	1	2	3	4	5
Receitas	500,00	550,00	605,00	653,40	705,67
−Despesas	300,00	330,00	363,00	392,04	423,40
Lucros antes dos tributos	200,00	220,00	242,00	261,36	282,27
Tributos (a 0,40)	68,00	74,80	82,28	88,86	95,97
Lucros depois dos tributos	132,00	145,20	159,72	172,50	186,30
−Investimento líquido	50,00	55,00	60,50	65,34	70,57
Fluxo de caixa líquido	82,00	90,20	99,22	107,16	115,73

Como o fluxo de caixa líquido cresce a 6% por ano depois do Ano 5, prevê-se que o fluxo de caixa líquido no Ano 6 seja de $ 123 (=116 × 1,06). Utilizando a fórmula de perpetuidade crescente, podemos calcular que o valor presente de todos os fluxos de caixa futuros a partir do Ano 5 seja de $ 1.227 milhões (=$ 123/(0,16 − 0,06)).

O valor presente hoje dessa perpetuidade é

$$\$1.227 \times \frac{1}{(1,16)^5} = \$584 \text{ milhões}$$

O valor presente dos fluxos de caixa líquidos durante os primeiros cinco anos é:

$$\frac{\$82}{1,16} + \frac{\$90}{(1,16)^2} + \frac{\$99}{(1,16)^3} + \frac{\$107}{(1,16)^4} + \frac{\$116}{(1,16)^5} = \$316 \text{ milhões}$$

Adicionando-se o valor da perpetuidade, o valor da empresa hoje é de $ 900 milhões (=316 + 584). Dado o número de ações em circulação, o preço por ação é de $ 75 (=$ 900/12).

O cálculo anterior pressupõe uma perpetuidade crescente depois do Ano 5. Contudo, salientamos na seção anterior que as ações, muitas vezes, são avaliadas por múltiplos. Um investidor poderia estimar o valor final da SCHG por meio de um múltiplo em lugar de pela fórmula de perpetuidade crescente. Por exemplo, suponha que o índice P/L de empresas comparáveis no setor da SCHG seja 7.

Como os lucros depois dos tributos no Ano 5 são de $ 186, utilizando-se o múltiplo de 7 do P/L, o valor da empresa nesse ano deveria ser estimado em $ 1.302 milhões (=186 × 7).

O valor da empresa hoje é:

$$\frac{\$82}{1,16} + \frac{\$90}{(1,16)^2} + \frac{\$99}{(1,16)^3} + \frac{\$107}{(1,16)^4} + \frac{\$116}{(1,16)^5} + \frac{\$1.302}{(1,16)^5} = \$935$$

Com 12 milhões de ações em circulação, o preço por ação da SCHG seria $ 78 (=$ 935/12).

Temos duas estimativas do valor de uma ação na SCHG. As estimativas diferentes refletem as formas diferentes de calcular o valor da perpetuidade. Utilizando o método dos fluxos de caixa descontados com crescimento constante para o valor da perpetuidade, nossa estimativa do valor por ação da SCHG é $ 75, e, utilizando-se o método do P/L comparável, a estimativa é $ 78. Um método não é melhor que o outro. Se todas as empresas comparáveis fossem idênticas à SCHG, talvez o método do P/L fosse melhor. Infelizmente, as empresas não são idênticas. Se tivéssemos muita certeza da data final do horizonte do projeto e do crescimento em fluxos de caixa subsequentes, talvez o método de crescimento constante fosse melhor. Na prática, os dois métodos são utilizados.

Do ponto de vista conceitual, o modelo de desconto de dividendos, o VPLOC, e o modelo de fluxos de caixa da empresa são coerentes entre si e podem ser utilizados para determinar o valor de uma ação. Na prática, o modelo de desconto de dividendos é muito útil para empresas que pagam dividendos muito regulares, e o VPLOC, para empresas com oportunidades de crescimento atraentes. O modelo de fluxos de caixa da empresa é útil para empresas com necessidades de aportes financeiros e que não pagam dividendos.

9.6 Mercados de ações

O mercado de ações consiste em um **mercado primário** e em um **mercado secundário**. No mercado primário, ou mercado de novas emissões, as ações são lançadas pela primeira vez no mercado e vendidas a investidores. No mercado secundário, as ações existentes são negociadas entre investidores. Nesta seção, vamos nos concentrar nas atividades do mercado secundário e concluir com uma discussão sobre como os preços das ações são cotados na imprensa especializada – em outro capítulo, discutiremos o processo do mercado primário em relação à venda de títulos imobiliários por parte das empresas para levantar fundos.

ExcelMaster
cobertura *online*

Esta seção apresenta as funções de importação de dados (Web Query) e Gráficos de ações (Stock Chart).

Dealers e corretores

Como a maioria das transações de títulos mobiliários envolve *dealers* e *corretores*, é importante entender exatamente o que esses termos significam. Um **dealer** mantém um estoque de títulos e está pronto para comprar e vender a qualquer momento. Já um **corretor** reúne compradores e vendedores, mas não mantém um estoque de títulos mobiliários. Por exemplo, quando falamos de revendedores de carros usados e corretores imobiliários, reconhecemos que o primeiro mantém um estoque, ao passo que o segundo não o faz.

Nos mercados de títulos mobiliários, um *dealer* estará sempre pronto para comprar títulos mobiliários dos investidores que desejam vendê-los e para vender aos que desejam comprá-los. O preço que o *dealer* está disposto a pagar é chamado de *preço de oferta de compra*, ou *preço de compra* (bid price). O preço pedido pelo *dealer* na venda é chamado de *preço de oferta de venda*, ou *preço de venda* (ask price). A diferença entre preços de oferta de compra e de venda é chamada de *spread*, ou margem, sendo ela a fonte básica dos lucros do *dealer*.

Os *dealers* existem em todas as áreas da economia, não apenas nos mercados de ações. No caso da livraria da sua faculdade, ela funciona como um *dealer* de livros didáticos dos mercados primário e secundário. Se você comprar um livro novo, essa é uma transação do mercado primário. Se comprar um livro usado, essa é uma transação do mercado secundário, e você paga o preço de oferta de venda da loja. Se vender o livro de volta para a loja, você recebe o preço de oferta de compra da loja, que quase sempre é metade do preço de venda. O *spread* da livraria é a diferença entre os dois preços.

Qual é o tamanho do *spread* de sua ação favorita? Confira as cotações mais recentes em **www.bloomberg.com**.

Em contraste, um corretor de títulos mobiliários organiza as transações entre investidores, fazendo a intermediação entre aqueles que desejam comprar e os que desejam vender títulos mobiliários. A característica distintiva dos corretores é que eles não compram nem vendem títulos por conta própria. Seu negócio é facilitar as negociações dos outros.

Organização da Nyse

A Bolsa de Valores de Nova York (Nyse), também conhecida como Big Board, celebrou seu bicentenário há algum tempo. Seu endereço atual na Wall Street é ocupado desde a virada do século XX. Se medirmos em termos do volume em dólares de atividades e do valor total das ações listadas, esse é o maior mercado de ações do mundo.

Membros Historicamente, a Nyse tinha 1.366 **membros**. Antes de 2006, os membros da bolsa possuíam seus próprios "assentos" nela e, em conjunto, também eram os seus proprietários. Por essa e outras razões, os lugares eram valiosos, sendo comprados e vendidos com certa regularidade. Os preços dos lugares atingiram o recorde de $ 4 milhões em 2005.

Em 2006, tudo isso mudou quando a Nyse se tornou uma empresa de capital aberto chamada Nyse Group Inc. Por conta disso, as ações da Nyse estão listadas na Nyse. Agora, em vez de comprar lugares, os membros da bolsa devem comprar licenças de negociação, com seu número limitado a 1.500. Em 2009, uma licença custava $ 44 mil por ano. A posse de uma licença dá o direito de comprar e vender títulos mobiliários no pregão da bolsa.

Em abril de 2007, a Nyse concluiu uma fusão com a Euronext para formar a Nyse Euronext, a qual opera vários mercados (incluindo quatro mercados de ações somente nos Estados Unidos), mas a Nyse é o maior e mais conhecido. Conforme formos descrevendo brevemente como a Nyse opera, lembre-se de que outros mercados de propriedade da Nyse Euronext podem funcionar de maneira diferente. O fato de a Nyse ser um *mercado híbrido* é o que a torna, de certa forma, única, visto que em um mercado desse tipo, as negociações ocorrem tanto eletronicamente quanto face a face.

Com as negociações eletrônicas, as ordens de compra e venda são submetidas à bolsa. As ordens são comparadas por um computador e, sempre que houver uma correspondência entre compra e venda, serão executadas sem intervenção humana. A maioria das negociações na Nyse ocorre dessa forma. Para as ordens que não são negociados eletronicamente, a Nyse conta com seus titulares de licenças. Existem três tipos diferentes de titulares de licenças, os **operadores designados pelo mercado (DMMs,** *designated market makers*), os **operadores do pregão** (*floor brokers*) e os **provedores de liquidez suplementar (SLPs,** *supplemental liquidity providers*).

Os DMMs, antigamente conhecidos como "especialistas", agem como *dealers* de ações específicas.[12] Normalmente, cada ação na Nyse é atribuída a um único DMM. Como *dealer*, o DMM mantém um mercado bilateral, o que significa que ele publica e atualiza de forma contínua os preços de oferta de compra e de venda. Ao fazê-lo, o DMM assegura que haja sempre um comprador ou vendedor disponível, promovendo, assim, a liquidez do mercado.

Os operadores do pregão realizam negociações para os clientes, tentando obter o melhor preço possível. Eles, como regra, são funcionários de grandes empresas de corretagem, como a Merrill Lynch, a divisão de gestão de patrimônio do Bank of America. A interação entre os operadores do pregão e os DMMs é a chave para as negociações face a face da Nyse. Discutiremos essa interação em detalhes em breve.

Os SLPs são, essencialmente, empresas de investimento que concordam em ser participantes ativas das ações atribuídas a elas. Seu trabalho é atuar com regularidade em uma ponta do mercado (i.e., oferecendo-se para comprar ou vender). Eles negociam apenas por conta própria (usando seu próprio dinheiro); logo, não representam clientes. Eles têm um pequeno desconto em suas compras e vendas, encorajando-se, assim, que sejam mais agressivos. A meta da Nyse é gerar tanta liquidez quanto possível, o que facilita que os investidores comuns façam compras e vendas rapidamente aos preços vigentes. De modo diferente dos DMMs e dos operadores do pregão, os SLPs não operam no pregão da bolsa de valores.

Operações Agora que temos uma ideia básica de como a Nyse está organizada e de quem são os principais participantes, voltemos à questão de como realmente ocorre uma transação. O fundamento do negócio da Nyse é atrair e processar o **fluxo de ordens**. O termo *fluxo de ordens* significa o fluxo de ordens de clientes para comprar e vender ações. Seus clientes são os milhões de investidores individuais e as dezenas de milhares de investidores institucionais que fazem suas ordens de compra e venda de ações das empresas listadas na Nyse. A Nyse tem sido bem-sucedida em atrair fluxos de ordens. Atualmente, é comum que mais de 1 bilhão de ações mudem de mãos em um único dia.

Atividade do pregão É provável que você tenha visto reportagens sobre o pregão da Nyse na televisão, ou talvez a tenha visitado e visto a atividade do pregão na galeria de visitantes (vale a viagem). De qualquer forma, você teria visto um grande ambiente, mais ou menos do tamanho de um ginásio de basquete. Esse grande ambiente é chamado de "*Big Room*". Existem algumas outras salas menores que você não vê, uma das quais é chamada de "*Garage*", pois era uma garagem antes de ser usada para negociações.

No pregão da bolsa, há várias estações, as quais têm muitos balcões com numerosas telas de terminais acima e dos lados. As pessoas operam atrás e na frente dos balcões em posições quase fixas.

Outras pessoas se movimentam pelo pregão, voltando com frequência para as muitas estações de trabalho posicionadas ao longo das paredes da bolsa. De longe, poderiam lembrar formigas operárias se movimentando em uma colônia. É natural se perguntar: "O que toda aquela gente está fazendo lá embaixo (e por que tantas usam paletós engraçados)?".

---

[12] No Brasil, a Instrução CMV nº 384 prevê a função de "formador de mercado", que atua de forma muito semelhante à de um DMM na Nyse ou de um *market maker* na Nasdaq. Comissão de Valores Mobiliários. Instrução CVM nº 384, de 17 de março de 2003. Brasília, 2003. Disponível em: <http://www.bmfbovespa.com.br/Pdf/Instrução_CVM_No_384.pdf>.

Para termos uma visão geral das atividades no pregão, aqui vai uma análise rápida do que acontece. Cada uma das estações é o **posto de um DMM**, que opera na frente de seus postos para monitorar e gerenciar as negociações das ações atribuídas a eles. Os funcionários administrativos que trabalham para os DMMs operam atrás do balcão. No pregão, movimentam-se multidões de operadores, recebendo ordens de clientes, indo até os postos dos DMMs em que elas podem ser executadas e retornando para confirmar as execuções das ordens e receber novas ordens de clientes.

Para entender melhor a atividade do pregão da Nyse, imagine que você seja um operador do pregão. Seu assistente entregou-lhe uma ordem para vender 2 mil ações do Walmart para um cliente da corretora que o emprega. O cliente quer vender as ações ao melhor preço e o mais rápido possível. Você caminha (correr viola as regras da bolsa) até o posto do DMM no qual as ações da Walmart são negociadas.

Ao se aproximar do posto do DMM que negocia as ações da Walmart, você verifica as informações do preço corrente de mercado na tela do terminal. A tela revela que a última negociação foi executada a $ 25,63 e que o DMM está oferecendo $ 25,50 por ação. Você poderia vender de imediato ao DMM a $ 25,50, mas isso seria fácil demais.

Em vez disso, como representante do cliente, você é obrigado a obter o melhor preço possível. Seu trabalho é "melhorar" a ordem, o que depende do fornecimento de um serviço satisfatório de execução de ordens. Portanto, você procura outro corretor que represente um cliente que queira comprar ações da Walmart. Felizmente, você encontra outro corretor no posto do DMM com uma ordem de compra de 2 mil ações. Notando que o corretor pede $ 25,76 por ação, vocês concordam em executar suas ordens entre si a um preço de $ 25,63. Esse preço está no meio do caminho entre os preços de oferta de compra e de venda do DMM e economiza para cada um de seus clientes $ 0,13 × 2.000 = $ 260 comparado à negociação aos preços anunciados.

Para uma ação negociada de forma muito ativa, pode haver muitos compradores e vendedores ao redor do posto do DMM, e a maioria das negociações será feita diretamente entre os corretores. Isso é chamado de negociação "na multidão" (*in the "crowd"*). Em tais casos, a responsabilidade do DMM é manter a ordem e garantir que todos os compradores e vendedores recebam um preço justo. Em outras palavras, o DMM funciona como o juiz em um jogo.

É mais comum, porém, que não haja uma multidão no posto do DMM. Voltando ao nosso exemplo do Walmart, suponha que você não consiga encontrar outro corretor com uma ordem de compra de 2 mil ações. Como você tem uma ordem para vender, talvez não tenha outra opção a não ser vender para o DMM ao preço de oferta de compra de $ 25,50. Nesse caso, a necessidade de executar uma ordem rapidamente tem prioridade, e o DMM oferece a liquidez necessária para permitir a sua execução imediata.

Por fim, observe que muitas pessoas que estão no pregão da bolsa usam paletós coloridos. A cor do paletó indica a função ou posição delas. Os funcionários administrativos, mensageiros, visitantes e executivos da bolsa, por exemplo, usam determinadas cores para se identificar. Além disso, as coisas podem ficar um pouco agitadas em um dia movimentado, tendo como resultado a curta duração de uma roupa boa; paletós baratos dão alguma proteção.

Operações da Nasdaq

Em termos do número de empresas listadas e, em muitos dias, do número de ações negociadas, a Nasdaq é ainda maior que a Nyse. O nome um pouco estranho deriva do acrônimo *NASDAQ*, que originalmente representava o sistema da *National Association of Securities Dealers Automated Quotations*, mas agora é um nome próprio.

Lançado em 1971, o mercado Nasdaq é uma rede de computadores com *dealers* de títulos mobiliários que dissemina cotações de preços de títulos mobiliários para os seus assinantes. Esses *dealers* agem como operadores de mercado para os títulos mobiliários listados na Nasdaq. Como operadores de mercado, eles publicam os preços de ofertas de venda e ofertas de compra em que aceitam vender ou comprar ordens, respectivamente. Junto com cada cotação de preço, eles também publicam o número de ações que se obrigam a negociar aos preços cotados.

Para não ficar atrás da Nyse, a Nasdaq adquiriu, em maio de 2007, a OMX, que controlava sete bolsas de valores nórdicas e bálticas. Desde a fusão, a Nasdaq passou a ser o Nasdaq OMX Group, embora ainda continue a ser chamada somente de Nasdaq.

Ao contrário do sistema de DMMs da Nyse, a Nasdaq conta com vários *market makers* para as ações negociadas ativamente. Assim, existem duas diferenças principais entre a Nyse e a Nasdaq: (1) a Nasdaq é uma rede de computadores e não tem um local físico em que as transações aconteçam e (2) a Nasdaq tem um sistema de vários *market makers* em lugar de um sistema de DMMs. Note que não há negociações diretas "na multidão", como pode haver na Nyse.

Cerca de 3.200 empresas estão listadas no sistema Nasdaq, com uma média de quase uma dúzia de *market makers* para cada título mobiliário. Era costume que as ações em empresas menores fossem listadas na Nasdaq, e havia uma tendência de que passassem dela para a Nyse uma vez que se tornassem grandes o suficiente. Hoje, no entanto, gigantes como a Amazon, a Microsoft e a Intel optaram por permanecer na Nasdaq.

A rede Nasdaq opera com três níveis de acesso a informações. O nível 1 é designado para fornecer uma fonte oportuna e precisa de cotações de preços. Esses preços estão disponíveis gratuitamente na Internet. O nível 2 permite que os usuários visualizem cotações de preços de todos os operadores de mercado da Nasdaq. Em especial, esse nível permite o acesso às **cotações internas** (*inside quotes*), que são as cotações de oferta de compra mais altas e as cotações de oferta de venda mais baixas de um título mobiliário listado na Nasdaq. O nível 2 agora está disponível na Web, em geral mediante uma pequena taxa. O nível 3 é apenas para uso dos *market makers*. Esse nível de acesso permite que os *dealers* da Nasdaq insiram ou alterem suas informações acerca das cotações de preços.

Em 2008, a Nasdaq era formada por três mercados separados: o *Nasdaq Global Select Market* (Mercado Seletivo Global da Nasdaq), o *Nasdaq Global Market* (Mercado Global da Nasdaq) e o *Nasdaq Capital Market* (Mercado de Capitais da Nasdaq). O mercado para os títulos mobiliários maiores e mais ativos da Nasdaq é o Global Select Market, que lista cerca de 1.200 empresas (no início de 2009), incluindo algumas das mais conhecidas do mundo, como Microsoft e Intel. As empresas do Global Market são um pouco menores, e a Nasdaq lista cerca de 1.450 delas. Por fim, as menores empresas listadas na Nasdaq estão no Capital Market; elas seriam cerca de 550 na época em que este livro foi escrito. É óbvio que, à medida que as empresas do Capital Market se tornam mais estabelecidas, podem ser promovidas para o Global Market ou para o Global Select Market.

Plataformas eletrônicas de negociação (ECNs) Em um desenvolvimento muito importante no final dos anos 1990, o sistema Nasdaq foi aberto para as chamadas **redes eletrônicas de negociação** (*electronic communications networks*, ECNs). Em suma, essas redes são sites que permitem aos investidores negociar diretamente entre si. As ordens de compra e venda dos investidores quando colocadas nas ECNs são transmitidas para a Nasdaq e exibidas junto com os preços de ofertas de compra e de vendas dos operadores de mercado. As ECNs abriram a Nasdaq, permitindo que os investidores individuais submetam suas ordens, e não apenas os *market makers*. Como resultado, as ECNs agem para aumentar a liquidez e a concorrência.

Relatórios do mercado de ações

Você pode obter cotações de ações em tempo real na Web. Consulte **financas.yahoo.com.br** para obter mais detalhes.

Nos últimos anos, as cotações de preços de ações e informações relacionadas a esse mercado passaram da mídia tradicional impressa, tal como o *The Wall Street Journal*, para diversos sites. O Yahoo! Finanças (finance.yahoo.com) é um bom exemplo. Acessamos o *site* e solicitamos uma cotação da ação do clube de compras coletivas Costco, que está listada na Nasdaq. A figura a seguir mostra parte do que descobrimos:

A maioria das informações é autoexplicativa. São reportados dois preços, um em tempo real ($ 72,07) e outro com um atraso de 15 minutos ($ 72,05). A disponibilidade gratuita de preços em tempo real é algo novo. A variação reportada está relacionada ao fechamento do dia anterior. O preço de abertura (*open*) é o da primeira negociação do dia. Vemos os preços de oferta de compra (*bid*) e de venda (*ask*) de, respectivamente, $ 72,05 e $ 72,06, juntamente com a "profundidade" do mercado (*depth*) que é o número de ações procuradas ao preço de oferta de compra e oferecidas ao preço de venda. O valor em "*1y Target Est*" é o preço médio estimado da ação para um ano à frente com base nas estimativas dos analistas que acompanham a ação.

A segunda coluna mostra a variação dos preços no dia (*days range*) e a variação nas últimas 52 semanas (*52wk Range*). "*Volume*" é o número de ações negociadas no dia, seguido pelo volume médio diário (*Avg Vol 3m*) nos últimos três meses. "Valor de mercado" (*market cap*) é o número de ações em circulação (de acordo com a demonstração financeira trimestral mais recente) multiplicado pelo preço atual de cada ação. "*P/E*" é o índice P/L que discutimos na Seção 9.4. Os lucros por ação, LPA (*EPS*), usados no cálculo são os referentes aos últimos 12 meses ("*ttm*", de "*trailing twelve months*"). Por fim, temos os dividendos por ação (*div*), que são, na verdade, os dividendos trimestrais mais recentes multiplicados por 4, e o retorno em dividendos (*yield*). Observe que o retorno são apenas os dividendos informados divididos pelo preço da ação: $ 0,82/$ 72,05 = 0,011 = 1,1%.

Nós também acessamos o código identificador PETR4 de Petrobras P.N. (ver em https://br.financas.yahoo.com/q?s=PETR4.SA&ql=1) e obtivemos, no dia da consulta, as seguintes informações:

Apresentado o funcionamento da Nyse e da Nasdaq, apresentaremos, a seguir, o funcionamento da bolsa brasileira, a BM&FBOVESPA.

Operações da BM&FBOVESPA*

A BM&FBOVESPA é a principal instituição brasileira de intermediação de operações do mercado de capitais. Ela é uma empresa de capital aberto formada em 2008 a partir da integração da Bolsa de Valores de São Paulo (BOVESPA) e da Bolsa de Mercadorias & Futuros (BM&F). Suas ações são negociadas em seu próprio ambiente com a sigla BVMF3 e são listadas no segmento Novo Mercado. A Figura 9.3 mostra o caminho percorrido até o surgimento da BM&FBOVESPA.

A BM&FBOVESPA é considerada uma empresa verticalmente integrada, uma vez que oferece os seguintes serviços: plataforma de negociação de ativos, estrutura de compensação, liquidação, depositária e guarda de ativos. Atua também no licenciamento de *software* e índices e desempenha atividades de gerenciamento de riscos das operações realizadas por meio de seus sistemas, com uma estrutura de compensação (*clearing*) que engloba ações, derivativos, câmbio e ativos. A *clearing* atua de forma integrada com o Banco BM&FBOVESPA, para assegurar o funcionamento eficiente de seus mercados e a consolidação adequada das operações.

---

* Material cedido pelo Instituto Educacional BM&FBOVESPA. Acesse: www.bmfbovespa.com.br/educacional.

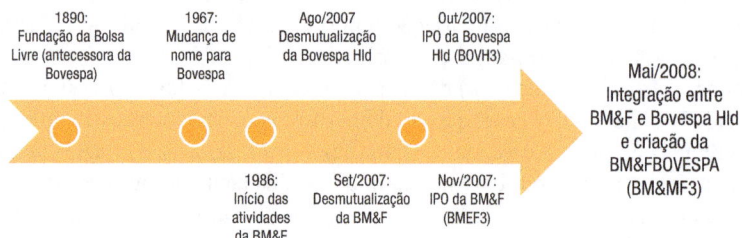

FIGURA 9.3 Histórico da BM&FBOVESPA.

Com essa estrutura verticalmente integrada, a BM&FBOVESPA diferencia-se das demais bolsas ao redor do mundo, pois proporciona ao mercado produtos e serviços em todas as etapas dos negócios com títulos mobiliários, desde a pré-negociação até a pós-negociação, diferenciando-se de grande parte das outras bolsas que operam apenas na etapa da negociação ou não oferecem a diversificação de mercados.

Panorama e evolução Ao longo do tempo, a negociação de ações na BM&FBOVESPA evoluiu do sistema de pregão em viva voz para sistemas eletrônicos de negociação. A introdução desse sistema ocorreu de forma progressiva, do início da década de 1990 até setembro de 2005, quando foi desativado o pregão de viva voz e substituído de forma total pelo Mega Bolsa. O pregão de viva voz chegou a reunir mil operadores negociando ao mesmo tempo papéis representativos de empresas listadas. A interconexão com outros sistemas de negociação, como o utilizado pela Nasdaq OMX e o sistema de DMA (Acesso Direto ao Mercado), multiplica as possibilidades operacionais.

A BM&FBOVESPA é a maior bolsa de valores da América Latina em valor de mercado, conforme dados de janeiro de 2014 mostrados no Quadro 9.2.

Sistemas de negociação e processamento de operações

A negociação de ações ocorre no segmento BOVESPA da BM&FBOVESPA, que compreende os negócios com renda variável e com renda fixa e inclui ações, debêntures, títulos securitizados e cotas de fundos. Em 2013, as operações do segmento BOVESPA também passaram a ser realizadas pelo sistema PUMA em substituição ao Megabolsa, integrando todos os mercados da bolsa na etapa

QUADRO 9.2 Equity – Domestic market capitalization (USD millions)

Exchange	2014 January
Americas	
NYSE	17.006.535,42
NASDAQ OMX	5.997.512,82
TMX Group	2.034.316,91
BM&FBOVESPA	911.137,47
Mexican Exchange	492.455,80
Santiago SE	236.546,11
Colombia SE	179.950,84
Lima SE	75.681,67
Buenos Aires SE	44.733,42
Bermuda SE	1.642,53
Total region	**26.980.513,00**

Fonte: World Federation of Exchanges (2014).

de negociação. PUMA é a plataforma eletrônica de negociação multiativos que foi desenvolvida pela BM&FBOVESPA em conjunto com o CME Group. Desde agosto de 2011, ela é responsável pelo processamento dos negócios nos mercados de derivativos, *commodities* e câmbio pronto, em substituição ao sistema GTS, sistema de negociação utilizado antes para esses mercados.

De forma geral, há duas formas de os investidores acessarem os sistemas de negociação da BM&FBOVESPA: o acesso intermediário e o acesso direto patrocinado.

Acesso intermediário Também conhecido como acesso via mesa, é o meio pelo qual o investidor relaciona-se com uma corretora. Da mesa da corretora, um profissional da corretora insere as ordens a pedido do investidor.

Acesso direto patrocinado Também conhecido como *Direct Market Access* – DMA –, permite que o investidor final, sob a sua responsabilidade, tenha acesso direto ao ambiente eletrônico de negociação na bolsa. Nesse tipo de acesso, o investidor pode enviar suas próprias ofertas ao sistema de negociação e receber, em tempo real, as informações de mercado, incluindo o livro de ofertas.

Câmara de compensação Também conhecida como *clearing*, é o sistema elaborado para garantir o cumprimento de todos os negócios realizados na bolsa. No jargão do mercado, as câmaras de compensação "compram de quem vende e vendem para quem compra", assegurando que as partes que negociam não se comuniquem diretamente e que os negócios registrados se concretizem, mesmo no caso de inadimplência da outra parte, reduzindo o risco de crédito das operações e aumentando a segurança do sistema como um todo.

A partir de 2015, o sistema CORE – *Closeout Risk Evaluation* – substitui o conjunto de quatro câmaras de compensação com a função de registrar, compensar e liquidar todos os negócios com títulos públicos e privados, ativos, *commodities*, instrumentos financeiros e valores mobiliários de forma agregada. A CORE ainda presta serviços de custódia e de controle de riscos para operações financeiras. Com a integração das *clearings* da BM&FBOVESPA, o risco é verificado de forma integrada entre as diversas classes de ativos para o mesmo investidor.

Além das *clearings*, a BM&FBOVESPA tem um conjunto de outros serviços e atividades essenciais a seu desempenho:

Canal Eletrônico do Investidor – CEI Serviço via Internet que permite ao investidor consultar todas as informações relacionadas às transações financeiras realizadas aos mercados da bolsa. Equivale a acessar uma conta em banco para consultar investimentos. Ao acessar o CEI, o investidor fica sabendo qual é o valor dos seus investimentos, visualiza as ações que comprou e vendeu no aviso de negociação de ativos (ANA) e acessa o saldo dos seus investimentos no mercado de opções, no mercado a termo e no mercado futuro, além de poder acessar outros serviços.

Sinal de informações Canal que distribui os dados fornecidos pela bolsa aos *vendors* e corretoras do segmento BOVESPA sobre informações geradas nos mercados da bolsa.

BM&FBOVESPA supervisão de mercado – (BSM) Órgão auxiliar da Comissão de Valores Mobiliários – CVM – na fiscalização do mercado de valores mobiliários, buscando fortalecer a integridade do mercado. Seu papel é o de prover a autorregulação de todos os mercados da BM&FBOVESPA.

Câmara de arbitragem do mercado

A Câmara de Arbitragem do Mercado (CAM) é considerado o foro mais adequado para resolver disputas societárias e do mercado de capitais. A Câmara de Arbitragem do Mercado oferece um foro especializado para a solução de questões relativas ao direito empresarial, sobretudo relacionadas ao mercado de capitais e o direito societário. A CAM atua na administração de procedimentos arbitrais originários de conflitos surgidos no âmbito das companhias comprometidas com a adoção de práticas diferenciadas de governança corporativa e transparência, cujas ações são listadas na BM&FBOVESPA, e também em outros litígios entre pessoas físicas e jurídicas, desde que sejam referentes a direito empresarial.

A CAM oferece um ambiente independente, sigiloso e eficiente para a solução de controvérsias, pautado nas diretrizes da Lei de Arbitragem (Brasil, 1996). Todos os árbitros da CAM são eleitos pelo Conselho de Administração da BM&FBOVESPA, sendo permitida a sua reeleição. Entre os integrantes, estão advogados, economistas, administradores de empresas, contadores, professores universitários e empresários, com comprovada experiência profissional tanto na iniciativa privada como no setor público – alguns deles tendo exercido a função de diretores e presidentes da Comissão de Valores Mobiliários (CVM).

Participantes

Corretoras, distribuidoras de valores e bancos de investimento cadastrados podem intermediar operações na BM&FBOVESPA. As corretoras prestam o mesmo serviço para diferentes segmentos e tipos de cliente. Dessa forma, algumas se especializam em atender clientes institucionais, e outras se dedicam ao varejo. Determinadas corretoras oferecem serviços de análise de empresas produzidos por seus colaboradores e analistas de investimentos ou oferecem serviço terceirizado nesta atividade.

O Programa de Qualificação Operacional (PQO) foi desenvolvido pela BM&FBOVESPA com o objetivo de certificar a qualidade dos serviços oferecidos pelas corretoras, capacitando e fortalecendo essas instituições tanto como empresas quanto como participantes da indústria de intermediação. A iniciativa da Bolsa atende às exigências de um mercado com grande potencial de crescimento e clientes, cada vez mais seletivos em relação à qualidade do serviço, à eficiência operacional e à capacidade financeira da corretora de assumir riscos.

As instituições certificadas pelo PQO passam a ter o direito de usar os Selos de Qualificação, os quais atestam, para o público em geral e, sobretudo, para os clientes, o alto padrão de seus serviços. Os Selos de Qualificação podem ser concedidos às corretoras que atuam em ambos os segmentos BM&F e BOVESPA.

Pessoas físicas e jurídicas podem acessar os pregões desde que devidamente cadastradas junto a um **intermediador**, responsável pelas operações e liquidações dos seus clientes. Desde 2009, pessoas físicas e jurídicas podem atuar no modelo de DMA para colocar ordens automatizadas (*algorithmic trade*) e fechar negócios nos pregões. Usuários habilitados podem tanto acessar o sistema de negociação da bolsa para registro de ordens de compra e de venda quanto receber outras informações.

Vendors, que são empresas especializadas na difusão de cotações e notícias de mercado, comercializam o sinal de informações junto a investidores e agentes do mercado financeiro em geral. A evolução dos negócios e eventos associados aos mercados do segmento BOVESPA da BM&FBOVESPA é divulgada instantaneamente.

A realização de negócios com ações no segmento BOVESPA da BM&FBOVESPA requer a intermediação de um participante autorizado, cujos representantes, denominados **operadores**, executarão as ordens dos seus clientes investidores. Os investidores poderão também ser autorizados pelo participante a acessar o sistema eletrônico de negociação utilizando o *Home Broker*, serviço das corretoras que permite ao investidor negociar ações pela Internet.

Para ser admitida pela bolsa para negociação, a instituição financeira deverá ter autorização de funcionamento do Banco Central do Brasil e autorização da Comissão de Valores Mobiliários (CVM) para intermediar valores mobiliários para aderir e estar enquadrada nos requisitos especificados pela bolsa. Dentre os serviços aos investidores, destacam-se:

- Ajuda para escolha de investimentos, de acordo com o objetivo do investidor;
- Suporte necessário para entender o funcionamento da Bolsa;
- Definição do perfil do investidor;
- Diversos serviços, como *home broker* (*site* para investir via Internet), relatórios de recomendação de ações, informativos, etc.;
- Informações sobre novos produtos no mercado, para garantir a diversificação da carteira de investimentos dos investidores;
- Informações sobre o recebimento de dividendos e outros bônus que as empresas pagam aos acionistas.

Corretoras

Uma corretora de valores tem a função principal de intermediar a negociação de ativos mobiliários. As corretoras se estruturam em três grandes áreas:

- *Front-Office*: Área considerada o coração da corretora, composta pelas mesas de operação e seus operadores e servidores de roteamento de ordens, que permitem a compra direta de ações e derivativos pelos investidores cadastrados. Sua principal atribuição é a intermediação mediante o recebimento e a execução das ordens de compra e venda dos clientes, por telefone ou meio eletrônico.
- *Middle-Office*: faz a ligação entre o *front-office* e as áreas de suporte (*back-office*) da corretora. Primordialmente, controla o risco da corretora. Por exemplo, mediante o "De acordo" da tesouraria, credita recursos na conta de um cliente. Também acompanha as operações de risco, controlando a exposição dos clientes, fazendo chamadas de margem adicionais e, eventualmente, fazendo liquidação compulsória de posições.
- *Back-Office*: Também é chamado de retaguarda da corretora. São os departamentos que operam as rotinas que estão envolvidas da operação.

Outra figura importante na relação entre as corretoras e os investidores é o agente autônomo de investimento (AAI). Trata-se de pessoas físicas certificadas pela Ancord (ver http://www.ancord.org.br) e com registro na CVM para exercer a atividade de distribuição e mediação de valores mobiliários, sob a responsabilidade e como preposto de instituição integrante do sistema de distribuição de valores mobiliários: corretoras, distribuidoras e bancos de investimento.

Mercados do segmento BOVESPA

As modalidades de negociação à vista, opções e termo são as mais utilizadas nos pregões da BM&FBOVESPA. A seguir, são apresentados seus detalhes operacionais.

Mercado à vista O mercado à vista é aquele em que se negociam os ativos – principalmente ações – listados pela bolsa e diferenciados, como mostrado no Quadro 9.3.

A codificação dos ativos para **lotes fracionários**[13] segue a codificação utilizada no mercado à vista acrescida da letra F no final do código de negociação. Por exemplo: VALE3F, VALE5F.

Somente podem ser negociadas no mercado à vista da bolsa as ações que não possuam **proventos**[14] anteriores a receber. Assim, quando a assembleia de uma empresa aprova a distribuição de um provento, as ações passam a ser negociadas na condição "**EX**".

QUADRO 9.3

Tipo do ativo	Número	Exemplo
Direitos ordinários	01	VALE1
Direitos preferenciais	02	VALE2
Ações	03	VALE3
Ações preferenciais	04	VALE4
Ações preferenciais classe a	05	VALE5
Ações preferenciais classe b	06	VALE6
Ações preferenciais classe c	07	VALE7
Ações preferenciais classe d	08	VALE8
Recibos ordinários	09	VALE9
Recibos preferenciais	10	VALE10
Outros (a serem estabelecidos pela bolsa)		

---

[13] Lotes com um número inferior a 100 ações, o lote padrão, são negociados como lotes fracionários. Ver definição de lote padrão em seguida no texto.

[14] Proventos é o nome genérico para direitos como dividendos, direitos de subscrição e bonificações.

A partir da data em que foi indicada como de início de "EX" provento (dividendo, bonificação, subscrição, etc.), os negócios com ações no mercado à vista são realizados sem direito àquele provento e divulgados com a indicação "EX" por oito pregões consecutivos.

No caso de **direitos de subscrição**,[15] a bolsa permite sua negociação desde a data que for indicada como de início de subscrição até o quinto dia útil anterior ao término do prazo designado pela companhia emissora para o exercício do direito de subscrição.

Novas ações de companhias listadas são negociadas distintamente com relação a direitos sobre dividendos futuros, na condição **COM** ou **SEM** direito de dividendos.

Em todos os casos, a fixação e a alteração das normas de negociação dos ativos se baseiam nas informações recebidas pela bolsa das sociedades emissoras, dos agentes emissores ou dos prestadores de serviços de ação escritural.

No segmento BOVESPA da BM&FBOVESPA, a oferta de compra ou venda é feita por meio de terminais de computador conectados ao sistema eletrônico de negociação. O encontro das ofertas e o fechamento de negócios são realizados de forma automática por esse sistema, representando a etapa de negociação. A seguir, apresentamos alguns detalhes operacionais.

Os negócios podem ser realizados em **lote padrão**[16] ou seus múltiplos e, no mercado à vista, também em **lote fracionário**. Os operadores atuam nas mesas de operações das corretoras executando **ordens** recebidas dos comitentes finais.

Todas as ordens recebidas pelas corretoras são gravadas e registradas em sistema próprio, de forma que os diálogos e a sequência de ordens recebidas, a qualquer momento, possam ser reproduzidos.

O funcionamento do pregão e do *after-market*

Diariamente, os pregões da bolsa são abertos para negociação dos ativos por ela autorizados nos mercados à vista, termo, futuro ou opções. O período de negociação normal ou regular se estende por pouco mais de sete horas diárias e é sucedido por um período adicional chamado *after-market*,[17] que dura mais uma hora e meia.

Horários de Negociação no Mercado de Ações (Mercado de Bolsa)

Conheça os horários de negociação no mercado de ações da BM&FBOVESPA.

Mercado²	Cancelamento de Ofertas		Pré-Abertura		Negociação		Exercício de Opções				Call de Fechamento		After-Market			
							Antes do vencimento		No vencimento				Cancelamento de Ofertas		Negociação	
							Exercício de posição titular		Exercício de posição titular							
	Início	Fim	Início	Fim	Início	Fim	Início	Fim	Início	Fim	Início	Fim	Início	Fim	Início	Fim
Mercado à vista	09:30	09:45	09:45	10:00	10:00	16:55	-	-	-	-	16:55	17:00	17:25	17:30	17:30	18:00
Fracionário	09:30	09:45	09:45	10:00	10:00	16:55	-	-	-	-	16:55	17:00	17:25	17:30	17:30	18:00
Mercado a termo	-	-	-	-	10:00	17:20										
Mercado de opções	09:30	09:45	09:45	10:00	10:00	16:55	-	-	-	-						
BOVESPA Mais - Mercado à vista	09:30	09:45	09:45	10:00	10:00	16:55					16:55	17:00	-	-	-	-
BOVESPA Mais - Fracionário	09:30	09:45	09:45	10:00	10:00	16:55					16:55	17:00	-	-	-	-
Opções sobre Ações e ETFs	-	-	-	-	-	-	10:00	16:00	10:00	13:00	16:55	17:15				
Opções sobre índice de ações	-	-	-	-	-	-	10:00	13:00	17:00¹		16:50	17:15				

¹Exercício automático após 17h00 sempre que:
(i) para opção de compra, o índice de liquidação for superior ao preço de exercício; e (ii) para opção de venda, o índice de liquidação for inferior ao preço de exercício.

²Correções de operações: podem ser efetuadas, em todos dos mercados e fases de negociação, até 19h00.

Fonte: BM&FBOVESPA (2014).

---

[15] Direito de cada acionista subscrever novas ações em uma emissão suplementar, geralmente a preços inferiores aos de mercado.

[16] Os negócios na bolsa são realizados em lotes. O lote mínimo negociável no pregão é de 100 ações. Esse número é o lote padrão.

[17] Não confundir com o *aftermarket* no mercado norte-americano, período em que as instituições financeiras que participaram de uma nova emissão naquele mercado não vendem papéis abaixo do preço de emissão, para sustentar o preço da emissão.

Dois momentos são de grande importância no desenvolvimento do pregão: o *call* para fixação do preço de abertura e o *call* para determinação do preço de fechamento. O primeiro é o período compreendido nos minutos que antecedem a abertura das negociações na bolsa. O segundo é o período compreendido nos minutos finais de negociação e utilizado para determinados ativos. O *call* de fechamento é adotado para os papéis pertencentes às carteiras teóricas dos índices calculados pela bolsa e para as séries de opções de maior liquidez, conforme divulgadas pela bolsa. A critério do diretor de operações, o *call* de fechamento poderá ser realizado para algum outro ativo em um determinado pregão, ou ainda ter o seu prazo de duração aumentado.

Nos mercados de opções sobre ações e índices, a bolsa também delimita horários para exercício ou para bloqueio das operações.

Após o pregão normal ou regular do mercado à vista, ocorre o período de negociação conhecido como *after-market*. Nesse período, podem ser negociados papéis pertencentes às carteiras teóricas dos índices calculados pela bolsa e que tenham sido negociados, no mesmo dia, durante o horário regular de pregão.

As operações são dirigidas por ordens e fechadas automaticamente por meio do sistema eletrônico de negociação da bolsa, com parâmetros de negociação estabelecidos para o período. O sistema rejeita ofertas de compra a preço superior e ofertas de venda a preço inferior ao limite de 2% com relação ao preço do pregão regular.

As ordens do pregão regular remanescentes no sistema (não canceladas) permanecerão ativas durante o *after-market*, sujeitando-se a seus limites de negociação. Há a possibilidade de execução parcial das ordens.

As operações fechadas no período *after-market* são divulgadas diariamente no *site* da BM&FBOVESPA no dia seguinte à negociação ($D+1$), junto com o volume total de negociação do dia anterior, compreendendo o volume negociado no horário regular e o volume negociado no período *after-market*.

Os índices não são calculados nem difundidos no horário *after-market*. Suas variações são calculadas com base nos índices de fechamento do pregão regular do dia anterior.

Leilões

Os negócios com ações realizados no segmento BOVESPA da BM&FBOVESPA devem respeitar parâmetros definidos pela CVM (Instrução Normativa nº 168, de 23/12/1991) com relação à quantidade negociada, ao preço praticado e à alienação do controle acionário de uma companhia (Comissão de Valores Mobiliários, 1991). Toda vez que esses parâmetros são ultrapassados, a bolsa deve submeter os negócios a **leilão**.

Analisam-se a seguir as situações relacionadas com quantidade negociada (superior a valor médio), cotação (superior ou inferior ao último preço praticado) e negociabilidade (papéis sem liquidez). Em cada um desses casos, a apregoação é feita durante o tempo definido em cada caso em particular, sendo o preço final estabelecido pela maior quantidade negociada ao melhor preço. As apregoações por leilão podem ser realizadas sob duas formas: por leilão comum ou por leilão especial. Essa sistemática visa a dar transparência e acesso a todos os participantes para uma determinada demanda ou oferta.

Quantidade negociada   Há duas situações em que o leilão deve ser instaurado devido à quantidade negociada: a) quando essa quantidade supera em mais de cinco vezes a quantidade média negociada nos 30 pregões precedentes; b) quando a operação envolver porcentagens relevantes do capital da companhia transacionada. O regulamento de operações da BM&FBOVESPA deve ser consultado para verificar os parâmetros e o prazo de leilão em cada situação.

Nas operações com *Unit*s,[18] os percentuais de enquadramento em relação ao capital social são determinados pelo valor mais restritivo entre os tipos de ações que o formam.

Uma vez comunicado um leilão originado por quantidade superior à média dos 30 pregões precedentes, a quantidade anunciada passará a ser a nova quantidade média válida para o dia.

---

[18] *Unit* é um certificado de depósito que representa um conjunto de ações de diferentes tipos, sendo as mais comuns as ordinárias e as preferenciais.

Cotações Quando o negócio é fechado por um preço que representa uma oscilação acentuada na cotação, este deve ser submetido a leilão. Neste caso, a variação mínima que origina o leilão é estabelecida em módulo sobre o último preço observado no pregão.

Consulte o *site* da bolsa e o regulamento de operações para verificar os parâmetros e o prazo de leilão em cada situação.

Se uma operação dever ser submetida a leilão por mais de um critério (preço ou quantidade), será adotado o critério que exigir o maior prazo de divulgação.

O diretor de operações poderá determinar que uma operação seja submetida a leilão quando, ao seu critério, o tamanho do lote a ser negociado exceder a quantidade considerada normal ou para assegurar a continuidade dos preços.

Leilões para casos especiais Situações particulares diversas podem fundamentar a decisão do diretor de pregão de chamar a leilão com prazos por ele definidos. Dentre esses casos, encontram-se: a divulgação de fato relevante ou notícia sobre algum provento para um ativo negociado na bolsa; problemas técnicos dos participantes, devidamente comprovados, quando do fechamento de um negócio ou quando do encerramento de outro leilão; e alta volatilidade dos preços de um ativo.

Quantidades menores Negócios em quantidade inferior a 10 lotes padrão em intervalo reduzido de tempo serão objeto de análise pelo diretor de operações para eventual aplicação das penalidades previstas no regulamento de operações da BM&FBOVESPA.

Fixing Durante o prazo do leilão, não há fechamento de negócios, registrando-se apenas as ofertas de compra e venda e seus respectivos preços. No final desse período, é necessário definir o preço com que os negócios serão registrados. Isto é conhecido como *fixing* ou *determinação do preço teórico*, o qual acarreta a necessidade de definir critérios para determinar esse preço, bem como as quantidades de cada negócio.

Critério	Procedimento de *fixing*
1º (quantidade)	O preço atribuído ao leilão será aquele pelo qual a maior quantidade de ações for negociada.
2º (equilíbrio)	Em caso de empate pelo primeiro critério, selecionam-se dois preços, o de menor desequilíbrio na venda e o de menor desequilíbrio na compra. O preço atribuído ao leilão poderá ser igual ou estar entre um desses preços, sendo escolhido o preço mais próximo do último negócio, ou, caso o papel não tenha sido negociado no dia, o preço escolhido para o leilão será aquele mais próximo do preço de fechamento.
3º (abertura)	Em caso de empate nos dois primeiros critérios, o preço selecionado na abertura do leilão fará parte de uma escala de preços, incluindo ou não os preços limites, conforme a quantidade em desequilíbrio.

Prioridades Para o fechamento de negócios no momento da abertura do leilão, são adotadas as seguintes prioridades para as ofertas:

a. **Ofertas ao preço de abertura** têm a maior prioridade. Se, na abertura do leilão, essa oferta não for atendida em sua totalidade, a mesma permanecerá registrada para a quantidade não atendida ao preço limitado de abertura do leilão.

b. **Ofertas limitadas por ordem de preço** (quem paga mais compra primeiro, e quem vende por menos vende primeiro) dizem respeito à sequência cronológica de entrada, incluindo as ofertas *stop* eventualmente disparadas e atendidas.

As ofertas *stop* disparadas durante o leilão seguem a ordem de preço e sequência cronológica de entrada e podem retornar à fila de ofertas *stop* não disparadas caso o preço teórico do leilão seja alterado para um preço inferior ao preço de disparo para uma *stop* de compra ou superior para uma *stop* de venda.

Características Na determinação do preço teórico, ou *fixing*, de um leilão, há também outras regras implícitas ou embutidas no sistema eletrônico de negociação:

- não há rateio para **ofertas ao mesmo preço** (prevalece a ordem de entrada no sistema);
- utiliza-se uma escala de preços, e não um único preço para definir o **preço do leilão**, de tal forma que esse preço seja o mais próximo do último preço do ativo;
- ofertas com preço de compra maior ou igual ao preço teórico e **ofertas de venda com preço menor** ou igual ao preço teórico não podem ser canceladas, aceitando somente alteração para melhorar essas ofertas (melhorar o preço ou aumentar a quantidade);
- **ofertas de compra com preço maior** do que o preço teórico e ofertas de venda com preço menor do que o preço teórico serão atendidas em sua totalidade;
- ofertas de compra e venda com preços iguais ao preço teórico poderão ser atendidas totalmente, parcialmente ou não ser atendidas de acordo com a situação do leilão;
- não é permitido o registro de **ofertas com quantidade aparente** – que são as ofertas que já estavam registradas com quantidade aparente antes do início do leilão e que participam dele seguindo as regras do leilão no que diz respeito à prioridade em sua quantidade divulgada; porém, caso precisem ser alteradas, a quantidade total terá que ser revelada ao mercado;
- **ofertas registradas EOC** (Execute ou Cancele) serão canceladas no momento do encerramento do leilão para a quantidade existente.

Prorrogação O término de um leilão pode ser adiado devido à ocorrência de alguns dos eventos listados a seguir:

- alteração no preço teórico;
- alteração na quantidade teórica;
- registro de uma nova oferta que altere a quantidade atendida de uma oferta registrada anteriormente;
- alteração no saldo não atendido.

O *site* da BM&FBOVESPA e o seu regulamento de operações devem ser consultados para verificar os parâmetros e o tempo de prorrogação em cada situação.

Independente dos critérios apresentados, o diretor de operações poderá adotar medidas para agilizar a dinâmica das prorrogações visando ao bom funcionamento das negociações.

Post trading Após o encerramento do pregão, que é uma etapa de negociação, inicia-se o processo de liquidação das operações registradas pelo sistema eletrônico de negociação. Esse processo é realizado pela câmara de liquidação e custódia, que também faz a guarda de ativos e se encarrega da atualização e do repasse dos proventos distribuídos pelas companhias abertas.

Todo processo de transferência da propriedade dos títulos e do pagamento e recebimento do montante financeiro envolvido é intermediado pela **câmara de liquidação e custódia** e abrange duas etapas:

1. Entrega dos títulos: implica a disponibilização dos títulos à câmara de liquidação e custódia pela sociedade corretora intermediária ou pela instituição responsável pela custódia dos títulos do vendedor. No caso do mercado de ações, ocorre no terceiro dia útil ($D+3$) após a realização do negócio em pregão. As ações ficam disponíveis ao comprador após o respectivo pagamento.

2. Pagamento da operação: compreende a quitação do valor total da operação pelo comprador, o respectivo recebimento pelo vendedor e a efetivação da transferência das ações para o comprador. No caso das ações, esse procedimento ocorre no terceiro dia útil ($D+3$) após a realização do negócio em pregão.

Formas de liquidação

Liquidação por saldo bruto A liquidação das operações ocorre para cada operação por agente.

Liquidação por saldo líquido A compensação e a liquidação das operações ocorrem por saldo líquido entre os agentes.

Compensação e liquidação multilateral A compensação e a liquidação das operações ocorrem por saldo líquido de cada agente com a *clearing*. A Figura 9.4 ilustra as formas de liquidação mencionadas.

Na BM&FBOVESPA, o registro, a liquidação e a administração de risco são feitas por meios da câmara de compensação, a *clearing*, que, sem personalidade jurídica própria, é organizada e administrada por uma das diretorias executivas da bolsa. A *clearing* é autorizada a funcionar pelo Banco Central do Brasil e tem amparo na Lei nº 10.214/01 (Brasil, 2001). As principais funções da câmara de compensação, *clearing*, são a compensação multilateral e a proteção das garantias.

Para controle e administração dos riscos, a *clearing* conta com sofisticado sistema de gerenciamento de riscos e com estrutura de salvaguardas compostas de diferentes níveis de proteção. A BM&FBOVESPA reavalia diariamente o montante de garantias necessárias para que as obrigações decorrentes das operações realizadas nos mercados possam ser liquidadas, em caso de inadimplência, nos devidos prazos e formas. O cálculo de garantia requerida é realizado por meio do sistema *Clearing Members – Theoretical Intermarket Margin System* (CM-TIMS), da *Options Clearing Corporation* (OCC), adaptado ao mercado brasileiro para o processamento do cálculo de margem para o nível do investidor final.

O sistema CM-TIMS avalia, por meio de modelos estatísticos e de precificação, a margem de garantia exigida de cada investidor em função de sua carteira de opções, contratos a termo e empréstimo de títulos, permitindo compensação em uma mesma classe (posições sobre o mesmo ativo objeto) ou em um produto (classes de ativos que apresentam alto grau de correlação). Os parâmetros utilizados no cálculo estão disponíveis para consulta no sistema a qualquer momento, e os agentes de compensação podem simular o impacto de alterações na posição do investidor sobre o valor da margem exigida.

A margem de garantia exigida é constituída por dois componentes: **margem de prêmio** e **margem de risco**. A margem de prêmio corresponde ao custo de liquidação da carteira do investidor, e é determinada por:

- Valor de fechamento dos prêmios, no caso de posições no mercado de opções;
- Diferença entre (a) a cotação de fechamento do ativo subjacente no mercado à vista e (b) a cotação a termo, no caso de posições no mercado a termo; e
- Cotação de fechamento do ativo subjacente no mercado à vista, no caso de posições no mercado de empréstimo de ativos.

A margem de risco corresponde ao valor adicional necessário à liquidação da carteira do investidor caso ocorra variação adversa nos preços de mercado. O cálculo desse componente

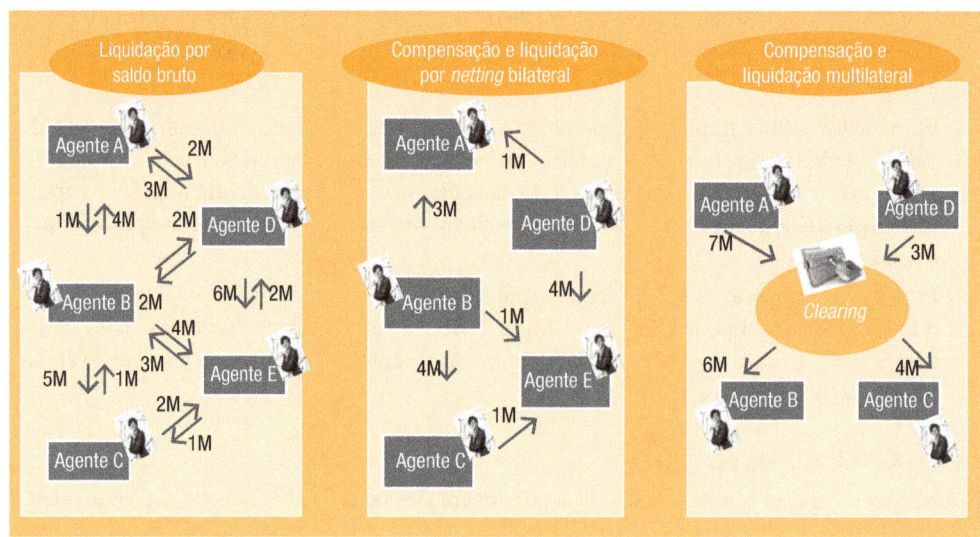

FIGURA 9.4 Formas de liquidação.

baseia-se em dez cenários prováveis para o preço de cada ativo subjacente – cinco cenários de alta e cinco cenários de baixa – contidos no "intervalo de margem" definido pelo Comitê Técnico de Risco de Mercado da BM&FBOVESPA.

Caso o valor de garantias depositadas pelo investidor seja inferior à margem exigida conforme o cálculo do CM-TIMS, é gerada uma chamada de margem para o investidor, em montante correspondente à diferença entre os dois valores. A chamada deve ser atendida conforme grade horária e demais procedimentos estabelecidos pela câmara.

O *site* da BM&FBOVESPA e o seu regulamento de operações devem ser consultados para verificar os parâmetros dos intervalos de margem e os procedimentos operacionais do mercado de ações.

De maneira geral, dentre os componentes do sistema de administração de riscos da *clearing* da BM&FBOVESPA, destacam-se:

- Marcação a mercado
- Teste de estresse
- Monitoramento intradiário
- Depósito de garantias
- Limites operacionais
- Linhas de liquidez
- Acesso ao redesconto do Banco Central

Central depositária

No mercado de ações, outro importante papel é o da Central Depositária, que atua com a guarda, a atualização e a coordenação de eventos corporativos (pagamentos de proventos, bonificação, etc.) do mercado de ações do Brasil. Além disso, presta serviços para outros mercados de títulos e valores mobiliários públicos e privados.

A Central Depositária de Ativos da BM&FBOVESPA oferece vários serviços aos seus usuários, destacando-se:

- *Desmaterialização e registro eletrônico*: a Central Depositária foi pioneira na desmaterialização dos ativos (substituição de documentos físicos por registros eletrônicos). Todos os registros de propriedade dos ativos, bem como as suas movimentações, são feitos de forma escritural e eletrônica em um processo conhecido como *book entry*. Essa característica é um diferencial frente a seus pares no mundo, o que eleva a eficiência e a segurança, pois automatiza os processos, reduz custos e elimina falhas. Os ativos são registrados em contas individualizadas e mantidos sob a responsabilidade de uma instituição financeira escolhida pelo investidor.

- *Codificação ISIN*: todos os ativos mantidos na Central Depositária possuem codificação ISIN (padronização internacional para a codificação de títulos financeiros, que atribui a cada ativo um código único de identificação), o que permite sua perfeita identificação em qualquer parte do mundo. A BM&FBOVESPA é a agência numeradora brasileira. Ela é a única instituição autorizada a atribuir ISINs a títulos financeiros no Brasil (ações, títulos de renda fixa e títulos públicos federais).

- *Propriedade fiduciária de ativos*: a Central Depositária tem dever fiduciário perante os emissores com ativos listados na BM&FBOVESPA. Esse tipo de registro nos livros dos emissores assegura que a Central Depositária não tem nenhum direito de *propriedade sobre os ativos mantidos sob sua guarda*.

- *Conciliação diária com os emissores e com os agentes de custódia*: para assegurar a integridade dos ativos sob sua guarda, a Central Depositária realiza uma série de processos de conciliação diária.
  - Com os emissores: executa a comparação diária do número de ativos mantidos em seus registros com o número de ativos registrados em sua guarda fiduciária nos livros de regis-

tro dos emissores, bem como todas as movimentações de ativos entre o livro de registro e o ambiente da Central Depositária (depósitos e retiradas). Este processo de conciliação é feito de forma automatizada por meio da troca diária de arquivos eletrônicos.

- Com os agentes de custódia: concilia diariamente suas posições com os registros proprietários mantidos pelos agentes de custódia, considerando não somente os saldos mantidos, mas também as movimentações ocorridas entre contas. Todo o processo de conciliação ocorre no nível das contas individualizadas dos investidores finais.
- *Estrutura de contas individualizadas*: a Central Depositária mantém uma estrutura de contas individualizadas em nome do investidor final. Esse procedimento viabiliza a prestação de vários serviços, mas não implica um relacionamento direto entre a instituição e o investidor final. O representante do investidor perante a Central Depositária é sempre o agente de custódia. A segregação de contas é um mecanismo adicional de proteção do investidor, uma vez que possibilita a identificação dos direitos de propriedade sobre um ativo a qualquer momento. A Central Depositária informa diretamente aos investidores finais o estoque de ativos deles mantidos sob sua responsabilidade.

Situações especiais

O regulamento de operações estabelece procedimentos especiais caso se verifiquem variações muito acentuadas no índice de ações da BOVESPA ou, ainda, quando houver problemas técnicos.

Em momentos de crise econômica, o preço das ações pode mudar de forma drástica rapidamente. O potencial perigo de uma perda acentuada de valor para os investidores pode impactar outros segmentos do sistema financeiro, razão pela qual a bolsa adota o mecanismo conhecido como *circuit breaker*, destinado a permitir a melhor difusão e compreensão das informações entrantes, assim como o traçado de estratégias operacionais visando a minimizar os prejuízos possíveis.

Circuit breaker É o mecanismo utilizado pela bolsa que permite, na ocorrência de movimentos bruscos de mercado, o amortecimento e o rebalanceamento das ordens de compra e de venda. Esse instrumento constitui-se como uma "proteção" à volatilidade excessiva em momentos atípicos de mercado. Ele é aplicado em conformidade com três regras sucessivas:

Regra	Critério de interrupção
1	Quando o Ibovespa atingir o limite de baixa de 10% em relação ao índice de fechamento do dia anterior, os negócios na BOVESPA, em todos os mercados, serão interrompidos por 30 minutos.
2	Reabertos os negócios, caso a variação do Ibovespa atinja uma oscilação negativa de 15% em relação ao índice de fechamento do dia anterior, os negócios no segmento BOVESPA, em todos os mercados, serão interrompidos por 1 hora.
3	Reabertos os negócios, caso a variação do Ibovespa atinja uma oscilação negativa de 20% em relação ao índice de fechamento do dia anterior, a bolsa poderá determinar a suspensão dos negócios em todos os mercados por prazo definido a seu critério, sendo comunicado ao mercado tal decisão por meio da agência BM&FBOVESPA de Notícias (ABO-OPERAÇÕES).

Regras gerais adicionais para o *circuit breaker*:

a. O *circuit breaker* não é acionado na última meia hora de funcionamento do pregão, mesmo quando se verificarem os critérios previstos para seu acionamento.

b. Ocorrendo a interrupção dos negócios na penúltima meia hora de negociação, na reabertura dos negócios, o horário será prorrogado em, no máximo, mais 30 minutos, sem qualquer outra interrupção, de tal forma que se garanta um período final de negociação de 30 minutos corridos.

Interrupção técnica Ocorrendo interrupção no funcionamento do sistema eletrônico de negociação, os seguintes procedimentos serão observados:

a. quando a interrupção, por motivos técnicos, for total ou atingir de forma significativa várias sociedades corretoras, caberá à bolsa a decisão de suspender as negociações;

b. ocorrendo o retorno do sistema, será concedido, a critério do diretor de operações, prazo chamado "período de pré-abertura" para que as sociedades corretoras possam cancelar ou alterar suas ofertas registradas antes da interrupção do sistema;

c. caso ocorra interrupção no funcionamento do sistema eletrônico de negociação nos últimos 30 minutos da negociação, o pregão poderá ser prorrogado, cabendo a decisão ao diretor-presidente, consultando a diretoria de informática.

Índices

Os índices da BM&FBOVESPA são indicadores de desempenho de um conjunto de ações; ou seja, eles mostram a valorização de um determinado grupo de papéis ao longo do tempo. Os preços das ações podem variar por fatores relacionados à empresa ou por fatores externos, como o crescimento do país, do nível de emprego e da taxa de juros.

Assim, as ações de um índice podem apresentar um comportamento diferente das demais no mesmo período. A BM&FBOVESPA divide seus índices em 5 classes diferentes mais uma agregando outros índices. O mais famoso e conhecido é o Índice Bovespa – Ibovespa.

O **Ibovespa** é o resultado de uma carteira teórica de ativos, elaborada de acordo com os critérios estabelecidos em sua metodologia. Essa metodologia, os procedimentos e as regras estão definidos no Manual de Definições e Procedimentos dos Índices da BM&FBOVESPA.

O objetivo do Ibovespa é ser o indicador do desempenho médio das cotações dos ativos de maior negociabilidade e representatividade do mercado de ações brasileiro. O Ibovespa é composto por ações e *units* exclusivamente de companhias listadas na BM&FBOVESPA que atendam aos critérios de inclusão descritos na metodologia. Não estão incluídos nessa categoria BDRs e ativos de companhias em recuperação judicial ou extrajudicial, regime especial de administração temporária, intervenção ou que sejam negociados em qualquer outra situação especial de listagem, conforme o Manual de Definições e Procedimentos dos Índices da BM&FBOVESPA.

Serão selecionados para compor o Ibovespa os ativos que atendam cumulativamente aos seguintes critérios:

1. Estar entre os ativos elegíveis que, no período de vigência das 3 (três) carteiras anteriores, em ordem decrescente de Índice de Negociabilidade (IN), representem em conjunto 85% do somatório total desses indicadores.

2. Ter 95% de presença em pregão no período de vigência das 3 carteiras anteriores.

3. Ter participação em termos de volume financeiro maior ou igual a 0,1%, no mercado a vista (lote padrão), no período de vigência das 3 carteiras anteriores.

4. Não ser classificado como ativo de pequeno valor (*penny stock*, ver Manual de Definições e Procedimentos dos Índices da BM&FBOVESPA).

Também devem ser observados os critérios de ponderação e de exclusão constantes do manual de metodologia do Índice BOVESPA, bem como a composição da carteira válida para cada quadrimestre. O quadro a seguir apresenta os índices calculados pela BM&FBOVESPA em maio de 2014.

Índices amplos	Índices setoriais	Índices de sustentabilidade	Índices de governança	Índices de segmento	Outros índices
• Índice Bovespa – Ibovespa • Índice Brasil 50 – IBrX 50 • Índice Brasil 100 – IBrX 100 • Índice Brasil Amplo – IBrA	• Índice BM&FBOVESPA Energia Elétrica – IEE • Índice BM&FBOVESPA Industrial – INDX • Índice BM&FBOVESPA Consumo – ICON • Índice BM&FBOVESPA Imobiliário – IMOB • Índice BM&FBOVESPA Financeiro – IFNC • Índice BM&FBOVESPA Materiais Básicos – IMAT • Índice BM&FBOVESPA Utilidade Pública – UTIL	• Índice de Sustentabilidade Empresarial – ISE • Índice Carbono Eficiente – ICO2	• Índice de Ações com Governança Corporativa Diferenciada – IGCX • Índice Governança Corporativa Trade – IGCT • Índice Governança Corporativa – Novo Mercado – IGC-NM • Índice de Ações com Tag Along Diferenciado – ITAG	• Índice BM&FBOVESPA MidLarge Cap – MLCX • Índice BM&FBOVESPA Small Cap – SMLL • Índice Valor BM&FBOVESPA – 2ª Linha – IVBX 2 • Índice BM&FBOVESPA Dividendos – IDIV	• Índice de BDRs Não Patrocinados – GLOBAL – BDRX • Índice BM&FBOVESPA Fundos de Investimentos Imobiliários – IFIX

Consulte o *site* da BM&FBOVESPA para conhecer a metodologia e as características de cada um dos índices.

Aluguel de ativos

As ações estão na classe de investimentos chamada renda variável, característica por apresentar mais variação no valor aplicado e maior potencial de rentabilidade. Investir em ações é o risco de ser dono de um negócio, afinal, quando você compra ações de uma empresa, vira sócio. E todo o mundo já viu empresas que se saem bem e outras que nem tanto. Aí é que entra o cuidado na hora de escolher em qual empresa você vai investir. Ainda que você não vá assumir o controle, só entre em um negócio em que você confie e, sobretudo, acredite que continuará a ter sucesso no futuro.

É sempre válida a sabedoria de carregar os ovos em várias cestas. Como as ações correspondem a pequenas frações do capital da empresa, você pode dividir os recursos entre vários setores: petróleo, siderurgia, lojas de varejo, empresas financeiras, empresas imobiliárias e ainda outros segmentos. Um problema em um ramo de atividade não obrigatoriamente atingiria outro. Na média, uma baixa em um setor poderia ser suavizada por uma alta em outro, no qual você também estaria.

Além do mais, essa estratégia de dividir os recursos, a chamada diversificação, pode e deve ser ampliada em termos de tipos de investimentos (misturar aplicações mais arrojadas com outras mais conservadoras). Portanto, para memorizar: a diversificação dentro do mercado de ações e entre categorias de investimento é o remédio que tende a ser mais eficiente para diminuir os riscos.

O investidor basicamente ganha dinheiro com as ações de três formas:

1. Com a alta das ações que comprar.
2. Quando a empresa distribui lucros para os acionistas (dividendos). É obrigatória a distribuição de resultados das companhias abertas aos acionistas.
3. Alugando suas ações.

O aluguel de ativos é um serviço da BM&FBOVESPA que oferece as seguintes vantagens aos investidores em geral, sejam eles pessoas físicas ou jurídicas, inclusive instituições financeiras:

- remuneração adicional acertada no início do contrato para o investidor que aluga seus ativos;
- receita extra de 0,05% ao ano sobre o volume emprestado, líquida de tributos, concedida pela BM&FBOVESPA ao doador residente no Brasil;

- quem empresta os ativos não deixa de receber eventuais proventos (juros sobre o capital próprio e dividendos, por exemplo) concedidos pela companhia emissora, mesmo que seus ativos estejam temporariamente nas mãos de terceiros.

O tomador do aluguel garante sua necessidade temporária de ter um ativo para implantar suas estratégias de investimento, como o *short selling*, transação em que você vende um ativo que não possuía em sua carteira, porém o providencia por meio do serviço de aluguel de ativos da BM&FBOVESPA. Na data de vencimento pactuada, o tomador deverá providenciar o ativo para devolvê-lo ao doador. Se o tomador efetuou a venda do ativo para o qual havia feito o empréstimo, deverá recomprá-lo no mercado secundário para providenciar a devolução ao doador. O acesso ao serviço se dá por meio de um sistema eletrônico com uma corretora ou um agente de custódia. Para efetivar a operação, o tomador do aluguel se compromete a pagar ao doador do ativo uma taxa livremente pactuada entre as partes e o emolumento cobrado pela BM&FBOVESPA.

O aluguel de ativos corrige eventuais falhas de liquidação do mercado a vista, torna os mercados mais líquidos, aumenta sua eficiência e sua flexibilidade e beneficia investidores com estratégias de curto e longo prazos. A Bolsa atua como contraparte central e administra essa operação por meio da solicitação de garantias do tomador, que sempre deposita o correspondente a 100% do valor financeiro do contrato mais um intervalo de margem que gira em torno de 20% (ou mais), trazendo uma segurança importante para este serviço.

Considerações finais

A CVM obriga que, no mercado brasileiro, os investidores finais sejam identificados em cada operação. Isso explica a tecnologia aplicada aos sistemas e as robustas estruturas de negociação e pós-negociação da BM&FBOVESPA e do mercado brasileiro. A SEC (*U.S. Securities and Exchange Commission*), que exerce no mercado americano o mesmo papel que a CVM exerce no Brasil, não exige que sejam identificados os investidores finais. Sendo assim, as atividades de compensação, liquidação e depositária são feitas pelas corretoras, transferindo a maior parte da responsabilidade pela gestão de risco da *clearing* para elas. No mercado americano, as corretoras exercem importantes atividades que, no mercado brasileiro, são realizadas pela BM&FBOVESPA, sobretudo na pós-negociação. A Figura 9.5 resume a atuação da BM&FBOVESPA desde a pré-negociação até a pós-negociação, identificando o investidor final do início ao fim.

A BM&FBOVESPA desenvolve, implanta e provê sistemas para a negociação de ações, derivativos de ações, títulos de renda fixa, títulos públicos federais, derivativos financeiros, moedas à vista e *commodities* agropecuárias.

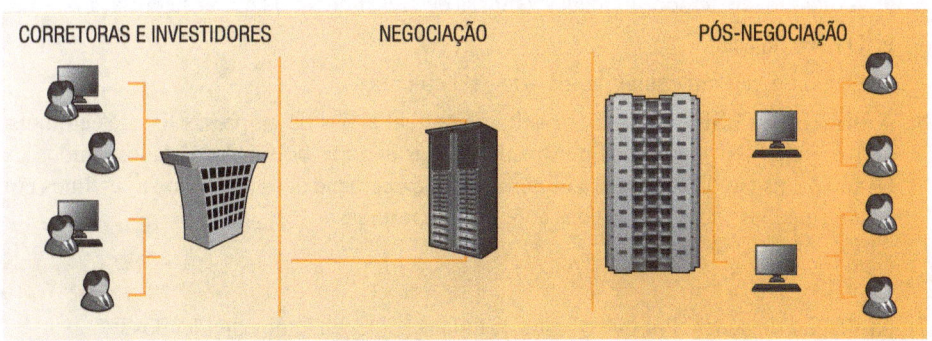

FIGURA 9.5 Atuação da BM&FBOVESPA.

Resumo e conclusões

Este capítulo abordou os fundamentos das ações e de suas avaliações. Os pontos-chave incluem:

1. Uma ação pode ser avaliada pelo desconto de seus dividendos. Mencionamos três tipos de situações:
   a. O caso do crescimento zero dos dividendos.
   b. O caso do crescimento constante dos dividendos.
   c. O caso do crescimento variável.

2. Uma estimativa da taxa de crescimento dos dividendos é necessária para o modelo de desconto de dividendos. Uma estimativa útil da taxa de crescimento é:

   g = Taxa de retenção × Retorno sobre a reserva de lucros (ROE)

   Desde que a empresa mantenha constante sua proporção de dividendos em relação aos lucros, g representa a taxa de crescimento de ambos.

3. O preço de uma ação pode ser visto como a soma de seu preço de acordo com a premissa de que a empresa seja uma "vaca leiteira" mais o valor por ação das oportunidades de crescimento da empresa. Uma empresa será chamada de vaca leiteira se pagar todos os seus lucros como dividendos.

   Exprimimos o valor de uma ação desta forma:

   $$\frac{LPA}{R} + VPLOC$$

4. Os projetos com VPL negativo diminuem o valor da empresa. Isto é, os projetos com taxas de retorno abaixo da taxa de desconto diminuem o valor da empresa. Todavia, ainda que seu valor diminua com taxas de retorno abaixo da taxa de desconto, tanto os lucros quanto os dividendos de uma empresa crescerão, desde que seus projetos tenham taxas de retorno positivas.

5. Com base na Contabilidade, sabemos que os lucros são divididos em duas partes: dividendos e reserva de lucros. A maioria das empresas retém os lucros para gerar futuros dividendos. Não se deve descontar os lucros para obter o preço por ação, já que parte dos lucros precisa ser reinvestida. Somente os dividendos chegam aos acionistas e apenas eles devem ser descontados para se obter o preço das ações.

6. Alguns analistas avaliam as ações via múltiplos, como o índice P/L. No entanto, advertimos que se deve aplicar o mesmo múltiplo apenas a empresas similares.

7. Sugerimos que o índice P/L de uma empresa é uma função de três fatores:
   a. A quantidade de oportunidades valiosas de crescimento da empresa por ação.
   b. O risco da ação.
   c. O tipo de método contábil utilizado pela empresa.

8. A BM&FBOVESPA é a bolsa brasileira, na qual ações de empresas listadas em bolsa e outros títulos são negociados no Brasil. As duas maiores bolsas dos Estados Unidos são a Nyse e a Nasdaq. Discutimos a organização e a operação dessas três bolsas e vimos como as informações sobre o preço das ações são reportadas.

QUESTÕES CONCEITUAIS

1. **Avaliação de ações** Por que o valor de uma ação depende dos dividendos?

2. **Avaliação de ações** Uma porcentagem substancial das empresas listadas na Nyse e na Nasdaq não paga dividendos, mas, mesmo assim, os investidores estão dispostos a comprar suas ações. Como isso é possível, dada a nossa resposta para a questão anterior? Isto também ocorre no Brasil? Por quê?

3. **Política de dividendos** Voltando às questões anteriores, sob quais circunstâncias uma empresa optaria por não pagar dividendos? O que a lei e o estatuto das empresas, no Brasil, estabelecem a respeito do pagamento de dividendos?

4. **Modelo de crescimento de dividendos** Sob quais duas premissas podemos usar o modelo de crescimento de dividendos apresentado neste capítulo para determinar o valor de uma ação? Comente quão razoáveis são essas premissas.

5. **Ação ordinária *versus* ação preferencial** Suponha que uma empresa tenha uma emissão de ações preferenciais e uma emissão de ações ordinárias. Ambas pagam dividendos de $ 2. Qual você acha que terá um preço mais alto, uma ação preferencial ou uma ordinária?

6. **Modelo de crescimento de dividendos** Com base no modelo de crescimento de dividendos, quais são os dois componentes do retorno total de uma ação? Qual você pensa que geralmente é maior?

7. **Taxa de crescimento** No contexto do modelo de crescimento de dividendos, é verdade que a taxa de crescimento dos dividendos e a taxa de crescimento do preço da ação são idênticas?

8. **Índice P/L** Quais são os três fatores que determinam o índice P/L de uma empresa?

9. **Ética corporativa** As ações com direito a voto, no Brasil, podem ter classes com direitos de votos desiguais? É injusto ou antiético que as empresas nos Estados Unidos criem classes de ações com direitos de voto desiguais?

10. **Avaliação de ações** Avalie a seguinte declaração: os gestores não devem se concentrar no valor corrente da ação, porque isso levará a uma ênfase excessiva nos lucros de curto prazo em detrimento dos de longo prazo.

QUESTÕES E PROBLEMAS

BÁSICO (Questões 1-10)

1. **Valores de ações** A Bonatto & Oliveira Guarda-Roupas S/A pagou dividendos de $ 2,15 por ação. Os dividendos devem aumentar a uma taxa constante de 5% ao ano indefinidamente. Se os investidores exigem um retorno de 11% dessa ação, qual é o preço atual? Qual será o preço daqui a três anos? E daqui a 15 anos?

2. **Valores de ações** O pagamento dos próximos dividendos da Asas de Fogo S/A será de $ 3,20 por ação. Prevê-se que os dividendos mantenham uma taxa de crescimento de 6% para sempre. Se as ações são negociadas hoje por $ 63,50, qual é o retorno exigido?

3. **Valores de ações** Para a empresa do problema anterior, qual é o retorno em dividendos? Qual é o retorno esperado em ganhos de capital?

4. **Valores de ações** A Metroplex pagará dividendos de $ 2,65 por ação no próximo ano. A empresa promete aumentar seus dividendos em 4,75% ao ano indefinidamente. Se você exigir um retorno de 11% de seu investimento, quanto pagará hoje pela ação da empresa?

5. **Avaliação de ações** A Nogueira S/A espera manter uma taxa de crescimento constante de 6,4% sobre seus dividendos indefinidamente. Se a empresa tiver um retorno em dividendos de 4,3%, qual será o retorno exigido de suas ações?

6. **Avaliação de ações** Suponha que você saiba que as ações de uma empresa são negociadas por $ 72 atualmente e que o retorno exigido delas é de 11,5%. Você também sabe que o retorno total das ações é dividido entre um retorno em ganhos de capital e um retorno em dividendos. Se a política da empresa for manter sempre uma taxa de crescimento constante em seus dividendos, de quanto são os dividendos correntes por ação?

7. **Avaliação de ações** A Apocalíptica S/A paga dividendos constantes de $ 9. A empresa manterá esses dividendos pelos próximos 12 anos e, então, parará de pagá-los para sempre. Se o retorno exigido dessas ações for de 10%, qual é o preço corrente delas?

8. **Avaliação de ações preferenciais** A Apocalíptica S/A tem uma emissão de ações preferenciais em circulação que paga dividendos fixos de $ 5,90 ao ano para sempre. Se cada ação é negociada por $ 87, qual é o retorno exigido?

9. **Taxa de crescimento** O jornal relatou na semana passada que a Bomlucro S/A teve um lucro de $ 34 milhões neste ano. O relatório também declarava que o ROE da empresa era de 16%. A Bomlucro retém 80% de seus lucros. Qual é a taxa de crescimento de lucros da empresa? Quais serão os lucros no próximo ano?

10. **Avaliação de ações e P/L** A Germinadora de Flores S/A tem lucros de $ 1,75 por ação. A referência de P/L da empresa é 18. Qual preço de ação você consideraria apropriado? E se a referência de P/L fosse 21?

INTERMEDIÁRIO
(Questões 11-32)

11. **Avaliação de ações** A Grande Fazenda de Abóboras pagou dividendos de $ 3,10. Espera-se que a taxa de crescimento em dividendos seja 6% por ano, constante e indefinidamente. Os investidores exigem um retorno de 15% sobre as ações nos primeiros três anos, de 12% para os próximos três anos e de 11% daí em diante. Qual é o preço corrente dessas ações?

12. **Crescimento variável** A Metálica Engrenagens S/A é uma jovem *startup*. Nenhum dividendo será pago nos próximos nove anos, pois a empresa precisa reinvestir seus lucros para alimentar o crescimento. Ela pagará dividendos de $ 15 por ação em 10 anos e os aumentará em 5,5% ao ano daí em diante. Se o retorno exigido dessas ações for de 13%, qual é o preço corrente delas?

13. **Dividendos variáveis** A Lanças S/A tem uma política estranha de dividendos. A empresa pagou dividendos de $ 12 por ação e anunciou que irá aumentá-los em $ 3 por ação em cada um dos próximos cinco anos e, depois disso, nunca mais os pagará. Se você exigir um retorno de 12% das ações da empresa, quanto pagará hoje por elas?

14. **Dividendos variáveis** Espera-se que a Companhia Distante pague os seguintes dividendos nos próximos quatro anos: $ 10, $ 7, $ 6 e $ 2,75. Depois disso, a empresa promete manter uma taxa de crescimento constante de 5% sobre os dividendos para sempre. Se o retorno exigido dessas ações for de 13%, qual é o preço corrente delas?

15. **Crescimento variável** A Marcel & Cia está crescendo rapidamente. Espera-se que os dividendos cresçam a uma taxa de 20% pelos próximos três anos, com a taxa de crescimento caindo para 5% constantes a partir daí. Se o retorno exigido for de 12% e a empresa recém pagou dividendos de $ 2,80, qual é o preço corrente das ações?

16. **Crescimento variável** A Eva S/A está passando por um período de rápido crescimento. Espera-se que os dividendos cresçam a 30% por ano durante os próximos três anos, a 18% no ano seguinte e, depois disso, a 8% por ano indefinidamente. O retorno exigido dessas ações é de 11%, e cada uma é negociada atualmente por $ 65. Quais são os dividendos projetados para o próximo ano?

17. **Crescimento negativo** A Nossomos Relíquias é uma empresa industrial já estabelecida no mercado. A empresa pagou dividendos de $ 9, mas a administração espera reduzir o pagamento em 4% ao ano indefinidamente. Se você exige um retorno de 11% dessas ações, quanto pagaria hoje por uma delas?

18. **Cálculo dos dividendos** As ações da Companhia Teder são negociadas a $ 58,32 atualmente. O mercado exige um retorno de 11,5% sobre as ações da empresa. Se a empresa mantém uma taxa de crescimento constante de 5% em dividendos, de quanto foram os últimos dividendos pagos por ação?

19. **Avaliação de ações preferenciais** O Fifth National Bank emitiu algumas ações preferenciais novas. A emissão pagará dividendos anuais fixos de $ 8 para sempre, começando daqui a cinco anos. Se o mercado exigir um retorno de 5,6% sobre esse investimento, quanto custa uma ação preferencial hoje?

20. **Uso das cotações de ações** Você encontrou a seguinte cotação de ações para a RJWL S/A nas páginas sobre finanças do jornal de hoje. Quais são os dividendos anuais? Qual foi o preço de fechamento dessa ação que apareceu no jornal de *ontem*? Se a empresa

tem 25 milhões de ações em circulação no momento, qual foi o lucro líquido nos últimos quatro trimestres?

Variação no ano	Ação	Código identificador	Retorno	P/L	Último preço	Variação líquida
−1,1	RWJL S/A	RWJL1	1,9	23	26,18	−0,13

21. **Tributos e preço da ação em países diferentes** Você possui ações avaliadas em $ 100 mil hoje. Essa avaliação considera que, daqui a um ano, você receberá dividendos de $ 2,25 por ação e receberá dividendos de $ 2,40 daqui a dois anos. Você venderá cada ação por $ 65 daqui a três anos.

    a. Suponha que a empresa seja norte-americana e que você pague tributação nos Estados Unidos: nesse caso, os dividendos serão tributados a uma taxa de 28%. Suponha que não haja tributos sobre os ganhos de capital. A taxa de retorno pós-tributação exigida é de 15%. Quantas ações você possui?

    b. Suponha que a empresa seja brasileira e que você pague tributação no Brasil: nesse caso, os dividendos não são tributados. Suponha que tributação sobre os ganhos de capital seja de 15%. A taxa de retorno pós-tributação exigida é de 15%. Quantas ações você possui hoje?

22. **Crescimento variável e dividendos trimestrais** A Motos Alvorada S/A pagará dividendos trimestrais de $ 0,80 por ação ao fim de cada um dos próximos 12 trimestres. Depois disso, os dividendos crescerão a uma taxa trimestral de 1% para sempre. A taxa de retorno apropriada para as ações é de 10%, capitalizada por trimestre. Qual é o preço corrente das ações?

23. **Cálculo dos dividendos** Espera-se que a Brilhasa pague dividendos iguais ao fim de cada um dos próximos dois anos. Depois disso, os dividendos crescerão a uma taxa anual constante de 4% para sempre. O preço atual das ações é $ 45. Qual é o pagamento dos dividendos do próximo ano se a taxa de retorno exigido for 11%?

24. **Cálculo do retorno exigido** A Cia dos Satélites teve lucros de $ 18 milhões no ano encerrado ontem. A empresa pagou 30% desses lucros como dividendos ontem. Ela continuará a pagar 30% de seus lucros como dividendos anuais. Os 70% restantes dos lucros serão retidos para uso em projetos. Ela tem 2 milhões de ações em circulação. O preço atual das ações é $ 93. Espera-se que o ROE histórico de 13% se mantenha no futuro. Qual é a taxa de retorno exigida das ações?

25. **Crescimento de dividendos** Há quatro anos, a Diamante S/A pagou dividendos de $ 1,35 por ação. Ontem ela pagou dividendos de $ 1,77 por ação. Os dividendos crescerão pelos próximos cinco anos na mesma taxa que nos últimos quatro anos. Depois disso, eles aumentarão a 5% por ano. Qual será o valor dos dividendos da Diamante em sete anos?

26. **Índice P/L** Considere a Energias do Atlântico S/A e a Primeira Linha S/A, ambas com lucros reportados de $ 950 mil. Sem novos projetos, elas continuarão a gerar lucros de $ 950 mil para sempre. Suponha que todos os lucros sejam pagos como dividendos e que das duas empresas seja exigido um retorno de 12%.

    a. Qual é o índice P/L atual de cada empresa?

    b. A Energias do Atlântico S/A tem um novo projeto que gerará lucros adicionais de $ 100 mil por ano para sempre. Calcule o novo índice P/L da empresa.

    c. A Primeira Linha S/A tem um novo projeto que aumentará os lucros em $ 200 mil para sempre. Calcule o novo índice P/L da empresa.

27. **Oportunidades de crescimento** A Stambaugh S/A atualmente tem um lucro de $ 9,40 por ação. A empresa não tem crescimento e paga todos os lucros como dividendos. Ela tem um novo projeto que exigirá um investimento de $ 1,95 por ação em um ano. O projeto durará

apenas dois anos e aumentará os lucros nos dois anos seguintes ao investimento em $ 2,75 e $ 3,05, respectivamente. Os investidores exigem um retorno de 12% das ações da Stambaugh.

    a. Qual é o preço por ação da empresa supondo-se que ela não empreenda a oportunidade de investimento?

    b. Se empreender o investimento, qual será o preço por ação?

    c. Suponha que a empresa faça o investimento. Qual será o preço por ação daqui a quatro anos?

28. **Oportunidades de crescimento** A Mordeassopra S/A vende palitos de dentes. A receita bruta do último ano foi de $ 7,5 milhões, e os custos totais foram de $ 3,4 milhões. A Mordeassopra tem 1 milhão de ações em circulação. Espera-se que a receita bruta e os custos cresçam a 5% por ano. A Mordeassopra não paga tributos sobre os lucros. Todos os lucros são pagos como dividendos.

    a. Se a taxa de desconto apropriada for 13% e todos os fluxos de caixa forem recebidos no fim do ano, qual é o preço de cada ação da Mordeassopra?

    b. A Mordeassopra decidiu produzir escovas de dente. O projeto requer um desembolso imediato de $ 17 milhões. Em um ano, outro desembolso de $ 6 milhões será necessário. No ano seguinte, os lucros aumentarão em $ 4,2 milhões. Esse nível de lucro será mantido para sempre. Qual efeito o empreendimento desse projeto terá sobre o preço por ação?

29. **Oportunidades de crescimento** A Empreendimentos Imobiliários Dapraia espera receber $ 71 milhões por ano para sempre se não empreender novos projetos. A empresa tem uma oportunidade de investir $ 16 milhões hoje e $ 5 milhões em um ano em novos imóveis. O novo investimento gerará lucros anuais de $ 11 milhões para sempre, começando daqui a dois anos. A empresa tem 15 milhões de ações em circulação, e a taxa de retorno exigido delas é de 12%. Os investimentos em terrenos não são depreciáveis. Ignore os tributos.

    a. Qual é o preço por ação se a empresa não empreender o novo investimento?

    b. Qual é o valor do investimento?

    c. Qual é o preço por ação se a empresa empreender o investimento?

30. **Avaliação de ações e P/L** Hoje a Ramos S/A tem um LPA de $ 2,35 e sua referência de P/L é 21. Espera-se que os lucros cresçam a 7% por ano.

    a. Qual é a sua estimativa do preço corrente das ações?

    b. Qual é a meta de preço das ações em um ano?

    c. Supondo que a empresa não pague dividendos. Qual é o retorno implícito das ações da empresa para o próximo ano? O que isso diz sobre o retorno implícito das ações com uso da avaliação de P/L?

31. **Avaliação de ações e VE** A Afiado S/A tem vendas anuais de $ 28 milhões e custos de $ 12 milhões. O balanço patrimonial da empresa mostra uma dívida de $ 54 milhões e caixa de $ 18 milhões. Existem 950 mil ações em circulação, e o múltiplo VE/LAJIDA do setor é 7,5. Qual é o valor da empresa? Qual é o preço de cada ação?

32. **Avaliação de ações e fluxos de caixa** A Eberhart S/A projetou vendas de $ 145 milhões para o próximo ano. Espera-se que os custos sejam de $ 81 milhões e que o investimento líquido seja de $ 15 milhões. Cada um desses valores tem expectativa de crescimento de 14% no ano seguinte, com declínio da taxa de crescimento em 2% ao ano até que ela alcance 6%, porcentagem em que deve permanecer indefinidamente. Há 5,5 milhões de ações em circulação, e os investidores exigem um retorno de 13% das ações da empresa. A alíquota tributária sobre os lucros da pessoa jurídica é de 34%.

    a. Qual é a sua estimativa do preço corrente das ações?

    b. Suponha que, em vez disso, você estime o valor de perpetuidade da empresa no Ano 6, utilizando um múltiplo P/L. O múltiplo P/L do setor é 11. Qual é a sua nova estimativa do preço da ação da empresa?

Capítulo 9 Avaliação de Ações **325**

33. **Ganhos de capital *versus* renda** Considere quatro ações diferentes, todas com retorno exigido de 17% e dividendos mais recentes de $ 3,50 por ação. Espera-se que as ações W, X e Y mantenham taxas de crescimento de dividendos constantes de, respectivamente, 8,5%, 0% e −5% ao ano pelo futuro previsível. A ação Z é uma ação de crescimento que aumentará seus dividendos em 30% pelos próximos dois anos e, a partir daí, manterá uma taxa de crescimento constante de 8%. Qual é o retorno em dividendos de cada uma dessas quatro ações? Qual é o retorno esperado em ganhos de capital? Discuta a relação entre os diversos retornos que se podem encontrar para cada uma dessas ações.

DESAFIO
(Questões 33-40)

34. **Avaliação de ações** A maioria das empresas norte-americanas paga dividendos trimestrais sobre suas ações, e não anuais. Excluindo circunstâncias incomuns durante o ano, o conselho de administração aumenta, diminui ou mantém os dividendos atuais uma vez ao ano e, então, faz o pagamento deles em parcelas trimestrais iguais para seus acionistas.

   a. Suponha que uma empresa, no momento, pague um dividendo anual de $ 3,20 sobre suas ações em uma única parcela anual e que a administração planeje elevar seus dividendos em 5% ao ano indefinidamente. Se o retorno exigido dessa ação for de 11%, qual é o preço corrente da ação?

   b. Agora suponha que a empresa em (a) realmente pague seus dividendos anuais em parcelas trimestrais iguais, de modo que acaba de pagar um dividendo de $ 0,80 por ação, como fez nos três trimestres anteriores. Qual é seu valor para o preço corrente da ação agora? Comente se você concorda ou não que esse modelo de avaliação de ações seja o mais apropriado. (*Dica*: Encontre os dividendos anuais equivalentes de cada fim de ano.)

35. **Oportunidades de crescimento** A Céu Azul S/A espera hoje um lucro de $ 8,50 por ação para cada um dos exercícios futuros (começando no Tempo 1) se a empresa não fizer novos investimentos e pagar os lucros como dividendos para os acionistas. No entanto, o presidente da empresa descobriu uma oportunidade para reter e investir 20% dos lucros começando daqui a três anos. Essa oportunidade para investir continuará em cada período indefinidamente. Ele espera um retorno de 10% desse novo investimento para o capital próprio, com o retorno começando um ano após cada investimento ser feito. A taxa de desconto para o capital próprio da empresa é 12%.

   a. Qual é o preço de cada ação da Céu Azul sem fazer o novo investimento?

   b. Caso o novo investimento seja feito, segundo as informações precedentes, qual seria o preço das ações agora?

   c. Suponha que a empresa pudesse aumentar o investimento no projeto em qualquer montante que escolhesse. Qual seria a taxa de retenção necessária para tornar esse projeto atrativo?

36. **Crescimento variável** A Storrico S/A acaba de pagar dividendos de $ 3,85 por ação. A empresa aumentará seus dividendos em 20% no próximo ano e reduzirá sua taxa de crescimento de dividendos em 5 pontos percentuais por ano até atingir a média de crescimento de dividendos do mercado de 5%; depois disso, a empresa manterá uma taxa de crescimento constante para sempre. Se o retorno exigido das ações da Storrico for de 13%, qual será o preço de uma ação hoje?

37. **Crescimento variável** Este é um pouco mais difícil. Suponha que o preço corrente da ação da empresa do problema anterior seja de $ 78,43 e que todas as informações sobre dividendos permaneçam iguais. Qual retorno exigido os investidores devem demandar das ações da Storrico? (*Dica*: Monte a fórmula de avaliação com todos os fluxos de caixa relevantes. Use o método de tentativa e erro para encontrar a incógnita da taxa de retorno.)

38. **Oportunidades de crescimento** A Jogobom S/A tem lucros de $ 18 milhões e crescimento projetado a uma taxa constante de 5% para sempre por causa dos benefícios adquiridos da curva de aprendizado. Atualmente, todos os lucros são distribuídos como dividendos. A empresa planeja lançar um novo projeto daqui a dois anos que teria fi-

nanciamento interno total e exigiria 30% dos lucros desse ano. O projeto começaria a gerar receitas um ano após seu lançamento, e estima-se que os lucros do novo projeto em qualquer ano serão de $ 6,5 milhões constantes. A empresa tem 7,5 milhões de ações em circulação. A taxa de desconto é 10%. Estime o valor da ação.

39. **Valor de ações ordinárias e preferenciais** Suponha que uma empresa listada no mercado tradicional da BM&FBOVESPA tenha ações preferenciais em circulação com direito a um dividendo 10% superior ao dividendo atribuído às ações ordinárias. Nesse caso, a ação preferencial seria precificada com um valor 10% superior ao valor da ordinária? (*Dica*: Além do dividendo, pense na liquidez e no valor do direito de controle.)

40. **Dividendos** As empresas Verde S/A, Amarelo S/A, Azul S/A e Branco S/A são empresas listadas na BM&FBOVESPA. A Amarelo e a Branco são listadas no Nível 1 e têm ações preferenciais, e a Verde e a Azul são listadas no Novo Mercado, portanto só têm ações ordinárias. Conforme determina a lei, todas têm nos seus estatutos uma determinação do percentual de lucros a pagar em dividendos aos acionistas. A Verde é uma empresa nova com grandes perspectivas de crescimento e, ao abrir o capital, estabeleceu um dividendo mínimo de 12% até o sétimo ano e de 25% a partir do oitavo ano. Os estatutos das demais estabelecem um mínimo de 25%. No corrente exercício, a Verde e a Azul apresentaram bons lucros, e sabe-se que a Azul não tem novas oportunidades de investimento; já a Amarelo e a Branco apresentaram prejuízo. A Amarelo tem prejuízos acumulados, e a Branco tem lucros acumulados. Supondo que você seja acionista das quatro empresas, e com base na Lei das S/A, responda às seguintes questões: (*Dica*: Leia o que diz o artigo 202.)

    a. Quanto espera receber de dividendos como percentual do lucro de cada uma?
    b. A Amarelo e a Branco podem pagar dividendos se tiverem caixa disponível?
    c. Supondo que este seja o segundo exercício em que a Amarelo não paga dividendos, o que acontecerá se ela não pagar dividendos no próximo exercício?

DOMINE O EXCEL!

Na prática, o uso do modelo de desconto de dividendos é refinado a partir do método que apresentamos no livro. Muitos analistas irão estimar os dividendos dos próximos cinco anos e, em seguida, estimar uma taxa de crescimento perpétuo em algum ponto do futuro – em geral, 10 anos. Em vez de fazer com que o crescimento de dividendos caia drasticamente do período de crescimento rápido para o período de crescimento perpétuo, a interpolação linear é aplicada. Isto é, projeta-se que o crescimento de dividendos caia em uma quantidade igual a cada ano. Por exemplo, se o período de alto crescimento for de 15% pelos próximos cinco anos e se esperar que os dividendos caíssem a uma taxa de crescimento perpétuo de 5% cinco anos depois, a taxa de crescimento de dividendos declinaria em 2% ao ano.

A pesquisa de investimento da *Value Line* fornece informações para investidores. A seguir, você tem informações da IBM encontradas na edição de 2012 da *Value Line*:

Dividendos de 2011	$ 2,90
Taxa de crescimento de dividendos de cinco anos	9,5%

a. Suponha que a taxa de crescimento perpétuo de 5% comece daqui a 11 anos e utilize a interpolação linear entre a taxa de crescimento alto e a taxa de crescimento perpétuo. Construa uma tabela que mostre a taxa de crescimento de dividendos e os dividendos a cada ano. Qual é o preço da ação no Ano 10? Qual é o preço da ação hoje?

b. Quão sensível é o preço corrente da ação a variações na taxa de crescimento perpétuo? Faça um gráfico do preço corrente da ação em relação à taxa de crescimento perpétuo em 11 anos para descobrir.

Em vez de aplicar o modelo de crescimento constante de dividendos para descobrir o preço da ação no futuro, alguns analistas combinam o método de desconto de dividendos com um modelo de avaliação por índices, geralmente com o índice P/L. Lembre-se de que o índice P/L é o preço por ação dividido pelo lucro por ação. Portanto, sabe-se qual é o índice P/L, então podemos calcular o preço da ação. Considere as seguintes informações sobre a Boeing:

Taxa de distribuição	30%
Índice P/L à taxa de crescimento constante	15

c. Utilize o índice P/L para calcular o preço da ação quando a Boeing atingir uma taxa de crescimento perpétuo de dividendos. Agora, descubra o valor da ação hoje encontrando o valor presente dos dividendos durante a taxa de crescimento supernormal e o preço calculado com uso do índice P/L.

d. Quão sensível é o preço corrente da ação a variações no índice P/L quando a ação atingir uma taxa de crescimento perpétuo? Faça um gráfico do preço corrente da ação em relação ao índice P/L em 11 anos para descobrir.

MINICASO

Avaliação de ações da Ragan Motores

Larissa tem falado com os diretores da empresa acerca do futuro da Iates Litoral. Até agora, a empresa tem utilizado fornecedores externos para vários componentes essenciais de seus iates, incluindo os motores. Larrisa decidiu que a Iates Litoral deveria considerar a aquisição de um fabricante de motores que permita uma melhor integração da sua cadeia de fornecimento e obtenha mais controle sobre as características dos motores. Depois de investigar diversas empresas possíveis, Larissa acredita que a aquisição da Ragan Motores Ltda. seja uma possibilidade. Ela pediu que Daniel analisasse o valor da Ragan.

A Ragan Motores Ltda. foi fundada há nove anos pelos irmãos, Carlos e Genoveva Ragan e tem se mantido uma empresa com capital fechado. A empresa fabrica motores marítimos para uma série de aplicações. A Ragan passou por um rápido crescimento por causa de uma tecnologia patenteada que aumenta a eficiência do combustível de seus motores com pouco prejuízo para o desempenho. Carlos e Genoveva têm participação igual na empresa. O contrato original entre os irmãos deu a cada um 150 mil ações.

Larissa pediu que Daniel determinasse o valor por ação da Ragan. Para realizá-lo, ele reuniu as seguintes informações sobre algumas concorrentes da Ragan que têm capital aberto:

	LPA	DPA	Preço da ação	ROE	R
Motores Banda Azul	$ 1,09	$ 0,19	$ 16,32	10,00%	12,00
Boa Viagem Marítima	1,26	0,55	13,94	12,00%	17,00
Nautilus Motores	(0,27)	0,57	23,97	N/A	16,00
Média do setor	$ 0,73	$ 0,44	$ 18,08	11,00%	15,00%

Os lucros por ação (LPA) negativos da Nautilus foram resultado de uma baixa contábil no ano passado. Sem a baixa, o LPA da empresa teriam sido de $ 2,07. No ano passado, a Ragan teve um LPA de $ 5,35 e pagou tanto para Carlos como para Genoveva um dividendo de $ 320 mil. A empresa também teve um ROE de 21%. Larissa diz a Daniel que um retorno exigido de 18% para a Ragan é apropriado.

1. Supondo que a empresa continue com sua taxa atual de crescimento, qual é o seu valor por ação?

2. Daniel examinou as demonstrações contábeis da empresa, bem como as de seus concorrentes. Embora a Ragan tenha uma vantagem tecnológica no momento, a pesquisa de Daniel indica que suas concorrentes estão buscando outros métodos para melhorar a eficiência. Dado esse fato, ele acredita que essa vantagem competitiva dure apenas pelos próximos cinco anos. Depois desse período, o crescimento da empresa poderá diminuir até a média do setor. Além disso, Daniel julga que o retorno exigido adotado pela empresa é muito alto para ele e que o retorno médio exigido pelo setor seria mais apropriado. De acordo com as suposições de Daniel, qual é o preço estimado da ação?

3. Qual é o índice P/L médio do setor? Qual é o índice P/L da Ragan? Comente as diferenças e explique por que elas podem existir.

4. Suponha que a taxa de crescimento da empresa decline até a média do setor depois de cinco anos. Qual porcentagem

do valor das ações pode-se atribuir às oportunidades de crescimento?

5. Suponha que a taxa de crescimento da empresa diminua até a média do setor em cinco anos. Qual ROE futuro isso implica?

6. Carlos e Genoveva não têm certeza se devem vender a empresa. Se não fizerem negócio diretamente com a Costa Sul, os irmãos poderiam tentar aumentar o valor das ações da empresa. Nesse caso, eles querem conservar o controle da empresa e não querem vender ações para novos investidores. Eles também acham que a dívida da empresa está em um nível gerenciável e não querem mais fazer empréstimos. Que passos eles podem tomar para tentar aumentar o preço da ação? Existem condições que fariam com que essa estratégia *não* aumentasse o preço da ação?

Risco e Retorno

ALGUMAS LIÇÕES DA HISTÓRIA DO MERCADO DE CAPITAIS

10

Com o retorno de cerca de 2% do índice S&P 500 e a baixa do índice Nasdaq Composite de aproximadamente 1%, o desempenho geral do mercado de ações norte-americano não foi muito bom em 2011. No entanto, os investidores da empresa de softwares eGain Communications deviam ficar satisfeitos com o ganho de aproximadamente 412% nessas ações, e, do mesmo modo, os investidores da empresa de semicondutores Silicon Motion Technology com o ganho de 382% das ações. Obviamente, nem todas aumentaram de valor durante o ano. As ações da First Solar caíram 74%, e as da Alpha Natural Resources diminuíram 66%.

Esses exemplos mostram que houve a possibilidade de obter lucros bastante significativos durante o ano de 2011, mas também havia o risco de se perder dinheiro, e muito. Como investidor no mercado de ações, o que você deve esperar ao investir seu próprio dinheiro? Neste capítulo, estudaremos mais de oito décadas de história do mercado norte-americano para descobrir.

Para ficar por dentro dos últimos acontecimentos na área de finanças, visite **www.rwjcorporatefinance.blogspot.com**.

Domine a habilidade de solucionar os problemas deste capítulo usando uma planilha. Acesse Excel Master no *site* www.grupoa.com.br, procure pelo livro e clique em Conteúdo *Online*.

10.1 Retornos monetários

Suponha que a Companhia Conceito em Vídeo tenha milhares de ações em circulação e que você seja um acionista. Suponha ainda que você adquira algumas das ações da empresa no início do ano; agora, no fim do ano, você quer descobrir como se saiu em seu investimento. O retorno que você obtém de um investimento em ações, como o retorno em títulos de dívida ou qualquer outro investimento, pode vir sob duas formas.

Como titular de ações da Companhia Conceito em Vídeo, você é um proprietário parcial da empresa. Se a empresa for lucrativa, geralmente poderá distribuir parte de seus lucros aos acionistas. Portanto, como titular de ações, você poderia receber algum dinheiro, chamado de *dividendo*, durante o ano. Isso é chamado de *componente de renda* do seu retorno. Além dos dividendos, a outra parte do seu retorno é o *ganho de capital*, ou, se for negativo, a *perda de capital* (também chamado de ganho de capital negativo) do investimento.

Por exemplo, suponha que você esteja considerando os fluxos de caixa do investimento na Figura 10.1, mostrando que você comprou 100 ações no início do ano ao preço de $ 37 por ação. Seu investimento total foi de:

$$C_0 = \$ 37 \times 100 = \$ 3.700$$

ExcelMaster cobertura *online*

Como o mercado se saiu hoje? Descubra em **financas.yahoo.com.br**.

Suponha que, ao longo do ano, tenham sido pagos dividendos de $ 1,85 por ação. Durante o ano, você obteve a receita de:

$$\text{Div} = \$ 1,85 \times 100 = \$ 185$$

FIGURA 10.1 Retornos monetários.

Por fim, suponha que, no fim do ano, o preço de mercado seja de $ 40,33 por ação. Como houve aumento no preço das ações, você obteve um ganho de capital de:

$$\text{Ganho} = (\$\,40{,}33 - \$\,37) \times 100 = \$\,333$$

O ganho de capital, como os dividendos, faz parte do retorno que os acionistas exigem para manter seu investimento na Companhia Conceito em Vídeo. É claro que, se o preço das ações da Companhia Conceito em Vídeo tivesse caído em valor para, digamos, $ 34,78, você teria registrado esta perda de capital:

$$\text{Perda} = (\$\,34{,}78 - \$\,37) \times 100 = -\$\,222$$

O *retorno monetário total* sobre o investimento é a soma da receita dos dividendos e do ganho ou da perda de capital do investimento:

$$\text{Retorno monetário total} = \text{Receita de dividendos} + \text{Ganho (ou perda) de capital}$$

A partir de agora, nós nos referiremos às *perdas de capital* como *ganhos de capital negativos* e não os distinguiremos. Em nosso primeiro exemplo, o retorno monetário total é dado por:

$$\text{Retorno monetário total} = \$\,185 + \$\,333 = \$\,518$$

Observe que, se você vendeu as ações no fim do ano, seu montante total em dinheiro seria seu investimento inicial mais o retorno monetário total. No exemplo anterior você teria:

$$\begin{aligned}\text{Caixa total se as ações forem vendidas} &= \text{Investimento inicial} + \text{Retorno monetário total} \\ &= \$\,3.700 + \$\,518 \\ &= \$\,4.218\end{aligned}$$

Note que isso é o mesmo que deriva da venda das ações mais os dividendos:

$$\begin{aligned}\text{Resultado da venda de ações} &+ \text{Dividendos} \\ &= \$\,40{,}33 \times 100 + \$\,185 \\ &= \$\,4.033 + \$\,185 \\ &= \$\,4.218\end{aligned}$$

Suponha, no entanto, que você mantenha suas ações da Conceito em Vídeo e não as venda ao fim do ano. Você ainda deve considerar o ganho de capital como parte do seu retorno? Isso viola nossa regra anterior – do valor presente – de que somente o caixa importa?

A resposta à primeira pergunta é um sonoro "sim", e a resposta à segunda é um igualmente sonoro "não". Cada pequena parte do ganho de capital faz parte do seu retorno tanto quanto os dividendos, e você certamente deve contá-la como parte do seu retorno total. Ter decidido manter as ações e não vendê-las, e apenas *perceber* o ganho ou a perda, de forma alguma muda o fato de que, se quisesse, você poderia obter o valor monetário das ações. Afinal, você sempre poderia vender as ações no fim do ano e recomprá-las imediatamente. A quantia total de dinheiro que teria no fim do ano seria o ganho de $ 518 mais seu investimento inicial de $ 3.700. Você não perderia esse retorno quando comprasse as 100 ações de volta. Na realidade, você estaria exatamente na mesma posição como se não as tivesse vendido (supondo, é claro, que não haja consequências fiscais e comissões de corretagem pela venda das ações).

Retornos percentuais

É mais conveniente resumir as informações acerca dos retornos em termos percentuais do que em reais, pois as porcentagens se aplicam a qualquer quantia investida. A pergunta à qual queremos responder é esta: quanto de retorno obtemos para cada real investido? Para descobrir isso, t fica no lugar do ano que estamos examinando, P_t será o preço da ação no início do ano e Div_{t+1}, os dividendos pagos por ela durante o ano. Considere os fluxos de caixa na Figura 10.2.

Em nosso exemplo, o preço no início do ano foi de $ 37 por ação, e os dividendos pagos por ação durante o ano foram de $ 1,85. Por isso, o rendimento expresso como retorno percentual, às vezes chamado de *retorno em dividendos*, é:

$$\text{Retorno em dividendos} = Div_{t+1}/P_t$$
$$= \$ 1,85/\$ 37$$
$$= 0,05$$
$$= 5\%$$

Acesse **www.smartmoney.com/marketmap** para utilizar um aplicativo Java que mostra os retornos atuais por setor do mercado.

O **ganho** (ou a perda) **de capital** é a variação no preço da ação dividida pelo preço inicial. Sendo P_{t+1} o preço da ação no fim do ano, podemos calcular o ganho de capital desta forma:

$$\text{Ganho de capital} = (P_{t+1} - P_t)/P_t$$
$$= (\$ 40,33 - \$ 37)/\$ 37$$
$$= \$ 3,33/\$ 37$$
$$= 0,09$$
$$= 9\%$$

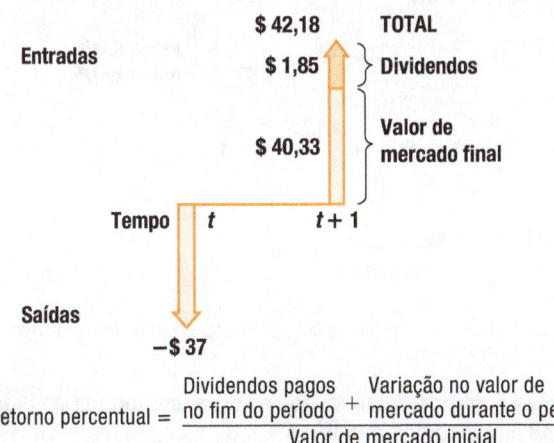

FIGURA 10.2 Retornos percentuais.

Combinando esses dois resultados, descobrimos que o retorno total do investimento na ação da Conceito em Vídeo ao longo do ano, que designaremos como R_{t+1}, foi:

$$R_{t+1} = \frac{\text{Div}_{t+1}}{P_t} + \frac{(P_{t+1} - P_t)}{P_t}$$
$$= 5\% + 9\%$$
$$= 14\%$$

Daqui por diante, vamos nos referir aos retornos em termos de porcentagem.

Para dar um exemplo mais concreto, as ações da franquia McDonald's começaram em 2011 a $ 76,34 cada. A McDonald's pagou dividendos de $ 2,53 durante 2011, e o preço da ação, no fim do ano, era de $ 100,33. Qual foi o retorno da McDonald's no ano? Você concorda que a resposta é 34,74%? É claro que também ocorrem retornos negativos. Por exemplo, novamente em 2011, o preço de cada ação da JP Morgan no início do ano era de $ 42,42, e foram pagos dividendos de $ 0,80. As ações encerraram o ano a $ 33,25. Observe que a perda foi de 19,73% no ano.

EXEMPLO 10.1 Cálculo de retornos

Suponha que uma ação comece o ano com um preço de $ 25 e termine com um preço de $ 35. Durante o ano, são pagos dividendos de $ 2 por ação. Qual é o seu retorno em dividendos, seu retorno em ganhos de capital e seu retorno total no ano? Podemos imaginar os fluxos de caixa com a Figura 10.3.

$$R_1 = \frac{\text{Div}_1}{P_0} + \frac{P_1 - P_0}{P_0}$$
$$= \frac{\$ 2}{\$ 25} + \frac{\$ 35 - 25}{\$ 25} = \frac{\$ 12}{\$ 25}$$
$$= 8\% + 40\% = 48\%$$

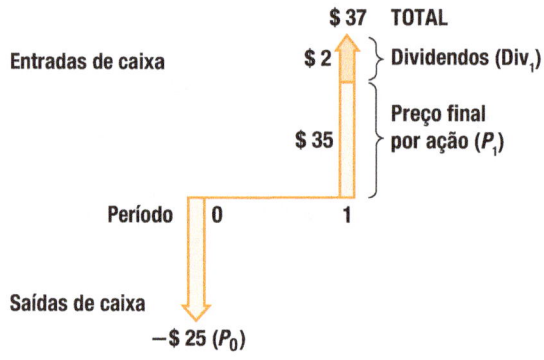

FIGURA 10.3 Fluxo de caixa – Exemplo de investimento.

Portanto, o retorno em dividendos da ação, seu retorno em ganhos de capital e seu retorno total são 8%, 40% e 48%, respectivamente.

Suponha que você tivesse $ 5 mil investidos. O retorno monetário total que você teria recebido do investimento na ação é $ 5.000 × 0,48 = $ 2.400. Se você sabe o retorno monetário total da ação, não é preciso saber quantas ações teria de comprar para descobrir quanto dinheiro teria ganho com o investimento de $ 5 mil. Simplesmente utilize o retorno monetário total.

10.2 Retornos nos períodos de investimento

Uma famosa série de estudos tratando das taxas de retorno de ações, títulos de dívida e letras do Tesouro dos Estados Unidos é encontrada no *Ibbotson SBBI 2012 Classic Yearbook*.[1] Esse livro apresenta taxas de retorno históricas, ano a ano, para os cinco importantes tipos de instrumentos financeiros dos Estados Unidos, resumidos a seguir:

1. *Ações de grandes empresas*: Carteira de ações que se baseia no índice Standard & Poor's Composite (S&P 500). No momento, o S&P Composite inclui 500 das maiores ações em termos de valor de mercado dos Estados Unidos.
2. *Ações de pequenas empresas*: Carteira de ações correspondente ao quinto inferior das ações negociadas na Bolsa de Valores de Nova York, na qual as ações são classificadas pelo valor de mercado; isto é, o preço da ação multiplicado pelo número de ações em circulação.
3. *Títulos de dívida corporativa de longo prazo*: Carteira de títulos de dívida de alta qualidade de crédito com 20 anos até o vencimento.
4. *Títulos de longo prazo do Tesouro*: Carteira baseada nos títulos de dívida emitidos pelo governo dos Estados Unidos com 20 anos até o vencimento.
5. *Letras do Tesouro*: Carteira que se baseia nas letras do Tesouro dos Estados Unidos com vencimento de um mês.

ExcelMaster cobertura online
Esta seção abrange Gráficos de Colunas, CONT.SE (COUNTIF), Classificar Dados, Filtrar Dados e *Rank and percentile*.

Nenhum dos retornos é ajustado para tributos ou custos de transação. Além dos retornos ano a ano desses instrumentos financeiros, a variação ano a ano no índice de preços ao consumidor (*CPI – Consumer Price Index*) também é mostrada. Essa é uma medida básica da inflação norte-americana. Podemos calcular os retornos reais ano a ano considerando a inflação anual.

Antes de examinar os diferentes retornos das carteiras, apresentaremos graficamente os retornos e riscos no mercado de capitais dos Estados Unidos no período de 86 anos de 1926 a 2011. A Figura 10.4 mostra o crescimento de $ 1 investido no início de 1926. Note que o eixo vertical é logarítmico, de modo que distâncias iguais medem a mesma variação percentual. A figura mostra que, se $ 1 fosse investido em ações de grandes empresas e todos os dividendos fossem reinvestidos, esse $ 1 teria aumentado para $ 3.045,22 no fim de 2011. O maior crescimento foi na carteira de ações de pequenas empresas. Se $ 1 fosse investido em ações de pequenas empresas em 1926, o investimento teria crescido para $ 15.532,07. Contudo, quando se examina cuidadosamente a Figura 10.4, pode-se ver uma grande variabilidade nos retornos das ações de pequenas empresas, especialmente na porção inicial do período. Um dólar em títulos de longo prazo do Tesouro dos Estados Unidos era bastante estável em comparação com um dólar em ações. As Figuras de 10.5 a 10.8 esboçam cada retorno percentual ano a ano como uma barra vertical traçada a partir do eixo horizontal para ações de grandes empresas, ações de pequenas empresas, títulos de longo prazo e letras do Tesouro dos Estados Unidos e inflação, respectivamente.

A Figura 10.4 apresenta o crescimento do investimento de um dólar no mercado de ações norte-americano de 1926 até 2011. Em outras palavras, ela mostra qual teria sido o valor do investimento se o dólar tivesse sido deixado no mercado de ações e se, em cada ano, os dividendos do ano anterior tivessem sido reinvestidos em mais ações. Se R_t é o retorno no ano t (expresso em decimais), o valor que você teria no fim do ano T é o produto de 1 mais o retorno em cada um dos anos:

$$\text{Valor} = (1 + R_1) \times (1 + R_2) \times \cdots \times (1 + R_t) \times \cdots \times (1 + R_T)$$

Acesse **bigcharts.marketwatch.com** para ver gráficos diários e de longo prazo.

Por exemplo, se os retornos fossem de 11%, −5% e 9% em um período de três anos, um investimento de $ 1 no início do período valeria:

$$\begin{aligned}(1 + R_1) \times (1 + R_2) \times (1 + R_3) &= (\$1 + 0{,}11) \times (\$1 - 0{,}05) \times (\$1 + 0{,}09) \\ &= \$1{,}11 \times \$0{,}95 \times \$1{,}09 \\ &= \$1{,}15\end{aligned}$$

---

[1] Ibbotson SBBI 2012 classic yearbook: market results for stocks, bonds, bills, and inflation 1926-2011. Chicago: Morningstar, 2012. 308 p.

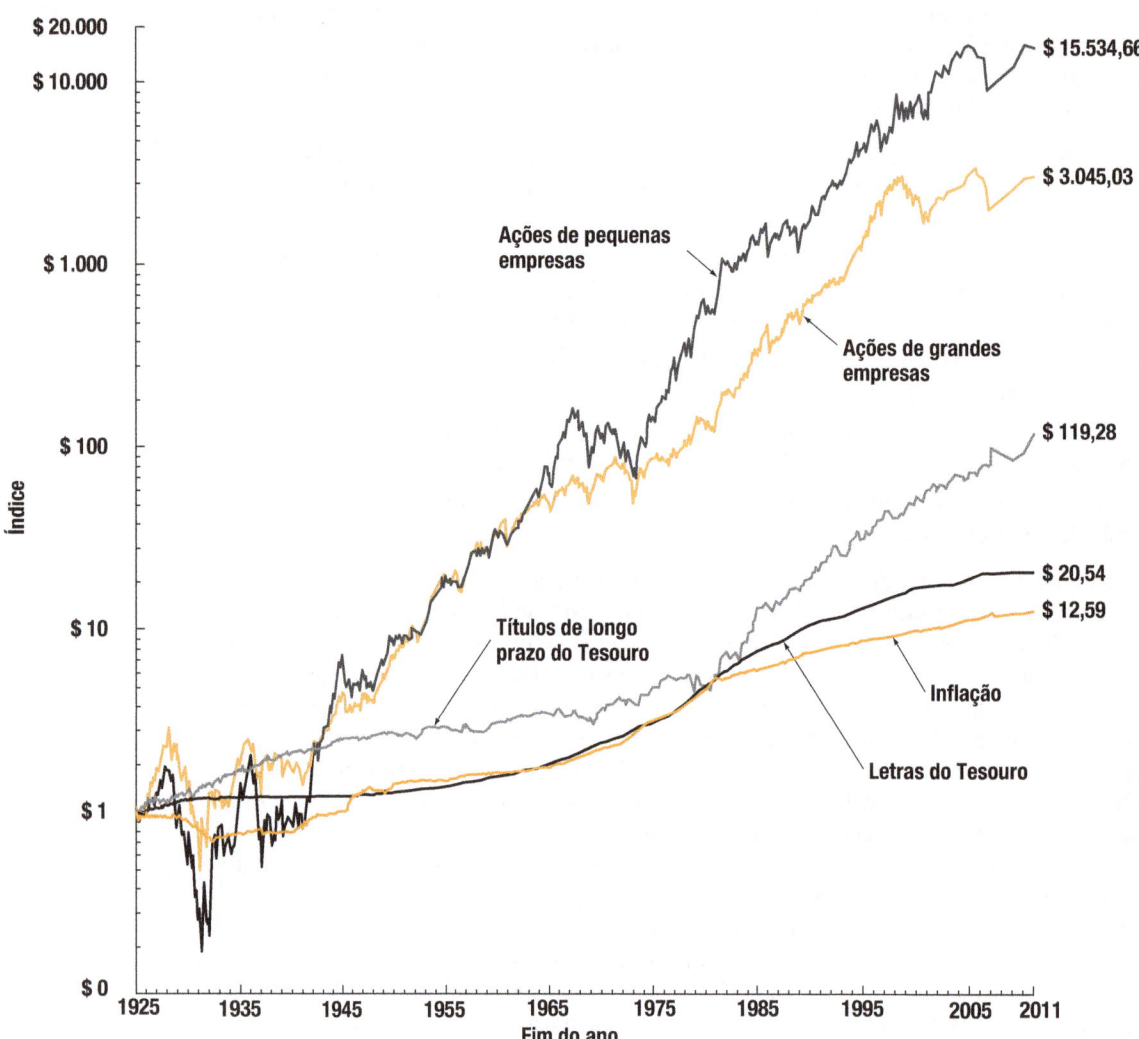

FIGURA 10.4 Índices de rentabilidade de investimentos no mercado de capitais dos Estados Unidos (Fim do ano de 1925 = $ 1,00).

Redesenhado a partir de *Stocks, Bonds, Bills and Inflation: 2012 Yearbook*™, trabalho atualizado anualmente por Roger G. Ibbotson e Rex A. Sinquefield (Chicago: Morningstar). Todos os direitos reservados.

no final dos três anos. Note que 0,15, ou 15%, é o retorno total. Isso inclui o retorno do reinvestimento dos dividendos do primeiro ano no mercado de ações por mais dois anos e do reinvestimento dos dividendos do segundo ano no ano final. Os 15% são chamados de **retorno no período de investimento** de três anos. O Quadro 10.1 apresenta os retornos anuais de cada ano para investimentos selecionados de 1926 a 2011. A partir desse quadro, podem-se determinar os retornos no período de investimento para qualquer combinação de anos.

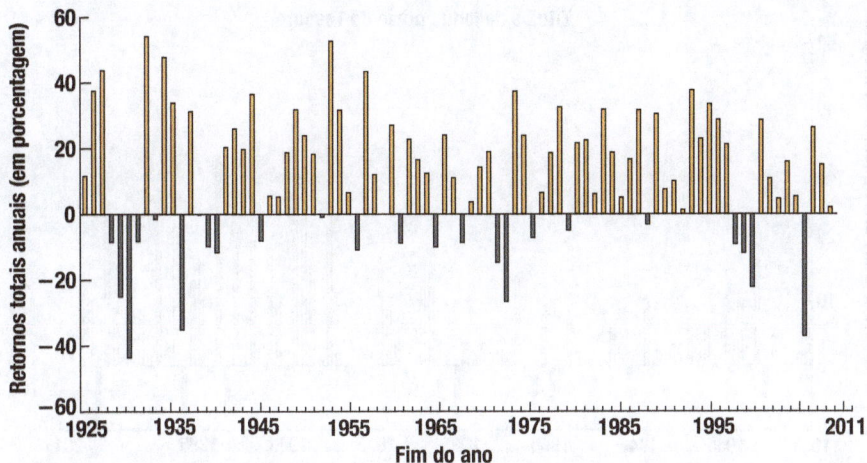

FIGURA 10.5 Retornos totais ano a ano de ações de grandes empresas.

Redesenhado a partir de *Stocks, Bonds, Bills and Inflation: 2012 Yearbook*™, trabalho atualizado anualmente por Roger G. Ibbotson e Rex A. Sinquefield (Chicago: Morningstar). Todos os direitos reservados.

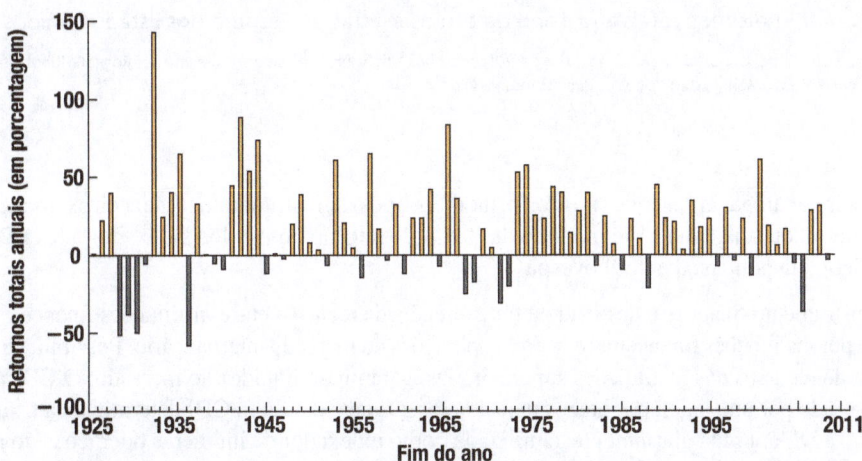

FIGURA 10.6 Retornos totais ano a ano de ações de pequenas empresas.

Redesenhado a partir de *Stocks, Bonds, Bills and Inflation: 2012 Yearbook*™, trabalho atualizado anualmente por Roger G. Ibbotson e Rex A. Sinquefield (Chicago: Morningstar). Todos os direitos reservados.

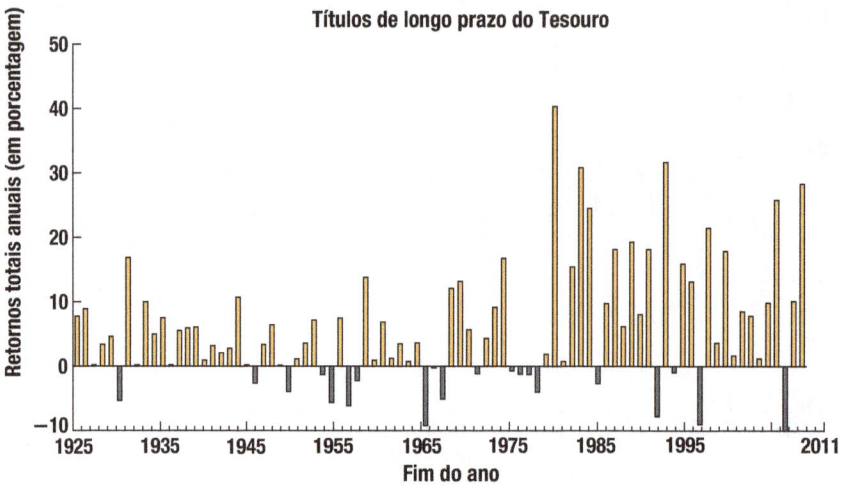

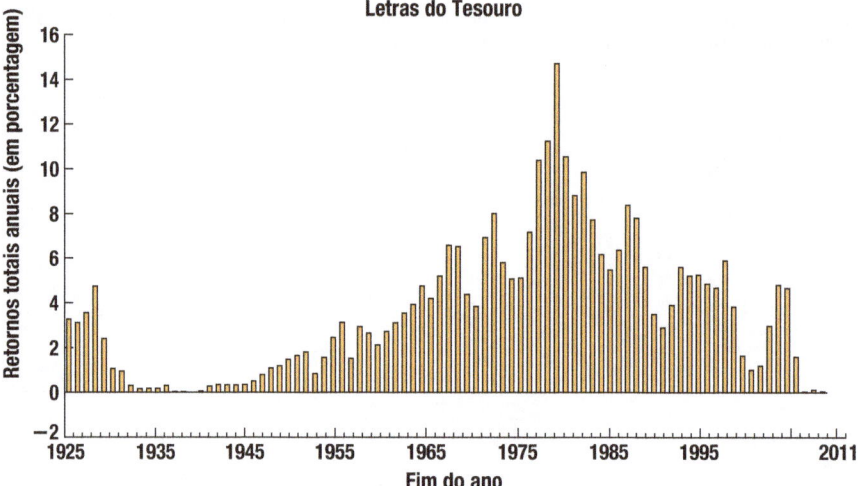

FIGURA 10.7   Retornos totais ano a ano de títulos e letras do Tesouro dos Estados Unidos.

Redesenhado a partir de *Stocks, Bonds, Bills and Inflation: 2012 Yearbook*™, trabalho atualizado anualmente por Roger G. Ibbotson e Rex A. Sinquefield (Chicago: Morningstar). Todos os direitos reservados.

O caso do mercado brasileiro*

De maneira análoga, apresentaremos os principais tipos de instrumentos financeiros do mercado brasileiro, ou seja, uma série tratando das taxas de retorno dos títulos indexados à taxa DI ou à taxa Selic, da poupança e do Ibovespa.

CDI   Instrumento financeiro destinado à transferência de recursos entre instituições financeiras. É emitido por instituições financeiras e lastreia operações do mercado interbancário. Possibilita transferência de recursos das instituições superavitárias, garantindo liquidez ao mercado. O CDI pode ser negociado por um dia ou por prazos mais longos. Os negócios com CDI determinam a taxa DI.

A taxa DI, apurada diariamente, é utilizada como indexador de inúmeras operações do mercado financeiro e reflete o custo do dinheiro para empréstimos interbancários. A série histórica está disponível no *site* da CETIP (Cetip, 2014)

Taxa Selic   A taxa Selic é a taxa básica de juros da economia brasileira. Ela é utilizada como referência para o cálculo das demais taxas de juros cobradas pelo mercado e para definição da política monetária praticada pelo Governo Federal do Brasil.

---

* Material cedido pelo Instituto Educacional BM&FBOVESPA. Acesse: www.bmfbovespa.com.br/educacional.

A taxa Selic *over* representa a taxa média ponderada pelo volume das operações de financiamento por um dia no mercado interbancário brasileiro, lastreadas em títulos públicos federais, na forma de operações compromissadas. A taxa reflete o custo do dinheiro para empréstimos bancários, com base na remuneração dos títulos públicos. Essa taxa é usada para operações de curtíssimo prazo entre os bancos, que, quando querem tomar recursos emprestados de outros bancos por um dia, oferecem títulos públicos como lastro (garantia), visando a reduzir o risco e, consequentemente, à remuneração da transação na forma de juros. A taxa é expressa na forma anual para 252 dias úteis. A taxa varia praticamente todos os dias, dentro de um intervalo muito pequeno, já que, na grande maioria das vezes, ela tende a se aproximar da meta da Selic, que é determinada oito vezes por ano, pelo Comitê de Política Monetária (COPOM). A série histórica pode ser obtida no *site* do Banco Central (Banco Central, 2014).

Poupança É a aplicação de renda fixa mais tradicional e popular do Brasil. O dinheiro é acrescido de juros mensalmente, 30 dias após a data da aplicação. A rentabilidade dos investimentos realizados a partir de 04/05/2012 depende da taxa Selic. Se a taxa Selic atingir 8,5% ao ano ou menos, a poupança renderá 70% da Selic + TR.[2] Com a taxa Selic acima de 8,5% ao ano, a rentabilidade será de TR + 0,5% ao mês. A rentabilidade da "velha" poupança (investimentos realizados antes de 04/05/2012) é sempre equivalente a TR + 6,17% ao ano.

Ibovespa O Ibovespa é o resultado de uma carteira teórica de ativos, elaborada de acordo com os critérios estabelecidos em sua metodologia. O objetivo do Ibovespa é ser o indicador do desempenho médio das cotações dos ativos de maior negociabilidade e representatividade do mercado de ações brasileiro.

A série histórica do Ibovespa pode ser obtida no *site* da BM&FBOVESPA (Bm&fbovespa, 2014).

Além dos retornos ano a ano desses instrumentos financeiros, a variação ano a ano do IPCA (Índice Nacional de Preços ao Consumidor Amplo) também é mostrada. Esse é considerado o índice oficial de inflação do Brasil. A série histórica, assim como outras informações, pode ser obtida no *site* do Instituto Brasileiro de Geografia e Estatística (IBGE).[3] Para calcularmos os retornos reais, basta considerar, ano após ano, a inflação anual.

No Gráfico 10.1 apresentado a seguir, representamos o retorno do mercado brasileiro para cada tipo de investimento, acompanhando o crescimento de R$ 1,00 investido no final de 1995.

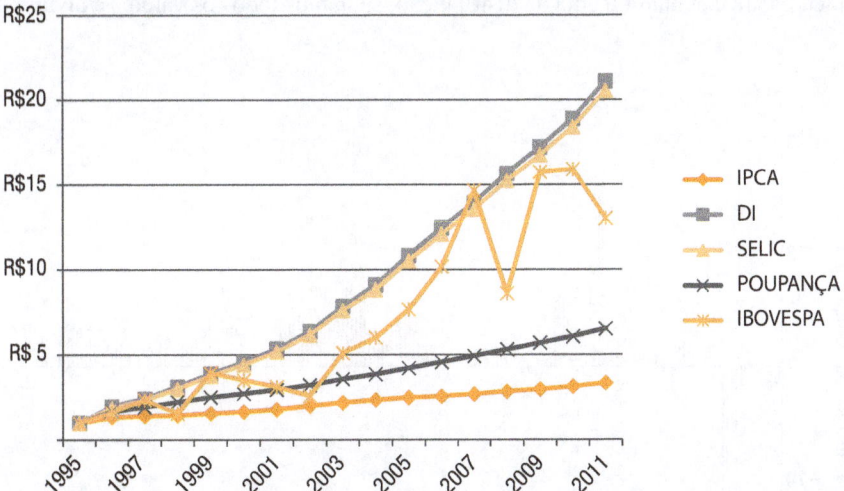

GRÁFICO 10.1 Índices de rentabilidade de investimentos no mercado de capitais do Brasil (Fim do ano de 1995 = R$ 1,00).

---

[2] TR: Taxa Referencial, um dos indexadores da economia brasileira. A TR é obtida a partir das taxas médias dos Certificados de Depósitos Bancários (CDBs) de 30 dias negociados entre os maiores bancos do país a taxas prefixadas.

[3] Ver IBGE. Índice nacional de preços ao consumidor amplo – IPCA, e Índice nacional de preços ao consumidor – INPC. Disponível em: <http://www.ibge.gov.br/home/estatistica/indicadores/precos/inpc_ipca/defaultinpc/shtm>.

Ao analisarmos o Gráfico 10.1, notamos desempenhos semelhantes das taxas DI e Selic. Nesse período, um investimento que acompanhou a taxa DI resultou em R$ 21,10, seguido pela taxa Selic, R$ 20,55. A Poupança retornou R$ 6,52, muito inferior ao proporcionado por aplicações financeiras com rentabilidade à taxa DI ou à taxa Selic. Entretanto, estas são rentabilidades brutas, não deduzidas à tributação. Como os rendimentos da poupança não são tributados, a diferença de rendimento real é menor. O Ibovespa retornou R$ 13,04 no período.

Se o comportamento do mercado acionário reflete as expectativas dos agentes econômicos, poder-se-ia conjecturar que entre os anos de 2002 e 2007 o mercado foi otimista quanto às perspectivas futuras da economia brasileira. Esse otimismo foi revertido no auge da crise financeira internacional, nos anos de 2007 e 2008, com alguma recuperação posterior, no período 2009 a 2010.

Na falta de expectativas favoráveis ao investimento, a rentabilidade da renda fixa supera a rentabilidade dos investimentos em ativos reais. Nessa abordagem, a chave são as expectativas.

10.3 Estatísticas de retornos

ExcelMaster cobertura online
Esta seção abrange as funções MÉDIA e de classificação de dados.

A história dos retornos do mercado de capitais é muito complicada para ser tratada dessa forma indigesta. Para utilizar a história, primeiro precisamos encontrar algumas formas gerenciáveis de descrevê-la, condensando os dados detalhados em alguns poucos enunciados simples.

É aqui que dois importantes números que resumem a história entram em cena. O primeiro número, e o mais natural, é alguma medida única que melhor descreva os retornos anuais anteriores no mercado de ações. Em outras palavras, qual é nossa melhor estimativa do retorno que um investidor poderia ter realizado em um ano específico durante o período de 1926 a 2011? Esse é o *retorno médio*. O segundo procura medir quanto esse retorno médio *varia* ao longo do tempo, ou seja, qual é a nossa estimativa do *risco associado aos retornos* esperados no mercado de ações.

A Figura 10.9 traça o histograma dos retornos anuais do mercado de ações nos Estados Unidos fornecidos pelo Quadro 10.1. Esse esboço é a **distribuição de frequência** dos números. A altura do gráfico mostra o número de observações de amostragem no intervalo do eixo horizontal.

Dada uma distribuição de frequência como a da Figura 10.9, podemos calcular a **média** da distribuição. Para calcular a média da distribuição, somamos todos os valores e dividimos pelo

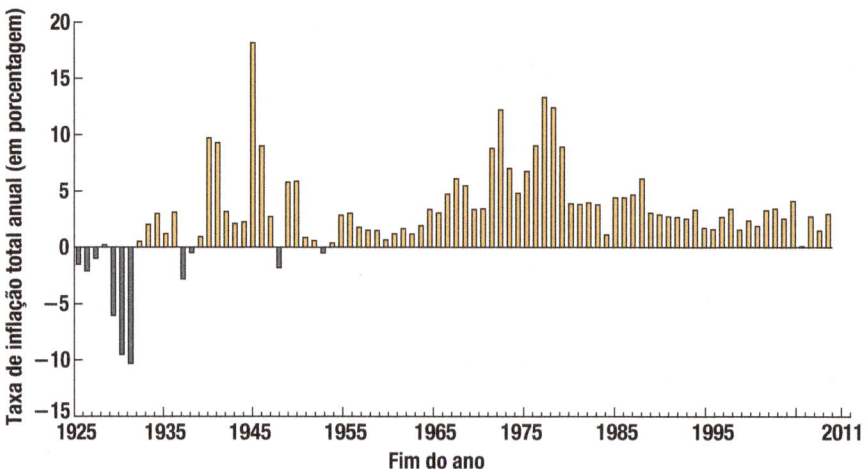

FIGURA 10.8 Inflação ano a ano.

Redesenhado a partir de *Stocks, Bonds, Bills and Inflation: 2012 Yearbook*™, trabalho atualizado anualmente por Roger G. Ibbotson e Rex A. Sinquefield (Chicago: Morningstar). Todos os direitos reservados.

QUADRO 10.1 Retornos totais ano a ano, 1926-2011

Ano	Ações de grandes empresas	Títulos de longo prazo do Tesouro	Letras do Tesouro dos Estados Unidos	Índice de preços ao consumidor
1926	11,14%	7,90%	3,30%	−1,12%
1927	31,13	10,36	3,15	−2,26
1928	43,31	−1,37	4,05	−1,16
1929	−8,91	5,23	4,47	0,58
1930	−25,26	5,80	2,27	−6,40
1931	−43,86	−8,04	1,15	−9,32
1932	−8,85	14,11	0,88	−10,27
1933	52,88	0,31	0,52	0,76
1934	−2,34	12,98	0,27	1,52
1935	47,22	5,88	0,17	2,99
1936	32,80	8,22	0,17	1,45
1937	−35,26	−0,13	0,27	2,86
1938	33,20	6,26	0,06	−2,78
1939	−0,91	5,71	0,04	0,00
1940	−10,08	10,34	0,04	0,71
1941	−11,77	−8,66	0,14	9,93
1942	21,07	2,67	0,34	9,03
1943	25,76	2,50	0,38	2,96
1944	19,69	2,88	0,38	2,30
1945	36,46	5,17	0,38	2,25
1946	−8,18	4,07	0,38	18,13
1947	5,24	−1,15	0,62	8,84
1948	5,10	2,10	1,06	2,99
1949	18,06	7,02	1,12	−2,07
1950	30,58	−1,44	1,22	5,93
1951	24,55	−3,53	1,56	6,00
1952	18,50	1,82	1,75	0,75
1953	−1,10	−0,88	1,87	0,75
1954	52,40	7,89	0,93	−0,74
1955	31,43	−1,03	1,80	0,37
1956	6,63	−3,14	2,66	2,99
1957	−10,85	5,25	3,28	2,90
1958	43,34	−6,70	1,71	1,76
1959	11,90	−1,35	3,48	1,73
1960	0,48	7,74	2,81	1,36
1961	26,81	3,02	2,40	0,67
1962	−8,78	4,63	2,82	1,33
1963	22,69	1,37	3,23	1,64
1964	16,36	4,43	3,62	0,97
1965	12,36	1,40	4,06	1,92
1966	−10,10	−1,61	4,94	3,46
1967	23,94	−6,38	4,39	3,04
1968	11,00	5,33	5,49	4,72
1969	−8,47	−7,45	6,90	6,20
1970	3,94	12,24	6,50	5,57
1971	14,30	12,67	4,36	3,27

(continua)

QUADRO 10.1 *Continuação*

Ano	Ações de grandes empresas	Títulos de longo prazo do Tesouro	Letras do Tesouro dos Estados Unidos	Índice de preços ao consumidor
1972	18,99%	9,15%	4,23%	3,41%
1973	−14,69	−12,66	7,29	8,71
1974	−26,47	−3,28	7,99	12,34
1975	37,23	4,67	5,87	6,94
1976	23,93	18,34	5,07	4,86
1977	−7,16	2,31	5,45	6,70
1978	6,57	−2,07	7,64	9,02
1979	18,61	−2,76	10,56	13,29
1980	32,50	−5,91	12,10	12,52
1981	−4,92	−0,16	14,60	8,92
1982	21,55	49,99	10,94	3,83
1983	22,56	−2,11	8,99	3,79
1984	6,27	16,53	9,90	3,95
1985	31,73	39,03	7,71	3,80
1986	18,67	32,51	6,09	1,10
1987	5,25	−8,09	5,88	4,43
1988	16,61	8,71	6,94	4,42
1989	31,69	22,15	8,44	4,65
1990	−3,10	5,44	7,69	6,11
1991	30,46	20,04	5,43	3,06
1992	7,62	8,09	3,48	2,90
1993	10,08	22,32	3,03	2,75
1994	1,32	−11,46	4,39	2,67
1995	37,58	37,28	5,61	2,54
1996	22,96	−2,59	5,14	3,32
1997	33,36	17,70	5,19	1,70
1998	28,58	19,22	4,86	1,61
1999	21,04	−12,76	4,80	2,68
2000	−9,10	22,16	5,98	3,39
2001	−11,89	5,30	3,33	1,55
2002	−22,10	14,08	1,61	2,38
2003	28,68	1,62	1,03	1,88
2004	1,88	10,34	1,43	3,26
2005	4,91	10,35	3,30	3,42
2006	15,79	0,28	4,97	2,54
2007	5,49	10,85	4,52	4,08
2008	−37,00	19,24	1,24	0,09
2009	26,46	−25,61	0,15	2,72
2010	15,06	7,73	0,14	1,50
2011	2,11	35,75	0,06	2,96

FONTE: Global Financial Data (www.globalfindata.com), 2012.

número total (T) (em nosso caso, 86, pois temos 86 anos de dados). A barra acima de *R* é utilizada para representar a média, e a fórmula é a comum para cálculo de médias:

$$\text{Média} = \overline{R} = \frac{(R_1 + \cdots + R_T)}{T}$$

A média dos 86 retornos anuais sobre ações de grandes empresas de 1926 a 2011 é de 11,8%.

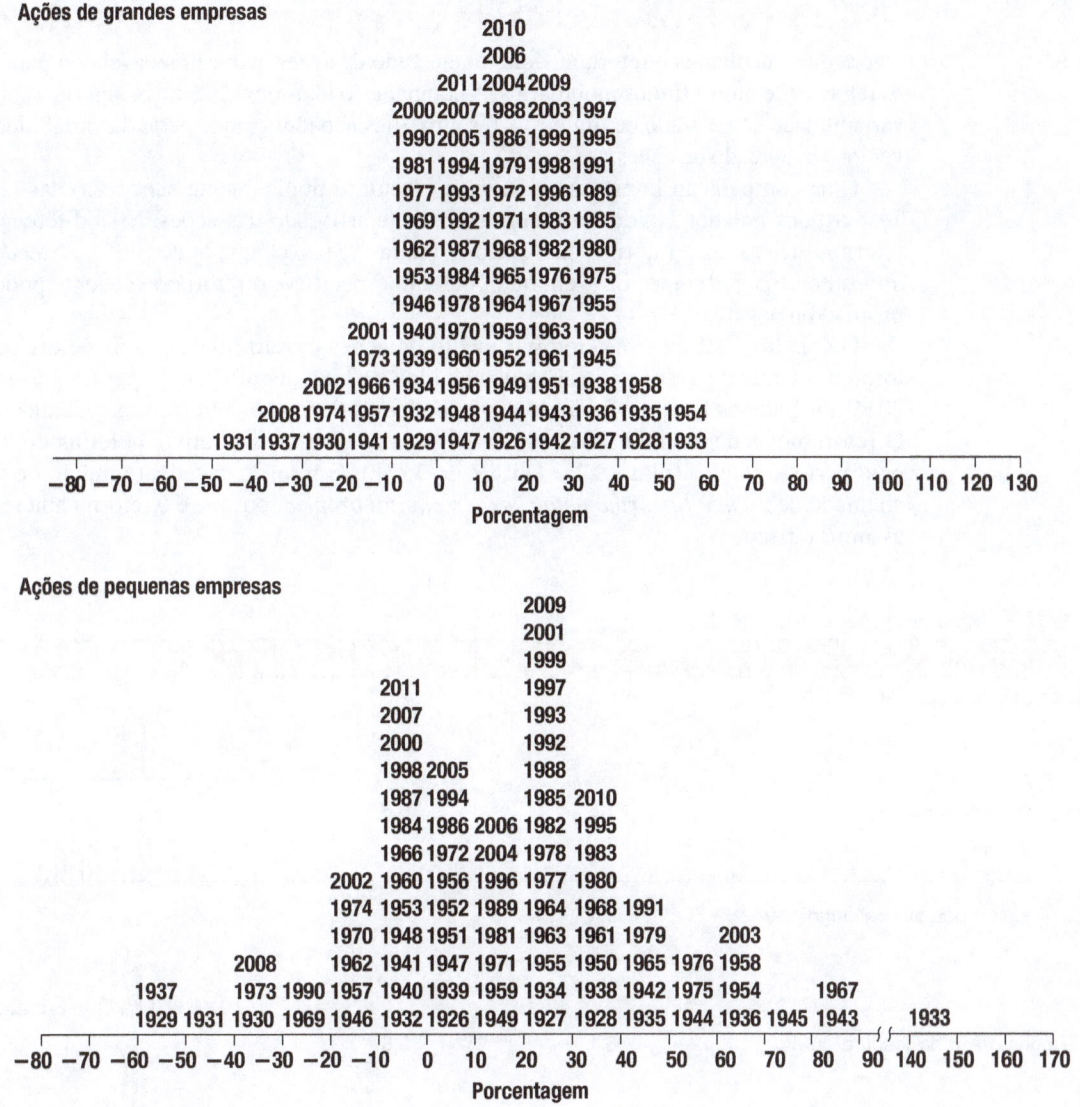

FIGURA 10.9 Histograma de retornos de ações, 1926–2011.

Redesenhado a partir de *Stocks, Bonds, Bills and Inflation: 2012 Yearbook*™, trabalho atualizado anualmente por Roger G. Ibbotson e Rex A. Sinquefield (Chicago: Morningstar). Todos os direitos reservados.

EXEMPLO 10.2 Cálculo da média dos retornos

Suponha que os retornos sobre as ações de 1926 a 1929 sejam de 0,1370, 0,3580, 0,4514 e −0,0888, respectivamente. A média, ou o retorno médio, ao longo desses quatro anos é:

$$\overline{R} = \frac{0{,}1370 + 0{,}3580 + 0{,}4514 - 0{,}0888}{4} = 0{,}2144 \text{ ou } 21{,}44\%$$

10.4 Retornos médios de ações e retornos sem risco

Agora que calculamos o retorno médio no mercado de ações, parece razoável compará-lo com os retornos de outros títulos mobiliários. A comparação mais óbvia é com os retornos com baixa variabilidade no mercado de títulos do Tesouro. Eles não têm grande parte da variabilidade que vemos no mercado de ações.

Uma comparação interessante envolve o retorno praticamente sem risco das letras do Tesouro dos Estados Unidos e o retorno bastante arriscado das ações. Essa diferença entre retornos arriscados e retornos sem risco é, muitas vezes, chamada de *retorno excedente de ativos com risco*. É claro que, em qualquer ano específico, o retorno excedente poderia ser positivo ou negativo.

O Quadro 10.2 mostra o retorno médio de ações, o retorno de títulos de dívida, o retorno das letras do Tesouro dos Estados Unidos e a taxa de inflação do período de 1926 até 2011 nos Estados Unidos. Partindo disso, podemos derivar os retornos excedentes médios. O retorno excedente médio das ações de grandes empresas relativo às letras do Tesouro pelo período inteiro foi de 8,2% (11,8% − 3,6%). O retorno excedente médio de ações é chamado de *prêmio histórico pelo risco do capital próprio*, porque é o retorno adicional por assumir o risco.

QUADRO 10.2 Retornos totais anuais, 1926–2011

Séries	Média aritmética (%)	Desvio padrão	Distribuição (%)
Ações de pequenas empresas*	16,5	32,5	
Ações de grandes empresas	11,8	20,3	
Títulos de dívida corporativa de longo prazo	6,4	8,4	
Títulos de longo prazo do Tesouro	6,1	9,8	
Títulos de médio prazo do Tesouro	5,5	5,7	
Letras do Tesouro dos Estados Unidos	3,6	3,1	
Inflação	3,1	4,2	

*O retorno total sobre as ações de pequenas empresas em 1933 foi de 142,9%.
FONTE: Modificado de *Stocks, Bonds, Bills and Inflation: 2012 Yearbook™*, trabalho atualizado anualmente por Roger G. Ibbotson e Rex A. Sinquefield (Chicago: Morningstar). Todos os direitos reservados.

Uma das observações mais significativas dos dados do mercado de ações é esse excedente de longo prazo do retorno das ações sobre o retorno sem risco. Um investidor, por esse período, foi recompensado pelo investimento no mercado de ações com um retorno extra ou excedente sobre o que teria sido obtido simplesmente investindo em letras do Tesouro dos Estados Unidos.

Por que houve essa recompensa? Isso significa que nunca vale a pena investir em letras do Tesouro e que alguém que tenha investido nelas em vez de investir no mercado de ações precisa de um curso sobre finanças? Uma resposta completa a essas perguntas está no cerne das finanças modernas. No entanto, parte da resposta pode ser encontrada na variabilidade dos vários tipos de investimentos. Há muitos anos em quem um investimento em letras do Tesouro obtém retornos maiores que um em ações de grandes empresas. Além disso, note que os retornos do investimento em ações frequentemente são negativos, ao passo que um investimento em letras do Tesouro nunca produz um retorno negativo.

O retorno sem risco no mercado brasileiro*

No Brasil, temos duas taxas de juros, tidas pelo mercado, como taxas sem risco: a taxa Selic e a taxa DI. A primeira remunera os títulos do Tesouro, e a segunda, as operações interbancárias. Ambas refletem interações diárias de oferta e demanda de dinheiro no mercado financeiro (*overnight*, de um dia).

No mercado de taxa Selic, o Banco Central (BC) atua como elemento central, em linha com a meta da taxa de juros definida pelo COPOM (Comitê de Política Monetária), e faz as operações compromissadas com títulos públicos para regular a liquidez (oferta de dinheiro no sistema). A autoridade monetária empresta dinheiro ao mercado a uma taxa maior e toma recursos do mercado a um custo menor que a meta da taxa Selic.

O mercado de CDI é exclusivo das instituições financeiras, que nele tomam e doam recursos entre si, com a regulação do BC. O normal é que haja uma diferença bem pequena entre as duas taxas. Isso acontece porque, como os bancos tendem a ser os grandes compradores de títulos do governo, seja diretamente (quando compram para eles), seja indiretamente (quando compram para os fundos de investimento), a tendência é de que os empréstimos interbancários e ao governo sejam feitos com taxas semelhantes. Podemos observar essa similaridade na Seção 10.4, em que comparamos as rentabilidades acumuladas das taxas DI e Selic no período de 1995 a 2011.

Embora essas duas taxas sejam consideradas livres de risco, o mercado brasileiro apresenta elevada volatilidade entre seus diversos índices financeiros, o que impede uma definição mais confiável da tendência de comportamento futuro. Considerando o grau de risco dos países, utiliza-se nas modelagens o prêmio pelo risco de mercado verificado na economia dos Estados Unidos, sendo essa mais estável e também admitida como a de mais baixo risco, acrescido de uma medida de risco-país, sendo geralmente apurado pelo excesso de remuneração que os títulos públicos de um país pagam em relação a títulos similares emitidos pelo Departamento do Tesouro dos Estados Unidos (*Treasury Bonds – T-Bonds*).

Esses títulos são lastreados pela confiança depositada pelos investidores no governo dos Estados Unidos e admitidos pelo mercado como livres de risco. Os *T-Bonds* representam uma referência de taxa de juros nos mercados financeiros, indicando o piso mínimo dos juros. Seu mercado apresenta o maior volume de negociação do mundo, e seus títulos são considerados os de maior liquidez, sendo comumente lançados por meio de leilões, apresentando alta maturidade. O *Global Bond* (*G-Bond*) é o título da dívida externa brasileira mais utilizado para o cálculo do prêmio pelo risco-país; ele é transacionado livremente no mercado internacional. Essa remuneração adicional, em relação aos *T-Bonds*, paga pelo título brasileiro é entendida como um *spread* pelo risco de *default*, ou seja, o risco-país.

---

* Material cedido pelo Instituto Educacional BM&FBOVESPA. Acesse: www.bmfbovespa.com.br/educacional.

Assim, ao se obter o custo de oportunidade do capital próprio, tendo-se como referência o mercado dos Estados Unidos, deve-se acrescentar ao percentual calculado essa taxa de risco da economia.

Voltaremos agora nossa atenção à medida da variabilidade de retornos e a uma discussão introdutória sobre o risco.

10.5 Estatística dos riscos

ExcelMaster
cobertura
online
Esta seção abrange Frequency distribution, Frequency Distribution charts, VAR, STDEV, VARP, STDEVP, NORMDIST, NORMINV e Descriptive Statistics.

Um segundo número que utilizamos para caracterizar a distribuição dos retornos é uma mensuração do risco. Não existe uma definição universalmente aceita de risco. Uma maneira de pensar sobre o risco dos retornos sobre ações é estimando o quão dispersa é a distribuição de frequência na Figura 10.9. A dispersão (ou variabilidade) de uma distribuição é uma medida de quanto um retorno específico pode se desviar do retorno médio. Se a distribuição for muito dispersa, os retornos a ocorrer são muito incertos. Em contrapartida, uma distribuição cujos retornos estejam todos a alguns pontos percentuais uns dos outros é concisa, e os retornos são menos incertos. As medidas do risco que discutiremos são a variância e o desvio padrão.

Variância

A **variância** e sua raiz quadrada, o **desvio padrão**, são as medidas mais comuns da variabilidade, ou dispersão. Utilizaremos Var e σ^2 para denotar a variância e DP e σ para representar o desvio padrão. σ é, obviamente, a letra grega sigma.

EXEMPLO 10.3 Volatilidade

Suponha que os retornos de uma ação sejam (em decimais) 0,1370, 0,3580, 0,4514 e −0,0888, respectivamente. A variância desse exemplo é calculada da seguinte forma:

$$\text{Var} = \frac{1}{T-1}[(R_1 - \overline{R})^2 + (R_2 - \overline{R})^2 + (R_3 - \overline{R})^2 + (R_4 - \overline{R})^2]$$

$$0,0582 = \frac{1}{3}[(0,1370 - 0,2144)^2 + (0,3580 - 0,2144)^2$$
$$+ (0,4514 - 0,2144)^2 + (-0,0888 - 0,2144)^2]$$

$$\text{DP} = \sqrt{0,0582} = 0,2412 \text{ ou } 24,12\%$$

Essa fórmula no Exemplo 10.3 nos diz o que fazer para calcular a variância: Pegar os T retornos individuais ($R_1, R_2, \ldots$) e subtrair o retorno médio $\overline{R}$, elevar o resultado ao quadrado e somar os quadrados. Por fim, esse total deve ser dividido pelo número de retornos menos um ($T - 1$). O desvio padrão é sempre a raiz quadrada da variância.

Utilizando os retornos das ações pelo período de 86 anos de 1926 até 2011 nessa fórmula, o desvio padrão resultante dos retornos das ações de grandes empresas é 20,3%. O desvio padrão é a medida estatística padrão da variabilidade de uma amostra e será a que utilizaremos na maior parte do tempo. Sua interpretação é facilitada por uma discussão acerca da distribuição normal.

Os desvios padrão de fundos de investimento são amplamente divulgados. Por exemplo, o fundo Fidelity Magellan era um dos maiores dos Estados Unidos na época em que este livro foi escrito. Qual é a sua volatilidade? Para descobrir, acessamos www.morningstar.com, digitamos o código identificador (*ticker*) FMAGX e clicamos no link "*Ratings Risk*". Eis o que descobrimos:

MPT Statistics FMAGX

3-Year Trailing	Index	R-Squared	Beta	Alpha	Treynor Ratio	Currency
vs. Best-Fit Index						
FMAGX	Russell Mid Cap Growth TR USD	97.09	1.04	-8.90	--	USD
vs. Standard Index						
FMAGX	S&P 500 TR	91.64	1.22	-5.48	-2.25	USD
Category: LG	S&P 500 TR	91.70	1.00	-0.11	2.78	USD

06/30/2011

Volatility Measures FMAGX

3-Year Trailing	Standard Deviation	Mean	Sharpe Ratio	Sortino Ratio	Bear Market Percentile Rank
FMAGX	27.11	-2.47	0.04	0.05	--
S&P 500 TR	21.21	3.34	0.25	0.34	--
Category: LG	22.20	3.02	0.23	0.32	--

Nos últimos três anos, o desvio padrão dos retornos do fundo Fidelity Magellan foi de 27,11%. Quando se leva em consideração que os retornos de uma ação média têm desvio padrão de cerca de 50%, esse número parece baixo. Porém, o fundo Magellan é uma carteira relativamente bem diversificada, portanto essa é uma ilustração do poder da diversificação, um assunto que ainda discutiremos detalhadamente. A média é o retorno médio; assim, ao longo dos últimos três anos, os investidores do fundo Magellan tiveram um retorno de −2,47% ao ano. Além disso, na seção de *Volatility Measures*, você vê o **índice de Sharpe**. O índice de Sharpe é calculado como o prêmio pelo risco de um ativo dividido pelo desvio padrão. Ele funciona como uma medida do retorno em relação ao grau de risco incorrido (conforme medido pelo desvio padrão). O "beta" do fundo Fidelity Magellan é de 1,22. Teremos muito mais a dizer sobre esse número no próximo capítulo.

EXEMPLO 10.4 Índice de Sharpe

O índice de Sharpe é o prêmio médio pelo risco do capital próprio ao longo de um período de tempo dividido pelo desvio padrão. De 1926 a 2011, o prêmio médio pelo risco (relativo a letras do Tesouro) para ações de grandes empresas era de 8,2%, enquanto o desvio padrão era de 20,3%. O índice de Sharpe desse exemplo é calculado assim:

$$\text{Índice de Sharpe} = 8,2\%/20,3\% = 0,404$$

O índice de Sharpe, às vezes, é chamado de índice Recompensa/Risco, no qual a recompensa é o retorno excedente médio e o risco é o desvio padrão.

Distribuição normal e suas implicações para o desvio padrão

Uma amostra bastante grande obtida de uma **distribuição normal** tem a aparência da curva em forma de sino desenhada na Figura 10.10. Como você pode ver, essa distribuição é *simétrica*, e não *assimétrica*, em torno de sua média e tem uma forma muito mais limpa que a distribuição real dos retornos anuais, mostrada na Figura 10.9. É claro que, se tivéssemos podido observar os retornos do mercado de ações por mil anos, poderíamos ter preenchido muitos dos saltos da Figura 10.9, obtendo uma curva mais suave.

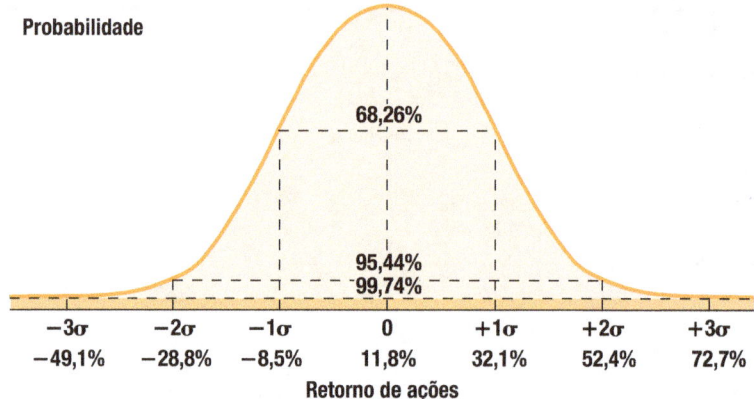

No caso de uma distribuição normal, existe uma probabilidade de 68,26% de que um retorno esteja dentro de um desvio padrão em torno da média. Neste exemplo, existe uma probabilidade de 68,26% de que um retorno anual esteja entre 28,5% e 32,1%.

Há uma probabilidade de 95,44% de que um retorno esteja na faixa de dois desvios padrão em torno da média. Neste exemplo, existe uma probabilidade de 95,44% de que um retorno anual esteja entre −28,8% e 52,4%.

Por fim, há uma probabilidade de 99,74% de que um retorno esteja na faixa de três desvios padrão em torno da média. Neste exemplo, existe uma probabilidade de 99,74% de que um retorno anual esteja entre −49,1% e 72,7%.

FIGURA 10.10 Distribuição normal.

Na estatística clássica, a distribuição normal desempenha um papel central, e o desvio padrão é a forma usual de representar a dispersão de uma distribuição normal. Para a distribuição normal, a probabilidade de se obter um retorno que esteja acima ou abaixo da média por certo valor depende apenas do desvio padrão. Por exemplo, a probabilidade de se ter um retorno dentro de um desvio padrão em torno da média da distribuição é de aproximadamente 0,68, ou 2/3, e a probabilidade de se ter um retorno que esteja entre dois desvios padrão em torno da média é de aproximadamente 0,95.

O desvio padrão de 20,3% que encontramos para os retornos de ações de 1926 até 2011 pode agora ser interpretado da seguinte maneira: se os retornos de ações são distribuídos mais ou menos normalmente, a probabilidade de que um retorno anual caia dentro da faixa de 20,3% em torno da média de 11,8% será de aproximadamente 2/3. Isto é, cerca de 2/3 dos retornos anuais estarão entre −8,5% e 32,1%. (Observe que: −8,5 = 11,8 − 20,3 e 32,1 = 11,8 + 20,3.) A probabilidade de que o retorno em qualquer ano caia entre dois desvios padrão acima e abaixo da média é de cerca de 0,95. Assim, 95% dos retornos anuais estarão entre −28,8% e 52,4%.

10.6 Mais informações acerca dos retornos médios

Esta seção apresenta a função MÉDIA.GEOMÉTRICA.

Até este ponto do capítulo, observamos mais detidamente médias simples de retornos. Entretanto, existe outra maneira de calcular um retorno médio. O fato de que os retornos médios são calculados de duas maneiras diferentes leva a certa confusão, portanto nosso objetivo nesta seção é explicar as duas abordagens e também as circunstâncias segundo as quais cada uma delas é apropriada.

Média aritmética *versus* média geométrica

Comecemos com um exemplo simples. Suponha que você compre determinada ação por $ 100. Infelizmente, no primeiro ano após a compra, ela cai para $ 50. No segundo ano, ela sobe novamente para $ 100, deixando você onde começou (nenhum dividendo foi pago).

Qual foi seu retorno médio com esse investimento? O bom senso parece dizer que seu retorno médio deve ser exatamente zero, uma vez que você começou com $ 100 e acabou com

$ 100. Porém, se calcularmos os retornos ano a ano, veremos que você perdeu 50% no primeiro ano (perdeu metade do dinheiro). No segundo ano, ganhou 100% (dobrou seu dinheiro). Seu retorno médio pelos dois anos foi, portanto, $(-50\% + 100\%)/2 = 25\%$!

Então, o que está correto, 0% ou 25%? A resposta é que ambos estão corretos, apenas respondem a diferentes perguntas. O 0% é chamado de **retorno médio geométrico**. Os 25% são chamados de **retorno médio aritmético**. O retorno médio geométrico responde à pergunta: "*Qual foi seu retorno médio composto por ano ao longo de um período específico?*". O retorno médio aritmético responde à pergunta: "*Qual foi seu retorno em um ano médio ao longo de um período específico?*".

Observe que, nas seções anteriores, todos os retornos médios que calculamos foram médias aritméticas, de modo que já sabemos como calculá-los. O que precisamos fazer agora é (1) aprender como calcular médias geométricas e (2) aprender as circunstâncias segundo as quais uma média é mais significativa que outra.

Cálculo dos retornos médios geométricos

Em primeiro lugar, para ilustrar como calculamos um retorno médio geométrico, suponha que determinado investimento tenha obtido retornos anuais de 10%, 12%, 3% e −9% ao longo dos quatro últimos anos. O retorno médio geométrico por esse período de quatro anos é calculado como $(1{,}10 \times 1{,}12 \times 1{,}03 \times 0{,}91)^{1/4} - 1 = 3{,}66\%$. Em contrapartida, o retorno médio aritmético que temos calculado é $(0{,}10 + 0{,}12 + 0{,}03 - 0{,}09)/4 = 4{,}0\%$.

Em geral, se tivermos T anos de retornos, o retorno médio geométrico nesses T anos será calculado usando a seguinte fórmula:

$$\text{Retorno médio geométrico} = [(1 + R_1) \times (1 + R_2) \times \ldots \times (1 + R_T)]^{1/T} - 1 \quad (10.1)$$

Essa fórmula nos diz que são necessárias quatro etapas:

1. Pegue cada um dos T retornos anuais $R_1, R_2, \ldots, R_T$ e some 1 a eles (depois de convertê-los em decimais).
2. Multiplique todos os números da etapa 1 entre si.
3. Pegue o resultado da etapa 2 e eleve-o à potência de $1/T$.
4. Por fim, subtraia 1 do resultado da etapa 3. O resultado é o retorno médio geométrico.

Você deve ter notado em nossos exemplos até aqui que os retornos médios geométricos parecem ser menores. Acontece que nem sempre isso será verdadeiro (desde que os retornos não sejam todos idênticos, caso em que as duas "médias" seriam iguais). Para ilustrar, o Quadro 10.3 mostra as médias aritméticas e os desvios padrão do Quadro 10.2, juntamente com os retornos médios geométricos.

Conforme foi mostrado no Quadro 10.3, as médias geométricas são menores, mas a magnitude da diferença varia bastante. O motivo é que a diferença é maior para os investimentos mais voláteis. Na verdade, existe uma aproximação útil. Supondo-se que todos os números sejam expressos em decimais (e não em porcentagens), o retorno médio geométrico é aproximadamente igual ao retorno médio aritmético menos metade da variância. Por exemplo, analisando as ações das grandes empresas, a média aritmética é 11,8, e o desvio padrão é 0,203, implicando uma

QUADRO 10.3 Retornos médios geométricos *versus* aritméticos: 1926–2011

Séries	Média geométrica	Média aritmética	Desvio padrão
Ações de pequenas empresas	11,9%	16,5%	32,5%
Ações de grandes empresas	9,8	11,8	20,3
Títulos de dívida corporativa de longo prazo	6,1	6,4	8,4
Títulos de longo prazo do Tesouro	5,7	6,1	9,8
Títulos de médio prazo do Tesouro	5,4	5,5	5,7
Letras do Tesouro	3,6	3,6	3,1
Inflação	3,0	3,1	4,2

FONTE: *Ibbotson SBBI 2012 Classic Yearbook.*

variância de 0,041. A média geométrica aproximada, portanto, é 0,118 − (0,041/ 2) = 0,097 (9,7%), que está bem perto do valor real.

EXEMPLO 10.5 Cálculo do retorno médio geométrico

Calcule o retorno médio geométrico das ações de grandes empresas do S&P 500 por um período de cinco anos utilizando os números fornecidos aqui.

Primeiro, converta as porcentagens em retornos decimais, some 1 e calcule seu produto:

Retornos do S&P 500	Produto
13,75%	1,1375
35,70	× 1,3570
45,08	× 1,4508
−8,80	× 0,9120
−25,13	× 0,7487
	1,5291

Note que o número 1,5291 é o que o nosso investimento vale depois de cinco anos se começamos com um investimento de $ 1. O retorno médio geométrico é calculado assim:

Retorno médio geométrico = $1,5291^{1/5} - 1 = 0,0887$, ou 8,87%

Portanto, o retorno médio geométrico é de cerca de 8,87% neste exemplo. Aqui vai uma dica: se estiver usando uma calculadora financeira, você pode colocar $ 1 como o valor presente, $ 1,5291 como o valor futuro e 5 como o número de períodos. Calcule, então, a incógnita da taxa. Com isso, você deve obter a mesma resposta que nós.

EXEMPLO 10.6 Mais médias geométricas

Observe a Figura 10.4 novamente. Nela mostramos o valor de um investimento de $ 1 depois de 86 anos. Utilize o valor do investimento em ações de grandes empresas para verificar a média geométrica no Quadro 10.3.

Na Figura 10.4, o investimento em grandes empresas aumentou para $ 3.045,22 ao longo de 86 anos. Portanto, o retorno médio geométrico é:

Retorno médio geométrico = $\$3.045,22^{1/86} - 1 = 0,098$, ou 9,8%

Esses 9,8% são o valor mostrado no Quadro 10.3. Para praticar, utilize a mesma técnica para os outros números do Quadro 10.3.

Retorno médio aritmético ou retorno médio geométrico?

Quando examinamos os retornos históricos, não é muito difícil entender a diferença entre os retornos médios geométricos e aritméticos. Dito de outra forma, a média geométrica diz o que você realmente ganhou por ano em média, capitalizado anualmente. A média aritmética diz o que você ganhou em um ano típico e é uma estimativa não viesada da média real da distribuição. A média geométrica é muito útil na descrição da experiência histórica real de investimentos. A média aritmética é útil para fazer estimativas do futuro.[4]

---

[4] Outra maneira de pensar acerca da estimativa de retorno de um investimento ao longo de determinado horizonte futuro é relembrar que a média aritmética é uma média "amostral". Como tal, ela fornece uma estimativa não viesada da verdadeira média subjacente. Para utilizar a média aritmética para estimar retornos futuros, precisamos nos certificar de que os retornos históricos sejam medidos utilizando o mesmo intervalo de tempo que o período de previsão futuro. Por exemplo, poderíamos utilizar retornos anuais para estimar o retorno do próximo ano. A média aritmética seria uma boa base para a previsão dos retornos dos próximos dois anos se retornos em períodos de investimento de dois anos fossem utilizados. Também precisamos ter a confiança de que a distribuição de retornos futuros terá a mesma distribuição dos retornos anteriores.

10.7 Prêmio pelo risco de ações dos Estados Unidos: perspectivas históricas e internacionais

Até este ponto do capítulo, estudamos os Estados Unidos nos período de 1926 a 2011. Como discutimos, o prêmio histórico pelo risco do mercado de ações nos Estados Unidos tem sido substancial. Naturalmente, sempre que se usa o passado para prever o futuro, existe o perigo de que o passado observado não seja representativo daquilo que o futuro nos reserva. Talvez os investidores norte-americanos tenham tido sorte nesse período e tido retornos particularmente altos. Existem dados disponíveis de períodos anteriores dos Estados Unidos, mas eles não têm a mesma qualidade. Com essa ressalva em mente, os pesquisadores acompanharam os retornos até 1802, e o prêmio pelo risco das ações dos Estados Unidos era menor na era pré-1926. Utilizando os dados sobre retornos dos Estados Unidos desde 1802, o prêmio histórico pelo risco de ações foi de 5,4%.[5]

Além disso, não analisamos outros países importantes. Na verdade, mais da metade do valor de ações negociáveis não está nos Estados Unidos. Partindo do Quadro 10.4, podemos ver que, enquanto a capitalização total do mercado de ações mundial era de $ 22,3 trilhões em 2011, apenas 53% estavam nos Estados Unidos. Graças a Dimson, Marsh e Staunton, dados de períodos anteriores e de outros países estão disponíveis agora para nos ajudar a examinar mais detalhadamente os prêmios pelo risco de ações. O Quadro 10.5 e a Figura 10.11 mostram os prêmios históricos pelo risco do mercado de ações para 17 países ao redor do mundo no período de 1900 a 2010. Observando os números, o prêmio histórico pelo risco de ações dos Estados Unidos é o 7º maior, a saber, a 7,2% (que difere de nossa estimativa anterior, porque os períodos examinados são diferentes). O prêmio geral pelo risco médio mundial é 6,9%. Parece ser claro que os investidores dos Estados Unidos se saíram bem, mas não tão excepcionalmente em relação a muitos outros países. Os países com alto desempenho de acordo com o índice de Sharpe eram Estados Unidos, Austrália, África do Sul e França, ao passo que os piores eram Bélgica, Noruega e Dinamarca. Alemanha, Japão e Itália poderiam constituir um estudo de caso interessante, pois têm os maiores retornos para ações nesse período (apesar da I e da II Guerras Mundiais), mas também têm o risco mais alto.

Então, o que é uma boa estimativa do prêmio pelo risco de ações dos Estados Unidos daí em diante? Infelizmente, ninguém pode ter certeza do que os investidores esperam no futuro. Se a história for um guia, o prêmio pelo risco de ações dos Estados Unidos poderia ser de 7,2%,

QUADRO 10.4 Capitalização do mercado de ações mundial, 2011

País	Trilhões de $	Porcentagem
Estados Unidos	$ 11,9	53%
Europa (exceto o Reino Unido)	3,8	17
Japão	2,2	10
Reino Unido	2,0	9
Pacífico (exceto o Japão)	1,3	6
Canadá	1,1	5
	$ 22,3	100%

FONTE: *Ibbotson SBBI 2012 Classic Yearbook,* Morningstar, pág. 216.

---

[5] Jeremy J. Siegel estimou o prêmio pelo risco das ações dos Estados Unidos com dados desde 1802. Como pode ser visto no quadro a seguir, de 1802 a 2011, o prêmio histórico pelo risco das ações nos Estados Unidos foi de 5,4%.

	Retornos médios 1802-2011 (%)
Ações	9,6
Letras do Tesouro	4,2
Prêmio pelo risco das ações	5,4

Adotado e atualizado de Siegel, J. *Stocks for the long run.* 4ed. Nova York:McGraw-Hill, 2008.

QUADRO 10.5 Prêmios pelo risco das ações e índices Sharpe anuais de 17 países, 1900-2010

País	Prêmios históricos pelo risco de ações (%) (1)	Desvio padrão (%) (2)	Índice de Sharpe (1)/(2)
África do Sul	8,3%	22,1%	0,37
Alemanha*	9,8	31,8	0,31
Austrália	8,3	17,6	0,47
Bélgica	5,5	24,7	0,22
Canadá	5,6	17,2	0,33
Dinamarca	4,6	20,5	0,22
Espanha	5,4	21,9	0,25
Estados Unidos	7,2	19,8	0,36
França	8,7	24,5	0,36
Holanda	6,5	22,8	0,29
Irlanda	5,3	21,5	0,25
Itália	9,8	32,0	0,31
Japão	9,0	27,7	0,32
Noruega	5,9	26,5	0,22
Reino Unido	6,0	19,9	0,30
Suécia	6,6	22,1	0,30
Suíça	5,1	18,9	0,27
Média	**6,9**	**23,0**	**0,30**

*Alemanha omite 1922-1923.
FONTE: Elroy Dimson, Paul Marsh e Michael Staunton, Credit Suisse Global Investment Returns Sourcebook, 2011, publicado pelo Credit Suisse Research Institute 2011. O conjunto de dados Dimson-Marsh-Staunton é distribuído pela Morningstar Inc.

com base nas estimativas de 1900-2010. Também devemos levar em conta que o prêmio médio mundial pelo risco de ações foi de 6,9% nesse mesmo período. Por outro lado, os períodos mais recentes (1926-2011) sugerem estimativas mais altas do prêmio pelo risco de ações dos Estados Unidos, e os períodos anteriores, indo até 1802, sugerem estimativas mais baixas.

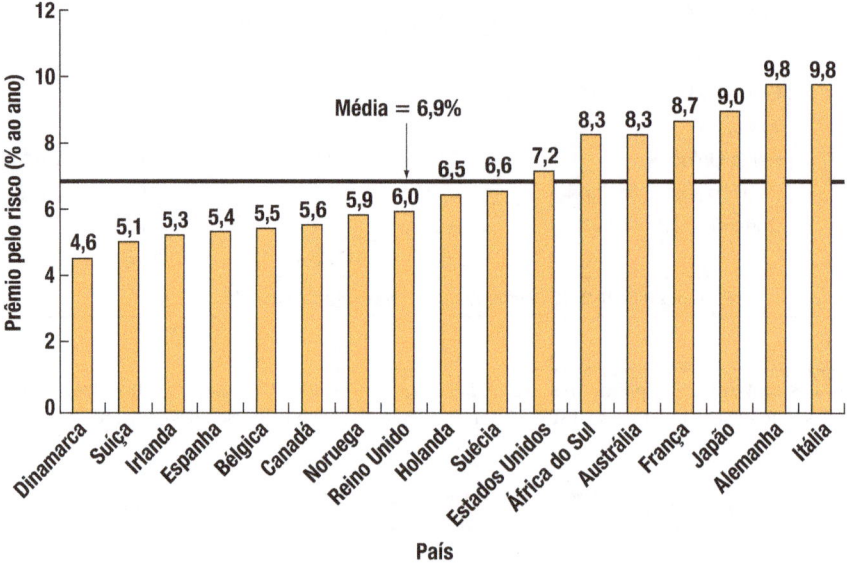

FIGURA 10.11 Prêmios pelo risco de mercado de ações de 17 países: 1900–2010.

FONTE: Elroy Dimson, Paul Marsh e Michael Staunton, "The Worldwide Equity Premium: A Smaller Puzzle", em *Handbook of the Equity Risk Premium*, Rajnish Mehra, ed. (Elsevier, 2007). Dados atualizados pelos autores.

O erro padrão (EP) nos auxilia a estimar quanta confiança podemos ter em nossa média histórica de 7,2%. O EP é o desvio padrão do prêmio histórico pelo risco e é fornecido pela seguinte fórmula:

$$EP = DP(\overline{R}) = \frac{DP(R)}{\sqrt{\text{Número de observações}}}$$

Supondo que a distribuição dos retornos seja normal e que o retorno de cada ano seja independente de todos os outros, sabemos que existe uma probabilidade de 95,4% de que o retorno médio real esteja entre dois erros padrão em torno da média histórica.

Mais especificamente, o intervalo de confiança de 95,4% para o verdadeiro prêmio pelo risco de ações é o retorno médio histórico ± (2 × erro padrão). Conforme vimos de 1900 a 2010, o prêmio histórico pelo risco de ações norte-americanas era de 7,2%, e o desvio padrão era de 19,8%. Portanto, 95,4% do tempo o prêmio pelo risco real das ações deveria estar entre 3,43% e 10,97%:

$$7,2 \pm 2\left(\frac{19,8}{\sqrt{111}}\right) = 7,2 \pm 2\left(\frac{19,8}{10,5}\right) = 7,2 \pm 3,77$$

Em outras palavras, podemos ter 95,4% de confiança de que nossa estimativa do prêmio pelo risco de ações dos Estados Unidos a partir dos dados históricos está no intervalo de 3,43% a 10,97%.

Optando por uma abordagem ligeiramente diferente, Ivo Welch pediu a opinião de 226 economistas do mercado financeiro a respeito do prêmio futuro pelo risco de ações dos Estados Unidos, e a resposta média foi 7%.[6]

Estamos confortáveis com uma estimativa baseada no prêmio histórico de cerca de 7% pelo risco de ações dos Estados Unidos, mas estimativas do prêmio futuro por esse risco que estejam um pouco acima ou abaixo poderiam ser razoáveis se tivermos um bom motivo para acreditar que o passado não é representativo do futuro.[7] A questão fundamental é que qualquer estimativa do prêmio futuro pelo risco de ações envolverá suposições acerca do ambiente do risco futuro e do grau de aversão ao risco dos futuros investidores.

A evolução do mercado brasileiro*

Uma das principais vantagens da abertura de capital é o acesso às fontes de fundos que não bancos e que, em muitos casos, podem ter um custo de capital menor para o empresário em relação às outras fontes de capitais. A captação de recursos por meio do lançamento de valores mobiliários é uma alternativa aos financiamentos bancários, viabilizando o acesso a investidores potenciais, não só no Brasil, como no exterior, tendo em vista a possibilidade de captação de recursos externos, por meio de processos de lançamento de recibos de depósito negociáveis nos mercados de capitais de outros países, com aprovação da CVM e do Banco Central. Empresas necessitando de grandes volumes de fundos podem estar sujeitas às altas taxas de juros ou restrições de crédito. A emissão de ações pode aliviar tais restrições. Além disso, as ações de empresas abertas podem ser negociadas em bolsas, o que é barato para pequenos acionistas que desejam fazer transações em curtos períodos. Liquidez para acionistas e baixos custos proporcionam maiores preços para as ações da empresa e, consequentemente, menor custo de capital.

Uma série de mudanças no quadro macroeconômico e regulatório no início da década de 1990 tornou o mercado brasileiro mais atraente e acessível aos investidores internacionais.

---

[6] Por exemplo, consulte Welch, I. Views of financial economists on the equity risk premium and other issues. *Journal of Business*, v. 73, n. 4, oct. 2000. p. 501-537. Pratt, S. P.; Grabowski, R. J. *Cost of capital*: applications and examples. 4th ed. John Wiley, 2010, concluem, após rever uma série de evidências, que o prêmio pelo risco do capital próprio está no intervalo de 3,5% a 6%.

[7] Em Elroy Dimson, Paul Marsh e Mike Staunton, The Worldwide Equity Premium: A Smaller Puzzle, de *Handbook of the Equity Risk Premium*, R. Mehra, ed., os autores argumentam que uma boa estimativa do prêmio mundial futuro pelo risco do capital do capital próprio, deveria ser cerca de 5%, em função de fatores não recorrentes que afetam positivamente os retornos históricos no mundo inteiro. Contudo, seria possível argumentar que a crise financeira global de 2008-2009 foi um choque negativo para o mercado de ações que aumentou esse prêmio para além de seus níveis históricos.

* Material cedido pelo Instituto Educacional BM&FBOVESPA. Acesse: www.bmfbovespa.com.br/educacional.

O resultado dessas mudanças foi uma entrada significativa de investimentos externos direcionados ao mercado de capitais. A entrada líquida de capital partiu de $ 386 milhões em 1991 para alcançar uma média anual de $ 3,3 bilhões entre 1993 e 1996. O saldo, no entanto, tornou-se negativo em 1998 ($ 2,4 bilhões) como reflexo da ameaça de crise cambial que se confirmou no início de 1999. Em 1999, há uma recuperação com a entrada líquida de $ 1,1 bilhão, valor ainda bastante aquém da média anterior à crise cambial de 1998/1999.

O reflexo dessa maciça entrada de capitais estrangeiros foi um crescimento expressivo no valor das ações e volumes negociados na Bolsa. Em 1996, a participação de investidores estrangeiros no volume financeiro já representava 28,6% do total, ficando atrás apenas das Instituições Financeiras, que detinham uma participação de 45,1%. Na década seguinte, o investimento estrangeiro chegou a representar 35,5% do volume total negociado na Bolsa.

Analisando as operações de crédito no mercado brasileiro, no gráfico apresentado na Figura 10.12, podemos notar um histórico de crédito escasso facilitando o desenvolvimento do mercado de capitais com o lançamento de novos instrumentos de crédito, como apresenta a Figura 10.13.

FIGURA 10.12   Operações de crédito (2000-2014), em % do PIB.

*Até abril de 2014.

Fonte: Brasil (2014).

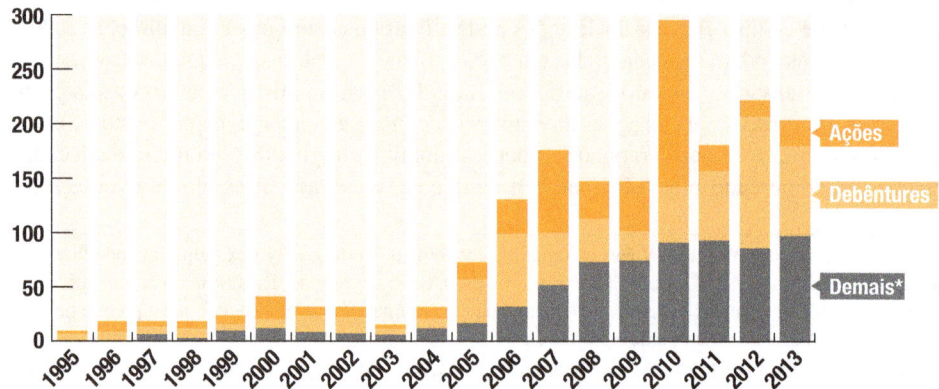

FIGURA 10.13   Novos instrumentos de crédito, em bilhões de R$.

* Demais inclui: Fundo de Investimento em Participações (FIP), Notas Promissórias, Certificado de Recebível Imobiliário (CRI), Fundo de Investimento Imobiliário (FII), Letras Financeiras (LF) e Certificado de Depósito de Ações (CDA).

Fonte: Brasil (2014).

Ao analisarmos as captações realizadas entre 2004 e 2013, apresentadas no quadro a seguir, verificamos que houve uma oscilação no volume captado, assim como no número de ofertas. Notamos uma tendência crescente até o ano de 2007. Em 2008, tivemos uma queda brusca devido à crise do *subprime*. No ano de 2009, o volume ficou acima da média, e o número de ofertas dobrou em relação ao ano de 2008. Já em 2010, houve um aumento expressivo no volume captado, embora o número de ofertas tenha diminuído. E, nos anos seguintes, tivemos uma queda brusca no volume captado, embora o número de ofertas tenha ficado próximo da média.

	Captação Total		
	Volume (R$ em bilhões)	Volume ($ em bilhões)	Nº de Ofertas
2004	8,80	3,04	15
2005	13,94	5,86	19
2006	30,44	14,07	42
2007	70,11	37,12	76
2008	34,26	21,17	12
2009	45,98	24,99	24
2010	149,24	86,69	22
2011	17,99	11,10	22
2012	13,24	6,71	12
2013	23,36	11,31	17
Média	**40,74**	**22,21**	**26,10**

Fonte: BM&FBOVESPA (c2012).

O quadro a seguir apresenta as capitalizações de mercado do Segmento Bovespa de 2004 a 2013. Notamos que, embora o número de ofertas tenha diminuído a partir de 2008, o valor de mercado destas aumentou significativamente.

	Capitalização de Mercado – Segmento Bovespa		
	R$ em bilhões	$ em bilhões	Nº de Empresas
1994	160,30	189,10	544
1995	143,50	147,60	543
1996	225,50	216,90	550
1997	285,10	255,40	536
1998	194,40	160,90	527
1999	408,90	228,50	478
2000	441,00	225,50	459
2001	430,30	185,40	428
2002	438,30	124,00	399
2003	676,70	234,20	369
2004	904,90	340,90	358
2005	1.128,50	482,10	343
2006	1.544,90	722,60	350
2007	2.477,60	1.398,70	404
2008	1.375,27	588,48	393
2009	2.334,72	1.340,87	385
2010	2.569,41	1.542,08	381
2011	2.294,41	1.223,16	373
2012	2.524,29	1.235,28	364
2013	2.414,22	1.030,57	363
2014	2.357,25	1.052,81	369
Média	**1.206,17**	**615,48**	**424**

Fonte: BM&FBOVESPA (c2012).

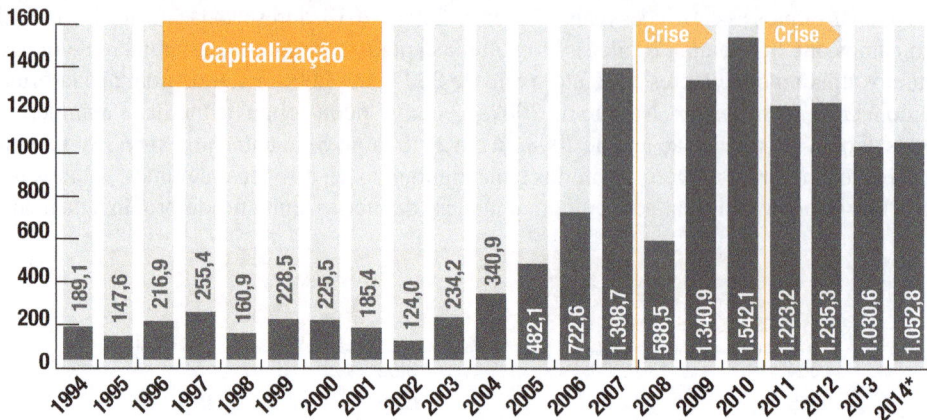

FIGURA 10.14 Capitalização bursátil, em $ bilhões. Desempenho do Mercado de Capitais nos últimos 20 anos.

Fonte: Brasil (2014).

*Até maio de 2014.

O gráfico de barras apresentado na Figura 10.14 apresenta a capitalização do mercado brasileiro de empresas de capital aberto no período de 1994 a 2014 (até maio).

10.8 O ano de 2008: uma das piores crises financeiras

O ano de 2008 entrou para os livros de recordes como um dos piores para os investidores do mercado de ações na história dos Estados Unidos. O amplamente seguido índice S&P 500, que monitora o valor total de mercado de 500 das maiores empresas dos Estados Unidos, teve um decréscimo de 37% no ano. Das 500 ações no índice, 485 caíram no ano.

Durante o período de 1926-2008, somente o ano de 1931 teve um retorno menor do que o de 2008 (−43% versus −37%). Para piorar, a linha descendente continuou com um declínio extra de 8,43% em janeiro de 2009. Ao todo, de novembro de 2007 (quando o declínio começou) até janeiro de 2009, o S&P 500 perdeu 45% de seu valor.

A Figura 10.15 mostra o desempenho do declínio do S&P 500, mês a mês, durante 2008. Conforme indicado, os retornos foram negativos em 8 dos 12 meses. A maior parte do declínio ocorreu no outono do Hemisfério Norte: os investidores perderam quase 17% apenas em outubro. As ações de pequenas empresas não se saíram melhor. Elas também caíram: 37% no ano (com uma queda de 21% em outubro), seu pior desempenho desde a perda de 58% em 1937.

Como a Figura 10.15 sugere, os preços das ações estavam altamente voláteis no fim do ano – mais do que tem ocorrido historicamente. Estranhamente, o S&P teve 126 dias de alta e 126 dias de baixa (considerando que os mercados estão fechados nos fins de semana e feriados), e é claro que os dias de baixa foram muito piores na média.

A queda nos preços das ações foi um fenômeno global, e muitos dos principais mercados do mundo tiveram um declínio muito maior que o do S&P. China, Índia e Rússia, por exemplo, passaram por declínios de mais de 50%. A diminuta Islândia viu os preços das ações caírem em mais de 90% no ano. Os negócios foram temporariamente suspensos na bolsa da Islândia em 9 de outubro: e, no que deve ser um recorde moderno para um único dia, as ações caíram em 76% quando os negócios abriram em 14 de outubro.

Algum tipo de título mobiliário teve bom desempenho em 2008? A resposta é sim, pois, à medida que os valores das ações declinaram, os títulos de dívida aumentaram, principalmente as letras do Tesouro dos Estados Unidos. Na realidade, os títulos de longo prazo do Tesouro *ganharam* 20%, enquanto os títulos de curto prazo do Tesouro subiram 13%. Os títulos de dívida corporativa de longo prazo de alta qualidade de crédito não se saíram tão bem, mas ainda tiveram

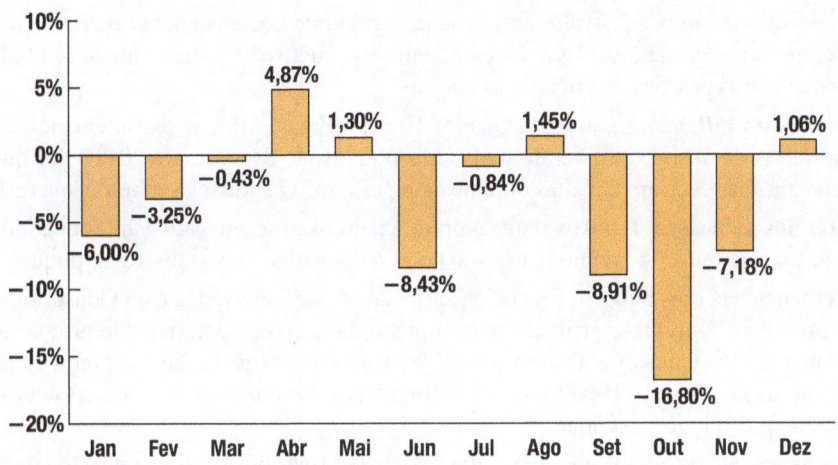

FIGURA 10.15 Retornos mensais do S&P 500, 2008.

um retorno positivo de cerca de 9%. Esses retornos foram especialmente impressionantes considerando que a taxa de inflação, medida pelo CPI norte-americano, estava próxima de zero.

É claro que os preços das ações podem ser voláteis em ambas as direções. De março de 2009 até fevereiro de 2011, totalizando cerca de 700 dias, o S&P 500 dobrou de valor. Essa escalada foi a duplicação mais rápida desde 1936, quando o S&P o fez em apenas 500 dias. Então, quais lições deveriam tirar os investidores desse recente e bastante turbulento período da história do mercado de capitais? A primeira e mais óbvia resposta é que as ações têm riscos significativos! Mas existe uma segunda e igualmente importante lição. Dependendo da combinação, uma carteira diversificada de ações e títulos de dívida pode ter sofrido em 2008, mas as perdas teriam sido muito menores do que as de uma carteira composta apenas por ações. Em outras palavras, a diversificação faz diferença, fato que examinaremos detalhadamente em nosso próximo capítulo.

Resumo e conclusões

1. Este capítulo apresentou retornos de algumas classes de diferentes ativos. A conclusão geral é que as ações superaram os títulos de dívida pela maior parte do século XX, embora também tenham apresentado maior risco.
2. O capítulo também apresentou retornos de algumas classes de diferentes ativos no Brasil e sua evolução.
3. As medidas estatísticas deste capítulo são elementos necessários para a construção do material dos próximos três capítulos. Em particular, o desvio padrão e a variância medem a variabilidade do retorno de um único título e de carteiras de títulos mobiliários. No próximo capítulo, argumentaremos que o desvio padrão e a variância são medidas apropriadas do risco de um título individual se a carteira de um investidor for composta apenas por esse título.

QUESTÕES CONCEITUAIS

1. **Seleção de investimentos** Dado que a eGain Communications teve alta de quase 412% em 2011, por que nem todos os investidores investiram na empresa?
2. **Seleção de investimentos** Dado que a First Solar teve queda de 74% durante 2011, por que alguns investidores mantiveram essa ação? Por que eles não a venderam antes que o preço caísse tão abruptamente?
3. **Risco e retorno** Vimos que, em períodos longos, os investimentos em ações tenderam a superar substancialmente os em títulos de dívida. Contudo, não é tão incomum observar investidores com horizontes longos fazendo seus investimentos totalmente em títulos de dívida. Esses investidores são irracionais?

4. **Ações *versus* apostas** Avalie criticamente a seguinte declaração: "O mercado de ações é como um jogo de azar. Esse investimento especulativo não tem valor social além do prazer que as pessoas obtêm com as apostas".

5. **Efeitos da inflação** Examine o Quadro 10.1 e a Figura 10.7 no texto. Quando as taxas das letras do Tesouro estiveram mais altas no período de 1926 até 2011? Por que você acha que elas estavam tão altas durante esse período? Que relação subjaz à sua resposta?

6. **Prêmios pelo risco** É possível que o prêmio pelo risco seja negativo antes que um investimento seja feito? O prêmio pelo risco pode ser negativo depois disso? Explique.

7. **Retornos** Há dois anos, os preços das ações da Materiais Gerais e da Consertos Padrão eram iguais. Durante o primeiro ano, o preço da ação da Materiais Gerais subiu 10%, enquanto o da Consertos Padrão caiu 10%. Durante o segundo ano, o preço da ação da Materiais Gerais caiu 10% e o da Consertos Padrão subiu 10%. Essas duas ações têm o mesmo preço hoje? Explique.

8. **Retornos** Há dois anos, os preços das ações da Minérios do Lago e da Móveis Cidade eram iguais. O retorno médio anual de ambas as ações nos últimos dois anos foi de 10%. O preço da ação da Minérios do Lago subiu 10% a cada ano. O preço da ação da Móveis Cidade subiu 25% no primeiro ano e perdeu 5% no ano passado. Essas duas ações têm o mesmo preço hoje?

9. **Retorno aritmético *versus* retorno geométrico** Qual é a diferença entre os retornos aritméticos e os geométricos? Suponha que você tenha investido em uma ação nos últimos dez anos. Qual número é mais importante para você: o retorno aritmético ou o geométrico?

10. **Retornos históricos** Os retornos históricos de classes de ativos apresentados no capítulo não foram ajustados para a inflação. O que aconteceria ao prêmio estimado para o risco se levássemos a inflação em conta? Os retornos também não foram ajustados para os tributos. O que aconteceria aos retornos se os tributos fossem considerados? O que aconteceria com a volatilidade?

QUESTÕES E PROBLEMAS

BÁSICO
(Questões 1-18)

1. **Cálculo de retornos** Suponha que uma ação tenha um preço inicial de $ 75, pague dividendos de $ 1,20 por ação no ano e tenha um preço final de $ 86. Calcule o retorno percentual total.

2. **Cálculo de retornos** No Problema 1, qual foi o retorno em dividendos? E o retorno em ganhos de capital?

3. **Cálculo de retornos** Refaça os problemas 1 e 2 supondo que o preço final da ação seja $ 67.

4. **Cálculo de retornos** Suponha que você tenha comprado um título de dívida com cupom de 6% há um ano por $ 1.040. Hoje ele é negociado por $ 1.063.

    a. Supondo um valor nominal de $ 1 mil, qual foi o seu retorno monetário total sobre esse investimento no último ano?

    b. Qual foi a taxa de retorno nominal total desse investimento no ano passado?

    c. Se a taxa de inflação no último ano foi de 3%, qual foi a taxa de retorno real total desse investimento?

5. **Retorno nominal *versus* retorno real** Qual foi o retorno aritmético anual médio das ações de grandes empresas de 1926 até 2011 nos Estados Unidos?

    a. E em termos nominais?

    b. E em termos reais?

6. **Retornos de títulos** Qual é o retorno real histórico dos títulos de longo prazo do Tesouro dos Estados Unidos? E dos títulos de dívida corporativa de longo prazo?

7. **Cálculo de retornos e variabilidade** Usando os retornos a seguir, calcule os retornos médios, as variâncias e os desvios padrão de *X* e *Y*:

Ano	Retornos X	Retornos Y
1	8%	12%
2	21	27
3	−27	−32
4	11	18
5	18	24

8. **Prêmios pelo risco** Consulte o Quadro 10.1 do texto e analise o período de 1973 até 1978.

    a. Calcule os retornos médios aritméticos das ações de grandes empresas e das letras do Tesouro ao longo desse período.

    b. Calcule o desvio padrão dos retornos das ações de grandes empresas e das letras do Tesouro ao longo desse período.

    c. Calcule o prêmio pelo risco observado em cada ano para as ações de grandes empresas *versus* as letras do Tesouro. Qual foi o prêmio pelo risco médio aritmético nesse período? Qual foi o desvio padrão do prêmio pelo risco nesse período?

9. **Cálculo de retornos e variabilidade** Você observou os seguintes retornos sobre as ações da Banco de Dados da Ana S/A nos últimos cinco anos: 27%, 13%, 18%, −14% e 9%.

    a. Qual foi o retorno médio aritmético sobre as ações da Banco de Dados da Ana ao longo desse período de cinco anos?

    b. Qual foi a variância dos retornos da Banco de Dados da Ana nesse período? E o desvio padrão?

10. **Cálculo de retornos reais e prêmios pelo risco** No Problema 9, suponha que a taxa média de inflação nesse período fosse de 4,2% e a taxa média das letras do Tesouro fosse de 5,1%.

    a. Qual foi o retorno real médio sobre das ações da Banco de Dados da Ana?

    b. Qual foi o prêmio pelo risco nominal médio sobre as ações da Banco de Dados da Ana?

11. **Cálculo de taxas reais** Dadas as informações do Problema 10, qual foi a taxa real média sem risco nesse período? Qual foi o prêmio real médio pelo risco?

12. **Retorno do período de investimento** Uma ação teve retornos de 16,12%, 12,11%, 5,83%, 26,14% e −13,19% nos últimos cinco anos, respectivamente. Qual foi o retorno do período de investimento da ação?

13. **Cálculo de retornos** Você comprou um título de cupom zero há um ano por $ 109,83. A taxa de juros de mercado é de 9% agora. Se o título de dívida tivesse vencimento em 25 anos quando foi originalmente adquirido, qual seria seu retorno total no último ano?

14. **Cálculo de retornos** Você comprou uma ação preferencial que paga dividendo fixo de 4% por $ 94,89 no ano passado. O preço de mercado de sua ação agora é $ 96,12. Qual foi seu retorno total do ano passado?

15. **Cálculo de retornos** Você comprou ações por $ 43,18 cada há três meses. Elas não pagaram dividendos. O preço corrente das ações é $ 46,21. Qual é a TNa de seu investimento? E a TEFa?

16. **Cálculo de retornos reais** Consulte o Quadro 10.1. Qual foi o retorno real médio das letras do Tesouro dos Estados Unidos de 1926 até 1932?

17. **Distribuições de retornos** Consulte o Quadro 10.2. Qual intervalo de retornos você esperaria ver 68% das vezes para os títulos de dívida corporativa de longo prazo? E quanto a 95% das vezes?

18. Distribuições de retornos Consulte o Quadro 10.2. Qual intervalo de retornos você esperaria ver 68% das vezes para as ações de grandes empresas? E quanto a 95% das vezes?

INTERMEDIÁRIO
(Questões 19-26)

19. Cálculo de retornos e variabilidade Você encontra certa ação que tem retornos de 12%, −21%, 9% e 32% para quatro dos últimos cinco anos. Se o retorno médio da ação nesse período foi de 11%, qual foi o retorno da ação no ano que está faltando? Qual é o desvio padrão dos retornos dessa ação?

20. Retornos aritméticos e geométricos Uma ação teve retornos de 27%, 12%, 32%, −12%, 19% e −31% nos últimos seis anos. Quais são os retornos aritmético e geométrico dessa ação?

21. Retornos aritméticos e geométricos Uma ação teve os seguintes preços e dividendos no fim do ano:

Ano	Preço	Dividendos
1	$ 61,18	—
2	64,83	$ 0,72
3	72,18	0,78
4	63,12	0,86
5	69,27	0,95
6	76,93	1,08

Quais são os retornos aritmético e geométrico dessa ação?

22. Cálculo de retornos Consulte o Quadro 10.1 do livro e observe o período de 1973 até 1980.

  a. Calcule o retorno médio para as letras do Tesouro e a taxa de inflação média anual (índice de preços ao consumidor) desse período.

  b. Calcule o desvio padrão dos retornos sobre as letras do Tesouro e da inflação ao longo desse período.

  c. Calcule o retorno real de cada ano. Qual é o retorno médio real das letras do Tesouro?

  d. Muitas pessoas consideram que as letras do Tesouro não têm riscos. O que esses cálculos nos dizem acerca do risco potencial das letras do Tesouro?

23. Cálculo de retornos de investimento Você comprou um dos títulos da Bergen Manufacturing Co. com cupom de 7% por $ 1.080,50 há um ano. Esses títulos fazem pagamentos anuais e têm vencimento daqui a seis anos. Suponha que você decida vender seus títulos hoje, quando o retorno exigido sobre eles é de 5,5%. Se a taxa de inflação foi de 3,2% no ano passado, qual seria seu retorno real total nesse investimento?

24. Uso de distribuições de retornos Suponha que os retornos dos títulos de longo prazo do Tesouro tenham distribuição normal. Com base no registro histórico, qual é a probabilidade aproximada de que o retorno desses títulos seja menor que −3,7% em um determinado ano? Que intervalo de retornos você esperaria ver em 95% das vezes? Que intervalo você esperaria ver em 99% das vezes?

25. Uso de distribuições de retornos Supondo que os retornos das ações de empresas pequenas tenham distribuição normal, qual é a probabilidade aproximada de que seu dinheiro vá duplicar de valor em um único ano? E quanto à triplicação de valor?

26. Distribuições No problema anterior, qual é a probabilidade de que o retorno seja menor do que −100%? (Pense.) Quais são as implicações para a distribuição dos retornos?

DESAFIO
(Questões 27-28)

27. Uso de distribuições de probabilidade Suponha que os retornos das ações de grandes empresas tenham distribuição normal. Baseado no registro histórico, utilize a função DIST.NORM (NORMDIST) no Excel® para determinar a probabilidade de que, em um determinado ano, você vá perder dinheiro investindo em ações ordinárias.

28. **Uso de distribuições de probabilidade** Suponha que os retornos dos títulos de dívida corporativa de longo prazo e as letras do Tesouro tenham distribuição normal. Baseado no registro histórico do mercado norte-americano, utilize a função DIST.NORM (NORMDIST) no Excel® para responder às seguintes perguntas:

   a. Qual é a probabilidade de que, em um determinado ano, o retorno dos títulos de dívida corporativa de longo prazo seja maior que 10%? E menor que 0%?

   b. Qual é a probabilidade de que, em um determinado ano, o retorno das letras do Tesouro seja maior que 10%? E menor que 0%?

   c. Em 1979, o retorno dos títulos de dívida corporativa de longo prazo foi de −4,18%. Quão provável é que esse retorno baixo vá ocorrer em algum ponto do futuro? As letras do Tesouro tiveram um retorno de 10,56% nesse mesmo ano. Quão provável é que esse retorno alto das letras do Tesouro vá ocorrer em algum ponto do futuro?

DOMINE O EXCEL!

Como já vimos, ao longo do período de 1926-2011, as ações de pequenas empresas tiveram o maior retorno e o maior risco, ao passo que as letras do Tesouro dos Estados Unidos tiveram o menor retorno e o menor risco. Embora certamente esperemos que você tenha um período de 86 anos de investimento, é provável que seu horizonte de investimento seja um tanto mais curto. Uma maneira de examinar riscos e retornos em um período mais curto de investimento é com o uso de retornos e de desvios padrão móveis. Suponha que você tenha uma série de retornos anuais e queira calcular um retorno médio móvel de três anos. Você calcularia a primeira média móvel no Ano 3 usando os retornos dos três primeiros anos. A próxima média móvel seria calculada usando os retornos dos anos 2, 3 e 4, e assim por diante.

a. Utilizando os retornos anuais de ações de grandes empresas e letras do Tesouro, calcule o retorno médio móvel e o desvio padrão móvel de cinco e dez anos.

b. Por quantos períodos de cinco anos as letras do Tesouro superam as ações de grandes empresas? E por quantos períodos de dez anos?

c. Por quantos períodos de cinco anos as letras do Tesouro têm um desvio padrão maior do que as ações de grandes empresas? E por quantos períodos de dez anos?

d. Faça um gráfico dos retornos médios móveis de cinco e dez anos das ações de grandes empresas e das letras do Tesouro.

e. Que conclusões você obtém dos resultados dessas questões?

MINICASO

Emprego na Iates Litoral

Você recentemente se formou na faculdade, e sua busca de emprego o levou até a Iates Litoral. Percebendo que os negócios da empresa estavam decolando, você aceitou o emprego. No primeiro dia de trabalho, enquanto concluía a papelada exigida, Daniel Rodrigues, do departamento de finanças, foi informá-lo sobre o plano 401(k)* da empresa.

Um plano 401(k) é um plano de aposentadoria oferecido por muitas empresas. Esses planos são veículos de poupança com tributo diferido, ou seja, todos os depósitos que você fizer no plano são dedutíveis da sua renda bruta corrente, assim, nenhum tributo corrente é pago sobre esse dinheiro. Por exemplo, suponha que seu salário seja de $ 50 mil por ano. Se contribuir com $ 3 mil para o plano 401(k), você pagará tributos apenas sobre $ 47 mil de renda. Também não são pagos tributos sobre qualquer ganho de capital ou receita enquanto você investir no plano, mas você os pagará quando sacar o dinheiro ao se apo-

---

* No Brasil, o equivalente ao plano 401(k) é o PGBL – Plano Gerador de Benefícios Livres.

sentar. Como é bastante comum acontecer, a empresa também tem uma contrapartida de 5%. Isso significa que a empresa colaborará com até 5% do seu salário, mas você precisa contribuir para obter a contrapartida.

O plano 401(k) tem diversas opções para investimentos, e a maioria delas é formada por fundos de investimentos. Um fundo de investimento é uma carteira de ativos. Quando você compra cotas de um fundo, está, na verdade, comprando uma participação nos ativos dele. O retorno do fundo é a média ponderada dos retornos dos ativos possuídos por ele menos as despesas. A maior despesa geralmente é a taxa de administração paga ao administrador do fundo. A taxa de administração é uma remuneração para o administrador, que toma todas as decisões de investimento do fundo.

A Iates Litoral usa a Bledsoe Financial Services como sua administradora do plano 401(k). A seguir estão as opções de investimento oferecidas para os funcionários:

Ações da empresa Uma opção do plano 401(k) são as ações da Iates Litoral. No momento, a empresa tem capital fechado. Entretanto, quando você conversou sobre isso com a proprietária, Larissa Dias, ela informou que esperava abrir o capital da empresa nos próximos três ou quatro anos. Até lá, o preço da ação da empresa é simplesmente definido a cada ano por seu conselho de administração.

Fundo Bledsoe do índice S&P 500 Este fundo de investimento acompanha o índice S&P 500. As ações do fundo são ponderadas exatamente como no S&P 500. Isso significa que o retorno do fundo é aproximadamente o retorno do S&P 500 menos as despesas. Como um fundo de índice compra ativos com base na composição que esteja seguindo, o administrador do fundo não precisa pesquisar as ações nem tomar decisões de investimento. O resultado é que as despesas do fundo, em geral, são baixas. O Fundo Bledsoe do índice S&P 500 cobra taxa de administração de 0,15% dos ativos por ano.

Fundo Bledsoe de pequenas empresas Este fundo investe principalmente em ações de baixa capitalização. Sendo assim, os retornos do fundo são mais voláteis. O fundo também pode investir 10% de seus ativos em empresas localizadas fora do país. Este fundo cobra 1,70% de taxa de administração.

Fundo Bledsoe de ações de grandes empresas Este fundo investe principalmente em ações de grande capitalização de empresas norte-americanas. O fundo é administrado por Evan Bledsoe e teve desempenho acima da média do mercado em seis dos últimos oito anos. Este fundo cobra 1,50% de taxa de administração.

Fundo Bledsoe de títulos de dívida Este fundo investe em títulos de dívida corporativa de longo prazo emitidos por empresas norte-americanas. O fundo é restrito aos investimentos em títulos com grau de investimento de acordo com as classificações de crédito. Este fundo cobra 1,40% de taxa de administração.

Fundo Bledsoe do mercado monetário Este fundo investe em instrumentos de dívida de curto prazo com alta qualidade de crédito, os quais incluem as letras do Tesouro. Como tal, o retorno do fundo do mercado monetário só é ligeiramente mais alto do que o das letras do Tesouro. Devido à qualidade do crédito e à natureza de curto prazo dos investimentos, existe apenas um ligeiro risco de retorno negativo. Este fundo cobra 0,60% de taxa de administração.

1. Que vantagens os fundos de investimento oferecem comparados às ações da empresa?

2. Suponha que você tenha investido 5% de seu salário e receba a contrapartida completa de 5% da Iates Litoral. Qual TEFa você recebe da contrapartida? Quais conclusões você tira acerca dos planos com contrapartida?

3. Suponha que você decida que deve investir pelo menos parte do seu dinheiro em ações de alta capitalização de empresas nacionais. Quais são as vantagens e as desvantagens de escolher o Fundo Bledsoe de ações de grandes empresas em comparação ao Fundo Bledsoe do índice S&P 500?

4. Os retornos do Fundo Bledsoe de pequenas empresas são os mais voláteis de todos os oferecidos no plano 401(k). Por que você desejaria investir nesse fundo? Quando você examinar as despesas dos fundos, notará que ele também tem as taxas de administração mais altas. Isso afeta a sua decisão de investir nele?

5. Uma medida do desempenho ajustada ao risco que é frequentemente usada é o índice de Sharpe. O índice de Sharpe é calculado como o prêmio pelo risco de um ativo dividido pelo seu desvio padrão. O desvio padrão e os retornos dos fundos nos últimos dez anos estão listados aqui. Calcule o índice de Sharpe de cada um desses fundos. Suponha que o retorno esperado e o desvio padrão das ações da empresa serão de 16% e 65%, respectivamente. Calcule o índice de Sharpe das ações da empresa. Quão apropriado é o índice de Sharpe para esses ativos? Quando você o utilizaria? Presuma uma taxa sem risco de 3,2%.

	Retorno anual de Dez anos	Desvio padrão
Fundo Bledsoe do índice S&P 500	9,18%	20,43%
Fundo Bledsoe de baixa capitalização	14,12	25,13
Fundo Bledsoe de ações de grandes empresas	8,58	23,82
Fundo Bledsoe de títulos de dívida	6,45	9,85

6. Qual carteira você escolheria para a alocação de seus recursos? Por quê? Explique detalhadamente o seu raciocínio.

11 Retorno e Risco

MODELO DE PRECIFICAÇÃO DE ATIVOS FINANCEIROS (CAPM)

Para ficar por dentro dos últimos acontecimentos na área de finanças, visite **www.rwjcorporatefinance.blogspot.com**.

Pode haver uma grande variação entre os retornos esperados de ações. Um fator determinante de grande importância é o setor no qual a produção da empresa emitente da ação está inserida. Por exemplo, conforme previsões recentes da Morningstar, o retorno mediano esperado para lojas de departamento, o que inclui empresas como a Sears e a Kohl's, é de 14,47%, enquanto companhias de transporte aéreo como a Delta e a Southwest apresentam um retorno mediano esperado de 10,99%. Empresas de *software* como a Microsoft e a Oracle têm um retorno esperado mediano de 11,61%.

Essas estimativas nos levam a fazer algumas perguntas óbvias. Primeiro, por que os retornos esperados desses setores se diferenciam tanto e como esses números específicos são calculados? Além disso, o retorno mais alto oferecido pelas ações das lojas de departamento significa que os investidores terão por elas uma preferência maior do que pelas empresas de transporte aéreo, por exemplo? Como veremos neste capítulo, as respostas vencedoras do prêmios Nobel para essas perguntas constituem a base para a nossa compreensão moderna de risco e retorno.

Domine a habilidade de solucionar os problemas deste capítulo usando uma planilha. Acesse Excel Master no *site* www.grupoa.com.br, procure pelo livro e clique em Conteúdo *Online*.

11.1 Títulos individuais

Na primeira parte deste capítulo, analisamos as características dos títulos individuais. Em especial, discutimos os pontos a seguir:

1. *Retorno esperado*: Trata-se do retorno que alguém espera de uma ação para o próximo período. É claro que, sendo apenas uma expectativa, o retorno observado pode ser maior ou menor. Essa expectativa pode ser simplesmente o retorno médio por período que um título obteve no passado. Outras possibilidades seriam a expectativa ser baseada em: uma análise detalhada das perspectivas da empresa, um modelo computacional ou informações privilegiadas (informações internas).

2. *Variância e desvio padrão*: Há muitas maneiras de avaliar a volatilidade do retorno de um título. Uma das mais comuns é por meio da variância, que é uma medida ao quadrado dos desvios dos retornos de um título em relação a seu retorno esperado. O desvio padrão é a raiz quadrada da variância.

3. *Covariância e correlação*: Os retornos de títulos individuais são relacionados uns aos outros. A covariância é uma estatística que mede a inter-relação entre os retornos de dois títulos. Como alternativa, essa inter-relação pode ser apresentada em termos da correlação entre os dois títulos. A covariância e a correlação são elementos fundamentais para que se compreenda o coeficiente *beta*.

11.2 Retorno esperado, variância e covariância

Retorno esperado e variância

Suponhamos que analistas financeiros acreditem que haja quatro estados da economia com probabilidades iguais, sendo eles: estados de depressão, de recessão, de normalidade e de expansão. É esperado que os retornos da Companhia Supertech acompanhem a economia, enquanto os retornos da Companhia Slowpoke não o façam. As previsões de retorno são as seguintes:

ExcelMaster
cobertura *online*

Esta seção apresenta as funções CLASSIFICAR, COVAR e CORREL.

	Retornos da Supertech R_{At}	Retornos da Slowpoke R_{Bt}
Depressão	−20%	5%
Recessão	10	20
Normalidade	30	−12
Expansão	50	9

A variância pode ser calculada em quatro etapas. Para calcular o desvio padrão, mais uma etapa deve ser feita. (Os cálculos são apresentados no Quadro 11.1.) As etapas são as seguintes:

1. Calcule o retorno esperado:

Supertech
$$\frac{-0{,}20 + 0{,}10 + 0{,}30 + 0{,}50}{4} = 0{,}175 = 17{,}5\% = \overline{R}_A$$

Slowpoke
$$\frac{0{,}05 + 0{,}20 - 0{,}12 + 0{,}09}{4} = 0{,}055 = 5{,}5\% = \overline{R}_B$$

2. Para cada empresa, calcule o desvio de cada retorno em relação ao retorno esperado previamente conhecido. Essa etapa é representada na terceira coluna do Quadro 11.1.

3. Os desvios que calculamos são indicadores da dispersão dos retornos. No entanto, como alguns são positivos e outros negativos, é difícil trabalhar com eles nessa forma. Por exemplo, se simplesmente somássemos todos os desvios para uma só empresa, o resultado seria zero.

   Para que os desvios sejam mais significativos, multiplicamos cada um por ele mesmo. Assim, todos os números serão positivos, o que implica que a soma deles também será positiva. Os desvios ao quadrado são apresentados na última coluna do Quadro 11.1.

4. Para cada empresa, calcule o desvio ao quadrado médio, que é a variância:[1]

Supertech
$$\frac{0{,}140625 + 0{,}005625 + 0{,}015625 + 0{,}105625}{4} = 0{,}066875$$

---

[1] No exemplo, os quatro estados provocam quatro resultados possíveis. O retorno esperado é calculado com a média ponderada da probabilidade dos resultados possíveis. Para a Supertech,

$$0{,}25 \times (-0{,}20) + 0{,}25 \times 0{,}10 + 0{,}25 \times 0{,}30 + 0{,}25 \times 0{,}50 = 0{,}175$$

Como os quatro resultados possíveis têm probabilidades iguais de acontecer, podemos simplificar apenas somando-os e dividindo o valor por 4. Se os resultados não forem igualmente prováveis, essa simplificação não é aplicável.

O mesmo tipo de cálculo é necessário para a variância. Calculamos a média ponderada da probabilidade dos desvios ao quadrado. Para a Supertech,

$$0{,}25 \times 0{,}140625 + 0{,}25 \times 0{,}005625 + 0{,}25 \times 0{,}015625 + 0{,}25 \times 0{,}105625 = 0{,}066875$$

O resultado é o mesmo que somar todos os desvios possíveis ao quadrado e dividir por 4.

Se usarmos dados históricos (como no Capítulo 10), o divisor será sempre o número de observações históricas menos 1.

QUADRO 11.1 Cálculo da variância e do desvio padrão

(1) Estado da economia	(2) Taxa de retorno	(3) Desvio do retorno esperado	(4) Valor do desvio ao quadrado
	Supertech	(Retorno esperado = 0,175)	
	R_{At}	$(R_{At} - \overline{R}_A)$	$(R_{At} - \overline{R}_A)^2$
Depressão	−0,20	−0,375 (= −0,20 − 0,175)	0,140625 [= (−0,375)²]
Recessão	0,10	−0,075	0,005625
Normalidade	0,30	0,125	0,015625
Expansão	0,50	0,325	0,105625
	Slowpoke	(Retorno esperado = 0,055)	
	R_{Bt}	$(R_{Bt} - \overline{R}_B)$	$(R_{Bt} - \overline{R}_B)^2$
Depressão	0,05	−0,005 (= 0,05 − 0,055)	0,000025 [= (−0,005)²]
Recessão	0,20	0,145	0,021025
Normalidade	−0,12	−0,175	0,030625
Expansão	0,09	0,035	0,001225

Slowpoke

$$\frac{0,000025 + 0,021025 + 0,030625 + 0,001225}{4} = 0,013225$$

Assim, a variância da Supertech é 0,066875, enquanto a variância da Slowpoke é 0,013225.

5. Calcule o desvio padrão obtendo a raiz quadrada da variância:

Supertech

$$\sqrt{0,066875} = 0,2586 = 25,86\%$$

Slowpoke

$$\sqrt{0,013225} = 0,1150 = 11,50\%$$

Algebricamente, a fórmula para a variância pode ser expressa como:

$$\text{Var}(R) = \text{Valor esperado de } (R - \overline{R})^2$$

Nessa fórmula, $\overline{R}$ é o retorno esperado do título, e R é o retorno observado.

Uma análise do cálculo de quatro etapas para obtermos a variância esclarece o motivo de ela ser uma medida de dispersão da amostra de retornos. Para cada observação, elevamos ao quadrado a diferença entre o retorno observado e o retorno esperado. Depois disso, fazemos a média dos quadrados dessas diferenças. Elevar as diferenças ao quadrado faz com que todas elas sejam positivas. Se usássemos as diferenças entre cada retorno e o retorno esperado e, depois, fizéssemos a média dessas diferenças, obteríamos zero como resultado, pois os retornos que fossem acima da média anulariam os que estivessem abaixo.

No entanto, como a variância continua sendo expressa em um valor ao quadrado, a interpretação é difícil. A interpretação do desvio padrão, apresentada na Seção 10.5, é muito mais simples. O desvio padrão é a raiz quadrada da variância. A fórmula geral do desvio padrão é:

$$\text{DP}(R) = \sqrt{\text{Var}(R)}$$

Covariância e correlação

A variância e o desvio padrão medem a variabilidade dos retornos de ações individuais. Agora, queremos medir a relação entre o retorno de uma ação e o retorno de outra. É neste momento que entram em cena a **covariância** e a **correlação**.

A covariância e a correlação medem como duas variáveis aleatórias estão relacionadas. Vamos explicar esses termos continuando o exemplo da Supertech e da Slowpoke.

EXEMPLO 11.1 Cálculo da covariância e da correlação

Já determinamos os retornos esperados e os desvios padrão tanto para a Supertech quanto para a Slowpoke. (Os retornos esperados são 0,175 e 0,055 para Supertech e Slowpoke, respectivamente. Os desvios padrão são 0,2586 e 0,1150, também respectivamente.) Além disso, calculamos o desvio de cada retorno possível em relação ao retorno esperado para cada empresa. Com esses dados, podemos calcular a covariância em duas etapas. Para calcular a correlação, mais uma etapa deve ser realizada.

1. Para cada estado da economia, multiplique o desvio do retorno esperado da Supertech pelo desvio do retorno esperado da Slowpoke. Por exemplo, a taxa de retorno da Supertech em uma depressão é −0,20, que é −0,375 de seu retorno esperado (= −0,20 − 0,175). A taxa de retorno da Slowpoke em uma depressão é 0,05, que é −0,005 de seu retorno esperado (=0,05 − 0,055). A multiplicação dos dois desvios juntos resulta em 0,001875 [=(−0,375) × (−0,005)]. Os cálculos são apresentados na última coluna do Quadro 11.2. Esse procedimento pode ser escrito algebricamente assim:

$$(R_{At} - \overline{R}_A) \times (R_{Bt} - \overline{R}_B) \tag{11.1}$$

em que R_{At} e R_{Bt} são os retornos da Supertech e da Slowpoke no estado t. $\overline{R}_A$ e $\overline{R}_B$ são os retornos esperados dos dois títulos.

2. Calcule o valor médio dos quatro estados na última coluna. Essa média é a covariância. Ou seja:[2]

$$\sigma_{AB} = \text{Cov}(R_A, R_B) = \frac{-0{,}0195}{4} = -0{,}004875$$

$$\rho_{AB} = \text{Corr}(R_A, R_B) = \frac{\text{Cov}(R_A, R_B)}{\text{DP}(R_A) \times \text{DP}(R_B)} = \frac{-0{,}004875}{0{,}2586 \times 0{,}1150} = -0{,}1639$$

(continua)

QUADRO 11.2 Cálculo da covariância e da correlação

Estado da economia	Taxa de retorno da Supertech R_{At}	Desvio do retorno esperado $(R_{At} - \overline{R}_A)$	Taxa de retorno da Slowpoke R_{Bt}	Desvio do retorno esperado $(R_{Bt} - \overline{R}_B)$	Produto dos desvios $(R_{At} - \overline{R}_A) \times (R_{Bt} - \overline{R}_B)$
		(Retorno esperado = 0,175)		(Retorno esperado = 0,055)	
Depressão	−0,20	−0,375 (= −0,20 − 0,175)	0,05	−0,005 (= 0,05 − 0,055)	0,001875 (= −0,375 × −0,005)
Recessão	0,10	−0,075	0,20	0,145	−0,010875 (= −0,075 × 0,145)
Normalidade	0,30	0,125	−0,12	−0,175	−0,021875 (= 0,125 × −0,175)
Expansão	0,50	0,325	0,09	0,035	0,011375 (= 0,325 × 0,035)
					−0,0195

---

[2] Como no caso da variância, fazemos a divisão por N (4, neste exemplo), porque os quatro estados provocam quatro resultados igualmente *possíveis*.

(continuação)

Observe que representamos a covariância entre a Supertech e a Slowpoke como Cov(R_A, R_B) ou σ_{AB}. A Equação 11.1 ilustra a intuição da covariância. Suponhamos que o retorno da Supertech seja acima de sua média quando o retorno da Slowpoke estiver acima de sua média e que o retorno da Supertech seja abaixo de sua média quando o retorno da Slowpoke estiver abaixo de sua média. Isso mostra uma dependência positiva ou uma relação positiva entre os dois retornos. Observe que o termo na Equação 11.1 será *positivo* em qualquer estado em que ambos os retornos estejam acima de suas médias. Além disso, a Equação 11.1 continuará sendo *positiva* em qualquer estado em que os dois retornos estejam abaixo de suas médias. Portanto, uma relação positiva entre dois retornos resultará em um valor positivo de covariância.

De modo contrário, suponhamos que o retorno da Supertech seja acima de sua média quando o retorno da Slowpoke estiver abaixo de sua média e que o retorno da Supertech seja abaixo de sua média quando o retorno da Slowpoke estiver acima de sua média. Isso mostra uma dependência negativa ou uma relação negativa entre os dois retornos. Observe que o termo na Equação 11.1 será *negativo* em qualquer estado em que um retorno esteja acima de sua média e outro, abaixo de sua média. Portanto, uma relação negativa entre dois retornos resultará em um valor negativo de covariância.

Por fim, suponhamos que não haja relação entre os dois retornos. Nesse caso, saber se o retorno da Supertech está acima ou abaixo de seu retorno esperado não nos fornece informação alguma sobre o retorno da Slowpoke. Na fórmula de covariância, não haverá uma tendência para que os desvios sejam positivos ou negativos juntos. Em média, os valores tenderão a se compensar e anular mutuamente, fazendo com que a covariância seja zero.

É claro que, mesmo se os dois retornos não forem relacionados um ao outro, a fórmula de covariância não será exatamente igual a zero em nenhuma situação real. A razão de isso acontecer é o erro amostral. A própria aleatoriedade fará com que o cálculo gere um resultado positivo ou negativo. Porém, no caso de uma amostragem histórica longa o suficiente, se os dois retornos não forem relacionados um ao outro, devemos esperar que a covariância se aproxime de zero.

A fórmula de covariância parece capturar o que estamos procurando. Se os dois retornos forem positivamente relacionados, terão uma covariância positiva, ao passo que, se eles forem negativamente relacionados, a covariância será negativa. Por fim, mas não menos importante, se eles não forem relacionados, a covariância deveria ser zero.

A fórmula para a covariância pode ser escrita algebricamente como:

$$\sigma_{AB} = \text{Cov}(R_A, R_B) = \text{Valor esperado de } [(R_{At} - \overline{R}_A)(R_{Bt} - \overline{R}_B)]$$

Na fórmula, $\overline{R}_A$ e $\overline{R}_B$ são os retornos esperados dos dois títulos, e R_A e R_B são os retornos observados. A ordem das duas variáveis não é relevante. Ou seja, a covariância entre A e B é igual à covariância entre B e A. Essa associação pode ser declarada de modo mais formal como Cov(R_A, R_B) = Cov(R_B, R_A) ou $\sigma_{AB} = \sigma_{BA}$.

A covariância que calculamos é de −0,004875. Um número negativo como esse implica que o retorno de uma ação provavelmente será acima de sua média quando o retorno da outra ação estiver abaixo de sua média, e vice-versa. No entanto, é difícil interpretar o tamanho do número. Como no caso do valor da variância, a covariância se dá em unidades de desvio ao quadrado. Até conseguirmos colocar o valor em perspectiva, não saberemos qual informação tirar dele.

A solução do problema é calcular a correlação.

3. Para calcular a correlação, divida a covariância pelo produto dos desvios padrão dos dois títulos. Para nosso exemplo, temos:

$$\rho_{AB} = \text{Corr}(R_A, R_B) = \frac{\text{Cov}(R_A, R_B)}{\sigma_A \times \sigma_B} = \frac{-0{,}004875}{0{,}2586 \times 0{,}1150} = -0{,}1639 \qquad (11.2)$$

Na fórmula, σ_A e σ_B são os desvios padrão da Supertech e da Slowpoke, respectivamente. Observe que representamos a correlação entre a Supertech e a Slowpoke como Corr(R_A, R_B) ou ρ_{AB}. Assim como no caso da covariância, a ordem das duas variáveis não é relevante. Ou seja, a correlação entre A e B é igual à correlação entre B e A. De modo mais formal, Corr(R_A, R_B) = Corr(R_B, R_A) ou $\rho_{AB} = \rho_{BA}$.

Como o desvio padrão é sempre positivo, o sinal da correlação entre duas variáveis deve ser igual ao sinal da covariância entre as mesmas variáveis. Se a correlação for positiva, dizemos que as variáveis estão *positivamente correlacionadas*; se ela for negativa, dizemos que as variáveis estão *negativamente correlacionadas*; se ela for zero, dizemos que as variáveis *não são correlacionadas*. Além disso, pode ser provado que o valor da correlação está sempre entre +1 e −1. Isso acontece em virtude do procedimento de padronização de dividir pelos dois desvios padrão.

Também podemos comparar a correlação entre *pares* diferentes de títulos. Por exemplo, a correlação entre a General Motors e a Ford é muito mais alta do que a correlação entre a General Motors e a IBM. Por isso, podemos afirmar que o primeiro par de títulos é mais inter-relacionado que o segundo.

A Figura 11.1 mostra os três casos de referência para dois ativos, A e B. A figura apresenta dois ativos com correlações de retorno de +1, −1 e 0. Isso implica uma perfeita correlação positiva, perfeita correlação negativa e não correlação, respectivamente. Os gráficos da figura representam os retornos separados dos dois títulos ao longo do tempo.

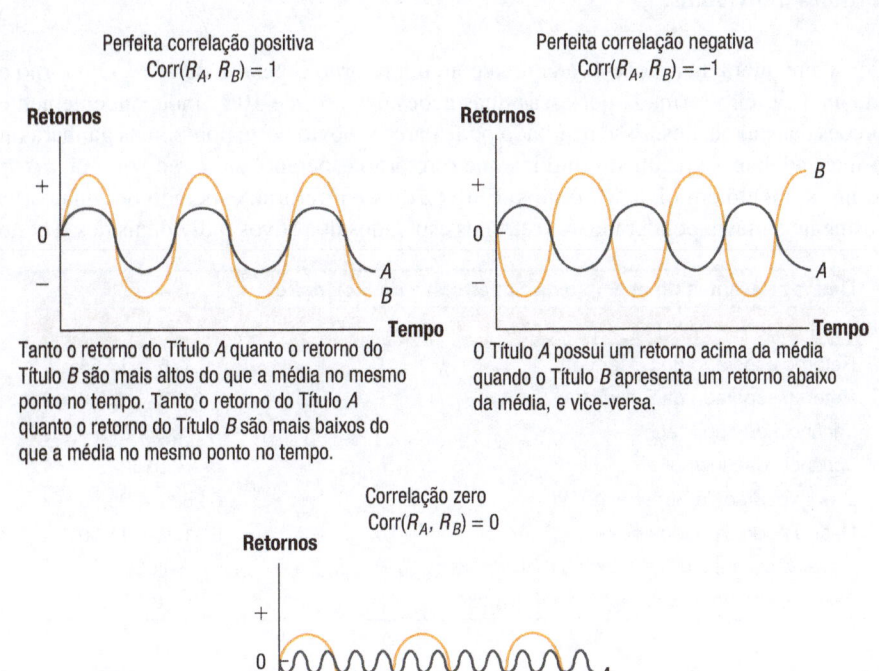

FIGURA 11.1 Exemplos de coeficientes de correlação diferentes. Representação em gráficos dos retornos de dois títulos ao longo do tempo.

ExcelMaster
cobertura
online

11.3 Retorno e risco para carteiras

Suponhamos que um investidor possua estimativas dos retornos esperados e dos desvios padrão de títulos individuais e as correlações entre os retornos desses títulos. Como o investidor consegue escolher a melhor combinação ou a melhor *carteira* de títulos para manter? Certamente o investidor prefere uma carteira com um retorno esperado alto e um desvio padrão de retornos baixo. Portanto, é válido considerar:

1. A relação entre os retornos esperados de títulos individuais e o retorno esperado de uma carteira formada por esses títulos.
2. A relação entre os desvios padrão de títulos individuais, as correlações entre esses títulos e o desvio padrão de uma carteira formada por esses títulos.

Para analisar essas duas relações, usaremos o mesmo exemplo da Supertech e da Slowpoke. Os cálculos relevantes são apresentados a seguir.

Retorno esperado de uma carteira

A fórmula do retorno esperado de uma carteira é muito simples:

> **O retorno esperado de uma carteira é uma média ponderada dos retornos esperados dos títulos individuais.**

Considere agora duas ações, cada uma com um retorno esperado de 10%. O retorno esperado de uma carteira formada por essas duas ações deve ser de 10%, independentemente das proporções das duas ações. Esse resultado pode parecer óbvio neste ponto, mas ganhará importância mais adiante. O resultado implica que o retorno esperado não é reduzido ou *dissipado* com o investimento em diversos títulos. Em vez disso, o retorno esperado de uma carteira é simplesmente a média ponderada dos retornos esperados dos ativos individuais dessa carteira.

Dados relevantes do exemplo da Supertech e da Slowpoke		
Item	Símbolo	Valor
Retorno esperado da Supertech	R_{Super}	0,175 = 17,5%
Retorno esperado da Slowpoke	R_{Slow}	0,055 = 5,5%
Variância da Supertech	σ^2_{Super}	0,066875
Variância da Slowpoke	σ^2_{Slow}	0,013225
Desvio padrão da Supertech	σ_{Super}	0,2586 = 25,86%
Desvio padrão da Slowpoke	σ_{Slow}	0,1150 = 11,50%
Covariância entre a Supertech e a Slowpoke	$\sigma_{Super,Slow}$	−0,004875
Correlação entre a Supertech e a Slowpoke	$\rho_{Super,Slow}$	−0,1639

EXEMPLO 11.2 Retornos esperados de uma carteira

Consideremos a Supertech e a Slowpoke. Por meio dos cálculos anteriores, descobrimos que os retornos esperados desses dois títulos são 17,5% e 5,5%, respectivamente.

O retorno esperado de uma carteira formada somente por esses dois títulos pode ser escrito como:

$$\text{Retorno esperado da carteira} = X_{Super}(17,5\%) + X_{Slow}(5,5\%) = \overline{R}_C$$

Na fórmula, X_{Super} é a porcentagem da carteira constituída pela Supertech, e X_{Slow} é a porcentagem da carteira formada pela Slowpoke. Se um investidor com $100 investir $60 na Supertech e $40 na Slowpoke, o retorno esperado da carteira pode ser escrito como:

$$\text{Retorno esperado da carteira} = 0,6 \times 17,5\% + 0,4 \times 5,5\% = 12,7\%$$

Algebricamente, podemos registrar da seguinte maneira:

$$\text{Retorno esperado da carteira} = X_A \overline{R}_A + X_B \overline{R}_B = \overline{R}_P \quad (11.3)$$

Na fórmula, X_A e X_B são as proporções da carteira completa que dizem respeito aos ativos A e B, respectivamente (como nosso investidor pode investir apenas em dois títulos, $X_A + X_B$ deve ser igual a 1 ou 100%). $\overline{R}_A$ e $\overline{R}_B$ são os retornos esperados dos dois títulos.

Variância e desvio padrão de uma carteira

Variância A fórmula da variância de uma carteira formada por dois títulos, A e B, é:

Variância da carteira
$$\text{Var(carteira)} = X_A^2 \sigma_A^2 + 2X_A X_B \sigma_{A,B} + X_B^2 \sigma_B^2$$

Observe que há três termos no lado direito da equação. O primeiro termo envolve a variância do Título A (σ_A^2), o segundo termo envolve a covariância entre os dois títulos ($\sigma_{A,B}$), e o terceiro envolve a variância do Título B (σ_B^2). (Lembre-se de que $\sigma_{A,B} = \sigma_{B,A}$. Ou seja, a ordem das variáveis não é relevante ao expressarmos a covariância entre dois títulos.)

A fórmula indica um ponto importante. A variância de uma carteira depende das duas variâncias dos títulos individuais e da covariância entre os dois títulos. A variância de um título mede a variabilidade do retorno de um título individual. A covariância mede a relação entre os retornos dos dois títulos. Dadas as variâncias dos títulos individuais, uma relação ou covariância positiva entre os dois títulos aumenta a variância de toda a carteira. No entanto, uma relação ou covariância negativa entre os dois títulos diminui a variância de toda a carteira. Esse resultado significativo parece estar de acordo com o senso comum. Se um de seus títulos tende a subir quando o outro cai, ou vice-versa, seus dois títulos estão compensando um ao outro. Nesse caso, você está fazendo o que chamamos de *hedge* na área de Finanças, e o risco de toda a sua carteira será baixo. No entanto, se seus dois títulos subirem e caírem juntos, você não estará fazendo *hedge*. Por isso, o risco de toda a sua carteira será mais alto.

A fórmula de variância para nossos dois títulos, Super e Slow, é:

$$\text{Var(carteira)} = X_{\text{Super}}^2 \sigma_{\text{Super}}^2 + 2X_{\text{Super}} X_{\text{Slow}} \sigma_{\text{Super,Slow}} + X_{\text{Slow}}^2 \sigma_{\text{Slow}}^2 \quad (11.4)$$

Considerando nossa suposição anterior de que uma pessoa com $100 investe $60 na Supertech e $40 na Slowpoke, $X_{\text{Super}} = 0,6$ e $X_{\text{Slow}} = 0,4$. Usando essa suposição e os dados relevantes de nossos cálculos anteriores, a variância da carteira é:

$$0,023851 = 0,36 \times 0,066875 + 2 \times [0,6 \times 0,4 \times (-0,004875)] + 0,16 \times 0,013225 \quad (11.4')$$

Abordagem matricial Alternativamente, a Equação 11.4 pode ser expressa no formato matricial a seguir:

	Supertech	Slowpoke
Supertech	$X_{\text{Super}}^2 \sigma_{\text{Super}}^2$ $0,024075 = 0,36 \times 0,066875$	$X_{\text{Super}} X_{\text{Slow}} \sigma_{\text{Super,Slow}}$ $-0,00117 = 0,6 \times 0,4 \times (-0,004875)$
Slowpoke	$X_{\text{Super}} X_{\text{Slow}} \sigma_{\text{Super,Slow}}$ $-0,00117 = 0,6 \times 0,4 \times (-0,004875)$	$X_{\text{Slow}}^2 \sigma_{\text{Slow}}^2$ $0,002116 = 0,16 \times 0,013225$

Há quatro caixas na matriz. Podemos adicionar os termos nas caixas para obter a Equação 11.4, a variância de uma carteira formada por dois títulos. O termo no canto superior esquerdo envolve a variância da Supertech. O termo no canto inferior direito envolve a variância da Slowpoke. As outras duas caixas contêm o termo que envolve a covariância. Essas duas caixas são idênticas, o que mostra a razão de o termo da covariância ser multiplicado por dois na Equação 11.4.

Em geral, os alunos acreditam, neste momento, que a abordagem das caixas é mais confusa do que a Equação 11.4. No entanto, essa abordagem é facilmente generalizada para comportar mais de dois títulos; uma tarefa que realizaremos mais adiante neste capítulo.

Desvio padrão de uma carteira Dada a Equação 11.4', podemos agora determinar o desvio padrão do retorno de uma carteira. Ele será:

$$\sigma_C = DP(carteira) = \sqrt{Var(carteira)} = \sqrt{0,023851} \\ = 0,1544 = 15,44\% \quad (11.5)$$

A interpretação do desvio padrão da carteira é igual à interpretação do desvio padrão de um título individual. O retorno esperado de nossa carteira é de 12,7%. Um retorno de −2,74% (=12,7% − 15,44%) está a um desvio padrão abaixo da média, e um retorno de 28,14% (=12,7% + 15,44%) está a um desvio padrão acima da média. Se o retorno da carteira for distribuído normalmente, um retorno entre −2,74% e +28,14% ocorre em cerca de 68% dos casos.[3]

Efeito da diversificação Comparar o desvio padrão da carteira com o desvio padrão dos títulos individuais é esclarecedor. A média ponderada dos desvios padrão dos títulos individuais é:

$$\text{Média ponderada dos desvios padrão} = X_{Super}\sigma_{Super} + X_{Slow}\sigma_{Slow} \\ 0,2012 = 0,6 \times 0,2586 + 0,4 \times 0,115 \quad (11.6)$$

Um dos resultados mais importantes deste capítulo é referente à diferença entre a Equação 11.5 e a Equação 11.6. Em nosso exemplo, o desvio padrão da carteira tem um valor *menor* do que a média ponderada dos desvios padrão dos títulos individuais.

Anteriormente, afirmamos que o retorno esperado de uma carteira é uma média ponderada dos retornos esperados dos títulos individuais. Assim, obtemos um tipo diferente de resultado para o desvio padrão de uma carteira se comparado com o resultado do retorno esperado de uma carteira.

A diversificação é o motivo de nosso resultado para o desvio padrão de uma carteira. Por exemplo, a Supertech e a Slowpoke apresentam uma correlação levemente negativa ($\rho = -0,1639$). O retorno da Supertech tem maior probabilidade de ser um pouco abaixo da média se o retorno da Slowpoke for acima da média. O retorno da Supertech tem maior probabilidade de ser um pouco acima da média se o retorno da Slowpoke for abaixo da média. Portanto, o desvio padrão de uma carteira formada por dois títulos tem um valor menor que a média ponderada dos desvios padrão dos dois títulos.

Nosso exemplo apresenta uma correlação negativa. Certamente a diversificação causará uma vantagem menor se os dois títulos mostrarem ter uma correlação positiva. Quão alto deve ser o valor da correlação positiva antes que todos os benefícios da diversificação desapareçam?

Para responder a essa pergunta, vamos reescrever a Equação 11.4 em termos de correlação em vez de covariância. A covariância pode ser reescrita como:[4]

$$\sigma_{Super,Slow} = \rho_{Super,Slow}\sigma_{Super}\sigma_{Slow} \quad (11.7)$$

Essa fórmula afirma que a covariância entre dois títulos, sejam eles quais forem, é simplesmente a correlação entre os dois títulos multiplicada pelos desvios padrão de cada um. Em outras palavras, a covariância incorpora (1) a correlação entre os dois ativos e (2) a variabilidade de cada um dos dois títulos conforme mensurada pelo desvio padrão.

A partir de cálculos anteriores feitos neste capítulo, sabemos que a correlação entre os dois títulos é de −0,1639. Dadas as variâncias usadas na Equação 11.4', os desvios padrão são

---

[3] Há apenas quatro retornos igualmente prováveis para a Supertech e a Slawpoke, portanto nenhuma das duas ações tem distribuição normal. Assim, as probabilidades seriam um pouco diferentes em nosso exemplo.

[4] Assim como no caso da covariância, a ordem dos dois títulos não é relevante ao expressarmos a correlação entre dois títulos. Ou seja, $\rho_{Super,Slow} = \rho_{Slow,Super}$.

0,2586 e 0,115 para a Supertech e a Slowpoke, respectivamente. Assim, a variância de uma carteira pode ser expressa da seguinte maneira:

Variância do retorno da carteira

$$= X_{Super}^2 \sigma_{Super}^2 + 2X_{Super}X_{Slow}\rho_{Super,Slow}\sigma_{Super}\sigma_{Slow} + X_{Slow}^2 \sigma_{Slow}^2 \quad (11.8)$$
$$0{,}023851 = 0{,}36 \times 0{,}066875 + 2 \times (0{,}6 \times 0{,}4 \times (-0{,}1639) \times 0{,}2586 \times 0{,}115) + 0{,}16 \times 0{,}013225$$

O lado direito do termo central agora é escrito em termos da correlação, ρ, e não da covariância.

Suponha que $\rho_{Super,Slow} = 1$, o valor máximo que uma correlação pode ter. Prossiga considerando que todos os outros parâmetros do exemplo continuem os mesmos. A variância da carteira é:

Variância do retorno da carteira $= 0{,}040466 = 0{,}36 \times 0{,}066875 + 2 \times (0{,}6 \times 0{,}4 \times 1 \times 0{,}2586 \times 0{,}115) + 0{,}16 \times 0{,}013225$

O desvio padrão é:

$$\text{Desvio padrão do retorno da carteira} = \sqrt{0{,}040466} = 0{,}2012 = 20{,}12\% \quad (11.9)$$

Observe que a Equação 11.9 e a Equação 11.6 resultam em valores iguais. Ou seja, o desvio padrão do retorno de uma carteira é igual à média ponderada dos desvios padrão dos retornos individuais quando $\rho = 1$. Uma análise da Equação 11.8 indica que a variância e, consequentemente, o desvio padrão da carteira devem cair conforme a correlação cai abaixo de 1. Isso nos leva ao resultado a seguir:

> Enquanto $\rho < 1$, o desvio padrão de uma carteira com dois títulos é *menor* que a média ponderada dos desvios padrão dos títulos individuais.

Em outras palavras, o efeito da diversificação é válido enquanto houver uma correlação menor que a perfeita (enquanto $\rho < 1$). Assim, nosso exemplo Supertech–Slowpoke é um exagero. Representamos a diversificação por meio de um exemplo com correlação negativa. Poderíamos ter feito o mesmo por meio de um exemplo com correlação positiva, desde que não se tratasse de uma correlação positiva *perfeita*.

Extensão para vários ativos A ideia anterior pode ser estendida para o caso de vários ativos. Ou seja, enquanto as correlações entre pares de títulos forem menores do que 1, o desvio padrão de uma carteira com vários títulos é menor do que a média ponderada dos desvios padrão dos títulos individuais.

QUADRO 11.3 Desvios padrão do índice Standard & Poor's 500 e de ações selecionadas do índice, 2007–2011

Ativo	Desvio padrão
S&P 500	20,64%
General Mills	14,57
McDonald's	15,55
Microsoft	26,38
Google	36,51
Yahoo!	41,02
General Electronic Co.	41,20
Sprint Nextel	62,88
Bank of America	71,75

Enquanto as correlações entre pares de títulos forem menores que 1, o desvio padrão de um índice é menor que a média ponderada dos desvios padrão dos títulos individuais inclusos no índice.

Agora, consideremos o Quadro 11.3 (p. 371), que mostra o desvio padrão do índice Standard & Poor's 500 e os desvios padrão de alguns títulos individuais listados no índice em um período recente de 10 anos. Observemos que quase todos os títulos individuais do quadro apresentam desvios padrão mais altos que o do índice. Em geral, os desvios padrão da maioria dos títulos individuais de um índice estarão acima do desvio padrão do próprio índice, embora alguns dos títulos possam ter desvios padrão mais baixos do que o do índice.

11.4 Conjunto eficiente formado por dois ativos

Nossos resultados para retornos esperados e desvios padrão estão representados em forma de gráfico na Figura 11.2. A figura apresenta um ponto com o nome da Slowpoke e outro com o nome da Supertech. Cada um desses pontos representa o retorno esperado e o desvio padrão de um título individual.

Como podemos observar, a Supertech apresenta um retorno esperado mais alto e um desvio padrão também mais alto.

A caixa (o "□") do gráfico representa uma carteira com 60% de investimento na Supertech e 40% de investimento na Slowpoke. Devemos lembrar que calculamos anteriormente tanto o retorno esperado quanto o desvio padrão dessa carteira.

A escolha por 60% da Supertech e 40% da Slowpoke é apenas uma entre infinitas possibilidades de carteiras que podem ser criadas. O conjunto de carteiras é representado pela curva da Figura 11.3.

Considere a Carteira *1*. Trata-se de uma carteira formada por 90% de investimento na Slowpoke e 10% na Supertech. Como a carteira apresenta uma predominância tão significante da Slowpoke, ela se aproxima ao ponto da Slowpoke do gráfico. A Carteira *2* está posicionada em um ponto mais alto da curva, pois é formada por 50% de investimento na Slowpoke e 50% de investimento na Supertech. A Carteira *3* está próximo ao ponto da Supertech do gráfico, porque é formada por 90% de investimento na Supertech e 10% de investimento na Slowpoke.

Há alguns pontos com relação a esse gráfico que merecem destaque:

1. Afirmamos anteriormente que o efeito da diversificação acontece sempre que a correlação entre dois títulos for de um valor abaixo de 1. A correlação entre a Supertech e a Slowpoke é de –0,1639. A linha reta do gráfico representa pontos que seriam gerados se o coeficiente de correlação entre os títulos fosse 1. Observe que a linha curva está sempre à esquerda da linha reta. Considere o Ponto *1'*. Esse ponto representa uma carteira formada por 90% de investimento na Slowpoke e 10% de investimento na Supertech *se* a correlação entre os tí-

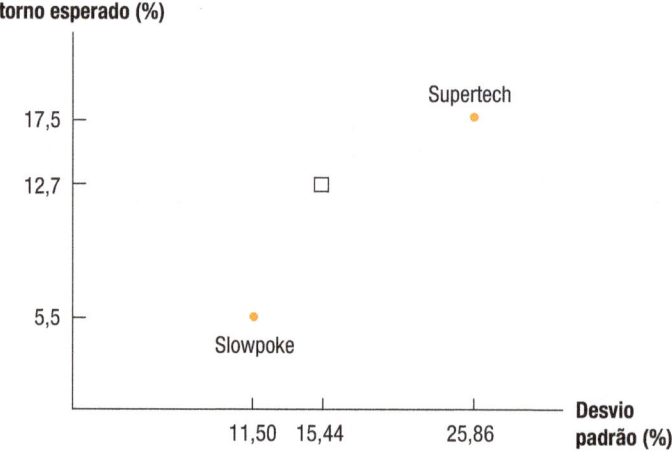

FIGURA 11.2 Retornos esperados e desvios padrão para a Supertech, a Slowpoke e uma carteira formada por 60% de investimento na Supertech e 40% de investimento na Slowpoke.

tulos das duas empresas fosse exatamente 1. Não há efeito da diversificação quando ρ = 1. No entanto, o efeito da diversificação se verifica na linha curva, pois o Ponto *1* apresenta o mesmo retorno esperado que o Ponto *1'*, porém com um desvio padrão menor. (Os Pontos *2'* e *3'* foram omitidos para evitar que a Figura 11.3 fique sobrecarregada.)

Embora tanto a linha reta quanto a curva estejam representadas na Figura 11.3, elas não existem simultaneamente na mesma realidade. *Ou* ρ = −0,1639 e a linha curva existe, *ou* ρ = 1 e a linha reta existe em seu lugar. Em outras palavras, embora um investidor possa escolher entre diferentes pontos da curva se ρ = −0,1639, ele não pode efetuar essa escolha entre pontos na linha curva e pontos na linha reta.

2. O Ponto *VM* representa a carteira de variância mínima. Trata-se da carteira com a variância mais baixa possível. Por definição, essa carteira também deve ter o desvio padrão mais baixo possível. (O termo *carteira de variância mínima* é padrão, e passaremos a utilizá-lo. Talvez o termo desvio padrão mínimo fosse mais adequado, tendo em vista que o desvio padrão, e não a variância, é medido no eixo horizontal da Figura 11.3.)

3. Alguém que esteja diante de um investimento em uma carteira formada por títulos da Slowpoke e da Supertech encontra um conjunto de oportunidades ou um conjunto viável representado pela curva da Figura 11.3. Ou seja, essa pessoa pode atingir qualquer ponto da curva selecionando a proporção adequada de cada título. Não é possível atingir pontos acima da curva, pois não é possível aumentar o retorno de títulos individuais, diminuir os desvios padrão dos títulos ou, ainda, diminuir a correlação entre os dois títulos. Também não é possível atingir pontos abaixo da curva, pois não é possível diminuir o retorno de títulos individuais, aumentar os desvios padrão dos títulos ou, ainda, aumentar a correlação. (É claro que ninguém desejaria atingir pontos abaixo da curva, mesmo que pudesse fazer isso.)

Se o investidor for relativamente tolerante a riscos, é provável que ele escolha a carteira *3*. (Na verdade, ele poderia escolher até mesmo o último ponto, investindo todo seu

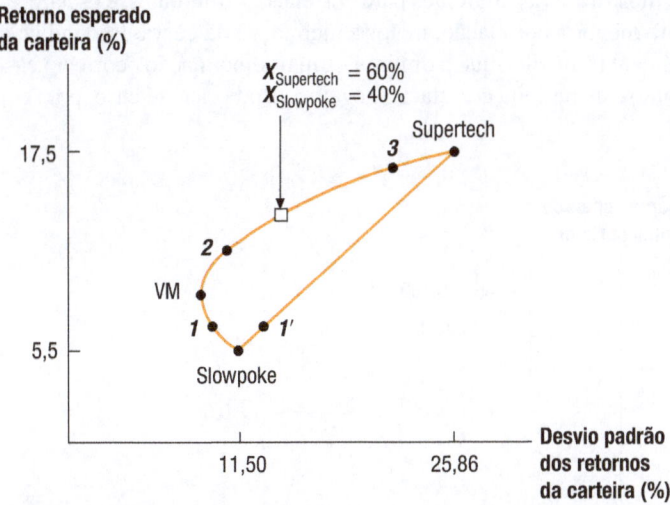

A Carteira *1* é formada por 90% de investimento na Slowpoke e 10% na Supertech (ρ = −0,1639).
A Carteira *2* é formada por 50% de investimento na Slowpoke e 50% na Supertech (ρ = −0,1639).
A Carteira *3* é formada por 10% de investimento na Slowpoke e 90% na Supertech (ρ = −0,1639).
A Carteira *1'* é formada por 90% de investimento na Slowpoke e 10% na Supertech (ρ = 1).
O Ponto *VM* indica a carteira de variância mínima. Trata-se da carteira com a variância mais baixa possível. Por definição, a mesma carteira também deve ter o desvio padrão mais baixo possível.

FIGURA 11.3 Conjunto de carteiras formadas por títulos da Supertech e da Slowpoke (a correlação entre os dois títulos é de −0,1639).

dinheiro na Supertech.) Um investidor com menos tolerância a riscos pode escolher a Carteira 2. Por sua vez, um investidor que deseja correr o mínimo possível de riscos escolheria o ponto VM, a carteira com variância mínima e desvio padrão mínimo.

4. Observe que a curva se inclina para o lado contrário entre a Slowpoke e o ponto VM. Isso indica que, na parte do conjunto viável, o desvio padrão diminui à medida que o retorno esperado aumenta. É comum os estudantes perguntarem: "Como é possível que um aumento na proporção do título com maior risco, Supertech, cause uma redução no risco da carteira?".

Essa descoberta surpreendente ocorre em virtude do efeito da diversificação. Os retornos dos dois títulos são negativamente correlacionados um ao outro. Um título tende a subir quando o outro cai, e vice-versa. Portanto, a inclusão de uma pequena quantidade de títulos da Supertech atua como *hedge* de uma carteira formada apenas por títulos da Slowpoke. O risco da carteira é reduzido, o que gera a inclinação contrária. Na realidade, essa inclinação para o lado contrário sempre ocorre se $\rho \leq 0$. Também é possível que ela ocorra quando $\rho > 0$. É claro que a curva se inclina para o lado inverso apenas ao longo de parte de seu comprimento. À medida que a porcentagem da Supertech aumenta na carteira, o seu desvio padrão alto acaba por fazer com que o desvio padrão de toda a carteira aumente.

5. Nenhum investidor gostaria de ter uma carteira com um retorno esperado abaixo do retorno da carteira de variância mínima. Por exemplo, nenhum investidor optaria pela Carteira *1*. Essa carteira apresenta menos retorno esperado, mas mais desvio padrão que a carteira de variância mínima. Costumamos dizer que carteiras como a Carteira *1* são *dominadas* pela carteira de variância mínima. Embora a curva inteira da Slowpoke até a Supertech seja chamada de *conjunto viável*, os investidores levam em consideração apenas a curva que vai de VM para Supertech. Por isso, a curva que vai do ponto *VM* até o ponto Supertech é chamada de **conjunto eficiente** ou **fronteira eficiente**.

A Figura 11.3 representa o conjunto de oportunidades em que $\rho = -0{,}1639$. Analisar a Figura 11.4, que mostra curvas diferentes para correlações diferentes, é esclarecedor. Como podemos ver, quanto menor a correlação, maior a inclinação da curva. Isso indica que o efeito da diversificação aumenta à medida que ρ diminui. A maior inclinação ocorre no caso limitante em que $\rho = -1$. Trata-se da perfeita correlação negativa. Embora esse caso, por ser extremo – isto

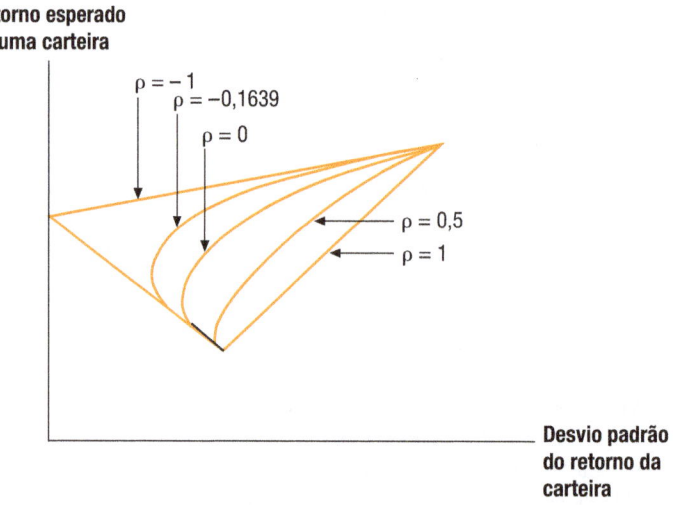

Cada curva representa uma correlação diferente. Quanto menor a correlação, maior a inclinação da curva.

FIGURA 11.4 Conjuntos de oportunidades formados por títulos da Supertech e da Slowpoke.

é, em que ρ = −1 −, fascine os estudantes, ele tem pouca importância na prática. A maioria dos pares de títulos apresenta uma correlação positiva. Fortes ou perfeitas correlações negativas são ocorrências muito improváveis.[5]

Observe que há apenas uma correlação entre dois títulos. Anteriormente, afirmamos que a correlação entre a Slowpoke e a Supertech é de −0,1639. Portanto, a curva da Figura 11.4 que representa essa correlação é a correta, enquanto as outras devem ser vistas apenas como possibilidades hipotéticas.

Os gráficos que examinamos não são apenas curiosidade intelectual. Em vez disso, conjuntos eficientes podem ser facilmente calculados no mundo real. Como mencionado anteriormente, dados referentes a retornos, desvios padrão e correlações, em geral, são obtidos de observações históricas, embora também haja a possibilidade de usar noções subjetivas para determinar os valores desses parâmetros. Uma vez determinados os parâmetros, qualquer um de diversos pacotes de *software* disponíveis para compra pode gerar o conjunto eficiente. No entanto, a escolha da carteira com a maior preferência dentre as opções do conjunto eficiente depende de você. Da mesma forma que para outras decisões importantes como qual carreira seguir, qual casa ou carro comprar e quanto tempo reservar para esta matéria, não há um programa computacional que escolha a carteira preferida.

Um conjunto eficiente pode ser gerado quando os dois ativos individuais são, eles mesmos, carteiras. Por exemplo, os dois ativos da Figura 11.5 são uma carteira diversificada de ações

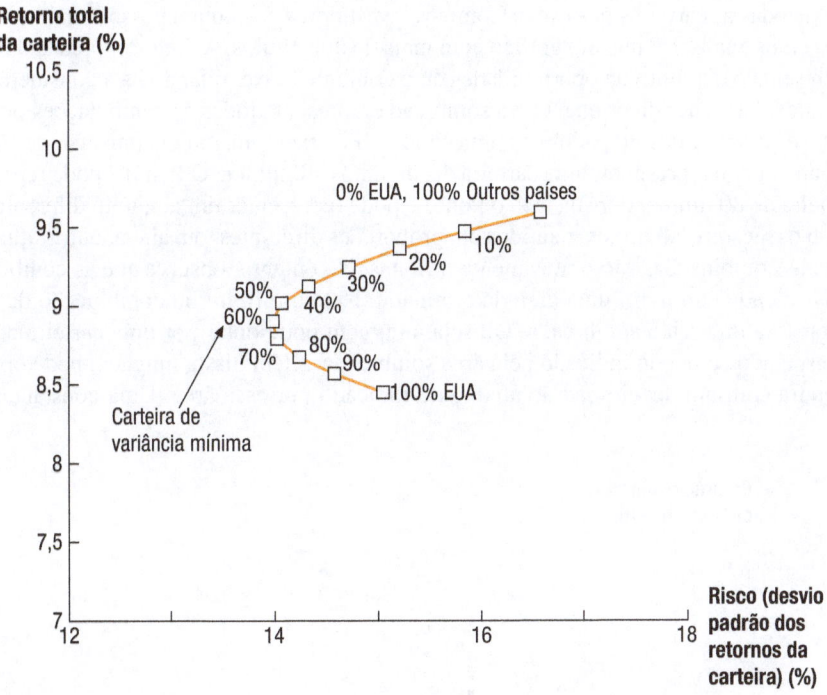

FIGURA 11.5 Ponderação entre retorno e risco para ações internacionais: carteira formada por ações dos Estados Unidos e de outros países.

---

[5] Uma grande exceção ocorre no caso dos títulos derivativos. Por exemplo, a correlação entre os retornos de uma ação e os retornos de uma opção de venda dessa ação, em geral, é muito negativa. As opções de venda serão abordadas em um capítulo mais adiante.

de empresas dos Estados Unidos e uma carteira diversificada de ações de empresas de outros países. Os retornos esperados, desvios padrão e coeficiente de correlação foram calculados com base no passado recente. Nenhuma subjetividade foi utilizada na análise. A carteira de ações dos Estados Unidos com um desvio padrão de 0,151 apresenta menos riscos que a carteira de ações de outros países, que apresenta um desvio padrão de cerca de 0,166. No entanto, juntar uma pequena porcentagem da carteira de ações de empresas de outros países à carteira de ações de empresas dos Estados Unidos, na verdade, reduz o risco, como pode ser visto pela curva com inclinação inversa.

Em outras palavras, as vantagens da diversificação geradas pela combinação de duas carteiras diferentes mais do que compensam a introdução de um conjunto de ações com maior risco em nossos títulos. A carteira de variância mínima ocorre no ponto com cerca de 60% dos fundos investidos em ações dos Estados Unidos e 40% investidos em ações de outros países. Se mais títulos de outros países forem incluídos além desse valor, o risco de toda a carteira aumenta. A curva com inclinação inversa da Figura 11.5 é uma informação importante que não passou despercebida pelos investidores institucionais dos Estados Unidos. Nos últimos anos, fundos de pensão e outras instituições do país buscaram oportunidades de investimento no exterior.

11.5 Conjunto eficiente formado por vários títulos

A discussão anterior tratava de casos com dois títulos. Descobrimos que uma simples curva representava todas as carteiras possíveis. Como os investidores costumam possuir mais de dois títulos, devemos analisar o mesmo gráfico com mais de dois títulos. A área sombreada da Figura 11.6 representa o conjunto de oportunidades ou o conjunto viável quando há a consideração de vários títulos. Isso quer dizer que a área sombreada representa todas as combinações possíveis de retorno esperado e desvio padrão de uma carteira. Por exemplo, em um universo de 100 títulos, o Ponto 1 pode representar uma carteira de, digamos, 40 títulos. O Ponto 2 pode representar uma carteira de 80 títulos. Por sua vez, o Ponto 3 pode representar um conjunto diferente de 80 títulos, ou os mesmos 80 títulos mantidos em proporções diferentes, ou, ainda, outra situação. É claro que as combinações são praticamente infinitas. No entanto, observe que as combinações possíveis se enquadram em uma área determinada. Nenhum título ou combinação de títulos pode estar fora da região sombreada. Ou seja, ninguém pode optar por uma carteira com um retorno esperado acima do indicado pela área sombreada. Além disso, ninguém pode optar por uma carteira com um desvio padrão abaixo do indicado por essa área. Uma constatação que

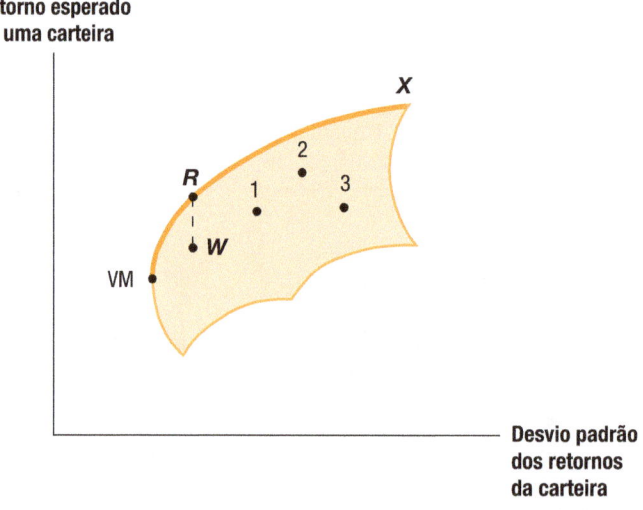

FIGURA 11.6 O conjunto viável de carteiras formadas por vários títulos.

talvez seja mais surpreendente é que ninguém pode optar por um retorno esperado abaixo do indicado pela área. Em outras palavras, os mercados de capitais, na verdade, evitam que uma pessoa autodestrutiva assuma uma perda garantida.[6]

Até o momento, a Figura 11.6 é diferente dos gráficos anteriores. Quando apenas dois títulos estão envolvidos, todas as combinações permanecem em uma única linha curva. De modo contrário, com vários títulos, as combinações ocupam uma área inteira. No entanto, observe que um investidor preferirá se posicionar em algum lugar na borda superior entre o ponto VM e X. A borda superior, que está indicada na Figura 11.6 com uma curva mais espessa, é chamada de *conjunto eficiente*. Qualquer ponto abaixo do conjunto eficiente apresentaria menos retorno esperado e o mesmo desvio padrão que um ponto no conjunto eficiente. Por exemplo, considere o ponto R no conjunto eficiente e W diretamente abaixo dele. Se W contém o nível de risco que você deseja, seria preferível que você escolhesse R em vez de W para ter um retorno esperado maior.

Em última análise, a Figura 11.6 é bastante semelhante à Figura 11.3. O conjunto eficiente da Figura 11.3 começa no ponto VM e termina no ponto Supertech. Ele contém diversas combinações dos títulos da Supertech e da Slowpoke. O conjunto eficiente da Figura 11.6 começa no ponto VM e termina no ponto X. Ele contém diversas combinações de muitos títulos. O fato de uma área sombreada aparecer na Figura 11.6, e não na Figura 11.3, simplesmente não é uma diferença importante. Nenhum investidor optaria por qualquer ponto abaixo do conjunto eficiente de qualquer maneira na Figura 11.6.

Anteriormente, mencionamos que um conjunto eficiente de dois títulos pode ser traçado com facilidade no mundo real. A tarefa se torna mais difícil quando títulos adicionais são incluídos, pois o número de observações aumenta. Por exemplo, usar uma análise para estimar os retornos esperados e os desvios padrão para, digamos, 100 ou 500 títulos pode facilmente se tornar uma tarefa exaustiva, e as dificuldades com as correlações podem ser ainda piores. Há quase 5 mil correlações entre pares de títulos em um universo de 100 títulos.

Embora grande parte da matemática da computação do conjunto eficiente tenha sido desenvolvida na década de 1950,[7] o alto custo do uso de computares restringiu a aplicação dos princípios. Nos últimos anos, esse custo diminuiu de forma considerável. Diversos pacotes de *software* têm permitido o cálculo de um conjunto eficiente de carteiras de tamanho moderado. Com a redução no custo, esses pacotes têm sido muito negociados, o que indica, na prática, que nossa discussão é importante.

Variância e desvio padrão de uma carteira de vários ativos

Anteriormente, calculamos as fórmulas da variância e do desvio padrão no caso com dois ativos. Como consideramos uma carteira formada por vários ativos na Figura 11.6, é válido calcular as fórmulas para variância e desvio padrão no caso com vários ativos. A fórmula para a variância de uma carteira formada por vários ativos pode ser vista como uma extensão da fórmula para a variância de dois ativos.

Para desenvolver a fórmula, aplicamos o mesmo tipo de matriz que usamos no caso com dois ativos. Essa matriz é apresentada no Quadro 11.4. Supondo que haja N ativos, escrevemos os números de 1 a N no eixo horizontal e 1 a N no eixo vertical. Isso cria uma matriz de $N \times N = N^2$ caixas. A variância da carteira é a soma dos termos de todas as caixas.

Considere, por exemplo, a caixa localizada na segunda linha e terceira coluna. O termo na caixa é $X_2 X_3 \text{Cov}(R_2, R_3)$. X_2 e X_3 são as porcentagens do total da carteira que foram investidas no segundo ativo e no terceiro ativo, respectivamente. Por exemplo, se um investidor com uma carteira de $ 1.000 investir $ 100 no segundo ativo, $X_2 = 10\%$ (=$ 100/$ 1.000). $\text{Cov}(R_2, R_3)$ é a covariância entre os retornos do segundo ativo e os retornos do terceiro ativo. Em segui-

---

[6] É claro que alguém obstinado em gastar seu dinheiro consegue fazer tal proeza. Por exemplo, uma pessoa pode fazer transações sem objetivo algum, de modo que as comissões de corretagem ultrapassem os retornos esperados positivos da carteira.

[7] A obra clássica é a escrita por Harry Markowitz, *Portfolio Selection* (Nova York: John Wiley & Sons, 1959). Markowitz ganhou o Prêmio Nobel de Economia em 1990 por seu trabalho com a teoria moderna de carteiras.

QUADRO 11.4 Matriz usada para calcular a variância de uma carteira

Ação	1	2	3	...	N
1	$X_1^2\sigma_1^2$	$X_1X_2\text{Cov}(R_1,R_2)$	$X_1X_3\text{Cov}(R_1,R_3)$		$X_1X_N\text{Cov}(R_1,R_N)$
2	$X_2X_1\text{Cov}(R_2,R_1)$	$X_2^2\sigma_2^2$	$X_2X_3\text{Cov}(R_2,R_3)$		$X_2X_N\text{Cov}(R_2,R_N)$
3	$X_3X_1\text{Cov}(R_3,R_1)$	$X_3X_2\text{Cov}(R_3,R_2)$	$X_3^2\sigma_3^2$		$X_3X_N\text{Cov}(R_3,R_N)$
.					
.					
.					
N	$X_NX_1\text{Cov}(R_N,R_1)$	$X_NX_2\text{Cov}(R_N,R_2)$	$X_NX_3\text{Cov}(R_N,R_3)$		$X_N^2\sigma_N^2$

A variância da carteira é a soma dos termos de todas as caixas.
σ_i é o desvio padrão da Ação i.
$\text{Cov}(R_i,R_j)$ é a covariância entre a Ação i e a Ação j.
Os termos que envolvem o desvio padrão de um título individual aparecem na diagonal. Os termos que envolvem a covariância entre dois títulos aparecem fora da diagonal.

da, observe a caixa localizada na terceira linha e segunda coluna. O termo nessa caixa é X_3X_2 $\text{Cov}(R_3,R_2)$. Como $\text{Cov}(R_3,R_2) = \text{Cov}(R_2,R_3)$, as duas caixas apresentam o mesmo valor.

O segundo título e o terceiro título formam um par de ações. Na verdade, cada par de ações aparece duas vezes no quadro: uma vez na parte inferior do lado esquerdo e outra na parte superior do lado direito.

Agora, veja as caixas na diagonal. Por exemplo, o termo da primeira caixa na diagonal é $X_1^2\sigma_1^2$. Aqui, σ_1^2 é a variância do retorno do primeiro título.

Assim, os termos na diagonal da matriz contêm as variâncias das diferentes ações. Os termos fora da diagonal contêm as covariâncias. O Quadro 11.5 relaciona os números de elementos na diagonal e fora da diagonal com o tamanho da matriz. O número de termos na diagonal (número de termos de variância) é sempre igual ao número de ações da carteira. O número de termos fora da diagonal (número de termos de covariância) sobe muito mais rápido que o número de termos na diagonal. Por exemplo, uma carteira com 100 ações apresenta 9.900 termos de covariância. Como a variância do retorno de uma carteira é a soma de todas as caixas, temos o seguinte:

> **A variância dos retornos de uma carteira com vários títulos depende mais das covariâncias entre os títulos individuais do que das variâncias dos títulos individuais.**

QUADRO 11.5 Número de termos de variância e covariância em função do número de ações da carteira

Número de ações da carteira	Número total de termos	Número de termos de variância (número de termos na diagonal)	Número de termos de covariância (número de termos fora da diagonal)
1	1	1	0
2	4	2	2
3	9	3	6
10	100	10	90
100	10.000	100	9.900
.	.	.	.
.	.	.	.
.	.	.	.
N	N^2	N	$N^2 - N$

Em uma carteira grande, o número de termos que envolvem a covariância entre dois títulos é muito maior que o número de termos que envolvem a variância de um título único.

A fronteira eficiente no mercado brasileiro

Apresentamos a seguir a fronteira eficiente obtida a partir de preços observados no mercado brasileiro.[8] A Figura 11.7 foi construída com base em dados de preços de fechamento mensais de 231 ações negociadas na BM&FBOVESPA durante um período de 9 anos, do início de 2005 até início de 2014. Para o ativo sem risco, foi utilizada a taxa de 8,59% ao ano (aproximadamente 0,69% ao mês), calculada com base em uma média da rentabilidade de um título de dívida prefixado do Tesouro brasileiro (LTN/2014). Foram utilizados nos cálculos somente dados públicos e de fácil obtenção. As informações de preços de ações foram obtidas no *site Yahoo Finance*,[9] com o uso de um algoritmo de captura de dados do MATLAB, e os dados de retorno das LTNs foram obtidos no *site* do Tesouro Direto.[10]

Com base nos cálculos realizados com esses dados, a fronteira eficiente, a carteira de mercado (Carteira M) e a reta do mercado de capitais para o mercado brasileiro apresentaram-se como mostrado na Figura 11.7.

A figura evidencia duas coisas. A primeira, boa parte das ações teve desempenho negativo durante o período analisado; em parte, isso talvez possa ser explicado por efeitos da crise dos mercados financeiros internacionais, que atingiu seu pico em 2008 e cujos efeitos ainda parecem perdurar em alguns setores. Segundo, a figura evidencia que os benefícios da otimização de carteiras são altos. Um investidor consegue aumentar significativamente a relação entre retorno esperado e risco ao otimizar sua carteira de ações de emissão de empresas brasileiras com investimentos na fronteira eficiente.

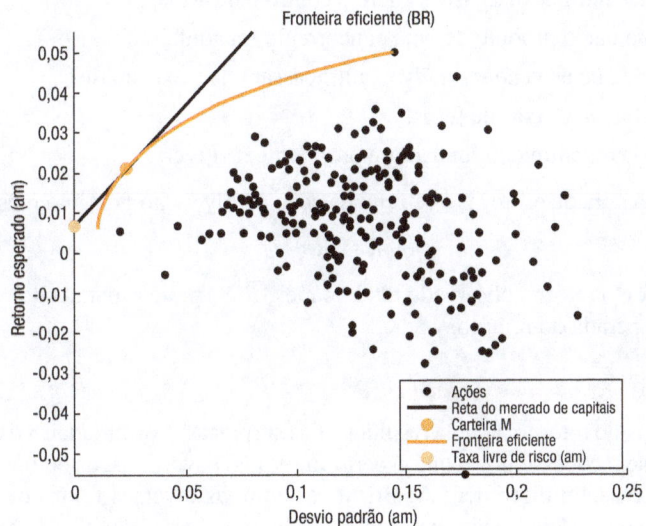

FIGURA 11.7 A fronteira eficiente no mercado brasileiro.

11.6 Diversificação

Até aqui, analisamos neste capítulo como os riscos e retornos de ativos individuais influenciam o risco e o retorno da carteira. Também discutimos um aspecto dessa influência: a diversificação. Para ilustrar com um exemplo recente: a Dow Jones Industrial Average (DJIA), que contém 30 ações de grandes e conhecidas empresas dos Estados Unidos, subiu cerca de

---

[8] Esta seção é parte de um trabalho não publicado, desenvolvido pelo Prof. Marcelo Scherer Perlin, da Escola de Administração da UFRGS.
[9] Yahoo! Finanças: Brasil. Disponível em: <http://br.finanças.yahoo.com>.
[10] Brasil. Tesouro Nacional. *Tesouro direto*. Disponível em: <http://www.tesouro.fazenda.gov.br/tesouro-direto>.

5,5% em 2011, um aumento um tanto abaixo dos padrões históricos. Os maiores ganhadores individuais daquele ano foram a McDonald's (aumento de 31%), a IBM (aumento de 25%) e a Pfizer (aumento de 24%), enquanto os maiores perdedores foram o Bank of America (queda de 58%), a Alcoa (queda de 44%) e a Hewlett-Packard (queda de 39%). Como podemos ver, a variação entre essas ações individuais foi reduzida em razão da diversificação. Esse exemplo nos mostra que a diversificação é algo bom. Agora, queremos analisar o motivo de isso ser bom e o quão bom é.

Componentes previstos e inesperados das notícias

Começamos a discussão sobre a diversificação nos concentrando na ação de uma empresa, que chamaremos de Flyers. O que determinará o retorno dessa ação no próximo mês?

O retorno de qualquer ação depende de duas partes. Primeiro, o *retorno normal* ou *retorno esperado* da ação, que é a parte do retorno que os acionistas no mercado preveem ou esperam. Ele depende de todas as informações que os acionistas têm sobre a ação e de tudo que fazem uso por entenderem que influenciará o preço da ação no próximo mês.

A segunda parte é o *retorno incerto* ou *retorno arriscado* da ação. Essa é a parte que surge com as informações reveladas durante o mês (as surpresas). A lista de informações possíveis é praticamente infinita, mas seguem aqui alguns exemplos:

- Notícias sobre pesquisas realizadas na Flyers.
- Números oficiais divulgados pelo governo para o Produto Nacional Bruto (PNB).
- Resultados das últimas discussões sobre o controle de armas.
- Descoberta de que o produto de uma concorrente foi adulterado.
- Informação de que as vendas da Flyers ultrapassaram as expectativas.
- Queda repentina nas taxas de juros.
- Aposentadoria repentina do fundador e presidente da Flyers.

Portanto, uma maneira de escrever o retorno da ação da Flyers no próximo mês é:

$$R = \overline{R} + I$$

Nessa fórmula, R é o retorno observado total do mês, $\overline{R}$ é a parte esperada do retorno e I representa a parte inesperada do retorno.

Risco: sistemático e não sistemático

A parte inesperada do retorno, aquela resultante das surpresas, é o verdadeiro risco de um investimento. Afinal, se recebêssemos o que esperávamos, não haveria riscos ou incertezas.

No entanto, existem diferenças significativas entre as diversas fontes de risco. Consulte novamente a lista de notícias recém-apresentada. Algumas dessas notícias dizem respeito especificamente à Flyers, enquanto outras são mais gerais. Quais itens têm importância específica para a Flyers?

Os anúncios sobre as taxas de juros ou o PNB são importantes para quase todas as empresas, enquanto as notícias sobre o presidente da Flyers, suas pesquisas, suas vendas ou questões de uma empresa concorrente são de interesse específico da Flyers. Faremos a distinção entre esses dois tipos de anúncios e o risco resultante em dois componentes: uma parte sistemática, chamada de *risco sistemático*, e o restante, que chamaremos de *risco específico* ou *risco não sistemático*. As definições apresentadas a seguir descrevem a diferença:

- Um *risco sistemático* é qualquer risco que influencia um grande número de ativos, cada um em maior ou menor grau.
- Um *risco não sistemático* é um risco que afeta um único ativo ou um pequeno grupo de ativos.

Incertezas sobre condições econômicas em geral, como o PNB, taxas de juros ou inflação, são exemplos de riscos sistemáticos. Essas condições afetam quase todas as ações de algum modo. Um aumento não previsto da inflação afeta os salários e os custos das compras das empresas, o valor dos ativos que as empresas possuem e os preços de venda de seus produtos. Essas condições, às quais todas as empresas estão sujeitas, são a essência do risco sistemático.

Por outro lado, quando os empregados de uma empresa de petróleo anunciam uma greve, isso afetará apenas aquela empresa e, talvez, algumas outras. É muito improvável que tal fato tenha algum impacto no mercado mundial de petróleo. Para salientar que informações desse tipo são não sistemáticas e influenciam apenas algumas empresas específicas, às vezes chamamos esse risco de *risco idiossincrático*.

A distinção entre um risco sistemático e um risco não sistemático nunca é tão exata quanto fazemos parecer. Mesmo a menor e mais particular notícia sobre uma empresa traz consequências para toda a economia. Isso nos faz lembrar a história da guerra que foi perdida porque um cavalo perdeu uma ferradura; assim, mesmo um acontecimento mínimo pode afetar o mundo todo. Porém, tal grau de minúcia não deveria nos trazer preocupação. Parafraseando o comentário de um juiz da Suprema Corte norte-americana que falava de pornografia, podemos não conseguir definir um risco sistemático e um risco não sistemático com exatidão, mas sabemos reconhecê-los ao nos depararmos com eles.

Isso permite que dividamos o risco da ação da Flyers em dois componentes: o sistemático e o não sistemático. Tradicionalmente usamos a letra grega épsilon, ϵ, para representar o risco não sistemático e escrever:

$$\begin{aligned} R &= \overline{R} + I \\ &= \overline{R} + m + \epsilon \end{aligned} \qquad (11.10)$$

Nessa equação, usamos a letra m para representar o risco sistemático. Às vezes, o risco sistemático é chamado de *risco de mercado*. Isso salienta o fato de que m influencia todos os ativos do mercado de alguma maneira.

O aspecto importante sobre o modo como dividimos o risco total, I, em seus dois componentes, m e ϵ, é que ϵ, por ser de interesse específico de uma empresa, não é relacionado ao risco específico da maioria das outras empresas. Por exemplo, o risco não sistemático da ação da Flyers, ϵ_F, não é relacionado ao risco não sistemático da ação da General Electric, ϵ_{GE}. O risco de que o preço da ação da Flyers apresente alta ou baixa em razão de uma descoberta feita por sua equipe de pesquisa – ou a falha na descoberta de algo – provavelmente não está relacionado a qualquer uma das incertezas específicas que afetam a ação da General Electric. Isso significa que os riscos não sistemáticos que afetam os preços da ação da Flyers e da ação da General Electric não apresentam conexão entre si.

A essência da diversificação

O que acontece se juntarmos a ação da Flyers com outra ação em uma carteira? Como os riscos não sistemáticos, ou os épsilons, das duas ações não são relacionados, o épsilon pode ser positivo para uma ação ao mesmo tempo em que o épsilon de outra ação é negativo. Já que os épsilons podem compensar um o outro, o risco não sistemático da carteira será mais baixo do que o risco não sistemático de qualquer um dos dois títulos. Em outras palavras, podemos observar o princípio da diversificação. Além disso, se acrescentarmos um terceiro título à nossa carteira, o risco não sistemático da carteira será ainda mais baixo que o risco não sistemático da carteira com dois títulos. O efeito continua quando incluímos um quarto, quinto ou sexto título. Na verdade, se fôssemos capazes de, hipoteticamente, combinar um número infinito de títulos, o risco não sistemático da carteira desapareceria.

Agora, vejamos o que acontece com o risco sistemático da carteira quando acrescentamos um segundo título. Se o retorno do segundo título também for formulado pela Equação 11.10, o risco sistemático da carteira não será reduzido. Por exemplo, suponhamos que a inflação acabe sendo mais alta do que o previsto ou que o PNB acabe ficando abaixo do que o esperado. Provavelmente, as duas ações terão queda, o que indica que a carteira perderá valor. O mesmo resultado seria obtido com três, quatro ou mais títulos. Na verdade, suponhamos que a carteira tenha um número infinito de títulos. Notícias ruins para a economia causariam um impacto negativo em todos esses títulos, gerando um impacto negativo para a carteira. Ao contrário do risco não sistemático, o risco sistemático não pode ser diversificado.

Essa ideia é ilustrada na Figura 11.8. O gráfico, que relaciona o desvio padrão de uma carteira ao número de títulos dessa carteira, mostra um desvio padrão alto para um título. Muitas vezes referimo-nos ao desvio padrão como o risco total, ou simplesmente o risco, da carteira. A inclusão de um segundo título reduz o desvio padrão, ou o risco, assim como a inclusão de um terceiro título, e assim por diante. O risco total da carteira cai constantemente com a diversificação.

No entanto, observe que a diversificação não possibilita que o risco total seja zero. A vantagem da diversificação tem um limite, pois apenas o risco não sistemático está sendo diversificado. O risco sistemático permanece inalterado. Portanto, ao mesmo tempo em que a diversificação é fator positivo, ela não é tão vantajosa quanto podemos ter esperado. O risco sistemático simplesmente não cai por meio da diversificação.

A discussão anterior presumiu implicitamente que todos os títulos tinham o mesmo nível de risco sistemático. Enquanto todos os títulos essencialmente apresentam algum risco sistemático, determinados títulos apresentam risco sistemático em maior grau do que outros. O valor do risco sistemático é calculado por meio de *beta*, um conceito que será explicado na Seção 11.8. Porém, primeiro devemos abordar o impacto de tomar emprestado e conceder empréstimos sem risco (neste contexto, conceder empréstimos à taxa sem risco significa efetuar uma aplicação financeira em renda fixa, à taxa sem risco).

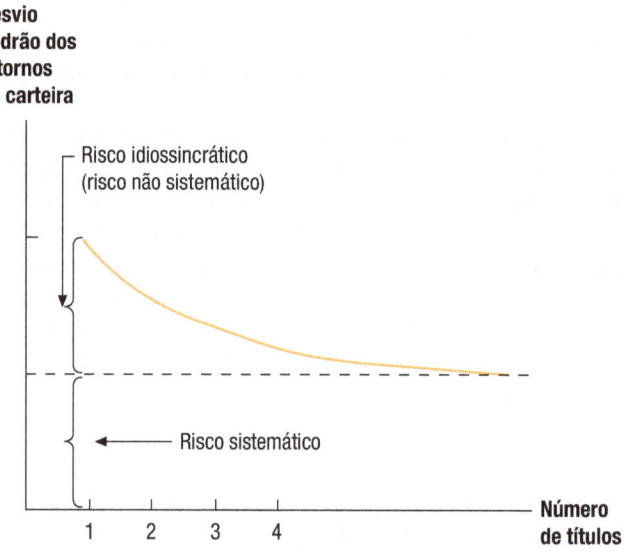

O desvio padrão de uma carteira cai à medida que mais títulos são incluídos na carteira. No entanto, ele não chega a zero. Em vez disso, enquanto o risco não sistemático pode ser anulado por meio da diversificação, o risco sistemático não pode ser eliminado.

FIGURA 11.8 Relação entre o desvio padrão do retorno de uma carteira e o número de títulos da carteira.

11.7 Tomar e conceder empréstimos sem risco

A Figura 11.6 supõe que todos os títulos do conjunto eficiente apresentem risco. Outra opção seria um investidor combinar um investimento com risco com um investimento em um título *sem risco*, como títulos do Tesouro. Veja o Exemplo 11.3.

EXEMPLO 11.3 — Concessão de empréstimo sem risco e risco da carteira

A Sra. Bastos está pensando em investir na ação das Empresas Maravilha. Além disso, ela tomará ou concederá um empréstimo à taxa sem risco (fará uma aplicação financeira em renda fixa, à taxa sem risco). Os principais parâmetros são os seguintes:

	Ação da Maravilha	Ativo sem risco
Retorno esperado	14%	10%
Desvio padrão	0,20	0

Suponha que a Sra. Bastos opte por investir um total de $ 1.000, sendo $ 350 nas Empresas Maravilha e $ 650 em um ativo sem risco. O retorno esperado de todo seu investimento é simplesmente uma média ponderada dos dois retornos:

$$\text{Retorno esperado da carteira formada por um ativo sem risco e um ativo com risco} = 0{,}114 = (0{,}35 \times 0{,}14) + (0{,}65 \times 0{,}10) \quad (11.11)$$

Como o retorno esperado da carteira é uma média ponderada do retorno esperado do ativo com risco (Empresas Maravilha) e do retorno do ativo sem risco, o cálculo é análogo ao modo como tratamos dois ativos com risco. Em outras palavras, a Equação 11.3 é válida neste caso.

Por meio da Equação 11.4, a fórmula para a variância da carteira pode ser escrita como:

$$X^2_{\text{Maravilha}} \sigma^2_{\text{Maravilha}} + 2X_{\text{Maravilha}} X_{\text{Sem risco}} \sigma_{\text{Maravilha, Sem risco}} + X^2_{\text{Sem risco}} \sigma^2_{\text{Sem risco}}$$

No entanto, por definição, o ativo sem risco não apresenta variabilidade. Portanto, $\sigma_{\text{Maravilha, Sem risco}}$ e $\sigma^2_{\text{Sem risco}}$ são iguais a zero, reduzindo a expressão acima a:

$$\begin{aligned}\text{Variância da carteira formada pelo ativo sem risco e um ativo com risco} &= X^2_{\text{Maravilha}} \sigma^2_{\text{Maravilha}} \\ &= (0{,}35)^2 \times (0{,}20)^2 \\ &= 0{,}0049\end{aligned} \quad (11.12)$$

O desvio padrão da carteira é:

$$\begin{aligned}\text{Desvio padrão da carteira formada pelo ativo sem risco e um ativo com risco} &= X_{\text{Maravilha}} \sigma_{\text{Maravilha}} \\ &= 0{,}35 \times 0{,}20 \\ &= 0{,}07\end{aligned} \quad (11.13)$$

A relação entre risco e retorno esperado para carteiras formadas por ativos com e sem risco pode ser visualizada na Figura 11.9. A repartição de 35 e 65% da Sra. Bastos entre os dois ativos está representada por uma linha *reta* entre a taxa sem risco e um investimento feito unicamente nas Empresas Maravilha. Observe que, ao contrário do caso com dois ativos com risco, o conjunto de oportunidades é reto, não curvo.

Suponha que, alternativamente, a Sra. Bastos tome um empréstimo de $ 200 à taxa sem risco. Juntando esse valor com a quantia original de $ 1.000, ela investirá um total de $ 1.200 na Maravilha. O retorno esperado por ela será de:

$$\text{Retorno esperado de uma carteira formada com um empréstimo feito para investir em um ativo com risco} = 14{,}8\% = 1{,}20 \times 0{,}14 + (-0{,}2 \times 0{,}10)$$

Nesse caso, ela investe 120% de seu investimento original de $ 1.000 tomando um empréstimo de 20% desse mesmo investimento original. Observe que o retorno de 14,8% é maior que o retorno esperado de 14% em títulos das Empresas Maravilha. Isso acontece porque ela está tomando um empréstimo a 10% para investir em um título com retorno esperado maior que 10%.

O desvio padrão é:

$$\text{Desvio padrão da carteira formada com empréstimo para investir em ativo com risco} = 0{,}24 = 1{,}20 \times 0{,}2$$

(continua)

(continuação)

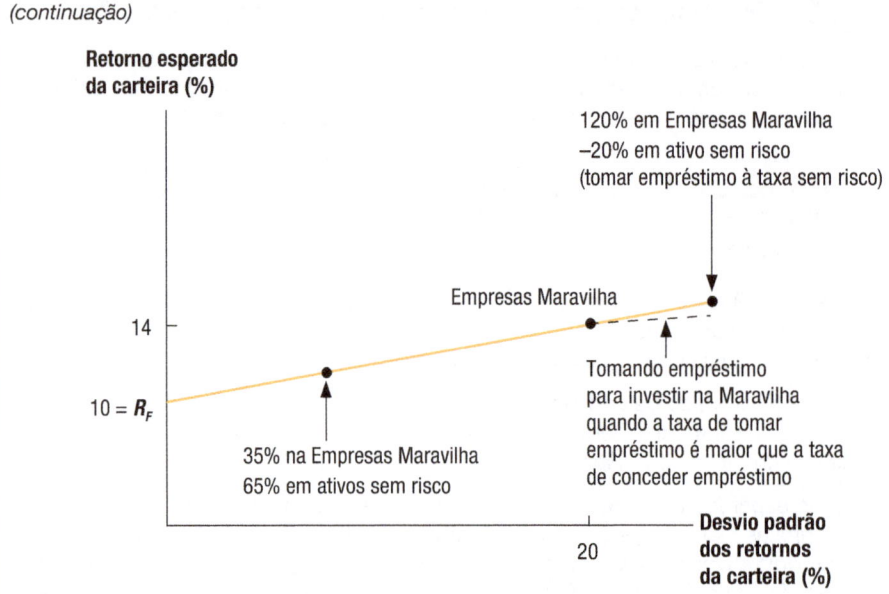

FIGURA 11.9 Relação entre retorno esperado e risco para carteiras formadas por ativos com e sem risco.

O desvio padrão de 0,24 é maior que 0,20, o desvio padrão do investimento na Maravilha, pois o ato de tomar empréstimo aumenta a variabilidade do investimento. Esse investimento também é ilustrado na Figura 11.9.

Até o momento, pressupusemos que a Sra. Bastos possa tomar empréstimos à mesma taxa que pode conceder empréstimos.[11] Agora, consideremos o caso em que a taxa de tomar empréstimos é superior à taxa de conceder empréstimos. A linha pontilhada da Figura 11.9 ilustra o conjunto de oportunidades para oportunidades de tomar empréstimos no presente caso. A linha pontilhada está abaixo da linha contínua, pois uma taxa mais alta para tomar empréstimos diminui o retorno esperado do investimento.

A carteira ótima

A seção anterior dizia respeito a uma carteira formada por um ativo com e outro sem risco. Na realidade, é provável que um investidor combine um investimento no ativo sem risco com uma *carteira* de ativos com risco. Isso é ilustrado na Figura 11.10.

Veja o Ponto Q, que representa uma carteira de títulos. O Ponto Q está dentro do conjunto viável de títulos com risco. Suponhamos que o ponto represente uma carteira de 30% de investimento na AT&T, 45% na General Motors (GM) e 25% na IBM. As pessoas que combinassem os investimentos de Q com investimentos no ativo sem risco chegariam a pontos ao longo da linha reta entre R_F e Q. Chamamos essa linha de Linha *I*. Por exemplo, o Ponto *1* na linha representa uma carteira de 70% de investimento no ativo sem risco e 30% em ações representada por Q. Um investidor com $ 100 que escolhesse o Ponto *1* para ser sua carteira investiria $ 70 no ativo sem risco e $ 30 em Q. Em outras palavras, ele investiria $ 70 no ativo sem risco, $ 9 (=0,3 × $ 30) na AT&T, $ 13,50 (=0,45 × $ 30) na GM e $ 7,50 (=0,25 × $ 30) na IBM. O Ponto *2* também representa uma carteira formada pelo ativo sem risco e Q, com uma proporção maior (65%) de investimento em Q.

---

[11] Surpreendentemente, essa parece ser uma aproximação realista, pois muitos investidores podem tomar empréstimos de uma corretora (chamado de *conta margem*) para comprar ações nas bolsas de valores. A taxa de empréstimos é bastante aproximada à taxa de juros sem risco, principalmente para grandes investidores. Mais adiante neste capítulo, trataremos mais sobre o assunto.

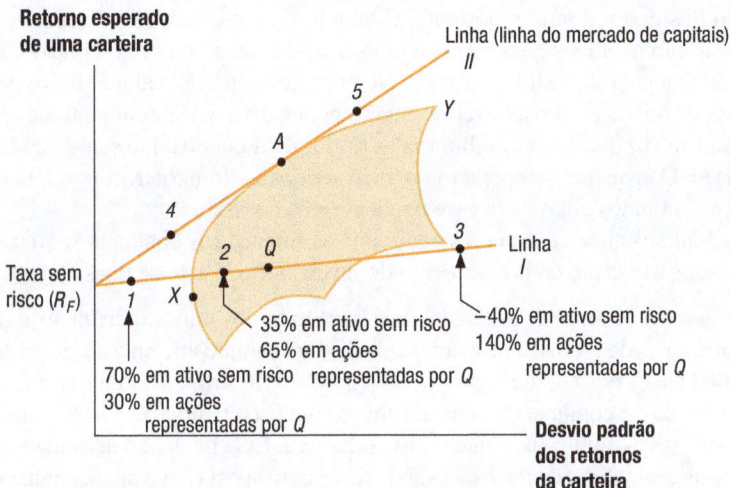

A Carteira Q é formada por 30% de investimento na AT&T, 45% na GM e 25% na IBM.

FIGURA 11.10 Relação entre o retorno esperado e o desvio padrão para um investimento em uma combinação de títulos com risco e o ativo sem risco.

O Ponto 3 é obtido com a tomada de empréstimos para investimento em Q. Por exemplo, um investidor com $ 100 próprios tomaria emprestado $ 40 do banco ou da corretora para investir um total de $ 140 em Q. Essa situação pode ser descrita como tomar um empréstimo de $ 40 e contribuir com $ 100 de fundos próprios para investir $ 42 (=0,3 × $ 140) na AT&T, $ 63 (=0,45 × $ 140) na GM e $ 35 (=0,25 × $ 140) na IBM.

Tais investimentos podem ser resumidos da seguinte maneira:

	Ponto Q	Ponto 1 (Aplicando $ 70 em renda fixa)	Ponto 3 (Tomando empréstimo de $ 40)
AT&T	$ 30	$ 9,00	$ 42
GM	45	13,50	63
IBM	25	7,50	35
Sem risco	0	70,00	−40
Investimento total	$ 100	$ 100	$ 100

Embora qualquer investidor possa obter qualquer ponto da Linha *I*, nenhum dos pontos na linha é o ideal. Para visualizar isso, considere a Linha *II*, uma linha que se inicia no ponto R_F e passa por *A*. O Ponto *A* representa uma carteira de títulos com risco. A Linha *II* representa carteiras formadas por combinações do ativo sem risco e dos títulos de *A*. Os pontos entre R_F e *A* são carteiras nas quais alguma quantia de dinheiro é investida no ativo sem risco e o restante em *A*. Os pontos após *A* são obtidos com a tomada de empréstimos à taxa sem risco para comprar mais de *A* do que seria possível apenas com os fundos originais.

Conforme o desenho, a Linha *II* é tangente ao conjunto eficiente de títulos com risco. Para qualquer ponto que um indivíduo possa obter na Linha *I*, ele pode obter um ponto com o mesmo desvio padrão e um retorno esperado mais alto na Linha *II*. Na verdade, como a Linha *II* é tangente ao conjunto eficiente de ativos com risco, ela fornece ao investidor as melhores oportunidades possíveis. Em outras palavras, a Linha *II* pode ser vista como o conjunto eficiente de *todos* os ativos, com e sem risco. Um investidor com razoável aversão ao risco preferirá escolher um ponto entre R_F e *A*, talvez o Ponto *4*. Uma pessoa com menos aversão ao risco provavelmente optará por um ponto mais perto de *A* ou até mesmo após *A*. Por exemplo, o Ponto *5* corresponde a uma pessoa que tomou um empréstimo para aumentar seu investimento em *A*.

O gráfico ilustra um ponto importante. Com a tomada e concessão de empréstimos à taxa sem risco, a carteira de ativos *com risco* de um investidor seria sempre o Ponto A. Independentemente da tolerância do investidor a riscos, ele nunca escolheria qualquer outro ponto do conjunto eficiente de ativos com risco (representado pela Curva XAY) nem qualquer ponto dentro da área viável. Em vez disso, ele combinaria os títulos de A com o ativo sem risco se tivesse alta aversão ao risco. O investidor emprestaria o ativo sem risco (tomaria recursos à taxa sem risco) para investir mais fundos em A se tivesse baixa aversão ao risco.

Esse resultado estabelece o que os economistas financeiros chamam de **princípio da separação**. Ou seja, a decisão de investimento do investidor consiste de duas etapas separadas:

1. Após estimar (*a*) os retornos esperados e as variâncias dos títulos individuais e (*b*) as covariâncias entre pares de títulos, o investidor calculará o conjunto eficiente de ativos com risco, representado pela Curva XAY na Figura 11.10. Então, ele determina o Ponto A, a tangência entre a taxa sem risco e o conjunto eficiente de ativos com risco (Curva XAY). O Ponto A representa a carteira de ativos com o risco que o investidor terá. Esse ponto é determinado somente por meio de suas estimativas de retornos, variâncias e covariâncias. Assim, nenhuma caracterísitica pessoal, como o seu grau de aversão ao risco, será uma variável necessária nesta etapa.

2. Agora, o investidor deve determinar como combinará o Ponto A, sua carteira de ativos com risco, com o ativo sem risco. Ele pode investir parte de seus fundos no ativo sem risco e outra parte na Carteira A. Nesse caso, ele se posicionaria em um ponto da linha entre R_F e A. Outra opção seria tomar emprestado à taxa sem risco e contribuir também com parte de seus fundos, investindo a soma na Carteira A. Ele ficaria em um ponto da Linha II após A. Sua posição no ativo sem risco – ou seja, sua escolha do local da linha que gostaria de estar – é determinada por suas características pessoais, como sua capacidade de tolerar riscos.

11.8 Equilíbrio de mercado

Definição de carteira de equilíbrio de mercado

ExcelMaster
cobertura
online

Esta seção apresenta as linhas de tendência, estimativas de regressão e as funções Inclinação e Intercepção.

A análise anterior dizia respeito a um só investidor. As estimativas dos retornos esperados e variâncias de títulos individuais e as covariâncias entre pares de títulos são somente desse investidor. Outros investidores certamente teriam estimativas diferentes para essas variáveis. No entanto, as estimativas não podem apresentar grande variação, pois todos os investidores estão elaborando expectativas a partir dos mesmos dados sobre movimentações históricas dos preços e outras informações disponíveis ao público.

Os economistas da área de finanças frequentemente imaginam um mundo em que todos os investidores possuem as *mesmas* estimativas de retornos esperados, variâncias e covariâncias. Embora isso nunca seja verdade literalmente, trata-se de uma suposição útil e simplificadora em uma realidade em que os investidores têm acesso a fontes de informação semelhantes. Essa suposição é chamada de **expectativas homogêneas**.[12]

Se todos os investidores tivessem expectativas homogêneas, a Figura 11.9 seria a mesma para todas as pessoas. Ou seja, todos os investidores traçariam o mesmo conjunto eficiente de ativos com risco, porque estariam trabalhando com os mesmos dados. Esse conjunto eficiente de ativos com risco é representado pela Curva XAY. Como a mesma taxa sem risco seria aplicável a todos os investidores, todos eles veriam o Ponto A como a carteira de ativos com risco a ser mantida.

O Ponto A passa a ter grande importância, pois todos comprariam os títulos com risco representados nesse ponto. Os investidores com alto grau de aversão ao risco talvez optem por combinar A com um investimento no ativo sem risco, posicionando-se no Ponto 4, por exemplo; outros com baixa aversão ao risco podem optar por fazer um empréstimo para chegar ao Ponto 5. Por se tratar de uma conclusão muito importante, fazemos uma reafirmação:

---

[12] A suposição de expectativas homogêneas afirma que todos os investidores apresentam as mesmas expectativas quanto a valores de retornos, variâncias e covariâncias. Ela não diz que todos os investidores têm a mesma aversão ao risco.

> **Em um mundo com expectativas homogêneas, todos os investidores manteriam a carteira de ativos com risco representada pelo Ponto A.**

Se todos os investidores escolhem a mesma carteira de ativos com risco, é possível definir o que essa carteira é. O senso comum nos diz que é uma carteira ponderada pelo valor de mercado de todos os títulos existentes. Trata-se da **carteira de mercado**.

Na prática, os economistas usam um índice abrangente, tal como o Ibovespa, no Brasil, ou o Standard & Poor's (S&P) 500, nos EUA, como representação da carteira de mercado nesses mercados. É claro que nem todos os investidores possuem a mesma carteira em cada mercado. No entanto, sabemos que muitos deles apresentam carteiras diversificadas, principalmente quando fundos de investimento ou fundos de pensão estão envolvidos. Um índice abrangente é uma boa representação das carteiras altamente diversificadas de muitos investidores.

Definição de risco quando os investidores têm a carteira de mercado

Em uma seção anterior deste capítulo, afirmamos que o risco ou o desvio padrão dos retornos de uma ação pode ser dividido em risco sistemático e risco não sistemático. Em uma grande carteira, o risco não sistemático pode ser diversificado, ao contrário do risco sistemático. Por isso, um investidor diversificado deve se preocupar com o risco sistemático, e não com o risco não sistemático de cada título da carteira. Há uma maneira de medir o risco sistemático de um título? Sim, ele é mais bem quantificado por meio do *beta*, que ilustramos no próximo exemplo. O fato é que o *beta* é a melhor medida do risco de um título individual a partir do ponto de vista de um investidor diversificado.

EXEMPLO 11.4 *Beta*

Considere os seguintes retornos possíveis da ação da Joia S/A e do mercado:

Estado	Tipo de economia	Retorno do mercado (%)	Retorno da Joia S/A (%)
I	Em alta	15	25
II	Em alta	15	15
III	Em baixa	−5	−5
IV	Em baixa	−5	−15

Embora o retorno do mercado tenha apenas dois resultados possíveis (15% e −5%), há quatro resultados possíveis para o retorno da Joia S/A. É esclarecedor considerar o retorno esperado de um título para um determinado retorno do mercado. Supondo que a probabilidade de cada estado seja a mesma, temos:

Tipo de economia	Retorno do mercado (%)	Retorno esperado da Joia S/A (%)
Em alta	15%	$20\% = 25\% \times \frac{1}{2} + 15\% \times \frac{1}{2}$
Em baixa	−5%	$-10\% = -5\% \times \frac{1}{2} + (-15\%) \times \frac{1}{2}$

A Joia responde às movimentações do mercado, e seu retorno esperado é maior em estados de alta da economia do que em estados de baixa. Calculemos exatamente o quão responsivo o título será às movimentações do mercado: o retorno do mercado quando a economia está em alta é 20% maior [=15% − (−5%)] do que o seu retorno quando a economia está em baixa; já o retorno esperado da Joia quando a economia está em alta é 30% maior [=20% − (−10%)] do que seu retorno esperado quando a economia está em baixa. Assim, a Joia S/A apresenta um coeficiente de resposta de 1,5 (=30%/20%).

(continua)

(continuação)

Essa relação é ilustrada na Figura 11.11. Os retornos tanto para a Joia quanto para o mercado em cada estado estão representados como quatro pontos. Além disso, marcamos o retorno esperado do título para cada um dos dois retornos possíveis do mercado. Esses dois pontos, que chamamos de X, estão ligados por uma linha denominada **linha característica** do título. A inclinação da linha é 1,5, o número calculado no parágrafo anterior. Esse coeficiente de resposta de 1,5 é o **beta** da Joia.

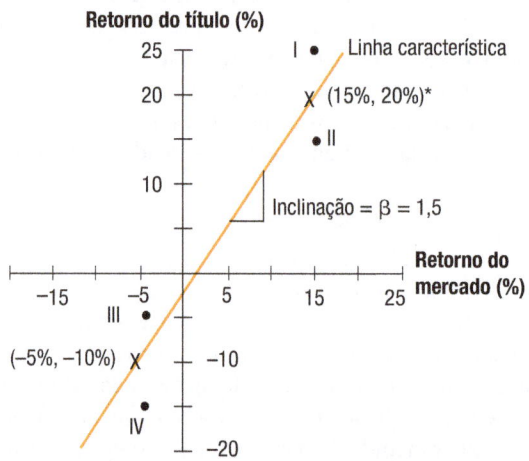

Os dois pontos marcados com X representam o retorno esperado da Joia para cada resultado possível da carteira de mercado. O retorno esperado da Joia é positivamente relacionado ao retorno do mercado. Como a inclinação é de 1,5, dizemos que o *beta* da Joia é 1,5. O *beta* mede a resposta dos retornos do título às movimentações do mercado.

*(15%, 20%) refere-se ao ponto em que o retorno do mercado é de 15% e o retorno do título é de 20%.

FIGURA 11.11 Desempenho da Joia S/A e a carteira de mercado.

A interpretação do *beta* da Figura 11.11 é intuitiva. O gráfico nos fornece a informação de que os retornos da Joia ampliam em 1,5 vez os retornos do mercado. Quando o mercado obtém um resultado positivo, espera-se que a ação da Joia tenha um resultado ainda melhor. Quando o mercado apresenta um resultado negativo, espera-se que a ação da Joia tenha um resultado ainda pior. Agora, imagine uma pessoa que tem uma carteira parecida com a do mercado e que esteja pensando em incluir a Joia em sua carteira. Em razão do *fator de aumento* de 1,5, ela verá essa ação contribuindo muito para o risco da carteira. (Mostraremos que o *beta* do título representativo da média do mercado é 1.) A Joia contribui mais para o risco de uma carteira grande e diversificada do que um título comum, porque a Joia é mais responsiva às movimentações de mercado.

Podemos obter ainda mais informações sobre o assunto ao analisar títulos com *beta*s negativos. Esses títulos devem ser vistos como *hedges* ou apólices de seguro. Espera-se que o título obtenha um bom resultado quando o mercado apresenta um mau resultado e vice-versa. Por isso, incluir um título com *beta* negativo em uma grande e diversificada carteira de fato reduz o risco da carteira como um todo.[13]

O Quadro 11.6 apresenta estimativas empíricas de *beta*s para títulos individuais. Como podemos ver, alguns títulos são mais responsivos ao mercado do que outros. Por exemplo, a Ford apresenta um *beta* de 2,35. Isso significa que, para cada movimentação de 1% do mercado,[14]

---

[13] Infelizmente, as provas empíricas mostram que poucas ações apresentam *beta*s negativos, se é que alguma apresenta.

[14] No Quadro 11.6, usamos o índice Standard & Poor's 500 como uma representação da carteira de mercado nos EUA.

QUADRO 11.6 Estimativas de *beta* para determinadas ações individuais

Ação	Beta
CVS Caremark	0,79
3M	0,83
Amazon.com	0,90
Tyson Foods	1,14
McGraw-Hill	1,23
Dell	1,42
Ford	2,35
Louisiana Pacific	2,82

O *beta* é definido como Cov(R_i, R_M)/Var(R_M), em que Cov(R_i, R_M) é a covariância dos retornos de um título individual, R_i, e os retornos do mercado, R_M. Var(R_M) é a variância dos retornos do mercado, R_M.

espera-se que a Ford se movimente 2,35% na mesma direção. De modo contrário, a 3M apresenta um *beta* de apenas 0,83. Isso significa que, para cada movimentação de 1% do mercado, espera-se que a 3M se movimente 0,83% na mesma direção.

Podemos resumir nossa discussão sobre o *beta* afirmando que:

> **O *beta* mede a resposta de um título a movimentações da carteira de mercado.**

Fórmula do *beta*

Até o momento, nossa discussão destacou a intuição por trás do *beta*. A definição real do *beta* é:

$$\beta_i = \frac{\text{Cov}(R_i, R_M)}{\sigma^2(R_M)} \tag{11.14}$$

Nessa fórmula, Cov(R_i, R_M) é a covariância entre o retorno do Ativo *i* e o retorno da carteira de mercado, e $\sigma^2(R_M)$ é a variância do mercado.

Uma propriedade útil é que o *beta* médio de todos os títulos, quando ponderado pela proporção do valor de mercado de cada título para o da carteira de mercado, é 1. Ou seja:

$$\sum_{i=1}^{N} X_i \beta_i = 1 \tag{11.15}$$

Nessa equação, X_i é a proporção do valor de mercado do Título *i* para o de todo o mercado, e *N* é o número de títulos no mercado.

A Equação 11.15 é intuitiva, se pensarmos bem. Se você ponderar todos os títulos por seus valores de mercado, a carteira resultante é o mercado. Por definição, o *beta* da carteira de mercado é 1. Ou seja, para cada movimentação de 1% do mercado, o mercado deve se movimentar 1% – *por definição*.

Um teste

As questões a seguir fizeram parte de algumas de nossas provas sobre Finanças Corporativas:

1. Que tipo de investidor vê racionalmente a variância (ou o desvio padrão) dos retornos de um título individual como a medida ideal do risco desse título?
2. Que tipo de investidor vê, racionalmente, o *beta* de um título como a medida ideal do risco desse título?

Uma boa resposta que responde às duas perguntas poderia ser algo como:

> Um investidor racional e avesso ao risco vê a variância (ou o desvio padrão) dos retornos de sua carteira como a medida ideal do risco da carteira. Se, por algum motivo, o investidor somente puder ter um título, a variância dos retornos desse título se torna a variância dos retornos da carteira. Por isso, a variância do retorno do título é a medida ideal do risco do título.

Se uma pessoa possui uma carteira diversificada, ela continuará vendo a variância (ou o desvio padrão) do retorno de sua carteira como a medida ideal do risco dessa carteira. No entanto, a variância do retorno de cada título individual não será mais relevante. Em vez disso, o investidor estará interessado na contribuição de um título individual para a variância da carteira. A contribuição de um título para a variância de uma carteira diversificada é mais bem medida pelo *beta*. Portanto, o *beta* é a medida ideal do risco de um título individual para um investidor diversificado.

O *beta* mede o risco sistemático de um título. Assim, investidores diversificados prestam atenção ao risco sistemático de cada título. No entanto, eles não consideram os riscos não sistemáticos de títulos individuais, tendo em vista que os riscos não sistemáticos são diversificados em uma grande carteira.

11.9 Relação entre risco e retorno esperado (CAPM)

A argumentação de que o retorno esperado de um ativo deve ser relacionado positivamente a seu risco é bastante comum. Isso quer dizer que os investidores manterão um ativo com risco somente se seu retorno esperado compensar o risco. Nesta seção, primeiro estimamos o retorno esperado do mercado de ações como um todo. Depois disso, estimamos os retornos esperados de títulos individuais.

Retorno esperado do mercado

Os economistas frequentemente argumentam que o retorno esperado do mercado pode ser representado como:

$$\overline{R}_M = R_F + \text{Prêmio para o risco}$$

Ou seja, o retorno esperado do mercado é a soma da taxa sem risco mais uma remuneração pelo risco inerente da carteira de mercado. Observe que a equação se refere ao retorno *esperado* do mercado, não ao retorno real de um determinado mês ou ano. Como as ações apresentam risco, o retorno real do mercado ao longo de um período específico pode certamente ser abaixo de R_F ou até mesmo negativo.

Já que os investidores esperam por uma remuneração pelo risco, pode-se presumir que o prêmio para o risco seja positivo. Porém, quão positivo é esse valor? Geralmente, dizemos que devemos começar a procurar pelo valor do prêmio para risco no futuro olhando o prêmio para o risco médio no passado. Conforme já dito no Capítulo 10, Dimson, Marsh e Staunton descobriram que o retorno anual médio de ações dos Estados Unidos, excedente à taxa sem risco (ou seja, de títulos do Tesouro dos Estados Unidos de um ano), foi de 7,2% entre 1900 e 2010. Chamamos o valor de 7,2% de prêmio para o risco histórico para o capital próprio nos Estados Unidos. O prêmio médio mundial e histórico para capital próprio foi de 6,9%. Levando em consideração diversos fatores, acreditamos que 7% é uma estimativa razoável do prêmio para o risco futuro para capital próprio nos Estados Unidos.

Por exemplo, se a taxa sem risco, estimada pelo rendimento atual de um título do Tesouro dos Estados Unidos, for de 1%, o retorno esperado do mercado será:

$$8\% = 1\% + 7\%$$

É evidente que o prêmio para risco futuro para capital próprio poderia ser mais alto ou mais baixo que o valor histórico. Isso pode se concretizar se o risco futuro for mais alto ou mais baixo do que o risco no passado ou se aversões ao risco individuais forem mais altas ou baixas do que antes.

Os argumentos que apresentamos se aplicam a mercados ativos, competitivos e com bom funcionamento. Os mercados de ações, como a Bolsa de Nova York (Nyse) e a BM&FBOVESPA, atendem melhor a esses critérios. Os outros mercados, como os mercados de ativos reais, podem ou não atender a esses critérios. Por esse motivo, esses conceitos são mais úteis para examinar mercados financeiros. Dessa forma, nos concentraremos em tais mercados. Entretanto, como discutiremos em uma seção posterior, as informações sobre risco e retornos dos mercados financeiros são cruciais para avaliar os investimentos que uma empresa faz em ativos reais.

Retorno esperado de um título individual

Agora que já estimamos o retorno esperado do mercado como um todo, qual é o retorno esperado de um título individual? Argumentamos anteriormente que o *beta* de um título é a medida ideal de seu risco em uma carteira grande e diversificada. Como a maioria dos investidores é diversificada, o retorno esperado de um título deve ser relacionado positivamente com seu *beta*. Essa ideia é ilustrada na Figura 11.12.

Na verdade, os economistas podem ser mais precisos sobre a relação entre retorno esperado e *beta*. Eles afirmam que, sob condições plausíveis, a relação entre retorno esperado e *beta* pode ser representada pela equação a seguir:[15]

Modelo de precificação de ativos financeiros (CAPM)

$$\overline{R} = R_F + \beta \times (\overline{R}_M - R_F) \qquad (11.16)$$

$$\begin{matrix} \text{Retorno} \\ \text{esperado de} \\ \text{um título} \end{matrix} = \begin{matrix} \text{Taxa sem} \\ \text{risco} \end{matrix} + \begin{matrix} \textit{Beta} \text{ do} \\ \text{título} \end{matrix} \times \begin{matrix} \text{Diferença entre} \\ \text{o retorno esperado} \\ \text{do mercado e a} \\ \text{taxa sem risco} \end{matrix}$$

Essa fórmula, chamada de **modelo de precificação de ativos financeiros** (CAPM, de *Capital Asset Pricing Model*), prevê que o retorno esperado de um título é relacionado de maneira linear ao seu *beta*. Como o retorno médio do mercado tem sido mais alto do que a taxa sem risco média ao decorrer de longos períodos de tempo, o valor de $\overline{R}_M = R_F$ é, presumivelmente, positivo. Assim, a fórmula implica que o retorno esperado de um título é *positivamente* relacionado a seu *beta*. A fórmula pode ser analisada também em alguns casos especiais:

- *Suponha que* $\beta = 0$. Nesse caso, $\overline{R} = R_F$. Ou seja, o retorno esperado do título é igual à taxa sem risco. Como um título com *beta* nulo não apresenta um risco relevante, seu retorno esperado deve ser igual à taxa sem risco.

- *Suponha que* $\beta = 1$. A Equação 11.16 se reduz a $\overline{R} = \overline{R}_M$. Ou seja, o retorno esperado do título é igual ao retorno esperado do mercado. Tal relação faz sentido, pois o *beta* da carteira de mercado também é 1.

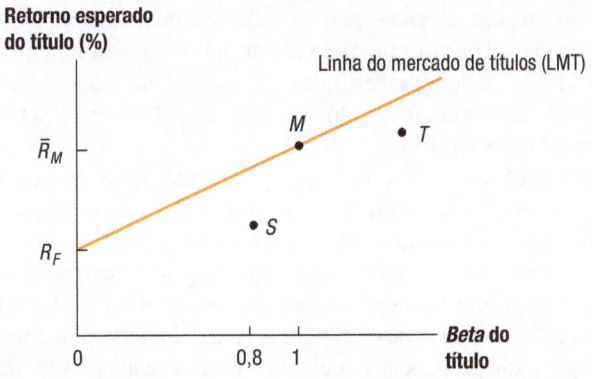

A linha do mercado de títulos (LMT) é a representação gráfica do modelo de precificação de ativos financeiros (CAPM).
O retorno esperado de uma ação com *beta* 0 é igual à taxa sem risco.
O retorno esperado de uma ação com *beta* 1 é igual ao retorno esperado do mercado.

FIGURA 11.12 Relação entre o retorno esperado de um título individual e seu *beta*.

---

[15] Tal relação foi primeiramente proposta de maneira independente por John Lintner e William F. Sharpe.

A Equação 11.16 pode ser representada graficamente pela linha com inclinação ascendente da Figura 11.12. Observe que essa linha começa em R_F e sobe para $\overline{R}_M$, quando beta é 1. Essa linha é chamada de **linha do mercado de títulos** (LMT, conforme já apresentado).

Assim como qualquer linha, a LMT apresenta uma inclinação e uma intercepção. R_F, a taxa sem risco, é a intercepção. Como o *beta* de um título é o eixo horizontal, $\overline{R}_M - R_F$ é a inclinação. Enquanto o retorno esperado do mercado for maior do que a taxa sem risco, a linha terá uma inclinação ascendente. A teoria sugere que, por se tratar de um ativo com risco, o retorno esperado da carteira de mercado esteja acima da taxa sem risco, um resultado coerente com a evidência empírica do capítulo anterior.

EXEMPLO 11.5

A ação da Aardvark S/A tem um *beta* de 1,5, enquanto a ação da Zebra S/A tem um *beta* de 0,7. Presume-se que a taxa sem risco seja de 3% e que a diferença entre o retorno esperado do mercado e a taxa sem juros seja de 8%. Os retornos esperados dos dois títulos são:

Retorno esperado da Aardvark
$$15,0\% = 3\% + 1,5 \times 8,0\% \tag{11.17}$$

Retorno esperado da Zebra
$$8,6\% = 3\% + 0,7 \times 8,0\%$$

Devemos ainda mencionar mais três pontos com relação ao CAPM:

1. *Linearidade:* a ideia por trás da curva com inclinação ascendente é clara. Como o *beta* é a medida adequada do risco, títulos com um valor alto de *beta* devem ter um retorno esperado maior que o retorno esperado de títulos com *beta* baixo. No entanto, tanto a Figura 11.12 quanto a Equação 11.16 mostram algo além de uma curva com inclinação ascendente: a relação entre retorno esperado e *beta* corresponde a uma *linha reta*.

   É fácil mostrar que a linha da Figura 11.12 é reta. Veja, por exemplo, o Título *S* com *beta* de, digamos, 0,8. Esse título é representado por um ponto abaixo da LMT na figura. Qualquer investidor poderia duplicar o *beta* do Título *S* comprando uma carteira com 20% de investimento no ativo sem risco e 80% em um título com *beta* de 1. No entanto, essa carteira caseira se posicionaria na LMT. Em outras palavras, a carteira domina o Título *S* porque apresenta um retorno esperado maior e o mesmo *beta*.

   Agora, veja o Título *T* com *beta* maior que 1. Esse título também está abaixo da LMT na Figura 11.12. Qualquer investidor poderia duplicar o *beta* do Título *T* tomando um empréstimo para investir em um título com *beta* de 1. Essa carteira também se posicionaria na LMT, dominando o Título *T*.

   Como ninguém manteria *S* ou *T*, os preços das ações cairiam. Esse ajuste de preço aumentaria os retornos esperados dos dois títulos. O ajuste continuaria até que os dois títulos chegassem à LMT. O exemplo anterior levou em consideração duas ações que estavam acima do preço e uma LMT reta. Os títulos que se posicionam acima da LMT estão abaixo do preço. Seus preços devem subir até que seus retornos esperados atinjam a linha. Se a LMT fosse uma curva, muitas ações estariam precificadas erroneamente. Em equilíbrio, todos os títulos seriam mantidos apenas quando os preços se alterassem de maneira que a LMT se tornasse reta. Em outras palavras, a linearidade seria alcançada.

2. *Para carteiras da mesma forma que para títulos:* Nossa discussão do CAPM levou em consideração dois títulos individuais. A relação apresentada na Figura 11.12 e na Equação 11.16 permanece válida também para carteiras?

   Sim. Para visualizar isso, considere uma carteira formada com 50% de investimento no título da Aardvark e 50% no título da Zebra, empresas do Exemplo 11.5. O retorno esperado da carteira é:

Retorno esperado da carteira
$$11,8\% = 0,5 \times 15,0\% + 0,5 \times 8,6\% \tag{11.18}$$

O *beta* da carteira é simplesmente uma média ponderada dos *beta*s dos dois títulos. Assim, temos:

Beta da carteira
$$1,1 = 0,5 \times 1,5 + 0,5 \times 0,7$$

Sob o CAPM, o retorno esperado da carteira é:

$$11,8\% = 3\% + 1,1 \times 8,0\% \qquad (11.19)$$

Como o retorno esperado da Equação 11.18 é o mesmo que o retorno esperado da Equação 11.19, o exemplo mostra que o CAPM vale para carteiras da mesma forma que para títulos individuais.

3. *Uma provável confusão:* Muitas vezes, os estudantes confundem a LMT da Figura 11.12 com a Linha *II* da Figura 11.10. Na verdade, essas linhas são bastante distintas. A Linha *II* esboça o conjunto eficiente de carteiras formadas por ativos com e sem risco. Cada ponto da linha apresenta uma carteira completa. O Ponto *A* é uma carteira formada inteiramente por ativos com risco. Todos os outros pontos da linha representam carteiras dos títulos em *A* juntamente com o ativo sem risco. Os eixos da Figura 11.10 são o retorno esperado de uma *carteira* e seu desvio padrão. Títulos individuais não se sobrepõem à Linha *II*.

A LMT na Figura 11.12 relaciona o retorno esperado ao *beta*. A Figura 11.12 se diferencia da Figura 11.10 pelo menos de duas maneiras. Primeiro, é o *beta* que aparece no eixo horizontal da Figura 11.12, enquanto é o desvio padrão que aparece no eixo horizontal da Figura 11.10. Segundo, a LMT da Figura 11.12 permanece válida tanto para títulos individuais quanto para todas as carteiras possíveis, enquanto a Linha *II* da Figura 11.10 vale apenas para carteiras eficientes.

Afirmamos anteriormente que, sob expectativas homogêneas, o Ponto *A* da Figura 11.10 se torna a carteira de mercado. Nessa situação, a Linha *II* é chamada de **linha do mercado de capitais** (LMC).

Resumo e conclusões

Este capítulo trouxe os fundamentos da teoria moderna de carteiras. Nossos tópicos básicos foram:

1. Este capítulo nos mostrou como calcular o retorno esperado e a variância para títulos individuais, além da covariância e da correlação para pares de títulos. Dadas essas estatísticas, o retorno esperado e a variância para uma carteira formada pelos títulos *A* e *B* podem ser escritos como:

$$\text{Retorno esperado da carteira} = X_A \overline{R}_A + X_B \overline{R}_B$$
$$\text{Var(carteira)} = X_A^2 \sigma_A^2 + 2X_A X_B \sigma_{AB} + X_B^2 \sigma_B^2$$

2. Em nossa notação, *X* é a proporção de um título em uma carteira. Alterando o valor de *X*, podemos chegar ao conjunto eficiente de carteiras. Ilustramos por meio de um gráfico o conjunto eficiente para o caso de dois ativos como uma curva, indicando que o nível da curvatura ou inclinação no gráfico reflete o efeito da diversificação: quanto menor a correlação entre os dois títulos, maior a inclinação. A mesma forma geral do conjunto eficiente permanece válida em uma realidade de muitos ativos.

3. Assim como a fórmula para a variância no caso com dois ativos é calculada a partir de uma matriz 2×2, a fórmula da variância no caso de *N* ativos é calculada a partir de uma matriz *N*×*N*. Mostramos que, com um grande número de ativos, há um número muito maior de termos de covariância que termos de variância na matriz. Na verdade, os termos de variância são efetivamente diversificados em uma carteira grande, diferentemente dos termos de covariância. Por isso, uma carteira diversificada pode eliminar parte do risco de títulos individuais, mas não todo.

4. O conjunto eficiente de ativos com risco pode ser combinado com tomada e concessão de empréstimos sem risco. Nesse caso, um investidor racional sempre escolherá manter a carteira formada por títulos com risco representada pelo Ponto *A* na Figura 11.10. Dessa maneira, ele pode tomar emprestado ou emprestar determinado valor à taxa sem risco para alcançar o ponto que desejar na Linha *II* da figura.

5. A contribuição de um título para o risco de uma carteira grande e bem diversificada é proporcional à covariância dos retornos do título com os retornos do mercado. Essa contribuição, quando padronizada, é chamada de *beta*. O *beta* de um título também pode ser interpretado como a resposta dos retornos de um título aos retornos do mercado.

6. O CAPM afirma que:

$$\overline{R} = R_F + \beta\,(\overline{R}_M - R_F)$$

Em outras palavras, o retorno esperado de um título é positivamente (e linearmente) relacionado ao *beta* desse título.

QUESTÕES CONCEITUAIS

1. **Riscos diversificáveis e não diversificáveis** De forma geral, por que alguns riscos são diversificáveis? Por que alguns riscos são não diversificáveis? Isso significa que um investidor pode controlar o nível de risco não sistemático de uma carteira, mas não o nível de risco sistemático?

2. **Risco sistemático *versus* não sistemático** Classifique os seguintes eventos como principalmente sistemáticos ou principalmente não sistemáticos. A distinção é clara em todos os casos abaixo elencados?
   a. As taxas de juros de curto prazo aumentam inesperadamente.
   b. A taxa de juros que uma empresa paga para tomar empréstimos de curto prazo é aumentada pelo banco.
   c. Os preços do petróleo caem inesperadamente.
   d. Uma ruptura em um petroleiro cria um grande vazamento de petróleo.
   e. Um fabricante perde uma ação multimilionária sobre o seu produto.
   f. Uma decisão da Supremo Tribunal amplia substancialmente a responsabilidade do fabricante sobre danos sofridos por usuários.

3. **Retornos esperados de uma carteira** Se uma carteira tiver um investimento positivo em cada ativo, o retorno esperado sobre ela pode ser maior do que aquele de cada ativo da carteira? Ele pode ser menor do que aquele de cada ativo da carteira? Se você responder sim para uma ou ambas as perguntas, dê um exemplo que sustente a sua resposta.

4. **Diversificação** Verdadeiro ou falso? A característica mais importante para a determinação do retorno esperado de uma carteira bem diversificada é a variância dos ativos individuais da carteira. Explique.

5. **Risco de uma carteira** Se uma carteira tiver um investimento positivo em cada ativo, seu desvio padrão pode ser menor do que aquele de cada ativo da carteira? E o *beta* da carteira?

6. ***Beta* e CAPM** É possível que um ativo com risco tenha um *beta* igual a zero? Explique. Com base no CAPM, qual é o retorno esperado sobre tal ativo? É possível que um ativo com risco tenha um *beta* negativo? O que o CAPM prevê quanto ao retorno esperado sobre tal ativo? Como você pode explicar sua resposta?

7. **Covariância** Explique em poucas palavras a razão da covariância de um título com o resto de uma carteira bem diversificada ser uma medida mais apropriada do risco do título do que a variância desse título.

8. ***Beta*** Considere a citação a seguir feita por um grande gestor de investimentos: "As ações da Sudoeste S/A foram negociadas por cerca de $ 12 pela maior parte dos últimos três

anos. Desde que as ações da Sudoeste começaram a apresentar uma movimentação muito baixa, ela passou a ter um *beta* baixo. Por outro lado, a TI Instrumentos foi negociada por até $ 150, e seu mínimo foi de $ 75. Tendo em vista que a ação da TI apresentou uma grande movimentação nos preços da ação, a ação tem um *beta* muito alto". Você concorda com a análise do gestor? Explique.

9. **Risco** Um corretor lhe aconselhou a não investir em ações de petróleo, porque elas apresentam desvios padrão altos. O conselho do corretor parece se referir a um investidor avesso ao risco como você? Por quê?

10. **Seleção de títulos** A afirmação a seguir é verdadeira ou falsa? Um título com risco não pode ter um retorno esperado que seja menor do que a taxa sem risco, pois nenhum investidor avesso ao risco estaria disposto a ter o ativo em equilíbrio. Explique.

QUESTÕES E PROBLEMAS

BÁSICO
(Questões 1-19)

1. **Determinação dos pesos de uma carteira** Quais são os pesos de uma carteira que tem 135 ações da Ação *A*, que são vendidas a $ 47 cada, e 105 ações da Ação *B*, que são vendidas a $ 41 cada?

2. **Retorno esperado de uma carteira** Você possui uma carteira que apresenta $ 2.100 de investimento na Ação *A* e $ 3.200 de investimento na Ação *B*. Se os retornos esperados dessas ações são, respectivamente, 11% e 14%, qual é o retorno esperado da carteira?

3. **Retorno esperado de uma carteira** Você possui uma carteira com 25% de investimento na Ação *X*, 40% na Ação *Y* e 35% na Ação *Z*. Os retornos esperados dessas três ações são, respectivamente, 11%, 17% e 14%. Qual é o retorno esperado da carteira?

4. **Retorno esperado de uma carteira** Você tem $ 10.000 para investir em uma carteira de ações. Suas opções são a Ação *X*, com um retorno esperado de 14%, e a Ação *Y*, com um retorno esperado de 9%. Se o seu objetivo for criar uma carteira com retorno esperado de 12,9%, quanto você investirá na Ação *X*? E na Ação *Y*?

5. **Cálculo de retornos e desvios padrão** Com base nas seguintes informações, calcule o retorno esperado e o desvio padrão das duas ações:

Estado da economia	Probabilidade do estado da economia	Taxa de retorno em relação ao estado	
		Ação *A*	Ação *B*
Recessão	0,20	0,06	−0,20
Normalidade	0,55	0,07	0,13
Expansão	0,25	0,11	0,33

6. **Cálculo de retornos e desvios padrão** Com base nas seguintes informações, calcule o retorno esperado e o desvio padrão:

Estado da economia	Probabilidade do estado da economia	Taxa de retorno em relação ao estado
Depressão	0,10	−0,105
Recessão	0,25	0,059
Normalidade	0,45	0,130
Expansão	0,20	0,211

7. **Cálculo de retornos esperados** Em uma carteira, há 10% de investimento na Ação *G*, 65% na Ação *J* e 25% na Ação *K*. Os retornos esperados dessas ações são, respectivamente, 9%, 11% e 14%. Qual é o retorno esperado da carteira? Como você interpreta sua resposta?

8. **Retornos e desvios padrão** Considere as informações a seguir:

Estado da economia	Probabilidade do estado da economia	Taxa de retorno em relação ao estado		
		Ação A	Ação B	Ação C
Expansão	0,65	0,07	0,15	0,33
Retração	0,35	0,13	0,03	−0,06

   a. Qual é o retorno esperado de uma carteira igualmente ponderada dessas três ações?

   b. Qual é a variância de uma carteira com 20% de investimento na Ação A, 20% na B e 60% na C?

9. **Retornos e desvios padrão** Considere as informações a seguir:

Estado da economia	Probabilidade do estado da economia	Taxa de retorno em relação ao estado		
		Ação A	Ação B	Ação C
Expansão	0,20	0,24	0,45	0,33
Bom	0,35	0,09	0,10	0,15
Ruim	0,30	0,03	−0,10	−0,05
Retração	0,15	−0,05	−0,25	−0,09

   a. Sua carteira tem 30% de investimento em A, 40% em B e 30% em C. Qual é o retorno esperado da carteira?

   b. Qual é a variância dessa carteira? E o desvio padrão?

10. **Cálculo dos *beta*s de uma carteira** Você possui uma carteira de ações com 10% de investimento na Ação Q, 35% na Ação R, 20% na Ação S e 35% na Ação T. Os *beta*s para essas quatro ações são, respectivamente, 0,75, 1,90, 1,38 e 1,16. Qual é o *beta* da carteira?

11. **Cálculo dos *beta*s de uma carteira** Você tem uma carteira com investimentos iguais em um ativo sem risco e duas ações. Se uma das ações tiver um *beta* de 1,65 e a carteira total for tão arriscada quanto o mercado, qual deve ser o *beta* da outra ação de sua carteira?

12. **Uso do CAPM** Uma ação tem um *beta* de 1,15, o retorno esperado do mercado é de 11%, e a taxa sem risco é de 5%. Qual deve ser o retorno esperado dessa ação?

13. **Uso do CAPM** Uma ação tem um retorno esperado de 10,2%, a taxa sem risco é de 4%, e o prêmio de risco de mercado é de 7%. Qual deve ser o *beta* dessa ação?

14. **Uso do CAPM** Uma ação tem um retorno esperado de 13,4%, seu *beta* é de 1,60, e a taxa sem risco é de 5,5%. Qual deve ser o retorno esperado do mercado?

15. **Uso do CAPM** Uma ação tem um retorno esperado de 13,1%, seu *beta* é de 1,28, e o retorno esperado do mercado é de 11%. Qual deve ser a taxa sem risco?

16. **Uso do CAPM** Uma ação tem um *beta* de 1,13 e um retorno esperado de 12,1%. Um ativo sem risco no momento ganha 5%.

    a. Qual é o retorno esperado de uma carteira que tenha investimentos iguais nos dois ativos?

    b. Se uma carteira com os dois ativos tiver um *beta* de 0,50, quais serão os pesos da carteira?

    c. Se uma carteira com os dois ativos tiver retorno esperado de 10%, qual será seu *beta*?

    d. Se uma carteira com os dois ativos tiver um *beta* de 2,26, quais serão os pesos da carteira? Como você interpreta os pesos dos dois ativos nesse caso? Explique.

17. **Uso da LMT** O Ativo W tem um retorno esperado de 12,3% e um *beta* de 1,3. Se a taxa sem risco for de 4%, preencha o quadro a seguir para as carteiras compostas pelo Ativo W

e um ativo sem risco. Faça um gráfico da relação entre os retornos esperados das carteiras e os *beta*s das carteiras. Qual é a inclinação da linha resultante?

Porcentagem da carteira no Ativo W	Retorno esperado da carteira	Beta da carteira
0%		
25		
50		
75		
100		
125		
150		

18. **Razão entre retorno e risco** A Ação Y tem um *beta* de 1,35 e um retorno esperado de 14%. A Ação Z tem um *beta* de 0,80 e um retorno esperado de 11,5%. Se a taxa sem risco é de 4,5% e o prêmio para o risco de mercado é de 7,3%, a precificação dessas ações está correta?

19. **Razão entre retorno e risco** No problema anterior, qual teria de ser a taxa sem risco para que as duas ações estivessem corretamente precificadas?

20. **Retornos de uma carteira** Usando as informações do capítulo anterior sobre a história do mercado de capitais, determine o retorno de uma carteira que é igualmente dividida entre ações de grandes empresas e títulos do Tesouro dos Estados Unidos de longo prazo. Qual é o retorno de uma carteira que é dividida igualmente entre ações de pequenas empresas e títulos do Tesouro dos Estados Unidos?

INTERMEDIÁRIO
(Questões 20-32)

21. **CAPM** Usando o CAPM, demonstre que a razão dos prêmios para o risco de dois ativos é igual à razão de seus *beta*s.

22. **Retornos e desvios de uma carteira** Considere as informações a seguir sobre três ações:

Estado da economia	Probabilidade do estado da economia	Taxa de retorno em relação ao estado		
		Ação A	Ação B	Ação C
Expansão	0,30	0,20	0,25	0,60
Normalidade	0,45	0,15	0,11	0,05
Retração	0,25	0,01	−0,15	−0,50

a. Se 40% do investimento de sua carteira forem em A, 40% em B e 20% em C, qual será o retorno esperado da carteira? E a variância? E o desvio padrão?

b. Se a taxa do título do Tesouro for de 3,80%, qual será o prêmio para o risco esperado da carteira?

c. Se a taxa esperada da inflação for de 3,50%, quais serão os retornos aproximado esperado e real esperado da carteira? Quais serão os prêmios para o risco aproximado esperado e real esperado da carteira?

23. **Análise de uma carteira** Você quer criar uma carteira com o mesmo risco do mercado e tem $ 1.000.000 para investir. Dadas essas informações, preencha o restante do seguinte quadro:

Ativo	Investimento	Beta
Ação A	$ 180.000	0,85
Ação B	$ 290.000	1,40
Ação C		1,45
Ativo sem risco		

24. **Análise de uma carteira** Você possui $ 100.000 para investir em uma carteira formada pela Ação X, pela Ação Y e por um ativo sem risco. É necessário que você invista todo o seu dinheiro. Seu objetivo é criar uma carteira com retorno esperado de 11,22% e que tenha apenas 96% do risco do mercado em geral. Se X tiver um retorno esperado de 15,35% e um *beta* de 1,55, Y tiver um retorno esperado de 9,4% e um *beta* de 0,7, e a taxa sem risco for de 4,5%, quanto você investirá na ação X? Como você interpreta sua resposta?

25. **Covariância e correlação** Com base nas informações a seguir, calcule o retorno esperado e o desvio padrão de cada uma das ações. Suponha que todos os estados da economia apresentem a mesma probabilidade de ocorrer. Qual é a covariância e a correlação entre os retornos das duas ações?

Estado da economia	Retorno da Ação A	Retorno da Ação B
Em baixa	0,102	−0,045
Normal	0,115	0,148
Em alta	0,073	0,233

26. **Covariância e correlação** Com base nas informações a seguir, calcule o retorno esperado e o desvio padrão de cada uma das ações. Qual é a covariância e a correlação entre os retornos das duas ações?

Estado da economia	Probabilidade do estado da economia	Retorno da Ação J	Retorno da Ação K
Em baixa	0,25	−0,020	0,034
Normal	0,60	0,138	0,062
Em alta	0,15	0,218	0,092

27. **Desvio padrão de uma carteira** O Título F tem um retorno esperado de 10% e um desvio padrão de 43% ao ano. Por sua vez, o Título G tem um retorno esperado de 15% e um desvio padrão de 62% ao ano.

  a. Qual é o retorno esperado de uma carteira formada por 30% de investimento no Título F e 70% no Título G?

  b. Se a correlação entre os retornos do Título F e do Título G for de 0,25, qual será o desvio padrão da carteira descrita na parte (a)?

28. **Desvio padrão de uma carteira** Suponha que os retornos esperados e os desvios padrão das Ações A e B sejam $E(R_A) = 0,09$, $E(R_B) = 0,15$, $\sigma_A = 0,36$ e $\sigma_B = 0,62$.

  a. Calcule o retorno esperado e o desvio padrão de uma carteira que é formada por 35% de investimento em A e 65% em B quando a correlação entre os retornos de A e B for de 0,5.

  b. Calcule o desvio padrão de uma carteira com os mesmos pesos que na parte (a) quando o coeficiente da correlação entre os retornos de A e B for de –0,5.

  c. Como a correlação entre os retornos de A e B influencia o desvio padrão da carteira?

29. **Correlação e *beta*** Você recebeu os seguintes dados sobre os títulos de três empresas, a carteira de mercado e o ativo sem risco:

Título	Retorno esperado	Desvio padrão	Correlação*	Beta
Empresa A	0,10	0,31	(i)	0,85
Empresa B	0,14	(ii)	0,50	1,40
Empresa C	0,16	0,65	0,35	(iii)
Carteira de mercado	0,12	0,20	(iv)	(v)
Ativo sem risco	0,05	(vi)	(vii)	(viii)

*Com a carteira de mercado.

a. Preencha o quadro com os valores que faltam.

b. A ação da Empresa *A* está precificada corretamente de acordo com o CAPM? E a ação da Empresa *B*? E a Empresa *C*? Se esses títulos não estiverem precificados corretamente, qual seria sua recomendação quanto a investimento para uma pessoa com uma carteira bem diversificada?

30. **LMC** A carteira de mercado tem um retorno esperado de 12% e um desvio padrão de 22%. A taxa sem risco é de 5%.

    a. Qual é o retorno esperado de uma carteira bem diversificada com um desvio padrão de 9%?

    b. Qual é o desvio padrão de uma carteira bem diversificada com um retorno esperado de 20%?

31. **Beta e CAPM** Uma carteira que combina o ativo sem risco e a carteira de mercado apresenta um retorno esperado de 7% e um desvio padrão de 10%. A taxa sem risco é de 4%, e o retorno esperado da carteira de mercado é de 12%. Suponha que o modelo de precificação de ativos financeiros se aplique. Qual seria a taxa de retorno esperada de um título que tivesse uma correlação de 0,45 com a carteira de mercado e um desvio padrão de 55%?

32. **Beta e CAPM** Suponha que a taxa sem risco seja de 4,2% e a carteira de mercado tenha um retorno esperado de 10,9%. A carteira de mercado tem uma variância de 0,0382. A Carteira *Z* tem um coeficiente de correlação com o mercado de 0,28 e uma variância de 0,3285. De acordo com o modelo de precificação de ativos financeiros, qual será o retorno esperado da Carteira *Z*?

33. **Risco sistemático *versus* não sistemático** Considere as informações a seguir sobre as Ações *I* e *II*:

DESAFIO
(Questões 33-38)

Estado da economia	Probabilidade do estado da economia	Taxa de retorno em relação ao estado	
		Ação *I*	Ação *II*
Recessão	0,15	0,11	−0,25
Normalidade	0,55	0,18	0,11
Exuberância irracional	0,30	0,08	0,31

O prêmio para o risco de mercado é de 7,5%, e a taxa sem risco é de 4%. Qual ação tem maior risco sistemático? Qual ação tem maior risco não sistemático? Qual ação é "mais arriscada"? Explique.

34. **LMT** Suponha que você tenha a seguinte situação:

Título	Beta	Retorno esperado
Pede S/A	1,35	12,28%
Repete S/A	0,80	8,54

Assuma que esses títulos estejam com o preço correto. Com base no CAPM, qual é o retorno esperado do mercado? Qual é a taxa sem risco?

35. **Covariância e desvio padrão de uma carteira** Há três títulos no mercado. O quadro a seguir mostra os resultados possíveis de cada um deles:

Estado	Probabilidade de ocorrência	Retorno do Título 1	Retorno do Título 2	Retorno do Título 3
1	0,15	0,20	0,20	0,05
2	0,35	0,15	0,10	0,10
3	0,35	0,10	0,15	0,15
4	0,15	0,05	0,05	0,20

a. Qual é o retorno esperado e o desvio padrão de cada título?

b. Quais são as covariâncias e as correlações entre os pares de títulos?

c. Qual é o retorno esperado e o desvio padrão de uma carteira com metade de seus fundos investida no Título 1 e a outra metade no Título 2?

d. Qual é o retorno esperado e o desvio padrão de uma carteira com metade de seus fundos investida no Título 1 e a outra metade no Título 3?

e. Qual é o retorno esperado e o desvio padrão de uma carteira com metade de seus fundos investida no Título 2 e a outra metade no Título 3?

f. Quais são as implicações que suas respostas de (a), (c), (d) e (e) fazem quanto à diversificação?

36. **LMT** Suponha que você tenha a seguinte situação:

Estado da economia	Probabilidade do estado	Retorno em relação ao estado	
		Ação A	Ação B
Retração	0,15	−0,10	−0,08
Normalidade	0,60	0,09	0,08
Expansão	0,25	0,32	0,26

a. Calcule o retorno esperado de cada ação.

b. Assumindo que o CAPM seja aplicável e que o *beta* da Ação A seja maior do que o *beta* da Ação B em 0,25, qual se espera que seja o prêmio de risco de mercado?

37. **Desvio padrão e *beta*** Há duas ações no mercado, Ação A e Ação B. O preço da Ação A no momento é de $ 75. No próximo ano, o preço da Ação A será de $ 64 se a economia entrar em recessão, $ 87 se a economia estiver normal e $ 97 em caso de expansão da economia. As probabilidades do estado da economia estar em recessão, em normalidade e em expansão são, respectivamente, 0,2, 0,6 e 0,2. A Ação A não paga dividendos e apresenta uma correlação de 0,7 com a carteira de mercado. A Ação B tem retorno esperado de 14%, desvio padrão de 34%, correlação com a carteira de mercado de 0,24 e correlação com a Ação A de 0,36. A carteira de mercado apresenta um desvio padrão de 18%. Assuma que o CAPM seja aplicável.

a. Se você fosse um típico investidor com aversão ao risco que tivesse uma carteira bem diversificada, qual das ações seria de sua preferência? Por quê?

b. Qual é o retorno esperado e o desvio padrão de uma carteira formada por 70% de investimento na Ação A e 30% na Ação B?

c. Qual é o *beta* da carteira em (b)?

38. **Carteira de variância mínima** Suponha que a Ação A e a Ação B apresentem as seguintes características:

Ação	Retorno esperado (%)	Desvio padrão (%)
A	9	33
B	15	62

A covariância entre os retornos das duas ações é de 0,001.

a. Suponha que um investidor possua uma carteira formada apenas pela Ação A e pela Ação B. Encontre os pesos da carteira, X_A e X_B, de modo que a variância da carteira desse investidor seja minimizada. (*Dica*: lembre-se de que a soma dos dois pesos deve ser igual a 1.)

b. Qual é o retorno esperado da carteira de variância mínima?

c. Se a covariância entre os retornos das duas ações for de −0,05, quais serão os pesos de variância mínima?

d. Qual é a variância da carteira em (c)?

DOMINE O EXCEL!

O CAPM é um dos modelos mais estudados na área de economia financeira. Na prática, quando o *beta* é estimado, uma variação do CAPM chamada de modelo de mercado é frequentemente utilizada. Para derivar o modelo de mercado, começamos com o CAPM:

$$E(R_i) = R_f + \beta[E(R_M) - R_f]$$

Como o CAPM é uma equação, podemos subtrair a taxa sem risco dos dois lados. Assim, temos:

$$E(R_i) - R_f = \beta[E(R_M) - R_f]$$

Essa equação é determinística, ou seja, exata. Em uma regressão, podemos perceber que há um erro indeterminado. Devemos reconhecer isso na equação acrescentando um épsilon, que representa esse erro:

$$E(R_i) - R_f = \beta[E(R_M) - R_f] + \varepsilon$$

Por fim, pense na equação acima em uma regressão. Já que não há uma intercepção na equação, a intercepção é zero. No entanto, ao estimarmos uma equação de regressão, podemos adicionar um termo de intercepção, que chamaremos de *alfa*:

$$E(R_i) - R_f = \alpha_i + \beta[E(R_M) - R_f] + \varepsilon$$

Essa equação, conhecida como modelo de mercado, é o modelo normalmente utilizado para estimar o *beta*. O termo de intercepção é conhecido como *alfa* de Jensen e representa o retorno excedente. Se o CAPM tiver uma aplicação exata, tal valor deve ser zero. Se você pensar no *alfa* em termos da LMT, se o *alfa* for positivo, a ação fica acima da LMT, ao passo que, se o *alfa* for negativo, a ação fica abaixo da LMT.

a. Você deseja estimar o modelo de mercado para uma ação individual e um fundo de investimentos. Primeiro, visite a página finance.yahoo.com e faça o *download* dos preços ajustados dos últimos 61 meses para uma ação individual, um fundo e o índice S&P 500. Em seguida, acesse a página da St. Louis Federal Reserve em www.stlouisfed.org. Lá, você deve encontrar o banco de dados FRED®. Procure a taxa de vencimento constante do título do Tesouro de um mês (1-*Month Treasury Constant Maturity Rate*) e faça o *download* dos dados. Essa série será a representação da taxa sem risco. Ao usar essa taxa, você deve estar ciente de que essa taxa de juros é a taxa de juros anualizada, de modo que, como estamos usando retornos de ações mensais, você precisará ajustar a taxa do título do Tesouro de um mês. Estime o *beta* e o *alfa* da ação e do fundo escolhidos por meio do modelo de mercado. Ao estimar o modelo de regressão, encontre a caixa que diz "*Residuals*" e verifique-a a cada regressão para observar os resíduos. Como você está salvando os resíduos, talvez seja indicado salvar o resultado da regressão em uma nova planilha.

   1. O *alfa* e o *beta* de cada regressão são estatisticamente diferentes de zero?
   2. Como você interpreta o *alfa* e o *beta* da ação e do fundo?
   3. Qual das duas estimativas de regressão possui o maior R elevado ao quadrado? Você teria esperado esses resultados? Por quê?

b. Na parte (a), você pediu para o Excel retornar os resíduos da regressão, que é o épsilon na equação de regressão. Voltando para a estatística básica, os resíduos são a distância linear de cada observação até a linha de regressão. Neste contexto, os resíduos são a parte do retorno mensal que não é explicada pela estimativa do modelo de mercado. Os resíduos podem ser usados para calcular o quociente de avaliação, que é o *alfa* dividido pelo desvio padrão dos resíduos.

   1. O que, em sua opinião, pretende-se medir com o quociente de avaliação?
   2. Calcule os quocientes de avaliação para a ação e o fundo mútuo. Qual dos dois apresenta um quociente de avaliação melhor?

3. Muitas vezes, o quociente de avaliação é usado para analisar o desempenho de gestores de fundos. Por que, em sua opinião, o quociente de avaliação é usado com mais frequência para fundos de investimento, que são carteiras, do que para ações individuais?

MINICASO

Emprego na Iates Litoral, parte 2

Você e Daniel Rodrigues estão discutindo o seu plano 401(k) quando ele menciona que Sara Brown, uma representante da Bledsoe Financial Services, está visitando a Iates Litoral hoje. Após decidir que seria bom conhecê-la, Daniel marca uma reunião entre vocês para mais tarde naquele dia.

Na reunião, Sara fala sobre as várias opções de investimento disponíveis na conta 401(k) da empresa. Você comunica a Sara que se informou sobre a Iates Litoral antes de aceitar o novo emprego e que acredita na capacidade da gestão de liderar a empresa. Uma análise da empresa levou você a acreditar que ela está crescendo e que, no futuro, alcançará uma maior participação no mercado. Além disso, você sente que deve apoiar seu empregador. Dadas essas considerações, juntamente com o fato de ser um investidor conservador, você está ficando inclinado a investir 100% de sua conta 401(k) na Iates Litoral.

Assuma que a taxa sem risco seja de 3,2%. A correlação entre o fundo Bledsoe de títulos de dívida e um fundo de ações de grandes empresas é de 0,15. Observe que funções de gráfico e cálculo de uma planilha podem ajudá-lo a responder às perguntas a seguir.

1. Considerando os efeitos da diversificação, como Sara deve responder a sua sugestão de investir 100% de sua conta 401(k) em ações da Iates Litoral?

2. A resposta de Sara quanto ao investimento completo de sua conta 401(k) em ações da Iates Litoral convenceu você de que talvez essa não seja a melhor alternativa. Por ser um investidor conservador, você diz a Sara que um investimento de 100% no fundo de títulos de dívida pode ser a melhor opção. Isso é verdade?

3. Usando os retornos do Fundo Bledsoe de ações de grandes empresas e do Fundo Bledsoe de títulos de dívida, faça um gráfico apresentando o conjunto de oportunidades de carteiras viáveis.

4. Depois de analisar o conjunto de oportunidades, você observa que pode investir em uma carteira formada pelo fundo de títulos de dívida e o fundo de ações de grandes empresas que terá exatamente o mesmo desvio padrão que o fundo de títulos de dívida. Essa carteira também terá um retorno esperado maior. Quais são os pesos da carteira e o retorno esperado dessa carteira?

5. Ao analisar o conjunto de oportunidades, observe que há uma carteira com o menor desvio padrão. Essa é a carteira de variância mínima. Quais são os pesos da carteira, o retorno esperado e o desvio padrão dessa carteira? Por que a carteira de variância mínima é importante?

6. Uma medida do desempenho ajustada ao risco frequentemente utilizada é o índice de Sharpe. O índice de Sharpe é calculado como prêmio para o risco de um ativo dividido por seu desvio padrão. A carteira com o maior índice de Sharpe possível do conjunto de oportunidades é chamada de carteira ótima de Sharpe. Quais são os pesos da carteira, o retorno esperado e o desvio padrão da carteira ótima de Sharpe? Como o índice de Sharpe dessa carteira se compara a índices de Sharpe do fundo de títulos de dívida e do fundo de ações de grandes empresas? Você percebe uma relação entre a carteira ótima de Sharpe e o CAPM? Qual é essa relação?

APÊNDICE 11A O *beta* morreu?

Para acessar o apêndice deste capítulo, cadastre-se no *site* do Grupo A (www.grupoa.com.br) e procure pela página deste livro. Clique em conteúdo online.

Teoria de Precificação por Arbitragem

UMA PERSPECTIVA DIFERENTE SOBRE RISCO E RETORNO

12

Em fevereiro de 2011, a Home Depot, a Campbell Soup Co., a Avis Budget Group e uma série de outras empresas anunciaram seus resultados. A Home Depot anunciou que o lucro no quarto trimestre havia aumentado 72% em comparação ao do ano anterior. O LPA da empresa era de 36 centavos por ação, superando facilmente a estimativa de 31 centavos feita pelos analistas. O LPA da Campbell Soup era de 71 centavos, exatamente como o previsto pelos analistas de mercado. No caso da Avis Budget, os analistas estimaram uma perda de sete centavos por ação, mas, de fato, a empresa perdeu 36 centavos por ação. Você poderia supor que esses três casos representam boas e más notícias, e estaria correto. Mesmo assim, o preço de ação da Home Depot caiu somente 1%, o preço de ação da Campbell Soup caiu cerca de 3,9% e o preço de ação da Avis Budget aumentou menos de 1%.

Para essas empresas, as boas notícias parecem ser más notícias (e vice-versa). Então, quando boas notícias são, de fato, boas notícias? A resposta é fundamental para entender risco e retorno, e a boa notícia é que este capítulo explora essa questão detalhadamente.

Para ficar por dentro dos últimos acontecimentos na área de finanças, visite www.rwjcorporatefinance.blogspot.com.

Domine a habilidade de solucionar os problemas deste capítulo usando uma planilha. Acesse Excel Master no *site* www.grupoa.com.br, procure pelo livro e clique em Conteúdo *Online*.

12.1 Introdução

No capítulo anterior, aprendemos que o risco de uma ação pode ser dividido em risco sistemático e não sistemático. O risco não sistemático pode ser eliminado com diversificação de carteiras, ao contrário do risco sistemático. Em carteiras, consequentemente, somente o risco sistemático de uma ação individual é relevante. Também aprendemos que o risco sistemático pode ser melhor mensurado pelo *beta*. Por último, aprendemos que o modelo de precificação de ativos (CAPM) implica que o retorno esperado de um título mobiliário está linearmente relacionado a seu *beta*.

Neste capítulo, veremos mais detalhadamente de onde surgem os *betas* e o papel importante da arbitragem na precificação de ativos.

12.2 Risco sistemático e *betas*

Conforme aprendemos, o retorno de qualquer ação pode ser escrito como:

$$R = \overline{R} + I$$

onde R é o retorno observado, $\overline{R}$ é retorno esperado e I equivale à parte inesperada do retorno. O I é a surpresa e constitui o risco.

Também sabemos que o risco de qualquer ação pode ser dividido em dois componentes: o sistemático e o não sistemático. Portanto, podemos escrever:

$$R = \overline{R} + m + \epsilon$$

onde utilizamos a letra m para representar o risco sistemático e a letra grega épsilon, ϵ, para representar o risco não sistemático.

O fato de que as partes não sistemáticas dos retornos de duas empresas não têm relação uma com a outra não significa que as porções sistemáticas não tenham. Pelo contrário, como as duas empresas são influenciadas pelos mesmos riscos sistemáticos, os seus riscos sistemáticos como empresas individuais estarão relacionados, e, portanto, seus retornos totais também estarão relacionados.

Por exemplo, uma surpresa sobre a inflação influenciará, até certo ponto, quase todas as empresas. Qual é a sensibilidade do retorno de uma ação às alterações imprevistas na inflação? Se a ação tende a subir após notícias de que a inflação está excedendo as expectativas, diríamos que ela está relacionada de modo positivo à inflação. Se a ação cai quando a inflação excede as expectativas e sobe quando a inflação é menor que o esperado, ela está relacionada de modo negativo. Em uma situação incomum em que o retorno de uma ação não tem relação com surpresas na inflação, a inflação não causará efeito.

Levamos em conta a influência de um risco sistemático, como inflação em uma ação, utilizando o **coeficiente *beta***. O coeficiente *beta*, β, nos diz qual é a sensibilidade do retorno da ação para o risco sistemático. No capítulo anterior, o *beta* mediu a sensibilidade do retorno de títulos para um fator de risco específico, o retorno da carteira de mercado. Utilizamos esse tipo de sensibilidade para desenvolver o modelo de precificação de ativos. Agora consideramos diversos tipos de riscos sistemáticos, então este capítulo pode ser visto como uma generalização do assunto tratado no capítulo anterior.

Se ação de uma empresa estiver positivamente relacionada ao risco de inflação, essa ação possui um *beta* de inflação positivo. Se estiver negativamente relacionada à inflação, o *beta* de inflação é negativo; e se não tiver relação com a inflação, seu *beta* de inflação é zero.

Não é difícil imaginar algumas ações com *betas* de inflação positivos e outras com *betas* negativos. A ação de uma empresa dona de minas de ouro terá um *beta* de inflação positivo, porque um aumento inesperado na inflação geralmente está associado ao aumento no preço de ouro. No entanto, uma fabricante de automóveis enfrentando uma forte concorrência externa pode descobrir que um aumento na inflação significa que os salários que paga serão mais altos, mas que não poderá aumentar seus preços para cobrir a inflação. Essa diminuição de lucros, com os gastos da empresa aumentando mais rapidamente do que seus lucros, fará com que a ação tenha um *beta* de inflação negativo.

Algumas empresas com poucos ativos e que agem como intermediadoras – comprando itens em mercados competitivos e revendendo-os em outros mercados – podem não ser afetadas pela inflação devido ao aumento e à queda conjunta de seus custos e receitas. Suas ações teriam um *beta* de inflação de zero.

Alguma estrutura é útil nesta etapa. Suponha que identificamos três riscos sistemáticos nos quais queremos nos focar. Podemos achar que esses três são suficientes para descrever os riscos sistemáticos que influenciam o retorno de uma ação. Os três candidatos possíveis são inflação, PNB e taxas de juros. Assim, cada ação terá um *beta* associado com cada um desses riscos sistemáticos. Um *beta* de inflação, um *beta* de PNB e um *beta* de taxa de juros. Podemos escrever o retorno de uma ação da seguinte maneira:

$$\begin{aligned} R &= \overline{R} + I \\ &= \overline{R} + m + \epsilon \\ &= \overline{R} + \beta_I F_I + \beta_{PNB} F_{PNB} + \beta_r F_r + \epsilon \end{aligned}$$

em que utilizamos o símbolo β_I para indicar o *beta* de inflação da ação, β_{PNB} para indicar o *beta* de PNB e β_r para indicar o *beta* de taxa de juros. Na equação, o F indica uma surpresa, um fato novo, seja na inflação, no PNB ou nas taxas de juros.

Vejamos um exemplo para visualizar como as surpresas e o retorno esperado contribuem para a produção do retorno total, R, de uma ação. Para deixar mais claro, suponha o retorno no horizonte de um ano, e não somente de um mês. Suponha que, no começo do ano, seja previsto que a inflação será 5% no ano, o PNB aumentará 2% e as taxas de juros não sofrerão alterações. Suponha que a ação que estamos analisando tenha os seguintes *beta*s:

$$\beta_I = 2$$
$$\beta_{PNB} = 1$$
$$\beta_r = -1,8$$

A magnitude do *beta* descreve o tamanho do impacto de um risco sistemático sobre o retorno de uma ação. Um *beta* de +1 indica que o retorno de ação sobe e cai em paralelo com o fator sistemático. Isso significa, em nosso exemplo, que, como a ação tem um *beta* de PNB de 1, ela apresenta um aumento de 1% no retorno para cada 1% de aumento inesperado no PNB. Se o seu *beta* de PNB for −2, a ação cairá 2% quando houver um aumento inesperado de 1% no PNB e aumentará 2% se o PNB sofrer uma queda inesperada de 1%.

Suponhamos que, durante o ano, ocorram os seguintes eventos: a inflação aumenta 7%, o PNB aumenta somente 1% e as taxas de juros sofrem uma queda de 2%. Suponha que tenhamos ouvido boas notícias sobre a empresa, que ela esteja sendo bem-sucedida graças a uma nova estratégia de negócios e que esse desenvolvimento inesperado contribua em 5% para o seu retorno. Em outras palavras:

$$\epsilon = 5\%$$

Reunamos todas essas informações para descobrir o retorno que a ação teve durante o ano.

Primeiro, precisamos determinar que notícias ou surpresas fizeram parte dos fatores sistemáticos. A partir de nossas informações, sabemos que:

$$\text{Inflação esperada} = 5\%$$
$$\text{Variação esperada do PNB} = 2\%$$

e:

$$\text{Variação esperada da taxa de juros} = 0\%$$

Isso significa que o mercado descontou essas alterações, e as surpresas serão a diferença entre o que de fato aconteceu e essas expectativas:

$$\begin{aligned}F_I &= \text{Surpresa na inflação} \\ &= \text{Inflação real} - \text{Inflação esperada} \\ &= 7\% - 5\% \\ &= 2\%\end{aligned}$$

Similarmente:

$$\begin{aligned}F_{PNB} &= \text{Surpresa no PNB} \\ &= \text{PNB real} - \text{PNB esperado} \\ &= 1\% - 2\% \\ &= -1\%\end{aligned}$$

e:

$$\begin{aligned}F_r &= \text{Surpresa na variação das taxas de juros} \\ &= \text{Variação real} - \text{Variação esperada} \\ &= -2\% - 0\% \\ &= -2\%\end{aligned}$$

Assim, o efeito total dos riscos sistemáticos no retorno de ação é:

$$\begin{aligned}m &= \text{Porção de risco sistemático do retorno} \\ &= \beta_I F_I + \beta_{PNB} F_{PNB} + \beta_r F_r \\ &= [2 \times 2\%] + [1 \times (-1\%)] + [(-1,8) \times (-2\%)] \\ &= 6,6\%\end{aligned}$$

Combinando com a porção de risco não sistemático, a porção do risco total do retorno na ação é de:

$$m + \epsilon = 6{,}6\% + 5\% = 11{,}6\%$$

Por último, se o retorno esperado da ação para o ano for de 4%, por exemplo, o retorno total desses três componentes será de:

$$\begin{aligned}R &= \overline{R} + m + \epsilon \\ &= 4\% + 6{,}6\% + 5\% \\ &= 15{,}6\%\end{aligned}$$

O modelo que analisamos é chamado de **modelo fatorial**, e as fontes de risco sistemático, indicadas por F, são chamadas de *fatores*. De maneira totalmente formal, um *modelo de k fatores* é um modelo em que o retorno de cada ação é gerado por:

$$R = \overline{R} + \beta_1 F_1 + \beta_2 F_2 + \cdots + \beta_k F_k + \epsilon$$

onde o termo ϵ é específico a uma determinada ação e não tem relação com o termo ϵ de outras ações. No exemplo anterior, tínhamos um modelo de três fatores. Utilizamos a inflação, o PNB e a variação nas taxas de juros como exemplos de fontes sistemáticas de riscos, ou fatores. Os pesquisadores ainda não entraram em acordo sobre qual é o conjunto de fatores correto. Como tantas outras questões, essa pode ser mais uma que continuará sem uma resposta definitiva.

Na prática, pesquisadores utilizam frequentemente um modelo de fator único para os retornos. Eles não utilizam todos os fatores econômicos que utilizamos como exemplos; em vez disso, utilizam um índice de retorno de ações do mercado – como o S&P 500 ou até mesmo um índice mais abrangente com mais ações – como fator único. Com o modelo de fator único, podemos escrever retornos da seguinte forma:

$$R = \overline{R} + \beta(R_{S\&P500} - \overline{R}_{S\&P500}) + \epsilon$$

Quando há somente um fator (os retornos do índice de carteira S&P 500), não precisamos colocar um subscrito no *beta*. Nesta forma (com modificações mínimas), o modelo fatorial é chamado de **modelo de mercado**. O termo é empregado porque o índice utilizado para o fator é um índice de retornos do mercado (de ações) como um todo. O modelo de mercado é escrito da seguinte forma:

$$R = \overline{R} + \beta(R_M - \overline{R}_M) + \epsilon$$

onde R_M indica o retorno da carteira de mercado.[1] O β sem subscrito é chamado de *coeficiente beta*.

12.3 Carteiras e modelos fatoriais

Agora vamos ver o que acontece às carteiras de ações quando cada ação segue um modelo de fator único. Para fins de discussão, selecionaremos o próximo período de um mês e examinaremos seus retornos. Poderíamos ter optado por um dia, um ano ou qualquer outro período. No entanto, se o período representa o tempo entre decisões, preferimos que seja curto em vez de longo, e um mês é um período razoável para utilizar.

Criaremos carteiras a partir de uma lista de N ações e utilizaremos um modelo de fator único para descobrir o risco sistemático. Logo, a i-ésima ação na lista terá retornos de:

$$R_i = \overline{R}_i + \beta_i F + \epsilon_i \qquad (12.1)$$

---

[1] Alternativamente, o modelo de mercado pode ser escrito da seguinte forma:

$$R = \alpha + \beta R_M + \epsilon$$

Aqui, alfa (α) é o termo de intercepto e é igual a $\overline{R} - \beta \overline{R}_M$.

onde os subscritos nas variáveis indicam que se referem à i-ésima ação. Note que o fator F não tem subscrito. O fator que representa risco sistemático pode ser uma surpresa no PNB, ou podemos utilizar o modelo de mercado e deixar a diferença entre o retorno S&P 500 e o retorno que esperávamos dele, $R_{S\&P500} - \overline{R}_{S\&P500}$, ser o fator. Em ambos os casos, o fator se aplica a todas as ações.

O β_i tem subscrito, pois representa o modo como o fator influencia de forma única a i-ésima ação. Para recapitular nossa discussão sobre modelos fatoriais, se β_i é zero, os retornos da i-ésima ação são:

$$R_i = \overline{R}_i + \epsilon_i$$

Em outras palavras, o retorno da i-ésima ação não é afetado pelo fator, F, caso β_i seja zero. Se β_i for positivo, variações positivas no fator aumentam o retorno da i-ésima ação, e variações negativas o diminuem. De modo contrário, se β_i for negativo, o retorno e o fator se movem em direções opostas.

A Figura 12.1 ilustra a relação entre um retorno excedente de uma ação, $R_i - \overline{R}_i$, e o fator F para diferentes *beta*s, onde $\beta_i > 0$. As linhas da Figura 12.1 representam graficamente a Equação 12.1 com base na hipótese de que não havia risco não sistemático. Isto é, $\epsilon_i = 0$. Por considerarmos *beta*s positivos, as linhas inclinadas para cima indicam que o retorno da ação aumenta com F. Note que, se o fator for zero ($F = 0$), a linha passa pelo ponto zero no eixo y.

Agora vamos ver o que acontece quando criamos carteiras de ações em que cada ação segue um modelo de fator único. Vamos supor que X_i seja a proporção do Título i na carteira. Ou seja, se uma pessoa física com uma carteira de $ 100 quer $ 20 em General Motors, dizemos que $X_{GM} = 20\%$. Como os Xs representam as proporções de valor que estamos investindo em cada ação, sua soma deve ser 1 (100%):

$$X_1 + X_2 + X_3 + \cdots + X_N = 1$$

Sabemos que o retorno da carteira é a média ponderada dos retornos dos ativos individuais na carteira. Algebricamente, isso pode ser escrito da seguinte maneira:

$$R_P = X_1 R_1 + X_2 R_2 + X_3 R_3 + \cdots + X_N R_N \tag{12.2}$$

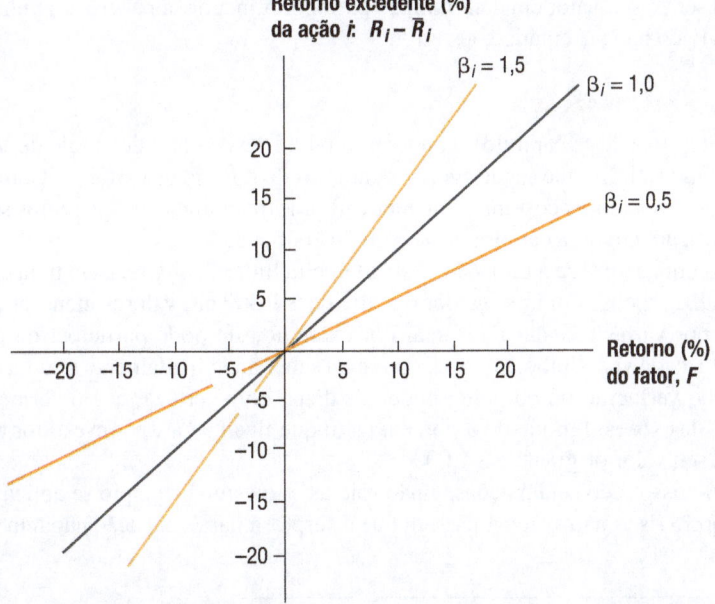

Cada linha representa um título diferente, em que cada título possui um *beta* diferente.

FIGURA 12.1 Modelo de fator único.

Vimos, a partir da Equação 12.2, que cada ativo é determinado tanto pelo fator F quanto pelo risco sistemático de ϵ_i. Assim, ao substituirmos cada R_i da Equação 12.2 pela Equação 12.1, temos:

$$R_P = \underbrace{X_1(\overline{R}_1 + \beta_1 F + \epsilon_1)}_{\text{(Retorno da Ação 1)}} + \underbrace{X_2(\overline{R}_2 + \beta_2 F + \epsilon_2)}_{\text{(Retorno da Ação 2)}}$$
$$+ \underbrace{X_3(\overline{R}_3 + \beta_3 F + \epsilon_3)}_{\text{(Retorno da Ação 3)}} + \cdots + \underbrace{X_N(\overline{R}_N + \beta_N F + \epsilon_N)}_{\text{(Retorno da Ação N)}} \quad (12.3)$$

A Equação 12.3 nos mostra que o retorno de uma carteira é determinado por três conjuntos de parâmetros:

1. O retorno esperado de cada título individual, $\overline{R}_i$.
2. O *beta* de cada título multiplicado pelo fator, F.
3. O risco não sistemático de cada título individual, ϵ_i.

Expressamos a Equação 12.3 de acordo com esses três conjuntos de parâmetros assim:

Média ponderada de retornos esperados
$$R_P = X_1\overline{R}_1 + X_2\overline{R}_2 + X_3\overline{R}_3 + \cdots + X_N\overline{R}_N$$

Média ponderada de *betas* $\times$ F $\quad (12.4)$
$$+ (X_1\beta_1 + X_2\beta_2 + X_3\beta_3 + \cdots + X_N\beta_N)F$$

Média ponderada de riscos não sistemáticos
$$+ X_1\epsilon_1 + X_2\epsilon_2 + X_3\epsilon_3 + \cdots + X_N\epsilon_N$$

Essa fórmula imponente é, na verdade, bem simples. A primeira linha é a média ponderada dos retornos esperados dos títulos. Os itens entre os parênteses da segunda linha representam a média ponderada dos *betas* dos títulos. Por sua vez, essa média ponderada é multiplicada pelo fator, F. A terceira linha representa a média ponderada dos riscos não sistemáticos dos títulos individuais.

Onde a incerteza aparece na Equação 12.4? Não há incertezas na primeira linha, pois somente o valor esperado do retorno de cada título está indicado. A incerteza na segunda linha é representada somente por um item, F. Ou seja, embora o valor esperado de F seja zero, não sabemos qual será o seu valor em determinado período. A incerteza na terceira linha é representada por cada risco não sistemático, ϵ_i.

Carteiras e diversificação

Nas seções anteriores deste capítulo, expressamos o retorno de um único título de acordo com o nosso modelo fatorial. No que segue agora, trataremos do retorno de carteiras. Como ao investir em carteiras os investidores costumam manter carteiras diversificadas, queremos saber como a Equação 12.4 ficará em uma carteira *grande* ou diversificada.[2]

Algo incomum acontece à Equação 12.4: a terceira linha *desaparece* em uma carteira grande. Para visualizar, pense em um jogador que divide $ 1.000 em valores menores para apostas no vermelho por várias rodadas da roleta. Por exemplo, ele pode participar de mil rodadas, apostando $ 1 a cada vez. Embora não seja possível saber antecipadamente se uma determinada rodada cairá no vermelho ou no preto, podemos dizer, com certeza, que o vermelho ganhará cerca de 50% das vezes. Ignorando a porcentagem que fica na casa, o investidor pode esperar terminar com seu valor original de $ 1.000.

Embora o nosso foco sejam ações, e não roletas, o mesmo princípio se aplica. Cada título tem o seu próprio risco não sistemático, em que a surpresa para uma ação não tem relação com

---

[2] Tecnicamente, pode-se considerar uma carteira grande aquela na qual um investidor segue aumentando o número de títulos sem limitação. Na prática, uma diversificação *efetiva* ocorrerá com pelo menos algumas dezenas de títulos.

a surpresa de outra. Ao investir um valor pequeno em cada título, aproximamos de zero a média ponderada dos riscos não sistemáticos em uma carteira grande.[3]

Apesar de a terceira linha desaparecer completamente em uma carteira grande, nada de incomum acontece na Linha 1 ou na Linha 2. A Linha 1 permanece a média ponderada dos retornos esperados dos títulos individuais à medida que títulos são adicionados à carteira. Como não há incerteza na primeira linha, a diversificação não pode causar o desaparecimento dela. Os termos entre os parênteses da segunda linha permanecem sendo a média ponderada dos *betas*. Eles também não desaparecem quando títulos são adicionados. Como o fator, F, não é afetado quando títulos são adicionados à carteira, a segunda linha não desaparece.

Por que a terceira linha desaparece, e a segunda não, embora as duas apresentem incerteza? A resposta é que existem muitos riscos não sistemáticos na Linha 3. Como esses riscos são independentes uns dos outros, o efeito de diversificação se torna mais forte conforme adicionamos mais ativos à carteira. A carteira resultante se torna cada vez menos arriscada, e o retorno, mais certo. Entretanto, o risco sistemático, F, afeta todos os títulos, pois se encontra fora dos parênteses na Linha 2. Como não podemos evitar esse fator ao investir em vários títulos, a diversificação não ocorre nessa linha.

EXEMPLO 12.1 Diversificação e risco não sistemático

O material anterior pode ser explicado em mais detalhes pelo seguinte exemplo. Mantenhamos o modelo de fator único, mas façamos três suposições específicas:

1. Todos os títulos têm o mesmo retorno esperado de 10%. Essa suposição implica que a primeira linha da Equação 12.4 deve ser igual a 10%, pois ela é a média ponderada do retorno esperado de títulos individuais.

2. Todos os títulos têm um *beta* de 1. Na segunda linha da Equação 12.4, a soma dos termos entre parênteses deve ser 1, porque esses termos são uma média ponderada dos *betas* individuais. Como os termos entre parênteses são multiplicados por F, o valor da segunda linha é $1 \times F = F$.

3. Neste exemplo, focaremos o comportamento de uma pessoa, Walter V. Bagehot. O Sr. Bagehot decide manter uma carteira igualmente ponderada. Ou seja, a proporção de cada título em sua carteira é de $1/N$.

Podemos expressar o retorno da carteira do Sr. Bagehot da seguinte maneira:

Retorno da carteira de Walter V. Bagehot

$$R_P = \underbrace{10\%}_{\substack{\text{Da} \\ \text{Linha 1 da} \\ \text{Equação 12.4}}} + \underbrace{F}_{\substack{\text{Da} \\ \text{Linha 2 da} \\ \text{Equação 12.4}}} + \underbrace{\left(\frac{1}{N}\epsilon_1 + \frac{1}{N}\epsilon_2 + \frac{1}{N}\epsilon_3 + \cdots + \frac{1}{N}\epsilon_N\right)}_{\substack{\text{Da Linha 3 da} \\ \text{Equação 12.4}}} \quad (12.4')$$

Mencionamos anteriormente que, à medida que N aumenta sem limitação, a Linha 3 da Equação 12.4 fica zero.[4] Assim, o retorno da carteira de Walter Bagehot, quando o número de títulos é grande, é de:

$$R_P = 10\% + F \quad (12.4'')$$

(continua)

---

[3] Mais precisamente, dizemos que a média ponderada de um risco não sistemático se aproxima de zero à medida que o número de títulos com pesos igualmente ponderados em uma carteira se aproxima do infinito.

[4] Nossa apresentação sobre esse ponto não foi rigorosa. O estudante interessado em mais rigor deve notar que a variância da Linha 3 é de:

$$\frac{1}{N^2}\sigma_\epsilon^2 + \frac{1}{N^2}\sigma_\epsilon^2 + \frac{1}{N^2}\sigma_\epsilon^2 + \cdots + \frac{1}{N^2}\sigma_\epsilon^2 = \frac{1}{N^2}N\sigma_\epsilon^2$$

onde σ_ϵ^2 e é a variância de cada ϵ. Isso pode ser reescrito como σ_ϵ^2/N, que tende a 0 à medida que N se torna infinito.

(continuação)

A chave para diversificação é exibida na Equação 12.4″. O risco não sistemático da Linha 3 desaparece, enquanto o risco sistemático da Linha 2 permanece.

Isso está ilustrado na Figura 12.2. O risco sistemático, capturado pela variação no fator, *F*, não é reduzido pela diversificação. De modo contrário, o risco não sistemático *diminui* à medida que novos títulos são adicionados, desaparecendo quando o número de títulos passa a ser infinito. Nosso resultado é análogo ao exemplo de diversificação do capítulo anterior. Nele, dissemos que riscos sistemáticos ou não diversificáveis decorrem das covariâncias positivas entre títulos. Neste capítulo, dizemos que o risco sistemático decorre de um fator comum, *F*. Como o fator comum causa covariâncias positivas, os argumentos de ambos os capítulos seguem raciocínios paralelos.

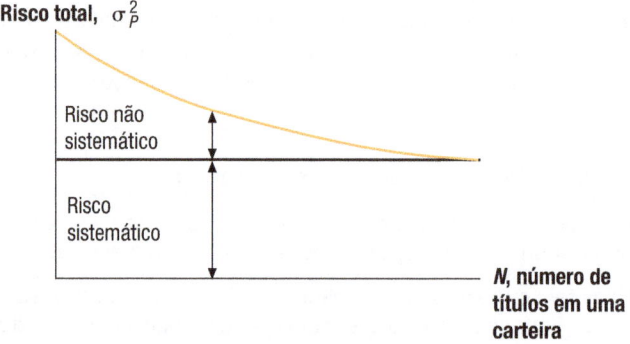

O risco total diminui à medida que aumenta o número de títulos na carteira.
Essa queda ocorre somente no componente de risco não sistemático.
O risco sistemático não é afetado pela diversificação.

FIGURA 12.2 A diversificação e o risco de carteira para uma carteira igualmente ponderada.

12.4 *Betas*, arbitragem e retornos esperados

A relação linear

Argumentamos, várias vezes, que o retorno esperado de um título remunera o seu risco. No capítulo anterior, mostramos que o *beta* de mercado (a covariância padronizada do retorno de um título com os retornos do mercado) é a medida de risco apropriada segundo o pressuposto de expectativas homogêneas e tomada e concessão de empréstimos sem risco. O modelo de precificação de ativos, que apresenta esses pressupostos, sugeria que o retorno esperado de um título estava relacionado positivamente (e linearmente) ao seu *beta*. Encontraremos uma relação semelhante entre risco e retorno no modelo de fator único deste capítulo.

Começamos destacando que o risco relevante em carteiras grandes e bem diversificadas é completamente sistemático, pois o risco não sistemático é diversificado (tende a zero). Uma implicação é que, quando um acionista bem diversificado considera alterar seus investimentos em determinada ação, ele pode ignorar o risco não sistemático do título.

Note que não estamos dizendo que as ações, como as carteiras, não têm riscos não sistemáticos. Nem estamos dizendo que o risco sistemático de uma ação não afetará seus retornos. As ações têm risco não sistemático, e seus retornos dependem dele. Entretanto, como o risco desaparece em uma carteira bem diversificada, os acionistas podem ignorar esse risco não sistemático ao considerarem a adição de uma ação à sua carteira. Portanto, se os acionistas ignoram o risco não sistemático, somente o risco sistemático de uma ação pode estar relacionado ao seu retorno *esperado*.

Essa relação está ilustrada na linha do mercado de títulos da Figura 12.3. Os pontos *P*, *C*, *A* e *L* estão na linha que se origina da taxa sem risco de 10%. Os pontos que representam cada um dos quatro ativos podem ser criados por combinações da taxa sem risco com qualquer um dos outros três ativos. Por exemplo, como *A* tem um *beta* de 2 e *P* tem um *beta* de 1, uma carteira

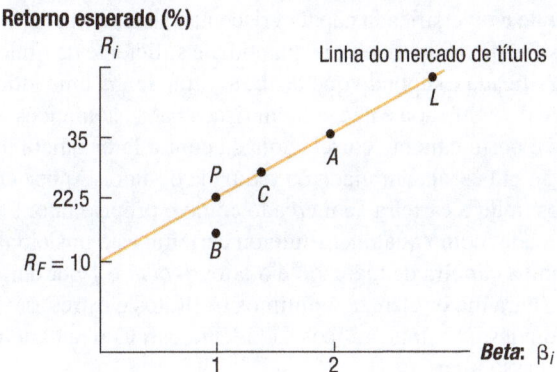

FIGURA 12.3 Gráfico de *beta* e retorno esperado de ações individuais segundo o modelo de fator único.

com 50% no Ativo A e 50% na taxa sem risco tem o mesmo *beta* que o Ativo P. A taxa sem risco é de 10%, e o retorno esperado do Título A é de 35%, sugerindo que o retorno da combinação de 22,5% [(10% + 35%)/2] é idêntico ao retorno esperado do Título P. Como o Título P tem o mesmo *beta* e o mesmo retorno esperado como uma combinação do ativo sem risco e o Título A, um investidor está igualmente inclinado a adicionar uma pequena quantidade de Título P e uma pequena quantidade dessa combinação à sua carteira. Entretanto, o risco não sistemático do Título P não precisa ser igual ao risco não sistemático da combinação entre o Título A e a taxa sem risco, pois o risco não sistemático é diversificado em uma grande carteira.

Obviamente, as combinações dos pontos na linha do mercado de títulos são infinitas. Podemos replicar P com combinações entre a taxa sem risco e C ou L (ou ambos). Podemos replicar C (ou A ou L) ao fazer um empréstimo à taxa sem risco para investir em P. Os infinitos pontos não identificados na linha do mercado de títulos também podem ser utilizados.

Agora considere o Título B. Como o seu retorno esperado está abaixo da linha, nenhum investidor iria mantê-lo. Em vez disso, o investidor preferiria o Título P, uma combinação entre o Título A e o ativo sem risco ou alguma outra combinação. Conclui-se que o preço do Título B é muito alto. O seu preço cairá em um mercado competitivo, forçando o seu retorno esperado de volta ao equilíbrio na linha do mercado de títulos. Os investidores que tentam identificar situações em que títulos de mesmo risco têm retornos esperados diferentes são chamados de arbitradores. Os negócios por arbitragem consistem em vender a descoberto o Título B e comprar o Título P. O lucro seria a diferença nos preços de mercado do Título B e do Título P. A ideia de arbitragem e sua importância na precificação de ativos são referidas como *a teoria de precificação por arbitragem*.

A discussão anterior nos permite construir uma equação para a linha do mercado de títulos da Figura 12.3. Sabemos que uma linha pode ser descrita algebricamente por dois pontos. Talvez seja mais fácil focar a taxa sem risco e Ativo P, pois a taxa sem risco tem um *beta* de 0 e P tem um *beta* de 1.

Como sabemos que o retorno de qualquer ativo com *beta* zero é R_F e o retorno esperado do ativo P é $\overline{R}_P$, é possível demonstrar facilmente que:

$$\overline{R} = R_F + \beta(\overline{R}_P - R_F) \tag{12.5}$$

Na Equação 12.5, $\overline{R}$ pode representar o retorno esperado de qualquer título ou carteira sobre a linha do mercado de título. β é o *beta* do título ou da carteira.

A carteira de mercado e o fator único

No CAPM, o *beta* de um título mede a sensibilidade do título a movimentos na carteira de mercado. No modelo de fator único da teoria de precificação por arbitragem (APT), o *beta* de um título mede a sua sensibilidade ao fator. Agora, relacionemos a carteira de mercado ao fator único.

Uma carteira grande e diversificada não tem risco não sistemático, pois os riscos dos títulos individuais são diversificados. Supondo uma quantidade suficiente de títulos para que a carteira de mercado seja diversificada e supondo que nenhum título tenha uma fatia desproporcional na carteira, essa carteira é diversificada e não contém riscos não sistemáticos.[5] Em outras palavras, a carteira de mercado é perfeitamente correlacionada com o fator único, implicando que ela é, na verdade, uma versão em escala ampliada ou reduzida do fator. Após definir as escalas apropriadamente, podemos tratar a carteira de mercado como o próprio fator.

A carteira de mercado, como qualquer título ou carteira, está posicionada na linha do mercado de títulos. Quando a carteira de mercado é o fator, o *beta* é 1 por definição. Isso está ilustrado na Figura 12.4. (Para maior clareza, omitimos os títulos e os retornos esperados específicos da Figura 12.3; fora isso, os dois gráficos são idênticos.) Com a carteira de mercado como fator, a Equação 12.5 passa a ser:

$$\overline{R} = R_F + \beta(\overline{R}_M - R_F)$$

onde $\overline{R}_M$ é o retorno esperado do mercado. A equação mostra que o retorno esperado de qualquer ativo, $\overline{R}$, está relacionado linearmente ao *beta* do título. A equação é idêntica àquela do CAPM, desenvolvida no capítulo anterior.

12.5 Modelo de precificação de ativos e teoria de precificação por arbitragem

O CAPM e a APT são modelos alternativos para risco e retorno. É válido considerar as diferenças entre os dois modelos, tanto em termos de pedagogia quanto em termos de aplicação.

Diferenças pedagógicas

Pensamos que o CAPM possui pelo menos uma grande vantagem sob o ponto de vista de quem estuda o assunto. A derivação do CAPM leva o leitor a uma discussão sobre conjuntos eficientes. Esse tratamento – iniciando com dois casos de ativos com risco, passando pelo caso de muitos ativos com risco e finalizando quando um ativo sem risco é adicionado àqueles com muitos riscos – é de grande valor intuitivo. Esse tipo de apresentação não é alcançado de maneira igualmente simples com a APT.

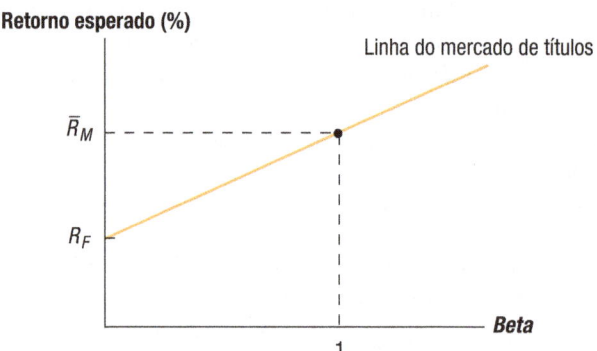

O fator é padronizado de modo a ser idêntico à carteira de mercado.
O *beta* da carteira de mercado é 1.

FIGURA 12.4 Gráfico de *beta* e retorno esperado para a carteira de mercado segundo o modelo de fator único.

---

[5] Essa suposição é plausível no mundo real. Por exemplo, até mesmo o valor de mercado da General Eletric é de somente 1% para 2% do valor de mercado do índice S&P 500.

Entretanto, a APT possui algumas vantagens compensadoras. O modelo adiciona fatores até que o risco não sistemático de qualquer título não tenha relação com o risco não sistemático de todos os outros títulos. Com essa formulação, é fácil demonstrar que (1) o risco não sistemático cai constantemente (e, por fim, desaparece) à medida que aumenta o número de títulos na carteira, mas (2) o risco sistemático não diminui. Esse resultado também foi mostrado no CAPM, embora a intuição fosse um pouco mais difícil, pois os riscos não sistemáticos poderiam ter correlação entre os títulos. Além disso, a APT enfatiza o papel da arbitragem na obtenção de uma relação linear entre os retornos esperados e os *betas*.

Diferenças na aplicação

Uma vantagem da APT é o fato de conseguir lidar com múltiplos fatores, enquanto o CAPM os ignora. Embora a maior parte da nossa apresentação neste capítulo esteja focada no modelo de fator único, um modelo de múltiplos fatores provavelmente consiga refletir melhor a realidade. Ou seja, precisamos considerar vários fatores de mercado e de um setor de atividades antes que o risco não sistemático de um título não tenha correlação com os riscos não sistemáticos de outros títulos. Com essa versão de múltiplos fatores da APT, a relação entre risco e retorno pode ser expressa como:

$$\overline{R} = R_F + (\overline{R}_1 - R_F)\beta_1 + (\overline{R}_2 - R_F)\beta_2 + (\overline{R}_3 - R_F)\beta_3 + \cdots + (\overline{R}_K - R_F)\beta_K \quad (12.6)$$

Nessa equação, β_1 representa o *beta* do título em relação ao primeiro fator, β_2 representa o *beta* do título em relação ao segundo fator, e assim por diante. Por exemplo, se o primeiro fator for PNB, β_1 representa o *beta* de PNB do título. O termo $\overline{R}_1$ é o retorno esperado de um título (ou carteira) cujo *beta* em relação ao primeiro fator é 1 e cujo *beta* em relação a todos os outros fatores é zero. Como o mercado remunera o risco, $(\overline{R}_1 - R_F)$ será positivo no caso normal.[6] (Uma interpretação análoga pode ser atribuída a $\overline{R}_2$, $\overline{R}_3$, e assim por diante.)

A equação estabelece que o retorno esperado do título esteja relacionado aos *betas* de fatores do título. A intuição na Equação 12.6 é simples. Cada fator representa um risco que não pode ser diversificado. Quanto maior for um *beta* de título com relação a um determinado fator, maior será o risco do título. Em um mundo racional, o retorno esperado do título deveria remunerar esse risco. A Equação 12.6 estabelece que o retorno esperado é uma soma da taxa sem risco mais a remuneração para cada tipo de risco presente no título.

Como exemplo, considere um estudo em que os fatores eram de crescimento mensal em produção industrial (IP), alteração da inflação esperada (ΔEI), inflação inesperada (UI), alteração imprevista no prêmio pelo risco entre títulos de dívida com risco e sem risco de inadimplência (URP) e alteração imprevista na diferença entre o retorno dos títulos do Tesouro dos Estados Unidos de longo e de curto prazo (UBR).[7] Utilizando o período de 1958–1984, os resultados empíricos do estudo indicam que o retorno esperado mensal de qualquer ação, $\overline{R}_S$, pode ser descrito como:

$$\overline{R}_S = 0{,}0041 + 0{,}0136\beta_{IP} - 0{,}0001\beta_{\Delta EI} - 0{,}0006\beta_{UI} + 0{,}0072\beta_{URP} - 0{,}0052\beta_{UBR}$$

Suponha que uma determinada ação tenha os seguintes *betas*: $\beta_{IP} = 1{,}1$, $\beta_{\Delta EI} = 2$, $\beta_{UI} = 3$, $\beta_{URP} = 0{,}1$, $\beta_{UBR} = 1{,}6$. O retorno esperado mensal desse título seria:

$$\overline{R}_S = 0{,}0041 + 0{,}0136 \times 1{,}1 - 0{,}0001 \times 2 - 0{,}0006 \times 3 + 0{,}0072 \times 0{,}1 - 0{,}0052 \times 1{,}6$$
$$= 0{,}0095$$

Supondo que uma empresa não esteja alavancada e que um de seus projetos tenha um risco equivalente ao da empresa, esse valor de 0,0095 (isto é, 0,95%) pode ser utilizado como a taxa de desconto mensal para o projeto. (Como dados anuais geralmente são os fornecidos para fins de decisão de investimento, a taxa anual de $0{,}120 \, [= (1{,}0095)^{12} - 1]$ poderia ser utilizada.)

---

[6] Na verdade, $(\overline{R}_i - R_F)$ poderia ser negativo caso o fator *i* fosse interpretado como algum *hedge*.
[7] N. Chen, R. Roll e S. Ross, "Economic Forces and the Stock Market", *Journal of Business* (jul. 1986).

Como há vários fatores no lado direito da Equação 12.6, a formulação APT tem o potencial de medir os retornos esperados com mais precisão do que o CAPM. Entretanto, como mencionado anteriormente, não podemos determinar antecipadamente quais são os fatores apropriados. Os fatores no estudo anterior foram incluídos em virtude do senso comum e da conveniência. Eles não derivaram de teorias.

Em contrapartida, o uso do índice de mercado na formulação CAPM está implícito pela teoria do capítulo anterior. Em capítulos anteriores, sugerimos que o índice S&P 500 reflete muito bem os movimentos do mercado de ações nos Estados Unidos. Utilizando os resultados de Ibbotson-Sinquefield, que mostram que, desde 1926, o retorno anual do índice S&P 500 era, em média, cerca de 8,2% maior do que a taxa sem risco, o último capítulo calculava facilmente os retornos esperados de diferentes títulos com o CAPM.[8]

12.6 Abordagens empíricas para precificação de ativos

Modelos empíricos

ExcelMaster
cobertura
online
Esta seção abrange estimativas por regressão de múltiplos fatores.

O CAPM e a APT não esgotam, de forma alguma, os modelos e as técnicas utilizadas na prática para medir o retorno esperado de ativos com risco. O CAPM e a APT são *modelos baseados em riscos*. Eles medem o risco de um título de acordo com seu(s) *beta*(s) em relação a alguns fator(es) sistemático(s), e os dois afirmam que o retorno esperado excedente deve ser proporcional ao(s) *beta*(s). Embora tenhamos visto que o modelo é intuitivamente atraente e baseado fortemente na teoria, existem abordagens alternativas.

A maioria dessas alternativas pode ser agrupada na categoria ampla de **modelos empíricos** ou paramétricos. A palavra *empírico* refere-se ao fato de que essas abordagens são menos baseadas em teorias de funcionamento do mercado financeiro e mais na observação de regularidades e relações do histórico dos dados de mercado. Nessa abordagem, o pesquisador especifica alguns parâmetros ou atributos associados aos títulos em questão e examina os dados na busca por uma relação entre esses atributos e os retornos esperados. Por exemplo, extensas pesquisas têm sido feitas para descobrir se o retorno esperado de uma empresa está relacionado ao seu tamanho. É verdade que empresas menores têm retornos médios maiores do que empresas maiores? Pesquisadores também examinaram uma variedade de medidas contábeis, como a razão entre o preço de uma ação e seus lucros contábeis, seu índice P/L e o índice Valor de Mercado da Ação/Valor Contábil da Empresa, o índice V_M/V_C. Nessa abordagem, se poderia argumentar que empresas com baixo P/L ou V_M/V_C são "subavaliadas" e que delas se poderia esperar retornos maiores no futuro.

Para utilizar a abordagem empírica de modo a determinar o retorno esperado, estimaríamos a seguinte equação:

$$\overline{R}_i = R_F + k_{P/L}(P/L)_i + k_{VM/VC}(V_M/V_C)_i + k_{tamanho}(tamanho)_i$$

onde $\overline{R}_i$ é o retorno esperado da Empresa i e os ks são coeficientes estimados a partir de dados do mercado de ações. Note que essa equação tem a mesma forma que a Equação 12.6, com os atributos de empresa no lugar dos *betas* e com os ks no lugar dos fatores de retornos excedentes da carteira.

Ao serem testadas com dados, essas abordagens paramétricas parecem funcionar muito bem. De fato, ao comparar o uso de parâmetros e o uso de *betas* para prever os retornos de ações, os parâmetros, como P/L e V_M/V_C, parecem funcionar melhor. Existem diversas explicações possíveis para esses resultados, e as discussões ainda não chegaram a uma conclusão. Os críticos da abordagem empírica se mostram céticos em relação ao que eles chamam de

---

[8] Voltando a 1900, o índice S&P 500 era, em média, 7,2% mais alto que a taxa sem risco. Embora muitos pesquisadores suponham que seja fácil encontrar substitutos para a carteira de mercado, Richard Roll, "A Critique of the Asset Pricing Theory's Tests", *Journal of Financial Economics* (março de 1977), argumenta que a ausência de uma representação aceitável universalmente para a carteira de mercado prejudica a aplicação da teoria. Afinal, o mercado deve incluir imóveis, cavalos de corrida e outros ativos que não estão no mercado de ações.

mineração de dados. Os parâmetros específicos utilizados pelos pesquisadores geralmente são escolhidos porque já mostraram ter alguma relação com os retornos. Por exemplo, suponha que você deva explicar a mudança na pontuação do SAT (o equivalente dos EUA ao ENEM do Brasil) nos últimos quarenta anos em algum determinado Estado dos Estados Unidos. Para isso, você pesquisou em todos os conjuntos de dados que você poderia ter encontrado. Após muita pesquisa, você poderia descobrir, por exemplo, que a mudança na pontuação estava relacionada diretamente à população de lebres no Estado norte-americano do Arizona. Sabemos que esse tipo de relação é puramente acidental; mas, se pesquisar por tempo suficiente e tiver algumas opções, você encontrará semelhanças, mesmo que elas não existam de fato. Isso é como olhar para as nuvens: depois de algum tempo, começamos a ver palhaços, ursos, ou o que for – mas o que de fato você estará fazendo é mineração de dados.

Nem é preciso dizer que pesquisadores dessa área defendem seus trabalhos dizendo que não extraíram dados, que foram extremamente cuidadosos em evitar esse tipo de armadilha e que não ficaram xeretando dados para ver quais funcionariam.

Do ponto de vista teórico, como qualquer um no mercado pode facilmente dar uma olhada para o índice P/L de uma empresa, não esperaríamos encontrar empresas com P/L baixo que se saíram melhor do que empresas com P/L alto somente porque estavam subavaliadas. Em um mercado eficiente, tais medidas públicas de subavaliação seriam exploradas rapidamente e não durariam.

Talvez uma explicação melhor para o sucesso das abordagens empíricas esteja em uma síntese das abordagens baseadas em risco e dos métodos empíricos. Em um mercado eficiente, risco e retorno estão relacionados; assim, talvez parâmetros ou atributos que pareçam estar relacionados aos retornos também sejam medidas de risco melhores. Por exemplo, se descobríssemos que empresas com P/L baixo tivessem desempenho melhor do que empresas com P/L alto e que isso ocorria inclusive para empresas com o mesmo *beta*, teríamos, pelo menos, duas explicações plausíveis. Primeiro, poderíamos descartar as teorias baseadas em risco por estarem incorretas. Além disso, poderíamos argumentar que mercados são ineficientes e que, ao comprar ações com P/L baixo, teríamos a oportunidade de gerar retornos maiores do que o esperado. Segundo, poderíamos argumentar que *as duas* perspectivas do mundo estão corretas e que a perspectiva do P/L é realmente uma maneira melhor de medir riscos sistemáticos – ou seja, *beta*(s) – do que estimar o *beta* a partir de dados.

Carteiras estilizadas

Além do seu uso como uma plataforma para estimar retornos esperados, os atributos de ações também são amplamente utilizados como modo de caracterização de estilos de gestores de recursos. Por exemplo, uma carteira com um índice P/L muito maior do que a média do mercado pode ser caracterizada como um P/L alto ou uma **carteira de ações de crescimento**. De forma semelhante, uma carteira composta por ações com uma média P/L menor do que a média do índice do mercado pode ser caracterizada como uma carteira com P/L baixo ou uma **carteira de valor**.

Para avaliar como os gestores de recursos estão trabalhando, seus desempenhos são comparados aos de alguns índices básicos. Por exemplo, os retornos de carteiras de gestores que adquirem ações de grandes empresas dos Estados Unidos podem ser comparados ao desempenho do índice S&P 500. Nesse caso, diz-se que o S&P 500 é a **referência** que serve como medição de seus desempenhos. De forma semelhante, o gestor de uma carteira internacional pode ser comparado com algum índice comum de ações internacionais. Ao escolher uma referência apropriada, deve-se ter o cuidado de identificar uma referência que contenha somente os tipos de ações que o gestor tenha definido como representativos de seu estilo e que estejam disponíveis para compra. Um gestor instruído a não comprar ações do índice S&P 500 não consideraria correto ser comparado ao S&P 500.[9]

---

[9] Outras situações podem se apresentar. No Brasil, há fundos de ações que usam como referência um índice de inflação, e não o Ibovespa. Por exemplo, a referência pode ser o IPCA e o objetivo de alcançar IPCA + 5% a.a. Nesse caso, a referência para esse gestor seria um título de renda fixa pós-fixado.

COM A PALAVRA, OS EXECUTIVOS:

Kenneth French, sobre o modelo de três fatores de Fama e French

O modelo de três fatores de Fama e French (1993) é uma implementação empiricamente motivada da teoria de precificação por arbitragem de Ross (1976). Quando desenvolvemos o modelo, pesquisadores identificaram dois padrões dominantes em um corte transversal de retornos médios de ações. Empresas menores, com poucas ações negociadas no mercado, tendem a ter retorno médio maior do que empresas maiores (Banz, 1981). Empresas de valor, que geralmente são definidas como aquelas com um índice Valor Contábil/Valor de Mercado elevado, tendem a ter um retorno médio maior do que empresas de crescimento (Fama e French, 1992). Nosso objetivo era um modelo simples que captasse esses padrões no retorno de ações.

O modelo de três fatores prevê que o retorno excedente ao esperado na carteira i, $E(R_i) - R_F$, é determinado pelas cargas no modelo de, é claro, três fatores,

$$E(R_i) - R_F = b_i[E(R_M) - R_F] + s_i E(SMB) + h_i E(HML)$$

O retorno excedente de mercado $E(R_M) - R_F$ desempenha aqui a mesma função que tem no modelo de precificação de ativos. A remuneração esperada que os investidores recebem por correr risco de mercado é igual à quantidade de risco de mercado b_i vezes o preço por unidade, $E(R_M) - R_F$.

O segundo e o terceiro fatores visam a considerar os efeitos tamanho e valor. O fator tamanho, SMB (*small minus big*), é a diferença entre os retornos de uma carteira de ações de empresas menores e uma carteira de ações de empresas maiores. O fator valor, HML (*high minus low*), é a diferença entre os retornos de uma carteira de ações com índice Valor Contábil/Valor de Mercado elevado e uma carteira de ações com índice Valor Contábil/Valor de Mercado baixo. Como ações de empresas menores tendem a superar ações de empresas maiores e ações de valor tendem a superar ações de crescimento, os valores esperados de SMB e HML são positivos. Assim, o modelo de três fatores prevê que o retorno esperado de uma carteira aumenta linearmente com s_i, sua carga de SMB, e com h_i, sua carga de HML. Por exemplo, uma carteira de ações de valor menores provavelmente terá cargas positivas de SMB e HML, e, assim, o modelo prevê que a carteira terá alto retorno esperado.

Você pode estimar as cargas $R_M - R_F$, SMB e HML para uma carteira ao realizar a regressão de seu retorno excedente com os três fatores,

$$R_{it} - R_{Ft} = a_i + b_i(R_{Mt} - R_{Ft}) + s_i SMB_t + h_i HML_t + e_{it}$$

O modelo prevê que o intercepto a_i é zero nessa regressão de séries temporais. Eu forneço retornos diários, mensais, trimestrais e anuais para os três fatores em meu *site www.dartmouth.edu/~kfrench*. Geralmente, as pessoas utilizam retornos mensais ao estimar o modelo, pois esses oferecem um bom compromisso entre aspectos de microestrutura de mercado, que se tornam importantes à medida que o intervalo diminui, e a perda de observações, que ocorre à medida que o intervalo aumenta.

O modelo de três fatores não é perfeito, mas faz um trabalho razoavelmente bom ao explicar os retornos de uma ampla variedade de carteiras de ações. Entretanto, existe uma controvérsia sobre se os prêmios médios para SMB e HML são uma remuneração pelo risco ou o resultado de precificação incorreta. (Em todo o caso, acho que resultam tanto do risco quanto de precificação incorreta.) Felizmente, a resposta para essa questão é irrelevante em muitas aplicações do modelo. Por exemplo, ao avaliar um gestor de carteiras, podemos interpretar SMB e HML como retornos para carteiras de referência passivas.

Cada vez mais, gestores são comparados não só com um índice, mas com um grupo de pares de gestores semelhante. O desempenho de um fundo que se anuncia como um fundo de crescimento pode ser medido em relação ao desempenho de uma grande amostra de fundos semelhantes. Por exemplo, o desempenho de certo período de tempo é geralmente alocado em quartis. Os 25% dos fundos com melhor desempenho estão no primeiro quartil, os próximos 25% estão no segundo, os próximos 25% estão no terceiro e os 25% com pior desempenho estão no último quartil. Se o fundo que estamos examinando tem um desempenho que está no segundo quartil, então nos referimos ao seu gestor como um gestor de segundo quartil.

De forma semelhante, chamamos um fundo que compra ações com V_M/V_C baixo de um fundo de valor e mediríamos seu desempenho em relação a uma amostra de fundos de valor semelhantes. Essas abordagens para medir desempenho são relativamente novas e fazem parte de um esforço ativo e estimulante para refinar nossa capacidade de identificar e utilizar habilidades de investimento.

Resumo e conclusões

O capítulo anterior apresentou o modelo de precificação de ativos financeiros (CAPM). Como uma alternativa, este capítulo apresentou a teoria de precificação por arbitragem (APT).

1. A APT supõe que os retornos de ações são gerados de acordo com modelos de fatores. Por exemplo, podemos descrever um retorno de uma ação como:

$$R = \overline{R} + \beta_I F_I + \beta_{PNB} F_{PNB} + \beta_r F_r + \epsilon$$

   onde I, PNB e r representam inflação, produto nacional bruto e taxa de juros, respectivamente. Os três fatores, F_I, F_{PNB}, e F_r, representam o risco sistemático, pois esses fatores afetam muitos títulos. O termo ϵ é considerado risco não sistemático, pois ele é único para cada título.

2. Por conveniência, descrevemos frequentemente o retorno de um título de acordo com um modelo de fator único:

$$R = \overline{R} + \beta F + \epsilon$$

3. À medida que títulos são adicionados a uma carteira, os riscos não sistemáticos dos títulos individuais se compensam. Uma carteira inteiramente diversificada está livre do risco não sistemático, mas ainda tem risco sistemático. Esse resultado indica que a diversificação pode eliminar alguns riscos de títulos individuais, mas não todos.

4. Por causa disso, o retorno esperado de uma ação está relacionado positivamente ao seu risco sistemático. Em um modelo de fator único, o risco sistemático de um título é o *beta* do CAPM. Assim, as implicações do CAPM e do modelo de fator único APT são idênticas. Entretanto, cada título tem vários riscos em um modelo de múltiplos fatores. O retorno esperado de um título está relacionado positivamente ao *beta* do título em cada fator.

5. Modelos empíricos, ou paramétricos, que captam as relações entre retornos e atributos de ações, como índices P/L ou V_M/V_C, podem ser estimados a partir dos dados sem recorrer à teoria. Esses índices também são utilizados para medir os estilos dos gestores de carteira e para construir referências e amostras contra os quais eles são avaliados.

QUESTÕES CONCEITUAIS

1. **Risco sistemático *versus* risco não sistemático** Descreva a diferença entre risco sistemático e risco não sistemático.

2. **APT** Considere a seguinte afirmação: Para a APT ser útil, o número de fatores de risco sistemático precisa ser pequeno. Você concorda ou discorda dessa afirmação? Por quê?

3. **APT** Denis Moraes, diretor financeiro da Ultrapão, decidiu utilizar um modelo APT para estimar o retorno esperado da ação da empresa. Os fatores de risco que ele pretende utilizar são o prêmio pelo risco do mercado de ações, o índice de inflação e o preço do trigo. Como o trigo é um dos maiores custos que a Ultrapão enfrenta, ele acredita que o preço do trigo é um fator de risco significativo para a empresa. Como você avaliaria as suas escolhas de fatores de risco? Você sugeriria algum outro fator?

4. **Risco sistemático e risco não sistemático** Você tem ações da empresa Lewis-Striden Medicamentos. Suponha que você esperasse que estes eventos acontecessem no último mês:

   a. O governo anunciasse que o PNB havia tido um crescimento de 1,2% durante o trimestre anterior. Os retornos da Lewis-Striden estão relacionados positivamente ao PNB.

b. O governo anunciasse que a inflação sobre o trimestre anterior teria sido de 3,7%. Os retornos da Lewis-Striden estão relacionados negativamente à inflação.

c. As taxas de juros aumentassem 2,5%. Os retornos da Lewis-Striden estão relacionados negativamente à taxa de juros.

d. O presidente da empresa anunciasse sua aposentadoria. A aposentadoria seria efetiva seis meses após o dia do anúncio. O presidente é benquisto: em geral, ele é considerado um ativo de valor da empresa.

e. Dados de pesquisas provassem a eficácia de um medicamento em fase experimental. A conclusão dos testes de eficiência implica que o medicamento estará logo no mercado.

Suponha que estes eventos tenham acontecido:

a. O governo anunciou que o PNB real teve um crescimento de 2,3% durante o trimestre anterior.

b. O governo anunciou que a inflação sobre o trimestre anterior foi de 3,7%.

c. As taxas de juros aumentaram 2,1%.

d. O presidente da empresa morreu subitamente em consequência de um ataque cardíaco.

e. Os resultados de pesquisa sobre os testes de eficiência não foram tão bons quanto o esperado. O medicamento deve ser testado por mais seis meses, e os resultados de eficiência devem ser enviados novamente ao Ministério da Saúde.

f. Pesquisadores do laboratório da Lewis-Striden anunciaram a descoberta de outro medicamento.

g. Um competidor anunciou que começará a distribuição e a venda de um medicamento que competirá diretamente com um dos produtos mais vendidos da Lewis-Striden.

Comente como cada uma das ocorrências afeta o retorno de suas ações da Lewis-Striden. Quais eventos representam risco sistemático? Quais eventos representam risco não sistemático?

5. Modelo de mercado *versus* APT Quais são as diferenças entre o modelo fatorial com k fatores e o modelo de mercado?

6. APT De forma diferente do CAPM, a APT não indica quais fatores determinarão o prêmio pelo risco de um ativo. Como podemos determinar quais fatores devem ser inclusos? Por exemplo, um fator de risco sugerido é o tamanho da empresa. Por que ele seria um fator de risco importante em um modelo APT?

7. CAPM *versus* APT Qual é a relação entre o modelo de fator único e o CAPM?

8. Modelos fatoriais Como o retorno de uma carteira pode ser expresso como um modelo fatorial?

9. Mineração de dados O que é mineração de dados? Por que ela pode exagerar a relação entre alguns atributos e o retorno de uma ação?

10. Seleção de fatores Por que é errado medir o desempenho de um gestor de carteiras de ações de crescimento do Brasil em relação a uma referência composta por ações dos Estados Unidos?

QUESTÕES E PROBLEMAS

BÁSICO
(Questões 1-4)

1. Modelos fatoriais Um pesquisador concluiu que um modelo de dois fatores é apropriado para determinar o retorno de uma ação. Os fatores são a variação percentual no PNB e a taxa de juros. Espera-se que o PNB tenha um crescimento de 3,6% e que a taxa de juros seja de 3,1%. Uma ação tem um *beta* de 1,3 para a alteração no PNB e um *beta* de 2,75 para a variação na taxa de juros. Se o atual retorno esperado é de 12%, para qual valor será revisado o retorno esperado da ação se o PNB tiver um crescimento de 3,2% e a taxa de juros for 3,4%?

2. **Modelos fatoriais** Suponha que um modelo de três fatores seja apropriado para descrever os retornos de uma ação. O quadro a seguir apresenta informações sobre esses três fatores:

Fator	β	Valor esperado	Valor real
PIB	0,006821	$ 14.011	$ 13.982
Inflação	–0,90	2,80%	2,6%
Taxa de juros	–0,32	4,80%	4,6%

   a. Qual é o risco sistemático do retorno da ações?

   b. Suponha que notícias ruins e inesperadas sobre a empresa tenham sido anunciadas, o que causa a queda de 1,1% no preço da ação. Se o retorno esperado sobre a ação for de 12,8%, qual será o retorno total dessa ação?

3. **Modelos fatoriais** Suponhamos que um modelo fatorial seja apropriado para descrever os retornos sobre uma ação. O retorno esperado dessa ação é de 10,5%. O quadro a seguir apresenta informações sobre esses fatores:

Fator	β	Valor esperado	Valor real
Crescimento do PNB	1,87	2,1%	2,6%
Inflação	–1,32	4,3	4,8

   a. Qual é o risco sistemático do retorno dessa ação?

   b. A empresa anunciou que sua fatia de mercado aumentou inesperadamente de 23% para 27%. Os investidores sabem por experiências anteriores que o retorno dessa ação aumentará 0,45% para cada aumento de 1% na sua fatia de mercado. Qual é o risco não sistemático da ação?

   c. Qual é o retorno total dessa ação?

4. **Modelos de múltiplos fatores** Suponha que retornos de ações possam ser explicados pelo modelo de três fatores a seguir:

$$R_i = R_F + \beta_1 F_1 + \beta_2 F_2 - \beta_3 F_3$$

Suponha que não haja risco específico para a empresa. A informação para três ações está apresentada a seguir:

	β₁	β₂	β₃
Ação A	1,55	0,80	0,05
Ação B	0,81	1,25	–0,20
Ação C	0,73	–0,14	1,24

Os prêmios pelo risco para os fatores são 6,1%, 5,3% e 5,7%, respectivamente. Se você criar uma carteira com o investimento de 20% na Ação A, 20% na Ação B e o restante na Ação C, qual é a expressão para o retorno sobre a carteira? Se a taxa sem risco for de 3,2%, qual será o retorno esperado sobre a sua carteira?

5. **Modelos de múltiplos fatores** Suponhamos que retornos de ações possam ser explicados por um modelo de dois fatores. Os riscos específicos da empresa para todas as ações são independentes. O quadro a seguir mostra a informação para duas carteiras diversificadas:

	β₁	β₂	E(R)
Carteira A	0,85	1,15	16%
Carteira B	1,45	2,25	12

Se a taxa sem risco é de 4%, quais são os prêmios pelo risco para cada fator nesse modelo?

INTERMEDIÁRIO
(Questões 5-7)

6. **Modelo de mercado** As três ações a seguir estão disponíveis no mercado:

	E(R)	β
Ação A	10,5%	1,20
Ação B	13,0	0,98
Ação C	15,7	1,37
Mercado	14,2	1,00

Suponha que o modelo de mercado seja válido.

a. Escreva a equação do modelo de mercado para cada ação.

b. Qual é o retorno de uma carteira com pesos de 30% na Ação A, 45% na Ação B e 25% na Ação C?

c. Suponha que o retorno do mercado seja de 15% e que não haja surpresas não sistemáticas no retorno. Qual é o retorno de cada ação? Qual é o retorno da carteira?

7. **Risco de carteira** Você está formando uma carteira de ações igualmente ponderada. Muitas ações têm o mesmo *beta* de 0,84 para o Fator 1 e o mesmo *beta* de 1,69 para o Fator 2. Todas as ações também têm o mesmo retorno esperado de 11%. Suponha que um modelo de dois fatores descreva o retorno de cada uma dessas ações.

a. Escreva a equação dos retornos da sua carteira se você colocar somente cinco ações.

b. Escreva a equação dos retornos da sua carteira se você colocar uma quantidade grande de ações com os mesmos retornos esperados e os mesmos *beta*s.

DESAFIO
(Questões 8-10)

8. **APT** Existem dois mercados de ações, cada um orientado pela mesma força, F, com um valor esperado de zero e um desvio padrão de 10%. Existem muitas ações em cada mercado; portanto, você pode investir em quantas ações quiser. Entretanto, em razão das restrições, você pode investir somente em um dos dois mercados. Nos dois mercados, o retorno esperado de cada título é de 10%.

No primeiro mercado, os retornos de cada ação, i, são gerados pela relação:

$$R_{1i} = 0{,}10 + 1{,}5\, F + \epsilon_{1i}$$

onde ϵ_{1i} é o termo que mede as surpresas nos retornos da ação i no Mercado 1. Essas surpresas são normalmente distribuídas; sua média é zero. No segundo mercado, os retornos para cada ação j são gerados pela relação:

$$R_{2j} = 0{,}10 + 0{,}5\, F + \epsilon_{2j}$$

onde ϵ_{2j} é o termo que mede as surpresas nos retornos de ação j no Mercado 2. Essas surpresas são normalmente distribuídas; sua média é zero. O desvio padrão de ϵ_{1i} e ϵ_{2j} para qualquer duas ações, i e j, é 20%.

a. Se a correlação entre as surpresas nos retornos de quaisquer duas ações no primeiro mercado for zero e se a correlação entre as surpresas nos retornos de quaisquer duas ações no segundo mercado for zero, em qual mercado uma pessoa avessa ao risco preferiria investir? (Nota: A correlação entre ϵ_{1i} e ϵ_{1j} para qualquer i e j é zero, e a correlação entre ϵ_{2i} e ϵ_{2j} para qualquer i e j é zero.)

b. Se a correlação entre ϵ_{1i} e ϵ_{1j} no primeiro mercado for 0,9 e a correlação entre ϵ_{2i} e ϵ_{2j} no segundo mercado for zero, em qual mercado uma pessoa avessa ao risco preferiria investir?

c. Se a correlação entre ϵ_{1i} e ϵ_{1j} no primeiro mercado for zero e a correlação entre ϵ_{2i} e ϵ_{2j} no segundo mercado for 0,5, em qual mercado uma pessoa avessa ao risco preferiria investir?

d. Em geral, qual é a relação entre as correlações de alterações nos dois mercados que fariam uma pessoa avessa ao risco estar igualmente disposta a investir em qualquer um dos dois mercados?

9. **APT** Suponha que o modelo de mercado a seguir descreva adequadamente o comportamento de geração de retornos de ativos com risco:

$$R_{it} = \alpha_i + \beta_i R_{Mt} + \epsilon_{it}$$

Aqui:

R_{it} = Retorno do i-ésimo ativo no tempo t.
R_{Mt} = Retorno de uma carteira com alguma proporção de todos os ativos com risco no tempo t.
R_{Mt} e ϵ_{it} são estatisticamente independentes.

São permitidas vendas a descoberto (isto é, posições negativas) no mercado. Você recebeu as informações a seguir:

Ativo	β_i	$E(R_i)$	Var(ϵ_i)
A	0,7	8,41%	0,0100
B	1,2	12,06	0,0144
C	1,5	13,95	0,0225

A variância do mercado é de 0,0121, e não há custos de transação.

a. Calcule o desvio padrão dos retornos para cada ativo.

b. Calcule a variância dos retornos de três carteiras com um número infinito de tipos de ativos A, B, ou C, respectivamente.

c. Suponha que a taxa sem risco seja de 3,3% e que o retorno esperado do mercado seja de 10,6%. Qual ativo não será mantido por investidores racionais?

d. Que estado de equilíbrio emergirá de modo que não existam oportunidades de arbitragem? Por quê?

10. **APT** Suponha que os retornos de títulos individuais sejam gerados pelo modelo de dois fatores a seguir:

$$R_{it} = E(R_{it}) + \beta_{i1}F_{1t} + \beta_{i2}F_{2t}$$

Aqui:

R_{it} é o retorno sobre o título i no tempo t.
F_{1t} e F_{2t} são fatores de mercado com valor esperado e covariância zero.

Além disso, suponha que haja um mercado de capitais para quatro títulos e que ele seja perfeito no sentido de que não há custos de transação e de que são permitidas vendas a descoberto (i. e., posições negativas). A seguir, as características dos quatro títulos:

Título	β_1	β_2	$E(R)$
1	1,0	1,5	20%
2	0,5	2,0	20
3	1,0	0,5	10
4	1,5	0,75	10

a. Construa uma carteira com os títulos 1 e 2 (em posições cobertas e descobertas) com um retorno que não dependa do fator de mercado F_{1t}. (*Dica:* Tal carteira terá $\beta_1 = 0$.) Calcule o retorno esperado e o coeficiente β_2 para essa carteira.

b. Seguindo o procedimento em (a), construa uma carteira com os títulos 3 e 4 que apresente um retorno que não dependa do fator de mercado, F_{1t}. Calcule o retorno esperado e o coeficiente β_2 para essa carteira.

c. Há um ativo sem risco com um retorno esperado de 5%, $\beta_1 = 0$ e $\beta_2 = 0$. Descreva uma possível oportunidade de arbitragem com detalhes para que um investidor possa implementá-la.

d. Qual seria o efeito a curto e a longo prazo da existência desses tipos de oportunidades de arbitragem nos mercados de capitais para esses títulos? Represente graficamente a sua análise.

DOMINE O EXCEL!

O modelo de três fatores de Fama e French se tornou um modelo APT popular. Entretanto, também foi proposto outro modelo chamado modelo de quatro fatores de Carhart (Mark Carhart, 1997, "On Persistence in Mutual Fund Performance", *Journal of Finance* 52, 57–82). No modelo de quatro fatores, os três primeiros são os mesmos do modelo de Fama e French. O quarto fator é o momento. O fator momento é construído pela diferença de retornos mensais anteriores entre os retornos das carteiras de alto e baixo retorno.

Os fatores para o modelo de quatro fatores estão disponíveis no *site* de Kenneth French (*http://mba.tuck.dartmouth.edu/pages/faculty/ken.french/index.html*). Note que há um arquivo para o modelo de três fatores e um arquivo em separado para o fator momento.

1. Os arquivos de dados estão compactados. Você precisará abrir o arquivo Zip, salvar o arquivo de texto e abri-lo no Excel. Certifique-se de baixar os fatores mensais. O *Assistente de Importação de Texto* do Excel lhe mostrará os passos necessários para importar arquivos de texto em colunas. Quando você montar a tabela de dados, calcule o modelo de quatro fatores e responda às seguintes questões sobre a ação e o fundo mútuo selecionados no capítulo anterior.

    a. Você esperaria que o poder explicativo da regressão de quatro fatores fosse maior ou menor do que a regressão do modelo de mercado do capítulo anterior? Por quê?

    b. O *alfa* e o *beta* de cada regressão são estatisticamente diferentes de zero?

    c. Como você interpreta os *beta*s para cada variável independente da ação e do fundo de investimentos?

    d. Qual das duas estimativas de regressão possui o maior R quadrado? Você teria esperado esses resultados? Por quê?

MINICASO

O modelo de múltiplos fatores de Fama e French e retornos de fundos de investimento

Diana Britto, uma corretora de investimentos, foi consultada pelo cliente Tobias Cardoso com relação ao risco de seus investimentos nos EUA. Diana leu recentemente diversos artigos sobre os fatores de risco que podem afetar retornos de ativos e decidiu examinar os fundos em que Tobias investiu; ele tem investimentos nos fundos Fidelity Magellan (FMAGX), Fidelity Low-Priced Stock (FLPSX) e Baron Small Cap (BSCFX).

Diana gostaria de calcular o modelo de múltiplos fatores proposto por Eugene Fama e Ken French para determinar o risco de cada fundo. A seguir, a equação de regressão para o modelo que ela pretende utilizar:

$$R_{it} - R_{Ft} = \alpha_i + \beta_1(R_{Mt} - R_{Ft}) + \beta_2(SMB_t) + \beta_3(HML_t) + \epsilon_t$$

Na equação de regressão, R_{it} é o retorno do ativo i no tempo t, R_{Ft} é a taxa sem risco no tempo t e R_{Mt} é o retorno do mercado no tempo t. Assim, o primeiro fator de risco na regressão Fama e French é o fator de mercado frequentemente utilizado com o CAPM.

O segundo fator de risco, SMB ou *small minus big*, é calculado de acordo com a diferença entre os retornos de uma carteira de ações de empresas menores e uma carteira de ações de empresas maiores. Esse fator representa o efeito empresas menores. De forma semelhante, o terceiro fator, HML ou *high minus low*, é calculado com as diferenças entre os retornos de uma carteira de ações de valor e uma carteira de ações de crescimento. Ações com índices Valor de Mercado/Valor Contábil baixos são classificadas como ações de valor, e o oposto, como ações de crescimento. Esse fator está incluído por causa da tendência histórica de ações de valor apresentarem retornos maiores.

Em modelos como o que Diana está considerando, o termo *alfa* (α) é de interesse particular. É o intercepto da regressão; mas, principalmente, é o retorno excedente que o ativo proporcionou. Em outras palavras, se o *alfa* for positivo, o ativo proporciona um retorno maior do que deveria pelo nível de risco; se o *alfa* for negativo, o ativo proporciona um retorno menor do que deveria pelo nível de risco. Essa medida é chamada de "alfa de Jensen" e é uma ferramenta amplamente utilizada para avaliação de fundos de investimento.

1. Para um fundo de ações de grandes empresas, você esperaria que os *betas* fossem positivos ou negativos para cada fator no modelo Fama e French?
2. Os fatores Fama e French e as taxas sem risco estão disponíveis no *site* de Ken French: *www.dartmouth.edu/~kfrench*. Baixe os fatores mensais e salve os sessenta meses mais recentes de cada fator. Os preços históricos para cada fundo podem ser encontrados em diversos sites, incluindo *finance.yahoo.com*. Encontre os preços de cada fundo para o mesmo período dos fatores Fama e French e calcule os retornos para cada mês. Certifique-se de incluir dividendos. Para cada fundo, calcule a equação de regressão de fatores múltiplos com os fatores Fama e French. Quão bem as estimativas de regressão explicam a variação no retorno para cada fundo de investimento?
3. O que você consegue observar sobre os coeficientes *beta* para diferentes fundos? Comente sobre quaisquer semelhanças ou diferenças.
4. Se o mercado for eficiente, qual o valor que você esperaria para *alfa*? As suas estimativas suportam a eficiência de mercado?
5. Qual dos fundos teve um melhor desempenho considerando seu risco? Por quê?

Estudos do modelo de quatro fatores no mercado brasileiro

Listamos a seguir alguns modelos de estudos com dados do mercado brasileiro.

CALDEIRA, J. F.; MOURA, G. V.; SANTOS, A. A. P. Seleção de carteiras utilizando o modelo Fama-French-Carhart. *Revista Brasileira de Economia*, v. 67, n. 1. p. 45-65, jan./fev. 2013. Disponível em: <http://www.scielo.br/pdf/rbe/v67n1/03.pdf>. Acesso em: 20 nov. 2014.

FARIA, L. E. C. T., et al. Análise da utilização de um modelo de quatro fatores como ferramenta auxiliar para a gestão de carteiras baseadas no IBrX. *Brazilian Business Review*, v. 8, n. 4, p. 70-93, out./dez. 2011. Disponível em: <http://www.redalyc.org/pdf/1230/123021596004.pdf>. Acesso em: 19 nov. 2014.

SANTOS, J. O.; FAMÁ, R.; MUSSA, A. A adição do fator de risco momento ao modelo de precificação de ativos dos três fatores de Fama & French aplicado ao mercado acionário brasileiro. *REGE*, v. 19, n. 3, p. 453-472, jul./set. 2012. Disponível em: <http://www.regeusp.com.br/arquivos/980.pdf>. Acesso em: 19 nov. 2014.

13 Risco, Custo de Capital e Avaliação

Para ficar por dentro dos últimos acontecimentos na área de finanças, visite www.rwjcorporatefinance.blogspot.com.

Com mais de 95 mil funcionários nos cinco continentes, a alemã BASF é uma grande empresa internacional. Ela opera em uma variedade de setores, incluindo agricultura, petróleo e gás, produtos químicos e plásticos. Em uma tentativa de aumentar seu valor, a BASF lançou o Vision 2020, um plano abrangente que incluía todas as funções dentro da empresa, desafiando e encorajando todos os funcionários a agirem de forma empreendedora. O principal componente financeiro da estratégia era que a empresa esperava receber seu custo médio ponderado de capital, o CMPC, mais um prêmio. Então, o que é o CMPC exatamente?

O CMPC (também referido, às vezes, como WACC, sigla em inglês para *weigthed average cost of capital*) é o retorno mínimo que uma empresa precisa ter para satisfazer todos os seus investidores, incluindo acionistas e credores. Em 2010, por exemplo, a BASF definiu seu custo de capital em 9% e obteve um prêmio recorde de € 3,9 bilhões acima de seu custo de capital. Em 2011, a empresa definiu seu CMPC em 11%. Neste capítulo, aprenderemos como calcular o custo de capital de uma empresa e descobrir o que ele significa para ela e para seus investidores. Também veremos quando utilizar o custo de capital da empresa e, talvez mais importante, quando não o utilizar.

Domine a habilidade de solucionar os problemas deste capítulo usando uma planilha. Acesse Excel Master no *site* www.grupoa.com.br, procure pelo livro e clique em Conteúdo *Online*.

A meta deste capítulo é determinar a taxa pela qual os fluxos de caixa de projetos arriscados e de empresas devem ser descontados. Os projetos e as empresas são financiados por capital próprio, dívida e outras fontes, por isso precisa-se estimar o custo de cada uma delas para determinar a taxa de desconto apropriada. Começaremos com o custo do capital próprio. Como a análise aqui se baseia no *beta* e no modelo de precificação de ativos financeiros (CAPM), discutiremos o *beta* em profundidade, incluindo seu cálculo, seus determinantes e a intuição que suporta o conceito. A seguir, discutiremos o custo da dívida e o custo de ações preferenciais quando essas têm a característica de obrigações. Esses custos servem como tijolos na construção do custo médio ponderado de capital (R_{CMPC} ou simplesmente CMPC), que é utilizado para descontar fluxos de caixa, quando se mantém o índice Dívida/Capital próprio. Calcularemos o CMPC de uma empresa do mundo real, a Eastman Chemical Co. Mostraremos como empresas e projetos podem ser avaliados por meio do CMPC e, por fim, apresentaremos os custos de emissão de títulos mobiliários.

13.1 Custo de capital

Sempre que uma empresa tiver caixa extra, poderá escolher entre dois movimentos. Ela pode distribuir o dinheiro diretamente a seus investidores ou pode investi-lo em um projeto e, então, distribuir os futuros fluxos de caixa dele. Qual dos movimentos os investidores prefeririam? Se os investidores puderem reinvestir o dinheiro em um ativo financeiro (uma ação ou um título

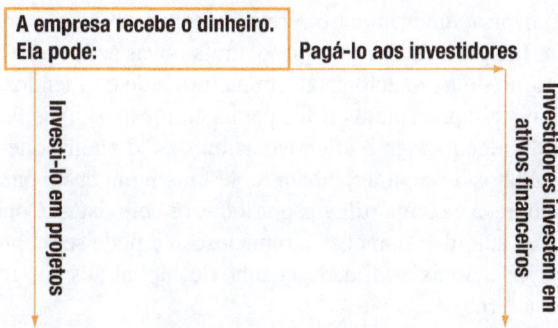

FIGURA 13.1 Escolhas de uma empresa com caixa extra.

de dívida) com o mesmo risco que o do projeto, desejarão a alternativa com o maior retorno esperado. Em outras palavras, o projeto só deve ser empreendido se o seu retorno esperado for maior do que o de um ativo financeiro com risco comparável. Essa ideia é ilustrada na Figura 13.1. Nossa discussão implica uma regra muito simples do orçamento de capital:

> **A taxa de desconto de um projeto deve ser o retorno esperado de um ativo financeiro com risco comparável.**

Existem vários sinônimos para a taxa de desconto. Por exemplo, a taxa de desconto, muitas vezes, é chamada de *retorno exigido* de um projeto. Esse é um nome apropriado, já que o projeto só deve ser aceito se gerar um retorno acima do que é exigido. Também se diz que a taxa de desconto do projeto é seu *custo de capital*. Esse nome também é apropriado, pois o projeto precisa render o suficiente para pagar seus fornecedores de capital. Nosso livro utilizará esses três termos, taxa de desconto, retorno exigido e custo de capital, como sinônimos.

Agora, imagine que todos os projetos da empresa tenham o mesmo risco. Nesse caso, seria possível dizer que a taxa de desconto é igual ao custo de capital da empresa como um todo. E, se a empresa for financiada somente por capital próprio, a taxa de desconto também será igual ao custo do capital próprio da empresa.

13.2 Estimativa do custo do capital próprio com o CAPM

Começaremos com o custo do capital próprio, que é o retorno exigido do investimento dos acionistas na empresa. O problema é que os acionistas não dizem à empresa quais são seus retornos exigidos. Então, o que fazemos? Por sorte, o modelo de precificação de ativos financeiros (CAPM) pode ser utilizado para estimar o retorno exigido.

Segundo o CAPM, o retorno esperado das ações pode ser escrito assim:

$$R_S = R_F + \beta \times (R_M - R_F) \qquad (13.1)$$

em que R_F é a taxa sem risco e $R_M - R_F$ é a diferença entre o retorno esperado da carteira de mercado e a taxa sem risco. Essa diferença, muitas vezes, é chamada de retorno esperado *excedente* ao do mercado ou prêmio pelo risco de mercado. Note que tiramos a barra denotando as expectativas de nossa expressão para simplificar a notação, mas lembre-se de que, com o CAPM, sempre estamos pensando em retornos *esperados*.

O retorno esperado das ações na Equação 13.1 se baseia no risco delas, mensurado pelo *beta*. Poderíamos dizer que o referido retorno é aquele exigido das ações, com base no risco delas. De modo similar, esse retorno pode ser visto como o custo do capital próprio da empresa.

É importante enfatizar a simetria entre o retorno esperado para o acionista e o custo do capital para a empresa. Imagine que uma empresa emita novas ações para financiar um projeto de investimento. O retorno do novo acionista vem na forma de dividendos e ganhos de capital, e esses ganhos do acionista representam custos para a empresa. É mais fácil enxergar isso nos dividendos. Qualquer dividendo pago a um novo acionista é dinheiro que não pode ser pago a um antigo. Porém, os ganhos de capital também representam um custo para a empresa. A valorização das ações da empresa é compartilhada por todos os acionistas. Como parte do ganho de capital vai para os novos acionistas, apenas o remanescente pode ser capturado pelos antigos. Melhor dizendo, os novos acionistas diluem o ganho de capital dos antigos. Trataremos desse importante ponto mais a frente.

Embora ao longo do tempo os acadêmicos tenham argumentado muito a favor do uso do CAPM no orçamento de capital, quão predominante essa abordagem é na prática? Um estudo[1] descobriu que quase três quartos das empresas norte-americanas utilizavam o CAPM no orçamento de capital, indicando que o setor adotou amplamente a abordagem deste e de muitos outros livros didáticos. É provável que essa fração aumente, já que muitos alunos de graduação e MBA que aprenderam o CAPM estão agora chegando a posições de poder nas empresas.

Agora temos as ferramentas para estimar o custo do capital próprio de uma empresa. Para fazê-lo, precisamos saber três coisas:

- a taxa sem risco, R_F;
- o prêmio pelo risco de mercado, $R_M - R_F$;
- o *beta* das ações, β.

EXEMPLO 13.1 Custo do capital próprio

Suponha que as ações da Quatram S/A, uma editora de livros universitários, tenham um *beta* (β) de 1,3. A empresa é 100% financiada por capital próprio, isto é, não possui dívidas. A Quatram está considerando vários projetos de investimento que dobrarão seu tamanho. Como esses novos projetos são similares aos existentes na empresa, supõe-se que o *beta* médio deles seja igual ao atual *beta* da Quatram. A taxa sem risco é de 5%. Qual é a taxa de desconto apropriada para esses novos projetos, supondo-se um prêmio pelo risco de mercado de 8,4%?

Estima-se o custo do capital próprio (R_S) da Quatram assim:

$$R_S = 5\% + (8{,}4\% \times 1{,}3)$$
$$= 5\% + 10{,}92\%$$
$$= 15{,}92\%$$

Foram feitas duas suposições importantes nesse exemplo: (1) O risco *beta* dos novos projetos é o mesmo que o risco da empresa, e (2) a empresa é financiada somente por capital próprio. Com essas suposições, conclui-se que os fluxos de caixa dos novos projetos devam ser descontados a uma taxa de 15,92%.

EXEMPLO 13.2 Avaliação e *beta* de projetos

Suponha que a Alfa Fretes Aéreos seja uma empresa financiada somente por capital próprio com um *beta* de 1,21. Suponha ainda que o prêmio pelo risco de mercado seja de 9,5% e que a taxa sem risco seja de 5%. Podemos determinar o retorno esperado das ações da Alfa a partir da Equação 13.1. Descobrimos que o retorno esperado é:

$$5\% + (1{,}21 \times 9{,}5\%) = 16{,}495\%$$

---

[1] Graham, J. R.; Harvey, C. R. The Theory and Practice of Corporate Finance: Evidence from the Field. *Journal of Financial Economics*, 2001, relatam, em seu Quadro 3, que 73,49% das empresas em sua amostra utilizavam o CAPM para orçamento de capital.

Como esse é o retorno que os acionistas podem esperar nos mercados financeiros de uma ação com um β de 1,21, ele também é o retorno que eles esperam das ações da Alfa. Suponha ainda que a Alfa esteja avaliando os seguintes projetos não mutuamente excludentes:

Projeto	Beta do projeto (β)	Fluxos de caixa esperados do projeto no próximo ano	Taxa interna de retorno do projeto	VPL do projeto quando os fluxos de caixa são descontados a 16,495%	Aceitar ou rejeitar
A	1,21	$ 140	40%	$ 20,20	Aceitar
B	1,21	120	20	3,00	Aceitar
C	1,21	110	10	−5,60	Rejeitar

De início, cada projeto custa $ 100. Supõe-se que todos os projetos tenham o mesmo risco que a empresa como um todo. Como o custo do capital próprio é 16,495%, os projetos de uma empresa financiada somente por capital próprio são descontados a essa taxa. Os projetos A e B têm VPL positivos, e C tem um VPL negativo. Portanto, apenas A e B serão aceitos. Esse resultado é ilustrado na Figura 13.2.

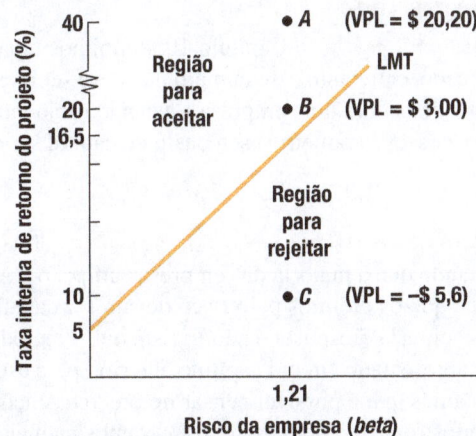

A linha diagonal representa a relação entre o custo do capital próprio e o beta da empresa. Uma empresa financiada somente por capital próprio deve aceitar um projeto cuja taxa interna de retorno seja maior do que o custo do capital próprio e deve rejeitá-lo se a taxa interna de retorno for menor do que o custo do capital próprio. (Esse gráfico supõe que todos os projetos sejam tão arriscados quanto a empresa).

FIGURA 13.2 Uso da linha do mercado de títulos para estimar a taxa de desconto.

Nos dois exemplos anteriores, os valores da taxa sem risco, do prêmio pelo risco de mercado e do beta da empresa foram *presumidos*. Como faríamos a estimativa desses parâmetros na prática? Investigaremos cada um desses parâmetros.

Taxa sem risco

Muito embora nenhum título de dívida esteja completamente livre do risco de inadimplência, as letras e os títulos do Tesouro estão tão próximos desse ideal quanto possível. Nenhum instrumento do Tesouro jamais ficou inadimplente, e, ao menos no momento, não se considera que qualquer um deles tenha o menor risco de futura inadimplência. Por esse motivo, os instrumentos do Tesouro são considerados sem risco.

Contudo, conforme aprendemos no Capítulo 8, existe toda uma estrutura a termo de taxas de juros, em que o retorno de qualquer instrumento do Tesouro é função de seu vencimento. Qual vencimento deveria ter seu retorno utilizado como taxa sem risco? O CAPM é um modelo período a período, então uma taxa de curto prazo seria um bom ponto para começar. A taxa de retorno das letras do Tesouro de um ano é com frequência utilizada, e, assim sendo, adotaremos essa convenção. O problema é que alguns projetos têm vida útil longa, por isso a taxa média de um ano estimada ao longo da vida útil do projeto é preferida em lugar da taxa de hoje para um ano.[2]

Como podemos estimar essa taxa esperada para o prazo de um ano? A taxa média de um ano pode ser estimada a partir da estrutura a termo. Ao longo do período de 1926 a 2011, o retorno médio de títulos de 20 anos do Tesouro dos Estados Unidos era de 6,1%, e o retorno médio das letras do Tesouro de um ano era de 3,6%. Assim, o prêmio pelo prazo, como é chamado, foi de 6,1 − 3,6 = 2,5%. O valor positivo para o prêmio pelo prazo não é surpreendente, já que sabemos que a estrutura a termo das taxas de juros normalmente tem curvatura para cima, refletindo o risco da taxa de juros. Suponha que o retorno até o vencimento de um título do Tesouro de 20 anos esteja em torno de 3,5%. Esse retorno deveria refletir tanto a taxa de juros média de um ano pelos próximos 20 anos quanto o prêmio da taxa a termo. Assim, pode-se argumentar que a taxa de juros média de um ano esperada pelos próximos 20 anos é de 3,5% − 2,5% = 1,0%.

Prêmio pelo risco de mercado

Método 1: Uso de dados históricos No Capítulo 10, definimos uma estimativa de 7% para o prêmio pelo risco de mercado, entretanto esse número não deve ser interpretado como definitivo.

Como breve exemplo, considere uma empresa financiada somente por capital próprio com um *beta* de 1,5. Dados os nossos parâmetros, seu custo de capital seria:

$$1,0\% + 1,5 \times 7\% = 11,5\%$$

Método 2: Uso do modelo de desconto de dividendos (MDD) Neste capítulo, fizemos referência a um estudo indicando que a maioria das empresas utiliza o CAPM para o orçamento de capital. O CAPM implica que os prêmios pelo risco devam ser calculados a partir de retornos passados, como fizemos acima? A resposta é não. Existe outro método, baseado no modelo de desconto de dividendos, apresentado em um capítulo anterior, para estimar o prêmio pelo risco.

No Capítulo 9, indicamos que é possível pensar no preço das ações como o valor presente de todos os seus dividendos futuros. Além disso, observamos naquele capítulo que, se os dividendos da empresa tendem a crescer a uma taxa constante (g), o preço das ações (P) pode ser descrito como:

$$P = \frac{\text{Div}}{R_S - g}$$

em que Div são os dividendos por ação a serem recebidos no próximo ano, R_S é a taxa de desconto ou o custo do capital próprio, e g é a taxa anual constante do crescimento esperado em dividendos. Essa equação pode ser reorganizada, resultando em:

$$R_S = \frac{\text{Div}}{P} + g$$

Assim, o retorno anual esperado de uma ação é a soma do retorno em dividendos (=Div/P) do próximo ano mais a taxa anual do crescimento esperado em dividendos.

Assim como essa fórmula pode ser utilizada para estimar o retorno total esperado de uma ação, ela também pode ser utilizada para estimar o retorno total esperado do mercado como

---

[2] Outra abordagem é selecionar um título do Tesouro cujo vencimento corresponda ao de um projeto específico. A correspondência teria de ser exata, pois, embora os títulos do Tesouro estejam, em tese, próximos de inadimplência zero, eles têm risco de taxa de juros (assim, títulos de longo prazo do Tesouro não são necessariamente sem risco). Nossa abordagem tenta separar os elementos do risco de inadimplência e do risco de taxa de juros. Na prática, ambas as abordagens podem ser utilizadas.

um todo. O primeiro termo do lado direito é fácil de estimar, já que vários materiais impressos e serviços da Internet calculam o retorno em dividendos do mercado. Por exemplo, o *The Wall Street Journal*, há não muito tempo, afirmou que o retorno médio em dividendos de todas as ações no índice Standard and Poor's (S&P) 500 era cerca de 2,1%. Utilizaremos esse número em nossas previsões.

A seguir, precisamos de uma estimativa da taxa de crescimento em dividendos por ação de todas as empresas no mercado. Os analistas de mercado – que normalmente são funcionários de bancos de investimento, de gestoras de ativos e de organizações independentes de pesquisa – estudam títulos mobiliários individuais, setores e o mercado de ações global. Como parte de seu trabalho, preveem dividendos e lucros, além de fazer recomendações quanto a ações. Por exemplo, suponha que os números na pesquisa de investimento da *Value Line (VL) Investment Survey* sugiram uma taxa de crescimento de dividendos para o *Industrial Composite Index* da VL de cerca de 6% ao ano para os próximos cinco anos. Com um retorno em dividendos de 2,1%, o retorno esperado do mercado se torna 2,1% + 6% = 8,1%. Dado o nosso retorno médio projetado de 1,0% para as letras do Tesouro de um ano, o prêmio pelo risco de mercado seria 8,1% − 1,0% = 7,1%, quase idêntico aos 7% fornecidos pelo método 1.

Para nossa empresa com um *beta* de 1,5, o custo de capital se torna:

$$1,0\% + (1,5 \times 7,1\%) = 11,65\%$$

Obviamente, a *Value Line* é apenas uma fonte de previsões. Provavelmente uma empresa se basearia em um consenso de várias previsões ou utilizaria sua própria estimativa subjetiva de crescimento.

Todavia, os acadêmicos têm preferido a estimativa de prêmio histórico pelo risco de mercado, por sua objetividade. Em contraste, a estimativa do crescimento de dividendos futuros no MDD parece mais subjetiva. No entanto, a natureza subjetiva da abordagem do MDD não é uma crítica. Os defensores do uso do MDD apontam que os retornos em longo prazo só podem vir do retorno corrente em dividendos e do crescimento de dividendos futuros. Qualquer pessoa, ao pensar que os retornos de longo prazo de ações excederão a soma desses dois componentes, estará se enganando.[3] A expressão "Não se pode querer tirar leite de pedra" é aplicável aqui.

13.3 Estimativa de *beta*

Na seção precedente, presumimos que o *beta* da empresa era conhecido. É claro, o *beta* precisa ser estimado no mundo real. Indicamos anteriormente que o *beta* de um título é a covariância entre o retorno de um título e o retorno da carteira de mercado, padronizada. Conforme vimos, a fórmula para um título *i* é:

$$\text{Beta do título } i = \frac{\text{Cov}(R_i, R_M)}{\text{Var}(R_M)} = \frac{\sigma_{i,M}}{\sigma_M^2} \quad (13.2)$$

Assim, o *beta* é a covariância de um título com o mercado, dividida pela variância do mercado. Como calculamos tanto a covariância quanto a variância em capítulos anteriores, o cálculo do *beta* não envolve material novo aqui.

Betas do mundo real

É instrutivo ver como os *betas* são calculados pelas empresas no mundo real. A Figura 13.3 traça os retornos mensais de quatro grandes empresas em comparação aos retornos mensais no índice S&P 500. Utilizando uma técnica de regressão padrão, passamos uma linha reta pelos pontos representativos de dados. O resultado é chamado de linha "característica" do título.

---

[3] Por exemplo, consulte Ritter, J. The Biggest Mistakes We Teach, *Journal of Financial Research* (verão de 2002 – Hemisfério Norte); Fama, E.; French, K. The Equity Premium, *Journal of Finance*, 2002; Jagannathan R.; McGrattan, E. R.; Scherbina, A. The Declining U.S. Equity Premium, *Federal Reserve Bank of Minneapolis Quarterly Review*, 2000.

> **Medida de *betas* de empresas**
>
> O método básico para medir *betas* de empresas é estimar:
>
> $$\frac{\text{Cov}(R_i, R_M)}{\text{Var}(R_M)}$$
>
> utilizando $t = 1, 2, ..., T$ observações.
>
> **Problemas**
>
> 1. Os *betas* podem variar com o tempo.
> 2. O tamanho da amostra pode ser inadequado.
> 3. Os *betas* são influenciados por mudanças na alavancagem financeira e no risco do negócio.
>
> **Soluções**
>
> 1. Os problemas 1 e 2 podem ser moderados por técnicas estatísticas mais sofisticadas.
> 2. O problema 3 pode ser amenizado por ajustes para variações no risco do negócio e no risco financeiro.
> 3. Examinar as estimativas do *beta* médio de diversas empresas comparáveis do setor.

A inclinação da linha característica é o *beta*. Embora não tenhamos mostrado na tabela, também podemos usar a regressão para calcular o intercepto (normalmente chamado de *alfa*) de uma linha característica.

Utilizamos cinco anos de dados mensais para cada gráfico. Ainda que essa escolha seja arbitrária, está alinhada com os cálculos realizados no mundo real. Os profissionais sabem que

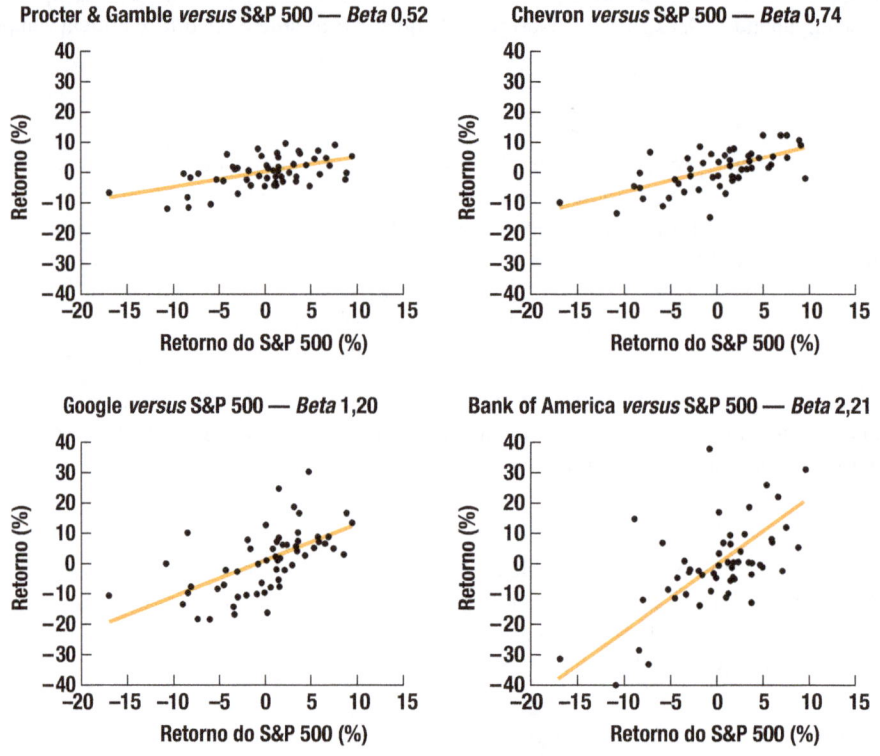

FIGURA 13.3 Gráficos de cinco anos de retornos mensais (2006-2010) de quatro títulos individuais em comparação a cinco anos de retornos mensais do índice Standard & Poor's (S&P) 500.

a precisão do coeficiente *beta* é suspeita quando poucas observações são utilizadas. Por outro lado, como as empresas podem mudar de setor com o tempo, as observações do passado distante poderão estar desatualizadas.

Afirmamos em um capítulo anterior que o *beta* médio de todas as ações de um índice é 1. Obviamente, isso não precisa ser verdade para um subconjunto do índice. Por exemplo, dos quatro títulos em nossa figura, dois têm *betas* acima de 1 e dois têm *betas* abaixo de 1. Como o *beta* é uma medida do risco de um único título de alguém que possua uma carteira grande e diversificada, nossos resultados indicam que a Procter & Gamble tem risco relativamente baixo, e que o Bank of America tem risco relativamente alto.

Estabilidade de *beta*

Afirmamos que é provável que o *beta* de uma empresa varie se ela mudar de setor. Também é interessante fazer a pergunta oposta: O *beta* de uma empresa permanece o mesmo caso continue no mesmo setor?

Veja o caso da Microsoft, que está no mesmo setor há muitas décadas. A Figura 13.4 traça os retornos da Microsoft e os retornos do S&P 500 por quatro períodos sucessivos de cinco anos. Como pode ser visto na figura, o *beta* da Microsoft varia de período a período. Contudo, essa movimentação no *beta* provavelmente não seja nada mais do que uma variação aleatória.[4] Assim, para fins práticos, o *beta* da Microsoft tem se mantido mais ou menos constante pelas duas décadas que a figura abrange. Embora a Microsoft seja apenas uma empresa, a maioria

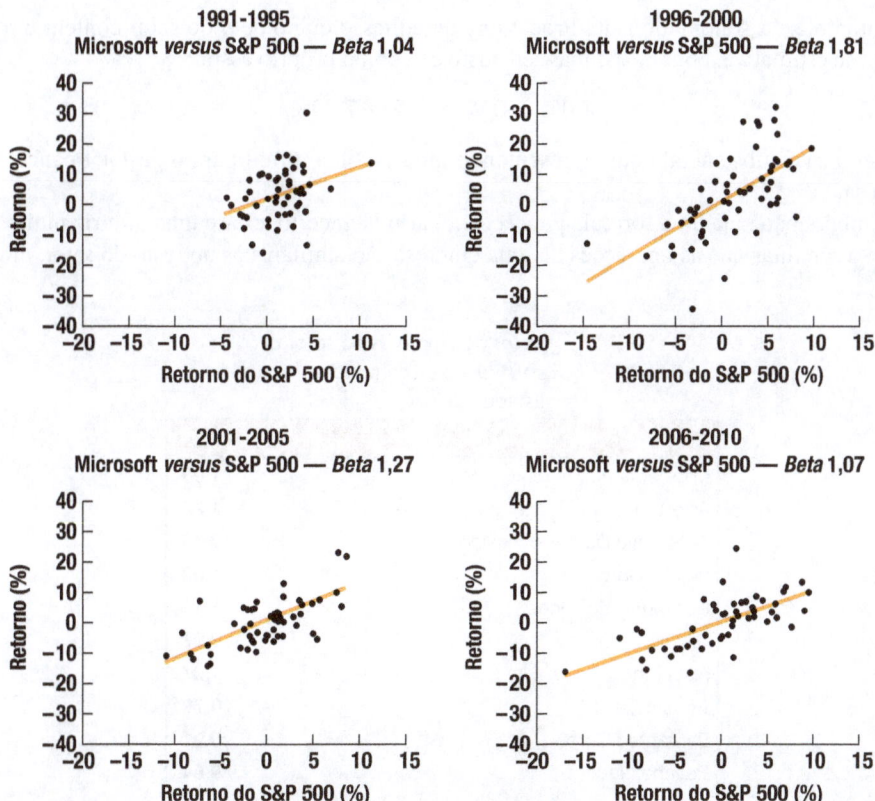

FIGURA 13.4 Gráficos de retornos mensais da Microsoft Corporation em comparação aos retornos do índice Standard & Poor's 500 por quatro períodos consecutivos de cinco anos.

---

[4] De forma mais precisa, pode-se dizer que os coeficientes *beta* ao longo dos quatro períodos não são estatisticamente diferentes uns dos outros.

dos analistas argumenta que os *betas* geralmente são estáveis para empresas que permanecem no mesmo setor.

No entanto, isso não quer dizer que, desde que uma empresa fique no mesmo setor, seu *beta nunca* mudará. Mudanças na linha de produtos, na tecnologia ou no mercado podem afetar o *beta* de uma empresa. Além disso, conforme mostraremos em uma seção adiante, um aumento na alavancagem de uma empresa (i.e., no volume de endividamento em sua estrutura de capital) aumentará o *beta* da empresa.

Uso do *beta* de um setor

Nossa abordagem para estimar o *beta* de uma empresa a partir de seus próprios dados do passado pode parecer muito lógica, contudo frequentemente se argumenta que é melhor estimar o *beta* de uma empresa envolvendo o setor inteiro. Considere o Quadro 13.1, que mostra os *betas* de algumas empresas proeminentes no setor de *software*. O *beta* médio de todas as empresas no quadro é 0,97. Imagine um gestor financeiro da Automatic Data Processing tentando estimar o *beta* da empresa. Como as estimativas de *beta* estão sujeitas a variações grandes e aleatórias nesse setor volátil, ele pode ficar desconfortável com a estimativa de 0,70. Como o erro na estimativa de *beta* de uma única ação é muito maior do que o erro para uma carteira de títulos, o diretor da Automatic Data Processing talvez prefira o *beta* médio do setor de 0,97 como estimativa do *beta* de sua empresa.[5]

Supondo uma taxa sem risco de 1,0% e um prêmio pelo risco de 7%, a Automatic Data Processing pode estimar seu custo de capital próprio da seguinte forma:

$$1,0\% + 0,7 \times 7\% = 5,9\%$$

No entanto, se a Automatic Data Processing acreditasse que o *beta* do setor contém um erro menor de estimativa, poderia estimar seu custo de capital próprio assim:

$$1,0\% + 0,97 \times 7\% = 7,79\%$$

A diferença é substancial aqui, apresentando uma escolha difícil para o gestor financeiro da empresa.

Embora não haja uma fórmula para selecionar o *beta* certo, existe uma diretriz muito simples. Se acreditar que as operações de uma empresa são similares às do resto do setor, deve-se

QUADRO 13.1 *Betas* de empresas no setor de *software* para computadores nos Estados Unidos

Empresa	Beta
Microsoft	1,00
Apple Inc.	1,22
Automatic Data Processing	0,70
Oracle Corp.	1,09
Computer Sciences	1,15
CA Inc.	0,97
Fiserv Inc.	1,07
Accenture Ltd.	0,79
Symantec Corp.	0,91
Paychex Inc.	0,84
Carteira igualmente ponderada	0,97

FONTE: www.reuters.com.

---

[5] Na realidade, deve-se ajustar a alavancagem antes de fazer a média dos *betas*, embora não se ganhe muito a menos que os índices de alavancagem tenham uma diferença significativa. O ajuste para alavancagem será discutido em capítulos posteriores.

utilizar o *beta* do setor simplesmente para reduzir os erros de estimativa.[6] Contudo, se o gestor acreditar que as operações da empresa sejam fundamentalmente diferentes das do restante do setor, o *beta* da empresa é que deve ser utilizado.

Quando discutimos a análise de demonstrações contábeis no Capítulo 3, notamos que, na prática, um problema surge com certa frequência: o que é o setor? Por exemplo, a pesquisa de investimento da *Value Line* categoriza a Accenture Ltd. como uma empresa de *software* para computadores, ao passo que agências de notícias financeiras *online*, como a www.reuters.com/finance, categorizam a mesma empresa no setor de serviços empresariais.

13.4 Determinantes de *beta*

A abordagem da análise de regressão na Seção 13.3 não nos informa de onde vem o *beta*. É óbvio que o *beta* de uma ação não vem do nada. Ele é determinado pelas características da empresa. Considere três fatores: A natureza cíclica das receitas, a alavancagem operacional e a alavancagem financeira.

Ciclicidade das receitas

As receitas de algumas empresas são bastante cíclicas, isto é, essas empresas se saem bem na fase de expansão do ciclo de negócios e mal na de contração. Evidências empíricas sugerem que os resultados de empresas de alta tecnologia, varejistas e montadoras de automóveis oscilam com o ciclo de negócios. Empresas de setores como os de insumos, ferrovias, alimentos e empresas aéreas dependem menos do ciclo. Como o *beta* mede a sensibilidade do retorno de uma ação ao retorno do mercado, não é uma surpresa que ações altamente cíclicas tenham *betas* altos.

Vale a pena salientar que a ciclicidade não é o mesmo que a variabilidade. Por exemplo, uma produtora de filmes tem receitas altamente variáveis, pois sucessos e fracassos de cinema não são previstos com facilidade. No entanto, como as receitas de um estúdio dependem mais da qualidade de seus lançamentos do que da fase do ciclo de negócios, as produtoras de filmes não são especialmente cíclicas. Em outras palavras, as ações com altos desvios padrão não precisam ter *betas* altos, um ponto que enfatizamos antes.

Alavancagem operacional

Distinguimos os custos fixos dos custos variáveis no Capítulo 7. Mencionamos então que os custos fixos não se alteram à medida que as quantidades mudam. De forma contrária, os custos variáveis aumentam à medida que o volume de produção sobe. As empresas, muitas vezes, deparam-se com uma escolha entre os custos fixos e os custos variáveis. Por exemplo, uma empresa pode construir sua própria fábrica, incorrendo em um alto nível de custos fixos no processo. Como alternativa, ela pode terceirizar a produção a um fornecedor, normalmente gerando custos fixos menores, mas custos variáveis maiores. Os custos fixos tendem a aumentar o impacto da ciclicidade das vendas. Eles precisam ser pagos, mesmo em um nível baixo de vendas, deixando a empresa com a possibilidade de grandes perdas. E, com a substituição dos custos variáveis pelos custos fixos, qualquer venda adicional gerará custos marginais baixos, deixando a empresa com um aumento substancial no lucro.

Em geral, diz-se que as empresas com custos fixos altos e custos variáveis baixos têm alta **alavancagem operacional**. De modo oposto, as empresas com custos fixos baixos e custos variáveis altos têm baixa alavancagem operacional. A alavancagem operacional amplia o efeito da ciclicidade das receitas de uma empresa sobre o seu *beta*. Isto é, uma empresa com uma determinada ciclicidade de vendas aumentará seu *beta* se os custos fixos substituírem os custos variáveis em seu processo de produção.

---

[6] Conforme veremos a seguir, um ajuste deve ser feito quando o nível de endividamento do setor for diferente do da empresa. No entanto, ignora-se esse ajuste aqui, uma vez que empresas do setor de *software* geralmente apresentam baixo endividamento.

Alavancagem financeira e *beta*

Como seus nomes sugerem, a alavancagem operacional e a alavancagem financeira são conceitos análogos. A alavancagem operacional diz respeito aos custos fixos de *produção* da empresa, enquanto a alavancagem financeira diz respeito a quanto uma empresa depende do *endividamento*. Uma empresa alavancada é aquela com algum endividamento em sua estrutura de capital. Como uma empresa *alavancada* deve fazer pagamentos de juros independentemente de suas vendas, a alavancagem financeira diz respeito aos custos fixos das *finanças* da empresa.

Assim como um aumento na alavancagem operacional aumentará o *beta*, um aumento na alavancagem financeira (i. e., um aumento no endividamento) fará o mesmo. Para compreender, considere uma empresa com algum endividamento e capital próprio em sua estrutura de capital. Além disso, imagine um indivíduo que possua todos os direitos sobre as dívidas e todo o capital próprio da empresa. Em suma, esse indivíduo possui a empresa inteira. Qual é o *beta* de sua carteira de títulos de dívida e ações da empresa?

Como acontece com qualquer outra, o *beta* dessa carteira é uma média ponderada dos *betas* dos seus itens individuais. B representa o valor de mercado das dívidas da empresa, e S, o valor de mercado do seu capital próprio. Assim, temos:

$$\beta_{\text{Carteira}} = \beta_{\text{Ativos}} = \frac{S}{B+S} \times \beta_{\text{Capital próprio}} + \frac{B}{B+S} \times \beta_{\text{Dívidas}} \qquad (13.3)$$

em que $\beta_{\text{Capital próprio}}$ é o *beta* das ações da empresa *alavancada*. Note que o *beta* das dívidas, $\beta_{\text{Dívidas}}$, é multiplicado por $B/(B+S)$, o percentual de endividamento na estrutura de capital. De modo similar, o *beta* do capital próprio é multiplicado pela porcentagem de capital próprio na estrutura de capital. Como a carteira contém tanto os direitos sobre a dívida da empresa quanto sobre o seu capital próprio, pode-se pensar no *beta* da carteira como o *beta* das ações caso a empresa fosse financiada somente por capital próprio. Na prática, esse *beta* é chamado de **beta dos ativos**, pois seu valor depende somente dos ativos da empresa.

O *beta* das dívidas é muito baixo na prática. Se fizermos a suposição comum de que o *beta* das dívidas é zero, teremos:

$$\beta_{\text{Ativo}} = \frac{S}{B+S} \times \beta_{\text{Capital próprio}} \qquad (13.4)$$

Como $S/(B+S)$ deve estar abaixo de 1 para uma empresa alavancada, conclui-se que $\beta_{\text{Ativos}} < \beta_{\text{Capital próprio}}$. Reorganizando essa equação, teremos:

$$\beta_{\text{Capital próprio}} = \beta_{\text{Ativos}}\left(1 + \frac{B}{S}\right)$$

O *beta* do capital próprio sempre será maior do que o *beta* dos ativos com alavancagem financeira (supondo que o *beta* dos ativos seja positivo).[7] Quer dizer, o *beta* do capital próprio de uma empresa alavancada sempre será maior do que o *beta* dos ativos de outra empresa idêntica, porém financiada somente por capital próprio.

Qual *beta* a análise de regressão estima: o dos ativos ou o do capital próprio? A regressão, como realizada na Seção 13.3 e também no mundo real, fornece um *beta* do capital próprio, porque a técnica utiliza os retornos das *ações* como entradas. Devemos transformar esse *beta* do capital próprio utilizando a Equação 13.4 para chegar ao *beta* dos ativos (é claro que os dois *betas* são iguais para as empresas financiadas somente por capital próprio).

---

[7] Pode-se mostrar que a relação entre o *beta* dos ativos de uma empresa e seu *beta* de capital próprio considerando os tributos de pessoa jurídica é:

$$\beta_{\text{Capital próprio}} = \beta_{\text{Ativos}}\left[1 + (1 - t_C)\frac{B}{S}\right]$$

Nessa expressão, t_C é a alíquota tributária da pessoa jurídica. Os efeitos tributários serão considerados com maiores detalhes em um capítulo adiante.

> **EXEMPLO 13.3** *Betas* dos ativos *versus* do capital próprio
>
> Considere uma empresa que plante árvores, a Pinho Rápido S/A, que atualmente é financiada somente por capital próprio e tem um *beta* de 0,8. A empresa decidiu passar para uma estrutura de capital com uma parte de dívidas para duas partes de capital próprio. Como ela permanece no mesmo setor, seu *beta* de ativos deve manter-se em 0,8. No entanto, supondo um *beta zero* para suas dívidas, seu *beta* de capital próprio se tornaria:
>
> $$\beta_{\text{Capital próprio}} = \beta_{\text{Ativos}}\left(1 + \frac{B}{S}\right)$$
>
> $$1{,}2 = 0{,}8\left(1 + \frac{1}{2}\right)$$
>
> Se a empresa tivesse uma parte de dívida para uma parte de capital próprio em sua estrutura de capital, seu *beta* de capital próprio seria:
>
> $$1{,}6 = 0{,}8\,(1 + 1)$$
>
> No entanto, desde que ela permaneça no mesmo setor, seu *beta* de ativos deve manter-se em 0,8. O efeito da alavancagem, então, será aumentar o *beta* de capital próprio.

13.5 Abordagem do modelo de descontos de dividendos

Na Seção 13.2, mostramos como o CAPM podia ser usado para determinar o custo de capital de uma empresa. Entre outros dados de entrada no modelo, precisávamos de uma estimativa do prêmio pelo risco de mercado e de uma abordagem que utilizava o modelo de descontos de dividendos (MDD) para prever o retorno esperado do mercado como um todo, levando a uma estimativa de seu prêmio pelo risco. Agora, utilizamos o MDD para estimar o retorno esperado de uma ação individual *diretamente*.

Nossa discussão na Seção 13.2 sobre o MDD nos levou à seguinte fórmula:

$$R_S = \frac{\text{Div}}{P} + g$$

em que P é o preço de cada ação, Div é o dividendo por ação a ser recebido no próximo ano, R_S é a taxa de desconto e g é a taxa de crescimento anual esperado em dividendos por ação. A equação nos informa que a taxa de desconto para uma ação é igual à soma do retorno em dividendos da ação ($=\text{Div}/P$) e a taxa de crescimento esperado dos dividendos. Portanto, para aplicar o MDD a uma ação específica, precisamos estimar tanto o retorno em dividendos quanto a taxa de crescimento esperado.

O retorno em dividendos é relativamente fácil de prever. Os analistas de ações oferecem previsões dos dividendos do próximo ano para muitas ações. De forma alternativa, podemos definir os dividendos do próximo ano como o produto entre os dividendos do último ano e $(1 + g)$, usando abordagens para estimar g que descreveremos a seguir. O preço de qualquer ação negociada publicamente, em geral, pode ser determinado a partir de periódicos especializados ou da Internet.

A taxa de crescimento esperado dos dividendos pode ser estimada de uma das três formas apresentadas a seguir. Na primeira, podemos calcular a taxa histórica de crescimento em dividendos da empresa a partir de dados do passado. Para algumas empresas, essa taxa histórica de crescimento pode ser uma estimativa eficaz, embora imperfeita, da taxa de crescimento futuro. Na segunda, no Capítulo 9, argumentamos que a taxa de crescimento em dividendos pode ser expressa assim:

$$g = \text{Taxa de retenção de lucros} \times \text{ROE}$$

em que a taxa de retenção é a proporção entre a reserva de lucros e os lucros. O ROE representa o retorno do investimento, determinado pela razão entre os lucros e o valor contábil do patrimônio líquido da empresa. Todas as variáveis necessárias para estimar tanto a taxa de retenção quanto o ROE podem ser encontradas na demonstração de resultados do exercício e no balanço patrimonial da empresa. Na terceira, os analistas fazem previsões de crescimento futuro, no entanto as estimativas dos analistas, como regra, são para taxas de crescimento de lucros para até cinco anos, ao passo que o MDD exige taxas de crescimento de longo prazo em dividendos.

Como exemplo da terceira abordagem, o consenso para o crescimento anual de lucros, para cinco anos, reportado no *site* finance.yahoo.com, foi de 7,5% para a Eastman Chemical Co. O retorno em dividendos da empresa foi de 1,04%, implicando uma taxa de retorno esperado e, portanto, um custo de capital próprio de 1,04 + 7,5 = 8,54% para a Eastman.

Essa discussão mostra como se pode utilizar o MDD para estimar o custo de capital de uma empresa. Quão precisa é essa abordagem em comparação com o CAPM? Examinaremos a questão na seção a seguir.

Comparação entre MDD e CAPM

Tanto o modelo de desconto de dividendos quanto o de precificação de ativos financeiros são modelos internamente coerentes. Todavia, os acadêmicos em geral têm favorecido o CAPM. Além disso, um estudo relativamente recente[8] relatou que um pouco menos de três quartos das empresas utilizam o CAPM para estimar o custo do capital próprio, enquanto um pouco menos de um sexto delas utiliza o modelo de descontos de dividendos para fazê-lo. Por que o pêndulo pendeu para o CAPM? O CAPM tem duas vantagens principais. A primeira é se ajustar explicitamente ao risco, e a segunda é que ele pode se aplicar a empresas que não pagam dividendos ou cujo crescimento de dividendos é difícil de estimar. A principal vantagem do MDD é sua simplicidade. Infelizmente, o MDD só se aplica a empresas que pagam dividendos regulares, sendo inútil para as que não o fazem. Outra desvantagem dele é não considerar o risco de maneira explícita.

Embora, até onde sabemos, ninguém tenha feito uma comparação sistemática das duas abordagens, o MDD parece conter mais erros de mensuração do que o CAPM. O problema é que se está estimando a taxa de crescimento de uma *empresa individual* no MDD, e cada uma de nossas três abordagens sugeridas para estimar g está repleta de erros de medição para empresas isoladas. Em contraste, considere o cálculo do prêmio pelo risco de mercado no CAPM, quando o MDD é utilizado para estimar g para um mercado inteiro. É evidente que existe erro de medição aqui, contudo ele é menor, pois muitos dos erros de medição ao estimar g para empresas individuais são diversificados conforme passamos de uma empresa individual para o mercado como um todo.[9] Todavia, apesar de termos sido críticos quanto à aplicação prática do MDD, ele proporciona algumas intuições importantes e pode ser uma verificação útil para estimativas do CAPM.

O modelo CAPM no mercado brasileiro*

No Brasil, o modelo mais utilizado é o CAPM ajustado às condições do mercado brasileiro. A equação do CAPM representa o retorno esperado de um investimento que conduz a uma situação de equilíbrio, isto é, que não deixa espaço para que o mercado faça qualquer tipo de arbitragem. O modelo usa os *betas* como principal medida de risco não diversificável e surgiu como alternativa ao modelo da Fronteira Eficiente de Markowitz.

---

[8] Graham, J. R.; Harvey, C. R. "The Theory and Practice of Corporate Finance: Evidence from the Field", *Journal of Financial Economics* (2001), Quadro 3.

[9] É claro que essa não é toda a história, já que é necessário estimar três parâmetros para o CAPM (taxa sem risco, prêmio pelo risco de mercado e *beta*), cada um contendo erros. A estimativa de *beta* é geralmente considerada o problema aqui, pois precisamos de um *beta* para cada empresa. Contudo, conforme já mencionado neste capítulo, os analistas com frequência calculam *betas* médios para as diferentes empresas de um setor, de modo a reduzir o erro de mensuração. Presume-se que os *betas* de diferentes empresas de um mesmo setor sejam similares. Porém, não se devem calcular valores médios de g para empresas diferentes em um setor. Mesmo que as empresas sejam do mesmo setor, suas taxas de crescimento podem diferir de forma muito ampla.

* Material cedido pelo Instituto Educacional BM&FBOVESPA. Acesse: www.bmfbovespa.com.br/educacional.

Embora esse modelo seja o mais utilizado no Brasil, ele também apresenta problemas na estimação do custo de capital próprio devido à falta de dados históricos confiáveis e à falta de estabilidade no mercado de capitais. De acordo com diversos trabalhos na área, as principais limitações da aplicação do CAPM em países emergentes são:[10]

1. A utilização do CAPM pressupõe a existência de índices abrangentes de mercado de ações, ponderados pelo valor de mercado dessas ações, e não pela liquidez de seus títulos componentes, como ocorre com o Ibovespa, da BM&FBOVESPA. Para Sharpe, ela corresponderia a uma carteira *value weight* com todos os ativos participantes. Para o Brasil, geralmente, usa-se o Ibovespa para calcular os valores de *beta*.

2. Outro problema das bolsas de países emergentes é o pequeno volume transacionado e a excessiva concentração em poucos títulos e investidores, fazendo com que os índices consolidados do mercado não representem de maneira adequada a carteira de mercado.

3. Quando o índice de referência de mercado é muito concentrado em poucas ações, o *beta* das empresas mostra muito mais a relação dessas empresas com as principais companhias que compõem o índice de referência do que com a carteira de mercado.

4. A versão clássica do CAPM não considera um risco adicional para empresas fora dos Estados Unidos. Na prática, quando se avaliam empresas de países emergentes, deve-se acrescentar o risco-país. No entanto, não há consenso sobre qual é a melhor maneira de calcular esse risco adicional.

5. O prêmio de risco de mercado $(R_M - R_F)$ costuma ser muito oscilante, às vezes é negativo. Portanto, o $(R_M - R_F)$ dos mercados locais, muitas vezes, não representa uma expectativa e dificilmente pode ser utilizado.

Como encontrar exemplos de avaliações de empresas no mercado brasileiro

A Comissão de Valores Mobiliários (CVM) disponibiliza laudos de avaliação realizadas nas condições do mercado brasileiro no seu *site* http://www.cvm.gov.br/. Acesse a página inicial e, na guia à esquerda, ACESSO À INFORMAÇÃO, escolha REGISTROS DE OFERTAS PÚBLICAS e, em seguida, OPA – OFERTA PÚBLICA DE AQUISIÇÃO DE AÇÕES. São disponibilizados laudos de avaliação registrados desde 2004. Selecione um ano, escolha uma empresa e, em, seguida escolha LAUDO DE AVALIAÇÃO. Nos laudos, procure a seção que descreve o método de avaliação. Há uma grande quantidade de exemplos de uso do método de fluxos de caixa descontados, uso do CMPC (WACC), cálculo do custo do capital próprio com o uso do CAPM, exemplos de escolha da taxa sem risco e também exemplos do uso de múltiplos. Há um grande número de avaliações no mercado brasileiro nessa página. Até o fim do período de editoração deste livro, encontramos aproximadamente 150 laudos de avaliação de empresas diferentes.

13.6 Custo de capital para divisões e projetos

Todas as seções anteriores deste capítulo presumiram que o risco de um potencial projeto é igual ao risco atual da empresa. Como deveríamos estimar a taxa de desconto de um projeto cujo risco é diferente daquele da empresa? A resposta consiste em que cada projeto deve ser descontado a uma taxa proporcional ao seu próprio risco. Por exemplo, suponha que tenhamos utilizado o CAPM para determinar a taxa de desconto.[11] Se o *beta* de um projeto diferir do da empresa, os fluxos de caixa dele devem ser descontados a uma taxa proporcional ao seu próprio *beta*. Esse é um ponto importante, já que as empresas frequentemente falam de uma *taxa*

---

[10] Ver, por exemplo: Neto, A. A.; Lima, F. G.; Araújo, A. M. P., 2008; Perlin, M. S.; Cereta, P. S., 2004 e Barros, L. A.; Famá, R.; Silveira, B. P., 2014.

[11] Para simplificar, consideramos apenas o CAPM nesta seção. Contudo, uma abordagem similar seria aplicável se o custo de capital fosse determinado a partir do MDD.

de desconto da empresa. (Como mencionado antes, o *retorno exigido* e o *custo de capital* são utilizados como sinônimos). A menos que todos os projetos da empresa tenham o mesmo risco, não é correto escolher a mesma taxa de desconto para todos os projetos.

O parágrafo anterior tratou de taxas de desconto para projetos individuais. A mesma mensagem se aplica a divisões inteiras. Se uma empresa tiver várias divisões e cada uma estiver em um setor diferente, seria um erro atribuir a mesma taxa de desconto a cada uma delas.

EXEMPLO 13.4 — Risco de projetos

A editora D. D. Ronnelley Co. (DDR) talvez empreenda um projeto na área de *software* para computadores. Levando em conta que as empresas de *software* para computadores têm *betas* altos, a editora considera o empreendimento mais arriscado do que o restante de seus negócios. Ela deve descontar o projeto a uma taxa compatível com o risco das empresas de *software*. Por exemplo, ela poderia utilizar o *beta* médio de uma carteira de empresas de *software* negociadas publicamente. Se, em vez disso, todos os projetos da DDR fossem descontados a uma mesma taxa, isso resultaria em um viés: a empresa aceitaria muitos projetos com alto risco (empreendimentos em *software*) e rejeitaria projetos com baixo risco (livros e revistas). Esse argumento é ilustrado na Figura 13.5.

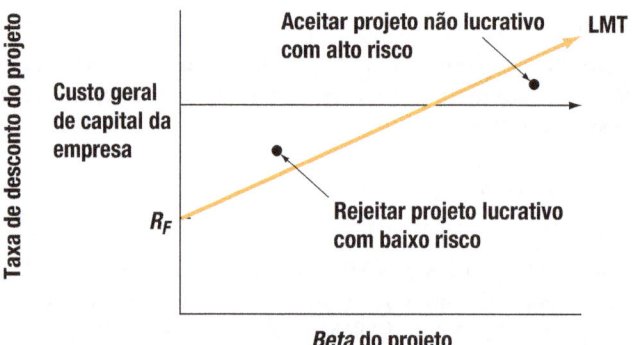

FIGURA 13.5 Relação entre o custo de capital da empresa e a linha do mercado de títulos (LMT).

Um único custo de capital para todos os projetos de uma empresa, conforme indicado pela linha horizontal da figura, pode levar a decisões de investimento incorretas. Os projetos com risco alto, como o empreendimento em *software* da DDR, devem ser descontados a uma taxa alta. Se a empresa utilizar o seu custo de capital para todos os projetos, tenderá a aceitar muitos projetos de alto risco.

Os projetos de baixo risco devem ser descontados a uma taxa baixa. Se usar o seu custo de capital, a empresa provavelmente rejeitará projetos de baixo risco.

O exemplo da DDR indica que devemos descontar um projeto a uma taxa compatível com o risco de seus fluxos de caixa. No entanto, na prática, devemos nos preocupar com três questões. Primeiro, precisamos escolher o setor apropriado. Mesmo que isso possa parecer uma tarefa fácil, o problema é que as empresas, muitas vezes, têm mais de uma linha de negócios. Por exemplo, suponha que a DDR estivesse considerando um projeto da indústria cinematográfica, e não de *software* para computadores. O primeiro pensamento poderia ser examinar os *betas* das maiores e mais importantes empresas da indústria cinematográfica (os seis maiores estúdios são Warner Brothers, Columbia, Fox, Universal, Paramount e Disney). Contudo, os primeiros cinco estúdios pertencem a Time-Warner, Sony, News Corporation, General Electric e Viacom, respectivamente. Todas essas empresas-mães são diversificadas, e seus filmes perfazem apenas uma pequena porção das receitas totais. E, ainda que a proprietária do sexto estúdio tenha o mesmo nome de Walt Disney, também é bastante diversificada, com participações em televisão, rádio, parques temáticos e cruzeiros marítimos. Com toda essa diversificação, seria bem difícil determinar o *beta* de uma empresa puramente de produção cinematográfica a partir dos *betas* das seis controladoras. Os analistas, muitas vezes, falam sobre a abordagem da identificação de negócios únicos (*pure plays*), isto é, outras empresas especializadas somente em projetos similares ao considerado por sua empresa. Os *pure plays* são mais fáceis de encontrar em algumas situações do que em outras.

Segundo, mesmo que todas as empresas de um setor específico sejam *pure plays,* o *beta* de um novo projeto pode ser maior do que o das empresas existentes, pois projetos novos tendem a ser mais sensíveis a movimentações da economia como um todo. Por exemplo, um empreendimento de uma *startup* de computadores pode fracassar em uma recessão, enquanto a IBM, a Microsoft ou a Oracle continuarão a existir. De forma contrária, em uma expansão, o empreendimento novo pode crescer mais rápido do que as antigas empresas de computadores.

Felizmente, tudo de que se precisa aqui é um ligeiro ajuste. Deve-se atribuir um *beta* um pouco mais alto do que o do setor ao novo empreendimento para, assim, refletir o risco adicional. O ajuste é *ad hoc*, por isso não é possível dar uma fórmula. Nossa experiência indica que essa abordagem é uma prática difundida atualmente.

Terceiro, o problema que surge com um projeto raro que esteja constituindo seu próprio setor. Por exemplo, considere empresas fornecendo compras ao consumidor pela televisão. Hoje, podemos obter uma estimativa razoável do *beta* desse setor, porque algumas empresas têm ações negociadas publicamente. Contudo, quando esses empreendimentos começaram, nos anos 1980, qualquer estimativa de seu *beta* era suspeita. Naquela época, ninguém sabia se as compras pela TV pertenciam ao setor televisivo, ao varejista ou a um completamente novo.

Qual *beta* deve ser utilizado quando o projeto constitui o seu próprio setor? Neste capítulo, mencionamos três determinantes de *beta*: ciclicidade de receitas, alavancagem operacional e alavancagem financeira. A comparação dos valores desses três determinantes do projeto em questão com os de outras empresas deve fornecer ao menos uma ideia geral do *beta* do projeto.

13.7 Custo de títulos de renda fixa

Nesta seção, examinaremos o custo tanto da dívida quanto das ações preferenciais quando estas têm a característica de obrigações. Consideraremos o custo da dívida primeiro.

Custo da dívida

O custo do capital próprio, muitas vezes, é difícil de estimar. A tarefa envolve coleta de uma quantidade adequada de dados, e o resultado final geralmente apresenta erros. Em geral, é mais fácil determinar o custo da dívida. No caso dos títulos de dívida com um risco pequeno de inadimplência, o corrente retorno até o vencimento é uma boa estimativa dos retornos esperados pelo investidor e do custo de tomar empréstimos. A empresa pode obter essas informações verificando o rendimento de títulos de dívida negociados publicamente ou contatando bancos comerciais e de investimentos.

Há dois anos, a Indústrias Ritter S/A (IRSA) emitiu títulos de dívida no valor de $ 100 milhões com um cupom de 7%. Apesar de esses títulos de dívida terem sido inicialmente colocados ao seu valor de face, as crescentes taxas de juros dos últimos dois anos fizeram com que fossem negociados com desconto. Hoje, o a retorno até o vencimento desses títulos é de 8%. Para financiar uma expansão, a IRSA está pensando em outra grande emissão de títulos de dívida. Qual é o custo da nova dívida?

O custo da nova dívida deve estar em torno de 8%. Se os títulos antigos são negociados a 8%, a nova dívida não será negociada a um retorno até o vencimento menor. Os 7% são meramente um número histórico, chamado muitas vezes, de *custo embutido* da dívida, sem qualquer relevância hoje.

De modo alternativo, talvez a empresa esteja emitindo títulos pela primeira vez. Nesse caso, o banco de investimentos da empresa pode indicar aos gestores qual será o retorno exigido dos títulos potenciais. Esse será o custo da dívida. Outra opção da empresa pode ser fazer um empréstimo junto a um banco comercial. Mais uma vez, a taxa cotada pelo banco para o potencial empréstimo será o custo da dívida.

Só existe uma complicação que precisa ser discutida: até aqui, temos ignorado os tributos, uma suposição obviamente contrária à realidade. Segundo a legislação fiscal, os pagamentos de juros são *dedutíveis para fins fiscais* (isso inclui, no caso brasileiro, o pagamento de juros sobre o capital próprio para os acionistas). Considere o exemplo a seguir, em que duas empresas, Desalavancada S/A e Alavancada S/A, diferem apenas na dívida. A Desalavancada não tem dívida, e a Alavancada tem $ 100 de dívida, com uma taxa de juros de 10%.

Desalavancada S/A		Alavancada S/A	
Receita	$ 180	Receita	$ 180
Despesas	−70	Despesas	−70
Lucro antes de imposto de renda	110	Lucro antes de juros e imposto de renda	110
		Juros (10% sobre empréstimo de $ 100)	−10
		Lucro pré-tributação	100
Tributos (alíquota 34%)	−37,40	Tributos (alíquota 34%)	−34
Lucro pós-tributação	$ 72,60	Lucro pós-tributação	$ 66

Embora a Alavancada S/A precise pagar $ 10 de juros ao ano, seu lucro pós-tributação é apenas $ 6,60 (=72,60 − 66), menor do que o da Desalavancada S/A. Por quê? Porque os pagamentos de juros são dedutíveis para fins tributários. Isto é, ainda que o lucro da Alavancada seja $ 10 (=110 − 100) menor do que o da Desalavancada, a primeira paga $ 3,40 (=37,40 − 34) menos em tributos do que a segunda.

A redução de $ 6,60 do lucro pós-tributação é 6,60% dos $ 100 que a Alavancada S/A tomou emprestado. Assim, o custo da dívida pós-tributação é de 6,60%. Em geral, o custo da dívida pós-tributação pode ser expresso assim:

$$\text{Custo da dívida pós-tributação} = (1 - \text{Alíquota tributária}) \times \text{Taxa de empréstimos}$$
$$6,60\% = (1 - 0,34) \times 10\%$$

Por que ajustamos o custo da dívida aos tributos, se não fizemos o mesmo para o custo do capital? Isto se deve ao fato de que, embora as empresas possam deduzir seus pagamentos de juros para o cálculo dos tributos sobre a renda, os dividendos não são dedutíveis para fins tributários.

Custo das ações preferenciais

O termo "ações preferenciais" designa coisas diferentes no mercado norte-americano e no mercado brasileiro. No Brasil, são raras as ações preferenciais com dividendo fixo – como regra, o dividendo depende da existência de lucros. Nos Estados Unidos, dizem que talvez o termo seja infeliz, pois lá as ações preferenciais são provavelmente mais semelhantes a títulos de dívida do que a ações ordinárias. Nos Estados Unidos, as ações preferenciais pagam dividendos constantes, como uma perpetuidade; tais dividendos são bastante similares aos juros pagos por títulos de dívida, embora quase todos os títulos de dívida tenham vencimento em prazo finito. Em contraste, ações ordinárias não recebem dividendos constantes ao longo do tempo.

Para avaliar uma ação preferencial emitida por empresas no Brasil, é necessário considerar o que constitui efetivamente os direitos e os benefícios das preferências, conforme estabelecido no Estatuto da empresa emissora. Esta é uma particularidade que geralmente não é salientada nos manuais de finanças traduzidos de obras estrangeiras.

A discussão a seguir sobre o custo da ação preferencial, portanto, aplica-se às ações preferenciais emitidas no mercado norte-americano ou a ações preferenciais que pagam dividendo fixo, modalidade que, embora seja pouco usual aqui, também pode ocorrer no mercado brasileiro e está previsto na lei das S/A.

Suponha que uma ação preferencial da Polytech Inc. seja negociada a $ 17,76 e pague dividendos de $ 1,50 ao ano. Como as ações preferenciais norte-americanas são perpetuidades, devem ser precificadas pela fórmula de perpetuidade, VP = C/R_P, em que VP é o valor presente ou preço, C é o caixa a ser recebido a cada ano e R_P é a taxa de retorno até o vencimento, ou taxa de retorno. Reorganizando, teremos:

$$R_P = C/\text{VP}$$

Para essa ação preferencial, a taxa de retorno é 8,7% (=1,50/17,16). O custo da ação preferencial para a empresa é essa taxa de retorno exigida pelo investidor, ou seja, o custo da ação preferencial é igual ao seu retorno em dividendos.

Por que não ajustamos o custo da ação preferencial para refletir o benefício fiscal, como fizemos com o custo da dívida? Não fazemos o ajuste para o benefício fiscal aqui em virtude de os pagamentos de dividendos de ações preferenciais não serem dedutíveis como despesas operacionais – não há benefício fiscal no caso de dividendos.

13.8 Custo médio ponderado de capital

As Seções 13.1 e 13.2 mostraram como estimar a taxa de desconto quando um projeto é financiado somente por capital próprio. Nesta seção, discutiremos uma adaptação para projetos financiados tanto por dívida quanto por capital próprio.

Suponha que uma empresa utilize dívida e capital próprio para financiar seus investimentos. Se ela pagar R_B por seu financiamento por dívidas e R_S por seu capital próprio, qual é o custo geral ou médio de seu capital? O custo do capital próprio é R_S, conforme discutido em seções anteriores. O custo da dívida é a taxa dos empréstimos tomados pela empresa (R_B), que pode ser observada, muitas vezes, examinando o retorno até o vencimento das dívidas da empresa. Se uma empresa utilizar tanto dívida quanto capital próprio, o custo do capital será uma média ponderada de cada. Isso resulta em:

$$\frac{S}{S+B} \times R_S + \frac{B}{S+B} \times R_B$$

Os pesos da fórmula são, respectivamente, a proporção do valor total representada pelo capital próprio:

$$\left(\frac{S}{S+B}\right)$$

e a proporção do valor total representada pela dívida:

$$\left(\frac{B}{S+B}\right)$$

Isso é apenas natural. Se a empresa não tivesse emitido dívidas e fosse, portanto, financiada somente por capital próprio, seu custo médio do capital seria igual ao seu custo de capital próprio (R_S). No outro extremo, se a empresa tivesse emitido tantas dívidas fazendo com que seu capital próprio não tivesse valor, ela seria financiada somente por dívida, e seu custo médio do capital seria seu custo de dívida (R_B).

Os juros são dedutíveis para a pessoa jurídica, como afirmado na seção anterior. O custo da dívida pós-tributação é:

$$\text{Custo da dívida (depois de tributos)} = R_B \times (1 - t_C)$$

em que t_C é a alíquota tributária de pessoa jurídica.

Reunindo esses resultados, obtemos o custo médio de capital (depois dos tributos) da empresa:[12]

$$\text{Custo médio de capital} = \left(\frac{S}{S+B}\right) \times R_S + \left(\frac{B}{S+B}\right) \times R_B \times (1 - t_C) \quad (13.5)$$

Como o custo médio de capital pondera o custo do capital próprio e o custo da dívida, ele normalmente é chamado de **custo médio ponderado de capital** (R_{CMPC}),[13] e, a partir de agora, utilizaremos esse termo. O pressuposto do uso do CMPC é que a proporção Dívida/Capital próprio se mantenha.

EXEMPLO 13.5 CMPC

Considere uma empresa cuja dívida tenha um valor de mercado de $ 40 milhões e cujas ações tenham um valor de mercado de $ 60 milhões (3 milhões de ações em circulação, cada uma sendo negociada por $ 20). A empresa paga uma taxa de juros de 5% sobre sua nova dívida e tem um *beta* de 1,41. A alíquota tributária de pessoa jurídica é de 34%. Suponha que a linha do mercado de títulos (LMT) seja aplicável, que o prêmio pelo risco de mercado seja de 9,5% [um tanto maior que o prêmio histórico pelo risco para o capital próprio] e que a taxa de retorno corrente das letras do Tesouro seja de 1%. Qual é o R_{CMPC} dessa empresa?

Para calcular o R_{CMPC} usando a Equação 13.5, precisamos saber (1) o custo da dívida pós-tributação $R_B \times (1 - t_C)$, (2) o custo do capital (R_S) e (3) as proporções de dívida e capital utilizadas pela empresa. Esses três valores serão determinados a seguir:

1. O custo da dívida pré-tributação é de 5%, implicando um custo pós-tributação de 3,3% [=5% × (1 − 0,34)].

2. Calculamos o custo do capital próprio utilizando a LMT:

$$R_S = R_F + \beta \times [R_M - R_F]$$
$$= 1\% + 1{,}41 \times 9{,}5\%$$
$$= 14{,}40\%$$

3. Calculamos as proporções de dívida e capital a partir dos valores de mercado de ambos. Como o valor de mercado da empresa é $ 100 milhões (=$ 40 milhões + $ 60 milhões), as proporções de dívida e capital são 40% e 60%, respectivamente.

O custo do capital próprio (R_S) é de 14,40%, e o custo da dívida pós-tributação, $R_B \times (1 - t_C)$, é de 3,3%. B é $ 40 milhões, e S é $ 60 milhões. Portanto:

$$R_{CPMC} = \frac{S}{B+S} \times R_S + \frac{B}{B+S} \times R_B \times (1 - t_C)$$
$$= \left(\frac{60}{100} \times 14{,}40\%\right) + \left(\frac{40}{100} \times 3{,}3\%\right) = 9{,}96\%$$

Os cálculos anteriores são apresentados no quadro a seguir:

(1) Componentes financeiros	(2) Valores de mercado	(3) Peso	(4) Custo de capital (após tributação do lucro na pessoa jurídica)	(5) Custo médio ponderado de capital
Dívida	$ 40.000.000	0,40	5% × (1 − 0,34) = 3,3%	1,32%
Capital próprio	60.000.000	0,60	1% + 1,41 × 9,5% = 14,40	8,64
	$ 100.000.000	1,00		9,96%

---

[12] Para simplificar, a Equação 13.5 ignora o eventual financiamento de ações preferenciais que pagam dividendos fixos. Se houver dividendos fixos de ações preferenciais, como nos EUA, a fórmula se torna:

$$\text{Custo médio de capital} = \frac{S}{S+B+P} \times R_S + \frac{B}{S+B+P} \times R_B \times (1-t_C) + \frac{P}{S+B+P} \times R_P$$

em que P é a quantidade de ações preferenciais na estrutura de capital da empresa e R_P é o custo delas para a empresa.

[13] Frequentemente, os profissionais do mercado brasileiro usam a sigla em inglês WACC, de *Weighted Average Cost of Capital*.

Os pesos utilizados no exemplo anterior são pesos em valores de mercado. Os pesos em valores de mercado são mais apropriados do que os em valores contábeis, visto que os valores de mercado dos títulos estão mais próximos dos preços reais que seriam recebidos de sua eventual venda. De fato, é útil pensar em termos de pesos de mercado "meta", já que eles são os pesos que devem prevalecer pela vida útil da empresa ou do projeto.

13.9 Avaliação com R_{CMPC}

Agora, podemos utilizar o custo médio ponderado de capital (R_{CMPC}) para avaliar tanto projetos quanto empresas inteiras. Segundo nossa interpretação, o R_{CMPC} é o retorno esperado geral que a empresa precisa receber de seus ativos existentes para manter seu valor. O R_{CMPC} reflete o risco e a estrutura de capital dos ativos existentes da empresa. Como resultado, o R_{CMPC} é uma taxa de desconto apropriada para a empresa ou para um projeto que seja uma réplica dela.

Avaliação de projetos e o R_{CMPC}

Ao avaliar um projeto, começamos determinando a taxa de desconto correta e utilizamos os fluxos de caixa descontados para determinar o VPL.

Suponha que a empresa tenha um índice de 0,6 de Dívida/Capital próprio tanto corrente quanto meta, um custo de dívida de 5,15% e um custo de capital próprio de 10%. A alíquota tributária sobre os lucros da pessoa jurídica é de 34%. Qual é o custo médio ponderado de capital da empresa?

Nossa primeira etapa exige a transformação do índice Dívida/Capital próprio (B/S) em um índice Dívida/Valor. Um índice B/S de 0,6 implica seis partes de dívida para 10 partes de capital próprio. Como o valor é igual à soma da dívida mais o capital próprio, o índice Dívida/Valor é 6/(6 + 10) = 0,375. De modo similar, o índice Capital próprio/Valor é 10/(6 + 10) = 0,625. O R_{CMPC} será, então:

$$R_{CMPC} = \left(\frac{S}{S+B}\right) \times R_S + \left(\frac{B}{S+B}\right) \times R_B \times (1 - t_C)$$
$$= 0,625 \times 10\% + 0,375 \times 5,15\% \times 0,66 = 7,52\%$$

Suponha que a empresa esteja pensando em fazer uma reforma em um armazém, com custo previsto de $ 60 milhões e com expectativa de render uma economia de custos de $ 12 milhões ao ano por seis anos. Empregando a equação do VPL e descontando os seis anos de fluxos de caixa esperados a partir da reforma à taxa R_{CMPC}, teremos:

$$VPL = -\$60 + \frac{\$12}{(1 + R_{CMPC})} + \cdots + \frac{\$12}{(1 + R_{CMPC})^6}$$
$$= -\$60 + \$12 \times \frac{\left[1 - \left(\frac{1}{1,0752}\right)^6\right]}{0,0752}$$
$$= -\$60 + (12 \times 4,69)$$
$$= -\$3,71$$

A empresa deve fazer a reforma do armazém? Nota-se que o projeto tem um VPL negativo quando se utiliza o R_{CMPC} da empresa. Por conseguinte, isso significa que os mercados financeiros oferecem investimentos superiores na mesma classe de risco (a saber, a classe de risco da empresa). A resposta é clara: a empresa deve rejeitar o projeto.

Obviamente, estamos supondo que o projeto esteja na mesma classe de risco que a empresa e que seja parte integrante do negócio geral.

Avaliação da empresa com o R_{CMPC}

Ao avaliar uma empresa inteira, nossa abordagem é a mesma utilizada para projetos de capital individuais, como a reforma do armazém, exceto pelo fato de empregamos um horizonte, e isso complica os cálculos. Usamos especificamente o custo médio ponderado de capital da empresa como nossa taxa de desconto e montamos o modelo de fluxos de caixa descontados usual, prevendo o fluxo de caixa líquido inteiro da empresa (às vezes, chamado de fluxo de caixa distribuível, fluxo de caixa livre ou fluxo de caixa total da empresa) até certo horizonte, prevendo o valor estimado para a empresa no final desse horizonte:

$$PV_0 = \frac{CF_1}{1 + R_{CMPC}} + \frac{CF_2}{(1 + R_{CMPC})^2} + \frac{CF_3}{(1 + R_{CMPC})^3} + \cdots + \frac{CF_T + TV_T}{(1 + R_{CMPC})^T}$$

Coerente com a versão de crescimento diferencial do modelo de descontos de dividendos, o valor residual (VR), ao final do horizonte,[14] é estimado supondo uma taxa de crescimento perpétuo constante para os fluxos de caixa daí em diante (T), de modo que:

$$VR_T = \frac{FC_{T+1}}{R_{CMPC} - g_{FC}} = \frac{FC_T(1 + g_{FC})}{R_{CMPC} - g_{FC}}$$

em que FC são os fluxos de caixa líquidos, iguais ao lucro antes dos juros e do imposto de renda (LAJIR), menos os tributos sobre o lucro, os gastos de capital, os aumentos na necessidade de capital de giro e mais depreciação.[15] g_{FC} é a taxa de crescimento do fluxo de caixa além de T, e R_{CMPC} é o custo médio ponderado de capital, caso a relação Dívida/Capital próprio se mantiver ao longo do período de análise.

Considere a Bomprato S/A, uma empresa de capital aberto com sede em São Paulo. Atualmente, a empresa é líder varejista de serviços de alimentação global. Ela opera com cerca de 1.000 restaurantes no país. A Bomprato serve um cardápio baseado em valor, com foco em hambúrgueres e batatas fritas. As avaliações do mercado para a dívida e para as ações da empresa são, respectivamente, $ 4 bilhões e $ 2 bilhões. A alíquota tributária é de 20%. A Bomprato estimou seu custo da dívida em 5% e seu custo de capital próprio em 10%. Seu custo médio ponderado de capital é igual a:

Componentes financeiros	Valores de mercado	Pesos	Custo de capital	Média ponderada
Dívida	$ 4 bilhões	2/3	5%(1 − 0,2) = 4%	2/3 × 4%
Capital próprio	$ 2 bilhões	1/3	10%	1/3 × 10%
	$ 6 bilhões			6% = custo médio ponderado de capital

A Bomprato está buscando crescer por meio de aquisições, e seus bancos de investimento identificaram uma candidata potencial: a Alegre Refeição S/A. A Alegre Refeição, atualmente, é uma empresa de capital fechado, sem ações negociadas em bolsa, mas tem o mesmo mix de produtos que a Bomprato, logo é uma concorrente direta em muitos mercados. Ela opera com cerca de 4.000 restaurantes, principalmente nos grandes centros. A Alegre Refeição tem uma dívida de $ 1.318,80 milhão, cujo valor de mercado é igual ao valor contábil.[16] Além disso, ela tem 12,5 milhões de ações em mãos de acionistas, contudo, como a Alegre Refeição é uma empresa de capital fechado, não temos um preço de mercado para as ações que possamos utilizar em nossa avaliação. A Alegre Refeição espera que seu LAJIR cresça 10% ao ano pelos próximos cinco anos. Estima-se que os aumentos tanto na necessidade de capital de giro quanto nos gastos de capital sejam de 24% do LAJIR. A depreciação seria de 8% do LAJIR. A taxa de crescimento perpétuo em fluxo de caixa depois de cinco anos é estimada a 2%.

---

[14] Muitas vezes, a data final é referida como *horizonte*. Em geral, escolhemos certo horizonte sempre que pudermos supor crescimentos de fluxos de caixa a uma taxa constante perpetuamente após esse horizonte. Utilizando a palavra "final", não estamos descartando que a empresa continue existindo, mas, sim, tentando simplificar o processo de estimativa de fluxos de caixa. Também chamamos o valor residual de "perpetuidade".

[15] Essa definição de fluxo de caixa é a mesma que utilizamos para determinar o VPL de investimentos de capital no Capítulo 6.

[16] Algumas vezes, os analistas se referem à dívida líquida da empresa, que é o valor de mercado da dívida menos o caixa e os equivalentes de caixa. A Bomprato e a Alegre Refeição não possuem caixa e equivalentes de caixa.

Se a Bomprato adquirir a Alegre Refeição, seus analistas estimam que seus fluxos de caixa líquidos (em milhões de $) seriam (arredondando para uma casa decimal):

Ano	1	2	3	4	5
Lucro antes de juros e imposto de renda (LAJIR)	150	165	181,50	199,70	219,50
− Tributos (20%)	30	33	36,30	39,90	43,90
= Lucro depois de tributos	120	132	145,20	159,80	175,70
+ Depreciação	12	13,20	14,60	15,90	17,60
− Gastos de capital	36	39,60	43,60	47,90	52,70
− Aumentos no capital de giro	36	39,60	43,60	47,90	52,70
= Fluxos de caixa líquidos (FC)	60	66	72,60	79,90	87,80

Começamos nossos cálculos pelo valor residual da Alegre Refeição desta forma:

$$VR_5 = \frac{\$\,87,80 \times 1,02}{0,06 - 0,02} = \$\,2.238,90$$

A seguir, calculamos o valor presente da Alegre Refeição:

$$VP_0 = \frac{\$60}{1,06} + \frac{\$66}{(1,06)^2} + \frac{\$72,60}{(1,06)^3} + \frac{\$79,90}{(1,06)^4} + \frac{\$87,80}{(1,06)^5} + \frac{\$2.238,90}{(1,06)^5} = \$1.978,20$$

O valor presente dos fluxos de caixa líquidos nos anos de 1 a 5 é $ 305,2 e o valor presente do valor final é:

$$\$\,2.238,90 \times \left(\frac{1}{1,06}\right)^5 = \$\,1.673,00$$

assim, o valor total da empresa é $ 305,20 + $ 1.673,00 = $ 1.978,20.

Para descobrir o valor do capital próprio, subtraímos o valor da dívida, resultando em $ 1.978,20 − $ 1.318,80 = $ 659,40. Para encontrar o valor do capital próprio por ação, dividimos o valor do capital próprio pelo número de ações em circulação: $ 659,40/12,50 = $ 52,80. A Bomprato achará a Alegre Refeição uma atraente candidata para aquisição se pagar menos de $ 52,80 por ação (quanto menos, melhor).

Ao fazermos nossa avaliação da Alegre Refeição Inc., é importante lembrar que presumimos que ela seja uma *pure play* para a Bomprato. Nosso método de custo médio ponderado de capital só funcionará se a Alegre Refeição tiver o mesmo risco de negócio que a Bomprato e se o índice Dívida/Capital próprio permanecer o mesmo.

Os cálculos anteriores supõem uma perpetuidade crescente depois do Ano 5 (ou seja, o horizonte). No entanto, indicamos nos Capítulos 3 e 9 que as empresas como um todo são, em geral, avaliadas por múltiplos. O múltiplo mais comum para a avaliação geral de uma empresa é o múltiplo do valor da empresa para o LAJIDA (i.e., VE/LAJIDA). Por exemplo, os analistas da Bomprato podem estimar o valor final da Alegre Refeição via um múltiplo VE/LAJIDA em lugar de uma perpetuidade crescente. Para ver como isso pode funcionar, suponha que o múltiplo VE/LAJIDA de empresas comparáveis no setor de serviços de alimentação seja 10. O LAJIDA da Alegre Refeição no Ano 5 será igual a LAJIR + depreciação ou $ 237,10 (=$ 219,50 + $ 17,6). Utilizando o múltiplo VE/LAJIDA de 10, o valor da Alegre Refeição no Ano 5 pode ser estimado como $ 2.371,00. O valor presente da Alegre Refeição com uso do múltiplo VE/LAJIDA para o valor residual seria:

$$VP_0 = \frac{\$60}{1,06} + \frac{\$66}{(1,06)^2} + \frac{\$72,60}{(1,06)^3} + \frac{\$79,90}{(1,06)^4} + \frac{\$87,80}{(1,06)^5} + \frac{\$2.371}{(1,06)^5} = \$2.077,00$$

O valor do capital próprio da Alegre Refeição pode ser estimado como:

VP (da empresa inteira) menos dívida = $ 2.077,00 − $ 1.318,80 = $ 758,20

Com 12,5 milhões de ações em circulação, o valor de uma ação seria:

$$\$\,758{,}20/12{,}5 = \$\,60{,}70$$

Agora, temos duas estimativas do valor de uma ação da Alegre Refeição. As estimativas diferentes refletem as diferentes formas de calcular o valor residual. Utilizando-se o método dos fluxos de caixa descontados com crescimento constante para o valor residual, nossa estimativa do valor do capital próprio para cada ação da Alegre Refeição é $ 52,80; empregando o método VE/LAJIDA para empresas comparáveis, nossa estimativa é $ 60,70. Conforme foi mencionado no Capítulo 9, não existe um método perfeito. Se todas as empresas comparáveis fossem idênticas à Alegre Refeição, talvez o método VE/LAJIDA fosse melhor. Infelizmente, elas não são idênticas. Entretanto, se tivéssemos muita certeza da data final do horizonte e do crescimento dos fluxos de caixa subsequentes, talvez o método de crescimento constante fosse melhor. Ambos os métodos são utilizados.

13.10 Estimativa do custo de capital da Eastman Chemical

ExcelMaster
cobertura *online*
Esta seção apresenta a função HIPERLINK.

Nas seções anteriores, calculamos o custo de capital em exemplos. Agora, calcularemos o custo de capital de uma empresa real, a Eastman Chemical Co., que é empresa química líder internacional e fabricante de plásticos para garrafas de refrigerantes e outros usos. Ela foi criada em 1993, quando sua antiga empresa-mãe, a Eastman Kodak, cindiu a divisão como nova empresa.

Custo de capital próprio da Eastman Nossa primeira parada na Eastman é no *site* www.reuters.com (código identificador: EMN). Em outubro de 2011, o *site* reportou a capitalização de mercado da EMN, que é o preço das ações vezes o número de ações em circulação, em $ 5.259,42 milhões. Para estimar o custo do capital próprio da Eastman, presumimos um prêmio pelo risco de mercado de 7%, semelhante ao que calculamos no Capítulo 11. O *beta* da Eastman na Reuters era 1,88.

Na Seção 13.2, estimamos a taxa sem risco futura média como o corrente retorno até o vencimento de títulos do Tesouro dos Estados Unidos de 20 anos menos a diferença histórica entre o retorno até o vencimento do título do Tesouro de 20 anos e o da letra do Tesouro de um ano. Como o retorno de um título do Tesouro era então de 3,5% e a diferença de retorno histórica entre os títulos de longo e curto prazo do Tesouro era de 2,5%, nossa estimativa da taxa média sem risco no futuro é $3{,}5 - 2{,}5 = 1\%$.

Adotando o *beta* da Eastman no CAPM para estimar o custo do capital próprio,[17] encontramos:

$$R_S = 0{,}01 + (1{,}88 \times 0{,}07) = 0{,}1416 \text{ ou } 14{,}16\%$$

Custo da dívida da Eastman A dívida total da Eastman era então representada por oito emissões de títulos de dívida. Para calcular o custo da dívida, teremos de combinar essas oito emissões e calcular uma média ponderada. Acessamos "EMN bonds" em sites financeiros para descobrir as cotações dos títulos de dívida. É importante observar que não é comum encontrar o retorno até o vencimento de todas as emissões de títulos em circulação de uma empresa em um único dia. Em nossa discussão anterior sobre os títulos de dívida, descobrimos que o mercado de títulos não é tão líquido quanto o de ações e que, em muitos dias, algumas emissões de títulos podem não ser negociadas. Para descobrir o valor contábil dos títulos de dívida, acessamos www.sec.gov e encontramos o relatório 10K mais recente. As informações básicas eram as mostradas a seguir:

---

[17] Uma alternativa é utilizar um *beta* médio para todas as empresas do setor químico depois de fazer o ajuste adequado para a alavancagem. Alguns argumentam que essa abordagem de médias proporciona mais precisão, já que são reduzidos os erros nas estimativas de *beta* para uma única empresa.

Taxa de cupom	Vencimento	Valor contábil (valor de face em milhões de $)	Preço (como % do valor de face)	Retorno até o vencimento
7,00%	2012	$ 150	103,875	1,33%
3,00	2015	250	101,408	2,64
6,30	2018	177	107,500	5,02
5,50	2019	250	111,860	3,78
4,50	2021	250	103,677	4,02
7,25	2024	243	114,840	5,56
7,625	2024	54	122,300	5,20
7,60	2027	222	113,909	6,18

Com o objetivo de calcular o custo médio ponderado da dívida, tomamos a porcentagem da dívida total que cada emissão representava e multiplicamos pelo seu retorno. Em seguida, somamos os resultados para obter o custo total médio ponderado da dívida. Usamos aqui os valores contábeis e os valores de mercado para comparação. Os resultados dos cálculos são os seguintes:

Taxa de cupom	Valor contábil (Valor de face em milhões de $)	Porcentagem do total	Valor de mercado (em milhões de $)	Porcentagem do total	Retorno até o vencimento	Médias de valor contábil	Médias de valor de mercado
7,00%	$ 150	9,40%	$ 155,81	8,97%	1,33%	0,12%	0,12%
3,00	250	15,66	253,52	14,60	2,64	0,41	0,39
6,30	177	11,09	190,28	10,96	5,02	0,56	0,55
5,50	250	15,66	279,65	16,10	3,78	0,59	0,61
4,50	250	15,66	259,19	14,93	4,02	0,63	0,60
7,25	243	15,23	279,06	16,07	5,56	0,85	0,89
7,625	54	3,38	66,04	3,80	5,20	0,18	0,20
7,60	222	13,91	252,88	14,56	6,18	0,86	0,90
Total	$ 1.596	100,00%	$ 1.736,43	100,00%		4,20%	4,25%

Esses cálculos mostram que o custo da dívida da Eastman era de 4,2% com base no valor contábil e de 4,25% com base no valor de mercado. Assim, para a Eastman, não fazia muita diferença entre usar os valores de mercado ou os valores contábeis, pela simples razão de serem semelhantes. Isso é bastante comum e explica o porquê de as empresas frequentemente utilizarem os valores contábeis da dívida em cálculos do CMPC. No entanto, utilizaremos os valores de mercado em nossos cálculos, pois o mercado reflete os valores correntes.

CMPC da Eastman Agora, temos as peças necessárias para calcular o CMPC da Eastman. Em primeiro lugar, precisamos calcular os pesos da estrutura de capital.

Os valores de mercado da dívida e do capital próprio da Eastman eram de $ 1,736 bilhão e $ 5,259 bilhões, respectivamente. O valor total da empresa era de $ 6,995 bilhões, sendo que as porcentagens da dívida são 1,736/6,995 = 0,248 e as do capital próprio são 5,259/6,995 = 0,752. Supondo uma alíquota tributária de 35%, o CMPC da Eastman era:

$$R_{CMPC} = 0{,}248 \times 0{,}0425 \times (1 - 0{,}35) + 0{,}752 \times 0{,}1416 = 0{,}1133, \text{ ou } 11{,}33\%$$

13.11 Custos de emissão e custo médio ponderado de capital

Até agora, não incluímos os custos de emissão em nossa discussão sobre o custo médio ponderado de capital. Quando os projetos são financiados por emissões de ações e títulos de dívida, a empresa incorrerá em custos de lançamento, também chamados de *custos de emissão* (*flotation costs*).[18]

Às vezes, é sugerido que o CMPC da empresa deve ser aumentado para refleti-los. Porém, essa não é a melhor abordagem, porque o retorno exigido de um investimento depende do seu risco, e não da origem dos fundos. Contudo, isso não quer dizer que os custos de emissão devam ser ignorados. Como esses custos surgem em decorrência da decisão de empreender um projeto, eles são fluxos de caixa relevantes. Por isso, discutiremos brevemente como incluí-los na análise de projetos.

Abordagem básica

Começaremos com um caso simples. A Companhia Espaço, uma empresa financiada somente por capital próprio, tem um custo de capital próprio de 20%. Como essa empresa é 100% de capital próprio, seu CMPC e seu custo de capital próprio são iguais. A Espaço está pensando em uma expansão em grande escala, de $ 100 milhões, em suas operações existentes. A expansão seria financiada pela emissão de novas ações.

Com base em conversas com seu banco de investimentos, a Espaço acredita que seus custos de emissão serão de 10% do montante emitido. Isso significa que ela parte da premissa de que a entrada de caixa relativa à colocação de ações será de apenas 90% do total emitido. Quando os custos de emissão são considerados, qual é o custo da expansão?

A Espaço precisa vender ações suficientes para levantar $ 100 milhões *depois* de cobrir os custos de emissão. Em outras palavras:

$$\$ 100 \text{ milhões} = (1 - 0{,}10) \times \text{Montante levantado}$$
$$\text{Montante levantado} = \$ 100 \text{ milhões}/0{,}90 = \$ 111{,}11 \text{ milhões}$$

Os custos de emissão da Espaço são, portanto, de $ 11,11 milhões, e o custo verdadeiro da expansão é de $ 111,11 milhões, incluindo esses custos.

A situação fica um pouco mais complicada se a empresa usar tanto dívida quanto capital próprio. Por exemplo, suponha que a estrutura-meta de capital da Espaço seja 60% de capital próprio e 40% de dívida. Os custos de emissão associados ao capital próprio ainda são de 10%, mas os custos de emissão da dívida são menores – digamos 5%.

Antes, quando tínhamos custos diferentes para dívida e capital próprio, calculamos o custo médio ponderado de capital usando os pesos da estrutura-meta de capital. Aqui, faremos mais ou menos a mesma coisa, já que podemos calcular um custo de lançamento geral ou médio ponderado (f_o) multiplicando o custo de lançamento por ação (f_S) pela porcentagem de ações (S/V) e o custo de lançamento por título de dívida (f_B) pela porcentagem de títulos (B/V) e, após, somar os dois:

$$\begin{aligned} f_o &= (S/V) \times f_S + (B/V) \times f_B \\ &= 60\% \times 0{,}10 + 40\% \times 0{,}05 \\ &= 8\% \end{aligned} \qquad (13.6)$$

Logo, o custo médio ponderado de lançamento é de 8%. Isso nos mostra que, para cada real de aporte financeiro necessário para novos projetos, a empresa deve, na verdade, levantar $ 1/(1 − 0,08) = $ 1,087. Em nosso exemplo, o custo do projeto é de $ 100 milhões, ao ignoramos os custos de emissão. Se os incluirmos, o custo real é de $ 100 milhões/$(1 - f_o)$ = $ 100 milhões/0,92 = $ 108,7 milhões.

Levando em conta os custos de emissão, a empresa deve tomar cuidado para não usar os pesos errados. A empresa deve usar os pesos-meta, mesmo que possa financiar todo o custo do

---

[18] São exemplos desses custos no Brasil: comissão de coordenação da emissão, comissão de garantia em ofertas firmes, remuneração de agentes de venda dos títulos, serviços de avaliação de garantias em emissões com garantias reais, serviços de terceiros, como auditorias, *ratings*, agentes fiduciários no caso de debêntures e banco mandatário de registro de movimentações no mercado secundário e pagamentos do emissor sobre os títulos emitidos.

projeto com dívida ou capital próprio. O fato de uma empresa poder financiar um projeto específico com emissão de capital próprio ou emissão de dívida não é diretamente relevante. Se uma empresa almejar um índice Dívida/Capital próprio de 1, por exemplo, mas optar por financiar determinado projeto somente com dívida, mais tarde terá de levantar capital próprio adicional para manter o índice desejado. Considerando isso, a empresa sempre deve usar os pesos-meta ao calcular o custo de lançamento de novas ações ou de títulos de dívida.

> **EXEMPLO 13.6** Cálculo do custo médio ponderado de lançamento de valores mobiliários
>
> A Companhia Veinstein tem uma estrutura-meta de capital de 80% de capital próprio e 20% de dívida. Os custos de emissão de novas ações são de 20% do montante levantado, e os das emissões de dívida são de 6%. Se a Veinstein precisa de $ 65 milhões para uma nova fábrica, qual é o custo real, incluindo os custos de emissão?
>
> Primeiro, calculamos o custo médio ponderado de lançamento (f_o):
>
> $$f_o = (S/V) \times f_S + (B/V) \times f_B$$
> $$= 80\% \times 0{,}20 + 20\% \times 0{,}06 = 17{,}2\%$$
>
> O custo médio ponderado de lançamento é de 17,2%. O custo do projeto é de $ 65 milhões, sem os custos de emissão. Se os incluirmos, então o custo real é de $ 65 milhões/(1 − f_o) = $ 65 milhões/0,828 = $ 78,5 milhões, ilustrando mais uma vez que os custos de emissão podem representar um gasto considerável.

Custos de emissão e VPL

Para ilustrar como os custos de emissão podem ser incluídos em uma análise do VPL, suponha que a Triplodia Impressos esteja atualmente em seu índice Dívida/Capital próprio desejado de 100%. Ela está pensando em construir uma nova gráfica que custará $ 500.000. Espera-se que essa nova instalação gere para sempre fluxos de caixa pós-tributação de $ 73.150 por ano. A alíquota tributária é de 34%. Existem duas opções de financiamento:

1. Uma nova emissão de ações no valor de $ 500.000: Os custos de emissão das novas ações seriam de cerca de 10% do montante levantado. O retorno exigido do novo capital próprio da empresa é de 20%.
2. Uma emissão de títulos de dívida de 30 anos no valor de $ 500.000: Os custos da emissão da nova dívida seriam de 2% da captação. A empresa pode levantar nova dívida a 10%.

Qual é o VPL da nova gráfica?

Para começar, como as impressões são o principal ramo de negócios da empresa, utilizaremos o custo médio ponderado de capital da empresa (R_{CMPC}), para avaliar a nova instalação:

$$R_{CMPC} = S/V \times R_S + B/V \times R_B \times (1 - t_C)$$
$$= 0{,}50 \times 20\% + 0{,}50 \times 10\% \times (1 - 0{,}34)$$
$$= 13{,}3\%$$

Como os fluxos de caixa são de $ 73.150 ao ano para sempre, o VP dos fluxos de caixa a 13,3% ao ano é:

$$VP = \frac{\$ 73.150}{0{,}133} = \$ 550.000$$

Se ignorarmos os custos de emissão, o VPL é:

$$VPL = \$ 550.000 - 500.000 = \$ 50.000$$

Sem custos de emissão, o projeto gera um VPL maior do que zero. Logo, ele deve ser aceito.

E quanto aos arranjos do financiamento e aos custos de emissão? Como é preciso levantar um novo financiamento, os custos de emissão são relevantes. Partindo das informações dadas, sabemos que os custos de emissão são de 2% para a dívida e 10% para o capital próprio. Como a Triplodia usa montantes iguais de dívida e capital próprio, o custo médio ponderado de lançamento (f_o) é:

$$f_o = S/V \times f_S + B/V \times f_B$$
$$= 0,50 \times 10\% + 0,50 \times 2\%$$
$$= 6\%$$

Lembre-se de que o fato de a Triplodia poder financiar o projeto somente com dívida ou somente com capital próprio é irrelevante. Como ela precisa de $ 500 mil para financiar a nova fábrica, o custo real, uma vez que os custos de emissão sejam incluídos, é de $ 500.000/(1 − f_o) = $ 500.000/0,94 = $ 531.915. Como o VPL dos fluxos de caixa é $ 55 mil, a fábrica tem um VPL de $ 550.000 − $ 531.915 = $ 18.085, de modo que ainda é um bom investimento. Entretanto, seu valor é menor do que podíamos imaginar inicialmente.

Capital interno e custos de emissão

Nossa discussão sobre custos de emissão até agora presumiu que as empresas sempre tenham de levantar no mercado o capital necessário para os novos investimentos. Na realidade, são raras as empresas que emitem ações; a maior parte delas não o faz. Em vez disso, em geral seu fluxo de caixa gerado internamente é suficiente para cobrir a parte do capital próprio de seus gastos de capital. Apenas a parte da dívida precisa ser levantada fora da empresa.

O uso de capital interno não muda nossa abordagem, contudo, agora atribuímos um valor zero ao custo de lançamento de capital próprio, já que tal custo não existe. Assim, em nosso exemplo da Triplodia, o custo médio ponderado de lançamento seria:

$$f_o = S/V \times f_S + B/V \times f_B$$
$$= 0,50 \times 0\% + 0,50 \times 2\% = 1\%$$

Note que o fato de o capital próprio ser gerado internamente ou buscado fora da empresa faz uma grande diferença, visto que o capital próprio buscado fora da empresa tem um custo de emissão relativamente alto.

Resumo e conclusões

Os capítulos anteriores sobre o orçamento de capital presumiam que os projetos geram fluxos de caixa sem risco. A taxa de desconto apropriada nesse caso é a taxa de juros sem risco. Sabe-se que a maioria dos fluxos de caixa de projetos de orçamento de capital do mundo real é arriscada, por isso, neste capítulo, tratamos da taxa de desconto quando os fluxos de caixa são arriscados.

1. Uma empresa com caixa excedente pode pagar dividendos ou realizar um investimento. Como os acionistas podem reinvestir os dividendos em ativos financeiros com risco, o retorno esperado de um projeto de investimento deve ser, pelos menos igual, ao retorno esperado de um ativo financeiro com risco comparável.

2. O retorno esperado de qualquer ativo depende de seu *beta*. Por esse motivo, mostramos como estimar o *beta* de uma ação. O procedimento apropriado emprega a análise de regressão de retornos históricos.

3. Tanto o *beta* quanto a covariância mensuram a sensibilidade de um título aos movimentos do mercado. A correlação e o *beta* medem conceitos diferentes. O *beta* é a inclinação da linha de regressão, e a correlação é a intensidade do ajuste em torno dessa linha.

4. Consideramos o caso de um projeto com um risco *beta* igual ao da empresa. Se a empresa não estiver alavancada, a taxa de desconto do projeto é igual a:

$$R_F + \beta \times (R_M - R_F)$$

em que R_M é o retorno esperado da carteira de mercado e R_F é a taxa sem risco. Neste sentido, a taxa de desconto do projeto é igual à estimativa do CAPM para o retorno esperado do título.

5. O *beta* de uma empresa é uma função de vários fatores. Talvez os três mais importantes sejam:
   - a ciclicidade das receitas;
   - a alavancagem operacional; e
   - a alavancagem financeira.

6. Se o *beta* do projeto diferir daquele da empresa, a taxa de desconto deve ser baseada nesse *beta*. De modo geral, podemos estimar o *beta* do projeto determinando o *beta* médio de seu setor.

7. Algumas vezes, não podemos utilizar o *beta* médio do setor do projeto como uma estimativa do seu *beta*. Por exemplo, um novo projeto pode não se encaixar bem em qualquer um dos setores existentes. Nesse caso, podemos estimar seu *beta* considerando a ciclicidade das receitas e a alavancagem operacional do projeto. Essa abordagem é qualitativa.

8. Se uma empresa utilizar dívidas, a taxa de desconto a ser empregada é a R_{CMPC}. Para calcular a R_{CMPC}, precisamos estimar os custos do capital próprio e da dívida aplicáveis ao projeto. Se o projeto for semelhante à empresa, o custo do capital próprio poderá ser estimado usando a LMT do capital próprio da empresa. Conceitualmente, também poderia ser usado um modelo de crescimento de dividendos, embora este tenda a ser muito menos preciso na prática. Porém o CMPC só pode ser utilizado enquanto o índice Dívida/Capital próprio se mantiver.

9. Novos projetos são, muitas vezes, financiados por títulos de dívida e ações. Os custos de lançamento de novos títulos mobiliários, comumente chamados de custos de emissão, devem ser incluídos em qualquer análise do VPL.

QUESTÕES CONCEITUAIS

1. **Risco de projeto** Se você puder tomar emprestado a 6% todo o dinheiro necessário para um projeto, não seria lógico que esses 6% fossem seu custo de capital para o projeto?

2. **CMPC e tributos** Por que utilizamos um valor pós-tributação para o custo da dívida, mas não para o custo do capital próprio?

3. **Estimativa do custo do capital próprio por meio da LMT** Se o *beta* das ações e a linha do mercado de títulos forem utilizados para calcular a taxa de desconto de um projeto, quais suposições você está implicitamente fazendo?

4. **Estimativa do custo do capital próprio por meio da LMT** Quais são as vantagens de usar a abordagem da LMT para determinar o custo do capital próprio? Quais são as desvantagens? Quais informações específicas são necessárias para utilizar esse método? Todas essas variáveis podem ser observadas ou precisam ser estimadas? Quais são algumas das maneiras para obter essas estimativas?

5. **Estimativa de custo da dívida** Como se determina o custo de dívida adequado para uma empresa? Faz alguma diferença o fato de os títulos de dívida da empresa serem distribuídos como oferta restrita em vez de serem negociados na bolsa? Como você estimaria o custo da dívida de uma empresa cujas únicas emissões de dívida sejam colocações restritas mantidas por investidores institucionais?

6. **Custo de capital** Suponha que Antônio Insano, presidente da Produto Insano S/A, tenha contratado você para determinar o custo da dívida e do capital próprio da empresa.
   a. No momento, cada ação é negociada por $ 50, e os dividendos por ação serão de cerca de $ 5. Antônio argumenta: "Para nós, usar o dinheiro dos acionistas neste ano custará $ 5 por ação, de modo que o custo do capital próprio é igual a 10% (=$ 5/50)". O que há de errado nessa conclusão?

b. Com base nas demonstrações financeiras mais recentes, o passivo total da Produto Insano é de $ 8 milhões. A despesa financeira total para o próximo ano será por volta de $ 1 milhão. Assim, Antônio raciocina: "Devemos $ 8 milhões e pagaremos $ 1 milhão em juros. Portanto, o custo da nossa dívida é de $ 1 milhão/$ 8 milhões = 12,5%". O que há de errado nessa conclusão?

c. Com base em sua própria análise, Antônio recomenda que a empresa aumente o uso de financiamento por capital próprio, porque "a dívida custa 12,5%, mas o capital próprio custa apenas 10%, logo o capital próprio é mais barato". Ignorando todas as outras questões, o que você acha da conclusão de que o custo do capital próprio é menor do que o custo da dívida?

7. **Risco da empresa *versus* risco do projeto** A Dow Chemical Company – grande consumidora de gás natural – e a Superior Oil – grande produtora de gás natural – estão pensando em investir em poços de gás natural perto de Houston. Ambas são empresas financiadas somente por capital próprio. A Dow e a Superior estão examinando projetos idênticos. Elas analisaram seus respectivos investimentos, os quais envolvem, agora, um fluxo de caixa negativo e, no futuro, fluxos de caixa esperados positivos. Esses fluxos de caixa seriam iguais para ambas as empresas. Nenhuma dívida seria utilizada para financiar os projetos. As duas empresas estimam que seu projeto teria um VPL de $ 1 milhão a uma taxa de desconto de 18% e um VPL de −$ 1,1 milhão a uma taxa de desconto de 22%. A Dow tem um *beta* de 1,25, enquanto a Superior tem um *beta* de 0,75. O prêmio esperado pelo risco pelo mercado é de 8%, e os títulos de dívida sem risco estão rendendo 12%. Alguma das empresas deve seguir adiante? Ambas? Explique.

8. **Custo de capital de uma divisão** Sob quais circunstâncias seria apropriado para uma empresa usar custos de capital diferentes para suas diferentes divisões operacionais? Se o CMPC geral da empresa fosse utilizado como a taxa mínima de atratividade para todas as divisões, quais tenderiam a obter o máximo de seus projetos de investimento: as de maior risco ou as mais conservadoras? Por quê? Se você precisasse estimar o custo apropriado de capital para as diferentes divisões, que problemas você poderia encontrar? Quais são as duas técnicas que você poderia usar para desenvolver uma estimativa aproximada para o custo de capital de cada divisão?

9. **Alavancagem** Considere os projetos de uma empresa alavancada que tenham riscos similares aos da empresa como um todo. A taxa de desconto para os projetos é maior ou menor do que a taxa calculada com uso da linha do mercado de títulos? Por quê?

10. **Beta** Quais fatores determinam o *beta* de uma ação? Defina e descreva cada um deles.

QUESTÕES E PROBLEMAS

BÁSICO
(Questões 1-15)

1. **Cálculo do custo do capital próprio** A ação da Crescente S/A tem um *beta* de 1,21. Se a taxa sem risco for de 3,5% e o retorno esperado no mercado for de 11%, qual é o custo do capital próprio da Crescente?

2. **Cálculo do custo da dívida** A Advance Inc. está tentando determinar seu custo de dívida. A empresa tem uma emissão de dívida com 17 anos até o vencimento, que está sendo negociada a 95% do valor de face. A emissão tem pagamentos semestrais e uma taxa de cupom de 8% anualmente. Qual é o custo da dívida pré-tributação da Advance? Se a alíquota tributária for de 34%, qual é o custo da dívida pós-tributação?

3. **Cálculo do custo da dívida** A Caminhante S/A emitiu, há sete anos, um título de dívida com cupom semestral de 6,2% por 30 anos. No momento, o título é vendido por 108% de seu valor de face. A alíquota tributária da empresa é de 34%.

   a. Qual é o custo da dívida pré-tributação?

   b. Qual é o custo da dívida pós-tributação?

   c. O que é mais relevante: o custo da dívida antes ou depois da tributação? Por quê?

4. **Cálculo do custo da dívida** Para a empresa do problema anterior, suponha que o valor contábil da emissão de dívida seja de $ 70 milhões. Além disso, a empresa tem uma segunda emissão de dívida no mercado, um título com cupom zero com 12 anos até o vencimento. O valor contábil dessa emissão é de $ 100 milhões, e os títulos são vendidos por 61% do valor de face. Qual é o valor contábil total da dívida da empresa? E o valor total de mercado? Qual é a sua melhor estimativa do custo da dívida pós-tributação no momento?

5. **Cálculo do CMPC** A Pilares S/A tem uma estrutura-meta de capital de 70% de ações e 30% de dívida. Seu custo do capital próprio é de 13%, e seu custo da dívida é de 9%. A alíquota tributária relevante é de 34%. Qual é o CMPC da Pilares S/A?

6. **Tributos e CMPC** A Manufatura Miller almeja um índice Dívida/Capital próprio de 0,55. Seu custo do capital próprio é de 14%, e seu custo da dívida é de 7%. Se a alíquota tributária for de 34%, qual é o CMPC da Miller?

7. **Estrutura de capital** A Fama & Lamas tem um custo médio ponderado de capital de 9,8%. O custo do capital próprio da empresa é de 13%, e seu custo da dívida é de 6,5%. A alíquota tributária é de 34%. Qual é o índice Dívida/Capital próprio da empresa?

8. **Valor contábil *versus* valor de mercado** A Manufatura Müller tem 8,3 milhões de ações em circulação. O preço corrente da ação é $ 53, e o valor contábil por ação é de $ 4. A empresa também tem duas emissões de títulos de dívida a vencer. A primeira emissão de títulos tem um valor de face de $ 70 milhões e uma taxa de cupom de 7%, sendo vendida por 108,3% do valor de face. A segunda emissão tem um valor de face de $ 60 milhões e uma taxa de cupom de 7,5%, sendo vendida a 108,9% do valor de face. A terceira emissão tem vencimento em oito anos, e a segunda, em 27 anos.

   a. Quais são os pesos da estrutura de capital da Müller com base no valor contábil?

   b. Quais são os pesos da estrutura de capital da Müller com base no valor de mercado?

   c. O que é mais relevante: os pesos do valor contábil ou os do valor de mercado? Por quê?

9. **Cálculo do CMPC** No problema anterior, suponha que a ação da empresa tenha um *beta* de 1,2. A taxa sem risco é de 3,1%, e o prêmio pelo risco de mercado é de 7%. Suponha que o custo total da dívida seja a média ponderada implícita das duas emissões de dívida. Ambos os títulos têm pagamentos semestrais. A alíquota tributária é de 34%. Qual é o CMPC da empresa?

10. **CMPC** A Klose S/A pretende um índice Dívida/Capital próprio de 0,45. Seu CMPC é de 11,2%, e a alíquota tributária é de 34%.

    a. Se o custo do capital próprio da Klose for de 15%, qual é seu custo da dívida pré-tributação?

    b. E se você souber que o custo da dívida pós-tributação é de 6,4%, qual é o custo do capital próprio?

11. **Cálculo do CMPC** Dadas as informações a seguir sobre a Ultra Geração S/A, calcule o CMPC. Suponha que a alíquota tributária da empresa seja de 34%.

Dívida:	5 mil títulos de dívida a vencer com cupom de 6%, valor de face de $ 1 mil, 25 anos até o vencimento, negociados por 105% do valor de face; os títulos têm pagamentos semestrais.
Ações ordinárias:	175 mil ações em circulação, negociadas a $ 57 cada; o *beta* é 1,10.
Mercado:	prêmio pelo risco de mercado de 7% e taxa sem risco de 5%.

12. **Cálculo do CMPC** A Minerações Titã S/A tem 9,3 milhões de ações em circulação e 260 mil títulos de dívida a vencer com cupons semestrais de 7,5%, com valor de face de $ 1 mil cada. As ações atualmente são negociadas a $ 34 cada e têm um *beta* de 1,20, e os títulos de dívida têm vencimento até 20 anos, sendo negociados por 104% do valor de

face. O prêmio pelo risco de mercado é de 7%, as letras do Tesouro estão rendendo 3,5%, e a alíquota tributária da Titã é de 34%.

   a. Qual é a estrutura de capital da empresa segundo os valores de mercado?

   b. Se a Titã estiver avaliando um novo projeto de investimento que tenha o mesmo risco de projetos comuns da empresa, qual taxa deve utilizar para descontar os fluxos de caixa do projeto?

13. **LMT e CMPC** Uma empresa financiada somente por capital próprio está considerando os seguintes projetos:

Projeto	Beta	TIR
W	0,80	9,4%
X	0,95	10,9
Y	1,15	13,0
Z	1,45	14,2

    A taxa de retorno oferecida pelas letras do Tesouro é de 3,5%, e o retorno esperado no mercado é de 11%.

    a. Quais projetos têm um retorno esperado mais alto do que o custo de capital de 11% da empresa?

    b. Quais projetos devem ser aceitos?

    c. Quais projetos seriam incorretamente aceitos ou rejeitados se o custo total de capital da empresa fosse utilizado como taxa mínima de atratividade?

14. **Cálculo dos custos de emissão** Suponha que sua empresa precise de $ 20 milhões para construir uma nova linha de montagem. Seu índice Dívida/Capital próprio desejado é de 0,75. O custo de lançamento para novas ações é de 7%, mas o custo para dívida é de apenas 3%. Seu chefe decidiu financiar o projeto tomando dinheiro emprestado, pois os custos de emissão são menores e o volume de recursos necessário é relativamente pequeno.

    a. O que você acha do raciocínio por trás da ideia de tomar emprestado o valor total?

    b. Qual é o custo médio ponderado de emissão de sua empresa, supondo que todo o capital seja levantado no mercado na forma de ações?

    c. Qual é o custo real da construção da nova linha de montagem depois de levar em conta os custos de emissão? Nesse caso, faz diferença o fato de todo o montante ser obtido mediante endividamento?

15. **Cálculo dos custos de emissão** A Aliança Sulista S/A precisa levantar $ 55 milhões para começar um novo projeto e o fará vendendo novos títulos de dívida. A empresa não irá gerar internamente recursos próprios no futuro próximo. Ela tem uma estrutura-meta de capital com 65% de ações ordinárias, 5% de ações preferenciais e 30% de dívida. Os custos de emissão para novas ações ordinárias são de 8%, de 5% para ações preferenciais e de 3% para nova dívida. Qual é o valor real de custo inicial que a Sulista deve utilizar ao avaliar seu projeto?

INTERMEDIÁRIO
(Questões 16-21)

16. **CMPC e VPL** A Ocre S/A está considerando um projeto que resultará em economia de caixa inicial pós-tributação de $ 3,5 milhões ao fim do primeiro ano. Essa economia crescerá a uma taxa de 4% por ano em um tempo indefinido. A empresa quer manter um índice Dívida/Capital próprio de 0,55, um custo do capital próprio de 13% e um custo da dívida pós-tributação de 5,5%. A proposta de economia de custos é um pouco mais arriscada do que os projetos normais que a empresa empreende. A administração usa a abordagem subjetiva e aplica um fator de ajuste de +2% ao custo de capital de projetos arriscados. Sob quais circunstâncias a empresa assumiria o projeto?

17. **Ações preferenciais e CMPC** O Banco de Investimentos Saudável tem a seguinte estrutura de financiamentos. Qual é o CMPC dele?

    Dívida: 60 mil títulos de dívida com uma taxa de cupom de 6% e cotação corrente de 109,5, com vencimento em até 20 anos. 230 mil títulos de cupom zero com cotação de 17,5 e vencimento em até 30 anos.

    Ações preferenciais: 150 mil ações preferenciais com dividendo fixo de 4% com preço corrente de $ 79 e valor de face de $ 100.

    Ações ordinárias: 2,6 milhões de ações ordinárias, com preço corrente de $ 65; o *beta* das ações é 1,15.

    Mercado: A alíquota tributária de pessoa jurídica é 34%, o prêmio pelo risco de mercado é 7%, e a taxa sem risco é de 4%.

18. **Custos de emissão** A Adeus S/A emitiu títulos mobiliários para financiar um novo programa de TV. O projeto custou $ 19 milhões, e a empresa pagou $ 1,15 milhão em custos de emissão. Além disso, as ações emitidas tinham um custo de emissão de 7% do montante levantado, ao passo que os títulos tinham um custo de emissão de 3% desse montante. Se a Adeus emitiu novos títulos mobiliários na mesma proporção que sua estrutura-meta de capital, qual seria o índice Dívida/Capital próprio desejado pela empresa?

19. **Cálculo do custo do capital próprio** A ação da Industrias Floyd S/A tem um *beta* de 1,3. A empresa pagou dividendos de $ 0,95 e espera que eles aumentem a 4,5% por ano. O retorno esperado pelo mercado é de 11%, e as letras do Tesouro rendem 4,3%. O preço mais recente da ação da Floyd é $ 64.

    a. Calcule o custo do capital próprio usando o MDD.

    b. Calcule o custo do capital próprio usando o método da LMT.

    c. Por que você acha que suas estimativas de (a) e (b) são tão diferentes?

20. **Avaliação de empresas** As Indústrias Schultz S/A estão considerando a aquisição das Indústrias Arras S/A. Atualmente, a Arras é uma fornecedora da Schultz, e a aquisição permitiria que a Schultz controlasse melhor sua cadeia de fornecimento. O fluxo de caixa atual dos ativos da Arras é de $ 7,5 milhões. Espera-se que os fluxos de caixa cresçam a 8% nos próximos cinco anos, antes de se nivelarem a 4% por um prazo indefinido. O custo de capital da Schultz e da Arras é de 12% e 10%, respectivamente. A Arras atualmente tem $ 3 milhões de ações em circulação e $ 25 milhões em dívidas. Qual é o preço máximo por ação que a Schultz deve pagar pela Arras?

21. **Avaliação de empresas** A Tempo Feliz S/A quer expandir suas lojas de festas para o sudeste do país. Para estabelecer uma presença imediata na região, a empresa está considerando a aquisição da Fornecedora de Festas, uma empresa de capital fechado. A Tempo Feliz atualmente tem uma dívida com valor de mercado de $ 140 milhões, e e os títulos representativos dessa dívida têm um retorno até o vencimento de 6% a.a. A capitalização de mercado da empresa é de $ 380 milhões, e o ROE exigido é de 11%. A Fornecedora no momento tem uma dívida com valor de mercado de $ 30,5 milhões. O LAJIR projetado para a Fornecedora no próximo ano é de $ 12,5 milhões. Espera-se que ele cresça a 10% por ano nos próximos cinco anos, antes de diminuir para 3% na perpetuidade. Com esse percentual do LAJIR, espera-se que a necessidade de capital de giro, os gastos de capital e a depreciação sejam de 9%, 15% e 8%, respectivamente. A Fornecedora tem 1,85 milhão de ações em mãos de seus acionistas, e a alíquota tributária de ambas as empresas é 34%.

    a. Com base nessas estimativas, qual é o preço máximo por ação que a Tempo Feliz deveria pagar pela Fornecedora?

    b. Depois de examinar sua análise, a diretora financeira da Tempo Feliz está desconfortável quanto a utilizar a taxa de crescimento perpétuo nos fluxos de caixa. Ela acha que, em vez disso, o valor final deveria ser estimado usando o múltiplo VE/LAJIDA. Se o múltiplo VE/LAJIDA apropriado for 8, qual é sua nova estimativa do preço máximo por ação na aquisição?

DESAFIO
(Questões 22-24)

22. **Custos de emissão e VPL** A Companhia Fotocronográfica (CF) fabrica equipamentos fotográficos. No momento, seu índice Dívida/Capital próprio desejado é de 0,55. Ela está considerando construir novas instalações produtivas no valor de $ 50 milhões. Espera-se que essa nova fábrica gere, para sempre, fluxos de caixa pós-tributação de $ 6,7 milhões ao ano. A empresa levanta todo o financiamento no mercado. Existem três opções de financiamento:

1. *Uma nova emissão de ações ordinárias*: Os custos de emissão das novas ações ordinárias seriam de 8% do montante levantado. O retorno exigido do novo capital próprio da empresa é de 14%.

2. *Uma emissão de títulos de dívida de 20 anos*: Os custos de emissão dos novos títulos seriam de 4% do valor da captação. Se a empresa emitir esses novos títulos a uma taxa de cupom anual de 8%, eles serão vendidos a valor de face.

3. *Financiamento por meio do aumento de contas a pagar*: Como esse financiamento faz parte dos negócios diários da empresa, não tem custos de emissão, e a empresa atribui um custo que é igual ao CMPC global da empresa. A administração pretende um índice de Contas a pagar/Dívidas de longo prazo de 0,20. Como o investimento é um uso de recursos de longo prazo e os recursos oriundos das contas a pagar são fontes de curto prazo, você recomendaria esta opção? Suponha que não haja diferença entre o custo de contas a pagar antes e depois dos tributos.

Qual é o VPL da nova fábrica? Considere que a CF tenha uma alíquota tributária de 34%.

23. **Custos de emissão** A Companhia Lançador tem um índice Dívida/Capital próprio de 0,85. A empresa está pensando em construir uma nova fábrica que custará $ 145 milhões. Quando ela emite novas ações, incorre em um custo de emissão de 8%. O custo de emissão de dívidas é de 3,5%. Qual é o custo inicial da fábrica se a empresa levantar no mercado todos os recursos necessários? E se ela normalmente utilizar 60% dos lucros retidos? E se todo o investimento for financiado por meio de lucros retidos?

24. **Avaliação de projetos** Este é um problema abrangente de avaliação de projetos que reúne grande parte daquilo que foi aprendido neste capítulo e nos anteriores. Suponha que você tenha sido contratado como consultor financeiro da Defesa Eletrônica Industrial (DEI), uma grande empresa de capital aberto que é líder no mercado de sistemas detecção de radar (RDS, na sigla em inglês). A empresa está examinando a instalação de uma fábrica fora do país para produção de uma nova linha de RDSs. O projeto durará cinco anos. No local pretendido, a empresa comprou terrenos há três anos por $ 7,5 milhões, prevendo seu uso como local de deposição de resíduos químicos, mas, em vez disso, acabou construindo um sistema de tubulação para descartar os produtos químicos com segurança. O terreno foi avaliado em $ 7,1 milhões na semana passada. Em cinco anos, o valor pós-tributação do terreno será de $ 7,4 milhões, mas a empresa esperava mantê-lo para um projeto futuro. A empresa agora quer construir sua nova fábrica nesse terreno, prevendo custos de construção da fábrica e equipamentos que somam $ 40 milhões. Os dados atuais de mercado sobre os títulos mobiliários da DEI são os seguintes:

Dívida: 260 mil títulos com cupom de 6,8% e 25 anos até o vencimento, negociados por 103% do valor de face; os títulos têm valor de face de $ 1 mil e pagamentos semestrais.

Ações ordinárias: 9,5 milhões de ações em circulação, negociadas por $ 67 cada; o beta é de 1,25.

Ações preferenciais: 450 mil ações preferenciais com dividendo fixo de 5,25% em circulação, negociadas a $ 84 cada e com um valor de face de $ 100.

Mercado: prêmio esperado pelo risco de mercado de 7% e taxa sem risco de 3,6%.

A DEI usa o Banco Nacional como seu principal agente subscritor. O Nacional cobra comissões de 6,5% da DEI sobre as emissões de ações ordinárias, 4,5% sobre as emissões de ações preferenciais e 3% sobre as emissões de títulos de dívida. O banco inclui todos os seus custos diretos e indiretos de emissão (juntamente com seu lucro) nessas comissões. Sua recomendação foi de que a DEI levantasse os fundos necessários para construir a fábrica por meio da emissão de novas ações ordinárias. A alíquota tributária da DEI é de 34%. O projeto requer $ 1,4 milhão de investimento inicial em capital de giro para iniciar seus trabalhos. Suponha que o Banco Nacional levante no mercado todo o capital para projetos novos.

a. Calcule o fluxo de caixa inicial do projeto (tempo 0), considerando todos os efeitos colaterais.

b. O novo projeto de sistemas de detecção de radar é um pouco mais arriscado do que um projeto típico da DEI, sobretudo porque a fábrica está sendo construída no exterior. A administração recomenda que seja aplicado um fator de ajuste de +2% para levar em conta esse risco aumentado. Calcule a taxa de desconto apropriada a ser usada na avaliação do projeto da DEI.

c. O investimento na fábrica tem uma vida contábil de oito anos, e a DEI utiliza a depreciação linear. Ao fim do projeto (ou seja, ao fim do Ano 5), a fábrica e os equipamentos podem ser vendidos como sucata por $ 8,5 milhões. Qual é o valor residual pós-tributação deles?

d. A empresa incorrerá em $ 7,9 milhões de custos fixos anuais. O plano é fabricar 18 mil equipamentos por ano e vendê-los a $ 10.900 cada, com custos de produção variáveis de $ 9.450 por equipamento. Qual é o fluxo de caixa operacional (FCO) anual desse projeto?

e. A controladoria da DEI está interessada principalmente no impacto dos investimentos na última linha das demonstrações contábeis, ou seja, no seu lucro líquido. O que você dirá para a controladoria sobre a quantidade de equipamentos de RDS que devem ser vendidos para o equilíbrio contábil desse projeto?

f. Por fim, o presidente da DEI quer que você apresente todos os seus cálculos, premissas e tudo o mais no relatório para o diretor financeiro. Tudo o que ele quer saber é qual é a taxa interna de retorno (TIR) e qual é o valor presente líquido (VPL) do projeto de sistemas de radar. O que você apresentará no relatório?

MINICASO

Custo de capital da Hubert Informática S/A

Você foi contratado para a área financeira da Hubert Informática S/A (HI). A HI foi fundada há oito anos por Hubert Carvalho, sendo propriedade dele e de sua família. Atualmente, ela tem 74 lojas no sudeste do país e teve vendas de $ 97 milhões no ano passado.

Suas vendas são principalmente para clientes do varejo. Os clientes vão à loja e falam com um representante de vendas. Este auxilia o cliente a determinar o tipo de computador e os periféricos necessários para as suas necessidades. Após fazer o pedido, o cliente paga imediatamente, e um sistema informatizado emite a fatura de acordo com o pedido. O processo de montagem inicia. A entrega do computador leva, em média, 15 dias e é garantida em até 30 dias.

Até o momento, o crescimento da HI tem sido financiado por seus lucros. Sempre que teve capital suficiente, ela abriu uma loja nova. Pouca análise formal tem sido utilizada em seu processo de orçamento de capital. Hubert leu sobre técnicas de orçamento de capital e veio pedir sua ajuda. A empresa nunca tentou determinar seu custo de capital, e Hubert gostaria que você fizesse essa análise. Como a empresa é de capital fechado, é difícil determinar o seu custo de capital próprio. Você decidiu que, para estimar o custo de capital da HI, utilizará a Dell como empresa representativa. As etapas a seguir permitirão o cálculo dessa estimativa:

1. A maior parte das empresas norte-americanas de capital aberto deve enviar relatórios trimestrais (10Q) e anuais (10K) à SEC, detalhando suas operações financeiras no último trimestre ou ano, respectivamente. Esses registros empresariais estão disponíveis no site da SEC (www.sec.gov). Acesse o referido site, siga o link "Search for Com-

pany Filings" e o "Companies & Other Files", digite "Dell Computer" e procure os registros feitos pela Dell. Encontre o 10Q e o 10K mais recentes e baixe os formulários. Procure, no balanço patrimonial, o valor contábil da dívida e o valor contábil do capital próprio. Você deve encontrar mais abaixo uma seção intitulada "Long-Term Debt" ou "Long-Term Debt and Interest Rate Risk Management", que traz o detalhamento das dívidas de longo prazo da Dell.

2. Para estimar o custo do capital próprio da Dell, vá até financas.yahoo.com.br e digite o código identificador "DELL". Siga os diversos links para encontrar as respostas a estas perguntas: Qual é o preço mais recente listado das ações da Dell? Qual é o valor de mercado das ações ou a capitalização de mercado? Quantas ações a Dell tem em circulação? Qual é o beta da Dell? Agora, volte ao site financas.yahoo.com.br e siga o link "Bonds". Qual é o retorno até o vencimento das letras do Tesouro de três meses? Utilizando um prêmio pelo risco de mercado de 7%, qual é o custo do capital próprio da Dell usando o CAPM?

3. Vá até www.reuters.com e encontre a lista de concorrentes do setor. Descubra o beta de cada um desses concorrentes e calcule o beta médio do setor. Utilizando o beta médio do setor, qual é o custo do capital próprio? Faz diferença utilizar o beta da Dell ou o beta do setor nesse caso?

4. Agora você precisa calcular o custo da dívida da Dell. Acesse cxa.marketwatch.com/finra/BondCenter/Default.aspx, digite Dell e encontre o retorno até o vencimento de cada um dos títulos de dívida da Dell. Qual é o custo médio ponderado da dívida da Dell usando os pesos do valor contábil e do valor de mercado? Nesse caso, faz diferença se você usar os pesos do valor contábil ou os do valor de mercado?

5. Você tem agora todas as informações necessárias para calcular o custo médio ponderado de capital da Dell. Calcule-o usando os pesos dos valores contábil e de mercado, supondo que a Dell tenha uma alíquota tributária marginal de 35%. Qual número para o custo de capital é mais relevante?

6. Você usou a Dell como empresa representativa para estimar o custo de capital da HI. Existem problemas em potencial com essa abordagem nessa situação? Quais melhorias você sugeriria?

APÊNDICE 13A **Valor econômico agregado e mensuração de desempenho financeiro**

Para acessar o apêndice deste capítulo, cadastre-se no site do Grupo A (www.grupoa.com.br) e procure pela página deste livro. Clique em conteúdo online.

Estudos de estimação do custo de capital no mercado brasileiro

Apresentamos a seguir alguns exemplos de estudos com dados do mercado brasileiro.

SANVICENTE, A. Z. Problemas de estimação de custo de capital de empresas concessionárias no Brasil: uma aplicação à regulamentação de concessões rodoviárias. *Revista de Administração* (FEA-USP), v. 47, p. 81-95, 2012. Disponível em: <http://www.scielo.br/pdf/rausp/v47n1/v47n1a06>.

ASSAF NETO, A.; LIMA, F. G.; ARAÚJO, A. M. P. Uma proposta metodológica para o cálculo do custo de capital no Brasil. *Revista de Administração* (FEA-USP), v. 43, p. 72-83, 2008. Disponível em: <http://www.revistas.usp.br/rausp/article/view/44468>.

CASOTTI, F. P.; MOTTA, L. F. J. Oferta Pública Inicial no Brasil (2004-2006): Uma Abordagem da Avaliação através de Múltiplos e do Custo de Capital Próprio. *Revista Brasileira de Finanças*, v. 6, n. 2, p. 157–204, 2008. Disponível em: <http://www.redalyc.org/pdf/3058/305824729002.pdf>.

Eficiência do Mercado de Capitais e Desafios Comportamentais

14

O mercado de ações da NASDAQ (EUA) estava muito agitado nos últimos anos da década de 1990, com lucratividade entre 1996 e 1999 em torno de 23%, 14%, 35% e 62%, respectivamente. Obviamente, essa corrida espetacular teve uma parada brusca, e a NASDAQ perdeu cerca de 40% em 2000, seguida por outra perda de 30% em 2001. O ISDEX (Internet Stock Index), um índice de ações relacionado à Internet, subiu de 100 em janeiro de 1996 para 1.100 em fevereiro de 2000, um ganho de cerca de 1.000%! Mas, então, caiu como uma pedra para 600 em maio de 2000.

Houve aqui uma bolha tecnológica mais evidente do que a que ocorria no mercado de ofertas públicas iniciais (IPO) nos Estados Unidos. No mercado de IPO, as empresas lançam ações pela primeira vez, e grandes ganhos iniciais para os investidores não são incomuns. Entretanto, durante os anos de 1999 e 2000, ganhos estupendos tornaram-se lugar comum. Por exemplo, as ações da VA Linux atingiram 698% no seu primeiro dia de negócios! Durante esse tempo, 194 IPOs dobraram – ou mais do que dobraram – de valor no primeiro dia. Contrastando com isso, apenas 39 empresas haviam atingido, nos Estados Unidos, o mesmo número em 24 anos.

O desempenho da NASDAQ durante aquele período, e especialmente a subida e a queda das ações da Internet, vem sendo descrito por muitos como uma das maiores "bolhas" do mercado na história. O raciocínio é de que os preços estavam inflacionados a níveis economicamente insensatos antes de os investidores se darem conta disso, o que fez a bolha estourar e os preços despencarem. Os debates questionando se o mercado de ações nos Estados Unidos no final dos anos 90 realmente foi uma bolha causaram muita controvérsia. Neste capítulo, discutimos ideias concorrentes, apresentamos algumas evidências de ambos os lados e examinamos as consequências para os gestores financeiros.

Para ficar por dentro dos últimos acontecimentos na área de finanças, visite **www.rwjcorporatefinance.blogspot.com**.

14.1 As decisões de financiamento podem criar valor?

Passagens anteriores deste livro mostraram como avaliar projetos de acordo com o critério de valor presente líquido. O mundo real é um mundo competitivo em que projetos com valor presente líquido positivo nem sempre são fáceis de obter. Entretanto, por meio de um trabalho árduo ou de sorte, uma empresa pode identificar projetos vencedores. Por exemplo, para criar valor a partir de decisões de orçamento de capital, a empresa deveria:

1. Localizar uma demanda insatisfeita para um produto específico ou serviço.
2. Criar barreiras para que outras empresas tenham dificuldade de competir com ela.
3. Produzir produtos ou serviços a um preço mais baixo do que os dos competidores.
4. Ser a primeira a desenvolver um novo produto.

Os próximos cinco capítulos estão voltados a decisões de *financiamento*. Decisões de financiamento típicas incluem o quanto e que tipo de dívidas e de participações no capital próprio lançar e quando lançar. Assim como o critério de valor presente líquido foi utilizado para avaliar projetos de orçamento de capital, queremos agora utilizar o mesmo critério para avaliar decisões de financiamento.

Embora o procedimento para avaliar decisões de financiamento seja idêntico ao procedimento para avaliar projetos, os resultados são diferentes. O que acontece é que a empresa típica tem muito mais oportunidades de gastos de capital com valores presentes líquidos positivos do que oportunidades de financiamento com valores presentes líquidos positivos. Na verdade, mostraremos mais adiante que alguns modelos financeiros plausíveis têm como consequência a não existência de oportunidades valiosas de financiamento.

Embora a escassez de oportunidades lucrativas de financiamento seja examinada detalhadamente mais adiante, algumas observações serão feitas agora. Defendemos que existem, basicamente, três maneiras de criar oportunidades valiosas de financiamento:

1. *Enganar investidores.* Suponha que uma empresa possa levantar capital emitindo ações ou emitindo um título mais complexo – digamos uma combinação de ações e bônus de subscrição. Imagine que, na verdade, 100 ações valham o mesmo que 50 unidades de nosso título mais complexo. Se os investidores forem mal orientados e olharem de forma demasiadamente otimista para os títulos complexos, talvez a empresa lançadora possa colocar os 50 títulos por um valor maior do que as 100 ações. Claramente, esse título complexo proporciona uma oportunidade valiosa de financiamento, porque a empresa está conseguindo mais do que o preço justo por ela.

   Gestores financeiros tentam empacotar um conjunto de títulos para receber mais por eles. Um cético pode entender isso como uma tentativa de enganar os investidores.

   Entretanto, a teoria da eficiência dos mercados de capitais afirma que os investidores não podem ser enganados facilmente. Ela diz que os títulos são sempre precificados apropriadamente, significando que o mercado como um todo é, na verdade, sensato. Em nosso exemplo, as 50 unidades de títulos complexos seriam vendidas pelo mesmo preço que as 100 ações. Portanto, gestores de empresas não podem tentar criar valor enganando os investidores; eles devem criar valor de outras formas.

2. *Redução de custos ou aumento de subsídios.* Mostraremos posteriormente que determinadas formas de financiamento têm mais vantagens, no que diz respeito a tributos do que outras. Claramente, uma empresa que "empacota" títulos para minimizar tributos pode aumentar o valor da empresa. Além disso, qualquer técnica de financiamento envolve outros custos. Por exemplo, os bancos de investimento, os advogados e os contadores devem ser pagos. Uma empresa "empacotando" títulos também pode minimizar os custos e aumentar seu valor.

EXEMPLO 14.1 A valorização de subsídios financeiros

Suponha que uma empresa brasileira seja a proprietária de uma fábrica de circuitos eletrônicos nos Estados Unidos, a Vermont Electronics Co. A empresa está pensando em transferir sua fábrica para o México, onde a mão de obra é mais barata. Como alternativa para continuar em sua atual cidade, a filial americana enviou um pedido ao Estado de Vermont, onde está situada, para emitir $ 2 milhões em títulos de dívida industriais isentos de impostos durante 5 anos. A taxa de cupom em títulos de receita industrial norte-americanos (*industrial revenue bonds*) em Vermont era então de 5%. Essa era uma taxa atrativa, porque o custo normal da dívida para a Vermont era de 10%. A empresa pagaria juros anuais de $ 100.000 (= $ 2 milhões × 5%), em vez de juros anuais de $ 200.000 (= $ 2 milhões × 10%). Qual era o VPL dessa transação financeira em potencial?

Se o pedido fosse aceito e os títulos de receita industrial fossem emitidos pela Vermont, o VPL (ignorando impostos da pessoa jurídica) seria:

$$VPL = \$\ 2.000.000 - \left[\frac{\$\ 100.000}{1,1} + \frac{\$\ 100.000}{(1,1)^2} + \frac{\$\ 100.000}{(1,1)^3} + \frac{\$\ 100.000}{(1,1)^4} + \frac{\$\ 2.100.000}{(1,1)^5}\right]$$
$$= \$\ 2.000.000 - \$\ 1.620.921$$
$$= \$\ 379.079$$

Essa transação tem um VPL positivo. A Vermont Electronics obteria um financiamento subsidiado em que o valor do subsídio é $ 379.079.

Um exemplo de financiamento subsidiado no Brasil são as **debêntures de infraestrutura**. As debêntures de infraestrutura foram criadas para financiar projetos prioritários voltados a investimentos na área de infraestrutura ou de produção econômica intensiva em pesquisa, desenvolvimento e inovação e para implantação, ampliação, manutenção, recuperação, adequação ou modernização, entre outros, dos seguintes setores: logística e transporte; mobilidade urbana; energia; telecomunicações; radiodifusão; saneamento básico; e irrigação. Os rendimentos dessas debêntures têm os seguintes benefícios tributários para seus investidores: ausência de tributação para pessoas físicas e tributação de 15% para empresas. Isso permite a emissão de debêntures com custos menores para o emissor. O mesmo ocorre com a Letra de Crédito do Agronegócio (LCA), a Letra de Crédito Imobiliário (LCI) e a Letra Financeira (LF).

3. *Criação de novos títulos.* Nas últimas décadas, tem havido um aumento repentino de inovações financeiras. Por exemplo, em uma palestra sobre inovação financeira, o economista ganhador do prêmio Nobel Merton Miller apresentou a seguinte pergunta retórica: "Algum período de 20 anos na história testemunhou ao menos um décimo dos novos desenvolvimentos? Empresas que emitiam apenas dívidas não conversíveis e ações ordinárias não conversíveis agora emitem títulos de dívida sem cupom, títulos de dívida com taxas ajustáveis, notas de dívida com taxas flutuantes, títulos de dívida com opção de venda, títulos de dívida com qualidade de crédito melhorada, títulos de dívida lastreados em recebíveis, ações preferenciais com taxas de dividendo ajustáveis, ações preferenciais conversíveis e ajustáveis, ações preferenciais com taxas de dividendo fixadas em leilão holandês, ações preferenciais com dividendos ajustáveis indexadas a *commercial paper* de alta qualidade de crédito, ações preferenciais conversíveis permutáveis por título de dívida conversível, dívidas conversíveis com taxa ajustável, dívida conversível sem cupom, dívida com conversão obrigatória em ações ordinárias[1] – e esses são apenas alguns exemplos!".[2] E inovações na área financeira vêm ocorrendo ainda mais rapidamente nos anos que se seguiram ao discurso de Miller.

Embora as vantagens de cada instrumento sejam diferentes, o que se repete é que esses novos títulos não podem ser facilmente duplicados por meio de combinações de títulos existentes. Assim, uma clientela que estava insatisfeita pode pagar mais por um título especializado que supra suas necessidades. Por exemplo, títulos de dívida com opção de venda permitem ao investidor vender o título de dívida a um preço fixo de volta para a empresa emissora. Essa inovação criou um piso para os preços, permitindo que o investidor reduza seu risco de perda. Talvez investidores avessos ao risco ou com pouco conhecimento sobre o mercado de títulos pudessem achar essa questão especialmente atrativa.

As empresas ganham por emitir títulos com qualidades únicas a preços muito altos. Entretanto, o valor capturado por um inovador pode muito bem ser menor no longo prazo, porque ele geralmente não pode patentear ou ter os direitos autorias sobre uma ideia. Logo, muitas empresas estarão emitindo títulos do mesmo tipo, forçando os preços para baixo.

---

[1] *...zero coupon bonds, adjustable rate notes, floating-rate notes, putable bonds, credit-enhanced debt securities, receivable-backed securities, adjusted-rate preferred stocks, convertible exchangeable preferred stock, auction rate preferred stock, single-point adjustable rate stock, convertible exchangeable preferred stock, adjustable-rate convertible debt, zero-coupon convertible debt, debt with mandatory common stock purchase contracts...*

[2] Miller, M. Financial Innovation: The Last Twenty Years and the Next, *Journal of Financial and Quantitative Analysis*, dez. 1986.

Essa breve introdução monta o cenário para os próximos capítulos do livro. Grande parte do restante deste capítulo examina o quão eficiente é o funcionamento do mercado de capitais. Mostraremos que, se os mercados de capitais são eficientes, os gestores das empresas não podem criar valor enganando os investidores. Isso é muito importante, pois os gestores precisam criar valor de outras formas, talvez mais difíceis. Também descreveremos questões comportamentais que desafiam a noção de mercados de capitais com eficiência perfeita.

14.2 Uma descrição dos mercados de capital eficientes

Um mercado de capital eficiente para negociar com ações é aquele em que o preço das ações reflete inteiramente as informações disponíveis sobre os valores implícitos da ação. Para ilustrar como um mercado eficiente funciona, imagine que a Companhia F-Stop Camera (FCC) pretenda desenvolver uma câmera que irá dobrar a velocidade do sistema de foco automático disponível no momento. A FCC acredita que essa pesquisa tenha um VPL positivo.

Agora considere uma participação no capital da FCC. O que determina a disposição dos investidores de terem as ações da FCC a um preço específico? Um fator importante é a probabilidade de que a FCC venha a ser a primeira empresa a desenvolver o novo sistema de foco automático. Em um mercado eficiente, esperaríamos que o preço das ações da FCC aumentasse caso essa probabilidade aumentasse.

Imagine que a FCC contrate um engenheiro famoso para desenvolver o novo sistema de autofoco. Em um mercado eficiente, o que acontecerá ao preço da ação do FCC quando isso for anunciado? Se o engenheiro recebe uma remuneração que reflete inteiramente a sua contribuição para a empresa, o preço da ação não necessariamente mudará. Imagine, em vez disso, que contratar o engenheiro seja uma operação de VPL positivo. Nesse caso, o preço das ações da FCC aumentará, porque a empresa pode pagar ao engenheiro uma remuneração abaixo de seu valor real para a empresa.

Quando o aumento no preço das ações da FCC ocorrerá? Por exemplo, vamos assumir que o anúncio seja feito em uma divulgação à imprensa na manhã de quarta-feira. Em um mercado eficiente, o preço das ações da FCC se ajustará *rapidamente* a essas novas informações. Os investidores não conseguem comprar a ação na tarde de quarta-feira e ter lucro na quinta-feira; se isso acontecesse, significaria que é necessário um dia inteiro para o mercado de ações perceber as consequências da divulgação da FCC. A hipótese dos mercados eficientes prevê que o preço das ações da FCC na quarta-feira à tarde já refletirá as informações contidas na divulgação feita na quarta-feira de manhã.

A hipótese dos mercados eficientes (HME) tem consequências para os investidores e para as empresas:

- Como a informação reflete-se nos preços imediatamente, os investidores deveriam esperar obter apenas um taxa de retorno normal. Saber da informação quando ela é liberada não torna melhor a posição do investidor. Os preços se ajustam antes que o investidor tenha tempo para negociar com base na informação.

- As empresas deveriam esperar receber valores justos pelos títulos mobiliários que elas emitem. *Justo* significa que o preço que eles recebem por emitir títulos é o valor presente. Portanto, oportunidades de financiamento disponíveis vindas de investidores ingênuos não estão disponíveis em mercados de capitais eficientes.

A Figura 14.1 apresenta várias possibilidades de ajuste no preço das ações. A linha sólida representa o caminho tomado pela ação em um mercado eficiente. Neste caso, o preço ajusta-se imediatamente à nova informação, sem alterações posteriores no preço. A linha pontilhada representa uma reação lenta. Aqui, são necessários mais ou menos 30 dias para que o mercado absorva totalmente a informação. Por fim, a linha tracejada ilustra uma reação exagerada e o subsequente ajuste para o preço correto. A linha tracejada e a linha pontilhada ilustram os caminhos que o preço de uma ação pode tomar em um mercado ineficiente. Se o preço da ação leva

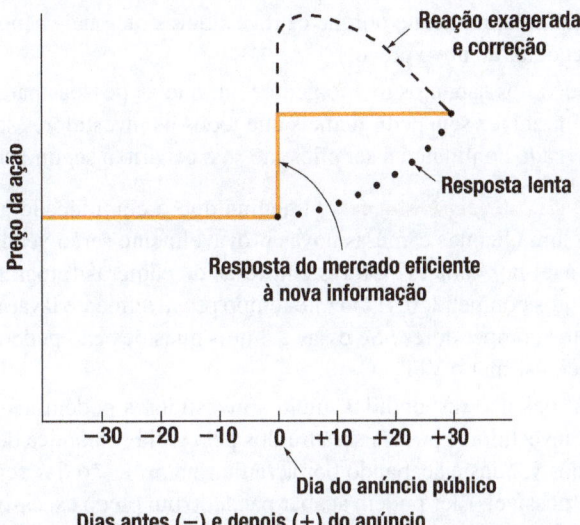

Resposta de um mercado eficiente: O preço se ajusta instantaneamente e reflete a nova informação com precisão; não há tendência de altas ou baixas subsequentes.
Resposta lenta: O preço se ajusta lentamente à nova informação; há um prazo de 30 dias até que o preço reflita completamente a nova informação.
Reação exagerada: O preço tem reação exagerada com a nova informação; há uma bolha na sequência de preços.

FIGURA 14.1 Reação do preço de uma ação às novas informações em mercados eficientes e ineficientes.

vários dias para o ajuste, o lucro com transações com essa ação seria possível para os investidores que cronometrassem de forma adequada suas compras e vendas.[3]

Bases da eficiência do mercado

A Figura 14.1 mostra as consequências da eficiência do mercado. Mas quais são as condições que *causam* a eficiência do mercado? Andrei Shleifer defende que existem três condições, e qualquer uma delas levará à eficiência:[4] (1) racionalidade, (2) desvios da racionalidade independentes entre si e (3) arbitragem. A seguir, temos uma discussão sobre essas condições.

Racionalidade Imagine que todos os investidores sejam racionais. Quando uma informação nova for disponibilizada ao mercado, todos os investidores ajustariam suas estimativas de preço para as ações de forma racional. Em nosso exemplo, os investidores usariam a informação comunicada à imprensa sobre a FCC em conjunto com a informação já existente sobre a empresa para determinar o VPL do novo empreendimento. Se a informação comunicada à imprensa significa que o VPL do empreendimento é de $ 10 milhões e que há $ 2 milhões em ações, os investidores calcularão que o VPL é de $ 5 por ação. Se o preço anterior da ação da FCC fosse, digamos, de $ 40, ninguém operaria agora a esse preço. Qualquer pessoa interessada em vender venderia apenas a um preço de, pelo menos, $ 45 (= 40 + 5). E qualquer pessoa interessada em comprar estaria disposta agora a pagar até $ 45. Em outras palavras, o preço poderia aumentar

---

[3] Aprecie agora esta breve história. Uma aluna andava pelo corredor junto com seu professor de finanças, quando ambos viram uma nota de $ 20 no chão. Quando a aluna se curvou para pegar a nota, o professor balançou a cabeça lentamente e, com olhar de reprovação, disse pacientemente: "Não se importe com isso. Se ela realmente estivesse aí, outra pessoa já a teria pego".

[4] Shleifer, A. *Inefficient markets:* an introduction to Behavioral Finance. Oxford: Oxford University Press, 2000.

$ 5. E o preço subiria imediatamente, porque os investidores racionais não veriam motivo para aguardar antes de negociar ao novo preço.

Obviamente, todos nós sabemos de momentos em que as pessoas parecem agir de forma pouco racional. Assim, talvez seja pedir demais que todos os investidores se comportem racionalmente. Mas o mercado continuará a ser eficiente se o cenário a seguir acontecer.

Desvios da racionalidade independentes Imagine que o comunicado à imprensa da FCC não seja tão claro assim. Quantas câmeras novas provavelmente serão vendidas? A que preço? Qual é o custo provável por câmera? Outras empresas de câmeras fotográficas serão capazes de desenvolver produtos competidores? Quanto tempo provavelmente levará para o desenvolvimento desses produtos competidores? Se essas e outras questões não puderem ser respondidas facilmente, será difícil estimar o VPL.

Com tantas questões não respondidas, muitos investidores podem não estar pensando de forma clara. Alguns investidores podem ser atraídos pela ideia romântica de um novo produto, esperando por grandes vendas e acabando por acreditar na projeção das vendas bem acima do que é racionalmente possível. Eles podem acabar pagando um preço excessivo por novas ações. E, se eles precisarem vender ações (talvez para financiar o seu consumo atual), eles farão isso apenas a um preço elevado. Se essas pessoas dominassem o mercado, o preço das ações provavelmente subiria além do que um mercado eficiente poderia prever.

Entretanto, devido à resistência emocional, investidores também poderiam facilmente reagir à nova informação de uma forma pessimista. Afinal, os historiadores nos contam que, inicialmente, os investidores estavam céticos sobre os benefícios do telefone, da copiadora, do automóvel e do cinema. Certamente, eles estariam céticos a respeito dessa nova câmera fotográfica. Se investidores desse tipo dominassem o mercado, o preço da ação provavelmente subiria menos do que um mercado eficiente poderia prever.

Contudo, imagine que tivéssemos o mesmo número de pessoas irracionalmente otimistas e irracionalmente pessimistas. Os preços provavelmente subiriam de forma coerente com a eficiência do mercado, mesmo que a maioria dos investidores pudesse ser classificada como menos do que completamente racional. Assim, a eficiência do mercado não requer pessoas racionais – apenas que as irracionalidades se contrabalancem.

Entretanto, essa hipótese das irracionalidades que se contrabalançam *o tempo todo* pode não ser realista. Talvez, em certos momentos, a maioria dos investidores seja varrida pelo otimismo excessivo e, outras vezes, possa cair na armadilha das angústias do pessimismo extremo. Porém, mesmo aqui há uma hipótese que produzirá eficiência.

Arbitragem Imagine um mundo com dois tipos de pessoas: os amadores irracionais e os profissionais racionais. Os amadores são presas de suas emoções, por vezes, acreditando irracionalmente que uma ação está subavaliada e, outras vezes, acreditando no oposto. Se as paixões de diferentes amadores não se cancelam umas às outras, esses amadores, por si mesmos, tenderiam a levar as ações para cima ou para baixo dos preços eficientes.

Agora, entram os profissionais. Suponha que os profissionais lidem com seus negócios de forma metódica e racional. Eles estudam as empresas minuciosamente, avaliam as evidências objetivamente, fazem friamente uma estimativa clara dos preços das ações e agem de acordo com essa análise. Se o preço de uma ação estiver subavaliado, eles a comprarão. Se o preço estiver superavaliado, eles a venderão. E a confiança desses profissionais será provavelmente maior do que a dos amadores. Enquanto um amador arrisca apenas uma pequena quantia, esses profissionais podem arriscar grandes quantias, *sabendo* que a ação está incorretamente precificada. Além disso, eles procuram reorganizar suas carteiras inteiro em busca de lucro. Se eles acharem que o Itaú está abaixo do preço, eles podem vender suas ações do Bradesco para comprar ações do Itaú. *Arbitragem* é a palavra que vem à mente aqui, porque a arbitragem gera lucro na compra e venda simultânea de títulos diferentes, mas substitutos. Se a arbitragem de profissionais dominasse a especulação dos amadores, os mercados ainda assim seriam eficientes.

14.3 Os tipos diferentes de eficiência

Em nossa discussão prévia, supusemos que o mercado responde imediatamente a todas as informações disponíveis. Na verdade, determinadas informações podem afetar o preço das ações mais rapidamente do que outras. Para lidar com diferentes taxas de resposta, os pesquisadores separam as informações em tipos diferentes. O sistema de classificação mais comum identifica três tipos: informação sobre os preços passados, informação publicamente disponível e todas as informações. O efeito que esses três conjuntos de informações exercem sobre os preços é examinado a seguir.

A forma fraca

Imagine uma estratégia de negociação que recomende comprar uma ação após ela ter subido durante três dias seguidos e vendê-la após ela ter caído durantes três dias seguidos. Essa estratégia utiliza informação baseada apenas em preços passados. Ela não utiliza nenhuma outra informação, tal como previsão de receitas, anúncios de fusão ou números de oferta de moeda. Um mercado de capitais é considerado *fracamente eficiente*, ou seja, satisfaz a **eficiência de forma fraca**, se ele incorpora completamente as informações dos preços passados. Assim, a estratégia anterior não seria capaz de gerar lucros se a eficiência fraca prevalecer.

Geralmente, a eficiência em sua forma fraca é representada matematicamente como:

$$P_t = P_{t-1} + \text{Retorno esperado} + \text{Erro aleatório}_t \tag{14.1}$$

A Equação 14.1 estabelece que o preço hoje seja igual à soma do último preço observado e do retorno esperado da ação (em \$) mais um componente aleatório ocorrendo no intervalo. O último preço observado poderia ter acontecido ontem, na última semana, no último mês, dependendo do intervalo da amostra. O retorno esperado é dependente do risco da ação e baseia-se nos modelos de risco e retorno discutidos nos capítulos anteriores. O componente aleatório deve-se à nova informação sobre a ação. Ele pode ser positivo ou negativo, e seu valor esperado é zero. O componente aleatório em qualquer período não está relacionado ao componente aleatório em qualquer período do passado. Por isso, esse componente não pode ser previsto baseado nos preços passados. Se o preço das ações seguir a Equação 14.1, diz-se que elas seguem um **caminho aleatório**.[5]

A forma fraca de eficiência é o tipo mais fraco de eficiência que poderíamos esperar que um mercado financeiro apresentasse, já que informações históricas sobre preços são o tipo de informação de mais fácil obtenção. Se fosse possível realizar lucros extraordinários simplesmente encontrando um padrão no movimento dos preços das ações, qualquer pessoa poderia fazer isso, e qualquer lucro desapareceria na corrida para obtê-lo.

O efeito da competição pode ser visto na Figura 14.2. Imagine que o preço de uma ação apresente um padrão cíclico, como indicado na curva em formato de onda. Investidores sagazes comprariam nos pontos mais baixos, forçando a subida dos preços. De forma oposta, eles poderiam vender nos pontos mais altos, forçando a queda dos preços. Por meio da competição, regularidades cíclicas seriam eliminadas, restando apenas flutuações aleatórias.

As formas semiforte e forte

Se a eficiência em sua forma fraca é controversa, as duas formas mais fortes, a **eficiência semiforte** e a **eficiência forte**, dão ainda mais motivos para discussão. Um mercado é semiforte se os preços refletem (incorporam) toda a informação disponível publicamente, incluindo informações como demonstrações contábeis publicadas pela empresa, assim como informações históricas de preços. Um mercado é eficiente na forma forte se os seus preços refletem todas as informações, públicas ou privadas.

---

[5] Para os propósitos deste texto, o caminho aleatório pode ser considerado sinônimo da forma fraca de eficiência. Tecnicamente, o caminho aleatório é uma hipótese um pouco mais restritiva, porque ela supõe que os retornos da ação sejam identicamente distribuídos no tempo.

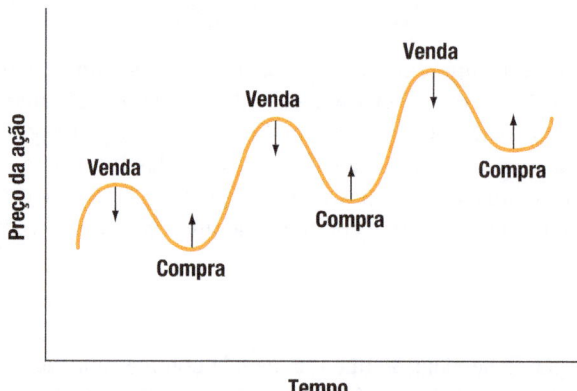

Se o preço de uma ação segue um padrão cíclico, o padrão será rapidamente eliminado em um mercado eficiente. Um padrão aleatório emergirá quando os investidores comprarem no ponto baixo da curva e venderem no pico de um ciclo.

FIGURA 14.2   Comportamento do investidor tende a eliminar padrões cíclicos.

O conjunto de informações dos preços passados é um subconjunto das informações publicamente disponíveis, que, por sua vez, é um subconjunto de todas as informações. Isso é mostrado na Figura 14.3. Portanto, uma eficiência forte subentende uma eficiência semiforte, e uma eficiência semiforte subentende uma eficiência fraca. O contrário não é verdadeiro. A diferença entre uma forma semiforte e uma forma fraca é que a forma de eficiência semiforte requer não apenas que os mercados sejam eficientes quanto às informações sobre os preços históricos, mas que *todas* as informações disponibilizadas para o público sejam refletidas nos preços.

O conjunto de informações sobre os preços passados é um subconjunto de todas as informações disponíveis publicamente, o que, por sua vez, é um subconjunto de todas as informações. Se o preço hoje reflete apenas informações sobre os preços passados, o mercado apresenta uma forma de eficiência fraca. Se o preço hoje reflete todas as informações disponíveis publicamente, o mercado possui uma forma de eficiência semiforte. Se o preço hoje reflete todas as informações, públicas e privadas, o mercado tem uma forma de eficiência forte.
   Uma eficiência semiforte subentende uma eficiência fraca, e uma eficiência forte subentende uma eficiência semiforte.

FIGURA 14.3   Relacionamento entre os três conjuntos diferentes de informações.

Para ilustrar as diferentes formas de eficiência, imagine um investidor que sempre vendeu determinada ação após seu preço ter subido. Um mercado que tivesse apenas a forma fraca de eficiência, e não uma semiforte, ainda poderia evitar que tal estratégia gerasse retornos excedentes (lucros anormais positivos). De acordo com a forma fraca de eficiência, um aumento recente de preço não significa que a ação está superavaliada.

Agora, consideremos uma empresa informando aumento de lucros. Alguém pode considerar investir na ação após ler as notícias divulgadas sobre essa ação. Entretanto, se o mercado tem uma forma de eficiência semiforte, o preço deverá subir imediatamente após a notícia ter sido divulgada. Desse modo, o investidor terminará pagando o preço maior, eliminando as chances de um retorno anormal.

No final na escala de eficiências está a forma de eficiência forte. Essa forma diz que qualquer coisa que seja relevante para o valor de uma ação e que seja conhecida por ao menos um investidor é, de fato, completamente incorporada ao preço da ação. Um defensor ferrenho da forma de eficiência forte negaria que uma pessoa com informações privilegiadas que soubesse que uma empresa mineradora encontrou ouro pudesse lucrar com essa informação. Tal defensor da hipótese de mercado com eficiência forte poderia argumentar que, tão logo o possuidor da informação privilegiada tentasse negociar as ações com base nessa informação, o mercado identificaria o que está acontecendo e o preço dispararia antes que ele pudesse comprar qualquer ação. Alternativamente, as pessoas que acreditam na forma de eficiência forte argumentam que não há segredos, e, tão logo o ouro é descoberto, a notícia da descoberta vaza.

Uma das razões para esperar que os mercados apresentem a forma de eficiência fraca é que é fácil e barato encontrar padrões nos preços das ações. Qualquer um que possa programar um computador e saiba um pouco de estatística pode procurar por tais padrões. É lógico que, se houvesse tais padrões, as pessoas os encontrariam e os explorariam, e o processo causaria o desaparecimento dos padrões.

A forma de eficiência semiforte, ao contrário, significa investidores mais sofisticados do que na forma fraca. Um investidor deve ser habilidoso em Economia e Estatística e estar imerso nas idiossincrasias das empresas e indústrias. Além disso, para adquirir e utilizar tais habilidades, são necessários talento, capacidade e tempo. No jargão dos economistas, tal esforço custa caro, e a oferta de capacidades de ser bem-sucedido neste meio é provavelmente fraca.

Quanto à forma de eficiência forte, ela está bem longe da forma semiforte. É difícil acreditar que o mercado seja tão eficiente, que alguém com informações internas importantes (informações privilegiadas) não consiga beneficiar-se disso. E evidências empíricas tendem a ser desfavoráveis a essa forma de eficiência de mercado.

Algumas concepções erradas comuns sobre a hipótese dos mercados eficientes

Nenhuma outra ideia em Finanças tem atraído tanta atenção quanto a dos mercados eficientes, e nem toda a atenção tem sido positiva. Até certo ponto, isso ocorre porque a maioria das críticas tem se baseado em concepções erradas sobre o que a hipótese diz e o que ela não diz. Ilustramos três concepções erradas a seguir.

A eficácia do lançamento de dardos
Quando a noção de eficiência do mercado foi publicada pela primeira vez e debatida na imprensa financeira, ela foi caracterizada com a seguinte frase: "(...) lançar dardos na página financeira produzirá uma carteira da qual se pode esperar tanto quanto qualquer outra carteira gerenciada por analistas profissionais de títulos".[6,7] Isso é quase, mas não totalmente uma verdade.

---

[6] Malkiel, B. G. *A random walk down Wall Street*: the time-tested strategy for successful investing. 10th ed. New York: Norton, 2011.

[7] Artigos mais antigos costumavam utilizar a expressão "macaco jogando dardos" para esse padrão de comportamento. Como o envolvimento do governo no ramo de títulos mobiliários cresceu, a referência mudou para "congressistas lançando dardos".

O que a hipótese do mercado eficiente realmente diz é que, em média, o gestor não pode atingir um retorno anormal ou excedente. O retorno excedente é definido com respeito a algum padrão de retorno esperado, tal como o da linha do mercado de títulos (LMT) vista no Capítulo 11. O investidor ainda precisa decidir quão arriscada quer sua carteira. Além disso, um jogador de dardos pode acabar com todos os dardos grudados em uma ou duas ações de alto risco da área de engenharia genética. Você realmente quer ter todo o seu dinheiro nessas duas ações?

A falha em entender isso tem levado a confusões sobre a eficiência do mercado. Por exemplo, às vezes, argumenta-se, de maneira errada, que a eficiência do mercado significa que não importa o modo como você investe seu dinheiro: a eficiência do mercado o protegerá contra erros. Entretanto, alguém pode comentar: "O mercado eficiente protege as ovelhas do lobo, mas nada pode proteger as ovelhas delas mesmas".

Mais do que qualquer outra coisa, o que a eficiência diz é que o preço que uma empresa consegue ao emitir ações é um preço "justo", no sentido de que ele reflete o valor daquela ação de acordo com as informações disponíveis sobre a empresa. Os acionistas não precisam se preocupar com o fato de estarem pagando muito por uma ação com baixo dividendo ou alguma outra característica, porque o mercado já incorporou isso ao preço. Entretanto, eles ainda precisam se preocupar com certas questões, como o seu nível de exposição ao risco e o seu grau de diversificação.

Flutuações dos preços A maior parte das pessoas é cética com relação à eficiência, porque os preços das ações flutuam diariamente. O movimento diário dos preços não é de nenhuma forma incoerente com a eficiência; uma ação em um mercado eficiente se ajusta às novas informações, modificando seu preço. Uma grande quantidade de novas informações chega até o mercado de ações todos os dias. Na verdade, a *falta* de movimentações diárias nos preços em um mundo em constante modificação é que pode sugerir ineficiência.

Desinteresse dos acionistas Muitos leigos não acreditam que o preço de mercado possa ser eficiente quando apenas uma fração das ações em circulação muda de mãos em um dia qualquer. O número de negócios realizados com uma ação em um determinado dia é geralmente bem menor do que o número de pessoas seguindo a ação. Isso é verdade, porque alguém negociará apenas quando sua avaliação de uma ação diferir o suficiente do seu preço do mercado para justificar incorrer em corretagens e outros custos de transação. Além disso, mesmo que o número de operadores seguindo uma ação seja pequeno quando comparado ao número de acionistas registrados, pode-se esperar que a ação seja precificada eficientemente desde que um número suficiente de operadores interessados use a informação publicamente disponível. Isso quer dizer que o preço da ação pode refletir a informação mesmo que muitos acionistas nunca sigam a ação e não estejam considerando negociá-la em um futuro próximo.

14.4 As evidências

As evidências sobre a hipótese dos mercados eficientes são abundantes, com estudos cobrindo as categorias gerais das formas de eficiência fraca, semiforte e forte. Na primeira categoria, vamos investigar se o preço das ações muda aleatoriamente. Na segunda categoria, revisaremos tanto os *estudos de evento* quanto os estudos de desempenho dos fundos de investimento. Na terceira categoria, veremos o desempenho de pessoas internas às empresas (***insiders***) no mercado de ações.

A forma fraca

A forma fraca de eficiência significa que o movimento dos preços de uma ação no passado não está relacionado ao movimento dos seus preços no futuro. O conteúdo do Capítulo 11 nos permite testar essa consequência. Naquele capítulo, discutimos o conceito de correlação entre os retornos de duas ações diferentes. Por exemplo, a correlação entre o retorno da General Motors e o retorno da Ford é mais provável de ser relativamente alto, porque ambas as ações estão no mesmo setor da indústria. Por outro lado, a correlação entre os retornos das ações da General Motors e o retorno das ações de, digamos, uma rede europeia de *fast food* provavelmente será baixa.

Economistas financeiros frequentemente falam de **correlação serial**, que diz respeito a apenas um título. Essa é a correlação entre o retorno presente de um título e o retorno do mesmo título em um período posterior. Um coeficiente de correlação serial positivo para uma ação em particular indica uma tendência em direção à *continuação*. Ou seja, é provável que um retorno acima da média hoje seja seguido por um retorno acima da média no futuro. Da mesma forma, um retorno abaixo da média hoje provavelmente será seguido por um retorno abaixo da média no futuro.

Um coeficiente de correlação serial negativo para uma ação em particular indica uma tendência em direção à *reversão*. Um retorno acima da média hoje provavelmente será seguido por um retorno abaixo da média no futuro. Da mesma forma, um retorno abaixo da média hoje provavelmente será seguido por um retorno acima da média no futuro. Os dois coeficientes de correlação serial tanto significativamente positivos quanto significativamente negativos são indicações de mercados ineficientes; em qualquer dos dois casos, o retorno hoje pode ser usado para prever retornos futuros.

Coeficientes de correlação serial de retornos de ações próximos a zero seriam coerentes com a eficiência em sua forma fraca. Assim, se o retorno corrente da ação for maior do que a média, provavelmente terá a mesma probabilidade de ser seguido tanto por retornos abaixo da média quanto por retornos acima da média. Da mesma forma, se o retorno corrente da ação for menor do que a média, terá provavelmente a mesma probabilidade de ser seguido por retornos acima da média ou por retornos abaixo da média.

As primeiras sete linhas no Quadro 14.1 mostram o coeficiente de correlação serial para mudanças diárias nos preços para sete grandes empresas norte-americanas. Esses coeficientes indicam se há relações entre os retornos de ontem e os retornos de hoje. Como se pode ver, quatro coeficientes são negativos, significando que um retorno acima da média hoje faz com que um retorno abaixo da média amanhã seja mais provável. Por outro lado, três coeficientes são positivos, significando que um retorno acima da média hoje faz com que um retorno acima da média amanhã seja mais provável.

A última linha do quadro indica que o coeficiente de correlação serial médio das ações das 100 maiores empresas dos Estados Unidos é de $-0,0153$. Como os coeficientes de correlação podem, a princípio, variar entre -1 e $+1$, esse coeficiente médio é pequeno. Dados tanto as estimativas de erro quanto os custos de transação, um número dessa magnitude é, geralmente, considerado coerente com uma eficiência em sua forma fraca.

A forma fraca da hipótese dos mercados eficientes também foi testada de muitas outras formas. Nosso olhar sobre a literatura é de que as evidências, entendidas como um todo, são coerentes com a eficiência em sua forma fraca.

Essa descoberta traz uma reflexão interessante: se as mudanças nos preços são realmente aleatórias, por que tantas pessoas acreditam que os preços seguem padrões? O trabalho de psicólogos e estatísticos sugere que a maioria das pessoas simplesmente não sabe o que é aleatoriedade. Por exemplo, considere a Figura 14.4. O primeiro gráfico foi gerado por um computador utilizando números aleatórios e a Equação 14.1. Ainda assim, encontramos pessoas que, mesmo examinando o gráfico, costumam ver padrões. Pessoas diferentes veem padrões diferentes e previsões diferentes de movimentos nos preços futuros. Entretanto, em nossa experiência, todas essas pessoas confiam nos padrões que veem.

A seguir, considere o segundo gráfico da Figura 14.4, que trilha movimentos reais no preço das ações da Gap. Esse gráfico pode parecer um tanto não aleatório para alguns, sugerindo uma ineficiência em sua forma fraca. Entretanto, ele também mostra uma semelhança visual às séries simuladas, e testes estatísticos indicam que ele, de fato, comporta-se como séries puramente aleatórias. Portanto, em nossa opinião, as pessoas que afirmam ver padrões em dados de preços de ações provavelmente estão tendo ilusões de óptica.

QUADRO 14.1 Coeficientes de correlação serial para empresas selecionadas, 2010

Empresas	Coeficiente de correlação serial
Dell	0,0034
Eli Lilly	0,0411
Medtronic	−0,0276
Merck	−0,0205
Qualcomm	0,0446
Sprint Nextel	−0,0469
Time Warner	−0,0035
Média das 100 maiores empresas	−0,0153

O coeficiente de 0,0034 da Dell é levemente positivo, indicando que um retorno positivo hoje faz com que um retorno positivo amanhã seja um pouco mais provável. O coeficiente da Time Warner é negativo, significando que um retorno positivo hoje faz com que um retorno negativo amanhã seja um pouco mais provável. Entretanto, os coeficientes são tão pequenos em relação ao erro de estimativa e aos custos de transação, que os resultados são, geralmente, considerados coerentes com mercados de capitais eficientes em sua forma fraca.

A forma semiforte

A forma semiforte da hipótese dos mercados eficientes tem por consequência os preços das ações deverem refletir todas as informações publicamente disponíveis. Apresentamos duas maneiras de testar essa forma.

Estudos de evento O *retorno anormal* (*abnormal return* – AR) de uma dada ação em um dia em particular pode ser calculado subtraindo o retorno do mercado no mesmo dia (R_m) – medido

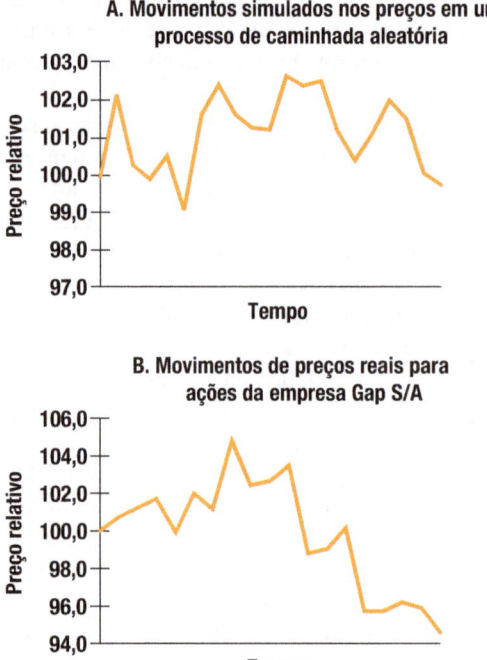

Embora movimentos simulados para os preços de ações a partir de um processo de caminhada aleatória sejam aleatórios por definição, as pessoas costumam ver padrões. As pessoas também podem ver padrões no movimento dos preços da Gap. Entretanto, os padrões de preço da Gap são muito parecidos com os da série simulada aleatoriamente.

FIGURA 14.4 Movimentos simulados e reais nos preços de ações.

por um índice abrangente, tal como o índice S&P Composite Index – do retorno real (R) da ação para o dia.[8] Escrevemos essa diferença algebricamente assim:

$$AR = R - R_m$$

O sistema a seguir nos ajudará a entender os testes da forma semiforte:

Informações divulgadas no momento $t - 1 \to AR_{t-1}$
Informações divulgadas no momento $t \quad \to AR_t$
Informações divulgadas no momento $t + 1 \to AR_{t+1}$

As setas indicam que o retorno anormal em qualquer período de tempo está relacionado apenas à informação divulgada durante aquele período.

De acordo com a hipótese dos mercados eficientes, um retorno anormal da ação no momento t, AR_t, deveria refletir a divulgação da informação no mesmo tempo, t. Qualquer informação divulgada antes, portanto, não deveria ter efeito em retornos anormais no período, porque toda sua influência deveria ter sido sentida antes. Em outras palavras, um mercado eficiente já deveria ter incorporado em seus preços as informações passadas. Como o retorno de uma ação hoje não pode depender do que o mercado ainda não sabe, a informação que será conhecida apenas no futuro também não pode influenciar seu retorno. Por isso, as setas apontam na direção do que é mostrado, com informações em qualquer período afetando apenas o retorno anormal daquele período. *Estudos de eventos* são estudos estatísticos que examinam se as setas são como as mostradas ou se a divulgação de informações influencia os retornos em outros dias.

Esses estudos também falam sobre *retornos anormais cumulativos* (*cumulative abnormal returns* – CARs), assim como retornos anormais (*abnormal returns* – ARs). Como exemplo, considere uma empresa com ARs de 1%, −3% e 6% para as datas −1, 0 e 1, respectivamente, referentes a um anúncio de uma empresa. Os CARs para as datas −1, 0 e 1 seriam 1%, −2% [=1% + (−3%)] e 4% [=1% +(−3%) +6%], respectivamente.

Como outro exemplo, considere o estudo feito por Szewczyk, Tsetsekos e Zantout[9] sobre anúncios de não pagamento de dividendos esperados (omissões de dividendos). A Figura 14.5 mostra o gráfico dos CARs para uma amostra de empresas anunciando omissões de dividendos. Como as notícias de não pagamento de dividendos são geralmente consideradas eventos ruins, esperaríamos que os retornos anormais fossem negativos perto do momento dos anúncios. E eles são, conforme evidenciado por uma queda no CAR no dia anterior ao anúncio (dia −1) e o no dia do anúncio (dia 0)[10]. Observe, entretanto, que não há praticamente nenhum movimento nos CARs nos dias que se seguem ao anúncio. Isso significa que as más notícias foram completamente incorporadas no preço das ações pelos anúncios do dia, um resultado coerente com a eficiência de mercado.

Ao longo dos anos, esse tipo de metodologia foi aplicado a muitos eventos. Anúncios de dividendos, lucros, fusões, gastos de capital e novas emissões de ações são alguns exemplos da vasta literatura existente na área. Em geral, os primeiros estudos de evento sustentavam a opinião de que o mercado apresenta a forma de eficiência semiforte (e, portanto, também é eficien-

---

[8] Também podemos medir o retorno anormal utilizando o modelo de mercado. Nesse caso, o retorno anormal é:
$$AR = R - (\alpha + \beta R_m)$$

[9] Szewczyk, S. H.; Tsetsekos, G. P.; Zantout, Z. Z. Do Dividend Omissions Signal Future Earnings or Past Earnings?, *Journal of Investing*, 1997.

[10] Um leitor perspicaz pode se perguntar por que o retorno anormal é negativo no dia −1, assim como no dia 0. Para entender o motivo, primeiro observe que a data do anúncio é, geralmente, considerada em estudos acadêmicos como a data de publicação do fato na imprensa. Agora, considere uma empresa anunciando o não pagamento de dividendos com divulgação na imprensa na terça-feira. A ação deveria cair na terça-feira. O anúncio sairá na imprensa escrita na edição de quarta-feira, porque a edição de terça-feira já foi impressa. Para essa empresa, o preço da ação cai no dia anterior ao anúncio na imprensa.

Alternativamente, imagine outra empresa anunciando o não pagamento de dividendos em divulgação na imprensa na terça-feira às 22 horas. Como o mercado de ações está fechado a essa hora, o preço da ação cairá na quarta-feira. Em razão de a imprensa fazer o anúncio na quarta-feira, o preço da ação cai no dia do anúncio no jornal.

As empresas também podem fazer anúncios durante as horas de negociação ou após, assim as ações podem cair tanto no dia −1 quanto no dia 0, com referência à publicação na imprensa.

te na forma fraca). Entretanto, estudos mais recentes apresentam evidências de que o mercado não incorpora todas as informações relevantes imediatamente. Alguns concluem com isso que o mercado não é eficiente. Outros argumentam que essa conclusão não está assegurada, dados os problemas estatísticos e metodológicos dos estudos. Essas questões serão retomadas mais detalhadamente na sequência do capítulo.

A experiência com os fundos de investimento   Se o mercado é eficiente na forma semiforte, então não importa quais informações publicamente disponíveis os gestores de fundos de investimento consideram para escolher ações, seus retornos médios devem ser os mesmos daqueles do investidor médio no mercado como um todo. Podemos testar a eficiência do mercado, portanto, comparando o desempenho dos fundos de investimento administrados ativamente com o desempenho de fundos de índice. Fundos administrados ativamente tentam utilizar as informações publicamente disponíveis e certa habilidade estatística para obter um desempenho melhor do que o mercado como um todo. Fundos de índice são administrados passivamente e tentam repetir o desempenho de certos índices de ações do mercado. O fundo de índice Vanguard 500, nos Estados Unidos, é um exemplo bem conhecido de fundo que imita os índices da Standard e Poor's. A Figura 14.6 é um gráfico de barras que mostra a porcentagem dos fundos de investimentos administrados que superaram o fundo de índice Vanguard 500. Ele usa dados de retornos de 10 anos (1977–1986 até 2000–2009). Em apenas cinco desses 24 períodos, um número maior do que a metade dos administradores profissionais de fundos bateu o fundo de índice do Vanguard 500.

Considere também a Figura 14.7 que apresenta o desempenho de vários tipos de fundos de investimento relativamente ao mercado de ações como um todo. A parte esquerda da figura mostra que o universo de todos os fundos cobertos pelo estudo tem um desempenho 2,13% inferior ao do mercado por ano, após um ajuste adequado para o risco. Portanto, em vez de os fundos administrados superarem o mercado, a evidência mostra que têm um

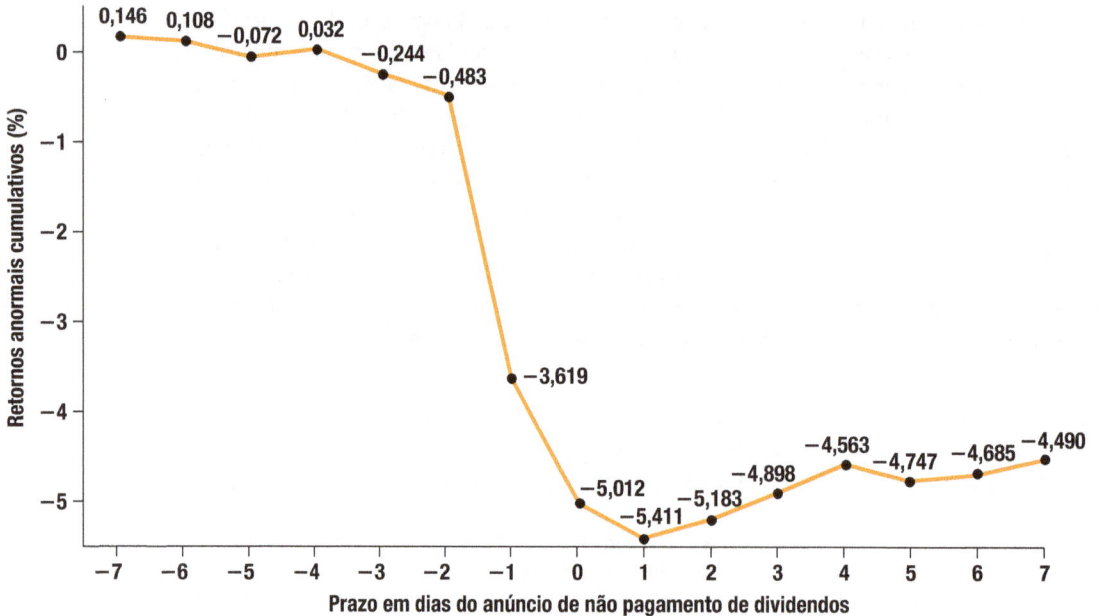

Retornos anormais cumulativos (CARs) caem no dia anterior ao anúncio e no dia do anúncio de não pagamento de dividendos esperados. Os CARs têm pequena movimentação após a data do anúncio. Esse padrão é coerente com a eficiência de mercado.

FIGURA 14.5   Retornos anormais cumulativos para empresas anunciando não pagamento de dividendos.

Fonte: Da 2ª publicação do artigo de Samuel H. Szewczyk, George P. Tsetsekos e Zaher Z. Zantout, "Do Dividend Omissions Signal Future Earnings or Past Earnings?", *Journal of Investing* (Primavera de 1997).

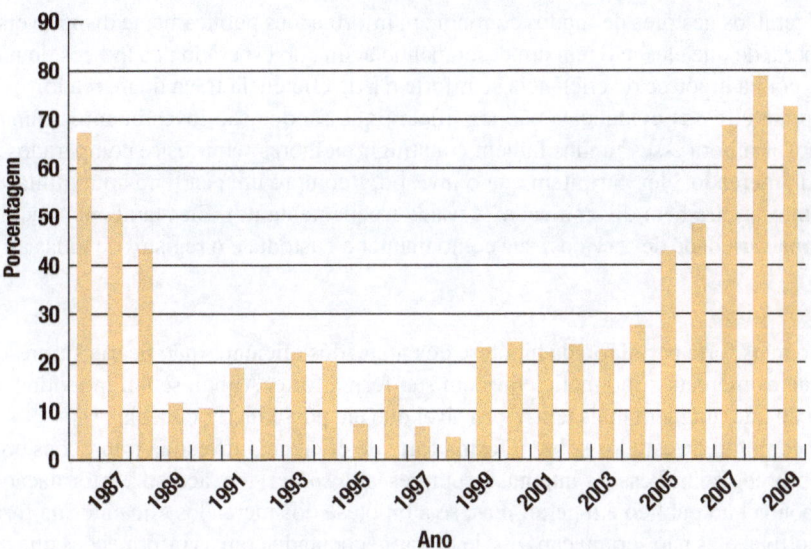

FIGURA 14.6 Porcentagem de fundos de investimento administrados superando o fundo de índice Vanguard 500, retornos de 10 anos.

Fonte: Bradford D. Jordan, Thomas W. Miller e Steven D. Dolvin, *Fundamentals of Investments*, 6 ed. (New York: McGraw-Hill, 2012).

desempenho inferior. Esse desempenho abaixo do esperado acontece com outros tipos de fundos também. Os retornos nesse estudo referem-se a retornos após tributos, despesas e comissões, portanto os retornos dos fundos seriam maiores se tais custos fossem adicionados de volta. Entretanto, o estudo não mostra evidência de que esses fundos, como um todo, estejam *superando* o mercado.

Talvez nada irrite mais os investidores em ações bem-sucedidos do que algum professor que lhes diga que eles não são necessariamente espertos, mas sortudos. Entretanto, apesar de a Figura 14.7 representar apenas um estudo, muitos trabalhos têm sido escritos sobre fundos. A evidência esmagadora aqui é que os fundos, em média, não superam índices abrangentes de mercado.

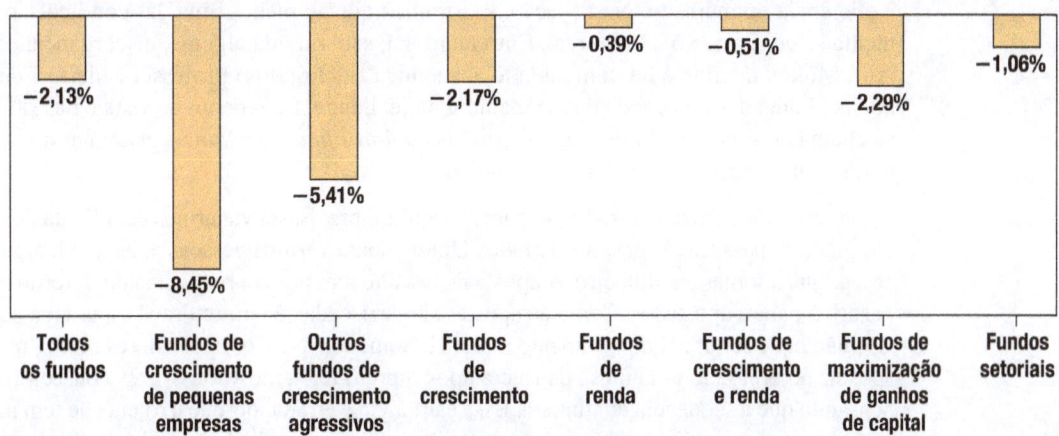

Em média, os fundos de investimento não parecem estar superando o desempenho do mercado.

FIGURA 14.7 Desempenho* do retorno anual de diferentes tipos de fundos de investimento nos Estados Unidos relativamente a um índice abrangente de mercado (1963–1998).

* O desempenho é em relação ao modelo de mercado.

Fonte: Tabela 2 de Lubos Pastor e Robert F. Stambaugh, "Mutual Fund Performance and Seemingly Unrelated Assets", *Journal of Financial Economics* 63 (2002).

Em geral, os gestores de fundos confiam em informações publicamente disponíveis. Assim, a descoberta de que eles não têm um desempenho acima do esperado dos índices do mercado é coerente com a hipótese de eficiência semiforte e a de eficiência fraca do mercado.

Entretanto, essas evidências não significam que fundos são investimentos ruins para os indivíduos. Embora esses fundos falhem em atingir melhores retornos se comparados a alguns índices do mercado, eles permitem que o investidor compre uma carteira com muitas ações (a frase "uma carteira bem diversificada" é usada frequentemente). Eles também podem proporcionar uma variedade de serviços, tais como manter a custódia e o registro de todas as ações.

A forma forte

Mesmo o mais forte partidário da hipótese dos mercados eficientes não ficaria surpreso ao descobrir que os mercados são ineficientes em sua forma forte. Afinal, se um indivíduo tem uma informação que ninguém mais tem, é provável que ele possa lucrar com ela.

Um conjunto de estudos sobre a forma forte de eficiência investiga transações com informações privilegiadas. Pessoas internas às empresas (*insiders*) têm acesso à informação que não está disponível ao público em geral; mas, se a hipótese dos mercados eficientes na forma forte estiver correta, eles não seriam capazes de lucrar negociando com as informações que possuem. A Instrução CVM n⁰ 358 e outras normas, assim como a SEC, nos Estados Unidos, exigem que os membros da administração de empresas revelem qualquer transação que eles possam fazer com as ações de emissão de sua empresa. Por meio do exame dos registros de tais transações, pode ser visto se eles tiveram retornos anormais. Alguns estudos realizados nos Estados Unidos defendem a ideia de que esse tipo de negócios já foi anormalmente lucrativo. Assim, a eficiência em sua forma forte não parece ser provada pela evidência. Por outro lado, é bom lembrar que, atualmente, se algum negócio for realizado com base em informações privilegiadas (informações não disponibilizadas tempestivamente ao mercado como um todo quando disponíveis), aquele que realizar tais negócios está sujeito a sanções da CVM e da SEC (nesse caso, se a transação for realizada com títulos mobiliários listados nos Estados Unidos).

14.5 O desafio de Finanças Comportamentais para a eficiência do mercado

Na Seção 14.2, apresentamos as três condições do professor Shleifer; qualquer uma delas levará à eficiência do mercado. Nesta seção, mostramos que ao menos uma das condições provavelmente se confirme no mundo real. Entretanto, há, sem dúvida alguma, discordâncias quanto a isso. Muitos membros da comunidade acadêmica (incluindo o professor Shleifer) defendem que nenhuma das três condições se mantém na realidade. Esse ponto de vista é baseado no que se chama de *Finanças Comportamentais* (*behavioral finance*). Vamos examinar a visão comportamental para cada uma das três condições.

Racionalidade As pessoas são racionais? Nem sempre. Basta viajarmos para Punta del Este, no Uruguai, ou para Las Vegas, nos Estados Unidos, para vermos pessoas apostando, algumas vezes, grandes somas em dinheiro. A aposta no cassino tem por consequência um retorno esperado negativo para o apostador. Como as apostas são arriscadas e têm retornos esperados negativos, isso não pode ser um comportamento racional. Somado a isso, os apostadores normalmente irão apostar no preto em uma mesa de roleta após o preto ter saído várias vezes consecutivamente, pensando que a sequência continuará. Essa estratégia é errada, porque a roleta não tem memória.

Mas, é claro, apostar é apenas uma atração menor até onde diz respeito às finanças. Vemos irracionalidade nos mercados financeiros também? A resposta pode ser sim. Muitos investidores não atingem o grau de diversificação que gostariam. Outros negociam frequentemente, gerando despesas com comissões e tributação. Na verdade, os impostos podem ser otimizados com a venda de ações perdedoras e a manutenção de ações vencedoras. Embora algumas pessoas invistam pensando na minimização de impostos, muitas delas fazem simplesmente o oposto. Muitas são mais propensas a vender as ações vencedoras do que as perdedoras, uma estratégia que leva ao pagamento de impostos elevados.[11] A visão comportamental não é a de que *todos* os investidores são irracionais, mas de que alguns (talvez muitos) o são.

Afastamentos da racionalidade independentes entre si
Os afastamentos da racionalidade seriam aleatórios, tornando provável a sua neutralização na população de investidores como um todo? Pelo contrário: psicólogos têm defendido que as pessoas se afastam da racionalidade de acordo com alguns princípios básicos. Nem todos esses princípios são aplicáveis em Finanças e na eficiência de mercado, mas pelo menos dois deles talvez se apliquem.

O primeiro princípio, chamado *representatividade*, pode ser explicado com o exemplo das apostas apresentado antes. O apostador, acreditando na continuidade do preto, insistirá em seu erro, pois a probabilidade de que o número escolhido na roleta seja preto continua sendo de 50%. Apostadores que se comportam assim apresentam o traço psicológico da representatividade. Ou seja, eles tiram conclusões a partir de dados insuficientes. Em outras palavras, o apostador acredita que a pequena amostra que ele observou é mais representativa da população do que realmente o é.

Como isso está relacionado a Finanças? Talvez um mercado dominado pela representatividade conduza a bolhas. As pessoas veem um setor do mercado – por exemplo, ações da Internet – tendo um curta história de grande crescimento de rendimentos e inferem que isso continuará para sempre. Quando o crescimento inevitavelmente empaca, os preços não têm outro lugar para ir a não ser para baixo.

O segundo princípio é o *conservadorismo*, que significa que as pessoas são muito lentas para ajustar suas crenças à nova informação. Imagine que seu objetivo desde a infância era tornar-se um dentista. Talvez você venha de uma família de dentistas, talvez você goste da segurança e da renda relativamente alta que a profissão proporciona ou talvez seja porque dentes sempre o fascinaram. Como as coisas estão agora, você poderia provavelmente seguir em frente para uma longa e produtiva carreira nessa profissão. Entretanto, imagine que uma nova medicação que poderia prevenir a cárie dentária tenha sido desenvolvida. Essa medicação poderia claramente reduzir a demanda por dentistas. O quão rapidamente você perceberia as consequências do que foi colocado aqui? Se você estivesse emocionalmente ligado à área, você poderia ajustar suas opiniões lentamente. Família e amigos poderiam dizer para você escolher outra profissão, mas você poderia não estar psicologicamente preparado para isso. Em vez disso, você poderia prender-se à sua visão otimista do futuro como dentista.

Talvez haja uma relação com Finanças aqui. Por exemplo, muitos estudos relatam que os preços parecem ajustar-se lentamente à informação contida em anúncios de lucros.[12] Isso poderia ocorrer por causa do conservadorismo? Os investidores são lentos em ajustar suas opiniões à nova informação? Na próxima seção, falaremos mais sobre isso.

Arbitragem
Na Seção 14.2, sugerimos que os investidores profissionais, sabendo que alguns títulos estão precificados abaixo do valor justo, poderiam comprar os títulos subprecificados enquanto vendem substitutos a preços corretos (ou mesmo sobreprecificados). Isso pode desfazer qualquer erro de precificação causado por amadores precipitados.

É provável que transações desse tipo sejam mais arriscadas do que parecem à primeira vista. Imagine que profissionais realmente acreditassem que as ações do McDonald's estivessem abaixo do preço. Eles poderiam comprar essas ações enquanto vendem, por exemplo, as do Burger King. Entretanto, se amadores estivessem tomando decisões opostas, os preços se ajustariam para níveis corretos apenas se as posições dos amadores fossem menores em relação àquelas dos profissionais. Em um mundo de muitos amadores, poucos profissionais teriam que tomar grandes posições para colocar os preços na linha, talvez mesmo empenhando-se fortemente em vendas a descoberto. Comprar grandes quantidades de uma ação e vender a descoberto grandes quantidades de outras ações é muito arriscado, mesmo se as duas ações são do mesmo ramo. Aqui, más notícias imprevistas sobre o McDonald's e boas notícias imprevistas sobre as outras duas ações fariam os profissionais registrarem grandes perdas.

---

[11] Por exemplo, veja Barber, B.; Odean, T., "The Courage of Misguided Convictions", *Financial Analysts Journal*, nov./dez. 1999.

[12] Por exemplo, veja Singal V., *Beyond the Random Walk*. New York: Oxford University Press, 2004. Capítulo 4.

Além disso, se amadores precificam incorretamente as ações do McDonald's hoje, o que pode ser feito para prevenir que o McDonald's seja precificado ainda mais incorretamente amanhã? O risco de tal precificação incorreta, mesmo na presença de novas informações, pode fazer também com que profissionais reduzam suas decisões de arbitragem. Como exemplo, imagine um profissional perspicaz que acreditava em 1998 que as ações da Internet estavam excessivamente caras. Se ele tivesse apostado em um declínio àquela época, ele teria perdido no curto prazo, pois os preços subiram até março de 2000. Embora sua posição pudesse, ao final, gerar dinheiro porque os preços posteriormente caíram, o risco em curto prazo pode reduzir o tamanho das estratégias de arbitragem.

Concluindo, o argumento apresentado aqui sugere que os fundamentos teóricos da hipótese dos mercados eficientes, apresentados na Seção 14.2, podem não servir em situações reais. Ou seja, os investidores podem ser irracionais, a irracionalidade pode estar encadeada e não se cancelar no universo de investidores, e as estratégias de arbitragem podem envolver riscos em demasia para eliminar as ineficiências do mercado.

14.6 Desafios empíricos para a eficiência de mercados

A Seção 14.4 apresentou evidências empíricas que defendem a eficiência do mercado. Agora, apresentamos evidências desafiando essa hipótese. (Partidários da eficiência do mercado geralmente se referem a resultados desse tipo como *anomalias*).

1. *Limites à arbitragem*: A Royal Dutch Petroleum e a Shell Transport concordaram em fundir interesses em 1907, com todo o fluxo de caixa subsequente sendo dividido na base de 60-40% entre as duas empresas. Porém, as ações de ambas continuaram a ser negociadas em bolsa. Você pode imaginar que o valor de mercado da Royal Dutch seria sempre de 1,5 (60/40) vezes o da Shell. Ou seja, se as ações da Royal Dutch aumentassem de preço, investidores racionais comprariam ações da Shell em vez de da Royal Dutch. Se a Royal Dutch estivesse abaixo do preço, os investidores comprariam Royal Dutch. Somado a isso, os arbitradores poderiam ir além, comprando os títulos com o preço baixo e vendendo a descoberto os títulos com preço alto.

   Entretanto, a Figura 14.8 mostra que as ações da Royal Dutch e da Shell raramente foram negociadas de forma paritária (ou seja, 60/40) entre 1962 e 2005, quando as duas empresas se fundiram. Por que esses desvios ocorrem? Como afirmado na seção anterior, as Finanças Comportamentais sugerem que há limites para a arbitragem. Ou seja, um investidor comprando o ativo subprecificado e vendendo o ativo sobreprecificado não faz um negócio seguro. Os desvios da paridade podem, na verdade, *aumentar* no curto prazo, tendo por consequência perdas para a arbitragem. A bem conhecida frase "O mercado pode ficar irracional por mais tempo do que você pode ficar solvente" (*Markets can stay irrational longer than you can stay solvent*), atribuída a John Maynard Keynes, aplica-se nesse caso. Portanto, considerações relativas a riscos podem forçar o arbitrador a tomar posições que são muito pequenas para mover preços de volta à paridade.

   Acadêmicos têm documentado um grande número desses desvios da paridade. Os autores Froot e Dabora mostram resultados semelhantes para as duas empresas gêmeas Unilever N.V e Unilever PLC e para os dois tipos de ações da SmithKline Beecham.[13] Lamont e Thaler apresentam resultados semelhantes para a empresa 3Com e sua subsidiária Palm, Inc. (ver o Exemplo 14.2 para mais informações sobre a 3Com e a Palm).[14] Outros pesquisadores descobriram comportamentos de preço em fundos fechados que eram sugestivos de desvios de paridade.

---

[13] Froot, K. A.; Dabora, E. M., "How Are Stock Prices Affected by the Location of Trade?" *Journal of Financial Economics,* v. 53, ago. 1999.

[14] Lamont, O.; Thaler, R., "Can the Market Add and Subtract? Mispricing in Tech Stock Carve-Outs," *Journal of Political Economy,* abr. 2003.

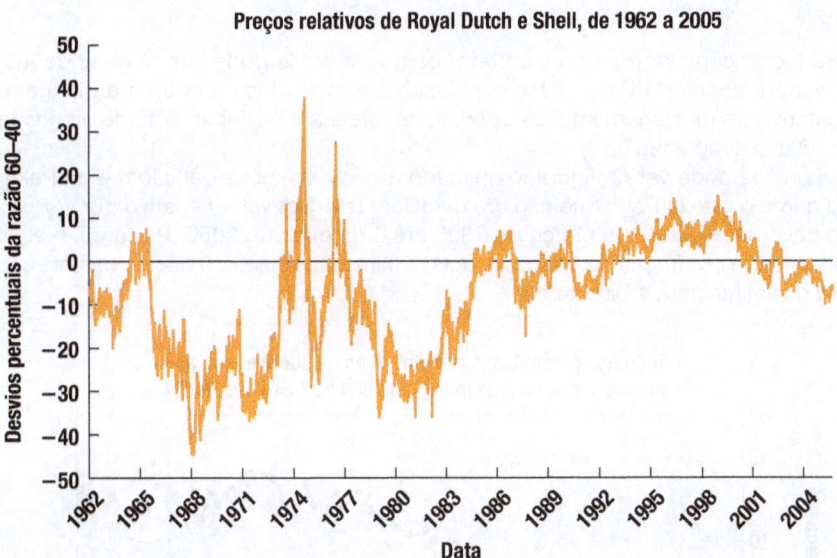

Aparentemente, a arbitragem é incapaz de manter os indicadores do valor de mercado da Royal Dutch para o valor de mercado da Shell na paridade.

FIGURA 14.8 Desvios da paridade entre o valor de mercado da Royal Dutch e o valor de mercado da Shell.

Fonte: De Stephen Ross, Randolph Westerfield e Bradford Jordan, *Fundamentals of Corporate Finance*, 10ª ed., Alternate ed., p. 738.

EXEMPLO 14.2 Os investidores no mercado de ações sabem somar e subtrair?

No dia 2 de março de 2000, a 3Com, uma lucrativa empresa de produtos e serviços de redes de computadores, vendeu 5% de uma de suas subsidiária, a Palm, por meio de uma oferta pública inicial. A 3Com planejava distribuir o restante das ações da Palm para os acionistas da 3Com posteriormente. Com esse plano, se você fosse o titular de uma ação da 3Com, você receberia 1,5 das ações da Palm. Portanto, após a 3Com vender parte da Palm por meio da IPO, os investidores poderiam comprar a Palm diretamente, ou indiretamente, adquirindo ações da 3Com e aguardando.

O que torna esse caso interessante é o que aconteceu nos dias que se seguiram à oferta pública inicial da Palm. Se você fosse titular de uma ação da 3Com, você teria direito, ao final, sobre 1,5 das ações da Palm. Logo, cada ação da 3Com deveria valer *pelo menos* 1,5 vezes o valor de cada ação da Palm. Dizemos *pelo menos* porque as outras partes da 3Com eram lucrativas. Como resultado, cada ação da 3Com deveria ter valido muito mais do que 1,5 vezes o valor de uma ação da Palm. Porém, como você deve adivinhar, as coisas não aconteceram dessa forma.

No dia anterior ao IPO da Palm, as ações na 3Com eram negociadas por US$ 104,13. Após o primeiro dia de negócios, a Palm fechou a US$ 95,06 por ação. Multiplicando US$ 95,06 por 1,5, temos o resultado de US$ 142,59, que é o valor mínimo que poderíamos esperar pagar pela 3Com. Mas, no dia em que a Palm fechou a US$ 95,06, as ações da 3Com fecharam a US$ 81,81, mais de US$ 60 inferior ao preço decorrente do preço da Palm.

O preço da 3Com a US$ 81,81 quando a Palm era negociada por US$ 95,06 significa que o mercado avaliou os demais negócios da 3Com (por ação) a US$ 81,81 − 142,59 = −US$ 60,78. Dado o número das ações da 3Com em circulação à época, isso significa que o mercado colocou um valor negativo de cerca de US$ 22 bilhões sobre o resto dos negócios com a 3Com. É claro que o preço de uma ação não pode ser negativo. Isso significa que o preço da Palm relativo à 3Com era muito alto.

(continua)

(continuação)

Para lucrar com esse preço incorreto, os investidores poderiam adquirir ações da 3Com e vender ações da Palm. Essa conclusão era muito fácil. Em uma arbitragem de mercado com bom funcionamento, os operadores forçariam o alinhamento de preços rapidamente. O que aconteceu?

Como você pode ver na figura, o mercado avaliou as ações da 3Com e da Palm de tal forma que a parte da Palm que não era da 3Com teve um valor negativo por aproximadamente dois meses, de 2 de março de 2000 até 8 de maio de 2000. Portanto, o erro de preço foi corrigido por forças do mercado, mas não imediatamente, o que é coerente com a existência de limites para arbitragem.

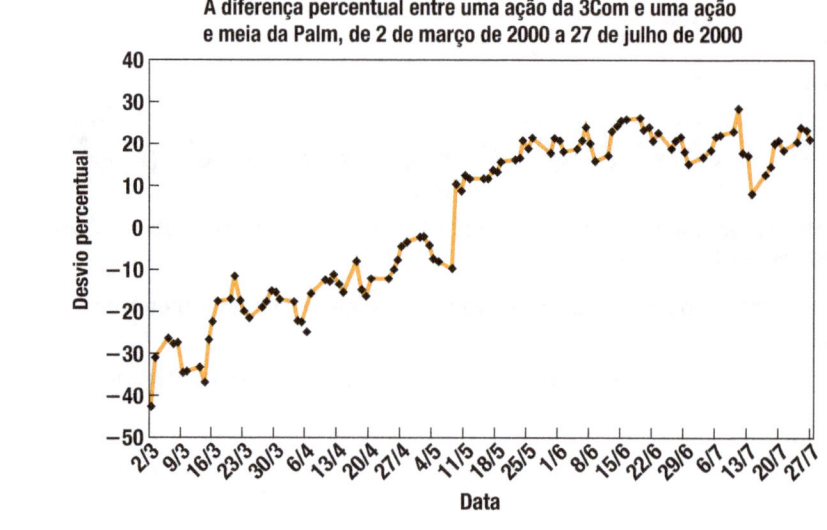

2. *Lucros inesperados*: O senso comum sugere que os preços deveriam subir quando um lucro maior do que o esperado é divulgado e que os preços deveriam cair quando o contrário acontece. Porém, enquanto a eficiência de mercado sugere que os preços se ajustarão imediatamente ao anúncio, as Finanças Comportamentais predizem outro padrão. Kolasinski e Li classificam as empresas pelo tamanho dos lucros inesperados – ou seja, a diferença entre lucros trimestrais e uma estimativa de lucros para o trimestre antecipada pelo mercado.[15] Os autores formam uma carteira de empresas com as maiores lucros inesperados positivos e outra carteira de empresas com os maiores lucros inesperados negativos. A Figura 14.9 mostra os retornos da compra das duas carteiras, líquidos do retorno do mercado como um todo. Como se pode ver, os preços se ajustam lentamente aos anúncios de lucros, com as carteiras com lucros inesperados positivos superando a carteira com os lucros inesperados negativos nos 275 dias seguintes. Muitos outros pesquisadores obtêm resultados semelhantes.

Por que os preços se ajustam lentamente? As Finanças Comportamentais sugerem que os investidores mostram conservadorismo porque eles são lentos para se ajustar à informação contida nos anúncios.

3. *Tamanho*: Em 1981, dois importantes artigos apresentaram evidências de que, nos Estados Unidos, o retorno de ações de empresas com pequena capitalização de mercado eram maiores do que os retornos de ações de empresas com grande capitalização de mercado

---

[15] Kolasinski, A.; Li, X., "Can Rational Learning Explain Underreaction Anomalies? Evidence from Insider Trading after Earnings Announcements", (University of Washington, trabalho não publicado, 2011). Os autores estimaram ganhos antecipados por meio de um modelo sazonal de caminhada aleatória.

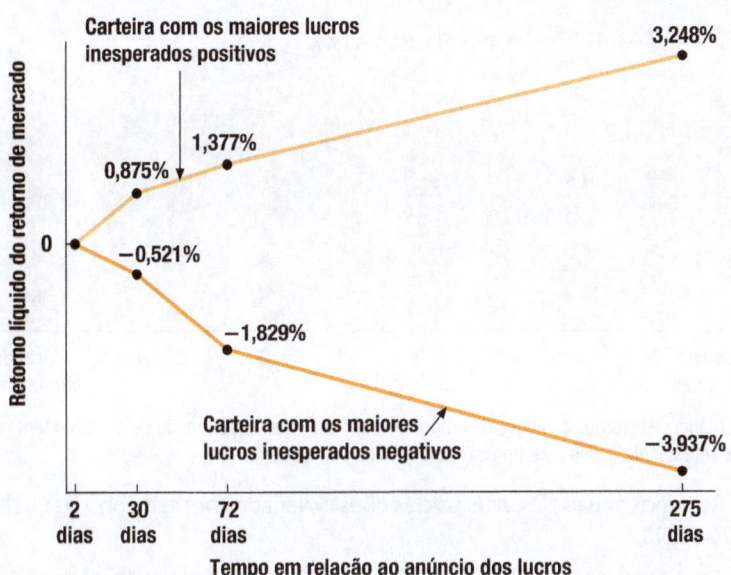

Essa figura mostra retornos líquidos do retorno do mercado em uma estratégia de comprar ações com lucros inesperados positivos extremamente altos (a diferença entre os lucros trimestrais correntes e uma estimativa de lucros para o trimestre, antecipada pelo mercado) e em uma estratégia de comprar ações com lucros inesperados extremamente negativos. A estratégia começa dois dias após o anúncio dos lucros. O gráfico mostra um ajuste lento à informação em anúncios de lucros.

FIGURA 14.9 Retornos sobre duas estratégias de investimento baseadas em lucros inesperados.

Fonte: Adaptado da Tabela 1 de Adam Kolasinski e Xu Li, "Can Rational Learning Explain Underreaction Anomalies? Evidence from Insider Trading after Earnings Announcements", (University of Washington, trabalho não publicado, 2011).

na maior parte do século XX.[16] Os estudos vem sendo, desde então, replicados em diferentes momentos e em diferentes países. Por exemplo, a Figura 14.10 mostra a média dos retornos entre 1926 e 2010 para 10 carteiras de ações de empresas norte-americanas, classificadas por tamanho. Como se pode ver, a média dos retornos de ações de empresas com pequena capitalização é maior do que a média de retornos de ações de empresas com grande capitalização. Embora grande parte do diferencial de desempenho seja uma mera compensação pelo risco extra das ações de empresas de pequena capitalização, os pesquisadores têm argumentado que nem todas elas podem ser explicadas por diferenças de risco. Além disso, parece que a maior parte das diferenças de desempenho ocorre no mês de janeiro.[17]

4. *Valor* versus *crescimento*: Uma série de artigos tem afirmado que ações com altos índices Valor Contábil/Preço e/ou altos índices Lucro/Preço (geralmente chamadas de ações de valor) apresentam desempenho superior em relação às ações com baixos índices (ações de crescimento). Além disso, Fama e French[18] encontraram uma média de retornos para ações de valor maior do que a média para ações de crescimento ao redor do mundo.

---

[16] Ver Banz, R. W., "The Relationship between Return and Market Value of Common Stocks", *Journal of Financial Economics,* mar. 1981, e Reinganum, M. R., "Misspecification of Capital Asset Pricing: Empirical Anomalies Based on Earnings Yields and Market Values", *Journal of Financial Economics,* mar. 1981.

[17] O primeiro artigo a documentar isso, "January effect", foi de D. B. Keim, "Size-Related Anomalies and Stock Return Seasonality: Further Empirical Evidence", *Journal of Financial Economics,* jun. 1983.

[18] Fonte: Quadro I de Eugene F. Fama e Kenneth R. French, "Size, Value, and Momentum in International Stock Returns", *Journal of Financial Economics,* v. 105, p. 457-472, 2012.

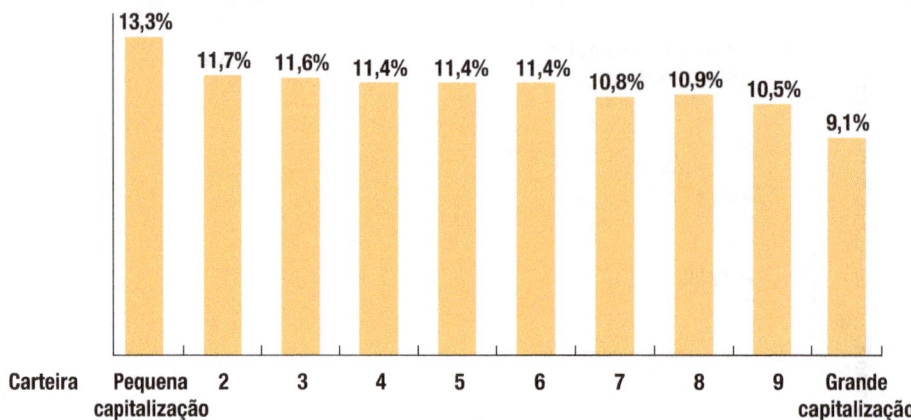

Historicamente, a média de retornos de ações de empresas com pequena capitalização de mercado tem sido maior do que a média de retornos de ações de empresas com grande capitalização.

FIGURA 14.10 Retornos anuais de carteiras de ações ordenados por tamanho (capitalização de mercado) de 1926 a 2010.

Fonte: Calculado do índice de valores fornecido na Tabela 7.3 do *Ibbotson SBBI® 2011 Classic Yearbook*, Chicago: Morningstar (2011).

A Figura 14.11 mostra o diferencial médio mensal de retornos entre ações de valor e ações de crescimento em diferentes regiões geográficas.

Como a diferença de retorno é tão grande e como essas taxas podem ser obtidas muito facilmente para ações individuais, os resultados podem constituir-se em forte evidência contra a eficiência do mercado. Entretanto, alguns artigos sugerem que retornos incomuns ocorrem devido a diferenças de riscos, e não por uma verdadeira ineficiência.[19] Como o debate gira em torno de complexas questões estatísticas, não avançaremos no assunto. Entretanto, é seguro dizer que nenhuma conclusão é garantida até hoje. Assim como muitos outros tópicos em Finanças e Economia, pesquisas adicionais são necessárias.

5. *Quebras e bolhas*: A quebra do mercado de ações em 19 de outubro de 1987, nos Estados Unidos, é extremamente enigmática. O mercado caiu entre 20 e 25% em uma segunda-feira após um final de semana em que poucas notícias surpreendentes haviam sido divulgadas. Uma queda dessa magnitude sem qualquer razão aparente não é coerente com a eficiência do mercado. Como a quebra de 1929 ainda é um enigma, é de se duvidar que o colapso de 1987, mais recente, venha a ser explicado em breve – sem mencionar a quebra de 2008, discutida no Capítulo 10. Os comentários recentes de um eminente historiador cabem aqui: quando questionado sobre qual foi, em sua opinião, o efeito da Revolução Francesa de 1789, ele respondeu que era muito cedo para dizer.

Talvez as quebras dos mercados de ações sejam evidências coerentes com a teoria da bolha dos mercados especulativos. Ou seja, os preços dos títulos, algumas vezes, movem-se loucamente para valores acima de seus valores reais. Por fim, os preços voltam aos seus preços originais, causando grandes perdas aos investidores. Considere, por exemplo, o comportamento de ações da Internet ao final da década de 1990, também nos Estados Unidos. A Figura 14.12 mostra valores de um índice de ações da Internet de 1996 a 2002. O índice subiu mais de dez vezes desde janeiro de 1996 e chegou ao seu maior preço em março de 2000, antes de recuar, em 2002, para aproximadamente seu nível original. Como comparação, a figura também mostra o movimento dos preços para o Índice S&P 500.

---

[19] Por exemplo, ver Fama, E. F.; French K. R., "Multifactor Explanations of Asset Pricing Anomalies", *Journal of Finance* 51, mar. 1996 e Hengjie Ai e Dana Kiku, "Growth to Value: Option Exercise and the Cross Section of Equity Returns", artigo não publicado; Wharton School, University of Pennsylvania (2011).

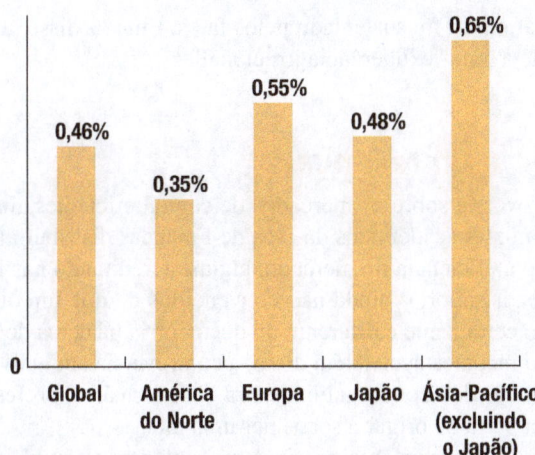

Ações com altos índices Valor Contábil/Preço (frequentemente chamadas ação de valor) superam ações com baixos índices Valor Contábil/Preço (ações de crescimento) em diferentes países.

FIGURA 14.11 Diferenças no retorno mensal entre ações com altos índices Valor contábil/Preço (ações de valor) e ações com baixos índices Valor contábil/Preço (ações de crescimento) ao redor do mundo.

Fonte: Eugene F. Fama e Kenneth R. French, "Size, Value, and Momentum in International Stock Returns", *Journal of Financial Economics*, 105 (2012) 457–472. Quadro 1.

Apesar de o índice subir e cair no período, o movimento de preços do mercado era bastante comedido em relação ao preço das ações da Internet.

Muitos comentaristas descrevem a subida e a queda das ações da Internet como uma *bolha*. Isso está correto? Infelizmente, não há uma definição precisa do termo. Alguns estudiosos afirmam que o movimento dos preços na figura é coerente com a racionalidade. Os preços subiram inicialmente, eles dizem, porque parecia que a Internet logo capturaria uma grande fatia do comércio internacional. Os preços caíram quando evidências posteriores sugeriram que isso não aconteceria tão rapidamente. Entretanto, outros afirmam que o ce-

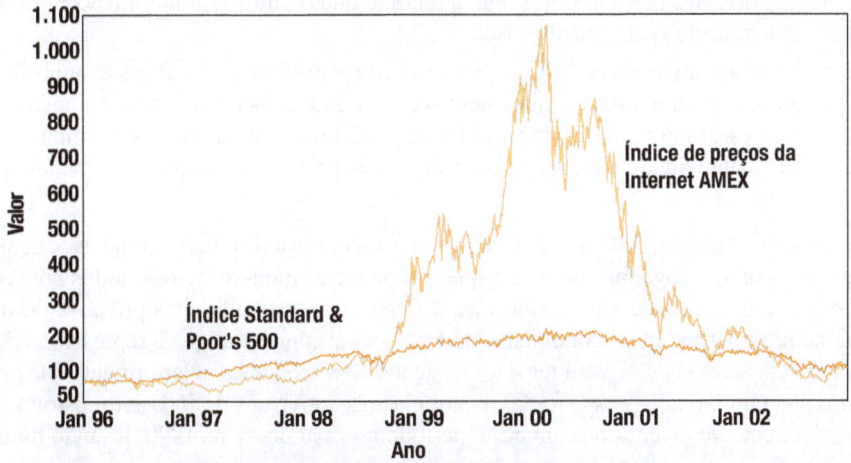

O índice de ações da Internet subiu mais de dez vezes desde janeiro de 1996 e chegou ao seu maior preço em março de 2000, antes de recuar para aproximadamente seu nível original em 2002.

FIGURA 14.12 Valor do índice de ações da Internet (Estados Unidos).

nário de subida inicial nunca foi sustentado pelos fatos. Em vez disso, a subida dos preços deve-se simplesmente a uma "exuberância irracional".

14.7 Revisando as diferenças

É justo dizer que a controvérsia sobre os mercados de capital eficientes ainda não chegou ao fim. Ao contrário: economistas acadêmicos da área de Finanças distribuíram-se em três campos, com alguns aderindo à eficiência do mercado, alguns acreditando nas Finanças Comportamentais e outros (talvez a maioria) ainda não convencidos de que um ou outro lado tenha ganhado a discussão. Isso certamente é diferente do que ocorria há cerca de 35 anos, quando a eficiência do mercado era incontestável. Além disso, a controvérsia aqui talvez seja a mais disputada de quaisquer das áreas de Economia Financeira. Só nessa área, professores de Finanças bem crescidinhos chegam perto de brigar a socos por uma ideia.

Adeptos das Finanças Comportamentais assinalam, conforme discutido na Seção 14.5, que os três fundamentos teóricos da eficiência de mercado parecem ter sido violados no mundo real. Em segundo lugar, eles destacam que simplesmente existem muitas anomalias e que um grande número delas foi replicado em testes com várias amostras.[20] Críticos das Finanças Comportamentais geralmente refutam isso com três argumentos:

1. *O problema do artigo na gaveta*: Acadêmicos costumam submeter seus artigos a periódicos, em que avaliadores independentes julgam se o trabalho merece ser publicado. Os artigos ou são aceitos por um periódico, levantando a possibilidade de que o conteúdo exerça influência na área, ou são rejeitados, levando o autor a, como diz o ditado, "sepultar" o artigo no fundo da gaveta. Foi sugerido com frequência que, desde que mantida a qualidade da pesquisa, os avaliadores estariam mais propensos a aceitar um artigo com resultados incomuns e interessantes. Os que criticam as Finanças Comportamentais argumentam que, desde que a eficiência do mercado se tornou o paradigma aceito em finanças, qualquer artigo desafiando a eficiência tem maior probabilidade de aceitação do que um que a defenda. Assim, o processo de publicação pode inadvertidamente favorecer as pesquisas na área de Finanças Comportamentais.

2. *Risco*: Como indicado no Capítulo 11, os investidores tentam maximizar os retornos esperados por unidade de risco. Entretanto, o risco não é sempre fácil de estimar. Os adeptos do mercado eficiente costumam sugerir que algumas anomalias podem desaparecer se ajustes mais sofisticados para o risco forem feitos. Como um exemplo, mencionamos na seção anterior que diversos pesquisadores têm defendido que os altos retornos em ações de valor podem ser explicados pelo seu alto risco.

3. *Finanças Comportamentais e preços de mercado*: Os críticos de Finanças Comportamentais *com frequência* argumentam que, mesmo que os dados sustentem certas anomalias, não está claro se essas anomalias sustentam Finanças Comportamentais. Por exemplo, considere a representatividade e o conservadorismo, dois princípios psicológicos mencionados anteriormente neste capítulo.

A representatividade significa atribuir um peso exagerado a resultados com base em amostras pequenas, como o jogador que pensa que um pequeno número de resultados consecutivos da cor preta na roleta de um cassino faça do preto um resultado mais provável do que o vermelho na próxima rodada. Economistas de Finanças argumentam que a representatividade pode levar a *reações exageradas* em retornos de ações. Mencionamos anteriormente que bolhas financeiras são como reações exageradas às notícias. As empresas de Internet mostraram um grande crescimento de receitas por um curto período no final dos anos 1990, levando muitos a

---

[20] Revisões excelentes sobre Finanças Comportamentais podem ser encontradas em Andrei Shleifer, *Inefficient Markets: An Introduction to Behavioral Finance*, op. cit., e em Nicholas Barberis e Richard Thaler, "A Survey of Behavioral Finance", em *Handbook of the Economics of Finance,* eds. George Constantinides, Milton Harris e Rene Stultz (Amsterdam: North Holland, 2003).

acreditarem que esse crescimento continuaria indefinidamente. Os preços das ações aumentaram (muito) com base nisso. Quando os investidores finalmente perceberam que esse crescimento não poderia ser sustentado, os preços despencaram.

O conservadorismo diz que os indivíduos ajustam suas opiniões de forma muito lenta às novas informações. Um mercado composto desse tipo de investidor provavelmente levaria a preços de ações que *reagem abaixo do esperado* na presença de novas informações. O exemplo relacionado a lucros inesperados pode ilustrar essa baixa reação. Os preços subiam devagar seguindo os anúncios de lucros inesperados positivos. Anúncios inesperados negativos tinham uma reação semelhante, mas oposta.

Os defensores do mercado eficiente chamam a atenção para o fato de que a representatividade e o conservadorismo têm consequências opostas para os preços de ações. Qual princípio, eles perguntam, deveria dominar em qualquer situação particular? Em outras palavras, por que os investidores deveriam reagir exageradamente às notícias sobre as ações da Internet, mas reagir discretamente às notícias de lucros? Os defensores da eficiência do mercado dizem que, a menos que os comportamentalistas possam responder a essas duas questões satisfatoriamente, não deveríamos rejeitar a eficiência do mercado em favor de Finanças Comportamentais.[21]

Embora tenhamos reservado mais espaço a argumentos sustentando a eficiência do mercado do que a argumentos sustentando os argumentos das finanças comportamentais, você não deveria tomar essa diferença como uma evidência a favor da eficiência. Ao contrário, o júri – nesse caso, a comunidade de economistas de Finanças – ainda não tem uma resposta. Não parece que nosso livro, ou qualquer outro livro, possa facilmente resolver a diferença nos pontos de vista.

14.8 Consequências para Finanças Corporativas

Até agora, este capítulo examinou os argumentos teóricos e evidências empíricas a respeito de mercados eficientes. Perguntamos agora se a eficiência de mercado tem alguma relevância para os administradores financeiros de empresas. A resposta é positiva. A seguir, consideraremos quatro consequências da eficiência para esses gestores.

1. Escolhas contábeis, escolhas financeiras e a eficiência de mercado

A profissão contábil oferece às empresas uma significativa flexibilidade para suas práticas de relatórios. Por exemplo, as empresas nos Estados Unidos podem escolher entre os métodos "o último a entrar é o primeiro a sair" (*last-in, first-out* – LIFO) ou "o primeiro a entrar é o primeiro a sair" (*first-in, first-out* – FIFO) para avaliação de seus estoques. Para a construção dos projetos, elas podem escolher o método da porcentagem completada ou o método de contrato terminado. Elas podem depreciar os ativos físicos por meio da depreciação em base linear ou acelerada.

Os gestores preferem que ações de suas empresas estejam com preços altos, e não com preços baixos. Os gestores poderiam usar de flexibilidade nas suas escolhas contábeis para relatar o lucro mais alto possível? Não necessariamente. Ou seja, as escolhas contábeis não deveriam afetar o preço das ações se duas condições se mantiverem: Primeiro, deve ser oferecida informação suficiente no relatório anual para que analistas financeiros possam calcular lucros utilizando métodos contábeis alternativos. Esse parece ser o caso para muitas, mas não todas, escolhas contábeis. Segundo, o mercado precisa ser eficiente na forma semiforte. Em outras palavras, o mercado precisa usar apropriadamente todas essas informações contábeis na determinação dos preços de mercado.

Obviamente, a questão de se as escolhas contábeis afetam o preço das ações é um assunto de caráter empírico. Vários pesquisadores têm estudado essa questão. Kaplan e Roll descobriram que mudanças da depreciação acelerada para o método linear não afetaram o preço de

---

[21] Veja, por exemplo, Fama, E. F., "Market Efficiency, Long-Term Returns, and Behavioral Finance", *Journal of Financial Economics*, v. 49, 1998.

ações.[22] Kaplan e Roll também olharam para mudanças no método de diferimento do crédito fiscal de investimentos para o método de fluxo.[23] Eles descobriram que uma mudança poderia aumentar os lucros, mas não tinha efeito no preço das ações.

Muitos outros procedimentos contábeis foram estudados. Hong, Kaplan e Mandelker não encontraram nenhuma evidência de que o mercado de ações tenha sido afetado pelos ganhos artificialmente maiores relatados usando o método de agrupamento se comparado ao método de compra, para aquisições e fusões.[24] Biddle e Lindahl descobriram que empresas que mudaram a avaliação de estoques para o método LIFO tiveram um aumento no preço das ações.[25] Isso é esperado em ambientes inflacionários, porque a avaliação LIFO pode reduzir tributos quando comparada à FIFO. Eles descobriram que quanto mais o tributo caía, resultado do uso da LIFO, maior era o aumento no preço das ações. Resumindo, a evidência empírica sugere que mudanças na contabilidade não enganam o mercado. Portanto, as evidências não sugerem que gestores possam aumentar os preços das ações de suas empresas por meio de práticas contábeis. Em outras palavras, o mercado parece eficiente o suficiente para enxergar no meio das diferentes escolhas contábeis.

É preciso fazer uma advertência. Nossa discussão supõe especificamente que "analistas financeiros possam calcular lucros sob métodos contábeis alternativos". Entretanto, empresas como a Enron, a WorldCom, a Global Crossing e a Xerox simplesmente apresentaram números fraudulentos em anos recentes. Não havia como os analistas construírem números de lucros de forma alternativa, porque eles não estavam a par de como os números apresentados foram decididos. Não é surpresa que os preços dessas ações inicialmente subiram bem acima do valor justo. Sim, gestores podem estimar os preços dessa forma – contanto que eles estejam dispostos a cumprir pena quando forem pegos!

Há algo mais que se espere que os investidores enxerguem em um mercado eficiente? Considere o desdobramento de ações (*stock splits*) e dividendos em ações nos Estados Unidos (*stock dividends*). Hoje, a Amarelo S/A tem 1 milhão de ações em circulação e apresenta $ 10 milhões em lucros. Na esperança de um estímulo aos preços das suas ações, o diretor financeiro da empresa, o Sr. Verde, recomenda ao conselho de administração que a Amarelo faça um desdobramento de ações de 2 por 1. Ou seja, um acionista com 100 ações antes do desdobramento teria 200 ações após o desdobramento. O diretor financeiro sustenta que cada investidor iria se sentir mais rico após o desdobramento, pois possuiria mais ações.

Esse pensamento vai contra a eficiência do mercado. Um investidor racional sabe que ele teria a mesma proporção da empresa antes ou após o desdobramento. Por exemplo, nosso investidor com 100 ações é dono de 1/10.000 (=100/1 milhão) de ações da Amarelo antes do desdobramento. Sua fatia nos ganhos da empresa poderia ser $ 1.000 (=10 milhões/10.000). Embora ele tivesse 200 ações após o desdobramento, haveria 2 milhões de ações em circulação. Assim, ele ainda seria titular de 1/10.000 da empresa. Sua fatia nos lucros da empresa ainda seria de $ 1.000, porque o desdobramento da ação não afetaria os lucros da empresa.

2. A escolha do momento da decisão

Imagine uma empresa cujos gestores estão pensando em uma data para emitir as ações. Essa decisão é frequentemente chamada decisão do momento. Se os gestores acreditam que as ações da sua empresa estão acima do preço, eles provavelmente irão emitir novas ações imediatamente. Aqui, eles estarão criando valor para os atuais acionistas da empresa, pois estarão venden-

---

[22] R. S. Kaplan e R. Roll, "Investor Evaluation of Accounting Information: Some Empirical Evidence", *Journal of Business*, v. 45, abr. 1972.

[23] Antes de 1987, a legislação tributária nos Estados Unidos permitia um crédito de 10% na compra na maioria dos tipos de equipamentos.

[24] H. Hong, R. S. Kaplan e G. Mandelker, "Pooling vs. Purchase: The Effects of Accounting for Mergers on Stock Prices", *Accounting Review*, v. 53, 1978. O método do agrupamento para fusões não é mais permitido, de acordo com os princípios contábeis nos Estados Unidos.

[25] G. C. Biddle e F. W. Lindahl, "Stock Price Reactions to LIFO Adoptions: The Association Between Excess Returns and LIFO Tax Savings", *Journal of Accounting Research*, 1982.

do ações por um valor mais alto do que elas realmente valem. Por outro lado, se os gestores acreditam que suas ações estão abaixo do preço correto, eles estão mais propensos a aguardar, esperando que o preço da ação suba até o seu valor verdadeiro.

Entretanto, se os mercados são eficientes, os títulos mobiliários são sempre precificados corretamente. Eficiência significa que a ação é vendida pelo seu valor correto, então a decisão do momento torna-se sem importância. A Figura 14.13 mostra três possíveis ajustes de preços na emissão de novas ações.

É claro que a eficiência do mercado é basicamente uma questão empírica. Surpreendentemente, pesquisas recentes sugerem que gestores têm certa habilidade com momentos. Ritter apresenta evidências de que os retornos anuais de ações nos cinco anos seguintes a uma oferta pública inicial são cerca de 2% menores para empresas emitentes do que os retornos de empresas não emitentes com índices valor contábil/preço de mercado comparáveis.[26] No mesmo período, os retornos anuais após uma emissão subsequente são de 3% a 4% menores para empresas emitentes do que para empresas não emitentes comparáveis. A primeira oferta pública de ações de uma empresa é chamada de oferta pública inicial (*IPO – initial public offering*), e todas as demais ofertas são chamadas de ofertas subsequentes (*SEOs – seasoned equity offerings*). A metade de cima da Figura 14.14 mostra a média anual de retornos de *ofertas públicas iniciais* e de seu grupo de controle, e a metade de baixo da figura mostra a média anual de retornos das *ofertas subsequentes* e de seu grupo de controle.

As evidências do artigo de Ritter sugerem que os gestores das empresas fazem emissões subsequentes quando as ações da empresa estão acima do preço; em outras palavras, os gestores parecem dominar com sucesso o momento de mercado. A evidência de que os gestores dominam o momento para suas ofertas iniciais é menos convincente; os retornos que se seguem às ofertas iniciais estão próximos daqueles do grupo de controle.

A capacidade de um gestor de empresas realizar uma emissão subsequente quando a ação está sobreprecificada indica que o mercado é ineficiente na forma semiforte ou na forma forte? A reposta é, na verdade, um pouco mais complexa do que parece à primeira vista. Por um

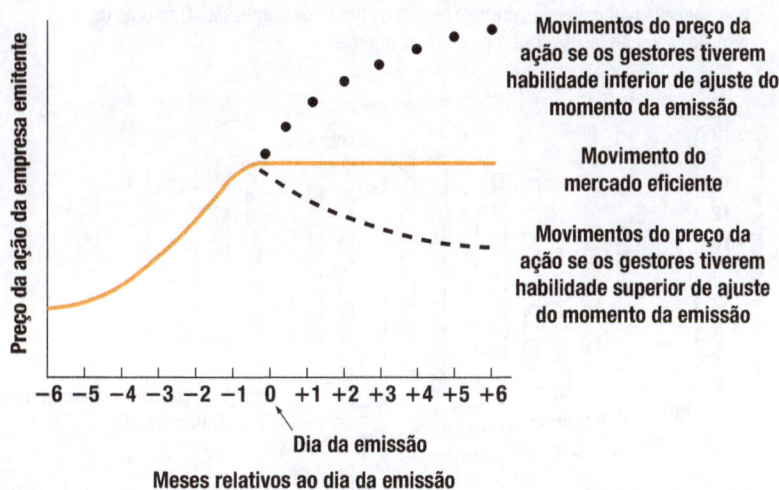

Os estudos mostram mais propensão à emissão de novas ações após um aumento do preço da ação atual. Não se pode inferir eficiência de mercado a partir desse resultado. Pelo contrário, a eficiência de mercado diz que o preço da ação da empresa emitente, em média, não subiria nem cairia (em relação ao índice do mercado de ações) após a emissão.

FIGURA 14.13 Três ajustes no preço após emissão de ações.

---

[26] Jay Ritter, "Investment Banking and Security Issuance", Capítulo 9 de *Handbook of the Economics of Finance,* ed. George Constantinides, Milton Harris, and Rene Stulz. Amsterdam: North Holland, 2003.

lado, gestores têm maior probabilidade de ter informações especiais que o restante de nós não tem, sugerindo que o mercado precisa ser apenas ineficiente na forma forte. Por outro lado, se o mercado tivesse realmente a forma semiforte, o preço cairia imediatamente e exatamente no momento do anúncio de uma iminente emissão subsequente. Ou seja, os investidores racionais perceberiam que a ação está sendo emitida porque a administração da empresa tem informações especiais de que a ação está acima do preço justo. De fato, muitos estudos empíricos relatam uma queda de preço na data do anúncio. Entretanto, a Figura 14.14 mostra uma queda de preço adicional nos anos subsequentes, sugerindo que o mercado é ineficiente na forma semiforte.

Se as empresas podem ajustar o momento da emissão de ações, talvez elas possam também ajustar o momento da recompra de ações. Nesse caso, uma empresa decidiria recomprar de suas ações quando se encontrassem abaixo do valor justo. Ikenberry, Lakonishok e Verma-

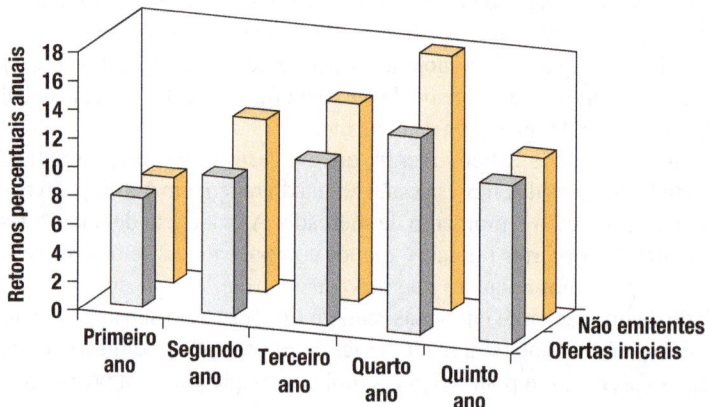

A média bruta de retornos para 7.042 IPOs, de 1970 a 2000, e para empresas comparáveis não emitentes durante os cinco anos após a emissão. O retorno do primeiro ano não inclui o retorno no dia da emissão.

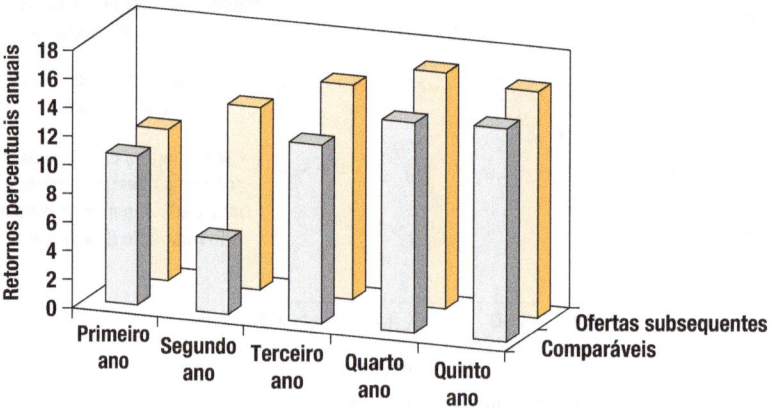

As médias são de retornos brutos para 7.502 emissões subsequentes, de 1970 a 2000, e para empresas comparáveis não emitentes durante os cinco anos após a emissão. O retorno do primeiro ano não inclui o retorno no dia da emissão. Em média, os retornos das ofertas iniciais estão abaixo do desempenho de seus grupos de controle em cerca de 2% por ano nos cinco anos seguintes à emissão. Os retornos das ofertas subsequentes estão abaixo do desempenho do grupo de controle em cerca de 3 a 4% por ano.

FIGURA 14.14 Retornos sobre ofertas públicas iniciais e emissões subsequentes de ações nos anos seguintes à emissão.

Fonte: Jay Ritter, "Investment Banking and Security Issuance", Capítulo 9 de *Handbook of the Economics of Finance*, ed. George Constantinides, Milton Harris e Rene Stulz (Amsterdam: North Holland, 2003).

elen descobriram que os retornos de ações de empresas que fazem recompras de suas ações são altos nos dois anos seguidos à recompra, sugerindo que o ajuste do momento de compra funciona aqui.[27]

3. Especulação e mercados eficientes

Normalmente, nós pensamos nas pessoas e nas instituições financeiras como os principais especuladores nos mercados financeiros. Entretanto, empresas também especulam. Por exemplo, muitas empresas fazem apostas na taxa de juros. Se os gestores de uma empresa acreditam que as taxas de juros estão propensas a subir, eles têm um incentivo para tomar empréstimos, porque o valor presente da obrigação cairá com o aumento da taxa. Além disso, esses gestores terão um incentivo para fazer empréstimos com longo prazo em vez de com curto prazo, para fixar as taxas baixas por um longo período. O raciocínio pode ficar mais sofisticado. Imagine que as taxas de longo prazo já sejam maiores do que as taxas de curto prazo. O gestor pode acreditar que esse diferencial reflete a visão do mercado de que as taxas subirão, mas ele talvez antecipe um aumento de taxas ainda maior do que o que o mercado já antecipa, e como refletido na estrutura a termo ascendente. Novamente, o gestor irá querer tomar empréstimos a prazos longos, e não curtos.

As empresas também especulam em moedas estrangeiras. Imagine que o diretor financeiro de uma empresa multinacional brasileira acredita que o euro enfraquecerá em relação ao dólar. Ele provavelmente procuraria fazer uma emissão de *bonds* expressos em euros em vez de uma emissão em dólares, porque ele espera que o valor da obrigação em moeda estrangeira caia. Ao contrário, ele procuraria captar em reais se acreditasse que o dólar e o euro se valorizariam em relação ao real.

Talvez estejamos avançando um pouco a nossa história: As sutilezas da estrutura a termo de taxas de juros e das taxas de câmbio são trabalhadas em outros capítulos, não neste. Entretanto, a ideia geral é a seguinte: o que a eficiência do mercado tem a dizer sobre tais atividades? A resposta é clara. Se os mercados financeiros são eficientes, os gestores não deveriam perder tempo tentando prever os movimentos das taxas de juros e das moedas estrangeiras. Suas previsões não serão melhores do que a sorte, e eles estarão gastando seu tempo precioso de executivos. Isto não quer dizer, entretanto, que as empresas devam levianamente escolher o vencimento ou a moeda de suas dívidas de forma aleatória. Uma empresa precisa *escolher* esses parâmetros com muito cuidado. Entretanto, a escolha deveria ser baseada em outras racionalidades, não em uma tentativa de bater o mercado. Por exemplo, uma empresa com um projeto com duração de cinco anos poderia considerar a emissão de dívida de cinco anos. Uma empresa poderia considerar dívidas expressas em iene se o Japão fosse um importador importante de seus produtos.

O mesmo se aplica às aquisições. Muitas empresas compram outras porque pensam que esses alvos estão abaixo do preço. Infelizmente, as evidências empíricas sugerem que o mercado é muito eficiente para que esse tipo de especulação seja lucrativo. E quem adquire nunca paga apenas o preço real de mercado. A empresa que oferece deve pagar um prêmio acima do valor de mercado para induzir uma maioria de acionistas da empresa alvo a vender suas ações. Entretanto, isso não quer dizer que outras empresas nunca devessem ser adquiridas. Em vez disso, os gestores deveriam considerar uma aquisição se houver benefícios (sinergias) dessa união. A melhora no *marketing*, economias na produção, substituição de maus gestores e até mesmo a redução de tributos são sinergias típicas. Perceber tais sinergias é diferente de perceber que uma empresa está abaixo do preço.

Uma questão final deve ser mencionada. Falamos anteriormente sobre evidências empíricas sugerindo que o momento das ofertas subsequentes é ajustado para tirar vantagem da elevação de preço das ações. Isso faz sentido – é mais provável que os gestores saibam mais sobre suas próprias empresas do que que o mercado saiba sobre elas. Entretanto, embora os gestores possam ter informações especiais sobre suas próprias empresas, é improvável que eles tenham informações especiais sobre taxas de juros, moedas estrangeiras e outras empresas. Há simplesmente muitos participantes nesses mercados, muitos dos quais estão dedicando todo o

---

[27] D. Ikenberry, J. Lakonishok e T. Vermaelen, "Market Underreaction to Open Market Share Repurchases", *Journal of Financial Economics*, oct./nov., 1995.

seu tempo para efetuar previsões. Gestores tipicamente gastam a maior parte do seu esforço dirigindo suas próprias empresas, com apenas uma pequena quantidade do tempo dedicada ao estudo dos mercados financeiros.

4. A informação nos preços do mercado

Na seção anterior, argumentamos que é bastante difícil prever os preços futuros do mercado. Entretanto, os preços correntes e passados de qualquer ativo são conhecidos – e de grande utilidade. Considere, por exemplo, o estudo de Becher sobre fusões de bancos.[28] O autor descobriu que os preços das ações de bancos adquiridos sobem cerca de 23% em média após o primeiro anúncio de uma fusão. Isto não é surpresa, porque as empresas têm seu controle adquirido a um prêmio acima do preço corrente das ações. Entretanto, o mesmo estudo mostra que os preços das ações dos bancos adquirentes caem quase que 5% em média com o mesmo anúncio. Essa é uma evidência muito forte de que as fusões de bancos não beneficiam, e podem mesmo prejudicar, os bancos adquirentes. O motivo para esse resultado não é claro, embora talvez o adquirente sempre pague a mais pelas aquisições. Independentemente do motivo, a *consequência* é clara. Um banco deveria pensar com cuidado antes de adquirir outro banco.

Indo além, suponha que você seja o diretor financeiro de uma empresa cujo preço das ações cai significativamente com o anúncio de uma aquisição. O mercado está dizendo a você que a fusão é ruim para a sua empresa. Você deveria considerar seriamente o cancelamento da aquisição, mesmo que, antes do anúncio, você pensasse que isso era uma boa ideia.

É claro, fusões e aquisições são apenas um tipo de evento corporativo. Os gestores deveriam prestar atenção à reação do preço das ações a qualquer um de seus anúncios, seja um novo empreendimento, uma alienação, uma reestruturação ou outra coisa.

Essa não é a única forma pela qual as empresas podem usar a informação nos preços de mercado. Imagine que você esteja no conselho de administração de uma empresa cujo preço das ações caiu surpreendentemente desde que o atual diretor-presidente foi contratado. Somado a isso, os preços das ações dos competidores têm subido ao mesmo tempo. Embora possa haver circunstâncias atenuantes, isso pode ser visto como evidência de que o diretor-presidente está fazendo um trabalho ruim. Talvez ele devesse ser despedido. Se isso parecer drástico demais, considere que Warner, Watts e Wruck encontram uma forte correlação negativa entre a troca de presidentes e o desempenho anterior das ações.[29] A Figura 14.15 mostra que o preço das ações cai, em média, cerca de 40% (em relação ao movimento do mercado) nos três anos anteriores à saída forçada de um diretor-presidente.

Se os administradores são demitidos por um mau desempenho no preço das ações, talvez eles sejam premiados pela valorização no preço das ações de sua empresa. Hall e Liebman afirmam:

> Nossa principal descoberta empírica é que a riqueza de um diretor-presidente geralmente muda em milhões de dólares para mudanças típicas no valor da empresa. Por exemplo, a mediana da remuneração total de um diretor-presidente é de US$ 1 milhão se as ações de sua empresa têm um retorno anual de 30º percentil (− 7%) e de US$ 5 milhões se as ações da empresa têm um retorno anual de 70º percentil (20,5%). Assim, existe uma diferença de aproximadamente US$ 4 milhões na remuneração por atingir um desempenho moderadamente acima da média relativo a um desempenho moderadamente abaixo da média.[30]

A eficiência de mercado tem por consequência os preços das ações refletirem todas as informações disponíveis. Recomendamos usar essa informação o máximo possível nas decisões das empresas. E, pelo menos no que diz respeito a demissões e a remuneração de executivos, parece que as empresas no mundo real, de fato, prestam atenção aos preços de mercado.

---

[28] David A. Becher, "The Valuation Effects of Bank Mergers", *Journal of Corporate Finance*, v. 6, 2000.

[29] Jerold B. Warner, Ross L. Watts e Karen H. Wruck, "Stock Prices and Top Management Changes", *Journal of Financial Economics* 20 (1988).

[30] Brian J. Hall e Jeffrey B. Liebman, "Are CEOs Really Paid Like Bureaucrats?" *Quarterly Journal of Economics* (agosto de 1998), p. 654.

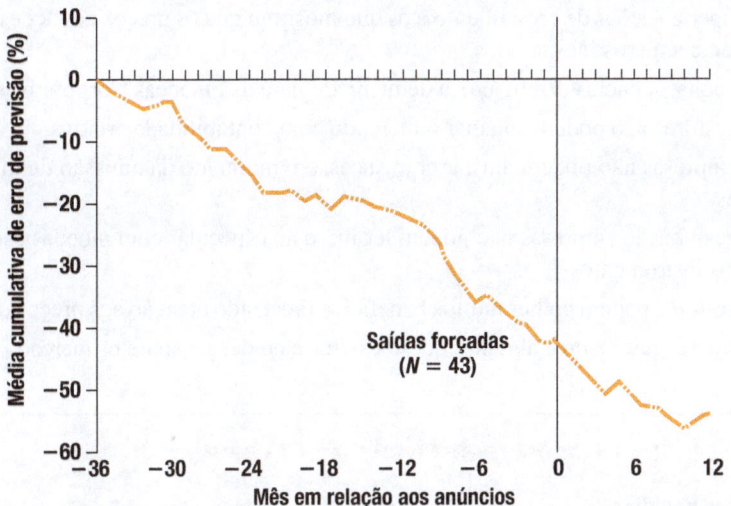

Os preços das ações caem, em média, mais de 40% (ajustados para o desempenho de mercado) nos três anos anteriores às saídas forçadas dos administradores.

FIGURA 14.15 Desempenho de ações anterior à saída forçada da administração.

Fonte: Adaptado da Figura 1 de Warner, Watts e Wruck, "Stock Prices and Top Management Changes", *Journal of Financial Economics* 20 (1988).

Resumo e conclusões

1. Um mercado de títulos mobiliários eficiente processa a informação disponível aos investidores sobre o valor econômico implícito dos títulos e os incorpora nos preços desses títulos. A eficiência de mercado tem duas consequências gerais. Primeiro, em dado período, um retorno anormal dos títulos depende de informações ou notícias recebidas pelo mercado naquele período. Segundo, um investidor que utiliza a mesma informação disponível para o mercado não pode esperar ganhar retornos anormais. Em outras palavras, sistemas para ganhar do mercado estão fadados ao fracasso.

2. Que informações o mercado utiliza para determinar o preço das ações?
    a. A hipótese da eficiência em sua forma fraca diz que o mercado utiliza o histórico dos preços das ações e é, portanto, eficiente com respeito a esses preços passados. Isso significa que a seleção de ações baseada nos padrões de movimento de seus preços passados não é melhor do que a seleção aleatória de ações.
    b. A forma semiforte afirma que o mercado utiliza todas as informações publicamente disponíveis para estabelecer os preços.
    c. A eficiência em sua forma forte afirma que o mercado utiliza todas as informações que alguém possa conhecer sobre uma ação, até mesmo as informações privilegiadas internas da empresa emitente.

3. As Finanças Comportamentais afirmam que o mercado não é sempre eficiente. Os seus adeptos argumentam que:
    a. Os investidores não são racionais.
    b. Os desvios da racionalidade ocorrem de forma semelhante entre os investidores.
    c. A arbitragem, por ter alto custo, não elimina as ineficiências.

4. Para confirmar empiricamente suas opiniões, os comportamentalistas apontam muitos estudos, incluindo os que mostram que ações de empresas de pequena capitalização de mercado superam ações de empresas de grande capitalização, os que mostram que ações de

valor superam ações de crescimento e os que mostram que os preços das ações ajustam-se lentamente a lucros inesperados.

5. Quatro consequências da eficiência de mercado para as Finanças Corporativas são:
   a. Os gestores não podem enganar o mercado com contabilidade criativa.
   b. As empresas não podem ajustar com sucesso o momento da emissão de dívidas ou de ações.
   c. Os gestores de empresas não podem ter lucro ao especular com moedas estrangeiras e outros instrumentos.
   d. Os gestores podem colher muitos benefícios prestando atenção aos preços do mercado.

O quadro a seguir resume algumas questões-chave no debate sobre os mercados eficientes:

Hipótese dos mercados eficientes: um resumo

A hipótese não diz:
- Os preços não têm causas antecedentes.
- Os investidores são tolos e muito ingênuos para estarem no mercado.
- Todas as ações têm o mesmo retorno esperado.
- Os investidores deveriam lançar dardos para selecionar as ações.
- Não há tendência ascendente nos preços das ações.

A hipótese diz:
- Os preços refletem o valor subjacente.
- Os gestores financeiros não podem ajustar o momento da emissão de ações e de títulos de dívida.
- Gestores não podem especular lucrativamente com moedas estrangeiras.
- Gestores não podem estimular o preços das ações com contabilidade criativa.

Por que nem todos acreditam nisso?
- Há ilusões de óptica, miragens e padrões aparentes nos gráficos dos retornos dos mercados de ações.
- A verdade é menos interessante.
- Há evidências contra a eficiência:
  - Duas classes de ações diferentes da mesma empresa, mas financeiramente idênticas, negociadas a preços diferentes.
  - Lucros inesperados.
  - Ações de empresas com pequena capitalização *versus* ações de empresas com grande capitalização.
  - Ação de valor *versus* ação de crescimento.
  - Quebras e bolhas.

Três formas:
   A forma fraca: Os preços correntes refletem os preços passados; a análise gráfica (análise técnica) é inútil.
   A forma semiforte: Os preços refletem todas as informações públicas; a maioria das análises financeiras é inútil.
   A forma forte: Os preços refletem tudo o que é conhecido; ninguém obtém ganhos superiores de forma consistente.

Capítulo 14 Eficiência do Mercado de Capitais e Desafios Comportamentais

QUESTÕES CONCEITUAIS

1. **Valor da empresa** Qual regra uma empresa deveria seguir quando toma decisões financeiras? Como empresas podem criar oportunidades valiosas de financiamento?

2. **Hipótese dos mercados eficientes** Defina as três formas de eficiência do mercado.

3. **Hipótese dos mercados eficientes** Quais das seguintes afirmações são verdadeiras sobre a hipótese dos mercados eficientes?
   a. Pressupõe uma capacidade de previsão perfeita.
   b. Pressupõe que os preços refletem todas as informações disponíveis.
   c. Pressupõe um mercado irracional.
   d. Pressupõe que os preços não flutuam.
   e. Resulta da forte concorrência entre os investidores.

4. **Consequências da eficiência de mercado** Explique por que uma característica do mercado eficiente é a de que os investimentos nesse mercado têm VPL zero.

5. **Hipótese dos mercados eficientes** Um analista do mercado de ações pode identificar ações com precificação incorreta ao comparar o preço médio dos últimos 10 dias com o preço médio dos últimos 60 dias. Se isso for verdadeiro, o que você sabe sobre esse mercado?

6. **Eficiência semiforte** Se um mercado é eficiente na forma semiforte, ele também é eficiente na forma fraca? Explique.

7. **Hipótese dos mercados eficientes** Quais são as consequências da hipótese dos mercados eficientes para os investidores que compram e vendem ações na tentativa de "ganhar do mercado"?

8. **Ações *versus* apostas** Avalie criticamente a seguinte afirmação: O mercado de ações é como um jogo de azar; tal investimento especulativo não tem valor social além do prazer que as pessoas sentem com as apostas.

9. **Hipótese dos mercados eficientes** Existe vários investidores e consultores de ações famosos, muito mencionados na imprensa financeira, que registraram enormes retornos sobre seus investimentos nas duas últimas décadas. O sucesso desses investidores em particular invalida a HME? Explique.

10. **Hipótese dos mercados eficientes** Para cada um dos seguintes cenários, discuta se existem oportunidades de lucro ao negociar ações de uma empresa sob condições em que (1) o mercado não é eficiente na forma fraca, (2) o mercado é eficiente na forma fraca, mas não é eficiente na forma semiforte, (3) o mercado é eficiente na forma semiforte, mas não é eficiente na forma forte e (4) o mercado é eficiente na forma forte.
    a. O preço das ações tem subido a cada dia nos últimos 30 dias.
    b. As demonstrações financeiras de uma empresa foram publicadas há três dias, e você acredita ter descoberto algumas anomalias no controle de estoques e no controle de custos que estão subestimando a verdadeira potencialidade de liquidez da empresa.
    c. Você observa que os administradores de primeiro escalão de determinada empresa compraram, na última semana, muitas ações da empresa na bolsa.

    Use as seguintes informações para responder às duas próximas questões:

    A análise técnica é uma prática controversa de investimentos; a análise técnica abrange uma grande variedade de técnicas, todas utilizadas na tentativa de prever a direção de uma ação específica do mercado. A análise técnica olha para dois principais tipos de informação: o histórico do preço das ações e o sentimento do investidor. Um analista técnico defenderia que esses dois pontos fornecem informações sobre a direção futura de uma ação determinada ou sobre a direção do mercado como um todo.

11. **Análise técnica** O que um analista técnico diria sobre a eficiência de mercado?

12. **Sentimento do investidor** Uma ferramenta de análise técnica algumas vezes utilizada para prever os movimentos do mercado é o *índice de sentimento do investidor*. A Associação Americana de Investidores Individuais (*AAII – American Association of Individual Investors*) publica um índice de sentimento do investidor baseado em pesquisas com seus associados. No quadro seguinte, você encontrará o percentual de investidores que estavam otimistas, pessimistas ou neutros durante um período de quatro semanas.

Semana	Otimista	Pessimista	Neutro
1	37%	25%	38%
2	52	14	34
3	29	35	36
4	43	26	31

    O que o índice de sentimento do investidor pretende capturar? Como ele seria útil em uma análise técnica?

13. **O desempenho dos profissionais** Em meados da década de 1990, o desempenho dos profissionais de investimento nos Estados Unidos era excepcionalmente baixo: por volta de 90% de todos os fundos de ações norte-americanos tiveram desempenho abaixo de um fundo de índice administrado passivamente. Como isso afeta a questão da eficiência do mercado?

14. **Mercados eficientes** Há cem anos ou mais, as empresas não elaboravam relatórios anuais. Mesmo que você fosse acionista de uma empresa em particular, era pouco provável que você tivesse a permissão para ver o balanço patrimonial e a demonstração de resultados da empresa. Supondo que o mercado seja eficiente na forma semiforte, o que isso diz sobre a eficiência do mercado de então comparado com o de agora?

15. **Hipótese dos mercados eficientes** A Aerotech, uma empresa de pesquisa em tecnologia aeroespacial, anunciou esta manhã que contratou os pesquisadores mais especializados e produtivos do mundo. Antes desse dia, as ações da Aerotech eram negociadas a US$ 100. Suponha que nenhuma outra informação é recebida na próxima semana e que o mercado de ações como um todo não se movimente.

    a. O que você acha que acontecerá às ações da Aerotech?

    b. Considere os seguintes cenários:

    i. O preço da ação dá um salto para US$ 118 no dia do anúncio. Nos dias subsequentes, ele flutua até US$ 123, então cai para US$ 116.

    ii. O preço da ação pula para US$ 116 e permanece nesse nível.

    iii. O preço da ação sobe gradualmente até $ 116 durante a semana seguinte.

    Qual(is) cenário(s) indica(m) a eficiência do mercado? Qual(is) não indica(m)? Por quê?

16. **Hipótese dos mercados eficientes** Quando o fundador de 56 anos de idade da Golfo S/A faleceu de um ataque cardíaco, o preço da ação pulou imediatamente de $ 18,00 por ação para $ 20,25, um aumento de 12,5%. Essa é uma evidência da ineficiência do mercado, porque um mercado de ações eficiente poderia antecipar a sua morte e ajustar o preço antecipadamente. Suponha que nenhuma outra informação seja recebida e que o mercado de ações como um todo não se movimente. Essa afirmação sobre a eficiência do mercado é verdadeira ou falsa? Explique.

17. **Hipóteses dos mercados eficientes** O seguinte anúncio é feito hoje: "A Companhia Produtos Corretos para Saúde S/A (PCS) informa que chegou a um acordo com o Ministério Público, encerrando investigação por supostas práticas discriminatórias nas contratações de colaboradores, mediante termo de ajustamento de conduta (TAC). A PCS pagará $ 2 milhões por ano para um fundo representando pessoas que foram vítimas de políticas discriminatórias durante os próximos cinco anos". Supondo que o mercado seja eficiente, o investidor deveria deixar de comprar ações da PCS após o anúncio, porque o TAC trará uma taxa anormalmente baixa de retorno? Explique.

18. Hipótese dos mercados eficientes A empresa Novatec adotará um novo dispositivo de teste de circuitos (*chips*) que poderá melhorar muito a eficiência de sua produção. Você acha que o engenheiro-chefe pode lucrar com a compra de ações da empresa antes que a notícia sobre o dispositivo seja divulgada? Após ler o anúncio no *Valor Econômico*, você seria capaz de ganhar um retorno anormal na compra dessa ação se o mercado é eficiente? Caso o engenheiro-chefe efetivamente adquira ações da Novatec pouco antes do anúncio e essa informação chegar à CVM, o que acontecerá? Dica: consulte a página da CVM (http://www.cvm.gov.br/) e pesquise sobre decisões do Colegiado da CVM em situações semelhantes na guia "Decisões do Colegiado", à esquerda na página inicial.

19. Hipótese dos mercados eficientes A Confiança S/A modificou a maneira como contabiliza seus estoques. Os tributos não são afetados, embora a demonstração de resultados divulgada neste trimestre apresente um lucro 20% maior do que os lucros sob o sistema de contabilização anterior. Não há outra surpresa na divulgação de resultados, e a mudança no tratamento contábil foi anunciada publicamente. Se o mercado é eficiente, o preço da ação será maior quando o mercado souber que os lucros divulgados são maiores?

20. Hipótese dos mercados eficientes A agência de informações de mercado Durkin Investimentos vende assinaturas para investidores e tem sido a melhor selecionadora de ações do país nos últimos dois anos. Antes que a fama viesse, o informativo da Durkin tinha 200 assinantes. Esses assinantes ganharam do mercado consistentemente, tendo retornos substancialmente maiores após ajustes para risco e custos de transação. As assinaturas dispararam para 10.000 assinantes. Agora, quando a agência Durkin recomenda uma ação, o preço instantaneamente sobe sete pontos. Os assinantes atuais ganham apenas um retorno normal quando compram as ações recomendadas, porque os preços sobem antes que alguém possa agir com base nessa informação. Explique esse fenômeno brevemente. A capacidade de escolha de ações da agência Durkin é consistente com a eficiência de mercado?

21. Hipótese dos mercados eficientes Seu corretor comentou que empresas bem administradas são um investimento melhor do que empresas mal administradas. Como prova, o seu corretor citou um estudo recente examinando 100 pequenas indústrias que oito anos antes haviam sido listadas em uma revista voltada ao setor como as indústrias de pequeno porte mais bem administradas do país. Nos oito anos subsequentes, essas 100 empresas não tiveram um retorno maior do que o retorno normal do mercado. Seu corretor continuou dizendo que, se essas empresas fossem bem administradas, elas deveriam ter tido um retorno maior do que a média dos retornos do mercado. Se o mercado é eficiente, você concorda com seu corretor?

22. Hipótese dos mercados eficientes Um famoso economista acabou de anunciar no *The WallStreet Journal* sua descoberta de que a recessão nos Estados Unidos acabou e a economia está voltando a se expandir novamente. Suponha que o mercado é eficiente. Você poderia lucrar investindo no mercado de ações dos Estados Unidos após ter lido esse anúncio?

23. Hipótese dos mercados eficientes Imagine que o mercado é eficiente na forma semiforte. Você pode esperar retornos excedentes se fizer negócios com ações baseados em:

   a. Informações do seu corretor sobre os recordes de ganhos de uma ação?

   b. Rumores sobre a fusão de uma empresa?

   c. Anúncio do dia anterior sobre o teste bem-sucedido de um novo produto?

24. Hipótese dos mercados eficientes Imagine que uma variável macroeconômica em particular que influencia os lucros líquidos de sua empresa tenha correlação serial positiva. Suponha que o mercado seja eficiente. Você esperaria que os preços de sua ação também apresentassem correlação serial? Por quê?

25. Hipótese dos mercados eficientes A hipótese dos mercados eficientes tem como consequência todos os fundos de investimento deverem obter o mesmo retorno esperado ajustado ao risco. Portanto, podemos simplesmente escolher fundos de investimento de forma aleatória. Essa afirmação é verdadeira ou falsa? Explique.

26. **Hipótese dos mercados eficientes** Suponha que os mercados sejam eficientes. Durante um dia de negócios, a Companhia de Golfe S/A anunciou que havia perdido o contrato de um grande projeto de golfe que, até o momento, era tido como certo. Se o mercado é eficiente, como o preço da ação deve reagir a essa informação se nenhuma informação adicional for divulgada?

27. **Hipótese dos mercados eficientes** A Prospector S/A é uma mineradora de ouro que negocia seus títulos em bolsa. Embora a buscas por ouro realizadas pela empresa geralmente falhem, ocasionalmente encontram uma veia rica do minério. Que padrão você esperaria observar para retornos cumulativos anormais da mineradora se o mercado for eficiente?

28. **Evidências da eficiência de mercado** Algumas pessoas afirmam que a hipótese dos mercados eficientes não pode explicar a quebra do mercado de 1987 nos Estados Unidos ou os altos preços em relação aos lucros para as ações da internet durante o final da década de 1990. Qual hipótese alternativa é mais usada para esses dois fenômenos?

QUESTÕES E PROBLEMAS

BÁSICO
(Questões 1-4)

1. **Retornos anormais cumulativos** As empresas Delta, United e American Airlines anunciaram compras de aviões em 18 de julho (18/07), 12 de fevereiro (12/02) e 7 de outubro (07/10), respectivamente. Dadas as informações seguintes, calcule o retorno anormal cumulativo (CAR) para essas ações como um grupo. Faça um gráfico com o resultado e forneça uma explicação. Todas as ações têm um *beta* de 1, e nenhum outro anúncio foi feito.

Delta			United			American		
Data	Retorno do mercado	Retorno da empresa	Data	Retorno do mercado	Retorno da empresa	Data	Retorno do mercado	Retorno da empresa
12/7	−0,3	−0,5	8/2	−0,9	−1,1	1/10	0,5	0,3
13/7	0,0	0,2	9/2	−1,0	−1,1	2/10	0,4	0,6
16/7	0,5	0,7	10/2	0,4	0,2	3/10	1,1	1,1
17/7	−0,5	−0,3	11/2	0,6	0,8	6/10	0,1	−0,3
18/7	−2,2	1,1	12/2	−0,3	−0,1	7/10	−2,2	−0,3
19/7	−0,9	−0,7	15/2	1,1	1,2	8/10	0,5	0,5
20/7	−1,0	−1,1	16/2	0,5	0,5	9/10	−0,3	−0,2
23/7	0,7	0,5	17/2	−0,3	−0,2	10/10	0,3	0,1
24/7	0,2	0,1	18/2	0,3	0,2	13/10	0,0	−0,1

2. **Retornos anormais cumulativos** O gráfico seguinte mostra os retornos anormais cumulativos (CAR) para 386 empresas exploradoras de petróleo anunciando descobertas de petróleo entre 1950 e 1980. O mês 0 no gráfico corresponde ao mês do anúncio. Suponha que nenhuma outra informação seja recebida e que o mercado de ações como um todo não se movimente. O gráfico é consistente com a eficiência do mercado? Por quê?

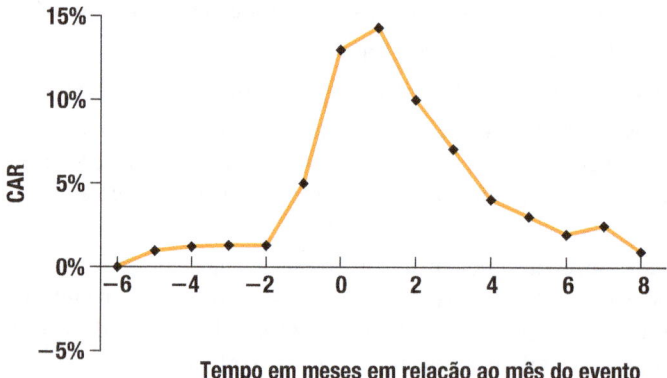

3. **Retornos anormais cumulativos** As figuras que seguem apresentam os resultados de quatro estudos de retornos anormais cumulativos (CAR). Indique se os resultados de cada estudo afirmam, rejeitam ou são inconclusivos a respeito da hipótese de eficiência do mercado em sua forma semiforte. Em cada figura, o tempo 0 é a data do evento.

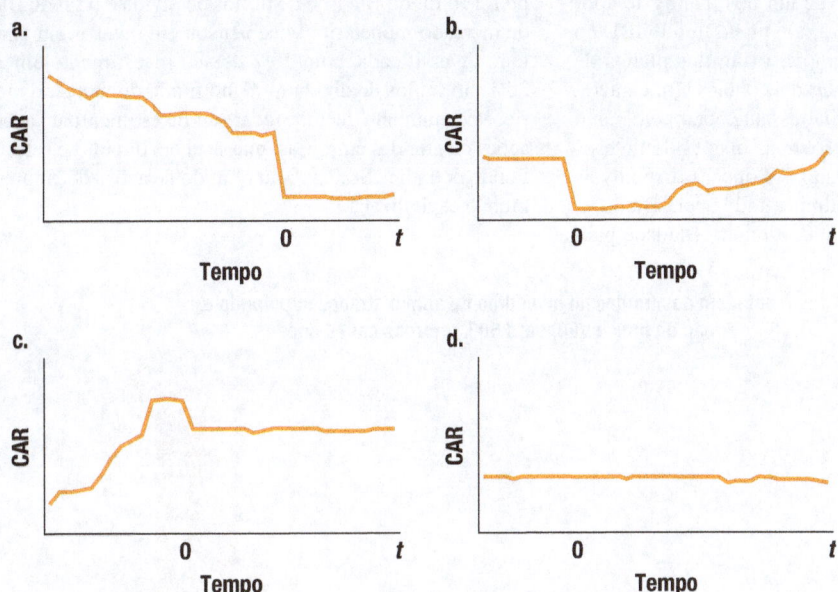

4. **Retornos anormais cumulativos** Um estudo analisou o comportamento dos preços das ações das empresas norte-americanas que haviam perdido casos de antitruste. No gráfico, estão incluídas todas as empresas que perderam a decisão inicial no tribunal, mesmo que a decisão tenha sido anulada mais tarde diante de apelação. O evento no Tempo 0 é a inicial, ou seja, a decisão do tribunal pré-apelação. Suponha que nenhuma outra informação tenha sido liberada além daquela divulgada no julgamento inicial. Todos os preços das ações têm um *beta* de 1. O gráfico é consistente com a eficiência do mercado? Por quê?

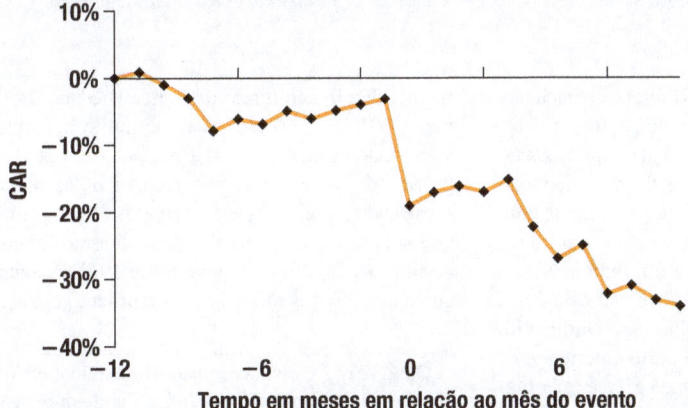

MINICASO

O seu plano de aposentadoria

Você foi contratado pela filial brasileira de uma empresa norte-americana e decidiu participar de um dos planos de aposentadoria oferecidos pela empresa, um plano tipo PGBL no Brasil ou um plano 401 (k) da empresa (um dos planos de aposentadoria norte-americanos). Os dois planos têm características equivalentes. Você achou interessante optar pelo plano 401 (k), mas ainda está inseguro sobre as opções de investimento a escolher dentro desse plano. As opções disponíveis são ações da empresa e fundos administrados pela Bledsoe: o fundo de índice Bledsoe S&P 500, o Fundo Bledsoe para pequenas empresas, o fundo de ações Bledsoe de grandes empresas, o fundo Bledsoe de títulos de dívida e o fundo Bledsoe de mercado monetário. Você pensou em investir em uma carteira diversificada, com 70% de seu investimento em ações, 25% em títulos de dívida e 5% no fundo do mercado monetário. Você também decidiu focar seu investimento de ações em ações de grandes empresas, mas está em dúvida se seleciona o Fundo de Índice S&P 500 ou o fundo de ações de empresas de grande capitalização.

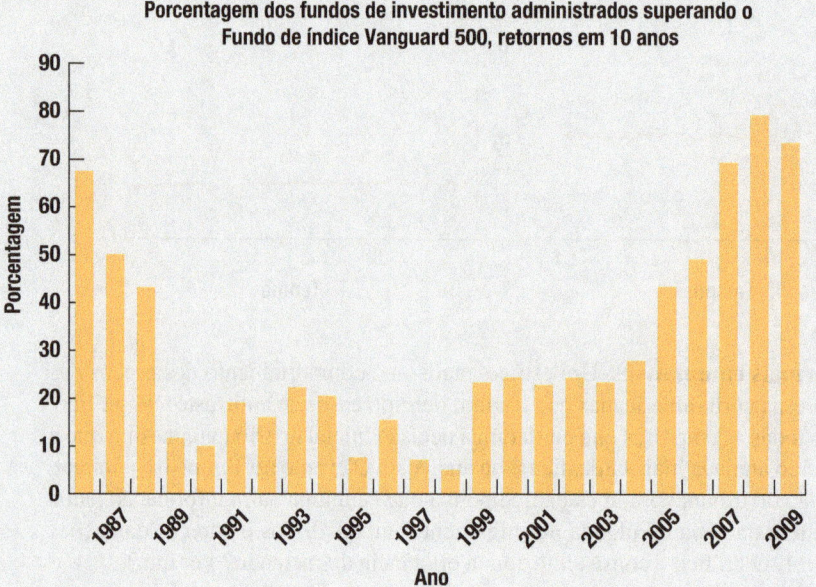

Fonte: De Bradford Jordan, Thomas Miller e Steven Dolvin, *Fundamentals of Investments*, 6ª ed., p. 237. McGraw-Hill, Nova York, 2012.

Refletindo sobre isso, você entende a diferença básica nos dois fundos. Um deles é um fundo puramente passivo que replica um grande índice de empresas de grande capitalização largamente seguido, o S&P 500, e tem taxas de administração mais baixas. O outro é um fundo administrado ativamente com a intenção de que a habilidade do administrador da carteira resulte em melhor desempenho em relação a um índice. Neste, as taxas de administração são mais altas. Você não está certo sobre qual escolher, então pede um conselho para Dan Ervin, que trabalha na área financeira da empresa norte-americana.

Após explicar suas preocupações, Dan dá a você informações comparando o desempenho dos fundos de investimento em ações e o fundo de índice Vanguard 500. O Vanguard 500 é o maior fundo de investimento em ações do mundo. Ele replica o S&P 500, e seus retornos têm uma diferença ínfima se comparados aos retornos do S&P 500. As taxas de administração são muito baixas. Como resultado, o Vanguard 500 é essencialmente idêntico ao fundo de índice Bledsoe S&P oferecido no plano 401 (k), mas ele existe há muito mais tempo, portanto você pode estudar sua trajetória por mais de duas décadas. O gráfico de barras mostrado resume os comentários de Dan, mostrando a porcentagem de fundos de investimento em ações que superaram o fundo Vanguard 500 ao longo de 22 anos.* Assim, por exemplo, de janeiro de 1977 a dezembro de 1986, cerca de 70% dos fundos de investimento em ações superaram

---

* Observe que esse gráfico não é hipotético; ele reflete o desempenho real do Vanguard 500 Index Fund em relação a um grande número de fundos de investimento em ações diversificados dos Estados Unidos. Fundos especiais, como fundos internacionais, estão excluídos. Todos os retornos são líquidos das taxas de administração, mas não incluem as comissões de venda (conhecidas como "taxa de carregamento"), se houver. Como resultado, o desempenho dos fundos administrados ativamente está exagerado.

o Vanguard 500. Dan sugere que você estude o gráfico e responda às seguintes questões:

1. Que consequências para investidores em fundos de ações você observa a partir do gráfico?
2. O gráfico é consistente ou inconsistente com a eficiência do mercado? Explique.
3. Que decisão de investimento você faria para a porção de investimento em ações se aderir ao 401 (k)? Por quê?

15 Financiamento de Longo Prazo

UMA INTRODUÇÃO

Para ficar por dentro dos últimos acontecimentos na área de finanças, visite www.rwjcorporatefinance.blogspot.com.

Em julho de 2011, travou-se uma batalha orçamentária em Washington que resultou em poucos ganhadores, se é que houve algum. No final das contas, houve um consenso com vistas a reduzir o déficit orçamentário federal dos Estados Unidos em $ 2,1 trilhões em dez anos. Contudo, a agência de classificação de crédito Standard & Poor's não achou os cortes profundos o suficiente, afirmando que a economia deveria ser de $ 4 trilhões. Como consequência, a S&P rebaixou a dívida do governo dos Estados Unidos de AAA para AA+. Além da perda de prestígio decorrente do rebaixamento, estimou-se que a menor avaliação de crédito poderia resultar em um aumento de $ 100 bilhões em custos de financiamento para o governo dos Estados Unidos.

Também em 2011, Itália, Espanha, Irlanda, Portugal, Chipre e Grécia tiveram suas dívidas soberanas rebaixadas. A classificação de crédito da Grécia foi rebaixada para CCC, apenas um ou dois graus acima da classificação para calote. Devido à baixa classificação de crédito, os investidores exigiram um retorno de 14% sobre títulos de dívida gregos, em uma época em que o retorno sobre uma Nota do Tesouro americano de dez anos era de menos de 3%.

15.1 Algumas características das ações ordinárias e preferenciais

Neste capítulo, examinaremos características específicas das ações e dos títulos de dívida. Começaremos com as ações ordinárias e preferenciais. Ao discutir as características das ações ordinárias, nós nos concentraremos nos direitos do acionista e nas distribuições de dividendos. No caso da ação preferencial, explicaremos o que significa "preferencial" e também analisaremos se a ação preferencial é realmente dívida ou capital próprio. Também discutiremos a grande diferença entre as ações preferenciais do mercado norte-americano e as ações preferenciais do mercado brasileiro.

Características de ações ordinárias

O termo **ação ordinária** tem significados diferentes para pessoas diferentes, mas, no Brasil, ele se aplica à espécie de ação que tem direito a voto e não tem preferência especial no recebimento de dividendos ou em caso de falência.

Direitos do acionista A estrutura conceitual de uma sociedade por ações prevê que os acionistas elejam conselheiros da administração, que, por sua vez, escolherão administradores para colocar em prática suas diretrizes. Os acionistas, portanto, controlam a empresa por meio do direito de escolher os conselheiros. Em geral, apenas os acionistas têm esse direito. No Brasil, os acionistas também têm o direito de eleger um conselho fiscal para fiscalizar os deveres legais e estatutários dos administradores, conselho este que presta contas à assembleia de acionistas.

Os conselheiros de administração e conselheiros fiscais[1] são eleitos em assembleia de acionistas. Embora haja exceções em outros países (que serão discutidas a seguir), no Brasil, a regra é "um voto por ação" (e não um voto por acionista). A democracia empresarial, portanto, é muito diferente de nossa democracia política. Com a democracia empresarial, a "regra de ouro" prevalece de forma absoluta.[2]

Os conselheiros são eleitos em assembleia de acionistas por meio da maioria de votos dos detentores de ações ordinárias. Entretanto, o mecanismo exato da eleição dos conselheiros pode diferir de uma empresa para outra. A diferença mais importante é se as ações votam de maneira cumulativa ou por candidato.

Eleição de conselheiros de administração de empresas no Brasil

Conforme a lei societária brasileira (LSA), a Lei nº 6.404/76, o conselho de administração de uma sociedade por ações no Brasil deve ser composto por, no mínimo, três membros, eleitos pela assembleia geral e por ela destituíveis a qualquer tempo (Brasil, 1976). Respeitado o mínimo de três membros, o estatuto da empresa deve estabelecer o número de conselheiros (o máximo e/ou mínimo permitidos), o processo de escolha e substituição do presidente do conselho pela assembleia ou pelo próprio conselho e o modo de substituição dos conselheiros. O estatuto também poderá prever a participação, no conselho, de representantes dos empregados, escolhidos pelo voto destes em eleição direta organizada pela empresa em conjunto com as entidades sindicais que os representem.

Minoritários e preferenciais   No Brasil, os acionistas minoritários e os acionistas detentores de ações preferenciais que comprovarem a titularidade ininterrupta da participação acionária exigida durante o período de três meses, no mínimo, imediatamente anterior à realização da assembleia geral, também têm o direito de eleger e destituir um conselheiro de administração e seu suplente.

Esse direito é assegurado aos detentores de ações ordinárias que representarem, pelo menos, 15% do total dessas ações e aos detentores de ações preferenciais sem direito a voto ou com voto restrito que representarem, no mínimo, 10% do capital social. O direito só vale para os que não tenham exercido outro direito de voto previsto no estatuto. Um exemplo de outros direitos é o que assegura a uma ou mais classes de ações preferenciais o direito de eleger, em votação em separado, um ou mais membros dos órgãos de administração.

Votação em separado   Nas empresas brasileiras, a eleição dos membros do conselho de administração indicados por acionistas minoritários ou preferenciais deve ser realizada em votação em separado na assembleia geral, excluindo o acionista controlador. Se nem os titulares de ações com direito a voto, nem os titulares de ações preferenciais sem direito a voto ou com voto restrito perfizerem o *quorum* exigido, é facultada a agregação de suas ações para elegerem em conjunto um membro e seu suplente para o conselho de administração, observando, nessa hipótese, o *quorum* conjunto exigido de 10%.

O procedimento de votação pode ser realizado na forma de **votação por candidato** ou na forma de **voto múltiplo**.

Voto múltiplo   O efeito do **voto múltiplo** é permitir a participação dos acionistas minoritários.[3] Estando ou não previsto no estatuto, o voto múltiplo pode ser requerido por acionistas que representem, no mínimo, 10% do capital social com direito a voto. Nesse processo, atribui-se a cada ação tantos votos quantos sejam os membros do conselho, e é assegurado o direito de cumular os votos em um só candidato ou distribuí-los entre vários.

---

[1] A lei societária brasileira determina (art. 161) que a companhia terá um conselho fiscal e que o estatuto disporá sobre seu funcionamento de modo permanente ou nos exercícios sociais em que for instalado a pedido de acionistas (Brasil, 1976).

[2] A regra de ouro: quem tem o ouro dita as regras.

[3] Por *participação dos acionistas minoritários* queremos dizer a participação dos acionistas com quantidades relativamente pequenas de ações ordinárias. No Brasil, o termo minoritário, às vezes, também é usado para se referir aos acionistas que não participam do controle da empresa.

Se a eleição do conselho de administração ocorrer pelo sistema do voto múltiplo e os titulares de ações ordinárias ou preferenciais exercerem a prerrogativa de eleger conselheiro, o acionista ou um grupo de acionistas que estiver vinculado por acordo de votos e que detiver mais do que 50% das ações com direito de voto tem o direito de eleger conselheiros em número igual ao dos eleitos pelos demais acionistas, mais um, independentemente do número de conselheiros determinado pelo estatuto.

Para ilustrar os dois procedimentos de votação, imagine que uma empresa tenha dois acionistas: Manoel, com 20 ações, e Jonas, com 80 ações. Ambos querem ser conselheiros. Entretanto, Jonas não quer Manoel como conselheiro. Assumimos que haja um total de quatro conselheiros a serem eleitos.

Com o voto múltiplo, os conselheiros são eleitos todos ao mesmo tempo. Em nosso exemplo, isso significa que os quatro mais votados serão os novos conselheiros de administração. Um acionista pode distribuir os votos como bem entender.

Será que Manoel conseguirá um lugar no conselho de administração? Se ignorarmos a possibilidade de um empate entre o quarto e o quinto mais votados, então a resposta é sim. Manoel somará $20 \times 4 = 80$ votos, e Jonas somará $80 \times 4 = 320$ votos. Se Manoel der todos os seus votos a si mesmo, ele certamente terá um cargo no conselho de administração. O motivo é que Jonas não pode dividir 320 votos entre quatro candidatos de forma a dar a todos eles mais de 80 votos, de modo que Manoel terminará, na pior das hipóteses, em quarto lugar.

Em geral, se houver N conselheiros de administração a serem eleitos, então $1/(N + 1)\%$ das ações mais uma ação lhe garantirão um lugar. Em nosso exemplo, isso é $1/(4 + 1) = 20\%$. Assim, quanto mais posições existirem para eleição em determinado momento, mais fácil (e barato) será ganhar uma delas.

Com a **votação por candidato**, os conselheiros são eleitos um de cada vez. A cada vez, Manoel pode distribuir 20 votos, e Jonas pode distribuir 80. Como consequência, Jonas elegerá todos os candidatos. A única maneira de garantir um lugar é ter 50% mais uma ação com direito a voto. Isso também garante que você ganhará todos os lugares, então é tudo ou nada.

EXEMPLO 15.1 Comprando a eleição

Cada ação da JRJ S/A é negociada a $ 20 e dá direito ao voto múltiplo. Existem 10.000 ações em circulação. Se a eleição permite até três conselheiros, quanto custará para você garantir para si mesmo um lugar no conselho?

A pergunta aqui é: quantas ações são necessárias para conseguir um lugar no conselho? A resposta é 2.501, de modo que os custos são de $2.501 \times \$ 20 = \$ 50.020$. Por que 2.501? Porque não há como dividir os 7.499 votos restantes entre três pessoas para dar a todas elas mais de 2.501 votos. Por exemplo, suponha que duas pessoas recebam 2.502 votos e os dois primeiros lugares. Uma terceira pessoa pode receber, no máximo, $10.000 - 2.502 - 2.502 - 2.501 = 2.495$, logo; o terceiro lugar irá para você.

Como mostramos, a votação por candidato pode "congelar" os acionistas minoritários. Por esse motivo, muitos Estados nos Estados Unidos exigem a votação múltipla obrigatória. Porém, as empresas conceberam alguns dispositivos para minimizar o impacto do voto múltiplo.

Um desses dispositivos nos Estados Unidos é o escalonamento dos mandatos (*staggering*) dos conselheiros de administração. Com mandatos não coincidentes, apenas uma fração do conselho de administração estará disponível para eleição a cada vez. Assim, se apenas dois conselheiros podem ser eleitos por vez, é necessário $1/(2 + 1) = 33,33\%$ das ações mais uma para garantir um lugar.

Em geral, o escalonamento tem dois efeitos básicos:

1. O escalonamento torna mais difícil para a minoria eleger um conselheiro quando há uma votação por voto múltiplo, porque há menos conselheiros a serem eleitos de cada vez.

2. O escalonamento torna as tentativas de tomada de controle mais difíceis, porque dificulta a eleição de uma maioria de conselheiros novos.

O escalonamento de mandatos pode servir a uma finalidade benéfica. Ele oferece a "memória institucional", ou seja, a continuidade no conselho de administração. Isso pode ser importante para as empresas que têm planos e projetos de longo prazo significativos.

No Brasil, a estratégia do conselho escalonado não é possível; a assembleia geral da companhia, além do poder de reformar o estatuto social, tem o poder de eleger ou destituir, a qualquer tempo, os administradores. Quem tiver a maioria na assembleia poderá destituir os conselheiros a qualquer tempo e eleger novos.

Votação por procuração *Procuração* é uma concessão de autoridade por parte de um acionista que permite a outro votar com suas ações. Na verdade, por questões de conveniência, a maioria das votações nas grandes empresas de capital aberto é feita por procuração.

Como vimos, com a votação por candidato, cada ação tem um voto. O proprietário de 10 mil ações tem 10 mil votos. As grandes empresas têm centenas de milhares ou até mesmo milhões de acionistas. Os acionistas podem ir à assembleia e votar pessoalmente, ou podem transferir seu direito de voto para outro acionista.

Nas empresas norte-americanas, com o predomínio dos gestores sobre os acionistas, obviamente, os gestores sempre tentam obter o máximo possível de outorgas de procurações para eles. Entretanto, se os acionistas não estiverem satisfeitos com a administração, um grupo "externo" de acionistas pode tentar obter votos por meio de procurações. Eles podem votar com procurações na tentativa de substituir a administração, elegendo um número suficiente de conselheiros. A batalha resultante é chamada de *luta de procurações* (*proxy fight*).

Classes de ações No Brasil, a LSA determina que ações ordinárias de companhias abertas não podem ter classes diferentes e que cada ação ordinária tem direito a um voto. Somente ações ordinárias de companhias fechadas e ações preferenciais (de companhias abertas ou fechadas) podem ter mais de uma classe. Já nos Estados Unidos, algumas empresas têm mais de uma classe de ações ordinárias, e, com frequência, as classes são criadas com direitos de voto desiguais. A Ford Motor Company, por exemplo, tem ações ordinárias Classe B, que não são negociadas publicamente (elas são mantidas pela família Ford). Essa classe tem 40% de poder de voto, embora represente menos de 10% do número total de ações em circulação.

Existem muitos outros casos de empresas com classes diferentes de ações. Por exemplo, em determinado momento, a General Motors tinha suas ações "GM Classic" (as originais) e duas classes adicionais: Classe E ("GME") e Classe H ("GMH"). Essas classes foram criadas para ajudar a pagar duas grandes aquisições: Electronic Data System e Hughes Aircraft. Outro bom exemplo é a Google, que apenas recentemente tornou-se uma empresa de capital aberto. A Google tem duas classes de ações ordinárias: A e B. As ações da Classe A estão no mercado, e cada ação tem um voto. As ações da Classe B são mantidas pelos membros internos da empresa, e cada ação da Classe B tem 10 votos. Como resultado, os fundadores e administradores da Google controlam a empresa.

Como afirmamos inicialmente, nada disso pode ocorrer no Brasil, pois a lei societária veda atribuir voto plural a qualquer classe de ações no Brasil (Brasil, 1976, §2º, art. 110).

Historicamente, a Bolsa de Valores de Nova York (Nyse) não permitia que empresas criassem classes de ações ordinárias negociadas em bolsa de valores com direitos desiguais de votação. No entanto, parece que foram abertas exceções (p. ex., a Ford). Além disso, muitas empresas com ações não negociadas na Nyse têm duas classes de ações ordinárias.

Um dos principais motivos para a criação de duas ou mais classes de ações está relacionado com o controle da empresa. Se tal ação existe, a administração de uma empresa pode levantar capital próprio emitindo ações sem direito ou com direito limitado de voto e manter o controle. No Brasil, isso só é possível com a emissão simultânea de ações ordinárias e preferenciais, na proporção máxima de 50% para preferenciais.[4] Entretanto, a maioria das emissões no Brasil tem ocorrido no Novo Mercado, que exige 100% de ações ordinárias, e em menor número, no Nível 2 e no BOVESPA MAIS, que permitem que as empresas possuam ações preferenciais.

---

[4] O artigo 15 da LSA determina que o número de ações preferenciais sem direito a voto, ou sujeitas a restrição no exercício desse direito, não pode ultrapassar 50% do total das ações emitidas (Brasil, 1976).

O assunto dos direitos de voto desiguais é controverso nos Estados Unidos, e a ideia de uma ação corresponder a um voto tem muitos seguidores e um longo histórico. Entretanto, as ações com direitos de voto desiguais são muito comuns no Reino Unido e em outras partes do mundo.

No Brasil, a Lei nº 6.404/76 estabelece que a cada ação ordinária corresponde um voto nas deliberações da assembleia geral. A lei também estabelece que o estatuto pode estabelecer limitação ao número de votos de cada acionista e veta atribuir voto plural a qualquer classe de ações (Brasil, 1976).

Ainda conforme a lei brasileira, as ações preferenciais com direito a dividendo fixo ou dividendo mínimo e sem direito de voto adquirirão o exercício do direito de voto se a empresa, pelo prazo previsto no estatuto, e não superior a três exercícios consecutivos,[5] deixar de pagar os dividendos fixos ou mínimos a que fizerem jus. O direito assim adquirido será conservado até o pagamento de dividendos não cumulativos ou até que sejam pagos os cumulativos em atraso. Na mesma hipótese, as ações preferenciais com direito de voto restrito terão suspensas as limitações ao exercício desse direito. O estatuto poderá estipular que esse direito vigorará a partir do término da implantação do empreendimento inicial da empresa.

Outros direitos O valor de uma participação acionária em uma empresa está diretamente relacionado aos direitos gerais dos acionistas. Além do direito de votar nos conselheiros, os acionistas, em geral, têm os seguintes direitos:

1. O direito de receber proporcionalmente os dividendos declarados.
2. O direito de receber proporcionalmente o resultado da venda dos ativos restantes após o pagamento das obrigações em caso de liquidação da empresa.
3. O direito de votar em questões de grande importância para os acionistas, como uma fusão. Em geral, a votação é feita na assembleia geral ordinária (AGO) ou em uma assembleia geral extraordinária (AGE).
4. O direito de instalar o Conselho Fiscal em assembleia, ainda que a instalação do Conselho Fiscal não esteja prevista no Edital de Convocação. Isso visa a permitir a fiscalização da administração pelos acionistas, com acesso do Conselho Fiscal aos documentos internos da empresa.

Além disso, os acionistas geralmente têm o direito de participação proporcional em qualquer nova emissão de ações. Isso é chamado de *direito de preferência de subscrição*.

Essencialmente, o direito de preferência de subscrição significa que uma empresa que deseje emitir novas ações deve primeiro ofertá-las aos acionistas existentes antes de ofertá-las ao público em geral. A finalidade é dar aos acionistas a oportunidade de proteger sua proporção no capital da empresa.

Dividendos Uma característica que distingue as sociedades por ações é que elas têm ações sobre as quais estão autorizadas por lei a pagar dividendos a seus acionistas. Os **dividendos** pagos aos acionistas representam um retorno sobre o capital direta ou indiretamente investido na empresa pelos acionistas.

Nos Estados Unidos, a distribuição do resultado em dividendos fica a critério do conselho de administração. No Brasil, por sua vez, o pagamento de dividendos não fica tão a critério do conselho de administração. Isso porque, para que o conselho de administração decida a distribuição de dividendos, ele deve ter autorização para tanto no estatuto. Além dessa previsão, a lei brasileira busca proteger o acionista e, por isso, estabelece que o dividendo mínimo deve estar previsto em estatuto, e a distribuição de dividendos mínimos estatutários, como porcentagem do lucro, é obrigatória – trataremos desse assunto no Capítulo 19.

Algumas características importantes dos dividendos incluem:

1. A menos que os dividendos sejam declarados pelo conselho de administração, ou assembleia, eles não são uma obrigação da empresa. Uma empresa não pode ser declarada inadimplente por não distribuir dividendos. Por consequência, uma empresa não pode ter

---

[5] Ver artigo 111, § 1º da LSA (Brasil, 1976).

falência decretada por não pagar dividendos. Nos Estados Unidos, o montante em dividendos e até mesmo o seu pagamento ou não são decididos com base no julgamento empresarial do conselho de administração. No Brasil, a decisão do conselho de administração, além desse julgamento, deverá atender à determinação legal.

2. O pagamento de dividendos pela empresa não é uma despesa operacional. Os dividendos não são dedutíveis dos lucros para o cálculo do imposto de renda da pessoa jurídica. Em resumo, os dividendos são pagos dos lucros da empresa, após a incidência dos impostos sobre esses lucros.

3. Os dividendos recebidos pelos acionistas são tributáveis nos Estados Unidos, mas não são tributáveis no Brasil, exceto quando pagos na forma de juros sobre capital próprio, assunto que também será abordado no Capítulo 19. Em 2008, a alíquota tributária para dividendos era de até 15% nos Estados Unidos, mas ela pode variar. Entretanto, as empresas norte-americanas que são acionistas de outras empresas podem deduzir 70% do montante de dividendos recebidos, sendo tributadas apenas sobre os 30% restantes.[6]

Conselho fiscal

No Brasil, um direito importante dos acionistas não controladores é o de solicitar a instalação do conselho fiscal em assembleia geral, independentemente de o assunto constar ou não do Edital de Convocação.

O conselho fiscal é um órgão que deve estar obrigatoriamente previsto no estatuto social da empresa. Seu funcionamento pode ser permanente ou instalado a pedido dos acionistas em assembleia geral, sempre com mandato até a próxima assembleia geral ordinária.

Compete ao conselho fiscal – entre outras competências definidas na lei (artigo 163 da Lei nº 6.404/76) – fiscalizar, por qualquer de seus membros, os atos dos administradores (diretoria e conselho de administração) e verificar o cumprimento dos seus deveres legais e estatutários (Brasil, 1976). Também deve opinar sobre as propostas dos órgãos da administração, a serem submetidas à assembleia geral, relativas à modificação do capital social, emissão de debêntures ou bônus de subscrição, planos de investimento ou orçamentos de capital, distribuição de dividendos, transformação, incorporação, fusão ou cisão.

Algumas vezes, o papel do conselho fiscal é confundido com o do comitê de auditoria, um dos comitês de instalação recomendada ao conselho de administração. O comitê de auditoria é órgão assessor do conselho de administração, com funções relativas à supervisão para o conselho de administração de assuntos contábeis, controles internos, informativos financeiros e gestão de riscos.

O conselho fiscal é órgão do acionista, instalado pela assembleia geral, a quem presta contas e que tem a seu encargo a fiscalização dos órgãos da administração da companhia, com o fim de minimizar conflitos de interesse entre os acionistas e assegurar adequado uso dos recursos dos acionistas e distribuição justa dos resultados.

Não podem ser eleitos para o conselho fiscal membros de órgãos de administração e empregados da companhia ou de sociedade controlada ou do mesmo grupo, o que não permite que alguém tenha assento no comitê de auditoria e também no conselho fiscal (Brasil, 1976, art. 2, § 2º).

Características de ações preferenciais

Uma **ação preferencial** se distingue de uma ação ordinária porque tem preferência (prioridade) na distribuição de dividendo, fixo ou mínimo, e na distribuição do ativo da empresa em caso de liquidação. *Preferência* significa, em geral, que os detentores das ações preferenciais devem receber dividendos (no caso de uma empresa que está operando) antes dos detentores de ações

---

[6] Para ficar registrado: a isenção de 70% aplica-se quando o recebedor tem menos de 20% das ações em circulação da empresa pagadora. Se uma empresa tem mais de 20%, mas menos de 80%, a isenção é de 80%. Se a empresa tem mais de 80%, ela pode apresentar um único lucro consolidado, e a isenção é efetivamente de 100%. Dada essa "clientela", as empresas norte-americanas emitem ações preferenciais com dividendo fixo, o que torna preferenciais norte-americanas um instrumento de renda fixa.

ordinárias terem direito a alguma coisa (para as ações preferenciais emitidas no Brasil, deve ser consultado o artigo 17 da Lei nº 6.404, de 1976).

Nos Estados Unidos, ação preferencial é um direito patrimonial sob o ponto de vista legal e fiscal, porém lá o dividendo fixo é pago mesmo na ausência de lucros, e, por isso, nas análises financeiras, as ações preferenciais são somadas ao endividamento. Já para as preferenciais brasileiras, como regra, o dividendo é um percentual dos lucros – que devem existir para que haja distribuição –, o que faz delas um instrumento patrimonial, embora sem direito a voto (ou com voto restrito).

Valor declarado Nos Estados Unidos, as ações preferenciais têm um valor de liquidação declarado, em geral $ 100 por ação. Os dividendos em dinheiro são referidos em termos de dólares por ação. Por exemplo, a "preferencial de $ 5" da GM faz referência a uma ação com um retorno em dividendos de 5% do valor declarado. Nos Estados Unidos, diferentemente do Brasil, as ações preferências são, de certa forma, um título de renda fixa.

Dividendos cumulativos e não cumulativos Um dividendo de ação preferencial *não* é como os juros sobre um título de dívida. Nos Estados Unidos, o conselho de administração pode resolver não pagar dividendos de ações preferenciais, e sua decisão pode não estar relacionada com o lucro líquido atual da empresa. Essa decisão não pode ser tomada pelo conselho de administração de uma empresa brasileira, pois, se há lucro, a decisão de dividendos precisa observar a determinação legal quanto ao direito dos acionistas ao recebimento de dividendos previstos no estatuto e, no silêncio do estatuto, o mínimo estabelecido na lei.[7]

Nos Estados Unidos, os dividendos pagáveis por ação preferencial são *cumulativos* ou *não cumulativos*, mas a maioria é cumulativa. Se os dividendos preferenciais forem cumulativos e não forem pagos em determinado ano, eles serão transportados como *saldo a pagar*. Em geral, tanto os dividendos preferenciais acumulados (atrasados) quanto os dividendos preferenciais correntes devem ser pagos antes que os acionistas ordinários possam receber alguma coisa. No Brasil, pode ocorrer acumulação de dividendos declarados, tanto para ações ordinárias quanto para ações preferenciais.

Os dividendos preferenciais não pagos *não* são dívidas da empresa. Nos Estados Unidos, os conselheiros eleitos pelos acionistas ordinários podem diferir os dividendos preferenciais indefinidamente. Entretanto, em tais casos, os acionistas ordinários também devem renunciar aos dividendos. Além disso, os detentores de ações preferenciais quase sempre recebem direitos de votação e outros direitos se os dividendos preferenciais não forem pagos por algum tempo. Por exemplo, desde o verão norte-americano de 1996, a USAir não pagou os dividendos de uma de suas emissões de ações preferenciais durante seis trimestres. Como consequência, os detentores das ações puderam indicar duas pessoas para representar seus interesses no conselho de administração da companhia aérea. Como os acionistas preferenciais não recebem juros sobre os dividendos acumulados, alguns têm argumentado que as empresas têm um incentivo para retardar o pagamento dos dividendos preferenciais nos Estados Unidos. No entanto como vimos, isso pode significar uma divisão do controle com acionistas preferenciais. No Brasil, conforme mencionamos, o não pagamento de dividendos por três exercícios confere direito a voto aos acionistas preferenciais com direito a dividendos fixos ou mínimos quando esses não têm direito a voto ou têm direito a voto restrito.

Ações preferenciais seriam, na verdade, dívida? Pode-se dizer que, no caso de uma ação preferencial norte-americana, de fato, ela é uma dívida disfarçada, um tipo de obrigação com jeito de capital próprio. Os acionistas preferenciais recebem apenas os dividendos declarados; e, se a empresa for liquidada, recebem um valor declarado. Nos Estados Unidos, com frequência, as ações preferenciais têm classificações de crédito como aquelas dos títulos de dívida. Além disso, uma ação preferencial, às vezes, é conversível em ação ordinária e, muitas vezes,

---

[7] Metade do lucro líquido do exercício diminuído ou acrescido das importâncias destinadas à constituição da reserva legal e à formação da reserva para contingências, e reversão da mesma reserva formada em exercícios anteriores (Brasil, 1976, art. 202).

é resgatável. A figura das ações resgatáveis também existe no Brasil, mas, em geral, as ações preferenciais emitidas por empresas brasileiras não são resgatáveis e, na maioria das vezes, não têm dividendo fixo.

Nos Estados Unidos, muitas emissões de ações preferenciais têm fundos de amortização obrigatórios. A existência de um fundo de amortização cria de modo eficaz um prazo de vencimento, porque isso significa que toda a emissão será recomprada pelo emissor. Por esses motivos, uma ação preferencial norte-americana parece muito com uma dívida. Entretanto, para fins tributários, os dividendos de ações preferenciais são tratados como os dividendos de uma ação ordinária.

No mercado norte-americano, nos anos 1990, as empresas começaram a emitir títulos mobiliários que pareciam muito com ações preferenciais, mas que eram tratados como dívida para efeitos tributários. Os novos títulos mobiliários receberam siglas interessantes, como TOPrS (*trust-originated preferred securities*, ou *toppers*), MIPS (*monthly income preferred securities*) e QUIPS (*quarterly income preferred securities*), entre outras. Devido a diversas disposições específicas dos Estados Unidos, esses instrumentos podem ser contabilizados como dívida para efeitos tributários, tornando os pagamentos de juros dedutíveis da base de lucros para cálculo de impostos. Os pagamentos que são feitos aos investidores por esses instrumentos são tratados como juros para fins de imposto de renda da pessoa física. Até 2003, nos Estados Unidos, os pagamentos de juros e dividendos eram taxados à mesma alíquota tributária marginal. Quando a alíquota tributária sobre os pagamentos de dividendos foi reduzida lá, esses instrumentos não foram incluídos, de modo que as pessoas físicas continuam a pagar alíquotas tributárias mais altas sobre os dividendos recebidos desses instrumentos.

Dívida com característica de capital próprio Se algumas ações podem ser vistas como instrumentos de dívida, algumas vezes, participações acionárias assumem inicialmente a qualidade de dívida. Isso tem acontecido no Brasil em algumas situações em que bancos de investimento aportam recursos para projetos de expansão de empresas. Muitas vezes, uma estrutura financeira é montada de forma que o tomador emite debêntures com cláusula de conversão obrigatória em ações; as debêntures pagam juros ao banco de investimento até o momento da sua conversão, em um futuro distante, à opção do banco de investimento. Essa estrutura apresenta vantagens para o financiador e para o tomador. O financiador recebe juros até que o projeto esteja maduro (isso significa que terá remuneração, ainda que o projeto não gere lucros); já em algumas situações, dada a essência da operação, o tomador poderia lançar o total da dívida como "reserva de capital" no patrimônio líquido, o que melhoraria o perfil da estrutura de capital do tomador, ao mesmo tempo em que os juros pagos trariam ganho fiscal. Entretanto, a classificação contábil dependerá de interpretação com base nos pronunciamentos das IFRS.

Espécies, classes, preferências e vantagens

A seguir, são apresentados os principais artigos da Lei nº 6.404/1976, a lei das sociedades por ações, a lei societária brasileira que trata das espécies, classes, vantagens e preferências das ações de empresas brasileiras.

As ações, conforme a natureza dos direitos ou vantagens que confiram a seus titulares, são ordinárias, preferenciais, ou de fruição. As ações ordinárias da companhia fechada e as **ações preferenciais da companhia aberta e fechada** poderão ser de uma ou mais classes (Brasil, 1976). O número de ações preferenciais sem direito a voto, ou sujeitas a restrição, no exercício desse direito, não pode ultrapassar 50% do total das ações emitidas (artigo 15).

Ações ordinárias

As ações ordinárias de companhia *fechada* poderão ser de classes diversas, em função de conversibilidade em ações preferenciais; exigência de nacionalidade brasileira do acionista; ou direito de voto em separado para o preenchimento de determinados cargos de órgãos administrativos (Brasil, 1976). A alteração do estatuto na parte em que regula a diversidade de classes, se não for expressamente prevista e regulada, requererá a concordância de todos os titulares das ações atingidas (artigo 16).

Ações preferenciais

Segundo o artigo 17, as preferências ou vantagens das ações preferenciais podem consistir: em prioridade na distribuição de dividendo, fixo ou mínimo; em prioridade no reembolso do capital, com prêmio ou sem ele; ou na acumulação dessas duas preferências e vantagens (Brasil, 1976).

Independentemente do direito de receber ou não o valor de reembolso do capital com prêmio ou sem ele, as ações preferenciais sem direito de voto ou com restrição ao exercício desse direito somente serão admitidas à negociação no mercado de valores mobiliários se a elas for atribuída, pelo menos uma das seguintes preferências ou vantagens:

- Direito de participar do dividendo a ser distribuído, correspondente a, pelo menos, 25% do lucro líquido do exercício, calculado na forma do artigo 202, de acordo com o seguinte critério (Brasil, 1976):

   a. prioridade no recebimento dos dividendos mencionados neste inciso correspondente a, no mínimo, 3% do valor do patrimônio líquido da ação; e

   b. direito de participar dos lucros distribuídos em igualdade de condições com as ordinárias, depois de a estas assegurado dividendo igual ao mínimo prioritário estabelecido em conformidade com a alínea a; ou

- Direito ao recebimento de dividendo, por ação preferencial, pelo menos 10% maior do que o atribuído a cada ação ordinária; ou

- Direito de serem incluídas na oferta pública de alienação de controle, nas condições previstas no artigo 254-A, assegurado o dividendo pelo menos igual ao das ações ordinárias (Brasil, 1976).

Outras preferências ou vantagens que sejam atribuídas aos acionistas sem direito a voto ou com voto restrito deverão constar do estatuto, com precisão e minúcia.

Os dividendos, ainda que fixos ou cumulativos, não poderão ser distribuídos em detrimento do capital social, salvo quando, em caso de liquidação da companhia, essa vantagem tiver sido expressamente assegurada. Salvo disposição em contrário no estatuto, o dividendo prioritário não é cumulativo, a ação com dividendo fixo não participa dos lucros remanescentes, e a ação com dividendo mínimo participa dos lucros distribuídos em igualdade de condições com as ordinárias, depois de a estas assegurado dividendo igual ao mínimo (Brasil, 1976). Salvo no caso de ações com dividendo fixo, o estatuto não pode excluir ou restringir o direito das ações preferenciais de participar dos aumentos de capital decorrentes da capitalização de reservas ou lucros (artigo 169).

O estatuto pode conferir às ações preferenciais com prioridade na distribuição de dividendo cumulativo o direito de recebê-lo, no exercício em que o lucro for insuficiente, à conta das reservas de capital (Brasil, 1976).

O estatuto pode assegurar a uma ou mais classes de ações preferenciais o direito de eleger, em votação em separado, um ou mais membros dos órgãos de administração e pode subordinar as alterações estatutárias que especificar à aprovação, em assembleia especial, dos titulares de uma ou mais classes de ações preferenciais (artigo 18).

O estatuto da companhia com ações preferenciais declarará as vantagens ou preferências atribuídas a cada classe dessas ações e as restrições a que ficarão sujeitas e poderá prever o resgate ou a amortização, a conversão de ações de uma classe em ações de outra e em ações ordinárias, e destas em preferenciais, fixando as respectivas condições (artigo 19).

Segmentos especiais de listagem*

No Brasil, uma forma de buscar um maior alinhamento de interesses entre acionistas e gestão das empresas listadas foi a criação dos segmentos especiais de listagem de ações da BM&FBOVESPA, segregados por níveis de governança corporativa.

---

* Material cedido pelo Instituto Educacional BM&FBOVESPA. Acesse: www.bmfbovespa.com.br/educacional.

Os segmentos especiais de listagem do mercado de ações (Novo Mercado, Nível 2 e Nível 1) foram criados pela BM&FBOVESPA há mais de 10 anos, no momento em que a Bolsa percebeu que, para desenvolver o mercado de capitais brasileiro, atraindo novos investidores e novas empresas, era preciso ter segmentos de listagem com regras rígidas de governança corporativa. Em um segundo momento, em 2005, foi criado o BOVESPA MAIS, segmento de acesso da BM&FBOVESPA, idealizado para empresas que desejam acessar o mercado de forma gradual. A estratégia de acesso gradual permite que a empresa se prepare de forma mais adequada e, ao mesmo tempo, aumente sua visibilidade para os investidores.

Essas regras vão além das obrigações que as companhias têm perante a Lei n$^{\circ}$ 6.404/1976 e melhoram a avaliação das companhias que decidem aderir, voluntariamente, a um desses níveis de listagem. Elas reduzem o risco dos investidores que decidem ser sócios dessas empresas, graças aos direitos e garantias asseguradas aos acionistas e à divulgação de informações mais completas, que reduzem as assimetrias de informações entre acionistas controladores, gestores da companhia e participantes de mercado.

Novo mercado

As empresas listadas no Novo Mercado da BM&FBOVESPA devem ter elevados padrões de governança corporativa; elas também só podem emitir ações com direito a voto, as chamadas *ações ordinárias nominativas* (ON).

Por exigir que a companhia tenha, no mínimo, 25% das ações em circulação, é mais comum que a decisão de integrar o Novo Mercado seja tomada quando da abertura de capital.

As principais regras do Novo Mercado são:

- o capital deve ser composto exclusivamente por ações ordinárias com direito à voto;
- no caso de venda do controle, todos os acionistas têm direito a vender suas ações pelo mesmo preço (*tag along* de 100%);
- em caso de deslistagem ou cancelamento do contrato do Novo Mercado com a BM&FBOVESPA, a empresa deverá fazer oferta pública para recomprar as ações em circulação, no mínimo, pelo valor econômico;
- o conselho de administração deve ser composto por, no mínimo, cinco membros, sendo 20% dos conselheiros independentes, e todos os conselheiros devem ter mandato máximo de dois anos;
- a companhia também se compromete a manter, no mínimo, 25% das ações em circulação no mercado (*free float*);
- após o encerramento de cada exercício social e de cada trimestre, no prazo máximo de 15 dias, a empresa deverá divulgar também, no idioma inglês, o conjunto de demonstrações financeiras consolidadas ou individuais, no caso de não elaborar demonstrações consolidadas, acompanhado do relatório da administração ou comentário sobre o desempenho e do parecer ou relatório de revisão especial dos auditores independentes, conforme previsto na legislação nacional;
- a empresa deve divulgar mensalmente as negociações com valores mobiliários da companhia por acionistas controladores e pessoas vinculadas, de forma direta ou indireta, inclusive derivativos a eles relacionados;
- a empresa deverá elaborar e divulgar sua Política de Negociação de Valores Mobiliários e seu Código de Conduta;
- é vedada a acumulação do cargo de Presidente do Conselho de Administração e Diretor-Presidente ou principal executivo;
- a empresa não poderá prever, em seu estatuto social, disposições que limitem o número de votos de acionista ou grupo de acionistas em percentuais inferiores a 5% do capital social, exceto nos casos de desestatização ou de limites exigidos em lei ou regulamentação aplicável à atividade desenvolvida pela empresa, que sejam devidamente fundamentadas e submetidas para aprovação da BM&FBOVESPA;

- a empresa deve aderir à Câmara de Arbitragem do Mercado para resolver, por meio de arbitragem, determinadas matérias;
- a empresa deve realizar, pelo menos uma vez ao ano, reunião pública com analistas e quaisquer outros interessados, para divulgar informações quanto à sua respectiva situação econômico-financeira, projetos e perspectivas;
- até 10 de dezembro de cada ano, a empresa deve divulgar um Calendário Anual de Eventos Corporativos para o ano civil seguinte, contendo, no mínimo, menção e respectiva data dos atos e eventos societários, da reunião pública com analistas e quaisquer outros interessados e da divulgação das informações financeiras.

Nível 2

O Nível 2 exige que as companhias aceitem e cumpram todas obrigações previstas no regulamento do Novo Mercado, porém elas têm o direito de manter ações preferenciais nominativas (PN). As ações preferenciais ainda dão direito de voto aos acionistas em algumas situações, sempre que essas decisões estiverem sujeitas à aprovação na assembleia de acionistas, como: aprovação de fusões e incorporações da empresa e contratos entre o acionista controlador e a companhia.

Nível 1

As empresas listadas no Nível 1 também têm o direito de manter ações PN, adicionalmente exigindo que as empresas adotem práticas que favoreçam principalmente a transparência e o acesso às informações pelos investidores. Desse modo, as principais regras do Nível 1 são:

- a companhia também se compromete a manter, no mínimo, 25% de *free float*;
- é vedada a acumulação do cargo de Presidente do Conselho de Administração e Diretor-Presidente ou principal executivo;
- a empresa deve elaborar e divulgar sua Política de Negociação de Valores Mobiliários e seu Código de Conduta;
- a empresa deverá realizar, pelo menos uma vez ao ano, reunião pública com analistas e quaisquer outros interessados, nos mesmos moldes da regra do Novo Mercado;
- a empresa deve elaborar e divulgar um Calendário Anual de Eventos Corporativos nos mesmos moldes da regra do Novo Mercado.

BOVESPA MAIS

O segmento especial de listagem BOVESPA MAIS foi idealizado pela BM&FBOVESPA para tornar o mercado de ações brasileiro acessível a um número maior de empresas, especialmente àquelas que desejam acessar o mercado de forma gradual e que consideram o mercado de capitais uma importante fonte de recursos e que podem buscar adotar estratégias diferentes de ingresso, como listar a empresa e realizar a sua respectiva oferta pública inicial de ações em um período de até 7 anos; desse modo há o aumento da exposição da empresa junto ao mercado antes mesmo da oferta pública de ações, o que pode ajudar no sucesso dessa operação.

As empresas listadas no BOVESPA MAIS tendem a atrair investidores que percebem nelas um potencial de desenvolvimento mais acentuado quando comparadas com empresas listadas no mercado principal.

As regras de listagem do BOVESPA MAIS são semelhantes às do Novo Mercado, e, da mesma forma, as empresas nele listadas assumem compromissos de elevados padrões de governança corporativa e transparência com o mercado.

O quadro a seguir resume as principais diferenças entre os segmentos especiais de listagem do mercado de ações na BM&FBOVESPA.

	BOVESPA Mais	Novo mercado	Nível 2	Nível 1	Tradicional
Percentual mínimo de ações em circulação (*free float*)	25% de *free float* até o sétimo ano de listagem ou condições mínimas de liquidez	No mínimo, 25% de *free float*	No mínimo, 25% de *free float*	No mínimo 25% de *free float*	Não há regra
Características das ações emitidas	Somente ações ON podem ser negociadas e emitidas, mas é permitida a existência de PN	Permite a existência somente de ações ON	Permite a existência de ações ON e PN (com direitos adicionais)	Permite a existência de ações ON e PN	Permite a existência de ações ON e PN
Conselho de administração	Mínimo de três membros (conforme legislação)	Mínimo de cinco membros, dos quais pelo menos 20% devem ser independentes	Mínimo de cinco membros, dos quais pelo menos 20% devem ser independentes	Mínimo de três membros (conforme legislação)	Mínimo de três membros (conforme legislação)
Concessão de *tag along*	100% para ações ON	100% para ações ON	100% para ações ON 80% para ações PN	80% para ações ON (conforme legislação)	80% para ações ON (conforme legislação)
Adoção da Câmara de Arbitragem do Mercado	Obrigatório	Obrigatório	Obrigatório	Facultativo	Facultativo

Fonte: BM&FBOVESPA (2012).
Para saber mais sobre o Novo Mercado, BOVESPA MAIS e demais níveis diferenciados de governança corporativa, ver: BM&FBOVESPA (2014).

15.2 Dívidas de longo prazo emitidas por empresas

Nesta seção, descrevemos os termos e as características fundamentais de um típico título de dívida de longo prazo emitido por empresas – discutiremos outras questões relacionadas à dívida de longo prazo adiante.

Os títulos mobiliários emitidos por empresas podem ser classificados como *títulos representativos de capital próprio* ou *títulos representativos de dívida*. Uma dívida representa algo que deve ser pago; ela é o resultado de um empréstimo. Quando as empresas contraem empréstimos, é comum que prometam fazer pagamentos de juros regulares e do montante original (ou seja, o principal). A pessoa ou empresa que empresta o dinheiro é chamada de *credor*, *emprestador* ou *mutuante*. A empresa que toma o dinheiro emprestado é chamada de *devedor*, *tomador* ou *mutuário*.

Do ponto de vista financeiro, as principais diferenças entre dívida e capital próprio são as seguintes:

1. Dívidas não se constituem em uma participação na empresa. Credores, como regra, não têm poder de voto.
2. O pagamento de juros sobre a dívida é considerado um custo da realização de negócios e é dedutível da base de cálculo do imposto de renda da pessoa jurídica (quando tributada pelo lucro real). Os dividendos pagos aos acionistas *não* são dedutíveis.
3. Uma dívida é um passivo para a empresa. Se ela não for paga, os credores podem reivindicar legalmente os ativos da empresa. Isso pode resultar em reorganização, liquidação ou falência. Assim, um dos custos da emissão de dívidas é a possibilidade de insucesso financeiro. Essa possibilidade não ocorre com a emissão de títulos representativos de capital próprio.

Informações sobre títulos de dívida podem ser encontradas em www.investinginbonds.com.

É dívida ou capital próprio?

Às vezes, não fica claro se determinado título mobiliário é de dívida ou de capital próprio. Por exemplo, suponha que uma empresa emita um título perpétuo com juros pagáveis exclusivamente com os lucros da empresa *se e apenas se* houver lucros. É difícil dizer se essa é ou não, de fato, uma dívida, e essa é uma questão principalmente legal e semântica. Os tribunais e o fisco podem ter a palavra final.

Nos Estados Unidos e no mercado internacional, as empresas criam títulos mobiliários exóticos e híbridos que têm muitas características de capital próprio, mas são tratados como dívida. É evidente que a distinção entre dívida e capital próprio é muito importante para efeitos fiscais. Assim, um motivo pelo qual as empresas tentam criar um título de dívida que, na realidade, é capital próprio é a obtenção dos benefícios fiscais da dívida com os benefícios da limitação de responsabilidade do capital próprio na recuperação da empresa em caso de dificuldades. As normas internacionais de contabilidade (IFRS) adotadas pelo Brasil estabelecem que a essência deve prevalecer sobre a forma na contabilização desses instrumentos. Isso faz com que novos instrumentos devam ter sua classificação como dívida ou capital próprio avaliada sob as normas IFRS.

A princípio, o capital próprio representa uma participação no patrimônio da empresa, e essa é uma participação residual. Isso significa que acionistas são pagos após os credores. Como efeito, os riscos e benefícios associados à propriedade de títulos de dívida ou de patrimônio são diferentes. Para exemplificar, observe que a recompensa máxima pela titularidade de dívida é, em última análise, determinada pelo montante do empréstimo, enquanto não há limite máximo para a recompensa potencial da titularidade de participação no patrimônio.

Capital próprio *versus* dívida

Característica	Capital próprio		Dívida
Rendimento	Dividendos	Juros sobre o capital próprio	Juros
Categoria tributária	Dividendos são isentos de imposto de renda para o beneficiário no Brasil. Nos Estados Unidos, os dividendos são tributados; o limite de tributação atualmente é de 15%. Os dividendos pagos pela empresa não são uma despesa operacional.	Os juros sobre o capital próprio são tributados como renda para o beneficiário, à alíquota de 15%. Os juros sobre o capital próprio constituem-se em despesa operacional e podem ser deduzidos da receita tributável da pessoa jurídica tributada pelo lucro real.	Os juros recebidos são tributados para a pessoa física com alíquotas de 15% a 22,50% conforme o prazo do investimento. Juros recebidos integram a base de cálculo do imposto de renda da pessoa jurídica. Os juros são uma despesa operacional e podem ser deduzidos da receita tributável da pessoa jurídica tributada pelo lucro real.
Controle	Ações ordinárias têm direito a voto, preferenciais geralmente não têm.		Não se aplica.
Inadimplência	As empresas não podem ser forçadas à falência por não pagamento de dividendos.	As empresas não podem ser forçadas à falência por não pagamento de juros sobre o capital próprio.	Uma dívida impaga é uma obrigação para a empresa. O não pagamento pode resultar em falência.

Dívida de longo prazo: o básico

Em síntese, todos os títulos de dívida de longo prazo são promessas feitas pela empresa emitente de pagar o principal no vencimento e fazer pagamentos de juros sobre o saldo devedor. Além disso, há várias características que distinguem esses títulos mobiliários uns dos outros. Discutiremos a seguir algumas dessas características.

O prazo de vencimento de uma dívida de longo prazo é o período em que a dívida permanece com saldo devedor. Os títulos de dívida podem ser de curto prazo (vencimento em um ano ou menos) ou de longo prazo (vencimento em mais de um ano).[8] Uma dívida de curto prazo também pode ser chamada de *dívida não financiada*.[9]

---

[8] Não existe uma distinção universal aceita entre dívidas de curto prazo e de longo prazo, embora, para classificação contábil, essa distinção seja feita com base no vencimento: até um ano, curto prazo; acima de um ano, longo prazo. Além disso, com frequência, as pessoas fazem referência a dívidas de médio prazo, com vencimento de mais de 1 ano e menos de 3 a 5 ou até mesmo 10 anos.

[9] A palavra "financiamento" (às vezes, também referida pelo correspondente em inglês *funding*) faz parte do jargão das finanças. Esse termo se refere ao longo prazo. Assim, uma empresa que pretende "financiar" suas dívidas pode querer substituir a dívida de curto prazo por uma de longo prazo.

Um título de dívida pode ter os nomes de *nota*, *obrigação*, *bônus* ou *debênture*. A rigor, nos mercados norte-americano e internacional, um título do tipo *bond* (obrigação, ou título de dívida) é uma dívida com garantias. Entretanto, no uso comum, a expressão em inglês *bond* que traduzimos por *título de dívida* se refere a todos os tipos de dívidas, com e sem garantias. Portanto, continuaremos usando o termo *título de dívida* genericamente ao nos referirmos a uma dívida de longo prazo. Da mesma forma, a única diferença entre uma nota e um título é o vencimento original. As emissões no exterior com um vencimento original de 10 anos ou menos são chamadas de notas (*notes*). As emissões de prazo mais longo são chamadas de obrigações (*bonds*). Entretanto, observa-se que, em emissões realizadas no exterior por empresas brasileiras, o termo *bond* é utilizado para prazos muito inferiores, sendo comum "emissões de *bonds*" com prazos de três a sete anos; às vezes, os termos *notes* e *bonds* são utilizados na comunicação da mesma emissão. Abordaremos as emissões no exterior de empresas brasileiras no Capítulo 32.

Dívidas de longo prazo podem ser emitidas para o público ou colocadas de forma privada. Neste último caso, elas são emitidas para um credor e não são oferecidas ao público; no Brasil também se utiliza o termo *emissão privada* para colocações junto ao um grupo restrito. Como se trata de uma transação privada, os termos específicos dependem das partes envolvidas e, às vezes, o comunicado público da emissão informa que os termos da emissão são confidenciais, o que ocorre porque os termos são restritos ao grupo subscritor. Nós nos concentraremos nas emissões públicas. Contudo, a maior parte do que dissermos sobre elas vale também para a dívida de longo prazo de colocação privada.

Existem muitos outros aspectos envolvendo as dívidas de longo prazo, incluindo termos como garantias, opções de resgate, fundos de amortização, classificações de risco e cláusulas restritivas. O quadro a seguir ilustra essas características de um título emitido pela Intel. Não se preocupe se não conhecer alguns dos termos, pois todos eles serão discutidos em breve.

Características de um título da Intel		
Termo		**Explicação**
Montante da emissão	$ 1,5 bilhão	A empresa emitiu $ 1,5 bilhão em títulos.
Data da emissão	19/09/2011	Os títulos foram vendidos em 19/09/2011.
Vencimento	01/10/2041	Os títulos vencem em 01/10/2041.
Valor de face	$ 2.000	O valor de face dos títulos é $ 2.000.
Cupom anual	4,80	A cada ano, todo detentor receberá $ 96 por título (4,80% do valor de face).
Preço de oferta	99,258	O preço de oferta é 99,258% do valor de face de $ 2.000, ou $ 1.985,16 por título.
Datas dos pagamentos dos cupons	01/04, 01/10	Cupons de $ 96/2 = $ 48 serão pagos nessas datas.
Garantia	Nenhuma	Os títulos não oferecem garantia de ativos específicos.
Fundo de amortização	Nenhum	Os títulos não têm fundo de amortização.
Opção de resgate antecipado	A qualquer momento	Os títulos não têm opção de resgate diferido.
Preço da opção de resgate	Taxa dos títulos do Tesouro + 0,25%	Os títulos têm uma cláusula de compensação ao investidor pelo resgate antecipado (cláusula *make whole call price*).
Classificação	A+ da Moody's e A+ da S&P	Os títulos têm uma classificação de crédito relativamente alta (mas não a melhor possível).

Muitas dessas características são detalhadas na escritura de emissão do título de dívida e, por isso, antes de tudo, trataremos desta.

A escritura de emissão

A **escritura de emissão** é o acordo por escrito entre a empresa (o tomador) e seus credores. Às vezes, ela é denominada *contrato de emissão da dívida* (*deed of trust*).[10] Em geral, um agente fiduciário (possivelmente um banco) é indicado pela empresa para representar os credores. Esse agente deve (1) garantir que as condições do contrato sejam obedecidas, (2) gerenciar o fundo de amortização (descrito mais adiante) e (3) representar os credores em caso de inadimplência por parte da empresa.

A escritura de emissão de dívida é um documento legal, que pode ter centenas de páginas, tornando a leitura bastante tediosa. Entretanto, é um documento importante, porque inclui as seguintes disposições:

1. Os termos básicos dos títulos da dívida.
2. Uma descrição dos ativos oferecidos como garantia.
3. Preferências.
4. As condições para o pagamento.
5. As cláusulas da opção de resgate antecipado.
6. Os detalhes das cláusulas restritivas.

Discutiremos essas características a seguir.

Termos de um título Os títulos de dívida emitidos por empresas têm, geralmente, um valor de face (ou denominação) de $ 1.000 e múltiplos inteiros de $ 1.000. Esse valor chama-se *valor do principal* e está declarado no certificado do título. Assim, se uma empresa quisesse tomar emprestado $ 1 milhão, emitindo títulos com valor de face de $ 1.000, teria de vender 1.000 títulos. O valor ao par (ou seja, o valor contábil inicial) de um título é quase sempre o valor de face, de modo que, na prática, ambos os termos têm o mesmo significado. Mesmo que um valor ao par de $ 1.000 seja o mais comum, qualquer valor é possível. Examinando nossos títulos da Intel, o valor ao par é de $ 2.000.

É comum que os títulos de dívida corporativa estejam na **forma nominativa** (no Brasil, isso é obrigatório, pois não é permitida a emissão de títulos ao portador). Por exemplo, a escritura de emissão pode dizer o seguinte:

> **Os juros serão pagos semestralmente em 1º de julho e 1º de janeiro de cada ano à pessoa em cujo nome o título está registrado no fechamento de negócios dos dias 15 de junho e 15 de dezembro, respectivamente.**

Isso significa que a empresa tem um serviço de custódia, geralmente operado por uma instituição custodiante que possui um sistema eletrônico de manutenção de cadastro que registrará o nome do proprietário inicial de cada título e também todas as alterações de propriedade. A empresa pagará os juros e o principal diretamente ao titular do registro. No exterior, um título de dívida corporativa pode ser representado por um título físico (um papel) e ter "cupons" anexados. Nesse caso, para obter um pagamento de juros, o titular deve separar um cupom do certificado do título e enviá-lo para o serviço de custódia da empresa (o agente pagador). Isso é mais raro no Brasil, mas ocorria antes de os sistemas de custódia eletrônica se tornarem o padrão.

No mercado internacional, um título pode estar na **forma ao portador**. Isso significa que apenas o certificado é a evidência básica de propriedade, e a empresa "pagará ao portador". Não há qualquer tipo de registro de titularidade, e, da mesma forma que um título nominativo com cupons anexados, o detentor do certificado do título ao portador destaca os cupons e os envia à empresa para receber o pagamento.

---

[10] Os termos *acordo de empréstimo* ou *contrato de empréstimo* também podem ser usados para dívidas e empréstimos de colocação privada.

Os títulos ao portador têm duas desvantagens: (1) caso sejam perdidos ou roubados, será difícil recuperá-los; (2) como a empresa não sabe quem é o proprietário, ela não pode notificá-lo sobre eventos importantes. Os títulos ao portador já foram o tipo mais comum, mas agora são bem menos comuns nos Estados Unidos do que os títulos nominativos.

Como já afirmamos, no Brasil, a lei proíbe títulos ao portador.

Garantia Os títulos de dívida são classificados de acordo com a garantia e as hipotecas usadas para proteger o credor.

Garantia é um termo genérico no contexto de dívidas mobiliárias que frequentemente pode ser representada por outros títulos mobiliários (como títulos de dívida e ações) que são dados como garantia do pagamento da dívida. Por exemplo, um título com garantia pode envolver uma penhora de ações da empresa. Todavia, usa-se o termo *garantia* com o sentido de qualquer ativo que garanta uma dívida.

Os títulos do tipo Letras Imobiliárias e Certificados de Recebíveis Imobiliários são títulos garantidos por hipoteca de bens do mutuário. Os bens envolvidos normalmente são imóveis, como terrenos ou prédios. O documento legal que descreve a hipoteca é chamado de *escritura de hipoteca*.[11]

Às vezes, as hipotecas são feitas para uma propriedade específica, como um vagão, mas garantias flutuantes (*blanket mortgates*) são mais comuns, visto que dão como garantia todos os ativos da empresa.[12]

No mercado norte-americano, os títulos de dívida, *a priori*, não possuem garantia. Lá, uma **debênture** é um título sem garantia – nenhuma propriedade é oferecida como garantia. O termo **nota** é usado para tais instrumentos quando o vencimento do título sem garantia é menor do que 10 anos a partir da data de emissão. Nos Estados Unidos, os detentores de debêntures só têm direito a exigir os bens não onerados, ou seja, aqueles bens que permanecerem após a execução de hipotecas e garantias.

No Brasil, as debêntures são classificadas conforme a garantia em: debêntures com garantia real, debêntures com garantia flutuante e debêntures sem garantia, também chamadas de quirografárias. Em outros países, os termos aqui usados podem ter significados diferentes. Por exemplo, no Reino Unido, os títulos emitidos pelo governo britânico (*gilts*) são chamados de "ações" do Tesouro. Lá, uma debênture é um título *garantido*. Nos Estados Unidos, atualmente os títulos de dívida emitidos ao público por instituições financeiras e empresas, em geral, são debêntures; já a maioria dos títulos de dívida corporativa de concessionárias de serviços públicos e de companhias ferroviárias é garantida por ativos.

Preferência Em termos gerais, a *preferência* indica privilégio na posição em relação a outros credores, e as dívidas podem ser rotuladas como *sênior* ou *júnior* para indicar a preferência de uma em relação a outra. Algumas dívidas são *subordinadas*, como a debênture subordinada.

Consulte o *site* da Securities Industry and Financial Markets Association (SIFMA) www.sifma.org.

No caso de inadimplência, os detentores de dívidas subordinadas devem dar preferência a outros credores específicos. Isso quer dizer que os credores subordinados só serão pagos após o pagamento de credores específicos. No entanto, os direitos decorrentes de dívida não podem ser subordinados aos direitos do capital próprio.

Amortização As obrigações podem ser pagas no vencimento, momento em que o credor receberá o valor de face do título, ou podem ser pagas parcial ou totalmente antes do vencimento. Alguma forma de pagamento antecipado é comum e, muitas vezes, pode ser arranjado por meio de um fundo de amortização.

Um **fundo de amortização** é uma conta gerenciada pelo agente fiduciário, com a finalidade de quitar os títulos de dívida. A empresa faz pagamentos anuais ao agente, o qual utiliza os

---

[11] No Brasil, para que uma hipoteca sobre um imóvel tenha efeito, ela deve ser anotada na matrícula do imóvel junto ao cartório do Registro de Imóveis.

[12] Os bens imóveis incluem terrenos e as coisas "sobre eles". Não incluem dinheiro e podem não incluir estoques.

fundos para quitar uma parte da dívida. Isso é feito pela compra de parte dos títulos em circulação no mercado ou pelo exercício de uma opção de resgate de uma fração das obrigações a liquidar. A segunda opção será discutida na próxima seção.

Nos Estados Unidos, há muitos tipos diferentes de fundos de amortização, e os detalhes são expressos na escritura de emissão. Por exemplo:

1. Alguns fundos de amortização começam cerca de 10 anos após a emissão inicial.
2. Alguns fundos de amortização estabelecem pagamentos iguais ao longo da vida do título.
3. Algumas emissões de títulos de alta qualidade estabelecem pagamentos para o fundo de amortização que não são suficientes para resgatar toda a emissão. Dessa maneira, pode haver um grande "pagamento balão" no vencimento.

Muitas vezes, uma emissão é resgatada mediante outra emissão, constituindo um alongamento do endividamento da emissora.[13]

Opção de resgate antecipado Uma cláusula de **opção de resgate antecipado** permite que, durante um determinado período, a empresa tenha a opção de recomprar ou "resgatar" parte ou toda a emissão de títulos de dívida pagando um preço estabelecido. Títulos de dívida corporativa são, em geral, resgatáveis.

É comum que o preço de resgate antecipado esteja acima do valor de face do título. A diferença entre o preço de resgate antecipado e o valor de face é o **prêmio da opção** (prêmio pago pelo emissor ao detentor do título). Esse valor pode se tornar menor com o passar do tempo. Um esquema comum é definir o prêmio da opção igual ao pagamento do cupom anual e, então, reduzi-lo até zero à medida que a data de resgate fique mais próxima do prazo de vencimento.

As cláusulas de opção de resgate antecipado, em geral, permanecem inativas durante a primeira parte da vida de um título. Isso torna a cláusula de resgate antecipado uma preocupação a menos para os credores nos primeiros anos. Por exemplo, uma empresa poderia ser proibida de resgatar suas obrigações nos primeiros 10 anos, caracterizando **opção de resgate diferida**. Durante esse período de proibição, diz-se que o título está **protegido contra a opção de resgate** antecipado (*call protected*).

Nos últimos anos, um novo tipo de cláusula de resgate antecipado, chamada *make whole*, difundiu-se no mercado de títulos de dívida nos Estados Unidos. Com esse recurso, caso haja resgate, os credores recebem aproximadamente o principal e o valor presente dos cupons restantes, segundo fórmula na escritura de emissão. Os credores não sofrem prejuízo em caso de exercício da opção de resgate antecipado com essa cláusula.

Para determinar o preço da opção *make whole*, é preciso calcular o valor presente dos pagamentos de juros e principal restantes, a uma taxa especificada no contrato de emissão. Examinando a emissão da Intel, vemos que a taxa de desconto é "a taxa do Tesouro + 0,25%". Isso significa que determinamos a taxa de desconto primeiro encontrando uma emissão do Tesouro dos Estados Unidos com o mesmo vencimento. Calculamos também o retorno até o vencimento da emissão do Tesouro e, em seguida, somamos outros 0,25% para obter a taxa de desconto que usamos.

Observe que, com uma cláusula *make whole*, o preço de resgate é mais alto quando as taxas de juros são mais baixas, e vice-versa (por quê?). Note ainda que, como é comum no caso desse

---

[13] Sob as normas IFRS, o reconhecimento contábil do alongamento depende de algumas condições. O CPC 38 Instrumentos Financeiros: Reconhecimento e Mensuração (IAS 39), itens 40 e AG62, determina que, se a troca da dívida for realizada em termos substancialmente diferentes, isto é, se o valor presente da dívida de acordo com os novos termos, incluindo custos e receitas da emissão, for pelo menos 10% diferente do valor presente da dívida original restante, ou se houver modificação substancial nos termos de passivo financeiro existente ou de parte dele, não há renovação da dívida anterior, ocorrendo sua extinção e reconhecimento de um novo passivo financeiro. Isso tem implicações contábeis e financeiras, porque, se houver renovação da dívida anterior, os custos da renovação podem ser diferidos contabilmente durante o termo restante do passivo modificado; se ocorrer extinção da dívida anterior, quaisquer custos ou comissões incorridas são reconhecidos como parte do ganho ou perda no momento da extinção (Comitê de Pronunciamentos Contábeis, 2009a).

tipo de opção *make whole*, a emissão da Intel não tem uma cláusula de resgate diferido. Por que os investidores não estariam muito preocupados com a falta dessa cláusula?

Cláusulas restritivas (*covenants*) Uma **cláusula restritiva**, na escritura de emissão de dívidas, afeta certas ações de iniciativa da empresa. Essas cláusulas podem ser classificadas em dois tipos: cláusulas negativas e cláusulas positivas (ou afirmativas).

Uma *cláusula negativa* é aquela do tipo "você não pode", limitando ou proibindo medidas que a empresa poderia adotar. Por exemplo, a empresa deve limitar, de acordo com alguma fórmula, o montante de dividendos que paga.

Uma *cláusula positiva* é aquela do tipo "você deve", especificando uma medida que a empresa deve tomar ou uma condição que deve ser cumprida. Por exemplo, a empresa deve manter seu capital de giro igual ou acima de um nível mínimo especificado.

Certas escrituras de emissão podem apresentar muitas cláusulas diferentes, positivas e negativas.

Uma cláusula muito comum em emissões de dívida é a que estabelece um teto para o indicador calculado pela razão entre o valor total do endividamento líquido de uma empresa e o seu LAJIDA. No mercado, é conhecido como Dívida Líquida/EBITDA. Tetos entre 3,5 a 4,5 são comuns. Podem ser maiores, como 4,75, ou menores, como 3,0. As empresas evitam um indicador baixo, pois há mais risco de o LAJIDA ser insuficiente para atingir o indicador contratado.

Deseja obter informações detalhadas sobre o montante e os termos da dívida emitida por uma determinada empresa? Consulte as demonstrações financeiras mais recentes nos arquivos da CVM, no *site* www.cvm.gov.br. Para empresas listadas nos Estados Unidos, consulte a SEC, no *site* www.sec.gov.

O mercado de debêntures no Brasil

Debênture é um título de dívida, de médio e longo prazo, que, regra geral, confere a seu detentor um direito de crédito contra a companhia emissora. Quem investe em debêntures se torna credor dessas companhias. No Brasil, as debêntures constituem uma das formas mais antigas de captação de recursos por meio de títulos.

A debênture é um valor mobiliário originada em um contrato de mútuo entre a companhia emissora e os compradores (os debenturistas representados pelo Agente Fiduciário). Na escritura de emissão e no certificado, constam todas as condições presentes no acordo firmado entre os participantes. De acordo com a Lei das S/A, art. 58, a debênture poderá ter garantia real ou flutuante, não gozar de preferência ou ser subordinada aos demais credores da companhia, conforme disposto na escritura de emissão (Brasil, 1976).

No processo de emissão de debêntures, a empresa optará pela colocação pública ou privada dos títulos, entretanto somente companhias abertas podem realizar emissão pública. Essas debêntures podem ser ou não disponibilizadas para negociação na BM&FBOVESPA ou na Cetip. Nesse tipo de emissão, é obrigatória a presença do Agente Fiduciário, representando os interesses dos investidores junto à sociedade emissora.

Como exemplo, a seguir são apresentadas as características de uma emissão de debêntures da Vale.

Emissões de títulos de renda fixa podem ser consultadas no *site* da BM&FBOVESPA, em http://www.bmfbovespa.com.br/Renda-Fixa/RendaFixa.aspx?idioma5pt-br. Os *sites* ANBIMA e DEBÊNTURES têm grande quantidade de informações sobre o tema. Ver em http://portal.anbima.com.br e http://www.debentures.com.br.

Emissor	
Status atual da emissão:	ATIVO
Local de negociação:	PUMA
Rating da emissão:	AAA(bra) - Fitch Ratings
brAAA - Standard & Poors	
Aaa.br - Moodys Investors	
VALE-DEB81 - Vale	
Características da emissão	
Número da emissão:	8
Emissora:	VALE - Vale S.A.
Volume total da emissão ($):	600.000.000,00
Quantidade de debêntures:	600.000
Quantidade de séries emitidas:	1

Características da Série	
Código do título:	VALE-DEB81
Código ISIN:	BRVALEDBS051
Quantidade de debêntures:	600.000
Número da série:	1
Data de emissão:	15/01/2014
Data de vencimento:	15/01/2021
Volume da série (R$):	600.000.000,00
Enquadra na Lei nº 12.431 - artigo 1º:	Sim
Enquadra na Lei nº 12.431 - artigo 2º:	Não
Tipo:	SIMPLES
Atualização monetária:	IPCA
Garantia:	QUIROGRAFÁRIA
Próxima repactuação:	
Última repactuação:	
Amortização:	Será amortizado em 2 parcelas anuais, sendo a primeira em 15/01/2020.
Agente fiduciário:	Pentagono S.A D.T.V.M
Remuneração	
Participação no lucro:	
Taxa de juros:	IPCA + 6,460%
Pagamento:	Será pago anualmente, sendo a primeira em 15/01/2015.
Prêmio:	
Informações relacionadas	
Adicionais:	Informações de Atas de Assembleias
PU Diário – 19/8/2014	R$ 1.066,64

Fonte: BM&FBOVESPA (2012).

15.3 Alguns tipos diferentes de títulos de dívida

Consideramos, até aqui, apenas os títulos de dívidas corporativas comuns (*plain vanilla*). Nesta seção, estudaremos títulos de dívidas corporativas com características consideradas incomuns no mercado norte-americano.

Títulos com taxa flutuante[14]

Os títulos convencionais que discutimos neste capítulo têm pagamentos fixos, porque a taxa do cupom é definida como uma porcentagem fixa do valor de face, e o principal é igual a esse valor. No caso dos títulos chamados *floating-rate bonds*, títulos com taxa flutuante, os pagamentos de cupom são ajustáveis. Os ajustes estão ligados a um índice de taxa de juros, como a taxa de juros das letras do Tesouro norte-americano ou a Taxa Interbancária do Mercado de Londres (LIBOR) nos títulos emitidos nos Estados Unidos e no mercado internacional, ou são indexados à taxa DI ou outro indexador nos títulos emitidos no mercado brasileiro.

O valor de um título de dívida com taxa flutuante depende de como os ajustes do pagamento dos cupons são definidos. Na maioria dos casos, o cupom é ajustado com uma defasagem em relação a uma taxa básica. Por exemplo, suponha que um ajuste da taxa de cupom seja feito em 1º de junho. O ajuste pode se basear na média simples dos resultados dos títulos do Tesouro durante os três meses anteriores. No caso das emissões de títulos no mercado brasileiro, em geral, o ajuste é efetuado *pro rata*, com base em alguma fórmula de cálculo do índice de ajuste subjacente.

---

[14] No mercado brasileiro, esse tipo de título é chamado de título *pós-fixado*.

Além disso, grande parte dos títulos com taxas flutuantes tem as seguintes cláusulas:

1. O detentor tem o direito de resgatar seu título pelo valor ao par na data do pagamento do cupom após um período especificado. Isso é chamado de *cláusula de opção de venda* (*put provision*) – discorremos sobre isso adiante.
2. A taxa do cupom tem um piso e um teto, o que significa que o cupom está sujeito a um mínimo e a um máximo. Nesse caso, diz-se que a taxa do cupom é limitada, e as taxas máximas e mínimas são chamadas de *collar*.

Outros tipos de títulos

Muitos títulos têm cláusulas incomuns ou exóticas. Uma dessas cláusulas chama-se bônus de subscrição. Um bônus de subscrição dá ao comprador de um título o direito de comprar ações da empresa a um preço fixo por ação na vida subsequente do título. Tal direito seria muito valioso se o preço da ação subisse substancialmente – trataremos desse assunto em um capítulo posterior. A diferença entre títulos com bônus de subscrição e títulos conversíveis é que os bônus de subscrição podem ser negociados separadamente do título. Os bônus de subscrição às vezes são referidos pelo seu equivalente em inglês, *warrants*.

As cláusulas dos títulos de dívida são limitadas apenas pela imaginação das partes envolvidas. O número de variações é muito grande e não poderia ser abordado em detalhes aqui. Assim, fechamos esta discussão mencionando apenas alguns tipos mais comuns.

Os *income bonds*, títulos vinculados a receitas, são semelhantes aos títulos convencionais, exceto aos pagamentos de cupom, que dependem da receita da empresa. Os cupons são pagos para os credores apenas se a receita da empresa for suficiente. Essa poderia ser uma cláusula atraente, mas os títulos vinculados a receitas não são muito comuns.

Um *título conversível* pode ser trocado, pelo detentor, por um número fixo de ações a qualquer momento antes do vencimento. É de costume emitir títulos de dívida conversíveis em ações, mas o seu número tem diminuído nos últimos anos.

Um *título com opção de venda* permite que o *detentor* exija do emitente o resgate do título por um preço definido. Por exemplo, a International Paper Co. tem títulos em circulação que permitem ao detentor exigir a empresa a comprar os títulos de volta a 100% do valor de face dada a ocorrência de determinados "eventos de risco". Um desses eventos é uma variação na classificação de crédito para um grau menor do que o grau de investimento da Moody's ou da S&P. A cláusula de opção de venda, portanto, é apenas o inverso da cláusula de opção de resgate antecipado.

Um determinado título de dívida pode ter muitas cláusulas incomuns. Dois títulos de dívida exóticos mais recentes são os *CoCo bonds*, que têm pagamento de cupom, e os *NoNo bonds*, que são títulos de cupom zero. Os *CoCo* e *NoNo bonds* são obrigações conversíveis contingentes, subordinadas, com opção de venda e opção de resgate antecipado. A cláusula de conversibilidade contingente é semelhante à de conversão normal, exceto pela cláusula contingente que deve ser atendida. Por exemplo, uma cláusula contingente pode exigir que a ação da empresa seja negociada a 110% do preço de conversão em 20 dos últimos 30 dias. A avaliação de um título desse tipo pode ser bastante complexa e, em geral, não faz sentido calcular o retorno até o vencimento. Em 2011, um *NoNo* emitido pelo American International Group (AIG) era negociado ao preço de $ 1.032,50, com retorno até o vencimento de −1,6%. Ao mesmo tempo, um *NoNo* emitido pela Merrill Lynch era negociado a $ 1.205, o que implicava um retorno até o vencimento de −107%!

Cenário brasileiro – títulos de longo prazo com taxa flutuante*

A baixa liquidez do mercado secundário, a concentração de investidores e a predominância de debêntures atreladas ao CDI são desafios a ser superados no mercado brasileiro de debêntures. Alguns fatores positivos, como o alongamento dos prazos e a diversificação dos emissores, contribuíram para a evolução do mercado de debêntures no Brasil. Com o objetivo de diminuir

---

* Material cedido pelo Instituto Educacional BM&FBOVESPA. Acesse: www.bmfbovespa.com.br/educacional.

a exposição ao risco cambial e a busca por custos mais atrativos, o perfil de endividamento das empresas sofreu uma expressiva alteração, fazendo com que as captações no mercado externo em moeda estrangeira fossem trocadas por captações no mercado interno em moeda doméstica, aumentando consideravelmente o volume emitido.

A predominância de debêntures com o CDI como indexador pode ser notada no Gráfico 15.1. Entre as emissões de debêntures, no período de 1995 a 2013, o CDI é o principal indexador utilizado, com 89,6% do volume das emissões. Na sequência, temos o IPCA, com 6,1%, e o IGP-M, com 3,3%.

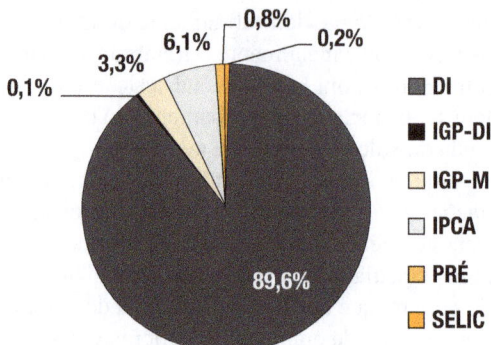

GRÁFICO 15.1 Indexadores em emissões de debêntures.

Fonte: Cetip; Anbima (2013).

O Gráfico 15.2 apresenta a destinação dos recursos das captações no primeiro semestre de 2014.

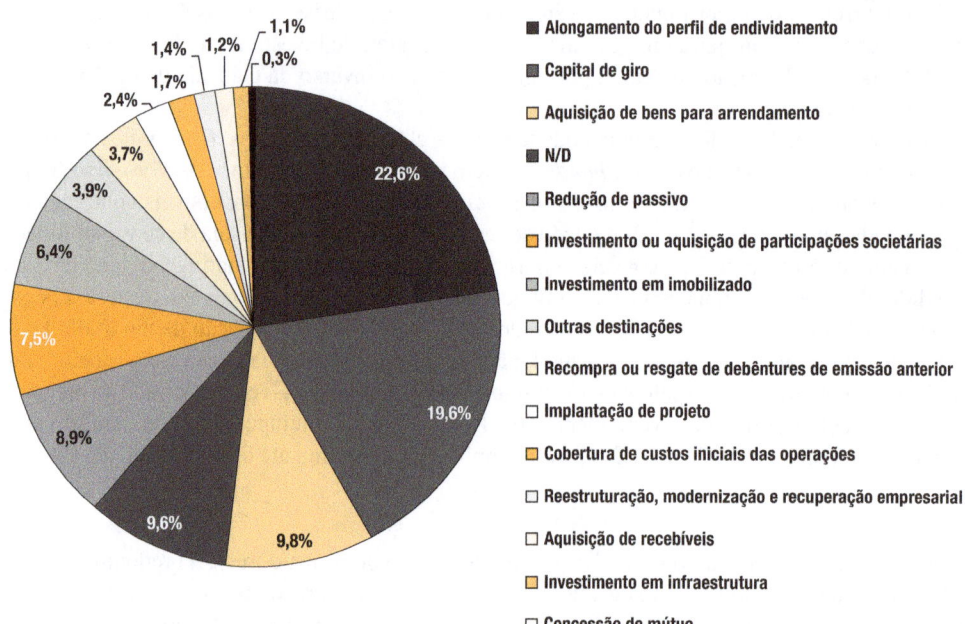

GRÁFICO 15.2 Principais usos de recursos de emissões de debêntures no primeiro semestre de 2014.

Fonte: Cetip; Anbima (2014).

O gerenciamento dos passivos financeiros feito com recursos captados das emissões e a predominância do CDI como principal indexador das debêntures estão estritamente relacionados, pois indicam a troca do risco cambial pelo risco da taxa de juros, ou seja, a substituição de dívida externa por dívida doméstica.

As administradoras de recursos de terceiros, os fundos de pensão e as tesourarias de bancos são os principais investidores, pois as operações de debêntures também são utilizadas como instrumento de empréstimo bancário tradicional (recursos novos ou refinanciamento).

15.4 Empréstimos bancários

Os empréstimos e financiamentos bancários são operações de intermediação financeira, em que os bancos captam recursos junto ao público e, com os recursos captados, realizam empréstimos e financiamentos ao público.

Empréstimos bancários são contratos de mútuo entre pessoas jurídicas (e físicas) e um banco pelos quais a instituição financeira fornece recursos financeiros ao tomador para restituição em valor único em uma data futura (vencimento) ou para restituição em parcelas intermediárias até o vencimento. Essas parcelas intermediárias podem ser mensais, trimestrais, semestrais ou anuais. Alguns empréstimos podem ter prazo de carência. O prazo de carência é um período em que não são exigidos pagamentos de principal, apenas de juros intermediários.

Os empréstimos bancários podem ser do tipo "prateleira", empréstimos com características geralmente padronizadas. São exemplos desse tipo o capital de giro e o adiantamento de recebíveis. Alguns financiamentos de longo prazo, como os com fundos do BNDES, também podem ser considerados financiamentos de "prateleira".

Operações mais complexas, que exigem uma "montagem" de fontes combinada com fluxos e com garantias, são chamadas de "operações estruturadas".

O prazo de empréstimos de financiamentos disponíveis no sistema bancário está ligado aos prazos das captações de recursos pelos bancos.

Algumas operações são estruturadas de forma a criar recebíveis negociáveis no mercado, facilitando aos bancos a revenda da carteira de empréstimos no mercado e possibilitando ao banco a captação de novos fundos para novos empréstimos. Um exemplo dessa modalidade são os empréstimos estruturados com CCB-Cédula de Crédito Bancário. O CCB é emitido pela empresa tomadora do empréstimo, e, de posse do CCB, o banco pode "vender o empréstimo" para outro banco.

Limites de crédito Os bancos realizam empréstimos a empresas estabelecendo um limite de crédito, determinando a quantia máxima que o banco está disposto a emprestar para cada empresa (risco máximo que o banco aceita correr com a empresa), que, então, poderá tomar emprestado conforme a sua necessidade de recursos financeiros. Um limite de crédito não constitui uma obrigação do banco para emprestar à empresa. Em geral, cada solicitação de empréstimo ou financiamento será objeto de uma análise pelo comitê de crédito do banco. Entretanto, algumas linhas podem ser oferecidas na forma de uma conta garantida, como a linha com esse mesmo nome e a linha de cheque especial empresarial. Tais linhas podem ter uma taxa de compromisso sobre a parte não utilizada do crédito.

15.5 Padrões de financiamento

As seções anteriores discutiram alguns detalhes institucionais relacionados ao financiamento de longo prazo. Consideraremos agora a relação entre financiamentos de longo prazo e investimentos. Como vimos nos capítulos precedentes, as empresas desejam investir em projetos com um VPL positivo. Como essas empresas obtêm o caixa necessário para financiar investimentos em projetos de VPL positivo? Em primeiro lugar, empresas que geram um fluxo de caixa positivo internamente podem usar esse fluxo para esses investimentos. Em termos contábeis, esse fluxo de caixa é igual ao lucro líquido mais a depreciação menos os dividendos.

Em segundo lugar, as empresas podem financiar despesas de capital com VPL positivo por meio de aportes financeiros de fora da operação, isto é, emitindo dívidas e participações no capital próprio.

A relação entre investimento e financiamento é descrita na Figura 15.1. O lado esquerdo da figura mostra que o fluxo de caixa pode financiar tanto as despesas de capital quanto os investimentos em capital de giro. Como indicado na figura, empresas norte-americanas utilizaram no decorrer do tempo 80% do fluxo de caixa em despesas de capital e cerca de 20% em investimentos em capital de giro. O lado direito da figura mostra as duas fontes de fluxo de caixa: financiamento interno e aportes de recursos de fora da empresa. Na imagem, os usos de fluxo de caixa excedem as fontes do financiamento interno. Assim, ações e títulos devem ser emitidos para preencher o *déficit financeiro*.

Na prática, qual tem sido a divisão entre financiamento interno e aportes de recursos de fora da empresa? A Figura 15.2 divide o financiamento total de empresas norte-americanas, entre 1995 e 2010, em financiamento interno, financiamento por meio de emissão de capital próprio e financiamento por meio de emissão de dívidas. Considere o ano de 1995. O financiamento interno nos Estados Unidos foi de 75% do total, as dívidas emitidas foram pouco mais de 25% do total, e o capital próprio emitido teve um número ligeiramente negativo. Note que, naquele ano, assim como em todos os anos, a soma das três fontes de financiamento é de 100%. Se você está se perguntando por que o aporte líquido de capital próprio é um número negativo, isso acontece porque as empresas compraram mais ações do que emitiram em determinado ano. De fato, a emissão de ações foi negativa em todos os anos em nossa amostra, indicando que a quantia em dinheiro de compras de ações excedeu a de emissões em todos os anos do período de amostra.

A figura ilustra vários fatos. Um deles é que o fluxo de caixa gerado internamente foi a principal fonte de financiamento. Outro diz respeito à predominância ter aumentado no período de amostra; o financiamento interno excedeu 100% na maior parte dos anos entre 2002

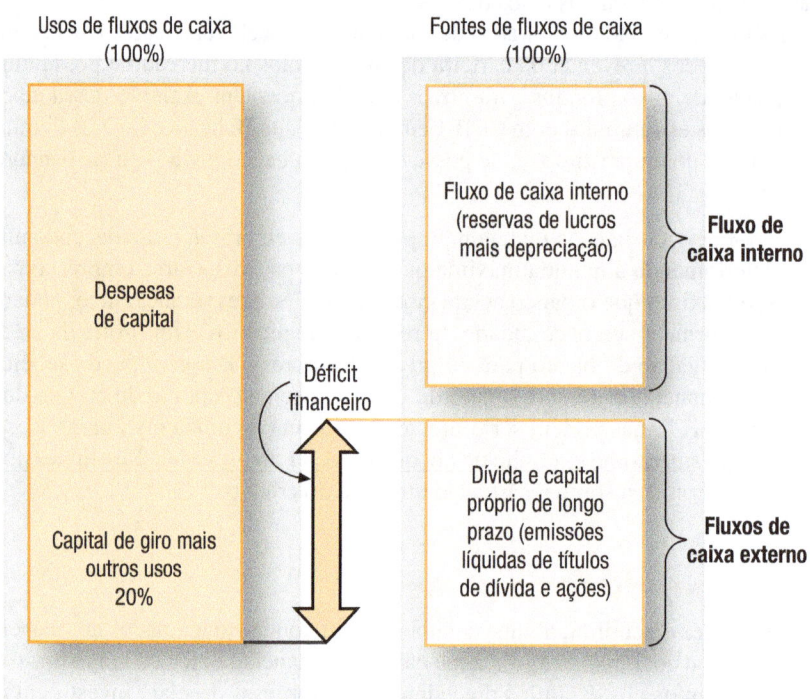

O déficit é a diferença entre os usos de financiamentos de longo prazo e o financiamento interno.

FIGURA 15.1 O déficit financeiro de longo prazo.

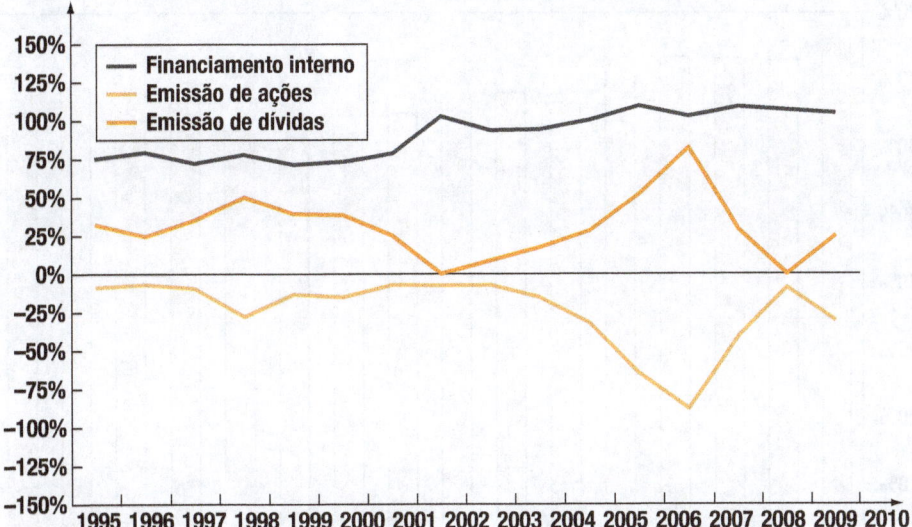

FIGURA 15.2 Decisões de financiamento de empresas não financeiras norte-americanas.

FONTE: Conselho de Governadores do Sistema da Reserva Federal. "Flow of Funds Accounts of the United States." Federal Reserve Statistical Release. 9 de junho de 2011, <http://www.federalreserve.gov/releases/zl/20110609.

e 2010. Um número acima de 100% implica que o financiamento com aportes de recursos de fora da empresa é negativo. Em termos monetários, as empresas estão resgatando mais ações e títulos de dívida do que estão emitindo. Em terceiro lugar, as recompras de ações parecem ter acelerado de 2002 a 2007. Argumenta-se que as empresas tinham uma abundância de caixa nessa época e estavam mais inclinadas a recomprar ações do que a pagar dividendos. Contudo, os problemas econômicos que iniciaram em 2008 reduziram muito a quantidade de caixa em recompras de ações nos Estados Unidos – discutiremos mais à frente as recompras de ações.

15.6 Tendências recentes na estrutura de capital nos Estados Unidos

A Figura 15.2 indica que, desde 1995, as empresas norte-americanas tendem a emitir dívidas e recomprar ações. Esse padrão de financiamento leva a uma pergunta: A estrutura de capital das empresas mudou nesse período de tempo? Espera-se que a resposta seja positiva, já que emissões de dívidas e recompras de ações devem aumentar a razão entre dívida e capital próprio. Todavia, observe a Figura 15.3, na qual se mostra a razão anual entre a dívida total e o valor contábil do capital próprio de 1995 a 2010. Essa razão foi menor em 2010 quando comparada ao ano de 1995, embora a diminuição tenha sido pequena. O resultado não é surpreendente, uma vez que se consideram os lucros retidos. Enquanto o lucro líquido for maior do que os dividendos, os lucros retidos serão positivos, aumentando o valor contábil do capital próprio.

O capital próprio também pode ser medido em termos de valor de mercado em vez de valor contábil. A Figura 15.4 mostra a razão anual entre a dívida total e o valor de mercado do capital próprio de empresas norte-americanas desde 1995. Ainda que essa razão também tenha experimentado uma leve queda no período de 15 anos, o padrão é um tanto diferente. Isso não é uma surpresa, já que movimentos no mercado de ações afetam o valor de mercado de empresas individuais. Quando vistos em conjunto, ambos os valores sugerem que a razão entre dívida e capital próprio mudou pouco apesar do padrão, exibido na Figura 15.2, de emissões de dívidas no financiamento de recompras de ações.

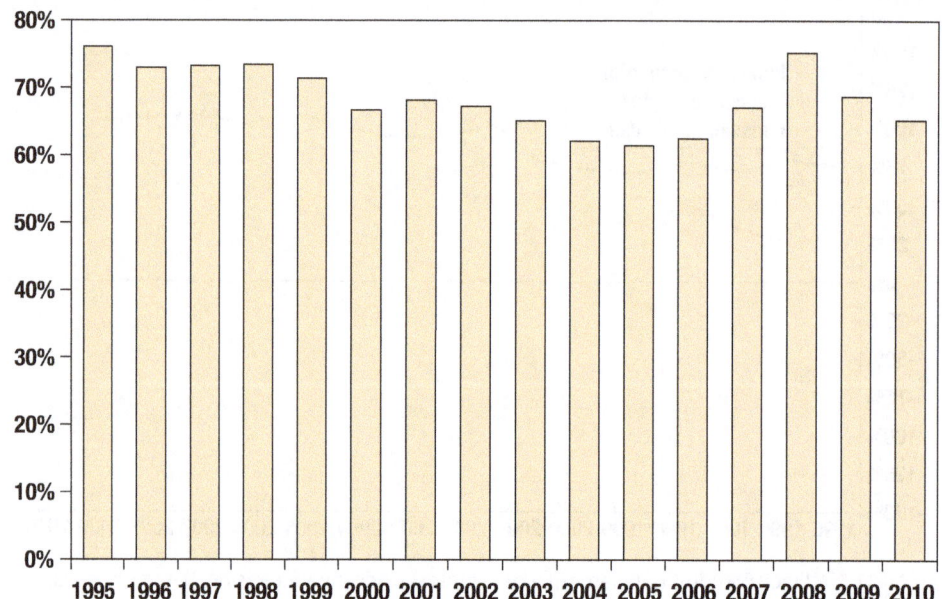

FIGURA 15.3 Índice contábil de endividamento: Dívida total como porcentagem do valor contábil do capital próprio de empresas norte-americanas não agrícolas e não financeiras de 1995 a 2010.

FONTE: Conselho de Governadores do Sistema da Reserva Federal. "Flow of Funds Accounts of the United States." Federal Reserve Statistical Release. 9 de junho de 2011, <http://www.federalreserve.gov/releases/z1/20110609>.

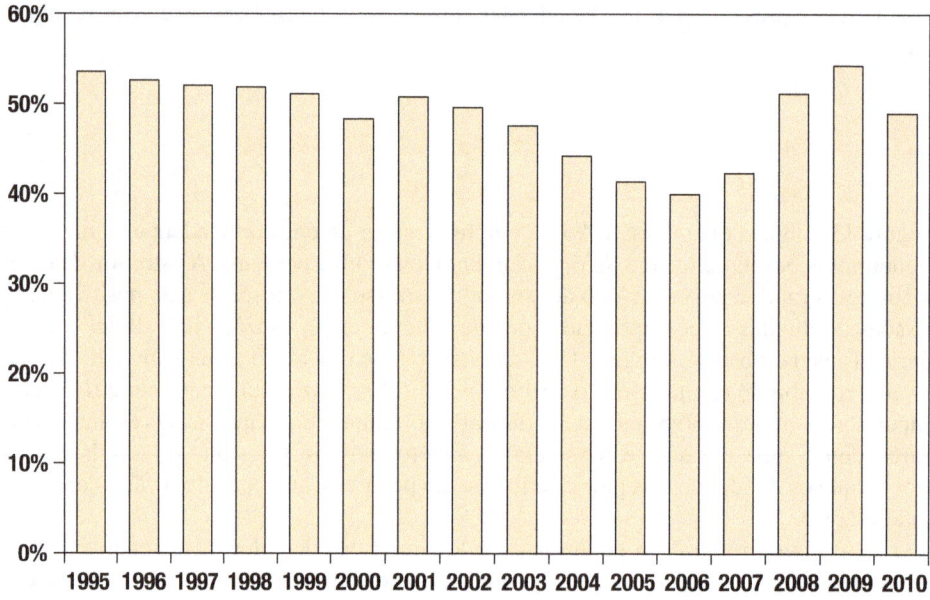

FIGURA 15.4 Índice de mercado de endividamento: Dívida total como porcentagem do valor de mercado do capital próprio de empresas norte-americanas não agrícolas e não financeiras de 1995 a 2010.

FONTE: Conselho de Governadores do Sistema da Reserva Federal. "Flow of Funds Accounts of the United States." Federal Reserve Statistical Release. 9 de junho de 2011, <http://www.federalreserve.gov/releases/z1/20110609>.

O que é melhor: valor contábil ou de mercado?

Economistas dos mercados financeiros preferem valores de mercado ao calcular os índices de endividamento, visto que, como indicado no Capítulo 14, os preços de mercado refletem a informação atual. Contudo, o uso de valores de mercado se contrapõe à perspectiva de muitos profissionais de empresas.

Nossas conversas com tesoureiros de empresas nos sugerem que a utilização de valores contábeis é popular devido à volatilidade da bolsa de valores. Muitas vezes, afirma-se que essa volatilidade faz com que os índices de endividamento baseados no mercado variem de forma excessiva. Soma-se a isso o fato de que as restrições impostas por cláusulas restritivas em títulos de dívida utilizam valores contábeis, e não valores de mercado. Além disso, empresas como a Standard & Poor's e a Moody's utilizam índices de endividamento expressos em valor contábil para realizarem avaliações de crédito.

Um fato decisivo é que, quer usemos valores contábeis, quer usemos valores de mercado, os índices de endividamento de empresas norte-americanas não financeiras foi bem menor do que 100% do valor total do capital próprio nos últimos anos; isto é, as empresas usaram menos dívida do que capital próprio. Trataremos mais desse assunto, inclusive para o mercado brasileiro, no Capítulo 17.

Resumo e conclusões

As fontes básicas de financiamento de longo prazo são dívida de longo prazo, ações preferenciais e ações ordinárias. Este capítulo descreveu as características principais de cada uma delas.

1. Enfatizamos os seguintes fatos em relação aos portadores de ações ordinárias:
   a. Têm o risco e os retornos residuais de uma empresa.
   b. Têm direito de voto.
   c. Dividendos não são uma despesa operacional, e as empresas não podem ser levadas à falência por não pagarem um dividendo.

2. Dívidas de longo prazo envolvem obrigações contratuais. Há vários tipos de dívida, mas a característica essencial é que a dívida envolve uma quantia estabelecida que deve ser devolvida. Pagamentos de juros sobre a dívida são considerados uma despesa operacional e são dedutíveis da base de cálculo dos tributos sobre a renda da pessoa jurídica.

3. No mercado norte-americano, ações preferenciais exibem algumas características de dívidas e algumas de capital próprio. Detentores de ações preferenciais têm preferência na liquidação e nos pagamentos de dividendos em relação aos detentores de ações ordinárias, porém, na maioria das vezes, não têm direito de voto.

4. No mercado brasileiro, ações preferenciais são participações no capital próprio sem características de dívidas, uma vez que, como regra, os dividendos devem ser distribuições de lucros; contudo, ações preferenciais podem ter dividendo fixo. Detentores de ações preferenciais têm preferência na liquidação e nos pagamentos de dividendos em relação aos detentores de ações ordinárias, porém, na maioria das vezes, não têm direito de voto e, quando o tem, têm voto restrito. O artigo 17 da Lei das Sociedades por Ações estabelece outros direitos de preferência.

5. As empresas precisam de financiamento para despesas de capital, capital de giro e outros usos de longo prazo. A maior parte do financiamento é feito com fluxo de caixa gerado internamente.

6. Por muitos anos, as empresas americanas têm recomprado grandes quantidades de ações de sua emissão. Isso ocorre lá por razões de ordem tributária que não se verificam no Brasil. Tais recompras de ações são financiadas com emissão de novas dívidas.

QUESTÕES CONCEITUAIS

1. **Características de títulos de dívida** Quais são as características principais de um título de dívida emitido por empresas que seriam parte da respectiva escritura de emissão?

2. **Ações preferenciais e dívidas** Quais são as diferenças entre ações preferenciais e dívidas nos Estados Unidos? E no Brasil?

3. **Ações preferenciais** De forma diferente do Brasil, nos Estados Unidos, as ações preferenciais têm características de dívida, por geralmente terem um dividendo fixo como percentual do valor de face, independente de lucros. Como a remuneração é dividendo, não há benefício fiscal para a empresa que paga dividendos de ações preferenciais. Por que, então, ainda se veem empresas emitindo ações preferenciais nos Estados Unidos? Já no Brasil, embora a lei permita a emissão de até 50% de preferenciais, tem sido prática as novas emissões serem feitas exclusivamente com ações ordinárias. Por que isso acontece?

4. **Ações preferenciais e retornos sobre títulos de dívida** Os retornos de ações preferenciais não conversíveis são menores do que aqueles de títulos de dívida de empresas. A que se deve a diferença? Que tipo de investidores é detentor principal de ações preferenciais nos Estados Unidos? Por quê? Há no Brasil algum tipo de incentivo fiscal como nos Estados Unidos para os acionistas preferenciais?

5. **Financiamento de empresas** Quais são as principais diferenças entre dívidas e capital próprio? Por que algumas empresas tentam emitir capital próprio disfarçado de dívida?

6. **Cláusulas de opção de resgate antecipado** Uma empresa está pensando em emitir títulos de dívida de longo prazo. A questão é se ela deve ou não incluir uma cláusula de opção de resgate antecipado. Quais são as vantagens para a empresa se a cláusula for incluída? Quais são os custos? Como essas respostas mudam em relação a uma cláusula de opção de venda?

7. **Procuração** O que é uma procuração em uma assembleia de acionistas?

8. **Ações preferenciais** Em sua opinião, em que situações as ações preferenciais são mais parecidas com dívidas ou com capital próprio? Por quê?

9. **Financiamento de longo prazo** Conforme mencionado no capítulo, emissões de ações são apenas uma pequena porção de todas as novas captações de empresas no mercado, e as empresas continuam a emitir dívidas. Por que as empresas tendem fazer poucas emissões de ações, porém continuam a emitir dívidas?

10. **Financiamento interno *versus* aportes de recursos de fora da empresa** Qual é a diferença entre financiamento interno e financiamento com aportes de recursos de fora da empresa?

11. **Financiamento interno *versus* aportes de recursos de fora da empresa** Que fatores influenciam a escolha por parte da empresa entre financiamento com aportes de recursos de fora da empresa e financiamento interno com reservas de lucros?

12. **Classes de ações** No Brasil, as ações ordinárias só podem ter uma classe; nos Estados Unidos, várias empresas de capital aberto emitiram mais de uma classe de ações? Por que motivos uma empresa emitiria ações com mais de uma classe?

13. **Títulos de dívida resgatáveis** Você concorda ou discorda da seguinte afirmação: Em um mercado eficiente, títulos de dívida resgatáveis e não resgatáveis terão o preço de tal modo que a opção de resgate não tenha vantagens ou desvantagens. Por quê?

14. **Preços de títulos de dívida** Em caso de queda das taxas de juros, o preço de títulos de dívida não resgatáveis irá aumentar mais do que o de títulos resgatáveis? Por quê?

15. **Fundos de amortização** Os fundos de amortização têm características positivas e negativas para os credores. Por quê?

16. **Preferências e vantagens** Quais as preferências ou vantagens que podem ser atribuídas às ações preferenciais emitidas no Brasil?

17. **Distribuição de lucros** Uma empresa brasileira que apresente sobras de caixa não comprometidas com o orçamento de capital, mas não apresentou lucros no exercício nem tem reservas de lucros, pode distribuir dividendos nessas condições?

18. **Títulos de dívida de empresas** Quais são os principais títulos de dívida emitidos por empresas no Brasil?
19. **Indexador de debêntures** Em sua opinião, por que o CDI tem sido o indexador preferido nas emissões de debêntures de empresas brasileiras?
20. **Regras de listagem na BM&FBOVESPA** Qual é a principal característica distintiva entre as ações que participam do Novo Mercado em relação às que participam do Nível 2? E quais as principais características distintivas entre as ações listadas no Nível 2 e as listadas no Nível 1?

QUESTÕES E PROBLEMAS

BÁSICO (Questões 1-4)

1. **Votação em empresas** Os acionistas da Companhia do Churrasco precisam eleger sete novos conselheiros de administração. Existem 850.000 ações em circulação, que atualmente são negociadas a $ 43 por ação. Você gostaria de fazer parte do conselho de administração. Infelizmente, ninguém mais votará em você. Quanto custará para garantir que você seja eleito caso a empresa utilize a votação por candidato? Quanto custará caso a empresa utilize a votação cumulativa?

2. **Votação cumulativa** Uma eleição está sendo convocada para preencher três vagas no conselho de administração de uma empresa da qual você é acionista. A empresa tem 7.600 ações em circulação. Se a eleição for realizada com votação cumulativa e você possui 300 ações, quantas ações você precisará comprar para garantir que você obtenha uma vaga no conselho?

3. **Votação cumulativa** Os acionistas da Força Motriz S/A devem eleger três membros para o conselho de administração. Há 13.000.000 ações ordinárias em circulação, e o preço atual por ação é de $ 10,50. Se a empresa utiliza procedimentos de votação cumulativa, quanto custará para garantir uma vaga no conselho de administração?

4. **Votação corporativa** A Velas Ltda. elegerá seis membros do conselho no próximo mês. Roberta Ribeiro é dona de 17,4% das ações em circulação. Qual é o grau de certeza que ela pode ter de que um dos candidatos indicados por ela seja eleito sob a regra de votação cumulativa? O indicado terá sua eleição garantida caso o procedimento de votação seja mudado para o modelo de conselho escalonado, no qual os acionistas renovam apenas dois membros do conselho por vez?

INTERMEDIÁRIO (Questões 5-10)

5. **Avaliação de títulos de dívida resgatáveis** A KIC Ltda. pretende emitir $ 5 milhões em títulos de dívida com uma taxa de cupom de 8% e vencimento em 30 anos. As atuais taxas de juros do mercado sobre esses títulos são de 7%. Em um ano, a taxa de juros sobre os títulos pode ser tanto 10% quanto 6%, com probabilidades iguais. Suponha que os investidores sejam neutros em relação ao risco.
    a. Se os títulos não forem resgatáveis, qual é o seu preço atual?
    b. Se os títulos forem resgatáveis daqui a um ano pelo valor de $ 1.080, o preço deles será maior ou menor do que o preço que você calculou no item (a)? Por quê?

6. **Avaliação de títulos de dívida resgatáveis** A Empreendimentos Inovadores Ltda. tem um título de dívida perpétuo em circulação com uma taxa de cupom de 10% que pode ser resgatado em um ano. Os pagamentos de cupom são anuais. O prêmio de resgate é de $ 150 sobre o valor ao par. Há uma chance de 60% de que a taxa de juros daqui a um ano seja de 12% e uma chance de 40% de que a taxa seja de 7%. Se a taxa de juros atual for de 10%, qual é o preço de mercado atual desse título?

7. **Avaliação de títulos de dívida resgatáveis** A Barreto Manufaturas pretende emitir títulos de dívida perpétuos resgatáveis e com pagamentos de cupom anuais. Os títulos são resgatáveis a $ 1.175. As taxas de juros de um ano são de 9%. Há uma chance de 60% de que a taxa de juros de longo prazo daqui a um ano seja de 10% e uma chance de 40% de que a taxa seja de 8%. Suponha que, se as taxas de juros caírem, os títulos sejam resgatados. Os títulos de dívida devem ter que taxa de cupom para que sejam vendidos ao par?

8. **Avaliação de títulos de dívida resgatáveis** As Fábricas Fluminenses decidiram captar recursos por meio de uma emissão de títulos de dívida perpétuos com uma taxa de cupom de 7%, pagável anualmente. A taxa de juros anual é de 7%. No próximo ano, há uma chance de 35% de que as taxas de juro aumentem para 9% e uma chance de 65% de que elas caiam para 6%.

   a. Qual será o valor de mercado de tais títulos caso eles não sejam resgatáveis?

   b. Se a empresa decidir tornar os títulos resgatáveis dentro de um ano, que taxa de cupom será exigida pelos detentores dos títulos para que estes sejam vendidos ao valor ao par? Considere que os títulos sejam resgatados em caso de aumento das taxas de juros e que o prêmio de resgate seja igual ao cupom anual.

   c. Qual será o valor da opção de compra para a empresa?

9. **Renovação de emissão de títulos** Uma emissão em circulação de debêntures das Linhas Aéreas Expressas vem junto com uma opção de compra. O valor total do principal dos títulos é de $ 250 milhões, e a taxa de cupom anual é de 9%. A empresa está considerando troca de títulos. Ela emitiria novos títulos de dívida nas mesmas condições, exceto prazo e custo, e usaria a receita da emissão de novos títulos para recomprar aqueles em circulação. O custo total da renovação seria 10% do montante de principal levantado. A alíquota tributária apropriada para a empresa é 34%. O custo de captação deve cair até que ponto para justificar a renovação com uma nova emissão de títulos?

10. **Renovação de emissão de títulos** A Rio Jacuí S/A está decidindo se resgatará um dos dois títulos de dívida perpétuos que atualmente tem em circulação. Para que ocorra o resgate, deverá ser feita uma nova emissão de títulos com uma taxa de cupom menor. O resultado da emissão de novos títulos será utilizado para recomprar uma das emissões. As informações sobre os títulos de dívida em circulação são as seguintes:

	Título A	Título B
Taxa de cupom	7,00%	8,00%
Valor em circulação	$ 125.000.000	$ 132.000.000
Prêmio de resgate	7,50%	8,50%
Custo de transação da renovação	$ 11.500.000	$ 13.000.000
Atual retorno até o vencimento	6,25%	7,10%

A alíquota tributária de pessoa jurídica é de 34%. Qual é o VPL da renovação de cada título? Caso a empresa decida pela renovação, qual dos títulos deve ser resgatado? Considere que o prêmio de resgate seja dedutível do imposto de renda.

DESAFIO
(Questões 11-12)

11. **Avaliação da opção de compra** Considere os preços dos seguintes títulos em 24 de fevereiro de 2014:

6,500	16 de maio	106,31250	106,37500	−13	5,28
8,250	16 de maio	103,43750	103,5000	−3	5,24
12,000	16 de maio	134,78125	134,96875	−15	5,32

O título do meio (de 8,250) é resgatável em fevereiro de 2015; as outras emissões não têm cláusula de resgate. Qual é o valor implícito da opção de compra (a opção de resgate)? (*Dica*: Existe uma forma de combinar as duas emissões não resgatáveis para criar uma emissão que tenha o mesmo cupom do título resgatável?)

12. **Títulos do Tesouro** A seguinte cotação dos títulos do Tesouro aparece no *Wall Street Journal* de 11 de maio de 2004:

9,125	9 de maio	100,09375	100,12500	...	−2,15

Por que alguém compraria esse título do Tesouro com um retorno negativo até o vencimento? Como isso é possível?

Estrutura de Capital
CONCEITOS BÁSICOS
16

Em 27 de junho de 2011, o time de beisebol Los Angeles Dodgers informou que havia solicitado recuperação judicial. Não é comum que uma grande franquia esportiva peça recuperação, especialmente quando se examina a lista de credores. Por exemplo, o Dodgers devia $ 21 milhões e $ 11 milhões aos ex-jogadores Manny Ramirez e Andruw Jones, respectivamente. Outros credores incluíam o Chicago White Sox ($ 3,5 milhões), a concessionária de restaurantes Levy ($ 588.322) e o famoso Vin Scully ($ 152.778), locutor da equipe desde sua mudança para Los Angeles em 1958.

É claro que clientes também podem estar envolvidos no processo de recuperação. Nesse caso, os portadores de ingressos para a temporada do Dodgers entraram com um pedido para participar da recuperação, uma vez que o valor dos ingressos poderia ser afetado pela forma como o clube saísse dela. Na realidade, eles alegaram que o valor já poderia ter sido afetado em razão de "lojas de concessão ineficientes e com pouco pessoal que faziam com que se perdessem uma ou mais rodadas de jogo em pé em filas insuportáveis para comprar um lanche". Em um processo de recuperação, as empresas normalmente não pagam tributos sobre lucros, pois não têm lucro tributável. Acontece que os tributos sobre lucros podem desempenhar um papel central nas decisões sobre a estrutura de capital, conforme demonstraremos neste capítulo.

Para ficar por dentro dos últimos acontecimentos na área de finanças, visite www.rwjcorporatefinance.blogspot.com.

Domine a habilidade de solucionar os problemas deste capítulo usando uma planilha. Acesse Excel Master no *site* www.grupoa.com.br, procure pelo livro e clique em Conteúdo *Online*.

16.1 O problema da estrutura de capital e a teoria da pizza

Como uma empresa deve escolher seu índice Dívida/Capital próprio? Chamamos nossa abordagem ao problema da estrutura de capital de **modelo de pizza**. Se você está se perguntando por que escolhemos esse nome, basta olhar para a Figura 16.1. A pizza em questão é a soma dos direitos financeiros sobre os ativos da empresa, da dívida e do capital próprio neste caso. *Definimos* que o valor da empresa é essa soma. Assim, o valor da empresa, V, é:

$$V \equiv B + S \qquad (16.1)$$

em que B é o valor de mercado da dívida e S é o valor de mercado do capital próprio. A Figura 16.1 apresenta duas possíveis formas de cortar essa pizza entre ações e dívida: 40%/60% e 60%/40%. Se o objetivo da administração da empresa for torná-la tão valiosa quanto possível, então a empresa deve escolher o índice Dívida/Capital próprio que torna a pizza – o valor total – tão grande quanto possível.

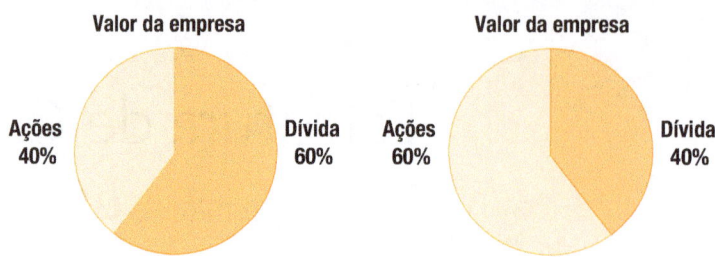

FIGURA 16.1 Dois modelos de pizza da estrutura de capital.

Essa discussão levanta duas questões importantes:

1. Por que os acionistas devem se importar com a maximização do valor da empresa inteira?
2. Qual é o índice Dívida/Capital próprio que maximiza a participação dos acionistas?

Examinaremos cada uma das duas questões separadamente.

16.2 Maximização do valor da empresa *versus* maximização da participação dos acionistas

O exemplo a seguir ilustra que a estrutura de capital que maximiza o valor da empresa é a que os gestores financeiros devem escolher para os acionistas.

EXEMPLO 16.1 Dívida e valor da empresa

Suponha que o valor de mercado da Ligeira S/A seja de $ 1 mil. Atualmente, a empresa não tem dívidas, e cada uma de suas cem ações é negociada por $ 10. Uma empresa como a Ligeira, sem dívidas, é chamada de empresa *não alavancada*. Suponha ainda que ela planeje tomar um empréstimo de $ 500 e pagar o valor captado aos acionistas como um dividendo extra, em dinheiro, de $ 5 por ação.[1] Após a emissão de dívida, a empresa se torna *alavancada*. Os investimentos dela não mudarão como resultado dessa transação. Qual será o valor da empresa depois da reestruturação proposta?

A administração reconhece que, por definição, apenas um dos três resultados pode ocorrer a partir da reestruturação. O valor da empresa após a reestruturação pode ser (1) maior do que o valor original de $ 1 mil, (2) igual a $ 1 mil ou (3) menor que $ 1 mil. Depois de consultar bancos de investimento, a administração acredita que a reestruturação não vá mudar o valor da empresa em mais de $ 250 em qualquer sentido. Assim, os valores da empresa de $ 1.250, $ 1.000 e $ 750 são vistos como o intervalo relevante. A estrutura de capital original e essas três possibilidades sob a nova estrutura de capital são apresentadas a seguir:

	Sem dívida (estrutura de capital original)	Valor da dívida mais capital próprio depois do pagamento de dividendos (três possibilidades)		
		I	II	III
Dívida	$ 0	$ 500	$ 500	$ 500
Capital próprio	1.000	750	500	250
Valor da empresa	$ 1.000	$ 1.250	$ 1.000	$ 750

---

[1] Esta é uma conjetura didática. No Capítulo 19, mostraremos que, no Brasil, dividendos somente podem ser pagos a partir de lucros. Assim, o pagamento de dividendos com o produto de um empréstimo somente seria possível com a existência de lucros do período (ou de reservas de lucros) passíveis de distribuição no valor pretendido.

Note que o valor do capital próprio está abaixo de $ 1 mil segundo qualquer uma das três possibilidades. Isso pode ser explicado de duas maneiras. Primeiramente, o quadro mostra o valor do capital *depois* de o dividendo extra ser pago. Como o dinheiro sai do caixa, um dividendo representa uma redução dos ativos da empresa. Consequentemente, há menos valor na empresa para os acionistas depois do pagamento de dividendos. Em segundo lugar, no caso de ocorrer uma liquidação, os acionistas serão pagos somente depois de os credores terem sido pagos na íntegra. Assim, a dívida é um ônus da empresa, que pode reduzir o valor do capital próprio.

É claro que a administração reconhece que existem infinitos resultados possíveis. Esses três devem ser vistos apenas como resultados *representativos*. Podemos agora determinar o pagamento aos acionistas segundo as três possibilidades:

	Pagamento aos acionistas depois da reestruturação		
	I	II	III
Ganhos de capital	–$ 250	–$ 500	–$ 750
Dividendos	500	500	500
Ganho ou perda líquidos para os acionistas	$ 250	$ 0	–$ 250

De antemão, não é possível ter certeza de qual dos três resultados irá ocorrer. No entanto, imagine que os gestores acreditem que o resultado I seja mais provável. Eles definitivamente deveriam reestruturar a empresa, pois os acionistas ganhariam $ 250. Ou seja, embora o preço das ações decline em $ 250, para $ 750, eles recebem $ 500 em dividendos. Seu ganho líquido é de $ 250 = –$ 250 + $ 500. Além disso, observe que o valor da empresa subiria em $ 250 = $ 1.250 – $ 1.000.

Alternativamente, imagine que os gestores acreditem que o resultado III seja mais provável. Nesse caso, eles não devem reestruturar a empresa, pois os acionistas esperariam uma perda de $ 250. Isto é, as ações caem em $ 750, para $ 250, e eles recebem $ 500 em dividendos. Sua perda líquida é de –$ 250 = –$ 750 + $ 500. Além disso, note que o valor da empresa iria variar em –$ 250 = $ 750 – $ 1.000.

Por fim, imagine que os gestores acreditem que o resultado II seja mais provável. A reestruturação não afetaria a participação dos acionistas, porque o ganho líquido deles, nesse caso, seria zero. Note também que o valor da empresa se mantém inalterado se o resultado II ocorrer.

Esse exemplo explica por que os gestores devem tentar maximizar o valor da empresa. Em outras palavras, ele responde à pergunta (1) da Seção 16.1. Encontramos nesse exemplo o seguinte ensinamento:

> **Os gestores devem escolher a estrutura de capital que acreditem proporcionar o maior valor da empresa, pois essa estrutura de capital será mais benéfica para os seus acionistas.**[2]

Claramente, a Ligeira deve tomar o empréstimo de $ 500 se espera o resultado I. A pergunta crucial para determinar a estrutura de capital de uma empresa é a seguinte: qual cenário tem maior probabilidade de ocorrer? Esse exemplo não diz qual dos três resultados é o mais provável. Portanto, não nos diz se a dívida deve ser adicionada à estrutura de capital da Ligeira. Em outras palavras, ele não respondeu à pergunta (2) da Seção 16.1. A segunda pergunta será discutida na próxima seção.

---

[2] Esse resultado pode não se sustentar em um caso mais complexo, no qual a dívida tenha uma possibilidade significativa de inadimplência. As questões de inadimplência serão tratadas no próximo capítulo.

16.3 Alavancagem financeira e valor da empresa: um exemplo

Alavancagem e retornos para os acionistas

> **ExcelMaster**
> *cobertura online*
> Esta seção abrange as barras de rolagem e os gráficos de pizza.

A seção anterior mostra que a estrutura de capital que produz o maior valor da empresa é a que maximiza a riqueza dos acionistas. Nesta seção, queremos determinar essa estrutura ótima de capital. Começaremos ilustrando o efeito da estrutura de capital sobre os retornos para os acionistas. Utilizaremos um exemplo detalhado cujo estudo minucioso é encorajado para os alunos. Uma vez que tenhamos a experiência desse exemplo, estaremos prontos para determinar a estrutura ótima de capital.

No momento, a Transcontinental S/A não tem dívidas em sua estrutura de capital. A empresa está considerando uma emissão de dívida para recomprar algumas de suas ações. Suas estruturas de capital atual e proposta são apresentadas no Quadro 16.1. Os ativos da empresa valem $ 8 mil. A empresa é financiada somente por capital próprio e tem 400 ações em circulação, o que implica um valor de mercado de $ 20 por ação. A emissão proposta de dívida é de $ 4 mil, deixando $ 4 mil em capital próprio. A taxa de juros é de 10%.

O efeito das condições econômicas sobre o lucro por ação é mostrado no Quadro 16.2 para a atual estrutura de capital (financiada somente por capital próprio). Considere, primeiramente, a coluna do meio, na qual se espera que o lucro seja de $ 1.200. Como os ativos valem $ 8 mil, o retorno sobre os ativos (ROA) é de 15% (= $ 1.200/$ 8.000). Os ativos equivalem às ações dessa empresa financiada somente por capital próprio, então o retorno de investimento (ROE) também é de 15%. O lucro por ação (LPA) é de $ 3,00 (= $ 1.200/400). Cálculos similares produzem um LPA de $ 1,00 e $ 5,00 nos casos de recessão e expansão, respectivamente.

O caso da alavancagem é apresentado no Quadro 16.3. O ROA nos três estados econômicos é idêntico nos Quadros 16.2 e 16.3, pois esse índice é calculado antes que os juros sejam considerados. A dívida é de $ 4 mil aqui, então os juros são de $ 400 (= 0,10 × $ 4.000). Assim, o lucro depois de juros é de $ 800 (= $ 1.200 − $ 400) no caso do meio, o caso esperado. Como o capital próprio vale $ 4 mil, o ROE é de 20% (= $ 800/$ 4.000). O lucro por ação é de $ 4,00 (= $ 800/200). Cálculos similares produzem ganhos de $ 0 e $ 8,00 para recessão e expansão, respectivamente.

Os Quadros 16.2 e 16.3 mostram que o efeito da alavancagem financeira depende do lucro da empresa antes de juros. Se o lucro antes de juros for igual a $ 1.200, o ROE é maior na nova estrutura de capital proposta. Se o lucro for igual ou inferior a $ 400, o ROE é maior na estrutura de capital atual.

QUADRO 16.1 Estrutura financeira da Transcontinental S/A

	Atual	Proposta
Ativos	$ 8.000	$ 8.000
Dívida	$ 0	$ 4.000
Capital próprio (mercado e contábil)	$ 8.000	$ 4.000
Taxa de juros	10%	10%
Valor de mercado/ação	$ 20	$ 20
Ações em circulação	400	200

A estrutura de capital proposta tem alavancagem, ao passo que a atual é financiada somente por capital próprio.

QUADRO 16.2 Estrutura atual de capital da Transcontinental S/A, sem dívida

	Recessão	Esperado	Expansão
Retorno dos ativos (ROA)	5%	15%	25%
Lucro	$ 400	$ 1.200	$ 2.000
Retorno de investimento (ROE) = Lucro/Capital próprio	5%	15%	25%
Lucro por ação (LPA)	$ 1,00	$ 3,00	$ 5,00

QUADRO 16.3 Estrutura de capital proposta da Transcontinental, com dívida = $ 4.000

	Recessão	Esperado	Expansão
Retorno dos ativos (ROA)	5%	15%	25%
Lucro antes de juros	$ 400	$ 1.200	$ 2.000
Juros	− 400	− 400	− 400
Lucro depois de juros	$ 0	$ 800	$ 1.600
Retorno de investimento (ROE)= Lucro depois de juros/Capital próprio	0	20%	40%
Lucro por ação (LPA)	0	$ 4,00	$ 8,00

Essa ideia está representada na Figura 16.2. A linha sólida representa o caso de nenhuma alavancagem. A linha começa na origem, o que indica que o Lucro por Ação (LPA) seria zero se o lucro antes de juros fosse zero. O LPA sobe em conjunto com um aumento no lucro antes da dedução de juros.

A linha tracejada representa o caso de $ 4 mil de dívida. Aqui, o LPA é negativo se o lucro antes de juros for zero. Isso acontece porque $ 400 de juros devem ser pagos independentemente do lucro da empresa.

Agora, considere as inclinações das duas linhas. A inclinação da linha tracejada (a linha com dívida) é maior do que a da linha sólida. Isso ocorre porque a empresa alavancada tem *menos* ações em circulação que a não alavancada. Portanto, qualquer aumento no lucro antes de juros leva a um maior aumento do LPA para a empresa alavancada, pois o aumento de lucro é distribuído entre um número menor de ações.

Como a linha tracejada tem uma intercepção menor, mas uma inclinação maior, as duas linhas devem se cruzar. O *ponto de equilíbrio* ocorre em $ 800 de lucro antes de juros. Se o lucro antes de juros fosse de $ 800, ambas as empresas produziriam $ 2 de lucro por ação (LPA). Como $ 800 é o ponto de equilíbrio, o lucro acima de $ 800 leva a um LPA maior para a empresa alavancada. O lucro abaixo de $ 800 leva a um LPA maior para a empresa não alavancada.

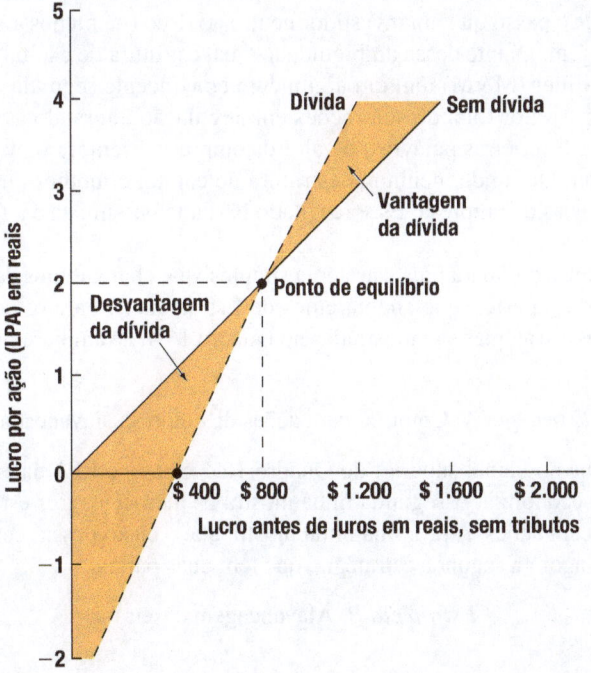

FIGURA 16.2 Alavancagem financeira: LPA e lucro antes de juros da Transcontinental S/A.

QUADRO 16.4 Resultados e custo para acionistas da Transcontinental sob a estrutura proposta e sob a estrutura atual com alavancagem caseira

	Recessão	Esperado	Expansão
Estratégia A: Comprar 100 ações da empresa alavancada			
LPA da empresa *alavancada* (última linha do Quadro 16.3)	$ 0	$ 4	$ 8
Lucro por 100 ações	0	400	800
Custo inicial = 100 ações a $ 20/ação = $ 2.000			
Estratégia B: Alavancagem caseira			
Lucro por 200 ações na Transcontinetal atual *não alavancada*	$ 1 × 200 = 200	$ 3 × 200 = 600	$ 5 × 200 = 1.000
Juros a 10% sobre $ 2.000	− 200	− 200	− 200
Lucro líquido	$ 0	$ 400	$ 800
Custo inicial = 200 ações a 20/ação − $ 2.000 = $ 2.000 Custo das ações Valor do empréstimo			

O investidor recebe o mesmo se (1) comprar ações de uma empresa alavancada, ou (2) tomar um empréstimo pessoal para comprar ações de uma empresa não alavancada. Seu investimento inicial é o mesmo em qualquer um dos casos. Assim, a empresa não ajuda nem atrapalha o investidor ao adicionar dívida à estrutura de capital.

Escolha entre dívida e capital próprio

Os Quadros 16.2 e 16.3 e a Figura 16.2 são importantes, porque mostram o efeito da alavancagem sobre o lucro por ação. Recomendamos ao leitor estudar os quadros e a figura até que esteja confortável com o cálculo de cada número neles. No entanto, ainda não apresentamos a moral da história. Isto é, ainda não afirmamos qual estrutura de capital é melhor para a Transcontinental.

Neste ponto, muitos leitores acreditam que a alavancagem é benéfica, pois se espera que o LPA seja de $ 4,00 com ela e de apenas $ 3,00 sem ela. No entanto, a alavancagem também gera *riscos*. Note que, em uma recessão, o LPA é maior ($ 1,00 contra $ 0) para a empresa não alavancada. Assim, um investidor avesso ao risco pode preferir a empresa financiada somente por capital próprio, ao passo que um investidor neutro ao risco (ou menos avesso ao risco) pode preferir a alavancagem. Diante dessa ambiguidade, qual estrutura de capital *é* melhor?

Modigliani e Miller (M&M) têm um argumento convincente segundo o qual uma empresa não pode alterar o valor total de suas ações em circulação alterando as proporções de sua estrutura de capital. Em outras palavras, o valor da empresa é sempre o mesmo em diferentes estruturas de capital. Ou ainda, nenhuma estrutura de capital é melhor ou pior que qualquer outra para os acionistas da empresa. Esse resultado bastante pessimista é a famosa **Proposição I de M&M**.[3]

O argumento deles compara uma estratégia simples, que chamaremos de Estratégia *A*, com uma estratégia de duas partes, que chamaremos de Estratégia *B*. Para os acionistas da Transcontinetal, ambas as estratégias são mostradas no Quadro 16.4. Examinaremos agora a primeira estratégia.

Estratégia A: Comprar cem ações da empresa alavancada

A primeira linha no painel superior do Quadro 16.4 mostra o LPA da empresa alavancada nos três estados da economia. A segunda linha mostra os lucros nos três estados para um indivíduo que compre cem ações. A próxima linha mostra que o custo dessas cem ações é $ 2 mil.

Consideremos agora a segunda estratégia, que tem duas partes.

Estratégia B: Alavancagem caseira

---

[3] O artigo original é: F. Modigliani e M. Miller, "The Cost of Capital, Corporation Finance and the Theory of Investment", *American Economic Review* (jun. 1958).

1. Tomar um empréstimo de $ 2 mil em um banco ou, mais provavelmente, em uma corretora (se a corretora for o credor, dizemos que essa é uma operação em *conta margem*).
2. Utilizar os recursos emprestados mais seus recursos próprios de $ 2 mil (um total de $ 4 mil) para comprar 200 ações da atual empresa não alavancada a $ 20 por ação.

O painel inferior do Quadro 16.4 mostra resultados no âmbito da Estratégia *B,* que chamamos de estratégia de *alavancagem caseira.* Primeiro, observe a coluna do meio, indicando que 200 ações não alavancadas devem proporcionar lucros de $ 600. Supondo que os $ 2 mil tenham sido tomados a uma taxa de juros de 10%, o custo financeiro é de $ 200 (=0,10 × $ 2.000). Portanto, o resultado líquido deve ser de $ 400. Um cálculo similar gera resultados líquidos de $ 0 ou $ 800 na recessão ou na expansão, respectivamente.

Agora, compararemos as duas estratégias tanto em termos de lucro ao ano quanto em termos de custo inicial. O painel superior do quadro mostra que a Estratégia *A* gera lucros de $ 0, $ 400 e $ 800 nos três estados. O painel inferior do quadro mostra que a Estratégia *B* gera os *mesmos* lucros líquidos nos três estados.

O painel superior do quadro mostra que a Estratégia *A* envolve um custo inicial de $ 2 mil. De modo similar, o painel inferior mostra um custo líquido *idêntico* de $ 2 mil para a Estratégia *B.*

Isso mostra um resultado muito importante. Tanto o custo quanto os resultados das duas estratégias são os mesmos. Assim, devemos concluir que a Transcontinental não ajuda nem atrapalha seus acionistas com uma reestruturação. Em outras palavras, o investidor não está recebendo nada da alavancagem na empresa que não pudesse receber sozinho.

Note que, conforme mostrado no Quadro 16.1, o capital próprio na empresa não alavancada está avaliado em $ 8 mil. Como o capital próprio na empresa alavancada vale $ 4 mil e sua dívida vale $ 4 mil, o valor da empresa alavancada também é $ 8 mil.

Agora, suponha que, por qualquer motivo, o valor da empresa alavancada fosse maior do que o da não alavancada. Aqui, a Estratégia *A* custaria mais do que a Estratégia *B.* Nesse caso, o investidor preferiria fazer um empréstimo por conta própria e investir nas ações da empresa não alavancada. Ele teria o mesmo resultado líquido a cada ano que tivesse investido nas ações da empresa alavancada. No entanto, seu custo seria menor. A estratégia não seria exclusiva para nosso investidor. Diante do custo maior da empresa alavancada, nenhum investidor racional investiria em suas ações. Qualquer pessoa que desejasse ações da empresa alavancada teria o mesmo retorno monetário de forma mais barata por meio de empréstimos para financiar a compra de ações da empresa não alavancada. O resultado de equilíbrio seria que o valor da empresa alavancada cairia e o da empresa não alavancada subiria, até se tornarem iguais. Nesse ponto, não faria diferença optar pela Estratégia *A* ou pela Estratégia *B.*

Esse exemplo ilustra o resultado básico de Modigliani-Miller (M&M) e é, como já dissemos, comumente chamado de Proposição I. Reafirmamos essa proposição da seguinte forma:

> **Proposição I de M&M (sem impostos): O valor da empresa alavancada é o mesmo que o da empresa não alavancada.**

Esse é um dos resultados mais importantes das Finanças Corporativas. Geralmente, ele é considerado o ponto de partida da administração financeira moderna. Antes de M&M, o efeito da alavancagem sobre o valor da empresa era considerado complexo. Modigliani e Miller mostraram um resultado incrivelmente simples: se as empresas alavancadas estiverem com preços muito altos, os investidores racionais simplesmente tomarão empréstimos pessoais para comprar ações de empresas não alavancadas. Essa substituição é, muitas vezes, chamada de *alavancagem caseira.* Desde que se tomem (e concedam) empréstimos nos mesmos termos que as empresas, é possível duplicar por conta própria os efeitos da alavancagem corporativa.

O exemplo do Transcontinental S/A mostra que a alavancagem não afeta o valor da empresa. Mostramos anteriormente que o bem-estar dos acionistas está diretamente relacionado com o valor da empresa, e o exemplo nos mostra que as mudanças na estrutura de capital não afetam esse valor.

Pressuposto fundamental

O resultado de M&M depende do pressuposto de que pessoas físicas possam tomar empréstimos tão baratos quanto as empresas. Se, pelo contrário, só for possível fazê-lo a um custo maior, conseguimos facilmente demonstrar que as empresas podem aumentar seu valor por meio de empréstimos.

É bom esse pressuposto de custos iguais de empréstimos? Pessoas físicas que queiram comprar ações e tomar empréstimos podem fazê-lo abrindo uma conta margem com um corretor. No âmbito desse acordo, o corretor empresta à pessoa física uma parte do preço de compra. Por exemplo, é possível comprar $ 10 mil em ações investindo $ 6 mil de seus próprios recursos e pedindo $ 4 mil ao corretor. Se as ações valerem $ 9 mil no dia seguinte, o valor ou patrimônio líquido da pessoa física na conta seria de $ 5.000 = $ 9.000 − $ 4.000.[4]

O corretor teme que uma queda de preços repentina faça com que a conta de pessoa física fique negativa, implicando que ele talvez não receba o reembolso de seu empréstimo na íntegra. Para se proteger contra essa possibilidade, as regras da bolsa de valores exigem que sejam feitas contribuições adicionais em dinheiro (que a conta margem seja reabastecida) à medida que o preço da ação caia. Como (1) os procedimentos para reabastecer a conta se desenvolveram ao longo de muitos anos e (2) o corretor mantém as ações como garantia, há pouco risco de inadimplência para ele.[5] Em especial, se as contribuições de margem não forem feitas dentro do prazo, o corretor pode vender as ações para saldar o empréstimo. Por isso, os corretores geralmente cobram juros baixos, com muitas taxas estando apenas ligeiramente acima da taxa sem risco.

Em contrapartida, as empresas frequentemente tomam empréstimos usando ativos sem liquidez (p. ex., instalações e equipamentos) como garantia. Os custos do credor com a negociação inicial e a supervisão permanente, bem como para elaborar arranjos em caso de dificuldades financeiras, podem ser muito elevados. Assim, é difícil argumentar que pessoas físicas precisem tomar empréstimos a taxas mais altas que as empresas.

16.4 Modigliani e Miller: Proposição II (sem tributos)
O risco para os acionistas sobe com a alavancagem

Em uma reunião de executivos da Transcontinental, um executivo disse: "Bem, talvez não importe se é a pessoa jurídica ou a física que faça a alavancagem, contanto que ela ocorra. A alavancagem beneficia os investidores. Afinal, o retorno esperado pelo investidor aumenta com o volume de alavancagem". Ele, então, apontou que, como mostrado nos Quadros 16.2 e 16.3, o retorno esperado sobre o capital próprio não alavancado é de 15%, enquanto o retorno esperado sobre o capital próprio alavancado é de 20%.

No entanto, outro executivo respondeu: "Não necessariamente. Embora o retorno esperado aumente com a alavancagem, o *risco* também aumenta". Esse ponto pode ser visto a partir de um exame dos Quadros 16.2 e 16.3. Com o lucro antes de juros variando entre $ 400 e $ 2.000, o lucro por ação (LPA) para os acionistas da empresa não alavancada varia entre $ 1,00 e $ 5,00. O LPA para os acionistas da empresa alavancada varia entre $ 0 e $ 8,00. Essa maior amplitude do LPA da empresa alavancada implica um maior risco para os seus acionistas. Em outras palavras, acionistas alavancados têm retornos melhores em períodos bons do que os não alavancados, mas têm retornos piores em períodos ruins. Os dois quadros também mostram um maior intervalo para o ROE da empresa alavancada. A interpretação anterior acerca do risco também se aplica aqui.

---

[4] Estamos ignorando a taxa de juros de um dia sobre o empréstimo.

[5] Se este texto tivesse sido publicado antes de 19 de outubro de 1987, quando os preços das ações na NYSE caíram mais de 20% em um único dia, poderíamos ter usado a expressão "praticamente nenhum" risco em vez de "pouco" risco.

O mesmo se pode perceber a partir da Figura 16.2. A inclinação da linha para a empresa alavancada é maior que a da linha para a não alavancada. Isso significa que os acionistas alavancados têm retornos melhores nos períodos bons que os acionistas não alavancados, mas têm retornos piores em períodos ruins, o que implica um risco maior com a alavancagem. Em outras palavras, a inclinação da linha mede o risco para os acionistas, pois indica a sensibilidade do ROE às mudanças no desempenho da empresa (lucro antes de juros).

Proposição II: o retorno exigido para os acionistas sobe com a alavancagem

Como o capital alavancado tem um risco maior, deve ter um retorno esperado maior como remuneração por esse risco. Em nosso exemplo, o mercado *exige* apenas um retorno esperado de 15% para o capital não alavancado, mas um de 20% para o alavancado.

Esse tipo de raciocínio nos permite desenvolver a **Proposição II de M&M**. Aqui, M&M argumentam que o retorno esperado sobre o capital próprio está positivamente relacionado com a alavancagem, pois o risco para os acionistas aumenta com ela.

Para desenvolver esse argumento, recorde que o custo médio ponderado de capital da empresa, R_{CMPC}, pode ser escrito como:[6]

$$R_{CMPC} = \frac{S}{B+S} \times R_S + \frac{B}{B+S} \times R_B \qquad (16.2)$$

em que:

R_B é o custo da dívida.

R_S é o retorno esperado sobre o capital próprio (as ações), também chamado de *custo de capital próprio* ou de *retorno exigido do capital próprio*.

R_{CMPC} é o custo médio ponderado de capital da empresa.

B é o valor dos títulos, ou da dívida, da empresa.

S é o valor das ações, ou do capital próprio, da empresa.

A Equação 16.2 é bastante intuitiva. Ela simplesmente afirma que o custo médio ponderado de capital de uma empresa é uma média ponderada do seu custo de dívida e do seu custo de capital próprio. O peso aplicado à dívida é a sua proporção na estrutura de capital, e o peso aplicado ao capital próprio também é a sua proporção nela. Os cálculos de R_{CMPC} da Equação 16.2, tanto para empresas não alavancadas quanto para alavancadas, são apresentados no Quadro 16.5.

Uma implicação da Proposição I de M&M é o R_{CMPC} ser uma constante para uma determinada empresa, independentemente da estrutura de capital.[7] Por exemplo, o Quadro 16.5 mostra que o R_{CMPC} da Transcontinental é de 15%, com ou sem alavancagem.

Definiremos agora R_0 como o *custo de capital para uma empresa financiada somente por capital próprio*. Para a Transcontinental S/A, R_0 é calculado como:

$$R_0 = \frac{\text{Lucro esperado para empresa não alavancada}}{\text{Capital não alavancado}} = \frac{\$\,1.200}{\$\,8.000} = 15\%$$

Como pode ser visto no Quadro 16.5, o R_{CMPC} é igual a R_0 para a Transcontinental. Na verdade, R_{CMPC} deve *sempre* equivaler a R_0 em um mundo sem tributos para a pessoa jurídica.[8]

---

[6] Como não temos tributos aqui, o custo da dívida é R_B, e não $R_B(1-t_C)$, como era no Capítulo 13.

[7] Essa afirmação se sustenta em um mundo sem tributos sobre o lucro. Ela não se sustenta em um mundo com tributos, um ponto a ser levantado mais adiante neste capítulo (consulte a Figura 16.6).

[8] Idem.

QUADRO 16.5 Cálculos do custo de capital para a Transcontinental S/A

$$R_{CMPC} = \frac{B}{B+S} \times R_B + \frac{S}{B+S} \times R_S$$

Empresa não alavancada: $15\% = \frac{0}{\$8.000} \times 10\%^* + \frac{\$8.000}{\$8.000} \times 15\%^\dagger$

Empresa alavancada: $15\% = \frac{\$4.000}{\$8.000} \times 10\%^* + \frac{\$4.000}{\$8.000} \times 20\%^\ddagger$

*10% é o custo da dívida.

† Da coluna "Esperado" do Quadro 16.2, sabemos que o lucro esperado para a empresa não alavancada é de $ 1.200. Do Quadro 16.1, sabemos que o capital próprio para a empresa não alavancada é de $ 8.000. Assim, R_S para a empresa não alavancada é:

$$\frac{\text{Lucro esperado}}{\text{Capital próprio}} = \frac{\$1.200}{\$8.000} = 15\%$$

‡ Da coluna "Esperado" do Quadro 16.3, sabemos que o lucro esperado depois de juros para a empresa alavancada é de $ 800. Do Quadro 16.1, sabemos que o capital próprio para a empresa alavancada é de $ 4.000. Assim, R_S para a empresa alavancada é:

$$\frac{\text{Lucro esperado após juros}}{\text{Capital próprio}} = \frac{\$800}{\$4.000} = 20\%$$

A Proposição II mostra o retorno esperado do capital próprio, R_S, em termos de alavancagem. A relação exata, derivada pela definição de $R_{CMPC} = R_0$ e reorganização da Equação 16.2, é:[9]

Proposição II de M&M (sem impostos)

$$R_S = R_0 + \frac{B}{S}(R_0 - R_B) \qquad (16.3)$$

A Equação 16.3 implica que o retorno exigido do capital próprio seja uma função linear do índice Dívida/Capital próprio da empresa. Examinando a Equação 16.3, vemos que, se R_0 exceder o custo da dívida, R_B, o custo do capital próprio aumenta com o índice Dívida/Capital próprio, B/S. Normalmente, R_0 deve ser superior a R_B. Isto é, como mesmo o capital próprio não alavancado é arriscado, ele deve ter um retorno esperado maior do que a dívida, que é menos arriscada. Note que a Equação 16.3 vale para Transcontinental em seu estado alavancado:

$$0,20 = 0,15 + \frac{\$4.000}{\$4.000}(0,15 - 0,10)$$

A Figura 16.3 representa graficamente a Equação 16.3. Como você pode ver, traçamos a relação entre o custo de capital próprio, R_S, e o índice Dívida/Capital próprio, B/S, como uma linha reta. O que vimos na Equação 16.3 e ilustramos na Figura 16.3 é o efeito da alavancagem sobre o custo do capital próprio. À medida que o índice Dívida/Capital próprio da empresa aumenta, cada real de capital próprio é alavancado com uma dívida adicional. Isso aumenta o risco do capital próprio e, portanto, o retorno exigido do capital próprio, R_S.

A Figura 16.3 também mostra que R_{CMPC} não é afetado pela alavancagem, como já afirmamos. (É importante que os alunos percebam que R_0, o custo do capital próprio para uma empre-

---

[9] Isso pode ser derivado da Equação 16.2 definindo $R_{CMPC} = R_0$, obtendo-se:

$$\frac{B}{B+S}R_B + \frac{S}{B+S}R_S = R_0$$

Multiplicar ambos os lados por $(B+S)/S$ resulta em:

$$\frac{B}{S}R_B + R_S = \frac{B+S}{S}R_0$$

Podemos reescrever o lado direito como:

$$\frac{B}{S}R_B + R_S = \frac{B}{S}R_0 + R_0$$

Passando $(B/S)R_B$ para o lado direito e reorganizando a equação, teremos:

$$R_S = R_0 + \frac{B}{S}(R_0 - R_B)$$

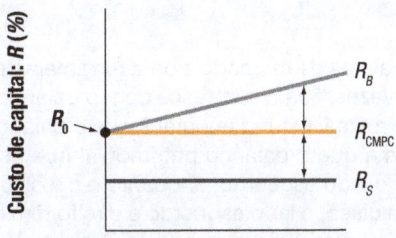

$R_S = R_0 + (R_0 - R_B)B/S$

R_S é o custo de capital próprio.
R_B é o custo da dívida.
R_0 é o custo de capital para uma empresa financiada somente por capital próprio.
R_{CMPC} é o custo médio ponderado de capital de uma empresa. Em um mundo sem tributos, o R_{CMPC} de uma empresa alavancada é igual a R_0.
R_0 é um único ponto, ao passo que R_S, R_B e R_{CMPC} são todos linhas inteiras.
O custo do capital próprio, R_S, está relacionado positivamente com o índice Dívida/Capital próprio da empresa.
O custo médio ponderado de capital da empresa, R_{CMPC}, não varia com o índice Dívida/Capital próprio dela.

FIGURA 16.3 Custo do capital próprio, custo da dívida e custo médio ponderado de capital: Proposição II de M&M sem impostos da pessoa jurídica.

sa financiada somente por capital próprio, é representado por um único ponto no gráfico. Em contrapartida, R_{CMPC} é uma linha inteira.)

EXEMPLO 16.2 Proposições I e II de M&M

A Luterana Motores, uma empresa financiada somente por capital próprio, tem lucro esperado de $ 10 milhões na forma de perpetuidade. A empresa paga todo o seu lucro como dividendos; assim, os $ 10 milhões também podem ser vistos como o fluxo de caixa esperado pelos acionistas. Há 10 milhões de ações em circulação, implicando um fluxo de caixa anual esperado de $ 1 por ação. O custo de capital para essa empresa não alavancada é de 10%. Além disso, em breve, ela construirá uma nova fábrica por $ 4 milhões. Espera-se que a fábrica gere um fluxo de caixa adicional de $ 1 milhão por ano. Esses valores podem ser descritos desta forma:

Empresa atual		Empresa com nova fábrica	
Fluxo de caixa:	$ 10 milhões	Desembolso inicial:	$ 4 milhões
Número de ações em circulação: 10 milhões		Fluxo de caixa anual adicional:	$ 1 milhão

O valor presente líquido do projeto é:

$$-\$ 4 \text{ milhões} + \frac{\$ 1 \text{ milhão}}{0,1} = \$ 6 \text{ milhões}$$

supondo que o projeto seja descontado com a mesma taxa que a empresa como um todo.
Antes de o mercado saber acerca do projeto, o balanço patrimonial a *valores de mercado* da empresa é este:

Luterana Motores Balanço patrimonial (somente capital próprio)	
Ativos antigos: $\frac{\$ 10 \text{ milhões}}{0,1}$ = $ 100 milhões	Capital próprio: $ 100 milhões (10 milhões de ações)

O valor da empresa é de $ 100 milhões, porque o fluxo de caixa de $ 10 milhões por ano é avaliado (descontado) a 10%. Cada ação é negociada por $ 10 (=$ 100 milhões/10 milhões), pois há 10 milhões de ações em circulação.

(continua)

(continuação)

O balanço patrimonial a valores de mercado é uma ferramenta útil para a análise financeira. Como os alunos, muitas vezes, ficam surpresos com o balanço a valores de mercado, recomendamos um estudo extra aqui. O fundamental é que o balanço patrimonial a valores de mercado tem a mesma forma que o balanço patrimonial que os contadores usam. Ou seja, os ativos são colocados no lado esquerdo, enquanto o passivo e o capital próprio são colocados no lado direito. Além disso, o lado esquerdo e direito têm de ser iguais. A diferença entre o balanço patrimonial a valores de mercado e o balanço patrimonial do contador está nos números. Os contadores avaliam os itens em termos de custo histórico (preço de compra original menos a depreciação), ao passo que os analistas financeiros os avaliam em termos de valor de mercado.

A empresa emitirá $ 4 milhões em ações ou dívida. Consideremos os efeitos do financiamento com capital próprio e com dívida.

Financiamento por capital próprio Imagine que a empresa anuncie que, no futuro próximo, fará uma captação de $ 4 milhões em ações para construir a nova fábrica. O valor das ações e o valor da empresa subirão como reflexo do valor presente positivo da fábrica. Conforme a hipótese dos mercados eficientes, o aumento ocorrerá imediatamente. Ou seja, o aumento ocorrerá na data do anúncio, e não na data do início da construção da fábrica ou no momento da oferta das novas ações. O balanço a valor de mercado torna-se, então, o seguinte:

Luterana Motores Balanço patrimonial (no anúncio da emissão de ações para construir a fábrica)			
Ativos antigos	$ 100 milhões	Ativo total	$ 106 milhões (10 milhões de ações)
VPL da fábrica -4 milhões $+ \dfrac{\$ 1 \text{ milhão}}{0,1} = 6$ milhões			
Ativo total	$ 106 milhões		

Note que o VPL da fábrica está incluído no balanço patrimonial a valores de mercado. Como as novas ações ainda não foram emitidas, o número de ações em circulação permanece 10 milhões. O preço por ação subiu agora para $ 10,60 (=$ 106 milhões/10 milhões) para refletir a notícia relativa à fábrica.

Pouco tempo depois, $ 4 milhões de ações são emitidas ou *lançadas*. Como cada ação é negociada a $ 10,60, serão emitidas 377.358 (=$ 4 milhões/$ 10,60) ações. Imagine que os recursos captados sejam colocados *temporariamente* no banco antes de serem utilizados para construir a fábrica. O balanço patrimonial a valores de mercado torna-se o seguinte:

Luterana Motores Balanço patrimonial (na emissão de ações, mas antes que a construção da fábrica inicie)			
Ativos antigos	$ 100 milhões	Capital próprio	$ 110 milhões (10.377.358 ações)
VPL da fábrica	6 milhões		
Resultado da nova emissão de ações (no momento em um banco)	4 milhões		
Ativo total	$ 110 milhões		

O número de ações em circulação agora é 10.377.358, pois 377.358 novas ações foram emitidas. O preço por ação é de $ 10,60 (=$ 110.000.000/10.377.358). Note que o preço não mudou. Isso é coerente com a hipótese dos mercados de capitais eficientes, porque o preço das ações deve se movimentar apenas devido a novas informações.

É claro que os recursos captados são colocados no banco apenas temporariamente. Pouco depois da nova emissão, os $ 4 milhões vão para a empreiteira que construirá a fábrica. Para evitar problemas de desconto, pressupomos que a fábrica será imediatamente construída. O balanço patrimonial fica assim:

Luterana Motores Balanço patrimonial (após a conclusão da fábrica)			
Ativos antigos	$ 100 milhões	Capital próprio	$ 110 milhões (10.377.358 ações)
VP da fábrica: $\frac{\$ 1 \text{ milhão}}{0,1} =$	10 milhões		
Ativo total	$ 110 milhões		

Embora o ativo total não se altere, a composição deles muda. A conta bancária foi esvaziada para pagar à empreiteira. O valor presente dos fluxos de caixa de $ 1 milhão por ano da fábrica se reflete em um ativo de $ 10 milhões. Como as despesas de construção de $ 4 milhões já foram pagas, não são mais um custo futuro. Assim, elas não reduzem o valor da fábrica. De acordo com a hipótese dos mercados de capitais eficientes, o preço por ação permanece $ 10,60.

O fluxo de caixa anual esperado da empresa é de $ 11 milhões, $ 10 milhões que vêm dos ativos antigos e $ 1 milhão dos novos. O retorno esperado para os acionistas é:

$$R_S = \frac{\$ 11 \text{ milhões}}{\$ 110 \text{ milhões}} = 0,10$$

Como a empresa é financiada somente por capital próprio, $R_S = R_0 = 0,10$.

Financiamento por dívida Alternativamente, imagine que a empresa anuncie que, em um futuro próximo, tomará um empréstimo de $ 4 milhões à taxa de 6% para construir uma nova fábrica. Isso implica pagamentos de juros anuais de $ 240.000 (=$ 4.000.000 × 6%). Novamente, o preço das ações sobe imediatamente para refletir o valor presente líquido positivo da fábrica. Assim, temos o seguinte:

Luterana Motores Balanço patrimonial (no anúncio da emissão de dívida para construir a fábrica)			
Ativos antigos	$ 100 milhões	Capital próprio	$ 106 milhões (10 milhões de ações)
VPL da fábrica: $-\$ 4 \text{ milhões} + \frac{\$ 1 \text{ milhão}}{0,1} =$	6 milhões		
Ativo total	$ 106 milhões		

O valor da empresa é o mesmo que no caso de financiamento por ações, porque (1) a mesma fábrica será construída e (2) M&M provaram que o financiamento por dívida não é nem melhor, nem pior que o com ações.

Em algum momento, $ 4 milhões de títulos de dívida serão emitidos. Como antes, os recursos captados serão colocados temporariamente no banco. O balanço patrimonial a valores de mercado torna-se o seguinte:

Luterana Motores Balanço patrimonial (no momento da emissão de dívida, mas antes que a construção da fábrica inicie)			
Ativos antigos	$ 100 milhões	Dívida	$ 4 milhões
NPV da fábrica	6 milhões	Capital próprio	106 milhões (10 milhões de ações)
Receita da emissão de títulos de dívida (atualmente investida no banco)	4 milhões		
Ativo total	$ 110 milhões	Dívida mais capital	$ 110 milhões

(continua)

(continuação)

Note que a dívida aparece no lado direito do balanço patrimonial. O preço das ações ainda é $ 10,60, de acordo com nossa discussão dos mercados de capitais eficientes.

Por fim, a empreiteira recebe $ 4 milhões e constrói a fábrica. O balanço patrimonial a valores de mercado se transforma em:

Luterana Motores Balanço patrimonial (após a conclusão da fábrica)			
Ativos antigos	$ 100 milhões	Dívida	$ 4 milhões
VP da fábrica	10 milhões	Capital próprio	106 milhões (10 milhões de ações)
Ativo total	$ 110 milhões	Dívida mais capital	$ 110 milhões

A única mudança aqui é que a conta bancária foi esvaziada para pagar a empreiteira. Os acionistas esperam um fluxo de caixa anual após juros de:

$$\underset{\substack{\text{Fluxo de caixa} \\ \text{dos ativos} \\ \text{antigos}}}{\$\,10.000.000} + \underset{\substack{\text{Fluxo de} \\ \text{caixa dos} \\ \text{ativos novos}}}{\$\,1.000.000} - \underset{\substack{\text{Juros:} \\ \$\,4\text{ milhões} \times 6\%}}{\$\,240.000} = \$\,10.760.000$$

Os acionistas esperam receber um retorno de:

$$\frac{\$\,10.760.000}{\$\,106.000.000} = 10{,}15\%$$

Esse retorno de 10,15% para os acionistas alavancados é maior que o retorno de 10% para os não alavancados. Esse resultado é razoável, porque, conforme argumentamos anteriormente, o capital alavancado é mais arriscado. Na realidade, o retorno de 10,15% deve ser exatamente o que a Proposição II de M&M prevê. É possível verificar essa previsão unindo os valores em:

$$R_S = R_0 + \frac{B}{S} \times (R_0 - R_B)$$

Obteremos:

$$10{,}15\% = 10\% + \frac{\$\,4.000.000}{\$\,106.000.000} \times (10\% - 6\%)$$

Esse exemplo foi útil por duas razões. Primeiramente, queríamos apresentar o conceito dos balanços patrimoniais a valores de mercado, uma ferramenta que se provará útil em outras partes do texto. Entre outras coisas, essa técnica permite calcular o preço por ação de uma nova emissão de ações. Segundo, o exemplo ilustra três aspectos de Modigliani e Miller:

1. Esse exemplo é coerente com a Proposição I de M&M, porque o valor da empresa é $ 110 milhões tanto com o financiamento por ações quanto com o financiamento por dívida.
2. Muitas vezes, os alunos se interessam mais pelo preço da ação do que pelo valor da empresa. Mostramos que o preço da ação é sempre $ 10,60, independentemente de ser utilizado o financiamento por dívida ou por ações.
3. O exemplo é coerente com a Proposição II de M&M. O retorno esperado para os acionistas sobe de 10% para 10,15%, exatamente como a proposição afirma. Essa elevação ocorre porque os acionistas de uma empresa alavancada enfrentam mais risco que os de uma não alavancada.

M&M: interpretação

Os resultados de Modigliani-Miller indicam que os gestores não podem alterar o valor de uma empresa pela reembalagem de seus títulos. Embora essa ideia fosse considerada revolucionária quando originalmente proposta no fim da década de 1950, a abordagem e as demonstrações de M&M desde então foram recebidas com ampla aprovação.[10]

M&M argumentam que o custo total de capital da empresa não pode ser reduzido à medida que o capital próprio for substituído por dívida, apesar de a dívida parecer ser mais barata que ele. A razão para isso é que, à medida que a empresa acrescenta dívida, o capital próprio remanescente se torna mais arriscado. Em função do aumento do risco, o custo do capital próprio também se eleva. O aumento no custo do capital próprio remanescente neutraliza a maior parte do financiamento com dívida de baixo custo para a empresa. Na verdade, M&M provam que os dois efeitos contrabalançam um o outro de forma exata, de modo que tanto o valor da empresa quanto o seu custo global de capital não variam com a alavancagem.

M&M utilizam uma interessante analogia com alimentos. Eles pensam em um fazendeiro que tem duas opções. Por um lado, ele pode vender o leite integral. Por outro, pode desnatá-lo e vender uma combinação de nata e leite desnatado. Embora possa obter um preço elevado pela nata, ele recebe um preço baixo pelo leite desnatado, o que implica nenhum ganho líquido. Na verdade, imagine que os lucros provenientes da estratégia do leite integral sejam menores do que os com a estratégia de nata e leite desnatado. Os arbitradores iriam comprar o leite integral, realizar a desnatação e revender a nata e o leite desnatado separadamente.

A concorrência entre os arbitradores tenderia a impulsionar o preço do leite integral até que os rendimentos das duas estratégias se tornassem iguais. Portanto, o valor do leite do fazendeiro não varia de acordo com a forma como é embalado.

Os alimentos já apareceram anteriormente neste capítulo quando vimos a empresa como uma pizza. M&M argumentam que o tamanho da pizza não muda, não importando como os acionistas e credores a dividam. Eles afirmam que a estrutura de capital da empresa é irrelevante, ela é o que é por algum acidente histórico. A teoria implica que uma empresa poderia ter qualquer índice Dívida/Capital próprio. Eles são o que são por causa de decisões enigmáticas e aleatórias de gestão a respeito do quanto tomar em empréstimos e quantas ações emitir.

Embora os estudiosos estejam sempre fascinados por teorias muito abrangentes, os alunos talvez estejam mais preocupados com as aplicações no mundo real. Os gestores do mundo real seguem M&M tratando as decisões acerca da estrutura de capital com indiferença? Infelizmente para a teoria, praticamente todas as empresas em certos setores, como o bancário, escolhem índices Dívida/Capital próprio altos. De forma oposta, empresas em outros setores, como o farmacêutico, optam por índices Dívida/Capital próprio baixos. Na realidade, quase qualquer setor tem um índice Dívida/Capital próprio ao qual as empresas que nele se enquadram tendem a aderir. Portanto, as empresas não parecem estar selecionando seu grau de alavancagem de uma forma leviana ou aleatória. Por isso, os economistas da área de Finanças (incluindo os próprios M&M) têm argumentado que fatores do mundo real podem ter ficado de fora da teoria.

Embora muitos de nossos alunos tenham argumentado que pessoas físicas podem tomar empréstimos somente a taxas acima das taxas para a pessoa jurídica, discordamos desse argumento anteriormente neste capítulo. Porém, ao procurarmos outras suposições não realistas na teoria, encontramos duas:[11]

1. Os tributos são ignorados.
2. Os custos de falência e outros custos de agência não são considerados.

---

[10] Ambos, Merton Miller e Franco Modigliani receberam o Prêmio Nobel, em parte por seu trabalho sobre a estrutura de capital.

[11] M&M estavam cientes dessas questões, como pode ser visto em seu artigo original.

COM A PALAVRA, O PROFESSOR:

Nas palavras do professor Miller...

Os resultados de Modigliani-Miller não são fáceis de compreender em sua totalidade. Esse ponto é relatado em uma história contada por Merton Miller.*

"Percebi com clareza a dificuldade de resumir brevemente a contribuição desses artigos [Modigliani-Miller] no último mês de outubro, após Franco Modigliani receber o Prêmio Nobel de Economia, em parte – obviamente, apenas em parte – por seu trabalho na área de finanças. Imediatamente, as equipes de repórteres e as câmeras da televisão local de Chicago caíram sobre mim. 'Sabemos', disseram, 'que você trabalhou com Modigliani há alguns anos no desenvolvimento desses teoremas M&M e queremos saber se você poderia explicá-los brevemente para nossos telespectadores.'

"'Quão brevemente?', perguntei.

"'Ah, em 10 segundos', foi a resposta.

"Dez segundos para explicar o trabalho de uma vida inteira! Dez segundos para descrever dois artigos cuidadosamente pensados, cada um com mais de 30 páginas impressas e cerca de 60 longas notas de rodapé! Ao ver o olhar de desespero em meu rosto, disseram: 'Não é preciso entrar em detalhes. Basta nos dar os pontos principais em termos simples e práticos.'

"O ponto principal do primeiro artigo, sobre custo de capital, foi, pelo menos a princípio, fácil de explicar. Ele dizia que, no mundo ideal de um economista de mercados de capitais completos e perfeitos e com informações completas e simétricas entre todos os participantes do mercado, o valor total de mercado de todos os títulos emitidos por uma empresa seria regido pela rentabilidade e pelo risco de seus ativos reais básicos e não dependeria de como a combinação de títulos emitidos para financiá-los seria dividida entre instrumentos de dívida e de capital próprio.

"No entanto, esse resumo utiliza muitos termos e conceitos abreviados, como mercados de capitais perfeitos, que são ricos em conotações para os economistas, mas não para o público em geral. Em vez disso, pensei em uma analogia que nós mesmos utilizamos no artigo original.

"'Pense na empresa', eu disse, 'como um recipiente gigante de leite integral. O fazendeiro pode vender o leite integral como está, ou pode separar a nata e vendê-la por um preço consideravelmente mais alto que o do leite integral. (Essa é a analogia de uma empresa que vende títulos de dívida de baixo retorno e, portanto, de alto preço.) Mas, obviamente, o fazendeiro ficaria com o leite desnatado, de baixo teor de gordura, que seria vendido por muito menos que o leite integral. Isso corresponde ao capital próprio alavancado. A proposição de M&M diz que, se não houver custos de separação (e, naturalmente, nenhum programa governamental de apoio à produção de laticínios), a soma da nata e do leite desnatado teria o mesmo preço que o leite integral.'

"O pessoal da televisão conversou entre si e voltou para me informar que essa explicação era longa, complicada e acadêmica demais.

"'Você não tem algo mais simples?', perguntaram. Pensei em outra forma como a proposição de M&M é apresentada atualmente, que enfatiza a noção de perfeição do mercado e o papel dos títulos como dispositivos para 'dividir' os resultados da empresa em cada estado possível da economia entre o grupo de seus fornecedores de capital.

"'Pense na empresa', eu disse, 'como uma pizza gigante, dividida em quatro partes iguais. Se você cortar cada pedaço pela metade, terá oitavos, e a proposição de M&M diz que terá mais pedaços, mas não terá mais pizza'.

"Novamente, houve uma confabulação sussurrada entre a equipe de televisão e o diretor voltou e disse:

"'Professor, sabemos pelos *press releases* que existem duas proposições de M&M. Podemos tentar a outra?'

[O professor Miller tentou explicar a segunda proposição, embora fosse aparentemente ainda mais difícil de conseguir. Depois de sua tentativa:]

"Mais uma vez, houve uma confabulação sussurrada. Dessa vez, eles desligaram as luzes, guardaram o equipamento, agradeceram-me pela disponibilidade, e disseram que me dariam um retorno. Mas eu sabia que, de algum modo, havia perdido a chance de iniciar uma nova carreira como apresentador de conhecimentos econômicos para telespectadores em um conveniente bordão de 10 segundos. Alguns têm talento para isso... Outros, não."

*Fonte: *GSB Chicago*, Universidade de Chicago (outono de 1986 – Hemisfério Norte).

Exploraremos os tributos na próxima seção. Os custos de falência e outros de agência serão abordados no próximo capítulo. Um resumo dos principais resultados de Modigliani-Miller sem tributos é apresentado no quadro a seguir.

> **Resumo das proposições de Modigliani-Miller sem tributos**
>
> **Suposições**
>
> - Não há tributos.
> - Não há custos de transação.
> - Pessoas físicas e jurídicas tomam empréstimos à mesma taxa.
>
> **Resultados**
> Proposição I: $V_A = V_N$ (Valor da empresa alavancada equivale ao da não alavancada)
>
> Proposição II: $R_S = R_0 + \dfrac{B}{S}(R_0 - R_B)$
>
> **Intuição**
> Proposição I: Por meio da alavancagem caseira, pessoas físicas podem duplicar ou desfazer os efeitos da alavancagem das empresas.
> Proposição II: O custo do capital próprio sobe com a alavancagem porque o risco do capital próprio sobe com a alavancagem.

16.5 Tributos

A ideia básica

A parte anterior deste capítulo mostrou que o valor da empresa não está relacionado à dívida em um mundo sem tributos. Agora mostraremos que, na presença de tributos sobre os lucros de pessoas jurídicas, o valor da empresa está positivamente relacionado à sua dívida. A ideia básica pode ser vista em um gráfico de pizza, como o da Figura 16.4. Considere a empresa financiada somente por capital próprio à esquerda. Aqui, tanto os acionistas quanto a Receita Federal têm diretos sobre a empresa. O valor da empresa financiada somente por capital próprio é, obviamente, a parte da pizza que os acionistas possuem. A proporção que vai para os tributos é simplesmente um custo.

À direita, a pizza para a empresa alavancada mostra três direitos: o dos acionistas, o dos credores e o dos tributos. O valor da empresa alavancada é a soma dos valores da dívida e do capital próprio. Ao escolher entre as duas estruturas de capital na figura, um dirigente financeiro deveria selecionar aquela com o valor maior. Supondo que a área total seja a mesma para ambas as pizzas,[12] o valor é maximizado para a estrutura de capital que pagar menos tributos. Em outras palavras, o gestor deveria escolher a estrutura de capital que a Receita mais deteste.

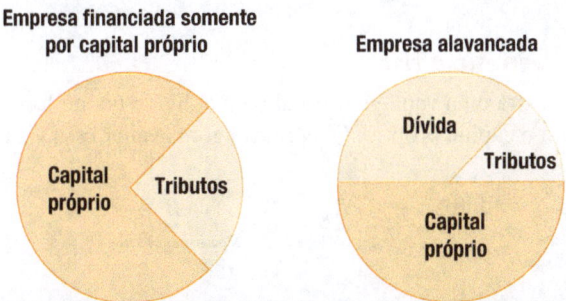

A empresa alavancada paga menos tributos do que a financiada somente por capital próprio. Assim, a soma da dívida mais o capital próprio da empresa alavancada é maior que o capital próprio da não alavancada.

FIGURA 16.4 Dois modelos pizza para a estrutura de capital com tributos sobre o lucro da pessoa jurídica.

---

[12] Segundo as proposições de M&M desenvolvidas anteriormente, as duas pizzas devem ter o mesmo tamanho.

Mostraremos que, devido a uma particularidade da legislação fiscal, a proporção da pizza alocada para os tributos é menor para a empresa alavancada do que para a não alavancada. Portanto, os gestores devem selecionar a alavancagem alta.

A empresa alavancada paga menos tributos do que a financiada somente por capital próprio. Assim, a soma da dívida mais o capital próprio da empresa alavancada é maior que o capital próprio da não alavancada.

EXEMPLO 16.3 — Tributos e fluxo de caixa

A Companhia da Água S/A tem uma alíquota tributária, t_C, de 34% e lucro antes de juros e imposto de renda (LAJIR) esperado de $ 1 milhão ao ano. Todo o seu lucro depois dos tributos é pago como dividendos.

A empresa está considerando duas estruturas alternativas de capital. Segundo o Plano I, a Companhia da Água não teria dívida em sua estrutura de capital. Segundo o Plano II, a empresa teria $ 4 milhões de dívida, B. O custo da dívida, R_B, é 10%.

O diretor financeiro da Companhia da Água faz os seguintes cálculos:

	Plano I	Plano II
Lucro antes de juros e imposto de renda (LAJIR)	$ 1.000.000	$ 1.000.000
Juros ($R_B B$)	0	400.000
Lucro antes de imposto de renda (EBT) = (LAJIR − $R_B B$)	1.000.000	600.000
Tributos ($t_C = 0{,}34$)	340.000	204.000
Lucro depois de tributos sobre o lucro da pessoa jurídica (EAT) = [(LAJIR − $R_B B$) × (1 − t_C)]	660.000	396.000
Fluxo de caixa total para acionistas e credores [LAJIR × (1 − t_C) + $t_C R_B B$]	$ 660.000	$ 796.000

Os números mais relevantes para nossos fins são os dois na linha inferior. Os dividendos, que equivalem ao lucro depois de tributos sobre o lucro neste exemplo, são o fluxo de caixa para os acionistas, e os juros são o fluxo de caixa para os credores.[13] Vemos aqui que mais fluxo de caixa alcança os proprietários da empresa (acionistas e credores) segundo o Plano II. A diferença é de $ 136.000 = $ 796.000 − $ 660.000. É fácil perceber qual é a fonte dessa diferença. A Receita Federal recebe menos tributos segundo o Plano II ($ 204.000) que segundo o Plano I ($ 340.000). A diferença aqui é de $ 136.000 = $ 340.000 − $ 204.000.

Essa diferença ocorre porque a forma como a Receita Federal trata os juros é diferente da forma como trata o lucro que vai para os acionistas.[14] Os juros escapam totalmente da tributação da pessoa jurídica, ao passo que o lucro depois de juros, mas antes do imposto de renda, é taxado a 34%.

Valor presente do benefício fiscal

A discussão anterior mostra uma vantagem fiscal para a dívida ou, de forma equivalente, uma desvantagem fiscal para o capital próprio. Queremos agora avaliar essa vantagem. Os juros em reais são:

$$\text{Juros} = \underbrace{R_B}_{\text{Taxa de juros}} \times \underbrace{B}_{\text{Montante emprestado}}$$

---

[13] O leitor pode estar se perguntando por que o "fluxo de caixa total para os acionistas e credores" desse exemplo não inclui os ajustes para depreciação, gastos de capital e capital de giro, enfatizados nos Capítulos 2 e 6. Isso se deve ao fato de estarmos supondo implicitamente que a depreciação é igual aos gastos de capital. Também estamos supondo que as variações no capital de giro são zero. Essas suposições fazem sentido, porque os fluxos de caixa projetados para a Companhia da Água S/A são perpétuos.

[14] Note que os acionistas, na verdade, recebem mais segundo o Plano I ($ 660.000) que segundo o Plano II ($ 396.000). Os alunos, muitas vezes, incomodam-se com isso, porque parece implicar que os acionistas se dão melhor sem alavancagem. Contudo, lembre-se de que existem mais ações em circulação no Plano I que no Plano II. Um modelo completo mostraria que o lucro *por ação* é maior com a alavancagem.

Esses juros são de $ 400 mil (= 10% × $ 4.000.000) para a Companhia da Água. Todos esses juros são dedutíveis. Isto é, qualquer que fosse o lucro tributável da Companhia da Água sem a dívida, ele será de $ 400 mil *a menos* com ela.

Como a alíquota tributária de pessoa jurídica é de 0,34 em nosso exemplo, a redução em tributos de pessoa jurídica é de $ 136 mil (= 0,34 × $ 400.000). Esse número é idêntico à redução calculada anteriormente.

Algebricamente, a redução em tributos de pessoa jurídica é:

$$\underbrace{t_C}_{\text{Alíquota tributária de pessoa jurídica}} \times \underbrace{R_B \times B}_{\text{Montante de juros em reais}} \qquad (16.4)$$

Isto é, qualquer que seja o tributo que uma empresa pagaria em qualquer ano, se não tiver dívida, pagará $t_C R_B B$ a menos se tiver uma dívida no montante de B. A Equação 16.4 é, muitas vezes, chamada de *benefício fiscal da dívida*. Note que esse é um montante *anual*.

Desde que a empresa espere ter lucro para tributar,[15] podemos supor que o fluxo de caixa na Equação 16.4 tenha o mesmo risco que os juros sobre a dívida. Portanto, seu valor pode ser determinado pelo desconto ao custo da dívida, R_B. Supondo que os fluxos de caixa sejam perpétuos, o valor presente do benefício fiscal é:

$$\frac{t_C R_B B}{R_B} = t_C B$$

Valor da empresa alavancada

Calculamos o valor presente do benefício fiscal resultante da dívida. Nosso próximo passo é calcular o valor da empresa alavancada. O fluxo de caixa anual pós-tributação de uma empresa não alavancada é:

$$\text{LAJIR} \times (1 - t_C)$$

em que LAJIR é o lucro antes de juros e imposto de renda. O valor de uma empresa não alavancada (i. e., uma empresa sem dívida) é o valor presente do LAJIR × (1 − t_C):

$$V_N = \frac{\text{LAJIR} \times (1 - t_C)}{R_0}$$

Aqui:

V_N = Valor presente de uma empresa não alavancada.

LAJIR × (1 − t_C) = Fluxos de caixa da empresa depois dos tributos de pessoa jurídica.

t_C = Alíquota tributária sobre lucros da pessoa jurídica.

R_0 = O custo de capital para uma empresa financiada somente por capital próprio. Como pode ser visto na fórmula, R_0 agora desconta fluxos de caixa *pós-tributação*.

Conforme mostrado anteriormente, a alavancagem aumenta o valor da empresa pelo benefício fiscal, que é $t_C B$ para a dívida perpétua. Portanto, meramente adicionamos esse benefício fiscal ao valor da empresa alavancada para obter o valor dela.

Podemos escrevê-lo algebricamente como:[16]

---

[15] E, no Brasil, seja tributada pelo regime do Lucro Real, pois, nos regimes do Lucro Presumido e do Simples, não há efeito de despesas de juros para o cálculo dos tributos sobre o lucro.

[16] Essa relação se sustenta quando é presumido que o nível de dívida seja constante ao longo do tempo. Uma fórmula diferente seria aplicável se fosse presumido que o índice Dívida/Capital próprio não se mantivesse constante ao longo do tempo. Para uma abordagem mais aprofundada desse ponto, consulte: J. A. Miles e J. R. Ezzell, "The Weighted Average Cost of Capital, Perfect Capital Markets and Project Life: A Clarification", *Journal of Financial and Quantitative Analysis* (set. 1980).

Proposição I de M&M (com tributos sobre lucros da pessoa jurídica)

$$V_A = \frac{\text{LAJIR} \times (1 - t_C)}{R_0} + \frac{t_C R_B B}{R_B} = V_N + t_C B \qquad (16.5)$$

A Equação 16.5 é a Proposição I de M&M com tributos sobre o lucro da pessoa jurídica. O primeiro termo da Equação 16.5 é o valor dos fluxos de caixa da empresa sem o benefício fiscal da dívida. Em outras palavras, esse termo equivale a V_N, o valor da empresa financiada somente por capital próprio. O valor da empresa alavancada é o valor da empresa financiada somente por capital próprio mais $t_C B$, a alíquota tributária multiplicada pelo valor da dívida. $t_C B$ é o valor presente do benefício fiscal no caso de fluxos de caixa perpétuos. Como o benefício fiscal aumenta com o montante de dívidas, a empresa pode elevar seu fluxo de caixa total e seu valor substituindo capital próprio por dívida. Deve ser observado que estamos nos referindo a proporções em perpetuidades. Isso significa que a proporção da dívida para o capital próprio escolhida é mantida indefinidamente. Às vezes os alunos esquecem desse detalhe.[17]

EXEMPLO 16.4 — M&M com tributos sobre lucros da pessoa jurídica

A Companhia Aérea Duasasas, atualmente, é uma empresa não alavancada. Ela espera gerar $ 151,52 em lucro antes de juros e imposto de renda (LAJIR) em perpetuidade. A alíquota tributária sobre lucros da pessoa jurídica é 34%, implicando um lucro pós-tributação de $ 100. Todo o lucro depois dos tributos é pago como dividendos.

A empresa está pensando em uma reestruturação de capital para permitir $ 200 de dívida. Seu custo de dívida é de 10%. As empresas não alavancadas do mesmo setor têm um custo de capital próprio de 20%. Qual será o novo valor da Duasasas?

O valor da Duasasas será igual a:

$$V_A = \frac{\text{LAJIR} \times (1 - t_C)}{R_0} + t_C B$$

$$= \frac{\$ 100}{0,20} + (0,34 \times \$ 200)$$

$$= \$ 500 + \$ 68 = \$ 568$$

O valor da empresa alavancada é $ 568, que é maior que o valor não alavancado de $ 500. Como $V_A = B + S$, o valor do capital alavancado, S, é igual a $ 568 − $ 200 = $ 368. O valor da Duasasas como uma função da alavancagem é ilustrado na Figura 16.5.

---

[17] O exemplo a seguir calcula o valor presente presumindo que a dívida tenha uma vida útil finita. Suponha que a Maxwell S/A tenha $ 1 milhão em dívida com uma taxa de cupom de 8%. Se a dívida vencer em dois anos e o custo da dívida, R_B, for 10%, qual será o valor presente dos benefícios fiscais se a alíquota tributária de pessoa jurídica for 34%? A dívida é amortizada em parcelas iguais ao longo de dois anos.

Ano	Saldo médio de empréstimo	Juros	Benefício fiscal	Valor presente do benefício fiscal
0	$ 1.000.000			
1	500.000	$ 80.000	0,34 × $ 80.000	$ 24.727,27
2	0	40.000	0,34 × $ 40.000	11.239,66
				35.966,93

O valor presente da economia em tributos é:

$$\text{VP} = \frac{0,35 \times \$ 80.000}{1,10} + \frac{0,35 \times \$ 40.000}{(1,10)^2} = \$ 37.024,79$$

O valor da Maxwell S/A é $ 35.966,93 maior que o de uma empresa não alavancada comparável.

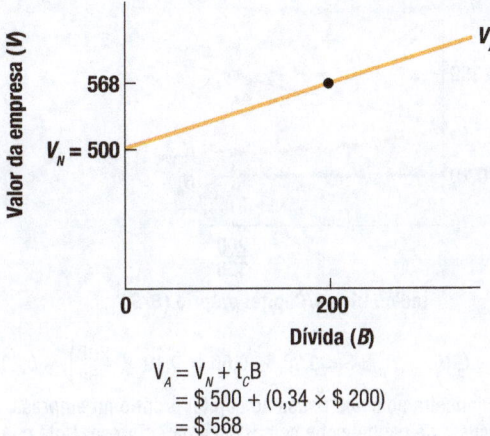

$$V_A = V_N + t_C B$$
$$= \$ 500 + (0{,}34 \times \$ 200)$$
$$= \$ 568$$

A dívida reduz a carga tributária da Duasasas. Como resultado, o valor da empresa está positivamente relacionado à dívida.

FIGURA 16.5 Efeito da alavancagem financeira sobre o valor da empresa: M&M com tributos sobre o lucro da pessoa jurídica no caso da Cia. Aérea Duasasas.

Retorno esperado e alavancagem com tributos sobre lucros da pessoa jurídica

A Proposição II de M&M sem qualquer tributo propõe uma relação positiva entre o retorno esperado sobre o capital próprio e a alavancagem. Esse resultado ocorre porque o risco do capital próprio aumenta com a alavancagem. A mesma ideia se sustenta em um mundo em que há tributos sobre o lucro da pessoa jurídica. A fórmula exata em um mundo com tributos é a da Equação 16.6:[18]

---

[18] Essa relação pode ser mostrada desta forma: Dada a Proposição I de M&M com tributos, o balanço patrimonial a valores de mercado de uma empresa alavancada pode ser escrito assim:

$t_C B$ = Benefício fiscal	S = Capital próprio
V_N = Valor da empresa não alavancada	B = Dívida

O valor da empresa não alavancada é simplesmente o valor dos ativos sem o benefício da alavancagem. O balanço patrimonial indica que o valor da empresa aumenta em $t_C B$ quando uma dívida B é adicionada. O fluxo de caixa esperado que *vem* do lado esquerdo do balanço patrimonial pode ser escrito assim:

$$V_N R_0 + t_C B R_B \quad \text{(a)}$$

Como os ativos são arriscados, sua taxa de retorno esperado é R_0. O benefício fiscal tem o mesmo risco que a dívida, então sua taxa de retorno esperado é R_B.

O caixa esperado que *vai* para os credores e acionistas juntos é:

$$SR_S + BR_B \quad \text{(b)}$$

A expressão (b) reflete o fato de as ações renderem um retorno esperado de R_S e a dívida render a taxa de juros R_B.

Como todos os fluxos de caixa são pagos como dividendos em nosso modelo de perpetuidade sem crescimento, os fluxos de caixa indo para a empresa equivalem àqueles indo para os acionistas. Por isso, (a) e (b) são iguais:

$$SR_S + BR_B = V_N R_0 + t_C B R_B \quad \text{(c)}$$

Dividindo ambos os lados de (c) por S, subtraindo BR_B de ambos e reorganizando a equação, teremos:

$$R_S = \frac{V_N}{S} \times R_0 - (1 - t_C) \times \frac{B}{S} R_B \quad \text{(d)}$$

Como o valor da empresa alavancada, V_A, equivale a $V_N + t_C B = B + S$, resulta que $V_N = S + (1 - t_C) \times B$. Portanto, (d) pode ser reescrita assim:

$$R_S = \frac{S + (1 - t_C) \times B}{S} \times R_0 - (1 - t_C) \times \frac{B}{S} R_B \quad \text{(e)}$$

Como resultado da união dos termos envolvendo $(1 - t_C) \times (B/S)$, temos a Equação 16.6.

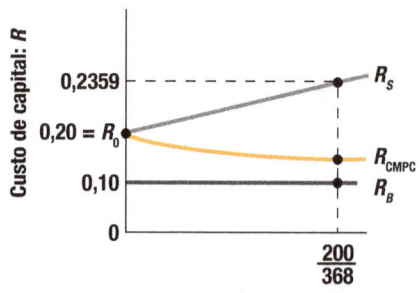

$R_S = R_0 + (1 - t_C)(R_0 - R_B)B/S = 0{,}20 + \left(0{,}66 \times 0{,}10 \times \dfrac{200}{368}\right) = 0{,}2359$

A alavancagem financeira adiciona riscos ao capital próprio na empresa. Como compensação, o custo de capital sobe com o risco da empresa. Note que R_0 é um único ponto, ao passo que R_S, R_B e R_{CMPC} são, todos, linhas inteiras.

FIGURA 16.6 Efeito da alavancagem financeira sobre o custo da dívida e do capital próprio.

Proposição II de M&M (com tributos para a pessoa jurídica)

$$R_S = R_0 + \frac{B}{S} \times (1 - t_C) \times (R_0 - R_B) \qquad (16.6)$$

Aplicando a fórmula à Duasasas, obteremos:

$$R_S = 0{,}2359 = 0{,}20 + \frac{200}{368} \times (1 - 0{,}34) \times (0{,}20 - 0{,}10)$$

Esse cálculo é ilustrado na Figura 16.6.

Sempre que $R_0 > R_B$, R_S aumentará com a alavancagem, resultado que também encontramos no caso sem tributos. Conforme afirmado anteriormente neste capítulo, R_0 deve ser maior que R_B. Isto é, como o capital próprio (mesmo não alavancado) é arriscado, ele deve ter um retorno esperado maior do que a dívida, menos arriscada.

Verificaremos nossos cálculos determinando de outra forma o valor do capital próprio alavancado. A fórmula algébrica do valor do capital próprio alavancado é:

$$S = \frac{(\text{LAJIR} - R_B B) \times (1 - t_C)}{R_S}$$

O numerador é o fluxo de caixa esperado para o capital próprio alavancado depois dos juros e tributos. O denominador é a taxa com que o fluxo de caixa para o capital próprio é descontado.

Para a Duasasas, obtemos:

$$\frac{(\$\,151{,}52 - 0{,}10 \times \$\,200)(1 - 0{,}34)}{0{,}2359} = \$\,368$$

Esse é o mesmo resultado que obtivemos anteriormente (ignorando um pequeno erro de arredondamento).

Custo médio ponderado de capital, R_{CMPC}, com tributos sobre o lucro da pessoa jurídica

No Capítulo 13, definimos o custo médio ponderado de capital (com tributos sobre o lucro da pessoa jurídica) da seguinte forma (note que $V_A = S + B$):

$$R_{CMPC} = \frac{S}{V_A} R_S + \frac{B}{V_A} R_B (1 - t_C)$$

Note que o custo da dívida, R_B, é multiplicado por $(1 - t_C)$, porque os juros são dedutíveis da base de cálculo de tributos sobre o lucro da pessoa jurídica. Contudo, o custo de capital próprio,

R_S, não é multiplicado por esse fator, porque os dividendos não são dedutíveis. No caso sem tributos, o R_{CMPC} não é afetado pela alavancagem. Esse resultado está refletido na Figura 16.3, que discutimos anteriormente. No entanto, como a dívida tem vantagem tributária em relação ao capital próprio, pode ser mostrado que R_{CMPC} declina com a alavancagem em um mundo com tributos para a pessoa jurídica. Esse resultado pode ser visto na Figura 16.6.

Para a Duasasas, R_{CMPC} é igual a:

$$R_{CMPC} = \left(\frac{368}{568} \times 0{,}2359\right) + \left(\frac{200}{568} \times 0{,}10 \times 0{,}66\right) = 0{,}1761$$

A Duasasas reduziu seu R_{CMPC} de 0,20 (sem dívida) para 0,1761 com o uso de dívida. Esse resultado é intuitivamente agradável, porque sugere que, quando uma empresa diminuir seu R_{CMPC}, seu valor aumentará. Utilizando a abordagem do R_{CMPC}, podemos confirmar que o valor da Duasasas é $ 568:

$$V_A = \frac{\text{LAJIR} \times (1 - t_C)}{R_{CMPC}} = \frac{\$\,100}{0{,}1761} = \$\,568$$

Preço da ação e alavancagem com tributos sobre lucros da pessoa jurídica

Neste ponto, os alunos, muitas vezes, acreditam nos números, ou, ao menos, estão muito intimidados para contestá-los. Contudo, às vezes, eles acreditam que fizemos a pergunta errada. Dirão eles: "Por que estamos optando por maximizar o valor da empresa? Se os gestores estão cuidando da participação dos acionistas, por que não estão tentando maximizar o preço da ação?". Se essa pergunta lhe ocorreu, você veio à seção certa.

Nossa resposta tem duas partes: primeiramente, mostramos na primeira seção deste capítulo que a estrutura de capital que maximiza o valor da empresa também é a que mais beneficia os interesses dos acionistas.

No entanto, a explicação geral nem sempre é convincente. Como segundo procedimento, calcularemos o preço da ação da Duasasas tanto antes quanto depois da troca de ações por dívida. Faremos isso apresentando um conjunto de balanços patrimoniais a valores de mercado. O balanço patrimonial da empresa a valores de mercado, na situação em que é financiada somente por capital próprio, pode ser representado desta maneira:

Cia. Aérea Duasasas Balanço patrimonial (empresa financiada somente por capital próprio)	
Ativos físicos	Capital próprio $ 500
$\dfrac{\$\,151{,}52}{0{,}20} \times (1 - 0{,}34) = \$\,500$	(100 ações)

Supondo que haja cem ações em circulação, cada ação vale $ 5 = $ 500/100.

A seguir, imagine que a empresa anuncie que, no futuro próximo, emitirá $ 200 de dívida para recomprar $ 200 de ações. Sabemos, com base em nossa discussão anterior, que o valor da empresa irá aumentar para refletir o benefício fiscal da dívida. Se presumirmos que os mercados de capitais precificam as ações com eficiência, o aumento ocorrerá imediatamente. Isto é, o aumento ocorre no dia do anúncio, não na data da troca de ações por dívida. O balanço patrimonial a valores de mercado torna-se este:

Cia. Aérea Duasasas Balanço patrimonial (no anúncio da emissão de dívida)	
Ativos físicos $ 500	Capital próprio $ 568
	(100 ações)
Valor presente do benefício fiscal: $t_C B = 34\% \times \$\,200 = $ 68	
Ativo total $ 568	

Note que a dívida ainda não foi emitida. Portanto, somente o capital próprio aparece no lado direito do balanço patrimonial. Cada ação vale agora $ 568/100 = $ 5,68, implicando que os acionistas foram beneficiados em $ 68. Os acionistas ganham, porque são os proprietários de uma empresa que melhorou sua política financeira.

A introdução do benefício fiscal no balanço patrimonial traz perplexidade a muitos leitores. Embora os ativos físicos sejam tangíveis, a natureza etérea do benefício fiscal incomoda. Contudo, lembre-se de que um ativo é qualquer item com valor. O benefício fiscal tem valor porque reduz o fluxo de tributos futuros. O fato de não se poder tocar no benefício da forma que se pode tocar em um ativo físico é uma consideração filosófica, não financeira.

Em algum ponto, a troca de ações por dívida ocorre. A dívida de $ 200 é emitida, e o resultado da captação é utilizado para recomprar ações. Quantas ações são recompradas? Como cada ação agora é negociada a $ 5,68, o número de ações que a empresa adquire é $ 200/$ 5,68 = 35,21. São deixadas 64,79 (=100 − 35,21) ações em circulação. O balanço patrimonial a valores de mercado agora é este:

Cia. Aérea Duasasas Balanço patrimonial (depois de a troca ocorrer)			
Ativos físicos	$ 500	Capital próprio	$ 368
		(100 − 35,21 = 64,79 ações)	
Valor presente do benefício fiscal	68	Dívida	200
Ativo total	$ 568	Dívida mais capital próprio	$ 568

Cada ação vale $ 368/64,79 = $ 5,68 depois da troca. Note que o preço da ação não muda na data da troca. Conforme mencionamos, o preço da ação se movimenta apenas na data do anúncio. Como os acionistas que participam da troca recebem um preço igual ao preço de mercado por ação depois da troca, ela não faz diferença para eles.

Esse exemplo foi dado por duas razões. Primeiramente, ele mostra que um aumento no valor da empresa a partir do financiamento por dívida leva a um aumento no preço da ação. Na realidade, os acionistas captam o benefício fiscal inteiro de $ 68. Em segundo lugar, queríamos proporcionar um pouco mais de trabalho prático com balanços patrimoniais a valores de mercado.

Um resumo dos principais resultados de Modigliani-Miller com tributos sobre o lucro da pessoa jurídica é apresentado no quadro a seguir:

Resumo das proposições de Modigliani-Miller com tributos sobre lucros da pessoa jurídica

Suposições

- As empresas são tributadas com a alíquota t_C sobre o lucro após a dedução dos juros.
- Não há custos de transação.
- Pessoas físicas e jurídicas tomam empréstimos à mesma taxa.

Resultados

Proposição I: $V_A = V_N + t_C B$ (para uma empresa com dívida perpétua)

Proposição II: $R_S = R_0 + \frac{B}{S}(1 - t_C)(R_0 - R_B)$

Intuição

Proposição I: Como as empresas podem deduzir os pagamentos de juros da base de cálculo do lucro tributável, mas não os de dividendos, a alavancagem na pessoa jurídica diminui o pagamento de tributos.

Proposição II: O custo do capital próprio sobe com a alavancagem porque o risco para o capital próprio sobe com a alavancagem.

Resumo e conclusões

1. Começamos nossa discussão acerca da decisão de estrutura de capital argumentando que a estrutura de capital específica que maximiza o valor da empresa também é a que proporciona o maior benefício aos acionistas.

2. Em um mundo sem tributos sobre lucros da pessoa jurídica, a famosa Proposição I de Modigliani e Miller prova que o valor da empresa não é afetado pelo índice Dívida/Capital próprio. Em outras palavras, a estrutura de capital de uma empresa não faz diferença naquele mundo. Os autores obtêm seus resultados mostrando que tanto uma proporção alta de dívida para capital próprio quanto uma proporção baixa pode ser anulada pela alavancagem caseira. O resultado depende da suposição de que pessoas físicas possam tomar empréstimos à mesma taxa que as pessoas jurídicas, o que acreditamos ser bastante plausível.

3. A Proposição II de M&M em um mundo sem tributos sobre lucros da pessoa jurídica afirma que:

$$R_S = R_0 + \frac{B}{S}(R_0 - R_B)$$

Isso implica que a taxa de retorno esperado do capital próprio (também chamada de *custo de capital* ou de *retorno exigido do capital próprio*) está positivamente relacionada à alavancagem da empresa. Isso faz sentido intuitivamente, pois o risco para o capital próprio sobe com a alavancagem, um ponto ilustrado pela Figura 16.2.

4. Embora o trabalho de M&M seja bastante elegante, ele não explica muito bem as descobertas empíricas sobre a estrutura de capital. M&M sugerem que a decisão sobre a estrutura de capital é uma questão sem relevância, ao passo que ela parece ter bastante peso no mundo real. Para conseguir a aplicabilidade no mundo real, consideramos na sequência os tributos sobre lucros da pessoa jurídica.

5. Em um mundo com tributos sobre lucros da pessoa jurídica, mas sem custos de falência, o valor da empresa é uma função crescente da alavancagem. A fórmula do valor da empresa é:

$$V_A = V_N + t_C B$$

O retorno esperado do capital próprio alavancado pode ser expresso como:

$$R_S = R_0 + (1 - t_C) \times (R_0 - R_B) \times \frac{B}{S}$$

Aqui, o valor está positivamente relacionado à alavancagem. Esse resultado implica que as empresas devem ter uma estrutura de capital quase inteiramente composta por dívida. Como as empresas do mundo real selecionam níveis mais moderados de dívida, o próximo capítulo considera modificações nos resultados deste capítulo.

QUESTÕES CONCEITUAIS

1. **Suposições de M&M** Liste as três suposições que estão por trás da teoria de Modigliani-Miller em um mundo sem tributos. Essas suposições são razoáveis no mundo real? Explique.

2. **Proposições de M&M** Em um mundo sem tributos, custos de transação e custos de dificuldades financeiras, a declaração a seguir é verdadeira, falsa ou imprecisa? Se uma empresa emitir ações para recomprar parte de sua dívida, o preço de cada uma das ações da empresa subirá, porque as ações são menos arriscadas. Explique.

3. **Proposições de M&M** Em um mundo sem tributos, custos de transação e custos de dificuldades financeiras, a afirmação a seguir é verdadeira, falsa ou imprecisa? Empréstimos moderados não aumentarão o ROE exigido de uma empresa. Explique.

4. **Proposições de M&M** Qual é a particularidade na legislação fiscal que torna uma empresa alavancada mais valiosa que outra idêntica, mas não alavancada?

5. **Risco do negócio *versus* risco financeiro** Explique qual é o significado de risco do negócio e risco financeiro. Suponha que a Empresa *A* tenha um risco do negócio maior que o da Empresa *B*. É verdade que a Empresa *A* também tem um custo de capital próprio mais alto? Explique.

6. **Proposições de M&M** Como você responderia ao seguinte debate?

    P: É verdade que o nível de risco do capital próprio de uma empresa aumentará se ela aumentar o uso do financiamento por dívida?

    R: Sim, essa é a essência da Proposição II de M&M.

    P: E não é verdade que, à medida que a empresa aumenta o uso de empréstimos, a probabilidade de inadimplência aumenta, aumentando assim o risco da dívida da empresa?

    R: Sim.

    P: Em outras palavras, aumentar o endividamento aumenta o risco do capital próprio *e* da dívida?

    R: Correto.

    P: Bom, dado que a empresa utiliza apenas financiamentos por dívida e por ações e que os riscos de ambos são maiores quanto mais alto for o valor do endividamento, não é verdade que o aumento da dívida aumenta o risco geral da empresa e, portanto, diminui seu valor?

    R: ?

7. **Estrutura ótima de capital** Existe um índice Dívida/Capital próprio facilmente identificável que vá maximizar o valor de uma empresa? Por quê?

8. **Alavancagem financeira** Por que o uso do financiamento por dívida é chamado de "alavancagem" financeira?

9. **Alavancagem caseira** O que é a alavancagem caseira?

10. **Objetivo da estrutura de capital** Qual é o objetivo básico da administração financeira com respeito à estrutura de capital?

QUESTÕES E PROBLEMAS

BÁSICO
(Questões 1-16)

1. **LAJIR e alavancagem** A Grana S/A não tem dívidas pendentes e apresenta um valor de mercado total de $ 275 mil. Projeta-se o lucro antes de juros e imposto de renda, LAJIR, em $ 21 mil se as condições econômicas forem normais. Se houver uma forte expansão da economia, o LAJIR será 25% maior. Se houver recessão, então o LAJIR será 40% menor. A Grana está considerando uma emissão de dívida de $ 99 mil, com uma taxa de juros de 8%. O resultado da captação será usado para recomprar ações. Atualmente, existem 5 mil ações em circulação. Ignore os tributos para este problema.

    a. Calcule o lucro por ação, LPA, em cada um dos três cenários econômicos antes da emissão de dívida. Calcule também as variações percentuais no LPA quando a economia se expande ou entra em recessão.

    b. Repita a parte (a) supondo que a Grana leve a recompra de ações a cabo. O que você observa?

2. **LAJIR, tributos e alavancagem** Repita as partes (a) e (b) do Problema 1 supondo que a Grana tenha uma alíquota tributária de 34%.

3. **ROE e alavancagem** Suponha que a empresa do Problema 1 tenha um índice Valor de Mercado/Valor contábil de 1,0.

    a. Calcule o ROE em cada um dos três cenários econômicos antes da emissão de dívida. Calcule também as variações percentuais do ROE em caso de expansão e recessão da economia, supondo que não haja tributação.

    b. Repita a parte (a) supondo que a empresa leve a proposta de recompra de ações a cabo.

    c. Repita as partes (a) e (b) deste problema supondo que a empresa tenha uma alíquota tributária de 34%.

4. **LAJIR no ponto de equilíbrio** A Rolapedra S/A está comparando duas estruturas de capital diferentes: uma somente com capital próprio (Plano I) e uma alavancada (Plano II). No Plano I, a empresa teria 265 mil ações em circulação. No Plano II, haveria 185 mil ações em circulação e $ 2,8 milhões em títulos de dívida em circulação. A taxa de juros sobre a dívida é de 10%, e não há tributos.

   a. Se o LAJIR for de $ 750 mil, qual plano terá o maior LPA como resultado?

   b. Se o LAJIR for de $ 1,5 milhão, qual plano terá o maior LPA como resultado?

   c. Qual é o LAJIR no ponto de equilíbrio?

5. **M&M e valor das ações** No Problema 4, use a Proposição I de M&M para descobrir o preço por ação em cada um dos dois planos propostos. Qual é o valor da empresa?

6. **LAJIR no ponto de equilíbrio e alavancagem** Uma empresa está comparando duas estruturas de capital diferentes. O Plano I resultaria em 900 ações e $ 65.700 de dívida. O Plano II resultaria em 1.900 ações e $ 29.200 de dívida. A taxa de juros sobre a dívida é de 10%.

   a. Ignorando os tributos, compare os dois planos com uma estrutura financiada somente por capital próprio, supondo que o LAJIR será de $ 8.500. A estrutura financiada somente por capital próprio resultaria em 2.700 ações em circulação. Qual dos três planos tem o maior LPA? E o menor?

   b. Na parte (a), quais são os pontos de equilíbrio do LAJIR para cada plano se comparados aos de um plano somente com capital próprio? Um é maior que o outro? Por quê?

   c. Ignorando os tributos, quando o LPA será idêntico para os Planos I e II?

   d. Repita as partes (a), (b) e (c) supondo que a alíquota tributária de pessoa jurídica seja de 34%. Os níveis de ponto de equilíbrio do LAJIR seriam diferentes dos anteriores? Por quê?

7. **Alavancagem e valor das ações** Ignorando os tributos do Problema 6, qual é o preço por ação no Plano I? E no Plano II? Qual é o princípio ilustrado por suas respostas?

8. **Alavancagem caseira** A Estrela S/A, conhecida empresa de produtos de consumo, está discutindo se deve ou não converter sua estrutura de capital totalmente próprio em uma estrutura com 35% de dívida. No momento, existem 6 mil ações em circulação, e o preço por ação é $ 58. Espera-se que o LAJIR permaneça em $ 33 mil por ano em perpetuidade. A taxa de juros sobre a nova dívida é de 8%, e não há tributação.

   a. A Sra. Barros, acionista da empresa, possui cem ações. Qual é o fluxo de caixa dela na estrutura de capital atual, supondo que a empresa tenha uma taxa de distribuição de dividendos de 100%?

   b. Qual será o fluxo de caixa da Sra. Barros na estrutura de capital proposta? Suponha que ela mantenha todas as suas cem ações.

   c. Suponha que a empresa vá alterar sua estrutura de capital, mas que a Sra. Barros prefira a estrutura atual. Mostre como ela poderia "desalavancar" suas ações para recriar a estrutura de capital original.

   d. Usando sua resposta para a parte (c), explique por que a escolha da estrutura de capital da empresa é irrelevante.

9. **Alavancagem caseira e CMPC** A ABC S/A e a XYZ S/A são empresas idênticas em todos os aspectos, exceto pela estrutura de capital. A ABC é financiada somente por capital próprio, com $ 750 mil em ações. A XYZ utiliza ações e dívida perpétua, suas ações valem $ 375 mil, e a taxa de juros sobre sua dívida é de 8%. As duas empresas esperam um LAJIR de $ 86 mil. Ignore os tributos.

   a. Ricardo possui o valor de $ 30 mil em ações da XYZ. Qual taxa de retorno ele espera?

   b. Mostre como Ricardo poderia gerar exatamente os mesmos fluxos de caixa e taxa de retorno investindo na ABC e usando a alavancagem caseira.

c. Qual é o custo do capital próprio da ABC? E da XYZ?

d. Qual é o CMPC da ABC? E o da XYZ? Qual é o princípio ilustrado?

10. **M&M** A Nina S/A não utiliza dívida. O custo médio ponderado de capital é de 9%. Se o valor de mercado atual do capital próprio for $ 37 milhões e não houver tributação, qual será o LAJIR?

11. **M&M e tributos** Na pergunta anterior, suponha que a alíquota tributária de pessoa jurídica seja de 34%. Qual é o LAJIR nesse caso? Qual é o CMPC? Explique.

12. **Cálculo do CMPC** A Veste Indústrias tem um índice Dívida/Capital próprio de 1,5. Seu CMPC é de 11%, e o custo da dívida é 7%. A alíquota tributária de pessoa jurídica é de 34%.

    a. Qual é o custo do capital próprio da Veste?

    b. Qual é o custo do capital não alavancado da Veste?

    c. Qual seria o custo do capital se o índice Dívida/Capital próprio fosse 2? E se fosse 1,0? E se fosse zero?

13. **Cálculo do CMPC** A Sombrasa não tem dívidas, mas pode tomar empréstimos a 8%. No momento, o CMPC da empresa é 11%, e a alíquota tributária é 34%.

    a. Qual é o custo do capital próprio da Sombrasa?

    b. Se a empresa converter sua estrutura de capital para 25% de dívida, qual será o custo do capital próprio?

    c. Se a empresa converter sua estrutura de capital para 50% de dívida, qual será o custo do capital próprio?

    d. Qual é o CMPC da Sombrasa na parte (b)? E na parte (c)?

14. **M&M e tributos** A Bruxas & Cia. espera que seu LAJIR seja de $ 185 mil ao ano para sempre. A empresa pode tomar empréstimos a 9%. Atualmente, a Bruxas não tem dívidas, e o custo do capital próprio é 16%. Se a alíquota tributária for 35%, qual será o valor da empresa? Qual será o valor se a Bruxas tomar um empréstimo de $ 135 mil e usar o resultado da captação para recomprar ações?

15. **M&M e tributos** No Problema 14, qual é o custo do capital próprio após a recompra de ações? Qual é o CMPC? Quais são as implicações da decisão da empresa sobre a estrutura de capital?

16. **Proposição I de M&M** A Alavancada S/A e a Nonalavancada S/A são idênticas em tudo, exceto em suas estruturas de capital. Cada empresa espera um lucro $ 29 milhões antes de juros por ano em perpetuidade, e ambas distribuirão todo o seu lucro como dividendos. A dívida perpétua da Alavancada tem um valor de mercado de $ 91 milhões e custa 8% ao ano. A Alavancada tem 2,3 milhões de ações em circulação, valendo $ 105 cada no momento. A Nonalavancada não tem dívidas e tem 4,5 milhões de ações em circulação, valendo $ 80 cada no momento. Ambas não pagam tributos sobre o lucro. As ações da Alavancada são uma aquisição melhor que as da Nonalavancada?

INTERMEDIÁRIO
(Questões 17-25)

17. **M&M** A Fábrica de Ferramentas S/A-FFSA tem um LAJIR esperado de $ 57 mil, em perpetuidade, e uma alíquota tributária de 34%. A empresa tem $ 90 mil em títulos de dívida em circulação a uma taxa de juros de 8%, e seu custo de capital próprio não alavancado é 15%. Qual é o valor da empresa de acordo com a Proposição I de M&M com tributos sobre o lucro? Ela deve mudar seu índice Dívida/Capital próprio se o objetivo for maximizar o valor da empresa? Explique.

18. **Valor da empresa** A Cavo S/A espera um LAJIR de $ 19.750 por ano, em perpetuidade. Atualmente, a empresa não tem dívidas, e o custo do capital próprio é 15%.

    a. Qual é o valor atual da empresa?

    b. Suponha que ela tome um empréstimo a 10%. Se a alíquota tributária sobre o lucro da pessoa jurídica for 34%, qual será o valor da empresa se ela assumir uma dívida equivalente a 50% de seu valor não alavancado? E se assumir uma dívida equivalente a 100% de seu valor não alavancado?

c. Qual será o valor da empresa se ela assumir uma dívida equivalente a 50% de seu valor alavancado? E se assumir uma dívida equivalente a 100% de seu valor alavancado?

19. **Proposição I de M&M com tributos** A Maxwell S/A é totalmente financiada por capital próprio. A empresa está considerando tomar um empréstimo de $ 1,8 milhão. Ele será pago em parcelas iguais pelos próximos dois anos e tem uma taxa de juros de 8%. A alíquota tributária da empresa é de 34%. De acordo com a Proposição I de M&M com tributos, qual seria o aumento no valor da empresa depois do empréstimo?

20. **Proposição I de M&M sem tributos** A Alpha S/A e a Beta S/A são idênticas em tudo, exceto em suas estruturas de capital. A Alpha, empresa financiada somente por capital próprio, tem 15 mil ações em circulação, cada uma com o valor de $ 30 atualmente. A Beta utiliza alavancagem em sua estrutura de capital. O valor de mercado da dívida da Beta é $ 65 mil, e seu custo da dívida é 9%. Espera-se que cada empresa tenha lucro antes de juros de $ 75 mil em perpetuidade. Ambas não pagam tributos sobre lucros. Suponha que todo investidor possa tomar empréstimos a 9% ao ano.
    a. Qual é o valor da Alpha S/A?
    b. Qual é o valor da Beta S/A?
    c. Qual é o valor de mercado do capital próprio da Beta S/A?
    d. Quanto custará a aquisição de 20% do capital de cada empresa?
    e. Supondo que cada empresa atinja suas estimativas de lucros, qual será o retorno monetário para cada posição na parte (d) no próximo ano?
    f. Construa uma estratégia de investimento na qual um investidor adquira 20% do capital da Alpha e repita o custo e o retorno monetário da compra de 20% do capital da Beta.
    g. O capital da Alpha é mais ou menos arriscado que o da Beta? Explique.

21. **Custo de capital** A Acetato S/A tem capital com valor de mercado de $ 23 milhões e dívida com valor de mercado de $ 7 milhões. As letras do Tesouro com vencimento em um ano rendem 5% ao ano, e o retorno esperado da carteira de mercado é de 12%. O *beta* do capital da Acetato é 1,15. A empresa não paga tributos sobre o lucro.
    a. Qual é o índice Dívida/Capital próprio da Acetato?
    b. Qual é o custo médio ponderado de capital da empresa?
    c. Qual é o custo de capital de uma empresa idêntica, mas financiada somente por capital próprio?

22. **Alavancagem caseira** A Companhia Veblen e a Companhia Knight, fundadas por dois economistas famosos, são idênticas em todos os aspectos, exceto por a Veblen não ser alavancada. O valor de mercado dos títulos de dívida a 6% da Knight é de $ 1,4 milhão. As informações financeiras das duas empresas aparecem aqui. Todos os fluxos de lucro são perpetuidades. Ambas não pagam tributos sobre lucros. As duas empresas distribuem imediatamente todos os lucros disponíveis aos acionistas.

	Veblen	Knight
Receita operacional projetada	$ 550.000	$ 550.000
Juros sobre a dívida ao fim do ano	—	84.000
Valor de mercado das ações	4.300.000	3.140.000
Valor de mercado da dívida	—	1.400.000

a. Um investidor que pode tomar empréstimos a 6% por ano deseja comprar 5% do capital da Knight. Ele pode aumentar seu retorno monetário comprando 5% do capital da Veblen se tomar um empréstimo de forma que os custos líquidos iniciais das duas estratégias sejam iguais?

b. Dadas as duas estratégias de investimentos de (a), qual será a escolhida pelos investidores? Quando esse processo terminará?

23. **Proposições de M&M** A Locomotiva S/A está planejando recomprar parte de suas ações, emitindo títulos de dívida. Como resultado, espera-se que o índice Dívida/Capital próprio da empresa suba de 35% para 50%. A empresa, atualmente, tem o valor de $ 3,6 milhões em títulos de dívida em circulação. O custo dessa dívida é de 8% ao ano. A Locomotiva espera ter um LAJIR de $ 1,35 milhão por ano em perpetuidade. Ela não paga tributos.

   a. Qual é o valor de mercado da Locomotiva S/A antes e depois do anúncio da recompra de ações?

   b. Qual é o retorno esperado sobre o capital da empresa antes do anúncio do plano de recompra de ações?

   c. Qual é o ROE esperado de uma empresa idêntica, exceto por ser financiada somente por capital próprio?

   d. Qual é o ROE esperado da empresa depois do anúncio do plano de recompra de ações?

24. **Valor das ações e alavancagem** A Indústria Verde planeja anunciar que irá emitir $ 2 milhões de dívida perpétua e utilizar a captação para recomprar ações. Os títulos de dívida serão vendidos a seu valor de face com uma taxa de cupom de 6%. A Verde, no momento, é uma empresa financiada somente por capital próprio, com valor de $ 6,3 milhões e 400 mil ações em circulação. Depois da venda dos títulos, ela manterá a nova estrutura de capital indefinidamente. A Verde gera atualmente um lucro anual pré-tributação de $ 1,5 milhão. Espera-se que esse nível de lucro se mantenha constante na perpetuidade. A Verde está sujeita a uma alíquota tributária de pessoa jurídica de 34%.

   a. Qual é o ROE esperado da Verde antes do anúncio da emissão de dívida?

   b. Elabore o balanço patrimonial a valores de mercado da Verde antes do anúncio da emissão de dívida. Qual é o preço por ação do capital próprio da empresa?

   c. Elabore o balanço patrimonial a valores de mercado da Verde imediatamente após o anúncio da emissão de dívida.

   d. Qual é o preço da ação da Verde imediatamente depois do anúncio da recompra?

   e. Quantas ações a Verde adquirirá como resultado da emissão de dívida? Quantas ações permanecerão após a recompra?

   f. Elabore o balanço patrimonial a valores de mercado depois da reestruturação.

   g. Qual é o ROE exigido da Verde depois da reestruturação?

25. **M&M com tributos** A Williamson S/A tem um índice Dívida/Capital próprio de 2,5. O custo médio ponderado de capital da empresa é de 10%, e seu custo da dívida pré-tributação é de 6%. A Williamson está sujeita a uma alíquota tributária de pessoa jurídica de 34%.

   a. Qual é o custo do capital próprio da Williamson?

   b. Qual é o custo do capital não alavancado da Williamson?

   c. Qual seria o custo médio ponderado de capital da Williamson se o seu índice Dívida/Capital próprio fosse 0,75? E se fosse 1,5?

DESAFIO
(Questões 26-30)

26. **Custo médio ponderado de capital** Em um mundo somente com tributos sobre lucros de pessoa jurídica, mostre que

$$R_{CMPC} \text{ pode ser notado como } R_{CMPC} = R_0 \times [1 - t_C (B/V)].$$

27. **Custo do capital próprio e alavancagem** Supondo um mundo somente com tributos sobre lucros de pessoa jurídica, mostre que o custo do capital próprio, R_S, é aquele apresentado neste capítulo pela Proposição II de M&M com tributos sobre lucros de pessoa jurídica.

28. **Risco do negócio e risco financeiro** Suponha que a dívida de uma empresa não tenha risco, de modo que o custo da dívida seja igual à taxa sem risco, R_f. Defina β_A como o *beta* dos *ativos* da empresa, ou seja, o risco sistemático dos ativos dela. Defina β_S como o *beta* do capital próprio da empresa. Utilize o modelo de precificação de ativos financeiros,

CAPM, juntamente com a Proposição II de M&M, para mostrar que $\beta_S = \beta_A \times (1 + B/S)$, em que B/S é o índice Dívida/Capital próprio. Suponha que a alíquota tributária seja zero.

29. **Risco para o acionista** Suponha que as operações comerciais de uma empresa espelhem os movimentos da economia como um todo com muita perfeição, ou seja, que o *beta* dos ativos da empresa seja 1,0. Use o resultado do problema anterior para encontrar o *beta* do capital próprio dessa empresa para os índices Dívida/Capital próprio de 0, 1, 5 e 20. O que isso mostra sobre a relação entre a estrutura de capital e o risco para o acionista? Como o ROE exigido dos acionistas é afetado? Explique.

30. **Custo não alavancado de capital** Começando com a equação de custo de capital, isto é,

$$R_{CMPC} = \frac{S}{B+S}R_S + \frac{B}{B+S}R_B$$

mostre que o custo do capital próprio de uma empresa alavancada pode ser escrito desta forma:

$$R_S = R_0 = \frac{B}{S}(R_0 - R_B)$$

MINICASO

Recompra de ações da Companhia Patrimonial Santos

A Companhia Patrimonial Santos foi fundada há 25 anos pelo atual diretor-presidente, Roberto Santos. A empresa compra imóveis, incluindo terrenos e prédios, e os aluga. Ela tem apresentado lucros todos os anos nos últimos 18 anos, e os acionistas estão satisfeitos com a administração da empresa. Antes de fundar a Patrimonial Santos, Roberto foi fundador e diretor-presidente de uma operação malsucedida de criação de alpacas. A falência resultante o tornou extremamente avesso ao financiamento com dívidas. Como consequência, a empresa é totalmente financiada por capital próprio, com 12 milhões de ações em circulação. No momento, cada ação é negociada a $ 48,50.

A Patrimonial Santos está avaliando um plano para comprar uma enorme extensão de terras no sudeste por $ 45 milhões. A terra será arrendada para fazendeiros. Espera-se que essa compra aumente os lucros anuais pré-tributação da Patrimonial Santos em $ 11 milhões em perpetuidade. Carla Lemos, a nova diretora financeira da empresa, está encarregada de gerenciar o projeto. Carla determinou que o custo atual de capital da empresa é de 11,5%. Ela acredita que a empresa seria mais valiosa se incluísse dívida em sua estrutura de capital, portanto está avaliando se a empresa deveria emitir dívida para financiar o projeto inteiramente. Com base em algumas conversas com bancos de investimento, ela acha que a empresa pode emitir títulos pelo valor de face com uma taxa de cupom de 7%. De acordo com sua análise, ela também acredita que uma estrutura de capital na faixa de 70% de capital próprio e 30% de dívida seria ideal. Se a empresa ultrapassar os 30% de dívida, seus títulos teriam uma classificação menor e um cupom muito maior, pois a possibilidade de dificuldades financeiras e os custos associados aumentariam consideravelmente. A alíquota tributária da Patrimonial Santos é de 34%.

1. Se a Patrimonial Santos desejasse maximizar seu valor total de mercado, você recomendaria que emitisse dívida ou ações para financiar a compra de terras? Explique.
2. Elabore o balanço patrimonial a valores de mercado da Patrimonial Santos antes que anuncie a aquisição.
3. Suponha que a Santos decida emitir ações para financiar a compra.
   a. Qual é o valor presente líquido do projeto?
   b. Elabore o balanço patrimonial a valores de mercado da Patrimonial Santos após o anúncio de que a empresa financiará a compra usando capital próprio. Qual seria o novo preço por ação da empresa? Quantas ações a Patrimonial Santos precisaria emitir para financiar a compra?
   c. Elabore o balanço patrimonial a valores de mercado da Patrimonial Santos após a emissão de ações, mas antes da realização da compra. Quantas ações a Patrimonial Santos tem em circulação? Qual é o preço por ação da empresa?
   d. Elabore o balanço patrimonial a valores de mercado da Patrimonial Santos após a aquisição ser feita.
4. Suponha que a Patrimonial Santos decida emitir dívida para financiar a compra.
   a. Qual será o valor de mercado da empresa se a compra for financiada por dívida?
   b. Elabore o balanço patrimonial a valores de mercado da Patrimonial Santos após a emissão de dívida e a compra das terras. Qual é o preço por ação da empresa?
5. Qual método de financiamento maximiza o preço por ação da Patrimonial Santos?

17 Estrutura de Capital
LIMITES PARA O USO DE DÍVIDA

Para ficar por dentro dos últimos acontecimentos na área de finanças, visite www.rwjcorporatefinance.blogspot.com.

Em 2 de setembro de 2014, o jornal Valor Econômico noticiou que, de janeiro a agosto de 2014, haviam sido registrados 572 pedidos de recuperação judicial no Brasil, sendo 188 (33%) de empresas do setor industrial, um crescimento de 5% em relação ao mesmo período de 2013.* A informação veio junto com outra: a Inepar, uma empresa com forte atuação em petróleo, gás e energia, havia entrado com pedido de recuperação judicial. Ela se juntava a outras empresas do setor que passaram pela mesma situação. Entre as principais razões para a situação crítica dos balanços dessas empresas, eram citados problemas no setor, dificuldades com a Petrobras, desaceleração da economia brasileira, falta de investimentos em infraestrutura e a concorrência com equipamentos chineses. Ao mesmo tempo, noticiava-se que a OGPar (ex-OGX), tida então como a empresa em recuperação judicial em pior situação do setor de petróleo e gás, começava a equilibrar o caixa depois de sua quase falência. A empresa havia então recebido a segunda parte de um empréstimo de US$ 215 milhões negociado com os credores que aceitaram converter dívida em ações. O aporte dos credores permitiu à empresa investir na operação e reverter um prejuízo de R$ 5,5 bilhões no primeiro semestre de 2013 para um lucro de R$ 516 milhões no mesmo período em 2014. Com os recursos dos credores, a OGPar custeou despesas e investimentos, e a sua complicada situação começava a melhorar, com a venda de barris de petróleo extraídos dos campos de Tubarão Martelo e Tubarão Azul. Mas como nem tudo é um oceano azul nessas situações, em seguida os demais credores entraram com liminar para serem contemplados também na subscrição.

As empresas solicitam recuperação judicial para manter a continuidade das suas atividades quando se encontram em dificuldades, tentando, com essa medida, atender seus credores de forma organizada, na medida dos recursos disponíveis. Mas isso nem sempre funciona. O mesmo Valor Econômico informava (em 19/08/2014) que apenas um terço das usinas sucroalcooleiras em recuperação judicial no Brasil estava conseguindo continuar em operação. A situação seria resultado de custos de produção crescentes, rentabilidade baixa e uma sucessão de problemas climáticos que afetavam a produtividade dos canaviais. Sem operar, as empresas não geravam caixa, o que as impedia de atingir sua meta de cumprir o plano de recuperação e pagar os credores. Isso nos faz refletir sobre os limites da dívida na estrutura de capital.

---

* Edição de 02/09/2014, segundo levantamento feito para o Valor pela Boa Vista SCPC.

O capítulo anterior começou com a pergunta "Como uma empresa deve escolher seu índice Dívida/Capital próprio?". Apresentamos primeiro o resultado de Modigliani-Miller (M&M), sob o qual, em um mundo sem tributos, o valor da empresa alavancada é o mesmo que o da não alavancada. Em outras palavras, a escolha do índice Dívida/Capital próprio não é importante nesse caso.

A seguir, mostramos o resultado de M&M segundo o qual, em um mundo com tributos sobre lucros da pessoa jurídica, o valor da empresa aumenta com a alavancagem, implicando que as empresas devem assumir tanto endividamento quanto possível. Mas esse resultado deixa uma série de perguntas. Essa é a história toda? Os gestores financeiros devem realmente colocar os índices Dívida/Valor de suas empresas perto de 100%? Em caso afirmativo, por que as empresas do mundo real têm, como mostraremos posteriormente neste capítulo, níveis mais modestos de dívida?

Este capítulo preenche a lacuna entre a teoria e a prática. Mostraremos que existem bons motivos para estruturas de capital modestas na prática, mesmo em um mundo com tributos. Começaremos com o conceito de *custos de falência*. Esses custos aumentam com a dívida, contrabalançando a vantagem fiscal da alavancagem.

17.1 Custos de dificuldades financeiras

Risco de falência ou custo de falência?

Como foi mencionado ao longo do capítulo anterior, a dívida proporciona benefícios fiscais para a empresa. No entanto, a dívida exerce pressão sobre a empresa, porque os pagamentos de juros e de principal são obrigações. Se elas não forem cumpridas, a empresa pode arriscar-se a ter algum tipo de dificuldade financeira. A principal dificuldade é a *falência*, na qual a propriedade dos ativos da empresa é legalmente transferida dos acionistas para os credores. Essas obrigações de dívida são fundamentalmente diferentes das obrigações de ações. Embora os acionistas gostem de dividendos e os esperem, eles não têm legalmente direito aos dividendos da forma que os credores têm em relação a pagamentos de juros e de principal.

Mostraremos, a seguir, que os custos de falência, ou, mais genericamente, os *custos de dificuldades financeiras*, tendem a anular as vantagens da dívida. Começaremos propondo um exemplo simples de insolvência. Os tributos serão ignorados para nos concentrarmos apenas nos custos da dívida.

EXEMPLO 17.1 Custos de falência[1]

A Danoite S/A planeja se manter em funcionamento por mais um ano. Ela prevê um fluxo de caixa de $ 100 ou $ 50 no próximo ano, cada um tendo uma probabilidade de 50% de ocorrer. A empresa não tem outros ativos. Uma dívida emitida anteriormente requer pagamentos de $ 49 de juros e de principal. A Dodia S/A tem perspectivas idênticas de fluxo de caixa, mas tem $ 60 de obrigações de juros e de principal. Os fluxos de caixa dessas duas empresas podem ser representados desta forma:

	Danoite S/A		Dodia S/A	
	Expansão (prob. de 50%)	Recessão (prob. de 50%)	Expansão (prob. de 50%)	Recessão (prob. de 50%)
Fluxo de caixa	$ 100	$ 50	$ 100	$ 50
Pagamento de juros e de principal da dívida	49	49	60	50
Distribuição para acionistas	$ 51	$ 1	$ 40	$ 0

Para a Danoite S/A, em períodos de expansão e recessão, e para a Dodia S/A, em períodos de expansão, o fluxo de caixa é maior do que os pagamentos de juros e de prin-

(continua)

---

[1] A insolvência leva à possibilidade de falência, por isso nos referimos a "custos de falência".

(continuação)

cipal. Nessas situações, os credores são pagos na íntegra, e os acionistas recebem o valor residual. No entanto, a mais interessante das quatro colunas envolve a Dodia S/A em uma recessão. Aqui são devidos $ 60 aos credores, mas a empresa só tem $ 50 em caixa. Como supomos que a empresa não tenha outros ativos, os credores não podem ser totalmente satisfeitos. A insolvência ocorre, implicando que os credores receberão todo o caixa da empresa e os acionistas não receberão nada. O importante é que os acionistas não têm de fornecer os $ 10 adicionais (=$ 60 − $ 50). As empresas têm responsabilidade limitada na maior parte dos países, implicando que os credores não podem processar os acionistas pelos $ 10 extras.[2]

Comparemos as duas empresas na recessão. Os credores da Danoite recebem $ 49, e os acionistas, $ 1, um total de $ 50. Os credores da Dodia recebem $ 50, e os acionistas, $ 0, um total de $ 50. Existe um ponto importante a ser destacado a partir dessas informações. Embora a Dodia vá à insolvência e a Danoite não, os investidores de ambas as empresas recebem $ 50. Em outras palavras, a insolvência não reduz os fluxos de caixa da empresa. Muitas vezes, ouve-se dizer que a insolvência causa uma redução de valor ou nos fluxos de caixa. Mas esse não é o caso. Em nosso exemplo, é uma recessão que causa a redução, e não a insolvência.

No entanto, deixamos informações de fora. O exemplo da Dodia não é realista, porque ignora um importante fluxo de caixa. Um conjunto mais realista de números poderia ser:

	Dodia S/A	
	Expansão (prob. de 50%)	Recessão (prob. de 50%)
Lucro	$ 100	$ 50
Reembolso de dívida	60	35
Distribuição para acionistas	$ 40	$ 0

Por que os credores recebem apenas $ 35 em uma recessão? Se o fluxo de caixa é de apenas $ 50, os credores serão informados de que não serão pagos na íntegra. Esses credores provavelmente contratarão advogados para negociar com a empresa ou até mesmo processá-la. De modo semelhante, a empresa provavelmente contratará advogados para defender-se. Serão incorridos custos adicionais se o caso chegar a um tribunal. Esses custos são sempre pagos antes de os credores o serem. Nesse exemplo, estamos supondo que a insolvência custe um total de $ 15 (=$ 50 − $ 35).

Comparemos o exemplo com custos de falência ao sem eles. Por causa dessa alavancagem maior, a Dodia S/A enfrenta a possibilidade de falência, ao passo que a Danoite S/A não. Todavia, como vimos anteriormente, o fluxo de caixa total para investidores é o mesmo para ambas as empresas em um mundo sem custos de falência. Contudo, uma vez que adicionemos os custos de falência, o fluxo de caixa total para investidores se torna menor para a empresa insolvente, a Dodia. Em uma recessão, os credores da Danoite recebem $ 49, e os acionistas, $ 1, um total de $ 50. Em uma recessão, os credores da Dodia recebem $ 35, e os acionistas, $ 0, um total de $ 35. Assim, podemos concluir o seguinte:

> **A alavancagem aumenta a probabilidade de insolvência. Contudo, por si só, a insolvência não diminui os fluxos de caixa para investidores. São os custos associados à insolvência que os diminuem.**

Nosso exemplo da pizza pode oferecer uma explicação. Em um mundo sem custos de falência, os credores e os acionistas compartilham a pizza inteira. No entanto, os custos de falência comem parte da pizza no mundo real, deixando menos para acionistas e credores.

---

[2] Existem situações em que a responsabilidade limitada das empresas pode ser "furada". Normalmente, deve haver uma fraude ou um dolo.

17.2 Descrição de custos de dificuldades financeiras

O exemplo anterior evidenciou que os custos de falência podem diminuir o valor da empresa. Na realidade, o mesmo resultado se mantém ainda que a insolvência, e a possibilidade de falência, sejam evitadas. Portanto, *custos de dificuldades financeiras* pode ser um termo melhor que *custos de falência*. Vale a pena descrever esses custos com mais detalhes. Cabe antes um esclarecimento: embora seja de uso comum o termo falência, na maior parte das vezes, estaremos tratando de processos de recuperação judicial. A falência é uma situação jurídica que decorre de sentença proferida por um juiz de direito; ela é uma forma de liquidação da empresa que deve ser decretada. Já a recuperação judicial funciona como uma proteção contra a decretação de falência.

Custos diretos de dificuldades financeiras: custos legais e administrativos de recuperação judicial

Como foi mencionado anteriormente, advogados estão envolvidos em todos os estágios antes da recuperação judicial e durante ela. Com os honorários, muitas vezes, na faixa de centenas de reais a hora, esses custos podem rapidamente aumentar. Um humorista observou uma vez que as recuperações judiciais são para os advogados o que o sangue é para os tubarões. Além disso, os custos administrativos e contábeis podem aumentar substancialmente a conta final. Caso ocorra um julgamento, não podemos nos esquecer dos peritos. Cada parte pode contratar vários peritos para testemunhar quanto à justiça de um acordo proposto. Seus honorários podem facilmente competir com os de advogados e contadores. (Contudo, vemos esses peritos com carinho, pois frequentemente são oriundos dos quadros de professores de Finanças.)

Uma das recuperações judiciais mais divulgadas nos últimos anos diz respeito a um município, Orange County, na Califórnia, EUA, e não a uma empresa. Essa recuperação judicial sucedeu grandes perdas em negócios com títulos de dívida da carteira financeira do município. O *Los Angeles Times* informou então:

> Os contribuintes de Orange County perderam $ 1,69 bilhão, e seu governo, há um ano, afundou-se na recuperação judicial. Agora estão gastando outros milhões para sair dela.
>
> Contadores se debruçam sobre livros fiscais a $ 325 a hora. Advogados viram a noite a $ 385 a hora. Os consultores financeiros de uma das casas de investimento mais proeminentes dos Estados Unidos trabalham para os contribuintes a $ 150 mil por mês. Funcionários ficam junto às copiadoras apresentando contas que, às vezes, excedem $ 3 mil.
>
> O total até agora: $ 29 milhões. E nem está perto de acabar.
>
> O empenho multidisciplinar para retirar Orange County da pior recuperação judicial de um município do país se tornou uma máquina de engolir dinheiro, acabando com os fundos dos contribuintes a uma taxa de $ 2,4 milhões ao mês. Isso soma $ 115 mil ao dia.
>
> Os gestores do condado não estão alarmados.
>
> Eles dizem que a recuperação judicial de Orange County foi um desastre épico que exigirá despesas igualmente vultosas de dinheiro dos contribuintes para ajudá-lo a sobreviver. Embora tenham se recusado a pagar o equivalente a milhares de dólares de despesas, como jantares suntuosos e grandes contas de hotel, eles raramente questionaram os honorários nas alturas. Eles preveem que os custos poderiam se elevar muito mais.
>
> Por fim, os participantes do *pool* de investimentos do condado também concordaram em criar um fundo separado de $ 50 milhões para pagar os custos da batalha judicial com Wall Street.[3]

Os chamados "custos de falência" do setor privado são frequentemente muito maiores do que os de Orange County. Por exemplo, os custos diretos das recuperações judiciais da Enron e da WorldCom foram, em geral, estimados como acima de $ 1 bilhão e $ 600 milhões, respectivamente. Os custos da recuperação da Lehman Brothers são ainda maiores. Embora a Lehman tenha protocolado seu pedido de recuperação judicial em 2008, o processo ainda não havia sido concluído no início de 2011. Esperava-se então que os custos diretos de recuperação da Lehman totalizassem quase $ 2 bilhões. Esse número é a soma de muitos custos grandes. Por

---

[3] "The High Cost of Going Bankrupt", *Los Angeles Times Orange County Edition*, 6 de dezembro de 1995. Retirado de Lexis/Nexis.

exemplo, um escritório de advocacia cobrou $ 200 mil por refeições de seu pessoal durante o trabalho, $ 439 mil por pesquisas computadorizadas e outras pesquisas, $ 115 mil por transporte local e $ 287 mil por custos de cópias a $ 0,10 por página. Os outros custos com o processo de recuperação podem ter sido ainda maiores. Alguns especialistas estimaram que a Lehman teria se decidido de forma precipitada pelo pedido de recuperação e, por isso, teria perdido em torno de $ 75 bilhões que poderia ter recebido se a venda de muitos de seus ativos tivesse sido mais bem planejada.

Vários estudos acadêmicos têm medido os custos diretos de dificuldades financeiras. Embora grandes em valores absolutos, esses custos, na verdade, são pequenos como percentual do valor da empresa. White, Altman e Weiss estimam os custos diretos de dificuldades financeiras em cerca de 3% do valor de mercado da empresa.[4] Em um estudo sobre custos diretos de dificuldades financeiras de 20 insolvências de ferrovias, Warner descobriu que os custos líquidos diretos de dificuldades financeiras eram, em média, 1% do valor de mercado da empresa sete anos antes do pedido de recuperação e percentuais um tanto maiores à medida que ele se aproximava (p. ex., 2,5% do valor de mercado da empresa três anos antes da data do pedido recuperação).[5] Lubben estima que apenas o custo médio dos honorários legais seja de cerca de 1,5% do total de ativos para empresas em processo de recuperação.[6] Bris, Welch e Zhu verificaram que as despesas de recuperação comparadas com os valores dos ativos estariam na faixa de 2% a 10%.[7]

Custos indiretos de dificuldades financeiras

Capacidade reduzida de realizar negócios
A recuperação judicial dificulta negócios com clientes e fornecedores. Vendas são frequentemente perdidas por medo de serviços reduzidos e perda de confiança. Por exemplo, em 2008, a General Motors e a Chrysler passavam por dificuldades financeiras significativas, e muitas pessoas achavam que uma ou ambas as empresas acabariam entrando com um pedido de recuperação judicial (ambas o fizeram posteriormente). Como resultado das más notícias acerca das empresas, houve uma perda de confiança nos seus automóveis. Um estudo mostrou que 75% dos americanos não comprariam um automóvel de uma empresa em processo de recuperação, pois ela poderia não honrar garantias e seria difícil obter peças de reposição. Essa preocupação resultou na perda de vendas potenciais para ambas as empresas, fato que só aumentou suas dificuldades financeiras. A Chrysler se encontrou em uma situação semelhante quando contornou a insolvência nos anos 1970. Muitos clientes anteriormente fiéis a ela, temendo a perda de peças e serviços em uma recuperação, passaram para outros fabricantes. Mencionemos outro exemplo: jogadores evitaram o cassino Atlantis, em Atlantic City, depois que ele se tornou tecnicamente insolvente. Jogadores são um grupo supersticioso. Muitos se perguntavam: "Se o próprio cassino não consegue fazer dinheiro, como posso esperar fazer dinheiro lá?". Uma história particularmente chocante dizia respeito a duas lojas não relacionadas, ambas chamadas Mitchells, na cidade de Nova York. Quando uma das Mitchells se declarou insolvente, os clientes evitaram ambas as lojas. Com o tempo, a segunda loja foi forçada a se declarar insolvente também.

Embora esses custos existam, é muito difícil mensurá-los. Altman estima que tanto os custos diretos quanto os indiretos de dificuldades financeiras sejam frequentemente maiores que 20% do valor da empresa.[8] Andrade e Kaplan estimam que os custos totais das dificuldades

---

[4] M. J. White, "Bankruptcy Costs and the New Bankruptcy Code", *Journal of Finance,* may 1983; E. I. Altman, "A Further Empirical Investigation of the Bankruptcy Cost Question", *Journal of Finance,* sept., 1984; e Lawrence A. Weiss, "Bankruptcy Resolution: Direct Costs and Violation of Priority of Claims", *Journal of Financial Economics,* v. 27, 1990.

[5] J. B. Warner, "Bankruptcy Costs: Some Evidence", *Journal of Finance,* may 1977.

[6] Stephen J. Lubben, "The Direct Costs of Corporate Reorganization: An Empirical Examination of Professional Fees in Large Chapter 11 Cases", *American Bankruptcy Law Journal,* 2000.

[7] Arturo Bris, Ivo Welch e Ning Zhu, "The Costs of Bankruptcy: Chapter 7 Liquidation versus Chapter 11 Reorganization", *Journal of Finance,* jun. de 2006.

[8] E. I. Altman, *op. cit.*

estejam entre 10% e 20% do valor da empresa.[9] Bar-Or estima que os custos futuros esperados de dificuldades para empresas que estejam saudáveis no momento sejam de 8 a 10% do valor operacional, um número abaixo das estimativas de Altman ou de Andrade e Kaplan.[10]

Contudo, diferentemente de Bar-Or, esses autores consideraram os custos de dificuldades para empresas que já estavam em dificuldades, e não custos esperados de dificuldades para empresas saudáveis no momento.

Cutler e Summers examinaram os custos da muito divulgada recuperação judicial da Texaco.[11] Em janeiro de 1984, a Pennzoil chegou ao que acreditava ser um acordo vinculante para adquirir três sétimos da Getty Oil. No entanto, menos de uma semana mais tarde, a Texaco adquiriu toda a Getty a um preço maior por ação. A Pennzoil, então, processou a Getty por quebra de contrato. Como a Texaco já havia dado indenidade para litígios à Getty, a Texaco se tornou responsável pelos danos perante a Pennzoil.

Em novembro de 1985, o Tribunal Estadual do Texas concedeu indenização de $ 12 bilhões à Pennzoil, embora essa quantia tenha sido posteriormente reduzida. Como resultado, a Texaco entrou com pedido de recuperação judicial. Cutler e Summers identificaram nove eventos importantes ao longo do processo de litígio. Eles descobriram que o valor de mercado da Texaco (preço da ação vezes o número de ações em circulação) caiu $ 4,1 bilhões ao longo desses eventos, ao passo que o da Pennzoil subiu apenas $ 682 milhões. Portanto, a Pennzoil ganhou cerca de um sexto do que a Texaco perdeu, resultando em uma perda líquida para as duas empresas de quase $ 3,5 bilhões.

O que explicaria essa perda líquida? Cutler e Summers sugerem que seja provavelmente devido a custos em que a Texaco e a Pennzoil incorreram com o litígio e a subsequente recuperação judicial. Os autores argumentam que os honorários diretos do processo de recuperação representam apenas uma pequena parte desses custos, estimando as despesas legais pós-tributação da Texaco em cerca de $ 165 milhões. Os custos legais para a Pennzoil foram mais difíceis de avaliar, pois seu advogado responsável, Joe Jamail, declarou publicamente que não tinha honorários fixos. Contudo, utilizando uma análise estatística engenhosa, os autores estimam que seus honorários foram de cerca de $ 200 milhões. Sendo assim, precisamos procurar a maior parte dos custos em outra parte.

Os custos indiretos de dificuldades financeiras podem ser os culpados. Uma declaração da Texaco afirmava que, após o processo judicial, alguns de seus fornecedores estavam exigindo pagamento à vista. Outros fornecedores interromperam ou cancelaram envios de petróleo bruto. Certos bancos restringiram o uso de contratos futuros em moeda estrangeira para a Texaco. A declaração enfatizava que essas restrições estavam reduzindo a capacidade de a Texaco realizar seus negócios, levando à deterioração de sua condição financeira. Esses tipos de custos indiretos poderiam explicar a disparidade de $ 3,5 bilhões entre a queda da Texaco e a subida da Pennzoil em valor de mercado? Infelizmente, embora os custos indiretos provavelmente tenham desempenhado um papel importante aqui, simplesmente não há como obter uma estimativa quantitativa confiável para eles.

Custos de agência

Quando uma empresa tem dívidas, surgem conflitos de interesse entre acionistas e credores. Por isso, os acionistas ficam tentados a buscar estratégias "egoístas". Esses conflitos de interesse, que são ampliados quando se incorre em dificuldades financeiras, impõem **custos de agência** à empresa. Descreveremos três tipos de estratégias egoístas que os acionistas utilizam para ajudar a si próprios e prejudicar os credores. Essas estratégias são caras, porque diminuirão o valor de mercado da empresa inteira.

---

[9] Gregor Andrade e Steven N. Kaplan, "How Costly Is Financial (Not Economic) Distress? Evidence from Highly Leveraged Transactions That Became Distressed", *Journal of Finance,* out. 1998.

[10] Yuval Bar-Or, "An Investigation of Expected Financial Distress Costs", artigo não publicado, Wharton School, Universidade da Pensilvânia, mar. 2000.

[11] David M. Cutler e Lawrence H. Summers, "The Costs of Conflict Resolution and Financial Distress: Evidence from the Texaco–Pennzoil Litigation", *Rand Journal of Economics,* 1988. Hemisfério Norte.

Estratégia de investimento egoísta 1: *Incentivo para assumir grandes riscos* Empresas à beira da insolvência, muitas vezes, assumem grandes riscos por acreditarem que estão jogando com o dinheiro de outros. Para entender essa atitude, imagine uma empresa alavancada considerando dois projetos *mutuamente excludentes*, um de baixo risco e outro de alto risco. Existem dois resultados igualmente prováveis: recessão e expansão. A empresa está em tão maus lençóis que, se uma recessão ocorrer, chegará perto da insolvência com um projeto e cairá de fato à insolvência com o outro. Os fluxos de caixa da empresa inteira se o projeto de baixo risco for escolhido podem ser descritos desta forma:

Valor da empresa inteira se o projeto de baixo risco for escolhido						
	Probabilidade	Valor da empresa	=	Ações	+	Dívida
Recessão	0,5	$ 100	=	$ 0	+	$ 100
Expansão	0,5	200	=	100	+	100

Se ocorrer uma recessão, o valor da empresa será $ 100; se ocorrer uma expansão, será $ 200. O valor esperado da empresa é $ 150 (=0,5 × $ 100 + 0,5 × $ 200).

A empresa prometeu pagar $100 aos credores. Os acionistas terão a diferença entre o resultado total e o montante pago aos credores. Em outras palavras, os credores têm um direito prioritário sobre os resultados, e os acionistas têm um direito residual.

Agora, suponha que o projeto mais arriscado substitua o de baixo risco. Os resultados e as probabilidades são os seguintes:

Valor da empresa inteira se o projeto de alto risco for escolhido						
	Probabilidade	Valor da empresa	=	Ações	+	Dívida
Recessão	0,5	$ 50	=	$ 0	+	$ 50
Expansão	0,5	240	=	140	+	100

O valor esperado da *empresa* é $ 145 (=0,5 × $ 50 + 0,5 × $240), que é menos que o valor esperado da empresa com o projeto de baixo risco. Portanto, o projeto de baixo risco seria aceito se a empresa fosse financiada somente por capital próprio. Contudo, note que o valor esperado das *ações* é $ 70 (=0,5 × 0 + 0,5 × $ 140) com o projeto de alto risco, mas apenas $ 50 (=0,5 × 0 + 0,5 × $ 100) com o projeto de baixo risco. Dado o presente estado alavancado da empresa, os acionistas selecionarão o projeto de alto risco, mesmo que ele tenha um VPL *menor*.

A explicação é que, relativamente ao projeto de baixo risco, o projeto de alto risco aumenta o valor da empresa em uma expansão e o diminui em uma recessão. O aumento no valor em uma expansão é captado pelos acionistas, porque os credores recebem $ 100 independentemente de qual projeto seja aceito. De forma inversa, uma queda no valor em uma recessão é perdida pelos credores, porque eles são pagos na íntegra com o projeto de baixo risco, mas recebem apenas $ 50 com o de alto risco. Os acionistas não receberão nada em uma recessão de qualquer forma, quer o projeto de alto ou o de baixo risco seja selecionado. Assim, os economistas da área de Finanças argumentam que, em empresas em dificuldades, os acionistas expropriam o valor dos credores selecionando projetos de alto risco.

Uma história, possivelmente apócrifa, ilustra essa ideia. Parece que a Federal Express estava perto do colapso financeiro poucos anos após sua criação. O fundador, Frederick Smith, em desespero, teria levado $ 20 mil em dinheiro da empresa a Las Vegas. Ele ganhou nas mesas de jogos, conseguindo capital suficiente para permitir que a empresa sobrevivesse. Se tivesse perdido, os bancos simplesmente teriam recebido $ 20 mil a menos se a empresa chegasse à falência.

Estratégia de investimento egoísta 2: *Incentivo para subinvestimento* Os acionistas de uma empresa com uma probabilidade significativa de falência, muitas vezes, pensam que novos investimentos ajudam os credores à custa dos acionistas. O caso mais simples pode ser o de um proprietário de um imóvel confrontado com a falência iminente. Se ele colocasse $ 100 mil de seu próprio bolso para restaurar o prédio, poderia aumentar o valor dele em, digamos, $ 150 mil. Embora esse investimento tenha um valor presente líquido positivo, ele o rejeitará se o aumento no valor não puder impedir a falência. "Por que", pergunta ele, "eu deveria utilizar meus próprios recursos para melhorar o valor de um prédio que o banco logo irá me tomar?"

Essa ideia é formalizada pelo exemplo a seguir. Considere a empresa no Quadro 17.1, que deve decidir se aceita ou rejeita um novo projeto. O projeto custa $ 1 mil. As duas primeiras colunas no quadro mostram os fluxos de caixa sem o projeto. A empresa recebe entradas de caixa de $ 5 mil e $ 2.400 em uma expansão e em uma recessão, respectivamente. No entanto, ela deve pagar principal e juros de $ 4 mil, implicando que ficará inadimplente em uma recessão.

QUADRO 17.1 Exemplo ilustrando incentivo para subinvestimento

	Empresa sem projeto		Empresa com projeto com custo de $ 1.000	
	Expansão	Recessão	Expansão	Recessão
Fluxos de caixa da empresa	$ 5.000	$ 2.400	$ 6.700	$ 4.100
Direitos dos credores	4.000	2.400	4.000	4.000
Direitos dos acionistas	$ 1.000	$ 0	$ 2.700	$ 100

O projeto tem VPL positivo. Contudo, muito do seu valor é captado pelos credores. Os gestores agindo de forma racional quanto ao interesse dos acionistas irão rejeitá-lo.

Alternativamente, conforme indicado nas próximas duas colunas do quadro, a empresa poderia levantar capital para investir em um novo projeto. Suponha que o projeto gere um fluxo de caixa de $ 1.700 em cada estado, levando o fluxo de caixa da empresa a $ 6.700 (= $ 5.000 + $ 1.700) em uma expansão e a $ 4.100 (= $ 2.400 + $ 1.700) em uma recessão. Como o fluxo de caixa da empresa de $ 4.100 em uma recessão ultrapassa o direito dos credores a $ 4 mil, a falência é evitada. Por $ 1.700 ser muito mais que o custo de $ 1 mil do projeto, o projeto tem um VPL positivo a qualquer taxa de juros plausível. Claramente, uma empresa financiada somente por capital próprio o aceitaria.

Contudo, ele prejudica os acionistas da empresa alavancada. Para compreender isso, imagine que os *próprios* acionistas antigos contribuam com $ 1 mil.[12] Supondo que uma expansão e uma recessão sejam igualmente prováveis, o valor esperado da participação dos acionistas sem o projeto é de $ 500 (=0,5 × $ 1.000 + 0,5 × 0). O valor esperado com o projeto é de $ 1.400 (=0,5 × $ 2.700 + 0,5 × $ 100). A participação dos acionistas sobe em apenas $ 900 (= $ 1.400 − $ 500) enquanto custa $ 1 mil.

Por que um projeto com um VPL positivo prejudica os acionistas? A explicação é que os acionistas contribuem com o investimento todo de $ 1 mil, mas eles *compartilham* os benefícios com os credores. Os acionistas ficam com o ganho inteiro se uma expansão ocorrer. De forma oposta, os credores colhem a maior parte do fluxo de caixa do projeto em uma recessão.

A discussão da Estratégia egoísta 2 é bastante semelhante à da Estratégia egoísta 1. Em ambos os casos, uma estratégia de investimento para a empresa alavancada é diferente da alavancada para a não alavancada. Portanto, a alavancagem resulta em uma política de investimentos distorcida. Enquanto a empresa não alavancada sempre escolhe projetos com valor presente líquido positivo, a empresa alavancada pode se desviar dessa política.

Estratégia de investimento egoísta 3: *Esvaziamento da propriedade* Outra estratégia é pagar dividendos extras ou outras distribuições em momentos de dificuldades financeiras, deixando menos para os credores na empresa. Isso é conhecido como *esvaziar a propriedade*, uma expressão tomada do setor imobiliário. As Estratégias 2 e 3 são muito similares. Na Estratégia 2, a empresa escolhe não levantar novo capital. A Estratégia 3 vai um passo além, pois o capital, na verdade, é retirado por meio dos dividendos.

---

[12] Os mesmos resultados qualitativos serão obtidos se os $ 1 mil forem levantados dos novos acionistas. No entanto, a aritmética se torna muito mais difícil, pois precisamos determinar como muitas ações novas são emitidas.

A estratégia de pagamento de dividendos para esvaziar uma empresa em dificuldades financeiras pode ocorrer nos EUA, mas não no Brasil. Aqui, para pagar dividendos, é necessário haver lucro, e se a empresa tivesse lucro provavelmente não estaria em dificuldades. Entretanto, a estratégia de esvaziamento da empresa pode ocorrer por outros meios, como, por exemplo, transações entre partes relacionadas. Isso pode ser feito com a transferência de dinheiro da empresa para outras empresas mediante compras superfaturadas ou vendas subfaturadas, consultorias, contratos de manutenção e de compra de serviços, entre outros. E pode ocorrer com todas essas estratégias em conjunto!

Resumo das estratégias egoístas As distorções discutidas somente ocorrem quando existe uma probabilidade significativa de falência ou de dificuldades financeiras. Portanto, é improvável que afetem, digamos, empresas controladas pelo poder público, já que dificuldades financeiras são raras entre elas, pois acabam tendo aportes do Tesouro. Em contrapartida, pequenas empresas e empresas em setores arriscados, como o de computadores, são mais propensas a passar por dificuldades financeiras e, por sua vez, ser afetadas por essas distorções.

Quem paga o custo das estratégias egoístas de investimento? Argumentamos que, no final das contas, são os acionistas.[13] Credores racionais sabem que, quando dificuldades financeiras são iminentes, não podem esperar ajuda dos acionistas. Em vez disso, provavelmente os acionistas escolham estratégias de investimento que reduzam o valor dos títulos de dívida. Com essa possibilidade, os credores se protegem elevando a taxa de juros que exigem da dívida. Como os acionistas precisam pagar essas taxas altas, terminam por arcar com os custos de estratégias egoístas. Para empresas que enfrentam essas distorções, será difícil e caro obter empréstimos. Essas empresas têm índices de alavancagem baixos.

A relação entre os acionistas e os credores é muito semelhante à relação entre Errol Flynn e David Niven, bons amigos e estrelas de cinema nos anos 1930. Niven supostamente disse que o bom a respeito de Flynn era que você sabia exatamente o que esperar dele. Quando precisasse de sua ajuda, poderia sempre contar com ele para desapontá-lo.

17.3 Os custos de endividamento podem ser reduzidos?

Como os senadores dos Estados Unidos costumam dizer: "Um bilhão aqui, um bilhão ali. Logo tudo vira uma soma". Cada um dos custos de dificuldades financeiras que mencionamos é substancial em seu próprio mérito. A soma deles pode muito bem afetar fortemente o financiamento por dívida. Por isso, os gestores têm um incentivo para reduzir esses custos. Agora nos voltaremos a alguns de seus métodos. No entanto, devemos mencionar de saída que esses métodos podem, no máximo, *reduzir* os custos da dívida. Eles não podem eliminá-las por completo.

Cláusulas protetoras (ou restritivas)

Como os acionistas precisam pagar taxas de juros mais altas como um prêmio de seguro contra suas próprias estratégias egoístas, eles frequentemente fazem acordos com os credores na esperança de taxas menores. Esses acordos, chamados de **cláusulas protetoras** (*protective covenants*) para os credores (para os tomadores, cláusulas **restritivas**), são incorporados como parte do contrato de empréstimo (ou *escritura*) entre acionistas e credores. Elas precisam ser levadas a sério, pois uma cláusula quebrada pode levar à inadimplência. As cláusulas protetoras dos credores podem ser classificadas em dois tipos: cláusulas negativas e cláusulas positivas.

Uma **cláusula negativa** limita ou proíbe medidas que a empresa poderia adotar. Aqui estão algumas cláusulas negativas típicas:

1. A empresa não pode pagar dividendos além de certo montante.
2. A empresa não pode dar em garantia nenhum de seus ativos a outros emprestadores.
3. A empresa não pode se fundir com outra.

---

[13] No caso das empresas controladas pelo poder público, a conta vai para os contribuintes.

4. A empresa não pode vender ou alugar qualquer ativo principal sem aprovação do emprestador.
5. A empresa não pode emitir dívida adicional de longo prazo.

Uma **cláusula positiva** especifica uma ação que a empresa concorda em tomar ou uma condição que deve ser cumprida. Aqui estão alguns exemplos:

1. A empresa concorda em manter seu capital de giro em um nível mínimo.
2. A empresa deve fornecer demonstrações contábeis periódicas ao emprestador.

Essas listas de cláusulas não são exaustivas. Já vimos contratos de empréstimos com mais de 30 cláusulas protetoras para os credores.

Smith e Warner examinaram emissões públicas de dívida nos EUA e descobriram que 91% dos contratos de dívida incluíam cláusulas que restringiam a emissão de dívida adicional, 23% restringiam dividendos, 39% restringiam fusões e 36% limitavam a venda de ativos.[14]

As cláusulas protetoras para os credores devem reduzir os custos de falência, aumentando, por fim, o valor da empresa. Portanto, é provável que os acionistas estejam a favor de quaisquer cláusulas razoáveis. Para entender, considere três opções dos acionistas para reduzir os custos de falência:

1. *Não emitir dívida.* Por causa das vantagens fiscais da dívida, esta é uma forma muito cara de evitar conflitos.
2. *Emitir dívida sem cláusulas restritivas e de proteção.* Neste caso, os credores exigirão altas taxas de juros para compensar a situação desprotegida de sua dívida.
3. *Inserir cláusulas de proteção e restritivas nos contratos de empréstimo.* Se as cláusulas forem razoáveis e claramente redigidas, os credores podem receber proteção sem a imposição de grandes custos para os acionistas. Com essa proteção, os credores provavelmente aceitarão uma taxa de juros menor do que exigiriam sem as cláusulas.

Portanto, ainda que as cláusulas restritivas reduzam a flexibilidade do tomador em contratos de dívida, elas podem aumentar o valor da empresa. Elas podem ser a melhor solução de baixo custo para o conflito entre acionistas e credores. Uma lista de cláusulas protetoras típicas e seus usos aparece no Quadro 17.2.

QUADRO 17.2 Cláusulas protetoras dos credores em contratos de empréstimos

Ação do acionista ou circunstâncias da empresa	Tipo de cláusula	Motivo para a cláusula
À medida que a empresa apresenta tendência de dificuldades financeiras, os acionistas podem querer que ela faça investimentos de alto risco.	Restrições de indicadores contábeis 1. Capital de giro mínimo 2. Cobertura de juros mínima 3. Patrimônio líquido mínimo	Os investimentos de alto risco transferem valor dos credores para os acionistas quando as dificuldades financeiras são uma possibilidade realista. As cláusulas reduzem a probabilidade de dificuldades financeiras.
Os acionistas podem tentar transferir ativos da empresa para si próprios.	Restrições sobre a disposição de ativos 1. Limite sobre dividendos 2. Limite à venda de ativos 3. Garantias e hipotecas	As cláusulas limitam a capacidade dos acionistas de transferir ativos para si próprios e de *subinvestir*.
Os acionistas podem tentar aumentar o risco da empresa.	Restrições à mudança de ativos	O aumento de risco da empresa ajuda os acionistas e prejudica os credores.
Os acionistas podem tentar emitir novas dívidas com direitos de prioridade iguais ou maiores do que os das existentes.	Restrições à diluição de direitos 1. Limites para arrendamento 2. Limites para empréstimos adicionais	As cláusulas restringem a *diluição dos direitos dos credores existentes*.

---

[14] C. W. Smith e J. B. Warner, "On Financial Contracting: An Analysis of Bond Covenants", *Journal of Financial Economics*, v. 7, 1979.

Consolidação da dívida

Uma razão pela qual os custos de falência são tão altos é que os diferentes credores (e seus advogados) competem uns com os outros. Esse problema pode ser mitigado pela coordenação adequada entre credores e acionistas. Por exemplo, talvez um, ou no máximo alguns emprestadores, possa arcar com a dívida inteira. Se ocorrerem dificuldades financeiras, os custos de negociação são minimizados com esse arranjo. Além disso, os credores também podem converter parte da dívida em ações. Eles também podem ser acionistas das empresas para as quais emprestam. Dessa forma, os acionistas e credores não são colocados uns contra os outros, porque não são entidades separadas. Essa parece ser a abordagem no Japão, onde grandes bancos geralmente assumem posições acionárias significativas nas empresas para as quais emprestam dinheiro. Os índices Dívida/Capital próprio no Japão são muito maiores do que os nos Estados Unidos.

A sugestão de consolidar dívidas de empresas em dificuldades financeiras é, em si, interessante, porém pode esbarrar em dificuldades práticas. A principal delas no Brasil é que os bancos evitam ter grande concentração de créditos junto a um único tomador ou a um setor. Além disso, há o risco de os credores com menor participação agirem como caronas (*free riders*) na situação, boicotando soluções para tentar fazer com que os credores com maior participação comprem a parte dos menores. Isso pode fazer com que as negociações entre credores possam ser extremamente difíceis e contribuir para deteriorar a situação da empresa em dificuldades (a menos que todos permaneçam com seus créditos e negociem nas mesmas condições).

17.4 Integração de efeitos fiscais e custos de dificuldades financeiras

Modigliani e Miller argumentam que o valor da empresa sobe com a alavancagem na presença de tributos sobre lucros da pessoa jurídica. Essa relação implica que todas as empresas devam escolher a dívida máxima, mas a teoria não prevê o comportamento de empresas no mundo real.

Outros autores sugeriram que a possibilidade de ficar insolvente e os custos relacionados reduzem o valor da empresa alavancada. A integração dos efeitos fiscais e dos custos de dificuldades financeiras aparece na Figura 17.1. No gráfico superior da figura, a linha reta diagonal representa o valor da empresa em um mundo sem custos de falência. A curva em forma de ∩ representa o valor da empresa na presença desses custos. Essa curva sobe à medida que a empresa passa de uma estrutura financiada somente por capital próprio para uma com uma pequena quantidade de dívida. Nessa fase, o valor presente dos custos de dificuldades financeiras é mínimo, porque a probabilidade de elas ocorrerem é pequena. Contudo, à medida que mais e mais dívida for adicionada, o valor presente desses custos sobe a uma taxa *crescente*. Em algum ponto, o aumento no valor presente desses custos de um real adicional de dívida equivale ao aumento no valor presente do benefício fiscal. Esse é o nível de dívida que maximiza o valor da empresa e é representado por B^* na Figura 17.1. Em outras palavras, B^* é o montante ótimo de dívida. Os custos de falência aumentam de forma mais rápida que o benefício fiscal além desse ponto, implicando redução no valor da empresa devido à alavancagem adicional.

No gráfico inferior da Figura 17.1, o custo médio ponderado de capital (R_{CMPC}) cai à medida que mais dívida é adicionada à estrutura de capital. Depois de atingir B^*, o custo médio ponderado de capital sobe. O montante ótimo de dívida produz o menor custo médio ponderado de capital.

Nossa discussão implica que decisões acerca da estrutura de capital de uma empresa envolvem uma ponderação entre os benefícios fiscais da dívida e os custos de dificuldades financeiras. Na realidade, essa abordagem é frequentemente chamada de teoria do *trade-off* para a estrutura de capital ou de *teoria estática da estrutura de capital*. A implicação é que existe um montante ótimo de dívida para qualquer empresa específica. Esse montante de dívida se torna o nível meta de dívida da empresa. Como os custos de dificuldades financeiras não podem ser expressos de forma precisa, ainda não foi desenvolvida uma fórmula para determinar exatamente o nível ótimo de dívida de uma empresa. No entanto, a última seção deste capítulo apresenta algumas regras práticas para selecionar um índice Dívida/Capital próprio no mundo real. Nossa situação nos lembra de uma citação de John Maynard Keynes. Ele supostamente teria dito que,

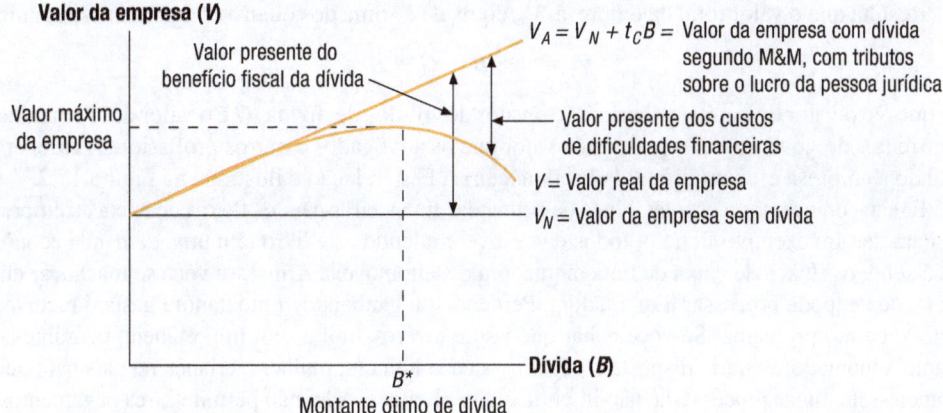

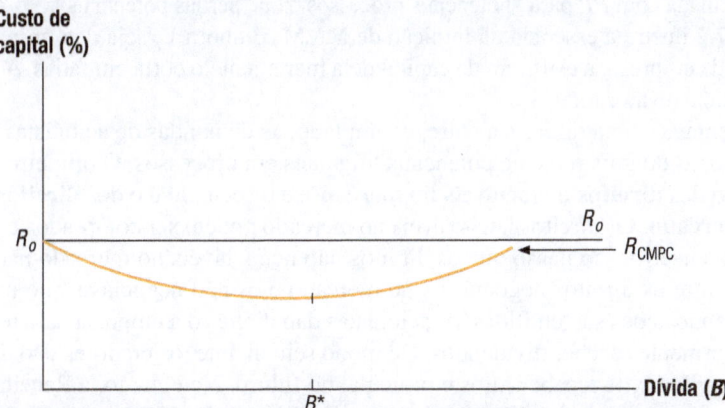

De acordo com a teoria estática, o R_{CMPC} inicialmente cai por causa da vantagem fiscal da dívida. Além do ponto B^*, ele começa a subir por causa dos custos de dificuldades financeiras.

FIGURA 17.1 Quantidade ótima de dívida e valor da empresa.

embora a maioria dos historiadores concorde que a Rainha Elizabeth I foi uma monarca melhor e uma mulher mais infeliz do que a Rainha Victoria, ninguém foi capaz ainda de expressar essa afirmação em uma fórmula precisa e rigorosa.

A pizza de novo

Agora que já consideramos os custos de falência, retornemos à abordagem da pizza do capítulo anterior. Os fluxos de caixa (FC) da empresa vão para quatro diferentes detentores de direitos: acionistas, credores, o governo (na forma de tributos) e advogados e outros profissionais (durante um processo de recuperação ou falência). Podemos expressar essa ideia algebricamente como:

$$FC = \text{Pagamentos para acionistas}$$
$$+$$
$$\text{Pagamentos para credores}$$
$$+$$
$$\text{Pagamentos para o governo}$$
$$+$$
$$\text{Pagamentos para advogados (e outros profissionais)}$$

Resulta que o valor total da empresa, V_T, equivale à soma dos quatro componentes a seguir:

$$V_T = S + B + G + L$$

em que S é o valor do capital próprio, B é o valor dos títulos de dívida, G é o valor das demandas em tributos do governo e L representa o valor que os advogados e outros profissionais recebem quando a empresa está em dificuldades financeiras. Essa relação é ilustrada na Figura 17.2.

E nem começamos a esgotar a lista de demandas financeiras para os fluxos de caixa da empresa. Para dar um exemplo fictício: todos que estiverem lendo este livro têm uma demanda econômica sobre os fluxos de caixa de uma montadora de automóveis. Afinal, se você se machucar em um acidente, pode processar a montadora. Perdendo ou ganhando, a montadora gastará recursos lidando com o problema. Se você achar que isso é inverossímil e sem importância, pergunte-se quanto a montadora estaria disposta a pagar para cada homem, mulher e criança no país para que prometessem nunca processá-la, não importa o que aconteça. A lei não permite esses pagamentos, mas isso não significa que um valor para todas essas demandas potenciais não exista. Supomos que elas chegariam a alguns bilhões, e, para a montadora ou qualquer outra empresa, deveria haver uma fatia da pizza rotulada com PP para "potenciais processos", ou "perdas potenciais".

A Figura 17.2 ilustra a essência da intuição de M&M. Embora V_T seja determinado pelos fluxos de caixa da empresa, a estrutura de capital dela meramente o corta em fatias. A estrutura de capital *não* afeta o valor total, V_T.

Existe, no entanto, uma diferença entre, de um lado, as demandas de acionistas e de credores e, do outro, as do governo e de potenciais litigantes em processos. O primeiro conjunto de demandas é o dos **direitos negociáveis no mercado**, e o segundo é o dos **direitos não negociáveis no mercado**. Os direitos negociáveis no mercado podem ser comprados e vendidos em mercados financeiros, ao passo que os direitos não negociáveis no mercado não podem. Essa distinção entre os direitos negociáveis no mercado e os não negociáveis no mercado é importante. Quando ações são emitidas, os acionistas dão dinheiro à empresa para ter o privilégio de posteriormente receber dividendos. De modo semelhante, os credores dão dinheiro à empresa pelo privilégio de receber juros e principal no futuro. No entanto, a Receita Federal não dá nada à empresa pelo privilégio de receber tributos no futuro. Da mesma forma, os advogados não dão nada à empresa pelo privilégio de receber honorários dela no futuro.

Quando falamos do *valor da empresa*, nos referimos apenas ao valor dos direitos negociáveis no mercado, V_M, e não ao valor dos direitos não negociáveis no mercado, V_N. O que mostramos é que a estrutura de capital não afeta o valor total:

$$V_T = S + B + G + L$$
$$= V_M + V_N$$

Porém, como vimos, o valor dos direitos negociáveis no mercado, V_M, pode mudar com as variações na estrutura de capital.

FIGURA 17.2 Modelo de pizza com fatores do mundo real.

Com base na teoria da pizza, todo aumento em V_M deve significar uma diminuição idêntica em V_N. Gestores financeiros racionais escolherão uma estrutura de capital para maximizar o valor dos direitos negociáveis no mercado, V_M. De forma equivalente, eles trabalharão para minimizar o valor dos direitos não negociáveis no mercado, V_N. Estes últimos são os tributos e custos de recuperação ou falência no exemplo anterior, mas também incluem todos os outros direitos não negociáveis no mercado, como as demandas que rotulamos como *PP* nesta seção.

17.5 Sinalização

A seção anterior indicou que a decisão acerca da alavancagem na empresa envolve uma ponderação entre o subsídio fiscal e os custos de dificuldades financeiras. Essa ideia foi representada graficamente na Figura 17.1, em que o subsídio fiscal marginal ultrapassa os custos de dificuldades para níveis baixos de dívida. O inverso vale para níveis altos de dívida. A estrutura de capital da empresa é otimizada quando o subsídio marginal para a dívida equivale ao seu custo marginal.

Exploremos um pouco mais essa ideia. Qual é a relação entre a lucratividade de uma empresa e seu nível de dívida? Uma empresa com expectativa de lucros baixos provavelmente vá assumir um nível de dívida baixo. Uma pequena dedução de juros já pode tomar o lucro pré-tributação dessa empresa, e mais dívida já elevaria a expectativa de custos de dificuldades financeiras da empresa. Uma empresa mais bem-sucedida provavelmente assumiria mais dívida. Essa empresa poderia utilizar os juros extras para reduzir os tributos de seus lucros maiores. Sendo financeiramente mais segura, essa empresa acharia que sua dívida adicional aumentaria apenas ligeiramente seu risco de falência. Em outras palavras, empresas racionais elevam os níveis de dívida (e os pagamentos de juros que os acompanham) quando esperam que seus lucros aumentem.

Como os investidores reagem a um aumento na dívida? Investidores racionais tendem a inferir que, de um nível mais alto de dívida, decorra um maior valor da empresa. Portanto, esses investidores provavelmente farão o preço da ação da empresa subir depois de ela ter, digamos, emitido dívida para recomprar ações. Dizemos que os investidores veem a dívida como um *sinal* de valor da empresa.

Agora chegamos aos incentivos dos gestores para enganar o público. Considere uma empresa cujo nível de dívida seja ótimo. Isto é, o benefício fiscal marginal da dívida equivale aos custos marginais de dificuldades trazidos com a dívida. Contudo, imagine que o gestor da empresa deseje aumentar o preço corrente da ação, talvez porque saiba que muitos de seus acionistas querem vender suas ações logo. Esse gestor pode querer aumentar o nível de dívida apenas para fazer com que os investidores *pensem* que a empresa é mais valiosa do que realmente é. Se a estratégia funcionar, os investidores empurrarão o preço da ação para cima.

Isso implica que as empresas podem enganar os investidores assumindo *alguma* alavancagem adicional. Agora, faremos a grande pergunta. Há benefícios não acompanhados de custos para o endividamento extra, implicando que todas as empresas assumiriam tanta dívida quanto possível? A resposta, infelizmente, é que também há custos. Imagine que uma empresa tenha emitido dívida extra apenas para enganar o público investidor. Em algum ponto, o mercado descobrirá que a empresa, afinal, não é tão valiosa. Nesse momento, o preço da ação deve, na verdade, cair *abaixo* do que teria sido se a dívida nunca tivesse sido aumentada. Por quê? Porque o nível de endividamento da empresa agora está acima do nível ótimo. Isto é, o benefício fiscal marginal da dívida está abaixo do custo marginal da dívida. Portanto, se os acionistas atuais planejarem vender, digamos, metade de suas ações agora e reter a outra metade, um aumento na dívida os ajudará na venda imediata, mas provavelmente irá prejudicá-los nas vendas posteriores.

Agora, aqui está o ponto importante: dissemos que, em um mundo em que os gestores não tentam enganar os investidores, as empresas valiosas emitem mais dívida que as menos valiosas. Acontece que, mesmo quando os gestores tentam enganar os investidores, as empresas mais valiosas ainda irão emitir mais dívida que as menos valiosas. Isto é, embora todas as empresas aumentem um pouco os níveis de dívida para enganar os investidores, os custos da dívida extra impedem que as empresas menos valiosas emitam mais dívida que as mais valiosas. Portanto, os investidores ainda podem tratar o nível de dívida como um sinal de valor da empresa. Em outras palavras, os investidores ainda podem ver um anúncio de dívida como um sinal positivo da empresa.

Esse foi um exemplo simplificado de sinalização da dívida, e você poderia argumentar que ele é simplificado demais. Por exemplo, talvez os acionistas de algumas empresas queiram vender a maioria de suas ações imediatamente, ao passo que os de outras empresas só queiram vender um pouco das suas agora. É impossível dizer se as empresas com mais dívida são as mais valiosas ou simplesmente são as com os acionistas mais impacientes. Como outras objeções também podem ser levantadas, a teoria da sinalização é mais bem validada por evidências empíricas, e, felizmente, elas tendem a apoiar a teoria.

Por exemplo, considere a evidência com relação às **ofertas de troca de títulos** (*exchange offers*), também chamadas de ofertas de *permuta de títulos*.[15] As operações de troca de títulos de dívida visam a alongar o perfil de dívida das empresas tanto em termos de prazo quanto em termos de custo (as empresas chamam isso de *gestão de passivos*). Existe também a possibilidade de permuta entre ações e dívida para mudar os níveis de dívida da empresa. Nesse caso, há dois tipos: O primeiro tipo de oferta permite que os acionistas troquem algumas de suas ações por títulos de dívida, aumentando, com isso, a alavancagem da empresa. O segundo tipo permite que os credores troquem um pouco de seus títulos de dívida por ações, diminuindo a alavancagem da empresa. É desses casos que esta seção trata. A Figura 17.3 mostra o comportamento do preço da ação de empresas nos EUA que mudam suas proporções de dívida e ações via ofertas

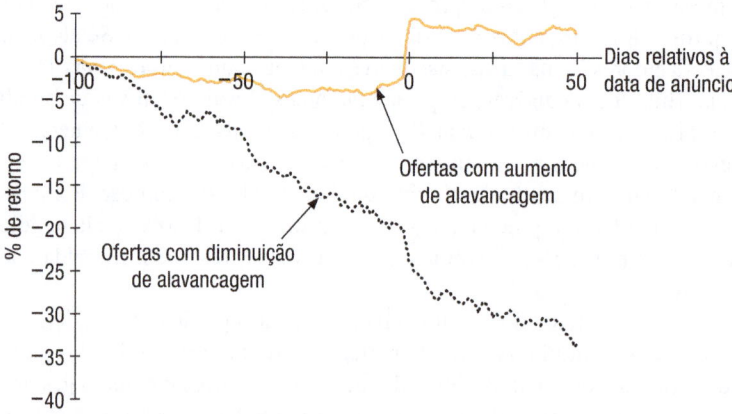

As ofertas de troca de títulos alteram os índices Dívida/Capital próprio das empresas. O gráfico mostra que os preços das ações aumentam para as empresas cujas ofertas de troca aumentem a alavancagem. De forma oposta, os preços das ações diminuem para as empresas cujas ofertas diminuam a alavancagem.

FIGURA 17.3 Retornos de ações no momento dos anúncios de ofertas de troca entre ações e títulos de dívida nos EUA.

FONTE: K. Shah, "The Nature of Information Conveyed by Pure Capital Structure Changes", *Journal of Financial Economics* 36 (ago. 1994).

---

[15] Para entender melhor a que nos referimos aqui, veja esta notícia publicada em 29 de agosto de 2013 pelo jornal *Valor Econômico*, com o título **Embraer inicia oferta de troca de títulos**: "A fabricante de aeronaves Embraer anunciou oferta de permuta de notas em circulação com vencimento em 2017 e em 2020, à taxa de juros de 6,375% ao ano, por novas notas em dólares que vencem em 2023. A oferta de permuta será encerrada às 23h59, pelo horário de Nova York, do dia 25 de setembro de 2013. Os titulares que apresentarem os papéis até o dia 11 de setembro receberão o valor total de permuta mais um prêmio. Os titulares que apresentarem após essa data receberão apenas o valor de permuta. O prêmio pela participação antecipada na permuta será de $ 50 sobre o valor unitário de $ 1.000 para cada nota existente. Os títulos com vencimento em 2017 somam um montante de $ 380,1 milhões, têm o preço hipotético da permuta de $ 1.075,04 e preço hipotético total (com prêmio) de $ 1.125,04. Os ativos com vencimento em 2020 somam $ 500 milhões, com preço da permuta de $ 1.076,46 e preço total de $ 1.126,46. Os titulares receberão também um pagamento em dinheiro correspondente ao valor dos juros acumulados e não pagos das notas existentes aceitas para permuta, desde a última data para pagamento dos juros aplicável até a data de liquidação. As notas novas terão juros anuais correspondentes à soma do rendimento de acordo com os títulos do Tesouro Nacional Americano 2,50%, com vencimento em 15 de agosto de 2023, mais 2,80%. Os juros serão pagos semestralmente, nos dias 16 de março e 16 de setembro de cada ano" (Embraer..., 2013).

de troca. A linha cheia na figura indica que os preços das ações sobem substancialmente na data em que uma oferta que aumenta a alavancagem é anunciada. (Essa data é chamada de data 0 na figura.) De modo contrário, a linha tracejada na figura indica que o preço da ação cai substancialmente quando uma oferta que diminui a alavancagem é anunciada.

O mercado infere que a empresa está bem quando há um aumento no endividamento, levando a uma elevação no preço da ação. De forma contrária, o mercado infere o oposto quanto a uma redução no endividamento, implicando uma queda no preço da ação. Portanto, dizemos que os gestores sinalizam informações quando alteram a alavancagem.

17.6 Negligências, regalias e investimentos ruins: uma observação acerca do custo de agência do capital próprio

Uma seção anterior apresentou o modelo da teoria estática, em que uma elevação na dívida aumenta tanto o benefício fiscal quanto os custos de dificuldades financeiras. Ampliaremos agora esse modelo considerando um importante custo de agência para o capital próprio. Uma discussão sobre esse custo para o capital próprio está contida em uma conhecida citação de Adam Smith:[16]

> Não se pode esperar que os administradores dessas empresas [de capital aberto], embora gestores do dinheiro de outras pessoas, zelem por ele com a mesma vigilância ansiosa com que os sócios de uma parceria privada frequentemente cuidariam do próprio dinheiro. Como os serviçais de um homem rico, eles estão prontos a considerar a atenção a coisas pequenas algo não importante para seu patrão e muito facilmente deixam-na de lado. A negligência e o desperdício, portanto, devem sempre prevalecer, mais ou menos, na gestão dos negócios de tal empresa.

Essa elegante prosa pode ser reapresentada em vocabulário moderno. Um indivíduo trabalhará mais arduamente por uma empresa se ele for um de seus proprietários do que se for apenas um empregado. Além disso, o indivíduo trabalhará com mais afinco se possuir uma grande porcentagem da empresa do que se tiver uma porcentagem pequena. Essa ideia tem uma implicação importante para a estrutura de capital, que ilustraremos com o exemplo a seguir.

EXEMPLO 17.2 Custos de agência

A Sra. Prado é uma proprietária-empreendedora gerindo uma empresa de serviços de computadores com valor de $ 1 milhão. Atualmente, ela possui 100% da empresa. Por causa da necessidade de expansão, ela precisa levantar outros $ 2 milhões. Ela pode emitir $ 2 milhões de dívida a juros de 12% ou emitir $ 2 milhões em ações. Os fluxos de caixa segundo as duas alternativas são apresentados a seguir:

	Emissão de dívida				Emissão de ações			
Intensidade de trabalho	Fluxo de caixa	Juros	Fluxo de caixa para o capital próprio	Fluxo de caixa para a Sra. Prado (100% do capital)	Fluxo de caixa	Juros	Fluxo de caixa para o capital próprio	Fluxo de caixa para a Sra. Prado (33⅓% do capital)
Jornadas de 6 horas	$ 300.000	$ 240.000	$ 60.000	$ 60.000	$ 300.000	0	$ 300.000	$ 100.000
Jornadas de 10 horas	400.000	240.000	160.000	160.000	400.000	0	400.000	133.333

(continua)

---

[16] Adam Smith, *The Wealth of Nations* [1776], edição Cannon. Nova York: Modern Library, 1937, pág. 700, conforme citado em M. C. Jensen e W. Meckling, "Theory of the Firm: Managerial Behavior, Agency Costs, and Ownership Structure", *Journal of Financial Economics*, v. 3, 1976.

(continuação)

Como qualquer empreendedor, a Sra. Prado pode escolher o grau de intensidade com que trabalha. Em nosso exemplo, ela pode trabalhar uma jornada de 6 ou 10 horas. Com a emissão de dívida, o trabalho extra traz mais $ 100 mil (=$ 160.000 − $ 60.000) de lucro para ela. No entanto, vamos supor que ela emita ações e, com isso, retenha apenas um terço do capital. Aqui, o trabalho extra lhe traz apenas $ 33.333 (=$ 133.333 − $ 100.000). Como qualquer pessoa, ela tende a trabalhar com mais empenho se emitir dívida. Em outras palavras, ela tem mais incentivo para *negligência* se emitir ações.

Além disso, ela provavelmente obterá mais *regalias* (um escritório grande, um carro da empresa, mais refeições na conta da empresa) se emitir ações. Se ela for uma acionista com um terço do capital, dois terços desses custos são pagos pelos outros acionistas. Se ela for a única proprietária, ela suporta sozinha qualquer regalia adicional.

Por fim, ela é mais propensa a assumir projetos de orçamento de capital com VPL negativo. Pode parecer surpreendente que um gestor com qualquer participação acionária fosse assumir projetos com VPL negativo, visto que o preço da ação claramente cairia. Contudo, os honorários dos gestores geralmente aumentam junto com o tamanho da empresa, dando-lhes um incentivo para aceitar ainda alguns projetos não lucrativos depois de todos os lucrativos terem sido empreendidos. Isto é, quando um projeto não lucrativo é aceito, a perda no valor da ação para um gestor que tenha apenas uma pequena participação acionária pode ser menor que o aumento nos seus honorários. Na realidade, nossa opinião é de que as perdas decorrentes da aceitação de projetos ruins são muito superiores às de negligência ou de regalias excessivas. Projetos altamente não lucrativos levaram empresas inteiras à falência, fato que mesmo a maior conta de despesas dos gestores seria improvável de fazer.

Assim, à medida que a empresa emitir mais ações, nossa empreendedora provavelmente aumentará o tempo de lazer, as regalias relacionadas ao trabalho e os investimentos não lucrativos. Esses três itens são chamados de *custos de agência*, porque os gestores da empresa são agentes dos acionistas.[17]

Esse exemplo é bastante aplicável a uma empresa menor pensando em uma grande oferta de ações. Como um gestor-proprietário diluirá muito sua participação no total de ações nesse caso, uma queda significativa na intensidade do seu trabalho ou um aumento significativo em benefícios adicionais é possível. No entanto, o exemplo pode ser menos aplicável a uma grande empresa com muitos acionistas. Por exemplo, considere uma grande empresa como a General Electric emitindo ações pela enésima vez. O gestor típico já tem uma porcentagem tão pequena de ações da empresa que qualquer tentação para a negligência provavelmente já foi vivenciada antes. Não se pode esperar que uma oferta adicional aumente essa tentação.

Quem arca com o ônus desses custos de agência, a atual proprietária, Sra. Prado, ou os novos acionistas? Os novos acionistas não arcam com esses custos desde que invistam com olhos abertos. Sabendo que a Sra. Prado pode trabalhar jornadas menores, eles só pagarão um preço baixo pelas ações. Portanto, é o proprietário atual que é prejudicado pelos custos de agência. Contudo, a Sra. Prado pode se proteger até certo ponto. Assim como os acionistas reduzem os custos de falência por meio de cláusulas protetoras para os credores, um proprietário pode permitir ser monitorado pelos novos acionistas. No entanto, embora relatórios financeiros adequados e fiscalização continuada possam reduzir os custos de agência do capital próprio, é improvável que essas técnicas os eliminem.

Normalmente, é sugerido que, nos EUA, as aquisições alavancadas (LBOs[18]) reduzem significativamente esses custos para o capital próprio. Em uma LBO, um comprador (normalmente a equipe de gestores da empresa) faz a aquisição dos acionistas a um preço acima do preço corrente de mercado. Em outras palavras, a empresa fecha o capital: as ações vão para as mãos de algumas pessoas. Como os gestores agora possuem uma parcela substancial

---

[17] Conforme discutimos anteriormente, os *custos de agência* geralmente são definidos como os custos dos conflitos de interesse entre acionistas, credores, gestores e acionistas controladores e não controladores.

[18] De *leveraged buyouts*, em inglês.

do negócio, provavelmente vão trabalhar com mais afinco do que quando eram simplesmente contratados.[19]

Efeito dos custos de agência do capital próprio sobre o financiamento por dívida ou capital próprio

A discussão anterior sobre os custos de agência do capital próprio deve ser vista como uma extensão do modelo estático. Isto é, afirmamos na Seção 17.4 que a mudança no valor da empresa quando a dívida substitui o capital próprio é a diferença entre (1) o benefício fiscal da dívida e (2) o aumento nos custos de dificuldades financeiras (incluindo os custos de agência da dívida). Agora, a mudança no valor da empresa é (1) o benefício fiscal da dívida mais (2) a redução nos custos de agência do capital próprio menos (3) o aumento nos custos de dificuldades financeiras (incluindo os custos de agência da dívida). O índice ótimo Dívida/Capital próprio seria maior em um mundo com custos de agência do capital próprio do que em um mundo sem esses custos. No entanto, como os custos de dificuldades financeiras são tão significativos, os custos para capital próprio não têm como consequência o financiamento com 100% de dívidas.

Fluxo de caixa livre

Qualquer leitor de romances policiais sabe que um criminoso precisa ter tanto motivo como oportunidade. A discussão até aqui tem sido acerca do motivo. Os gestores com uma pequena participação no capital da empresa têm um incentivo para se comportar com desperdício. Por exemplo, eles arcam com somente uma pequena porção dos custos de, digamos, contas de despesas excessivas e colhem todos os benefícios de tais despesas.

Falaremos agora sobre oportunidade. Um gestor pode realizar despesas somente se a empresa tiver o fluxo de caixa para cobri-las. Portanto, podemos esperar ver mais atividades com desperdício em uma empresa com capacidade de gerar grandes fluxos de caixa que em uma com capacidade de gerar apenas pequenos fluxos de caixa. Essa ideia simples, que é formalmente chamada de *hipótese do fluxo de caixa livre*,[20] tem o apoio de uma boa quantidade de pesquisas empíricas. Por exemplo, um artigo frequentemente citado descobriu que empresas com alto fluxo de caixa livre são mais propensas a fazer aquisições ruins do que as com baixo fluxo de caixa livre.[21]

A hipótese tem implicações importantes para a estrutura de capital. Como os dividendos deixam a empresa, eles reduzem o fluxo de caixa livre. Assim, de acordo com a hipótese de fluxos de caixa livre, um aumento em dividendos deve beneficiar os acionistas, reduzindo a capacidade dos gestores de se dedicar a atividades com desperdício. Além disso, como os juros e o principal também deixam a empresa, a dívida também reduz o fluxo de caixa livre. Na realidade, as empresas são legalmente obrigadas a pagar juros e principal, implicando que os credores possam pressioná-la até a falência se esses pagamentos forem sonegados. Em contrapartida, as empresas não têm obrigação legal de continuar pagando dividendos.[22] Portanto, os pagamentos relativos à dívida devem ter um efeito maior do que os dividendos sobre as formas de gastos dos gestores. Em função disso, a hipótese do fluxo de caixa livre argumenta que mudanças de capital próprio para dívida impulsionarão o valor da empresa.

---

[19] Um professor que conhecemos apresenta as LBOs a suas turmas fazendo três perguntas aos alunos:

1. Quantos de vocês já tiveram um carro?
2. Quantos de vocês já alugaram um carro?
3. Quantos de vocês cuidaram melhor do carro que possuíam que do que alugaram?

Assim como faz parte da natureza humana cuidar melhor de seu próprio carro, faz parte da natureza você trabalhar com mais afinco quando possui uma parte maior da empresa.

[20] O artigo teórico de fundamentação é Michael C. Jensen, "The Agency Costs of Free Cash Flow, Corporate Finance and Takeovers", *American Economic Review*, p. 323-339, may. 1986.

[21] L. Lang, R. Stulz e R. Walkling, "Managerial Performance, Tobin's Q and the Gains from Successful Tender Offers", *Journal of Financial Economics*, 1989.

[22] Essa afirmação deve ser relativizada no Brasil, pois, pela lei brasileira, se houver lucro, o acionista tem o direito de receber dividendos no percentual determinado no estatuto da empresa. No silêncio do estatuto, o percentual obrigatório é de 50% do lucro após a retenção das reservas legais e estatutárias. Porém, os acionistas não podem levar a empresa à falência por não pagamento de dividendos, como os credores podem fazer.

Em resumo, a hipótese do fluxo de caixa livre apresenta ainda mais uma razão para as empresas emitirem dívidas. Discutimos anteriormente sobre o custo para o capital próprio; novas ações diluem os investimentos dos gestores com participações societárias, aumentando seu *motivo* para desperdiçar recursos da empresa. Agora afirmamos que a dívida reduz o fluxo de caixa livre, pois a empresa precisa fazer pagamentos de juros e principal. A hipótese do fluxo de caixa livre implica que a dívida reduz a *oportunidade* de os gestores desperdiçarem recursos.

17.7 Teoria da ordem hierárquica de financiamento[23]

Embora a teoria estática tenha dominado os círculos de Finanças Corporativas por um longo tempo, também se tem dado atenção à *teoria da ordem hierárquica de financiamento*.[24] Para entender essa visão, coloquemo-nos na posição de um gestor financeiro cuja empresa precise de capital novo. O gestor enfrenta a escolha entre a emissão de dívida e a de ações. Anteriormente, avaliamos a escolha em termos de benefícios fiscais, custos de dificuldades e custos de agência. Contudo, existe uma consideração que negligenciamos até agora: a escolha do momento da emissão.

Imagine o gestor dizendo:

> Quero emitir ações em apenas uma situação: quando elas estiverem supervalorizadas. Se cada ação da minha empresa for negociada por $ 50, mas eu achar que, na verdade, vale $ 60, não emitirei ações. Eu estaria, na realidade, dando um presente aos novos acionistas, pois eles receberiam ações com valor de $ 60, mas só teriam de pagar $ 50 por elas. Mais importante ainda, meus acionistas atuais ficariam incomodados, porque a empresa receberia $ 50 em dinheiro, mas daria em troca o valor de $ 60. Então, se minha ação está subvalorizada, eu emitirei títulos de dívida. Os títulos de dívida, especialmente os com pouco ou nenhum risco de inadimplência, tendem a receber o preço correto. Seu valor é determinado principalmente pela taxa de juros do mercado, uma variável publicamente conhecida.
>
> Porém, suponha que minha ação seja negociada a $ 70. Agora eu gostaria de emitir ações. Se eu puder fazer com que algum tolo compre a ação por $ 70 enquanto, na verdade, ela vale apenas $ 60, estarei gerando $ 10 para nossos acionistas atuais.

Embora isso possa parecer uma visão inescrupulosa, ela é bem adequada à realidade. Antes de os Estados Unidos adotarem leis regulamentando a divulgação de informações das empresas[25] e coibindo transações com informações privilegiadas, dizia-se lá que muitos gestores se gabavam de divulgar perspectivas incorretas de suas empresas antes da emissão de ações. E, mesmo hoje, eles parecem estar mais dispostos a emitir ações depois de o preço de suas ações ter subido que depois de ter caído. Portanto, a escolha do momento pode ser um importante motivo na emissão de ações, talvez ainda mais importante que os motivos do modelo estático. Afinal, a empresa, no exemplo anterior, gera $ 10 *imediatamente* ao escolher o momento para a emissão de ações. O valor de $ 10 em custos de agência e em redução de custo de falência pode levar muitos anos para ser realizado.

A explicação-chave para que o exemplo funcione é a informação assimétrica: o gestor deve saber mais acerca das perspectivas de sua empresa do que seu investidor típico. Se a estimativa do gestor quanto ao valor real da empresa não for melhor que a de um investidor típico, qualquer tentativa de escolha do momento pelo gestor falhará. Essa suposição de assimetria é bastante plausível. Os gestores devem saber mais sobre sua empresa que pessoas de fora da empresa, pois trabalham nela todos os dias. (Um alerta é que alguns gestores são eternamente otimistas a respeito de sua empresa, ofuscando o bom senso.)

Contudo, ainda não terminamos nosso raciocínio com esse exemplo; é preciso considerar o investidor. Imagine um investidor dizendo:

> Faço investimentos com cuidado, porque eles envolvem meu dinheiro suado. Contudo, mesmo com todo o tempo que invisto no estudo das ações, não posso saber o que os gestores sabem, afinal tenho um trabalho em período integral com o qual me preocupar. Então, observo o que eles fazem. Se uma empresa emitir ações, provavelmente é porque suas ações estão supervalorizadas. Se emitir dívida, provavelmente suas ações estão subvalorizadas.

---

[23] *Pecking order theory*, em inglês.

[24] A teoria da ordem hierárquica de financiamento geralmente é atribuída a S. C. Myers, "The Capital Structure Puzzle", *Journal of Finance*, v. 39, jul. de 1984.

[25] Normas também presentes no mercado de capitais brasileiro.

Quando analisamos tanto emissores quanto investidores, vemos uma espécie de jogo de pôquer, com cada lado tentando ser mais esperto do que o outro. O que a empresa emissora deve fazer nesse jogo de pôquer? Ela deve emitir dívida se as ações estiverem subvalorizadas. Porém, e se estiverem supervalorizadas? Aqui os fatos se tornam complicados, pois a primeira ideia seria que a empresa deve emitir ações. No entanto, se ela emitir ações, os investidores inferirão que elas estão supervalorizadas. Eles não as comprarão até que sua cotação tenha caído o suficiente para eliminar qualquer vantagem para emitir ações. Na realidade, pode ser demonstrado que somente as empresas mais supervalorizadas têm algum incentivo para emitir ações. Se uma empresa moderadamente supervalorizada emitir ações, os investidores irão inferir que ela está entre as *mais* supervalorizadas, fazendo com que o preço das ações caia mais do que o merecido. Assim, o resultado final é que praticamente ninguém emitirá ações.[26]

Esse resultado de que praticamente todas as empresas devem emitir dívida é extremo. Ele é tão extremo quanto (1) o resultado de Modigliani-Miller (M&M) de que, em um mundo sem tributos, a estrutura de capital não faz diferença para as empresas e (2) o resultado de M&M de que, em um mundo com tributos sobre lucros da pessoa jurídica, mas sem custos de dificuldades financeiras, todas as empresas devem ser 100% financiadas por dívida. Talvez nós das Finanças tenhamos uma queda por modelos extremos!

No entanto, assim como podemos moderar as conclusões de M&M combinando os custos de dificuldades financeiras com os tributos da pessoa jurídica, podemos moderar as da teoria da ordem hierárquica de financiamento. Essa versão pura pressupõe que a escolha do momento da emissão é a única consideração financeira do gestor. Na realidade, o gestor deve considerar tributos, custos de dificuldades financeiras e custos de agência também. Assim, uma empresa pode emitir dívida somente até um ponto. Se as dificuldades financeiras se tornarem uma possibilidade real além desse ponto, a empresa poderá emitir ações em lugar de dívida.

Regras da ordem hierárquica de financiamento

A discussão anterior apresentou as ideias básicas subjacentes à teoria da ordem hierárquica. Quais são as implicações práticas dessa teoria para os gestores financeiros? Vejamos, a seguir, duas regras para o mundo real.

Regra nº 1: Use financiamento interno   Para fins expositivos, simplificamos bastante ao fazer a comparação de capital próprio com dívida *sem risco*. Os gestores não podem utilizar conhecimentos especiais de sua empresa para determinar se esse tipo de dívida está com preço errado, porque a taxa de juros é a mesma para todos os emitentes de dívida sem risco. Contudo, na realidade, a dívida da pessoa jurídica tem a possibilidade de inadimplência. Portanto, assim como os gestores tendem a emitir ações quando acham que elas estão supervalorizadas, também tendem a emitir dívida quando acham que ela está supervalorizada.

Quando os gestores veriam sua dívida como supervalorizada? Provavelmente nas mesmas situações em que pensam que suas ações estão supervalorizada. Por exemplo, se o público pensar que as perspectivas da empresa são promissoras, mas os gestores virem problemas à frente, estes últimos considerariam sua dívida supervalorizada, bem como suas ações. Isto é, o público poderia ver a dívida como praticamente sem risco, ao passo que os gestores veem uma forte possibilidade de inadimplência.

Portanto, os investidores são propensos a avaliar a emissão de dívida com o mesmo ceticismo que têm ao avaliar uma emissão de ações. A forma de os gestores saírem desse problema é financiar seus projetos com reservas de lucros. Não é preciso se preocupar com o ceticismo dos investidores se for possível evitar procurá-los como primeiro recurso.

Então, a primeira regra da ordem hierárquica de financiamento é esta:

> **Utilize financiamento interno.**

---

[26] Com vistas à simplificação, não apresentamos nossos resultados na forma de um modelo rigoroso. No caso de o leitor desejar uma explicação mais aprofundada, recomendamos S. C. Myers, "The Capital Structure Puzzle", *Journal of Finance*, v. 39, jul. 1984.

Regra nº 2: Emita títulos seguros primeiro Embora os investidores temam preços incorretos de dívida e ações, o medo é muito maior em relação às ações. A dívida corporativa ainda tem relativamente pouco risco quando comparada às ações, porque, se dificuldades financeiras forem evitadas, os investidores recebem um retorno fixo. Assim, a teoria da ordem hierárquica de financiamento implica que, se for necessário um aporte de financiamento fora da operação, a dívida deve ser emitida antes das ações. Somente quando a capacidade de endividamento da empresa for alcançada devem-se considerar as ações.

É claro que existem muitos tipos de dívida. Por exemplo, como a dívida conversível é mais arriscada que a dívida pura, a teoria da ordem hierárquica implica que os gestores devem emitir dívida pura antes da conversível. Então, a segunda regra da ordem hierárquica de financiamento é esta:

> **Emita primeiro os títulos mais seguros.**

Implicações

Inúmeras implicações associadas com a teoria da ordem hierárquica são contrárias às da teoria estática.

1. *Não existe um valor meta para a alavancagem.* De acordo com o modelo estático, cada empresa faz um balanço entre os benefícios da dívida, como o benefício fiscal, com os custos da dívida, como os custos de dificuldades financeiras. O valor ótimo de alavancagem ocorre quando o benefício marginal da dívida equivale ao custo marginal da dívida.

    Em contraste, a teoria da ordem hierárquica não sugere um valor meta de alavancagem. Em vez disso, cada empresa escolhe seu índice de alavancagem baseada em suas necessidades de financiamento. As empresas, primeiramente, financiam projetos a partir da reserva de lucros. Isso deve baixar a porcentagem de dívida na estrutura de capital, pois projetos lucrativos financiados internamente elevam tanto o valor contábil quanto o valor de mercado do capital próprio. Os projetos adicionais são financiados por dívida, elevando o nível de dívida. Contudo, em algum ponto, a capacidade de endividamento da empresa se esgota, dando lugar à emissão de ações. Portanto, a quantidade de alavancagem é determinada pela chance de projetos disponíveis. As empresas não buscam uma meta para o índice Dívida/Capital próprio.

2. *As empresas lucrativas utilizam menos dívida.* As empresas lucrativas geram caixa internamente, implicando menor necessidade de financiamento de fora da empresa. Como as empresas que desejam aportes de capital se voltam primeiro à dívida, as empresas lucrativas terminam com menos dívida. O modelo estático não tem essa implicação. Nesse modelo, o fluxo de caixa maior das empresas mais lucrativas gera uma capacidade maior de endividamento. Essas empresas utilizariam essa capacidade de endividamento para captar o benefício fiscal e os outros benefícios da alavancagem.

3. *As empresas apreciam ter folga financeira.* A teoria da ordem hierárquica é baseada na dificuldade de obter financiamentos a um custo razoável. Um público de investidores céticos pensa que uma ação está supervalorizada se os gestores tentarem emitir mais ações, levando assim a um declínio do seu preço. Como isso acontece com títulos de dívida apenas em escala menor, os gestores, então, contam primeiro com o financiamento por dívida. Contudo, as empresas só podem emitir mais dívida até se defrontarem com os custos potenciais de dificuldades financeiras.

    Não seria mais fácil ter caixa à frente das necessidades? Essa é a ideia subjacente ao conceito de *folga financeira* (*financial slack*). Como as empresas sabem que terão que financiar projetos lucrativos em vários momentos no futuro, elas acumulam caixa hoje.[27] Assim, elas não são forçadas a ir aos mercados de capitais quando um projeto surge. No en-

---

[27] A possibilidade de acumular lucros pelas empresas brasileiras é regulada pela Lei das S/A. Uma parcela dos lucros pode ser retida para reservas legais e estatutárias e para financiar orçamento de capital previamente aprovado. O orçamento pode ter duração de até 5 exercícios, salvo no caso de execução de projeto de investimento com prazo maior. Os artigos 193 a 197 detalham as possibilidades de retenção de lucros, e o § 6º do artigo 202 determina que os lucros não destinados nos termos dos artigos 193 a 197 deverão ser distribuídos como dividendos (Brasil, 1976).

tanto, existe um limite para o montante de caixa que uma empresa queira acumular. Como foi mencionado anteriormente neste capítulo, muito caixa livre pode tentar os gestores a se dedicarem a atividades que desperdiçam recursos.

17.8 Tributos sobre a renda da pessoa física

Até este ponto do capítulo, consideramos apenas os tributos para a pessoa jurídica. Como os juros sobre a dívida são dedutíveis, ao passo que os dividendos sobre as ações não o são, argumentamos que a legislação fiscal dá às empresas um incentivo para a emissão de dívida. Porém, as empresas não são as únicas a pagar tributos, as pessoas físicas precisam pagar tributos sobre a renda de juros que recebem no Brasil (nos EUA, pagam tributos sobre a renda de juros e também sobre a renda de dividendos). Não podemos compreender completamente o efeito dos tributos na estrutura de capital até que todos os tributos, tanto os de pessoa jurídica quanto os de pessoa física, sejam considerados.

Princípios básicos dos tributos sobre a renda de pessoas físicas

Comecemos examinando uma empresa financiada somente por capital próprio que receba \$ 1 de lucro pré-tributação. Se a alíquota tributária sobre o lucro da pessoa jurídica for t_C, a empresa paga tributos de t_C, ficando com lucro depois de tributos de $1 - t_C$. Suponhamos que esse montante todo seja distribuído aos acionistas como dividendos. Se a alíquota tributária de pessoa física sobre os dividendos das ações for t_S,[28] os acionistas pagam tributos de $(1 - t_C) \times t_S$, deixando-os com $(1 - t_C) \times (1 - t_S)$ depois dos tributos.

Alternativamente, imagine que a empresa seja financiada por dívida. Aqui, o \$ 1 inteiro de lucro será pago como juros, porque os juros são dedutíveis no nível da empresa. Se a alíquota tributária de pessoa física sobre os juros for t_B, os credores pagam tributos de t_B, ficando com $1 - t_B$ depois dos tributos.

Efeito dos tributos de pessoa física sobre a estrutura de capital nos EUA

Para explorar o efeito dos tributos sobre a renda de pessoas físicas sobre a estrutura de capital, consideremos três perguntas:

1. Ignorando os custos de dificuldades financeiras, qual é a estrutura ótima de capital da empresa se os dividendos e os juros forem tributados com a mesma alíquota de pessoa física, isto é, $t_S = t_B$?

    A empresa deve selecionar a estrutura de capital que coloque mais dinheiro nas mãos de seus investidores. Isso é o mesmo que selecionar uma estrutura de capital que minimize a quantia total de tributos nos níveis da pessoa jurídica e da pessoa física.

    Conforme dissemos, começando com \$ 1 de lucro pré-tributação na empresa, os acionistas recebem $(1 - t_C) \times (1 - t_S)$, e os credores recebem $1 - t_B$. Podemos ver que, se $t_S = t_B$, os credores recebem mais que os acionistas. Portanto, a empresa deve emitir dívida, e não ações, nessa situação. Conclui-se que a renda é tributada duas vezes nos EUA, uma vez no nível da empresa e uma no nível pessoal, se for paga a acionistas. Por outro lado, a renda é tributada somente no nível pessoal se for paga a credores.

    Note que a suposição de não haver tributos para a pessoa física, que usamos no capítulo anterior, é um caso especial da suposição de que os juros e os dividendos sejam tributados à mesma alíquota. Sem tributos para a pessoa física, os acionistas receberiam $1 - t_C$, enquanto os credores receberiam \$ 1. Assim, conforme escrevemos em um capítulo anterior, as empresas devem emitir dívida em um mundo sem tributos para a pessoa física.

2. Sob essas condições, será indiferente para a empresa emitir ações ou dívida? Não fará diferença para a empresa se o fluxo de caixa para os acionistas equivaler ao para os credores. Isto é, não importa para a empresa quando:

$$(1 - t_C) \times (1 - t_S) = 1 - t_B \tag{17.1}$$

---

[28] No caso brasileiro, $t_S = 0$, ou seja, não há tributos sobre a renda em dividendos.

3. O que as empresas devem fazer no mundo real?

Embora essa seja claramente uma pergunta importante, infelizmente, ela é difícil, talvez difícil demais para ser respondida de forma definitiva. Todavia, comecemos trabalhando com as alíquotas tributárias mais altas. Desde 2011, a alíquota tributária de pessoa jurídica nos EUA passou a ser de 35%. Para investidores na faixa de tributação marginal mais alta, a receita de juros também era tributada a 35%. Os investidores nessa faixa mais alta tinham uma alíquota tributária de 15% para a renda em dividendos.

Nessas alíquotas, o lado esquerdo da Equação 17.1 se torna $(1 - 0,35) \times (1 - 0,15)$, que equivale a 0,55. O lado direito da equação se torna $1 - 0,35$, que equivale a 0,65. Começando com $1 de lucro pré-tributação, qualquer empresa racional preferiria colocar $0,65 em vez de $0,55 nas mãos de seus investidores. Portanto, parece à primeira vista que as empresas devem preferir dívida a ações, como argumentamos no capítulo anterior.

Alguma outra coisa no mundo real altera essa conclusão? Talvez. Nossa discussão acerca da renda de ações ainda não está completa. As empresas podem recomprar ações com o caixa excedente em vez de pagar dividendos. Embora os ganhos de capital também sejam tributados a um máximo de 15% nos EUA, os acionistas pagam tributos sobre ganhos de capital somente sobre o lucro da venda, não de toda a renda obtida com a recompra. Portanto, a alíquota tributária *efetiva* sobre os ganhos de capital, na verdade, é menor que 15%. Como as empresas norte-americanas pagam tanto dividendos quanto recompram ações, a alíquota tributária efetiva de pessoa física sobre as distribuições de lucro com *recompras de ações* nos EUA deve estar abaixo de 15%.

Essa alíquota tributária efetiva mais baixa torna a emissão de ações menos onerosa, mas a alíquota menor não induzirá nenhuma empresa a escolher ações em vez de títulos de dívida. Por exemplo, suponha que a alíquota tributária efetiva sobre as distribuições de lucros com recompras de ações seja de 10%. De cada dólar de receita pré-tributação na empresa, os acionistas recebem $(1 - 0,35) \times (1 - 0,10)$, que é igual a $0,59. Esse montante é menor que os $0,65 que os credores recebem. Na verdade, desde que a alíquota tributária efetiva sobre a renda de ações seja positiva, os credores ainda receberão mais que os acionistas a partir de um dólar de lucros pré-tributação na empresa. Aqui, presumimos que, nos EUA, todos os credores enfrentem uma alíquota tributária de 0,35 sobre a receita de juros. Na realidade, muitos dos credores estão em faixas tributárias mais baixas, fazendo com que a balança penda ainda mais para o financiamento por dívida.

Já houve uma época em que as ações tinham uma vantagem tributária sobre os títulos? Muito provavelmente sim. Considere os anos 1970, quando a alíquota tributária marginal sobre a receita de juros atingiu 70% nos EUA. Embora os dividendos fossem tributados com a mesma alíquota que os juros, os ganhos de capital eram tributados a uma alíquota muito menor. O lucro da pessoa jurídica era tributado a 46%. Assim, tanto a alíquota tributária efetiva sobre a renda de ações quanto a alíquota tributária de pessoa jurídica estavam bem abaixo da alíquota máxima sobre juros. Sob pressupostos razoáveis, podemos argumentar que as ações tinham vantagem tributária nessa época.[29]

Contudo, dado que a dívida parece ter uma vantagem tributária hoje, existe algo que possa fazer com que as empresas ainda emitam ações em vez de títulos de dívida? Sim, os mesmos custos de dificuldades financeiras que discutimos anteriormente neste capítulo. Dissemos anteriormente que esses custos contrabalançavam a vantagem tributária da dívida, fazendo com que as empresas empregassem menos do que 100% de alavancagem. O mesmo se aplica quando há tributos para a pessoa física. E, desde que a alíquota tributária para a pessoa física sobre a renda de ações esteja abaixo da sobre juros, a vantagem tributária para a dívida é menor em um mundo com tributos de pessoa física do que em um mundo sem esses tributos. Portanto, o montante ótimo de dívida será menor em um mundo com tributos de pessoa física do que em um sem eles.

---

[29] Na verdade, um famoso modelo de estrutura de capital argumenta que um equilíbrio teria ocorrido com empresas emitindo tanto dívida quanto ações. Os investidores em faixas de baixa tributação comprariam a dívida, e os nas faixas de alta tributação comprariam as ações. Consulte Merton Miller, "Debt and Taxes", *Journal of Finance,* may 1977.

Efeito dos tributos de pessoa física sobre a estrutura de capital no Brasil

Como o imposto de renda da pessoa física e da pessoa jurídica influi na decisão de estrutura de capital no Brasil? Para responder a essa pergunta, imagine que uma empresa possa escolher financiar-se com 100% de capital próprio ou 100% de dívida. Como já dissemos, talvez nós das Finanças tenhamos uma queda por modelos extremos, e esse é só mais um deles. Suponhamos que, na empresa sem dívida, 100% do lucro líquido seja distribuído na forma de dividendos e que, na empresa com dívida, 100% da dívida seja subscrita por investidores pessoa física na forma de títulos e todo o lucro é pago na forma de juros. Mostramos isso no Quadro 17.3.

QUADRO 17.3 Lucro da pessoa jurídica no Brasil com 100% de capital próprio ou 100% de dívida

	Lucro da pessoa jurídica	
	Na empresa com 100% de capital próprio	Na empresa com 100% de dívida
Lucro antes de juros e IR e CSLL (LAJIR)	1.500.000	1.500.000
Juros	0	1.500.000
Lucro antes de IR e CSLL	1.500.000	0
IR e CSLL a 34%	510.000	0
Lucro líquido	990.000	0
Dividendo	990.000	0

O Quadro 17.4, apresentado a seguir, mostra que, como a renda de dividendos não é tributada no Brasil, e a renda de juros de títulos de renda fixa é tributada na fonte a alíquotas menores do que a que incide sobre os lucros da pessoa jurídica, os investidores em títulos de dívida têm uma renda líquida maior. Consideramos o primeiro ano de vida dos títulos de dívida, em razão das diferentes alíquotas conforme o prazo. Como supomos que o lucro antes de juros e imposto de renda (LAJIR) seja de $ 1.500.000 nos dois casos, no primeiro ano, os investidores na empresa sem endividamento recebem $ 990.000 em dividendos, enquanto os investidores na empresa com endividamento recebem $ 1.218.750; isto é, $ 228.750 a mais.

QUADRO 17.4 Renda da pessoa física no Brasil de empresas com 100% de capital próprio ou 100% de dívida

	Renda da pessoa física	
	Na empresa com 100% de capital próprio e 0% de dívida	Na empresa com 100% de dívida e 0% de capital próprio
Renda de dividendos no ano	990.000	0
IR sobre dividendos (0%)	0	0
Renda líquida de dividendos no ano	990.000	0
Renda de juros		1.500.000
1 semestre		750.000
IR sobre renda de juros 1 semestre	−20,00%*	150.000
2 semestre		750.000
IR sobre renda de juros 2 semestre	−17,50%*	131.250
Renda líquida de juros no ano	1.218.750	
Renda líquida do investidor	990.000	1.218.750
Ganho do investidor com alavancagem		228.750

*Consideramos apenas o primeiro e o segundo cupons no primeiro ano. No ano seguinte, as alíquotas seriam de 17,50% para o terceiro cupom e 15% para todos os cupons daí em diante.

A vantagem para a renda em juros torna-se maior nos anos seguintes, dada a redução da alíquota sobre rendas de juros.

As discussões anteriores mostraram que é impossível ocorrer na prática o caso de uma empresa com 100% de dívida na sua estrutura de capital, porém o exemplo nos facilita a comparação. Por exemplo, consideremos que o percentual e a taxa de endividamento sejam tais que os juros da dívida representem 10% do LAJIR.

Nessa situação, teríamos:

LAJIR = $ 1.500.000
(Juros) = $ 150.000
LAIR = $ 1.350.000
IR e CSLL(34%) = $ 459.000
Lucro Líquido = $ 891.000

Se os investidores detiverem ações e títulos de dívida na mesma proporção da estrutura de capital, eles receberiam:

- Na empresa não alavancada $ 990.000 como dividendos;
- Na empresa alavancada, $ 891.000 como dividendos e $ 121.875,00 como juros, após a tributação sobre a renda.

Portanto, os investidores na empresa com baixo endividamento ficariam melhor em $ 22.875 no primeiro ano e melhor que isso nos anos seguintes. Note que, para os cálculos, consideramos cupons semestrais e apenas os pagamentos do primeiro ano da dívida.

No caso brasileiro, sem outras considerações,[30] mesmo considerando a tributação da renda de juros na pessoa física, parece haver ganho para o investidor com a alavancagem, caso o endividamento das empresas seja realizado mediante emissão de títulos de dívida para subscrição pelos investidores.

17.9 Como as empresas estabelecem a estrutura de capital

As teorias de estrutura de capital estão entre as mais elegantes e sofisticadas no campo de Finanças. Os economistas da área de Finanças deveriam se felicitar (e o fazem!) pelas contribuições nessa área. Contudo, as aplicações práticas das teorias não são tão satisfatórias. Considere que nosso cálculo do VPL produziu uma fórmula *exata* para a avaliação de projetos. As prescrições para a estrutura de capital segundo o modelo da teoria estática ou da teoria da ordem hierárquica são vagas em comparação com o modelo do VPL. Nenhuma fórmula exata está disponível para avaliar o índice Dívida/Capital próprio ideal. Em função disso, nos voltamos a evidências do mundo real.

Vale a pena considerar as regularidades empíricas a seguir ao formular a política de estrutura de capital.

1. *A maioria das empresas não financeiras tem baixos índices Dívida/Ativos.* Quanta dívida é utilizada no mundo real? A Figura 17.4 mostra a mediana do índice Dívida/Valor, definido como valor contábil da dívida para valor de mercado da empresa, em 39 países diferentes. Esse índice varia de levemente acima de 50% para a Coreia a levemente abaixo de 10% para a Austrália.

    Devemos ver esses índices como altos ou baixos? Os acadêmicos geralmente veem a redução de tributos da pessoa jurídica como motivação principal para o endividamento. Com isso, poderíamos nos perguntar se as empresas do mundo real emitem dívida suficiente para reduzir fortemente, ou eliminar por completo, os tributos sobre o lucro da pessoa jurídica. As evidências empíricas sugerem que esse não é o caso. Por exemplo, os tributos de pessoa jurídica nos EUA em 2010 somavam mais de $ 400 bilhões. Assim, fica claro que as empresas não emitem dívida até o ponto em que os benefícios fiscais sejam completamente utilizados.[31]

---

[30] Por exemplo, embora a alíquota sobre dividendos seja igual a zero, a alíquota sobre ganhos de capital da pessoa física é de 15%. Caso parte do lucro seja retido na empresa, isso gerará ganhos de capital. Caso o investidor aliene ações e realize ganhos de capital, a alíquota tributária para a pessoa física será diferente de zero no Brasil, ainda que os tributos sobre ganhos de capital possam ser diferidos.

[31] Para uma melhor compreensão, consulte John Graham, "How Big Are the Tax Benefits of Debt?" *Journal of Financ*, 2000.

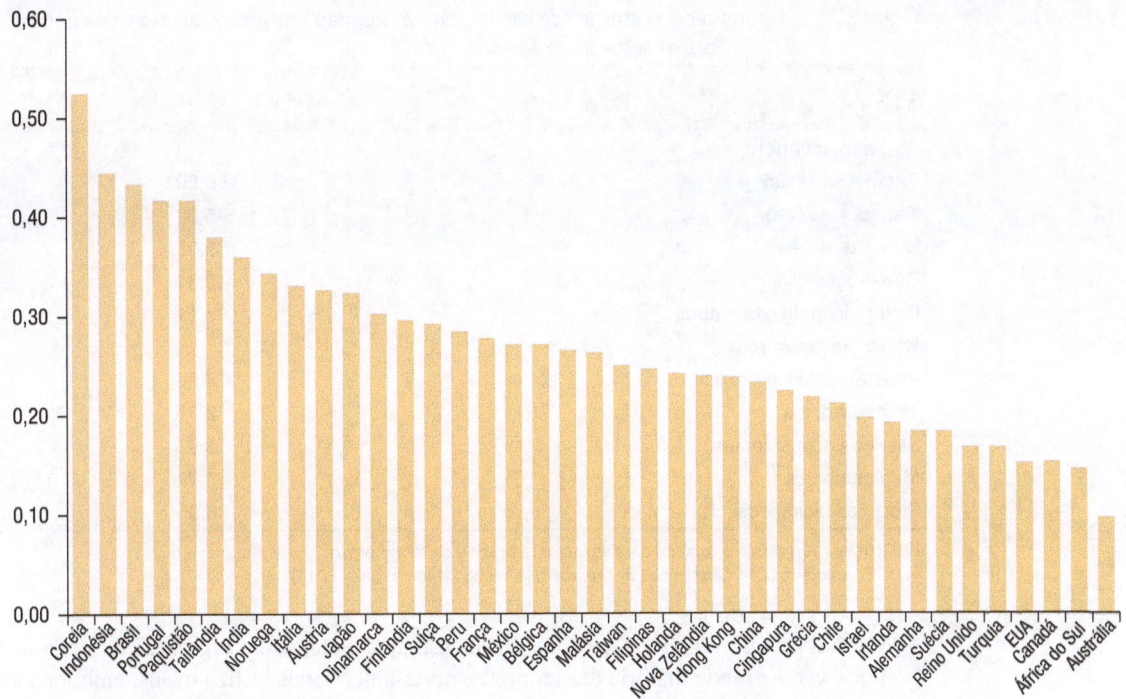

A alavancagem é definida como a proporção entre o valor contábil da dívida e o valor de mercado de uma empresa.

FIGURA 17.4 Mediana do índice de alavancagem de amostra de empresas em 39 países diferentes (1991-2006).

FONTE: Joseph P. H. Fan, Sheridan Titman e Garry Twite, "An International Comparison of Capital Structure and Debt Maturity Choices", artigo não publicado, Universidade do Texas em Austin (set. 2010), Figura 1.

Claramente, existem limites para o montante de dívida que as empresas podem emitir, talvez por causa dos custos de dificuldades financeiras discutidos anteriormente neste capítulo.

2. *Muitas empresas não utilizam endividamento.* Em um estudo fascinante, Agrawal e Nagarajan examinaram aproximadamente 100 empresas da Bolsa de Valores de Nova York sem dívidas de longo prazo.[32] Eles descobriram que essas empresas eram avessas a alavancagens de qualquer tipo, tendo poucas dívidas de curto prazo. Além disso, elas tinham níveis de caixa e títulos negociáveis bem acima dos níveis de suas equivalentes alavancadas. Normalmente, os gestores dessas empresas têm alta participação acionária. Além disso, existe significativamente maior envolvimento familiar em empresas financiadas somente por capital próprio do que em empresas alavancadas.

Assim, uma situação emerge. Os gestores de empresas financiadas somente por capital próprio são menos diversificados que os gestores de empresas semelhantes, mas alavancadas. Por causa disso, a alavancagem significativa representa um risco adicional que os gestores de empresas financiadas somente por capital próprio relutam em aceitar.

3. *Existem diferenças entre as estruturas de capital de diferentes setores.* Existem diferenças significativas, que se mantêm ao longo do tempo, em índices de dívida entre setores. Conforme pode ser visto no Quadro 17.5, os índices de dívida tendem a ser bastante baixos em setores com alto crescimento e com amplas oportunidades de investimentos futuros, como os setores farmacêutico e de eletrônicos. Isso é verdade mesmo quando a necessidade de aportes financeiros é grande. Os setores com grandes investimentos em ativos tangíveis, como a construção civil, tendem a ter alta alavancagem.

4. *A maioria das empresas usa metas para índices Dívida/Capital próprio.* Graham e Harvey perguntaram a 392 diretores financeiros se suas empresas usam metas para índices Dívida/

---

[32] Anup Agrawal e Nandu Nagarajan, "Corporate Capital Structure, Agency Costs, and Ownership Control: The Case of All-Equity Firms", *Journal of Finance*, v. 45, set. 1990.

QUADRO 17.5 Índices de estrutura de capital para setores não financeiros selecionados dos EUA (medianas setoriais de 5 anos)

	Dívida como porcentagem dos valores de mercado de ações e de dívida (medianas setoriais)
Alta alavancagem	
Rádio e televisão	59,60
Transporte aéreo	45,89
Hotéis e motéis	45,55
Construção civil	42,31
Distribuição de gás natural	33,11
Baixa alavancagem	
Equipamentos eletrônicos	10,58
Computadores	9,53
Serviços educacionais	8,93
Medicamentos	8,79
Produtos biológicos	8,05

DEFINIÇÃO: A dívida é o total de dívidas de curto prazo e de longo prazo.
FONTE: Ibbotson 2011 *Cost of Capital Yearbook* (Chicago: Morningstar, 2011).

Capital próprio nos EUA, e os resultados são apresentados na Figura 17.5.[33] Conforme se pode ver, a grande maioria das empresas norte-americanas utiliza metas, embora a adesão a essas metas varie entre as empresas. Apenas 19% das empresas evitam índices meta. Os resultados do artigo também indicam que grandes empresas são mais propensas do que as pequenas a empregar metas. Os diretores financeiros não especificaram o que queriam dizer com metas *flexíveis* ou *estritas*. Contudo, em outro ponto do estudo, os respondentes indicaram que, de forma geral, eles não reequilibravam o índice em resposta às mudanças no preço da ação de suas empresas, sugerindo flexibilidade nos índices meta.[34]

Como as empresas devem estabelecer metas para índices Dívida/Capital próprio? Embora não haja uma fórmula matemática para estabelecer um índice meta, apresentaremos três fatores importantes que o afetam:

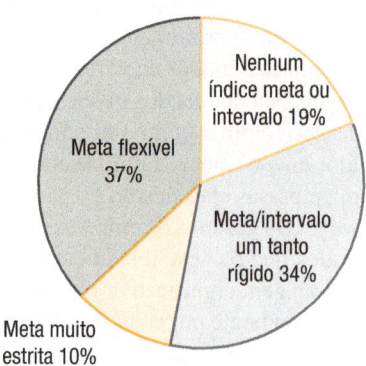

Esta figura mostra as respostas de 392 diretores financeiros nos EUA à pesquisa com relação a seu uso de meta para índices de Dívida/Capital próprio.

FIGURA 17.5 Resultados de pesquisa sobre o uso de metas para índices Dívida/Capital próprio nos Estados Unidos.

FONTE: Figura 6 de John Graham e Campbell Harvey, "The Theory and Practice of Corporate Finance", *Journal of Financial Economics* (mai/jun. 2001).

---

[33] John Graham e Campbell Harvey, "The Theory and Practice of Corporate Finance", *Journal of Financial Economics*, mai/jun. 2001.

[34] Os resultados de pesquisa semelhante realizada no Brasil são apresentados na Figura 17.7.

- *Tributos*: Conforme indicamos anteriormente, as empresas podem tirar proveito dos juros para fins fiscais somente até o total de seu lucro antes de juros. Portanto, empresas mais lucrativas serão mais propensas a ter maiores índices meta que as menos lucrativas.[35]
- *Tipos de ativos*: Dificuldades financeiras custam caro com ou sem processo formal de recuperação. Os custos de dificuldades financeiras dependem dos tipos de ativos que a empresa tiver. Por exemplo, se uma empresa tem um grande investimento em terrenos, edifícios e outros ativos tangíveis, terá menores custos de dificuldades financeiras que uma com um grande investimento em pesquisa e desenvolvimento. Pesquisa e desenvolvimento normalmente tem um valor de revenda menor que terrenos, e, por isso, a maior parte de seu valor desaparece em uma situação de dificuldades financeiras. Portanto, empresas com grandes investimentos em ativos tangíveis tendem a ter metas mais altas para índice Dívida/Capital próprio que empresas com grandes investimentos em pesquisa e desenvolvimento.
- *Incerteza em receitas operacionais*: Empresas com receita operacional incerta têm uma alta probabilidade de passar por dificuldades financeiras, mesmo sem dívidas. Assim, essas empresas precisam buscar financiamentos principalmente de capital próprio. Por exemplo, as empresas farmacêuticas têm receita operacional incerta, porque ninguém pode prever se a pesquisa de hoje irá gerar medicamentos novos e lucrativos. Consequentemente, essas empresas têm poucas dívidas. Em contrapartida, a receita operacional das empresas em setores regulados, como as concessionárias de serviços públicos, geralmente tem baixa volatilidade. Relativamente a outros setores, as concessionárias de serviços públicos utilizam muita dívida.

5. *As estruturas de capital de empresas individuais podem variar significativamente ao longo do tempo.* Embora Graham e Harvey relatem que a maioria das empresas utiliza índices meta de alavancagem, um artigo recente conclui que as estruturas de capital de uma empresa, muitas vezes, variam amplamente ao longo do tempo.[36] Por exemplo, considere a Figura 17.6, que apresenta os índices de alavancagem da General Motors, da IBM e da Eastman Kodak desde 1926. São mostrados tanto a alavancagem contábil (valor contábil total da dívida dividido pelo total de ativos) quanto a alavancagem de mercado (valor contábil total da dívida dividido pela soma do total da dívida contábil mais o valor de mercado das ações ordinárias). Independentemente da mensuração, as três empresas mostram variações significativas na sua alavancagem. Grandes variações na alavancagem de uma empresa ao longo do tempo são uma evidência de que as variações nas oportunidades de investimento e a necessidade de financiamento são determinantes importantes da estrutura de capital e da importância da folga financeira (isto é, as empresas tomam dinheiro emprestado quando têm projetos nos quais valha a pena gastá-lo).

É importante fazer uma ressalva final. Como nenhuma fórmula os apoia, os pontos anteriores podem parecer muito nebulosos para auxiliar a tomada de decisão financeira. Então, muitas empresas do mundo real simplesmente baseiam suas decisões de estrutura de capital em médias do setor e na necessidade de certa folga financeira. Essa pode parecer uma abordagem covarde para alguns, mas, ao menos, impede que as empresas se desviem muito da prática aceita. Afinal, as empresas existentes em qualquer setor são as sobreviventes. Portanto, devemos dar, pelo menos, alguma atenção às suas decisões.

17.10 Estrutura de capital no Brasil[37]

Na seção anterior, vimos algumas regularidades empíricas acerca das decisões de estrutura de capital das empresas. Grande parte dessas evidências é baseada em amostras de empresas norte-americanas. O propósito dessa seção é apresentar algumas evidências para uma amostra de in-

---

[35] Em contraste, a teoria da ordem hierárquica argumenta que as empresas lucrativas empregarão menos dívida, porque podem investir a partir das reservas de lucros. No entanto, a mesma teoria argumenta contra o uso, em primeiro lugar, de índices meta.

[36] Harry DeAngelo e Richard Roll, "How Stable Are Corporate Capital Structures?". Artigo não publicado, Marshall School of Business, Universidade do Sul da Califórnia, jul. 2011.

[37] Esta seção é parte de um estudo não publicado de autoria do Prof. Guilherme Kirch, da Escola de Administração da UFRGS.

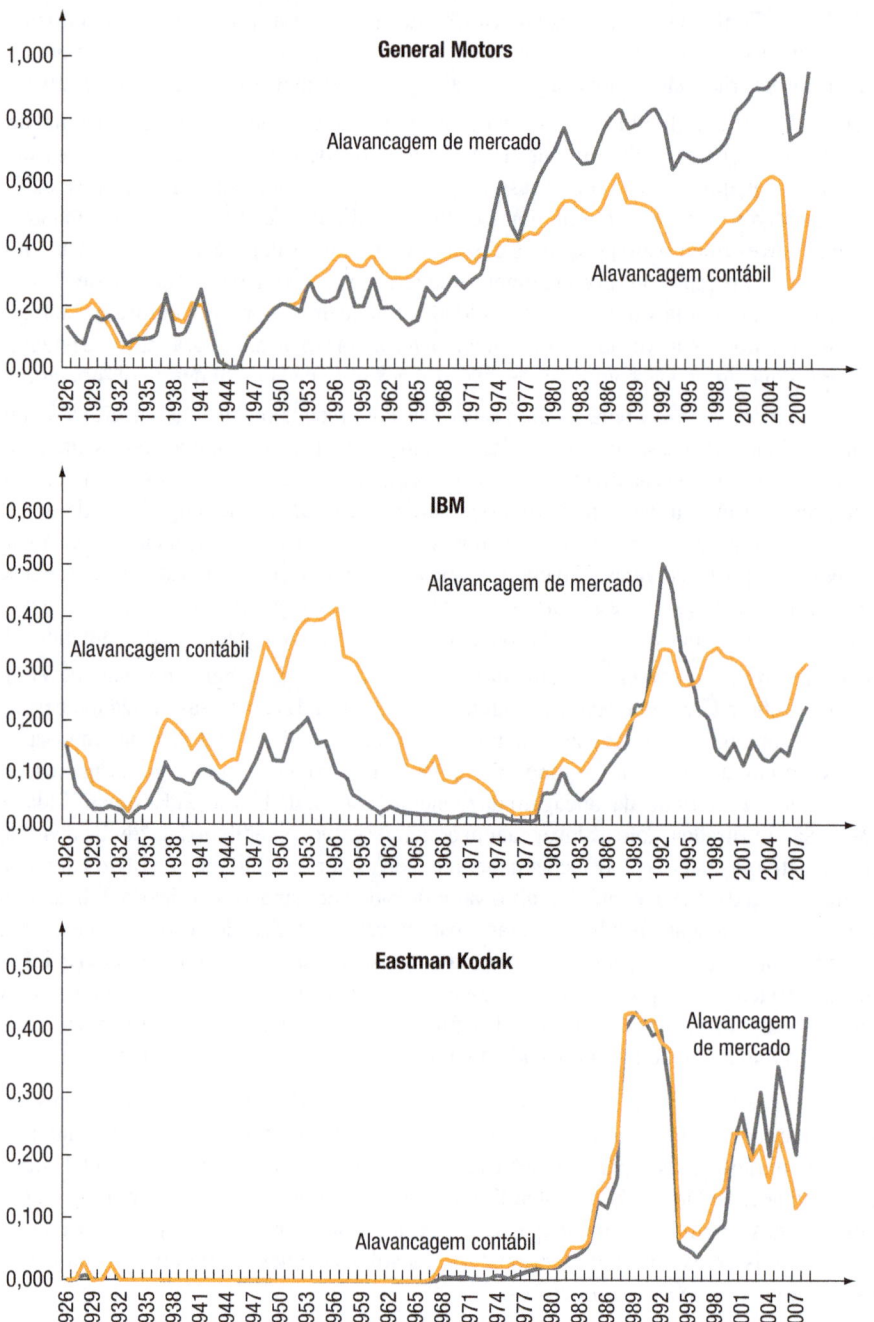

A alavancagem contábil é a proporção entre o total de dívida contábil e o total de ativos. A alavancagem de mercado é o total de dívida contábil dividido pela soma do total de dívida contábil e do valor de mercado das ações ordinárias.

FIGURA 17.6 Índices de alavancagem da General Motors, da IBM, e da Eastman Kodak ao longo do tempo.

FONTE: Harry DeAngelo e Richard Roll, "How Stable are Corporate Capital Structures?" Artigo não publicado, Marshall School of Business, Universidade do Sul da Califórnia (jul. 2011), Figura 1.

dústrias brasileiras de capital aberto no período compreendido pelos anos de 2007 a 2011. Serão apresentadas também algumas evidências complementares de uma pesquisa sobre políticas financeiras conduzida no Brasil e cujos resultados são discutidos em Benetti, Decourt e Terra (2007).[38]

No Quadro 17.6, são apresentadas as medianas (primeira linha) para o índice Dívida/Valor[39] e o número de empresas (segunda linha) por setor e ano, bem como os totais por setor (última coluna). Assim como nos EUA, na amostra de empresas brasileiras há grande variação entre indústrias no que diz respeito ao grau de alavancagem financeira, e essas diferenças persistem ao longo do tempo. Indústrias com maior potencial de crescimento, como "Eletroeletrônicos", tendem a apresentar menor nível de endividamento, enquanto indústrias com baixa volatilidade dos lucros, como "Alimentos e Bebidas", e alta tangibilidade de ativos, como "Papel e Celulose", tendem a apresentar maior nível de endividamento. Cabe observar também que há variações não desprezíveis nos níveis de endividamento ao longo do tempo na maior parte das indústrias. Por fim, excluindo o período 2008-2009, marcado pela crise financeira internacional, por menores valores de mercado das empresas (pela queda no valor de mercado de suas ações) e, consequentemente, por maiores índices Dívida/Valor, é possível observar que, na grande maioria das indústrias, as empresas aumentaram seus níveis de endividamento ao longo do período estudado.

QUADRO 17.6 Índices Dívida/Valor para algumas indústrias brasileiras

Setor	2007	2008	2009	2010	2011	2012	Mediana do período*
Eletroeletrônicos	3,9%	10,4%	2,6%	11,2%	9,3%	6,3%	7,9%
	9	8	7	7	7	7	45
Minerais Não Metálicos	3,0%	13,2%	6,1%	17,2%	15,5%	11,3%	11,1%
	3	4	3	3	3	4	20
Têxtil	18,1%	24,7%	16,7%	18,6%	18,8%	20,6%	19,1%
	24	25	25	23	24	22	143
Siderurgia e Metalurgia	10,5%	23,4%	16,0%	22,4%	22,8%	27,3%	19,8%
	26	23	23	22	21	20	135
Química	16,6%	30,8%	20,8%	22,8%	24,4%	26,7%	24,6%
	15	14	14	13	10	10	76
Máquinas Industriais	10,9%	33,6%	23,5%	25,8%	26,1%	29,2%	25,2%
	4	4	4	4	5	5	26
Alimentos e Bebidas	22,8%	39,7%	27,2%	24,9%	27,2%	25,1%	27,2%
	19	17	19	19	17	16	107
Veículos e Peças	19,0%	33,2%	33,3%	26,3%	30,1%	33,6%	30,7%
	17	15	17	16	18	17	100
Papel e Celulose	19,0%	57,3%	44,3%	38,6%	49,7%	40,5%	39,0%
	7	5	5	5	4	5	31
Total**	16,0%	29,0%	20,5%	22,6%	26,1%	27,8%	22,7%
	124	115	117	112	109	106	683

* O número de firmas varia de ano para ano. A segunda linha é o total de observações de todo o período.
** Mediana para todas as firmas em cada ano, exceto a última coluna em que a mediana é calculada entre todas as firmas de todo o período.
Fonte: Economática® (2012).
Estatísticas: primeira linha = mediana; segunda linha = número de empresas.
Variável: Dívida/Valor Mercado Empresa. Dívida é o total de empréstimos e financiamentos de curto e longo prazo (valores contábeis).Valor de Mercado da Empresa é igual ao Valor dos ativos − Patrimônio líquido + Valor de mercado das ações.

---

[38] Benetti, C., Decourt, R. F., Terra, P. R. S. The Practice of Corporate Finance in an Emerging Market: Preliminary Evidence from the Brazilian Survey. In: *Annual Meeting of the Financial Management Association*, 2007, Orlando. Disponível em: <http://www.fep.up.pt/investigacao/cempre/actividades/sem_fin/sem_fin_01_05/PAPERS_PDF/paper_sem_fin_19abr07.pdf>.

[39] Soma de empréstimos e financiamentos de curto e longo prazos (em valores contábeis) dividida pelo valor de mercado da empresa: Ativo total − Patrimônio líquido + Valor de mercado das ações.

QUADRO 17.7 Medianas do índice Dívida líquida/Valor para indústrias brasileiras

Subamostra	2007	2008	2009	2010	2011	2012	Mediana do período*
Empresas com dívidas LP	11,9%	23,1%	15,9%	18,6%	21,0%	22,2%	17,9%
	106	100	100	102	98	95	601
Empresas sem dívidas LP	0,1%	0,0%	1,6%	0,0%	−0,2%	0,0%	0,0%
	18	15	17	10	11	11	82
Diferença	11,8%	23,1%	14,3%	18,6%	21,2%	22,2%	17,9%
z**	2.71	3.41	3.36	3.11	3.37	3.05	8.01
Percentual***	14,5%	13,0%	14,5%	8,9%	10,1%	10,4%	12,0%

* O número de firmas varia de ano para ano. A segunda linha é o total de observações de todo o período.
** Indica rejeição da hipótese nula ao nível de significância de 1%.
*** Percentual de Empresas sem dívidas de LP/Empresas com dívidas de LP + Empresas sem dívidas de LP.
Variável: Dívida Líquida = (Dívida − Caixa e Equivalentes) / Valor de mercado da empresa. Valor de mercado da empresa é igual ao Valor dos ativos − Patrimônio líquido + Valor de mercado das ações.
Diferença: a diferença entre medianas.
z: a estatística do teste de soma de postos de Wilcoxon (hipótese nula é de que as duas amostras são oriundas de populações com a mesma distribuição).

  O fenômeno da alavancagem zero, isto é, a existência de empresas sem dívidas de longo prazo, também pode ser observado entre as empresas brasileiras estudadas. No Quadro 17.7, são apresentadas as medianas (primeira linha) do índice Dívida líquida/Valor[40] e o número de empresas (segunda linha) por ano e para cada um dos seguintes grupos: empresas com dívidas de longo prazo e empresas sem dívida de longo prazo.

  De acordo com os números apresentados, o percentual de empresas da amostra sem dívidas de longo prazo varia de 8,9% em 2010 até 14,5% em 2007 e 2009. Apesar de a amostra conter somente empresas de capital aberto e, em geral, grandes empresas, esse resultado não surpreende, uma vez que o mercado de crédito, especialmente de longo prazo, ainda é bastante incipiente no Brasil. Observa-se também que as empresas sem dívidas de longo prazo tendem a apresentar dívidas líquidas muito próximas de zero, indicando que essas empresas tendem a manter em caixa e equivalentes um valor próximo ao valor das dívidas de curto prazo. Já as empresas com dívidas de longo prazo tendem a apresentar dívidas líquidas positivas e, portanto, superiores àquelas observadas entre empresas sem dívida de longo prazo, sendo as diferenças entre grupos estatisticamente significantes.

  Os dados apresentados na Figura 17.7, extraída de Benetti, Decourt e Terra (2007) e elaborada a partir das respostas de 160 executivos financeiros de empresas brasileiras a um questionário sobre políticas financeiras, sugerem que a grande maioria dos executivos brasileiros (68,4%) não tem uma meta para a estrutura de capital ou tem apenas uma meta flexível. Em

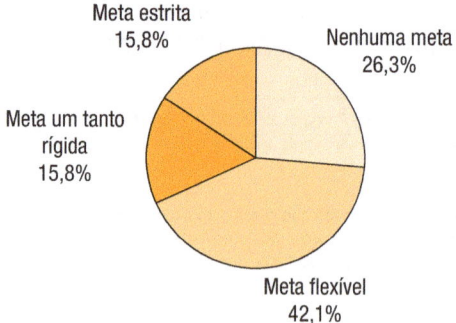

FIGURA 17.7 Resultados de pesquisa sobre o uso de metas para índices Dívida/Capital próprio no Brasil.

FONTE: Benetti, Decourt e Terra (2007).

---

[40] A dívida líquida é dada pela seguinte expressão: Dívida de curto e longo prazos − Caixa e equivalentes de caixa.

geral, esses resultados são semelhantes àqueles evidenciados por Graham e Harvey (2001)[41] para empresas norte-americanas mostrados antes, na Figura 17.5.

Como as empresas devem estabelecer a estrutura de capital meta? A teoria estática sugere que as empresas devem tomar essa decisão observando os benefícios fiscais da dívida e os custos de falência associados. As empresas com alta lucratividade e, portanto, com maior lucro tributável deveriam usar mais dívida em sua estrutura de capital. Já as pequenas empresas e aquelas com alta volatilidade dos lucros possuem maior probabilidade de falência e, dessa forma, deveriam usar menos dívida em sua estrutura de capital. No Quadro 17.8, são apresentadas as medianas do índice Dívida/Valor para os seguintes grupos: empresas com baixa (alta) lucratividade, empresas pequenas (grandes) e empresas com baixa (alta) volatilidade dos lucros. Os resultados sugerem que empresas com alta lucratividade não tendem a possuir maior nível de endividamento que empresas com baixa lucratividade. Já as empresas pequenas e aquelas com alta volatilidade dos lucros tendem a usar menos dívida em sua estrutura de capital, sugerindo que os custos de falência desempenham um papel relevante na escolha da estrutura de capital. É importante mencionar que essa análise é unidimensional, não permitindo manter outros fatores constantes.

QUADRO 17.8 Volatilidade de lucros e estrutura de capital no Brasil

Lucratividade	Dívida/Valor (Mediana)	N	Tamanho da empresa	Dívida/Valor (Mediana)	N	Volatilidade de lucros	Dívida/Valor (Mediana)	N
Baixa	22,8%	331	Pequenas	18,1%	326	Baixa	24,7%	346
Alta	22,6%	352	Grandes	26,1%	357	Alta	20,7%	337
Diferença	0,1%		Diferença	−8,0%		Diferença	4,0%	
z	1,265		z	−3,649***		z	2,337**	

Notas: Lucratividade = Lucro Operacional/Ativo Total. Baixa: lucratividade inferior à lucratividade mediana da amostra. Alta lucratividade: demais empresas.
Volatilidade de lucros = Desvio padrão da lucratividade nos 10 anos anteriores. Baixa volatilidade = inferior à volatilidade mediana da amostra. Alta volatilidade: demais empresas.
Tamanho da empresa = Total dos ativos. Pequenas: total de ativos inferior ao total de ativos mediano da amostra. Grandes: as demais empresas.
Dívida: total de empréstimos e financiamentos de curto e longo prazo (valores contábeis).
Valor: valor de mercado da empresa = Valor dos ativos − Patrimônio líquido + Valor de mercado das ações.
Diferença: diferença entre medianas.
N: número de observações.
z: estatística do teste de soma de postos de Wilcoxon (hipótese nula é de que as duas amostras são oriundas de populações com a mesma distribuição).
*** e **: rejeição da hipótese nula aos níveis de significância de 1 e 5%, respectivamente.

Por fim, evidências de que a estrutura de capital de empresas individuais varia de forma significativa ao longo do tempo são apresentadas no Quadro 17.9. Embora a maior parte da variação seja entre empresas (desvio padrão "Entre firmas" é de 16,25% (22,40%) quando o índice é medido em valores de mercado (contábeis)), a variação da estrutura de capital das firmas ao longo do tempo é relativamente alta (desvio padrão "Intrafirmas" é de 8,04% (8,77%) quando o índice é medido em valores de mercado (contábeis)).

QUADRO 17.9 Estatísticas da evolução da estrutura de capital ao longo do tempo no Brasil

	Média	Desvio padrão	Observações
		Dívida/Valor de mercado	
Geral	24,63%	18,29%	Número = 683
Entre firmas		16,25%	Empresas = 138
Intrafirmas		8,04%	Tempo (anos, média) = 4,95
		Dívida/Valor contábil	
Geral	31,51%	23,80%	Número = 760
Entre firmas		22,40%	Empresas = 149
Intrafirmas		8,77%	Tempo (anos, média) = 5,10

---

[41] Graham, J.R., Harvey, C.R. The theory and practice of corporate finance: evidence from the field. *Journal of Financial Economics*, v. 60, n. 2, p. 187, 243, 2001.

Apenas para fins ilustrativos, são apresentados, na Figura 17.8, os índices Dívida-Valor (em valores de mercado e em valores contábeis) para três empresas brasileiras, Ambev, Metalúrgica Gerdau e Fras-Le, no período de 1995 a 2011. Nos três casos, pode-se observar grande variação ao longo do tempo.

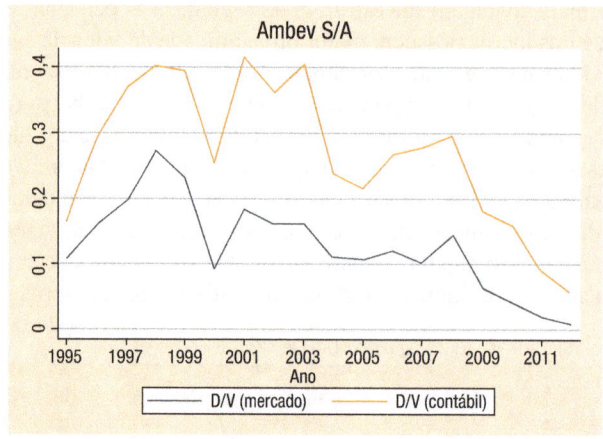

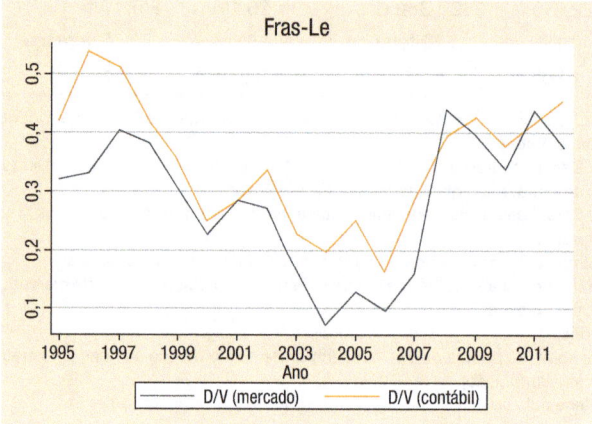

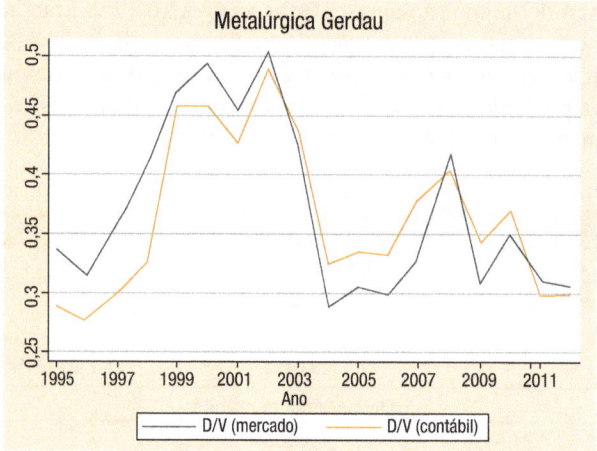

FIGURA 17.8 Evolução do índice Dívida/Valor em 3 empresas brasileiras.

Resumo e conclusões

1. Mencionamos no último capítulo que, de acordo com a teoria, as empresas deveriam ter estruturas de capital financiadas somente por dívida em um ambiente com tributação dos lucros da pessoa jurídica. Como as empresas geralmente empregam montantes moderados de dívida no mundo real, parece que faltou algo à teoria nesse ponto. Afirmamos neste capítulo que os custos de dificuldades financeiras fazem com que as empresas restrinjam seu endividamento. Esses custos são de dois tipos: diretos e indiretos. Os honorários de advogados e contadores em um processo de recuperação são exemplos de custos diretos. Mencionamos quatro exemplos de custos indiretos:

    Redução da capacidade de conduzir negócios.

    Incentivo para empreender projetos arriscados.

    Incentivo para subinvestimento.

    Distribuição de fundos a acionistas antes de um processo de recuperação ou falência.

2. Como os custos de dificuldades financeiras são substanciais e os acionistas terminam por arcar com eles, as empresas têm um incentivo para reduzi-los. As cláusulas protetoras para credores (cláusulas restritivas para tomadores) e a consolidação de dívidas são duas técnicas para a redução de custos.

3. Como os custos de dificuldades financeiras podem ser reduzidos, mas não eliminados, as empresas não se financiarão inteiramente com dívida. A Figura 17.1 ilustra a relação entre o valor da empresa e a dívida. Na figura, as empresas selecionam o índice Dívida/Capital próprio em que o valor da empresa é maximizado.

4. A teoria da sinalização argumenta que as empresas lucrativas teriam propensão a aumentar sua alavancagem, pois os pagamentos de juros extras aproveitarão parte do lucro pré-tributação. Acionistas racionais atribuirão um valor maior para a empresa com um nível mais alto de dívida. Assim, os investidores veem a dívida como um sinal de valor da empresa.

5. Pode-se estimar que gestores que possuam uma pequena proporção acionária de uma empresa trabalhem menos, incorram em despesas excessivas e aceitem mais projetos de sua estimação, com VPLs negativos. Já os que possuam uma grande proporção de ações da empresa têm tendência a agir de forma oposta. Como as novas emissões de ações diluem a porcentagem de participação dos gestores na empresa, elas produzem custos de agência que tendem a aumentar quando o crescimento de uma empresa for financiado por meio de novas ações em vez de ser financiado por meio de novas dívidas.

6. A teoria da ordem hierárquica implica que os gestores preferem o financiamento interno a novos aportes financeiros de fora da empresa. Se novos aportes de financiamento forem necessários, os gestores tendem a escolher títulos mais seguros, como os de dívida. As empresas podem acumular folgas financeiras para evitar a captação de recursos com novos aportes de capital próprio ou dívida.

7. Os resultados até aqui têm ignorado os tributos sobre a renda da pessoa física. Para avaliar a eventual vantagem fiscal do endividamento das empresas para o investidor individual vimos que é preciso combinar as alíquotas tributárias sobre lucros da pessoa jurídica com as alíquotas tributárias sobre a renda em dividendos e juros da pessoa física. Mostramos que, no Brasil, a renda de dividendos é isenta de tributos (pois já foi tributada na empresa), e a renda de juros é tributada na pessoa física (a alíquotas que dependem do prazo). Na empresa, os juros pagos são uma despesa operacional que reduz a base de cálculo do lucro tributável. Como resultado final para o investidor pessoa física, os dividendos que recebe são tributados a 34%, e os juros que recebe são tributados a alíquotas menores, que estimamos entre 20 e 15%, conforme o prazo do cupom.

8. Os índices Dívida/Capital próprio variam de acordo com o setor. Apresentaremos três fatores que determinam a meta para o índice Dívida/Capital próprio.

a. *Tributos*: As empresas com receita tributável alta devem contar com mais dívida que as com receita tributável baixa.

b. *Tipos de ativos*: As empresas com uma porcentagem alta de ativos intangíveis, como pesquisa e desenvolvimento, devem ter pouca dívida. As empresas principalmente com ativos tangíveis devem ter dívida maior.

c. *Incerteza em receitas operacionais*: As empresas com alta incerteza nas receitas operacionais devem contar principalmente com o capital próprio.

QUESTÕES CONCEITUAIS

1. **Custos de falência** Quais são os custos diretos e indiretos de falência? Explique brevemente cada um deles.

2. **Incentivos para acionistas** Você concorda ou não com a afirmação a seguir? Os acionistas da empresa nunca desejarão que ela invista em projetos com VPL negativo. Por quê?

3. **Decisões de estrutura de capital** Devido a grandes perdas incorridas nos últimos anos, uma empresa tem $ 2 bilhões em prejuízos fiscais. Isso significa que os próximos $ 2 bilhões dos lucros da empresa estarão livres de tributos sobre o lucro de pessoa jurídica. Os analistas estimam que levará muitos anos para ela gerar $ 2 bilhões em lucros suficientes para aproveitar esses créditos fiscais. A empresa atualmente tem um montante moderado de dívida em sua estrutura de capital. Seu diretor-presidente está decidindo se deve emitir dívida ou ações para levantar os fundos necessários para financiar um projeto futuro. Qual método de financiamento você recomendaria? Por quê?

4. **Custo da dívida** Que passos os acionistas podem dar para reduzir os custos da dívida?

5. **M&M e custos de falência** Como a existência de custos de dificuldades financeiras e custos de agência afetam a teoria de Modigliani e Miller em um mundo no qual as pessoas jurídicas paguem tributos?

6. **Custos de agência do capital próprio** Quais são as fontes dos custos de agência do capital próprio?

7. **Estruturas de capital observadas** Consulte as estruturas de capital observadas no Quadro 17.5 do texto. O que você nota sobre os tipos de setores em relação à média dos índices Dívida/Capital próprio? Determinados tipos de setores têm mais chances de ser altamente alavancados que outros? Quais são alguns dos possíveis motivos para essa segmentação observada? Os resultados operacionais e o histórico tributário das empresas têm influência? E as perspectivas de lucros futuros? Explique.

8. **Recuperação e ética empresarial** Como foi mencionado no texto, algumas empresas norte-americanas pediram recuperação por causa de prejuízos relacionados a litígios reais ou prováveis. Esse é um uso adequado do processo de recuperação?

9. **Recuperação e ética empresarial** Às vezes, as empresas norte-americanas ameaçam pedir recuperação para forçar os credores a renegociarem prazos. Os críticos argumentam que, nesses casos, a empresa está usando as leis de recuperação e falência "como espada, e não como escudo". Essa é uma tática ética?

10. **Recuperação e ética empresarial** A Continental Airlines, em certa ocasião, pediu recuperação, pelo menos em parte, como forma de reduzir seus custos trabalhistas. Houve uma acalorada discussão quanto a essa manobra ser ou não ética ou adequada. Argumente sobre ambos os aspectos.

QUESTÕES E PROBLEMAS

BÁSICO
(Questões 1-4)

1. **Valor da empresa** A Janeta S/A tem um LAIR de $ 964,26 mil por ano, com expectativa de continuar para sempre. O custo não alavancado de capital para a empresa é de 14%, e a alíquota tributária de pessoa jurídica é de 34%. A empresa também tem em circulação uma emissão de títulos perpétuos com um valor de mercado em torno de $ 2 milhões.

a. Qual é o valor da empresa?

b. O diretor financeiro informa ao diretor-presidente da empresa que o valor dela é $ 4,8 milhões. Ele tem razão?

2. **Custos de agência** Tadeu Santos é o proprietário, presidente e principal vendedor da Santos S/A. Por causa disso, os lucros da empresa são guiados pelo volume de trabalho de Tadeu. Se ele trabalhar 40 horas por semana, o LAIR da empresa será de $ 550 mil por ano; se trabalhar 50 horas por semana, ele será de $ 625 mil por ano. A empresa vale atualmente $ 3,2 milhões. A empresa precisa de um aporte de caixa de $ 1,3 milhão e pode emitir ações ou dívida com uma taxa de juros de 8%. Suponha que não haja tributos de pessoa jurídica.

a. Quais são os fluxos de caixa de Tadeu segundo cada cenário?

b. Segundo qual forma de financiamento é provável que Tadeu trabalhe com mais afinco?

c. Quais novos custos específicos ocorrerão com cada forma de financiamento?

3. **Direitos não negociáveis no mercado** A Sonhos S/A tem títulos de dívida em circulação com um valor de face de $ 6 milhões. O valor da empresa, se ela fosse totalmente financiada por capital próprio, seria de $ 17,85 milhões. A empresa também tem 350 mil ações em circulação que são negociadas ao preço de $ 38 cada. A alíquota tributária de pessoa jurídica é de 34%. Qual é a redução no valor da empresa devido aos custos esperados de falência?

4. **Estrutura de capital e direitos não negociáveis no mercado** Suponha que o presidente da empresa do problema anterior afirmasse que ela deve aumentar o montante de dívida em sua estrutura de capital em função da vantagem fiscal de juros. Seu argumento é que essa decisão aumentaria o valor da empresa. Como você reagiria?

5. **Estrutura de capital e crescimento** A Construtora Eduardo S/A atualmente tem títulos de dívida em circulação com um valor de mercado de $ 85 mil e um custo de 9%. A empresa tem um LAIR de $ 7.650 com expectativa de continuação para sempre. Suponha que não haja tributos.

INTERMEDIÁRIO
(Questões 5-8)

a. Qual é o valor do capital próprio da empresa? Qual é o índice Dívida/Capital próprio?

b. Quais são o valor do capital próprio e o índice Dívida/Capital próprio se a taxa de crescimento da empresa for 3%?

c. Quais são o valor do capital próprio e o índice Dívida/Capital próprio se a taxa de crescimento da empresa for 7%?

6. **Custos de dificuldades financeiras** A Morro de Pedra S/A e a Direta S/A são empresas idênticas, exceto pelo fato de a Direta ser mais alavancada. Ambas as empresas permanecerão em funcionamento por mais um ano. Os economistas das empresas concordam que a probabilidade de continuação da expansão atual é de 80% para o próximo ano, e a probabilidade de uma recessão é de 20%. Se a expansão continuar, cada empresa irá gerar um lucro antes de juros e imposto de renda (LAIR) de $ 2,7 milhões. Se uma recessão ocorrer, cada empresa gerará um lucro antes de juros e imposto de renda (LAIR) de $ 1,1 milhão. A dívida da Morro de Pedra exige que a empresa pague $ 900 mil ao fim do ano. A dívida da Direta exige que a empresa pague $ 1,2 milhão ao fim do ano. Ambas não pagam tributos. Suponha uma taxa de desconto de 13%.

a. Qual é o valor da dívida e do capital próprio da Morro de Pedra hoje? E da Direta?

b. O diretor-presidente da Morro de Pedra afirmou que o valor dela seria maior que o da Direta porque a empresa tem menos dívida e, portanto, menos risco de falência. Você concorda ou não com essa afirmação?

7. **Custos de agência** Os economistas da Fonte S/A estimam que um bom ambiente de negócios e um mau ambiente de negócios são igualmente prováveis para o próximo ano. Os gestores da Fonte devem escolher entre dois projetos mutuamente excludentes. Suponha que o projeto que a Fonte escolher será a única atividade da empresa e que ela fechará daqui a um ano. A Fonte é obrigada a fazer um pagamento de principal e juros de $ 3.500

aos credores no fim do ano. Os projetos têm o mesmo risco sistemático, mas diferentes volatilidades. Considere as seguintes informações que dizem respeito aos dois projetos:

Ambiente econômico	Probabilidade	Retorno do projeto com baixa volatilidade	Retorno do projeto com alta volatilidade
Mau	0,50	$ 3.500	$ 2.900
Bom	0,50	3.700	4.300

a. Qual é o valor esperado da empresa se o projeto com baixa volatilidade for empreendido? E se o projeto com alta volatilidade for empreendido? Qual das duas estratégias maximiza o valor esperado da empresa?

b. Qual é o valor esperado do capital próprio da empresa se o projeto com baixa volatilidade for empreendido? E se o projeto com alta volatilidade for empreendido?

c. Qual projeto teria a preferência dos acionistas da Fonte? Explique.

d. Suponha que os credores estejam totalmente cientes de que os acionistas podem escolher maximizar o valor do capital próprio em vez do valor total da empresa e optem pelo projeto com alta volatilidade. Para minimizar esse custo de agência, os credores da empresa decidem utilizar uma cláusula no contrato de dívida para estipular que podem demandar um juro maior se a Fonte optar pelo projeto com alta volatilidade. Qual pagamento de principal e juros aos credores não faria diferença entre os dois projetos para os acionistas?

8. Dificuldades financeiras A Companhia Bom Tempo é uma rede regional de lojas de departamentos. Ela permanecerá em funcionamento por mais um ano. A probabilidade de um ano de expansão é de 60%, e a de uma recessão é 40%. Projeta-se que a empresa gerará um fluxo de caixa total de $ 185 milhões em um ano de expansão e de $ 76 milhões em uma recessão. Uma amortização de dívida é exigida da empresa no fim do ano no valor de $ 110 milhões. O valor de mercado da dívida pendente da empresa é $ 83 milhões. A empresa não paga tributos.

a. Qual retorno os credores esperam receber no caso de uma recessão?

b. Qual é o retorno prometido sobre a dívida da empresa?

c. Qual é o retorno esperado sobre a dívida da empresa?

DESAFIO
(Questões 9-10)

9. Tributos da pessoa física, custos de falência e valor da empresa Quando os tributos da pessoa física sobre a renda de juros e os custos de falência são considerados, a expressão geral para o valor de uma empresa alavancada em um mundo em que a alíquota tributária sobre as distribuições para o capital próprio equivale a zero é:

$$V_A = V_N + \{1 - [(1 - t_C)/(1 - t_B)]\} \times B - C(B)$$

em que:

V_A = Valor presente de uma empresa alavancada.
V_N = Valor presente de uma empresa não alavancada.
B = Valor da dívida da empresa.
t_C = Alíquota tributária sobre o lucro da pessoa jurídica.
t_B = Alíquota tributária de pessoa física sobre a renda de juros.
$C(B)$ = Valor presente dos custos de dificuldades financeiras.

a. Em seu modelo sem tributos da pessoa jurídica, quais os pressupostos que Modigliani e Miller fazem acerca de t_C, t_B e $C(B)$? O que esses pressupostos implicam com relação ao índice ótimo de Dívida/Capital próprio de uma empresa?

b. Em seu modelo com tributos da pessoa jurídica, o que Modigliani e Miller pressupõem acerca de t_C, t_B e $C(B)$? O que esses pressupostos implicam com relação ao índice ótimo de Dívida/Capital próprio de uma empresa?

c. Considere uma empresa financiada somente por capital próprio que tenha certeza de poder utilizar deduções de juros para reduzir sua carga tributária na pessoa jurídica. Se essa alíquota tributária for de 34% e a alíquota tributária de pessoa física sobre a renda de juros for de 20% e não houver custos de dificuldades financeiras, em quanto mudará o valor da empresa se ela emitir $ 1 milhão em dívida e utilizar o resultado da captação para recomprar ações?

d. Considere outra empresa financiada somente por capital próprio que não pague tributos devido a grandes prejuízos fiscais de anos anteriores (no Brasil, a empresa somente poderá reduzir o lucro de cada exercício em 30% com o aproveitamento de créditos fiscais). A alíquota tributária de pessoa física sobre a renda de juros é 20%, e não há custos de dificuldades financeiras. Qual seria a mudança no valor dessa empresa por acrescentar $ 1 de dívida perpétua em vez de $ 1 de capital próprio?

10. Tributos de pessoa física, custos de falência e valor da empresa A Companhia Danoite Paródia (CDP) tem $ 2,5 milhões em caixa excedente. A empresa planeja utilizar esse caixa para tirar de circulação toda a sua dívida pendente ou para recomprar ações. Uma instituição financeira possui a dívida da empresa e está disposta a vendê-la de volta à CDP por $ 2,5 milhões. Ela não cobrará da OPC qualquer custo adicional por essa operação. Uma vez que a CDP venha a ser uma empresa financiada somente por capital próprio, ela permanecerá não alavancada para sempre. Se a CDP não tirar a dívida de circulação, utilizará os $ 2,5 milhões em caixa para recomprar algumas de suas ações no mercado. A recompra de ações também não tem custos. A empresa gera $ 1,3 milhão de lucro anual antes de juros e imposto de renda para sempre, independentemente de sua estrutura de capital. Ela distribui imediatamente todo o lucro sob a forma de dividendos no fim de cada ano. A CDP está sujeita a uma alíquota tributária de pessoa jurídica de 34%, e a taxa de retorno exigido sobre o capital não alavancado da empresa é 20%. A alíquota tributária de pessoa física sobre a renda de juros é 20%, e não há tributos sobre a distribuição de lucros. Suponha que não haja custos de falência.

a. Qual é o valor da CDP se ela optar por liquidar toda a sua dívida e se tornar uma empresa não alavancada?

b. Qual é o valor da CDP se ela decidir recomprar ações em vez de liquidar sua dívida? (*Dica:* Utilize a equação para o valor de uma empresa alavancada com tributação de pessoa física sobre rendas de juros do problema anterior.)

c. Suponha que os custos esperados de falência tenham um valor presente de $ 400 mil. Como isso influencia a decisão da CDP?

MINICASO

Orçamento de capital da Martins S/A

Samuel Martins é o fundador e diretor-presidente da Martins Restaurantes S/A, uma empresa com abrangência regional. Samuel está pensando em abrir vários novos restaurantes. Sandra Bastos, a diretora financeira da empresa, foi encarregada da análise de orçamento de capital. Ela examinou o potencial para a expansão da empresa e concluiu que o sucesso dos novos restaurantes dependerá criticamente do estado da economia ao longo dos próximos anos.

A Martins atualmente tem uma emissão de títulos de dívida em circulação com um valor de face de $ 29 milhões que vence em um ano. As cláusulas associadas a essa emissão de dívida proíbem a emissão de qualquer dívida adicional. Essa restrição significa que a expansão será inteiramente financiada por capital próprio a um custo de $ 5,7 milhões. Sandra resumiu sua análise no quadro a seguir, que mostra o valor da empresa em cada estado da economia no próximo ano, tanto com quanto sem expansão:

Crescimento da economia	Probabilidade	Sem expansão	Com expansão
Baixo	0,30	$ 25.000.000	$ 27.000.000
Normal	0,50	30.000.000	37.000.000
Alto	0,20	48.000.000	57.000.000

1. Qual é o valor esperado da empresa em um ano com e sem expansão? Os acionistas da empresa ficariam melhor com ou sem a expansão? Por quê?
2. Qual é o valor esperado da dívida da empresa em um ano com e sem expansão?
3. Daqui a um ano, quanta geração de valor é esperada a partir da expansão? Qual valor é esperado para os acionistas? E para os credores?
4. Se a empresa anunciar que não irá se expandir, o que você acha que acontecerá com o preço de seus títulos de dívida? O que acontecerá com o preço dos títulos se a empresa se expandir?
5. Se a empresa optar por não se expandir, quais são as implicações para suas necessidades futuras de empréstimos? Quais são as implicações se a empresa se expandir?
6. Por causa da cláusula inserida nos títulos de dívida, a expansão teria de ser financiada com ações. Como sua resposta seria afetada se a expansão fosse financiada com o caixa disponível em vez de com novas ações?

APÊNDICE 17A **Algumas fórmulas úteis de estrutura financeira**

APÊNDICE 17B **O modelo de Miller e a tributação gradual de lucros**

Para acessar os apêndices deste capítulo, cadastre-se no *site* do Grupo A (www.grupoa.com.br) e procure pela página deste livro. Clique em conteúdo online.

Avaliação e Orçamento de Capital da Empresa Alavancada 18

Em maio de 2011, a Volkswagen inaugurou a sua mais nova fábrica de automóveis em Chattanooga, Tennessee, EUA, a um custo de $ 1 bilhão. Mas por que a Volkswagen, ao investir nos EUA, escolheu o Estado de Tennessee? Um dos motivos foi um pacote de benefícios concedido à empresa, que consistia em $ 570 milhões em créditos fiscais estaduais e municipais, incluindo redução de impostos, trabalhos de infraestrutura e outros incentivos. Esse foi o maior pacote já oferecido a uma montadora estrangeira nos EUA, ultrapassando o de $ 385 milhões oferecido pelo Estado do Alabama.*

_____
* Incentivos fiscais para instalação de montadoras não são uma novidade no Brasil. As disputas entre Estados para instalação de novas montadoras ou de novas plantas de produção de montadoras já instaladas são muito comuns por aqui.

Quando uma empresa abre uma fábrica importante ou planeja uma mudança de localização, os Estados e municípios costumam criar pacotes de subsídios como esses. Outros subsídios bastante comuns incluem empréstimos subsidiados, formação de mão de obra, construção de estradas e infraestrutura.

Com empréstimos subsidiados, um órgão governamental permite à empresa tomar empréstimos a uma taxa de juros muito menor que a de mercado. Se a taxa de juros da dívida tomada for menor do que o custo de dívida normal da empresa, como ela avalia os benefícios financeiros desse e de outros subsídios? Para responder a essa e a outras perguntas relacionadas, ilustraremos, neste capítulo, como avaliar projetos utilizando as abordagens de avaliação de valor presente ajustado e de fluxos de caixa para o acionista.

Para ficar por dentro dos últimos acontecimentos na área de finanças, visite www.rwjcorporatefinance.blogspot.com.

18.1 A abordagem do valor presente ajustado

Neste capítulo, descreveremos três abordagens para a avaliação da empresa alavancada. Em especial, descreveremos as abordagens do valor presente ajustado (VPA), do fluxo de caixa para o acionista (FPA) e do custo médio ponderado de capital (CMPC).[1] Nos capítulos anteriores, discutimos cada uma dessas abordagens. A análise dessas diferentes abordagens é relevante para empresas inteiras, bem como para projetos isolados. O objetivo específico deste capítulo é juntar esses temas e mostrar que as diferentes abordagens possuem uma coerência lógica entre si e podem trazer a mesma resposta. Entretanto, algumas vezes, uma abordagem pode ser mais fácil de implementar do que outra, e sugeriremos diretrizes para escolher uma dentre elas. Começaremos com o método do valor presente ajustado.

O método do **valor presente ajustado (VPA)** é mais bem descrito pela seguinte fórmula:

$$VP_A = VPL_N + VPL_{EF}$$

_____
[1] *Adjusted present value* (APV), *flow to equity*, (FTE) e *weighted average cost of capital* (WACC).

Ou seja, o valor de um projeto para uma empresa alavancada (VP_A) é igual ao valor do projeto para uma empresa não alavancada (VPL_N) mais o valor presente líquido dos efeitos colaterais do financiamento (VPL_{EF}). Podemos, geralmente, pensar em quatro efeitos colaterais:

1. *O subsídio fiscal da dívida*: Esse tópico foi discutido no Capítulo 16, quando destacamos que, para a dívida perpétua, o valor do subsídio fiscal é $t_C B$. (t_C é a alíquota tributária de pessoa jurídica, e B é o valor da dívida.) O material sobre a avaliação segundo a tributação de pessoa jurídica no Capítulo 16 é, na verdade, uma aplicação da abordagem do VPA.

2. *Os custos de emissão de novos títulos*: Como discutiremos em detalhes no Capítulo 20, os bancos de investimento participam do lançamento público de dívidas emitidas por empresas. Esses bancos devem ser remunerados por seu tempo e esforço, gasto que diminui o valor do projeto de emissão.

3. *Os custos de dificuldades financeiras*: A possibilidade de dificuldades financeiras, e de falência, em especial, surge com o financiamento por dívida. Como afirmado no capítulo anterior, as dificuldades financeiras impõem custos, acarretando redução de valor.

4. *Subsídios para financiamento com dívida*: Esta é uma particularidade do mercado norte-americano. Os juros sobre a dívida emitida por governos estaduais e municipais não são tributáveis para o investidor. Em função disso, a taxa de retorno de títulos de dívidas isentos de tributos, em geral, está substancialmente abaixo do retorno tributável de dívidas de mercado. Nos EUA, frequentemente, as empresas podem obter financiamento do município com isenção de tributos, porque o município também pode tomar empréstimos, uma vez que os municípios também fazem captações isentas de tributos. Como qualquer subsídio, esse acrescenta valor à decisão de investimento nos EUA.

5. *Subsídios com redução ou isenção de impostos*: No Brasil, Estados e municípios têm restrições para emissão de dívidas, porém há casos de isenção de tributos municipais e estaduais para novos empreendimentos. O principal subsídio é a isenção ou redução de ICMS, o Imposto sobre a Circulação de Mercadorias, um imposto estadual no Brasil que pode ter alíquotas bastante elevadas. Essas isenções têm sido objeto de intensa discussão no âmbito do CONFAZ, o Conselho Nacional de Política Fazendária,[2] que reúne Secretários de Fazenda dos Estados brasileiros. Tais subsídios geram o que é chamado de "guerra fiscal".

Embora cada um dos efeitos colaterais seja importante, o benefício tributário da dívida muito provavelmente tem o maior valor monetário na maioria das situações reais. Por esse motivo, o exemplo seguinte considera o subsídio fiscal, mas não os outros efeitos colaterais.[3]

Considere um projeto da Cantora S/A com as seguintes características:

Entradas de caixa: $ 500.000 por ano em perpetuidade.

Saídas (custos) de caixa: 72% das vendas.

Investimento inicial: $ 475.000.

$t_C = 34\%$

$R_0 = 20\%$, em que R_0 é o custo de capital para um projeto de uma empresa comparável financiada somente por capital próprio.

Se tanto o projeto quanto a empresa são financiados somente por capital próprio, o fluxo de caixa do projeto é o seguinte:

---

[2] O Conselho Nacional de Política Fazendária – CONFAZ –, constituído pelos Secretários de Fazenda, Finanças ou Tributação de cada Estado e Distrito Federal e pelo Ministro de Estado da Fazenda, é um órgão deliberativo instituído em decorrência de preceitos previstos na Constituição Federal, com a missão maior de promover o aperfeiçoamento do federalismo fiscal e a harmonização tributária entre os Estados da Federação.

[3] O exemplo da Tijolos S/A na Seção 18.6 aborda os custos de emissão e os subsídios nos juros.

Entradas de caixa	$ 500.000
Saídas (custos) de caixa	−360.000
Receita operacional	140.000
Tributos da pessoa jurídica (alíquota tributária de 34%)	−47.600
Fluxo de caixa não alavancado (FC$_{NA}$)	$ 92.400

A distinção entre o valor presente e o valor presente líquido é importante para este exemplo. O *valor presente* de um projeto é determinado antes que o investimento inicial na Data 0 seja deduzido dos fluxos de caixa. O valor presente *líquido* resulta da dedução do investimento inicial do valor presente dos fluxos de caixa.

Dada a taxa de desconto de 20%, o valor presente do projeto é:

$$\frac{\$\,92.400}{0,20} = \$\,462.000$$

O valor presente líquido (VPL$_N$) do projeto, ou seja, o valor do projeto para a empresa financiada somente por capital próprio, é:

$$\$\,462.000 - \$\,475.000 = -\$\,13.000$$

Como o VPL$_N$ é negativo, o projeto seria rejeitado por uma empresa financiada somente por capital próprio.

Agora, imagine que a empresa financie o projeto com uma dívida de exatamente $ 126.229,50. Assim, o capital próprio financia somente o investimento restante de $ 348.770,50 (= $ 475.000 − $ 126.229,50). O valor presente do projeto com alavancagem, que chamamos de valor presente ajustado, ou VPA, é:

$$VPA = VPL_N + t_C \times B$$
$$\$\,29.918 = -\$\,13.000 + 0,34 \times \$\,126.229,50$$

Isto é, o valor do projeto quando financiado com um pouco de alavancagem é igual ao seu valor quando financiado somente com capital próprio mais o benefício fiscal da dívida. Como esse número é positivo, o projeto deveria ser aceito.[4]

Você pode estar se perguntando por que escolhemos um montante de dívida tão preciso. Na verdade, escolhemos esse montante para que a proporção entre a dívida e o valor presente do projeto com alavancagem seja de 0,25.[5]

Nesse exemplo, a dívida é uma proporção fixa do valor presente do projeto, não uma proporção fixa do investimento inicial de $ 475 mil. Isso é coerente com a meta para o índice Dívida/Valor de *mercado*, que encontramos no mundo real. Por exemplo, tipicamente, os bancos comerciais emprestam para incorporadoras de imóveis com uma porcentagem fixa do valor de mercado avaliado de um projeto, e não com uma porcentagem fixa do investimento inicial.

---

[4] Esse exemplo objetiva tornar mais dramática a potencial importância dos benefícios fiscais da dívida. Na prática, a empresa provavelmente exigirá que o valor de um projeto para uma empresa financiada somente por capital próprio tenha ao menos um VPL de zero.

[5] Isto é, o valor presente do projeto depois do investimento inicial ser feito é de $ 504.918 (= $ 29.918 + 475.000). Assim, o índice Dívida/Valor do projeto é 0,25 (= $ 126.229,50/$ 504.918).

Esse nível de dívida pode ser calculado diretamente. Observe que:

Valor presente de projeto alavancado = Valor presente de projeto não alavancado + $t_C \times B$
$$V_{Com\,dívida} = 462.000 + 0,34 \times 0,25 \times V_{Com\,dívida}$$

Reorganizando a última linha, temos:

$$V_{Com\,dívida} \times (1 - 0,34 \times 0,25) = \$\,462.000$$
$$V_{Com\,dívida} = \$\,504.918$$

A dívida é 0,25 do valor: $ 126.229,50 = 0,25 × $ 504.918.

18.2 A abordagem do fluxo de caixa para o acionista

A abordagem do **fluxo de caixa para o acionista (FPA)** é uma abordagem alternativa de avaliação. A fórmula simplesmente exige o desconto do fluxo de caixa do projeto para os acionistas da empresa alavancada ao custo de capital próprio, R_S. Para uma perpetuidade, isso se torna:

$$\frac{\text{Fluxo de caixa do projeto para acionistas da empresa alavancada}}{R_S}$$

Há três etapas para a abordagem FPA.

Etapa 1: Cálculo do fluxo de caixa alavancado (FC_A)[6]

Supondo uma taxa de juros de 10%, o fluxo de caixa perpétuo para acionistas em nosso exemplo da Cantora S/A é:

Entradas de caixa	$ 500.000,00
Saídas (custos) de caixa	−360.000,00
Juros (10% × $ 126.229,50)	−12.622,95
Lucro depois de juros	127.377,05
Tributação da pessoa jurídica (alíquota tributária de 34%)	−43.308,20
Fluxo de caixa alavancado (FC_A)	$ 84.068,85

Alternativamente, podemos calcular o fluxo de caixa alavancado (FC_A) diretamente a partir do fluxo de caixa não alavancado (FC_{NA}). O importante aqui é que a diferença entre o fluxo de caixa que os acionistas recebem em uma empresa não alavancada e o fluxo de caixa que eles recebem em uma empresa alavancada é igual aos juros após a incidência da tributação. (O reembolso do principal não aparece nesse exemplo, porque a dívida é perpétua.) Escrevemos algebricamente assim:

$$FC_{NA} - FC_A = (1 - t_C) R_B B$$

O termo à direita dessa expressão é os juros pós-tributação. Assim, como o fluxo de caixa para os acionistas não alavancados (FC_{NA}) é de $ 92.400 e os juros pós-tributação são de $ 8.331,15 (= 0,66 × 0,10 × $ 126.229,50), o fluxo de caixa para os acionistas alavancados (FC_A) é:

$$\$\,92.400 - \$\,8.331,15 = \$\,84.068,85$$

o que é exatamente o número calculado anteriormente.

Etapa 2: Cálculo de R_S

O próximo passo é calcular a taxa de desconto, R_S. Observe que presumimos que a taxa de desconto sobre o capital não alavancado, R_0, é 0,20. Como vimos em um capítulo anterior, a fórmula para R_S é:

$$R_S = R_0 + \frac{B}{S}(1 - t_C)(R_0 - R_B)$$

Observe que nossa meta para o índice Dívida/Valor de 1/4 acarreta uma meta para o índice Dívida/Capital próprio de 1/3. Aplicando a fórmula anterior a esse exemplo, teremos:

$$R_S = 0{,}222 = 0{,}20 + \frac{1}{3}(0{,}66)(0{,}20 - 0{,}10)$$

---

[6] Utilizamos o termo *fluxo de caixa alavancado* (FC_A) para simplificar. Um termo mais completo seria *fluxo de caixa distribuível (também conhecido como fluxo de caixa livre) do projeto para os acionistas de uma empresa alavancada*. De modo similar, um termo mais completo para *fluxo de caixa não alavancado* (FC_{NA}) seria *fluxo de caixa distribuível (fluxo de caixa livre) do projeto para os acionistas de uma empresa não alavancada*.

Etapa 3: Avaliação

O valor presente do FC$_A$ do projeto é:

$$\frac{FC_A}{R_S} = \frac{\$\,84.068,85}{0,222} = \$\,378.688,50$$

Como o investimento inicial é de $ 475 mil e são tomados $ 126.229,50 no empréstimo, a empresa deve adiantar para o projeto $ 348.770,50 (=$ 475.000 − $ 126.229,50) de suas próprias reservas de caixa. O valor presente *líquido* do projeto é simplesmente a diferença entre o valor presente do FC$_A$ do projeto e o investimento com capital próprio. Assim, o VPL é:

$$\$\,378.688,50 - \$\,348.770,50 = \$\,29.918$$

que é idêntico ao resultado encontrado com a abordagem do VPA.

18.3 O método do custo médio ponderado de capital

Por fim, podemos avaliar um projeto ou uma empresa usando o método do **custo médio ponderado de capital** (CMPC). Embora esse método tenha sido discutido em capítulos anteriores, vale a pena revisá-lo aqui. A abordagem do CMPC começa com o entendimento de que projetos de empresas alavancadas são, simultaneamente, financiados por dívida e capital próprio. O custo de capital é a média ponderada do custo da dívida e do custo do capital próprio. O custo do capital próprio é R_S. Ignorando os tributos, o custo da dívida é simplesmente a taxa de empréstimo, R_B. Entretanto, com tributos de pessoa jurídica, o custo apropriado da dívida é $(1 - t_C)R_B$, o custo da dívida após a tributação.

A fórmula para determinar o custo médio ponderado de capital, R_{CMPC}, é:

$$R_{CMPC} = \frac{S}{S+B}R_S + \frac{B}{S+B}R_B(1 - t_C)$$

O peso do capital próprio, $S/(S + B)$, e o peso da dívida, $B/(S + B)$, são índices meta. Índices meta costumam ser expressos em termos de valores de mercado, e não em valores contábeis (recorde que outra expressão para valor contábil é *valor de livros*).

A fórmula exige o desconto do fluxo de caixa *não alavancado* do projeto (FC$_{NA}$) com o custo médio ponderado de capital, R_{CMPC}. O valor presente líquido do projeto pode ser escrito algebricamente da seguinte forma:

$$\sum_{t=1}^{\infty} \frac{FC_{NAt}}{(1 + R_{CMPC})^t} - \text{Investimento inicial}$$

Se o projeto é uma perpetuidade, o valor presente líquido é:

$$\frac{FC_{NA}}{R_{CMPC}} - \text{Investimento inicial}$$

Afirmamos anteriormente que o índice Dívida/Valor desejado de nosso projeto é 1/4 e a alíquota tributária da pessoa jurídica é 0,34, significando que o custo ponderado médio de capital é:

$$R_{CMPC} = \frac{3}{4} \times 0,222 + \frac{1}{4} \times 0,10 \times 0,66 = 0,183$$

Observe que R_{CMPC}, 0,183, é menor que o custo de capital próprio para uma empresa financiada somente com capital próprio, 0,20. Isso deve acontecer sempre, pois o financiamento por dívida proporciona um subsídio fiscal que diminui o custo médio de capital.

Determinamos anteriormente que o FC$_{NA}$ do projeto seria de $ 92.400, significando que o valor presente do projeto é:

$$\frac{\$\,92.400}{0,183} = \$\,504.918$$

O investimento inicial é de $ 475 mil; assim, o VPL do projeto é:

$$\$ 504.918 - \$ 475.000 = \$ 29.918$$

Observe que as três abordagens produzem o mesmo valor.

18.4 A comparação das abordagens de VPA, FPA e CMPC

Neste capítulo, apresentamos três abordagens para a avaliação de projetos de uma empresa alavancada. A abordagem do valor presente ajustado (VPA), em primeiro lugar, avalia o projeto em uma base somente de capital próprio. Ou seja, os fluxos de caixa após a tributação dos lucros do projeto com financiamento somente com capital próprio (chamados de fluxos de caixa não alavancados, ou FC_{NA}) são colocados no numerador da equação de orçamento de capital. A taxa de desconto, supondo financiamento somente com capital próprio, aparece no denominador. Nesse ponto, o cálculo é idêntico ao realizado nos capítulos iniciais deste livro. Acrescentamos, em seguida, o valor presente líquido dos efeitos da dívida. Destacamos que o valor presente líquido dos efeitos da dívida provavelmente seja a soma de quatro parâmetros: efeitos fiscais, custos de emissão, custos de falência e subsídios.

A abordagem do fluxo de caixa para o acionista (FPA) desconta o fluxo de caixa após a tributação dos lucros do projeto indo para os acionistas de uma empresa alavancada (FC_A). O FC_A, que significa fluxo de caixa alavancado, é o valor residual para os acionistas após os juros terem sido deduzidos. A taxa de desconto é R_S, o custo de capital para acionistas de uma empresa alavancada. Para empresas alavancadas, R_S precisa ser maior que R_0, o custo de capital de uma empresa não alavancada. Isso resulta de nosso material do Capítulo 16, que mostrava que a alavancagem aumenta o risco para os acionistas.

A última abordagem é o método do custo médio ponderado de capital (CMPC). Essa técnica calcula os fluxos de caixa após a tributação dos lucros do projeto presumindo um financiamento somente por capital próprio (FC_{NA}). O FC_{NA} é colocado no numerador da equação de orçamento de capital. O denominador, R_{CMPC}, é uma média ponderada do custo de capital próprio e do custo de capital da dívida. A vantagem fiscal da dívida está refletida no denominador, porque aqui o custo da dívida é determinado líquido de tributos da pessoa jurídica. O numerador não reflete nenhuma dívida.

As três abordagens desempenham a mesma tarefa: a avaliação na presença de financiamento por dívida. Como ilustrado pelo exemplo anterior, as três fornecem a mesma estimativa de avaliação. Entretanto, como vimos, as abordagens são notoriamente diferentes em suas técnicas. Em função disso, os alunos costumam fazer perguntas deste tipo: "Como isso é possível? Como três abordagens podem parecer tão diferentes, e ainda assim dar a mesma resposta?". Acreditamos que a melhor maneira de lidar com questões como essas é por meio dos dois pontos a seguir:

1. *VPA versus CMPC*: Das três abordagens, a VPA e a CMPC mostram a maior semelhança. Afinal, ambas as abordagens colocam o fluxo de caixa não alavancado (FC_{NA}) no numerador. Entretanto, a abordagem do VPA desconta esses fluxos com R_0, produzindo o valor do projeto não alavancado. A soma do valor presente do benefício fiscal ao valor do projeto não alavancado dá o valor do projeto com alavancagem. A abordagem do CMPC desconta o FC_{NA} com R_{CMPC}, que é menor que R_0.

    Portanto, as duas abordagens ajustam a fórmula básica do VPL_N de empresas não alavancadas para refletir o benefício fiscal da alavancagem. A abordagem do VPA faz esse ajuste diretamente. Ela simplesmente adiciona o valor presente do benefício fiscal como um termo separado. A abordagem do CMPC faz o ajuste de maneira mais sutil. Ela coloca a taxa de desconto a um valor abaixo de R_0. Embora este livro não forneça uma prova, é possível demonstrar que esses dois ajustes sempre têm o mesmo efeito quantitativo.

2. *A entidade sendo avaliada*: A abordagem do FPA parece, à primeira vista, muito diferente das outras duas. Para as abordagens do VPA e do CMPC, o investimento inicial é subtraído

na etapa final ($ 475 mil, em nosso exemplo). No entanto, para a abordagem do FPA, apenas a contribuição da empresa para o investimento inicial ($ 348.770,50 = $ 475.000 − $ 126.229,50) é deduzida do valor presente dos fluxos de caixa. Isso acontece porque, sob a abordagem do FPA, apenas os fluxos de caixa futuros para os acionistas alavancados (FC_A) são avaliados. Em contraste, as abordagens do VPA e do CMPC avaliam os fluxos de caixa futuros para os acionistas não alavancados (FC_{NA}). Portanto, como os FC_A são líquidos do pagamento de juros, ao passo que os FC_{NA} não são, o investimento inicial na abordagem do FPA é reduzido do financiamento por dívida. Dessa forma, a abordagem do FPA gera a mesma resposta que as outras duas.

Diretriz sugerida

O valor presente líquido de nosso projeto é exatamente o mesmo segundo cada um dos três métodos. Em teoria, isso deveria ocorrer sempre.[7] Entretanto, um método geralmente proporciona um cálculo mais fácil do que outro, e, em muitos casos, um ou mais métodos são praticamente impossíveis de ser calculados. Primeiramente, consideraremos quando é melhor utilizar as abordagens do CMPC e do FPA.

Se o risco de um projeto permanecer constante durante sua vida útil, é plausível presumir que R_0 permaneça constante ao longo da vida útil do projeto. Essa suposição de risco constante parece razoável para a maioria dos projetos do mundo real. Somado a isso, se o índice Dívida/Valor permanecer constante no decorrer da vida útil do projeto, R_S e R_{CMPC} também permanecerão constantes. Quando essa última suposição é válida, tanto a abordagem do FPA quanto a do CMPC são fáceis de ser aplicadas. Entretanto, se o índice Dívida/Valor variar de ano a ano, R_S e R_{CMPC} também variarão. O uso da abordagem do FPA ou do CMPC quando o denominador muda a cada ano é um cálculo bastante complexo, e, quando os cálculos se tornam complexos, a taxa de ocorrência de erros aumenta. Desse modo, as duas abordagens apresentam dificuldades quando o *índice* Dívida/Valor muda ao longo do tempo.

A abordagem do VPA é baseada no *nível de dívida em cada período* futuro. Consequentemente, quando o nível de dívida pode ser especificado com precisão para os períodos futuros, a abordagem do VPA é bastante fácil de usar. Contudo, quando o nível da dívida é incerto, essa abordagem se torna mais problemática. Por exemplo, quando o índice Dívida/Valor é constante, o nível de dívida varia com o valor do projeto. Como o valor do projeto em um ano futuro não pode ser facilmente previsto, o nível de dívida também não é.

Portanto, sugerimos a seguinte diretriz:

> **Utilize o CMPC ou o FPA se a *meta para o índice* Dívida/Valor da empresa se aplicar ao projeto durante sua vida útil. Utilize o VPA caso conheça o *nível de dívida* do projeto durante sua vida útil.**

Existem várias situações em que a abordagem do VPA é preferencial. Por exemplo, em uma aquisição alavancada (LBO), a empresa começa com uma grande quantidade de dívida, que paga rapidamente ao longo de alguns anos. Como o cronograma de redução de dívida no futuro é conhecido quando a LBO é organizada, os benefícios fiscais em cada ano podem ser facilmente previstos.[8] Portanto, a abordagem do VPA é mais fácil de utilizar aqui. (Uma ilustração da abordagem do VPA aplicada a LBOs é fornecida no apêndice deste capítulo.) Em contraste, as abordagens do CPMC e do FPA são praticamente impossíveis de aplicar aqui, pois não se pode esperar que o valor Dívida/Capital próprio seja constante ao longo do tempo. Além

---

[7] Consulte I. Inselbag e H. Kaufold, "Two DCF Approaches for Valuing Companies under Alternative Financial Strategies (and How to Choose between Them)", *Journal of Applied Corporate Finance*, 1997. Primavera, Hemisfério Norte.

[8] Essa é uma situação frequente em empresas brasileira que obtém financiamento de um banco comercial ou do BNDES para um projeto, com um prazo de carência e datas fixas para pagamento de principal e juros, até a amortização final do financiamento.

disso, é muito mais fácil lidar com as situações envolvendo subsídios e custos de emissão com a abordagem do VPA. (O exemplo da Tijolos S/A na Seção 18.6 aplica a abordagem do VPA a subsídios e custos de emissão.) Por fim, a abordagem do VPA trata da decisão arrendamento *versus* compra com muito mais facilidade do que a do FPA ou a do CMPC. (Uma abordagem completa da decisão arrendamento *versus* compra aparecerá em um capítulo posterior.)

Os exemplos anteriores são casos especiais. Nos EUA, as situações típicas de orçamento de capital são mais compatíveis com a abordagem do CMPC ou a do FPA do que com a do VPA; no Brasil, isso se aplica para as empresas que tenham metas para o índice Dívida/Capital próprio. Nos EUA, os gestores financeiros geralmente pensam em termos de metas para *índices* Dívida/Valor.[9] Se um projeto se sair melhor do que o esperado, tanto o seu valor quanto a sua capacidade de endividamento provavelmente aumentarão. O gestor aumentará a dívida de forma correspondente aqui. De forma contrária, o gestor tenderia a reduzir a dívida se o valor do projeto declinasse inesperadamente. É claro que, como um processo de captação de recursos é uma tarefa que consome tempo, o índice não pode ser ajustado em uma base diária ou mensal. Em vez disso, pode-se esperar que o ajuste ocorra no longo prazo. Como foi mencionado antes, as abordagens do CMPC e do FPA são mais apropriadas do que a do VPA quando uma empresa tem uma meta para o índice Dívida/Valor.

Por causa disso, as abordagens do CMPC e do FPA são recomendadas em lugar da do VPA nas situações em que a empresa tenha uma meta para o índice Dívida/Valor, o que é a maioria das situações do mundo real nos EUA. Além disso, discussões frequentes com executivos nos convenceram de que o CMPC é, de longe, o método mais amplamente utilizado no mundo real quando se trata dos EUA. Portanto, os profissionais parecem concordar que, exceto nas situações especiais mencionadas, a abordagem do VPA é um método de orçamento de capital que pode parecer menos importante nos casos em que as empresas amortizam a dívida tomada para o projeto.

Três métodos de avaliação com alavancagem

1. Método do valor presente ajustado (VPA):

$$\sum_{t=1}^{\infty} \frac{FC_{NAt}}{(1 + R_0)^t} + \text{Efeitos adicionais da dívida} - \text{Investimento inicial}$$

FC_{NAt} = Fluxo de caixa do projeto na data t para os acionistas de uma empresa não alavancada.
R_0 = Custo de capital do projeto em uma empresa não alavancada.

2. Método de fluxo de caixa para o acionista (FPA):

$$\sum_{t=1}^{\infty} \frac{FCA_t}{(1 + R_S)^t} - (\text{Investimento inicial} - \text{Montante emprestado})$$

FCA_t = Fluxo de caixa do projeto na data t para os acionistas de uma empresa alavancada.
R_S = Custo do capital próprio com alavancagem.

3. Método do custo médio ponderado de capital (CMPC):

$$\sum_{t=1}^{\infty} \frac{FCA_{NAt}}{(1 + R_{CMPC})^t} - \text{Investimento inicial}$$

R_{CMPC} = Custo médio ponderado de capital.

---

[9] Como vimos no capítulo anterior, essa é uma constatação válida nos EUA; no Brasil, como também vimos, a maioria dos gestores financeiros ou não tem uma meta para o índice Divida/Valor, ou usa índices flexíveis.

Observações

1. O termo do meio na fórmula de VPA implica que o valor de um projeto com alavancagem é maior que o do projeto sem alavancagem. Como $R_{CMPC} < R_0$, a fórmula de CMPC implica que o valor de um projeto com alavancagem é maior do que o do projeto sem alavancagem.

2. No método do FPA, o fluxo de caixa *depois de juros* (FCA) é utilizado, e o *montante emprestado* é subtraído do investimento inicial.

Diretrizes

1. Utilize o CMPC ou o FPA se a *meta para o índice* Dívida/Valor da empresa se aplicar ao projeto durante sua vida útil.

2. Utilize o VPA se o *nível de dívida* do projeto durante sua vida útil for conhecido.

18.5 Avaliação quando a taxa de desconto precisa ser estimada

As seções anteriores deste capítulo apresentaram as três abordagens básicas para a avaliação de uma empresa com alavancagem: VPA, FPA e CMPC. No entanto, resta um detalhe importante. O exemplo nas Seções de 18.1 até 18.3 *presumia* uma taxa de desconto. Queremos agora mostrar como essa taxa é determinada para empresas com alavancagem, com uma aplicação às três abordagens anteriores. O exemplo desta seção se acrescenta ao trabalho dos Capítulos 9 a 13, sobre a taxa de desconto para empresas alavancadas e não alavancadas, bem como a do Capítulo 16, sobre o efeito da alavancagem para o custo de capital.

EXEMPLO 18.1 Custo de capital

A Mundo das Coisas S/A (MCSA) é um grande conglomerado que pensa em entrar no mercado de bugigangas, no qual planeja financiar projetos com um índice Dívida/Valor de 25% (ou um índice Dívida/Capital próprio de 1/3). Existe atualmente uma empresa no setor de bugigangas, a Bugigangas Americanas S/A (BASA). Essa empresa é financiada por 40% de dívida e 60% de ações. O *beta* do capital da BASA é 1,5. O custo da dívida da BASA é de 12%, e a MCSA espera tomar empréstimos para seu empreendimento de bugigangas a 10%. A alíquota tributária de pessoa jurídica de ambas as empresas é de 0,34, o prêmio pelo risco de mercado é 8,5% e a taxa de juros sem risco é de 8%. Qual é a taxa de desconto apropriada para a MCSA utilizar em seu empreendimento de bugigangas?

Conforme mostrado nas Seções 18.1 a 18.3, a empresa pode utilizar uma destas três abordagens de orçamento de capital: VPA, FPA ou CMPC. As taxas de desconto apropriadas para essas três abordagens são R_0, R_S e R_{CMPC}, respectivamente. Como a BASA é a única concorrente da MCSA em bugigangas, analisaremos o custo de capital da BASA para calcular R_0, R_S e R_{CMPC} para o empreendimento de bugigangas da MCSA. O procedimento em quatro etapas a seguir nos permitirá calcular todas as três taxas de desconto:

1. *Determinação do custo de capital próprio da BASA*: primeiramente, determinaremos o custo de capital próprio da BASA utilizando a linha do mercado de títulos (LMT):

Custo de capital próprio da BASA

$$R_S = R_F + \beta \times (\overline{R}_M - R_F)$$
$$20{,}75\% = 8\% + 1{,}5 \times 8{,}5\%$$

em que $\overline{R}_M$ é o retorno esperado da carteira de mercado e R_F é a taxa sem risco.

2. *Determinação do custo de capital da BASA financiada somente por capital próprio*: devemos padronizar o número anterior de alguma forma, porque os empreendimentos de bugigangas da MCSA e da BASA têm diferentes metas para o índice Dívida/Valor.

(continua)

(continuação)

A abordagem mais simples é calcular o custo hipotético de capital para a BASA, supondo que ela seja financiada somente por capital próprio. Isso pode ser determinado a partir da Proposição II de M&M com tributos:

Custo de capital da BASA se financiada somente por capital próprio

$$R_S = R_0 + \frac{B}{S}(1 - t_C)(R_0 - R_B)$$

$$20{,}75\% = R_0 + \frac{0{,}4}{0{,}6}(0{,}66)(R_0 - 12\%)$$

Ao resolver a equação, vemos que $R_0 = 0{,}1807$. É claro que R_0 é inferior a R_S, porque o custo de capital próprio seria menor se a empresa não empregasse alavancagem.

Neste ponto, as empresas no mundo real geralmente supõem que o risco do empreendimento seja quase igual ao risco das empresas que já estão no mercado. Aplicando essa hipótese ao nosso problema, afirmamos que a taxa de desconto hipotético do empreendimento de bugigangas da MCSA, se for financiado somente com capital próprio, é também de 0,1807.[10] Essa taxa de desconto seria empregada se a MCSA utilizasse a abordagem VPA, porque a abordagem VPA pede R_0, o custo de capital do projeto em uma empresa sem alavancagem.

3. *Determinação de R_S para empreendimento de bugigangas da MCSA*: como alternativa, a MCSA pode usar a abordagem de FPA, em que a taxa de desconto para o capital próprio alavancado é determinada da seguinte forma:

Custo de capital próprio para o empreendimento de bugigangas da MCSA

$$R_S = R_0 + \frac{B}{S}(1 - t_C)(R_0 - R_B)$$

$$19{,}85\% = 18{,}07\% + \frac{1}{3}(0{,}66)(18{,}07\% - 10\%)$$

Note que o custo do capital próprio para o empreendimento de bugigangas da MCSA, 0,1985 é menor que o da BASA, 0,2075. Isso ocorre porque a BASA tem um índice Dívida/Capital próprio maior. (Como foi mencionado, supõe-se que ambas as empresas tenham o mesmo risco do negócio.)

4. *Determinação de R_{CMPC} para o empreendimento de bugigangas da MCSA*: Por fim, a MCSA poderia utilizar a abordagem do CMPC. Aqui estão os cálculos apropriados:

R_{CMPC} para o empreendimento de bugigangas da MCSA

$$R_{CMPC} = \frac{B}{S+B}R_B(1 - t_C) + \frac{S}{S+B}R_S$$

$$16{,}54\% = \frac{1}{4}10\%(0{,}66) + \frac{3}{4}19{,}85\%$$

O exemplo anterior mostra como as três taxas de desconto, R_0, R_S e R_{CMPC}, são determinadas no mundo real. Essas são as taxas apropriadas para as abordagens de VPA, FPA e CMPC, respectivamente. Note que o R_S da Bugigangas Americanas S/A é determinado primeiro, pois o custo de capital próprio pode ser definido a partir do *beta* das ações da empresa. Conforme discutido em um capítulo anterior, o *beta* pode ser facilmente estimado para qualquer empresa negociada em bolsa, como a BGSA.

---

[10] Alternativamente, a empresa pode supor que seu empreendimento seja um tanto mais arriscado por ser um novo entrante. Assim, a empresa pode selecionar uma taxa de desconto ligeiramente maior do que 0,1807. É claro, não existe uma fórmula exata para ajustar a taxa de desconto para cima.

18.6 Exemplo de VPA

Como foi mencionado anteriormente neste capítulo, quando as empresas definem uma meta para o índice Dívida/Capital próprio, isso torna possível o uso do CMPC e FPA para o orçamento de capital. O VPA não funciona tão bem nesse caso. Contudo, como também mencionamos anteriormente, o VPA é a abordagem preferencial quando há benefícios e custos colaterais para a dívida. Como a análise pode ser difícil, dedicamos agora uma seção inteira para um exemplo no qual, além do subsídio fiscal para a dívida, entram em jogo tanto os custos de emissão quanto os subsídios.

EXEMPLO 18.2 VPA

A Tijolos S/A está considerando um projeto de $ 10 milhões que durará cinco anos, implicando uma depreciação linear de $ 2 milhões por ano. As receitas menos as despesas em caixa são de $ 3,5 milhões por ano. A faixa de alíquota tributária de pessoa jurídica é 34%. A taxa sem risco é 10%, e o custo de capital não alavancado é 20%.

As projeções de fluxos de caixa de cada ano são estas:

	FC_0	FC_1	FC_2	FC_3	FC_4	FC_5
Desembolso inicial	−$ 10.000.000					
Benefício fiscal da depreciação		0,34 × $ 2.000.000 = $ 680.000	$ 680.000	$ 680.000	$ 680.000	$ 680.000
Receita menos despesas		(1 − 0,34) × $ 3.500.000 = $ 2.310.000	$ 2.310.000	$ 2.310.000	$ 2.310.000	$ 2.310.000

Dissemos antes que o VPA de um projeto é a soma de seu valor quando financiada somente por capital próprio mais os efeitos adicionais da dívida. Examinaremos cada um deles.

Valor da Tijolos S/A se financiada somente por capital próprio Supondo que o projeto seja financiado somente por capital próprio, seu valor é:

$$-\$10.000.000 + \frac{\$680.000}{0,10} \times \left[1 - \left(\frac{1}{1,10}\right)^5\right] + \frac{\$2.310.000}{0,20} \times \left[1 - \left(\frac{1}{1,20}\right)^5\right] = -\$513.951$$

Custo inicial + Benefício fiscal de depreciação +
Valor presente de (Receitas em caixa − Despesas de caixa)

Esse cálculo utiliza as técnicas apresentadas nos capítulos iniciais deste livro. Note que o benefício fiscal da depreciação é descontado pela taxa sem risco de 10%. As receitas e despesas são descontadas a uma taxa mais alta de 20%.

Uma empresa financiada somente por capital próprio iria claramente *rejeitar* esse projeto, porque o VPL é −$ 513.951 e os custos de emissão de ações (não mencionados ainda) apenas tornariam ainda mais negativo o VPL. Contudo, o financiamento por dívida pode acrescentar valor suficiente ao projeto para justificar a aceitação. Consideraremos a seguir os efeitos da dívida.

Efeitos adicionais da dívida A Tijolos S/A pode obter um empréstimo, com prazo de cinco anos sem amortizações intermediárias, de $ 7,5 milhões depois de custos de emissão à taxa sem risco de 10%. Os custos de emissão são despesas pagas quando as ações ou os títulos de dívida são emitidos. Essas despesas podem ir para gráficas, advogados e bancos de investimento, entre outros. A Tijolos S/A é informada de que os custos de emissão serão de 1% do resultado bruto da captação. O capítulo anterior indica que o financiamento por dívida altera o VPL de um projeto típico. Analisaremos, a seguir, os efeitos da dívida.

Custos de emissão Dado que os custos de emissão são de 1% da captação bruta, temos:

$$\$7.500.000 = (1 - 0,01) \times \text{Captação bruta} = 0,99 \times \text{Captação bruta}$$

(continua)

(continuação)

Portanto, a captação bruta é:

$$\frac{\$\,7.500.000}{1-0,01} = \frac{\$\,7.500.000}{0,99} = \$\,7.575.758$$

Isso implica custos de emissão de $ 75.758 (=1% × $ 7.575.758). Para verificar o cálculo, observe que a captação líquida é de $ 7,5 milhões (=$ 7.575.758 − $ 75.758). Em outras palavras, a Tijolos recebe apenas $ 7,5 milhões. Os custos de emissão de $ 75.758 são recebidos por intermediários, como os bancos de investimento.

Os custos de emissão são pagos imediatamente, mas sua amortização contábil e efeito redutor de tributos se dá ao longo da vida útil do empréstimo, em base linear. Os fluxos de caixa dos custos da emissão são os seguintes:

	Data 0	Data 1	Data 2	Data 3	Data 4	Data 5
Custos de emissão	−$ 75.758					
Dedução		$\frac{\$75.758}{5}$ = $ 15.152	$ 15.152	$ 15.152	$ 15.152	$ 15.152
Benefício fiscal dos custos de emissão		0,34 × $ 5.152 = **$ 5.152**	**$ 5.152**	**$ 5.152**	**$ 5.152**	**$ 5.152**

Os fluxos de caixa relevantes dos custos de emissão estão em negrito. Quando o descontamos a 10%, o benefício fiscal tem um valor presente líquido de:

$$\$\,5.152 \times A_{0,10}^{5} = \$\,19.530$$

Isso implica um custo de emissão líquido de:

$$-\$\,75.758 + \$\,19.530 = -\$\,56.228$$

O valor presente líquido do projeto depois dos custos de emissão da dívida, mas antes dos benefícios dela, é:

$$-\$\,513.951 - \$\,56.228 = -\$\,570.179$$

Subsídio fiscal Os juros devem ser pagos sobre o valor bruto do empréstimo, ainda que os intermediários recebam os custos de emissão. Como o valor bruto do empréstimo é $ 7.575.758, os juros anuais são de $ 757.576 (= $ 7.575.758 × 0,10). A despesa de juros depois dos tributos é de $ 500 mil [= $ 757.576 × (1 − 0,34)]. Como o empréstimo não é amortizado ao longo do seu prazo, a dívida inteira de $ 7.575.758 é paga na Data 5. Esses termos são indicados a seguir:

	Data 0	Data 1	Data 2	Data 3	Data 4	Data 5
Empréstimo (valor bruto)	**$ 7.575.758**					
Juros pagos		10% × $ 7.575.758 = $ 757.576	$ 757.576	$ 757.576	$ 757.576	$ 757.576
Despesas de juros após tributos		(1 − 0,34) × $ 757.576 = **$ 500.000**	**$ 500.000**	**$ 500.000**	**$ 500.000**	**$ 500.000**
Reembolso da dívida						**$ 7.575.758**

Os fluxos de caixa relevantes estão listados em negrito no quadro anterior. Eles são (1) o empréstimo recebido, (2) a despesa anual de juros depois dos tributos e (3) o reembolso da dívida. Note que incluímos o valor *bruto* do empréstimo como uma entrada, porque os custos de emissão foram previamente considerados.

No Capítulo 16, mencionamos que a decisão sobre financiamentos pode ser avaliada em termos de valor presente líquido. O valor presente líquido do empréstimo é simplesmente a soma dos valores presentes líquidos de cada um dos três fluxos de caixa. Isso pode ser representado da seguinte forma:

VPL (empréstimo) = + Montante emprestado − Valor presente de pagamentos de juros após tributação − Valor presente dos reembolsos do empréstimo (18.1)

Os cálculos para este exemplo são:

$$\$976.415 = +\$7.575.758 - \frac{\$500.000}{0,10} \times \left[1 - \left(\frac{1}{1,10}\right)^5\right] - \frac{\$7.575.758}{(1,10)^5} \quad (18.1')$$

O VPL do empréstimo é positivo, refletindo o benefício fiscal dos juros.[11]

O valor presente ajustado do projeto com esse financiamento é:

VPA = Valor somente com capital próprio − Custos de emissão da dívida + VPL (empréstimo) (18.2)

$$\$406.236 = -\$513.951 - \$56.228 + \$976.415 \quad (18.2')$$

Embora tenhamos visto anteriormente que uma empresa financiada somente por capital próprio rejeitaria o projeto, ela o *aceitaria* se um empréstimo (líquido) de $ 7,5 milhões pudesse ser obtido.

Como o empréstimo discutido era com a taxa de mercado de 10%, consideramos apenas dois dos três efeitos adicionais da dívida (custos de emissão e subsídio fiscal da dívida) até aqui. Examinaremos agora outro empréstimo em que surge o terceiro efeito.

Financiamento a taxas subsidiadas Muitas empresas têm a sorte de obter financiamentos subsidiados por algum órgão governamental. Suponha que o projeto da Tijolos S/A seja considerado socialmente benéfico e que o estado de Nova Terra conceda a ela um empréstimo de $ 7,5 milhões com juros de 8%. Além disso, todos os custos de emissão serão absorvidos pelo estado. Claramente, a empresa escolherá esse empréstimo em vez do que calculamos anteriormente. Aqui estão os fluxos de caixa do empréstimo:

	Data 0	Data 1	Data 2	Data 3	Data 4	Data 5
Empréstimo recebido	$ 7.500.000					
Juros pagos		8% × $ 7.500.000 = $ 600.000	$ 600.000	$ 600.000	$ 600.000	600.000
Juros após tributação		(1 − 0,34) × $ 600.000 = **$ 396.000**	**$ 396.000**	**$ 396.000**	**$ 396.000**	**$ 396.000**
Reembolso da dívida						**$ 7.500.000**

Os fluxos de caixa relevantes estão listados em negrito no quadro anterior. Utilizando a Equação 18.1, o VPL do empréstimo é:

$$\$1.341.939 = +\$7.500.000 - \frac{\$396.000}{0,10} \times \left[1 - \left(\frac{1}{1,10}\right)^5\right] - \frac{\$7.500.000}{(1,10)^5} \quad (18.1'')$$

Por que descontamos os fluxos de caixa na Equação 18.1" a 10% se a empresa está tomando o empréstimo a 8%? Descontamos a 10% porque essa é a taxa justa, ou de mercado. Isto é, 10% é a taxa pela qual a empresa poderia tomar o empréstimo *sem* benefício ou subsídio. O valor presente líquido do empréstimo subsidiado é maior do que o do empréstimo anterior, porque a empresa agora está tomando-o à taxa de 8%, abaixo do mercado. Note que o cálculo do VPL do empréstimo na Equação 18.1" capta o efeito fiscal *e* o efeito da taxa não de mercado.

O valor presente líquido do projeto com o financiamento por dívida subsidiada é:

VPA = Valor somente com capital próprio − Custos de emissão da dívida + VPL (empréstimo) (18.2)

+$ 827.988 = −$ 513.951 − 0 + $ 1.341.939 (18.2")

---

[11] O VPL do empréstimo deve ser zero em um mundo sem tributos, porque nele os juros não proporcionam um benefício fiscal. Para verificar essa intuição, calculamos:

$$\text{Caso sem tributos: } 0 = +\$7.575.758 - \frac{\$757.576}{0,10} \times \left[1 - \left(\frac{1}{1,10}\right)^5\right] - \frac{\$7.575.758}{(1,10)^5}$$

O exemplo anterior ilustra a abordagem do valor presente ajustado (VPA). A abordagem começa com o valor presente de um projeto para a empresa financiada somente com capital próprio. A seguir, os efeitos da dívida são acrescentados. A abordagem tem muito a seu favor. Ela é intuitivamente atraente, porque os componentes individuais são calculados separadamente e adicionados de uma forma simples. E, se a dívida do projeto pode ser precisamente especificada, o valor presente da dívida pode ser calculado com exatidão.

18.7 *Beta* e alavancagem

Um capítulo anterior fornece a fórmula para a relação entre o *beta* das ações e a alavancagem da empresa em um mundo sem tributos. Reproduzimos essa fórmula aqui:

Caso sem tributos

$$\beta_{\text{Capital próprio}} = \beta_{\text{Ativos}}\left(1 + \frac{\text{Dívida}}{\text{Capital próprio}}\right) \qquad (18.3)$$

Conforme salientado anteriormente, essa relação se mantém sob a suposição de que o *beta* da dívida seja zero.

Como as empresas, na prática, devem pagar tributos sobre os seus lucros, vale a pena apresentar a relação em um mundo com eles. Pode ser demonstrado que a relação entre o *beta* da empresa não alavancada e o *beta* do capital alavancado é apresentada na Equação 18.4:[12]

---

[12] Esse resultado se mantém somente se o *beta* da dívida equivaler a zero. Para entender isso, note que:

$$V_N + t_C B = V_A = B + S \qquad (a)$$

em que:

V_N = Valor da empresa não alavancada.
V_A = Valor da empresa alavancada.
B = Valor da dívida em uma empresa alavancada.
S = Valor do capital próprio em uma empresa alavancada.

Conforme afirmamos no texto, o *beta* da empresa alavancada é uma média ponderada do *beta* da dívida e do *beta* do capital próprio:

$$\frac{B}{B+S} \times \beta_B + \frac{S}{B+S} \times \beta_S$$

em que β_B e β_S são os *betas* da dívida e do capital próprio na empresa alavancada, respectivamente. Como $V_A = B + S$, temos:

$$\frac{B}{V_A} \times \beta_B + \frac{S}{V_A} \times \beta_S \qquad (b)$$

O *beta* da empresa alavancada *também* pode ser expresso como a média ponderada do *beta* da empresa não alavancada e do *beta* do benefício fiscal:

$$\frac{V_N}{V_N + t_C B} \times \beta_N + \frac{t_C B}{V_N + t_C B} \times \beta_B$$

em que β_N é o *beta* da empresa não alavancada. Isso resulta da Equação (a). Como $V_A = V_N + t_C B$, temos:

$$\frac{V_N}{V_A} \times \beta_N + \frac{t_C B}{V_A} \times \beta_B \qquad (c)$$

Podemos comparar (b) e (c), porque ambas apresentam o *beta* de uma empresa alavancada. A Equação (a) nos diz que $V_N = S + (1 - t_C) \times B$. Sob a suposição de que $\beta_B = 0$, a comparação de (b) e (c) e o uso da Equação (a) produzem a Equação 18.4.

A fórmula generalizada do *beta* alavancado (em que β_B não é zero) é:

$$\beta_S = \beta_N + (1 - t_C)(\beta_N - \beta_B)\frac{B}{S}$$

e:

$$\beta_N = \frac{S}{B(1 - t_C) + S}\beta_S + \frac{B(1 - t_C)}{B(1 - t_C) + S}\beta_B$$

Capítulo 18 Avaliação e Orçamento de Capital da Empresa Alavancada

Caso da tributação do lucro na pessoa jurídica

$$\beta_{\text{Capital próprio}} = \left(1 + \frac{(1-t_C)\text{Dívida}}{\text{Capital próprio}}\right)\beta_{\text{Empresa não alavancada}} \quad (18.4)$$

quando (1) a empresa é tributada à taxa de t_C e (2) a dívida tem um *beta* zero.

Como $[1 + (1 - t_C)$ Dívida/Capital próprio] deve ser maior que 1 para uma empresa alavancada, resulta que $\beta_{\text{Empresa não alavancada}} < \beta_{\text{Capital próprio}}$. O caso do tributo de pessoa jurídica da Equação 18.4 é bastante semelhante ao caso sem tributos da Equação 18.3, pois o *beta* do capital próprio alavancado deve ser maior que o *beta* da empresa não alavancada em qualquer dos casos. A intuição de que a alavancagem aumenta o risco do capital próprio se aplica em ambos os casos.

No entanto, note que as duas equações não são iguais. Pode ser mostrado que a alavancagem aumenta o *beta* do capital próprio com menos rapidez sob a tributação de lucros da pessoa jurídica. Isso ocorre porque, sob tributação, a alavancagem gera um benefício fiscal *sem risco*, diminuindo, assim, o risco da empresa inteira.

EXEMPLO 18.3 — Betas não alavancados

A Companhia do Leão está considerando um projeto de aumento de escala. O valor de mercado da dívida da empresa é $ 100 milhões, e o valor de mercado do capital próprio da empresa é $ 200 milhões. A dívida é considerada sem risco. A alíquota tributária da pessoa jurídica é de 34%. A análise de regressão indica que o *beta* do capital próprio da empresa é 2. A taxa sem risco é de 10%, e o prêmio de mercado esperado é de 8,5%. Qual seria a taxa de desconto do projeto no caso hipotético de que a Companhia do Leão seja financiada somente por capital próprio?

Podemos responder a essa pergunta em duas etapas.

1. *Determinação do beta da empresa hipoteticamente financiada somente por capital próprio*: Reorganizando a Equação 18.4, temos isto:

Beta não alavancado

$$\frac{\text{Capital próprio}}{\text{Capital próprio} + (1-t_C) \times \text{Dívida}} \times \beta_{\text{Capital próprio}} = \beta_{\text{Empresa não alavancada}} \quad (18.5)$$

$$\frac{\$ 200 \text{ milhões}}{\$ 200 \text{ milhões} + (1-0,34) \times \$ 100 \text{ milhões}} \times 2 = 1,50$$

2. *Determinação da taxa de desconto*: Calculamos a taxa de desconto a partir da linha do mercado de títulos (LMT) assim:

Taxa de desconto

$$R_S = R_F + \beta \times [\overline{R}_M - R_F]$$

$$22,75\% = 10\% + 1,50 \times 8,5\%$$

Projeto que não é de aumento de escala

Como o exemplo anterior presumiu que o projeto fosse de aumento de escala, começamos com o *beta* do capital próprio da empresa. Se o projeto não for um de aumento de escala, podemos começar com os *betas* do capital próprio de empresas do setor do projeto. Para cada empresa, podemos calcular o *beta* hipotético do capital não alavancado pela Equação 18.5. A LMT pode, então, ser utilizada para determinar a taxa de desconto do projeto a partir da média desses *betas*.

EXEMPLO 18.4 — Mais *betas* não alavancados

A Adegrampo Ltda., que atualmente fabrica grampos, está planejando um investimento de $ 1 milhão em um projeto no setor de adesivos para aeronaves. A empresa estima fluxos de caixa após tributação, não alavancados (FC_{NA}), de $ 300 mil por ano em perpetuidade a partir do projeto. Ela irá financiá-lo com um índice Dívida/Valor de 0,5 (ou, de forma equivalente, um índice Dívida/Capital próprio de 1,0).

As três concorrentes desse novo setor atualmente não estão alavancadas, com *betas* de 1,2, 1,3 e 1,4. Supondo uma taxa sem risco de 5%, um prêmio pelo risco de mercado de 9% e uma alíquota tributária de pessoa jurídica de 34%, qual é o valor presente líquido do projeto?

Podemos responder a essa pergunta em cinco etapas.

1. *Cálculo do beta não alavancado médio do setor*: O *beta* não alavancado médio das três concorrentes existentes no setor de adesivos para aeronaves é:

$$\frac{1,2 + 1,3 + 1,4}{3} = 1,3$$

2. *Cálculo do beta alavancado para o novo projeto da Adegrampo*: Supondo que esse novo projeto tenha o mesmo *beta* não alavancado das concorrentes existentes, teremos, da Equação 18.4:

Beta alavancado

$$\beta_{\text{Capital próprio}} = \left(1 + \frac{(1 - t_c)\,\text{Dívida}}{\text{Capital próprio}}\right)\beta_{\text{Empresa não alavancada}}$$

$$2{,}16 = \left(1 + \frac{0{,}66 \times 1}{1}\right) \times 1{,}3$$

3. *Cálculo do custo do capital alavancado para o novo projeto*: Calculamos a taxa de desconto a partir da linha do mercado de títulos (LMT) assim:

Taxa de desconto

$$R_S = R_F + \beta \times [\overline{R}_M - R_F]$$

$$0{,}244 = 0{,}05 \times 2{,}16 \times 0{,}09$$

4. *Cálculo do CMPC para o novo projeto*: A fórmula para determinar o custo médio ponderado de capital, R_{CMPC}, é:

$$R_{CMPC} = \frac{B}{V} R_B (1 - t_c) + \frac{S}{V} R_S$$

$$0{,}139 = \frac{1}{2} \times 0{,}05 \times 0{,}66 + \frac{1}{2} \times 0{,}244$$

5. *Determinação do valor do projeto*: Como os fluxos de caixa são perpétuos, o VPL do projeto é:

$$\frac{\text{Fluxos de caixa não alavancados (FC}_{NA})}{R_{CMPC}} - \text{Investimento inicial}$$

$$\frac{\$\,300.000}{0{,}139} - \$\,1\ \text{milhão} = \$\,1{,}16\ \text{milhão}$$

Resumo e conclusões

Os capítulos anteriores deste livro mostraram como avaliar projetos e empresas inteiras com e sem alavancagem. Nos três últimos capítulos, discutimos como determinar o montante ótimo de alavancagem. Mostramos que a introdução de tributos e custos de falência altera as decisões de financiamento de uma empresa. Empresas racionais, na sua maioria, deveriam empregar alguma dívida em um mundo desse tipo. O presente capítulo discutiu três métodos para avaliação para uso por empresas alavancadas: as abordagens do valor presente ajustado (VPA), do fluxo de caixa para o acionista (FPA) e do custo médio ponderado de capital (CMPC).

QUESTÕES CONCEITUAIS

1. **VPA** Como o VPA de um projeto é calculado?
2. **CMPC e VPA** Qual é a principal diferença entre os métodos CMPC e VPA?
3. **FPA** Qual é a principal diferença entre a abordagem do FPA e as outras duas?
4. **Orçamento de capital** Você está avaliando se sua empresa deve empreender um novo projeto e calculou o VPL dele utilizando o método CMPC, quando o diretor financeiro, que era contador, nota que os pagamentos de juros não foram utilizados ao calcular os fluxos de caixa do projeto. O que você deveria dizer a ele? Se ele insistir para que você inclua os pagamentos de juros no cálculo dos fluxos de caixa, qual método pode ser utilizado?
5. *Beta* e alavancagem Quais são os dois tipos de risco medidos por um *beta* alavancado?

QUESTÕES E PROBLEMAS

BÁSICO (Questões 1-9)

1. **VPL e VPA** A Zoso é uma empresa de aluguel de automóveis que está tentando decidir se deve adicionar 35 carros à sua frota. A empresa deprecia completamente todos os seus carros para aluguel ao longo de cinco anos utilizando o método linear. Espera-se que os carros novos gerem $ 175 mil por ano em lucro antes de tributos e depreciação por cinco anos. A empresa é totalmente financiada por capital próprio e tem uma alíquota tributária de 34%. O retorno exigido sobre o capital não alavancado da empresa é de 13%, e a nova frota não irá alterar o risco da empresa.

    a. Qual é o preço máximo que a empresa estaria disposta a pagar pela nova frota de carros se continuar a ser financiada somente por capital próprio?

    b. Suponha que a empresa possa adquirir a frota de carros por $ 480 mil. Adicionalmente, suponha que ela possa tomar emprestado $ 390 mil por cinco anos a 8% para financiar o projeto. Todo o principal será liquidado em um único pagamento no fim do quinto ano. Qual é o valor presente ajustado (VPA) do projeto?

2. **VPA** A Gemini S/A, empresa financiada somente por capital próprio, está avaliando um investimento de $ 1,7 milhão que será depreciado de acordo com o método linear ao longo de sua vida útil de quatro anos. Espera-se que o projeto gere lucros antes de tributos e depreciação de $ 595 mil por ano por quatro anos. O investimento não irá alterar o nível de risco da empresa. É possível obter um empréstimo de quatro anos a 9,5% para financiar o projeto. Todo o principal será liquidado em um único pagamento no fim do quarto ano. O banco cobrará da empresa $ 45 mil em comissões e tarifas, que serão amortizados ao longo da vida útil de quatro anos do empréstimo. Se a empresa financiasse o projeto totalmente com capital próprio, seu custo de capital seria de 13%. A alíquota tributária de pessoa jurídica para essa empresa será de 30% ao longo da vida do projeto. Utilizando o método do valor presente ajustado, determine se a empresa deve empreender o projeto.

3. **FPA** A Milano Pizza Clube possui três restaurantes idênticos conhecidos por suas pizzas especiais. Cada restaurante tem um índice Dívida/Capital próprio de 40% e paga juros de $ 41 mil ao fim de cada ano. O custo do capital alavancado da empresa é 19%. Cada loja estima que as vendas anuais serão de $ 1,3 milhão, o custo anual das mercadorias vendidas será de $ 670 mil e as despesas gerais e administrativas serão de $ 405 mil anuais.

Espera-se que esses fluxos de caixa permaneçam iguais para sempre. A alíquota tributária de pessoa jurídica é 34%.

   a. Utilize a abordagem do fluxo de caixa para o acionista para determinar o valor do capital da empresa.

   b. Qual é o valor total da empresa?

4. **CMPC** Se a Bugigangas Brutas S/A fosse uma empresa financiada somente por capital próprio, teria um *beta* de 0,85. A empresa tem uma meta para o índice Dívida/Capital próprio de 0,40. O retorno esperado sobre a carteira de mercado é de 11%, e as letras do Tesouro atualmente rendem 4%. A empresa tem uma emissão de títulos de dívida em circulação que vence em 20 anos e tem uma taxa de cupom de 7%. No momento, cada título de dívida é negociado por $ 1.080. A alíquota tributária de pessoa jurídica é 34%.

   a. Qual é o custo da dívida da empresa?

   b. Qual é o custo de capital da empresa?

   c. Qual é o custo médio ponderado de capital da empresa?

5. *Beta* **e alavancagem** A Polo Norte Equipamentos de Pesca e a Polo Sul Equipamentos de Pesca teriam *betas* idênticos do capital próprio de 1,10 se ambas fossem financiadas somente por capital próprio. As informações sobre o valor de mercado de cada empresa são mostradas a seguir:

	Polo Norte	Polo Sul
Dívida	$ 2.900.000	$ 3.800.000
Capital próprio	$ 3.800.000	$ 2.900.000

   O retorno esperado da carteira de mercado é de 10,9%, e a taxa sem risco é de 3,2%. Ambas as empresas estão sujeitas a uma alíquota tributária de pessoa jurídica de 34%. Suponha que o *beta* da dívida seja zero.

   a. Qual é o *beta* do capital de cada uma das duas empresas?

   b. Qual é a taxa de retorno exigido do capital próprio de cada uma das duas empresas?

6. **VPL de empréstimos** Daniel Café, diretor financeiro da Torrefadora S/A, está avaliando um empréstimo de 10 anos a 8% com montante bruto de $ 5.850.000. Os pagamentos de juros do empréstimo serão feitos anualmente. Estima-se que os custos de emissão sejam de 2,5% do valor bruto do empréstimo, que serão amortizados contabilmente em cronograma linear ao longo da vida útil de 10 anos do empréstimo. A alíquota tributária da empresa é de 34%, e o empréstimo não aumentará o risco de dificuldades financeiras dela.

   a. Calcule o valor presente líquido do empréstimo excluindo os custos de emissão.

   b. Calcule o valor presente líquido do empréstimo incluindo os custos de emissão.

7. **VPL de uma empresa financiada somente por capital próprio** A Companhia Vidro Trincado é uma empresa financiada somente por capital próprio. No momento, o custo do capital da empresa é de 11%, e a taxa sem risco é de 3,5%. A empresa está estudando um projeto que custará $ 11,4 milhões e durará seis anos. As receitas menos as despesas do projeto trarão o montante de $ 3,2 milhões a cada ano. Se a empresa tiver uma alíquota tributária de 34%, ela deve aceitá-lo?

8. **CMPC** A Companhia Elétrica Nacional S/A (CENSA) está considerando um projeto de $ 45 milhões em sua divisão de sistemas de potência. Tomás Edison, o diretor financeiro da empresa, avaliou o projeto e determinou que os fluxos de caixa não alavancados dele serão de $ 3,1 milhões por ano em perpetuidade. O Sr. Edison pensou em duas possibilidades para levantar recursos para o investimento inicial: uma emissão de títulos de dívida de 10 anos ou uma emissão de ações. O custo da dívida da CENSA antes da tributação é de 6,9%, e seu custo do capital próprio é de 10,8%. A meta para o índice Dívida/Valor da empresa é 80%. O projeto tem o mesmo risco que os negócios existentes da CENSA e irá

suportar o mesmo montante de dívida. A CENSA está na faixa fiscal de 34%. Ela deveria aceitar o projeto?

9. **CMPC** A Bolero S/A compilou as seguintes informações sobre seus custos de financiamento:

Tipo de financiamento	Valor contábil	Valor de mercado	Custo
Dívida de curto prazo	$ 10.000.000	$ 11.000.000	4,1%
Dívida de longo prazo	3.000.000	3.000.000	7,2
Ações	6.000.000	26.000.000	13,8
Total	$ 19.000.000	$ 40.000.000	

A empresa está na faixa fiscal de 34% e tem uma meta para o índice Dívida/Capital próprio de 60%. A meta para o índice Dívida de curto prazo/Dívida de longo prazo é 20%.

a. Qual é o custo médio ponderado de capital da empresa utilizando os pesos do valor contábil?

b. Qual é o custo médio ponderado de capital da empresa utilizando os pesos do valor de mercado?

c. Qual é o custo médio ponderado de capital da empresa utilizando os pesos da estrutura de capital?

d. Qual é a diferença entre os CMPCs? Qual é o CMPC correto a utilizar para a avaliação do projeto?

INTERMEDIÁRIO
(Questões 10-14)

10. **VPA** A Companhia Tríade estabeleceu um empreendimento conjunto (*joint venture*) com a Companhia Construtora de Estradas para a pavimentação de uma estrada no Estado de Terra do Norte, pedagiada sob concessão. O investimento inicial em equipamentos de pavimentação é de $ 80 milhões. Os equipamentos serão totalmente depreciados com uso do método linear ao longo de sua vida útil econômica de cinco anos. Projeta-se que o lucro antes de juros, imposto de renda e depreciação a ser recolhido nos postos de pedágio seja de $ 12,1 milhões por ano, por 20 anos, começando a partir do fim do primeiro ano. A alíquota tributária de pessoa jurídica é de 34%. A taxa de retorno exigido do projeto, se financiado somente por capital próprio, é de 13%. O custo da dívida para o empreendimento conjunto antes da tributação é de 8,5%. Para encorajar o investimento na infraestrutura do país, o governo subsidiará o projeto com um empréstimo de $ 25 milhões por 15 anos com uma taxa de juros de 5% ao ano. Todo o principal do empréstimo será liquidado com um pagamento no fim do Ano 15. Qual é o valor presente ajustado desse projeto?

11. **VPA** Para a empresa do problema anterior, qual é o valor de poder captar empréstimo subsidiado em vez de ter de obtê-lo nos termos que normalmente teria? Suponha que o valor de face e o vencimento da dívida sejam os mesmos.

12. **VPA** A MVP S/A produziu suprimentos para rodeios por mais de 20 anos. A empresa tem atualmente um índice Dívida/Capital próprio de 50% e está na faixa fiscal de 34%. O retorno exigido do capital próprio da empresa é de 16%. A MVP está planejando expandir sua capacidade de produção. Os equipamentos a serem adquiridos têm expectativa de gerar os seguintes fluxos de caixa não alavancados:

Ano	Fluxo de caixa
0	–$ 18.000.000
1	5.700.000
2	9.500.000
3	8.800.000

A empresa pode captar um empréstimo de $ 9,3 milhões para financiar parcialmente a expansão. Com o empréstimo, a empresa pagaria juros de 9% no fim de cada ano sobre o saldo devedor no início do ano. A empresa também faria pagamentos de principal no fim do ano de $ 3,1 milhões ao ano, liquidando completamente o empréstimo no fim do terceiro ano. Utilizando o método do valor presente ajustado, a empresa deve dar continuidade à expansão?

13. **CMPC** Os retornos das ações da Companhia Neon têm uma covariância com a carteira de mercado de 0,0415. O desvio padrão dos retornos da carteira de mercado é de 20%, e o prêmio pelo risco de mercado esperado é de 7,5%. A empresa tem títulos de dívida em circulação com um valor total de mercado de $ 55 milhões e um retorno até o vencimento de 6,5%. A empresa também tem 4,5 milhões de ações em circulação, cada uma negociada por $ 25. O diretor-presidente da empresa considera o índice Dívida/Capital próprio dela ideal. A alíquota tributária de pessoa jurídica é 34%, e as letras do Tesouro atualmente rendem 3,4%. A empresa está considerando a aquisição de equipamentos adicionais que custariam $ 42 milhões. Os fluxos de caixa não alavancados esperados dos equipamentos são de $ 11,8 milhões por ano por cinco anos. A aquisição dos equipamentos não irá alterar o nível de risco da empresa.

    a. Utilize a abordagem do custo médio ponderado de capital para determinar se a Neon deve adquirir os equipamentos.

    b. Suponha que a empresa decida financiar a aquisição dos equipamentos totalmente com dívida. Qual é o custo de capital do projeto agora? Explique.

14. *Beta* e **alavancagem** A Casa das Prateleiras tem um novo projeto disponível que requer um investimento inicial de $ 4,5 milhões. O projeto proporcionará fluxos de caixa não alavancados de $ 675 mil por ano pelos próximos 20 anos. A empresa financiará o projeto com um índice Dívida/Valor de 0,40. Os títulos de dívida da empresa têm um retorno até o vencimento de 6,8%. As empresas com operações comparáveis a esse projeto têm *betas* não alavancados de 1,15, 1,08, 1,30 e 1,25. A taxa sem risco é de 3,8%, e o prêmio pelo risco de mercado é de 7%. A empresa tem uma alíquota tributária de 34%. Qual é o VPL desse projeto?

DESAFIO
(Questões 15-18)

15. **VPA, FPA e CMPC** A Siga é uma empresa não alavancada com lucro anual esperado antes de tributos de $ 21 milhões em perpetuidade. O retorno exigido atual do capital próprio da empresa é de 16%, e a empresa distribui todo o seu lucro como dividendos no fim de cada ano. A empresa tem 1,3 milhão de ações em circulação, e sua alíquota tributária é de 34%. A empresa está planejando uma recompra de ações para a qual emitirá $ 30 milhões em títulos de dívida perpétua a 9% e utilizará a captação para recomprar ações.

    a. Calcule o valor da empresa antes do plano de recapitalização ser anunciado. Qual é o valor do capital próprio antes do anúncio? Qual é o preço por ação?

    b. Utilize o método do VPA para calcular o valor da empresa depois de o plano de recompra ser anunciado. Qual é o valor do capital próprio depois do anúncio? Qual é o preço por ação?

    c. Quantas ações serão recompradas? Qual é o valor do capital próprio depois de a recompra ter sido concluída? Qual é o preço por ação?

    d. Utilize o método de fluxo de caixa para o acionista para calcular o valor do capital próprio da empresa depois da recompra.

16. **VPA, FPA e CMPC** A Companhia da Menta tem um índice Dívida/Capital próprio de 0,35. O retorno exigido do capital não alavancado da empresa é de 13%, e o custo da dívida da empresa antes dos tributos é de 7%. A receita de vendas da empresa tem expectativa de permanecer estável indefinidamente no nível de $ 17,5 milhões do último ano. Os custos variáveis perfazem 60% das vendas. A alíquota tributária é de 34%, e a empresa distribui todo o seu lucro como dividendos no fim de cada ano.

    a. Se a empresa fosse financiada somente por capital próprio, quanto valeria?

    b. Qual é o retorno exigido do capital próprio alavancado da empresa?

c. Utilize o método do custo médio ponderado de capital para calcular o valor da empresa. Qual é o valor do capital próprio da empresa? Qual é o valor da dívida da empresa?

d. Utilize o método do fluxo de caixa para o acionista para calcular o valor do capital da empresa.

17. **VPA, FPA e CMPC** A Lone Star Industries emitiu $ 235 mil em títulos de dívida perpétua a 8% e utilizou a captação para recomprar ações. A empresa espera gerar $ 118 mil em lucro antes de juros e imposto de renda em perpetuidade. Ela distribui todo o lucro como dividendos no fim de cada ano. O custo não alavancado do capital próprio da empresa é de 14%, e a alíquota tributária de pessoa jurídica é de 40%.

a. Qual é o valor da empresa se não estiver alavancada?

b. Utilize o método de valor presente ajustado para calcular o valor da empresa com alavancagem.

c. Qual é o retorno exigido do capital alavancado da empresa?

d. Utilize o método do fluxo de caixa para o acionista para calcular o valor do capital da empresa.

18. **Projetos que não alteram escala** A Anjo Azul, uma empresa de capital fechado que atua no setor de presentes, está planejando um novo projeto. A empresa atualmente tem uma meta para o índice Dívida/Capital próprio de 0,40, mas a meta do setor é 0,35. A média do *beta* do setor é 1,2. O prêmio pelo risco de mercado é de 7%, e a taxa sem risco é de 5%. Suponha que todas as empresas desse setor possam captar recursos de dívida com a taxa sem risco. A alíquota tributária de pessoa jurídica é 34%. O projeto requer um desembolso inicial de $ 675 mil e tem expectativa de resultar em uma entrada de caixa de $ 95 mil no fim do primeiro ano. Ele será financiado de acordo com a meta para o índice Dívida/Capital próprio da Anjo Azul. Os fluxos de caixa anuais do projeto crescerão a uma taxa constante de 5% até o fim do quinto ano e permanecerão constantes para sempre depois disso. A Anjo Azul deve investir no projeto?

MINICASO

Aquisição alavancada da Cheek Products Inc.

Um grupo de investidores brasileiros está avaliando uma empresa nos EUA, a Cheek Products Inc. (CPI), que foi fundada há 53 anos e originalmente vendia lanches, como batatas fritas e pretzels. Por meio de aquisições, a empresa se tornou um conglomerado com divisões importantes no setor de lanches, sistemas de segurança domiciliar, cosméticos e plásticos. Adicionalmente, ela tem várias divisões menores. Nos últimos anos, a empresa tem tido baixo desempenho, mas sua administração não parece estar buscando com afinco oportunidades de melhorar as operações (ou o preço da ação).

Marta Duran é uma analista financeira especializada na identificação de potenciais alvos de aquisição do grupo. Ela acredita que duas alterações principais são necessárias na Cheek. Primeiramente, ela pensa que a empresa estaria melhor se vendesse várias divisões e se concentrasse em suas competências centrais: lanches e sistemas de segurança domiciliar. Em um segundo momento, a empresa é totalmente financiada por capital próprio. Como os fluxos de caixa da empresa são relativamente estáveis, Marta pensa que o índice Dívida/Capital próprio dela deveria ser, ao menos, 0,25. Ela acredita que essas alterações melhorariam significativamente a riqueza dos acionistas, mas também que o conselho existente e a administração da empresa provavelmente não irão tomar as medidas necessárias. Com isso, Marta pensa que a empresa é uma boa candidata para uma aquisição alavancada.

Uma aquisição alavancada (LBO) é a aquisição de uma empresa de capital aberto ou de capital fechado por um pequeno grupo de investidores. Geralmente, uma LBO é financiada principalmente por dívida. Os novos acionistas fazem os pesados pagamentos de juros e principal com o dinheiro das operações e/ou da vendas de ativos da empresa adquirida. Os acionistas adquirentes geralmente esperam reverter a LBO dentro de três a sete anos por meio de uma oferta pública ou venda para outra empresa. Uma aquisição, portanto, tende a ser bem-sucedida apenas se a empresa gerar caixa para pagar a dívida nos primeiros anos e se for atraente para outros compradores alguns anos mais tarde.

Marta sugeriu a LBO potencial a seus sócios, Roberto Freitas e Bruno Souza. Roberto e Bruno pediram a Marta que fornecesse projeções dos fluxos de caixa da empresa. Marta apresentou as seguintes estimativas (em milhões):

	2015	2016	2017	2018	2019
Vendas	$ 2.749	$ 3.083	$ 3.322	$ 3.400	$ 3.539
Custos	731	959	1.009	1.091	1.149
Depreciação	485	516	537	564	575
EBT	$ 1.533	$ 1.608	$ 1.776	$ 1.745	$ 1.815
Gastos de capital	$ 279	$ 242	304	308	$ 304
Variação do capital de giro	$(122)	$(186)	101	95	$ 108
Vendas de ativos	$ 1.419	$ 1.028			

Ao fim de cinco anos, Marta estima que a taxa de crescimento em fluxos de caixa será de 3,5% ao ano. Os gastos de capital são para os novos projetos e a substituição de equipamentos que se desgastarem. Além disso, a empresa poderia realizar caixa com a venda de várias divisões. Apesar da venda dessas divisões, as vendas totais devem aumentar por causa de um empenho mais concentrado nas divisões remanescentes.

Depois de examinar as finanças da empresa e vários cenários projetados, Roberto e Bruno acreditam que poderão vender a empresa para outro grupo ou torná-la uma empresa aberta de novo em cinco anos. Eles também estão cientes de que terão de tomar emprestado um montante considerável do preço de compra. Os pagamentos de juros para cada um dos próximos cinco anos se a LBO for empreendida serão estes (em milhões):

	2015	2016	2017	2018	2019
Pagamentos de juros	$ 1.927	$ 1.859	$ 2.592	$ 2.526	$ 2.614

A empresa, atualmente, tem um retorno exigido sobre os ativos de 14%. Por causa do alto nível de endividamento, a dívida terá um retorno exigido até o vencimento de 12,5% pelos próximos cinco anos. Quando a dívida for refinanciada em cinco anos, eles acreditam que o novo retorno exigido até o vencimento será de 8%.

A CPI atualmente tem 425 mil ações em circulação, que são negociadas por $ 29 cada. A alíquota tributária de pessoa jurídica é 40%. Se Marta, Roberto e Bruno decidirem realizar a LBO, qual é o máximo que devem oferecer por ação?

APÊNDICE 18A — Abordagem do valor presente ajustado para avaliar aquisições alavancadas

Para acessar o apêndice deste capítulo, cadastre-se no *site* do Grupo A (www.grupoa.com.br) e procure pela página deste livro. Clique em conteúdo online.

Dividendos e Outras Formas de Distribuição de Lucros

19

No dia 16 de fevereiro de 2011, a empresa Comcast, que oferece TV por assinatura e Internet, anunciou um amplo plano para premiar os acionistas devido ao sucesso recente dos negócios. Com esse plano, a Comcast (1) aumentaria em 18% seu dividendo anual de $ 0,38 para $ 0,45 por ação e (2) elevaria a recompra de suas ações, do valor de $ 1,2 bilhão, no ano anterior, para $ 2,1 bilhões em ações. Os investidores comemoraram, fazendo com o preço da ação subisse cerca de 4% no dia do anúncio. Por que os investidores ficaram tão felizes? Para descobrir, este capítulo tratará desses tipos de estratégia e de suas implicações para os acionistas.

Para ficar por dentro dos últimos acontecimentos na área de finanças, visite **www.rwjcorporatefinance.blogspot.com**.

19.1 Diferentes tipos de distribuição de lucros

No Brasil, o termo *dividendo* refere-se à distribuição de lucros da empresa, em dinheiro. Nos Estados Unidos, o termo também é usualmente utilizado para distribuição de lucros em dinheiro, porém lá, diferentemente do Brasil, a distribuição pode ser feita de fontes diferentes dos lucros correntes ou dos lucros retidos, caso em que o termo *distribuição* é usado em vez do termo dividendo. Ainda nos EUA, pode ocorrer uma distribuição de capital que lá é referida como um *dividendo de liquidação*. Não existe essa forma de dividendos no Brasil; aqui, um dividendo de liquidação só ocorre para uma companhia que encerra suas atividades. Pode ocorrer quando se encerra uma falência ou quando a assembleia decide encerrar as atividades da empresa, vender seus ativos e transferir a quantia recebida aos acionistas.

No caso brasileiro, a Lei nº 6.404/76 determina que os dividendos podem ser pagos *somente* à conta de lucro líquido do exercício, dos lucros acumulados e das reservas de lucros. Nos casos previstos em lei para ações preferenciais, o dividendo também pode ser pago à conta de reserva de capital, mas essa hipótese excepcional deve estar prevista no estatuto e somente ocorrerá se o lucro do exercício for insuficiente. O estatuto ou a assembleia-geral extraordinária pode autorizar a aplicação de lucros ou reservas no resgate ou na amortização de ações, determinando as condições e o modo de proceder-se à operação.

Quando empresas de capital aberto pagam dividendos, é normal que elas paguem **dividendos regulares** quatro vezes ao ano. Às vezes, as empresas pagam um dividendo regular e um *dividendo extraordinário*. O pagamento de dividendos aos acionistas reduz o caixa da empresa e os lucros retidos.

Outro tipo de "distribuição de lucros" se dá na forma de novas ações. Essa distribuição é conhecida como **bonificação**. Nesse caso, não há saída de caixa da empresa. Em vez disso, uma bonificação aumenta o número de ações em circulação, o que diminui o valor de cada ação.[1] Uma bonificação é, como regra, expressa como um índice. Por exemplo, uma bonificação de 2% faz com que um acionista receba uma nova ação para cada 50 ações que possui no momento. Às vezes, há alguma confusão entre "bonificação" e "desdobramento".

---

[1] Mais precisamente, a bonificação resulta de aumento de capital, por incorporação de reservas e lucros, com distribuição gratuita de novas ações aos acionistas. A entrega de ações não representa transferência de valores da companhia aos seus acionistas, mas estes poderão realizar a venda das ações recebidas e, assim, realizar caixa, como se tivessem recebido dividendos.

Quando uma empresa anuncia um **desdobramento de ações**, ela aumenta o número de ações em circulação. Como cada ação está relacionada a uma porcentagem menor do fluxo de caixa da empresa, o preço da ação deve sofrer redução. Por exemplo, se os gestores de uma empresa cuja ação é negociada a $ 90 declararem um desdobramento de três ações para cada ação, o preço da ação deverá cair para cerca de $ 30. Um desdobramento lembra, em grande parte, uma bonificação, porém ele é muito maior. No mercado brasileiro considera-se "bonificação" uma distribuição de lucros na forma de novas ações, enquanto "desdobramento" apenas muda o número de ações emitidas.

Uma forma alternativa de pagamento em dinheiro é a **recompra de ações**. Assim como uma empresa pode usar dinheiro para pagar dividendos, ela pode usar dinheiro para comprar de volta ações da própria empresa. A empresa passa a ser titular das ações, que são consideradas ações em tesouraria. A Lei nº 6.404/76 determina que ações em tesouraria deverão ser destacadas no balanço como dedução da conta do patrimônio líquido que registrar a origem dos recursos aplicados na sua aquisição. O artigo 30 dessa lei determina como regra geral que a companhia não poderá negociar com as próprias ações e estabelece algumas exceções em que a compra das próprias ações é admitida.

19.2 Método padrão de distribuição de dividendos

Nos EUA, a decisão de distribuir dividendos fica a cargo do conselho de administração das empresas. Um dividendo pode ser distribuído aos acionistas registrados em uma determinada data. Isto também pode ocorrer no Brasil, quando o estatuto da empresa autorizar o conselho de administração a tomar essa decisão. Caso não haja previsão estatutária, a decisão final cabe à assembleia de acionistas.

Quando um dividendo é anunciado, ele se torna um passivo da empresa, e ela não pode facilmente rescindir seu pagamento. No Brasil o valor do dividendo é expresso em reais por ação (*dividendo por ação*), como uma porcentagem do preço de mercado (*retorno em dividendos*, ou, como também muito utilizado no mercado brasileiro, *yield*) ou como uma porcentagem do lucro por ação (*payout,* ou *taxa de distribuição*).

O procedimento de um pagamento de dividendos pode ser ilustrado pelo exemplo da Figura 19.1 e pela seguinte ordem de acontecimentos:

Para consultar uma relação dos dividendos do dia de hoje nos Estados Unidos, visite a página **www.earnings.com**.

1. *Data da declaração do dividendo*: no dia 15 de janeiro (a data de declaração), o conselho de administração aprova uma decisão de distribuição de dividendos de $ 1 por ação e seu pagamento, em 16 de fevereiro, a todos os acionistas que estiverem registrados em 30 de janeiro.

2. *Data do registro ou data-base*: a empresa elabora uma lista no dia 30 de janeiro que relaciona todos os indivíduos que supostamente são acionistas nessa data. A palavra *supostamente* é importante: o dividendo não será pago às pessoas cuja notificação de compra de ações for recebida pela empresa após a data de 30 de janeiro.

3. *Data ex-dividendo*: no Brasil, todos os acionistas têm uma "conta corrente" em uma instituição depositária de ações (banco custodiante), e as alterações de titularidade são realizadas por sistemas eletrônicos, de forma que a data ex-dividendos geralmente é o dia útil seguinte ao da data-base. Já nos EUA, é usual que os pagamentos sejam realizados por cheque (a emissora aproveita os dias de *float* até a compensação dos cheques). Lá, o procedimento do registro de mudanças de titularidade depende da eficiência das corretoras; pode ocorrer que as mais eficientes consigam notificar a empresa no dia 30 de janeiro sobre uma operação realizada no dia anterior (29 de janeiro), enquanto uma corretora menos eficiente poderia notificar a empresa até 2 de fevereiro. Para solucionar esse problema, lá, todas as corretoras concedem o direito aos acionistas de receber dividendos se eles comprarem a ação três dias antes da data do registro. Nesse caso, o segundo dia antes da data do registro (28 de janeiro) é chamado de data ex-dividendo. Antes dessa data, a ação seria negociada com dividendos, como uma ação cheia (*cum dividend*).

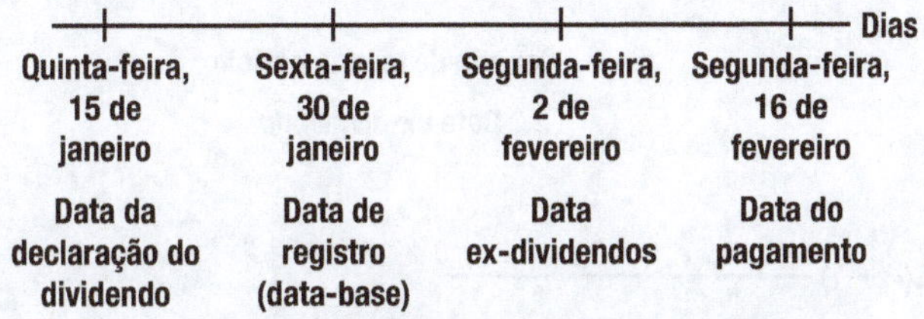

```
|─────────────|─────────────|─────────────|─────────────| Dias
Quinta-feira,  Sexta-feira,  Segunda-feira, Segunda-feira,
15 de         30 de         2 de          16 de
janeiro       janeiro       fevereiro     fevereiro

Data da       Data de       Data          Data do
declaração do registro      ex-dividendos pagamento
dividendo     (data-base)
```

1. *Data da declaração*: o conselho de administração anuncia uma distribuição de dividendos.
2. *Data do registro ou data-base:* os dividendos declarados podem ser distribuídos a acionistas que possuem ações registradas nessa data específica.
3. *Data ex-dividendo*: uma ação se torna ex-dividendo na data em que o vendedor passa a ter o direito de manter o dividendo (ou em que o comprador não terá direito ao dividendo declarado).[2]
4. *Data do pagamento*: data em que os acionistas terão seus créditos disponíveis no domicílio bancário fornecido à instituição depositária das ações.

FIGURA 19.1 Exemplo de procedimento para a distribuição de dividendos.

4. *Data do pagamento*: com base nos seus registros ou nos registros da instituição depositária que presta o serviço de administração de relações com acionistas, a empresa transfere reservas bancárias com valor em 16 de fevereiro para o banco designado por cada um dos acionistas. Nos EUA, na cronologia descrita na Figura 19.1, em 16 de fevereiro, os cheques seriam remetidos. No Brasil, essa seria a data do crédito dos dividendos na conta corrente do acionista.

A data ex-dividendo é importante, porque uma pessoa que compre a ação antes dessa data receberá o dividendo corrente, enquanto outra que compra o título nessa data ou depois não receberá o dividendo. Portanto, se nenhum outro evento ocorrer, o preço da ação cairá na data ex-dividendo. É válido mencionar que essa queda é uma indicação de eficiência, não de ineficiência, do mercado, pois ele, de forma racional, valoriza um dividendo. Em um mundo sem impostos ou custos de transação, seria esperado que o preço da ação caísse no exato valor do dividendo; por exemplo, se o dividendo fosse de $ 1,00 por ação:

Antes da data ex-dividendo   Preço = $(P + 1)

Na data ex-dividendo ou após essa data   Preço = $P

Isso é ilustrado na Figura 19.2.

O valor da queda do preço pode depender da existência de tributação e, nesse caso, também das alíquotas tributárias. Por exemplo, vamos supor que a alíquota de 15% de IRRF que incide sobre o rendimento de juros sobre o capital próprio (que trataremos em seguida) também incidisse sobre dividendos. Além disso, considere que não há impostos sobre ganhos de capital. No dia anterior à data ex-dividendo da ação, um comprador deve decidir entre: (1) comprar a ação imediatamente e pagar imposto sobre o dividendo que está por vir ou (2) comprar a ação no dia seguinte, perdendo o direito de receber o dividendo. Se todos os investidores estivessem na faixa de tributação de 15% e o dividendo trimestral fosse de $ 1, o preço da ação cairia $ 0,85 na data ex-dividendo; ou seja, se o preço da ação caísse nesse valor na data ex-dividendos, os compradores teriam o mesmo retorno com qualquer uma das duas estratégias. Os efeitos tributários podem ser muito diferentes em se tratando de ações negociadas no mercado norte-americano

---

[2] Uma diferença importante do mercado brasileiro para o mercado norte-americano é que, de acordo com as regras da Bolsa de Valores de Nova York, as ações são negociadas como ex-dividendos *dois dias antes* da data de registro, enquanto no mercado brasileiro a data ex-dividendos *ocorre após o anúncio*, podendo ocorrer no pregão imediatamente após a comunicação pública da distribuição, ou até no mesmo dia, se a comunicação ocorrer antes do início do pregão.

Cenário de mundo perfeito

Data ex-dividendo

Preço = $(P + 1) ──── −t ··· −2 −1 0 +1 +2 ··· t

$1 é a queda do preço ex-dividendo

Preço = $P

No cenário de um mundo sem impostos sobre dividendos, como é o caso no Brasil, espera-se que o preço da ação na data ex-dividendo (tempo 0) caia no montante do dividendo. Se o dividendo for de $1 por ação, o preço será igual a P na data ex-dividendo.

Antes da data ex-dividendo (−1) Preço = $(P + 1)
Data ex-dividendo (0)   Preço = $P

FIGURA 19.2 Comportamento do preço perto da data ex-dividendo para um dividendo de $1.

ou no mercado brasileiro. Nos EUA, visto que os dividendos são tributados, a queda real de preço poderia estar mais próxima do valor do dividendo após impostos. Lá, a determinação desse valor é complicada, devido às diferentes alíquotas tributárias que se aplicam aos diferentes acionistas. No Brasil, a queda de preço esperada é de aproximadamente o valor do próprio dividendo, uma vez que, aqui, os dividendos não são tributados, pois constituem distribuição de lucro líquido, já tributado na empresa.

Como exemplo da queda do preço na data ex-dividendo, examinamos o alto dividendo pago pela empresa de assessoria de investimentos Diamond Hill Investment Group em dezembro de 2010. O dividendo era de $ 13 por ação em uma época em que o preço da ação estava em torno de $ 85, portanto o dividendo era de 15% do preço total da ação.

A ação passou a ser ex-dividendo no dia 29 de novembro de 2010. O gráfico do preço da ação a seguir mostra a variação na ação da Diamond Hill quatro dias antes e na data ex-dividendo.

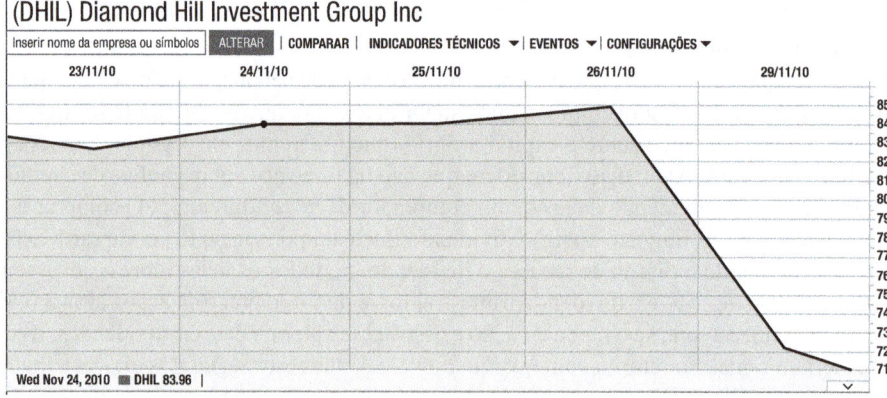

A ação fechou a $ 84,86 em 26 de novembro (uma sexta-feira) e abriu a $ 72,19 em 29 de novembro – uma queda de $ 12,67. Com a alíquota tributária de 15% sobre os dividendos vigente nos EUA, era esperada uma queda de $ 11,05, o que mostra que o preço na realidade caiu um pouco mais do que o esperado – em outra seção, exploraremos a relação entre dividendos e impostos com mais detalhes.

19.3 Dividendos na legislação societária brasileira[3]

O que é apresentado neste capítulo, em grande parte, refere-se às práticas e aos resultados de pesquisas no mercado norte-americano. Podemos generalizar as consequências das observações para o caso brasileiro? No Brasil, a Lei das Sociedades por Ações define de maneira bastante minuciosa tanto a distribuição de lucros na forma de dividendos como a recompra de ações. Ela define que o estatuto da empresa deve estabelecer o dividendo como porcentagem do lucro ou do capital social, ou fixar outros critérios para determiná-lo. Portanto, no caso brasileiro, além da teoria e das pesquisas sobre o tema, impõe-se conhecer o que é determinado pela legislação societária.

Dividendo é direito do acionista   A Lei Societária Brasileira estabelece que os acionistas têm o direito de receber como dividendo obrigatório, em cada exercício, a parcela dos lucros estabelecida *no estatuto* e, no silêncio deste, o que é estabelecido na lei. O estatuto poderá estabelecer o dividendo como porcentagem do lucro ou do capital social, ou fixar outros critérios para determiná-lo, desde que seja regulado, com *precisão e minúcia*, e não sujeite os acionistas minoritários ao arbítrio dos órgãos de administração ou da maioria.

Se o estatuto for omisso quanto ao percentual de lucros a ser distribuído aos acionistas, a lei estabelece que:

- O dividendo deve corresponder a 50% do lucro líquido do exercício diminuído ou acrescido da importância destinada à constituição da reserva legal e da importância destinada à formação da reserva para contingências.
- Se a assembleia geral deliberar alterar o estatuto omisso para introduzir norma sobre dividendos, o percentual mínimo deve ser de 25% do lucro líquido ajustado.

No caso de a empresa ter ações preferenciais, é estabelecido o mínimo de 25% do lucro líquido, ajustado somente no caso de ausência das outras preferências ou vantagens admitidas no artigo 17 da LSA (Brasil, 1976).[4]

Qual é o mínimo legal obrigatório no Brasil?   Muitos afirmam que o dividendo mínimo obrigatório no Brasil é de 25% do lucro líquido do exercício. Como vimos, o mínimo é o que *determina o estatuto* da empresa e, no silêncio deste, o que determina a lei. Como vimos, o percentual mínimo é de 50% do lucro ajustado se não houver previsão no estatuto e será de, no mínimo, 25% se o percentual for tratado em reforma de estatuto que era omisso sobre dividendos. Assim, quando a Lei Societária Brasileira define um percentual mínimo de distribuição do lucro líquido, estabelece esse mínimo como uma condição contingente a certa situação. Isso, entretanto, não implica dizer que a distribuição mínima obrigatória seja de 25%, pois a lei remete a decisão sobre o percentual mínimo à decisão estatutária do acionista.

O mínimo estatutário pode ser 0%?   A interpretação literal dos textos que tratam de dividendos na Lei das S/A não afasta essa possibilidade. No § 1º do art. 202, lemos: "O estatuto poderá estabelecer o dividendo como porcentagem do lucro ou do capital social, ou fixar outros critérios para determiná-lo, desde que sejam regulados com precisão e minúcia e não sujeitem os acionistas minoritários ao arbítrio dos órgãos de administração ou da maioria". Aqui, não há previsão de mínimo estatutário. Já o § 2º do mesmo artigo trata de eventual alteração de estatuto omisso quanto a dividendos: "Quando o estatuto for omisso e a assembleia geral deliberar alterá-lo para introduzir norma sobre a matéria, o dividendo obrigatório não poderá ser inferior a 25%". Aqui, é estabelecido um mínimo legal, mas é um mínimo no caso de omissão do esta-

---

[3] Nesta seção, apresentamos em linhas gerais o que é definido pela Lei nº 6.404/76, a Lei das Sociedades por Ações, ou Lei Societária Brasileira (Brasil, 1976). O que é apresentado é o que está no texto legal. A interpretação das implicações práticas do que é determinado pelo texto legal pode ser uma matéria complexa, própria do campo jurídico.

[4] Resumidamente, o mínimo de 25% não é exigido se às preferenciais for atribuído o direito de receber um dividendo 10% maior do que o atribuído a cada ação ordinária ou o direito de serem incluídas na oferta pública de alienação de controle a um preço no mínimo igual a 80% do valor pago por ação com direito a voto, integrante do bloco de controle (o que é conhecido como *tag along*).

tuto. Ainda que o dividendo mínimo seja previsto no estatuto, a lei estabelece que tal mínimo pode ser reduzido por decisão da assembleia geral, em quorum qualificado como dispõe o art. 136, inciso III (se aprovada, tal decisão dará ao dissidente o direito de retirada previsto no art. 137). Então, ainda que concluíssemos que o mínimo seria de 25%, pode a assembleia reduzi-lo? Mais uma vez, não há mínimo legal, mas mínimo estatutário, sem definição do quanto deva ser tal mínimo (Brasil, 1976).

A lei estabelece: ou o estatuto define o tema com precisão e minúcia, ou, se for omisso, o mínimo é 50% do lucro ajustado; e, se o estatuto omisso for alterado para prever matéria sobre dividendos, o mínimo deve ser 25%. Dado que esse dispositivo legal trata de situação específica, não está afastado entender que outro número estará de acordo com a lei, desde que previsto com precisão e minúcia no estatuto. Não sendo o estatuto omisso em matéria de dividendos, não há determinação do percentual mínimo, e a assembleia pode, com quorum qualificado, alterá-lo para menos (com o consequente direito de retirada dos dissidentes).

A lei, entretanto, estabelece incentivos para que o dividendo estatutário seja, no mínimo, de 25%, como o faz no art. 152, § 1º, em que se lê: "O estatuto da companhia que fixar o dividendo obrigatório em 25% (vinte e cinco por cento) ou mais do lucro líquido pode atribuir aos administradores participação no lucro da companhia". A lei incentiva, mas não obriga. E, no § 6º do art. 202, diz-se que "Os lucros não destinados nos termos dos artigos 193 a 197 deverão ser distribuídos como dividendos" (Brasil, 1976). Portanto, das duas uma: ou a companhia tem um orçamento de capital aprovado para uso do lucro realizado disponível, ou o distribui não no percentual mínimo estatutário, mas no total que não esteja comprometido com o orçamento, atendidas as reservas legais e estatutárias. Pode-se chegar à conclusão que, em última análise, é o orçamento de capital aprovado que comanda a distribuição de dividendos, respeitado o percentual mínimo determinado pelo estatuto. Ainda que o percentual mínimo estatutário fosse estabelecido em 0%, a ausência de orçamento de capital ou o não comprometimento da totalidade do lucro com tal orçamento obrigariam a distribuição, como dividendo ou juro sobre o capital próprio, de todo o lucro não comprometido com o orçamento e com as reservas.

A assembleia geral delibera   A destinação do lucro líquido do exercício e a distribuição de dividendos deve ser objeto de deliberação anual pela assembleia geral dos acionistas (inciso II, do art. 132 da LSA) (Brasil, 1976).

O conselho de administração delibera   A destinação do lucro líquido do exercício e a distribuição de dividendos pode ser deliberada pelo conselho de administração quando o estatuto assim autorizar.

O que deve ser distribuído ao acionista   A lei disciplina que deverão ser distribuídos como dividendos os lucros não destinados às reservas previstas na lei ou que não estejam comprometidos com o orçamento de capital submetido pelos órgãos da administração à assembleia geral (Brasil, 1976). Nesse caso, o orçamento deve vir acompanhado da justificação da retenção de lucros e detalhar todas as fontes de recursos e aplicações de capital, fixo ou circulante (§ 6º do art. 202).

Dividendo pressupõe existência de lucros   Somente pode haver distribuição de dividendos à conta de lucro líquido do exercício, de lucros acumulados e de reserva de lucros (Brasil, 1976). A conta de reserva de capital pode ser utilizada somente para dividendos das ações preferenciais, nos casos específicos determinados pela lei (art. 201).

O não pagamento de dividendos dá direito de voto às preferenciais   Se a empresa tem ações preferenciais com dividendos fixos ou mínimos, essas ações preferenciais adquirirão direito a voto se a companhia, pelo prazo previsto no estatuto, e não superior a 3 exercícios consecutivos,[5] deixar de pagar os dividendos a que fizerem jus.

---

[5] O art. 111 da LSA estabelece em seu § 1º: "As ações preferenciais sem direito de voto adquirirão o exercício desse direito se a companhia, pelo prazo previsto no estatuto, não superior a 3 (três) exercícios consecutivos, deixar de pagar os dividendos fixos ou mínimos a que fizerem jus, direito que conservarão até o pagamento, se tais dividendos não forem cumulativos, ou até que sejam pagos os cumulativos em atraso" (Brasil, 1976).

Dividendo obrigatório superior ao lucro No exercício em que o montante do dividendo obrigatório, calculado nos termos do estatuto ou da lei, ultrapassar a parcela realizada do lucro líquido do exercício, os órgãos de administração podem propor à assembleia geral, e esta poderá destinar o excesso à constituição de reserva de lucros a realizar. Essa reserva, quando realizada, somente poderá ser utilizada para pagamento de dividendo obrigatório.[6] O termo "reserva de lucros a realizar" às vezes confunde os leitores, pois, se não há lucro suficiente, como então criar uma "reserva"? O termo remete a uma "anotação no balanço" de que faltou essa parcela de lucros para pagar dividendo obrigatório e de que, quando realizada, deve ser pago o dividendo faltante.

Redução do dividendo obrigatório O dividendo obrigatório pode ser reduzido pela assembleia geral, com a aprovação de acionistas que representem, no mínimo, metade (ou mais, se exigido pelo estatuto) das ações com direito a voto. Se a companhia também tiver ações preferenciais, a decisão depende de prévia aprovação ou da ratificação, em prazo improrrogável de um ano, por titulares de mais da metade de cada classe de ações preferenciais prejudicadas (art. 136). A redução do dividendo obrigatório dá ao acionista dissidente o direito de retirar-se da companhia, mediante reembolso do valor das suas ações, conforme normas definidas na lei (Brasil, 1976).

Lucros sem destinação devem ser distribuídos Os lucros não destinados à reserva legal, às reservas estatutárias, às reservas para contingências, ao orçamento de capital previamente aprovado pela assembleia geral e às reservas de lucros a realizar deverão ser distribuídos como dividendos. Entretanto, tais destinações não podem prejudicar o direito dos acionistas preferenciais de receber os dividendos fixos ou mínimos a que tenham prioridade, inclusive os atrasados, se cumulativos.

Acionistas não devolvem dividendos Os acionistas não são obrigados a restituir os dividendos que tenham recebido em boa-fé (Brasil, 1976). A lei presume como má-fé a distribuição de dividendos sem o levantamento do balanço ou em desacordo com os resultados desse (§ 2º do artigo 201).

Dividendos intermediários O estatuto poderá autorizar os órgãos de administração a declarar dividendos intermediários à conta de lucros acumulados ou de reservas de lucros existentes no último balanço anual ou semestral já aprovado pela assembleia geral. Se a lei ou o estatuto determinarem o levantamento de balanço semestral e se o estatuto autorizá-los, os órgãos de administração podem declarar dividendo à conta do lucro apurado nesse balanço.

Dividendos intercalares Quando previsto pelo estatuto, a empresa também pode distribuir dividendos em períodos menores, com base em balanço ainda não aprovado pela assembleia geral, desde que o total dos dividendos pagos em cada semestre do exercício social não exceda o montante das reservas de capital.

Incentivo aos administradores para pagamento de dividendos mínimos O estatuto da companhia que fixar o dividendo obrigatório em 25% ou mais do lucro líquido pode atribuir aos administradores participação no lucro da companhia. O total da participação não pode ultrapassar nem a remuneração anual dos administradores, nem um décimo dos lucros, prevalecendo o limite que for menor. Os administradores somente farão jus à participação nos lucros do exercício social em que for atribuído aos acionistas o dividendo estatutário ou legal obrigatório.[7] Esse é bom incentivo para as empresas brasileiras estabelecerem um dividendo estatutário de, no mínimo, 25% ou superior.

Incapacidade de pagar dividendos Não é obrigatória a distribuição de dividendos no exercício social em que os órgãos da administração informarem à assembleia geral ordinária que o dividendo é incompatível com a situação financeira da companhia. O conselho fiscal, se em funcionamento, deverá dar parecer sobre essa informação, e, na companhia aberta, seus administradores encaminharão à Comissão de Valores Mobiliários, dentro de cinco dias da realiza-

---

[6] Art. 197, inciso II, § 2º (Brasil, 1976).
[7] Art. 152, §§ 1º e 2º (Brasil, 1976).

ção da assembleia geral, uma exposição justificativa da informação transmitida à assembleia. Os lucros não distribuídos nessas condições devem ser registrados como reserva especial. Deverão ser pagos como dividendo assim que o permitir a situação financeira da companhia, se não absorvidos por prejuízos em exercícios subsequentes.

Opinião do conselho fiscal Entre outras obrigações legais de o conselho fiscal opinar, esse órgão da companhia deve opinar sobre as propostas dos órgãos da administração relativas à distribuição de dividendos, a serem submetidas à assembleia geral.

Responsabilidade solidária de conselheiros de administração e fiscais A distribuição de dividendos com inobservância do disposto na lei implica responsabilidade solidária dos administradores e fiscais, que deverão repor à caixa social a importância distribuída, sem prejuízo da ação penal que no caso couber (§ 1º do artigo 201), (Brasil, 1976).

Responsabilidade do controlador O acionista controlador responde pelos danos causados por atos praticados com abuso de poder (Brasil, 1976). Entre as modalidades de exercício abusivo de poder, inclui-se orientar a companhia em prejuízo da participação dos acionistas minoritários nos lucros ou no acervo da companhia (artigo 117).

Dividendo: decisão privada ou regulada em lei? Nos EUA, diferentemente do que acontece no Brasil, a decisão de distribuição de dividendos, assim como a decisão de recompra de ações, está totalmente ao arbítrio do conselho de administração. Talvez seja esse caráter essencialmente privado da decisão que origina os estudos acadêmicos que procuram entender o porquê de a decisão ser tomada e o que seria melhor para o acionista. Em um ambiente legal em que a distribuição de dividendos é regulada na legislação societária, a questão do incentivo e das razões para a sua distribuição fica, em grande parte, submetida às regras da lei. Entretanto, as regras definidas na lei não são mais do que um elemento extra a ser somado como objeto de estudo para compreensão da racionalidade econômica subjacente e do comportamento de acionistas, dirigentes, controladores e grupos de controle na política de dividendos.

Não é muito fácil decidir o que seria melhor, regras legais ou decisão privada, pois, se é verdade que o conselho de administração nos EUA tem grande liberdade para decidir o que é melhor para o acionista, a história recente mostra que nem sempre tem sido assim. Por outro lado, no Brasil, temos ainda, na maioria das empresas, a figura proeminente do controlador,[8] que poderia influir o conselho de administração em decisões que o beneficiem em detrimento dos não controladores. Então, na ausência de mecanismos de mercado efetivamente disciplinadores, ter algumas regras claras pode ser importante.

Juros sobre o capital próprio

As empresas brasileiras tributadas pelo regime do lucro real têm a opção de pagar a seus sócios ou acionistas parte dos lucros na forma de juros sobre o capital próprio, JCP. Os juros são calculados sobre as contas do patrimônio líquido e são limitados à variação *pro rata* dia da taxa de juros de longo prazo, a TJLP.[9] A empresa também poderá deduzir os juros e não pagá-los a seus acionistas e utilizar o seu valor líquido do imposto na fonte (IRRF) para integralização de aumento de capital na empresa.

O objetivo declarado dos JCP é remunerar o capital pelo tempo em que este ficou à disposição da empresa, mas, na sua concepção inicial, os juros vieram substituir a correção monetária do patrimônio líquido que existia na contabilidade brasileira durante o período inflacionário até 1994. Alguns poderão ponderar que não é muito lógico que o acionista receba juros sobre o capital, pois juros são a remuneração de credores, não de acionistas. Agora, como o pagamento de juros é limitado à existência de lucros e só pode representar 50% do lucro do exercício, a essência dos juros sobre o capital próprio é ser uma forma de distribuição do lucro, e só acionistas

---

[8] Renomados juristas afirmam que, no Brasil, há hegemonia absoluta dos controladores sobre o conselho de administração e a diretoria das empresas. Ver, por exemplo, os comentários sobre o art. 138 em Carvalhosa, M. *Comentários à Lei de Sociedades Anônimas*. 6 ed. São Paulo: Saraiva, 2014. v. 3.

[9] Ver Lei nº 9.249, de 26 de dezembro de 1995, artigo 9º e seu § 1º (Brasil, 1995).

têm direito ao recebimento de lucros. Logo, para discutir esse ponto, é importante enfocá-lo sob a análise de essência *versus* forma.

Os JCPs são classificados como despesa operacional dedutível da base de cálculo para fins de apuração do imposto de renda e da CSLL. Com isso, a empresa que distribui resultados na forma de JCP tem o benefício fiscal dos juros.

Tributação Diferentemente dos dividendos, sobre os quais não há tributação no Brasil para quem os recebe, os juros sobre o capital próprio estão sujeitos à incidência do imposto de renda na fonte (à alíquota de 15% no momento em que escrevemos este livro), na data do pagamento ou crédito. A única exceção é o caso de pessoa jurídica imune para a qual não há incidência do imposto de renda sobre o valor dos juros.

O valor dos JCPs pagos ou creditados será somado ou poderá constituir o próprio dividendo obrigatório a que têm direito os acionistas (a forma utilizada pela legislação é "imputados ao valor dos dividendos obrigatórios").

Base de cálculo dos juros sobre capital próprio e taxa aplicável Os juros sobre capital próprio estão limitados a:

50% do lucro do período de apuração a que corresponder o pagamento ou crédito dos juros;

ou

50% dos saldos de lucros acumulados e reservas de lucros de períodos anteriores.

A taxa aplicável é a Taxa de Juros de Longo Prazo, TJLP, verificada desde o início do período de apuração até a data do pagamento ou crédito dos juros, e é aplicada sobre o patrimônio líquido do final do período anterior, com as alterações para mais ou para menos ocorridas no seu curso.

Se a empresa optar pelo regime de lucro real trimestral, o resultado de cada trimestre pode ser computado no patrimônio líquido inicial dos trimestres seguintes do mesmo ano; se o regime for de lucro real anual, o resultado do ano só poderá ser computado no patrimônio líquido inicial do ano seguinte. O lucro do próprio período-base não é computado como integrante do patrimônio líquido do período.

A mesma sistemática é aplicável para amortização dos juros pagos ou creditados aos acionistas durante o período que anteceder o início das operações sociais ou o período de implantação do empreendimento inicial e também para os juros pagos pelas cooperativas a seus associados; nesse caso, os juros aplicáveis serão de até 12% ao ano sobre o capital integralizado pelos cooperados.

EXEMPLO 19.1 Decisão de dividendos *versus* juros sobre o capital próprio

O conselho de administração da Justo Veríssimo S.A. (JVSA) solicitou à diretoria da empresa uma avaliação de como manter mais caixa para reforçar o capital de giro na empresa. É o momento de decidir o pagamento de dividendos, e o estatuto social da JVSA determina um dividendo mínimo de 30% do lucro líquido do exercício após as retenções legais e estatutárias. O LAJIR do exercício foi de R$ 1.6 milhão e foram pagos R$ 400 mil em juros para os credores. A diretora de Finanças, Dra. Cristina, concluiu que a JVSA pode pagar 100% do dividendo sob a forma de juros sobre o capital próprio. Para isso, considerou que o patrimônio líquido do início do exercício era de R$ 10 milhões, e, no período, a taxa de juros de longo prazo média foi de 6,12%. Ela apresentou os quadros que seguem, para demonstrar suas conclusões.

O quadro a seguir, apresenta o valor máximo de JCP que a Justo Veríssimo poderia pagar, mas, para isso, seu lucro líquido deveria ser, no mínimo, o dobro do valor de JCP calculado.

Patrimônio Líquido (início do exercício)	10.600.000,00
TJLP	6,12%
Valor máximo de JCP	648.720,00

(continua)

(continuação)

O quadro seguinte apresenta o valor a pagar em dividendos, no limite de 30% do lucro líquido, conforme estatuto da Justo Veríssimo. Neste caso, o dividendo devido é de R$ 213.840. A empresa manterá em caixa R$ 578.160, que é a soma de Lucros Retidos, Reserva Legal e Reserva para Contingências.

Hipótese 1 – Pagamento do dividendo mínimo de 30%	
Lucro antes de juros e imposto de renda (LAJIR)	1.600.000,00
Juros de empréstimos e financiamentos	−400.000,00
Lucro antes do imposto de renda (LAIR)	1.200.000,00
IR e CSLL a 34%	−408.000,00
Lucro líquido	792.000,00
Reserva legal (5%)	−39.600,00
Reserva para contingências (5%)	−39.600,00
Base de cálculo do dividendo	712.800,00
Dividendo obrigatório sobre lucros	30%
Dividendos (30%)	213.840,00
Reserva de lucros	498.960,00
Caixa retido na empresa	578.160,00

Demonstra-se a seguir o impacto do pagamento de dividendos sob a forma de juros sobre o capital próprio. Observe que:

Para que os acionistas recebam o valor do dividendo obrigatório, o valor contabilizado pela Justo Veríssimo como JCP deve ser de R$ 251.576,47. Esse valor será pago aos acionistas, com 15% de retenção do imposto de renda na fonte.

Após retenção de 15%, os acionistas recebem R$ 213.840,00.

Nessa hipótese, a empresa retém em caixa R$ 688.555,48, que é a soma de Lucros Retidos e reservas. Com essa decisão, o caixa retido pela empresa é maior, a diferença é de R$ 47.799,53.

Hipótese 2 – Pagamento do dividendo mínimo de 30% na forma de JCP	
Lucro antes de juros e imposto de renda (LAJIR)	1.600.000,00
Juros de empréstimos e financiamentos	−400.000,00
Juros sobre capital próprio	−251.576,47
Lucro antes do imposto de renda (LAIR)	948.423,53
IR e CSLL a 34%	−322.464,00
Lucro líquido	625.959,53
Reserva legal (5%)	−31.297,98
Reserva para contingências (5%)	−31.297,98
Reserva de lucros	563.363,58
Dividendos (30%)	−
JCP imputado aos dividendos	213.840,00
Dividendo a pagar	−
Caixa retido na empresa	625.959,53

O quadro a seguir resume a situação dos credores, dos acionistas, do governo e da empresa nas duas hipóteses. Note que o caixa maior na empresa é exatamente o valor do benefício fiscal dos juros sobre o capital próprio.

Resumo		
	Hipótese 1	Hipótese 2
Fluxo de caixa para os credores	400.000,00	400.000,00
Fluxo de caixa para o governo (IR e CSLL)	408.000,00	360.200,47
Fluxo de caixa para os acionistas	213.840,00	213.840,00
Fluxo de caixa para a empresa	578.160,00	625.959,53
Soma	1.600.000,00	1.600.000,00
Fluxo de caixa dos ativos	1.600.000,00	1.600.000,00
Diferença para a empresa		47.799,53
Diferença para o governo		−47.799,53

Conclui-se que a opção ótima para a empresa é pagar o máximo possível de dividendos na forma de juros sobre o capital próprio. Isso beneficia os acionistas, mesmo que não recebam mais dividendos, pois a empresa fica melhor, com mais caixa para suas operações. Isso ocorreria ainda que ela distribuísse 100% do lucro líquido na forma de juros sobre o capital próprio.

Há possibilidade de conflitos nessa decisão: para acionistas pessoas jurídicas (a empresa é controlada ou tem participação de outras empresas no seu quadro social), a tributação dos juros sobre capital próprio recebidos segue a regra de tributação para receitas financeiras. Se o acionista for pessoa jurídica tributada com base no lucro real, o valor dos juros deverá ser considerado receita financeira, e o imposto retido pela fonte pagadora será considerado antecipação; para a pessoa jurídica tributada pelo lucro presumido, os juros recebidos integram a base de cálculo do imposto de renda, e o valor do imposto retido na fonte será considerado antecipação do devido no período. Tributos sobre a receita, tais como PIS e COFINS, incidem sobre o recebimento de JCP, tendo como consequência sua dupla tributação. Portanto, se um acionista pessoa jurídica tiver voz na decisão – e, especialmente, se for o controlador –, poderá optar pelo não pagamento de JCP, ainda que a empresa reste com menos caixa na decisão. Os demais acionistas ficam à mercê dos interesses do controlador. Uma boa oportunidade para atuação do Conselho Fiscal na decisão de dividendos.

Por fim, é importante destacar que o dividendo distribuído não é dividendo para sempre: não reclamado pelo acionista, ele prescreve em três anos, contado o prazo da data em que tenha sido posto à disposição do acionista (artigo 287, inciso II), (Brasil, 1976).

19.4 Caso de referência: uma ilustração da irrelevância da política de dividendos

Em capítulos anteriores, afirmamos que o valor de uma empresa tem origem em sua capacidade de gerar e pagar seu fluxo de caixa distribuível (ou seja, livre). Em especial, apresentamos a ideia de que o valor de uma ação deveria ser igual ao valor presente de suas distribuições futuras de dividendos esperadas (e recompras de ações, que abordaremos adiante). Mantemos essa ideia e, nesta seção, tratamos da política de dividendos, a qual definimos como a distribuição no tempo dos pagamentos de dividendos de uma empresa, considerando o nível de seu fluxo de caixa distribuível.

Argumentamos que a distribuição dos dividendos no tempo não tem importância quando os fluxos de caixa não se alteram. Ilustraremos essa situação por meio da Companhia Bristol, uma empresa financiada somente por capital próprio e com 10 anos de atividade. Os atuais gestores financeiros sabem no dia de hoje (Data 0) que a empresa se dissolverá em um ano (Data 1). Na Data 0, eles conseguem prever os fluxos de caixa com exatidão e sabem que a empresa receberá, de imediato, um fluxo de caixa de $ 10.000 e mais $ 10.000 no próximo ano. A Bristol não possui outros projetos de valor presente líquido (VPL) positivo.

Política atual: dividendo no valor do fluxo de caixa

No momento, os dividendos (Div) em cada data são iguais ao fluxo de caixa de $ 10.000. O valor da empresa pode ser calculado pelo desconto desses dividendos. Esse valor é expresso como:

$$V_0 = \text{Div}_0 + \frac{\text{Div}_1}{1 + R_S}$$

Na fórmula, Div_0 e Div_1 são os fluxos de caixa pagos em dividendos, e R_S é a taxa de desconto. O primeiro dividendo não é descontado, pois será pago imediatamente.

Supondo que $R_S = 10\%$, o valor da empresa é de:

$$\$ 19.090,91 = \$ 10.000 + \frac{\$ 10.000}{1,1}$$

Se mil ações estiverem em circulação, o valor de cada ação será de:

$$\$ 19,09 = \$ 10 + \frac{\$ 10}{1,1} \tag{19.1}$$

Para simplificar, assumimos que a data ex-dividendo é a mesma data do anúncio de distribuição e pagamento do dividendo. Após o pagamento do dividendo, o preço da ação cairá para $ 9,09 (= $ 19,09 − $ 10). Vários membros do conselho de administração da Bristol expressaram seu descontentamento quanto à política de dividendos atual e pediram para você analisar uma política alternativa.

Política alternativa: dividendo inicial maior que o fluxo de caixa

Outra política consiste em a empresa pagar um dividendo de $ 11 por ação imediatamente, o que gera uma distribuição de dividendos total de $ 11.000. Como o fluxo de caixa disponível é de apenas $ 10.000, o valor excedente, de $ 1.000, deve ser obtido de alguma forma. Talvez a maneira mais simples seja emitir $ 1.000 em títulos de dívida ou em ações no presente momento (Data 0). Suponha que se tenha optado pela emissão de ações e que os novos acionistas desejem ter fluxo de caixa suficiente na Data 1 para obter o retorno exigido de 10% sobre o investimento na Data 0. Os novos acionistas exigirão $ 1.100 do fluxo de caixa da Data 1, deixando apenas $ 8.900 aos acionistas antigos. Os dividendos para os acionistas antigos serão:

	Data 0	Data 1
Dividendos agregados aos acionistas antigos	$ 11.000	$ 8.900
Dividendos por ação	$ 11,00	$ 8,90

Portanto, o valor presente dos dividendos por ação é de:

$$\$ 19,09 = \$ 11 + \frac{\$ 8,90}{1,1} \tag{19.2}$$

Com frequência, os alunos acham esclarecedor determinar o preço com o qual a nova ação é emitida. Como os novos acionistas não têm direito de receber o dividendo que está para ser pago, eles comprariam cada ação por $ 8,09 (= $ 8,90/1,1). Assim, um total de 123,61 (= $ 1.000/$ 8,09) novas ações são emitidas.

A proposição de indiferença

Observe que os valores da Equação 19.1 e da Equação 19.2 são iguais. Para nossa surpresa, isso nos leva à conclusão de que a alteração na política de dividendos não afeta o valor de uma ação, desde que todo fluxo de caixa passível de distribuição seja distribuído. No entanto, se pensarmos bem, o resultado parece coerente. Os novos acionistas entram com seu dinheiro na Data 0 e o recebem de volta com o retorno apropriado na Data 1. Em outras palavras, eles estão fazendo um investimento de VPL zero.

Dividendos caseiros

Para ilustrar a indiferença apresentada pelos investidores quanto à política de dividendos em nosso exemplo, usamos equações de valor presente. Outra explicação, que pode ser mais intuitiva, evita a matemática dos fluxos de caixa descontados.

Suponha que o investidor individual X prefira dividendos por ação de $ 10 nas Datas 0 e 1. Ele ficaria decepcionado se fosse informado de que a administração da empresa está adotando a política de dividendos alternativa (dividendos de $ 11 e $ 8,90 nas duas datas, respectivamente)? Não necessariamente. Ele poderia com facilidade reinvestir o $ 1 de recursos que não precisa receber na Data 0, gerando um retorno adicional de $ 1,10 na Data 1. Assim, o investidor receberia o fluxo de caixa líquido desejado de $ 11 − $ 1 = $ 10 na Data 0 e $ 8,90 + $ 1,10 = $ 10 na Data 1.

Por outro lado, imagine que o investidor Z, preferindo o fluxo de caixa de $ 11 na Data 0 e de $ 8,90 na Data 1, descubra que a administração pagará dividendos de $ 10 nas Datas 0 e 1. Uma opção, nesse caso, seria vender ações na Data 0 para receber o valor desejado de fluxo de caixa. Ou seja, se ele vender ações (ou parte de ações) na Data 0, somando $ 1, seu fluxo de caixa na Data 0 passa a ser de $ 10 + $ 1 = $ 11. Como a venda de $ 1 em ações na Data 0 reduzirá seus dividendo em $ 1,10 na Data 1, seu fluxo de caixa líquido na Data 1 seria de $ 10 − $ 1,10 = $ 8,90.

O exemplo ilustra como os investidores podem fazer **dividendos caseiros**. Dessa forma, a política corporativa de dividendos estaria sendo desfeita por um acionista que, em tese, não está satisfeito. O dividendo caseiro é ilustrado na Figura 19.3. Nela, os fluxos de caixa da empresa, de $ 10 por ação são representados na Data 0 e na Data 1 pelo Ponto A. Esse ponto também representa a distribuição inicial de dividendos. No entanto, como acabamos de ver, a empresa teria, como alternativa, pagar $ 11 por ação na Data 0 e $ 8,90 por ação na Data 1, uma estratégia representada pelo Ponto B. Da mesma maneira, tanto emitindo novas ações quanto recomprando ações antigas, a empresa poderia alcançar uma distribuição de dividendos representada por qualquer ponto da linha diagonal.

O parágrafo anterior descreve as opções disponíveis aos gestores das empresas. A mesma linha diagonal também representa as opções disponíveis aos acionistas. Por exemplo, se o acionista receber uma distribuição de dividendos por ação de ($ 11, $ 8,90), ele pode reinvestir parte

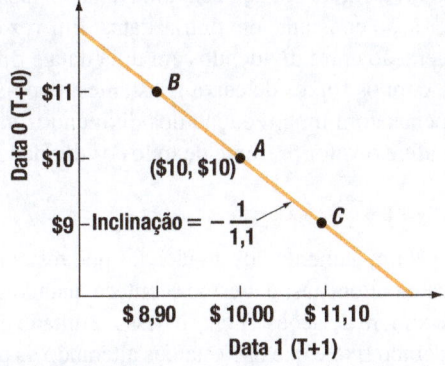

O gráfico ilustra (1) como os gestores podem diversificar a política de dividendos e (2) como indivíduos podem contornar a política de dividendos da empresa.

Gestores variam a política de dividendos: uma empresa que paga, de imediato, todos os fluxos de caixa está no Ponto A do gráfico. A empresa poderia chegar ao Ponto B emitindo ações para pagar dividendos extras ou alcançar o Ponto C recomprando antigas ações com parte de seu dinheiro.

Indivíduos contornam a política de dividendos da empresa: suponha que a empresa adote a política de dividendos representada pelo Ponto B, em que há dividendos por ação de $ 11 na Data 0 e $ 8,90 na Data 1. Um investidor pode reinvestir $ 1 de seus dividendos a 10%, o que resultará no Ponto A. Presuma agora que a empresa adote a política de dividendos ilustrada pelo Ponto A. Um investidor pode vender $1 em ações na Data 0, fazendo com que fique na situação do Ponto B. Independente da política de dividendos determinada pela empresa, um acionista pode contorná-la.

FIGURA 19.3 Dividendos caseiros: uma ponderação entre dividendos por ação na Data 0 e dividendos por ação na Data 1.

dos dividendos para se mover para baixo e para a direita do gráfico ou vender ações e mover-se para cima e para a esquerda.

As implicações do gráfico podem ser resumidas em duas frases:

1. Com a variação da política de dividendos, os gestores podem fazer qualquer distribuição que esteja ao longo da linha diagonal da Figura 19.3.
2. Seja por meio do investimento de dividendos excedentes na Data 0 ou por meio da venda de ações nessa data, um investidor individual pode obter qualquer distribuição líquida em dinheiro que esteja ao longo da linha diagonal.

Portanto, como tanto a empresa quanto o investidor individual podem se mover somente ao longo da linha diagonal, a política de dividendos nesse modelo é irrelevante. As alterações que os gestores aplicam na política de dividendos podem ser desfeitas por um indivíduo que, reinvestindo dividendos ou vendendo ações, consegue se posicionar no ponto desejado da linha diagonal.

Um teste

Você pode testar seu conhecimento sobre este material analisando as seguintes afirmações, que são verdadeiras:

1. Os dividendos são relevantes.
2. A política de dividendos é irrelevante.

A primeira afirmação segue o senso comum. Sem dúvida, os investidores preferem dividendos mais altos a dividendos mais baixos em qualquer data se o nível for mantido constante nas demais datas. Isto é, se o valor de dividendos por ação em determinada data aumentar e se manter constante nas demais data, o preço da ação subirá. Esse resultado pode ser alcançado por decisões dos gestores para melhorar a produtividade, aumentar a economia com impostos ou fortalecer o *marketing* do produto. Na verdade, é válido relembrar que, conforme abordamos no Capítulo 9, o valor do capital próprio de uma empresa equivale ao valor presente descontado de todos os seus dividendos futuros.

A segunda afirmação pode ser compreendida ao percebermos que a política de dividendos não pode aumentar o valor de dividendos por ação em uma data, ao mesmo tempo em que mantém o nível de dividendos por ação constante em outras datas. Em vez disso, a política de dividendos estabelece uma ponderação entre dividendos em uma data e dividendos em outra data. Como vimos na Figura 19.3, com os fluxos de caixa constantes, pode-se alcançar um aumento nos dividendos na Data 0 apenas com uma redução dos dividendos na Data 1. O tamanho da redução deve ser tal que não afete o valor presente de todos os dividendos.

Dividendos e a política de investimentos

A discussão anterior mostra que um aumento dos dividendos que resultasse da emissão de novas ações não ajuda nem prejudica os acionistas; o mesmo acontece quando se promove uma redução dos dividendos por meio da recompra de ações. A chave desse resultado é entender que o nível geral de fluxos de caixa é considerado fixo e que não estamos alterando os projetos de VPL positivo.

E quanto à redução de gastos de capital para aumentar dividendos? Alguns capítulos precedentes mostraram que uma empresa deve aceitar todos os projetos de VPL positivo. Caso contrário, o valor da empresa seria reduzido. Assim, chegamos a um ponto importante:

> **As empresas nunca devem descartar um projeto de VPL positivo para aumentar um dividendo (ou para pagar um dividendo pela primeira vez).**

Essa ideia foi considerada implicitamente por Miller e Modigliani (MM). Um dos pressupostos que permeiam a proposição de irrelevância quanto aos dividendos elaborada por eles era que: "A política de investimentos da empresa é estabelecida para o tempo à frente e não é alterada por mudanças na política de dividendos".

19.5 Recompra de ações

Em vez de pagar dividendos, uma empresa pode usar seu dinheiro para recomprar ações de sua emissão. Esse é um tema importante na discussão sobre dividendos nos EUA, onde, nos últimos anos, a recompra de ações passou a ter uma maior importância. Veja a Figura 19.4, que mostra o valor agregado em dólar de dividendos, recompras e lucros para grandes empresas dos EUA de 2004 a 2011. Como pode ser observado, o valor das recompras era superior ao valor dos dividendos até 2008. No entanto, o valor dos dividendos ultrapassou o valor das recompras do final de 2008 a 2009. Essa tendência se reverteu após o ano de 2009.

Além disso, observa-se também, na Figura 19.4, que há certa continuidade quanto a recompras e distribuições de dividendos. No final de 2008, quando os lucros agregados das empresas passaram a ser negativos, o nível de dividendos e recompras de ações não sofreram muitas alterações. De modo geral, a volatilidade dos lucros agregados foi maior do que a volatilidade dos dividendos e das recompras de ações.

Recompras de ações nos Estados Unidos

São três as formas mais comuns de ser realizar a recompra de ações nos EUA. Primeiro, as empresas podem comprar suas ações, como qualquer pessoa compraria ações de uma empresa. Nessas *compras de mercado (open market purchases)*, a empresa não revela sua identidade como compradora. Portanto, o vendedor não sabe se as ações foram revendidas à empresa ou a outro investidor. Isso não é permitido no Brasil, conforme é exposto na próxima seção.

Na segunda, a empresa poderia fazer uma *oferta de compra (tender offer)*. Nesse caso, ela anuncia a todos os seus acionistas que deseja comprar um número fixo de ações a um preço específico. Por exemplo, suponha que a Arts and Crafts (A&C), Inc., tenha 1 milhão de ações em circulação com um preço de $ 50 por ação. A empresa realiza uma oferta para recomprar 300 mil ações a $ 60 cada. A A&C opta por um preço acima de $ 50 para induzir os acionistas a vender, ou seja, oferecer suas ações. Na realidade, se o preço da oferta for alto o suficiente, talvez os acionistas queiram vender mais do que 300 mil ações.

Em um caso extremo, no qual todas as ações em circulação são oferecidas, a A&C recomprará 3 de cada 10 ações pertencentes a um acionista. Porém, se os acionistas não oferecerem um número suficiente de ações, a oferta pode ser cancelada. Um método relacionado à oferta de compra é o *leilão holandês (Dutch auction)*, em que a empresa não estabelece um preço

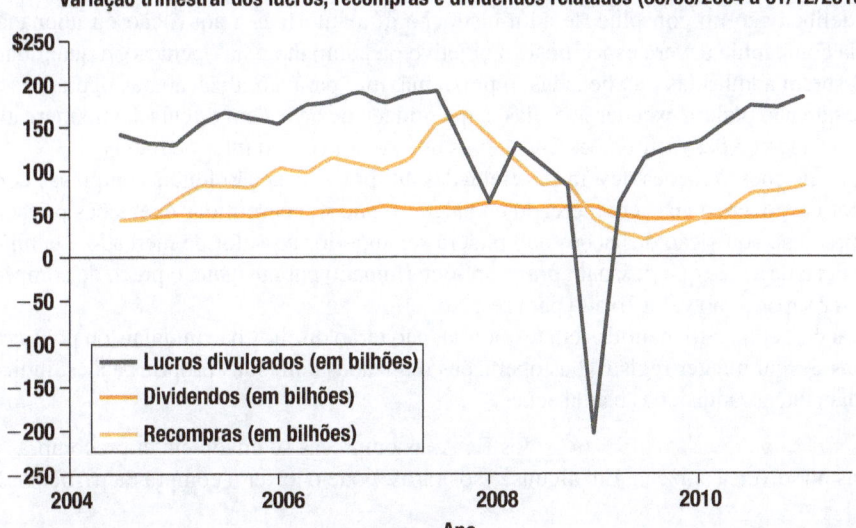

FIGURA 19.4 Lucros, dividendos e recompras líquidas de empresas industriais dos EUA.

Fonte: Standard & Poor's Financial Services em www.standardandpoors.com/indices/market-attributes/en/us.

fixo para a venda das ações, mas realiza um leilão no qual oferece ações. A empresa anuncia o número de ações que deseja recomprar a preços diversos, e os acionistas indicam quantas ações estão dispostos a vender por esses valores. Desse modo, a empresa pagará o preço mais baixo que lhe permita alcançar sua meta.

A terceira opção consiste na recompra de ações de determinados acionistas, um procedimento chamado de *recompra direcionada (targeted repurchase)*. Por exemplo, suponha que a International Biotechnology Corporation tenha comprado, em abril, 10% das ações em circulação da Prime Robotics Company (P-R Co.) por cerca de $ 38 cada. Na época, a International Biotechnology também anunciou à Comissão de Valores Mobiliários dos Estados Unidos que poderia tentar assumir o controle da P-R Co. no futuro. Em maio, a P-R Co. recomprou as ações em poder da International Biotechnology a $ 48 cada, bem acima do preço de mercado no momento. Essa oferta não foi estendida a outros acionistas. No Brasil a lei não permite às empresas realizar compras direcionadas.

Recompras de ações no Brasil

No Brasil, o estatuto social da empresa deve atribuir ao conselho de administração poderes para autorizar a compra de ações de emissão da própria empresa, para cancelamento ou permanência em tesouraria, e posterior alienação. Não poderão ser mantidas em tesouraria ações de própria emissão em quantidade superior a 10% de cada classe de ações em circulação no mercado (todas as ações representativas do capital da companhia menos as de propriedade do acionista controlador).[10]

A compra de ações de emissão da companhia, para permanência em tesouraria ou cancelamento, é vedada se:

a. importar diminuição do capital social;
b. requerer a utilização de recursos superiores ao saldo de lucros ou reservas disponíveis, constantes do último balanço;
c. criar por ação ou omissão, direta ou indiretamente, condições artificiais de demanda, oferta ou preço das ações ou envolver práticas não equitativas;
d. tiver por objeto ações não integralizadas ou pertencentes ao acionista controlador;
e. estiver em curso uma oferta pública de aquisição de suas ações.

Para compra, podem ser utilizadas todas as reservas de lucros ou de capital, com exceção das seguintes reservas: legal, de lucros a realizar, de reavaliação, de correção monetária do capital realizado e especial de dividendo obrigatório não distribuído.

A deliberação do conselho de administração que autorizar a aquisição ou alienação de ações da companhia deverá especificar: o objetivo da companhia na operação, a quantidade de ações a serem adquiridas ou alienadas, o prazo máximo para a realização das operações autorizadas, que não poderá exceder 365 dias, a quantidade de ações em circulação no mercado e o nome e o endereço das instituições financeiras que atuarão como intermediárias.

As aquisições de ações devem ser efetuadas em bolsa, exceção feita às empresas com registro para negociar apenas em mercado de balcão, e não são permitidas operações privadas.

O preço de aquisição das ações não poderá ser superior ao valor de mercado. Na hipótese de aquisição de ações que possuam prazo pré-determinado para resgate, o preço de compra não poderá ser superior ao valor fixado para resgate.

As ações, enquanto mantidas em tesouraria, não terão direitos patrimoniais ou políticos. As empresas devem manter registro das operações realizadas com suas próprias ações, indicando separadamente as aquisições e alienações.

Recompras direcionadas nos EUA Nos EUA, as empresas se envolvem em recompras direcionadas por diversas razões. Em alguns casos raros, pode ocorrer a compra da participação de

---

[10] Ver Instrução CVM nº 10/80 (Comissão de Valores Mobiliários, 1980). É instrutivo acompanhar as decisões do Colegiado da CVM sobre o assunto; o Processo Administrativo nº RJ 2008-2535 tratado na Ata de Reunião do Colegiado nº 45, de 25/11/2008, é um bom exemplo (Comissão de Valores Mobiliários, 2008).

um único e grande acionista a um preço abaixo do preço de uma oferta de compra. Os honorários legais de uma recompra direcionada também podem ser menores que os de uma recompra mais tradicional. Além disso, em várias ocasiões, as ações de grandes acionistas são compradas de volta para evitar que o controle da empresa seja passado para outras mãos, algo que pode não ser vantajoso para os seus gestores.

A seguir, consideramos um exemplo de recompra apresentado no campo teórico de um mercado de capitais perfeito. Após, analisamos fatores do mundo real que devem ser considerados na decisão da recompra.

Dividendo *versus* recompra: exemplo conceitual

Imagine que a Telephonic Industries apresente um excedente em caixa de $ 300.000 (ou $ 3 por ação) e esteja considerando fazer uma distribuição imediata dessa quantia como um dividendo extra. A empresa tem a previsão de que, após o dividendo, os lucros serão de $ 450.000 por ano ou $ 4,50 por cada uma das 100 mil ações em circulação. Como o índice Preço/Lucro é 6 para empresas semelhantes, as ações da empresa devem ser negociadas a $ 27 (=$ 4,50 × 6) após a distribuição do dividendo. Esses valores são apresentados na metade superior do Quadro 19.1. Em razão de o dividendo ser $ 3 por ação, o preço da ação seria de $ 30 *antes* da distribuição do dividendo.

Uma alternativa seria a empresa usar o dinheiro excedente para recomprar parte de suas próprias ações. Imagine que uma oferta de compra de $ 30 por ação seja feita. Nessa situação, 10 mil ações são recompradas de modo que o número total de ações restantes será de 90 mil. Com menos ações em circulação, o lucro por ação subirá para $ 5 (=$ 450.000/90.000). O índice Preço/Lucro permanece sendo 6, pois tanto o risco do negócio quanto o risco financeiro da empresa são os mesmos no caso de recompra e de pagamento de dividendos. Portanto, o preço de uma ação após a recompra é de $ 30 (=$ 5 × 6). Esses resultados estão na metade inferior do Quadro 19.1.

Se as comissões, os impostos e outras imperfeições forem ignorados em nosso exemplo, os acionistas não se importarão com a opção escolhida entre dividendo e recompra. Com dividendos, cada acionista possui uma ação no valor de $ 27 e recebe $ 3 em dividendos, de modo que o valor total é de $ 30. Esse valor é igual tanto para a quantia recebida pelos acionistas que venderem quanto para o valor da ação dos acionistas que permanecerem com suas ações, no caso da recompra.

O exemplo ilustra um ponto relevante: em um mercado perfeito, a empresa fica indiferente diante da escolha entre distribuição de dividendos e recompra de ações. Esse resultado é muito similar às proposições de indiferença estabelecidas por MM para dívida *versus* financiamento de capital e para dividendos *versus* ganhos de capital.

Talvez você leia com frequência na imprensa financeira mais popular que uma recompra de ações é benéfica porque aumenta o lucro por ação (LPA). O LPA, de fato, aumenta para a Telephonic Industries se uma recompra for feita em vez de um pagamento de dividendos em dinheiro: o valor é de $ 4,50 após o pagamento de dividendos e $ 5 após a recompra. Esse resultado se dá em virtude de a queda no número das ações após a recompra levar à redução no denominador do índice do LPA.

No entanto, a imprensa financeira dá uma ênfase indevida aos números do LPA de uma recompra. Tendo em vista as proposições de irrelevância que discutimos, o aumento no LPA não é

QUADRO 19.1 Exemplo de distribuição de dividendos *versus* recompra – Telephonic Industries

	Para toda a empresa	Por ação
Dividendo extra		**(100 mil ações em circulação)**
Dividendo proposto	$ 300.000	$ 3,00
Lucros anuais previstos após dividendo	450.000	4,50
Valor de mercado da ação após dividendo	2.700.000	27,00
Recompra		**(90 mil ações em circulação)**
Lucros anuais previstos após recompra	$ 450.000	$ 5,00
Valor de mercado da ação após recompra	2.700.000	30,00

vantajoso nesse caso. O Quadro 19.1 mostra que, em um mercado de capitais perfeito, o valor total ao acionista é o mesmo na estratégia de pagamento de dividendos e na estratégia de recompra.

Dividendos *versus* recompras: considerações do mundo real

Já apresentamos a Figura 19.4, que mostrou um aumento nas recompras de ações em relação ao pagamento de dividendos. Nos Estados Unidos, na verdade, a maioria das empresas que recompra ações também distribui dividendos. Isso sugere que a recompra de ações nem sempre substitui a distribuição de dividendos, servindo como complemento. Por exemplo, há pouco tempo, o número de empresas industriais dos Estados Unidos que somente distribui dividendos ou somente recompra ações é quase o mesmo que o número de empresas que distribui dividendos e recompra ações. Por que algumas empresas norte-americanas escolhem recomprar ações em vez de distribuir dividendos? A seguir são mostrados os cinco motivos mais comuns.

1. Flexibilidade Com frequência, as empresas consideram os dividendos um compromisso com seus acionistas e se mostram hesitantes quanto a reduzir um dividendo existente. As recompras não representam um compromisso como esse. Portanto, uma empresa com um aumento permanente no fluxo de caixa tem maior probabilidade de aumentar seu dividendo. De modo contrário, uma empresa cujo aumento no fluxo de caixa é temporário tem maior probabilidade de recomprar ações. No caso brasileiro, as empresas devem definir um dividendo mínimo no estatuto. Então, a regularidade do pagamento de dividendos é determinada pelo pagamento do percentual obrigatório, e dividendos extraordinários podem ser pagos quando o fluxo de caixa e o lucro permitirem, o que, associado aos aspectos tributários envolvidos, torna menos importante para empresas brasileiras a opção de recompra de ações para distribuir lucros.

2. Remuneração de executivos É recorrente que os executivos recebam opções de ações como parte de sua remuneração total. Voltemos ao exemplo da Telephonic Industries no Quadro 19.1, em que a ação da empresa estava sendo negociada a $ 30 quando a empresa estava decidindo entre distribuir dividendos ou realizar uma recompra. Agora, imagine que a Telephonic tenha concedido, há dois anos, mil opções de ações a seu diretor-presidente, Ralph Taylor. Na época, o preço da ação era, digamos, apenas $ 20. Isso significa que o Sr. Taylor pode comprar mil ações (*exercer* as opções) por $ 20 cada a qualquer momento entre a data em que as opções se tornem exercíveis e seu vencimento. Seu ganho do exercício das opções é proporcional ao aumento do preço da ação para mais de $ 20.

Como vimos no exemplo, o preço da ação cairia para $ 27 após o pagamento de dividendos, mas permaneceria $ 30 após uma recompra. É evidente que o diretor-presidente preferiria uma recompra a uma distribuição de dividendos, pois a diferença entre o preço da ação e o preço de exercício de $ 20 seria de $ 10 (= $ 30 − $ 20) após a recompra e apenas $ 7 (= $ 27 − $ 20) após a distribuição de dividendos. As opções de ações a exercer sempre terão mais valor quando a empresa recompra ações em vez de distribuir dividendos, já que o preço da ação será maior após uma recompra do que depois de uma distribuição de dividendos.

3. Compensação da diluição O exercício de opções de ações aumenta o número de ações em circulação; isto é, o exercício causa diluição da ação. Por isso, nos Estados Unidos, as empresas compram de volta ações para compensar essa diluição. No entanto, é difícil argumentar que esse motivo seja válido para recompras. Como mostramos no Quadro 19.1, recompras não são uma opção nem melhor, nem pior para os acionistas do que a distribuição de dividendos. Nosso argumento permanece válido independentemente de as opções de ações serem ou não exercidas antes. No Brasil, os programas de outorga de opções para executivos também podem ser suportados por programas de recompra de ações, no âmbito da Instrução CVM nº 10/1980. As ações recompradas são mantidas em tesouraria, para atender ao exercício das opções pelos executivos. Isso ocorre com frequência e evita a diluição.

4. Subvalorização Muitas empresas afirmam que recompram ações por acreditarem que uma recompra é o melhor investimento que podem fazer. Isso ocorre com mais frequência quando os gestores acreditam que o preço da ação está temporariamente baixo.

O fato de algumas empresas recomprarem suas ações quando acreditam que elas estão subvalorizadas não significa que os gestores da empresa estão corretos. Somente estudos empíricos podem fazer essa afirmação. A reação imediata do mercado de ações ao anúncio de uma recompra de ações é bastante positiva. Além disso, alguns trabalhos empíricos mostraram que o desempenho no longo prazo do preço da ação após uma recompra é melhor do que o desempenho do preço da ação de empresas semelhantes que não recompram ações.

5. Impostos Trataremos em detalhe a questão dos impostos no caso de dividendos e de recompras de ações na próxima seção. No momento, basta-nos mencionar que, nos textos norte-americanos, a atenção para as recompras ocorre porque lá elas apresentam vantagens tributárias em comparação com o pagamento de dividendos.

Recompras de ações no Brasil

No Brasil, as empresas podem adquirir ações de sua emissão para cancelamento ou permanência em tesouraria para planos de incentivos (*stock options*). A negociação com ações de própria emissão é proibida pela Lei Societária (artigo 30), que excetua as operações de resgate, reembolso ou amortização previstas em lei e a venda de ações mantidas em tesouraria no caso de necessidade de recompor o patrimônio líquido se, durante o processo, este se tornar inferior ao capital social (Brasil, 1976). A quantidade máxima de ações em tesouraria é de 10% de cada classe de ações em circulação no mercado, assim consideradas as ações representativas do capital social menos as de propriedade do acionista controlador.[11]

A aquisição de ações de própria emissão deve ter um plano de compra aprovado previamente pelo conselho de administração e divulgado de forma ampla ao mercado. O conselho de administração só pode aprovar esse plano se autorizado pela assembleia de acionistas ou houver previsão no estatuto social da companhia.

O plano de compras a ser autorizado pelo conselho de administração é uma autorização para aquisição futura que estabelece o prazo para a compra e o volume de ações que poderá ser comprado. O plano poderá ou não ser cumprido, dependendo do desenrolar dos acontecimentos, mas o volume total de ações adquiridas no decorrer do plano deverá, em qualquer hipótese, respeitar o limite do saldo das contas de lucros e reservas disponíveis na forma da lei para tal.

A aquisição de ações próprias deve utilizar recursos totalmente lastreados em lucros realizados, financeiramente disponíveis e passíveis de ser incorporados de forma não obrigatória ao capital social ou que possam ser distribuídos em dividendos. A decisão deve preservar o capital social e os recursos necessários ao funcionamento da empresa e manter a proteção aos credores.

Empresas abertas somente podem adquirir ações em bolsa. As compras não podem criar condições artificiais de demanda, oferta ou preço das ações ou envolver práticas não equitativas.

Visto que, no Brasil, os dividendos não são tributados, as recompras de ações não assumem a importância que têm no mercado norte-americano.

19.6 Impostos para pessoa física, dividendos e recompra de ações

Costumamos nos queixar das regras tributárias brasileiras, mas, no que se refere à tributação do rendimento de dividendos, elas são muito simples. Não há tributação do rendimento em dividendos, porque o lucro já foi tributado na empresa. Aqui, ganhamos dos EUA, onde as regras tributárias sobre dividendos e ganhos de capital são complexas e afetam a política de dividendos de várias maneiras.

---

[11] Ver artigo 30 da Lei nº 6.404/76 (Brasil, 1976) e Instrução CVM nº 10/80 (Comissão de Valores Mobiliários, 1980). Para maior entendimento, recomenda-se a leitura dos votos dos diretores da CVM na reunião de seu Colegiado em 25/11/2008; ver Ata da Reunião do Colegiado da CVM nº 45, de 25/11/08, PROC. RJ2008/2535, Reg. nº 5.975/08, AQUISIÇÃO DE AÇÕES DE PRÓPRIA EMISSÃO (Comissão de Valores Mobiliários, 2008).

A Seção 19.3 afirmou que, em um mundo sem impostos e outros processos, a distribuição dos dividendos no tempo não é relevante se os fluxos de caixa que podem ser distribuídos permanecerem os mesmos. De modo semelhante, a Seção 19.4 concluiu que a escolha entre uma recompra de ações ou o pagamento de dividendos também não é relevante em um mundo perfeito como esse. Esta seção examina o efeito dos impostos tanto no caso de dividendos quanto no caso de recompra. Para que a nossa discussão se torne mais fácil, classificamos as empresas em dois tipos: as sem dinheiro suficiente para pagar dividendos e as com dinheiro suficiente para isso.

Empresas sem dinheiro suficiente para pagar dividendos

Começamos considerando uma empresa sem dinheiro que é de propriedade de um só empreendedor. Se essa empresa decidir pagar um dividendo de $ 100, ela deve buscar aportes finaceiros. A empresa pode escolher entre diversos tipos de emissões de ações e títulos de dívida para pagar o dividendo. No entanto, por questões de simplificação, assumimos que o empreendedor contribua com dinheiro para a empresa emitindo ações para ele mesmo. Essa operação, representada no lado esquerdo da Figura 19.5, seria uma operação sem perdas e ganhos em um mundo sem impostos. O valor de $ 100 é passado para a empresa quando as ações são emitidas e imediatamente é pago como dividendo. Assim, o empreendedor não é beneficiado nem prejudicado quando um dividendo é pago – um resultado coerente com as afirmações de MM.

Agora, suponha que os dividendos sejam tributados com a alíquota de, digamos, 15% para a pessoa física. A empresa ainda recebe $ 100 na emissão das ações. No entanto, o empreendedor não consegue receber o valor total de $ 100 em dividendos. Em vez disso, se o dividendo é tributado, o proprietário recebe o valor líquido de apenas $ 85 após os impostos. Assim, o empreendedor perde $ 15.

Embora o exemplo seja uma simulação não realista, resultados semelhantes podem ser alcançados em situações mais plausíveis. Por isso, economistas da área de finanças concordam que, em uma realidade com impostos para pessoa física, as empresas não deveriam emitir ações para pagar dividendos.

Os custos diretos de uma emissão também contribuem para esse efeito. Os bancos de investimento devem ser remunerados quando um novo capital é obtido. Portanto, os recebimentos líquidos para a empresa de uma nova emissão não chegam a 100% do capital total levantado no mercado. Como o tamanho das novas emissões pode ser diminuído, se houver uma redução dos dividendos, temos outro argumento a favor de uma política de dividendos baixos.

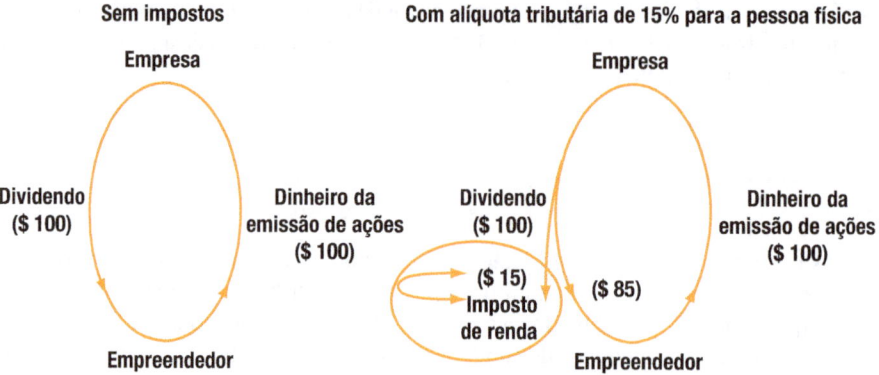

No caso sem impostos, o empreendedor recebe o valor de $ 100 em dividendos que ele pagou para a empresa ao comprar ações. A operação completa não tem efeito econômico, pois as perdas são equivalentes aos ganhos. Com impostos, o empreendedor ainda recebe $ 100 em dividendos. No entanto, nos EUA, ele deve pagar $ 15 de impostos. O empreendedor perde, e o fisco ganha quando uma empresa emite ações para pagar dividendos nos EUA.

FIGURA 19.5 Empresa emite ações para pagar dividendos.

É evidente que nossa sugestão de não financiar dividendos com emissões de novas ações pode ter que ser alterada em certo nível no mundo real. Uma empresa com um fluxo de caixa grande e estável por muitos anos pode estar pagando um dividendo regular. Se o fluxo de caixa de repente despencar por um ano, novas ações devem ser emitidas para que o pagamento de dividendos seja mantido? Ainda que nossa discussão sugira que isso não seja feito, muitos gestores fariam uma nova emissão por questões práticas. Já os acionistas parecem preferir a estabilidade dos dividendos; por isso, os gestores podem ser forçados a emitir ações para alcançar essa estabilidade, com plena consciência das consequências adversas dos impostos.[12]

Empresas com dinheiro suficiente para pagar dividendos

A discussão anterior trouxe o argumento de que, em uma realidade com impostos para pessoa física, uma empresa não deveria emitir ações a fim de pagar dividendos. A desvantagem tributária dos dividendos implica a política mais firme de "nunca, sob circunstância alguma, pagar dividendos em uma realidade com impostos para pessoa física"?

A seguir, discutimos que essa prescrição não é sempre aplicável a empresas com dinheiro excedente. Para ilustrar essa situação, imagine uma empresa com um excedente de $ 1 milhão após selecionar todos os projetos com VPL positivo e determinar o nível prudente de saldos de caixa. A empresa pode considerar as seguintes alternativas em detrimento do pagamento de dividendos:

1. *Selecionar mais projetos de orçamento de capital.* Como a empresa já assumiu todos os projetos de VPL positivo disponíveis, ela então iria investir seu dinheiro excedente em projetos de VPL negativo. Essa política vai claramente contra os princípios das Finanças Corporativas.

    Apesar de não gostarmos dessa política, pesquisadores sugeriram que muitos gestores, de modo intencional, assumem projetos de VPL negativo em detrimento da distribuição de dividendos.[13] A ideia é que os gestores prefeririam continuar com os recursos na empresa, pois o prestígio, o pagamento e as gratificações que eles recebem com frequência são associados ao tamanho da empresa. Mesmo que os gestores possam beneficiar a si mesmos nesse caso, eles estão prejudicando os acionistas – já trouxemos essa questão na seção chamada "Fluxo de caixa livre" no Capítulo 17 e falaremos um pouco isso mais adiante neste capítulo.

2. *Comprar outras empresas.* Para evitar o pagamento de dividendos, uma empresa pode usar o dinheiro excedente para adquirir outra empresa. Essa estratégia tem a vantagem de adquirir ativos lucrativos. No entanto, uma empresa pode acabar tendo grandes custos ao entrar em um programa de aquisição. Além disso, as aquisições são realizadas invariavelmente acima do preço de mercado. Não é incomum a ocorrência de prêmios de 20 a 80%. Por isso, diversos pesquisadores concordam que fusões não são muito lucrativas para a empresa que fez a compra, mesmo quando as empresas optam pela compra por uma finalidade de negócios válida. Portanto, uma empresa que faz uma aquisição para evitar o distribuição de dividendos tem grandes chances de não ser bem-sucedida.

3. *Comprar ativos financeiros.* A estratégia de comprar ativos financeiros em detrimento de um pagamento de dividendos pode ser ilustrada pelo exemplo a seguir.

EXEMPLO 19.2 Dividendos e impostos

A Regional Electric Company apresenta $ 1.000 de caixa excedente. Ela pode reter o caixa e investir em títulos do Tesouro com rentabilidade de 10% ou pode passar esse dinheiro aos acionistas como dividendos. Os acionistas também podem investir em títulos do Tesouro com a mesma rentabilidade. Suponha que a alíquota tributária corporativa seja de 34% e que a alíquota tributária para pessoa física seja de 28% para todos os indivíduos. Contudo,

(continua)

---

[12] Observe que essa discussão se refere ao contexto dos EUA.

[13] Consulte, por exemplo, M. C. Jensen, "Agency Costs of Free Cash Flow, Corporate Finance, and Takeovers", *American Economic Review,* may 1986.

(continuação)

se a alíquota tributária máxima sobre dividendos for de 15%, qual valor em dinheiro os investidores terão em cinco anos sob cada política?

Se os dividendos forem pagos agora, os acionistas receberão:

$$\$\,1.000 \times (1 - 0,15) = \$\,850$$

Esse valor corresponde ao montante recebido hoje após os impostos. Como o retorno que eles terão após o imposto para pessoa física dos títulos do Tesouro é de 7,2% [=10 × (1 − 0,28)], os acionistas terão, em cinco anos:

$$\$\,850 \times (1,072)^5 = \$\,1.203,35 \tag{19.3}$$

Observe que, nos EUA, a renda de juros é tributada sob a alíquota tributária para pessoa física (28%, no exemplo), mas os dividendos são tributados sob a taxa mais baixa de 15%.

Se a Regional Electric Company retiver o dinheiro para investir em títulos do Tesouro, sua taxa de juros após os impostos será de 0,066 [= 0,10 × (1 − 0,34)]. Ao final de cinco anos, a empresa terá:

$$\$\,1.000 \times (1,066)^5 = \$\,1.376,53$$

Se essa receita for paga como dividendos, os acionistas receberão:

$$\$\,1.376,53 \times (1 - 0,15) = \$\,1.170,05 \tag{19.4}$$

Esse valor corresponde ao montante recebido após os impostos para pessoa física na Data 5. O valor da Equação 19.3 é maior do que o valor da Equação 19.4, o que significa que os acionistas receberão mais dinheiro se a empresa pagar dividendos agora.

Esse exemplo mostra que, para uma empresa com caixa excedente, a decisão de distribuir dividendos dependerá das alíquotas tributárias para a empresa e para pessoa física. Se essas forem mais altas do que as alíquotas tributárias corporativas, a empresa terá um incentivo para reduzir as distribuições de dividendos. Todavia, se as alíquotas tributárias para pessoa física forem mais baixas do que as alíquotas tributárias corporativas, a empresa terá um incentivo para usar o caixa excedente para distribuir dividendos.

Nos EUA, tanto a alíquota tributária marginal mais alta para pessoa física quanto a alíquota tributária corporativa mais alta estavam em 35% em 2012. Como a maioria dos investidores enfrenta alíquotas tributárias marginais muito abaixo do máximo, parece que as empresas têm um incentivo para não acumular caixa.

Um detalhe do código tributário dos EUA fornece um incentivo contrário: 70% dos dividendos que uma empresa recebe de outra empresa são excluídos do imposto de renda da pessoa jurídica.[14] Pessoas físicas não têm direito a essa exclusão. Essa característica aumenta a probabilidade de que as receitas sejam mais altas se a empresa investir dinheiro em outras ações que paguem dividendos em vez de ela mesma pagar dividendos.[15]

A decisão da empresa de investir em ativos financeiros ou pagar dividendos é complexa e depende da alíquota tributária da empresa, das alíquotas tributárias marginais de seus investidores e da aplicação da exclusão dos dividendos da base de tributação das empresas (nos EUA). Ao mesmo tempo em que é provável haver muitas situações reais em que os nú-

---

[14] A exclusão aplica-se se a empresa é proprietária de menos de 20% das ações da outra empresa. Essa exclusão sobe para 80% se a empresa possuir mais de 20% das ações da outra empresa e passa a ser de 100% se a empresa possuir mais de 80% das ações da outra empresa. As empresas não podem desfrutar dessa exclusão para juros auferidos de títulos de dívida.

[15] Entretanto, é preciso atenção. Isso não deve sugerir que as empresas brasileiras também possam investir seu caixa em ações de outras empresas. Se fizer isso, o gestor financeiro estará ofendendo o estatuto da sua empresa, pois o estatuto define o risco em que atua a empresa, e ações de outras empresas enfrentam outros riscos. Além do mais, os investimentos temporários de caixa devem ser realizados em ativos de renda fixa, com baixíssimo ou nenhum risco. Quando nos EUA há referência ao investimento de caixa em ações de outras empresas, trata-se de ações preferenciais, que pagam dividendo fixo, portanto são investimentos em renda fixa.

meros favoreçam o investimento em ativos financeiros, poucas empresas parecem acumular dinheiro dessa maneira sem limite. Nos EUA, isso acontece porque a Seção 532 do Código Tributário Federal dos EUA penaliza empresas que apresentam "acúmulo inadequado de sobras de caixa". Logo, em última análise, a compra de ativos financeiros, a seleção de projetos de VPL negativo e a aquisição de outras empresas não eliminam a necessidade de empresas com dinheiro excedente pagarem dividendos.

4. *Recomprar ações.* O exemplo que descrevemos na seção anterior mostrou que os investidores são indiferentes quanto à decisão entre recompra de ações e pagamento de dividendos em uma realidade sem impostos e custos de transação. No entanto, sob um regime tributário atual dos EUA, os acionistas norte-americanos geralmente preferem uma recompra à distribuição de dividendos.

Para esclarecer melhor, considere um indivíduo que recebe um dividendo de $ 1 para cada uma de suas 100 ações. Com uma alíquota tributária de 15%, ele pagaria $ 15 em impostos sobre os dividendos. Acionistas que vendessem suas ações pagariam menos impostos se a empresa recomprasse $ 100 de ações existentes. Isso acontece porque os impostos são pagos apenas sobre os *lucros* de uma venda. O ganho da pessoa física sobre a venda seria de apenas $ 40 se as ações vendidas a $ 100 tivessem sido compradas a $ 60. O imposto do ganho de capital seria de $ 6 (= 0,15 × $ 40), valor abaixo do imposto sobre dividendos de $ 15. Observe que o imposto de uma recompra é menor do que o imposto sobre um dividendo, apesar de a mesma alíquota tributária de 15% ser aplicada aos dois casos.

Dentre todas as alternativas aos dividendos mencionadas nesta seção, o caso mais impactante pode ser elaborado para recompras. Na verdade, pesquisadores acadêmicos têm se questionado sobre o porquê de empresas pagarem dividendos em vez de recomprar ações *em qualquer situação*. Pelo menos dois motivos foram identificados para que as recompras fossem evitadas. O primeiro deles é de Grullon e Michaely, que mencionam que, no passado, a Secuties Exchange Comission dos EUA acusou algumas empresas de práticas ilegais com programas de recompra de ações por manipulação de preços.[16] Contudo, os autores indicam que a Regra 10b-18 da mesma SEC, adotada em 1982, fornece diretrizes para que as empresas evitem a acusação de manipulação de preços. Essas diretrizes são fáceis de ser seguidas, portanto as empresas não deveriam se preocupar com isso atualmente.

Na verdade, Grullon e Michaely acreditam que o grande aumento nos programas de recompra nos últimos anos é, pelo menos em parte, resultado da Regra 10b-18. O segundo motivo diz respeito à Receita americana poder impor penas às empresas que recompram suas próprias ações se a única razão for evitar impostos que seriam tributados sobre dividendos. No entanto, essa ameaça não foi colocada em prática com o crescimento das recompras corporativas. Sendo assim, esses dois motivos não parecem justificar o fato de as recompras serem evitadas.

Dividendos sobre o lucro fiscal ou sobre o lucro societário?

O tema "tributação sobre dividendos" foi um tema palpitante no mercado de capitais brasileiro durante o ano de 2013 e início do ano de 2014. Com a adoção da contabilidade internacional (as IFRS) no final do ano de 2007, houve um acordo para que a adoção da nova contabilidade não tivesse efeitos tributários. A Receita Federal Brasileira (RFB) emitiu a norma chamada Regime Tributário de Transição (Brasil, 2009), conhecida então no meio como RTT, estabelecendo que nenhum efeito tributário decorreria da adoção da contabilidade internacional pelas empresas brasileiras (Lei nº 11.941, de 27 de maio de 2009).

Em 07/02/2013, atendendo a uma consulta da RFB, a Procuradoria da Fazenda Nacional emitiu seu Parecer nº 202/13, em que opinava sobre a tributação sobre dividendos (Brasil, 2013). O parecer tratou de dois lucros: o *lucro societário*, apurado conforme as normas IFRS, e o *lucro*

---

[16] Consulte Gustavo Grullon e Roni Michaely, "Dividends, Share Repurchases, and the Substitution Hypothesis", *Journal of Finance*, p. 1677, ago. 2002.

fiscal, apurado conforme o Livro de Apuração do Lucro Real, o LALUR. Esse parecer estabeleceu que estariam isentos somente os dividendos distribuídos até o montante do lucro fiscal, ou seja, do lucro líquido apurado conforme os métodos e critérios contábeis vigentes em 31 de dezembro de 2007 (Brasil, 2013). Isso implicava a tributação do dividendo distribuído do lucro societário que excedesse o fiscal, inclusive dos exercícios passados, desde o de 2008, contribuindo para o que se referiu então como "incerteza sobre o passado". Em seguida, a RFB publicou sua Instrução Normativa n° 1.397, confirmando a dupla contabilidade, a fiscal e a societária, o que causou forte reação dos agentes de mercado (Brasil, 2013). Foi seguida pela Medida Provisória n° 627, que extinguia o RTT, mas apresentava certa indefinição sobre dividendos não tributados nos exercícios posteriores ao de 2007 (Brasil, 2013). Por fim, fruto de muito debate, a Lei n° 12.973, de 13/05/14, acabou com o RTT e resolveu em definitivo a questão da tributação dos dividendos. Dividendos não são objeto de tributação no Brasil, porque resultam de lucros tributados na empresa conforme a legislação fiscal (Brasil, 2014).

Resumo dos impostos para pessoa física nos EUA

Esta seção sugere que, em virtude dos impostos para pessoa física, as empresas têm um incentivo para reduzir dividendos nos EUA. Por exemplo, elas podem aumentar os gastos de capital, adquirir outras empresas ou comprar ativos financeiros. Porém, devido a considerações financeiras e restrições legais, empresas racionais com grandes fluxos de caixa provavelmente esgotarão essas atividades com ainda uma boa sobra de caixa para dividendos.

É mais difícil explicar o motivo de empresas pagarem dividendos em vez de recomprarem ações nos EUA. As economias quanto aos impostos das recompras podem ser consideráveis, e o medo da SEC ou da Receita Federal norte-americana parece exagerado. Nessa questão, não há um consenso entre os acadêmicos norte-americanos. Alguns argumentam que as empresas demoraram a perceber os benefícios das recompras. No entanto, tendo em vista que a ideia está fortemente disseminada, a tendência em direção à substituição dos dividendos por recompras poderia continuar. Outros argumentam que as empresas pagaram e ainda pagam dividendos por bons motivos. Os benefícios potenciais dos dividendos são abordados na próxima seção.

19.7 Fatores reais que apoiam uma política de dividendos elevados

A seção anterior indicou que, em razão da possibilidade de pessoas físicas pagarem impostos sobre dividendos nos EUA, os gestores financeiros lá talvez busquem maneiras de reduzir os dividendos. Ao discutirmos os problemas de assumir mais projetos de orçamento de capital, adquirir outras empresas e acumular caixa, afirmamos que uma recompra de ações apresenta muitos dos benefícios de uma distribuição de dividendos, com menos desvantagem tributária. A partir daqui, analisaremos os motivos de uma empresa escolher pagar dividendos altos a seus acionistas mesmo na existência de impostos para pessoa física sobre esses dividendos.

Desejo de renda corrente

Muitos indivíduos desejam ter uma renda corrente. Um exemplo clássico que pode ser dado é o grupo de aposentados e outras pessoas que vivem de uma renda fixa. Afirma-se que essas pessoas estariam dispostas a aumentar o preço de oferta para a ação se os dividendos aumentassem e reduzir o preços se os dividendos diminuíssem.

Esse argumento não permanece válido em mercados de capitais perfeitos, pois um indivíduo que prefere um alto fluxo de caixa corrente, mas que possui ações com dividendos baixos, poderia vender com facilidade algumas ações para obter os fundos necessários. Assim, em um mundo sem custos de transação, uma política de altos dividendos correntes não teria valor para o acionista.

Entretanto, o argumento da renda corrente é relevante, pois as vendas de ações envolvem custos de corretagem e outros custos de transação, despesas diretas que poderiam ser evitadas por meio de um investimento em ações com altos dividendos. Além disso, as vendas de ações consomem tempo, fator que contribui para levar os investidores a comprarem ações com dividendos altos.

Para colocar esse argumento em perspectiva, é preciso lembrar que intermediários financeiros, como os fundos de investimento, podem realizar operações de "reempacotamento" a um custo baixo. Esses intermediários poderiam comprar ações com dividendos baixos e, por meio de uma política controlada de realização de ganhos, pagar uma taxa de retorno mais alta a seus investidores.

Finanças Comportamentais

Suponha que os custos de transação na venda de ações sem dividendos não tivessem impacto na preferência dos investidores pelos dividendos. Nesse caso, continuaria a haver uma razão para altos dividendos? No Capítulo 14, apresentamos o tópico de Finanças Comportamentais, afirmando que as ideias behavioristas representam um grande desafio para a teoria dos mercados de capitais eficientes. Ocorre que as Finanças Comportamentais também apresentam um argumento para dividendos altos.

A ideia básica diz respeito ao *autocontrole*, um conceito que, embora seja muito importante na psicologia, ainda não recebeu destaque na área de finanças. Não podemos revisar tudo o que a psicologia tem a dizer sobre autocontrole, porém vamos nos concentrar em um objetivo: emagrecer. Suponha que Alexandre Martin, um estudante universitário, tenha acabado de voltar do recesso de Natal com alguns quilos acima do que gostaria. Quase todo mundo concordaria que dieta e exercícios físicos são as duas opções para perder peso, mas como Alexandre deveria colocar essa abordagem em prática? Focaremos a prática de exercícios, mas os mesmos princípios também seriam aplicáveis à dieta. Uma maneira, que chamaremos de maneira dos economistas, envolveria tentar fazer decisões racionais. Todos os dias, Alexandre colocaria os custos e benefícios de fazer exercícios em uma balança. Talvez ele optasse por fazer exercício na maioria dos dias, pois emagrecer é importante para ele, porém, quando ele está muito atarefado com provas, ele pode escolher não se exercitar, já que não terá tempo. Ele também quer ter uma vida social ativa e pode escolher evitar o exercício em dias de festas e outros compromissos sociais mais longos.

A estratégia de Alexandre parece sensata à primeira vista. O problema é que ele deve tomar uma decisão todos os dias, e é possível que haja muitos dias em que sua falta de autocontrole o vença. Alexandre pode dizer para si mesmo que não tem tempo para se exercitar em um determinado dia porque o exercício está se tornando chato, e não porque ele realmente não tem tempo. Em poucos dias, ele estará evitando a prática de exercícios e ainda comendo mais do que deveria devido ao sentimento de culpa de não se exercitar!

Há alguma alternativa? Uma estratégia seria estabelecer regras rígidas. Alexandre poderia decidir fazer exercícios cinco dias por semana *não importa o que aconteça*. Essa abordagem não é a melhor escolha para todos, mas não há dúvidas de que muitos de nós (talvez a maioria) vivem seguindo um conjunto de regras. Por exemplo, Shefrin e Statman[17] sugerem algumas regras comuns:

- Correr pelo menos três quilômetros por dia.
- Não consumir mais de 1.200 calorias por dia.
- Depositar o salário da esposa e gastar dinheiro apenas do salário do marido.
- Economizar pelo menos 2% de cada salário para a faculdade dos filhos e nunca retirar dinheiro desse fundo.
- Nunca tomar nem sequer uma gota de álcool.

---

[17] Hersh M. Shefrin e Meir Statman, "Explaining Investor Preference for Cash Dividends", *Journal of Financial Economics*, v. 13, 1984.

O que isso tem a ver com dividendos? Os investidores também devem lidar com o autocontrole. Suponha que uma senhora aposentada deseje gastar $ 20.000 por ano de suas economias, além do valor de sua Previdência Social e pensão. De um lado, ela poderia comprar ações com um retorno em dividendos alto o bastante para gerar $ 20.000 em dividendos; por outro lado, ela poderia aplicar suas economias em ações sem dividendos, vendendo $ 20.000 delas em cada ano, para seus gastos.

Apesar de essas duas abordagens parecerem financeiramente equivalentes, a segunda permite uma liberdade de ação muito grande. Se houver falta de autocontrole, a senhora talvez faça uma venda maior do que deveria, deixando-a com pouco rendimento para os anos posteriores. Para driblar essa possibilidade, seria melhor investir em ações que pagam dividendos com uma regra pessoal rígida de *nunca* sacar do principal de seus investimentos. Ainda que os behavioristas não afirmem que essa abordagem seja aplicável para todos, eles argumentam que muitas pessoas pensam dessa maneira para explicar o motivo de as empresas pagarem dividendos nos EUA, apesar de lá eles serem desvantajosos em relação aos impostos (diferentemente do que ocorre no Brasil).

A área de Finanças Comportamentais é a favor de maiores recompras de ações junto com maiores dividendos? A resposta é não, pois os investidores é que venderão as ações que as empresas recompram. Como dito antes, vender ações envolve uma liberdade de ação muito grande; logo, é possível que os investidores vendam ações demais, deixando um valor pequeno para os anos seguintes. Portanto, o argumento behaviorista pode explicar o porquê de as empresas optarem por pagar dividendos em uma realidade com impostos para a pessoa física.

Custos de agência

Embora acionistas, credores e gestores formem empresas por razões que beneficiam a todos, uma das partes pode mais tarde ganhar à custa de outra. Por exemplo, considere o potencial conflito entre credores e acionistas. Os credores prefeririam que os acionistas deixassem o máximo de caixa possível na empresa, de modo que esse dinheiro esteja disponível para pagar credores durante períodos de dificuldades financeiras.

Já os acionistas teriam preferência por ficar eles mesmos com esse dinheiro excedente, e é aí que entram os dividendos. Os gestores, atuando em favor dos acionistas, podem pagar dividendos apenas para manter o dinheiro longe dos credores. Quer dizer, um dividendo pode ser visto como uma transferência de riquezas dos credores para os acionistas. Há provas empíricas que sustentam essa visão dos fatos. Por exemplo, DeAngelo e DeAngelo concluíram que as empresas com dificuldades financeiras são relutantes em cortar dividendos.[18] É claro que os credores têm consciência da preferência dos acionistas de que o dinheiro seja transferido para fora da empresa. Para se protegerem, eles, com muita frequência, fazem constar dos contratos de empréstimos cláusulas que estabelecem que o pagamento de dividendos poderá ocorrer somente se a empresa apresentar lucros, fluxo de caixa e capital de giro acima de determinados níveis.

Os gestores podem trabalhar pelos interesses dos acionistas em relação a conflitos com credores, assim como podem correr atrás de objetivos pessoais à custa dos acionistas em outras situações. Conforme discutido em um capítulo anterior, os gestores podem criar despesas indevidas para a empresa, assumir projetos de sua estimação, porém com VPL negativo, ou não trabalhar com empenho. É mais comum para os gestores buscar esses objetivos egoístas quando a empresa apresenta muito fluxo de caixa livre. Afinal, só é possível esbanjar dinheiro se houver dinheiro disponível. Nesse ponto, os dividendos entram em cena. Muitos acadêmicos sugeriram que o conselho de administração poderia usar os dividendos para reduzir os custos de agência.[19] Pagando dividendos com o mesmo valor do fluxo de caixa da "sobra", uma empresa pode reduzir a capacidade de os gestores desperdiçarem recursos.

---

[18] H. DeAngelo e L. DeAngelo, "Dividend Policy and Financial Distress: An Empirical Investigation of troubled NYSE Firms", *Journal of Finance,* v. 45, 1990.

[19] Michael Rozeff, "How Companies Set Their Dividend Payout Ratios", em *The Revolution in Corporate Finance,* editado por Joel M. Stern e Donald H. Chew. Nova York: Basil Blackwell, 1986. Consulte também Robert S. Hansen, Raman Kumar e Dilip K. Shome, "Dividend Policy and Corporate Monitoring: Evidence from the Regulated Electric Utility Industry", *Financial Management,* primavera de 1994.

Essa discussão sugere um motivo para pagamentos maiores de dividendos, mas o mesmo argumento também se aplica a recompras de ações. Os gestores, agindo a favor dos acionistas, conseguem manter o dinheiro longe dos credores por meio de recompras com a mesma facilidade que teriam por meio do pagamento de dividendos. Do mesmo modo, o conselho de administração, também trabalhando a favor dos acionistas, poderia reduzir o dinheiro disponível a gestores esbanjadores, fazendo recompras ou pagando dividendos, ambos com a mesma facilidade. Assim, a presença de custos de agência não é um argumento que possa favorecer os dividendos em comparação com as recompras. Na verdade, os custos de agência implicam que as empresas possam aumentar os dividendos ou as recompras de ações em vez de acumular grandes somas de caixa.

Conteúdo informacional e sinalização com dividendos

Conteúdo informacional Ao mesmo tempo em que há muitos aspectos dos dividendos que os pesquisadores não sabem, uma coisa é certa: o preço da ação de uma empresa aumenta quando ela anuncia um aumento nos dividendos e cai quando anuncia uma redução nos dividendos. Por exemplo, Asquith e Mullins estimam que os preços das ações se elevam cerca de 3% após anúncios de início de distribuição de dividendos.[20] Michaely, Thaler e Womack concluíram que os preços das ações caem cerca de 7% após anúncios de não pagamento de dividendos.[21]

A questão é como devemos *interpretar* essas evidência empíricas. Considere as três posições a seguir quanto a dividendos:

1. A partir do argumento dos dividendos caseiros de MM, a política de dividendos é irrelevante se lucros futuros (e fluxo de caixa) são mantidos constantes.

2. Em razão dos efeitos tributários, o preço da ação de uma empresa nos EUA é negativamente relacionado ao dividendo corrente quando lucros futuros (ou fluxo de caixa) são mantidos constantes. No Brasil, como para os investidores individuais os ganhos de capital são tributados e os dividendos não, uma política de altos dividendos é melhor.

3. Devido ao desejo dos acionistas de terem uma renda corrente, o preço da ação de uma empresa é positivamente relacionado ao dividendo atual, mesmo quando lucros futuros (ou fluxo de caixa) são mantidos constantes.

4. No Brasil, é melhor para a empresa pagar JCP e imputá-los aos dividendos, mas isso pode conflitar com o interesse de acionistas pessoas jurídicas, e, nessa situação, para o acionista pessoa jurídica, poderá ser melhor receber dividendos altos.

A princípio, a evidência empírica de que os preços das ações sobem quando aumentos nos dividendos são anunciados pode parecer coerente com a posição 3 e incoerente com as posições 1 e 2. Na verdade, muitos autores já disseram isso. No entanto, outros discordaram, afirmando que a observação em si é coerente com as três primeiras posições. Eles salientam que as empresas não gostam de cortar dividendos; logo, as empresas aumentarão seu dividendo somente quando têm a expectativa de que os lucros futuros, o fluxo de caixa e assim por diante aumentarão o suficiente de tal forma que não seja provável que, posteriormente, o dividendo tenha de ser reduzido ao seu valor inicial. Um aumento de dividendo é o *sinal* da administração para o mercado de que a empresa deve se sair bem.

É a previsão de períodos de sucesso, e não apenas a afinidade dos acionistas por renda corrente, que aumenta o preço da ação. O aumento no preço da ação que segue o sinal é chamado de **efeito do conteúdo informacional** do dividendo. Para relembrar, imagine que o preço da ação não seja afetado ou até seja negativamente afetado pelo nível de dividendos se lucros futuros (ou fluxo de caixa) forem constantes. Contudo, o efeito do conteúdo informacional

---

[20] P. Asquith e D. Mullins, Jr., "The Impact of Initiating Dividend Payments on Shareholders' Wealth", *Journal of Business,* jan. 1983.

[21] R. Michaely, R. H. Thaler e K. Womack, "Price Reactions to Dividend Initiations and Omissions: Overreactions or Drift?", *Journal of Finance,* v. 50, 1995.

implica que o preço da ação pode subir quando os dividendos aumentam – se os dividendos simultaneamente fizerem com que os acionistas *aumentem* suas expectativas de lucros futuros e fluxo de caixa.

Sinalização por meio de dividendos   Acabamos de argumentar que o mercado infere um aumento nos lucros e fluxos de caixa quando há um aumento nos dividendos, levando a um preço de ação mais alto. De modo contrário, o mercado infere uma diminuição nos fluxos de caixa quando ocorre uma redução nos dividendos, levando a uma queda no preço da ação. Isso cria uma estratégia corporativa interessante: a administração conseguiria aumentar os dividendos apenas para fazer com que o mercado *pensasse* que os fluxos de caixa seriam mais altos mesmo quando a administração sabe que eles não subiriam?

Embora possa parecer que essa estratégia seja desonesta, acadêmicos assumem que é comum os gestores optarem por ela. Os acadêmicos começam com a identidade contábil apresentada a seguir para uma empresa financiada somente por capital próprio:

$$\text{Fluxo de caixa}^{22} = \text{Gastos de capital} + \text{Dividendos} \quad (19.5)$$

A Equação 19.5 deve se manter válida se a empresa não estiver emitindo nem recomprando ações; ou seja, o fluxo de caixa da empresa deve ir para algum lugar. Se não houver o pagamento de dividendos, ele deve ser usado em algum dispêndio. Seja um dispêndio que envolva um projeto de orçamento de capital ou a compra de títulos do Tesouro, trata-se de um dispêndio.

Imagine que estejamos no meio do ano e os investidores estejam tentando fazer uma previsão do fluxo de caixa do ano todo. Esses investidores podem usar a Equação 19.5 para estimar o fluxo de caixa. Suponha que a empresa anuncie que os dividendos correntes serão de $ 50 milhões e que o mercado acredite que os gastos de capital sejam de $ 80 milhões. Então, o mercado determina que o fluxo de caixa seja de $ 130 milhões (=$ 50 + $ 80).

Agora, suponha como alternativa que a empresa tenha anunciado um dividendo de $ 70 milhões. O mercado pode assumir que o fluxo de caixa permanece em $ 130 milhões, implicando gastos de capital de $ 60 milhões (=$ 130 − $ 70). Nesse caso, o aumento nos dividendos prejudicaria o preço da ação, pois o mercado antecipa que valiosos gastos de capital serão descartados. Como outra opção, o mercado pode assumir que os gastos de capital permaneçam em $ 80 milhões, implicando um fluxo de caixa estimado de $ 150 milhões (=$ 70 + $ 80). O preço da ação aumentará nesse caso, pois os preços das ações normalmente sobem com o fluxo de caixa. Em geral, os acadêmicos acreditam que os modelos mais realistas são aqueles em que os investidores assumem que os gastos de capital permanecem os mesmos. Assim, um aumento nos dividendos faz com que o preço da ação suba.

Agora chegamos aos incentivos da administração para enganar o público. Suponha que você seja um gestor que quer impulsionar o preço da ação, porque você planeja vender algumas de suas próprias ações da empresa imediatamente. Você pode aumentar os dividendos de modo que o mercado aumente a estimativa do fluxo de caixa da empresa, impulsionando também o preço corrente da ação.

Se essa estratégia for atraente, algo faria com que você parasse de aumentar os dividendos de maneira ilimitada? A resposta é sim, pois também há um *custo* por aumentar os dividendos; isto é, a empresa terá que abandonar alguns de seus projetos que geram lucros. Lembre-se de que o fluxo de caixa da Equação 19.5 é uma constante, portanto um aumento nos dividendos é obtido apenas por meio de uma redução nos gastos de capital.

Em algum momento, o mercado perceberá que o fluxo de caixa não aumentou e que, em vez disso, gastos de capital lucrativos foram cortados. Quando o mercado absorver essa informação, o preço da ação deve cair para um valor abaixo do valor que teria se os dividendos nunca tivessem sido aumentados. Dessa maneira, se você planeja vender, digamos, metade de suas ações e permanecer com a outra metade, um aumento nos dividendos deve ajudá-lo na venda imediata, mas traria prejuízo para a venda das ações restantes em anos posteriores. Por

---

[22] A representação correta da Equação 19.5 envolve fluxo de caixa, e não lucros. No entanto, com pouca perda de compreensão, poderíamos discutir a sinalização dos dividendos em termos de lucros, e não fluxo de caixa.

consequência, sua decisão quanto ao valor dos dividendos será baseada, entre outras coisas, na distribuição no tempo de suas vendas de próprias ações.

Esse é um exemplo simplificado de sinalização por dividendos, em que o dirigente estabelece a política de dividendos com base no benefício máximo para ele mesmo.[23] De forma alternativa, um dirigente pode não ter vontade de vender suas ações imediatamente, mas sabe que, em determinado momento, muitos acionistas optarão por isso. Assim, para benefício dos acionistas em geral, o dirigente estará sempre ciente da ponderação entre o preço atual e futuro da ação. Essa é a essência da sinalização com dividendos: não é suficiente para o gestor estabelecer uma política de dividendos que eleve ao máximo o valor verdadeiro (ou intrínseco) da empresa. Ele também deve considerar o efeito da política de dividendos no preço corrente da ação, mesmo se o preço não refletir seu valor verdadeiro.

O motivo para sinalizar implica que os gestores aumentarão os dividendos em vez de recompras de ações? A resposta possivelmente será não: a maioria dos modelos acadêmicos no mercado norte-americano implica que pagamentos de dividendos e recompras de ações são substitutos perfeitos.[24] Em vez disso, esses modelos indicam que os gestores considerarão reduzir os gastos de capital (mesmo em projetos de VPL positivo) para aumentar os dividendos ou as recompras de ações.

19.8 O efeito clientela: uma solução para os fatores do mundo real?

Nas duas seções precedentes, discutimos que a existência de impostos para pessoa física nos EUA favorece a escolha por uma política de dividendos baixos, enquanto outros fatores favorecem os dividendos altos. A área de Finanças tinha esperança de que seria fácil determinar qual desses conjuntos de fatores seria prevalente. Infelizmente, após anos de pesquisa, ninguém foi capaz de concluir qual dos dois é mais importante. Esse fato é surpreendente: podemos não acreditar que os dois conjuntos de fatores se cancelariam mutuamente com tanta perfeição.

No entanto, uma ideia em especial, conhecida como o *efeito clientela*, implica que os dois conjuntos de fatores são propensos a se anularem no final das contas. Para compreender essa ideia, vamos separar os investidores que se encontram em faixa de tributação alta dos que se encontram em faixa de tributação baixa.

Nos EUA, as pessoas em uma faixa de tributação alta têm propensão a preferir que não haja dividendos ou que os dividendos sejam baixos. Os investidores em faixa de tributação baixa se dividem em três categorias. A primeira diz respeito aos investidores individuais em faixa de tributação baixa, os quais têm propensão a preferir que haja alguns dividendos caso desejem uma renda corrente. A segunda considera que os fundos de pensão não pagam impostos sobre dividendos e ganhos de capital. Como eles não sofrem consequências tributárias, os fundos de pensão também terão preferência por dividendos se quiserem renda corrente. Já a terceira abrange as empresas que podem excluir ao menos 70% de sua renda de dividendos, mas não podem excluir nenhuma parte de seus ganhos de capital. Assim, as empresas são propensas a preferir ações com dividendos altos, mesmo se não houver a preferência por renda corrente. Essas considerações são válidas no mercado norte-americano.

---

[23] Entre os artigos que analisam modelos completamente desenvolvidos de sinalização estão: S. Bhattacharya, "Imperfect Information, Dividend Policy, and 'the Bird in the Hand' Fallacy", *Bell Journal of Economics*, v. 10, 1979; S. Bhattacharya, "Non-dissipative Signaling Structure and Dividend Policy", *Quarterly Journal of Economics* v. 95, p.1, 1980; S. Ross, "The Determination of Financial Structure: The Incentive Signalling Approach", *Bell Journal of Economics*, v. 8, 1977; p. 1; M. Miller e K. Rock, "Dividend Policy under Asymmetric Information", *Journal of Finance*, 1985.

[24] Modelos de sinalização em que dividendos e recompras não são substitutos perfeitos são apresentados em Franklin Allen, Antonio Bernardo e Ivo Welch, "A Theory of Dividends Based on Tax Clienteles", *Journal of Finance*, 2002; Kose John e Joseph Williams, "Dividends, Dilution and Taxes: A Signalling Equilibrium", *Journal of Finance*, 1985. O leitor deve estar atento para as diferenças no tratamento tributário para dividendos e ganhos de capital entre os EUA e o Brasil. Dadas essas diferenças, algumas conclusões talvez não sejam aplicáveis para o caso brasileiro.

No Brasil, podemos pensar no exemplo dos fundos de pensão. Quando os assistidos pelo fundo são jovens e pessoas de meia-idade, o fundo deveria investir em empresas com grandes oportunidades de crescimento que distribuíssem o mínimo possível de caixa e reinvestissem o máximo para aproveitar as oportunidades que se oferecem. Quando o fundo for maduro, em que saídas substanciais de caixa serão necessárias para pagar aposentadorias e pensões, os recursos do fundo deveriam privilegiar empresas maduras, pagadoras de altos dividendos. Obviamente, o argumento dos dividendos caseiros se aplica, e o fundo de pensão poderia manter seus investimentos em empresas de alto crescimento e vender ações para realizar caixa. O problema é que vendas de fundos podem afetar os preços da ação ofertada, dado o volume que podem atingir, e, por isso, empresas pagadoras de bons dividendos poderiam ser a alternativa.

Suponha que 40% de todos os investidores prefiram dividendos altos, e 60% prefiram dividendos baixos e que, apesar disso, apenas 20% das empresas pagam dividendos altos, enquanto 80% pagam dividendos baixos. Nesse caso, as empresas com dividendos altos não conseguem atender à demanda, o que indica que suas ações aumentarão de preço enquanto as ações das empresas com dividendos baixos diminuirão de preço.

Entretanto, as políticas de dividendos de todas as empresas precisam ser estabelecidas para o longo prazo. Nesse exemplo, esperaríamos que um número suficiente de empresas com dividendos baixos aumentasse seus pagamentos de modo que 40% das empresas pagassem dividendos altos e 60% das empresas pagassem dividendos baixos. Depois desse ajuste, nenhuma empresa ganhará por alterar sua política de dividendos. Após os pagamentos das empresas entrarem em conformidade com as preferências dos acionistas, nenhuma empresa afetará seu valor de mercado trocando uma estratégia de dividendos por outra.

A maneira mais provável para que as **clientelas** se formem é a seguinte (nos EUA):

Grupo	Ações
Pessoas em faixa de tributação alta	Ações sem dividendos ou com baixos dividendos
Pessoas em faixa de tributação baixa	Ações com dividendos de baixos a médios
Instituições sem impostos	Ações com dividendos médios
Corporações	Ações com dividendos altos

Para conferir se você entendeu o efeito clientela, considere a afirmação a seguir: "Em uma realidade em que muitos investidores gostam de dividendos altos, uma empresa pode impulsionar o preço de sua ação aumentando sua taxa de distribuição de dividendos". Isso é verdadeiro ou falso?

A afirmação tem grande probabilidade de ser falsa. Desde que haja um número suficiente de empresas com dividendos altos para atender aos investidores que adoram dividendos, uma empresa não poderá aumentar o preço de sua ação pagando dividendos elevados. Isso só pode acontecer se houver uma clientela *insatisfeita*.

Nossa discussão sobre clientelas surgiu do fato de as faixas de tributação variarem entre os investidores. Se os acionistas se preocuparem com os impostos, as ações deverão atrair clientelas de acordo com o retorno em dividendos. Há alguma prova de que seja esse o caso?

Considere a Figura 19.6. Nela, John Graham e Alok Kumar[25] categorizam ações ordinárias nos EUA por seus retornos em dividendos (o índice de dividendo por preço da ação) e separam-nas em cinco carteiras, chamadas quintis. O quintil inferior contém os 20% de ações com retornos em dividendos mais baixos, o próximo quintil contém os 20% das ações seguintes com os retornos em dividendos mais baixos, e assim por diante.

A figura mostra o peso de cada quintil nas carteiras de investidores com rendas baixa, média e alta. Como pode ser visto, em relação aos investidores com renda baixa, os investidores com renda alta aplicam uma porcentagem maior de seus ativos em títulos com dividendos baixos. Novamente, no que concerne aos investidores com renda baixa, os investidores com renda alta aplicam uma porcentagem menor de seus ativos em títulos com dividendos altos.

---

[25] John Graham e Alok Kumar, "Do Dividend Clienteles Exist? Evidence on Dividend Preferences of Retail Investors", *Journal of Finance*, jun. 2006.

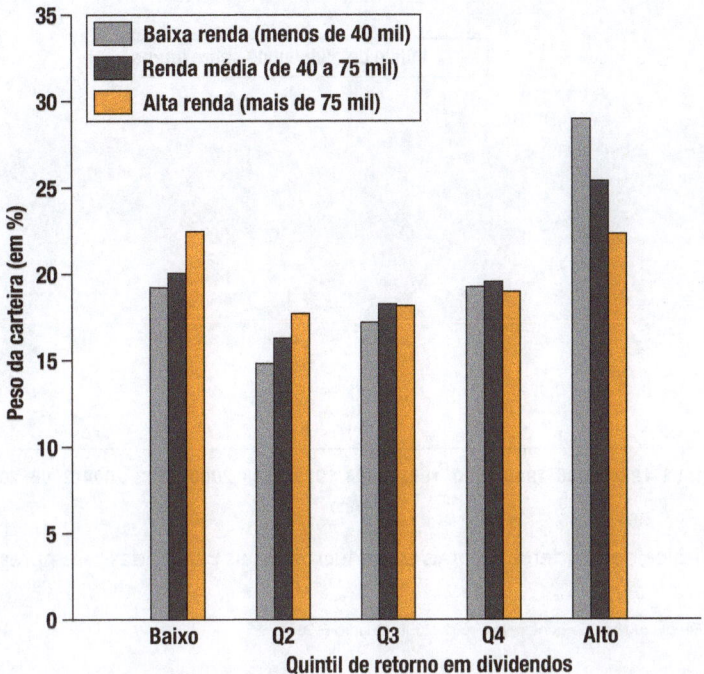

Todas as ações estão categorizadas por seus retornos em dividendos e separadas em cinco quintis. A figura mostra o peso de cada quintil nas carteiras de investidores com rendas baixa, média e alta nos EUA. Em relação aos com renda baixa, investidores com renda alta aplicam grande parte de seus ativos em ações com dividendos baixos e uma porcentagem menor em ações com dividendos altos.

FIGURA 19.6 Preferências dos investidores quanto ao retorno em dividendos nos EUA.

FONTE: Adaptado da Figura 2 de John Graham e Alok Kumar, "Do Dividend Clienteles Exist? Evidence on Dividend Preferences of Retail Investors", *Journal of Finance* 61 (2006), p. 1305-36.

19.9 O que sabemos e o que não sabemos sobre políticas de dividendos

Dividendos corporativos são substanciais

Neste capítulo, já afirmamos que, nos EUA, os dividendos são desvantajosos em termos de impostos em relação aos ganhos de capital, pois o rendimento em dividendos lá sofre tributação no momento de seu pagamento, enquanto os impostos sobre os ganhos de capital são postergados até a venda. Lembramos também ao leitor ao longo do texto que, no Brasil, essa situação é diferente, dado que o rendimento em dividendos não é tributável. Por outro lado, mesmo que essa tributação pese nos EUA, os dividendos são substanciais na economia norte-americana. Por exemplo, considere a Figura 19.7, que mostra o índice de dividendos totais sobre lucros totais para todas as empresas dos EUA de 1980 a 2010. O índice foi próximo a 61% em 2010.

Podemos argumentar que a tributação sobre os dividendos é, na verdade, mínima, talvez porque os dividendos são pagos, sobretudo, a pessoas físicas em faixa de tributação baixa (atualmente, a alíquota tributária sobre dividendos em dinheiro é de até 15% nos EUA) ou porque instituições como fundos de pensão, que não pagam impostos, são os principais receptores.

Peterson, Peterson e Ang conduziram um estudo aprofundado sobre os dividendos para um ano representativo, 1979.[26] Eles descobriram que cerca de dois terços dos dividendos nos EUA foram recebidos por pessoas físicas e que a faixa de tributação marginal para esses indivíduos

---

[26] P. Peterson, D. Peterson e J. Ang, "Direct Evidence on the Marginal Rate of Taxation on Dividend Income", *Journal of Financial Economics*, v. 14, 1985.

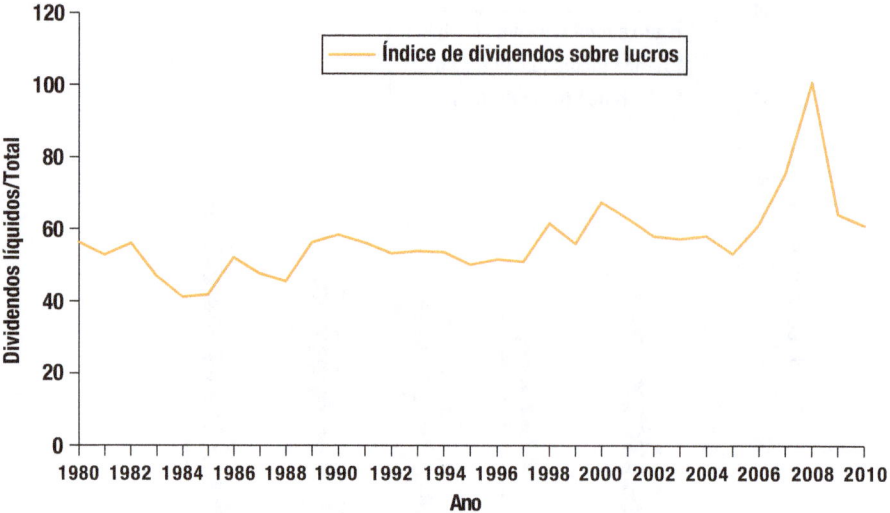

FIGURA 19.7 Índice de dividendos totais sobre lucros totais para todas as empresas dos EUA: 1980 a 2010.

Fonte: *The Economic Report of the President*, fevereiro de 2008, Quadro B-90.

era de 40%. Portanto, temos que concluir que grandes quantias de dividendos são pagas, mesmo com a existência de uma tributação relevante.

Menos empresas pagam dividendos

Embora os dividendos sejam substanciais, os pesquisadores Fama e French (FF) afirmam que a porcentagem de empresas que pagam dividendos diminuiu nas últimas décadas.[27] FF argumentam que a queda foi causada, principalmente, por uma explosão de empresas pequenas, ainda não lucrativas e que, há pouco tempo, foram listadas em diversas bolsas de valores. A maioria dessas empresas não paga dividendos. A Figura 19.8 mostra que a proporção de empresas industriais dos EUA que pagam dividendos caiu de 1973 a 2002.[28] Essa figura, apresentada em um artigo de DeAngelo, DeAngelo e Skinner,[29] também mostra um *aumento* na proporção de pagantes de dividendos de 2002 a 2010. Uma explicação óbvia é o corte que a alíquota tributária máxima sobre os dividendos sofreu, passando a ser de 15% nos EUA, após a oficialização em lei em maio de 2003. No entanto, os estudiosos minimizam o efeito do corte nos impostos, sugerindo outras razões. É importante mencionar que o ressurgimento de pagantes de dividendos foi observado apenas no período de dois anos entre 2002 e 2004.

A Figura 19.8 não implica que os dividendos de *todas* as empresas caíram de 1973 a 2002. DeAngelo, DeAngelo e Skinner[30] afirmaram que, enquanto empresas pequenas evitaram o pagamento de dividendos, as empresas maiores aumentaram de forma considerável seus dividendos nas últimas décadas. Esse aumento criou uma concentração tão grande de dividendos, que as 25 empresas que mais pagavam dividendos somaram mais de 50% dos

---

[27] E. F. Fama e K. R. French, "Disappearing Dividends: Changing Firm Characteristics or Lower Propensity to Pay?", *Journal of Financial Economics,* apr. 2001.

[28] O não pagamento de dividendos não é uma opção das empresas brasileiras. A Lei Societária exige que o percentual de lucros a ser distribuído esteja expresso no estatuto. Ainda que o percentual mínimo estatutário fosse estabelecido em 0%, a não destinação nos termos dos artigos 193 a 197 obriga a distribuição de todo o lucro não destinado (Brasil, 1976).

[29] Harry DeAngelo, Linda DeAngelo e Douglas J. Skinner, "Corporate Payout Policy", em *Foundations and Trends in Finance*, v. 3, 2008. Dados atualizados pelos autores.

[30] Harry DeAngelo, Linda DeAngelo e Douglas J. Skinner, "Are Dividends Disappearing? Dividend Concentration and the Consolidation of Earnings", *Journal of Financial Economics,* 2004.

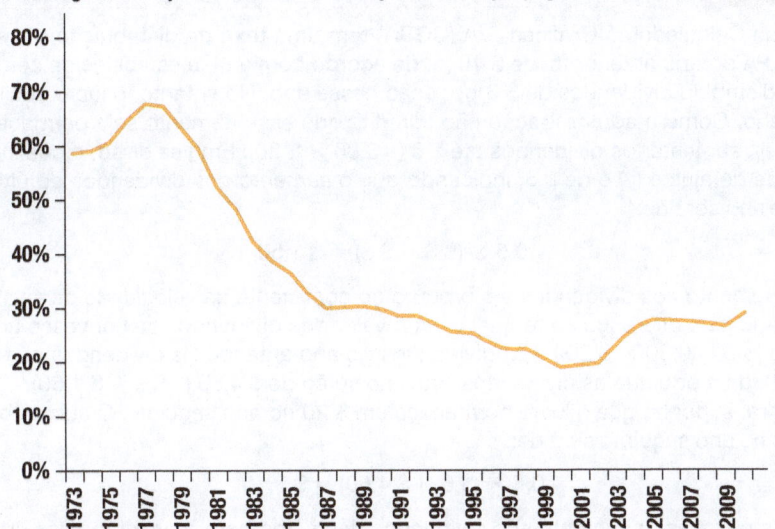

FIGURA 19.8 Proporção de todas as empresas industriais dos EUA que pagam dividendos.

FONTE: Harry DeAngelo, Linda DeAngelo e Douglas J. Skinner, "Corporate Payout Policy", em *Foundations and Trends in Finance*, vol. 3 (2008). Dados atualizados por DeAngelo, DeAngelo e Skinner.

dividendos totais nos EUA em 2000. DeAngelo e seus colegas sugerem que "as empresas industriais apresentam uma estrutura de dois níveis em que um número pequeno de empresas com lucros muito altos gera a maior parte dos lucros e domina o suprimento de dividendos, enquanto a maioria das empresas tem, no máximo, um impacto modesto sobre lucros e dividendos totais".

Empresas suavizam os dividendos

Em 1956, John Lintner fez duas importantes observações em relação a políticas de dividendos que ainda soam verdadeiras.[31] Uma delas trata das empresas reais que normalmente estipulam taxas de longo prazo desejadas para distribuição de dividendos em relação aos lucros. É mais provável que uma empresa estabeleça uma taxa desejada baixa se tiver muitos projetos de VPL positivo com relação ao fluxo de caixa disponível e uma alta se tiver poucos projetos de VPL positivo. A segunda observação se refere aos gestores que sabem que apenas parte de qualquer mudança nos lucros tende a ser permanente. Como os gestores precisam de tempo para avaliar a permanência de qualquer aumento nos lucros, as mudanças nos dividendos parecem não acompanhar as mudanças nos lucros por um bom tempo.

Analisadas em conjunto, as observações de Lintner sugerem que dois parâmetros descrevem a política de dividendos: a taxa de distribuição desejada (i) e a velocidade do ajuste dos dividendos correntes ao valor desejado (v). As alterações nos dividendos tendem a estar em conformidade com o modelo a seguir:

$$\text{Alteração nos dividendos} = \text{Div}_1 - \text{Div}_0 = v \cdot (i\text{LPA}_1 - \text{Div}_0) \qquad (19.6)$$

Nessa equação, Div_1 e Div_0 são dividendos do próximo ano e dividendos do ano corrente, respectivamente. LPA_1 é o lucro por ação do próximo ano.

---

[31] J. Lintner, "Distribution of Incomes of Corporations among Dividends, Retained Earnings, and Taxes", *American Economic Review*, may 1956.

> **EXEMPLO 19.3 Ajuste de dividendos**
>
> A empresa Calculadoras Gráficas S/A (CGSA) tem uma taxa de distribuição desejada de 0,30. O LPA do ano anterior foi de $ 10, e, de acordo com a taxa estabelecida como meta, a CGSA distribuiu dividendos de $ 3 por ação nesse ano. No entanto, o lucro subiu para $ 20 este ano. Como a administração não acredita que esse aumento seja permanente, ela *não* planeja aumentar os dividendos até $ 6 (=0,30 × $ 20). Em vez disso, o coeficiente da velocidade de ajuste (*v*) é de 0,5, indicando que o *aumento* nos dividendos do último ano para este ano será de:[32]
>
> $$0,5 \times (\$ 6 - \$ 3) = \$ 1,50$$
>
> Isto é, o aumento nos dividendos é o produto do coeficiente da velocidade de ajuste (0,50) multiplicado pela diferença entre qual seria o valor dos dividendos se houvesse um ajuste completo [$ 6 (=0,30 × $ 20)] e os dividendos do ano anterior. Os dividendos aumentarão em $ 1,50, de modo que os dividendos este ano serão de $ 4,50 (=$ 3 + $ 1,50).
> Agora, suponha que o lucro permaneça em $ 20 no ano seguinte. O aumento nos dividendos no ano seguinte será de:
>
> $$0,5 \times (\$ 6 - \$ 4,50) = \$ 0,75$$
>
> Em outras palavras, o aumento nos dividendos deste ano para o próximo ano será o coeficiente da velocidade de ajuste (0,50) multiplicado pela diferença entre o valor que os dividendos teriam no próximo ano se houvesse um ajuste completo ($ 6) e os dividendos deste ano ($ 4,50). Como os dividendos aumentarão $ 0,75, os dividendos no próximo ano serão de $ 5,25 (=$ 4,40 + $ 0,75). Assim, os dividendos subirão de valor lentamente a cada ano se o lucro em todos os anos futuros permanecer em $ 20. No entanto, os dividendos chegarão ao valor de $ 6 apenas no infinito.

Os casos limitantes da Equação 19.6 acontecem quando $v = 1$ e $v = 0$. Se $v = 1$, a mudança real nos dividendos será igual à mudança desejada nos dividendos. Nesse caso, o ajuste completo acontece imediatamente. Se $v = 0$, $Div_1 = Div_0$. Quer dizer, os dividendos não sofrem alteração alguma. É esperado que as empresas do mundo real estabeleçam um v entre 0 e 1.

Uma implicação do modelo de Lintner é que o índice de dividendos por lucro aumenta quando a empresa inicia um período de resultados ruins e cai quando a empresa inicia um período de resultados bons. Portanto, os dividendos mostram uma menor variabilidade em comparação com o lucro; ou seja, as empresas *ajustam* os dividendos.

Os prós e contras de pagar dividendos nos EUA

Prós	Contras
1. Os dividendos podem parecer atraentes para investidores que desejam um fluxo de caixa estável, mas que não querem arcar com os custos de operação da venda periódica de ações de sua carteira para obter caixa.	1. Nos EUA, os dividendos têm sido tributados como renda comum. De forma contrária, no Brasil, não há tributação do rendimento em dividendos.

---

[32] No Brasil, se o estatuto determinar que 30% dos lucros sejam distribuídos como dividendos, a empresa deverá distribuir $ 6 em dividendos se o lucro tiver sido de $ 20. Se, em um exercício, o lucro for de $ 100 milhões e no outro o lucro for de $ 20 milhões, no primeiro ano, a empresa deverá distribuir no mínimo $ 30 milhões e, no outro, no mínimo $ 6 milhões em dividendos, e isso não será surpresa para os investidores, pois eles conhecem o estatuto. A surpresa talvez seja o desempenho dos negócios e o resultado que afeta o dividendo. Além do lucro líquido, os dividendos podem ser pagos de lucros acumulados e de reserva de lucros; e à conta de reserva de capital, no caso das ações preferenciais de que trata a LSA.

Prós	Contras
2. A área de Finanças Comportamentais argumenta que os investidores com autocontrole limitado podem atender a suas necessidades de consumo corrente com ações que tenham dividendos altos, desde que mantenham a política de nunca retirar dinheiro de seu investimento em ações.	2. Os dividendos podem reduzir as fontes internas de financiamento e obrigar a empresa a desistir de projetos de VPL positivo ou a depender de um dispendioso financiamento com dívida. (Para evitar isso, as empresas brasileiras, em geral, estabelecem o dividendo obrigatório em um percentual mínimo dos lucros.)
3. Os gestores, atuando a favor dos acionistas, podem pagar dividendos em vez de pagar os credores. (No Brasil, o fato de os dividendos serem pagos do lucro líquido, implica que as despesas com juros foram computadas antes mas não implica que tenham sido pagas.)	3. Uma vez estabelecido um nível de dividendos, reduções nos dividendos são difíceis de ser feitas sem afetar desfavoravelmente o preço da ação da empresa. (No Brasil, deverá ser distribuído o mínimo estatutário ou o determinado pela lei se o estatuto for omisso).
4. O conselho de administração, agindo a favor dos acionistas, pode usar os dividendos para reduzir o montante de dinheiro disponível a gestores com tendência a gastar mais do que o necessário.	
5. Os gestores podem aumentar os dividendos para sinalizar seu otimismo em relação ao fluxo de caixa futuro.	

Algumas evidências de pesquisas sobre os dividendos

Um estudo recente consultou um grande número de executivos financeiros sobre a política de dividendos nos EUA. Uma das perguntas era: "Essas afirmações descrevem fatores que afetam as decisões de sua empresa sobre os dividendos?". O Quadro 19.2 mostra alguns dos resultados.

Observa-se, no Quadro 19.2, que os executivos financeiros norte-americanos não são muito favoráveis à redução do valor dos dividendos, são muito sensíveis quanto ao nível de seus dividendos anteriores e desejam manter um dividendo relativamente constante. Em contraste, o custo de aportes de capital e o desejo de atrair investidores aos quais se aplique a "regra do investidor prudente" (aqueles que implicam em deveres fiduciários para o vendedor dos títulos mobiliários) são menos importantes.

QUADRO 19.2 Respostas da pesquisa sobre as decisões quanto aos dividendos*

Afirmações sobre a política	Porcentagem dos executivos que concordam ou concordam fortemente
1. Tentamos evitar a redução de dividendos por ação.	93,8%
2. Tentamos manter um dividendo regular a cada ano.	89,6
3. Consideramos o nível de dividendos por ação que pagamos em trimestres recentes.	88,2
4. Relutamos em fazer alterações no dividendo que talvez precisem ser revertidas no futuro.	77,9
5. Consideramos a mudança ou o crescimento nos dividendos por ação.	66,7
6. Consideramos que o custo da obtenção de novos aportes financeiros é menor que o custo da redução dos dividendos.	42,8
7. Pagamos dividendos para atrair investidores sujeitos às regras de restrição para "investidores prudentes".	41,7

*Os entrevistados responderam à pergunta "Essas afirmações descrevem fatores que afetam as decisões de sua empresa sobre os dividendos?".
FONTE: Adaptado do Quadro 4 de A. Brav, J. R. Graham, C. R. Harvey e R. Michaely, "Payout Policy in the 21st Century", *Journal of Financial Economics* (2005).

QUADRO 19.3 Respostas da pesquisa sobre as decisões quanto aos dividendos*

Afirmações sobre a política	Porcentagem dos executivos que consideram o item importante ou muito importante
1. Manter coerência com nossa política de dividendos histórica.	84,1%
2. Estabilidade dos lucros futuros.	71,9
3. Uma mudança sustentável nos lucros.	67,1
4. Atrair investidores institucionais para a compra de nossas ações.	52,5
5. A disponibilidade de boas oportunidades de investimento que nossa empresa deve buscar.	47,6
6. Atrair investidores de varejo para a compra de nossas ações.	44,5
7. Impostos para pessoa física que nossos acionistas pagam ao receber dividendos.	21,1
8. Custos de emissão de novas ações.	9,3

*Os entrevistados responderam à pergunta "Qual é a importância dos seguintes fatores na decisão de sua empresa sobre os dividendos?".
FONTE: Adaptado do Quadro 5 de A. Brav, J. R. Graham, C. R. Harvey e R. Michaely, "Payout Policy in the 21st Century", *Journal of Financial Economics* (2005).

O Quadro 19.3 foi extraído da mesma pesquisa, mas aqui as respostas são para a pergunta "Qual é a importância dos seguintes fatores na decisão de sua empresa sobre os dividendos?". Considerando as respostas do Quadro 19.2 e nossa discussão anterior, não é uma surpresa que a prioridade maior seja manter uma política de dividendos consistente.

Os próximos itens também são coerentes com nossa análise, visto que os executivos financeiros norte-americanos estão muito preocupados com a estabilidade dos lucros e com os níveis de lucros futuros ao tomar decisões sobre dividendos e consideram nessa decisão a disponibilidade de boas oportunidades de investimento. Os entrevistados na pesquisa também acreditavam que atrair tanto investidores institucionais quanto investidores individuais (investidores de varejo) era algo importante.

Ao contrário de nossa discussão sobre impostos e custos de emissão de ações na parte inicial deste capítulo, os executivos financeiros consultados não achavam que os impostos para pessoa física para acionistas norte-americanos sobre os dividendos recebidos eram muito importantes. Um número ainda menor deles acreditava que os custos de emissão de capital eram relevantes.

O caso brasileiro dos diferentes tipos de *payouts**

O mercado brasileiro apresenta uma série de particularidades que impedem a aplicação direta das recomendações para a política de distribuição de dividendos que resultam de estudos em outros países. Podemos citar algumas delas, como a existência de dividendo mínimo obrigatório, a possibilidade de pagamento de juros sobre o capital próprio e a grande concentração da propriedade.

No Brasil, há evidências de uma relação positiva entre a concentração acionária e o nível de *payout* nas empresas brasileiras que possuem ações negociadas na BM&FBOVESPA: quanto maior a concentração acionária, maior o nível do *payout*.

Para compensar o fim da correção monetária de balanços das firmas, surgem, na Lei nº 9.430, de 27 de dezembro de 1996, os juros sobre capital próprio (JCP) (Brasil, 1996). De acordo com essa lei, uma parte dos dividendos, na forma de JCP, pode ser considerada despesa financeira, reduzindo a base de cálculo para pagamento do imposto de renda incidente sobre o lucro das empresas. Os JCP pagos aos acionistas podem ser imputados aos dividendos mínimos obrigatórios e como seu complemento. É possível utilizar as recompras de ações quando essas possuem liquidez e não é certo que a distribuição seja feita no futuro.

---

* Material cedido pelo Instituto Educacional BM&FBOVESPA. Acesse: www.bmfbovespa.com.br/educacional.

As empresas com os maiores *payouts* são as empresas que mais distribuem JCP. Quando este livro foi finalizado, a alíquota do imposto de renda sobre o rendimento em JSCP era de 15% para as pessoas físicas, como tributação definitiva. Para as pessoas jurídicas, a alíquota é a mesma, e o imposto pago pode ser compensado na declaração de ajuste anual. No caso de ganhos de capital, desde janeiro de 2005, há isenção no imposto para os ganhos de capital obtidos com a venda de ações no mercado à vista cujo valor de alienação seja inferior a R$ 20 mil no mês.

A recompra de ações, utilizada como forma de distribuição de excedente de caixa aos acionistas, vem se apresentando como menos vantajosa do que a distribuição de dividendos. Isso acontece devido à vantagem fiscal do rendimento em dividendos.

A partir de 2002, as companhias de propriedade mais concentrada tendem a não penalizar mais os minoritários por meio da baixa distribuição de dividendos, o que demonstra uma maior preocupação com a governança corporativa e os direitos dos acionistas minoritários.

19.10 Montando o quebra-cabeça

Grande parte do que abordamos neste capítulo (e muito do que sabemos sobre dividendos com base em décadas de pesquisa (nos EUA) pode ser reunida e resumida nas seis observações a seguir:[33]

1. O total de dividendos e de recompras de ações é volumoso e aumenta de forma constante em termos nominal e real ao longo dos anos.
2. Os dividendos em dinheiro e as recompras estão concentrados, na sua maioria, em um número pequeno de empresas grandes e maduras.
3. Os gestores são muito relutantes em reduzir dividendos, fazendo isso somente devido a problemas específicos da empresa.
4. Os gestores suavizam a curva do pagamento de dividendos, aumentando-os de modo lento e incremental à medida que os lucros crescem.
5. Os preços das ações reagem a mudanças inesperadas nos dividendos.
6. O tamanho das recompras de ações tende a variar com lucros temporários.

Agora, o desafio é encaixar essas seis peças para formar uma imagem coerente. Em relação às distribuições em geral, significando a combinação entre recompras de ações e dividendos pagos em dinheiro, uma simples teoria de ciclo de vida se encaixa nos pontos 1 e 2. As ideias principais são diretas: empresas novas com menos ativos disponíveis não deveriam distribuir caixa.[34] Elas precisam do caixa para financiar os projetos de VPL positivo (pois os custos de emissão desestimulam a captação de novos aportes financeiros).

Uma vez que a empresa sobreviva e atinja um estágio de negócio maduro, ela começa a gerar fluxo de caixa livre (que, como você se lembrará, é o fluxo de caixa gerado internamente que excede o necessário para financiar investimentos rentáveis). Um valor considerável de fluxo de caixa livre pode resultar em problemas de agência se esse caixa não for distribuído. Os gestores podem se sentir tentados a buscar a construção de um império ou a gastar o caixa excedente de forma não compatível com os interesses dos acionistas. Por isso, as empresas são pressionadas pelos acionistas a fazer distribuições em vez de acumular caixa. Além disso, em conformidade com nossas observações, é esperado que empresas grandes, com um histórico de rentabilidade, façam amplas distribuições.

Portanto, a teoria do ciclo de vida afirma que as empresas ponderam entre os custos de agência relacionados à retenção do caixa excedente e os custos futuros potenciais do financiamento com

---

[33] A lista foi extraída em parte de uma lista maior apresentada em Harry DeAngelo and Linda DeAngelo, "Payout Policy Pedagogy: What Matters and Why", *European Financial Management*, v. 13, 2007.

[34] Para o caso brasileiro, uma vez que há obrigatoriedade de pagamento do dividendo estabelecido no estatuto, empresas novas, com grandes oportunidades de crescimento, poderiam estabelecer no seu estatuto que não pagarão dividendos até determinado ano e que, a partir do ano seguinte, ao final do prazo sem dividendos, pagarão determinado percentual, que poderá crescer ao longo dos anos. Isso poderia ser estabelecido no estatuto na abertura de capital ao mercado.

novos aportes de capital. Uma empresa deveria começar a distribuir quando gera fluxo de caixa interno suficiente para financiar suas necessidades de investimento atuais e do futuro próximo.

Ainda para o mercado norte-americano, a questão mais complexa diz respeito ao tipo de distribuição, dividendos *versus* recompra. O argumento tributário a favor das recompras nos EUA é claro e convincente, visto que elas são uma opção muito mais flexível (e os gestores valorizam muito a flexibilidade financeira). Cabe perguntar: por que as empresas optariam pelo pagamento de dividendos? Lembre-se, porém, de que esse dilema inexiste no Brasil. Como aqui a tributação de dividendos não existe e a de ganhos de capital é positiva, fica a pergunta invertida: Por que as empresas fazem recompras no Brasil?

Se fôssemos responder, teríamos que fazer uma pergunta diferente: O que um dividendo pode realizar que uma recompra de ações não pode? Uma resposta possível é verificar que, quando uma empresa se compromete a pagar dividendos a partir de um determinado momento, ela envia um sinal em duas partes aos mercados. Como já discutimos, um sinal consiste em a empresa antecipar sua lucratividade, com a capacidade de fazer pagamentos de forma contínua. Uma empresa não pode se beneficiar tentando enganar o mercado nesse aspecto, pois seria punida quando não pudesse pagar os dividendos (ou não pudesse fazê-lo sem depender de novos aportes financeiros). Desse modo, um dividendo permite que uma empresa se distinga dos concorrentes menos rentáveis.

Um segundo e mais sutil sinal nos leva de volta ao problema da agência do fluxo de caixa livre. Ao se comprometer a pagar dividendos a partir de agora, a empresa sinaliza que não acumulará caixa (ou, pelo menos, não muito), reduzindo, com isso, os custos da agência e aumentando a riqueza dos acionistas. No Brasil, a acumulação de lucros, não consideradas as reservas legais e estatutárias, só é admitida pela legislação societária se destinada a financiar orçamento de capital aprovado (Brasil, 1976, § 6° do art. 202 e art. 196).

Essa história de sinalização em duas partes está de acordo com os pontos 3 a 5 citados na lista apresentada antes, mas uma objeção evidente permanece: por que as empresas não se comprometem com uma política de reservar qualquer valor que seria usado para o pagamento de dividendos, usando-o para, em vez disso, recomprar ações? Afinal, por qualquer uma das duas maneiras, a empresa estará comprometida a pagar caixa aos acionistas.

Uma estratégia definida de recompra é afetada por dois inconvenientes. O primeiro é a verificabilidade. Uma empresa poderia anunciar uma recompra no mercado e não realizá-la. Ao disfarçar seus registros de modo conveniente, poderia levar algum tempo até a fraude ser descoberta. Nesse caso, seria necessário que os acionistas criassem algum mecanismo de monitoramento, alguma forma de controle para terem certeza de que a recompra foi, de fato, realizada. Não haveria dificuldade de criar esse mecanismo (poderia ser uma simples relação fiduciária, como a observada nos mercados de títulos de dívida), mas isso não existe no momento no mercado norte-americano (no Brasil, temos a figura do conselho fiscal, que é constituído exatamente para verificar situações desse tipo).

De fato, uma oferta de compra no mercado requer pouca ou nenhuma verificação, mas essas ofertas têm despesas relacionadas. A beleza de um dividendo é que ele não requer monitoramento, entretanto, uma empresa é obrigada a preencher e enviar cheques quatro vezes ao ano, ano a ano.

Características de uma política de distribuição sensata

- Com o tempo, paga todo o fluxo de caixa livre.
- Evita cortar projetos de VPL positivo para pagar dividendos ou recomprar ações.
- Não inicia o pagamento de dividendos até que a empresa esteja gerando um fluxo de caixa livre considerável.
- Estabelece o dividendo regular corrente de acordo com uma taxa de distribuição desejada de longo prazo.
- Estabelece um nível de dividendos baixo o suficiente para evitar futuras necessidades de aportes financeiros caros.
- Usa a estratégia das recompras para distribuir aumentos temporários no fluxo de caixa.

Uma segunda objeção a uma estratégia fixa definida de recompras é mais controversa. Suponha que o dirigente, como pessoa com informações privilegiadas, possa julgar melhor do que os acionistas se o preço da ação está muito alto ou muito baixo. Observe que essa ideia não entra em conflito com a eficiência do mercado semiforte se as informações internas forem o motivo. Nesse caso, um comprometimento estável de recompra obriga a administração a recomprar ações mesmo em circunstâncias em que a ação está supervalorizada, ou seja, obriga a gestão a fazer investimentos de VPL negativo.

São necessárias mais pesquisas sobre a questão dividendos *versus* recompra de ações, mas a tendência histórica parece favorecer o crescimento contínuo das recompras em relação aos dividendos nos EUA. Nesse país, a taxa de distribuição de dividendos das empresas parece estar estável ao longo do tempo, com cerca de 20% dos lucros totais, mas as recompras estão tornando-se uma parte maior desse total. A divisão se equilibrou no final da década de 1990, com os dois valores chegando a cerca de 50% cada, porém parece que o total de recompras recentemente ultrapassou o total de dividendos.

Um aspecto dos dividendos totais que não tem recebido muita atenção é que pode haver um forte efeito herdado. Antes de 1982, o estado da regulamentação das recompras de ações nos EUA era um tanto obscuro, gerando um desestímulo expressivo. Em 1982, após anos de debate, a SEC criou um conjunto de diretrizes a ser seguido pelas empresas, tornando a realização das recompras muito mais interessante.

O efeito herdado surge devido às empresas gigantes que pagam uma grande parte dos dividendos totais e que já pagavam dividendos antes (e talvez muito antes) de 1982. Como essas empresas não estão dispostas a reduzir seus dividendos, os dividendos totais serão maiores, mas somente por causa do efeito do "aprisionamento" das empresas mais antigas. Se essas mais antigas pagam dividendos, isso explica grande parte dos dividendos totais. Devemos observar (1) uma acentuada redução na tendência de empresas maduras iniciarem a distribuição de dividendos e (2) um crescimento nas recompras em relação ao pagamento de dividendos ao longo do tempo. Na verdade, podemos ver evidências dessas duas tendências. Entretanto, como o caso da Microsoft claramente mostra, somente o efeito herdado não explica todas os casos de empresas que pagam dividendos.

19.11 Bonificação em ações e desdobramento de ações

Há ainda o tipo de distribuição de lucros paga em ações. Esse tipo de distribuição é chamado de **bonificação em ações**, e não é um dividendo, pois não é pago em dinheiro. O efeito de uma bonificação em ações é aumentar o número de ações que cada acionista possui. Como existem mais ações em circulação, cada ação passa a valer menos.

No Brasil, uma bonificação decorre de incorporação de lucros ou reservas ao capital social da empresa emissora. Embora uma bonificação não tenha custo para o acionista, a Receita Federal do Brasil considera custo da bonificação o valor do lucro ou reserva capitalizado que corresponder ao acionista.

Uma bonificação em ações é expressa em porcentagem. Por exemplo, uma bonificação em ações de 20% significa que um acionista recebe uma nova ação para cada cinco ações que possui no momento (um aumento de 20%). Como cada acionista recebe 20% a mais de ações, o número total de ações em circulação sobe 20%. Como veremos logo a diante, o resultado é que cada ação passa a valer cerca de 20% menos depois da bonificação.

Um **desdobramento de ações** é igual a uma bonificação em ações, exceto pelo fato de que um desdobramento é expresso como um índice em vez de uma porcentagem. Quando um desdobramento é declarado, ocorre a divisão de cada ação para criar ações adicionais; por exemplo em um desdobramento de três para cada uma ação, cada ação antiga é dividida em três ações novas. A Receita Federal do Brasil considera que o custo das ações recebidas por desdobramento é igual a zero, pois apenas houve aumento na quantidade de ações, e permanece inalterado o valor total das ações possuídas pelo investidor. Para haver um desdobramento, não é necessária a existência de reserva de qualquer tipo no balanço da empresa.

Para obter informações sobre desdobramentos de ações, consulte o calendário de desdobramentos em www.investmenthouse.com e finance.yahoo.com.

Alguns detalhes sobre os desdobramentos de ações e as bonificações em ações nos EUA

Os desdobramentos de ações e as bonificações em ações apresentam quase os mesmos impactos para a empresa e para o acionista. As duas medidas aumentam o número de ações em circulação e reduzem o valor por ação. A diferença entre um e outro é o tratamento contábil que depende de dois fatores: (1) se a distribuição é um desdobramento de ações ou uma bonificação em ações e (2) o tamanho da bonificação em ações, se ela for considerada um dividendo.

Por convenção nos EUA, as bonificações em ações de menos de 20 a 25% são chamadas de *bonificações pequenas em ações*. O procedimento contábil para uma bonificação desse tipo é discutido a seguir. Uma bonificação em ações superior ao valor de 20 a 25% é chamada de *bonificação grande em ações*. As bonificações grandes em ações são comuns. Por exemplo, no mês de outubro de 2010, a empresa fabricante de aquecedores de água A.O. Smith anunciou um desdobramento de três para duas ações na forma de uma bonificação de ações de 50%. No mesmo mês, a fornecedora da indústria automobilística Magna International anunciou um desdobramento de duas para cada uma ação na forma de uma bonificação de ações de 100%. Exceto por pequenas diferenças contábeis, essa bonificação tem o mesmo efeito de um desdobramento de duas para cada uma ação.

Exemplo de uma bonificação pequena em ações A Peterson Co., uma empresa de consultoria especializada em problemas contábeis complexos, tem 10 mil ações em circulação, cada uma negociada a $ 66. O valor de mercado total do capital próprio é de $ 66 × 10.000 = $ 660.000. Com uma bonificação em ações de 10%, cada acionista recebe uma ação adicional para cada 10 ações que possui, e o número total de ações em circulação após a bonificação é de 11 mil.

Antes da bonificação em ações, a parte do patrimônio líquido do balanço patrimonial da Peterson pode ser assim expressa:

Ações ($ 1 de valor de face, 10 mil ações em circulação)	$ 10.000
Reservas de capital	200.000
Reservas de lucros	290.000
Patrimônio líquido total	$ 500.000

Um procedimento contábil aparentemente arbitrário nos EUA é usado para ajustar o balanço patrimonial após uma bonificação pequena em ações. Como mil novas ações são emitidas, o valor total em ações é aumentado em $ 1.000 (1.000 ações ao valor de face de $ 1 cada), chegando a um total de $ 11.000. O preço de mercado de $ 66 é $ 65 maior do que o valor de face, de modo que o "excedente" de $ 65 × 1.000 ações = $ 65.000 é adicionado na conta de reservas de capital (capital além do valor nominal), resultando em um total de $ 265.000.

O patrimônio líquido total não é alterado pela bonificação em ações, pois nenhum dinheiro entrou ou saiu, fazendo com que as reservas de lucros sejam reduzidas na totalidade dos $ 66.000, restando $ 224.000. O efeito líquido desses artifícios é que as contas do patrimônio líquido da Peterson agora se encontram assim:

Ações ($ 1 de valor de face, 11 mil ações em circulação)	$ 11.000
Reservas de capital	265.000
Reservas de lucros	224.000
Patrimônio líquido total	$ 500.000

Exemplo de um desdobramento de ações Nos EUA, um desdobramento de ações é similar em conceito a uma bonificação em ações, mas é expresso como um índice. Por exemplo, em um desdobramento de três para duas ações, cada acionista recebe uma ação adicional para cada duas mantidas originalmente; por consequência, um desdobramento de três para duas é equivalente a uma bonificação em ações de 50%. Nenhum dinheiro é pago, e a porcentagem de toda a empresa que cada acionista possui permanece a mesma.

O tratamento contábil de um desdobramento de ações é um pouco diferente (e mais simples) daquele de uma bonificação em ações. Suponha que a empresa Peterson resolva declarar um desdobramento de duas para cada uma ação. O número de ações em circulação dobrará para 20 mil, e o valor nominal será reduzido pela metade, ou seja, $ 0,50 por ação. O valor do patrimônio líquido após o desdobramento é representado da seguinte maneira:

Ações (valor nominal de $ 0,50, 20 mil ações em circulação)	$ 10.000
Reservas de capital	200.000
Reservas de lucros	290.000
Patrimônio líquido total	$ 500.000

Para obter uma lista de desdobramentos de ações recentes, visite a página **www.stocksplits.net**.

Observe que, em todas as três categorias, os valores apresentados à direita não são alterados pelo desdobramento. As únicas alterações estão no valor nominal da ação e no número de ações em circulação. Como o número de ações dobrou, o valor nominal de cada uma é reduzido pela metade.

Exemplo de uma bonificação grande em ações Em nosso exemplo, se uma bonificação de 100% fosse declarada, 10 mil novas ações seriam distribuídas, resultando em 20 mil ações em circulação. A um valor nominal de $ 1 por ação, o valor total das ações subiria em $ 10.000, totalizando $ 20.000. As reservas de lucros seriam reduzidas em $ 10.000, restando $ 280.000. Este seria o resultado:

Ações ($ 1 de valor de face, 20 mil ações em circulação)	$ 20.000
Reservas de capital	200.000
Reservas de lucros	280.000
Patrimônio líquido total	$ 500.000

Valor dos desdobramentos de ações e das bonificações em ações

As leis da lógica nos dizem que os desdobramentos de ações e as bonificações em ações podem (1) deixar o valor da empresa inalterado, (2) aumentá-lo ou (3) diminuí-lo. Infelizmente, as questões são bastante complexas para que alguém possa determinar com facilidade qual das três relações é verdadeira.

Caso de referência Pode-se argumentar com muita convicção que as bonificações em ações e os desdobramentos de ações não alteram nem a riqueza dos acionistas, nem a riqueza da empresa como um todo. No exemplo anterior, o capital próprio tinha um valor de mercado total de $ 660.000. Com a bonificação pequena em ações, o número de ações aumentou para 11 mil, e, assim, parece que cada uma valeria $ 660.000/11.000 = $ 60.

Considerando que um acionista que tivesse 100 ações no valor de $ 66 cada antes da bonificação, ele teria 110 ações no valor de $ 60 depois dela. O valor total das ações desse acionista é $ 6.600 de qualquer maneira, mostrando que a bonificação em ações não exerce qualquer efeito econômico.

Com o desdobramento, passam a existir 20 mil ações em circulação, cada uma valendo $ 660.000/20.000 = $ 33. Em outras palavras, o número de ações dobraria, e os preços seriam reduzidos pela metade. Esses cálculos evidenciam que as bonificações em ações e os desdobramentos são apenas transações no papel.

Embora esses resultados sejam relativamente óbvios, existem motivos que são apresentados para sugerir que pode haver alguns benefícios em relação a essas medidas.

Intervalo de preços de negociação Os proponentes das bonificações em ações e dos desdobramentos de ações argumentam, com frequência, que uma ação tem seu **intervalo de preços** adequado. Quando a ação é cotada acima desse intervalo, muitos investidores não teriam os recursos necessários para comprar a unidade de negociação comum (100 ações), chamada *lote padrão* (*round lot*). Ainda que as ações possam ser compradas em *lotes fracionários* (*odd-lot*), com menos de 100 ações, as comissões são maiores.[35] Por isso, as empresas fazem o desdobramento de suas ações para manter o preço dentro do intervalo de preços adequado.

Por exemplo, no início de 2003, a Microsoft anunciou um desdobramento de duas ações para cada uma. Esse foi o nono desdobramento da empresa desde que ela abriu seu capital, em 1986. A ação foi dividida em três para cada duas em dois momentos e em duas para cada uma sete vezes. Com isso, para cada ação da Microsoft que você possuía em 1986, quando a empresa abriu seu capital, você possuiria 288 ações após o desdobramento de ações de 2003. Da mesma forma, desde que a Walmart abriu seu capital, em 1970, a empresa realizou desdobramentos de duas para cada ação 11 vezes, enquanto a Dell Computer dividiu suas ações em três para cada duas uma vez e em duas para cada uma seis vezes desde que abriu seu capital, em 1988.

Apesar de o argumento do intervalo de preços ser bastante conhecido, sua validade é questionável por vários motivos. Os fundos de investimento, os fundos de pensão e outras instituições têm aumentado cada vez mais sua participação nos mercados desde a Segunda Guerra Mundial e, agora, são responsáveis por uma porcentagem considerável do volume total de negócios (na ordem de 80% do volume de negociações da Nyse, por exemplo). Como essas instituições compram e vendem em enormes quantidades, o preço da ação individual tem pouca importância.

Às vezes, também observamos que os preços de ações que são muito altos não parecem causar problemas. Para analisarmos um caso extremo, considere a empresa suíça de chocolates Lindt. Em julho de 2011, as ações da Lindt estavam sendo negociadas por 26.387 francos suíços cada, cerca de US$ 37.247. Um lote padrão nos EUA custaria US$ 3,72 milhões, um tremendo valor. Considere também o caso da Berkshire-Hathaway, empresa comandada pelo famoso investidor Warren Buffett. Em julho de 2011, cada ação da empresa estava sendo negociada por US$ 113.000, uma queda em relação à alta de dezembro de 2007, quando cada ação valia US$ 151.650.

Nos EUA, há evidências de que os desdobramentos de ações possam, na verdade, diminuir a liquidez das ações da empresa. Depois de um desdobramento de duas ações para cada uma, o número de ações negociadas mais do que dobraria se a liquidez fosse aumentada pelo desdobramento. Porém, não é isso o que parece acontecer, e o inverso, às vezes, é observado.

Grupamento de ações

Uma manobra financeira menos comum é o **grupamento de ações**. Em janeiro de 2011, a empresa de energia solar Evergreen Solar passou por um grupamento de uma para cada seis ações, enquanto a PremierWest Bancorp, no mês seguinte, realizou um grupamento de uma para cada dez ações. Em um grupamento de uma para cada dez ações, cada investidor troca 10 ações antigas por uma ação nova. O valor de face é multiplicado por dez no processo. Um dos maiores grupamentos de ações já realizado, em termos de capitalização de mercado, foi o anunciado pela grande empresa bancária Citigroup, em março de 2011, que realizou um grupamento de uma para cada dez ações, reduzindo seu número de ações em circulação de 29 bilhões para 2,9 bilhões. Assim como os desdobramentos de ações e as bonificações em ações, é possível dizer que um grupamento de ações não tem qualquer efeito real em valor.

Dadas as imperfeições do mundo real, três motivos relacionados são citados para os grupamentos de ações: (1) os custos de transação para os acionistas podem ser menores após o grupamento; (2) a liquidez e a negociabilidade da ação de uma empresa pode ser melhorada quando seu preço aumenta para ficar de acordo com o intervalo de preços adequado; (3) as ações negociadas a preços inferiores a um determinado nível não são consideradas respeitáveis, pois os investidores subestimam os lucros, o fluxo de caixa, o crescimento e a estabilidade dessas empresas. Alguns analistas dos mercados financeiros argumentam que um grupamento pode trazer respeitabilidade imediata. Assim como no caso dos desdobramentos de ações, nenhum desses motivos é particularmente importante, especialmente o terceiro.

---

[35] Os termos lote padrão e lote fracionário também são de uso do mercado brasileiro, e o lote padrão para negociação na BM&FBOVESPA também é de 100 ações.

Há ainda dois outros motivos para o grupamento de ações. O primeiro relaciona-se ao fato de as bolsas de valores terem requisitos de preço mínimo por ação. Um grupamento pode levar o preço de uma ação até esse mínimo. Nos EUA, entre 2001 e 2002, após um mercado em queda, essa razão passou a ser cada vez mais importante. No ano de 2001, um total de 106 empresas solicitou que seus acionistas aprovassem um grupamento de ações. Houve 111 grupamentos em 2002, 75 em 2003 e apenas 14 até metade do ano de 2004. O principal motivo para esses grupamentos foi que a Nasdaq cancelou a listagem de empresas cujo preço da ação caiu para menos de $ 1 por 30 dias. Muitas empresas, sobretudo aquelas empresas de tecnologia ligadas à Internet, encontraram-se em perigo de ser retiradas da listagem e usaram os grupamentos para elevar o preço de suas ações.

O segundo motivo, nos EUA, diz respeito às empresas que realizam grupamentos e, ao mesmo tempo, compram todas as ações de acionistas que acabam tendo menos de um determinado número de ações. Em janeiro de 2011, a Phoenix Footwear Group, Inc. realizou um grupamento/desdobramento. No início, a empresa fez um grupamento de uma para cada 200 ações. Após isso, a empresa recomprou todas as ações cujos titulares possuíam menos de uma ação nova, eliminando, assim, acionistas pequenos (e reduzindo o número total de acionistas). A finalidade do grupamento seria reduzir a exposição da empresa ("*go dark*", como dizem lá). O grupamento e a recompra de ações deixaram a empresa com menos de 300 acionistas e, com isso, ela não precisaria mais enviar relatórios periódicos à Comissão de Valores Mobiliários dos EUA. O que tornou a proposta "criativa" foi que, logo após o grupamento, a empresa realizou um desdobramento de 200 para cada ação, a fim de restaurar a ação ao seu custo original!

Resumo e conclusões

1. A política de dividendos de uma empresa é irrelevante em um mercado de capitais perfeito, pois os acionistas podem anular a estratégia de dividendos da empresa. Se um acionista receber um dividendo maior do que o desejado, ele poderá reinvestir o excedente. Por outro lado, se o acionista receber um dividendo menor do que o desejado, ele poderá vender ações. Esse argumento provém dos estudos de MM e é similar ao conceito de alavancagem caseira deles, discutido em um capítulo anterior.

2. Em um mercado de capitais perfeito, os acionistas se mostrarão indiferentes entre a decisão de distribuição de dividendos ou a de recompra de ações.

3. Como nos EUA os dividendos sofrem tributação, as empresas não deveriam emitir ações para pagar um dividendo. No Brasil, por sua vez, os rendimentos em dividendos não são tributados, então aqui talvez as empresas não devessem realizar recompras de ações. A consideração de projetos com VPL positivo se aplica ao remanescente do lucro não distribuído sob a forma de dividendo obrigatório, pois, no Brasil, a retenção de lucros exige um orçamento de capital.

4. Nos EUA, em razão dos impostos, as empresas têm um incentivo para reduzir os dividendos. Isto é, elas podem considerar aumentar os gastos de capital, adquirir outras empresas ou comprar ativos financeiros. No entanto, devido a considerações financeiras e restrições legais, empresas racionais, com grandes fluxos de caixa, esgotarão essas atividades ainda com uma boa quantia de dinheiro reservada para dividendos.

5. Uma recompra de ações age como um dividendo e tem vantagem fiscal significativa nos Estados Unidos, onde as recompras de ações são uma parte muito importante da política de dividendos geral. No Brasil, essa possibilidade não faz sentido, na medida em que os rendimentos em dividendos não são tributados e a Lei Societária estabelece várias condições para a empresa negociar com suas próprias ações.

6. Não obstante os argumentos em contrário, há muitas justificativas que apoiam os dividendos mesmo em uma realidade com impostos sobre o rendimento em dividendos para pessoas físicas:

    a. Os investidores com ações sem dividendos incorrem em custos de transação ao vender ações para suportar seu consumo corrente.

b. A área de Finanças Comportamentais argumenta que os investidores com autocontrole limitado podem atender a suas necessidades de consumo corrente por meio de ações com dividendos altos, desde que adotem uma política de nunca retirar dinheiro do principal de seus investimentos.

c. Os gestores, atuando no interesse dos acionistas, podem usar a distribuição de dividendos como meio de manter o dinheiro longe dos credores. Já o conselho de administração, também atuando no interesse dos acionistas, pode usar os dividendos para reduzir o montante de dinheiro disponível a dirigentes esbanjadores. No Brasil essas conjeturas precisam ser ponderadas pela possibilidade de hegemonia do controlador sobre a administração (conselho de administração e diretoria).

7. O mercado de ações reage de maneira positiva a aumentos nos dividendos (ou a distribuições iniciais) e negativa a reduções nos dividendos. Isso sugere que as distribuições de dividendos apresentem conteúdo informacional.

8. Empresas com dividendos altos (baixos) devem atender às demandas de investidores que preferem dividendos (ganhos de capital). Em função das clientelas, não é evidente que uma empresa possa aumentar o seu valor alterando sua política de dividendos.

QUESTÕES CONCEITUAIS

1. **Irrelevância da política de dividendos** Como é possível que os dividendos sejam tão importantes e, ao mesmo tempo, a política de dividendos seja irrelevante?

2. **Recompras de ações** Qual é o impacto de uma recompra de ações sobre o índice de endividamento de uma empresa? Isso sugere outro uso para o excedente de caixa?

3. **Política de dividendos** Às vezes, sugere-se que as empresas deveriam seguir uma política de dividendos "residuais". A principal ideia de uma política desse tipo é que a empresa deve se concentrar em atender a suas necessidades de investimento e manter seu índice dívida/capital próprio constante. Após isso, a empresa paga qualquer lucro que sobrar, isto é, residual, como dividendos. O que você acredita que seria o principal impasse de uma política de dividendos residuais?

4. **Cronologia dos dividendos** Na terça-feira, 8 de dezembro, o conselho de administração da Hometown Power Co. declara um dividendo de $ 0,75 por ação pagável na quarta-feira, 17 de janeiro, aos acionistas que estiverem registrados na quarta-feira, 3 de janeiro. Como se trata de uma empresa nos EUA, quando é a data ex-dividendos? Se essa fosse uma empresa brasileira, quando seria a data ex-dividendos? Se um acionista comprar ações antes dessa data, quem recebe os dividendos dessas ações: o comprador ou o vendedor?

5. **Dividendos alternativos** Algumas empresas, como uma empresa britânica que oferece a seus maiores acionistas o uso gratuito de um crematório, pagam dividendos em espécie; ou seja, oferecem seus serviços aos acionistas a um custo abaixo do mercado. Os fundos de investimento devem investir em ações que pagam esses dividendos em espécie? (Os cotistas não recebem esses serviços.)

6. **Dividendos e o preço da ação** Se os aumentos nos dividendos tendem a ser seguidos por aumentos (imediatos) nos preços das ações, como é possível dizer que a política de dividendos é irrelevante?

7. **Dividendos e o preço da ação** Mês passado, a empresa Central Virginia Power Company, que vinha tendo problemas com custos acima dos previstos em uma usina nuclear em construção, anunciou que estava "suspendendo temporariamente os pagamentos de dividendos devido à diminuição dos fluxos de caixa associados a esse programa de investimentos". Após o anúncio, o preço da ação da empresa caiu de $ 28,50 para $ 25. Como você interpretaria essa mudança no preço da ação? Em sua opinião, o que teria causado isso?

8. **Planos de reinvestimento de dividendos** Há pouco tempo, a empresa DRK Corporation desenvolveu um plano de reinvestimento de dividendos, ou DRIP (*Dividend Reinvestment Plan*). O plano permite que os investidores reinvistam os dividendos automaticamente na

DRK em troca de novas ações. Com o tempo, os investidores da DRK poderão construir suas posições reinvestindo os dividendos na compra de ações adicionais da empresa.

Mais de mil empresas norte-americanas oferecem planos de reinvestimento. A maioria das empresas com DRIP não cobra taxas de corretagem ou serviço. Na verdade, as ações da DRK serão compradas com um desconto de 10% sobre o preço de mercado.

Um consultor da DRK estima que 75% dos acionistas da empresa participarão desse plano. Isso é muito mais do que a média.

Avalie o plano de reinvestimento de dividendos da DRK. Ele aumentará a riqueza do acionista? Discuta as vantagens e as desvantagens envolvidas aqui.

9. **Política de dividendos** Para as ofertas públicas iniciais de ações ordinárias nos EUA, 2007 foi um ano relativamente sem muita atividade, com apenas $ 35,6 bilhões captados no processo. Poucas das 159 empresas envolvidas pagaram dividendos. Por que você acha que a maioria dessas empresas norte-americanas preferiu não pagar dividendos?

10. **Investimento e dividendos** Um fundo de caridade é isento de impostos sobre seus ganhos de capital e sobre suas rendas de dividendos e de juros. Seria uma atitude irracional para o fundo ter ações com dividendos baixos e crescimento alto em sua carteira? Seria uma atitude irracional para o fundo ter títulos de dívida com isenção de imposto de renda em sua carteira? Explique.

Use as seguintes informações para responder às duas próximas questões:

No decorrer do tempo, o código tributário dos EUA tratava os pagamentos de dividendos feitos a acionistas como uma renda comum. Assim, os dividendos eram tributados de acordo com a alíquota tributária marginal do investidor, que era de até 38,6% em 2002. Os ganhos de capital eram tributados à alíquota tributária sobre ganhos de capital, que era a mesma para a maioria dos investidores e flutuava ao longo dos anos. Em 2002, a alíquota tributária sobre ganhos de capital ficou em 20%. Em um esforço para estimular a economia, um novo plano fiscal foi implementado em 2003. Esse plano previa uma alíquota tributária de 15% sobre dividendos e ganhos de capital para os investidores nas faixas tributárias mais altas. Para os investidores nas faixas tributárias mais baixas, a alíquota tributária sobre dividendos e ganhos de capital foi fixada em 5% até 2007, caindo para zero em 2008.

11. **Preços das ações ex-dividendos** Como você acha que essa mudança na lei tributária norte-americana afetou os preços das ações ex-dividendos nos EUA?

12. **Recompras de ações** Como você acha que essa mudança na lei tributária norte-americana afetou a relativa atração das recompras de ações comparadas aos pagamentos de dividendos?

13. **Dividendos e valor da ação** O modelo de perpetuidade crescente expressa o valor de uma ação como o valor presente dos dividendos esperados dessa ação. Como você pode concluir que a política de dividendos é irrelevante quando esse modelo é válido?

14. **Argumento do pássaro na mão (*Bird-in-the-Hand Argument*)** O argumento do pássaro na mão (*mais vale um pássaro na mão do que dois voando*) diz que um dividendo hoje é mais seguro do que uma perspectiva incerta de um ganho de capital amanhã. Ele é, muitas vezes, usado para justificar altas taxas de distribuição de dividendos. Explique a informação enganosa que se encontra por trás desse argumento.

15. **Dividendos e preferência por renda** O desejo por renda corrente não é uma justificativa válida para a preferência por uma política de dividendos altos, visto que os investidores sempre podem criar dividendos caseiros vendendo uma parcela de suas ações. Essa afirmação é verdadeira ou falsa? Por quê?

16. **Dividendos e clientela** Carlos André é acionista da Neoteq. Como o preço dessa ação tem aumentado de forma constante nos últimos anos, ele espera que esse desempenho continue. Carlos está tentando convencer Sara Jane a comprar algumas ações da Neoteq, mas ela tem se mostrado relutante, porque a Neoteq nunca distribuiu dividendos. Ela depende de dividendos estáveis para obter renda.

   a. Quais são as preferências demonstradas pelos dois investidores?

b. Que argumento Carlos deveria usar para convencer Sara de que as ações da Neoteq são ideais para ela?

c. Por que o argumento de Carlos pode não convencer Sara?

17. **Dividendos e impostos** Sua tia encontra-se em uma faixa tributária alta e gostaria de minimizar o custo fiscal de sua carteira de investimentos. Ela está disposta a comprar e vender para elevar ao máximo seus retornos líquidos (após o pagamento de impostos) e pediu seu conselho. Qual seria sua sugestão?

18. **Dividendos *versus* ganhos de capital** Se o mercado estabelece o mesmo valor para $1 de dividendos e $1 de ganhos de capital, empresas com diferentes taxas de distribuição de dividendos (*payout*) serão mais atraentes para clientelas diferentes de investidores. Uma clientela é tão boa quanto a outra, portanto uma empresa não pode aumentar seu valor alterando sua política de dividendos. Ainda assim, pesquisas empíricas revelam uma forte correlação entre taxas de distribuição de dividendos e outras características da empresa. Por exemplo, empresas pequenas e com crescimento rápido que abriram seu capital recentemente quase sempre apresentam taxas de distribuição iguais a zero, pois todos os lucros são reinvestidos no negócio. Se a política de dividendos é irrelevante, explique esse fenômeno.

19. **Irrelevância dos dividendos** Apesar do argumento teórico de que a política de dividendos seja irrelevante, o fato é que muitos investidores preferem dividendos altos. Se há essa preferência, uma empresa pode impulsionar o preço de sua ação aumentando sua taxa de distribuição de dividendos. Explique a informação enganosa que se encontra nesse argumento.

20. **Dividendos e preço da ação** Uma pesquisa empírica descobriu que aumentos consideráveis já aconteceram no preço de uma ação no dia em que um dividendo inicial (ou seja, a primeira vez em que uma empresa paga dividendos em dinheiro) é anunciado. O que essa descoberta sugere sobre o conteúdo informacional dos dividendos iniciais?

21. **Dividendo mínimo** Comente a seguinte informação publicada em uma reportagem de um periódico: "Como todos sabemos, o dividendo mínimo no Brasil é de 25% do lucro líquido do período".

22. **Dividendos intermediários e intercalares** Explique qual é a diferença entre os conceitos de dividendos intermediários e dividendos intercalares.

QUESTÕES E PROBLEMAS

BÁSICO
(Questões 1-10)

1. **Dividendos e impostos** A empresa Lee Ann, Inc., declarou um dividendo de $9,50 por ação. Suponha que os ganhos de capital não sejam tributados, mas que os dividendos sofram tributação de 15% e que as novas normas exijam que os impostos sejam retidos quando o dividendo é pago. As ações da Lee Ann são negociadas por $115 cada, e as ações estão próximas de se tornar ex-dividendo. Qual será o preço ex-dividendo, em sua opinião? Se a empresa fosse brasileira, qual seria o preço ex-dividendo?

2. **Bonificações em ações** As contas patrimoniais da Hexágono Internacional são apresentadas a seguir:

Ações ($1 de valor de face)	$30.000
Reservas de capital	185.000
Lucros retidos	627.500
Patrimônio líquido total	$842.500

a. Se, no momento, a ação da Hexágono for negociada por $37, e uma bonificação em ações de 10% foi anunciada, quantas ações novas serão distribuídas? Mostre como as contas de patrimônio mudarão.

b. Se a Hexágono anunciar uma bonificação em ações de 25%, como as contas mudarão?

3. **Desdobramentos de ações** Para a empresa do Problema 2, mostre como mudarão as contas do patrimônio se:

   a. A Hexágono anunciar um desdobramento de quatro para cada ação. Quantas ações estão em circulação agora? Qual é o novo valor de face por ação?

   b. A Hexágono anunciar um grupamento de uma para cada cinco ações. Quantas ações estão em circulação agora? Qual é o novo valor de face por ação?

4. **Desdobramentos de ações e bonificações em ações** No momento, a Rollo & Companhia (RC) tem 330 mil ações em circulação, que são negociadas a $ 64 cada. Assumindo que não haja imperfeições de mercado ou efeitos tributários, qual será o preço por ação depois que a RC:

   a. Efetuar um desdobramento de cinco para três ações?

   b. Efetuar uma bonificação em ações de 15%?

   c. Efetuar uma bonificação em ações de 42,5%?

   d. Efetuar um grupamento de quatro para sete ações?

   Determine o novo número de ações em circulação das partes (a) a (d).

5. **Dividendos regulares** O balanço patrimonial da Limalha S/A é mostrado aqui em termos de valor de mercado. Há 12 mil ações em circulação

Balanço patrimonial a valores de mercado			
Caixa	$ 55.000	Patrimônio líquido	$ 465.000
Ativos não circulantes	410.000		
Total	$ 465.000	Total	$ 465.000

   A empresa anunciou dividendos de $ 1,90 por ação. A ação será ex-dividendo amanhã. Sem considerar os efeitos tributários, por quanto a ação é negociada hoje? Por quanto ela será vendida amanhã? Qual será o balanço patrimonial, a valores de mercado, após o pagamento dos dividendos?

6. **Recompra de ações** No problema anterior, suponha que a Limalha seja uma empresa listada nos EUA e tenha anunciado a recompra de $ 22.800 em ações. Qual efeito essa operação terá sobre o valor de mercado da empresa? Quantas ações permanecerão em circulação? Qual será o preço por ação após a recompra? Ignorando os efeitos tributários existentes no mercado norte-americano, mostre como a recompra de ações é igual a um dividendo.

7. **Bonificações em ações** O balanço patrimonial a valores de mercado da Fora Da Caixa S/A é mostrado a seguir. A empresa anunciou uma bonificação em ações de 25%. A ação será negociada ex-dividendo amanhã (a cronologia de uma bonificação é similar à de um dividendo). Há 20 mil ações em circulação. Qual será o preço ex-dividendo?

Balanço patrimonial a valores de mercado			
Caixa	$ 295.000	Dívida	$ 180.000
Ativos não circulantes	540.000	Patrimônio líquido	655.000
Total	$ 835.000	Total	$ 835.000

8. **Bonificações em ações** A empresa com as contas patrimoniais mostradas a seguir anunciou uma bonificação em ações de 15% no momento em que o valor de mercado de sua ação era de $ 45. Que efeitos sobre as contas de patrimônio terá a distribuição da bonificação em ações?

Ações ($ 1 de valor de face)	$ 410.000
Reservas de capital	2.150.000
Lucros retidos	5.320.000
Patrimônio líquido total	$ 7.880.000

9. **Desdobramentos de ações** No problema anterior, suponha que a empresa decida fazer um desdobramento de cinco para cada ação em vez de efetuar a bonificação. O dividendo de $ 0,45 por ação da empresa nas novas ações (após o desdobramento) representa um aumento de 10% sobre o dividendo do ano anterior nas ações antigas (antes do desdobramento). Que efeito isso terá sobre as contas patrimoniais? Qual foi o dividendo por ação do ano anterior?

10. **Dividendos e preço da ação** A Mano & Companhia pertence a uma classe de risco para a qual a taxa de desconto apropriada é de 10%. A empresa atualmente tem 220 mil ações em circulação que são negociadas a $ 110 cada. A Mano está considerando a ideia de anunciar um dividendo de $ 4 no final do exercício que recém começou. Considere que não haja tributação sobre dividendos. Com base no modelo de MM, que é discutido neste capítulo, responda às perguntas a seguir:

    a. Qual será o preço da ação na data ex-dividendo se o dividendo for anunciado?

    b. Qual será o preço da ação no final do ano se o dividendo não for anunciado?

    c. Se a Mano fizer novos investimentos no valor de $ 4,5 milhões no início do período, receber um lucro líquido de $ 1,9 milhão e pagar o dividendo no final do ano, quantas novas ações a empresa deve emitir para atender a suas necessidades de financiamento?

    d. Usar o modelo MM no mundo real para avaliar ações é uma atitude realista? Por quê?

INTERMEDIÁRIO
(Questões 11-16)

11. **Dividendos caseiros** Você tem mil ações da Malhe S/A e receberá um dividendo de $ 1,10 por ação em um ano. Em dois anos, a Malhe pagará um dividendo de liquidação de $ 56 por ação. O retorno exigido da ação da Malhe é de 14%. Qual é o preço atual de sua ação (ignorando os impostos)? Se você preferir ter dividendos iguais em cada um dos dois próximos anos, mostre como pode realizar isso criando dividendos caseiros. (*Dica:* os dividendos estarão na forma de uma anuidade.)

12. **Dividendos caseiros** Na questão precedente, suponha que você queira apenas um total de $ 500 em dividendos no primeiro ano. Qual será seu dividendo caseiro em dois anos?

13. **Recompra de ações** A Flychucker Corporation, uma empresa listada nos EUA, está avaliando um dividendo extra *versus* uma recompra de ações. Em ambos os casos, serão gastos $ 4.000. Os lucros atuais são de $ 2,10 por ação, e a ação é negociada por $ 46 cada. Há 800 ações em circulação. Ignore os impostos no mercado norte-americano e outras imperfeições ao responder às partes (a) e (b).

    a. Avalie as duas alternativas em termos do efeito sobre o preço por ação e a riqueza do acionista.

    b. Qual será o efeito sobre o LPA e o índice preço/lucro da Flychucker nos dois cenários diferentes?

    c. No mundo real, qual das duas ações você recomendaria? Por quê?

14. **Dividendos e valor da empresa** O lucro líquido da Novis S/A é de $ 85.000. A empresa tem 25.000 ações em circulação e uma política de distribuição de 100% dos lucros, embora o mínimo estatutário seja de 30%. O valor esperado da empresa em um ano é de $ 1.725.000. A taxa de desconto apropriada às ações da Novis é de 12%, e a alíquota tributária sobre dividendos é zero.

    a. Qual é o valor corrente da empresa, supondo que o dividendo atual ainda não foi pago?

    b. Qual será o preço ex-dividendo das ações da Novis se o conselho de administração mantiver sua política atual?

15. **Política de dividendos** A Gilson S/A tem um fluxo de caixa no período corrente de $ 1,1 milhão, e seu estatuto não prevê a distribuição de dividendos; o fluxo de caixa é igual aos lucros. O valor presente dos fluxos de caixa futuros da empresa é de $ 15 milhões. A Gilson é financiada por capital próprio e apresenta 600.000 ações em circulação. Assuma que a alíquota tributária sobre dividendos seja zero.

    a. Qual é o preço das ações da Gilson?

b. Suponha que o conselho de administração da Gilson S/A anuncie o plano de distribuir 50% de seu fluxo de caixa corrente como dividendos para seus acionistas. Como José Maria, que possui mil ações da Gilson, pode chegar a uma política de distribuição de zero por cento por conta própria?

16. **Ajuste de dividendos** A Sharpe S/A acabou de pagar um dividendo de $ 1,80 por ação. Sua taxa de distribuição desejada é de 40%. A empresa espera ter um LPA de $ 4,95 em um ano.

    a. Se a taxa de ajuste for de 0,3, conforme definido no modelo de Lintner, qual será o dividendo em um ano?
    b. Se, em vez disso, a taxa de ajuste for de 0,6, qual será o dividendo em um ano?
    c. Qual taxa de ajuste é mais conservadora? Por quê?

17. **Retorno esperado, dividendos e impostos** A Gecko Company e a Gordon Company são duas empresas listadas nos EUA, cujos riscos dos negócios são iguais, mas elas têm políticas de dividendos diferentes. A Gecko não paga dividendos, enquanto a Gordon tem um retorno em dividendos esperado de 5,5%. Suponha que a alíquota tributária sobre os ganhos de capital seja zero, enquanto a alíquota tributária sobre dividendos seja de 35%. A Gecko tem uma taxa de crescimento dos lucros esperada de 13% anualmente, e o preço de sua ação deve crescer a essa mesma taxa. Se os retornos esperados após impostos sobre as duas ações forem iguais (pois estão na mesma classe de risco), qual será o retorno exigido antes de impostos sobre a ação da Gordon?

    DESAFIO
    (Questões 17-20)

18. **Dividendos e impostos** Como foi discutido, na falta de imperfeições de mercado e efeitos tributários, esperaríamos que o preço de uma ação diminuísse no montante do pagamento de dividendos quando a ação for ex-dividendo. Porém, após considerarmos o papel dos impostos, isso não é tão verdadeiro. Foi proposto um modelo que incorpora os efeitos tributários à determinação do preço ex-dividendo nos EUA:[36]

$$(P_0 - P_X)/D = (1 - t_P)/(1 - t_G)$$

Nessa equação, P_0 é o preço logo antes da ação se tornar ex-dividendo, P_X é o preço da ação ex-dividendo, D é o dividendo por ação, t_P é a alíquota tributária marginal relevante sobre dividendos para pessoa física e t_G é a alíquota tributária marginal efetiva sobre ganhos de capital nos EUA.

   a. Se $t_P = t_G = 0$, quanto o preço da ação cairá quando a ação ficar ex-dividendo?
   b. Se $t_P = 15\%$ e $t_G = 0$, quanto o preço da ação cairá?
   c. Se $t_P = 15\%$ e $t_G = 20\%$, quanto o preço da ação cairá?
   d. Suponha que os únicos titulares de ações sejam empresas. Lembre-se de que as empresas norte-americanas têm uma isenção de, pelo menos, 70% da tributação sobre a receita de dividendos que recebem, mas elas não têm essa isenção sobre os ganhos de capital. Se as alíquotas tributárias sobre a receita e os ganhos de capital da pessoa jurídica forem ambas de 35%, qual será o preço da ação ex-dividendo de acordo com esse modelo?
   e. O que esse problema mostra sobre as considerações quanto aos impostos no mundo real e a política de dividendos da empresa?

19. **Dividendos versus reinvestimento** A empresa National Business Machine Co. (NBM) tem um excedente de caixa de $ 4 milhões após o pagamento de impostos. Há duas opções para a NBM usar esse dinheiro. Uma alternativa é investir o valor em ativos financeiros. O rendimento de investimento resultante será pago como um dividendo especial após três anos. Nesse caso, a empresa pode investir em títulos do Tesouro dos EUA com rendimento de 3% ou em ações preferenciais de 5%. As normas da Receita dos EUA permitem que

---

[36] E. Elton e M. Gruber, "Marginal Stockholder Tax Rates and the Clientele Effect", *Review of Economics and Statistics*, v. 52, fev. 1970.

a empresa exclua da renda tributável 70% dos dividendos recebidos de investimentos em ações de outra empresa. Outra opção é pagar o excedente agora mesmo como dividendo. Isso permitiria que os próprios acionistas investissem em títulos do Tesouro dos EUA com o mesmo rendimento ou em ações preferenciais. A alíquota tributária corporativa é de 35%. Suponha que o investidor tenha uma alíquota tributária sobre a renda para pessoa física de 31% sobre a renda de juros e dividendos de ações preferenciais. A alíquota tributária de dividendos para pessoa física é de 15% sobre dividendos de ações ordinárias. O excedente deve ser pago agora ou em três anos? Qual das duas opções gera a maior renda para os acionistas após os impostos?

20. **Dividendos *versus* reinvestimento** Após cumprir seus gastos de capital do ano, a Carlson Manufacturing apresenta um excedente de caixa de $ 1.000. Os administradores da Carlson estão analisando entre investir o caixa em títulos do Tesouro dos EUA ou pagá-lo aos investidores que investiriam em títulos por conta própria.

    a. Se a alíquota tributária corporativa for de 35%, qual valor de alíquota tributária para pessoa física faria com que os investidores estivessem dispostos a receber o dividendo ou permitir que a Carlson invista o caixa?

    b. A resposta para (a) é razoável? Por quê?

    c. Suponha que a única opção de investimento seja uma ação preferencial que gera um rendimento de 12%. Nesse caso, aplica-se a exclusão de dividendos de 70% para empresas. Qual valor de alíquota tributária para pessoa física fará com que os acionistas se tornem indiferentes ao resultado da decisão quanto aos dividendos da Carlson?

    d. Esse argumento é convincente para um índice de distribuição de dividendos baixo? Por quê?

21. **Política de dividendos** A Lima e Silva S/A apresentou uma sobra de caixa $ 3 milhões no encerramento do exercício. Seu estatuto prevê a distribuição de no mínimo 30% dos lucros na forma de dividendos, entretanto a Lima e Silva encerrou o presente exercício sem apresentar lucro e também não tem lucros retidos, pois, no passado, a Lima e Silva sempre distribuiu 100% dos lucros. Como não há projetos de investimento para reter a sobra de caixa, a direção da empresa decidiu sugerir ao conselho de administração a distribuição de 100% do caixa na forma de dividendos. A Lima e Silva é financiada por capital próprio e tem 600.000 ações em circulação. A ausência de lucros no presente exercício foi considerada um episódio pontual, e a direção da empresa espera a geração de lucros e fluxo de caixa de $ 3 milhões por ano por um período de 15 anos, ao final dos quais a empresa encerra suas atividades sem valor residual. A taxa de retorno esperada da empresa é de 15% a.a.

    a. Qual é o preço das ações da Lima e Silva após a divulgação do balanço com a informação da sobra de caixa e da ausência de lucros?

    b. A sugestão de distribuição de dividendos proposta pela direção da empresa deve ser acatada ou rejeitada pelo conselho de administração? Há amparo na legislação societária para a distribuição de dividendos na situação da Lima e Silva?

22. **Responsabilidade de administradores e conselheiros fiscais** No terceiro exercício sem apresentar lucros e sem reserva de lucros, conforme o balanço levantado, a direção da Vamos Enfrente S/A propôs, e o conselho de administração deliberou favoravelmente, uma distribuição de dividendos aos acionistas com base em sobras de caixa do período. A justificativa da diretoria foi que, já há dois exercícios, os acionistas não recebiam dividendos. O conselho fiscal opinou favoravelmente à decisão, embora inicialmente o conselheiro fiscal indicado pelos acionistas minoritários tenha se manifestado contra a decisão. O conselheiro foi convencido pelos argumentos dos demais conselheiros indicados pelos controladores, segundo os quais o papel do conselho fiscal é o de defesa dos acionistas, e a distribuição de dividendos beneficia os acionistas. Em seguida à publicação da decisão, vários acionistas detentores de ações preferenciais reunidos acionaram judicialmente toda a diretoria da Vamos Enfrente e todos os conselheiros de administração e incluíram na ação todos os conselheiros fiscais. Na ação, alegaram que a decisão de distribuição de di-

videndos, sem a existência de lucros, teria sido uma manobra da administração para evitar que as ações preferenciais sem direito a voto adquirissem o direito a voto na assembleia.

- **a.** É correto o movimento dos acionistas detentores de ações preferenciais, ainda que beneficiados pela distribuição de dividendos?
- **b.** Se correto o movimento dos acionistas preferenciais, eles não deveriam acionar apenas os diretores da Vamos Enfrente, pois foram eles os responsáveis por propor a distribuição ao conselho de administração?
- **c.** Uma vez que a opinião favorável do conselho fiscal foi tomada com base na premissa de que o acionista é beneficiado pelo dividendo, os conselheiros fiscais podem ser responsabilizados?
- **d.** Se a decisão vier a ser considerada ilegal após o pagamento aos acionistas, quem deve repor o caixa à empresa: a diretoria; a diretoria e o conselho de administração; ou a diretoria, o conselho de administração e o conselho fiscal?
- **e.** Na hipótese da questão anterior, os acionistas devem devolver os dividendos recebidos?

Dica: consulte os artigos 111 e 201 da Lei nº 6.404/76.

23. **Responsabilidade de administradores e conselheiros fiscais** No caso do problema anterior, suponha que a empresa tivesse declarado dividendos intermediários com base no balanço levantado ao final do semestre e, ainda que sem lucros, tivesse reservas de capital superiores ao dividendo proposto. A proposta de distribuição de dividendos poderia ser aprovada pelo conselho de administração, tomando por base a existência de reservas de capital de que trata o artigo 204 da Lei nº 6.404/76?

MINICASO

Eletrônica Temporal S/A

A Eletrônica Temporal S/A (ETS) é uma sociedade por ações de capital fechado, uma empresa pequena fundada há 15 anos pelos engenheiros eletrônicos Tomás Miller e Jéssica Souza. A ETS fabrica circuitos integrados com base no conhecimento dos sócios sobre a complexa tecnologia de projeto de sinal misto e, recentemente, entrou no mercado dos geradores de intervalo de tempo ou dispositivos de tempo de silício, que fornecem os sinais de intervalo de tempo ou "relógios" necessários para sincronizar sistemas eletrônicos. No início, seus relógios eram usados em aplicativos de gráficos de vídeo para PC, mas, em seguida, o mercado expandiu e incluiu placas-mãe, dispositivos periféricos de PC e outros produtos eletrônicos digitais para o consumidor, como conversores de sinal digital para televisão e consoles de jogos. A ETS também cria e comercializa circuitos integrados específicos de aplicações personalizadas (conhecidas como ASIC, de *application-specific integrated circuits*) para clientes industriais. O projeto ASIC combina tecnologias analógica e digital ou de sinal misto. Além de Tomás e Jéssica, Nilo Pitomba, que forneceu o capital inicial para a empresa, é o terceiro principal acionista. Cada um deles possui 25% do total de $ 1 milhão em ações em circulação. Várias outras pessoas, inclusive funcionários, são titulares do restante das ações da empresa

Há pouco tempo, a empresa criou uma nova placa-mãe para computadores. Espera-se que o projeto se torne padrão em muitos computadores pessoais, visto que ele é mais eficiente e tem menor custo de produção. Após investigar a possibilidade de fabricação da nova placa-mãe, a ETS chegou à conclusão de que os custos envolvidos na construção de uma nova fábrica seriam proibitivos para a empresa. Os proprietários também decidiram que não estavam dispostos a trazer outro novo acionista. Por esses motivos, a ETS vendeu o projeto para outra empresa. A venda do projeto da placa-mãe resultou em uma receita de $ 30 milhões, após impostos.

1. Tomás acredita que a empresa deve usar o caixa dessa receita para pagar um dividendo único especial. Como essa proposta afetaria o preço da ação se negociada no mercado? Como ela afetará o valor da empresa?
2. Jéssica acredita que a empresa deve usar o caixa para pagar dívidas e atualizar e expandir sua capacidade de fabricação existente. Como as propostas de Jéssica afetariam a empresa?
3. Nilo tem preferência por uma recompra de ações. Ele argumenta que uma recompra aumentará o índice Preço/Lucro da empresa, o retorno sobre ativos e o retorno sobre o patrimônio líquido. Seus argumentos estão corretos? Como uma recompra de ações afetará o valor da empresa?
4. Outra opção discutida por Tomás, Jéssica e Nilo seria iniciar uma distribuição de dividendos regulares para os acionistas. Como você avaliaria essa proposta?
5. Uma forma de avaliar uma ação é o modelo de crescimento de dividendos, ou de perpetuidade crescente. Considere o seguinte: a taxa de distribuição de dividendos é de

(1 − b), em que b é a taxa de retenção de lucros. Assim, o dividendo do próximo ano será o lucro do ano seguinte (L_1) multiplicado por 1 menos a taxa de retenção. A equação mais usada para calcular a taxa de crescimento sustentável é o retorno sobre o patrimônio líquido multiplicado pela taxa de retenção. Substituindo essas relações no modelo de crescimento de dividendos, temos a seguinte equação para calcular o preço de uma ação hoje:

$$P_0 = \frac{E_1(1-b)}{R_s - \text{ROE} \times b}$$

Quais são as implicações desse resultado em termos da decisão da empresa de pagar um dividendo ou atualizar e expandir sua capacidade de produção? Explique.

6. A questão sobre se uma empresa deve ou não distribuir dividendos depende de ela estar constituída como uma sociedade por ações ou como uma companhia limitada?

Dividendos no Brasil: leituras sugeridas

BOULTON, T.; BRAGA-ALVER, M.V.; SHASTRI, K. Payout police in Brazil: dividends versus interest on equity. *Journal of Corporate Finance*, v. 18, n. 4, p. 968-979, 2012.

HOLANDA, A.P.; COELHO, A. C. D. Dividendos e Efeito Clientela: evidências no mercado brasileiro. *RAE*, v.52, n.4, p. 448-463, 2012.

PROCIANOY, J. L.; KWITKO, L. C. Ações de empresas brasileiras e suas ADRs: uma nota sobre datas ex-dividend. *Revista Brasileira de Economia*, v.61, n.1, p. 111-123, 2007.

PROCIANOY, J.L.; VANCIN, D. *Dividends*: publicly listed brazilian companies propensity to pay or not to pay. 2014. Disponível em: <http://ssrn.com/abstract=2447972>. Acesso em: 20 nov. 2014.

VIEIRA, K. M.; BECKER, J. L. Modelagem de equações estruturais aplicada à reação a bonificações e desdobramentos: integrando as hipóteses de sinalização, liquidez e nível ótimo de preços. *Revista Brasileira de Finanças*, v.9, n.1, p. 69-104, 2011.

20 Captação de Recursos

No dia 4 de novembro de 2011, em uma oferta pública inicial (IPO) muito aguardada, a empresa de cupons de desconto Groupon abriu seu capital. Auxiliada pelos bancos Goldman Sachs, Morgan Stanley e Credit Suisse, a Groupon vendeu cerca de 30 milhões de ações para o público por $ 20. No primeiro dia de negociação, o preço das ações subiu para $ 31,14 antes de fechar em $ 26,11, um aumento de 31%. A IPO da Groupon levantou um total de $ 600 milhões, um valor que não é extremamente alto para uma IPO. No entanto, a Groupon vendeu somente 5% das suas ações na IPO, e o valor de mercado da empresa era de quase $ 16 bilhões. Outras empresas abriram seu capital em 2011 com grandes aumentos de cotação no primeiro dia de negócios. Por exemplo, as ações da Pandora, empresa de rádio pela Internet, subiram 9% no primeiro dia de negócios, e as ações da LinkedIn subiram 109%.

Grandes e pequenas empresas têm algo em comum: a necessidade de obter capital de longo prazo. Este capítulo descreve como fazer isso. Dedicaremos atenção especial ao que seria, provavelmente, o estágio mais importante na vida financeira de uma empresa de capital aberto – a IPO. As ofertas públicas são o processo pelo qual as empresas passam de empresas de capital fechado a empresas de capital aberto. Para muitas pessoas, começar uma empresa, desenvolvê-la e abrir seu capital é o sonho empresarial.

Para ficar por dentro dos últimos acontecimentos na área de finanças, visite www.rwjcorporatefinance.blogspot.com.

Este capítulo examina como as empresas acessam o capital no mundo real. O método de financiamento geralmente está ligado ao ciclo de vida da empresa. Empresas iniciantes costumam ser financiadas por meio de *venture capital*. As empresas podem querer abrir o capital conforme seu crescimento. A primeira oferta pública de uma empresa é chamada de oferta pública inicial, ou IPO (do inglês *initial public offering*). As ofertas a partir da IPO são chamadas de emissões subsequentes. Este capítulo descreve o ciclo de vida da empresa, incluindo *venture capital*, oferta inicial e ofertas subsequentes. O financiamento por meio de dívidas será discutido no final no capítulo.

20.1 Financiamento inicial e *venture capital*

Certo dia, você e um amigo têm uma ótima ideia para um novo *software* que ajudará os usuários a se comunicar usando uma megarrede de última geração. Tomados por entusiasmo empresarial, vocês batizam o produto de Megacomm e se preparam para levá-lo ao mercado.

Trabalhando durante noites e fins de semana, vocês finalmente conseguem criar um protótipo do produto. Ele não funciona, mas, pelo menos, é possível mostrá-lo por aí para ilustrar sua ideia. Para realmente desenvolver o produto, vocês precisam contratar programadores, comprar computadores, alugar um escritório, etc. Infelizmente, na condição de alunos de pós-graduação, seus bens combinados não são suficientes para financiar nem uma festa na pizzaria, muito menos uma empresa iniciante. Vocês precisam daquilo que pode ser chamado de DOP – dinheiro de outras pessoas.

Sua primeira ideia pode ser procurar um banco para um empréstimo. Entretanto, vocês provavelmente descobririam que os bancos, em geral, não se interessam em emprestar dinheiro para empresas iniciantes sem ativos, administradas por empresários inexperientes e sem histórico. Em vez disso, vocês buscam por outras fontes de capital.

Um dos grupos de investidores em potencial é chamado de "investidores anjos" ou "anjos". Eles podem ser amigos e familiares, com pouco conhecimento sobre a indústria do seu produto e pouca experiência em apoiar empresas iniciantes financeiramente. Entretanto, alguns anjos são grupos ou indivíduos que possuem mais conhecimento e já investiram em alguns empreendimentos.

Venture capital

Você também pode buscar recursos no mercado de *venture capital* (VC). O termo *venture capital*, ou capital empreendedor, embora não tenha uma definição precisa, geralmente se refere ao financiamento de empreendimentos novos, considerados de alto risco, com financiamento de capitalistas especializados em risco, ou capitalistas de risco, para sermos mais breves. Os capitalistas de risco possuem algumas características em comum. Três características[1] são particularmente importantes:

1. *Os capitalistas de risco são intermediários financeiros que levantam fundos junto a outros investidores.* Nos Estados Unidos, as empresas de VC geralmente são organizadas como sociedades de responsabilidade limitada. Como em qualquer sociedade de responsabilidade limitada, os sócios com responsabilidades limitadas investem junto com sócios sem limitação de responsabilidades, que são os responsáveis por tomar as decisões de investimento. Os sócios com responsabilidade limitada costumam ser investidores institucionais, como fundos de pensão, fundos de doações e corporações. Família e indivíduos com maior poder financeiro também costumam ser sócios com responsabilidade limitada. No Brasil, esse arranjo também pode ocorrer, entretanto, em geral, as empresas de *venture capital* organizam fundos de investimento em que os investidores são cotistas.

    Essa característica separa os capitalistas de risco dos anjos, pois os últimos investem seu próprio dinheiro. Além disso, às vezes, as empresas criam divisões internas de *venture capital* para financiar empresas novas. Entretanto, Metrick e Yasuda salientam que, como essas divisões investem recursos da própria empresa, e não recursos de outros, elas não são – apesar do nome – capitalistas de risco.

2. *Os capitalistas de risco desempenham um papel ativo na administração, no aconselhamento e na monitoração das empresas nas quais eles investem.* Por exemplo, membros de empresas de *venture capital* geralmente participam do conselho de administração da investida e também do conselho fiscal, quando instalado. Os gestores de empresas de VC possuem bastante experiência em negócios. Em contrapartida, embora os empresários no comando de empresas iniciantes (também referidas pelo nome em inglês *start-up*) possam ser brilhantes e criativos ter conhecimento sobre seus produtos, eles geralmente não têm muita experiência em negócios.

3. *Geralmente, os capitalistas de risco não querem manter o investimento para sempre.* Pelo contrário, eles procuram por uma estratégia de saída, como a abertura do capital da empresa (tópico que será discutido na próxima seção) ou a venda para outra empresa. O *venture capital* empresarial não tem essa característica, pois as empresas preferem que o investimento fique indefinidamente nos livros da divisão interna de VC.

    Essa característica é importante na determinação da natureza de investimentos tipicamente de VC. Uma empresa deve ter determinado tamanho para abrir seu capital ou ser vendida facilmente. Como o investimento inicial tende a ser baixo, é preciso que a empresa tenha um grande

---

[1] Essas características são discutidas mais aprofundadamente no livro de Andrew Metrick e Ayako Yasuda, *Venture Capital and the Finance of Innovation*, 2ª Edição. (Hoboken, New Jersey: John Wiley & Sons, 2011).

potencial de crescimento, o que muitas não têm. Por exemplo, imagine alguém que deseja abrir um restaurante sofisticado; se for um verdadeiro *gourmet* sem qualquer intenção de expandir para além de um único estabelecimento, é improvável que o restaurante se torne grande o suficiente para abrir seu capital. Já empresas de alta tecnologia costumam ter um grande potencial de crescimento, e muitas empresas de VC se especializam nessa área. A Figura 20.1 ilustra os investimentos de VC nos Estados Unidos, de acordo com a indústria. Como se pode notar, uma grande porcentagem desses investimentos é destinada às áreas de alta tecnologia.

Com que frequência os investimentos de VC têm saídas bem-sucedidas? Embora seja difícil coletar dados de saídas, a Figura 20.2 ilustra resultados de mais de 11.000 empresas financiadas nos anos noventa nos Estados Unidos. Quase 50% (= 14% + 33%) abriram seu capital ou foram adquiridas. Entretanto, a bolha da Internet atingiu seu pico no início dos anos 2000, portanto o período incluído na figura pode ter sido incomum.

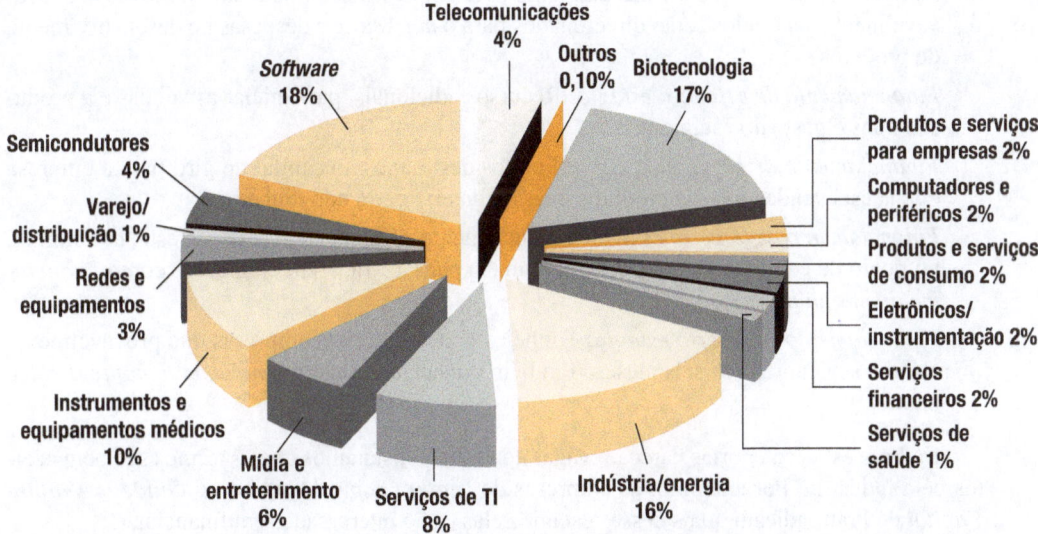

FIGURA 20.1 Investimentos de *venture capital* em 2010 nos Estados Unidos de acordo com setor de indústria.

FONTE: *National Venture Capital Association Yearbook 2011*, (New York: Thomson Reuters), Figura 7.0.

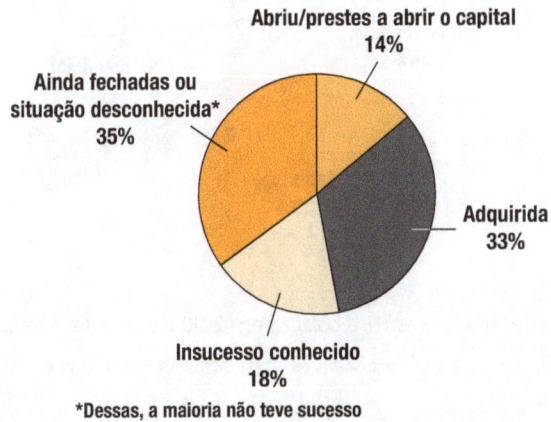

FIGURA 20.2 Resultados de saída de 11.686 empresas financiadas entre 1991 e 2000.

FONTE: *National Venture Capital Association Yearbook 2011*, (New York: Thomson Reuters).

Saiba mais sobre *venture capital* no Brasil consultando o *site* da *ABVCAP – Associação Brasileira de Venture Capital e Private Equity:* http://www.abvcap.com.br/.

A Agência Brasileira de Desenvolvimento Industrial, ABDI, disponibiliza o censo "A Indústria de *Private Equity* e *Venture Capital*" em seu *site*: http://www.abdi.com.br/Estudo/Private_Equity_e_Venture_Censo.pdf.

Estágios de financiamento

Tanto profissionais quanto acadêmicos tratam de estágios no financiamento de *venture capital*. As classificações conhecidas para esses estágios são:[2]

1. *Estágio capital-semente* (S*eed money*)*:* É preciso uma pequena quantidade de financiamento para provar um conceito ou desenvolver um produto. O *marketing* não está incluso nesse estágio.

2. *Estágio inicial* (*start-up*)*:* Financiamento para empresas que iniciaram no último ano. Provavelmente, os fundos serão direcionados para o *marketing* e despesas no desenvolvimento de produtos.

3. *Financiamento de primeiro estágio:* Recursos adicionais, para iniciar as vendas e a produção após o gasto do estágio inicial.

4. *Financiamento de segundo estágio:* Fundos destinados ao capital de giro para a empresa que já está vendendo seus produtos, mas ainda está perdendo dinheiro.

5. *Financiamento de terceiro estágio:* Financiamento para uma empresa que está, no mínimo, no ponto de equilíbrio e considerando uma expansão. Também conhecido como *financiamento mezanino*.

6. *Financiamento de quarto estágio:* Dinheiro concedido para empresas que provavelmente abrirão seu capital em seis meses. Também conhecido como *financiamento ponte* (*bridge financing*).

Embora essas categorias pareçam vagas ao leitor, constatamos que os termos são bem aceitos pela indústria. Por exemplo, as empresas de *venture capital* listadas no *Guide to Venture Capital* de Pratt indicam quais desses estágios elas estão interessadas em financiar.

A Figura 20.3 ilustra investimentos de *venture capital* de acordo com o estágio da empresa. Os autores da figura utilizaram um esquema de classificações com algumas diferenças. Os estágios *Seed* e Inicial correspondem aos dois primeiros estágios apresentados. O

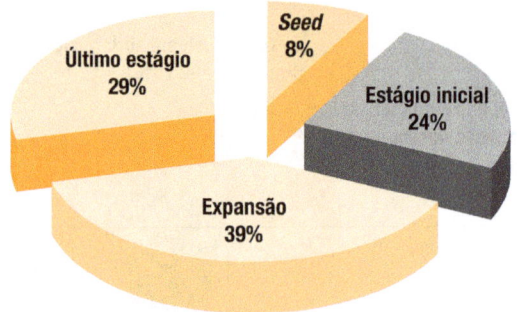

FIGURA 20.3 Investimentos de *venture capital* em 2010 de acordo com o estágio da empresa.
FONTE: *National Venture Capital Association Yearbook 2011*, (New York: Thomson Reuters), Figura 6.0.

---

[2] Bruno, A. V.; Tyebjee, T. T. The entrepreneur's search for capital. *Journal of Business Venturing*, 1985; ver também Gompers, P.; Lerner, J. *The venture capital cycle*. Cambridge, MA: MIT Press, 2002.

Último estágio corresponde aproximadamente aos Estágios 3 e 4, e a Expansão corresponde aproximadamente aos Estágios 5 e 6. Como se pode notar, os capitalistas de risco não investem muito no estágio *Seed*.

Algumas verdades sobre o *venture capital*

Embora exista um grande mercado de *venture capital*, a verdade é que o acesso a ele é bastante limitado. As empresas de *venture capital* recebem uma grande quantidade de propostas não solicitadas, e a grande maioria delas acaba no lixo, sem ser lida. Os capitalistas de risco dependem muito das redes de informações de advogados, contadores, banqueiros e outros capitalistas de risco para ajudar a identificar investimentos em potencial. Sendo assim, os contatos pessoais são importantes para ter acesso a esse mercado; este é, na verdade, um mercado de "apresentações" (ou um mercado de "troca de cartões de visita").

Outro fato simples sobre *venture capital* é que ele é bastante caro. Em um acordo típico, o capitalista especializado em empreendimentos de risco exigirá (e obterá) 40% ou mais de participação no patrimônio na empresa. Os capitalistas de risco, com frequência, detêm ações preferenciais com direito de voto ou debêntures conversíveis em ações, o que lhes confere diversas prioridades no caso de a empresa ser vendida ou liquidada. O capitalista de risco também exige (e obtém) assentos no conselho de administração e no conselho fiscal da empresa e pode, até mesmo, indicar um ou mais altos executivos para a gestão do negócio.

Investimentos de *venture capital* e condições econômicas

Os investimentos de *venture capital* são influenciados fortemente pelas condições econômicas. A Figura 20.4 ilustra comprometimentos de aporte de capital às empresas de *venture capital* dos Estados Unidos entre 1985 e 2010. Os comprometimentos se mantiveram estáveis entre 1985 e 1993, mas subiram rapidamente durante o resto dos anos 1990, alcançando seu pico em 2000, antes de sofrer uma queda repentina. Em grande medida, esse padrão espelhou a bolha da Internet, pois, no final dos anos 1990, os preços das ações de alta tecnologia aumentaram rapidamente antes de sofrer uma queda ainda mais rápida em 2000 e 2001. Essa relação entre a atividade de *venture capital* e as condições econômicas continuou nos anos seguintes. Os comprometimentos cresceram durante a tendência altista entre 2003 e 2006, antes de sofrerem uma queda conjunta na última crise econômica.

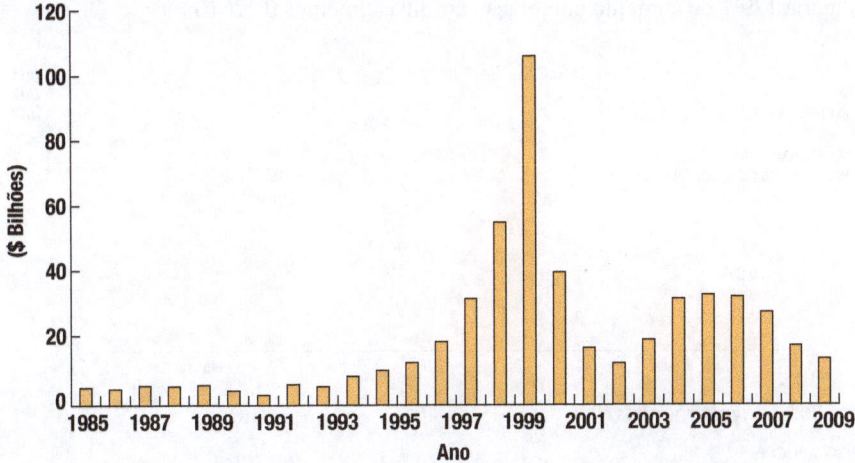

FIGURA 20.4 Comprometimentos de aporte de capital aos fundos de *venture capital* nos Estados Unidos ($ em bilhões) de 1985 a 2010.

FONTE: *National Venture Capital Association Yearbook 2011*, (New York: Thomson Reuters), Figura 3.0.

Histórico de *venture capital* no Brasil*

A década de 1980 e o início da década de 1990 foram períodos marcados pela hiperinflação e pela recessão econômica que inibiam investimentos de longo prazo no país, especialmente os privados. O ambiente econômico era muito adverso para que a indústria de PE/VC (*Private Equity e Venture Capital*) pudesse florescer. Existiam seis organizações gestoras privadas e três públicas em operação no Brasil em 1981. A indústria brasileira de PE/VC não dispunha de estímulo fiscal nem arcabouço legal adequados, como os que já havia nos Estados Unidos. Apenas em 1986 a atividade de PE/VC foi beneficiada, com a edição do Decreto-Lei nº 2.287 (Brasil, 1986). A regulamentação reconhecia as Sociedades de Capital de Risco (SCR) como organizações gestoras de VC focadas exclusivamente na aquisição de participações minoritárias em pequenas e médias empresas (PMEs).

No início da década de 1990, ocorreu uma série de reformas estruturais no país, tais como a liberalização do comércio, a desregulamentação de setores e as privatizações. O Plano Real foi decisivo para debelar a hiperinflação. Em função da estabilidade econômica e de novas oportunidades de negócios trazidas pelas reformas de então, o Brasil experimentou o desenvolvimento de sua indústra de PE/VC. Nos anos 1997 e 1998, crises financeiras ao redor do mundo trouxeram turbulências para o mercado brasileiro, o que culminou com a mudança do regime cambial no início de 1999. O aumento da volatilidade nos mercados causou uma redução significativa dos comprometimentos de PE/VC no país durante 1998 e o início de 1999, especialmente dos investidores internacionais. Em 2003, a CVM publicou a Instrução nº 391, que dispõe sobre a constituição, o funcionamento e a administração dos Fundos de Investimento em Participações, e regulamentou os veículos de investimento de PE/VC constituídos no Brasil (Comissão de Valores Mobiliários, 2003). A Instrução nº 391 abriu caminho para maior participação dos fundos de pensão e possibilitou aos fundos de pensão locais aumentar suas alocações em PE/VC no país. Em 2005, após a primeira fase de reorganização, a indústria brasileira de PE/VC iniciava seu segundo ciclo. Os primeiros desinvestimentos de empresas por meio de IPOs haviam ocorrido no final de 2004. Ao fim de 2005, o GVcepe (FGV, São Paulo) apresentou o primeiro censo que representaria o ponto de inflexão nas informações estatísticas e conhecimento sistematizado sobre a indústria brasileira de *private equity*[3] e *venture capital*.[4]

No ano de 2013, a relação Investimentos/PIB no Brasil foi de 0,37%, com sensível crescimento em relação a 2012, quando foi de 0,34% (Figura 20.5). Considerando a relação de investimentos sobre PIB dos Estados Unidos em 2013, 1,02%, é possível estimar que o mercado brasileiro tenha potencial de atrair, pelo menos, R$ 49 bilhões de investimentos por ano, o que representaria 179% de aumento em relação aos investimentos de 2013.

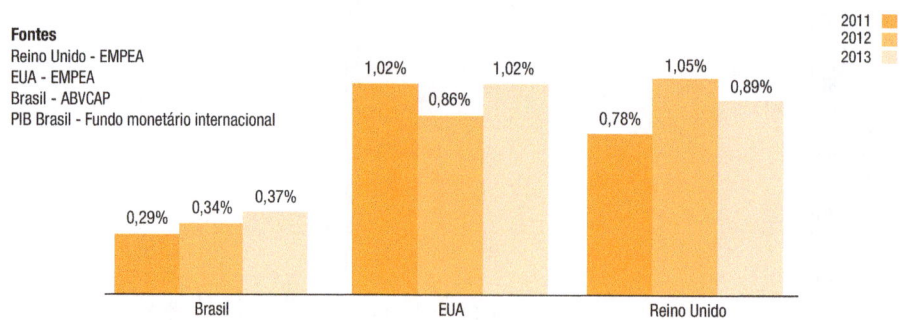

FIGURA 20.5 Investimentos/PIB.

Fonte: KPMG/ABUCAP.

---

* Material cedido pelo Instituto Educacional BM&FBOVESPA. Acesse: www.bmfbovespa.com.br/educacional.
[3] Capital próprio investido em empresas de capital fechado por investidores com capacidade de correr riscos e aguardar a maturação do investimento.
[4] Ver: Agência Brasileira de Desenvolvimento Industrial. *A indústria de Private Equity e Venture Capital*. Disponível em: <http://www.abdi.com.br/Estudo/Private_e_Venture_Censo.pdf>.

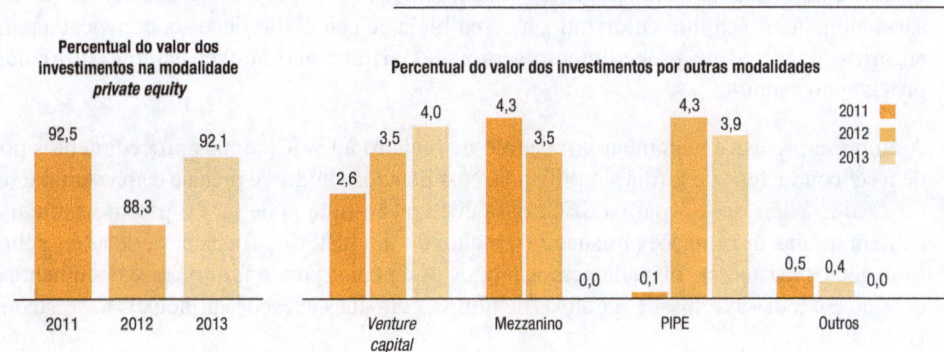

FIGURA 20.6 Investimentos por modalidades.

Fonte: KPMG/ABUCAP.

Os investimentos em *venture capital* cresceram cerca de 35% em 2013, mantendo, embora com menor ímpeto, a tendência de 2012 quando se verificou um incremento de 80% (Figura 20.6).

20.2 Emissão pública

Se as empresas pretendem atrair muitos investidores, elas precisarão emitir títulos ao público. No Brasil, a Lei nº 6.385/76, que dispõe sobre o mercado de valores mobiliários, é de 1976; essa lei também criou a Comissão de Valores Mobiliários, a CVM (Brasil, 1976). A CVM é uma entidade autárquica em regime especial, com personalidade jurídica e patrimônio próprios e com autonomia financeira e orçamentária.

A regulamentação do mercado de capitais brasileiro é de competência da CVM. Cabe à CVM fiscalizar a emissão e distribuição de valores mobiliários no mercado; a negociação e intermediação no mercado de valores mobiliários; a negociação e intermediação no mercado de derivativos; a organização, o funcionamento e as operações das bolsas de valores; a organização, o funcionamento e as operações das bolsas de mercadorias e futuros; a administração de carteiras e a custódia de valores mobiliários; a auditoria das companhias abertas; os serviços de consultor e analista de valores mobiliários.

Para cumprir com suas funções, a CVM emite instruções, deliberações, notas explicativas e pareceres de orientação para os agentes que atuam no mercado, tanto para ofertas públicas quanto para ofertas privadas de valores mobiliários.

O termo "valor mobiliário" refere-se a ações, títulos de dívida, certificados, letras, notas, títulos derivativos e quaisquer outros ativos mobiliários negociáveis em mercados organizados ou não. Para mais detalhes, ver a Lei nº 6.385 de 7/12/76 (Brasil, 1976).

Nos Estados Unidos, existem muitas regulamentações para emissões públicas, com o estabelecimento da mais importante nos anos 1930. A Lei de Valores Mobiliários de 1933 regulamenta novas emissões interestaduais de títulos mobiliários, e a Lei de Valores Mobiliários de 1934 regulamenta títulos que já estão em circulação. A SEC (*Securities and Exchange Commission*) administra a aplicação dessas leis (Securities and Exchange Commission, 1933, 1934).

Os passos básicos para a emissão de títulos são:

1. Para qualquer emissão de títulos para o público, o dirigente primeiro precisa obter a aprovação do conselho de administração. No Brasil, o estatuto da companhia pode conter autorização para aumento do capital social, independentemente de reforma estatutária, até um limite, o que é chamado de "capital autorizado", e pode autorizar o conselho de administração a deliberar sobre aumentos de capital até esse limite (ver artigo 186 da Lei das S/A – LSA); a decisão sobre aumento de capital social deve ser submetida

ao conselho fiscal, se instalado, antes da deliberação (ver artigo 166 da LSA). Se necessário aumento do capital autorizado, a assembleia de acionistas deve ser convocada para autorizá-lo; o mesmo procedimento será necessário se não houver capital autorizado previsto no estatuto.

2. A empresa precisa encaminhar um pedido de registro à CVM; alguns procedimentos podem ser conduzidos de forma simplificada. Nos Estados Unidos, é preciso e apresentar uma **declaração de registro** para a SEC. Essa declaração (que pode ter 50 páginas ou mais) contém muitas informações financeiras, incluindo um histórico financeiro, detalhes sobre os negócios existentes, financiamentos propostos e planos para o futuro. Esse documento é exigido em todas as emissões públicas de títulos, com duas exceções principais nos Estados Unidos:

    a. Empréstimos que vencem em nove meses.

    b. Emissões que envolvem um valor menor do que $ 5 milhões.

    A segunda exceção nos Estados Unidos é conhecida como *isenção para pequenas emissões*. Emissões abaixo de $ 5 milhões são regidas pela **Regulamentação A**, para a qual é necessária apenas uma simples declaração de oferta – em vez de uma declaração de registro. Para a Regulamentação A entrar em vigor, membros da empresa não podem vender mais de $ 1,5 milhão em ações.

    No Brasil, um emissor de valores mobiliários pode requerer o registro na CVM na categoria A ou na categoria B (Comissão de Valores Mobiliários, 2009). O registro na categoria A autoriza a negociação de quaisquer valores mobiliários do emissor em mercados regulamentados de valores mobiliários. O registro na categoria B autoriza a negociação dos mesmos valores mobiliários do emissor A, exceto ações e certificados de depósito de ações ou valores mobiliários que confiram o direito de adquirir ações e certificados de depósito de ações (ver Instrução CVM n$^{\underline{o}}$ 480).

3. No Brasil, a CVM tem 20 dias úteis, contados do protocolo, para se manifestar sobre um pedido de registro acompanhado de todos os documentos e informações exigidos; o registro será automaticamente obtido se não houver manifestação da CVM nesse prazo. Prazos adicionais se aplicam para o atendimento das eventuais exigências e manifestação da CVM.

    Ao anunciar o pedido de registro na CVM, a empresa publica um prospecto preliminar que é substituído pelo prospecto definitivo no momento em que o processo de emissão está completamente definido e tiver sido aprovado em reunião do conselho de administração da emissora.

    Nos Estados Unidos, o procedimento da SEC é o mesmo: a declaração de registro é estudada durante um *período de espera*. Durante esse período, a empresa pode disponibilizar cópias de um **prospecto** preliminar. Lá, o prospecto preliminar é chamado *red herring* (arenque vermelho) e recebeu esse nome por causa das letras vermelhas em negrito que aparecem na capa. Um prospecto preliminar já contém quase todas as informações da declaração de registro e é entregue pela empresa aos investidores em potencial. A empresa não pode vender os títulos durante o período de espera pelo registro. Entretanto, nos Estados Unidos, é possível fazer ofertas verbais no período.

    Na SEC, o registro também entra em vigor no vigésimo dia após seu arquivamento, a menos que a SEC envie uma *carta-comentário* sugerindo alterações. O período de verificação de 20 dias recomeça depois que as alterações forem feitas.

    O pedido de registro não contém inicialmente o preço da nova emissão. Nos Estados Unidos, em geral na data ou próximo ao final do período de espera da SEC, é arquivada uma emenda com o preço, e o registro entra em vigor. No Brasil, o preço da emissão é publicado na divulgação da ata da decisão do conselho de administração que aprovou o preço de emissão e no prospecto definitivo.

> **Formulário de Referência**
>
> O Formulário de Referência reúne as principais informações relativas ao emissor, tais como atividades, fatores de risco, administração, estrutura de capital, dados financeiros, comentários dos administradores sobre tais dados, valores mobiliários emitidos e operações com partes relacionadas. Grande parte das informações do prospecto de emissão deve estar no formulário de referência, cuja versão atualizada deve ser arquivada na CVM na data do pedido de registro de distribuição pública de valores mobiliários. Ele deve ser atualizado, no mínimo, anualmente, em até cinco meses contados da data de encerramento do exercício social.
>
> O emissor registrado na categoria A deve atualizar os campos correspondentes do formulário de referência em até sete dias úteis contados da ocorrência de diversos fatos definidos nas instruções da CVM (Comissão de Valores Mobiliários, 2009)

4. O pedido de registro não contém inicialmente o preço da nova emissão. Na data em que é concedido o registro da emissão, e com o preço já determinado, inicia-se um esforço concentrado de venda. No Brasil, o preço da emissão é publicado no prospecto definitivo na divulgação da ata da decisão do Conselho de Administração que aprovou o preço de emissão, após obtidas todas as demais aprovações. Nos Estados Unidos, o prospecto definitivo acompanha a entrega de títulos ou a confirmação de venda.

5. **Anúncio ao mercado** (*tombstone*) Anúncios são utilizados durante e após o período de espera. Um exemplo é reproduzido na Figura 20.7.

O anúncio de emissão contém o nome do emitente (neste caso, a World Wrestling Federation, conhecida atualmente como World Wrestling Entertainment). Tais avisos (chamados *tombstone* nos Estados Unidos) oferecem algumas informações sobre a emissão e relacionam os bancos de investimento (os *underwriters*) que estão envolvidos na venda da emissão. A função dos bancos de investimento – referidos no Brasil como instituições intermediárias – na venda de valores mobiliários é discutida com mais detalhes nas próximas páginas.

No Brasil, esses anúncios recebem o nome de "aviso ao mercado", e o conteúdo dos avisos segue normas mínimas estabelecidas pela CVM. Nos anúncios, em geral, os nomes dos bancos de investimento aparecem divididos em grupos (chamados de *brackets* nos Estados Unidos) com base em sua participação na emissão, e os nomes dos bancos são listados por ordem alfabética em cada *bracket*. Os *brackets* são vistos como um tipo de lei do mais forte. Em geral, quanto mais alto for o *bracket*, maior será o prestígio do banco *underwriter*. Nos últimos anos, o uso de avisos de emissão impressos decaiu, em parte por causa de medidas de redução de custos. Nos avisos publicados no Brasil, a hierarquia apresenta em primeiro lugar o banco coordenador líder (intermediário líder), ou os bancos coordenadores líderes. Em seguida, coordenadores contratados, se houver, e, então, as outras instituições intermediárias participantes da emissão.

Cenário brasileiro*

No período de 2004 a 2013, o ano de 2007 foi o ano com o maior número de IPOs (ofertas públicas iniciais de ações), quando ocorreram 64 IPOs. Em 2013, ocorreram dez IPOs, das quais uma das mais relevantes foi a da BB Seguridade, no montante de cerca de R$ 11,5 bilhões. Uma das hipóteses sobre o que pode ter influenciado a redução da janela está relacionada à liquidez no mercado internacional. Segundo números da *World Federation of Exchanges* (WFE), entidade que reúne informações das 57 principais bolsas de valores do mundo, foram levantados US$ 167 bilhões em aberturas de capital em 2013. Em quantidade de operações, a bolsa brasileira realizou dez IPOs no ano, 1% das 970 ofertas iniciais realizadas nas principais bolsas do mundo. Já no Brasil, o volume chegou a US$ 4 bilhões. Entre os países emergentes do bloco

---

* Material cedido pelo Instituto Educacional BM&FBOVESPA. Acesse: www.bmfbovespa.com.br/educacional.

FIGURA 20.7 Exemplo de um anúncio de início de oferta pública de ações.

chamado de BRICS (Brasil, Rússia, Índia, China e África do Sul), o volume captado em IPOs foi de US$ 20,96 bilhões. O Brasil representou 20% desse volume. Esses são números bem diferentes dos observados em 2007. Naquele ano, 10% do volume em dólares das IPOs realizadas no mundo ocorreram na Bovespa.

Diversos esforços têm sido feitos para desenvolver oportunidades de aumento na quantidade de IPOs no Brasil, principalmente de pequenas e médias empresas. Um desses esforços foi o liderado pela BM&FBOVESPA, o Comitê Técnico de Ofertas Menores. Além da BM&FBOVESPA, fizeram parte desse comitê a Agência Brasileira de Desenvolvimento Industrial (ABDI), o Banco Nacional de Desenvolvimento Econômico e Social (BNDES), a Comissão de Valores Mobiliários (CVM) e a Agência Brasileira da Inovação (FINEP), além de representantes de bancos, investidores, corretoras, empresas abertas e fechadas, do Ministério da Fazenda, de fundos de pensão, entre outros. Esse trabalho teve como resultado várias propostas para o desenvolvimento do mercado no início de 2014.

Modernização regulatória*

Além da busca do desenvolvimento de novas oportunidades para IPOs, esforços foram feitos com o objetivo de reduzir custos das companhias emissoras de títulos mobiliários. Diversas reformas têm sido promovidas nos normativos da Comissão de Valores Mobiliários – CVM. A Instrução n° 358 (Comissão de Valores Mobiliários, 2002), que trata da divulgação de fato relevante, e a Instrução n° 480, de 2009, que trata do registro de emissores de valores mobiliários admitidos à negociação em mercados regulamentados, foram alteradas para permitir que as empresas usem portais de notícias para divulgar fato relevante, como alternativa aos jornais impressos (Comissão de Valores Mobiliários, 2002, 2009). A atualização da Instrução n° 400, de 2003, que trata de ofertas públicas de distribuição, veio para permitir às empresas divulgar certas informações somente na rede mundial de computadores (Comissão de Valores Mobiliários, 2003a). A Instrução n° 476 que trata das ofertas públicas de valores mobiliários distribuídos com esforços restritos e a negociação desses valores mobiliários no mercado foi objeto de audiência pública em 2014. A 476 tratava basicamente de ofertas restritas de debêntures não conversíveis, e a audiência discutiu a inclusão e custos. O resultado é a Instrução n° 551 que incluiu debêntures conversíveis, ações e outros títulos.

20.3 Métodos alternativos de emissão

Quando uma empresa resolve emitir um novo título mobiliário, ela pode vendê-lo como uma oferta pública ou oferta privada (também chamada de colocação privada). Se for uma oferta pública, a empresa deve registrá-la na CVM, no Brasil, ou na SEC, nos Estados Unidos. Nos EUA, o título pode ser tratado como privado se for negociado com menos de 35 investidores. Nesse caso, não é necessária uma declaração de registro.[5] No Brasil, o mínimo de acionistas de uma S/A é dois e uma oferta pública restrita pode ser subscrita por até no máximo 50 acionistas.

Há diferentes tipos de emissões públicas para *oferta pública de ações* e *oferta de direitos*. As ofertas públicas de ações são vendidas a todos os investidores interessados, enquanto as ofertas de direitos são vendidas aos acionistas existentes. Ações são vendidas por meio de ofertas públicas de ações e também por meio de ofertas de direitos e de ações, enquanto quase todas as emissões de dívida são feitas por meio de ofertas públicas ou restritas. Há também ofertas públicas de dívidas (debêntures, notas promissórias).

A primeira oferta pública de ações de uma empresa é chamada de **oferta pública inicial** (**Initial Public Offering** – IPO – nos Estados Unidos, também chamada lá de **unseasoned public offering** ou de **cash offer**[6]). Todas as IPOs são ofertas públicas de ações, pois, caso os acionistas existentes da empresa desejassem comprar ações, a empresa não necessitaria vendê-las publicamente. A **emissão de ações subsequente**[7] se refere a uma nova emissão de

---

* Material cedido pelo Instituto Educacional BM&FBOVESPA. Acesse: www.bmfbovespa.com.br/educacional.

[5] Nos Estados Unidos, a regulamentação restringe significativamente a revenda de títulos não listados. O comprador precisa manter os títulos por, pelo menos, dois anos.

[6] O termo *cash offer* decorre de as ofertas de ações da empresa serem feitas em troca de dinheiro para a empresa.

[7] Nos Estados Unidos, *follow-on* ou *secondary offer*. No Brasil, ofertas subsequentes e ofertas secundárias não se confundem, pois, aqui, as ofertas secundárias se referem àquelas em que ações de acionistas existentes são vendidas em oferta pública, geralmente na abertura de capital de uma S/A de capital fechado.

QUADRO 20.1 Métodos de emissão de novos títulos[†]

Método	Tipo	Definição
Oferta pública		
Oferta pública tradicional	Oferta por garantia firme	A empresa contrata um banco de investimento – instituição intermediária – para coordenar ou montar um consórcio e coordenar a emissão, contatar investidores, fazer consultas de interesse e de preço e proceder a subscrição dos valores mobiliários pelos investidores. Uma vez definido o preço de emissão, a empresa tem garantido o quanto de dinheiro será levantado, pois as instituições intermediárias se comprometem a alocar todas os valores mobiliários da emissão. Nos Estados Unidos, a empresa negocia com um banco de investimento subscritor (*underwriter*), ou um consórcio de subscritores (sindicato). Estes compram um número específico de valores mobiliários da emissão a um preço e os vendem a um preço mais alto para os investidores, realizando um *spread*. Uma vez contratada a emissão, a empresa tem garantido o recebimento integral da emissão ao preço de venda aos *underwriters*.
	Oferta por melhores esforços	As instituições intermediárias (bancos de investimento), contratadas para fazer a distribuição das ações, procuram vender o maior número possível de novas ações pelo preço definido. Não há garantia em relação a quanto dinheiro será levantado pela emissora. Nos EUA, algumas ofertas por melhores esforços não utilizam subscritores.
	Oferta por leilão holandês	Emissão em que os bancos de investimento fazem um leilão para determinar o preço de oferta mais alto a ser obtido por um determinado número de valores mobiliários a serem vendidos (nos EUA).
Subscrição privilegiada[††]	Oferta direta[†††]	Emissão em que a empresa oferta novas ações diretamente aos acionistas existentes.
	Oferta *standby*[†††]	Assim como a oferta direta, a oferta *standby* contém um acordo de subscrição privilegiada com os acionistas existentes. O resultado líquido é garantido pelos subscritores.
Oferta não tradicional	Oferta de "prateleira"	Programas de distribuição autorizados para empresas qualificadas que preenchem certos requisitos, permitindo a emissão de ações para venda quando necessário em um período de dois anos. Ver Instrução CVM nº 400 (Comissão de Valores Mobiliários, 2003a).
	Oferta competitiva	Oferta nos Estados Unidos em que, em vez de negociar a subscrição com um *underwriter* (como na oferta com garantia firme), a empresa emissora promove um leilão para obter a melhor oferta entre bancos de investimento.
	Oferta contínua	Programa de distribuição contínua de Letras Financeiras por instituições financeiras. Programa exclusivo para Letras Financeiras não vinculadas a operações ativas da instituição financeira emitente. Ver ICVM nºs 400 e 488 (Comissão de Valores Mobiliários, 2003a, 2010).
	Oferta com esforços restritos	Dispensa registro na CVM e permite a oferta pessoal, não por escrito ou por divulgação, a, no máximo, 75 investidores qualificados e a subscrição ou aquisição de valores mobiliários por, no máximo, 50 investidores qualificados, no Brasil. É permitida para emissão de ações e de debêntures conversíveis ou permutáveis em ações. As IPOs em ofertas restritas de ações dispensam registros na CVM, e devem ser feitas no segmento BOVESPA MAIS. Após 18 meses de negociação restrita, devem migrar para o Novo Mercado. A regra semelhante nos Estados Unidos é *Rule 144 A* da SEC, que isenta de registro a oferta restrita de valores mobiliários, observadas as condições da regra.
Ofertas privadas	Colocação direta	Ofertas de valores mobiliários que não apresentam característica que obrigue oferta pública e cujos valores mobiliários não contam com a proteção da regulação da CVM. Os valores mobiliários são vendidos diretamente ao comprador, que, nos Estados Unidos, pelo menos até recentemente, não poderia revender os títulos por pelo menos dois anos.

[†] Este é um resumo geral de diferentes tipos de oferta. Sobre as formas e tipos de ofertas de valores mobiliários admitidos no mercado brasileiro, consulte as Instruções CVM (ICVM) nºs 400, 471, 476, 480 e 488 e 551 e a Lei das S/A (LSA). (Brasil, 1976; Comissão de Valores Mobiliários, 2003a, 2008, 2009, 2009a, 2010).
[††] *Privileged subscription*, nos Estados Unidos. Não confundir com o direito de preferência dos acionistas de que trata a Lei Societária Brasileira e a oferta prioritária de subscrição para acionistas existentes.
[†††] Oferta de direitos de subscrição negociáveis no mercado, não usual no mercado brasileiro.

títulos por uma empresa que já tenha feito anteriormente uma oferta inicial, ou seja, de uma empresa já listada em bolsa. Uma oferta subsequente de ações pode ser feita por uma oferta de ações ou uma oferta de direitos. No Brasil, as emissões subsequentes são facilitadas pelo processo simplificado de emissão e pelo convênio firmado entre a CVM e a ANBIMA, que facilita muito o processo de registro de ofertas subsequentes, reduzindo substancialmente o tempo de análise dos processos de emissão. A Instrução CVM 551 facilitou a emissão de ações por ofertas restritas.

Esses métodos de emissão de novos títulos estão ilustrados no Quadro 20.1 e serão discutidos nas próximas seções.

20.4 Oferta de ações

As ações são vendidas em troca de dinheiro dos investidores interessados (por isso, nos Estados Unidos, a venda de ações ao público é chamada de *cash offer*). Se a oferta for pública, **bancos de investimento** (intermediários financeiros que executam diversos serviços) geralmente se envolvem. Além de auxiliar na venda de títulos, eles facilitam as fusões e outras reorganizações corporativas, atuam como corretores para clientes individuais e institucionais e negociam por conta própria. Você já deve ter ouvido falar de grandes bancos de investimento da Wall Street, como Goldman Sachs e Morgan Stanley.

Para os emissores corporativos, os bancos de investimento oferecem serviços como:

- Formulação do método a ser utilizado para emitir valores mobiliários.
- Precificação de valores mobiliários.
- Venda de valores mobiliários.

No mercado brasileiro, um processo de emissão envolve um grupo de instituições intermediárias (consórcio) com um ou mais coordenadores, com um coordenador líder de um grupo de instituições intermediárias que assessora o emissor em todos os passos da oferta. A colocação dos valores mobiliários é efetuada diretamente para os investidores acionistas ou não, conforme a emissão. Nos Estados Unidos, em geral, o subscritor – o *underwriter* – compra os valores mobiliários da empresa emissora por um preço inferior ao preço de oferta e aceita o risco de não conseguir vendê-los. Como, nesse caso, a subscrição envolve risco, é formado um consórcio (lá chamado de "sindicato") de *underwriters* para compartilhar o risco e ajudar a venda da emissão.

Os três métodos básicos de emissão de títulos são:

1. *Garantia firme:* Neste método, a emissora tem a garantia de colocação total da emissão. As formas diferem no mercado norte-americano e brasileiro. No mercado norte-americano, o banco de investimento (ou um grupo de bancos de investimento) *compra* os valores mobiliários da empresa emissora por um preço inferior ao preço de oferta e aceita o risco de não conseguir vendê-los. Por envolver riscos, dizemos que o banco de investimentos subscreve os títulos em uma garantia firme. Em outras palavras, ao participar de uma oferta com garantia firme, o banco de investimentos age como um subscritor (*underwriter*). Como os compromissos firmes são predominantes, no caso norte-americano, utilizaremos intercaladamente *banco de investimento* e *underwriter* neste capítulo. Já no Brasil, os intermediários financeiros não subscrevem a emissão, mas oferecem garantia de colocação junto a investidores; a subscrição pelos intermediários financeiros garantidores pode ocorrer se restarem sobras da emissão (por isso, garantia firme de colocação da emissão).

    O procedimento de minimização de riscos que acontece nos Estados Unidos, em que alguns bancos de investimento podem formar um grupo de subscrição (o **sindicato**) para dividir o risco e vender a emissão, também ocorre no Brasil com o **consórcio** de instituições intermediárias. Nesse grupo, um ou mais bancos coordenadores organizam ou coadministram a oferta. Em um grupo com mais de um coordenador, um é designado como coordenador líder e é responsável por todos os aspectos da emissão. Os outros bancos de investimento no consórcio são responsáveis, principalmente, pela venda da emissão aos seus clientes. O coordenador líder tem a responsabilidade de coordenar o consórcio e, junto com o emitente, solicitar o registro da emissão na CVM; no mercado brasileiro, o coordenador lidera o processo de consulta *bookbuilding* para definir o preço da emissão.

    Nos Estados Unidos, a diferença entre o preço de compra do banco *underwriter* e o preço de oferta é chamada de *spread bruto*, ou *desconto de subscrição*. Ela é a remuneração básica recebida pelo banco *underwriter* lá; às vezes, o *underwriter* obtém remuneração não monetária, na forma de bônus de subscrição (*warrants*) ou ações além do *spread*. No Brasil, isso ocorre de forma diferente; a empresa emitente negocia a remuneração dos bancos de investimento, e a emitente recebe o valor total da emissão e paga uma remuneração aos bancos do consórcio.

A subscrição de compromisso firme nos Estados Unidos é apenas um sistema de compra e venda, e a comissão do sindicato é o *spread*. Já no Brasil, a garantia firme refere-se ao compromisso do consórcio de instituições intermediárias de colocar toda a emissão ao preço estabelecido no processo de consulta ao mercado e aprovado pelo Conselho de Administração da emissora. A emissora recebe toda a receita da emissão, e a remuneração do consórcio é a comissão negociada entre o coordenador-líder e a emitente. Nos Estados Unidos, a emissora recebe toda a receita da emissão menos o *spread* do sindicato. Todo o risco é transferido aos bancos *underwriters*, pois estes realizarão o *spread* somente se conseguirem revender a emissão a preço maior. Se o banco *underwriter* não puder vender toda a emissão ao preço de oferta negociado, ele precisará diminuir o preço das ações não vendidas. Como o preço da oferta normalmente não é definido antes que tenha sido investigada a receptividade do mercado para a emissão, esse risco costuma ser mínimo. Isso ocorre particularmente com emissões subsequentes, pois o preço de uma nova emissão pode ser baseado nos preços dos negócios com ações da empresa no período anterior à emissão.

Como o preço de oferta não é definido até pouco antes de a venda começar, o emitente não sabe precisamente qual será seu resultado líquido até o momento da definição do preço da emissão. Para determinar o preço de oferta, o *underwriter* ou o coordenador se encontrará com compradores em potencial, geralmente grandes compradores institucionais, como fundos de investimento e fundos de pensão. Frequentemente, o *underwriter* ou o coordenador e os administradores da empresa farão apresentações em diversas cidades para lançar a oferta, conhecidas como *road shows*. Compradores em potencial compartilham informações sobre o preço que estariam dispostos a pagar e o número de ações que comprariam por um preço específico. Esse processo de solicitação de informações sobre os compradores e os preços e as quantidades que estariam dispostos a pagar e comprar é conhecido como *bookbuilding*. Como veremos adiante, apesar do processo de *bookbuilding*, os *underwriters* frequentemente repassam o preço errado, ou pelo menos assim parece.

2. *Melhores esforços:* Os *underwriters* ou os membros do consórcio, conforme o caso, correm risco com a garantia firme, pois garantem a compra ou a colocação de toda a emissão. Esse risco é evitado com uma oferta com melhores esforços que não garante a compra ou a colocação das ações. O sindicato, ou o consórcio, age apenas como um agente, recebendo uma comissão para cada ação vendida. Ele se obriga a utilizar os "melhores esforços" para vender os títulos ao preço de oferta. A emissão é retirada caso não possa ser vendida ao preço de oferta. Essa forma de subscrição se tornou relativamente rara.

3. *Subscrição por leilão holandês:* Na subscrição por leilão holandês, uma prática do mercado norte-americano, o banco *underwriter* não define um preço fixo para as ações a serem vendidas. Em vez disso, ele realiza um leilão no qual os investidores dão lances pelas ações. O preço de oferta é determinado com base nos lances apresentados. Um leilão holandês também é conhecido por seu nome mais descritivo: *leilão de preço uniforme*. Essa é uma abordagem relativamente nova no mercado de IPOs e não tem sido muito usada, mas é muito comum nos mercados de títulos de dívida. Por exemplo, essa é a única maneira utilizada pelo Tesouro dos Estados Unidos para vender suas letras, obrigações e notas para o público. O Tesouro brasileiro também utiliza o leilão de preço uniforme. Em 2014, o Plano Anual de Financiamento da Dívida Pública Federal previa o leilão de preço uniforme para os leilões tradicionais[8] de NTN-B;[9] os leilões do Tesouro brasileiro para os demais títulos são de preços múltiplos.

---

[8] O Tesouro brasileiro realiza três tipos de leilões: o leilão *tradicional*, em que ocorre a venda de um título, o *leilão de troca*, em que um título em circulação é trocado por títulos de uma nova emissão, e o leilão de *resgate antecipado*.

[9] Ver Brasil. Tesouro Nacional. Dívida Pública Federal: Plano Anual de Financiamento 2014. Disponível em <https://www.tesouro.fazenda.gov.br/documents/10180/187318/PAF_2014.pdf>.

Para entender um leilão holandês, considere um exemplo simples. Suponhamos que a Rial Co. queira vender 400 ações ao público. A empresa recebe cinco lances da seguinte maneira:

Ofertante	Quantidade	Preço
A	100 ações	$ 16
B	100 ações	14
C	100 ações	12
D	200 ações	12
E	200 ações	10

Assim, o ofertante A está disposto a comprar 100 ações a $ 16 cada, o ofertante B está disposto a comprar 100 ações a $ 14, e assim por diante. A Rial examina os lances para determinar o preço mais alto que resultará na venda de todas as 400 ações. Por exemplo, a $ 14, A e B juntos comprariam apenas 200 ações, de modo que esse preço é muito alto. Prosseguindo, todas as 400 ações não serão vendidas até atingirmos um preço de $ 12, de modo que $ 12 será o preço de oferta na IPO. Os ofertantes de A a D receberão ações, enquanto o ofertante E não as receberá.

Acrescentamos dois pontos importantes em nosso exemplo. Em primeiro lugar, todos os ofertantes vencedores pagarão $ 12, até mesmo os ofertantes A e B, que deram um lance maior. O fato de que todos os ofertantes vencedores pagam o mesmo preço é o motivo para o nome "leilão de preço uniforme". A ideia de tal leilão é incentivar os ofertantes a dar lances de maneira agressiva e, ao mesmo tempo, proporcionar-lhes certa proteção contra lances muito altos.

Em segundo lugar, observe que, ao preço de oferta de $ 12, existem, na verdade, lances para 500 ações, o que excede as 400 ações que a Rial deseja vender. Dessa maneira, deve haver algum tipo de alocação. O modo como isso é feito varia um pouco, mas, no mercado de IPO, a abordagem tem sido simplesmente calcular o índice entre o número de ações oferecidas e o número de ações cotadas ao preço de oferta ou maior – o que, em nosso exemplo, resulta em 400/500 = 0,8 – e alocar aos ofertantes essa porcentagem. Em outras palavras, os ofertantes de A a D recebem, cada um, 80% das ações cotadas a um preço de $ 12 por ação.

O período após uma nova emissão ter sido inicialmente vendida para o público é chamado, nos Estados Unidos, de *aftermarket* (não confundir com o mercado *After Market* da BM&FBOVESPA, de que trataremos adiante). Durante esse período, os membros do sindicato de subscrição geralmente não vendem as ações da nova emissão por menos do que o preço da oferta.

Na maioria das ofertas, o principal subscritor pode comprar ações se o preço de mercado cair abaixo do preço de oferta. A finalidade é dar *suporte* ao mercado e *estabilizar* o preço em relação a uma pressão temporária de baixa. Se a emissão permanecer sem vendas durante certo período (p. ex., 30 dias), os membros podem sair do grupo e vender suas ações ao preço que o mercado permitir. No Brasil, a Instrução CVM 400 admite contratos de estabilização de preços.

Muitos contratos de subscrição possuem uma **cláusula de emissão suplementar** (***Green Shoe provision***[10]), que permite a compra de ações adicionais ao preço de oferta pelos membros do grupo de subscrição. O motivo declarado para a opção de emissão suplementar é cobrir a demanda por subscrições excedente. A opção de emissão suplementar dura cerca de 30 dias e é limitada a até 15% das novas ações emitidas. Nos Estados Unidos, diz-se que a opção de emissão suplementar é um benefício para o sindicato de subscrição e um custo para o emissor. Lá, se em 30 dias o preço de mercado da nova emissão passa do preço de oferta, os subscritores podem comprar ações do emissor e vendê-las imediatamente ao público, realizando o *spread* sobre o suplemento de até 15% de ações. No Brasil, essa modalidade apenas facilita a emissão de mais ações, em função da demanda, desde que prevista no prospecto de emissão (ICVM 400. art. 24).

---

[10] A Green Shoe Corp. foi a primeira empresa a permitir essa cláusula.

Devemos distinguir entre a emissão suplementar e a **emissão adicional**. Além de a emissora poder outorgar ao intermediário financeiro a opção de venda suplementar de até 15% da emissão, ela pode realizar uma emissão adicional. A emissora pode aumentar a quantidade de valores mobiliários da distribuição em até 20% da quantidade autorizada, excluído o lote suplementar (ICVM 400. art. 14). Para a emissão adicional, não há necessidade de novo pedido de registro ou de modificação dos termos da oferta. Essa alternativa é do emissor e não precisa constar do prospecto de emissão.

Praticamente todos os acordos de subscrição possuem *prazos de bloqueio*. Os prazos de bloqueio especificam por quanto tempo os envolvidos na oferta (os *insiders*) devem aguardar após uma IPO para poder vender algumas de suas ações. Nos Estados Unidos, os prazos de bloqueio terminam em 180 dias. Assim, os *insiders* devem manter um interesse econômico significativo na empresa por seis meses após a IPO. Prazos de bloqueio também são importantes, pois o número de ações internas bloqueadas costuma ser maior do que o número de ações para o público. Quando termina o prazo de bloqueio, pode ocorrer que os *insiders* vendam muitas ações, causando, assim, a queda dos preços das ações.

Em um período que inicia antes da oferta e se estende por mais 40 dias corridos após uma IPO, a SEC exige que uma firma e seus *underwriters* coordenadores passem por um "período de silêncio". Isso significa que todas as comunicações com o público devem ser limitadas aos anúncios ordinários e a outras questões puramente factuais.

A lógica da SEC é que todas as informações relevantes devem estar contidas no prospecto de emissão. Um resultado importante dessa exigência é que os analistas das instituições intermediárias são proibidos de fazer recomendações aos investidores. Nos Estados Unidos, assim que termina esse período, os *underwriters* coordenadores publicam relatórios de pesquisa, normalmente acompanhados por uma recomendação favorável de "compre".

No Brasil, a Instrução CVM n° 400, no artigo 48, regula o período de silêncio para a emissora, para o ofertante, para as instituições intermediárias desde a contratação e para as pessoas que estejam trabalhando ou assessorando uma oferta pública de distribuição (Comissão de Valores Mobiliários, 2003a). Segundo a norma, os envolvidos devem, entre outras obrigações, abster-se de manifestações na mídia sobre a oferta ou o ofertante 60 dias antes do protocolo do pedido de registro da oferta ou desde a data em que a oferta foi decidida ou projetada – o que ocorrer por último – até a publicação do anúncio de encerramento de distribuição.

As IPOs podem ser adiadas para as empresas que não agem de acordo com o período de silêncio. Por exemplo, pouco antes da IPO do Google, uma entrevista com seus cofundadores, Sergey Brin e Larry Page, foi publicada pela *Playboy*. A entrevista quase causou um atraso na IPO, mas o Google conseguiu corrigir seu prospecto a tempo (ao incluir o artigo!). Entretanto, em maio de 2004, a IPO da Salesforce.com foi atrasada porque uma entrevista com o CEO Marc Benioff apareceu no *The New York Times*. A Salesforce.com somente se tornou uma companhia aberta dois meses depois.

Instituições intermediárias

Os bancos de investimento, no Brasil instituições intermediárias, nos EUA *underwriters*, estão no centro das emissões. O relacionamento do ofertante com elas é formalizado em contrato de distribuição de valores mobiliários, que deverá explicitar todas as formas de remuneração devidas pelo ofertante, diretas ou indiretas. Seu papel é aconselhar a emissora, colocar os títulos no mercado e aceitar o risco em ofertas firmes estão no centro das novas emissões de títulos. Eles aconselham, apresentam os títulos (após uma investigação acerca da receptividade do mercado à emissão) e subscrevem o resultado. Também aceitam o risco de que o valor de mercado possa sofrer uma queda entre a data do estabelecimento do preço de oferta e o momento em que a emissão é vendida.

O sucesso de um banco de investimento depende de sua reputação. Uma boa reputação pode ajudar bancos a manter os seus clientes e a atrair novos. Em outras palavras, economistas da área financeira argumentam que cada banco de investimento possui um reservatório de "capital de reputação". Pode-se medir o capital de reputação de acordo com a ordem hierárquica entre os nomes dos bancos de investimento que, como mencionado anteriormente, aparecem no anúncio de emissão na Figura 20.7. Os alunos de MBA estão cientes dessa ordem e sabem

COM A PALAVRA, OS EXECUTIVOS:

Robert S. Hansen, sobre a lógica econômica para a oferta de compromisso firme

Os *underwriters* fornecem quatro funções principais: certificação, monitoramento, *marketing* e assunção de riscos.

A certificação garante aos investidores que o preço de oferta é justo. Os investidores têm preocupação com a possibilidade de o preço de oferta ser mais alto do que o valor intrínseco da ação. A certificação aumenta valor para emissor ao reduzir dúvidas dos investidores sobre a lisura da oferta, fazendo com que uma oferta com melhor preço seja possível.

O monitoramento da gestão e do desempenho da empresa emissora agrega valor, pois se soma à monitoração usual exercida pelos acionistas. Os *underwriters* fornecem monitoramento coletivo a favor dos que aportam capital novo e dos acionistas atuais. O monitoramento individual pelos acionistas é limitado, pois o acionista arca sozinho com os custos, enquanto todos os acionistas compartilham coletivamente os benefícios, *pro rata*. Em contraste, no monitoramento pelo *underwriter*, todos os acionistas compartilham os custos e os benefícios, *pro rata*.

O processo de investigação e auditoria das informações (*due diligence*) da emissora realizada pelos *underwriters* e a responsabiliade legal desses pela receita da subscrição dá segurança aos investidores. No entanto, o que torna a certificação e o monitoramento confiáveis é a reputação do banco nos competitivos mercados de capital. Provas de que um comportamento não respeitável é prejudicial para o futuro financeiro de um banco são abundantes. Os participantes dos mercados de capitais punem os bancos com desempenho ruim ao se recusarem a contratá-los. Os participantes pagam um "quase-aluguel" aos bancos pela sua certificação e monitoramento com o *spread*, que representa o preço justo do "aluguel" de reputação.

Marketing é encontrar investidores de longo prazo que possam ser persuadidos a comprar os títulos ao preço de oferta, o que não seria necessário caso a demanda por novas ações fosse "horizontal". Há muitas evidências de que emissores e sindicatos investem repetidamente em práticas caras de *marketing*, como *road shows*, para identificar e expandir o interesse do investidor. Outra prática é organizar os membros do sindicato para evitar redundância na procura por clientes. Os bancos líderes fornecem suporte às transações com as ações do emissor por várias semanas após a oferta.

O risco de subscrição é semelhante ao risco de vender uma opção de venda. O sindicato concorda em comprar todas as novas ações ao preço de oferta e as revende a esse preço ou ao preço de mercado, o que for mais baixo. Assim, quando a oferta começa, o sindicato está exposto a potenciais perdas com estoques não vendidos caso o preço de mercado caia abaixo do preço de oferta. Esse risco provavelmente é pequeno, já que as ofertas costumam ser bem preparadas para uma venda rápida.

Robert S. Hansen é o professor titular de Finanças Corporativas e Economia na Universidade de Tulane.

---

que aceitar um emprego em uma instituição financeira de nível superior tem mais status do que trabalhar em uma de nível inferior.

As classificações são de grande importância para os bancos de investimento; eles não aceitam bem uma queda de posição, embora essa competição por posição possa parecer tão irrelevante quanto as bajulações por favores reais na corte de Luís XVI. Em qualquer indústria em que a reputação seja muito importante, as empresas precisam ter grande vigilância para manter a sua.

Uma emissão de títulos é precedida de várias etapas internas e entendimentos com os bancos de investimento, e um dos itens de discussão é a comissão que a emissora pagará aos bancos do consórcio. Nos Estados Unidos, uma empresa pode oferecer seus títulos para *underwriters* com uma oferta competitiva ou uma oferta negociada. Em uma oferta competitiva, as empresas emissoras vendem seus títulos para o *underwriter* que apresentar a oferta mais alta. Em uma oferta negociada, as empresas emissoras negociam diretamente com um *underwriter*.

Como, em geral, a empresa não negocia com vários *underwriters* simultaneamente, acordos negociados podem sofrer de falta de competição.

Sabendo que tomadas de preço competitivas são frequentes em outras áreas de negócios, talvez você possa se surpreenda ao saber que, em vez disso, a negociação de acordos com bancos de investimento ocorre em quase todas as empresas maiores emissoras. Bancos de investimento destacam que eles precisam de muito tempo e esforço para aprender sobre o emissor antes de chegar a um preço de emissão e um esquema de remuneração por seu trabalho. Exceto no caso de grandes emissões, argumenta-se que os *underwriters* não podem comprometer esse tempo sem a certeza de fechar o contrato.

Estudos mostram que os custos de emissões são mais altos em processos negociados do que em processos competitivos. Entretanto, muitos economistas da área de finanças apontam para o fato de que o *underwriter* obtém muitas informações sobre a empresa emissora durante a negociação – informações que provavelmente aumentam a probabilidade de uma oferta bem-sucedida.

O preço de oferta

A determinação correta do preço de oferta é a tarefa mais difícil enfrentada pelo banco de investimento em uma oferta pública inicial. A empresa emitente enfrentará um custo potencial se o preço da oferta for muito alto ou muito baixo. Se a emissão for cotada a um preço muito alto, ela pode não ter êxito e precisará ser retirada do mercado. Se a emissão for cotada abaixo do preço de mercado, os acionistas atuais da emissora terão uma perda representada por custo de oportunidade. O processo de determinar o melhor preço de oferta é chamado de *bookbuilding*. No *bookbuilding*, os investidores em potencial se comprometem a comprar determinadas quantidades de ações por diferentes preços.

A subprecificação é muito comum. Por exemplo, entre 1960 e 2010, Ritter examinou 12.231 empresas que abriram o capital nos Estados Unidos. Ele descobriu que a IPO média teve um aumento de 16,8% no primeiro dia de negócios após a emissão (ver Quadro 20.2). Esses números não estão anualizados!

Obviamente, a subprecificação ajuda novos acionistas a ganhar um retorno mais alto das ações que compram. Entretanto, ela não beneficia os acionistas existentes da empresa emissora. Para eles, esse é um custo indireto da emissão de novos títulos. Por exemplo, considere a IPO da General Motors em novembro de 2010. A ação abriu a $ 33 e chegou até $ 35,99 no primeiro dia, antes de fechar a $ 34,19: um ganho de 3,6% no primeiro dia. Com base nesses números, a General Motors teve um subpreço em torno de $ 1,19 por ação. Como a GM emitiu 478 milhões de ações, a empresa deixou de ganhar $ 569 milhões (= $ 1,19 × 478 milhões). Em 1999, a IPO de 8,2 milhões de ações da eToys teve um subpreço de $ 57 por ação – quase meio bilhão de dólares no total. A eToys podia ter feito bom uso do dinheiro: em dois anos, ela foi à falência.

Subprecificação: uma explicação possível

Existem diversas explicações possíveis para a subprecificação, mas, até agora, não existe um consenso entre os acadêmicos acerca da explicação correta. Apresentaremos duas explicações bem conhecidas sobre a subprecificação. A primeira explicação começa com a observação de que, quando o preço de uma nova emissão é muito baixo, a emissão quase sempre tem uma *supersubscrição*. Isso significa que os investidores não poderão comprar todas as ações que desejam, e os bancos subscritores alocarão as ações entre os investidores. O investidor médio terá dificuldades para adquirir ações de uma oferta "bem-sucedida", porque não haverá ações suficientes para comprar. Embora as ofertas públicas iniciais tenham retornos positivos, uma parte significante das ofertas sofre uma queda de preço. Assim, um investidor que emite uma ordem

QUADRO 20.2 Número de ofertas, retorno médio no primeiro dia e resultado bruto das ofertas públicas iniciais nos Estados Unidos: 1960–2010

Ano	Número de ofertas*	Retorno médio do primeiro dia, %[†]	Resultado bruto ($ em milhões)[‡]
1960–1969	2.661	21,2%	$ 7.988
1970–1979	1.536	7,10	6.663
1980–1989	2.391	6,80	62.303
1990–1999	4.205	21,00	297.441
2000–2010	1.438	23,40	326.165
1960–2010	**12.231**	**16,80%**	**$ 700.560**

*O número de ofertas exclui IPOs com um preço de oferta inferior a $ 5,00, ADRs, melhores esforços, *units* e ofertas de Regulamentação A (emissões pequenas que arrecadaram menos de $ 1,5 milhão durante os anos de 1980), fundos de investimento imobiliário (*real estate investment trusts* – REITs), *partnerships* e fundos fechados. Estão incluídos bancos, associações de poupanças e empréstimos e IPOs não listadas no CRSP.

[†] Os retornos no primeiro dia são calculados como o retorno percentual do preço de oferta em relação ao primeiro preço de fechamento de mercado.

[‡] Os resultados brutos são da Securities Data Co. e excluem as opções de distribuição suplementar, mas incluem *tranche* internacional, se houver. Não foram feitos ajustes para a inflação.

FONTE: Professor Jay R. Ritter, Universidade da Flórida.

COM A PALAVRA, OS EXECUTIVOS:

Jay Ritter, sobre a subprecificação da IPO no mundo todo

Os Estados Unidos não são o único país no qual as ofertas iniciais de ações (IPO) são subprecificadas. O fenômeno existe em todos os países que têm mercado de ações, embora a extensão da subprecificação varie de um país para outro.

Em geral, países com mercados de capital desenvolvidos têm subprecificação mais moderada do que as de mercados emergentes. Durante a bolha da Internet entre 1999 e 2000, porém, a subprecificação nos mercados de capitais desenvolvidos aumentou drasticamente. Nos Estados Unidos, por exemplo, o retorno médio no primeiro dia, durante o período entre 1999 e 2000, foi de 65%. Após a explosão da bolha da Internet em meados de 2000, o nível de subprecificação nos Estados Unidos, na Alemanha e em outros mercados de capitais desenvolvidos voltou a níveis mais tradicionais.

A subprecificação das IPOs chinesas costumava ser extrema, mas, recentemente, tem sido mais moderada. Nos anos de 1990, regulamentações do governo chinês exigiam que o preço de oferta não passasse de 15 vezes o lucro, mesmo quando ações comparáveis tinham um índice preço/lucro de 45. Em 2010, o retorno médio no primeiro dia era 40%, e havia mais IPOs na China, arrecadando mais dinheiro do que em qualquer outro país.

O quadro a seguir resume os retornos médios no primeiro dia das IPOs de vários países ao redor do mundo, e os números foram coletados de estudos de diferentes autores.

País	Tamanho da amostra	Período	Retorno médio inicial	País	Tamanho da amostra	Período	Retorno médio inicial
África do Sul	285	1980–2007	18,00%	Indonésia	361	1990–2010	26,30%
Alemanha	704	1978–2009	25,20	Irã	279	1991–2004	22,40
Argentina	20	1991–1994	4,40	Irlanda	31	1999–2006	23,70
Austrália	1.103	1976–2006	19,80	Israel	348	1990–2006	13,80
Áustria	96	1971–2006	6,50	Itália	273	1985–2009	16,40
Bélgica	114	1984–2006	13,50	Japão	3.078	1970–2009	40,50
Brasil	264	1979–2010	34,40	Jordânia	53	1999–2008	149,00
Bulgária	9	2004–2007	36,50	Malásia	350	1980–2006	69,60
Canadá	635	1971–2006	7,10	México	88	1987–1994	15,90
Chile	65	1982–2006	8,40	Nigéria	114	1989–2006	12,70
China	2.102	1990–2010	137,40	Noruega	153	1984–2006	9,60
Chipre	51	1999–2002	23,70	Nova Zelândia	214	1979–2006	20,30
Coréia	1.521	1980–2009	63,50	Polônia	224	1991–2006	22,90
Dinamarca	145	1984–2006	8,10	Portugal	28	1992–2006	11,60
Egito	53	1990–2000	8,40	Reino Unido	4.205	1959–2009	16,30
Espanha	128	1986–2006	10,90	Rússia	40	1999–2006	4,20
Estados Unidos	12.165	1960–2010	16,80	Singapura	519	1973–2008	27,40
Filipinas	123	1987–2006	21,20	Sri Lanka	105	1987–2008	33,50
Finlândia	162	1971–2006	17,20	Suécia	406	1980–2006	27,30
França	686	1983–2009	10,60	Suíça	159	1983–2008	28,00
Grécia	373	1976–2009	50,80	Tailândia	459	1987–2007	36,60
Holanda	181	1982–2006	10,20	Taiwan	1.312	1980–2006	37,20
Hong Kong	1.259	1980–2010	15,40	Turquia	315	1990–2008	10,60
Índia	2.811	1990–2007	92,70				

Jay R. Ritter é professor de Finanças e ocupa a cátedra Cordell na Universidade da Flórida. Acadêmico notável, ele é conhecido por suas análises perspicazes de novas emissões e de aberturas de capital.

de compra para todas as novas emissões pode receber um número maior de ações em emissões que tenham uma queda de preço do que em emissões que tenham um aumento.

Pense na história a seguir sobre dois investidores. Maria Esperta sabe precisamente o valor das empresas quando oferecem suas ações. João Namédia sabe apenas que os preços geralmente aumentam um mês após a IPO. Munido dessas informações, João Namédia resolve comprar 1.000 ações de cada IPO. Será que ele obtém um retorno anormalmente alto com todas as ofertas iniciais?

A resposta é não, e pelo menos uma das razões é Maria Esperta. Por exemplo, como Maria Esperta sabe que a empresa *XYZ* está subprecificada, ela investe todo o seu dinheiro nessa IPO. Quando as ações têm supersubscrição, os intermediários financeiros alocam as ações entre Maria e João. Se eles fizerem isso de maneira *pro rata* e Maria tiver oferecido subscrever o dobro da oferta de João, ela conseguirá duas ações para cada uma de Jonas. O resultado líquido é que, quando uma emissão é subprecificada, João Namédia não consegue comprar tanto quanto queria.

Maria Esperta também sabe que a empresa *ABC* está superprecificada. Nesse caso, ela evita totalmente a IPO, mas João Namédia acaba com todas as 1.000 ações. Para resumir a história, João Namédia consegue menos ações quando investidores informados correm para comprar uma emissão subprecificada, mas consegue todas as ações que quer quando os mais espertos evitam a emissão.

Este é um exemplo da *maldição do vencedor* e é visto como outro motivo pelo qual as IPOs têm um retorno médio tão grande. Quando o investidor médio ganha e obtém toda a alocação que deseja, o motivo é que aqueles que dispunham de mais informações evitaram a emissão. Para neutralizar a maldição do vencedor e atrair o investidor médio, os intermediários financeiros precisam subprecificar as emissões.[11]

Uma explicação mais simples sobre a subprecificação nos Estados Unidos talvez seja o risco. Embora em média as IPOs tenham retornos iniciais positivos, uma parte significativa sofre uma queda de preços, que causaria perdas com as ações na conta do *underwriter*. Além disso, o *underwriter* corre o risco de ser processado por clientes indignados por lhes ter vendido títulos superprecificados.[12] A subprecificação atenua os dois problemas.

20.5 Anúncios de emissão de novas ações e valor da empresa

Como mencionado, quando as empresas retornam aos mercados de ações buscando fundos adicionais, elas fazem uma emissão subsequente de ações. Os processos básicos para uma emissão subsequente e uma emissão inicial são os mesmos. Entretanto, algo curioso acontece no dia de anúncio de uma emissão subsequente. É razoável supor que recursos de longo prazo sejam utilizados para financiar projetos de VPL positivo. Como consequência, quando um anúncio de novo aporte de capital é feito, o valor de mercado da empresa deveria subir. Como mencionado em um capítulo anterior, acontece exatamente o oposto. Muitos pesquisadores relatam que o valor de mercado das ações sofre uma queda quando do anúncio de uma nova emissão.[13] Os motivos plausíveis para esse resultado estranho incluem:

1. *Informações dos dirigentes*: Se os dirigentes tiverem melhores informações sobre o valor de mercado da empresa, eles podem saber quando a empresa está superavaliada. Assim, eles podem tentar emitir novas ações quando o valor de mercado exceder ao valor correto. Isso beneficiará os acionistas existentes. Entretanto, os novos acionistas em potencial não são tolos e inferirão a superavaliação da nova emissão e, portanto, puxarão para baixo o preço da ação no dia de anúncio da emissão.

---

[11] Essa explicação foi exposta pela primeira vez em Rock, K. Why New Issues Are Underpriced, *Journal of Financial Economics*, v. 15, 1986.

[12] Alguns pesquisadores formularam a hipótese de que muito entusiasmo e otimismo entre os investidores individuais podem explicar os retornos altos do primeiro dia (ex.: Ritter, J.; Welch, I. A Review of IPO Activity, Pricing and Allocations, *Journal of Finance*, v. 57, p. 1795-1828, ago. 2000. Ver também Cornelli, F., Goldreich, D.; Ljunguist, A. "Investor Sentiment and Pre-IPO Markets," *Journal of Finance*, p. 1187-1216, jun. 2006. Além disso, Gerard Hoberg em "The Underwriter Persistence Phenomenon", *Journal of Finance* p. 1169-1206, jun. 2007. conclui que os *underwriters* com alta subprecificação não estão depreciando os emissores, mas, sim, têm acesso a informações de qualidade superior e fazem uso dessa vantagem.

[13] Os primeiros artigos a estabelecer esse resultado foram P. Asquith, P.; Mullins, D. Equity Issues and Offering Dilution, *Journal of Financial Economics*, v. 15, 1986; Masulis, R.; Korwar, A. N. Seasoned Equity Offerings: An Empirical Investigation. *Journal of Financial Economics*, v. 15, 1986; Mikkelson, W. H.; Partch, M. M. Valuation Effects of Security Offerings and the Issuance Process, *Journal of Financial Economics*, v. 15, 1986.

2. *Capacidade de endividamento*: Argumentamos em um capítulo anterior que uma empresa provavelmente escolhe o seu índice dívida/capital próprio procurando equilibrar o benefício fiscal da dívida com o custo de dificuldades financeiras. Quando os gestores de uma empresa possuem informações especiais de que aumentou a probabilidade de dificuldades financeiras, é provável que a empresa busque levantar capital por meio de ações em vez de dívidas. Se o mercado infere essa cadeia de eventos, o preço da ação sofre uma queda no dia do anúncio de uma nova emissão de ações.

3. *Custos de emissão*: Como discutiremos a seguir, existem custos substanciais associados à venda de títulos.

Independente do motivo, uma queda de valor das ações existentes após o anúncio de uma nova emissão é um exemplo de custo indireto na venda de ações. Normalmente, nos Estados Unidos, essa queda é estimada na ordem de 3% para uma empresa do ramo industrial (e um pouco menor para uma concessionária de serviços públicos), de modo que, para uma grande empresa, isso pode representar uma quantia substancial em dinheiro. Chamamos essa queda de *retorno anormal* em nossa discussão a seguir sobre os custos das novas emissões.

Para citar alguns exemplos, em fevereiro de 2011, a empresa de gás natural e petróleo bruto EOG Systems anunciou uma oferta subsequente. No dia do anúncio, suas ações tiveram uma queda de 3,9%. Também em fevereiro de 2011, a empresa Optimer Pharmaceuticals anunciou uma oferta subsequente em colocação privada a um valor 11% menor do que o preço de mercado. Em resposta, as ações tiveram uma queda de cerca de 9%.

20.6 Custos das novas emissões

A emissão de títulos ao público tem custos. Os custos se classificam em seis categorias:

1. Comissões e *spread* bruto ou desconto de subscrição:	No Brasil, as instituições líderes da subscrição e os distribuidores vendem a emissão para investidores ao preço definido no processo de emissão e cobram a sua remuneração da empresa emissora, geralmente na forma de comissão.[14] Nos Estados Unidos, nas subscrições por garantia firme, os bancos ou corretoras encarregados da colocação da emissão, subscrevem a emissão e vendem as ações aos investidores ao preço de emissão e pagam um preço menor por ação ao emitente. A diferença entre o preço que o emitente recebe e o preço de oferta, chamada de *spread bruto*, é a remuneração do subscritor.
2. Outras despesas diretas:	Esses são os custos diretos incorridos pelo emitente e que não fazem parte da remuneração dos bancos subscritores. Elas incluem taxas de registro, custos com assessoria jurídica, e impostos – todos reportados no prospecto.
3. Despesas indiretas:	Esses custos não são reportados no prospecto e incluem os custos do tempo que os administradores passam trabalhando na nova emissão.
4. Retornos anormais:	Em uma emissão subsequente de ações, nos Estados Unidos, o preço sofre uma queda de 3 a 4% ao anúncio da emissão. A queda protege novos acionistas de comprarem ações superprecificadas.

---

[14] A ICVM 400 determina que o contrato de distribuição explicite todas as formas de remuneração devidas pela emissora, diretas ou indiretas, assim como a política de desconto e/ou repasse concedido aos investidores, se for o caso, suportado pelas instituições intermediárias.

5. Subprecificação: Para ofertas públicas iniciais, a ação geralmente tem um aumento substancial após a data de emissão. A subprecificação é um custo para a empresa, porque a ação é vendida por um valor menor do que seu preço justo.

6. Opção de lote suplementar: A opção de emissão de lote suplementar dá às instituições intermediárias o direito de comprar ou colocar ações adicionais ao preço de oferta para cobrir percentuais de distribuição maiores para os investidores. No caso dos Estados Unidos, essa opção é um custo para a empresa, porque lá o *underwriter* somente comprará as ações quando o preço de oferta for mais baixo do que o preço do *aftermarket*.

O Quadro 20.3 apresenta os custos diretos, como porcentagem do montante bruto levantado por IPOs, emissões subsequentes, títulos de dívida não conversíveis (dívida simples) e conversíveis de emissão de empresas norte-americanas no período entre 1990 e 2008. Custos diretos incluem apenas *spread* bruto e outras despesas diretas (Itens 1 e 2).

Nos Estados Unidos, os custos diretos sozinhos podem ser muito grandes, particularmente para emissões menores (abaixo de $ 10 milhões). Em uma IPO menor, por exemplo, os custos diretos totais atingem 25,22% do montante levantado. Isso significa que, se uma empresa vender $ 10 milhões em ações, ela só obterá cerca de $ 7,5 milhões; os outros $ 2,5 milhões servirão para cobrir o *spread* do *underwriter* e outras despesas diretas.

O Quadro 20.3 mostra quatro padrões claros. Em primeiro lugar, com as possíveis exceções de ofertas de dívida não conversível (as quais discutiremos posteriormente), existem economias de escala substanciais. Os *spreads* do *underwriter* são menores em emissões maiores, e a porcentagem do montante levantado destinada aos outros custos diretos cai drasticamente – um reflexo da natureza predominantemente fixa desses custos. Em segundo lugar, os custos associados à emissão de dívidas são menores do que os custos de emissão de ações. Em terceiro lugar, as IPOs exigem mais despesas do que as emissões subsequentes. Por último, a emissão de títulos de dívida não conversíveis é mais barata do que a de títulos de dívida conversíveis.

Como já discutimos, a subprecificação de IPOs é um custo adicional para a empresa emitente. Para ilustrar melhor os custos totais de abertura de capital, o Quadro 20.4 combina a informação sobre custos diretos totais de IPOs no Quadro 20.3 com dados sobre a subprecificação. Ao comparar os custos diretos totais (quinta coluna) à subprecificação (sexta coluna), percebe-se que, para todos os grupos, os custos diretos totais somam 10% do montante levantado, e a subprecificação eleva o custo para 19%.

No Capítulo 8, vimos que os títulos de dívida têm classificações de crédito diferentes. Diz-se que as dívidas com classificação mais alta têm grau de investimento, enquanto aquelas com classificação mais baixa não têm grau de investimento. O Quadro 20.5 apresenta um detalhamento dos custos diretos para dívidas com e sem grau de investimento. Para a maioria, os custos são menores para dívidas com grau de investimento, fato que não é surpreendente, dado o risco de emissões sem grau de investimento. Além disso, existem economias de escala substanciais para os dois tipos de títulos de dívida.

Os custos de abertura de capital: um estudo de caso

Em 17 de março de 2011, a Cornerstone OnDemand, empresa de *software* com base em Santa Monica, abriu seu capital por meio de uma IPO. A Cornerstone emitiu 7,5 milhões de ações a $ 13 cada. Os *underwriters* principais na IPO eram Goldman, Sachs & Co. e Barclays Capital, auxiliados por um sindicato com quatro outros bancos de investimento.

Embora a IPO tenha levantado um valor bruto de $ 97,5 milhões, a Cornerstone ficou com apenas $ 86.438.500 após as despesas. A maior despesa foi 7,14% do *spread* dos bancos, um

QUADRO 20.3 Custos diretos como porcentagem do resultado bruto das captações com ações (IPOs e ofertas subsequentes) e títulos de dívida conversíveis e não conversíveis oferecidas pelas empresas norte-americanas: 1990–2008

Captação (em milhões)	IPOs				Ofertas subsequentes			
	Número de emissões	Spread bruto	Outras despesas diretas	Custo direto total	Número de emissões	Spread bruto	Outras despesas diretas	Custo direto total
2,00–9,99	1.007	9,40%	15,82%	25,22%	515	8,11%	26,99%	35,11%
10,00–19,99	810	7,39	7,30	14,69	726	6,11	7,76	13,86
20,00–39,99	1.422	6,96	7,06	14,03	1.393	5,44	4,10	9,54
40,00–59,99	880	6,89	2,87	9,77	1.129	5,03	8,93	13,96
60,00–79,99	522	6,79	2,16	8,94	841	4,88	1,98	6,85
80,00–99,99	327	6,71	1,84	8,55	536	4,67	2,05	6,72
100,00–199,99	702	6,39	1,57	7,96	1.372	4,34	0,89	5,23
200,00–499,99	440	5,81	1,03	6,84	811	3,72	1,22	4,94
acima de 500,00	155	5,01	0,49	5,50	264	3,10	0,27	3,37
Total/Média	**6.265**	**7,19**	**3,18**	**10,37**	**7.587**	**5,02**	**2,68**	**7,69**

Captação (em milhões)	Títulos de dívida não conversível				Títulos de dívida conversível			
	Número de emissões	Spread bruto	Outras despesas diretas	Custo direto total	Número de emissões	Spread bruto	Outras despesas diretas	Custo direto total
2,00–9,99	3.962	1,64%	2,40%	4,03%	14	6,39%	3,43%	9,82%
10,00–19,99	3.400	1,50	1,71	3,20	23	5,52	3,09	8,61
20,00–39,99	2.690	1,25	0,92	2,17	30	4,63	1,67	6,30
40,00–59,99	3.345	0,81	0,79	1,59	35	3,49	1,04	4,54
60,00–79,99	891	1,65	0,80	2,44	60	2,79	0,62	3,41
80,00–99,99	465	1,41	0,57	1,98	16	2,30	0,62	2,92
100,00–199,99	4.949	1,61	0,52	2,14	82	2,66	0,42	3,08
200,00–499,99	3.305	1,38	0,33	1,71	46	2,65	0,33	2,99
acima de 500,00	1.261	0,61	0,15	0,76	7	2,16	0,13	2,29
Total/Média	**24.268**	**1,38**	**0,61**	**2,00**	**313**	**3,07**	**0,85**	**3,92**

FONTE: I. Lee, S. Lochhead, J. Ritter e Q. Zhao, "The Costs of Raising Capital", *Journal of Financial Research* 19 (1996), atualizado pelos autores.

QUADRO 20.4 Custos diretos e indiretos, em porcentagem, das IPOs de ações nos Estados Unidos: 1990–2008

Captação ($ milhões)	Número de emissões	Spread bruto	Outras despesas diretas	Custo direto total	Subprecificação
2,00–9,99	1.007	9,40%	15,82%	25,22%	20,42%
10,00–19,99	810	7,39	7,30	14,69	10,33
20,00–39,99	1.422	6,96	7,06	14,03	17,03
40,00–59,99	880	6,89	2,87	9,77	28,26
60,00–79,99	522	6,79	2,16	8,94	28,36
80,00–99,99	327	6,71	1,84	8,55	32,92
100,00–199,99	702	6,39	1,57	7,96	21,55
200,00–499,99	440	5,81	1,03	6,84	6,19
acima de 500,00	155	5,01	0,49	5,50	6,64
Total/Média	6.265	7,19	3,18	10,37	19,34

FONTE: I. Lee, S. Lochhead, J. Ritter e Q. Zhao, "The Costs of Raising Capital", *Journal of Financial Research* 19 (1996), atualizado pelos autores.

valor comum para uma oferta desse tamanho. A Cornerstone vendeu cada uma das 7,5 milhões de ações para os bancos subscritores por $ 12,0718, e os bancos subscritores, por sua vez, venderam as ações para o público por $ 13,00 cada.

Mas espere: tem mais. A Cornerstone gastou $ 15.421 em taxas de registro na SEC, $ 13.783 em outras taxas administrativas e $ 150.000 na NASDAQ Global Market. A empresa também gastou $ 2,76 milhões em despesas de assessoria jurídica, $ 1.012.700 para conseguir as auditorias necessárias, $ 9.350 com um agente de custódia para fazer a transferência física e manter atualizada a lista de acionistas, $ 130.000 em despesas para divulgação, $ 5.000 em algumas despesas de taxas relativas a conformidades e, por fim, $ 3.746 em despesas diversas.

Como mostram os gastos da Cornerstone, uma IPO pode ser um empreendimento caro! No final, suas despesas totalizaram $ 11.061.500, dos quais $ 6.961.500 foram para os bancos subscritores e $ 4.100.000 para outras partes. Assim, o custo total da Cornerstone equivale a 17,5% da receita bruta da emissão.

Os custos de abertura de capital no Brasil*

A média anual das ofertas registradas na CVM com captações realizadas entre 2005 e 2011 somou aproximadamente $ 25.757 milhões, enquanto os custos médios anuais somaram $ 961 milhões, representando aproximadamente 3,7% da média anual das distribuições. Desses custos, $ 822 milhões, que representam 3,2% do valor total da média anual das distribuições, foram de comissão de coordenadores, e $ 139 milhões, ou 0,5% da média anual das distribuições, foram de demais despesas. O Quadro 20.6 apresenta os dados com mais detalhes.

Com a análise das ofertas brasileiras realizadas entre 2005 e 2011, é possível observar que os custos com as comissões dos coordenadores são os mais relevantes a ser considerados quando se decide fazer uma abertura de capital. Elas representaram 3,2% do total distribuído na média das ofertas analisadas no período. As outras despesas são menos relevantes e representaram, na média, 0,5% desse total.

Esses custos são custos diretos; não incluem os custos indiretos, como a subprecificação, que também ocorre com as emissões no mercado brasileiro. Os dados apresentados trazem uma informação interessante: os custos diretos de emissão nos Estados Unidos são mais altos do que os custos diretos de emissão no Brasil.

---

* Material cedido pelo Instituto Educacional BM&FBOVESPA. Acesse: www.bmfbovespa.com.br/educacional.

QUADRO 20.5 Spreads brutos médios e custos totais diretos para emissões de dívida nos Estados Unidos: 1990–2008

Títulos de dívida conversíveis

Captação (em milhões)	Grau de investimento				Títulos especulativos ou não classificados			
	Número de emissões	Spread bruto	Outras despesas diretas	Custo direto total	Número de emissões	Spread bruto	Outras despesas diretas	Custo direto total
2,00–9,99	–	–	–	–	14	6,39%	3,43%	9,82%
10,00–19,99	1	14,12%	1,87%	15,98%	23	5,52	3,09	8,61
20,00–39,99	–	–	–	–	30	4,63	1,67	6,30
40,00–59,99	3	1,92	0,51	2,43	35	3,49	1,04	4,54
60,00–79,99	6	1,65	0,44	2,09	60	2,79	0,62	3,41
80,00–99,99	4	0,89	0,27	1,16	16	2,30	0,62	2,92
100,00–199,99	27	2,22	0,33	2,55	82	2,66	0,42	3,08
200,00–499,99	27	2,03	0,19	2,22	46	2,65	0,33	2,99
acima de 500,00	11	1,94	0,13	2,06	7	2,16	0,13	2,29
Total/Média	**79**	**2,15**	**0,29**	**2,44**	**313**	**3,31**	**0,98**	**4,29**

Títulos de dívida não conversível

Captação (em milhões)	Grau de investimento				Títulos especulativos ou não classificados			
	Número de emissões	Spread bruto	Outras despesas diretas	Custo direto total	Número de emissões	Spread bruto	Outras despesas diretas	Custo direto total
2,00–9,99	2.709	0,62%	1,28%	1,90%	1.253	2,77%	2,50%	5,27%
10,00–19,99	2.564	0,59	1,17	1,76	836	3,15	1,97	5,12
20,00–39,99	2.400	0,63	0,74	1,37	290	3,07	1,13	4,20
40,00–59,99	3.146	0,40	0,52	0,92	199	2,93	1,20	4,14
60,00–79,99	792	0,58	0,38	0,96	99	3,12	1,16	4,28
80,00–99,99	385	0,66	0,29	0,96	80	2,73	0,93	3,66
100,00–199,99	4.427	0,54	0,25	0,79	522	2,73	0,68	3,41
200,00–499,99	3.031	0,52	0,25	0,76	274	2,59	0,39	2,98
acima de 500,00	1.207	0,31	0,08	0,39	54	2,38	0,25	2,63
Total/Média	**20.661**	**0,52**	**0,35**	**0,87**	**3.607**	**2,76**	**0,81**	**3,57**

FONTE: I. Lee, S. Lochhead, J. Ritter e Q. Zhao, "The Costs of Raising Capital", *Journal of Financial Research* 19 (1996), atualizado pelos autores.

QUADRO 20.6 Custos de emissões e valor da oferta no Brasil[†]

Total dos custos de oferta
Entre os anos 2005 e 2011, foram registradas 2014 ofertas que, ao todo, captaram $ 180 bilhões. Desse montante, os custos para abertura representaram 3,7%, somando quase $ 7 bilhões.

	2005	2006	2007	2008	2009	2010	2011	Total	Média	Mediana
Distribuições										
Quantidade	19	42	76	10	23	21	23	214	31	23
Ofertas iniciais	9	26	64	4	5	11	11	130	19	11
Ofertas subsequentes	10	16	12	6	18	10	12	84	12	12
Valor (em $ mil)	9.375.644	24.889.130	62.164.270	11.845.327	28.493.247	26.499.480	17.029.491	180.296.589	25.756.655	24.889.130
Custos										
Comissões (em $ mil)	401.031	937.028	2.200.697	381.157	809.461	574.644	449.172	5.753.189	821.884	574.644
Comissões (%)	4,3	3,8	3,5	3,2	2,8	2,2	2,6	3,2	3,2	2,3
Despesas (em $ mil)	78.116	185.081	356.529	39.311	80.596	100.541	134.163	974.337	139.191	100.541
Despesas (%)	0,8	0,7	0,6	0,3	0,3	0,4	0,8	0,5	0,5	0,4
Custo total (em $ mil)	479.147	1.122.109	2.557.226	420.467	890.058	675.185	583.334	6.727.526	961.075	675.185
Custo total (%)	5,1	4,5	4,1	3,5	3,1	2,5	3,4	3,7	3,7	2,7

[†] Material cedido pelo Instituto Educacional BM&FBOVESPA. Acesse www.bmfbovespa.com.br/educacional.
Obs: A mediana indica a localização do centro de distribuição de dados. Fonte: BM&FBOVESPA (2014) e Deloitte (c2014).

A organização de um processo de emissão subsequente

O processo de emissão de uma oferta subsequente de ações envolve várias etapas.

Inicialmente, os dirigentes da empresa, o grupo de controle ou o controlador avaliam a estratégia ou situação da empresa, sua estrutura de capital e suas perspectivas e consideram várias formas de captação de recursos. São realizados vários estudos internos e simulações. Reuniões com bancos de investimento que acompanham a empresa são realizados. São avaliadas as perspectivas e a eventual receptividade do mercado para absorver a colocação de ações ou de títulos de dívida. O tema é discutido no conselho de administração e com os comitês do conselho de administração, especialmente o comitê financeiro, o comitê de estratégia e o comitê de gestão de riscos, se existirem na estrutura do conselho de administração da empresa. É avaliada a percepção de parceiros importantes, grandes acionistas e grandes credores.

QUADRO 20.7 Custos de emissões e tipo de oferta no Brasil[†]

	Ofertas iniciais	Ofertas subsequentes	Total
Distribuições (em $ mil)	101.322.499	78.974.089	108.296.589
Comissões (em $ mil)	3.902.518	1.850.671	5.753.189
Comissões (%)	3,9	2,3	3,2
Despesas (em $ mil)	652.098	322.239	974.337
Despesas (%)	0,6	0,4	0,5
Custos totais (em $ mil)	4.554.616	2.172.910	6.727.526
Custos totais (%)	4,5	2,8	3,7

[†] Material cedido pelo Instituto Educacional BM&FBOVESPA. Acesse: www.bmfbovespa.com.br/educacional.
Custo por tipo de distribuição:
Distribuição de ações para abertura de capital e distribuições pós-abertura incorrem em custos diferentes. A oferta inicial sempre demandará valores maiores devido às preparações necessárias para se tornar uma companhia aberta.
Fonte: BM&FBOVESPA (2014) e Deloitte (c2014).

Decidida a captação, uma consulta de viabilidade da oferta é realizada, bancos de investimento são consultados, negociações são realizadas com um coordenador líder e as instituições intermediárias consideradas necessárias para formar o consórcio de subscrição.

O coordenador líder e a emissora elaboram o Prospecto de Emissão e o cronograma da emissão; a emissora atualiza o seu Formulário de Referência para arquivamento na CVM. Se a emissão for elegível para o processo simplificado de emissão, o processo é encaminhado para a ANBIMA para certificação independente, conforme convênio entre a ANBIMA e CVM.

É protocolado na CVM o pedido de registro da distribuição. O Prospecto Preliminar é publicado, e uma coleta de intenções de investimento é realizada se comunicada para a CVM por ocasião do pedido de registro da distribuição. A coleta de intenções de investimento serve para definir o preço de emissão (esse processo é referido também no mercado brasileiro como *bookbuilding*).

Atas do conselho de administração com informações sobre as deliberações relativas à oferta são arquivadas na CVM, e avisos ao mercado e fatos relevantes são publicados pela emissora. O aumento de capital dentro do limite de capital autorizado deve ser antecedido de consulta ao conselho fiscal da companhia. Se há necessidade de aumento do capital autorizado, a assembleia geral deverá ser convocada para deliberar sobre o aumento do capital autorizado.

Obtidas todas as autorizações e registros, é publicado o Prospecto Definitivo da oferta, o preço de subscrição é divulgado, juntamente com o arquivamento das atas do conselho de administração que aprovaram o Prospecto Definitivo e o preço da emissão, seguindo-se subscrição e liquidação da subscrição.

Durante o processo, representantes da emissora e do consórcio de instituições intermediárias realizam apresentações para analistas e potenciais investidores (o *roadshow*).

Se prevista no Prospecto, e se houver interesse do mercado, a opção de emissão de lote suplementar de até 15% das ações subscritas é exercida. Uma emissão adicional de até 20% pode ser realizada pela emissora.

O processo se encerra com a divulgação do Aviso de Encerramento da Oferta. O Quadro 20.8 apresenta um exemplo de um cronograma de eventos.

20.7 Direitos de subscrição

Para que o acionista não tenha sua propriedade proporcional diluída quando uma empresa promove uma subscrição subsequente, algumas proteções podem ser estabelecidas na lei ou no estatuto na forma de direitos de preferência de subscrição, de prioridade de subscrição ou por emissão de direitos negociáveis. A emissão de direitos negociáveis não é uma prática comumente utilizada no Brasil ou nos Estados Unidos, porém, por ser um mecanismo alternativo de proteção ao acionista, será abordada com algum detalhe nesta seção.

Uma emissão de ação para acionistas existentes é chamada *oferta de direitos*. Em uma oferta de direitos, cada acionista recebe o *direito* de comprar um número determinado de novas ações da empresa a um preço específico dentro de um prazo, antes que os direitos percam a validade. Por exemplo, uma empresa cuja ação esteja sendo negociada por $ 30 pode permitir que acionistas comprem um número fixo de ações a $ 10 cada em dois meses. Os termos da oferta de direitos são evidenciados por certificados conhecidos como *direitos de subscrição* ou *direitos*. Tais direitos quase sempre são negociados em bolsas de valores ou no mercado de balcão. Ofertas de direitos são comuns na Europa, mas não nos Estados Unidos.

Direito de preferência Segundo a legislação brasileira, os acionistas têm **direito de preferência** para a subscrição do aumento de capital na proporção do número de ações que possuírem. Esse direito se estende para subscrição das emissões de debêntures conversíveis em ações, bônus de subscrição e partes beneficiárias conversíveis em ações emitidas para alienação onerosa. O prazo para o acionista exercer o direito de preferência deve estar no estatuto ou ser definido pela assembleia geral, mas não poderá ser inferior a 30 dias.

QUADRO 20.8 Exemplo de um cronograma de oferta pública no Brasil

	CRONOGRAMA DA OFERTA PÚBLICA PRIMÁRIA DE AÇÕES ORDINÁRIAS DE EMISSÃO DA BB SEGURIDADE PARTICIPAÇÕES S.A.	
	Apresenta-se abaixo o novo cronograma estimado das principais etapas da oferta a partir da publicação do Comunicado de Suspensão, inclusive:	
Ordem dos Eventos	Eventos	Datas Previstas[†]
1.	Publicação do Comunicado de Suspensão	16/04/2013
2.	Publicação deste comunicado ao mercado, informando sobre a modificação do cronograma da Oferta Reinício do Período de Reserva para Investidores da Oferta Não Institucional Início de Período de Desistência Início do Período de Confirmação da Reapresentação de Intenções de Investimento Canceladas	17/04/2013
3.	Encerramento do Período de Desistência	23/04/2013
4.	Encerramento do Período de Reserva para Investidores da Oferta Não Institucional Encerramento do Período de Confirmação da Reapresentação de Intenções de Investimento Canceladas	24/04/2013
5.	Encerramento das apresentações de *Roadshow* Encerramento do Procedimento de *Bookbuilding* Fixação e aprovação do Preço por Ação Assinatura do Contrato de Colocação, do Contrato de Colocação Internacional e de outros contratos relacionados à Oferta Início do prazo de exercício da Opção de Ações Suplementares	25/04/2013
6.	Registro da Oferta pela CVM Publicação do Anúncio de Início Disponibilização do Prospecto Definitivo	26/04/2013
7.	Início da negociação das Ações da Oferta na BM&FBOVESPA	29/04/2013
8.	Data de Liquidação	02/05/2013
9.	Encerramento do prazo de exercício da Opção de Ações Suplementares	28/05/2013
10.	Data máxima para a liquidação das Ações Suplementares	31/05/2013
11.	Data máxima para a publicação do Anúncio de Encerramento	26/10/2013

[†] Todas as datas futuras previstas são meramente indicativas e estão sujeitas a alterações, suspensões, antecipações ou prorrogações a critério do Acionista Vendedor e dos Coordenadores da Oferta. Qualquer modificação no cronograma da distribuição deverá ser comunicada à CVM e poderá ser analisada como modificação da Oferta, seguindo o disposto nos artigos 25 e 27 da Instrução CVM nº 400 (Comissão de Valores Mobiliários, 2003a).
Os termos grafados em letras maiúsculas que não tiverem sido de outra forma definidos neste Comunicado terão os significados que lhes foram atribuídos no Prospecto Preliminar.
Para maiores informações, consultar: BM&FBOVESPA (2013).

Exclusão do Direito de Preferência O estatuto da companhia aberta que contiver autorização para aumento do capital pode prever a emissão, sem direito de preferência para os antigos acionistas, ou com redução do prazo de 30 dias para a emissão de ações e debêntures conversíveis em ações, ou bônus de subscrição, cuja colocação seja feita mediante venda em bolsa de valores ou subscrição pública. O direito de preferência também pode ser excluído em permuta por ações em oferta pública de aquisição de controle.

Prioridade Ainda que tenham seu direito de preferência excluído na emissão, os acionistas atuais podem ter **prioridade para subscrição** das novas ações estabelecida no prospecto de emissão. A diferença entre o direito de preferência e a prioridade de subscrição é que o primeiro é assegurado por lei e tem prazo de, no mínimo, 30 dias para ser exercido, enquanto a segunda é contemplada mediante **oferta prioritária** da companhia emissora aos seus acionistas que devem manifestar sua intenção de subscrever a emissão mediante pedido de reserva.

Se não exercer seus direitos de subscrição quando de uma emissão subsequente, a propriedade proporcional de um acionista na companhia pode ser reduzida.

No Brasil, portanto, a proteção contra a diluição dos acionistas existentes se dá pelo caminho da lei, com o instituto do direito de preferência, ou pelo cuidado da empresa emitente com a concessão de prioridade aos acionistas para subscrição.

Nos Estados Unidos, o direito de preferência não é exigido por lei, mas pode ser previsto no estatuto da empresa, e, nesse caso, primeiro ela deve oferecer todas as emissões de ações aos acionistas existentes; se o estatuto não incluir esse direito, a empresa pode ofertar as novas ações diretamente aos acionistas existentes ou ao público.

Em alguns países, como a França, por exemplo, as emissões subsequentes são precedidas da emissão de direitos negociáveis; o acionista pode decidir aderir à subscrição ou negociar o direito. Não é prática corrente no Brasil a emissão de direitos negociáveis de subscrição.

Nos Estados Unidos, embora uma emissão de ações ordinárias oferecida aos acionistas existentes seja chamada de *oferta de direitos* (*rights offer*, também chamada de subscrição privilegiada, *privileged subscription*), é raro que haja uma emissão de direitos negociáveis.

Em uma oferta de direitos, cada acionista recebe o direito de comprar um número determinado de novas ações da empresa a um preço específico dentro de um prazo. Após esse prazo, o direito expira. Os termos da oferta de direitos são evidenciados por certificados conhecidos como *warrants* ou direitos. Tais direitos quase sempre são negociados em bolsas de valores ou no mercado de balcão. No Brasil, esses direitos têm o nome de bônus de subscrição (ver Capítulo 24).

Em muitos países europeus, as ofertas de direitos são prática comum e até obrigatória. As emissões de direitos têm algumas vantagens interessantes em relação às ofertas de subscrição de ações. Por exemplo, elas parecem ser mais baratas para a empresa emissora do que as ofertas de ações. De fato, uma empresa pode fazer uma oferta de direitos sem usar um *underwriter*, enquanto, no caso de uma oferta pública de ações, em termos práticos, um *underwriter* é quase uma necessidade. Apesar disso, as ofertas de direitos são relativamente raras nos Estados Unidos; porém, em muitos outros países, elas são mais comuns do que as ofertas públicas de ações. O motivo para isso é quase um mistério e gera muito debate, mas, até onde se sabe, não existe uma resposta definitiva.

A mecânica de uma oferta de direitos

Ilustraremos a mecânica de uma oferta de direito com a situação da empresa Companhia Nacional de Energia. A empresa tem 1 milhão de ações em circulação, e a ação é vendida a $ 20 cada, o que implica um valor de mercado de $ 20 milhões. A empresa pretende levantar $ 5 milhões em capital próprio por meio de uma oferta de direitos.

O processo de emissão de direitos é diferente do processo de emissão de ações. Acionistas existentes recebem um direito para cada ação que possuem. O exercício do direito ocorre quando um acionista manda o pagamento para o agente de subscrição da empresa (geralmente um banco) e entrega o número necessário de direitos. Os acionistas da Companhia Nacional terão várias opções: (1) subscrever todas as ações permitidas, (2) vender todos os direitos ou (3) nada fazer e deixar os direitos vencer.

Preço de subscrição

A Companhia Nacional primeiro precisa determinar o **preço de subscrição** – preço que deve ser pago pelos acionistas existentes por uma ação. Um acionista racional subscreverá a oferta de direitos somente se o preço de subscrição da ação estiver abaixo do preço de mercado na data de vencimento da oferta. Por exemplo, se o preço da ação no vencimento for $ 13 e o preço de subscrição for $ 15, nenhum acionista racional subscreverá. Por que pagar $ 15 por algo que vale $ 13? A Companhia Nacional escolhe o preço de $ 10, bem abaixo do preço de mercado atual de $ 20. Desde que o preço de mercado não sofra uma queda de 50% antes da data de vencimento, a oferta de direitos será bem-sucedida.

Número de direitos necessários para comprar uma ação

A Companhia Nacional quer levantar $ 5 milhões em novas ações. Com o preço de subscrição a $ 10, a empresa emitirá 500.000 novas ações. Esse número pode ser determinado dividindo-se o montante total de fundos a serem levantados pelo preço de subscrição:

$$\text{Número de novas ações} = \frac{\text{Fundos a serem levantados}}{\text{Preço de subscrição}} = \frac{\$\,5.000.000}{\$\,10} = 500.000 \text{ ações}$$

Como os acionistas recebem um direito para cada ação que possuem, a Companhia Nacional emitirá um milhão de direitos. Para determinar quantos direitos serão necessários para comprar uma nova ação, podemos dividir o número de ações existentes (ou antigas) pelo número de ações novas:

$$\text{Número de direitos necessários para comprar uma ação} = \frac{\text{Ações antigas}}{\text{Ações novas}} = \frac{1.000.000}{500.000} = 2 \text{ direitos}$$

Assim, um acionista precisará abrir mão de dois direitos mais $ 10 para receber uma nova ação. Se todos os acionistas fizerem isso, a Companhia Nacional levantará os $ 5 milhões de que precisa.

Como a Companhia Nacional quer levantar $ 5 milhões, o número de novas ações e o número de direitos necessários para comprar uma nova ação seguem o preço de subscrição, indicado a seguir:

Preço de subscrição	Número de novas ações	Número de direitos necessários para comprar uma ação
$ 20	250.000 (= 5.000.000/20)	4 (= 1.000.000/250.000)
10	500.000 (= 5.000.000/10)	2 (= 1.000.000/500.000)
5	1.000.000 (= 5.000.000/5)	1 (= 1.000.000/1.000.000)

Como se pode perceber, um preço de subscrição menor leva a empresa a emitir mais ações e a reduzir o número de direitos necessário para comprar uma ação.

Efeito da oferta de direitos no preço da ação

Obviamente, os direitos têm valor. No caso da Companhia Nacional, o direito de comprar uma ação no valor de $ 20 por $ 10 definitivamente vale alguma coisa.

Suponhamos que um acionista da Companhia Nacional tenha duas ações imediatamente antes da oferta de direitos. O Quadro 20.9 detalha esses dados. Inicialmente, o preço da ação é de $ 20 cada, de modo que o investimento total do acionista vale 2 × $ 20 = $ 40. O acionista que tem duas ações recebe dois direitos. A oferta de direitos da Companhia Nacional dá aos acionistas que têm dois direitos a oportunidade de comprar uma ação adicional por $ 10. A posição do investimento do acionista que exerce esses direitos e compra a nova ação aumentará para três ações. O valor do novo investimento será de $ 40 + $ 10 = $ 50 (o valor inicial de $ 40 mais $ 10 pagos para a empresa). O acionista agora possui três ações, portanto o preço por ação sofre uma queda para o valor de $ 50/3 = $ 16,67 (arredondado para duas casas decimais).

A diferença entre o preço da ação antiga de $ 20 e o preço da nova ação de $ 16,67 reflete o fato de que as ações antigas tinham direitos de subscrição sobre a nova emissão. A diferença deve ser igual ao valor de um direito, ou seja, $ 20 – $ 16,67 = $ 3,33. Também há outro modo de calcular o valor de um direito. A oferta de direitos permite que um indivíduo pague $ 10 por uma ação que vale $ 16,67, o que gera um ganho de $ 6,67. Como o indivíduo precisa de dois direitos para essa operação, um indivíduo racional estará disposto a pagar em torno de $ 3,33 (= 6,67/2) por um direito.

No capítulo anterior, aprendemos sobre data ex-dividendo; neste, aprenderemos sobre **data ex-direitos**. Alguém que comprou a ação antes da data ex-direitos receberá os direitos quando

QUADRO 20.9 Valor dos direitos da Companhia Nacional para os acionistas individuais

Posição inicial do acionista	
Número de ações	2
Preço da ação	$ 20
Valor da posição	$ 40
Termos da oferta	
Preço de subscrição	$ 10
Número de direitos emitidos	2
Número de direitos para uma nova ação	2
Posição do acionista após a oferta	
Número de ações	3
Preço da ação	$ 16,67
Valor da posição	$ 50
Valor de um direito	
Preço antigo – Preço novo	$ 20 – $ 16,67 = $ 3,33
Preço novo – Preço de subscrição/Número de direitos por ação	($ 16,67 – $ 10)/2 = $ 3,33

forem distribuídos. Alguém que comprou a ação na data ex-direitos ou depois não receberá os direitos. Em nosso exemplo, o preço da ação antes da data ex-direitos é de $ 20. Quem comprou na data ex-direitos ou depois não terá a titularidade dos direitos. O preço da data ex-direitos ou depois é de $ 16,67.

O Quadro 20.10 ilustra o que acontece à Companhia Nacional. Se todos os acionistas exercerem seus direitos, o número de ações aumentará para 1,5 milhão (= 1 milhão + 0,5 milhão), e o valor da empresa aumentará para $ 25 milhões (= $ 20 milhões + $ 5 milhões). Após a oferta de direitos, o valor de cada ação diminuirá para $ 16,67 (= $ 25 milhões/1,5 milhão).

Um investidor que não seja acionista da Companhia Nacional e queira subscrever a nova emissão pode fazê-lo comprando alguns direitos. Um investidor fora da empresa que queira comprar dois direitos pagará $ 3,33 × 2 = $ 6,67 (levando em conta o arredondamento anterior). Se o investidor exercer os direitos a um preço de subscrição de $ 10, o custo total será de $ 10 + $ 6,67 = $ 16,67. Em troca desse dispêndio, o investidor receberá uma nova ação, a qual vale $ 16,67.

Investidores fora da empresa também podem comprar ações diretamente da Companhia Nacional a $ 16,67 cada. Em um mercado de ações eficiente, não haverá diferença entre comprar uma nova ação por meio de direitos ou por compra direta.

QUADRO 20.10 Oferta de direitos da Companhia Nacional

Posição inicial	
Número de ações	1 milhão
Preço da ação	$ 20
Valor da empresa	$ 20 milhões
Termos da oferta	
Preço de subscrição	$ 10
Número de direitos emitidos	1 milhão
Número de direitos para uma ação	2
Após a oferta	
Número de ações	1,5 milhão
Valor da empresa	$ 25 milhões
Preço da ação	$ 16,67

Efeitos sobre os acionistas

Os acionistas podem vender ou exercer seus direitos, embora não faça diferença qual será a opção escolhida. Para visualizar, pense em uma investidora com duas ações. Ela terá dois direitos. Ela pode vender os dois direitos por $ 3,33 cada, obtendo $ 3,33 × 2 = $ 6,67 em dinheiro. Como as duas ações valem $ 16,67 cada, sua posição vale:

$$\begin{aligned}\text{Ações} &= 2 \times \$\,16{,}67 = \$\,33{,}33 \\ \text{Direitos vendidos} &= 2 \times \$\,3{,}33 = \underline{\$6{,}67} \\ \text{Total} &\phantom{= 2 \times \$\,3{,}33 xx}= \$\,40{,}00\end{aligned}$$

Alternativamente, se a acionista exercer seus direitos, ela acaba com três ações no valor total de $ 50. Em outras palavras, suas ações valem $ 10 a mais do que os $ 40 com a venda de seus direitos e manutenção de suas ações, mas ela gasta $ 10 para isso. Assim, a investidora será indiferente entre vender ou exercer os direitos.

É óbvio que, após a oferta dos direitos, o novo preço de mercado da ação da empresa será mais baixo do que o preço anterior à oferta de direitos. No entanto, os acionistas não sofreram uma perda pela oferta. Assim, nesse caso, a diminuição no preço das ações é muito parecida com aquela de um desdobramento de ações descrito no Capítulo 19. Quanto mais baixo for o preço de subscrição, maior será a diminuição do preço resultante de uma oferta de direitos. Como nesse caso os acionistas recebem direitos de subscrição com valor igual à diminuição no preço, a oferta de direitos *não* prejudica os acionistas.

Há, porém, uma última questão. Como definimos o preço de subscrição em uma oferta de direitos? Se você pensar sobre isso, verá que o preço de subscrição realmente não importa.

Ele só tem de estar abaixo do preço de mercado da ação para que os direitos tenham valor; porém, fora isso, o preço é arbitrário. Em princípio, ele pode ser tão baixo quanto quisermos, desde que não seja zero.

Processo de subscrição em uma emissão de direitos

Uma subscrição a menor pode ocorrer se os investidores jogarem fora os direitos ou se notícias ruins fizerem o preço de mercado da ação cair abaixo do preço de subscrição. Para evitar essas possibilidades, as ofertas de direitos geralmente são organizadas na forma de **subscrição standby**. Com ela, o *underwriter* assume um compromisso firme para comprar a parte da emissão não subscrita ao preço de subscrição menos uma comissão de exercício (*take-up fee*). O subscritor geralmente recebe uma **comissão de standby** como remuneração por essa função de assunção de riscos.

Na prática, o preço de subscrição normalmente é definido bem abaixo do preço de mercado, fazendo com que a probabilidade de fracasso seja muito baixa. Embora uma pequena porcentagem (menos de 10%) de acionistas deixe de exercer direitos valiosos, os acionistas podem exercer, pelo preço de subscrição, a compra adicional de ações não subscritas. Esse **privilégio de subscrição a maior** dos acionistas torna pouco provável que a empresa emissora tenha de recorrer à ajuda de seu *underwriter*.

20.8 O quebra-cabeça dos direitos

Smith calculou os custos de emissão por meio de três métodos alternativos: uma emissão de ações com subscrição pelo *underwriter*, uma emissão de direitos com subscrição *standby* e uma emissão de direitos.[15] Seus resultados sugerem que uma emissão de direitos é a alternativa mais barata entre as três, com custos totais, como porcentagem da receita de emissão, de 6,17%, 6,05% e 2,45% para as três alternativas, respectivamente.

---

[15] C. W. Smith, Jr., "Alternative Methods for Raising Capital: Rights versus Underwritten Offerings", *Journal of Financial Economics* 5 (dez.1977). Myron Slovin, Marie Sushka e Kam Wah Lai encontraram diferenças similares no Reino Unido, "Alternative Flotation Methods, Adverse Selection, and Ownership Structure: Evidence from Seasoned Equity Issuance in the U.K.", *Journal of Financial Economics* 57 (2000).

Se os executivos corporativos forem racionais, eles levantarão capital próprio da maneira mais barata possível. Assim, a evidência anterior sugere que as emissões de direitos deveriam dominar. Nos Estados Unidos, quase todas as novas emissões de ações são vendidas sem o uso da emissão de direitos. De modo contrário, ofertas de direitos são bastante comuns no resto do mundo. A aversão de ofertas de direitos nos Estados Unidos é geralmente vista como uma anomalia na área de finanças, embora algumas explicações tenham avançado:

1. Os bancos subscritores aumentam o preço da ação por meio do esforço de venda e confiança do público. Entretanto, Smith não encontrou evidência disso em uma análise de 52 ofertas de direitos e 344 ofertas de subscrição.

2. Como o *underwriter* compra as ações ao preço negociado, ele está fornecendo um seguro para a empresa, ou seja, o *underwriter* perde se não conseguir vender todas as ações ao público. Entretanto, a perda econômica em potencial não é grande. Na maioria dos casos, o preço de oferta é determinado no período de 24 horas que antecede a oferta, momento em que o *underwriter* já fez uma avaliação cuidadosa do mercado para as ações.

3. O *underwriter* se certifica de que o preço de oferta é consistente com o valor real da oferta, proporcionando aos investidores mais segurança na compra de ações.[16] Essa certificação ocorre porque o *underwriter* obtém acesso especial à empresa e está disposto a colocar a sua reputação de precificação correta em risco.

4. Outros argumentos incluem: (a) as receitas de subscrição de emissões ficam disponíveis mais cedo do que as receitas da oferta de direitos; (b) os *underwriters* fornecem uma distribuição de ações mais ampla do que seria possível com a emissão de direitos; (c) a consultoria de banqueiros de investimento pode ser benéfica; (d) os acionistas consideram um aborrecimento exercer direitos; e (e) o risco de que o preço de mercado possa cair abaixo do preço de subscrição é significativo.

Todos os argumentos anteriores fazem parte do quebra-cabeça, mas nenhum é muito convincente. Pesquisas mais aprofundadas sobre esse assunto são necessárias.

20.9 Diluição

A diluição é um assunto que surge em discussões que envolvem a emissão de ações. Ela se refere a uma perda no valor de acionistas existentes. Existem vários tipos:

1. Diluição da porcentagem de propriedade.
2. Diluição do preço da ação.
3. Diluição dos lucros por ação.
4. Diluição do valor contábil por ação.

A diluição é algo negativo? Apesar de a palavra "diluição" certamente ter uma conotação negativa, discutiremos a seguir o fato de que somente a diluição do preço da ação é, sem dúvida, algo ruim.

Diluição da propriedade proporcional

O primeiro tipo de diluição pode surgir sempre que uma empresa vender ações para o público em geral. Por exemplo, João da Silva tem 5 mil ações ordinárias da Companhia Botas do Mérito. Atualmente, a empresa tem 50 mil ações em circulação, e cada ação vale um voto. Assim, João controla 10% (= 5.000/50.000) dos votos e recebe 10% dos dividendos.

Se a Botas do Mérito emite 50 mil novas ações ordinárias por meio de uma oferta subsequente, a participação de João pode ser diluída. Se João não participar na nova emissão, sua participação cairá para 5% (= 5.000/100.000). Note que, se a oferta de ações for utilizada para

---
[16] J. Booth e R. Smith, "The Certification Role of the Investment Banker in New Issue Pricing", *Midland Corporate Finance Journal* (1986).

financiar um projeto de VPL positivo, o valor das ações de João deve aumentar. Entretanto, mesmo nesse caso, sua propriedade seria reduzida a uma pequena porcentagem da empresa.

Assim, a diluição da participação dos acionistas existentes nas emissões subsequentes pode ser evitada com a manutenção do direito de subscrição, com uma oferta prioritária ou com uma oferta de direitos de subscrição.

Diluição do preço da ação

Para abordar a diluição do preço da ação, vamos considerar a Central Geradora do Norte (CGN) uma empresa financiada somente por capital próprio com 1 milhão de ações em circulação e lucros de $ 1.000.000 (ou $ 1 por ação) em cada ano, na perpetuidade. Se a taxa de desconto é de 0,20 e o preço por ação é $ 5 (= $ 1/0,20). O valor de mercado do capital próprio é de $ 5 milhões (= $ 5 × 1 milhão). Para simplificar, ignoramos os impostos.

Agora, imagine que a CGN aceite um projeto que custa $ 2 milhões e gera lucros de $ 600.000 por ano, em perpetuidade. O valor presente do projeto é:

$$- \$ 2.000.000 + \$ 600.000/0,20 = \$ 1.000.000$$

Se o projeto for aceito, os lucros da empresa aumentarão para 1.600.000. Quando a empresa anuncia o projeto publicamente, o fluxo de caixa descontado da empresa aumenta para:

$$\$ 1.600.000/0,20 - \$ 2.000.000 = \$ 6.000.000$$

Com um milhão de ações em circulação, o preço da ação sobe para $ 6.

Obviamente, novas ações devem ser emitidas para levantar os $ 2 milhões. Com um preço de $ 6 para a ação, a empresa precisa emitir 333.333 (= 2.000.000/6) ações adicionais. Podemos derivar o preço de ação de $ 6 de outra maneira. Uma vez que o investimento de $ 2 milhões tenha sido gasto, isto é, o projeto tenha sido financiado, o valor presente da empresa passa a ser $ 1.600.00/0,20 = $ 8.000.000. O preço por ação pode ser calculado como $ 8.000.000/1.333.333 = $ 6. Os resultados desse exemplo estão apresentados nas duas primeiras colunas do Quadro 20.11.

Por que o preço da ação aumenta neste exemplo? Simplesmente porque o valor presente líquido do projeto é positivo. Suponha que o projeto ainda custe $ 2 milhões, mas gera apenas $ 200.000 por ano. O projeto tem um VPL negativo, o que diminui o preço da ação. Os números relevantes estão apresentados na terceira coluna do Quadro 20.11.

A regra na diluição do preço da ação é bastante simples. O preço da ação aumenta se a empresa emite ações para financiar um projeto com um VPL positivo. De modo contrário, o preço da ação cai se o projeto tem um VPL negativo. Essas conclusões são coerentes com a quinta linha do Quadro 20.11.

Valor contábil

Não mencionamos ainda, neste exemplo, o valor contábil. Vamos supor que a empresa tenha inicialmente um valor contábil de $ 10 milhões, o que implica um valor contábil para cada ação

QUADRO 20.11 Novas emissões e diluição: o caso da Central Geradora do Norte

	Início	Projeto de VPL positivo	Projeto de VPL negativo	Projeto de VPL zero
Número de ações da empresa	1.000.000	1.333.333	1.500.000	1.400.000
Lucros anuais	$ 1.000.000	$ 1.600.000	$ 1.200.000	$ 1.400,000
Valor de mercado da empresa no momento do anúncio da emissão	$ 5.000.000	$ 6.000.000	$ 4.000.000	$ 5.000.000
Valor de mercado da empresa após emissão		$ 8.000.000	$ 6.000.000	$ 7.000.000
Preço por ação	$ 5	$ 6	$ 4	$ 5
Valor contábil	$ 10.000.000	$ 12.000.000	$ 12.000.000	$ 12.000.000
Valor contábil por ação	$ 10	$ 9	$ 8	$ 8,57

de $ 10. Por que a empresa teria um valor contábil acima do valor de mercado de $ 5 milhões? Provavelmente porque a empresa não está indo bem, talvez devido a má gestão ou a más perspectivas para a indústria.

Como um caso-base, imagine que a empresa aceite um projeto com um lucro de $ 400.000 por ano em perpetuidade. O VPL desse projeto é de:

$$- \$ 2.000.000 + \$ 400.000/0{,}20 = 0$$

O preço continua $ 5 por ação, implicando que a empresa deve emitir 400.000 (= 2.000.000/5) novas ações. Como o valor contábil do projeto soma seus $ 2.000.000, o valor contábil da empresa aumenta para $ 12 milhões. Com 400.000 ações emitidas, o valor contábil por ação cai para $ 8,57 (= $ 12 milhões/1,4 milhão). Esses números estão exibidos na última coluna do Quadro 20.11.

Por que o valor contábil por ação sofre uma queda? Porque o valor contábil original de $ 10 por ação estava bem acima do preço ou do valor de mercado de $ 5 por ação. Como o projeto tem um VPL zero, o valor de mercado do fluxo de caixa do projeto é igual ao valor contábil do custo do projeto ($ 2 milhões). Ao combinar o índice Valor Contábil/Valor de Mercado de 2 para a empresa existente com o índice Valor Contábil/Valor de Mercado de 1 para o projeto, o índice cai quando o novo projeto é financiado. Como o valor de mercado por ação permanece em $ 5, o valor contábil por ação sofre uma queda.

Um gestor pode ficar aborrecido com essa queda no valor contábil por ação. Mas é realmente algo para se preocupar? Não, porque o preço por ação permaneceu a $ 5, implicando que os acionistas não foram afetados. A regra geral é que os gestores devem aceitar projetos com VPL positivo, pois aumentam os preços das ações, e que devem rejeitar projetos com VPL negativo. É irrelevante o que acontece ao valor contábil.

Examinamos o caso especial de um projeto com VPL zero. No entanto, confira os números na última linha do Quadro 20.11. O valor contábil também sofre uma queda tanto quando um projeto com VPL positivo é assumido quanto quando um com VPL negativo é assumido. Novamente, o que importa é que o valor de mercado estava abaixo do valor contábil. Se fosse o valor contábil que estivesse abaixo do valor de mercado, o valor contábil teria aumentado na aceitação de um novo projeto. Porém, essa alteração no valor contábil também teria sido irrelevante.

Lucros por ação

O LPA aumenta e sofre uma queda junto com o preço da ação? Não necessariamente, e é fácil apresentar exemplos que ilustrem a diferença. Considere a CGN com um LPA inicial de $ 1. Suponha que, como antes, a empresa aceite um projeto que custa $ 2 milhões. Agora, imagine que o projeto gera somente um fluxo de caixa, um pagamento de $ 5.184.000 daqui a três anos. O valor presente líquido do projeto é de:

$$- \$ 2.000.000 + \$ 5.184.000/(1{,}20)^3 = \$ 1.000.000$$

O valor da empresa sobe para $ 6 milhões (= $ 5 milhões + 1 milhão), e o preço por ação sobe para $ 6. Entretanto, no primeiro ano, o lucro por ação cai abaixo de $ 1, porque novas ações devem ser emitidas para financiar o projeto, mas ele não gera nenhum lucro no primeiro ano. A regra geral é que um projeto com um grande crescimento dos lucros ao longo do tempo pode reduzir inicialmente o LPA, mesmo que o VPL seja positivo. Isso é um ponto importante, pois, geralmente, a remuneração dos executivos é baseada no LPA. Os executivos remunerados pelo LPA são incentivados inadvertidamente a evitar projetos com lucros iniciais baixos, mesmo que tenham um VPL positivo. Mas isso não é bom para os acionistas. Do ponto de vista dos acionistas, os executivos deveriam aceitar projetos com VPLs positivos e rejeitar projetos com VPLs negativos. O impacto no LPA, como o impacto no valor contábil por ação, é irrelevante.

Conclusão

Esse exemplo focou o impacto de novas emissões na diluição. Examinamos a diluição de propriedade proporcional, preço da ação, valor contábil por ação e lucros por ação. Concluímos que somente o impacto no preço da ação das novas emissões é relevante para os acionistas de uma empresa.[17] A diluição de outras variáveis é irrelevante aos acionistas.

20.10 Registro de prateleira

Para simplificar o procedimento de emissão de títulos, a SEC permite o **registro de prateleira**. O registro de prateleira permite que uma empresa registre uma oferta que tenha perspectivas de venda razoáveis nos próximos dois anos. Uma declaração geral de registro é arquivada no momento do registro. Nesses dois anos, a empresa pode vender a emissão quando quiser, desde que distribua uma declaração resumida. Por exemplo, a construtora Beazer Homes anunciou, em fevereiro de 2011, um registro de prateleira de $ 750 milhões em diversos títulos. Esse registro de prateleira substituiu o registro de 2009 da empresa.

No Brasil, a modalidade do registro de prateleira foi instituída pela Instrução CVM nº 400 com a figura do **programa de distribuição de valores mobiliários**, que faculta à companhia aberta que já tenha efetuado distribuição pública de valores mobiliários submeter à CVM um "programa de distribuição", com prazo máximo de dois anos, para efetuar futuras ofertas públicas de distribuição dos valores mobiliários nele mencionados. Após o arquivamento do programa de distribuição, o ofertante e a instituição líder poderão requerer registros de distribuição mediante a apresentação de um suplemento ao prospecto, com informações atualizadas, o último formulário de referência e o último ITR, e, no caso de emissão de dívida, a escritura de emissão de debêntures e o relatório de agência classificadora de risco, se houver.

Outro programa de "prateleira" é o **programa de distribuição contínua**, pelo qual bancos múltiplos, bancos comerciais, bancos de investimento, as caixas econômicas e o BNDES podem solicitar o registro de programa de distribuição contínua somente para emissão de letras financeiras não relacionadas a operações ativas vinculadas. O programa permite a utilização de procedimento de registro automático de distribuição, o registro de distribuição de múltiplas séries de letras financeiras simultaneamente e o registro de múltiplas distribuições de uma mesma série de letras financeiras.

Nos Estados Unidos, para simplificar os procedimentos de emissão de títulos mobiliários, em março de 1982, a SEC adotou temporariamente a Regra 415, a qual foi adotada permanentemente em novembro de 1983. A Regra 415 permite o registro de prateleira. Tanto títulos de dívida quanto títulos representativos de capital próprio podem ser registrados dessa forma.

Nos Estados Unidos, nem todas as empresas podem fazer registro de prateleira. As principais qualificações são as seguintes:

1. A empresa deve ter classificação de *grau de investimento*.
2. A empresa não pode ter incorrido em inadimplência de sua dívida nos últimos três anos.
3. O valor agregado de mercado de suas ações em circulação deve ser maior do que $ 150 milhões.
4. A empresa não pode ter cometido uma violação da Lei de Valores Mobiliários de 1934 nos últimos três anos.

O registro de prateleira permite que as empresas usem um método *conta-gotas* para emissão de novas ações. Com esse método, a empresa registra a emissão e contrata um banco subscritor para desempenhar o papel de agente de vendas. De tempos em tempos, a empresa vende ações em pequenas quantidades por meio de uma bolsa de valores. Empresas que utilizam programas conta-gotas incluem Wells Fargo & Company, Pacific Gas and Electric e The Southern Company.

---

[17] Em uma oferta de direitos, deve-se considerar o impacto no preço da ação antes da data ex-direitos.

A regra é uma questão controversa. Há diversos argumentos contra o registro de prateleira.

1. A atualidade da divulgação é reduzida com o registro de prateleira, pois a declaração de registro pode ter sido preparada até dois anos antes da própria emissão.
2. Alguns bancos de investimentos argumentam que o registro de prateleira pode causar um "excesso de oferta" no mercado, pois o registro informa o mercado de emissões futuras. Foi sugerido que esse excesso deprime os preços.

20.11 Como abrir o capital de uma empresa no Brasil*

O primeiro procedimento para uma empresa abrir o capital é entrar com o pedido de registro de companhia aberta na CVM, que é o órgão regulador e fiscalizador do mercado de capitais brasileiro, e, simultaneamente, na BM&FBOVESPA. De acordo com as regras, junto com esse pedido, as empresas solicitam à CVM a autorização para realizar venda de ações ao público, tecnicamente conhecida como *distribuição púbica de ações*. Por ser a primeira colocação pública de ações da companhia, é chamada de *oferta pública inicial*, OPI, ou IPO, sigla em inglês para *Initial Public Offering*, que se tornou popular no mercado brasileiro. Para que uma empresa tenha suas ações negociadas na BM&FBOVESPA, é necessário que obtenha esses dois registros. A Figura 20.8 ilustra os passos do processo como um todo.

Caso a empresa que deseja abrir o capital ainda não tenha suas demonstrações financeiras auditadas de forma independente, o processo pode levar até três anos, pois a legislação exige três anos de balanços auditados. A Figura 20.9 apresenta um resumo dos prazos médios de preparação das empresas para que tenham suas ações negociadas na bolsa.

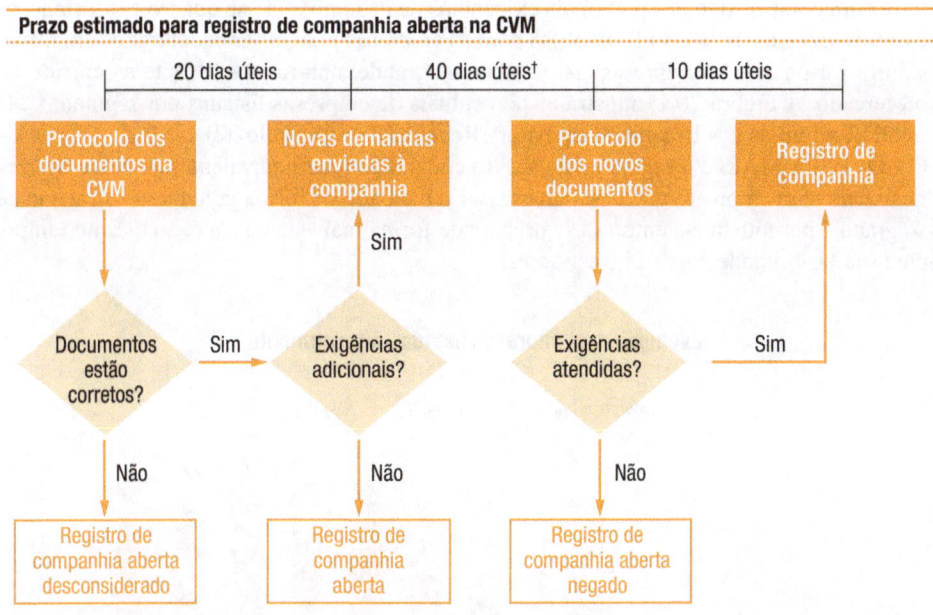

†O prazo pode ser prorrogado por mais 20 dias úteis mediante solicitação.
Observação: a CVM poderá interromper a análise do pedido de registro uma única vez, a pedido do emissor, por até 60 dias úteis.

Fonte: Apresentação BM&FBOVESPA (2014) e PricewaterhouseCoopers (PWC, c2013-2014).

FIGURA 20.8 Prazo estimado para registro na CVM.

---

* Material cedido pelo Instituto Educacional BM&FBOVESPA. Acesse: www.bmfbovespa.com.br/educacional.

FIGURA 20.9 Prazo médio de preparação de uma IPO no Brasil.

Os segmentos de listagem das ações na BM&FBOVESPA*

Na BM&FBOVESPA, as ações são listadas em segmentos. Além da listagem no segmento tradicional, há a listagem nos chamados *segmentos especiais de listagem* (Nível 1, Nível 2, Novo Mercado e o BOVESPA MAIS). Cada segmento apresenta exigências específicas para admissão de uma empresa. Essas exigências referem-se à divulgação de informações (financeiras ou não), à estrutura societária, à estrutura acionária, ao percentual de ações em circulação e a aspectos de governança corporativa. A Figura 20.10 mostra a evolução do número de empresas por segmento.

O regulamento de registro de emissores e de valores mobiliários da BM&FBOVESPA determina que empresas que fazem distribuição pública de ações pela primeira vez e se listem em bolsa devem aderir, pelo menos, ao Nível 1 de governança corporativa. Nas ofertas iniciais simplificadas (ICVM 400) a listagem inicial ocorre no segmento BOVESPA MAIS. O Quadro 20.12 traz um comparativo das principais exigências de cada nível. Esse quadro e informações sobre outros serviços da BM&FBOVESPA para as empresas podem ser encontrados em http://www.bmfbovespa.com.br/empresas/. Atualmente, a grande maioria dos IPOs tem ocorrido no Novo Mercado. A Figura 20.11 mostra os percentuais de empresas listadas por segmento. Na figura, BDR refere-se aos Brazilian Depository Receipts (ver Capítulo 32).

O BOVESPA MAIS é o segmento de acesso com exigências equivalentes ao Novo Mercado, idealizado para empresas que desejam acessar o mercado de forma gradual. A estratégia de acesso gradual permite que a empresa se prepare de forma mais adequada e, ao mesmo tempo, aumenta sua visibilidade para os investidores.

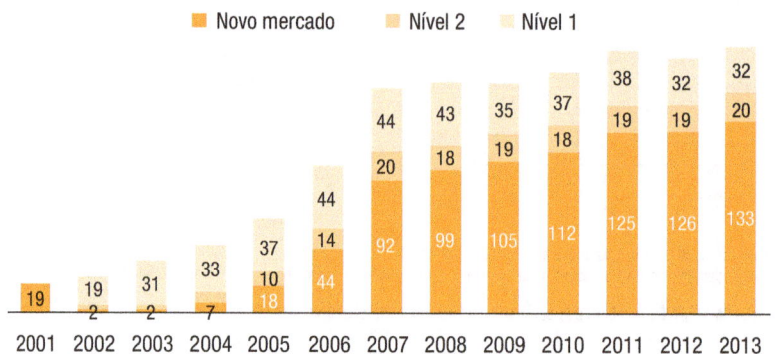

FIGURA 20.10 Evolução do número de empresas listadas por segmento (2013).
Fonte: BM&FBOVESPA (2014).

---

* Material cedido pelo Instituto Educacional BM&FBOVESPA. Acesse: www.bmfbovespa.com.br/educacional.

QUADRO 20.12 Comparativo entre os segmentos de listagem na BM&FBOVESPA

	BOVESPA MAIS (a partir de 23/5/2014)	Novo mercado	Nível 2	Nível 1	Tradicional
Características das Ações Emitidas	Permite a existência somente de ações ON		Permite a existência de ações ON e PN (com direitos adicionais)	Permite a existência de ações ON e PN (conforme legislação)	Permite a existência de ações ON e PN (conforme legislação)
Percentual Mínimo de Ações em Circulação (free float)	25% de free float até o 7º ano de listagem	No mínimo, 25% de free float			Não há regra
Distribuições públicas de ações	Não há regra	Esforços de dispersão acionária			Não há regra
Vedação a disposições estatutárias (a partir de 10/05/2011)	Quórum qualificado e "cláusulas pétreas"	Limitação de voto inferior a 5% do capital, quórum qualificado e "cláusulas pétreas"		Não há regra	
Composição do Conselho de Administração	Mínimo de 3 membros (conforme legislação)	Mínimo de 5 membros, dos quais pelo menos 20% devem ser independentes com mandato unificado de até 2 anos		Mínimo de 3 membros (conforme legislação)	
Vedação à acumulação de cargos (a partir de 10/05/2011)	Não há regra	Presidente do conselho e diretor-presidente ou principal executivo pela mesma pessoa (carência de 3 anos a partir da adesão)		Não há regra	
Obrigação do Conselho de Administração (a partir de 10/05/2011)	Não há regra	Manifestação sobre qualquer oferta pública de aquisição de ações da companhia		Não há regra	
Demonstrações Financeiras	Conforme legislação	Traduzidas para o inglês		Conforme legislação	
Reunião pública anual	Facultativa	Obrigatória			Facultativa
Calendário de eventos corporativos	Obrigatório				Facultativo
Divulgação adicional de informações (a partir de 10/05/2011)	Política de negociação de valores mobiliários	Política de negociação de valores mobiliários e código de conduta			Não há regra
Concessão de Tag Along	100% para ações ON		100% para ações ON e PN (a partir de 10/5/11)	80% para ações ON (conforme legislação)	
Oferta pública de aquisição de ações no mínimo pelo valor econômico	Obrigatoriedade em caso de cancelamento de registro ou saída do segmento			Conforme legislação	
Adesão à Câmara de Arbitragem do Mercado	Obrigatório			Facultativo	

ON: Ordinária Nominativa.
PN: Preferencial Nominativa.
Fonte: BM&FBOVESPA (2014a).

As empresas listadas em um nível, respeitadas algumas regras, poderão migrar para outros segmentos de governança. Lembre-se aqui do que discutimos no Capítulo 1 sobre cada um dos níveis de governança corporativa da BM&FBOVESPA sob a óptica das Finanças Corporativas e o papel dos administradores.

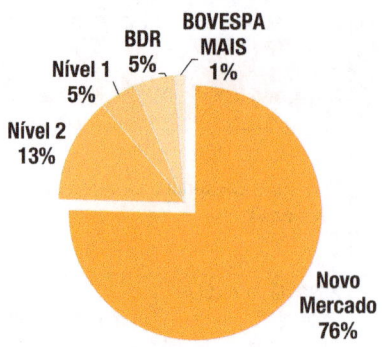

FIGURA 20.11 Percentual de empresas listadas por segmento (2013).

Fonte: BM&FBOVESPA (2014).

Ofertas para investidores residentes no exterior*

Uma consideração importante quanto ao processo de oferta é o fato de que, a despeito de o registro de listagem ocorrer no mercado brasileiro, a grande maioria das IPOs inclui a oferta de títulos em mercados internacionais (normalmente, Estados Unidos e Europa) sem o correspondente registro de listagem junto aos reguladores e às bolsas de valores desses mercados. Isso ocorre porque esses mercados dispensam o registro de ofertas de valores mobiliários realizadas com esforços restritos de distribuição.

Nos Estados Unidos, o principal mercado, as ofertas não registradas são realizadas com base na *Rule 144a* e na *Regulation S*, que trata de emissões fora dos Estados Unidos (Securities and Exchange Comission, 1999, 20--?). Diferentemente da oferta no mercado brasileiro, os títulos podem ser ofertados apenas para investidores institucionais qualificados (*Qualified Institutional Buyers*), ou QIBs.

Definição das características da emissão

O intermediário financeiro coordenador da subscrição (*underwriter*) define, juntamente com a companhia, as características da emissão, tais como o volume dos recursos a serem captados, a composição entre ofertas primária e secundária, a definição da faixa de preço de oferta da ação, o *marketing* da oferta com apresentações para os investidores (*roadshow*) e a precificação e alocação das ações da oferta (*bookbuilding*).

Período de silêncio*

Quando a empresa tiver chegado a um entendimento preliminar com a instituição líder da subscrição, e se as condições de mercado se mostram favoráveis, o processo da oferta inicial começa a pleno vapor, e o período de *marketing* da oferta inicia. Esse é o período durante o qual a empresa está sujeita às diretrizes da CVM quanto à divulgação de informações que não constam do prospecto de distribuição pública. O chamado período de silêncio (*quiet period*) é exigido pela Instrução CVM nº 482 e tem início nos 60 dias que antecedem o pedido de registro da oferta. Nesse período, a empresa, seus administradores, bem como os acionistas controladores e demais participantes da oferta, ficam impedidos ou limitados de divulgar informações e projeções sobre si mesmos e sobre a oferta, excetuadas as informações necessárias e exigidas por lei (Comissão de Valores Mobiliários, 2010a). O período de silêncio tem por objetivo assegurar que as informações sobre a empresa cheguem a todos os potenciais investidores de maneira igual e que alguém ou um grupo não seja privilegiado com esclarecimentos ou informações não constantes das divulgações da empresa (fatos relevantes, comunicados ao mercado, avisos aos acionistas, formulário de referência, prospecto de emissão e outras divulgações eventualmente exigidas).

---

* Material cedido pelo Instituto Educacional BM&FBOVESPA. Acesse: www.bmfbovespa.com.br/educacional.

Durante a fase de execução do processo da oferta pública inicial, os administradores da empresa estarão envolvidos nas seguintes tarefas:

1. Preparar o formulário de referência e outros documentos exigidos nas ofertas (prospecto, demonstrações financeiras, etc.).
2. Verificar os negócios da empresa, com vistas ao procedimento de exame da oferta (*due diligence*) por parte dos advogados e a instituição intermediária líder.
3. Acompanhar as condições de preço de mercado.
4. Preparar materiais de *marketing* para o *roadshow*.

De forma geral, e sem considerar a fase de preparação da empresa antes do início do processo formal de abertura de capital (protocolo de pedido de oferta na CVM e na BM&FBOVESPA), o período entre o momento em que a empresa inicia o processo de abertura de capital e o momento em que recebe o produto de uma oferta realizada é de 3 a 6 meses.

Após a entrega à CVM e à BM&FBOVESPA, as declarações de registro são processadas e analisadas pela superintendência de relações com empresas da CVM e pela superintendência de relacionamento com emissores na BM&FBOVESPA. A CVM e a BM&FBOVESPA analisam os documentos e determinam se existe uma divulgação integral e adequada de informações, verificando especialmente se os documentos incluem erros ou omissões de fatos significativos.

Os documentos preliminares, normalmente a minuta definitiva do prospecto e do Formulário de Referência e, no caso de essa incluir uma parte (*tranche*) no mercado internacional, o *Offering Memorandum* ou *Offering Circular*, podem ser enviados às instituições ou pessoas no exterior interessadas, antes da data de efetivação da oferta. O *Offering Memorandum* ou *Offering Circular* é um documento que tem uma tarja vermelha na lateral da capa e, por isso, é conhecido no mercado internacional como *Red Herring*. A Figura 20.12 apresenta um fluxo do processo.

Anúncio da oferta*

As empresas podem colocar anúncios da oferta em vários periódicos, incluindo a oferta e seu valor, identificando determinados membros do consórcio de bancos que intermedeiam a oferta e indicando onde e com quem podem ser obtidas cópias do prospecto da empresa. Anúncios de oferta podem ser publicados quando o pedido de registro já tiver sido protocolado na CVM.

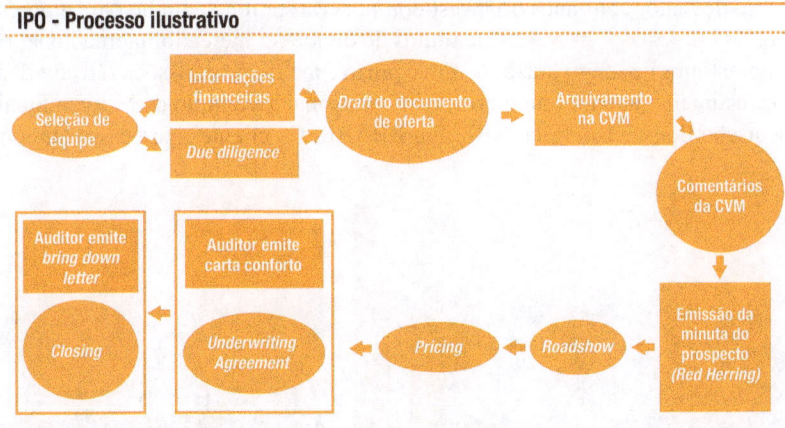

FIGURA 20.12 Processo de emissão.

Fonte: BM&FBOVESPA (2014) e PricewaterhouseCooper (PWC. c2013-2014).

---

* Material cedido pelo Instituto Educacional BM&FBOVESPA. Acesse: www.bmfbovespa.com.br/educacional.

Na eventualidade de a demanda exceder o tamanho da oferta, a empresa poderá aumentar a quantidade dos valores mobiliários a ser distribuídos em até 20%, sem necessidade de novo pedido de registro e sem necessidade de alteração do prospecto, chamada de emissão adicional (no mercado, esse mecanismo também é chamado *hot issue*).

A empresa também poderá outorgar ao coordenador da emissão a opção de distribuição de lote suplementar de até 15% do montante inicialmente ofertado, caso a demanda assim justifique, e nas mesmas condições da oferta inicial, chamada de emissão suplementar. Esse procedimento já é bastante difundido nos mercados internacionais e popularmente conhecido como *green shoe*.

A Figura 20.13 mostra a evolução das ofertas públicas iniciais no Brasil.

20.12 Emissão de dívida de longo prazo

Os procedimentos gerais seguidos em uma emissão pública de títulos de dívida são iguais àqueles de ações. A emissão tem de ser registrada na CVM (na SEC, nos Estados Unidos), deve haver um prospecto, e assim por diante. O registro de uma emissão pública de dívida, porém, é diferente daquele de ações. Para dívidas, a declaração de registro deve ter uma escritura de emissão.

Outra diferença importante é que mais de 50% de toda a dívida é emitida de modo privado nos Estados Unidos; o predomínio de emissões privadas também se observa no Brasil. A partir de 2009, com a edição da Instrução CVM nº 476, que regulamentou as ofertas com esforços restritos, emissões de colocação restrita têm ocorrido em maior número do que emissões públicas de empresas abertas (Comissão de Valores Mobiliários, 1976). Existem duas formas básicas de financiamento direto por dívida privada de longo prazo: empréstimos de longo prazo e colocação privada de títulos de dívida.

Empréstimos de longo prazo são captações comerciais diretas de recursos por endividamento. Eles têm vencimento entre um e cinco anos. A maioria dos empréstimos é paga durante a sua vida útil. Os credores incluem bancos comerciais, companhias de seguro e outros credores especializados em Finanças Corporativas. Uma forma que as empresas brasileiras usam para captar empréstimos de longo prazo no exterior é a modalidade "pré-pagamento de exportação". As linhas de pré-pagamento geralmente têm custo menor do que empréstimos puramente financeiros, porque são associadas a créditos comerciais vinculados a exportações, que gerarão a moeda estrangeira para saldar os empréstimos. No Brasil, empréstimos bancários de longo prazo ainda não são muito comuns, pois ainda há poucas captações de longo prazo para permitir aos bancos ajustar o prazo de ativos de longo prazo com passivos de captações a longo prazo. A emissão de Letras Financeiras de longo prazo e Debêntures de Infraestrutura pelos bancos, em um cenário de maior confiança do investidor, poderia ser um caminho para empréstimos de longo prazo. As **colocações privadas** de títulos de dívida no mercado internacional são semelhantes a empréstimos de longo prazo, porém o prazo é maior. As emissões são coordenadas por bancos de investimento atuantes no mercado internacional a exemplo de Morgan Stanley, BTG Pactual, Deutsche Bank e Bradesco BBI, Itau BBABB. Os clientes para essas emissões geral-

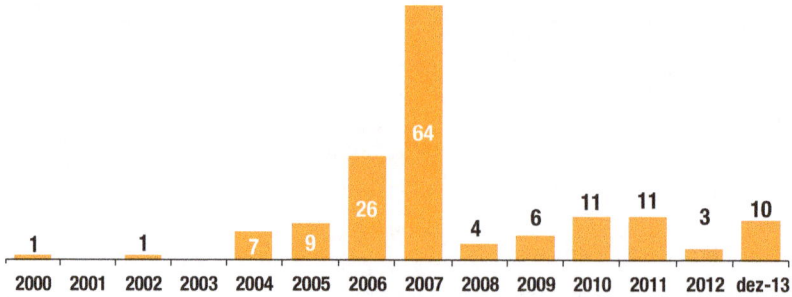

FIGURA 20.13 Número de ofertas públicas iniciais no Brasil.

Fonte: BM&FBOVESPA (2014).

mente são investidores privados e fundos que se especializam *high yield bonds*[18] e *emerging market bonds*[19]. Muitas emissoras brasileiras têm grau de investimento, e seus títulos podem ser subscritos por outros investidores.

As diferenças importantes entre o financiamento direto privado de longo prazo e as emissões públicas de dívida são:

1. Um empréstimo bancário direto de longo prazo evita o custo do registro na CVM (ou SEC).
2. A colocação direta pode ter cláusulas de proteção aos credores (*covenants*) mais restritivas.
3. É mais fácil renegociar um empréstimo ou uma colocação privada no caso de inadimplência. É mais difícil renegociar uma emissão pública, porque normalmente há centenas de investidores envolvidos.
4. As empresas de seguro de vida e os fundos de pensão dominam o segmento para colocação privada do mercado de títulos de dívida. Os bancos comerciais são participantes significativos do mercado de empréstimos.
5. Os custos da distribuição de títulos de dívida são mais baixos no mercado de colocações privadas.

As taxas de juros dos empréstimos de longo prazo e das colocações privadas são, geralmente, mais altas do que aquelas de emissão pública equivalente. Essa diferença reflete a ponderação entre uma taxa de juros mais alta e acordos mais flexíveis no caso de problemas financeiros, além de custos mais baixos associados às colocações privadas.

Uma consideração adicional e muito importante é que os custos de lançamento associados à venda de títulos de dívida são muito menores do que os custos comparáveis associados à venda de ações.

Empréstimos do BNDES

O BNDES tem sido, na prática, a única fonte de empréstimos de longo prazo no Brasil.

Os produtos oferecidos pelo BNDES[20] são os mecanismos mais básicos de crédito a longo prazo do BNDES. Eles definem as regras gerais de condições financeiras e procedimentos operacionais do financiamento. A cada produto do BNDES, aplicam-se linhas de financiamento. Elas seguem as condições do respectivo produto. As linhas se destinam a beneficiários, setores e empreendimentos específicos e podem trazer regras adicionais, mais adequadas aos seus objetivos.

Listamos a seguir os produtos do BNDES disponíveis para financiamentos e garantia em maio de 2014.

- **BNDES Finem:** financiamentos a projetos de investimento de valor superior a $ 20 milhões.
- **BNDES Automático:** financiamento a projeto de investimento cujo valor seja, no máximo, $ 20 milhões.
- **BNDES Finame:** financiamentos para a produção e aquisição de máquinas e equipamentos novos.
- **BNDES Finame Agrícola:** financiamentos para a produção e aquisição de máquinas e equipamentos novos, destinados ao setor agropecuário.

---

[18] Títulos dos quais o investidor exige alto retorno, dado que o mercado investidor percebe o título como de alto risco.

[19] Títulos cujo emissor está sediado em ou é país classificado pelo mercado como "emergente", independentemente de classificação de risco dos títulos. Para maiores informações sobre mercados, emergentes e títulos desse mercado, ver MSCI Emerging Markets Indexes. Disponível em: <http://www.msci.com/products/indexes/country_and_regional/em/>. Para acompanhamento de cotações, ver J.P. Morgan, Emerging Markets Bond Index (EMBI+).

[20] Informações extraídas do *site* do BNDES, disponível em: <http://www.bndes.gov.br/SiteBNDES/bndes/bndes_pt/Institucional/Apoio_Financeiro/Produtos/index.html>.

- **BNDES Finame Leasing:** financiamento de aquisição isolada de máquinas e equipamentos novos, de fabricação nacional, destinados a operações de arrendamento mercantil.
- **BNDES Exim:** financiamentos destinados tanto à produção e exportação de bens e serviços quanto à comercialização destes no exterior.
- **BNDES Limite de Crédito:** crédito rotativo para o apoio a empresas ou Grupos Econômicos já clientes do BNDES e com baixo risco de crédito.
- **BNDES Empréstimo-Ponte:** financiamento a um projeto, concedido em casos específicos, para agilizar a realização de investimentos por meio da concessão de recursos no período de estruturação da operação de longo prazo.
- **BNDES Project Finance:** engenharia financeira suportada contratualmente pelo fluxo de caixa de um projeto, servindo como garantia os ativos e recebíveis desse mesmo empreendimento.
- **BNDES Fianças e Avais:** prestação de fianças e avais com o objetivo de diminuir o nível de participação nos projetos. Utilizado, preferencialmente, quando a combinação de formas alternativas de *funding* permitir a viabilização de operações de grande porte.
- **Cartão BNDES:** crédito rotativo pré-aprovado, destinado a micro, pequenas e médias empresas e usado para a aquisição de bens e insumos.

Destacaremos duas modalidades de linhas de financiamento, o BNDES Finame e o BNDES Finame Agrícola

BNDES Finame

Financiamento, por intermédio de instituições financeiras credenciadas, para produção e aquisição de máquinas e equipamentos novos, de fabricação nacional, credenciados no BNDES. O BNDES, ao credenciar o produto, verifica tão somente o processo produtivo do fabricante, sem qualquer responsabilidade por problemas relacionados à qualidade e/ou ao desempenho técnico operacional do produto.

O apoio é indireto e automático. Poderão solicitar apoio financeiro, respeitando as orientações das linhas:

- Sociedades nacionais e estrangeiras e fundações, com sede e administração no Brasil;
- Empresários individuais inscritos no Cadastro Nacional de Pessoas Jurídicas – CNPJ e no Registro Público de Empresas Mercantis;
- Pessoas jurídicas de direito público;
- Transportadores autônomos de carga residentes e domiciliados no País, para aquisição de caminhões e afins, e equipamentos especiais adaptáveis a chassis, tais como plataformas, guindastes e tanques, nacionais e novos; e
- Associações, sindicatos, cooperativas, condomínios e assemelhados e clubes.

O apoio financeiro poderá ser concedido nas seguintes modalidades:

- Financiamento à Compradora: modalidade destinada a:
- Beneficiárias usuárias, para aquisição de máquinas e equipamentos;
- Empresas, para aquisição de máquinas e equipamentos, que pela sua natureza, a critério do BNDES, possam ser destinados ao uso de terceiros, mediante contrato de comodato;
- Empresas cujo objeto social inclua a locação de máquinas e equipamentos, desde que não caracterizada como empresa de arrendamento mercantil e que o bem financiado não seja destinado à sublocação.
- Financiamento à Produção de Máquinas e Equipamentos: durante o período de fabricação, para produção de máquinas e equipamentos já negociados com as respectivas Compradoras;

- Financiamento à Fabricante para a Comercialização: para venda de máquinas e equipamentos já negociados com as respectivas Compradoras.

As condições financeiras de uma operação realizada pelo Produto BNDES Finame dependerão da linha de financiamento utilizada. As linhas disponíveis em maio de 2014 para o BNDES Finame eram:

- Micro, Pequenas e Médias Empresas – Aquisição de Bens de Capital (MPME BK).
- Apoio à aquisição de máquinas e equipamentos nacionais novos, exceto ônibus e caminhões, para micro, pequenas e médias empresas.
- Micro, Pequenas e Médias Empresas – Aquisição de Ônibus e Caminhões (MPME Ônibus e Caminhões).
- Apoio à aquisição de ônibus e caminhões, para micro, pequenas e médias empresas, e para transportadores autônomos de cargas.
- Bens de Capital – Comercialização – Aquisição de Bens de Capital (BK Aquisição).
- Apoio à aquisição de máquinas e equipamentos nacionais novos, exceto ônibus e caminhões, para média-grandes e grandes empresas.
- Bens de Capital – Comercialização – Aquisição de Ônibus e Caminhões (BK Aquisição Ônibus e Caminhões).
- Apoio à aquisição de ônibus e caminhões, para média-grandes e grandes empresas.
- Bens de Capital – Produção de Bens de Capital (BK Produção).
- Apoio à produção de máquinas e equipamentos fixos, para empresas de qualquer porte.
- Bens de Capital – Concorrência Internacional (BK Concorrência Internacional).
- Apoio à aquisição e produção de máquinas e equipamentos, exceto ônibus e caminhões, que demandem condições de financiamento compatíveis com as ofertadas para congêneres estrangeiros em concorrências internacionais.

BNDES Finame Agrícola

Financiamento à produção e à comercialização de máquinas, implementos agrícolas e bens de informática e automação destinados à produção agropecuária, novos e de fabricação nacional, credenciados pelo BNDES.

As operações de financiamento são realizadas por intermédio de uma instituição financeira credenciada, seguindo a modalidade de apoio indireta automática.

Clientes

- Sociedades e fundações com sede e administração no País, do setor agropecuário.
- Empresários individuais que exerçam atividade produtiva no setor agropecuário e estejam inscritos no Cadastro Nacional de Pessoas Jurídicas (CNPJ) e no Registro Público de Empresas Mercantis.
- Pessoas jurídicas de direito público do setor agropecuário, nas esferas federal, estadual, municipal e distrital.
- Pessoas Físicas, residentes e domiciliadas no País, com efetiva atuação no setor agropecuário, para investimentos em seu setor de atividade.
- Associações, sindicatos, cooperativas, condomínios e assemelhados e clubes, com efetiva atuação produtiva no setor agropecuário.

Itens financiáveis

- Máquinas, implementos agrícolas e bens de informática e automação novos, incluídos conjuntos e sistemas industriais, destinados à produção agropecuária e produzidos no Brasil.

Os bens devem constar do Credenciamento de Fabricantes Informatizado (CFI) do BNDES, identificados como agrícolas, e apresentar índice de nacionalização mínimo de 60%, em valor e peso, ou cumprir o Processo Produtivo Básico (PPB).

É permitido também o financiamento a aquisições de bens de capital que, embora fabricados no País, apresentem índices de nacionalização inferiores a 60%, desde que constem do CFI. Neste caso, algumas condições financeiras da operação são diferenciadas.

A página do BNDES oferece amplas informações sobre esses e os demais produtos do BNDES.

Resumo e conclusões

Este capítulo tratou de como as empresas podem captar recursos pela emissão de valores mobiliários e como esses são emitidos no Brasil e nos EUA. Tratou-se também dos custos relacionados à decisão de abrir o capital de uma empresa. Os pontos principais são:

1. O *venture capital* é uma fonte comum de financiamento para empresas iniciantes e de capital fechado. Ele é particularmente importante no financiamento de empreendimentos de alta tecnologia. Nos EUA, o financiamento de *venture capital* teve seu auge durante a bolha da Internet na virada do século.

2. A primeira oferta pública de uma empresa é chamada de IPO, que significa oferta pública inicial. Geralmente, as IPOs são subprecificadas. Ou seja, o preço da ação no primeiro dia de negócios e nos dias seguintes (nos EUA, no *aftermarket*) normalmente estará acima do preço da emissão.

3. Uma emissão subsequente de ações se refere a uma nova emissão de uma empresa que já tenha títulos negociados em bolsa. Em média, o preço da ação da empresa emitente cai no anúncio de uma emissão subsequente.

4. Os bancos de investimento (instituições intermediárias no Brasil e *underwriters*, nos EUA) correm risco com o compromisso firme, pois se responsabilizam pela colocação de toda a emissão. Por outro lado, os bancos de investimento evitam esse risco em uma oferta com melhores esforços ao não ter a obrigação de comprar as ações não subscritas. A subscrição com compromisso firme é muito mais predominante em grandes emissões do que a subscrição por melhores esforços. Nos EUA, para uma oferta de determinado valor, as despesas diretas de subscrição por melhores esforços e de compromisso firme estão na mesma ordem de magnitude.

5. Ofertas de direitos de subscrição são mais baratas do que ofertas de ações e eliminam o problema da subprecificação. No entanto, a maioria das novas ofertas, tanto nos Estados Unidos como no Brasil, é de ofertas de ações.

6. A diluição no preço da ação afeta os acionistas; no entanto, a diluição de participação proporcional, o valor contábil por ação e o lucro por ação – por si só – não afetam os acionistas em nada.

7. O registro de prateleira é um novo método para a emissão de novas dívidas e ações. Os custos diretos de emissões de prateleira são substancialmente menores do que os custos de emissões tradicionais.

8. Os custos diretos de emissão no Brasil são muito menores que nos EUA.

QUESTÕES CONCEITUAIS

1. **Tamanho da oferta de dívida *versus* de ações** Normalmente, as ofertas de títulos de dívida são muito mais comuns do que as ofertas de ações e, em geral, também são muito maiores. Por quê?

2. **Custos de lançamento de dívida *versus* de ações** Por que os custos de venda de ações são muito maiores do que os custos de venda de títulos de dívida?

3. **Classificação de títulos de dívida e custos de lançamento** Por que os títulos de dívida sem grau de investimento têm custos diretos muito mais altos do que as emissões com grau de investimento?

4. **Subprecificação na oferta de títulos de dívida** Por que a subprecificação não é muito importante no caso das ofertas de títulos de dívida?

Use as seguintes informações para responder às próximas três questões. Em abril de 2011, a Zipcar, empresa de aluguel de carros, abriu seu capital. Auxiliada pelo banco de investimentos Goldman, Sachs & Co., vendeu 9,68 milhões de ações a $ 18 cada, levantando um total de $ 174,24 milhões. Ao final do primeiro dia de negociação, a ação pulou para $ 28 cada, com uma pequena queda após a alta de $ 31,50. Com base nos números ao final do dia, as ações da Zipcar aparentemente tiveram subprecificação de cerca de $ 10 cada uma, o que significa que a empresa deixou de ganhar $ 96,8 milhões.

5. **Preços de IPO** A IPO da Zipcar teve cerca de 56% de subprecificação. A empresa deve ficar aborrecida com a Goldman por causa do subpreço?

6. **Preços de IPO** Na pergunta anterior, você mudaria de ideia se soubesse que a empresa foi fundada há 10 anos, teve apenas $ 186 milhões em faturamento no último ano e nunca teve lucro? Adicionalmente, a viabilidade do modelo de negócios da empresa não foi comprovada.

7. **Preços de IPO** Em relação às duas perguntas anteriores, você mudaria de ideia se soubesse que, além dos 9,68 milhões de ações ofertadas na IPO, a Zipcar tivesse outros 30 milhões de ações em circulação? Desses 30 milhões de ações, 14,1 milhões eram de propriedade de quatro empresas de *venture capital*, e 15,5 milhões eram de propriedade de 12 conselheiros de administração e executivos.

8. **Oferta subsequente de ações *versus* oferta de direitos** A Renda Internacional quer levantar recursos com a uma grande emissão de novas ações. A Renda já é uma empresa de capital aberto e está tentando optar entre uma oferta de ações e uma oferta de direitos para os acionistas existentes. A administração da empresa está interessada em minimizar os custos da oferta e pediu sua ajuda para escolher os métodos de emissão. Qual é a sua recomendação e por quê?

9. **Subprecificação de IPO** Em 1980, um determinado professor assistente de finanças comprou ações em 12 ofertas públicas iniciais. Ele manteve cada uma delas por, aproximadamente, um mês e, em seguida, ele as vendeu. A sua regra de investimento foi enviar uma ordem de compra para todas as ofertas públicas iniciais, com garantia firme, de empresas da área de petróleo e gás. Havia 22 dessas ofertas, e ele enviou uma ordem de compra de aproximadamente $ 1.000 em ações para cada uma das empresas. Em 10 delas, nenhuma ação foi alocada a esse professor. Em 5 das 12 ofertas que foram compradas, foi alocado um número menor de ações em relação ao solicitado.

O ano de 1980 foi ótimo para donos de empresas de petróleo e gás: em média, para as 22 empresas que abriram o capital, as ações eram cotadas a 80% acima do preço de oferta um mês após a data da oferta. O professor assistente verificou seu desempenho e viu que os $ 8.400 investidos nas 12 empresas haviam crescido para $ 10.000, representando um retorno de apenas cerca de 20% (as comissões eram desprezíveis). Ele teve má sorte ou deveria ter esperado ter ido pior do que o investidor médio em ofertas públicas iniciais? Explique.

10. **Preços de IPO** O material a seguir representa a capa e o resumo do prospecto para a oferta pública inicial da Companhia de Controles de Pestes S/A que abrirá seu capital amanhã com uma oferta pública inicial com garantia firme administrada pelo banco de investimento da Erlanger and Ritter.

Responda às seguintes questões:

   a. Assuma que você não sabe nada sobre a CCP além da informação presente no prospecto. Com base no seu conhecimento em finanças, qual é a sua previsão para o preço da CCP amanhã? Explique brevemente por que você acha que isso ocorrerá.

b. Assuma que você tem milhares de reais para investir. Hoje à noite, quando você chega em casa depois da aula, descobre que sua corretora, com quem você não falava há semanas, ligou. Ela deixou uma mensagem dizendo que a CCP abrirá seu capital amanhã e que ela pode obter centenas de ações ao preço de oferta se você ligar para ela logo pela manhã. Discuta os méritos dessa oportunidade.

PROSPECTO CCP

200.000 ações
COMPANHIA DE CONTROLES DE PESTES

Das ações oferecidas por meio deste, todas as 200.000 serão vendidas pela Companhia de Controles de Pestes S/A ("a empresa"). Antes desta oferta, as ações da CCP não foram negociadas no mercado secundário, e nenhuma garantia pode ser oferecida de que esse mercado se desenvolva.

Estes títulos não foram aprovados ou desaprovados pela CVM, e a Comissão não emitiu juízo sobre a exatidão ou adequação deste prospecto. Qualquer afirmação em contrário é uma infração penal.

	Preço para o público	Desconto de subscrição	Receita para a empresa*
Por ação	$ 11,00	$ 1,10	$ 9,90
Total	$ 2.200.000	$ 220.000	$ 1.980.000

*Antes da dedução dos gastos estimados em $ 27.000 e a serem pagos pela empresa.

Isto é uma oferta pública inicial. As ações ordinárias estão sendo oferecidas, sujeitas a colocação prévia, quando conformes e se aceitas pelos Coordenadores e sujeitas a aprovação de algumas questões legais pelos coordenadores e pelo Conselho de Administração da empresa. Os Coordenadores da subscrição se reservam o direito de retirar, cancelar ou modificar a oferta e rejeitar toda ou parte da oferta.

Erlanger and Ritter, Banco de investimento, 13 de junho, 2012
Resumo do prospecto

A empresa	A Companhia de Controles de Pestes S/A – CCP – cria e comercializa sapos e pererecas como mecanismos ecologicamente seguros de controle de insetos.
A oferta	200.000 ações, sem valor nominal.
Listagem	A empresa buscará fazer negociações no mercado de balcão.
Ações em circulação	Em 30 de junho de 2012, 400.000 ações estavam em circulação. Após a oferta, 600.000 ações estarão em circulação.
Uso de receita	Para financiar a expansão de estoques, contas a receber e capital de giro em geral e pagar mensalidades de associações para alguns professores de finanças.

Informações financeiras selecionadas
(valores em milhares, exceto dados por ação)

	Exercício encerrado em 30 de junho				Em 30 de junho de 2012	
	2010	2011	2012		Atual	Ajustado para essa oferta
Receitas	$ 60,00	$ 120,00	$ 240,00	Capital de giro	$ 8	$ 1.961
Lucro líquido	3,80	15,90	36,10	Ativo total	511	2.464
Lucro por ação	0,01	0,04	0,09	Capital dos acionistas	423	2.376

Capítulo 20 Captação de Recursos 719

11. **Ofertas competitiva e negociada** Quais são as vantagens comparativas de uma oferta competitiva e uma negociada, respectivamente?
12. **Ofertas subsequentes de ações** Quais são as possíveis razões pelas quais o preço da ação cai quando do anúncio de uma nova emissão de ações?
13. **Obtenção de capital** A Indústria Megabucks quer levantar capital próprio com uma grande emissão de novas ações ordinárias. A Megabucks, uma empresa de capital aberto, está tentando optar entre uma subscrição de ações e uma oferta de direitos para os acionistas existentes. A administração da empresa está interessada em maximizar o retorno dos acionistas existentes e pediu sua ajuda para escolher os métodos de emissão. Qual é a sua recomendação? Por quê?
14. **Registro de prateleira** Explique por que o registro de prateleira tem sido usado por muitas empresas.
15. **IPOs** Toda IPO é única, mas quais são as regularidades empíricas básicas em IPOs?

QUESTÕES E PROBLEMAS

BÁSICO
(Questões 1-9)

1. **Ofertas de direitos** A Novamente S/A está propondo uma oferta de direitos. No momento, há 550.000 ações em circulação a $ 87 cada. 85 mil novas ações serão oferecidas a $ 70 cada.
   a. Qual é o novo valor de mercado da empresa?
   b. Quantos direitos estão associados a uma das novas ações?
   c. Qual é o preço ex-direitos?
   d. Quanto vale um direito?
   e. Por que uma empresa escolheria uma oferta de direitos em vez de uma oferta de ações?

2. **Oferta de direitos** A Companhia CLIF anunciou uma oferta de direitos para levantar $ 28 milhões para uma nova revista, *Excessos Financeiros*. Essa revista revisará artigos em potencial após o pagamento de uma taxa de revisão não restituível de $ 5.000 por página. No momento, cada uma de suas ações é negociada por $ 27, e há 2,9 milhões de ações em circulação.
   a. Qual é o preço máximo por ação possível da oferta? Qual é o mínimo?
   b. Se o preço de subscrição for definido a $ 25 por ação, quantas ações precisam ser vendidas? Quantos direitos serão necessários para comprar uma ação?
   c. Qual é o preço ex-direitos? Quanto vale um direito?
   d. Mostre como a oferta de direitos não prejudica um acionista com 1.000 ações antes da oferta e sem intenção (ou dinheiro) de comprar mais ações.

3. **Direitos** A empresa Sapatos de Pedra concluiu que será preciso um aporte financeiro adicional para expandir operações e que os fundos necessários serão mais bem obtidos por meio de uma oferta de direitos. A empresa determinou corretamente que, como resultado da oferta de direitos, o preço da oferta sofrerá uma queda de $ 65 para $ 63,18 ($ 65 é o preço com direitos; $ 63,18 é o preço ex-direitos, também conhecido como preço *na emissão*). Ela está almejando $ 15 milhões em fundos adicionais, com um preço de subscrição por ação de $ 50. Quantas ações existem antes da oferta? (Assuma que o incremento do valor de mercado das ações é igual ao resultado bruto da oferta.)

4. **Subpreço de IPO** A Madeira S/A e a Metal S/A anunciaram IPOs a $ 40 por ação. Uma delas está subavaliada em $ 9, e a outra está superavaliada em $ 4, mas você não tem como saber qual é qual. Você pretende comprar 1.000 ações de cada emissão. Se uma emissão estiver subprecificada, ela será racionada, e você receberá apenas metade do seu pedido. Se você conseguisse adquirir 1.000 ações na oferta da Madeira e 1.000 ações na oferta da Metal, qual seria o seu lucro? Que ganho você realmente espera? Qual é o princípio ilustrado?

5. **Cálculo dos custos de lançamento** A Santa Insatisfeita S/A precisa levantar $ 45 milhões para financiar sua expansão para novos mercados. A empresa emitirá novas ações por meio de uma oferta pública para levantar os fundos necessários. Se o preço da oferta é de $ 31 por ação e os intermediários financeiros cobram uma comissão de 7%, quantas ações precisam ser vendidas?

6. **Cálculo dos custos de lançamento** No problema anterior, se as taxas e demais despesas administrativas da oferta forem de $ 1.900.000, quantas ações precisam ser vendidas?

7. **Cálculo dos custos de lançamento** A Morro Verde S/A acaba de abrir seu capital. De acordo com o contrato de garantia firme, a Morro Verde recebeu $ 26,04 para cada uma das 7 milhões de ações vendidas. O preço de oferta inicial era de $ 28 por ação, e o preço aumentou para $ 32,30 cada nos primeiros minutos da negociação. A empresa pagou $ 1.850.000 em custos legais diretos e outros e $ 370.000 em custos indiretos. Quais foram os custos de lançamento como porcentagem dos recursos captados?

8. **Diluição do preço** A Raggio S/A tem 135 mil ações em circulação. Cada ação vale $ 75, de modo que o valor de mercado da empresa é $ 10.125.000. Suponha que a empresa emita 30 mil novas ações aos seguintes preços de emissão: $ 75, $ 70 e $ 65. Qual será o efeito de cada um desses preços de oferta no preço por ação existente?

9. **Ofertas de ações** A Newton S/A tem 50.000 ações emitidas a $ 40 cada. Suponha que a empresa emita 9 mil novas ações aos seguintes preços de emissão: $ 40, $ 20 e $ 10. Qual é o efeito de cada um desses preços de oferta no preço por ação existente?

INTERMEDIÁRIO (Questões 10-18)

10. **Diluição** A Lágrima S/A deseja expandir suas instalações. Atualmente, a empresa tem 7 milhões de ações em circulação e nenhuma dívida. Cada ação é negociada por $ 65, mas o valor contábil por ação é de $ 20. O lucro líquido da Lágrima é de $ 11,5 milhões. A nova instalação custará $ 30 milhões e aumentará o lucro líquido em $ 675.000 milhões. O valor nominal das ações é de $ 1 cada.

    a. Assumindo um índice Preço/Lucro constante, qual será o efeito da emissão de novas ações para financiar o investimento? Para responder, calcule o novo valor contábil por ação, os novos lucros totais, o novo LPA, o novo preço da ação e o novo índice Valor de Mercado/Valor Contábil. O que está acontecendo?

    b. Qual teria de ser o novo lucro líquido da empresa para que o preço da ação permanecesse inalterado?

11. **Diluição** A Metálica Mineração de Metais Pesados (MMMP) quer diversificar suas operações. Algumas informações financeiras recentes da empresa aparecem a seguir:

Preço da ação	$ 75
Número de ações	65.000
Total do ativo	$ 9.400.000
Total de passivos	$ 4.100.000
Lucro líquido	$ 980.000

    A MMMP está considerando um investimento que tenha o mesmo índice P/L da empresa. O custo do investimento é de $ 1.500.000 e será financiado por uma nova emissão de ações. O retorno sobre o investimento será igual ao ROE atual da empresa. O que acontecerá ao valor contábil por ação, ao valor de mercado por ação e ao LPA? Qual é o VPL desse investimento? A diluição ocorre?

12. **Diluição** No problema anterior, qual teria de ser o ROE do investimento se quiséssemos que o preço após a oferta fosse de $ 75 por ação? (Assuma que o índice P/L permaneça constante.) Qual é o VPL desse investimento? A diluição ocorre?

13. **Direitos** Atualmente, uma ação da empresa é vendida por $ 68 cada. Na semana passada, a empresa emitiu direitos para fazer uma nova captação de capital próprio. Para comprar uma nova ação, o acionista precisa pagar $ 11 e apresentar três direitos.

a. Qual é o preço da ação ex-direitos?
b. Qual é o preço de um direito?
c. Quando ocorrerá a queda de preço? Por que a queda de preço ocorrerá?

14. **Direitos** Atualmente, uma ação da Summit Corp. é vendida por $ 32 cada. Existe 1 milhão de ações em circulação. A empresa pretende levantar $ 2 milhões para financiar um novo projeto. Qual é o preço da ação ex-direitos, o valor de um direito e os preços de subscrição apropriados para os seguintes cenários?
    a. Duas ações em circulação estão autorizadas a comprar uma ação adicional da nova emissão.
    b. Quatro ações em circulação estão autorizadas a comprar uma ação adicional da nova emissão.
    c. Como o retorno dos acionistas é alterado do item (a) para o item (b)?

15. **Direitos** As Indústrias Hoobas estão considerando uma oferta de direitos. A empresa determinou que o preço ex-direitos seria de $ 61. O preço atual é de $ 68 por ação, e há 10 milhões de ações em circulação. A oferta de direitos de subscrição levantaria um total de $ 60 milhões. Qual é o preço da subscrição?

16. **Valor de um direito** Demonstre que o valor de um direito pode ser escrito assim:

$$\text{Valor de um direito} = P_{CD} - P_{EX} = (P_{CD} - P_S)/(N+1)$$

onde P_{CD}, P_S e P_{EX} significam, respectivamente, o preço com direitos, o preço da subscrição e o preço ex-direitos e N é o número de direitos necessários para comprar uma nova ação ao preço de subscrição.

17. **Venda dos direitos** A Wuttke S/A quer levantar $ 5.375.000 por meio de uma oferta de direitos. A empresa tem atualmente 950 mil ações em circulação que são negociadas por $ 55 cada. O banco de investimentos da empresa estabeleceu um preço de subscrição de $ 30 por ação e cobrará uma comissão de 6%, que será deduzida do resultado da subscrição. Se você possui 6.000 ações da empresa e decide não participar na oferta de direitos, quanto você pode receber ao vender seus direitos?

18. **Avaliação de um direito** A Mitsi Sistemas para Estoques S/A anunciou uma oferta de direitos. A empresa anunciou que serão necessários quatro direitos para comprar uma nova ação ao preço de $ 30. No fechamento das negociações no dia anterior à data ex-direitos, as ações da empresa foram negociadas por $ 60 cada. Na manhã seguinte, você percebe que a ação está sendo negociada por $ 54 cada, e os direitos, por $ 5 cada. A ação e/ou os direitos estão precificados corretamente na data ex-direitos? Descreva uma operação na qual você possa utilizar esses preços para gerar lucro imediato.

MINICASO

Iates Litoral abre seu capital

A Iates Litoral cresceu muito e abriu uma subsidiária nos EUA, Litoral Yachts. A empresa tem crescido rapidamente e o futuro parece promissor. Entretanto, o crescimento rápido significa que não pode mais ser financiado por fontes internas, de modo que Larissa e Daniel decidiram que está na hora de abrir o capital da empresa. Para isso, eles iniciaram negociações com o banco de investimentos Crow & Mallard. A empresa tem um relacionamento de trabalho com Robin Perron, o subscritor que auxiliou na oferta de título de dívida anterior da empresa. O banco Crow & Mallard tem auxiliado inúmeras empresas pequenas no processo de IPO, e, portanto, Larissa e Daniel se sentem confiantes com essa escolha.

Robin começa explicando o processo a Larissa e a Daniel. Embora o banco Crowe & Mallard cobre uma comissão de 4% sobre a oferta de títulos de dívida, a comissão é de 7% para uma oferta inicial de ações do porte daquela promovida pela Iates Litoral. Robin informa a Larissa e a Daniel que a empresa deverá pagar cerca de $ 1.800.000 em taxas legais e custos, $ 15.000 de taxas de registro na SEC e $ 20.000 em outras taxas de registro. Além disso, para ser listada na NASDAQ, a empresa deve pagar

$ 100.000. Existem também comissões de agenciamento no valor de $ 8.500 e despesas de divulgação em jornais especializados de $ 525.000. A empresa deverá pagar também $ 75.000 por outras despesas associadas à IPO.

Por último, Robin informa a Larissa e a Daniel que, para se registrar na SEC, a empresa deve fornecer demonstrações financeiras auditadas de três anos. Ela não tem certeza sobre quais seriam os custos de auditoria. Daniel diz a Robin que a empresa fornece demonstrações financeiras auditadas como parte de um contrato de empréstimos e paga $ 325.000 por ano para o auditor independente.

1. Ao final da conversa, Daniel pergunta a Robin sobre o processo de IPO por leilão holandês. Quais são as diferenças nos gastos da empresa se ela utilizar a IPO por leilão holandês em vez de uma IPO tradicional? A empresa deve abrir seu capital com um leilão holandês ou deve utilizar uma oferta de subscrição tradicional?

2. Durante a discussão da IPO em potencial e do futuro da empresa, Daniel acredita que a empresa deve levantar $ 75 milhões. Entretanto, Larissa destaca que, se a empresa precisar de mais caixa em um futuro próximo, os custos de uma oferta secundária próxima da IPO seriam problemáticos. Em vez disso, ela sugere que a empresa levante $ 100 milhões na IPO. Como podemos calcular o tamanho ideal da IPO? Quais são as vantagens e as desvantagens do aumento do tamanho da IPO para $ 100 milhões?

3. Após deliberarem, Larissa e Daniel decidiram que a empresa deve usar uma oferta com garantia firme, tendo o banco Crowe & Mallard como o principal subscritor. A IPO será de $ 85 milhões. Ignorando a subprecificação, quanto custará a IPO para a empresa como porcentagem dos fundos recebidos?

4. Muitos funcionários da Litoral Yachts têm ações da empresa por causa de um plano já existente de compra de ações por funcionários. Para vender as ações, os funcionários podem oferecer suas ações para ser vendidas na IPO ao preço de oferta, ou podem conservar suas ações e vendê-las no mercado secundário após a empresa abrir seu capital (uma vez que o prazo de bloqueio de 180 dias expire). Larissa pede que você dê consultoria aos funcionários sobre a melhor opção. Qual seria sua sugestão aos funcionários?

Arrendamento Mercantil (*Leasing*) 21

Você já voou pelas linhas aéreas da General Electric (GE)? Provavelmente não, mas a GE Capital Aviation Services (GECAS), subsidiária da GE, possui uma das maiores frotas de aviões do mundo, com mais de 1.725 aeronaves. Esse braço financeiro da GE possui mais de $ 48,8 bilhões em ativos, gerou mais de $ 1,2 bilhão em 2010 e tem mais de 235 clientes em 75 países. Por que a GECAS possui tantos aviões? Mais de um terço de todos os jatos comerciais do mundo são arrendados, e essa é uma das atividades da GECAS. Mas por que a GECAS compra aeronaves somente para arrendá-las? E por que as empresas que arrendam da GECAS não compram suas próprias aeronaves? Este capítulo responde a essas e a outras perguntas relacionadas ao arrendamento mercantil.

Para ficar por dentro dos últimos acontecimentos na área de finanças, visite **www.rwjcorporatefinance.blogspot.com**.

21.1 Tipos de arrendamento mercantil

Noções básicas

Um *arrendamento mercantil*, muito conhecido também pelo seu equivalente em inglês, *leasing*, é um acordo contratual entre arrendatário e arrendador. O acordo prevê que o arrendatário tenha o direito de utilizar o ativo e, em troca, ele deve fazer pagamentos de aluguéis periódicos ao arrendador, proprietário do ativo. O arrendador pode ser a fabricante do ativo ou um arrendador independente. Neste último caso, o arrendador precisará comprar o ativo de um fabricante. O arrendador, então, entrega o ativo ao arrendatário, e o arrendamento entra em vigor.

Para o arrendatário, o mais importante é o direito de usar o ativo, e não a quem ele pertence. O direito de uso pode ser obtido por meio de um contrato de arrendamento, ou com uma compra. O arrendamento e a compra, portanto, são formas alternativas de financiar o uso de ativos. Isso é ilustrado na Figura 21.1.

O exemplo específico da Figura 21.1 ocorre com frequência na indústria da computação. A Empresa *U*, o usuário arrendatário, pode ser um hospital, um escritório de advocacia ou qualquer outra empresa que utilize computadores. O arrendador é uma empresa independente de arrendamento que comprou o equipamento de um fabricante, como a IBM ou a Apple. Nos EUA, arrendamentos desse tipo são chamados **arrendamentos diretos** (*direct leases*). Na figura, o arrendador usou tanto dívida quanto capital próprio para financiar a compra.

Apesar de não mostrarmos essa situação no exemplo, uma fabricante como a IBM poderia arrendar seus *próprios* computadores. Esse seria um **arrendamento do tipo venda** (*sales-type leasing*). Nesse caso, a IBM seria concorrente da empresa independente de arrendamento de computadores.

São as formas básicas do arrendamento mercantil:

Arrendamento Mercantil Financeiro É aquele em que o arrendatário *transfere* os riscos e benefícios inerentes à propriedade ao arrendatário.

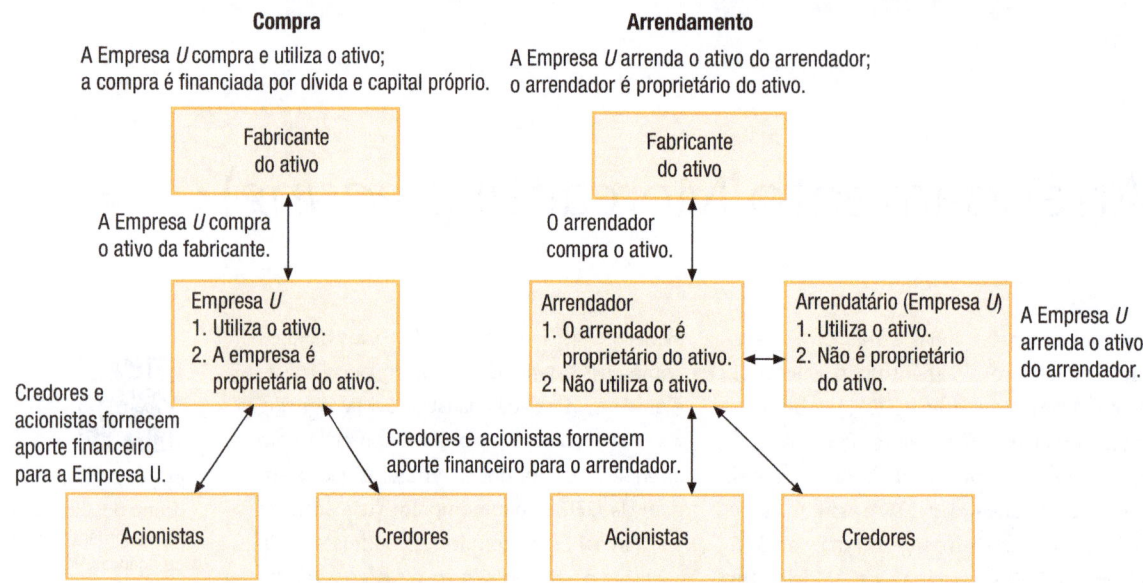

FIGURA 21.1 Compra *versus* arrendamento.

Arrendamento Mercantil Operacional É aquele que o arrendador *não transfere* substancialmente todos os riscos e benefícios inerentes à propriedade ao arrendatário.

Arrendamentos mercantis operacionais

Anos atrás, um **arrendamento mercantil operacional** (*operating lease*) era aquele no qual o arrendatário recebia o equipamento e, juntamente com ele, o operador do equipamento. Atualmente, embora seja difícil encontrar uma definição exata para o arrendamento mercantil operacional, essa forma de arrendamento tem diversas características importantes que se verificam em diferentes mercados:

1. O arrendamento mercantil operacional geralmente não é amortizado por completo. Isso significa que os pagamentos exigidos nos termos do arrendamento não são suficientes para o arrendador recuperar os custos totais do ativo. Isso acontece porque o prazo do contrato geralmente é menor do que a vida econômica do ativo. Portanto, o arrendador deve esperar para recuperar os custos do ativo por meio da renovação do arrendamento ou da venda do ativo pelo valor residual.

2. No arrendamento mercantil operacional, a responsabilidade de manutenção e seguro dos ativos arrendados é do arrendador.

3. A característica mais interessante dos arrendamentos mercantis operacionais talvez seja a *opção de cancelamento*. Essa opção dá ao arrendatário o direito de cancelar o contrato de arrendamento antes da data de vencimento. Se essa opção for exercida, o arrendatário deve devolver o equipamento para o arrendador. O valor de uma cláusula de cancelamento depende da possibilidade de as condições econômicas ou tecnológicas futuras tornarem o valor do ativo para o arrendatário menor do que o valor dos pagamentos futuros do arrendamento.

Para os operadores de arrendamento, as características anteriores fazem um arrendamento mercantil ser do tipo operacional. Contudo, as normas e práticas contábeis podem utilizar esse tipo de operação de uma maneira um pouco diferente, como veremos em seguida.

Arrendamentos mercantis financeiros

Arrendamentos mercantis financeiros (*financial leases*) são exatamente o oposto dos arrendamentos mercantis operacionais, como se pode observar ao se examinar suas características mais importantes:

1. Não preveem manutenção ou quaisquer serviços por parte do arrendador.
2. São amortizados por completo.
3. O arrendatário geralmente tem o direito de renovar o arrendamento ao término do contrato.
4. Em geral, arrendamentos mercantis financeiros não podem ser cancelados. Em outras palavras, o arrendatário deverá efetuar todos os pagamentos ou enfrentar o risco de falência. Por causa dessas características, em especial a segunda, esse tipo de arrendamento é um método alternativo de financiamento para a compra. O nome, portanto, é bastante apropriado. Dois tipos especiais de arrendamento mercantil financeiro são o contrato de venda com retroarrendamento e o contrato de arrendamento alavancado.

Venda com retroarrendamento   Uma **venda com retroarrendamento** (*sale and leaseback*) ocorre quando uma empresa vende um ativo para outra e imediatamente o arrenda de volta. Nesse tipo de contrato, duas coisas acontecem:

1. O arrendatário recebe dinheiro com a venda do ativo.
2. O arrendatário faz pagamentos de aluguéis periódicos de arrendamento, conservando, dessa forma, seu uso do ativo. Em 2010, por exemplo, a rede de supermercados britânica Tesco ganhou cerca de £ 958 milhões advindos da venda com arrendamento de seus supermercados. No início de 2011, a W. P. Carey, empresa global de venda com arrendamento, completou a aquisição de seis centros de distribuição do grupo de supermercados holandês C1000 por € 155 milhões.

Arrendamentos alavancados   Um **arrendamento alavancado** (*leveraged lease*) é um acordo de três partes entre arrendatário, arrendador e fornecedores de crédito:

1. Tal como em outros tipos de arrendamento, o arrendatário utiliza os ativos e efetua pagamentos periódicos de aluguéis.
2. Assim como em outros tipos de arrendamento, o arrendador compra os ativos, entrega-os ao arrendatário e cobra aluguéis. Contudo, o arrendador não entra com mais de 40% ou 50% do preço de compra.
3. Fornecedores de crédito (credores) aportam o financiamento restante e recebem juros do arrendador. Assim, o acordo apresentado no lado direito da Figura 21.1 seria um arrendamento alavancado se a maior parte do financiamento fosse fornecida por credores. Os credores, em um arrendamento alavancado, normalmente concedem um empréstimo sem garantias.

Isso significa que, em caso de inadimplência, o arrendador não tem obrigações por garantias perante o credor. Entretanto, este é protegido de duas formas:

1. O credor tem preferência no ativo enquanto garantia (dependendo dos termos contratuais entre as partes).
2. Em caso de inadimplência nos pagamentos do empréstimo por parte do arrendador, os pagamentos do arrendamento são efetuados diretamente para o credor.

O arrendador coloca apenas parte dos recursos, mas recebe os pagamentos do arrendamento e todos os benefícios fiscais da propriedade. Os recebimentos do arrendamento são utilizados para pagar o serviço da dívida do empréstimo sem garantia. O arrendatário é beneficiado porque, em um mercado competitivo, as prestações do arrendamento são reduzidas quando o arrendador tem benefício fiscal e economiza em tributos.

21.2 Contabilidade e arrendamento

Arrendamento pela norma norte-americana (FASB)

Nos Estados Unidos, até novembro de 1976, as empresas podiam utilizar um ativo por meio de arrendamento e não divulgar o ativo ou o contrato de arrendamento no balanço patrimonial. Os arrendatários precisavam relatar as informações de arrendamento apenas nas notas explicativas das demonstrações contábeis. Assim, o arrendamento funcionava como **financiamento "fora do balanço"**.

Em novembro de 1976, o Financial Accounting Standards Board (FASB) emitiu o *Statement of Financial Accounting Standards n$\underline{o}$ 13* (FAS 13), "Contabilização de arrendamentos". Conforme o FAS 13, certos arrendamentos são classificados como "arrendamento de capital" (*capital leases*) – o equivalente a arrendamento financeiro (*financial lease*) na norma internacional. O valor presente dos pagamentos de arrendamentos capitalizados aparece no lado direito do balanço patrimonial. Um valor idêntico é divulgado no lado esquerdo do balanço como ativo.

O FASB classifica todos os outros arrendamentos como operacionais, embora com uma definição diferente da não contábil. Arrendamentos operacionais não são mencionados no balanço patrimonial.

As implicações contábeis dessa distinção são ilustradas no Quadro 21.1. Imagine uma empresa que, há alguns anos, emitiu $ 100.000 em ações para comprar terrenos e que agora deseja utilizar um caminhão de $ 100.000, comprado ou arrendado. O balanço patrimonial refletindo a compra do caminhão é apresentado na parte superior do quadro. (Consideramos que o caminhão será financiado inteiramente com dívidas.) De forma alternativa, imagine que a empresa faça um arrendamento para o caminhão. Se o arrendamento for considerado operacional, cria-se o balanço patrimonial apresentado no meio do quadro. Aqui, nem o passivo do arrendamento, nem o caminhão aparecem no balanço patrimonial. O balanço patrimonial na parte inferior reflete um arrendamento de capital. O caminhão aparece como um ativo, e o arrendamento, como um passivo.

Geralmente, os contadores sustentam que a saúde financeira de uma empresa é inversamente proporcional a sua quantidade de passivos. Como o passivo de um arrendamento mercantil operacional fica oculto, o balanço patrimonial de uma empresa com esse tipo de arrendamento *parece* mais sólido do que o de uma empresa com um arrendamento de capital equivalente. Tendo essa opção, as empresas provavelmente classificariam todos os seus arrendamentos como operacionais. Devido a essa tendência, o FAS 13 determina que um arrendamento deva ser classificado como *capital lease* se pelo menos um dos quatro critérios a seguir for satisfeito:

1. O valor presente dos pagamentos de arrendamento é de pelo menos 90% do valor justo de mercado do ativo no início do arrendamento.

QUADRO 21.1 Exemplos de balanços patrimoniais em conformidade com o FAS 13

Balanço patrimonial			
Um caminhão é comprado com financiamento (a empresa possui um caminhão de $ 100.000):			
Caminhão	$ 100.000	Dívida	$ 100.000
Terreno	100.000	Patrimônio líquido	100.000
Ativo total	$ 200.000	Total da dívida e do patrimônio líquido	$ 200.000
Arrendamento mercantil operacional (a empresa fez um arrendamento mercantil operacional do caminhão):			
Caminhão	$ 0	Dívida	$ 0
Terreno	100.000	Patrimônio líquido	100.000
Ativo total	$ 100.000	Total da dívida e do patrimônio líquido	$ 100.000
Arrendamento de capital (a empresa fez um arrendamento do caminhão e lança como ativo no balanço):			
Ativos sob arrendamento de capital	$ 100.000	Obrigações sob arrendamento de capital	$ 100.000
Terrenos	100.000	Patrimônio líquido	100.000
Ativo total	$ 200.000	Total da dívida e do patrimônio líquido	$ 200.000

2. O arrendamento transfere a propriedade para o arrendatário ao final do prazo.
3. O prazo do arrendamento representa 75% ou mais da vida econômica estimada do ativo.
4. O arrendatário pode comprar o ativo por um preço abaixo do valor justo de mercado após o vencimento do prazo de arrendamento. Isso costuma ser denominado nos EUA *bargain purchase price option*. No Brasil, esse valor é denominado **valor residual garantido (VRG)**.

Essas regras trazem para o balanço patrimonial o ativo e as obrigações decorrentes dos arrendamentos que sejam similares a compras. Por exemplo, as primeiras duas regras trazem para o balanço patrimonial os arrendamentos nos quais o ativo tem maior probabilidade de ser comprado no final do período. As últimas duas regras põem no balanço patrimonial os arrendamentos de longo prazo.

Algumas empresas já tentaram manipular sua contabilidade explorando esse esquema de classificação. Suponha que uma empresa de caminhões queira arrendar um caminhão no valor de $ 200.000, o qual espera utilizar por 15 anos. Um administrador financeiro astuto poderia tentar negociar um contrato de arrendamento só por dez anos, fazendo com que o valor presente dos pagamentos arrendados ficasse em $ 178.000. Isso contornaria os Critérios (1) e (3). Se os Critérios (2) e (4) pudessem ser evitados, o acordo seria um arrendamento mercantil operacional e não apareceria no balanço patrimonial.

Esse tipo de truque compensa? A forma semiforte da hipótese dos mercados eficientes implica que os preços das ações refletem todas as informações disponíveis ao público. Como discutimos anteriormente, as evidências empíricas, de forma geral, sustentam essa forma da hipótese. Apesar de os arrendamentos operacionais não aparecerem no balanço patrimonial da empresa, informações sobre esses arrendamentos são divulgadas em outra parte dos demonstrativos financeiros. Por causa disso, tentativas de deixar os arrendamentos de fora do balanço patrimonial não afetarão o preço das ações em um mercado eficiente.

Arrendamento pela norma brasileira (IFRS)

A classificação de arrendamentos mercantis adotada no Pronunciamento Técnico CPC 06 Operações de Arrendamento Mercantil (R1),[1] que corresponde à Norma IAS nº 17, toma por base a extensão em que os riscos e benefícios inerentes à propriedade do ativo arrendado permanecem no arrendador ou são transferidas para o arrendatário. A classificação depende da *essência da transação*, e não da forma do contrato. Um arrendamento mercantil deve ser classificado como:

Financeiro se ele *transferir* substancialmente todos os riscos e benefícios inerentes à propriedade.

Operacional se ele *não transferir* substancialmente todos os riscos e benefícios inerentes à propriedade.

O CPC 06 traz os seguintes exemplos de situações que individualmente ou em conjunto levariam normalmente a que um arrendamento mercantil fosse classificado como arrendamento mercantil financeiro:

a. a propriedade do ativo é transferida para o arrendatário no fim do prazo do arrendamento mercantil;

b. o arrendatário tem a opção de comprar o ativo por um preço que, espera-se, seja suficientemente mais baixo do que o valor justo à data em que a opção se torne exercível, de forma que, no início do arrendamento mercantil, seja razoavelmente certo que a opção será exercida;

c. o prazo do arrendamento mercantil refere-se à maior parte da vida econômica do ativo, mesmo que a propriedade não seja transferida;

---

[1] Comitê de Pronunciamentos Contábeis (2010). Disponível em <http://www.cpc.org.br/CPC/Documentos--Emitidos/Pronunciamentos/Pronunciamento?Id=37>.

d. no início do arrendamento mercantil, o valor presente dos pagamentos mínimos do arrendamento totaliza pelo menos substancialmente todo o valor justo do ativo arrendado; e

e. os ativos arrendados são de natureza especializada, de tal forma que apenas o arrendatário pode usá-los sem grandes modificações.

O CPC 06 também traz indicadores que, individualmente ou em combinação, também podem levar a que um arrendamento mercantil seja classificado como arrendamento mercantil financeiro:

a. se o arrendatário puder cancelar o arrendamento mercantil e as perdas do arrendador associadas ao cancelamento forem suportadas pelo arrendatário;

b. os ganhos ou as perdas da flutuação no valor justo do valor residual são atribuídos ao arrendatário; e

c. o arrendatário tem a capacidade de continuar o arrendamento mercantil por um período adicional com pagamentos que sejam substancialmente inferiores ao valor de mercado (Comitê de Pronunciamentos Contábeis, 2010).

Os exemplos e indicadores enunciados nem sempre são conclusivos. Se for claro com base em outras características que o arrendamento mercantil não transfere substancialmente todos os riscos e benefícios inerentes à propriedade, o arrendamento mercantil deve ser classificado como operacional.

Arrendamento nas demonstrações contábeis do arrendatário

Arrendamento mercantil financeiro O bem arrendado é reconhecido como ativo, e as respectivas obrigações, como passivo no balanço[2] por quantias iguais ao valor justo do bem arrendado ou, se inferior, pelo valor presente dos pagamentos mínimos do arrendamento. A taxa de desconto para cálculo do valor presente do arrendamento é a taxa de juros implícita do arrendamento[3] se for praticável determinar essa taxa. Se não for, é usada a taxa incremental de financiamento do arrendatário.[4]

Mesmo que o arrendatário não tenha o direito de assumir a propriedade do ativo ao final do contrato, o arrendamento mercantil financeiro dá origem a despesas de depreciação ou amortização relativas a ativos depreciáveis (ativos imobilizados) ou amortizáveis (ativos intangíveis) e despesas financeiras, todos de forma consistente com as demais práticas do arrendatário. Se não houver certeza razoável de que o arrendatário terá a propriedade no fim do prazo do arrendamento mercantil, o ativo deve ser totalmente depreciado durante o prazo do arrendamento mercantil ou da sua vida útil, o que for menor.

Arrendamento mercantil operacional Os pagamentos da prestação de um arrendamento mercantil operacional são reconhecidos como despesa pelo arrendatário, em base de linha reta durante o prazo do arrendamento. Essa base pode ser substituída por outra base sistemática se mais representativa do padrão temporal do benefício do usuário.

O arrendatário, além de cumprir os demais requisitos para evidenciação, deve fazer as seguintes divulgações relativas aos arrendamentos mercantis operacionais nos seus demonstrativos financeiros: total dos pagamentos mínimos futuros dos arrendamentos mercantis operacionais não canceláveis para cada um dos seguintes períodos: (i) até um ano; (ii) mais de um ano; e (iii) mais de cinco anos.

---

[2] Corresponde ao *leasing capitalization* antes referido.

[3] Taxa de desconto que, no início do arrendamento mercantil, faz com que o valor presente agregado: a) dos pagamentos mínimos do arrendamento mercantil; e b) do valor residual não garantido seja igual à soma (i) do valor justo do ativo arrendado e (ii) de quaisquer custos diretos iniciais do arrendador.

[4] Taxa de juros que o arrendatário teria de pagar em um arrendamento mercantil semelhante ou, se isso não for determinável, a taxa em que, no início do arrendamento mercantil, o arrendatário incorreria ao pedir emprestado prazo semelhante e, com segurança semelhante, os fundos necessários para comprar o ativo.

Arrendamento mercantil nas demonstrações contábeis do arrendador

Arrendamento mercantil financeiro Os pagamentos a serem recebidos são tratados pelo arrendador como amortização de capital e receita financeira para reembolsá-lo e recompensá-lo pelo investimento e pelos serviços.

Arrendamento mercantil operacional Os arrendadores apresentam nos seus balanços os ativos sujeitos a arrendamentos mercantis operacionais de acordo com sua natureza. A receita de arrendamento mercantil proveniente de arrendamentos mercantis operacionais é reconhecida no resultado na base de linha reta durante o prazo do arrendamento mercantil, a menos que outra base sistemática seja mais representativa do padrão temporal em que o benefício do uso do ativo arrendado é diminuído. Os custos diretos iniciais incorridos pelos arrendadores quando da negociação e estruturação de um arrendamento mercantil operacional são adicionados ao valor contábil do ativo arrendado e reconhecidos como despesa durante o prazo do arrendamento mercantil na mesma base da receita do arrendamento mercantil.

Transação de venda e retroarrendamento (*leaseback*) conforme a norma IFRS

O tratamento contábil de uma transação de venda e *leaseback* conforme a norma IFRS é voltado para o arrendador e depende do tipo de arrendamento mercantil envolvido. Se uma transação de venda e *leaseback* resultar em *arrendamento mercantil financeiro*, qualquer excesso de receita de venda obtido acima do valor contábil *não* será imediatamente reconhecido como receita por um vendedor-arrendatário. O excesso deve ser diferido e amortizado durante o prazo do arrendamento mercantil. A norma considera que, na verdade, houve uma transação de venda normal, e o arrendamento é um meio pelo qual o arrendador financia o arrendatário, com o ativo como garantia.

Se uma transação de venda e *leaseback* resultar em *arrendamento mercantil operacional* e se estiver claro que a transação é estabelecida pelo valor justo, qualquer lucro ou prejuízo deve ser imediatamente reconhecido pelo arrendatário. A norma apresenta ainda determinações relativas aos procedimentos de reconhecimento quando o preço de venda for acima ou abaixo do valor justo. Sugerimos consultar o CPC 06 (R1) para esses detalhes (Comitê de Pronunciamentos Contábeis, 2010).

Arrendamento: convergência entre IASB e FASB para normas de contabilização

Existe um processo de convergência de normas contábeis. Em 2013, o *International Accounting Standards Board* (IASB) e o *Financial Accounting Standards Board* (FASB) emitiram comunicado conjunto informando que haviam chegado a um acordo de convergência no tratamento contábil das despesas de arrendamentos mercantis como parte de um projeto para revisar a contabilidade de arrendamentos mercantis sob as regras do *International Financial Reporting Standards* (IFRS) e do *U.S. Generally Accepted Accounting Principles* (U.S. GAAP).

Além de assegurar um alinhamento entre a norma americana e a internacional, um dos principais objetivos da nova norma é fazer refletir no balanço patrimonial das empresas não só os arrendamentos mercantis financeiros, mas também os operacionais. A alteração visa a uma maior transparência das obrigações e dos ativos das empresas, possibilitando ao usuário das demonstrações financeiras uma melhor comparação entre demonstrações financeiras e uma análise dos desembolsos futuros.

As novas normas em processo de deliberação pelo FASB e IASB tinham sua implementação prevista para ocorrer após o ano de 2017.

21.3 Arrendamentos e tributos

Arrendamentos e tributos nos EUA Nos Estados Unidos, o arrendatário pode deduzir os pagamentos de arrendamento para fins de tributos de renda caso a contabilização como arrendamento seja aceita pela Receita Federal dos EUA (*Internal Revenue Service* – IRS). Como o benefício fiscal é vital para a viabilidade econômica de qualquer arrendamento, todas as partes interessadas costumam obter uma opinião do IRS antes de entrar em acordo em uma transação de arrendamento de grande porte. A opinião do IRS refletirá as seguintes diretrizes:

1. O prazo do arrendamento deve ser menor do que 30 anos. Caso seja maior, a transação será vista como uma venda com alienação fiduciária.
2. O arrendamento não deve incluir a opção de adquirir o ativo por um preço menor do que o do valor justo de mercado. Esse tipo de opção daria ao arrendatário o valor residual do ativo, o que implicaria interesse patrimonial.
3. O arrendamento não deve programar pagamentos muito altos no começo do prazo e muito baixos a seguir. Pagamentos "balão" antecipados seriam evidências do uso do arrendamento como meio de evitar tributos, e não com uma finalidade comercial legítima.
4. Os pagamentos de arrendamento devem fornecer ao arrendador uma taxa de retorno de mercado corrente. O potencial de lucro para o arrendador deve ir além dos benefícios fiscais do negócio.
5. O direito de o arrendatário emitir dívidas ou distribuir dividendos não deve ser limitado enquanto o arrendamento estiver em vigor.
6. As condições de renovação devem ser razoáveis e refletir o valor justo de mercado do ativo. Tal exigência pode ser atendida com o direito do arrendatário à primeira opção em caso de outra oferta concorrente.

A preocupação do IRS com os contratos de arrendamento se dá porque, muitas vezes, eles parecem ser feitos apenas para evitar tributos. Para entender como isso poderia ocorrer, suponhamos que uma empresa planeje comprar um ônibus de $ 1 milhão, um ativo com vida útil de cinco anos. As despesas de depreciação seriam de $ 200.000 por ano, considerando uma depreciação linear. Suponhamos que, agora, a empresa possa arrendar o ônibus por $ 500.000 por ano durante dois anos e comprar o ônibus por $ 1 no fim desse período. Evidentemente, o valor presente dos benefícios fiscais da compra do ônibus seria menor do que os de seu arrendamento. A aceleração dos pagamentos de arrendamento seria muito vantajosa para a empresa e possibilitaria uma forma de depreciação acelerada. Caso as alíquotas de imposto do arrendador e do arrendatário sejam diferentes, o arrendamento pode ser uma forma de evitar os tributos.

Arrendamentos e tributos no Brasil No Brasil, o valor da contraprestação de arrendamento é dedutível para fins de Imposto de Renda e Contribuição Social, assim como para PIS e COFINS – independentemente da classificação do arrendamento entre operacional ou financeiro. Incidem-se ainda ISS (Imposto sobre Serviços) sobre as operações de arrendamento, e não há incidência de ICMS, uma vez que se trata de serviços.

No caso do PIS e da COFINS, em uma aquisição, a empresa pode optar por tomar crédito pela depreciação fiscal, ou ainda tomar crédito em 48 vezes do valor de aquisição. Operações de *leaseback*, entretanto, não permitem gozo do crédito de PIS/COFINS.

A decisão de arrendar ou financiar no Brasil exige um conhecimento detalhado dos aspectos tributários relativos a cada indústria – bem como das linhas de crédito disponíveis –, de forma a avaliar os fluxos de caixa e ganhos fiscais resultantes dos diversos tributos incidentes em cada operação. As Leis nº 6.099, de 12/09/1974 (Brasil, 1974), e nº 12.973, de 13/05/2014 (Brasil, 2014), dispõem sobre o tratamento tributário das operações de arrendamento mercantil.

21.4 Os fluxos de caixa do arrendamento

Nesta seção, identificamos os fluxos de caixa básicos utilizados na avaliação de um arrendamento. Consideremos a decisão encarada pela Xomox, que fabrica tubulações. A empresa vem expandindo os negócios e, atualmente, tem encomendas abrangendo um período de cinco anos para o Oleoduto Trans-Hondurenho.

A Companhia Internacional de Perfuradoras (CIP) fabrica uma máquina perfuradora que pode ser comprada por $ 10.000. A Xomox necessita de uma nova máquina, e o modelo fabricado pela CIP representará para a empresa uma economia anual de $ 6.000 em despesas com energia elétrica nos próximos cinco anos. Essa economia está assegurada, pois a empresa tem um contrato de longo prazo para compra de energia da Empresa Nacional de Energia Elétrica.

A Xomox tem uma alíquota de tributos total de 34%. Consideremos uma depreciação linear de cinco anos para a máquina perfuradora, a qual não terá mais valor após esse prazo.[5]

A empresa Arrendamentos Amigáveis S/A ofereceu à Xomox um arrendamento de cinco anos da mesma máquina perfuradora por $ 2.500 ao ano. Nesse arrendamento, a Xomox ficaria responsável pela manutenção, pelo seguro e pelas despesas operacionais.[6]

Solicitou-se a Bruno Brilhante, um pós-graduado com MBA e recém-contratado, que calculasse os fluxos de caixa incrementais do arrendamento da máquina da CIP em vez de sua compra. Ele preparou o Quadro 21.2, que mostra as consequências diretas para o fluxo de caixa se a máquina perfuradora for comprada da CIP ou arrendada da Arrendamentos Amigáveis.

Para simplificar as coisas, Bruno Brilhante preparou o Quadro 21.3 que subtrai os fluxos de caixa da compra da máquina de perfuração dos fluxos de seu arrendamento. Sabendo que apenas a vantagem líquida do arrendamento é relevante para a Xomox, ele conclui o seguinte a partir de sua análise:

1. Os custos operacionais não são diretamente afetados pelo arrendamento. A Xomox economizará $ 3.960 (após os tributos) com o uso da máquina perfuradora da CIP independentemente de essa ser comprada ou arrendada. Assim, esse fluxo de caixa não aparece no Quadro 21.3.
2. Se a máquina for arrendada, a Xomox economizará os $ 10.000 da compra. Essa economia aparece como uma *entrada* de caixa inicial de $ 10.000 no Ano 0.
3. Se a Xomox arrendar a máquina perfuradora, a empresa não será proprietária dela e abrirá mão dos benefícios fiscais da depreciação. Esses benefícios aparecem como *saídas* de caixa.
4. Se a Xomox decidir arrendar a máquina, deverá pagar $ 2.500 por ano durante cinco anos. O primeiro pagamento vence no fim do primeiro ano. (É algo que não costuma

QUADRO 21.2 Fluxos de caixa da Xomox provenientes da utilização da máquina perfuradora da CIP: compra *versus* arrendamento

	Ano 0	Ano 1	Ano 2	Ano 3	Ano 4	Ano 5
Compra						
Custo da máquina	−$ 10.000					
Economia de despesas operacionais após tributos [$ 3.960 = $ 6.000 × (1 − 0,34)]		$ 3.960	$ 3.960	$ 3.960	$ 3.960	$ 3.960
Benefícios fiscais da depreciação*		680	680	680	680	680
Total	−$ 10.000	$ 4.640	$ 4.640	$ 4.640	$ 4.640	$ 4.640
Arrendamento						
Aluguéis de arrendamento		−$ 2.500	−$ 2.500	−$ 2.500	−$ 2.500	−$ 2.500
Benefícios fiscais dos aluguéis de arrendamento ($ 850 = $ 2.500 × 0,34)		850	850	850	850	850
Economia de despesas operacionais após tributos		3.960	3.960	3.960	3.960	3.960
Total		$ 2.310	$ 2.310	$ 2.310	$ 2.310	$ 2.310

* Como a depreciação é linear e o valor depreciável é de $ 10.000, a despesa de depreciação anual é de $ 10.000/5 = $ 2.000. O benefício fiscal anual da depreciação é igual a:

Alíquota tributária × Despesa anual de depreciação = Benefício fiscal da depreciação
0,34 × $ 2.000 = $ 680

---

[5] A legislação tributária também pode permitir o método acelerado, o qual será quase sempre a melhor escolha a fazer.

[6] Para facilitar, consideramos que os pagamentos do arrendamento são efetuados ao final de cada ano. Na realidade, a maioria dos arrendamentos exige que os pagamentos sejam feitos no início do ano.

QUADRO 21.3 Consequências incrementais de fluxo de caixa para a Xomox ao arrendar em vez de comprar

Arrendamento menos compra	Ano 0	Ano 1	Ano 2	Ano 3	Ano 4	Ano 5
Arrendamento						
Aluguéis de arrendamento		−$ 2.500	−$ 2.500	−$ 2.500	−$ 2.500	−$ 2.500
Benefícios fiscais dos aluguéis de arrendamento		850	850	850	850	850
Compra (menos)						
Custo da máquina	−(−$ 10.000)					
Benefício fiscal da depreciação perdido		−680	−680	−680	−680	−680
Total	$ 10.000	−$ 2.330	−$ 2.330	−$ 2.330	−$ 2.330	−$ 2.330

A última linha representa os fluxos de caixa do arrendamento em relação aos fluxos de caixa da compra. Os fluxos de caixa seriam exatamente o oposto se considerássemos a compra em relação ao arrendamento.

ocorrer: geralmente, o primeiro pagamento deve ser feito imediatamente.) Os pagamentos de arrendamento podem ser deduzidos do imposto de renda e, em consequência, gerar benefícios fiscais de $ 850 (=0,34 × 2.500).

Os fluxos de caixa líquidos são apresentados na última linha do Quadro 21.3. Esses números representam os fluxos de caixa do *arrendamento* em relação aos fluxos de caixa da compra. Essa maneira de expressar os fluxos de caixa foi escolhida arbitrariamente. Poderíamos ter expressado os fluxos de caixa da *compra* em relação aos do arrendamento. Tais fluxos de caixa seriam:

	Ano 0	Ano 1	Ano 2	Ano 3	Ano 4	Ano 5
Fluxos de caixa da compra em relação aos do arrendamento	−$ 10.000	$ 2.330	$ 2.330	$ 2.330	$ 2.330	$ 2.330

Obviamente, estes fluxos de caixa são opostos aos apresentados na última linha do Quadro 21.3. Dependendo do nosso objetivo, podemos examinar a compra em relação ao arrendamento ou o contrário. Assim, os leitores devem se familiarizar com ambos os pontos de vista.

Agora que conhecemos os valores, podemos fazer nossa decisão descontando de forma adequada os fluxos de caixa. Entretanto, como a taxa de desconto é complicada, faremos um desvio na próxima seção antes de voltar ao caso da Xomox. Nela, mostraremos que os fluxos de caixa na decisão entre compra e arrendamento devem ser descontados à taxa de juros *após tributos* (i.e., o custo do financiamento por dívida, após tributos).

21.5 Um desvio por fluxos de caixa descontados e capacidade de endividamento com tributação sobre lucros

A análise de arrendamentos é complexa. Tanto profissionais financeiros quanto acadêmicos já cometeram erros conceituais. Esses erros estão relacionados aos tributos. Esperamos evitar esses erros, começando com um exemplo simples: um empréstimo com prazo de um ano. Embora esse exemplo não esteja relacionado à nossa escolha entre o arrendamento e a compra, os princípios aqui desenvolvidos serão diretamente aplicáveis à análise dessa decisão.

Valor presente de fluxos de caixa sem risco

Consideremos uma empresa que empreste $ 100 por um ano. Se a taxa de juros for de 10%, a empresa receberá $ 110 ao final do ano. Dessa quantia, $ 10 são provenientes de juros, e os $ 100 restantes são o principal original. Uma alíquota tributária de 34% implica tributos sobre juros de $ 3,40 (= 0,34 × $ 10). Assim, a empresa acaba ficando com $ 106,60 (= $ 110 − $ 3,40) após tributos com o investimento de $ 100.

Consideremos, agora, uma empresa que tome emprestado $ 100 durante um ano. Com uma taxa de juros de 10%, a empresa deve pagar $ 110 ao banco no final do ano. Entretanto, a empresa que tomou o empréstimo pode deduzir a despesas de $ 10 em juros da base de cálculo dos tributos. A empresa paga $ 3,40 (= 0,34 × $ 10) a menos em tributos do que teria pagado se não tivesse tomado o dinheiro emprestado. Assim, levando em conta essa redução nos tributos, a empresa acaba pagando efetivamente $ 106,60 (= $ 110 − $ 3,40) sobre um empréstimo de $ 100. Os fluxos de caixa tanto da concessão quanto da tomada de empréstimo são apresentados no Quadro 21.4.

Os dois parágrafos anteriores mostram um resultado muito importante: para a empresa, tanto faz receber $ 100 hoje ou $ 106,60 daqui a um ano.[7] Se recebesse $ 100 hoje, poderia emprestar esse dinheiro, recebendo, assim, $ 106,60 após tributos ao final do ano. Por outro lado, se a empresa souber de antemão que receberá $ 106,60 ao final do ano, poderia tomar emprestado $ 100 hoje. Os pagamentos de principal e de juros após tributos seriam efetuados com os $ 106,60 que a empresa receberia no fim do ano. Por causa dessa permutabilidade, afirmamos que um pagamento de $ 106,60 no próximo ano tem um valor presente de $ 100. Como $ 100 = $ 106,60/1,066, um fluxo de caixa sem risco, após o efeito dos tributos sobre lucro deve ser descontado pela taxa de juros de 6,60% [=10% × (1 − 0,34)].

A discussão anterior é considerada um exemplo específico. O princípio geral é o seguinte:

> **Em um mundo com tributos sobre lucros da pessoa jurídica, fluxos de caixa sem risco devem ser descontados à taxa de juros sem risco após tributos.**

Nível ótimo de dívida e fluxos de caixa sem risco

Nosso exemplo simples também pode ilustrar um tópico relacionado ao nível ótimo de endividamento. Consideremos uma empresa que concluiu que o atual nível de dívida em sua estrutura de capital é o nível ótimo. Imediatamente após essa conclusão, surpreende-se com a notícia de que receberá uma quantia certa de $ 106,60 daqui a um ano, resultado de uma loteria do

QUADRO 21.4 Empréstimos em um mundo com tributos sobre lucros da pessoa jurídica (a taxa de juros é de 10%, e a alíquota tributária é de 34%)

Data 0	Data 1
Exemplo de concessão de empréstimo	
Emprestar − $ 100	Receber +$ 100,00 do principal
	Receber +$ 10,00 de juros
Taxa de retorno do empréstimo 6,6%	Pagar −$ 3,40 (= −0,34 × $ 10) em tributos
	+$ 106,60
A taxa de retorno do empréstimo após tributos é 6,6%.	
Exemplo de tomada de empréstimo	
Tomar emprestado +$ 100	Pagar −$ 100,00 do principal
	Pagar −$ 10,00 de juros
Custo do empréstimo 6,6%	Receber +$ 3,40 (=0,34 × $ 10) como redução de tributos
	−$ 106,60
O custo do empréstimo após tributos é 6,6%.	

Princípio geral: em um mundo com tributos sobre lucros da pessoa jurídica, fluxos de caixa sem risco devem ser descontados à taxa de juros após tributos.

---

[7] Para simplificar, suponha que a empresa tivesse recebido $ 100 ou $ 106,60 *após* a dedução de tributos sobre lucros. Como 1 − 34% = 0,66, as entradas de caixa *antes* da incidência de tributos teriam sido $ 151,52 ($ 100/0,66) e $ 161,52 ($ 106,60/0,66), respectivamente.

governo, isenta de tributos. Esse lucro futuro inesperado é um ativo que, como qualquer outro, aumentará o nível ótimo de endividamento da empresa. De quanto será o aumento no nível ótimo de endividamento causado por esse recebimento?

Nossa análise implica que o nível deve ser $ 100 a mais do que era anteriormente, ou seja, a empresa pode tomar emprestado mais $ 100 hoje. Ao final do ano, a quantia devida ao banco seria $ 110. Contudo, como a empresa recebe um abatimento de tributos de $ 3,40 (=0,34 × $ 10), o pagamento final líquido será $ 106,60. Assim, o empréstimo de $ 100 tomado hoje seria inteiramente compensado pela receita de $ 106,60 proveniente da loteria que, em outras palavras, age como uma garantia irrevogável que assegura o serviço da dívida. Note-se que não precisamos saber qual era o nível ótimo de dívida antes do anúncio da loteria. Estamos apenas afirmando que, independentemente do nível ótimo de endividamento anterior, o nível após o anúncio da loteria é de $ 100 a mais.

Obviamente, esse é apenas um exemplo. O princípio geral é o seguinte:[8]

> **Em um mundo com tributos sobre lucros da pessoa jurídica, determinamos o aumento do nível ótimo de endividamento por meio do desconto de entradas de caixa futuras certas à taxa de juros sem risco após tributos.**

Em contrapartida, suponhamos que outra empresa, sem relação com a primeira, tenha sido surpreendida com a notícia de que deverá pagar daqui a um ano $ 106,60 em tributos retroativos. Claramente, essa dívida adicional prejudica a capacidade de endividamento dessa segunda empresa. Utilizando o mesmo raciocínio anterior, concluímos que o nível ótimo de endividamento da segunda empresa deve diminuir exatamente em $ 100.

21.6 Análise do VPL da decisão entre compra ou arrendamento

Nosso desvio leva a um método simples de avaliação de arrendamentos: descontar todos os fluxos de caixa à taxa de juros após tributos. A partir da última linha do Quadro 21.3, os fluxos de caixa incrementais do arrendamento em relação à compra são os seguintes:

	Ano 0	Ano 1	Ano 2	Ano 3	Ano 4	Ano 5
Fluxos de caixa líquidos do arrendamento em relação à compra	$ 10.000	−$ 2.330	−$ 2.330	−$ 2.330	−$ 2.330	−$ 2.330

Consideremos que a Xomox pode tanto tomar emprestado quanto emprestar dinheiro com uma taxa de juros de 7,57575%. Se a alíquota de tributos para pessoas jurídicas for de 34%, a taxa de desconto correta é a taxa após tributos de 5% [=7,57575% × (1 − 0,34)]. Quando o valor de 5% é utilizado para calcular o VPL do arrendamento, temos:

$$\text{VPL} = \$\,10.000 - \$\,2.330 \times \text{VPA}\,(0,05,\,5) = -\$\,87,68^9 \quad (21.1)$$

Como o valor presente líquido dos fluxos de caixas do arrendamento em relação à compra é negativo, a Xomox dá preferência à compra.

A Equação 21.1 é a abordagem correta para analisar a decisão entre compra ou arrendamento. Contudo, os alunos frequentemente se preocupam com duas coisas. Em primeiro lugar, questionam se os fluxos de caixa apresentados no Quadro 21.3 são, de fato, sem risco – examinaremos esse problema a seguir; em segundo lugar, sentem que essa abordagem não é intuitiva – voltaremos a isso mais tarde.

---

[8] Esse princípio aplica-se apenas a fluxos de caixa sem risco ou garantidos. Infelizmente, não existe uma fórmula simples para determinar o aumento no nível ideal de dívida proveniente de um fluxo de caixa *com risco*.

[9] VPA (*r*, *T*) é o valor presente de uma anuidade no valor de 1,00 à taxa *r* (nesse caso, 0,05) por *T* períodos (nesse caso, 5). Ver Capítulo 4.

A taxa de desconto

Como descontamos usando a taxa de juros sem risco após tributos, assumimos implicitamente a suposição de que os fluxos de caixa no exemplo da Xomox não têm risco. É uma suposição adequada?

Pagamentos de uma operação de arrendamento são como o serviço da dívida de um título com garantias emitido pelo arrendatário, cuja taxa de desconto deve ser aproximadamente igual à taxa de juros sobre essa dívida. Em geral, essa taxa será um pouco maior do que a taxa sem risco considerada na seção anterior. Os diversos benefícios fiscais podem ser um pouco mais arriscados do que os pagamentos de arrendamento por dois motivos. Em primeiro lugar, o valor dos benefícios fiscais da depreciação depende da capacidade da Xomox de gerar lucros tributáveis suficientes para utilizá-los. Em segundo lugar, a alíquota de tributos para a pessoa jurídica pode mudar no futuro. Por essas duas razões, uma empresa pode justificar o desconto dos benefícios fiscais da depreciação a uma taxa de desconto maior do que a usada para os pagamentos de arrendamento. Em nossa experiência prática, contudo, as empresas descontam o benefício da depreciação e os pagamentos de arrendamento com a mesma taxa. Isso implica que os profissionais financeiros veem os dois riscos como baixos. Adotamos a convenção utilizada no mundo real, a prática de descontar os dois fluxos com o uso da mesma taxa de juros, aquela que o arrendatário paga sobre suas dívidas com garantias, após tributos.

Neste ponto, alguns alunos ainda questionam o porquê de não utilizamos o R_{CMPC} como a taxa de desconto na análise da decisão entre compra e arrendamento. Obviamente, o R_{CMPC} não deve ser utilizado para analisar arrendamentos, pois os fluxos de caixa são mais semelhantes aos do serviço da dívida do que aos operacionais, e, portanto, o risco é muito menor. A taxa de desconto deve refletir o risco dos fluxos de caixa incrementais.

21.7 Substituição de dívidas e avaliação de arrendamentos

Um conceito básico de substituição de endividamento

A análise anterior nos permite calcular a resposta correta de um jeito simples, e isso deve ser visto como um benefício importante. Contudo, a análise ainda é pouco intuitiva. Para consertar isso, esperamos tornar a análise de compra ou arrendamento mais intuitiva; consideraremos a questão do efeito *substituição de endividamento* (*debt displacement*).

É comum empresas que compram equipamentos emitirem dívidas para financiar a compra. A dívida é um passivo para a empresa compradora. No caso de arrendamento, também há passivo incorrido pelo arrendatário igual ao valor presente de todos os pagamentos futuros do arrendamento. Por isso, dizemos que os arrendamentos substituem dívidas. Os balanços patrimoniais apresentados no Quadro 21.5 ilustram como o arrendamento pode afetar a dívida.

Suponhamos que uma empresa tem $ 100.000 em ativos e um índice ótimo de Dívida/Capital próprio igual a 150%. A dívida da empresa é de $ 60.000, e o capital próprio é de $ 40.000. Como no caso da Xomox, consideremos que a empresa precisa utilizar uma máquina de $ 10.000. Neste caso, a empresa tem duas alternativas:

1. *Comprar a máquina.* Se fizer isso, financiará a compra com um empréstimo com garantias e com o capital próprio. Pressupõe-se que a capacidade de endividamento da máquina seja a mesma da empresa como um todo.
2. *Arrendar o ativo e obter financiamento de 100%.* Aqui, o valor presente dos pagamentos futuros do arrendamento corresponde ao financiamento de $ 10.000.

Se a empresa financiar a máquina tanto com a dívida com garantias quanto com aporte de capital próprio novo, a dívida aumentará em $ 6.000 e o capital próprio aumentará em $ 4.000. O índice ótimo de Dívida/Capital próprio de 150% será mantido.

Consideremos a alternativa de arrendamento. Como o arrendatário vê os pagamentos do arrendamento como passivo, ele pensa em termos de índice *Passivo/Capital próprio*, e não

QUADRO 21.5 Substituição de outras dívidas da empresa quando um arrendamento é realizado

Ativo		Passivo e PL	
Situação inicial			
Circulante	$ 50.000	Dívida	$ 60.000
Imobilizado	50.000	Capital próprio	40.000
Total	$ 100.000	Total	$ 100.000
Compra mediante financiamento com garantias			
Circulante	$ 50.000	Dívida	$ 66.000
Imobilizado	50.000	Capital próprio	44.000
Máquina	10.000	Total	$ 110.000
Total	$ 110.000		
Arrendamento			
Circulante	$ 50.000	Arrendamento	$ 10.000
Imobilizado	50.000	Dívida	56.000
Máquina	10.000	Capital próprio	$ 44.000
Total	$ 110.000	Total	$ 110.000

Este exemplo mostra que os arrendamentos reduzem o nível de dívida em outras partes da empresa, e, embora sirva para ilustrar o argumento, a intenção não é a de mostrar um método preciso de cálculo do efeito substituição de dívidas.

como Dívida/Capital próprio. Como mencionamos há pouco, o valor presente do passivo do arrendamento é $ 10.000. Se a empresa deseja manter o índice Passivo/Capital próprio em 150%, o valor de outras dívidas deve ser reduzido em $ 4.000 no momento em que o arrendamento é realizado. Como essa parcela de dívida deve ser resgatada, o passivo líquido aumenta em apenas $ 6.000 (=$ 10.000 − $ 4.000) quando $ 10.000 em ativos são arrendados.[10]

A **substituição de dívidas** é um custo oculto do arrendamento. Se uma empresa faz um arrendamento, não utilizará tanta dívida corrente quanto utilizaria em caso contrário. Os benefícios da capacidade de endividamento serão perdidos, em especial a redução de tributos associada às despesas com juros.

Nível ótimo de endividamento no exemplo da Xomox

A seção anterior demonstrou que o arrendamento substitui dívidas. Embora tenha ilustrado uma questão, sua função não era mostrar o método *exato* de cálculo da substituição da dívida. Aqui, descreveremos o método preciso de cálculo da diferença dos níveis ótimos de dívida entre a compra e o arrendamento no exemplo da Xomox.

A partir da última linha do Quadro 21.3, conhecemos os seguintes fluxos de caixa da alternativa de *compra* em relação aos da alternativa de arrendamento:[11]

	Ano 0	Ano 1	Ano 2	Ano 3	Ano 4	Ano 5
Fluxos de caixa da compra em relação ao arrendamento	−$ 10.000	$ 2.330	$ 2.330	$ 2.330	$ 2.330	$ 2.330

Ocorre um aumento no nível ótimo de endividamento no Ano 0, já que a empresa sabe dos fluxos de caixa sem risco que iniciam no Ano 1. Nosso desvio por fluxos de caixa descontados e capacidade de endividamento nos informou que devemos calcular esse nível de dívida aumen-

---
[10] Empresas em crescimento no mundo real geralmente não resgatam dívidas ao realizar um arrendamento. Em vez disso, elas emitirão menos dívidas no futuro do que teriam emitido sem o arrendamento.

[11] A última linha do Quadro 21.3 apresenta os fluxos de caixa da alternativa de arrendamento em relação à alternativa de compra. Como apontamos anteriormente, nossos fluxos de caixa agora são invertidos, pois agora estamos apresentando os fluxos da compra em relação ao arrendamento.

tado descontando as entradas de caixa futuras sem risco à taxa de juros após tributos.[12] Assim, o nível de dívida adicional da compra em relação ao arrendamento é:

$$\$10.087,68 = \frac{\$2.330}{1,05} + \frac{\$2.330}{(1,05)^2} + \frac{\$2.330}{(1,05)^3} + \frac{\$2.330}{(1,05)^4} + \frac{\$2.330}{(1,05)^5}$$

Ou seja, independentemente do nível ótimo de dívida no caso de arrendamento, ele seria $ 10.087,68 maior no caso de compra.

Esse resultado pode ser expresso de outra forma. Imaginemos duas empresas idênticas, exceto pelo fato de que uma compra a máquina de perfuração e a outra a arrenda. A partir do Quadro 21.3, sabemos que a empresa que faz a compra gera $ 2.330 a mais em fluxos de caixa após tributos em cada um dos cinco anos do que a empresa que faz arrendamento. Imaginemos também que o mesmo banco empresta dinheiro às duas empresas. O banco deve emprestar mais dinheiro à empresa que faz a compra, porque essa tem um fluxo de caixa maior em cada período. Quanto dinheiro adicional o banco vai emprestar à empresa que faz a compra para que o empréstimo incremental possa ser pago utilizando os fluxos de caixa adicionais de $ 2.330 por ano? A resposta é exatamente $ 10.087,68, o mesmo aumento no nível ótimo de endividamento calculado anteriormente.

Para entender isso, vamos percorrer o exemplo ano a ano. Como, no Ano 0, a empresa que faz a compra toma emprestado $ 10.087,68 a mais do que a empresa que faz o arrendamento, ela pagará juros de $ 764,22 (=$ 10.087,68 × 0,0757575) sobre essa dívida adicional no Ano 1. Esses juros permitem que a empresa reduza tributos em $ 259,83 (=$ 764,22 × 0,34), com o que a saída de caixa líquida de tributos será de $ 504,39 (=$ 764,22 − $ 259,83) no Ano 1.

Sabemos, pelo Quadro 21.3, que a compradora gera $ 2.330 a mais em caixa no Ano 1 do que a arrendatária. Como a compradora terá $ 2.330 adicionais no Ano 1, mas deve pagar juros sobre o empréstimo, quanto a empresa poderá pagar no Ano 1 e ainda ter um fluxo de caixa igual ao da arrendatária? A compradora pode restituir $ 1.825,61 (=$ 2.330 − $ 504,39) do empréstimo no Ano 1 e ainda ter o mesmo fluxo de caixa líquido da empresa arrendatária; após o pagamento, terá um saldo devedor de $ 8.262,07 (=$ 10.087,68 − $ 1.825,61) no Ano 1. Para cada um dos cinco anos, essa sequência de fluxos de caixa é mostrada no Quadro 21.6. O saldo devedor diminui durante os cinco anos até chegar a zero. Assim, o fluxo de caixa anual de $ 2.330, que representa o caixa adicional da compra em relação ao arrendamento, amortiza totalmente o empréstimo de $ 10.087,68.

A nossa análise da capacidade de endividamento tem dois objetivos. Em primeiro lugar, queríamos mostrar a capacidade de endividamento adicional resultante da compra. Acabamos

QUADRO 21.6 Cálculo do aumento do nível ótimo de dívida se a Xomox comprasse em vez de arrendar

	Ano 0	Ano 1	Ano 2	Ano 3	Ano 4	Ano 5
Saldo devedor do empréstimo	$ 10.087,68	$ 8.262,07*	$ 6.345,17	$ 4.332,42	$ 2.219,05	$ 0
Juros		764,22	625,91	480,69	328,22	168,11
Dedução fiscal dos juros		259,83	212,81	163,44	111,59	57,16
Despesas com juros após tributos		$ 504,39	$ 413,10	$ 317,25	$ 216,63	$ 110,95
Caixa adicional gerado pela empresa que compra em relação à que arrenda (do Quadro 21.3)		$ 2.330,00	$ 2.330,00	$ 2.330,00	$ 2.330,00	$ 2.330,00
Amortização do empréstimo		$ 1.825,61†	$ 1.916,90	$ 2.012,75	$ 2.113,37	$ 2.219,05

Consideremos duas empresas idênticas, exceto por um fato: uma arrenda e a outra compra. A empresa que compra pode tomar emprestado $ 10.087,68 a mais do que a que arrenda. O fluxo de caixa extra de $ 2.330 por ano resultante da compra no lugar do arrendamento pode ser utilizado para pagar o empréstimo em cinco anos.
*$ 8.262,07 = $ 10.087,68 − $ 1.825,61.
†$ 1.825,61 = $ 2.330 − $ 504,39.

---

[12] Embora nosso desvio tenha considerado apenas fluxos de caixa sem risco, os fluxos de caixa de arrendamentos não são necessariamente sem risco. Entretanto, conforme explicamos anteriormente, adotamos a convenção utilizada na prática de realizar o desconto à taxa de juros após tributos que vigoram sobre dívidas com garantias, de emissão do arrendatário.

de completar essa tarefa. Em segundo lugar, queremos determinar se é preferível arrendar ou comprar. Essa regra de decisão decorre de nossa discussão. Ao arrendar o equipamento e ter $ 10.087,68 a menos em dívidas do que teria se tivesse feito a compra, a empresa tem exatamente o mesmo fluxo de caixa dos Anos 1 a 5, diferentemente do que teria em uma compra alavancada. Assim, podemos ignorar os fluxos de caixa que iniciam no Ano 1 quando compararmos as alternativas de arrendamento e de compra com dívida. Contudo, os fluxos de caixa são diferentes no Ano 0:

1. *O custo da compra de $ 10.000 no Ano 0 é evitado ao se realizar arrendamento.* Isso deve ser visto como uma entrada de caixa sob a alternativa do arrendamento.
2. *A empresa toma emprestado $ 10.087,68 a menos no Ano 0 ao escolher o arrendamento do que pode tomar emprestado ao escolher a compra. Isso deve ser visto como uma saída de caixa sob a alternativa de arrendamento.*

Como a empresa toma emprestado $ 10.087,68 a menos no arrendamento, mas economiza apenas $ 10.000 no equipamento, a alternativa de arrendamento necessita de uma saída extra de caixa no Ano 0 de −$ 87,68 (=$ 10.000 − $ 10.087,68) em relação à compra. Como os fluxos de caixa nos anos posteriores ao arrendamento são idênticos aos da compra com dívida, a empresa deve realizar a compra.

Dois métodos para cálculo do valor presente líquido do arrendamento em relação à compra*

Método 1: Descontar todos os fluxos de caixa à taxa de juros após tributos:

$$-\$ 87{,}68 = \$ 10.000 - \$ 2.330 \times \text{VPA}(0{,}05, 5)$$

Método 2: Comparar o preço da compra com a redução no nível ótimo de endividamento quando é feito arrendamento:

$$-\$ 87{,}68 = \underset{\substack{\text{Preço da} \\ \text{compra}}}{\$ 10.000} - \underset{\substack{\text{Redução do nível ótimo} \\ \text{de endividamento em} \\ \text{caso de arrendamento}}}{\$ 10.087{,}68}$$

---

* Como estamos calculando o VPL do arrendamento em relação à compra, um valor negativo indica que é preferível fazer a compra.

Obtivemos a mesma resposta quando, anteriormente neste capítulo, descontamos todos os fluxos de caixa à taxa de juros após tributos. Isso, é claro, não é coincidência. O aumento no nível ótimo de endividamento também é determinado pelo desconto de todos os fluxos de caixa à taxa de juros após tributos. O quadro apresenta ambos os métodos. Os números no quadro são apresentados em termos do VPL do arrendamento em relação à compra. Assim, um VPL negativo indica que se deve escolher a compra. O VPL de um arrendamento frequentemente é chamado de **vantagem líquida do arrendamento**, ou VLA.

21.8 O arrendamento pode compensar? O caso base

Examinamos a decisão entre compra e arrendamento do ponto de vista do arrendatário potencial, a Xomox. Agora, vamos examinar a decisão do ponto de vista do arrendador, a Arrendamentos Amigáveis. Essa empresa tem três fluxos de caixa, todos eles mostrados no Quadro 21.7. Pri-

QUADRO 21.7 Fluxos de caixa para a Arrendamentos Amigáveis como arrendador da máquina perfuradora da CIP

	Ano 0	Ano 1	Ano 2	Ano 3	Ano 4	Ano 5
Saída de caixa para a máquina	−$ 10.000					
Benefício fiscal da depreciação ($ 680 = $ 2.000 × 0,34)		$ 680	$ 680	$ 680	$ 680	$ 680
Aluguéis de arrendamento após tributos [$ 1.650 = $ 2.500 × (1 − 0,34)]		1.650	1.650	1.650	1.650	1.650
Total	−$ 10.000	$ 2.330	$ 2.330	$ 2.330	$ 2.330	$ 2.330

Esses fluxos de caixa são opostos aos da arrendatária, a Xomox (ver a última linha do Quadro 21.3).

meiro, a empresa compra a máquina por $ 10.000 no Ano 0. Segundo, como o ativo é depreciado linearmente durante cinco anos, as despesas de depreciação ao final de cada um dos cinco anos são de $ 2.000 (=$ 10.000/5). O benefício fiscal anual da depreciação é de $ 680 (=$ 2.000 × 0,34). Terceiro, como os aluguéis anuais de arrendamento são de $ 2.500, o valor líquido após tributos dos aluguéis que ela recebe do arrendamento são de $ 1.650 [=$ 2.500 × (1 − 0,34)].

Analisemos agora os fluxos de caixa totais para a Arrendamentos Amigáveis mostrados na última linha do Quadro 21.7. Quem tiver uma boa memória vai notar algo interessante. Esses fluxos de caixa são exatamente *opostos* aos da Xomox mostrados na última linha do Quadro 21.3. Aqueles com uma boa dose de ceticismo podem estar pensando em algo interessante: "Se os fluxos de caixa do arrendador são exatamente opostos aos do arrendatário, o fluxo de caixa combinado de ambas as partes deve ser zero a cada ano. Assim, não parece haver nenhum benefício conjunto para esse arrendamento. Como o valor presente líquido para o arrendatário foi −$ 87,68, o VPL para o arrendador deve ser $ 87,68. O VPL conjunto é $ 0 (=−$ 87,68 + $ 87,68). Não parece ser possível que os VPLs tanto do arrendador quanto do arrendatário sejam positivos ao mesmo tempo. Como uma das partes inevitavelmente perderia dinheiro, o contrato de arrendamento nunca daria certo".

Esse é um dos resultados mais importantes do arrendamento. Embora o Quadro 21.7 aborde uma operação muito específica de arrendamento, o princípio pode ser generalizado. Enquanto (1) ambas as partes forem sujeitas às mesmas taxas de juros e alíquotas tributárias e (2) os custos de transação forem ignorados, não pode haver um contrato de arrendamento que beneficie ambas as partes. Contudo, há um aluguel de arrendamento que teria um VPL igual a zero para ambas as partes. Levando em conta esse aluguel, não faria diferença para a Xomox se ela arrendasse ou comprasse a máquina, e para a Arrendamentos Amigáveis também não faria diferença se a máquina fosse arrendada ou não.[13]

Um leitor ainda mais cético pode estar pensando: "Este livro parece passar a mensagem de que o arrendamento não vale a pena. Ainda assim, sabemos que o arrendamento ocorre com frequência no mundo real. Talvez, apenas talvez, o livro esteja errado". Não admitimos que estejamos errados (que autores admitiriam?!), mas admitimos abertamente que a explicação até aqui está incompleta. Na próxima seção, apresentaremos alguns fatores que beneficiam o arrendamento.

21.9 Motivos para arrendar

Defensores do arrendamento fazem várias afirmações sobre o porquê de as empresas deverem arrendar em vez de comprar. Alguns dos motivos dados para justificar o arrendamento são bons, mas outros não. Discutiremos aqui os bons motivos para arrendar e aqueles que pensamos não serem bons.

---

[13] O ponto de equilíbrio para o aluguel de arrendamento, no nosso exemplo, é de $ 2.469,32. Esse valor pode ser encontrado tanto pelo arrendador quanto pelo arrendatário da seguinte forma:

$$\$ 10.000 = \$ 680 \times \text{VPA}(0,05; 5) + A \times (1 - 0,34) \times \text{VPA}(0,05; 5)$$

Nesse caso, $A = \$ 2.469,32$.

Bons motivos para arrendar

O arrendamento é uma boa escolha se pelo menos uma destas condições for verdadeira:

1. O arrendamento reduzir tributos.
2. O arrendamento reduzir alguns tipos de incertezas.
3. O arrendamento de um ativo tiver custos de transação menores do que a sua compra e financiamento com dívida ou capital próprio.

Vantagens tributárias A razão mais importante para o arrendamento de longo prazo é a redução nos tributos. Se não houvesse mais imposto de renda e contribuição sobre lucro de pessoas jurídicas, o arrendamento provavelmente desapareceria. Para haver vantagens fiscais no arrendamento, as empresas devem estar em diferentes categorias tributárias.

Se um usuário em uma categoria tributária menor realizar a compra, terá menor benefício tributário da depreciação e dos juros. Se o usuário fizer o arrendamento, o arrendador é que receberá o benefício fiscal da depreciação e dos juros. Em um mercado competitivo, o arrendador deverá cobrar um aluguel menor, que reflita esses benefícios fiscais. Nessa situação, é provável que o usuário arrende em vez de comprar.

Em nosso exemplo, o valor do arrendamento para a Arrendamentos Amigáveis era de $ 87,68:

$$\$ 87{,}68 = -\$ 10.000 + \$ 2{,}330 \times \text{VPA} (0{,}05, 5)$$

Contudo, o valor do arrendamento para a Xomox era exatamente o oposto (−$ 87,68). Como os ganhos do arrendador ocorriam às expensas do arrendatário, nenhum acordo seria feito.

Entretanto, se a Xomox não pagar tributos e os aluguéis de arrendamento forem reduzidos de $ 2.500 para $ 2.475, tanto a Arrendamentos Amigáveis quanto a Xomox encontrarão VPLs positivos no arrendamento. A Xomox pode refazer o Quadro 21.3 com $t_C = 0$ e concluir que os fluxos de caixa do arrendamento agora são os seguintes:

	Ano 0	Ano 1	Ano 2	Ano 3	Ano 4	Ano 5
Custo da máquina	$ 10.000					
Aluguéis de arrendamento		−$ 2.475	−$ 2.475	−$ 2.475	−$ 2.475	−$ 2.475

O valor do arrendamento para a Xomox é:

$$\text{Valor do arrendamento} = \$ 10.000 - \$ 2.475 \times \text{VPA} (0{,}0757575, 5)$$
$$= \$ 6{,}55$$

Note que a taxa de desconto é igual à taxa de juros de 7,57575%, pois a alíquota de tributos é zero. Além disso, foi utilizado o aluguel total de $ 2.475 do arrendamento (e não algum número menor, após tributos), pois não há tributos. Finalmente, note ainda que a depreciação é ignorada, também devido à ausência de tributos.

Considerando um aluguel de arrendamento de $ 2.475, os fluxos de caixa para a Arrendamentos Amigáveis são:

	Ano 0	Ano 1	Ano 2	Ano 3	Ano 4	Ano 5
Custo da máquina	−$ 10.000					
Benefício fiscal da depreciação ($ 680 = $ 2.000 × 0,34)		$ 680	$ 680	$ 680	$ 680	$ 680
Aluguéis de arrendamento após tributos [$ 1.633,50 = $ 2.475 × (1 − 0,34)]		$ 1.633,50	$ 1.633,50	$ 1.633,50	$ 1.633,50	$ 1.633,50
Total		$ 2.313,50	$ 2.313,50	$ 2.313,50	$ 2.313,50	$ 2.313,50

O valor do arrendamento para a Arrendamentos Amigáveis é:

$$\text{Valor do arrendamento} = -\$\,10.000 + \$\,2.313{,}50 \times \text{VPA}\,(0{,}05;\,5)$$
$$= -\$\,10.000 + \$\,10.016{,}24$$
$$= \$\,16{,}24$$

Dado o resultado das diferentes alíquotas tributárias, o arrendatário (a Xomox) ganha $\$\,6{,}55$, e o arrendador (a Arrendamentos Amigáveis) ganha $\$\,16{,}24$. Tanto o arrendador quanto o arrendatário poderão ter ganhos se suas alíquotas tributárias forem diferentes, já que o arrendador usa a depreciação e os benefícios fiscais dos juros, que não podem ser utilizados pelo arrendatário. A Receita perde receitas fiscais, e alguns ganhos de tributos do arrendador são repassados para o arrendatário sob a forma de aluguéis de arrendamento menores.

Como ambas as partes podem ter ganhos quando as alíquotas tributárias diferem, o aluguel de arrendamentos é estabelecido por meio de negociação. Antes de a negociação iniciar, cada parte precisa saber o valor do *aluguel de reserva* de cada uma. Esse é o valor de aluguel que tornará uma das partes indiferente a entrar ou não no acordo de arrendamento. Em outras palavras, esse é o valor de aluguel que faz com que o valor do arrendamento chegue a zero. Esses aluguéis são calculados a seguir.

Aluguel de reserva do arrendatário Agora encontraremos o valor de A_{MAX}, o aluguel que faz com que o valor do arrendamento para o arrendatário seja igual a zero. Quando o arrendatário está isento de tributos, seus fluxos de caixa, em termos de A_{MAX}, são os seguintes:

	Ano 0	Ano 1	Ano 2	Ano 3	Ano 4	Ano 5
Custo da máquina	$ 10.000					
Aluguéis do arrendamento		$-A_{MAX}$	$-A_{MAX}$	$-A_{MAX}$	$-A_{MAX}$	$-A_{MAX}$

Esse quadro implica que:

$$\text{Valor do arrendamento} = \$\,10.000 - A_{MAX} \times \text{VPA}\,(0{,}0757575;\,5)$$

O valor do arrendamento é igual a zero quando:

$$A_{MAX} = \frac{\$10.000}{\text{VPA}(0{,}0757575;\,5)} = \$2.476{,}62$$

Após fazer esse cálculo, o arrendador sabe que nunca poderá cobrar um aluguel acima de $\$\,2.476{,}62$.

Aluguel de reserva do arrendador Agora encontramos o valor de A_{MIN}, o aluguel que faz com que o valor do arrendamento para o arrendador seja igual a zero. Os fluxos de caixa para o arrendador, em termos de A_{MIN}, são os seguintes:

	Ano 0	Ano 1	Ano 2	Ano 3	Ano 4	Ano 5
Custo da máquina	$-\$\,10.000$					
Benefício fiscal da depreciação ($\$\,680 = \$\,2.000 \times 0{,}34$)		$\$\,680$	$\$\,680$	$\$\,680$	$\$\,680$	$\$\,680$
Aluguel de arrendamento após tributos ($t_C = 0{,}34$)		$A_{MIN} \times (0{,}66)$	$A_{MIN} \times (0{,}66)$	$A_{MIN} \times (0{,}66)$	$A_{MIN} \times (0{,}66)$	$A_{MIN} \times (0{,}66)$

Esse quadro implica que:

Valor do arrendamento = $-\$\,10.000 + \$\,680 \times \text{VPA}\,(0{,}05;\,5) + A_{MIN} \times (0{,}66) \times \text{VPA}\,(0{,}05;\,5)$

O valor do arrendamento é igual a zero quando:

$$A_{MIN} = \frac{\$10.000}{0,66 \times VPA(0,05, 5)} - \frac{\$680}{0,66}$$
$$= \$3.499,62 - \$1.030,30$$
$$= \$2.469,32$$

Após fazer esse cálculo, o arrendatário sabe que o arrendador nunca aceitará um aluguel de arrendamento menor do que $ 2.469,32.

Uma redução na incerteza Observamos que o arrendatário não é dono do bem quando o arrendamento chega ao fim. O valor do bem nesse momento é chamado de *valor residual*, e o arrendador tem direitos sobre ele. Quando o contrato de arrendamento é assinado, pode haver grande incerteza sobre qual será o valor residual do ativo. Assim, sob um contrato de arrendamento, o risco residual é assumido pelo arrendador. Em contrapartida, em uma compra, é o usuário que assume esse risco.

O senso comum diz que um risco em particular deve ficar com a parte mais capacitada para assumi-lo. Se o usuário tem pouca aversão a riscos, não terá problemas em comprar. Se o usuário tem alta aversão a riscos, é melhor que encontre um terceiro arrendador, com maior capacidade de suportar esse fardo.

Esta última situação costuma acontecer quando o usuário é uma empresa de pequeno porte ou recém-constituída. Como provavelmente o risco da empresa é muito alto, e os acionistas principais não têm carteiras diversificadas, a empresa deseja minimizar riscos o máximo possível. Um arrendador em potencial, como uma instituição financeira de grande porte e de capital aberto, terá muito mais capacidade para assumir o risco. Por outro lado, não se espera que essa situação ocorra quando o usuário é uma empresa de primeira linha. Nesse caso, o arrendatário em potencial é mais capacitado para assumir o risco.

Custos de transação Os custos de se transferir a propriedade de um ativo, em geral, são maiores do que os custos de fazer um contrato de arrendamento. Consideremos a escolha a ser feita por uma pessoa que mora no Rio de Janeiro, mas que precisa fazer negócios em São Paulo por dois dias. Seria mais barato ficar em um hotel por duas noites do que comprar um apartamento por dois dias e depois vendê-lo.

Infelizmente, arrendamentos também geram custos de agência. Por exemplo, o arrendatário pode usar o ativo de forma incorreta ou excessiva, por não ter interesse no valor residual. Esse custo será pago pelo arrendatário, de forma implícita, por meio de um aluguel maior. Embora o arrendador possa reduzir esses custos de agência por meio de monitoramento, o monitoramento é algo caro.

Logo, o arrendamento é benéfico quando os custos de transação de uma compra e revenda são maiores do que os custos de agência e de monitoramento de um arrendamento. Flath argumenta que isso ocorre em arrendamentos de curto prazo, mas não em arrendamentos de longo prazo.[14]

Maus motivos para arrendar

Arrendamento e lucro contábil Em nossa discussão sobre contabilidade e arrendamento, observamos que o balanço patrimonial de uma empresa mostra menos passivo com um arrendamento mercantil operacional do que com um arrendamento financeiro ou com uma compra financiada com dívida. Mostramos que uma empresa que queira mostrar um balanço patrimonial mais sólido pode escolher um arrendamento operacional. Além disso, o retorno sobre o ativo (ROA), em geral, é mais alto com um arrendamento mercantil operacional do que com um arrendamento financeiro ou uma compra. Para ver isso, examinemos o numerador e o denominador da fórmula do ROA, um de cada vez.

Com um arrendamento operacional, os aluguéis de arrendamento são tratados como uma despesa. Se o ativo é comprado, tanto a depreciação quanto os custos de juros são despesas. Ao

---
[14] D. Flath, "The Economics of Short-Term Leasing", *Economic Inquiry*, v.18, apr. 1980.

menos no começo da vida útil do ativo, o aluguel anual do arrendamento, geralmente, é menor do que a soma dos juros e da depreciação anuais. Assim, o lucro contábil, que é o numerador da fórmula do ROA, é maior com um arrendamento mercantil operacional do que com uma compra. Como as despesas contábeis com um arrendamento financeiro são análogas às de depreciação e juros com uma compra, o aumento no lucro contábil não ocorre quando o arrendamento é financeiro.

Além disso, ativos arrendados não aparecem no balanço patrimonial no caso de um arrendamento operacional. Assim, o valor total do ativo de uma empresa, que é o denominador da fórmula do ROA, é menor com um arrendamento mercantil operacional do que com uma compra ou um arrendamento financeiro. Os dois efeitos anteriores implicam que o ROA da empresa deve ser maior com um arrendamento mercantil operacional do que com uma compra ou com um arrendamento financeiro.

Em um mercado de capitais eficiente, evidentemente, não se consegue utilizar informação contábil para enganar os investidores. Então, é improvável que o impacto do arrendamento nos números contábeis crie valor para a empresa. Investidores com bom senso devem ser capazes de enxergar as tentativas da administração de melhorar as demonstrações financeiras da empresa.

Conforme descrito anteriormente, as novas normas de contabilização de *leasing* que vêm sendo elaboradas conjuntamente pelo FASB e pelo IASB devem resultar no reconhecimento dos ativos arrendados no balanço patrimonial das empresas e mudanças na contabilização das despesas com arrendamento, tanto para arrendamentos operacionais como financeiros, trazendo, assim, transparência para as demonstrações financeiras das empresas.

Financiamento integral Alega-se frequentemente que o arrendamento oferece financiamento integral, enquanto empréstimos com garantia de equipamentos exigem uma entrada. Contudo, argumentamos anteriormente que os arrendamentos tendem a substituir dívidas em outras partes da empresa. Nossa análise anterior sugere que os arrendamentos não permitem um nível maior de endividamento total do que as compras financiadas com endividamento.

Outras razões Há, certamente, várias razões especiais pelas quais algumas empresas veem vantagens no arrendamento. Em um caso célebre, a Marinha dos Estados Unidos arrendou uma frota de navios-tanques em vez de solicitar verba ao Congresso. Assim, o arrendamento pode ser utilizado para contornar sistemas de controle de despesas de capital em organizações com controles burocráticos.

No caso brasileiro, a existência de linhas de financiamento de longo prazo a custos subsidiados do FINAME e outras linhas do BNDES pode funcionar como alternativa de compra de equipamentos em vez de seu arrendamento. Atendidas as condições para obter uma linha de financiamento do BNDES, a decisão pela compra poderia ser mais provável.

Entretanto, tanto para operações de repasse de recursos do BNDES efetuados pela rede bancária quanto para as operações realizadas diretamente junto ao BNDES, somente são financiáveis equipamentos com, no mínimo, 60% de conteúdo nacional, e é exigida a apresentação de um projeto pelo solicitante. Além da apresentação de um projeto, o solicitante deve apresentar certas certidões negativas, especialmente a do CADIN.[15]

Pode ser que o equipamento não tenha o mínimo de 60% de conteúdo nacional. Muitas empresas podem não contar com pessoal especializado para a elaboração de projetos, o que pode fazer com que os trâmites para aprovar um financiamento se tornem muito demorados, e outras podem estar inscritas no CADIN ou ter outras restrições cadastrais.

---

[15] O CADIN é o "Cadastro Informativo de créditos não quitados do setor público federal", um banco de dados que contém os nomes de pessoas físicas e jurídicas com obrigações pecuniárias vencidas e não pagas para com órgãos e entidades da Administração Pública Federal, direta e indireta. É administrado pelo Banco Central por meio do Sisbacen. A Secretaria do Tesouro Nacional dá as orientações de natureza normativa a respeito do Cadin, tendo por base a Lei nº 10.522, de 2002 (Brasil, 2002). A consulta ao CADIN é obrigatória nos casos de operações de crédito que envolvam recursos públicos, de concessão de incentivos fiscais e financeiros e de convênios, acordos, ajustes ou contratos que envolvam desembolso, a qualquer título, de recursos públicos e seus respectivos aditamentos.
Fonte: Banco Central (2014).

Um arrendador pode não considerar tais restrições e conceder um arrendamento com base em análise de crédito e capacidade de pagamento exigindo garantias subsidiárias da operação, como garantias pessoais dos proprietários e dirigentes da empresa solicitante. Nesses casos, a decisão por uma operação de arrendamento poderia ser mais provável.

No Brasil, o volume de operações de arrendamento é pequeno no contexto do crédito total. Motivos para essa baixa atratividade frente a outras linhas de financiamento podem ser consequência dos aspectos tributários tanto para os arrendatários quanto para as arrendadoras.

21.10 Algumas questões não respondidas

Nossa análise sugere que a vantagem principal do arrendamento de longo prazo resulta das alíquotas diferenciadas de tributos do arrendador e do arrendatário. Outras razões válidas para o arrendamento são os menores custos de contratação e redução de riscos. Há várias questões a que nossa análise não respondeu especificamente.

Os usos de arrendamentos e de endividamento são complementares?

Ang e Peterson observaram que empresas com níveis elevados de endividamento também tendem a fazer arrendamentos frequentes.[16] Esse resultado não deve parecer estranho, pois os atributos corporativos que trazem alta capacidade de endividamento também podem tornar vantajoso o arrendamento. Assim, embora o arrendamento substitua endividamento (i.e., arrendamento e dívida são substitutos um do outro) de uma empresa individual, o alto endividamento e o alto arrendamento podem ter uma associação positiva quando observamos um grande número de empresas.

Por que os arrendamentos são oferecidos tanto por fabricantes quanto por terceiras partes arrendadoras?

Os efeitos compensadores dos tributos podem explicar o porquê de os arrendamentos serem oferecidos tanto por fabricantes (p. ex., empresas de computação) quanto por terceiros, arrendadores.

1. Para fabricantes que fazem arrendamento, o valor de base para determinar a depreciação é o custo para o fabricante. Para arrendadores terceirizados, o valor de base é o preço que o arrendador pagou ao fabricante. Como o preço das vendas geralmente é maior do que o custo para o fabricante, os terceiros arrendadores têm uma vantagem.

2. Contudo, o fabricante deve reconhecer um lucro tributável ao vender do ativo para o terceiro arrendador. Esse lucro do fabricante pode ser diferido se o fabricante atuar como arrendador. Isso é um incentivo para que os fabricantes atuem como arrendadores.

Por que alguns ativos são mais arrendados do que outros?

Certos ativos parecem ser arrendados com mais frequência do que outros. Smith e Wakeman examinaram os incentivos não fiscais que afetam o arrendamento.[17] A análise sugere várias características de ativos e de empresas que são importantes na decisão entre arrendar ou comprar. Os seguintes itens estão entre os que eles mencionam:

1. Quanto mais sensível for o valor do ativo às decisões de uso e de manutenção, maior será a probabilidade de o ativo ser comprado em vez de arrendado. Os autores afirmam que a propriedade, em comparação ao arrendamento, traz um incentivo maior para minimizar custos de manutenção.

2. Oportunidades de discriminação de preços podem ser importantes. O arrendamento pode ser uma forma de contornar leis que impeçam a cobrança de um preço muito *baixo*.

---

[16] J. Ang e P. P. Peterson, "The Leasing Puzzle", *Journal of Finance*, v.39, sept. 1984.

[17] C. W. Smith, Jr., e L. M. Wakeman, "Determinants of Corporate Leasing Policy", *Journal of Finance*, v.40, july 1985.

Resumo e conclusões

Uma grande parte de equipamentos é arrendada, e não comprada, especialmente nos EUA. Este capítulo descreveu os arranjos institucionais que cercam os arrendamentos e mostrou como avaliar os arrendamentos do pondo de vista financeiro.

1. Os arrendamentos podem ser separados em dois tipos opostos. Embora arrendamentos mercantis operacionais permitam ao arrendatário utilizar o equipamento, o arrendador continua sendo o proprietário. Ainda que, em um arrendamento mercantil financeiro, o arrendador seja o proprietário legal do equipamento, o arrendatário tem propriedade efetiva, porque os arrendamentos financeiros são inteiramente amortizados.

2. Quando uma empresa compra um ativo com o uso de dívidas, tanto o ativo quanto o passivo aparecem no balanço patrimonial. Se um arrendamento atende ao menos a um de vários critérios da norma FASB, nos EUA, ou se ele transferir substancialmente todos os riscos e benefícios inerentes à propriedade, segundo a norma IFRS no Brasil, o valor presente do arrendamento aparece tanto como um ativo quanto como um passivo. Um arrendamento escapa do balanço patrimonial se não atender a nenhum dos critérios estabelecidos nas normas para classificação como arrendamento financeiro. Arrendamentos que não atendem aos critérios são chamados de *arrendamentos mercantis operacionais*, embora a definição contábil possa ser um pouco diferente da definição prática. Arrendamentos mercantis operacionais não constam no balanço patrimonial. Por razões cosméticas, muitas empresas preferem que os arrendamentos sejam denominados *operacionais*.

3. As empresas, em geral, fazem arrendamentos com propósitos tributários. Para proteger seus interesses, a Receita permite que arranjos financeiros sejam classificados como arrendamentos apenas quando certo número de critérios seja atendido.

4. Mostramos que fluxos de caixa sem riscos devem ser descontados à taxa de juros sem risco após tributos. Como tanto os aluguéis de arrendamento quanto os benefícios fiscais da depreciação são praticamente sem risco, todos os fluxos de caixa relevantes na decisão entre o arrendamento ou compra devem ser descontados com uma taxa próxima da taxa sem riscos após tributos. Utilizamos a convenção prática de fazer o desconto à taxa de juros para dívidas com garantias do arrendatário após tributos.

5. Embora esse método seja simples, ele carece de certo apelo intuitivo. Apresentamos um método alternativo esperando aumentar as evidências para o leitor. Comparado a um arrendamento, uma compra gera capacidade de endividamento. O aumento na capacidade de endividamento pode ser calculado descontando-se as diferenças entre os fluxos de caixa da compra e os do arrendamento à taxa de juros após tributos. O aumento na capacidade de endividamento decorrente de uma compra é, então, comparado com a saída de caixa adicional no Ano 0 da compra.

6. Este argumento funciona melhor no mercado dos EUA, em que as empresas podem estar em diferentes alíquotas tributárias: se o arrendador está na mesma faixa tributária do arrendatário, os fluxos de caixa de ambos são exatamente opostos entre si. Logo, o valor do arrendamento para o arrendador somado ao valor para o arrendatário será igual a zero. Embora isso possa sugerir que os arrendamentos possam nunca dar certo, na realidade, há ao menos três bons motivos para fazê-los:

    a. Diferenças nas faixas tributárias entre o arrendador e o arrendatário.

    b. Transferência de riscos para o arrendador.

    c. Minimização de custos de transação.

Também documentamos vários maus motivos para arrendar.

7. Vimos também que, no caso brasileiro, linhas de financiamento do BNDES a custos subsidiados podem beneficiar a compra em vez do arrendamento, desde que:

   a. O bem financiável tenha, no mínimo, 60% de conteúdo nacional.
   b. O projeto elaborado pelo solicitante seja aprovado.
   c. O solicitante não esteja inscrito no CADIN.

Se essas três condições não forem atendidas simultaneamente, a decisão pelo arrendamento pode ter mais razões para ser a escolhida.

QUESTÕES CONCEITUAIS

1. **Arrendamento *versus* dívida** Quais são as principais diferenças entre o arrendamento e o financiamento com dívidas? São substitutos perfeitos entre si?

2. **Arrendamento e tributos** Tributos são uma consideração importante na decisão de arrendamento. Qual destas empresas tem maior probabilidade de arrendar: Uma empresa lucrativa em uma faixa de tributos alta ou uma menos lucrativa em uma faixa de tributos baixa? Por quê?

3. **Arrendamento e TIR** Cite alguns dos principais problemas de se consultar TIRs ao avaliar uma decisão de arrendamento.

4. **Arrendamento** Comente as seguintes afirmações:

   a. O arrendamento reduz o risco e pode reduzir o custo de capital da empresa.
   b. O arrendamento fornece um financiamento integral.
   c. Se as vantagens tributárias do arrendamento fossem eliminadas, ele desapareceria.

5. **Contabilidade de arrendamentos** Discuta os critérios contábeis do IFRS para determinar se um dado arrendamento deve ser registrado no balanço patrimonial. Em cada caso, dê uma justificativa para o critério.

6. **Critérios da Receita Federal do Brasil** Pesquise os critérios da Receita Federal do Brasil (RFB) para determinar se os pagamentos de dado arrendamento mercantil são dedutíveis dos tributos. A página da RFB é: http://www.receita.fazenda.gov.br.

7. **Financiamento fora do balanço** O que significa o termo *financiamento fora do balanço*? Em que situação os arrendamentos mercantis têm essa característica e quais são as consequências contábeis e econômicas dos arrendamentos mercantis?

8. **Venda com retroarrendamento** Por que uma empresa escolheria efetuar uma transação de venda com retroarrendamento (*sale and leaseback*)? Dê dois motivos.

9. **Custo do arrendamento** Explique por que a taxa de empréstimos após tributos é a taxa de desconto apropriada para utilizar na avaliação de um arrendamento mercantil.

Considere o exemplo a seguir para as Questões de 10 a 12. Em maio de 2011, a Air Lease Corporation (ALC) anunciou a assinatura de acordos de arrendamento de 29 aviões para companhias aéreas da região da Ásia. Entre os clientes, estão as companhias China Eastern, China Southern, Air China, Asiana, Garuda, MIAT Mongolian e Orient Thai Airlines. No maior desses acordos de arrendamento, a China Eastern Airlines e a ALC entraram em acordos de arrendamento de longo prazo de dez novos Airbus A320-200 e cinco novos Boeing B737-800, com a entrega programada para 2012 e 2013.

10. **Arrendamento *versus* compra** Por que a China Eastern Airlines não comprou os aviões se eles são obviamente necessários para as operações da empresa?

11. **Motivos para arrendar** Por que a ALC estaria disposta a comprar aviões da Boeing e da Airbus e arrendá-los para a China Eastern Airlines? Em que isso difere de simplesmente emprestar dinheiro para que a China Eastern Airlines compre os aviões?

12. **Arrendamento** O que você supõe que acontecerá com o avião ao término do prazo de arrendamento?

QUESTÕES E PROBLEMAS

BÁSICO (Questões 1-8)

Use as seguintes informações para os Problemas de 1 a 6. Você trabalha para um laboratório de pesquisa nuclear que está considerando o arrendamento de um *scanner* de diagnóstico (o arrendamento é uma prática comum com equipamentos caros de alta tecnologia). O *scanner* custa $ 5.200.000 e seria depreciado linearmente até zero ao longo de quatro anos. Na realidade, o equipamento perderá completamente o seu valor em quatro anos devido à contaminação por radiação. Você pode arrendá-lo por $ 1.525.000 ao ano por quatro anos.

1. **Arrendamento ou compra** Você pode tomar dinheiro emprestado a 8% antes de tributos (34%). É melhor arrendar ou comprar?

2. **Fluxos de caixa do arrendamento** Do ponto de vista do arrendador, quais são os fluxos de caixa do arrendamento? Considere uma alíquota tributária de 34%.

3. **Determinação do aluguel equilibrado** Qual deve ser o aluguel de arrendamento para que ele seja neutro tanto para o arrendador quanto para o arrendatário?

4. **Tributos e fluxos de caixa do arrendamento** Considere que a sua empresa não espera pagar tributos nos próximos anos. Nesse caso, quais são os fluxos de caixa do arrendamento?

5. **Determinação do aluguel de arrendamento** Na questão anterior, qual é o intervalo de valores do aluguel de arrendamento que seria lucrativo para ambas as partes?

6. **Depreciação MACRS e arrendamento** Refaça o Problema 1 considerando que o *scanner* pela filial de sua empresa nos EUA será depreciado como um ativo de três anos sob o MACRS (ver taxas de depreciação no Capítulo 6).

7. **Arrendamento ou compra** A Passatempo Supersônico está considerando comprar uma máquina que custa $ 540.000. A máquina será depreciada linearmente em cinco anos e, ao final da depreciação, perderá completamente o valor. A empresa pode arrendar a máquina com aluguéis de $ 145.000 ao final de cada ano e pode captar recursos de dívida a uma taxa de juros de 9%. Se a alíquota de tributos for de 34%, a empresa deve comprar ou arrendar?

8. **Determinação do aluguel de arrendamento** Sua empresa adquiriu um empreendimento nos EUA, a Quartz Corporation, uma empresa relativamente nova. Nos primeiros anos de atividade, ela sofreu perdas suficientes para ter pelo menos oito anos de créditos fiscais acumulados. Assim, a alíquota tributária efetiva da empresa é zero. A Quartz planeja arrendar equipamentos da New Leasing Company. O prazo de vencimento é de cinco anos. O custo de compra do equipamento é $ 840.000. A New Leasing Company está na faixa tributária de 35%. O arrendamento não tem custos de transação. As duas empresas podem tomar empréstimos a 10%.

    a. Qual é o aluguel de reserva da Quartz?
    b. Qual é o aluguel de reserva da New Leasing Company?
    c. Explique por que esses aluguéis de reserva determinam o intervalo de valores negociáveis do arrendamento.
    d. Repita o problema supondo que a operação seja realizada no Brasil. Aqui, a RFB só permite reduzir a base do lucro tributável em até 30% do lucro realizado no período, e não há limite de tempo para aproveitar os créditos fiscais decorrentes de prejuízos.

INTERMEDIÁRIO (Questões 9-16)

Use as seguintes informações para os Problemas de 9 a 11. A Empresa Petrolífera Lince está tentando decidir se arrenda ou compra um novo sistema computadorizado de perfuração para a sua atividade de exploração petrolífera. A administração decidiu utilizar o sistema para manter-se competitiva, obtendo $ 2,6 milhões em economia de custos anuais antes da tributação. O sistema custa $ 8,4 milhões e será depreciado linearmente até zero ao longo de cinco anos. A alíquota de tributos da Lince é de 34%, e a empresa pode tomar dinheiro emprestado a 9%. A Empresa de Arrendamentos Lambert propôs o arrendamento do equipamento de perfuração para a Lince com aluguéis anuais de $ 1.950.000. A política da Lambert exige que os arrendatários façam os pagamentos no início do ano.

9. **Arrendamento ou compra** Qual é a VLA para a Lince? Qual é o aluguel máximo de arrendamento aceitável para a empresa?

10. **Arrendamento e valor residual** Suponha que o equipamento tenha um valor residual após tributos estimado em $ 700.000 ao término do arrendamento. Qual é, agora, o aluguel máximo de arrendamento aceitável para a empresa?

11. **Garantias em arrendamentos** Muitos arrendadores exigem um depósito de garantia ou outras formas de garantia. Suponha que a Lambert exija que a Lince efetue um depósito de garantia de $ 500.000 no início do arrendamento. Se o aluguel de arrendamento ainda é $ 1.650.000, ainda é vantajoso para a Lince arrendar o equipamento?

12. **Capacidade de endividamento** A Indústria Ímãs Imensos está considerando arrendar alguns equipamentos. O aluguel anual seria de $ 375.000 por seis anos. A taxa de juros apropriada é de 8%, e a alíquota tributária da empresa é de 34%. De que maneira o acordo de arrendamento afetaria a capacidade de endividamento da empresa?

13. **Determinação do aluguel do arrendamento** Um ativo custa $ 550.000 e será depreciado linearmente em sua vida útil de três anos. Seu valor residual será nulo. A alíquota tributária é de 34%, e a taxa de juros apropriada é de 10%.

    a. Que conjunto de aluguéis de arrendamento será igualmente vantajoso para o arrendador e para o arrendatário?

    b. Mostre a condição geral que faz o valor de um arrendamento para o arrendador ser o oposto do valor para o arrendatário.

    c. Considere que o arrendatário não pague tributos e o arrendador esteja na faixa tributária de 34% Que intervalo de valores de aluguéis de arrendamento fará com que o VPL seja positivo para ambas as partes?

14. **Compra ou arrendamento** A Wolfson S/A decidiu comprar uma nova máquina que custa $ 3,2 milhões. Ela será depreciada linearmente e perderá completamente o valor após quatro anos. A alíquota tributária é de 34%. O Banco Seguro ofereceu à Wolfson um empréstimo de $ 3,2 milhões por quatro anos. O cronograma é de quatro pagamentos anuais de principal de $ 800.000 e juros de 9% sobre o saldo devedor no começo de cada ano. Tanto os pagamentos de principal quanto os de juros vencem no final de cada ano. A Carlos Arrendamentos S/A ofereceu o arrendamento da mesma máquina para a Wolfson. Os aluguéis de $ 950.000 por ano vencem no começo de cada um dos quatro anos do arrendamento.

    a. A Wolfson deve arrendar a máquina ou comprá-la com financiamento bancário?

    b. Que aluguel anual de arrendamento tornará a escolha entre arrendamento e compra da máquina indiferente para a Wolfson?

15. **Determinação do preço do arrendamento** Um ativo custa $ 620.000 e será depreciado linearmente em sua vida útil de três anos. Seu valor residual será nulo. O arrendador pode tomar dinheiro a 7%, e o arrendatário, a 9%. A alíquota tributária de ambas as empresas é de 34%.

    a. De que forma o cálculo da VLA é afetado pelo fato de o arrendador e o arrendatário terem diferentes custos de empréstimo?

    b. Que conjunto de aluguéis de arrendamento será igualmente vantajoso para o arrendador e para o arrendatário?

    c. Considere que o arrendatário não pague tributos e o arrendador esteja na faixa tributária de 34% Que intervalo de valores de aluguéis de arrendamento fará com que o VPL seja positivo para ambas as partes?

16. **Aluguéis de arrendamentos de veículos** Nos EUA, automóveis são muito arrendados, e há várias condições vistas apenas nesse tipo de arrendamento. Suponha que você esteja

pensando em arrendar um carro nos EUA. O preço negociado é $ 36.000. Esse é o custo base capitalizado. Outros custos podem ser adicionados a ele, incluindo taxa de abertura de crédito (bancária), seguro ou garantia estendida. Suponha que esses custos sejam iguais a $ 450. Entre as reduções de custo, incluem-se qualquer pagamento de entrada, crédito por troca ou desconto do revendedor. Suponha que você faça um pagamento de entrada de $ 2.000 e que não haja troca ou desconto. Se você dirigir 19.000 km por ano, o valor residual do carro ao final do arrendamento, que ocorrerá após três anos, será de $ 21.000.

O fator de arrendamento, ou o fator "monetário", que é igual à taxa de juros sobre o empréstimo, é a TNa (taxa nominal anual) do empréstimo dividido por 2.400. O fator monetário de 2.400 é o produto de três números: 2, 12 e 100. O valor de 100 é utilizado para converter a TNa, expressa como porcentagem, em um número decimal. O valor de 12 converte essa taxa para uma taxa mensal. Assim, a taxa mensal é aplicada à soma do custo líquido de capitalização com o valor residual. Se dividirmos a soma por dois, o resultado é o valor contábil médio projetado. Assim, o resultado final do cálculo utilizando o fator monetário é a multiplicação de uma taxa mensal pelo valor contábil médio para obter um pagamento mensal. O fator de arrendamento proposto pelo arrendador é 0,00285.

O aluguel mensal de arrendamento consiste em três partes: a taxa de depreciação, a taxa de financiamento e o imposto sobre vendas. A taxa de depreciação é o custo capitalizado líquido menos o valor residual dividido pelo prazo do arrendamento; a taxa de financiamento é o custo líquido de capitalização mais o valor residual multiplicado pelo fator monetário; e o imposto mensal de vendas é simplesmente o pagamento mensal de arrendamento multiplicado pela alíquota de tributos. Que TNa o arrendador está oferecendo? Qual é o aluguel de arrendamento mensal para um arrendamento de 36 meses se o imposto sobre vendas for de 7%?

17. **Arrendamento *versus* empréstimo** Volte ao caso do *scanner* de diagnóstico discutido nos Problemas de 1 a 6. Suponha que a compra do *scanner* seja totalmente financiada com um empréstimo de $ 5.200.000. A taxa do empréstimo é de 8%, e este será pago em parcelas iguais. Crie uma análise de arrendamento *versus* compra que incorpore de maneira explícita os pagamentos de amortização do empréstimo. Mostre que o VPL de arrendar em vez de comprar não se altera em relação ao que foi encontrado no Problema 1. Por que isso acontece?

DESAFIO
(Questões 17-18)

18. **Arrendamento ou compra** Os altos custos de energia elétrica fizeram com que a máquina depenadora de frangos da Fazendeiros S/A perdesse todo o seu valor econômico. Apenas duas máquinas estão disponíveis para substituí-la. O modelo da Máquinas Depenadoras Internacionais (MDI) está disponível apenas sob arrendamento. Os aluguéis serão de $ 65.000 durante cinco anos, com vencimento no início de cada ano. Essa máquina fará com que a Fazendeiros economize $ 15.000 por ano com a redução das despesas de energia. Como alternativa, a Fazendeiros pode comprar uma máquina com melhor eficiência energética da Máquinas Básicas S/A (MB) por $ 330.000. Essa máquina fará com que a Fazendeiros economize $ 25.000 por ano em despesas de energia. Um banco ofereceu financiamento de 100% para a máquina. A taxa de juros do empréstimo será de 10% sobre o saldo devedor e exigirá cinco pagamentos anuais de $ 66.000 de principal. A meta da Fazendeiros quanto ao índice Dívida/Ativo é de 67% e está na faixa tributária de 34%. Após cinco anos, ambas as máquinas perderão o valor. As máquinas serão depreciadas linearmente.

   a. A Fazendeiros deve arrendar a máquina da MDI ou comprar a máquina mais eficiente da MB?
   b. Sua resposta depende da forma de financiamento da compra?
   c. Quanta dívida é substituída com esse arrendamento?

MINICASO

A decisão de arrendar ou comprar na Warf Computadores

A Warf Computadores decidiu seguir com a fabricação e distribuição do teclado virtual que a empresa desenvolveu. Para se lançar nesse empreendimento, a empresa precisa obter equipamentos para a produção do microfone do teclado. Devido à sensibilidade necessária para o microfone e ao seu tamanho diminuto, a empresa precisa de equipamento especializado para a produção.

Nicolau Warf, presidente da empresa, encontrou um fornecedor do equipamento. A Equipamentos Acústicos Clapton propôs à Warf Computadores a venda dos equipamentos necessários a um preço de $ 4 milhões. Em virtude do rápido desenvolvimento das novas tecnologias, há um incentivo fiscal para o equipamento ser depreciado em três anos. Ao fim de quatro anos, espera-se que o valor de mercado do equipamento seja de $ 480.000.

Como alternativa, a empresa pode arrendar o equipamento da Hendrix Arrendamentos. O contrato de arrendamento demanda quatro pagamentos de aluguéis anuais de $ 1.040.000 com vencimento no começo do ano. Além disso, a Warf Computadores deve fazer um depósito de garantia de $ 240.000, que será devolvido ao término do arrendamento. A empresa pode captar recursos com endividamento ao custo de 11% e tem uma alíquota tributária de 34%.

1. A Warf deve comprar ou arrendar o equipamento?
2. Nicolau menciona a Jaime Hendrix, o presidente da Hendrix Arrendamentos, que, embora a empresa necessite do equipamento por quatro anos, ele gostaria de um contrato por dois anos. Ao término dos dois anos, o arrendamento poderia ser renovado. Nicolau também gostaria de eliminar o depósito de garantia, mas estaria disposto a aumentar os aluguéis de arrendamento para $ 1.840.000 em cada um dos dois anos. Quando o arrendamento é renovado em dois anos, Hendrix consideraria os valores maiores dos aluguéis dos primeiros dois anos no cálculo dos termos da renovação. Espera-se que o equipamento tenha um valor de mercado de $ 1,6 milhão em dois anos. Qual é a VLA do contrato de arrendamento sob esses termos? Por que Nico iria preferir esse arrendamento? Quais são os problemas éticos que os novos termos de arrendamento podem apresentar?
3. Na discussão sobre arrendamento, Jaime informa a Nicolau que o contrato poderia incluir uma opção de compra do equipamento ao final do arrendamento. A Hendrix Arrendamentos oferece três opções de compra:

    a. A opção de comprar o equipamento pelo valor justo de mercado.
    b. A opção de comprar o equipamento por um preço definido. O preço será negociado antes da assinatura do arrendamento.
    c. A opção de comprar o equipamento por um preço de $ 200.000.

    De que maneira o valor do arrendamento seria afetado pela inclusão de uma opção de compra?

4. Jaime também informa a Nicolau que o contrato de arrendamento pode incluir uma opção de cancelamento, que permitiria à Warf Computadores cancelar o arrendamento em qualquer data de aniversário do contrato. Para cancelar o arrendamento, a Warf Computadores precisaria avisar com 30 dias de antecedência da data de aniversário. De que forma a inclusão de uma opção de cancelamento afetaria o valor do arrendamento?

APÊNDICE 21A — Abordagem do valor presente ajustado ao arrendamento

Para acessar o apêndice deste capítulo, cadastre-se no *site* do Grupo A (www.grupoa.com.br) e procure pela página deste livro.

Opções e Finanças Corporativas 22

No dia 1º de julho de 2011, os preços de fechamento das ações da empresa de temperos McCormick & Co., da empresa de restaurantes Cracker Barrel e da agência de viagens Allegiant Travel Company eram de $ 49,88, $ 49,89 e $ 49,78, respectivamente. Cada uma dessas empresas tinha opções de compra negociadas na Bolsa de Opções de Chicago (*Chicago Board Options Exchange*) com preço de exercício de $ 50 e data de vencimento de 19 de agosto – 50 dias adiante. Provavelmente você imagina que os preços dessas opções de compra eram similares, mas não. As opções da McCormick eram negociadas a $ 0,70, as da Cracker Barrel a $ 1,55 e as da Allegiant a $ 1,95. Por que as opções dessas três ações com preços semelhantes apresentaram valores tão diferentes considerando que os preços de exercício e a data de vencimento eram exatamente iguais? Um dos principais motivos é que a volatilidade da ação subjacente é um fator determinante do valor de uma opção, e, de fato, essas três ações tinham volatilidades muito diferentes. Neste capítulo, exploramos essa e muitas outras questões de maneira aprofundada usando o modelo de precificação de opções Black-Scholes, ganhador do Prêmio Nobel.

Para obter atualizações sobre os últimos acontecimentos na área de finanças, visite www.rwjcorporatefinance.blogspot.com.

Domine a habilidade de solucionar os problemas deste capítulo usando uma planilha. Acesse Excel Master no *site* www.grupoa.com.br, procure pelo livro e clique em Conteúdo *Online*.

22.1 Opções

Uma **opção** é um contrato que concede a seu titular o direito de comprar ou vender um ativo por um preço fixo em uma determinada data ou antes dela. Por exemplo, uma opção de um determinado imóvel pode conceder ao comprador o direito de comprar o imóvel por $ 1 milhão até o sábado anterior à terceira quarta-feira de janeiro de 2018. As opções são um tipo de contrato financeiro com características únicas, pois fornecem ao comprador o *direito*, mas não a *obrigação*, de fazer algo. O comprador exerce a opção apenas se considerar vantajoso o exercício; caso contrário, a opção será descartada.

Há um vocabulário especial associado a opções. Seguem algumas definições importantes:

1. *Exercer a opção*: o ato de comprar ou vender o ativo subjacente por meio do contrato de opção.
2. *Preço de exercício (strike)*: o preço fixo do contrato de opção pelo qual o titular pode comprar ou vender o ativo subjacente.
3. *Data de vencimento*: a data de expiração da opção; após essa data, a opção não tem valor.
4. *Opção americana e opção europeia*: uma opção americana pode ser exercida a qualquer momento até a data de vencimento. Uma opção europeia, por sua vez, pode ser exercida apenas na data de vencimento.

Nos Estados Unidos, o Conselho Empresarial de Opções (*Options Industry Council*) tem um *site* com diversos materiais educacionais em www.optionseducation.org.

As opções na BM&FBOVESPA*

No mercado brasileiro, as opções podem ser negociadas em bolsa ou em mercado de balcão organizado. Neste último caso, as opções negociadas são denominadas flexíveis. Os ativos objetos dos contratos são variados: *commodities* em geral (agrícolas, metais, etc.), taxas de juros (*spot* e *forward*), índices de inflação (IPCA, IGPM), taxas de câmbio e paridade (BRL/USD, USD/EUR, JPY/USD, etc.), ações e índices de ações (Ibovespa, IBrX, etc.).

No **segmento Bovespa**,[1] onde são negociadas as opções sobre ações e sobre ETFs, a identificação das opções é feita pelo símbolo do ativo-objeto (AAAA) associado a uma letra (B) e a um número de série (CC), AAAABCC. A letra (B) identifica se a opção é de venda ou de compra e o mês de vencimento da opção, e CC é o preço de exercício, conforme a seguir:

Mês de vencimento	Opção de Compra (CALL)	Opção de Venda (PUT)
Janeiro	A	M
Fevereiro	B	N
Março	C	O
Abril	D	P
Maio	E	Q
Junho	F	R
Julho	G	S
Agosto	H	T
Setembro	I	U
Outubro	J	V
Novembro	K	W
Dezembro	L	X

Fonte: BM&FBOVESPA (2012).

Código de negociação de opções - Segmento Bovespa

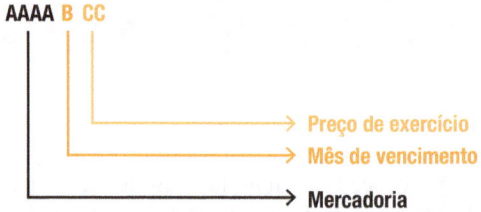

Código de negociação	Descrição
PETRA20	Opção de compra de ações da Petrobras PN para janeiro com preço de exercício de R$ 20,00 por ação.
BVMFM12	Opção de venda de ações da BM&FBOVESPA ON para janeiro com preço de exercício de R$ 12,00 por ação.

---

* Material cedido pelo Instituto Educacional BM&FBOVESPA. Acesse: www.bmfbovespa.com.br/educacional.

[1] Os mercados administrados pela BM&FBOVESPA podem ser divididos em segmentos de atuação. Os dois principais são: Bovespa, que dá liquidez aos títulos das captações das empresas para seus projetos de investimentos, e BM&F, no qual elas fazem a gestão de seus riscos. Os outros segmentos principais são: Câmbio, Mercado de Carbono e o segmento de leilões. Todos os segmentos constituem oportunidades para os investidores do mercado.

O vencimento das opções sobre ações e sobre ETFs (Exchange Traded Funds são fundos de índices com cotas negociados em bolsa da mesma forma que ações) acontece na terceira segunda-feira de cada mês.

Quando ocorre o pagamento de dividendos e juros sobre o capital próprio, a Bolsa não muda o código de negociação da opção, mas altera apenas a referência do preço de exercício (reduzindo). Por exemplo: Petrobras pagou $ 1,00 de dividendo por ação. A Bolsa reduz a PETRA20 para preço de exercício de $ 19,00.

No **segmento BM&F**,[2] onde são negociadas as opções sobre *commodities*, índices e ativos financeiros, a identificação das opções é feita pelo símbolo do ativo-objeto (AAA) associado a uma letra (B) que indica o mês de vencimento (CC), o ano de vencimento (D), o tipo da opção (EEEEEE) e o preço de exercício (AAABCCDEEEEEE).

Mês de vencimento	Opção de Compra e Opção de Venda (CALL / PUT)
Janeiro	F
Fevereiro	G
Março	H
Abril	J
Maio	K
Junho	M
Julho	N
Agosto	Q
Setembro	U
Outubro	V
Novembro	X
Dezembro	Z

Código de negociação de opções - Segmento Bovespa

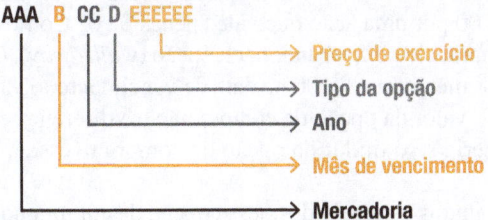

Código de negociação	Descrição
DOLJ09C001550	Opção de compra sobre dólar comercial; vencimento em abril de 2009; preço de exercício de R$/US$ 1.550,00
INEJ09P028000	Opção de venda sobre o futuro do índice Bovespa; vencimento em abril de 2009; preço de exercício 28.000 pontos
D12N09C000900	Opção de compra sobre DI de 1 dia série tipo 2; vencimento julho de 2009; preço de exercício 9,00 pontos de taxa.
BGIK09P006000	Opção de venda sobre futuro do boi gordo; vencimento em maio de 2009; preço de exercício R$ 60,00 por arroba
ICFU09C012500	Opção de compra sobre futuro de café arábica; vencimento em agosto de 2009; preço de exercício US$/60kg 125,00

As opções sobre índices vencem sempre na quarta-feira mais próxima do décimo quinto dia, a cada dois meses. Se esse dia não for um dia útil ou não houver pregão de negociação, a data de vencimento será no dia útil subsequente.

Para mais detalhes, verifique o *site* da BM&FBOVESPA, inclusive para ver as séries em aberto.

---

[2] Mais detalhes do segmento BM&F são apresentados no Capítulo 25.

22.2 Opções de compra

O tipo mais comum de opção é uma **opção de compra** (*call*). Uma opção de compra concede ao titular o direito de comprar um ativo a um preço fixo durante um determinado período. Não há restrição quanto ao tipo de ativo, mas os mais negociados em bolsas de valores são as opções de ações e de títulos de dívida.

Por exemplo, opções de compra de ações da IBM podem ser adquiridas na Bolsa de Opções de Chicago. A IBM não lança (ou seja, não vende) opções de compra de suas ações. Em vez disso, investidores individuais são os compradores e vendedores originais de opções de compra de ações da IBM. Suponha que hoje seja dia 1º de abril. Uma opção de compra representativa de ações da IBM permite que um investidor compre 100 ações da IBM até dia 19 de setembro (as opções expiram no sábado que segue a terceira sexta-feira do mês) a um preço de exercício de $ 100. Essa opção é valiosa se houver a probabilidade de o preço das ações da IBM exceder os $ 100 no dia 19 de setembro ou antes disso.

Valor de uma opção de compra no vencimento

Qual é o valor de um contrato de opção de compra de ações no vencimento? A resposta depende do valor da ação subjacente na data do vencimento.

Vamos continuar com o exemplo da IBM. Suponha que o preço da ação seja de $ 130 no vencimento. O titular[3] da opção de compra tem o direito de comprar a ação subjacente pelo preço de exercício de $ 100. Em outras palavras, ele tem o direito de exercer a compra. Ter o direito de comprar algo por $ 100 quando seu valor é de $ 130 é obviamente um bom negócio. O valor desse direito é de $ 30 (= $ 130 − $ 100) na data de vencimento.[4]

A opção de compra valeria ainda mais se o preço da ação fosse maior no vencimento. Por exemplo, se a IBM estivesse sendo negociada por $ 150 na data de vencimento, a compra valeria $ 50 (= $ 150 − $ 100) naquele momento. Na verdade, o valor da opção de compra aumenta $ 1 a cada aumento de $ 1 no preço da ação.

Se o preço da ação for maior que o preço de exercício, costumamos dizer que a compra está "dentro do dinheiro" (*in the money*). É claro que também é possível que o valor da ação venha a ser menor que o preço de exercício. Nesse caso, dizemos que a compra está "fora do dinheiro" (*out of the money*). Frente a essa situação, o titular não exercerá a opção. Por exemplo, se o preço da ação na data de vencimento for de $ 90, nenhum investidor em sã consciência exerceria a opção. Por que pagar $ 100 por uma ação que vale apenas $ 90? Como o titular da opção não é obrigado a exercer a compra, ele pode abandonar a opção (*walk away*). Consequentemente, se o preço da ação da IBM for menor que $ 100 na data de vencimento, o valor da opção de compra será de $ 0. Nesse caso, o valor da opção de compra não é a diferença entre o preço da ação da IBM e os $ 100, como seria se o titular da opção de compra tivesse a *obrigação* de exercer a compra.

A seguir, são apresentados os resultados dessa opção de compra no vencimento:

	Resultados na data de vencimento	
	Se o preço da ação for menor que $ 100	Se o preço da ação for maior que $ 100
Valor da opção de compra	$ 0	Preço da ação − $ 100

A Figura 22.1 representa o valor da opção de compra no vencimento em comparação com o valor da ação da IBM. Essa representação é o padrão tradicional do diagrama de retornos de

---

[3] Usamos *comprador* e *titular* de maneira intercambiável.

[4] O exemplo considera que a compra permita que o titular adquira uma ação por $ 100. Na realidade, um contrato de opção de compra é padronizado; se um contrato referir-se à compra de 100 ações, o lucro seria de $ 3.000 [= ($ 130 − $ 100) × 100].

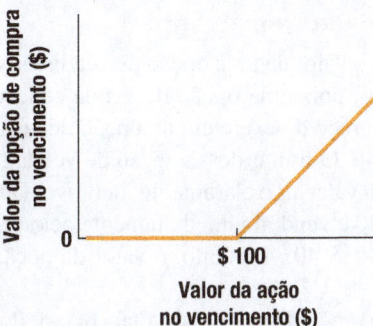

Uma opção de compra concede ao titular o direito de comprar um ativo a um preço fixo durante um determinado período de tempo. Se, na data de vencimento, o preço da ação da IBM for maior que o preço de exercício de $ 100, o preço da ação é de $ 100. Se o preço da ação da IBM for menor que $ 100 nesse momento, o valor da compra é nulo.

FIGURA 22.1 Valor de uma opção de compra na data de vencimento.

uma estratégia de opções de compra (*hockey stick*). Se o preço da ação for menor que $ 100, a compra está fora do dinheiro (*out of the money*) e não vale nada. Se o preço da ação for maior que $ 100, a compra está dentro do dinheiro, e seu valor aumenta acompanhando os aumentos do preço da ação. Observe que a opção de compra nunca terá um valor negativo. Ela é um instrumento de obrigação limitada, o que significa que o máximo que o titular pode perder é o valor inicial que pagou pela opção de compra.

Uma opção de compra concede ao titular o direito de comprar um ativo a um preço fixo durante um determinado período de tempo. Se, na data de vencimento, o preço da ação da IBM for maior que o preço de exercício de $ 100, o valor da compra é de:

$$\text{Preço da ação} - \$\ 100$$

Se o preço da ação da IBM for menor que $ 100 nesse momento, o valor da compra é nulo.

EXEMPLO 22.1 Resultados da opção de compra

Suponha que o Sr. Otimista seja titular de uma opção de compra com prazo de 1 ano de ações da TIX. Trata-se de uma opção de compra europeia que pode ser exercida por $ 150. Considere que a data de vencimento chegou. Qual é o valor dessa opção de compra da TIX na data de vencimento? Se a ação da TIX estiver sendo negociada a $ 200 cada, o Sr. Otimista pode exercer a opção – comprar uma ação da TIX por $ 150 – e vendê-la imediatamente por $ 200. O Sr. Otimista terá lucrado $ 50 (= $ 200 – $ 150). Portanto, o preço dessa opção de compra deve ser $ 50 no vencimento.

Imagine, em vez disso, que a ação da TIX esteja sendo negociada por $ 100 na data de vencimento. Se o Sr. Otimista ainda for titular da opção de compra, ele a descartará. O valor da opção de compra da TIX na data de vencimento será de zero nesse caso.

22.3 Opções de venda

Uma **opção de venda** (*put*) pode ser considerada o oposto de uma opção de compra. Assim como uma opção de compra concede ao titular o direito de comprar a ação por um preço fixo, uma opção de venda concede ao titular o direito de *vender* a ação por um preço de exercício fixo.

Valor de uma opção de venda no vencimento

As circunstâncias que determinam o valor de uma opção de venda são opostas às circunstâncias referentes a uma opção de compra, pois uma opção de venda concede ao titular o direito de vender ações. Suponhamos que o preço de exercício da opção de venda seja de $ 50 e o preço da ação no vencimento seja de $ 40. O titular dessa opção de venda tem o direito de vender a ação por um valor *maior* do que ela vale, algo claramente lucrativo. Ou seja, ele pode comprar a ação pelo preço de mercado de $ 40 e vendê-la imediatamente pelo preço de exercício de $ 50, gerando um lucro de $ 10 (=$ 50 – $ 40). Portanto, o valor da opção na data de vencimento deve ser de $ 10.

O lucro seria ainda maior se o preço da ação fosse mais baixo. Por exemplo, se o preço da ação fosse de apenas $ 30, o valor da opção seria de $ 20 (=$ 50 – $ 30). Na verdade, a cada $ 1 que o preço da ação diminui no vencimento, o valor da opção de venda aumenta $ 1.

No entanto, suponha que a ação na data de vencimento esteja sendo negociada a $ 60 – ou qualquer outro preço acima do preço de exercício de $ 50. Nesse caso, o titular da opção de venda não teria interesse em exercer a opção. Seria desvantajoso vender uma ação por $ 50 quando ela é negociada por $ 60. Em vez disso, o titular da opção de venda abandonaria a opção. Ou seja, ele deixaria que a opção expirasse.

A seguir, são apresentados os resultados dessa opção de venda:

	Resultados na data de vencimento	
	Se o preço da ação for menor que $ 50	Se o preço da ação for maior que $ 50
Valor da opção de venda	$ 50 – Preço da ação	$ 0

A Figura 22.2 representa os valores de uma opção de venda para todos os valores possíveis da ação subjacente. É esclarecedor comparar a Figura 22.2 com a Figura 22.1 para a opção de compra. A opção de compra é vantajosa quando o preço da ação está acima do preço de exercício, ao passo que a opção de venda tem valor quando o preço da ação está abaixo do preço de exercício.

EXEMPLO 22.2 Resultados da opção de venda

O Sr. Pessimista acredita que a BMI terá uma queda no seu preço atual de $ 160 por ação. Então, ele compra uma opção de venda. Seu contrato de opção de venda concede a ele o direito de vender uma ação da BMI por $ 150 dentro de 1 ano a partir de agora. Se o preço da BMI for de $ 200 na data de vencimento, ele rasgará o contrato de opção de venda, pois não será vantajoso. Ou seja, ele não optará por vender uma ação que vale $ 200 pelo preço de exercício de $ 150.

Por outro lado, se a ação da BMI estiver sendo negociada a $ 100 na data de vencimento, ele exercerá a opção. Nesse caso, o titular pode comprar uma ação da BMI no mercado por $ 100 e, em seguida, vender a ação pelo preço de exercício de $ 150. O lucro gerado será de $ 50 (=$ 150 – $ 100). Portanto, o valor da opção de venda na data de vencimento será de $ 50.

Conheça estas bolsas de opções:
www.bmfbovespa.com.br
www.cboe.com
www.nasdaq.com
www.kcbt.com
www.euronext.com

22.4 Venda de opções

Um investidor que vende (ou *lança*) uma opção de compra de ações deve entregar as ações se o titular da opção de compra assim solicitar. Observe que o vendedor (o lançador) é *obrigado* a fazer isso.

Se, na data de vencimento, o preço da ação for mais alto que o preço de exercício, o titular exercerá a compra, e o vendedor deve entregar ao titular ações em troca do preço de exercício. O vendedor perde a diferença entre o preço da ação e o preço de exercício. Por exemplo, suponha que o preço da ação seja de $ 60 e o preço de exercício, de $ 50. Sabendo que o exercício é

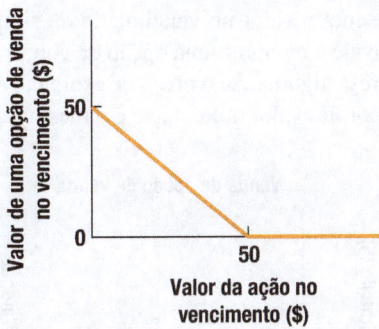

Uma opção de venda concede ao titular o direito de vender um ativo a um preço fixo durante determinado período. Se o preço da ação for mais alto que o preço de exercício de $ 50, o valor da opção de venda é nulo. Se o preço da ação for mais baixo que $ 50, o valor da opção de venda é:
$ 50 − Preço da ação

FIGURA 22.2 Valor de uma opção de venda na data de vencimento.

iminente, o vendedor da opção compra ações no mercado por $ 60. Como ele é obrigado a vender por $ 50, o vendedor perde $ 10 (=$ 50 − $ 60). Por outro lado, se, na data de vencimento, o preço da ação estiver abaixo do preço de exercício, a opção de compra não será exercida, e a obrigação do vendedor se anula.

Por que o vendedor de uma opção de compra se colocaria em uma posição tão precária? Afinal, o vendedor perde dinheiro se o preço da ação estiver acima do preço de exercício e simplesmente evita perder dinheiro se o preço da ação estiver abaixo do preço de exercício. A resposta é que o vendedor é pago para correr esse risco. Quando a transação da opção de venda ocorre, o vendedor recebe o valor que o comprador paga (o prêmio).

Agora, vejamos o vendedor de opções de venda. Um investidor que vende uma opção de venda de ações concorda em adquirir ações se o titular da opção de venda assim solicitar. O vendedor terá prejuízo nesse acordo se o preço da ação se tornar mais baixo que o preço de exercício. Por exemplo, suponha que o preço da ação seja de $ 40 e o preço de exercício, de $ 50. Nesse caso, o titular da opção de venda exercerá a opção. Em outras palavras, ele venderá a ação subjacente por um preço de exercício de $ 50. Isso significa que o vendedor da opção de venda deverá comprar a ação subjacente pelo preço de exercício de $ 50. Como a ação vale apenas $ 40, o prejuízo dessa transação será de $ 10 (=$ 40 − $ 50).

Os valores das posições de vendedor de uma opção de compra e vendedor de uma opção de venda são representados na Figura 22.3. O gráfico do lado esquerdo da figura mostra que o vendedor de uma opção de compra não tem prejuízo quando o preço da ação na data de vencimento está abaixo de $ 50. No entanto, o vendedor perde um real para cada real que a ação aumenta em seu valor acima de $ 50. O gráfico do centro da figura mostra que o vendedor de uma opção de venda não tem prejuízo quando o preço da ação na data de vencimento está acima de $ 50. No entanto, o vendedor perde um real para cada real que a ação cair em seu valor abaixo de $ 50.

É válido dedicar alguns minutos na comparação dos gráficos da Figura 22.3 com os apresentados nas Figuras 22.1 e 22.2. O gráfico da venda de uma opção de compra (gráfico do lado esquerdo da Figura 22.3) é uma imagem espelhada do gráfico da compra de uma opção de compra (Figura 22.1).[5] Isso ocorre porque as opções são um jogo de soma zero. O vendedor de uma opção de compra perde o que o comprador lucra. Da mesma forma, o gráfico de venda de uma opção de venda (gráfico do centro da Figura 22.3) é a imagem espelhada do gráfico de compra de uma opção de venda (Figura 22.2). Novamente, o vendedor de uma opção de venda perde o que o comprador lucra.

---

[5] Na verdade, em razão dos preços de exercício diferentes, os dois gráficos não são exatamente uma imagem espelhada um do outro. O preço de exercício da Figura 22.1 é de $ 100, enquanto o preço de exercício da Figura 22.3 é de $ 50.

A Figura 22.3 também apresenta o valor no vencimento da simples compra de uma ação. Observe que comprar a ação equivale a comprar uma opção de compra da ação com um preço de exercício de zero. Isso não é surpresa alguma. Se o preço de exercício é de zero, o titular da opção de compra pode comprar a ação por um valor nulo, o que é o mesmo que ser proprietário dela.

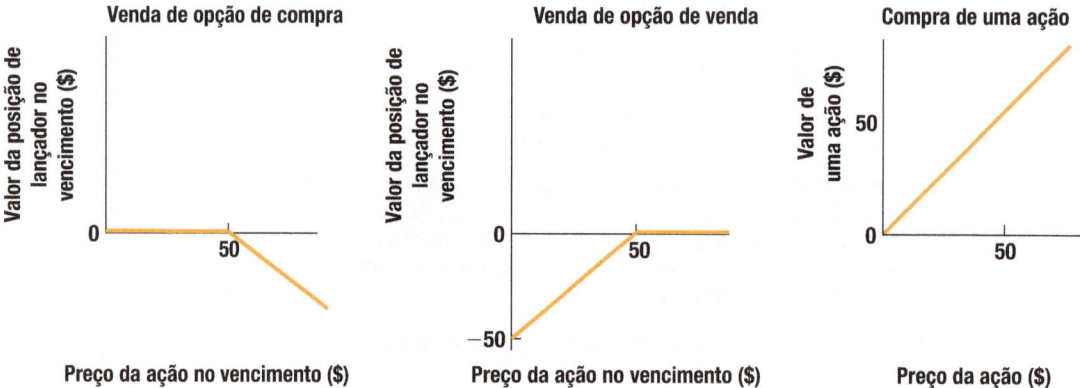

FIGURA 22.3 Resultados para lançadores de opções de compra e opções de venda e para compradores de ações.

A venda de opções na BM&FBOVESPA

Assim como no mercado americano, no Brasil, o vendedor (ou lançador) de uma opção de compra (*call*) tem a obrigação de entregar o ativo objeto para o detentor da opção se o mesmo exercê-la. Isso acontecerá se, na data do vencimento, o preço de mercado do ativo objeto (S^*),[6] for maior que o preço de exercício (E), ou seja, se $S^* > E$. Nesse caso, o vendedor perderá a diferença entre o preço de exercício e o preço no mercado, $E - S^*$. No dia da negociação da opção, o vendedor recebe do comprador um prêmio. Logo, o vendedor é pago para assumir esse risco.

De forma semelhante, o vendedor da opção de venda (*put*) tem a obrigação de comprar o ativo objeto do detentor da opção se o mesmo exercê-la. Isso acontecerá se, na data de vencimento, o preço do ativo objeto, no mercado, for menor que o preço de exercício, ou seja, $S^* < E$. Nesse caso, o vendedor perderá $S^* - E$ por ativo objeto.

Vamos analisar dois exemplos do mercado brasileiro.

A opção de compra BVMFF10, com data de vencimento em 16/06/2014, tinha preço de exercício de R$ 10,62. Supondo que, no dia do exercício, a ação da BVMF3 fosse cotada no mercado a R$ 11,00, a opção seria exercida, pois $S^* > E$. O vendedor da *call* perderia R$ 0,38 (R$ 11,00 – R$ 10,62) por ação. Supondo que a opção fosse cotada a $ 0,56 no momento da negociação, o vendedor, em contrapartida, teria recebido o prêmio de R$ 0,56.

No caso da opção de venda, a BVMFR10 também vencia em 16/06/2014 e tinha preço de exercício de R$ 10,62. Supondo que, no dia do vencimento, a ação da BVMF3 fosse cotada no mercado a R$ 10,00, a opção seria exercida, pois $S^* < E$. O vendedor da *put* perderia R$ 0,62 (R$ 10,00 – R$ 10,62) por ação; supondo que a opção fosse cotada a $ 0,10 no momento da negociação, o vendedor, em contrapartida, teria recebido o prêmio de R$ 0,10 que nesse caso reduz sua perda.

Para obter mais informações sobre os códigos identificadores (*tickers*) da bolsa de Chicago, clique no *link* "Symbol Directory" sob "Trading Resources" em www.cboe.com. Para os códigos identificadores da BM&FBOVESPA, consulte http://www.bmfbovespa.com.br/opcoes/opcoes.aspx?Idioma5pt-br.

22.5 Cotações de opções

Agora que já entendemos as definições para opções de compra e opções de venda, vejamos como são cotadas. O Quadro 22.1 apresenta informações sobre as opções da Abbott Laboratories com vencimento em julho de 2011, obtidas a partir do *site* finance.yahoo.com. No momento dessas cotações, a ação da Abbott Laboratories estava sendo negociada por $ 53,10.

---

[6] Usamos S para o preço corrente de mercado da ação e S^* para o preço de mercado da ação na data de vencimento da opção.

Na primeira coluna do quadro, encontram-se os preços de exercício disponíveis. Na parte superior, estão as cotações das opções de compra; as cotações das opções de venda estão na parte inferior. A segunda coluna contém códigos identificadores (*tickers*) que indicam de maneira única a ação subjacente, o tipo de opção, a data de vencimento e o preço de exercício. Em seguida, há os preços mais recentes das opções (*Last*) e a variação em comparação com o dia anterior (*Chg*). Após, seguem os preços de compra e venda. Observe que os preços das opções são cotados por opção, mas os negócios ocorrem, na realidade, por meio de contratos padronizados, em que cada contrato se refere à compra (para opções de compra) ou venda (para opções de venda) de 100 ações. Portanto, a opção de compra com um preço de exercício de $ 57,50 foi negociada por último por $ 0,01 por opção ou $ 1 por contrato. As duas colunas finais contêm volume (*Vol*), cotado em contratos, e as posições em aberto (*Open*), que apresentam o número de contratos atualmente em aberto.

As cotações das opções na BM&FBOVESPA

Ao analisar o valor de uma opção, verifica-se que ele é formado por duas partes. Por se tratar de um direito (de compra ou venda) que poderá ser exercido em determinado prazo ou data, a opção pode ter valor em função da alternativa imediata de exercício ou pela possibilidade de vir a ser exercida posteriormente. Isso nos leva a distinguir *valor intrínseco* do *valor tempo* da opção.

O preço da opção deve ser o valor presente da expectativa de valor de exercício em um mundo neutro ao risco. Esse valor de exercício é obtido carregando-se o preço do ativo-objeto (S) aos juros (r) pelo prazo (t) e achando-se a diferença sobre o preço de exercício (o *strike*), E. Se essa diferença for favorável ao exercício, este é o valor de exercício da opção; senão, seu valor de exercício é zero. Uma *call* vale o maior entre zero e $S^* - E$; uma *put* vale o maior entre zero e $E - S^*$, sendo S^* o preço do ativo na data de exercício. Em ambos os casos, uma vez que o prêmio da opção é uma quantidade de dinheiro à vista, traz-se o valor de exercício a valor presente para se ter a primeira aproximação do preço de uma opção:

QUADRO 22.1 Informações sobre as opções da Abbott Laboratories

Visualização por vencimento: Jul 11	Ago 11	Nov 11	Jan 12	Fev 12	Jan 13			
Opções de compra		Vencem no fechamento de sexta-feira, 15 de julho de 2011					
Exercício	Símbolo	Last (Ult)	Chg (Var)	Bid (Compra)	Ask (Venda)	Vol (Vol)	Open Int (Em aberto)
45,00	ABT110716C00045000	7,60	0,00	6,85	8,80	10	10
48,00	ABT110716C00048000	4,05	0,00	5,05	5,15	5	28
49,00	ABT110716C00049000	3,25	0,00	3,70	4,15	4	67
50,00	ABT110716C00050000	3,05	↑ 0,53	3,05	3,15	38	1.740
52,50	ABT110716C00052500	0,76	↑ 0,29	0,76	0,80	245	7.955
55,00	ABT110716C00055000	0,04	0,00	N/A	0,04	522	1.562
57,50	ABT110716C00057500	0,01	0,00	N/A	0,03	1	12
Opções de venda		Vencem no fechamento de sexta-feira, 15 de julho de 2011					
Exercício	Símbolo	Last (Ult)	Chg (Var)	Bid (Compra)	Ask (Venda)	Vol (Vol)	Open Int (Em aberto)
45,00	ABT110716P00045000	0,04	0,00	N/A	0,03	153	756
48,00	ABT110716P00048000	0,03	↓ 0,02	0,01	0,05	5	1.598
49,00	ABT110716P00049000	0,05	↓ 0,06	0,02	0,05	1	1.201
50,00	ABT110716P00050000	0,06	↓ 0,03	0,05	0,07	33	3.419
52,50	ABT110716P00052500	0,49	↓ 0,26	0,43	0,47	259	2.513
55,00	ABT110716P00055000	2,60	↓ 0,83	2,37	2,45	11	126
57,50	ABT110716P00057500	6,45	0,00	4,20	6,05	1	11
60,00	ABT110716P00060000	8,45	0,00	7,00	8,15	2	12
62,50	ABT110716P00062500	11,35	0,00	9,00	11,05	10	10

$$C_I = VP(\max\{0, VF(S) - E\}) = \max\{0, S - VP(E)\}$$
$$P_I = VP(\max\{0, K - VF(S)\}) = \max\{0, VP(E) - S\}$$

Essas são as expressões para o valor intrínseco (C_I e P_I, genericamente V_I) das opções. O valor intrínseco de uma opção é a porção de seu preço que se deve à vantagem real que S, em relação a E, proporciona. O valor intrínseco de uma opção pode ser zero em qualquer tempo, ainda que seu prêmio nunca o seja antes do vencimento.

O excedente de prêmio que uma opção apresenta acima do seu valor intrínseco é denominado *valor extrínseco* ou *valor tempo*. Esse valor demonstra a possibilidade de a ação se tornar ainda mais rentável caso o ativo objeto aumente seu preço. Nota-se que quanto mais fora do dinheiro estiver a opção, menor será seu valor tempo, pois a probabilidade de exercício é pequena. Logo, a "gordura" que uma opção carrega é um prêmio pelo risco.

A seguir, apresentamos uma amostra de ofertas de compra e de venda das opções de compra e venda sobre a ação da BM&FBOVESPA, BVMF3, com vencimento em junho de 2014.

Opção de compra – vencimento 16/06/2014						
Preço de exercício	Códigos	Últ. preço	Variação	Últ. of. compra	Últ. of. venda	Volume financeiro
R$ 10,37	BVMFF40	R$ 0,74	0,00%	R$ 0,78	R$ 0,82	R$ 0,00
R$ 10,62	BVMFF10	R$ 0,56	9,80%	R$ 0,58	R$ 0,60	R$ 56,00
R$ 10,87	BVMFF11	R$ 0,40	14,29%	R$ 0,36	R$ 0,39	R$ 29.637,00
R$ 11,12	BVMFF61	R$ 0,23	–11,54%	R$ 0,21	R$ 0,24	R$ 8.555,00
R$ 11,37	BVMFF41	R$ 0,14	7,69%	R$ 0,11	R$ 0,14	R$ 392,00
R$ 11,62	BVMFF62	R$ 0,05	–28,57%	R$ 0,05	R$ 0,07	R$ 274,00
R$ 11,87	BVMFF12	R$ 0,02	–33,33%	R$ 0,02	R$ 0,03	R$ 350,00
R$ 12,12	BVMFF2	R$ 0,02	–50,00%	R$ 0,01	R$ 0,02	R$ 6,00
Opção de venda – vencimento 16/06/2014						
Preço de exercício	Códigos	Últ. preço	Variação	Últ. of. compra	Últ. of. venda	Volume financeiro
R$ 10,37	BVMFR40	R$ 0,05	66,67%	R$ 0,05	R$ 0,07	R$ 250,00
R$ 10,62	BVMFR10	R$ 0,10	0,00%	R$ 0,08	R$ 0,10	R$ 0,00
R$ 10,87	BVMFR11	R$ 0,15	–21,05%	R$ 0,14	R$ 0,16	R$ 7.048,00
R$ 11,12	BVMFR61	R$ 0,24	–22,58%	R$ 0,23	R$ 0,26	R$ 72,00
R$ 11,37	BVMFR41	R$ 0,39	–17,02%	R$ 0,38	R$ 0,40	R$ 5.814,00
R$ 11,62	BVMFR62	R$ 0,52	0,00%	R$ 0,55	R$ 0,59	R$ 0,00
R$ 11,87	BVMFR12	R$ 0,79	2,60%	R$ 0,78	R$ 0,80	R$ 3.239,00
R$ 12,12	BVMFR2	R$ 0,66	0,00%	R$ 0,99	R$ 1,03	R$ 0,00

Na metade superior da tabela, estão as opções de compra (*call*), e, na metade inferior, as opções de venda (*put*). Na primeira coluna, temos os preços de exercício, e, na coluna seguinte, estão os códigos das opções. Nesse código, é possível identificar o ativo objeto do qual a opção se originou, o mês de vencimento da mesma e o *strike*. Vale ressaltar que o *strike* da opção pode diferir de seu preço de exercício devido ao ajuste de proventos. Na sequência, temos o preço do último negócio e a variação em percentual, com relação ao fechamento do dia anterior. Os preços da última oferta de compra e de venda estão nas colunas seguintes. A última coluna da tabela refere-se ao volume financeiro.

Opções exóticas (opções flexíveis)

A evolução do mercado financeiro e a própria sofisticação dos seus agentes promoveram o aumento da competitividade, forçando o desenvolvimento de alternativas às opções *plain vanilla*.[7] Nesse contexto, surgiram as **opções exóticas** ou **flexíveis**.

---

[7] *Plain vanilla* é o jargão do mercado financeiro para instrumentos financeiros básicos e comuns, geralmente mais aplicado a opções. Também é utilizado para outros tipos de derivativos básicos.

Essas opções são um tipo especial de derivativo que procura atender de forma mais eficiente às necessidades específicas dos agentes econômicos. Essas opções apresentam objetos, cálculos de preço de exercício, determinação de preço de exercício, perfil de pagamento ou condições de liquidação diferentes das usuais opções de compra ou venda. Cada tipo de opção exótica possui uma função própria de cálculo de ajuste, bem como condições que determinam a sua existência ou extinção.

Essas opções surgiram da necessidade de maior flexibilidade na montagem de estruturas de proteção, principalmente em ambiente de maior volatilidade. Originalmente, as estruturas mais complexas de resultados (*payoffs*) podem ser replicadas sinteticamente por meio de combinações lineares de opções comuns *plain vanilla*, mas geralmente esse processo pode ser muito custoso. Assim, novos produtos extremamente flexíveis e relativamente baratos foram sendo estruturados, através de engenharia financeira, com crescente complexidade dos *payoffs*.

As opções exóticas são negociadas em mercado de balcão organizado com a possibilidade de garantia da *clearing* da BM&FBOVESPA. A seguir, são apresentados os produtos negociados na BM&FBOVESPA:

- BOVA11: Contrato de Opção Flexível sobre *iShares* Ibovespa Fundo de Índice;
- FIND11: Contrato de Opção Flexível sobre *It Now IFNC* Fundo de Índice;
- GOVE11: Contrato de Opção Flexível sobre *It Now IGCT* Fundo de Índice;
- Ibovespa: Contrato de Opção Flexível sobre Ibovespa;
- IBrX-50: Contrato de Opção Flexível sobre IBrX-50;
- ISUS11: Contrato de Opção Flexível sobre *It Now* ISE Fundo de Índice;
- Metais: Contrato de Opção Flexível;
- Soja em Grão a Granel: Contrato de Opção Flexível sobre o contrato futuro de Soja em Grão a Granel;
- Taxas de Câmbio: Contrato de Opção Flexível sobre Taxa de Câmbio de Reais por Dólar dos Estados Unidos;
- Taxas de Juro *Spot*: Contrato de Opção sobre índice de Taxa de Juro *Spot*.

Para maior detalhamento dos contratos de opções flexíveis aqui listados, consulte o *site* da BM&FBOVESPA.

22.6 Combinações de opções

As opções de venda e opções de compra podem servir como blocos de construção para contratos de opção mais complexos. Por exemplo, a Figura 22.4 ilustra o resultado de comprar uma opção de venda de uma ação e simultaneamente comprar a ação.

ExcelMaster cobertura *online*

Esta seção apresenta as funções EXP e LN.

Se o preço da ação for mais alto que o preço de exercício, a opção de venda não terá valor, e o valor da posição combinada será igual ao valor da ação. Se, em vez disso, o preço de exercício for mais alto que o preço da ação, a redução do valor das ações será compensada de maneira exata pelo aumento do valor da opção de venda.

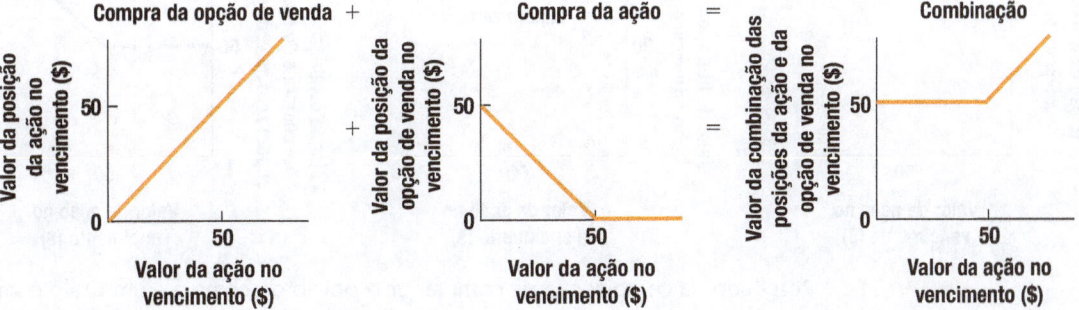

FIGURA 22.4 Resultado da combinação de comprar uma opção de venda e a ação subjacente.

A estratégia de comprar uma opção de venda e a ação subjacente é considerada uma opção de venda protetora (posição protegida). É como se comprássemos um seguro para a ação. A ação sempre pode ser negociada pelo preço de exercício, independentemente do tamanho da redução que o preço de mercado da ação venha a sofrer.

Observe que a combinação de comprar uma opção de venda e comprar a ação subjacente tem a mesma *forma* na Figura 22.4 que a compra de uma opção de compra na Figura 22.1. Para examinarmos esse ponto, vejamos o gráfico da compra de uma opção de compra, que é mostrado no lado esquerdo da Figura 22.5. Esse gráfico é o mesmo que o apresentado na Figura 22.1, exceto que o preço de exercício foi alterado para $ 50. Agora, vamos tentar a estratégia de:

(Etapa A) Comprar uma opção de compra.

(Etapa B) Comprar um título de dívida com cupom zero e sem risco (p. ex., um título do Tesouro) com um valor de face de $ 50 que tenha como data de vencimento o mesmo dia que a opção.

Elaboramos o gráfico da Etapa A dessa estratégia no lado esquerdo da Figura 22.5, mas como o gráfico da Etapa B é representado? Ele tem o formato do gráfico do centro da figura. Ou seja, qualquer pessoa que comprar esse título de dívida com cupom zero certamente receberá $ 50, independentemente do preço da ação na data de vencimento.

Como, por sua vez, o gráfico da compra *simultânea* da Etapa A e da Etapa B dessa estratégia é representado? Ele tem o formato do gráfico do lado direito da Figura 22.5. Ou seja, o investidor tem a garantia de receber $ 50 do título de dívida, independentemente do que acontecer com a ação. Além disso, o investidor receberá $ 1 da opção de compra para cada $ 1 que o preço da ação aumentar acima do preço de exercício de $ 50.

O gráfico mais à direita da Figura 22.5 é *exatamente* igual ao gráfico mais à direita da Figura 22.4. Portanto, um investidor tem o mesmo resultado a partir da estratégia da Figura 22.4 e da estratégia da Figura 22.5, independentemente do que acontecer com o preço da ação subjacente. Em outras palavras, o investidor tem o mesmo resultado ao:

1. Comprar uma opção de venda e a ação subjacente.
2. Comprar uma opção de compra e um título com cupom zero e sem risco.

Se os investidores têm os mesmos resultados a partir das duas estratégias, elas devem ter o mesmo custo. Caso contrário, todos os investidores optariam pela estratégia com menor custo e evitariam a estratégia com o custo mais alto. Isso leva a um interessante resultado:

$$\begin{array}{c}\text{Preço da ação} \\ \text{subjacente}\end{array} + \begin{array}{c}\text{Preço da opção} \\ \text{de venda}\end{array} = \begin{array}{c}\text{Preço da opção} \\ \text{de compra}\end{array} + \begin{array}{c}\text{Valor presente do} \\ \text{preço de exercício}\end{array} \quad (22.1)$$

$$\text{Custo da primeira estratégia} = \text{Custo da segunda estratégia}$$

O gráfico da compra de uma opção de compra e de um título com cupom zero é igual ao gráfico da compra de uma opção de venda e de uma ação representado na Figura 22.4.

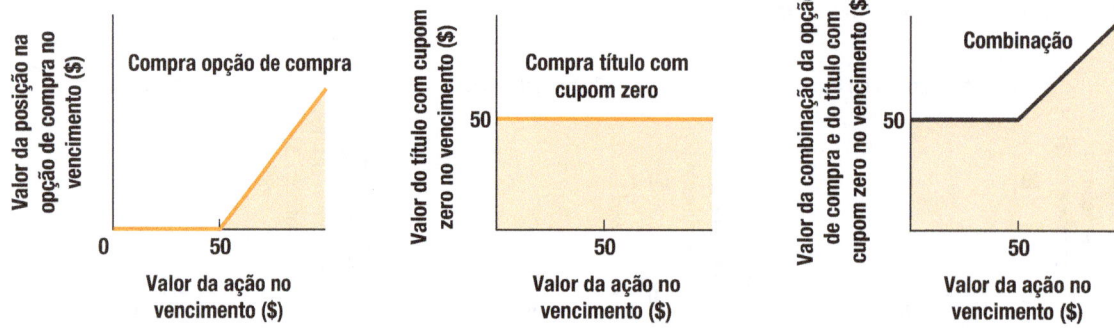

FIGURA 22.5 Resultado da combinação de comprar uma opção de compra e um título com cupom zero.

Essa relação, conhecida como **paridade entre opções de compra e de venda** (*put call parity*), é uma das relações mais fundamentais no que diz respeito a opções (doravante, neste capítulo, referida simplesmente como "paridade"). Ela demonstra que há duas maneiras de comprar uma opção de venda protetora. Você pode comprar uma opção de venda e a ação subjacente simultaneamente. Nesse caso, seu custo total é o preço da ação subjacente mais o preço da opção de venda. Ou você pode comprar a opção de compra e um título com cupom zero. Nesse caso, seu custo total é o preço da opção de compra mais o preço do título com cupom zero. O preço do título com cupom zero equivale ao valor presente do preço de exercício – ou seja, o valor presente de $ 50 em nosso exemplo.

A Equação 22.1 é uma relação muito precisa. Ela se aplica apenas se a opção de venda e a opção de compra apresentarem o mesmo preço de exercício e a mesma data de vencimento. Além disso, a data de vencimento do título com cupom zero deve ser igual à data de vencimento das opções.

Para ver o quão fundamental a paridade é, vamos reorganizar a fórmula:

$$\text{Preço da ação subjacente} = \text{Preço da opção de compra} - \text{Preço da opção de venda} + \text{Valor presente do preço de exercício}$$

Essa relação agora demonstra que você pode replicar a compra de uma ação adquirindo uma opção de compra, vendendo uma opção de venda e comprando um título de dívida com cupom zero. (Observe que, como um sinal de menos antecede "Preço da opção de venda", a opção de venda é vendida, e não comprada.) Nessa estratégia de três pernas, diz-se que os investidores adquiriram uma ação *sintética*.

Façamos mais uma transformação:

Estratégia de venda de opção de compra coberta

$$\text{Preço da ação subjacente} - \text{Preço da opção de compra} = -\text{Preço da opção de venda} + \text{Valor presente do preço de exercício}$$

Muitos investidores gostam de comprar uma ação e lançar uma opção de compra da ação simultaneamente. Essa estratégia conservadora é conhecida como *vender uma opção de compra coberta*. A relação de paridade anterior nos mostra que essa estratégia equivale a lançar uma opção de venda e comprar um título com cupom zero. A Figura 22.6 desenvolve o gráfico da venda de opção de compra coberta. Você pode verificar que a venda de opção de compra coberta pode ser replicada pela venda de uma opção de venda e simultânea compra de um título com cupom zero.

É claro que há outras maneiras de arranjar a relação básica entre opções de compra e de venda. Para cada arranjo, a estratégia do lado esquerdo equivale à estratégia do lado direito. O ponto positivo da paridade é que ela mostra como qualquer estratégia com o uso de opções pode ser alcançada de dois modos diferentes.

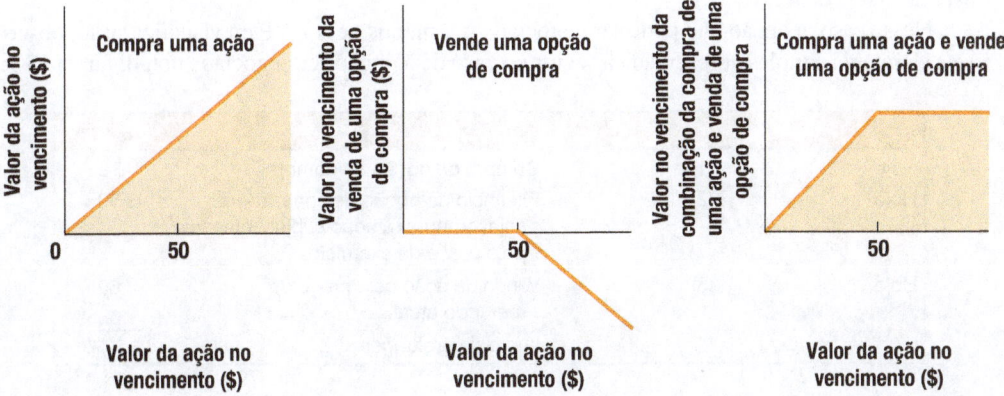

FIGURA 22.6 Resultado da combinação de comprar uma ação e vender uma opção de compra.

Para testar sua compreensão sobre a paridade *put-call*, suponha que as ações da José Belmonte S/A estejam sendo negociadas a $ 80. Uma opção de compra de 3 meses com um preço de exercício de $ 85 pode ser adquirida por $ 6. A taxa sem risco é de 0,5% por mês. Qual é o valor de uma opção de venda de 3 meses com um preço de exercício de $ 85?

Podemos reorganizar a relação de paridade para determinar o preço da opção de venda conforme apresentado a seguir:

$$\begin{aligned}\text{Preço da opção de venda} &= -\text{Preço da ação subjacente} + \text{Preço da opção de compra} + \text{Valor presente do preço de exercício}\\ &= -\$80 + \$6 + \$85/1{,}005^3\\ &= \$9{,}74\end{aligned}$$

Conforme demonstrado, o valor da opção de venda é de $ 9,74.

EXEMPLO 22.3 Título sintético do Tesouro

Suponha que as ações da Esmolira S/A estejam sendo negociadas a $ 110. Uma opção de compra da Esmolira com vencimento em 1 ano e um preço de exercício de $ 110 é negociada por $ 15. Uma opção de venda com as mesmas características, por sua vez, é negociada por $ 5. Qual é a taxa sem risco?

Para responder a essa pergunta, precisamos usar a paridade para determinar o preço de um título com cupom zero e sem risco:

$$\text{Preço da ação subjacente} + \text{Preço da opção de venda} - \text{Preço da opção de compra} = \text{Valor presente do preço de exercício}$$

Inserindo os números, temos:

$$\$110 + \$5 - \$15 = \$100$$

Como o valor presente do preço de exercício de $ 110 é de $ 100, a taxa sem risco implícita é de 10%.

22.7 Avaliação de opções

Na seção anterior, determinamos quanto as opções valem na data de vencimento. Agora, determinaremos o valor das opções no momento da compra, bem antes do vencimento.[8] Vamos começar considerando os limites inferior e superior do valor de uma opção de compra.

Determinando os limites do valor de uma opção de compra

Limite inferior Considere uma opção de compra americana que está dentro do dinheiro antes de seu vencimento. Por exemplo, suponha que o preço da ação seja de $ 60 e que o preço de exercício seja de $ 50.

Nesse caso, a opção não pode ser negociada por menos de $ 10. Para visualizar isso, observe a estratégia simples apresentada a seguir no caso de a opção ser negociada por, digamos, $ 9:

Data		Operação	
Hoje	(1)	Compra de opção de compra.	−$ 9
Hoje	(2)	Exercício da opção de compra – ou seja, comprar a ação subjacente pelo preço de exercício.	−$ 50
Hoje	(3)	Venda da ação pelo preço de mercado atual.	+$ 60
		Lucro de arbitragem	+$ 1

---

[8] Nossa discussão nesta seção trata de opções do tipo americana, pois são mais comuns no mundo real. Quando necessário, indicaremos as diferenças em relação a opções europeias.

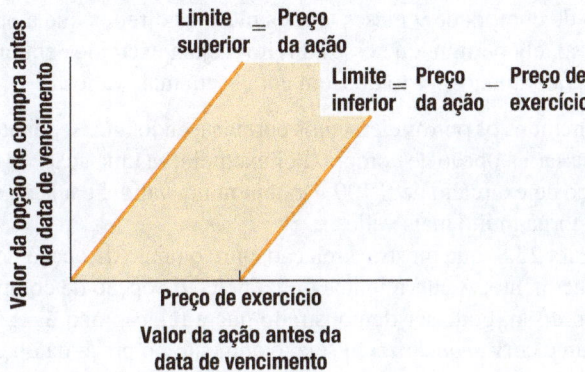

O valor da opção de compra deve estar na região sombreada.

FIGURA 22.7 Limites superior e inferior para os valores de opções de compra.

O tipo de lucro descrito nessa operação é um lucro de *arbitragem*. Os lucros de arbitragem provêm de operações que não apresentam risco ou custo e que não podem ocorrer regularmente em mercados financeiros normais e com bom funcionamento. A demanda excessiva por tais opções, nessa situação, rapidamente forçaria o preço da opção para cima, para ao menos $ 10 (=$ 60 – $ 50).

É claro que o preço da opção provavelmente é mais alto que $ 10. Os investidores pagarão mais de $ 10 devido à possibilidade de a ação elevar seu preço para mais de $ 60 antes do vencimento. Por exemplo, suponha que a opção de compra seja negociada, na verdade, por $ 12. Nesse caso, dizemos que o *valor intrínseco* da opção é de $ 10, o que significa que ela deve sempre valer, ao menos, esse preço. O restante $ 12 – $ 10 = $ 2 é chamado, às vezes, de *prêmio pelo tempo* e representa o montante extra que os investidores estão dispostos a pagar em razão da possibilidade de o preço da ação subir antes que a opção expire.

Limite superior Há também um limite superior para o preço da opção? O limite superior é, na realidade, o preço da ação subjacente. Ou seja, uma opção para comprar uma ação não pode ter um valor mais alto que a própria ação. Uma opção de compra pode ser usada para comprar uma ação mediante o pagamento do preço de exercício. Comprar uma ação dessa maneira não seria inteligente se ela pudesse ser adquirida diretamente por um preço mais baixo. Os limites superior e inferior são representados na Figura 22.7.

Fatores que determinam os valores da opção de compra

A discussão anterior indicou que o preço de uma opção de compra deve permanecer em algum lugar da região sombreada da Figura 22.7. Agora, determinaremos com mais precisão o local na região sombreada em que ele deve estar. Os fatores que determinam o valor de uma opção de compra podem ser divididos em dois conjuntos. O primeiro conjunto contém as características do contrato de opção. As duas características contratuais básicas são o preço de exercício e a data de vencimento. O segundo conjunto de fatores que afetam o preço da opção de compra engloba características da ação e do mercado.

Preço de exercício Um aumento no preço de exercício reduz o valor da opção de compra. Por exemplo, imagine que haja duas opções de compra de uma ação que está sendo negociada a $ 60. A primeira opção de compra tem um preço de exercício de $ 50, enquanto a segunda apresenta um preço de exercício de $ 40. Qual das duas opções você preferiria ter? Obviamente você preferiria ter a opção de compra com o preço de exercício de $ 40, pois essa está $ 20 (=$ 60 – $ 40) dentro do dinheiro. Em outras palavras, a opção de compra com o preço de exercício de $ 40 deve ser negociada por um valor maior que outra opção de compra idêntica com um preço de exercício de $ 50.

Data de vencimento O valor de uma opção de compra americana deve ser, ao menos, igual ao valor de outra opção idêntica com um prazo menor até o vencimento. Considere as duas opções de compra americanas a seguir: uma vence em 9 meses, enquanto a outra vence em 6 meses.

É claro que a opção de compra de 9 meses tem os mesmos direitos que a opção de compra de 6 meses, e, além disso, ela permite que esses direitos sejam exercidos em um período 3 meses maior. Ela não pode valer menos, visto que, em geral, será mais valiosa.[9]

Em www.nasdaqtrader.com, há uma boa discussão sobre opções.

Preço da ação Com todos os outros elementos permanecendo iguais, quanto mais alto o preço da ação, mais valiosa será a opção de compra. Por exemplo, se uma ação valer $ 80, uma opção de compra com preço de exercício de $ 100 não tem muita valia. Se a ação subir para $ 120, a opção de compra se torna muito mais valiosa.

Considere a Figura 22.8, que mostra a relação entre o preço da opção de compra e o preço da ação antes do vencimento. A curva indica que o preço da opção de compra aumenta com o preço da ação. Além disso, pode ser demonstrado que a relação não é representada por uma linha reta, mas por uma curva *convexa*. Ou seja, o aumento no preço da opção de compra para uma determinada alteração no preço da ação é maior quando o preço da ação é alto do que quando o preço da ação é baixo.

Há dois pontos especiais com relação à curva da Figura 22.8:

1. *A ação não tem valor.* A opção de compra não deve ter valor se a ação subjacente não tiver valor. Ou seja, se a ação não apresentar a possibilidade de agregar valor, pagar o preço de exercício para obter a ação não é vantajoso.

2. *O preço da ação é muito alto se comparado ao preço de exercício.* Nessa situação, o titular da opção de compra sabe que exercerá a opção de compra no final. Ele pode se ver como proprietário da ação, com uma diferença: ele deve pagar o preço de exercício no vencimento.

O preço da opção de compra é relacionado positivamente com o preço da ação. Além disso, a mudança no preço da opção de compra para uma determinada alteração no preço da ação é maior quando o preço da ação é alto do que quando o preço da ação é baixo. Assim, o valor da posição do titular (ou seja, o valor da opção de compra) é de:

Preço da ação – Valor presente do preço de exercício

Esses dois pontos na curva são resumidos na metade inferior do Quadro 22.2.

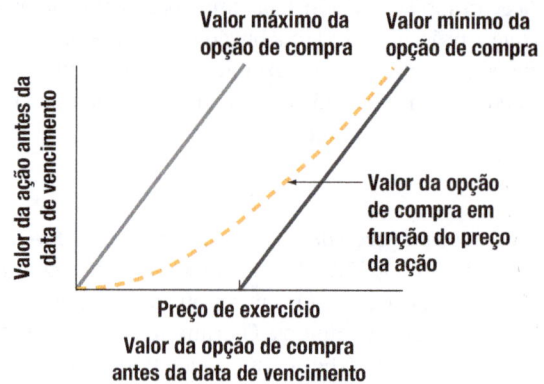

O preço da opção de compra é relacionado positivamente com o preço da ação. Além disso, a mudança no preço da opção de compra para uma determinada alteração no preço da ação é maior quando o preço da ação é alto do que quando o preço da ação é baixo.

FIGURA 22.8 Valor de uma opção de compra americana em função do preço da ação.

---

[9] A relação aqui tratada não se aplica necessariamente a uma opção de compra europeia. Considere uma empresa com duas opções de compra europeias idênticas, com exceção a suas datas de vencimento. Uma expira no final de maio, e outra expira alguns meses depois. Além disso, suponha que um dividendo *enorme* seja pago no início de junho. Se a primeira opção de compra for exercida no final de maio, seu titular receberá a ação subjacente. Se ele não vender a ação, ele receberá o grande dividendo logo em seguida. No entanto, o titular da segunda opção de compra receberá a ação por meio do exercício da opção após o dividendo ter sido pago. Como o mercado sabe que o titular dessa opção perderá o dividendo, o valor da segunda opção de compra pode ser menor que o valor da primeira.

Capítulo 22 Opções e Finanças Corporativas

QUADRO 22.2 Fatores que afetam os valores de opções americanas

Aumento no fator	Opção de compra*	Opção de venda*
Valor do ativo subjacente (preço da ação)	+	−
Preço de exercício	−	+
Volatilidade da ação	+	+
Taxa de juros	+	−
Prazo até vencimento	+	+
Além dos efeitos desses fatores, apresentamos as quatro relações a seguir para opções de compra americanas:		
1. O preço da opção de compra nunca pode ser maior que o preço da ação (*limite superior*).		
2. O preço da opção de compra nunca pode ser menor que zero ou que a diferença entre o preço da ação e o preço de exercício (*limite inferior*).		
3. A opção de compra não tem valor se a ação não tiver valor.		
4. Quando o preço da ação é muito maior que o preço de exercício, o preço da opção de compra tende a variar em direção à diferença entre o preço da ação e o valor presente do preço de exercício.		

*Os sinais (+, −) indicam o efeito das variáveis sobre o valor da opção. Por exemplo, os dois sinais de mais (+) para a volatilidade da ação indicam que um aumento na volatilidade aumentará tanto o valor de uma opção de compra quanto o valor de uma opção de venda.

O fator-chave: a variabilidade dos preços do ativo subjacente Quanto maior a variabilidade dos preços do ativo subjacente, maior será o valor da opção de compra. Considere o exemplo a seguir. Suponha que, um pouco antes de a opção de compra expirar, o preço da ação será de $ 100, com probabilidade de 0,5, ou $ 80, com probabilidade de 0,5. Qual será o valor de uma opção de compra com um preço de exercício de $ 110? Está claro que ela não terá valor, pois, independentemente do que acontecer com a ação, seu preço será sempre abaixo do preço de exercício.

O que acontece se o preço da ação for mais variável? Suponha que adicionemos $ 20 ao melhor caso e retiremos $ 20 do pior caso. Assim, a ação tem 50% de chance de valer $ 60 e 50% de chance de valer $ 120. Distribuímos os retornos da ação, porém, é claro, o valor esperado da ação permaneceu o mesmo:

$$(1/2 \times \$ 80) + (1/2 \times \$ 100) = \$ 90 = (1/2 \times \$ 60) + (1/2 \times \$ 120)$$

Observe que a opção de compra agora tem valor porque há uma chance de 50% de o preço da ação ser de $ 120 ou $ 10 acima do preço de exercício de $ 110. Esse exemplo ilustra um ponto importante. Há uma diferença fundamental entre ter uma opção de um ativo subjacente e ter o ativo subjacente. Se os investidores do mercado são avessos ao risco, um aumento da variabilidade do preço da ação diminuirá seu valor de mercado. No entanto, o titular de uma opção de compra recebe resultados do lado positivo da distribuição de probabilidades. Como consequência, um aumento na variabilidade do preço da ação subjacente eleva o valor de mercado da opção de compra.

Esse resultado também pode ser observado na Figura 22.9. Considere duas ações, a Ação *A* e a Ação *B*, cada uma com distribuição normal. Para cada uma, a figura ilustra as probabilidades para os diferentes preços da ação na data de vencimento. Como se pode observar a partir da figura, a Ação *B* apresenta mais volatilidade que a Ação *A*. Isso significa que a Ação *B* tem uma probabilidade maior de gerar retornos anormalmente altos ou retornos anormalmente baixos. Suponhamos que as duas opções apresentem o mesmo preço de exercício. Para os seus titulares, um retorno muito abaixo da média na Ação *B* não é pior que um retorno apenas moderadamente abaixo da média na Ação *A*. Em ambas as situações, a opção expira estando fora do dinheiro. Por outro lado, para os titulares das opções, um retorno muito acima na Ação *B* é melhor que um retorno apenas moderadamente acima na Ação *A*. Como o preço da opção de compra na data de vencimento é o diferencial entre o preço da ação e o preço de exercício, o valor da opção de compra da Ação *B* no vencimento será mais alto nesse caso.

Para obter mais informações sobre volatilidades, visite o *site* direcionado a opções **www.ivolatility.com**.

Taxa de juros Os preços das opções de compra também dependem do nível das taxas de juros. Os compradores das opções de compra não pagam o preço de exercício até exercerem a opção, se optarem por exercê-la. Poder adiar o pagamento tem mais valor quando as taxas de juros

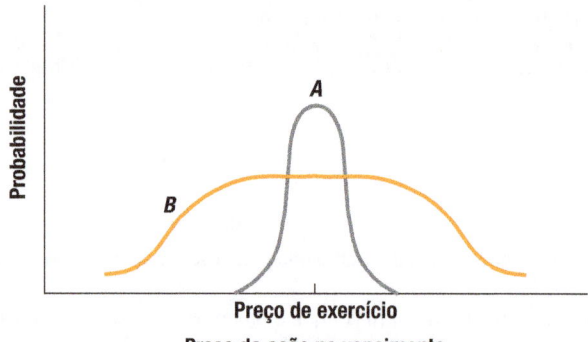

A opção de compra da Ação *B* tem valor maior que a opção de compra da Ação *A*, pois a Ação *B* é mais volátil. No vencimento, uma opção de compra que está profundamente dentro do dinheiro é mais vantajosa que uma opção de compra que está apenas levemente dentro do dinheiro. Por outro lado, no vencimento, uma opção de compra que esteja muito fora ou levemente fora do dinheiro vale zero em ambas as situações.

FIGURA 22.9 Distribuição do preço da ação no vencimento para a Ação *A* e a Ação *B*. As opções das duas ações têm o mesmo preço de exercício.

são altas e menos valor quando as taxas de juros são baixas. Portanto, o valor de uma opção de compra é relacionado positivamente com as taxas de juros.

Breve discussão sobre os fatores que determinam os valores da opção de venda

Considerando nossa longa discussão sobre os fatores que influenciam o valor de uma opção de compra, é fácil analisar o efeito desses fatores em opção de venda. O Quadro 22.2 resume os cinco fatores que afetam os preços tanto das opções de compra americanas quanto das opções de venda americanas. O efeito de três fatores em opções de venda é oposto ao efeito desses fatores em opções de compra:

1. O valor de mercado da opção de venda *diminui* à medida que o preço da ação aumenta, pois as opções de venda se tornam dentro do dinheiro quando a ação é negociada por um valor menor que o preço de exercício.

2. O valor de uma opção de venda com preço de exercício alto é *maior* que o preço de outra opção de venda idêntica com preço de exercício menor devido ao argumento 1.

3. Uma taxa de juros alta afeta *adversamente* o valor de uma opção de venda. A capacidade de vender uma ação por um preço de exercício fixo em algum momento futuro é menos vantajosa se o valor presente do preço de exercício for reduzido por uma taxa de juros alta.

O efeito dos outros dois fatores que afetam opções de venda é igual ao efeito que têm em opções de compra:

4. O valor de uma opção de venda americana com uma data de vencimento distante é maior que o valor de outra opção de venda idêntica com um vencimento mais próximo.[10] O prazo mais longo até o vencimento proporciona ao titular da opção de venda mais flexibilidade, da mesma forma que ocorre no caso de uma opção de compra.

5. A volatilidade da ação subjacente eleva o valor da opção de venda. A lógica é similar à aplicada para uma opção de compra. No vencimento, uma opção de venda que está muito dentro do dinheiro tem mais valor que uma opção de venda que está apenas levemente dentro do dinheiro. Por outro lado, também no vencimento, uma opção de venda que esteja muito fora do dinheiro ou levemente fora do dinheiro vale zero em ambas as situações.

---

[10] Embora esse resultado seja válido no caso de uma opção de venda americana, ele não é necessariamente válido para uma opção de venda europeia.

22.8 Fórmula de cálculo do preço da opção

Até agora, explicamos *qualitativamente* que o valor de uma opção de compra é determinado em função de cinco variáveis:

ExcelMaster cobertura *online*

Esta seção apresenta a função DIST.NORMP.N e o controle ActiveX.

1. O preço corrente do ativo subjacente, que, para opções de ações, é o preço da ação.
2. O preço de exercício.
3. O prazo até a data de vencimento.
4. A variância do preço do ativo subjacente.
5. A taxa de juros sem risco.

Chegou o momento de substituir o modelo qualitativo por um modelo preciso de avaliação de opções. O modelo que escolhemos é o renomado modelo de precificação de opções Black-Scholes. Você pode inserir números no modelo Black-Scholes e obter valores para uma opção.

O modelo Black-Scholes é representado por uma fórmula imponente. Uma derivação da fórmula seria simplesmente impossível neste livro, o que muitos estudantes ficarão felizes em saber. No entanto, é relevante que algumas considerações sobre esse feito e certas noções intuitivas sejam apresentadas.

Nos capítulos iniciais deste livro, mostramos como descontar projetos de orçamento de capital usando a fórmula do valor presente líquido (VPL). Também usamos essa abordagem para avaliar ações e títulos de dívida. Então por que, os estudantes às vezes perguntam, a mesma fórmula do VPL não pode ser usada para avaliar opções de venda e compra? É uma boa pergunta: as primeiras tentativas de avaliação de opções usaram o VPL. Infelizmente, as tentativas não tiveram êxito, pois ninguém conseguia determinar a taxa de desconto apropriada. Em geral, uma opção apresenta mais risco que a ação subjacente, mas não se sabia exatamente em que grau ela era mais arriscada.

Black e Scholes abordaram o problema afirmando que a estratégia de tomar um empréstimo para financiar a compra de uma ação duplica o risco de uma opção de compra. Assim, já sabendo o preço de uma ação, podemos determinar o preço de uma opção de compra de maneira que seu retorno seja idêntico ao da alternativa da ação com empréstimo.

Ilustraremos a intuição da abordagem Black-Scholes considerando um exemplo simples em que uma combinação de uma opção de compra e uma ação elimina completamente o risco. Esse exemplo funciona porque permitimos que o preço da ação seja um entre apenas *dois* valores. Por isso, o exemplo é chamado de *modelo binomial* ou *modelo de dois estados*. Eliminando a possibilidade de o preço da ação assumir outros valores, podemos duplicar a opção de compra de maneira exata.

Modelo binomial

Considere o exemplo a seguir. Suponha que o preço corrente de mercado de uma ação seja de $ 50 e que esse valor será de $ 60 ou $ 40 no final do ano. Além disso, imagine uma opção de compra dessa ação com data de vencimento em 1 ano e preço de exercício de $ 50. Os investidores podem tomar empréstimos a 10%. Nosso objetivo é determinar o valor da opção de compra.

Para avaliar corretamente a opção de compra, precisamos examinar duas estratégias. A primeira é simplesmente comprar a opção de compra. A segunda é:

1. Comprar metade da ação.
2. Tomar empréstimo de $ 18,18, implicando um pagamento de principal e juros no final do ano de $ 20 (= $ 18,18 × 1,10).

Conforme será apresentado em breve, os fluxos de caixa da segunda estratégia correspondem aos fluxos de caixa da compra de uma opção de compra. (Mais adiante, mostraremos como chegamos à fração exata de uma ação para comprar e ao valor exato do empréstimo a tomar.) Como os fluxos de caixa são coincidentes, dizemos que estamos *duplicando* a opção de compra com a segunda estratégia.

No final do ano, os resultados futuros estarão definidos conforme mostrado a seguir:

Operações iniciais	Resultados futuros	
	Se o preço da ação for de $ 60	Se o preço da ação for de $ 40
1. Comprar uma opção de compra	$ 60 − $ 50 = $ 10	$ 0
2. Comprar $\frac{1}{2}$ ação	$\frac{1}{2} \times $ 60 = 30$	$\frac{1}{2} \times $ 40 = $ 20$
Tomar empréstimo de $ 18,18 a 10%	−($ 18,18 × 1,10) = −$ 20	−$ 20
Total da estratégia de comprar a ação e tomar o empréstimo	$ 10	$ 0

Observe que a estrutura dos resultados futuros da estratégia de comprar uma opção de compra é duplicada pela estratégia de comprar uma ação e tomar empréstimo. Ou seja, sob qualquer uma das estratégias, um investidor acabaria com $ 10 se o preço da ação subisse e $ 0 se o preço da ação caísse. Portanto, essas duas estratégias são equivalentes para o operador.

Se duas estratégias sempre apresentam os mesmos fluxos de caixa no final do ano, como seus custos iniciais devem ser relacionados? As duas estratégias devem ter o *mesmo* custo inicial. Caso contrário, haverá uma possibilidade de arbitragem. Podemos calcular com facilidade esse custo para nossa estratégia de comprar ação e tomar empréstimo:

Comprar $\frac{1}{2}$ ação	$\frac{1}{2} \times $ 50 =$	$ 25,00
Tomar empréstimo de $ 18,18		−$ 18,18
		$ 6,82

Como a opção de compra fornece os mesmos resultados no vencimento que a estratégia de comprar ação e tomar empréstimo, a opção de compra deve ter o preço de $ 6,82. Esse é o valor de uma opção de compra em um mercado sem lucros de arbitragem.

Deixamos duas questões sem explicação no exemplo anterior.

Determinação do *delta* Como sabíamos que deveríamos comprar meia ação na estratégia de duplicação? Na verdade, a resposta é mais fácil do que parece. O preço da opção de compra no final do ano será de $ 10 ou $ 0 se o preço da ação for de $ 60 ou $ 40. Portanto, o preço da opção de compra tem uma possível oscilação de $ 10 (=$ 10 − $ 0) no próximo período, enquanto o preço da ação tem uma possível oscilação de $ 20 (=$ 60 − $ 40). Podemos escrever essas relações nos termos da razão a seguir:

$$Delta = \frac{\text{Oscilação da opção de compra}}{\text{Oscilação da ação}} = \frac{\$ 10 - \$ 0}{\$ 60 - \$ 40} = \frac{1}{2}$$

Conforme indicado, essa razão é chamada de *delta* da opção de compra. Desse modo, uma oscilação de $ 1 no preço da ação gera uma oscilação de $ 0,50 no preço da opção de compra. Como estamos tentando duplicar a opção de compra com a ação, parece mais sensato comprar meia ação do que comprar uma opção de compra. Em outras palavras, o risco de comprar meia ação deve ser igual ao risco de comprar uma opção de compra.

Determinação do valor do empréstimo Como sabíamos quanto deveríamos tomar como empréstimo? Comprar meia ação gera $ 30 ou $ 20 no vencimento, o que é exatamente $ 20 a mais que os resultados de $ 10 e $ 0, respectivamente, da opção de compra. Para duplicar a opção de compra com a compra da ação, também devemos tomar um empréstimo com valor suficiente para termos que pagar exatamente $ 20 de juros e principal. Esse valor de empréstimo é simplesmente o valor presente de $ 20, que é $ 18,18 (=$ 20/1,10).

Agora que sabemos como determinar tanto o *delta* quanto o empréstimo, podemos escrever o valor da opção de compra conforme apresentado a seguir:

$$\begin{array}{c}\text{Valor da opção}\\\text{de compra}\end{array} = \begin{array}{c}\text{Preço da}\\\text{ação}\end{array} \times Delta - \begin{array}{c}\text{Valor do}\\\text{empréstimo}\end{array}$$

$$\$\,6{,}82 = \$\,50 \times \frac{1}{2} - \$\,18{,}18 \qquad (22.2)$$

Essa percepção será útil na explicação do modelo Black-Scholes.

Avaliação neutra ao risco Antes de deixarmos esse exemplo simples, devemos comentar uma característica importante. Encontramos o valor exato da opção sem mesmo saber a probabilidade de a ação subir ou descer! Se um otimista pensasse que a probabilidade de um aumento no valor fosse alta e um pessimista pensasse que ela fosse baixa, eles ainda concordariam com o valor da opção. Como isso é possível? A resposta é que o preço corrente de $ 50 da ação já equilibra os pontos de vista dos otimistas e dos pessimistas. A opção reflete esse equilíbrio porque seu valor depende do preço da ação.

Essa percepção nos proporciona outra abordagem para avaliar uma opção de compra. Se não precisamos das probabilidades dos dois estados para avaliar a opção de compra, talvez possamos selecionar *quaisquer* probabilidades e ainda obter a resposta certa. Suponha que tenhamos selecionado as probabilidades de maneira que o retorno esperado na ação fosse igual à taxa sem risco de 10%. Sabemos que o retorno da ação no caso de um aumento no preço da ação é de 20% (= $ 60/$ 50 − 1) e o retorno da ação no caso de uma queda no preço da ação é de = $ 6,8220% (=$ 40/$ 50 − 1). Assim, podemos calcular a probabilidade de aumento necessária para obter um retorno esperado de 10% conforme apresentado a seguir:

10% = Probabilidade de aumento × 20% + (1 − Probabilidade de aumento) × −20%

Resolvendo essa fórmula, chegamos ao resultado de que a probabilidade de aumento é de 3/4, enquanto a probabilidade de queda é de 1/4. Se aplicarmos essas probabilidades à opção de compra, podemos avaliá-la da seguinte maneira:

$$\text{Valor da opção de compra} = \frac{\frac{3}{4} \times \$\,10 + \frac{1}{4} \times \$\,0}{1{,}10} = \$\,6{,}82$$

O resultado é o mesmo valor que obtivemos a partir da abordagem de duplicação.

Por que selecionamos as probabilidades de modo que o retorno esperado na ação seja de 10%? Desejávamos trabalhar com o caso especial em que investidores são *neutros ao risco*. Esse caso ocorre quando o retorno esperado de *qualquer* ativo (inclusive tanto a ação quanto a opção de compra) é igual à taxa sem risco. Em outras palavras, esse caso ocorre quando os investidores não exigem remuneração adicional, além da taxa sem risco, independentemente do risco do ativo em questão.

O que aconteceria se tivéssemos suposto que o retorno esperado da ação fosse maior que a taxa sem risco? O valor da opção de compra ainda seria de $ 6,82. No entanto, os cálculos seriam difíceis. Por exemplo, se tivéssemos suposto que o retorno esperado da ação fosse de 11%, seria necessário que derivássemos o retorno esperado da opção de compra. O valor desse retorno seria maior que 11%, mas determinar o retorno esperado com precisão seria muito trabalhoso. Por que você faria mais do que o necessário? Como não conseguimos pensar em um bom motivo, nós (e a maioria dos economistas da área de Finanças) escolhemos assumir a neutralidade ao risco.

Portanto, o material anterior permite que avaliemos uma opção de compra com cada um dos dois caminhos apresentados a seguir:

1. Determinar o custo de uma estratégia duplicando a opção de compra. Essa estratégia envolve um investimento em uma ação fracionária financiada por um empréstimo parcial.

2. Calcular as probabilidades de um aumento ou queda nos preços das ações sob a premissa de neutralidade ao risco. Usar essas probabilidades em conjunto com a taxa sem risco para descontar os resultados da opção de compra no vencimento.

Modelo Black-Scholes

Há uma calculadora do modelo Black-Scholes (e muito mais) em www.numa.com.

O exemplo anterior ilustra a estratégia de duplicação. Infelizmente, uma estratégia como essa não funcionará no mundo real em um período de, digamos, 1 ano, pois há muito mais que duas possibilidades para o preço da ação no ano seguinte. No entanto, o número de possibilidades é reduzido à medida que o período se torna menos longo. Há algum período de tempo em que o preço da ação pode ter apenas dois resultados possíveis? Acadêmicos discutem que a hipótese de haver apenas duas possibilidades para o preço da ação no próximo instante infinitesimal é algo plausível.[11]

Em nossa opinião, a ideia fundamental de Black e Scholes é diminuir o período de tempo. Eles mostram que uma combinação específica da ação e do empréstimo pode, de fato, duplicar uma opção de compra sobre uma janela de tempo infinitesimal. Como o preço da ação será alterado no primeiro instante, outra combinação de ação e empréstimo é necessária para duplicar a opção de compra no segundo instante, e assim por diante. Ajustando a combinação de momento a momento, eles conseguem duplicar continuamente a opção de compra. Podemos ficar perplexos com o fato de uma fórmula poder (1) determinar a combinação de duplicação em qualquer momento e (2) avaliar a opção com base nessa estratégia de duplicação. Neste ponto, basta dizer que a estratégia dinâmica de Black e Scholes permite que eles avaliem uma opção de compra no mundo real, assim como mostramos como avaliar a opção de compra no modelo de dois estados.

Essa é a percepção básica do modelo Black-Scholes (BS). Como a real derivação da fórmula do modelo está muito além do escopo deste livro, simplesmente apresentamos a fórmula em si:

Modelo Black-Scholes
$$C = S\mathrm{N}(d_1) - Ee^{-Rt}\mathrm{N}(d_2)$$

em que:

$$d_1 = [\ln(S/E) + (R + \sigma^2/2)t]/\sqrt{\sigma^2 t}$$
$$d_2 = d_1 - \sqrt{\sigma^2 t}$$

Essa fórmula para determinar o valor de uma opção de compra, C, é uma das mais complexas em finanças. No entanto, ela envolve apenas cinco parâmetros:

1. S = Preço corrente da ação.
2. E = Preço de exercício da opção de compra.
3. R = Taxa anual de retorno, sem risco, com capitalização contínua.
4. σ^2 = Variância (anual) do retorno contínuo da ação.
5. t = Prazo (em anos) até a data de vencimento.

Além disso, há este conceito estatístico:

$\mathrm{N}(d)$ = Probabilidade de que uma variável aleatória padronizada, e com distribuição normal, seja menor ou igual a d.

Em vez de discutirmos a fórmula em sua forma algébrica, vamos ilustrá-la com um exemplo.

---
[11] Uma abordagem completa dessa suposição pode ser encontrada no livro de John C. Hull *Options, Futures and Other Derivatives*. 7th ed. Upper Saddle River, NJ: Prentice Hall, 2008.

EXEMPLO 22.4 Black-Scholes

Considere a empresa Private Equipment Company (PEC). No dia 4 de outubro do ano 0, a opção de compra PEC abril 49 tinha um valor de fechamento de $ 4. A ação em si estava sendo negociada a $ 50. No dia 4 de outubro, a opção apresentava 199 dias até seu vencimento (data de vencimento = 21 de abril do ano 1). A taxa de juros sem risco anual, com capitalização contínua, era de 7%.

Essas informações determinam diretamente três variáveis:

1. O preço da ação, S, é de $ 50.
2. O preço de exercício, E, é de $ 49.
3. A taxa sem risco, R, é de 0,07.

Além disso, o prazo até o vencimento, t, pode ser rapidamente calculado: a fórmula exige que t seja expresso em *anos*.

4. Inserimos o intervalo de 199 dias em anos como t = 199/365.

No mundo real, um operador do mercado de opções saberia os valores exatos de S e E. Os operadores normalmente consideram que os títulos do Tesouro não apresentam risco; portanto, uma cotação atual do jornal *The Wall Street Journal* ou de outra fonte similar seria obtida para a taxa de juros. O operador também saberia (ou poderia contar) o número exato de dias até o vencimento. Portanto, a fração de 1 ano até o vencimento, t, poderia ser rapidamente calculada.

O problema é determinar a variância dos retornos da ação. A fórmula exige a variância entre a data de aquisição de 4 de outubro e a data de vencimento. Infelizmente, isso representa o futuro, e, portanto, o valor correto para a variância não está disponível. Em vez disso, os operadores frequentemente fazem uma estimativa a partir de dados do passado, do mesmo modo como calculamos a variância em um capítulo anterior. Além disso, alguns podem usar a intuição para ajustar suas estimativas. Por exemplo, se a antecipação de um evento futuro provavelmente aumente a volatilidade da ação, o operador pode ajustar sua estimativa da variância elevando-a para refletir isso. (Esse problema foi mais grave nos EUA, logo após a quebra de 19 de outubro de 1987 na bolsa norte-americana. Lá, o mercado de ações ficou bastante arriscado depois do episódio, e, portanto, as estimativas com dados anteriores à queda eram muito baixas.)

A discussão apresentada tem o simples objetivo de mencionar as dificuldades de estimar a variância, não o de apresentar uma solução. Para atender aos nossos propósitos, suponhamos que um operador tenha chegado a uma estimativa de variância:

5. A variância da PEC foi estimada em 0,09 por ano.

Com esses cinco parâmetros, calculamos o valor de Black-Scholes da opção de compra da PEC em três etapas:

Etapa 1: *Calcular* d_1 *e* d_2. Esses valores podem ser determinados por uma inserção simples e direta, porém tediosa, de nossos parâmetros na fórmula básica. Assim, temos:

$$d_1 = \left[\ln\left(\frac{S}{E}\right) + (R + \sigma^2/2)t\right]/\sqrt{\sigma^2 t}$$

$$= \left[\ln\left(\frac{50}{49}\right) + (0{,}07 + 0{,}09/2) \times \frac{199}{365}\right]/\sqrt{0{,}09 \times \frac{199}{365}}$$

$$= [0{,}0202 + 0{,}0627]/0{,}2215 = 0{,}3742$$

$$d_2 = d_1 - \sqrt{\sigma^2 t}$$

$$= 0{,}1527$$

Etapa 2: *Calcular* $N(d_1)$ e $N(d_2)$. Podemos compreender melhor os valores $N(d_1)$ e $N(d_2)$ examinando a Figura 22.10. A figura mostra a distribuição normal com um valor esperado de 0 e um desvio padrão de 1. Frequentemente, isso é chamado de **distribuição normal padronizada**. Mencionamos em um capítulo anterior que a probabilidade de um resultado dessa distribuição estar entre −1 e +1 (a um desvio padrão em torno da média, em outras palavras) é de 68,26%.

(continua)

(continuação)

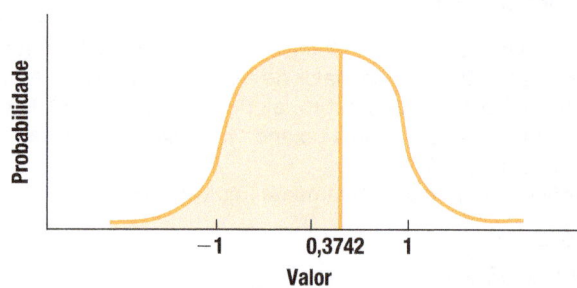

A área sombreada representa as probabilidades acumuladas. Como a probabilidade de um resultado da distribuição normal padronizada ser abaixo de 0,3742 é de 0,6459, dizemos que N(0,3742) = 0,6459. Ou seja, a probabilidade de 0,3742 é de 0,6459.

FIGURA 22.10 Gráfico da probabilidade acumulada.

Agora, façamos uma pergunta diferente: qual é a probabilidade de um resultado da distribuição normal padronizada estar *abaixo* de um determinado valor? Por exemplo, a probabilidade de um resultado estar abaixo de 0 é claramente de 50%, pois a distribuição normal é simétrica. Fazendo uso de uma terminologia estatística, dizemos que a **probabilidade acumulada** de 0 é de 50%. Os estatísticos também dizem que N(0) = 50%. Teremos, então:

$$N(d_1) = N(0,3742) = 0,6459$$
$$N(d_2) = N(0,1527) = 0,5607$$

O primeiro valor significa que há 64,59% de probabilidades de um resultado da distribuição normal padronizada estar abaixo de 0,3742. O segundo valor significa que há 56,07% de probabilidades de um resultado da distribuição normal padronizada estar abaixo de 0,1527. De modo geral, N(d) é a probabilidade de um resultado da distribuição normal padronizada estar abaixo de d. Em outras palavras, N(d) é a probabilidade acumulada de d. Observe que d_1 e d_2 são valores apenas um pouco acima de zero em nossos exemplos, de modo que $N(d_1)$ e $N(d_2)$ estão levemente acima de 0,50.

Talvez a maneira mais simples de determinar $N(d_1)$ e $N(d_2)$ seja a partir da função DIST.NORMP do Excel. Em nosso exemplo, DIST.NORMP (0,3742) e DIST.NORMP (0,1527) são 0,6459 e 0,5607, respectivamente. (A função DIST.NORMP foi atualizada para DIST.NORMP.N nas versões mais recentes da planilha Excel.)

Também podemos determinar a probabilidade acumulada a partir do Quadro 22.3. Por exemplo, considere d = 0,37. O valor pode ser encontrado no quadro como 0,3 na vertical e 0,07 na horizontal. O valor no quadro para d = 0,37 é de 0,1443. Esse valor *não* é a probabilidade acumulada de 0,37. Primeiro, devemos fazer um ajuste para determinar a probabilidade acumulada. Observe o ajuste a seguir:

$$N(0,37) = 0,50 + 0,1443 = 0,6443$$
$$N(-0,37) = 0,50 - 0,1443 = 0,3557$$

Infelizmente, nosso quadro apresenta apenas dois algarismos significativos, enquanto nosso valor de 0,3742 tem quatro algarismos significativos. Por isso, devemos interpolar para encontrar N(0,3742). Como N(0,37) = 0,6443 e N(0,38) = 0,6480, a diferença entre os dois valores é de 0,0037 (= 0,6480 − 0,6443). Visto que 0,3742 representa 42% do caminho entre 0,37 e 0,38, a interpolação resulta em:[12]

$$N(0,3742) = 0,6443 + 0,42 \times 0,0037 = 0,6459$$

---

[12] Esse método é chamado de *interpolação linear*. Ele é apenas um dos diversos métodos possíveis de interpolação.

QUADRO 22.3 Probabilidades acumuladas da função de distribuição normal padronizada

d	0,00	0,01	0,02	0,03	0,04	0,05	0,06	0,07	0,08	0,09
0,0	0,0000	0,0040	0,0080	0,0120	0,0160	0,0199	0,0239	0,0279	0,0319	0,0359
0,1	0,0398	0,0438	0,0478	0,0517	0,0557	0,0596	0,0636	0,0675	0,0714	0,0753
0,2	0,0793	0,0832	0,0871	0,0910	0,0948	0,0987	0,1026	0,1064	0,1103	0,1141
0,3	0,1179	0,1217	0,1255	0,1293	0,1331	0,1368	0,1406	0,1443	0,1480	0,1517
0,4	0,1554	0,1591	0,1628	0,1664	0,1700	0,1736	0,1772	0,1808	0,1844	0,1879
0,5	0,1915	0,1950	0,1985	0,2019	0,2054	0,2088	0,2123	0,2157	0,2190	0,2224
0,6	0,2257	0,2291	0,2324	0,2357	0,2389	0,2422	0,2454	0,2486	0,2517	0,2549
0,7	0,2580	0,2611	0,2642	0,2673	0,2704	0,2734	0,2764	0,2794	0,2823	0,2852
0,8	0,2881	0,2910	0,2939	0,2967	0,2995	0,3023	0,3051	0,3078	0,3106	0,3133
0,9	0,3159	0,3186	0,3212	0,3238	0,3264	0,3289	0,3315	0,3340	0,3365	0,3389
1,0	0,3413	0,3438	0,3461	0,3485	0,3508	0,3531	0,3554	0,3577	0,3599	0,3621
1,1	0,3643	0,3665	0,3686	0,3708	0,3729	0,3749	0,3770	0,3790	0,3810	0,3830
1,2	0,3849	0,3869	0,3888	0,3907	0,3925	0,3944	0,3962	0,3980	0,3997	0,4015
1,3	0,4032	0,4049	0,4066	0,4082	0,4099	0,4115	0,4131	0,4147	0,4162	0,4177
1,4	0,4192	0,4207	0,4222	0,4236	0,4251	0,4265	0,4279	0,4292	0,4306	0,4319
1,5	0,4332	0,4345	0,4357	0,4370	0,4382	0,4394	0,4406	0,4418	0,4429	0,4441
1,6	0,4452	0,4463	0,4474	0,4484	0,4495	0,4505	0,4515	0,4525	0,4535	0,4545
1,7	0,4554	0,4564	0,4573	0,4582	0,4591	0,4599	0,4608	0,4616	0,4625	0,4633
1,8	0,4641	0,4649	0,4656	0,4664	0,4671	0,4678	0,4686	0,4693	0,4699	0,4706
1,9	0,4713	0,4719	0,4726	0,4732	0,4738	0,4744	0,4750	0,4756	0,4761	0,4767
2,0	0,4773	0,4778	0,4783	0,4788	0,4793	0,4798	0,4803	0,4808	0,4812	0,4817
2,1	0,4821	0,4826	0,4830	0,4834	0,4838	0,4842	0,4846	0,4850	0,4854	0,4857
2,2	0,4861	0,4866	0,4868	0,4871	0,4875	0,4878	0,4881	0,4884	0,4887	0,4890
2,3	0,4893	0,4896	0,4898	0,4901	0,4904	0,4906	0,4909	0,4911	0,4913	0,4916
2,4	0,4918	0,4920	0,4922	0,4925	0,4927	0,4929	0,4931	0,4932	0,4934	0,4936
2,5	0,4938	0,4940	0,4941	0,4943	0,4945	0,4946	0,4948	0,4949	0,4951	0,4952
2,6	0,4953	0,4955	0,4956	0,4957	0,4959	0,4960	0,4961	0,4962	0,4963	0,4964
2,7	0,4965	0,4966	0,4967	0,4968	0,4969	0,4970	0,4971	0,4972	0,4973	0,4974
2,8	0,4974	0,4975	0,4976	0,4977	0,4977	0,4978	0,4979	0,4979	0,4980	0,4981
2,9	0,4981	0,4982	0,4982	0,4982	0,4984	0,4984	0,4985	0,4985	0,4986	0,4986
3,0	0,4987	0,4987	0,4987	0,4988	0,4988	0,4989	0,4989	0,4989	0,4990	0,4990

N(d) representa as áreas sob a função de distribuição normal padronizada. Suponha que d_1 = 0,24. O quadro sugere uma probabilidade acumulada de 0,5000 + 0,0948 = 0,5948. Se d_1 é igual a 0,2452, devemos estimar a probabilidade fazendo a interpolação entre N(0,25) e N(0,24).

Etapa 3: *Calcular C.* Temos:

$$C = S \times [N(d_1)] - Ee^{-Rt} \times [N(d_2)]$$
$$= \$ 50 \times [N(d_1)] - \$ 49 \times [e^{-0,07 \times (199/365)}] \times N(d_2)$$
$$= (\$ 50 \times 0,6459) - (\$ 49 \times 0,9626 \times 0,5607)$$
$$= \$ 32,295 - \$ 26,447$$
$$= \$ 5,85$$

O preço estimado de $ 5,85 é mais alto que o preço real de $ 4, o que sugere que a opção de compra está subprecificada. Um operador seguindo o modelo Black-Scholes compraria a opção de compra. É claro que o modelo Black-Scholes é falível. Talvez a disparidade entre a estimativa do modelo e o preço de mercado reflita um erro do operador na estimativa da variância.

O exemplo anterior enfatizou os cálculos envolvidos no uso da fórmula Black-Scholes. Há alguma intuição por trás da fórmula? Sim, e essa intuição provém da estratégia de compra da ação e empréstimo de nosso exemplo binomial. A primeira linha da equação Black-Scholes é:

$$C = S \times N(d_1) - Ee^{-Rt} N(d_2)$$

Essa linha é exatamente análoga à Equação 22.2:

Valor da opção de compra = Preço da ação × *Delta* – Valor do empréstimo   (22.2)

Outra boa calculadora de opções pode ser encontrada em www.margrabe.com/optionpricing.html.

Apresentamos essa equação no exemplo binomial. $N(d_1)$ é o *delta* no modelo Black-Scholes. No exemplo anterior, $N(d_1)$ é 0,6459. Além disso, $Ee^{-Rt} N(d_2)$ é o montante que um investidor deve tomar de empréstimo para duplicar a opção de compra. Esse valor é de $ 26,45 (=$ 49 × 0,9626 × 0,5607) no exemplo anterior. Portanto, o modelo nos mostra que podemos duplicar a opção de compra do exemplo anterior:

1. Comprando 0,6459 da ação.
2. Tomando empréstimo de $ 26,45.

Não é exagero dizer que a fórmula Black-Scholes está entre as contribuições mais importantes na área das finanças. Ela permite que qualquer pessoa calcule o valor de uma opção por meio de alguns parâmetros. O atrativo da fórmula é que quatro dos parâmetros podem ser observados: o preço corrente da ação, S; o preço de exercício, E; a taxa de juros, R; e o prazo até a data de vencimento, t. Apenas um dos parâmetros deve ser estimado: a variância do retorno, σ^2.

Para perceber quão atraente essa fórmula realmente é, observe os parâmetros que não são necessários. Primeiro, a aversão ao risco do investidor não afeta o valor. A fórmula pode ser usada por qualquer pessoa, independentemente da sua disposição de enfrentar riscos. Segundo, ela não depende do retorno esperado da ação! Os investidores com diferentes avaliações do retorno esperado da ação concordarão, mesmo assim, quanto ao preço da opção de compra. Assim como no exemplo do modelo de dois estados, isso acontece porque a opção de compra depende do preço da ação, e esse preço já equilibra as visões divergentes dos investidores.

22.9 Ações e títulos de dívida como opções

O conteúdo anterior deste capítulo descreveu, explicou e avaliou opções negociadas em bolsa. Essas informações são importantes para qualquer estudante de Finanças, pois muitas operações acontecem com opções listadas. O estudo das opções tem também outra finalidade para quem estuda Finanças Corporativas.

Talvez você já tenha escutado a frase sobre o cavalheiro idoso que se surpreendeu ao tomar conhecimento de que havia falado em prosa durante toda sua vida. O mesmo pode ser dito sobre o estudante de Finanças Corporativas e as opções. Embora as opções tenham sido definidas formalmente pela primeira vez neste capítulo, muitas políticas corporativas discutidas anteriormente no texto eram, na realidade, opções disfarçadas. Apesar de estar além do escopo deste capítulo revisar toda a área de Finanças Corporativas em termos de opções, o resto do capítulo considera três exemplos de opções implícitas:

1. Ações e títulos de dívida como opções.
2. Decisões sobre a estrutura de capital como opções.
3. Decisões de orçamento de capital como opções.

Começamos ilustrando as opções implícitas em ações e títulos de dívida.

EXEMPLO 22.5 Ações e títulos de dívida como opções

A Companhia Popov ganhou as concessões dos Jogos Olímpicos do próximo ano na Antártida. Como não há outro negócio de concessões no continente, a empresa será encerrada após os jogos. A empresa emitiu dívidas para ajudar a financiar esse empreendimento. Os juros e o principal da dívida no ano que vem serão de $ 800, momento em que serão pagos por completo. A previsão dos fluxos de caixa da empresa para o ano que vem é:

	Programação dos fluxos de caixa da Popov			
	Jogos bem-sucedidos	Jogos moderadamente bem-sucedidos	Jogos moderadamente malsucedidos	Fracasso total
Fluxo de caixa antes dos juros e principal	$ 1.000	$ 850	$ 700	$ 550
–juros e principal	–800	–800	–700	–550
Fluxo de caixa para acionistas	$ 200	$ 50	$ 0	$ 0

Como pode ser observado, os dirigentes preveem quatro cenários igualmente prováveis. Se algum dos dois primeiros cenários ocorrer, os credores receberão seus créditos integralmente. O fluxo extra de caixa irá para os acionistas. No entanto, se um dos dois últimos cenários se tornar realidade, os credores não receberão integralmente seus créditos. Em vez disso, eles receberão todo o fluxo de caixa da empresa, e os acionistas não receberão valor algum.

Esse exemplo é similar aos exemplos de falência apresentados em nossos capítulos sobre a estrutura de capital. Nossa nova ideia é a de que a relação entre o valor das ações e o valor da empresa pode ser expressa em termos de opções. Tratamos primeiro das opções de compra, porque a intuição é mais simples. O cenário das opções de venda será abordado em seguida.

A empresa expressa em termos de opções de compra

Os acionistas Agora, mostramos que o capital acionário pode ser visto como uma opção de compra da empresa. Para ilustrar essa afirmação, a Figura 22.11 apresenta um gráfico do fluxo de caixa para os acionistas em função do fluxo de caixa para a empresa. Os acionistas não recebem valor algum se os fluxos de caixa da empresa forem menores que $ 800, pois, nesse

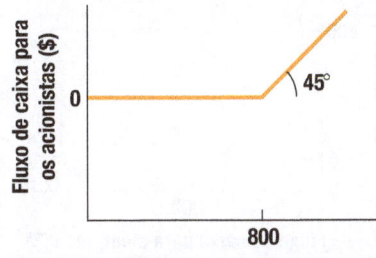

Os acionistas podem ser vistos como titulares de uma opção de compra da empresa. Se os fluxos de caixa da empresa excederem os $ 800, os acionistas pagam $ 800 para receber os fluxos de caixa da empresa. Se os fluxos de caixa da empresa forem menores que $ 800, os acionistas não exercem a opção que possuem. Eles abandonam a empresa, sem receber valor algum.

FIGURA 22.11 Fluxo de caixa para acionistas da Companhia Popov em função do fluxo de caixa para a empresa.

caso, todos os fluxos de caixa vão para os credores. No entanto, os acionistas recebem um real para cada real que a empresa receber acima de $ 800. O gráfico tem o mesmo formato que os gráficos das opções de compra apresentados anteriormente neste capítulo.

Porém, qual é o ativo subjacente sobre o qual o capital acionário é uma opção de compra? O ativo subjacente é a própria empresa. Ou seja, podemos ver os *credores* como se eles fossem proprietários da empresa. No entanto, os acionistas têm uma opção de compra da empresa com preço de exercício de $ 800.

Se o fluxo de caixa da empresa for acima de $ 800, os acionistas escolheriam exercer a opção. Em outras palavras, eles comprariam a empresa dos credores por $ 800. O fluxo de caixa líquido deles é a diferença entre o fluxo de caixa da empresa e o pagamento de $ 800. Isso seria $ 200 (=$ 1.000 − $ 800) se os jogos forem muito bem-sucedidos e $ 50 (=$ 850 − $ 800) se os jogos forem moderadamente bem-sucedidos.

Se o valor dos fluxos de caixa da empresa for abaixo de $ 800, os acionistas não exerceriam a opção deles. Em vez disso, eles abandonariam a empresa, assim como qualquer titular de opção de compra faria. Os credores receberiam, então, todo o fluxo de caixa da empresa.

Essa visão da empresa é novidade para os estudantes, e, muitas vezes, eles se sentem incomodados por ela na primeira exposição. No entanto, incentivamos que eles continuem vendo a empresa dessa forma até que a relação se torne natural.

Os credores E quanto aos credores? A programação dos fluxos de caixa anterior mostrou que eles receberiam todo o fluxo de caixa da empresa se ela gerasse um valor em dinheiro menor que $ 800. Se a empresa ganhasse mais de $ 800, os credores receberiam apenas $ 800. Ou seja, eles têm direito apenas aos juros e ao principal. Essa situação é ilustrada por meio do gráfico da Figura 22.12.

Seguindo com nossa visão de que os acionistas possuem uma opção de compra da empresa, no que consiste a posição dos credores? A posição dos credores pode ser descrita por duas afirmações:

1. Eles possuem a empresa.
2. Eles lançaram uma opção de compra da empresa com um preço de exercício de $ 800.

Como mencionamos anteriormente, os acionistas abandonariam a empresa se os fluxos de caixa fossem menores que $ 800. Nesse caso, os credores ficariam com a propriedade. No entanto, se os fluxos de caixa fossem maiores que $ 800, os acionistas exerceriam sua opção. Eles tomariam a ação dos credores por $ 800.

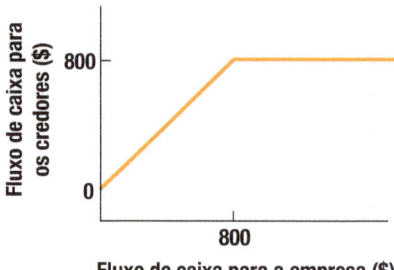

Os credores podem ser vistos como proprietários da empresa, mas também como lançadores de uma opção de compra da empresa adquirida pelos acionistas. Se os fluxos de caixa da empresa excederem $ 800, a opção de compra é exercida contra os credores. Esses entregam a empresa e recebem $ 800. Se os fluxos de caixa da empresa forem menores que $ 800, a opção de compra expira. Nesse caso, os credores recebem os fluxos de caixa da empresa.

FIGURA 22.12 Fluxo de caixa para os credores da Popov em função do fluxo de caixa para a empresa.

A empresa expressa em termos de opções de venda

A análise anterior expressa as posições dos acionistas e dos credores em termos de opções de compra. Agora podemos expressar a situação em termos de opções de venda.

Os acionistas A posição dos acionistas pode ser descrita por três afirmações:

1. Eles são proprietários da empresa.
2. Eles devem $ 800 em juros e principal aos credores.

Se a dívida fosse sem risco, essas duas afirmações descreveriam por completo a situação dos acionistas. No entanto, em razão da possibilidade de inadimplência, temos ainda uma terceira afirmação:

3. Os acionistas são titulares de uma opção de venda da empresa com preço de exercício de $ 800. O grupo de credores é o lançador da opção de venda.

Considere as duas possibilidades a seguir.

Fluxo de caixa menor que $ 800 Como a opção de venda tem um preço de exercício de $ 800, a opção de venda está dentro do dinheiro. Os acionistas "impõem", ou seja, vendem a empresa aos credores. Normalmente, o titular de uma opção de venda recebe o preço de exercício quando o ativo é vendido. No entanto, os acionistas já devem $ 800 aos credores. Portanto, a dívida de $ 800 é simplesmente cancelada – e nenhum valor em dinheiro passa de uma mão para outra – quando o capital acionário é entregue aos credores. Como os acionistas trocam o capital acionário pela liquidação da dívida, eles ficam sem nada se o fluxo de caixa for abaixo de $ 800.

Fluxo de caixa maior que $ 800 Como, neste caso, a opção de venda está fora do dinheiro, os acionistas não a exercem. Portanto, os acionistas mantêm a propriedade da empresa, mas pagam $ 800 aos credores como juros e principal.

Os credores A posição dos credores pode ser descrita por duas afirmações:

1. É devido aos credores um valor de $ 800.
2. Eles venderam uma opção de venda da empresa com preço de exercício de $ 800 aos acionistas.

Fluxo de caixa menor que $ 800 Como mencionado anteriormente, os acionistas exercerão a opção de venda nesse caso. Isso significa que os credores são obrigados a pagar $ 800 pela empresa. Como um valor de $ 800 é devido a eles, as duas obrigações se compensam. Portanto, os credores simplesmente ficam com a empresa nesse cenário.

Fluxo de caixa maior que $ 800 Neste caso, os acionistas não exercem a opção de venda. Assim, os credores simplesmente recebem o valor de $ 800 que é devido a eles.

Expressar a posição dos credores dessa maneira é esclarecedor. Com um título de dívida sem risco de inadimplência, é devido aos credores um valor de $ 800. Portanto, podemos expressar o título de dívida com risco em termos de um título de dívida sem risco e uma opção de venda:

$$\text{Valor do título de dívida com risco} = \text{Valor do título de dívida sem risco de inadimplência} - \text{Valor da opção de venda}$$

Ou seja, o valor do título de dívida com risco é o valor do título de dívida sem risco de inadimplência menos o valor da opção dos acionistas de vender a empresa por $ 800.

Conciliação das duas visões

Discutimos que as posições dos acionistas e credores podem ser vistas em termos de opções de compra ou de venda. Esses dois pontos de vista são resumidos no Quadro 22.4.

QUADRO 22.4 Posições dos acionistas e credores na Popov em termos de opções de compra e opções de venda

Acionistas	Credores
Posições vistas em termos de opções de compra	
1. Os acionistas têm uma opção de compra da empresa com preço de exercício de $ 800.	1. Os credores são proprietários da empresa. 2. Os credores venderam uma opção de compra da empresa aos acionistas.
Posições vistas em termos de opções de venda	
1. Os acionistas são proprietários da empresa. 2. Os acionistas devem $ 800 em juros e principal aos credores. 3. Os acionistas têm uma opção de venda da empresa com preço de exercício de $ 800.	1. Um valor de $ 800 em juros e principal é devido aos credores. 2. Os credores venderam uma opção de venda da empresa aos acionistas.

A partir de nossa experiência, descobrimos que normalmente é mais difícil para os estudantes pensar na empresa em termos de opções de vendas do que em opções de compra. Por isso, seria esclarecedor se houvesse uma maneira de mostrar que os dois pontos de vista são equivalentes. Felizmente, há a *paridade*. Em uma seção anterior, apresentamos a relação da paridade entre opções de compra e de venda como a Equação 22.1, que repetimos aqui:

$$\text{Preço da ação subjacente} + \text{Preço da opção de venda} = \text{Preço da opção de compra} + \text{Valor presente do preço de exercício} \quad (22.1)$$

Usando os resultados desta seção, a Equação 22.1 pode ser reescrita assim:

$$\text{Valor da opção de compra da empresa} = \text{Valor da empresa} + \text{Valor da opção de venda da empresa} - \text{Valor do título de dívida sem risco de inadimplência} \quad (22.3)$$

$$\text{Posição dos acionistas em termos de opções de compra} = \text{Posição dos acionistas em termos de opções de venda}$$

Passar da Equação 22.1 à Equação 22.3[13] requer algumas etapas. Primeiro, tratamos a empresa, não o capital acionário, como o ativo subjacente nesta seção. (Mantendo a convenção usual, nos referimos ao *valor* da empresa e ao *preço* da ação.) Segundo, o preço de exercício é agora de $ 800, o principal e os juros da dívida da empresa. Calcular o valor presente desse montante à taxa sem risco gera o valor de um título de dívida sem risco de inadimplência. Terceiro, a ordem dos valores da Equação 22.1 é rearranjada na Equação 22.3.

Observe que o lado esquerdo da Equação 22.3 é a posição dos acionistas em termos de opções de compra, como mostrado no Quadro 22.4. O lado direito da Equação 22.3 é a posição dos acionistas em termos de opções de venda, como mostrado no mesmo quadro. Portanto, a paridade mostra que ver a posição dos acionistas em termos de opções de compra é equivalente a vê-la em termos de opções de venda.

Agora, vamos reorganizar os fatores da Equação 22.3 para obter:

$$\text{Valor da empresa} - \text{Valor da opção de compra da empresa} = \text{Valor do título de dívida sem risco de inadimplência} - \text{Valor da opção de venda da empresa} \quad (22.4)$$

$$\text{Posição dos credores em termos de opções de compra} = \text{Posição dos credores em termos de opções de venda}$$

O lado esquerdo da Equação 22.4 é a posição dos credores em termos de opções de compra, como mostrado no Quadro 22.4. (O sinal de menos desse lado da equação indica

---

[13] Esta equação tem o número 22.3 porque a Equação 22.2 foi apresentada antes da seção "Determinação do valor do empréstimo" (e repetida ao final a seção "Modelo Black-Scholes").

que os credores estão *emitindo* uma opção de compra.) O lado direito da equação é a posição dos credores em termos de opções de venda, como mostrado no Quadro 22.4. Portanto, a paridade mostra que ver a posição dos credores em termos de opções de compra é equivalente a vê-la em termos de opções de venda.

Uma nota sobre garantias para empréstimos

No exemplo da Popov apresentado anteriormente, os credores arcaram com o risco de inadimplência. É claro que os credores normalmente determinam uma taxa de juros alta o bastante para compensar o risco que correm. Quando as empresas passam por dificuldades financeiras, elas não conseguem mais atrair dívidas novas com taxas de juros moderadas. Por isso, frequentemente as empresas com dificuldades financeiras procuram apoio do governo; nos EUA, o governo oferece garantias em apoio a essas empresas (no Brasil isso pode se dar por meio de apoio de agências governamentais ou de bancos de desenvolvimento). Podemos usar o que já sabemos para entender essas garantias.

Se o governo conceder uma garantia para a a empresa, e se a empresa não pagar um empréstimo sob garantia, o governo deve assumir a diferença. Em outras palavras, uma garantia do governo converte um título de dívida com risco em um título sem risco. Qual é o valor dessa garantia?

Lembre-se de que, com a precificação de opções:

$$\begin{array}{c}\text{Valor do título de dívida sem}\\\text{risco de inadimplência}\end{array} = \begin{array}{c}\text{Valor do título de}\\\text{dívida com risco}\end{array} + \begin{array}{c}\text{Valor da opção}\\\text{de venda}\end{array}$$

Essa equação mostra que o governo está assumindo uma obrigação com um custo igual ao valor da opção de venda.

Essa análise diverge da análise de políticos e porta-vozes de empresas. Eles geralmente dizem que a garantia não terá custo para os contribuintes, pois ela permite que a empresa contraia dívidas e permaneça solvente. No entanto, deve ser observado que embora a solvência possa ser uma forte possibilidade, ela nunca é uma certeza. Portanto, quando uma garantia é dada, a obrigação do governo tem um custo em termos de valor presente. Dizer que uma garantia do governo não tem custos para o governo é como dizer que uma opção de venda de ação da Microsoft não tem valor porque *provavelmente* o preço da ação irá subir.

Nos EUA, a verdade também é que o governo lá já obteve uma bela fortuna com garantias de empréstimo. As duas maiores garantias dadas no país antes de sua atual crise financeira foram para a Lockheed Corporation, em 1971, e a Chrysler Corporation, em 1980. Ambas as empresas quase esgotaram seu dinheiro e não pagaram empréstimos. Nos dois casos, o governo dos EUA fez o resgate concordando em garantir novos empréstimos. Sob as garantias, se a Lockheed e a Chrysler tivessem deixado de pagar novos empréstimos, os credores poderiam ter obtido o valor total de seus direitos do governo dos EUA. Do ponto de vista dos credores, os empréstimos se tornam tão sem risco quanto os títulos do Tesouro. Essas garantias permitiram que a Lockheed e a Chrysler tomassem empréstimos de grandes valores e superassem a fase difícil. No final, nenhuma das duas empresas ficou inadimplente.

Quem se beneficia de uma garantia comum para empréstimos?

1. Se os títulos de dívida com risco já existentes receberem garantia, todos os ganhos vão para os credores existentes. Os acionistas não recebem nada, pois a responsabilidade limitada já os isenta de qualquer obrigação no caso de falência.

2. Se uma nova dívida for assumida e garantida, os novos credores não ganham. Em vez disso, em um mercado competitivo, eles devem aceitar uma taxa de juros baixa, pois o risco da dívida é baixo. Nesse caso, os acionistas ganham porque são capazes de emitir dívidas a uma taxa de juros baixa. Além disso, alguns dos ganhos vão para os credores antigos, pois o valor da empresa é maior do que seria em outra situação. Portanto, se os acionistas quiserem todos os ganhos das garantias de empréstimo, deveriam renegociar ou quitar os títulos de dívida existentes antes que a garantia fosse estabelecida. Isso aconteceu no caso da Chrysler.

22.10 Opções e decisões corporativas: algumas aplicações

Nesta seção, exploramos as implicações da análise de opções em duas áreas importantes: orçamento de capital e fusões. Começamos com fusões e apresentamos um resultado muito surpreendente. Após, seguimos em frente para mostrar que a regra do VPL apresenta algumas falhas importantes no caso de empresas alavancadas.

Fusões e diversificação

Em outra parte do livro, discutiremos as fusões e aquisições. Lá, mencionamos que a diversificação é frequentemente citada como um motivo para a fusão de duas empresas. A diversificação é um bom motivo para uma fusão? Pode parecer que sim. Afinal, em um capítulo anterior, investimos muito tempo explicando o porquê de a diversificação ser algo vantajoso para investidores em suas próprias carteiras em razão da eliminação do risco não sistemático.

Para investigar essa questão, vamos considerar duas empresas: a Mergulho no Mar (MM), especializada em roupas de banho, e a Vento Polar (VP), especializada em roupas de inverno. Por motivos óbvios, as duas empresas apresentam fluxos de caixa sazonais; e, em suas respectivas baixas temporadas, ambas se preocupam com o fluxo de caixa. Se as duas empresas se fundissem, a empresa resultante teria um fluxo de caixa muito mais estável. Em outras palavras, uma fusão diversificaria parte da variação sazonal e, na verdade, diminuiria a probabilidade de falência.

Observe que as operações das duas empresas são muito diferentes. Portanto, a fusão proposta seria puramente "financeira". Isso significa que não haveria "sinergias" ou outras possibilidades de agregação de valor, exceto, talvez, ganhos decorrentes da redução do risco. Seguem algumas informações anteriores à fusão:

	Mergulho no Mar	Vento Polar
Valor de mercado dos ativos	$ 30 milhões	$ 10 milhões
Valor de face de dívidas tipo desconto puro	$ 12 milhões	$ 4 milhões
Vencimento da dívida	3 anos	3 anos
Desvio padrão do retorno dos ativos	50%	60%

A taxa sem risco, com capitalização contínua, é de 5%. Com essas informações, podemos ver o valor do capital próprio de cada empresa como uma opção de compra e calcular os valores a seguir usando o modelo Black-Scholes para determinar os valores do capital próprio (calcule você mesmo para praticar):

	Mergulho no Mar	Vento Polar
Valor de mercado das ações	$ 20,424 milhões	$ 7,001 milhões
Valor de mercado da dívida	$ 9,576 milhões	$ 2,999 milhões

Se você conferir esses números, talvez encontre respostas levemente diferentes se usar o Quadro 22.3 (nós usamos uma planilha). Observe que calculamos o valor de mercado da dívida com a identidade do balanço patrimonial.

Após a fusão, os ativos da empresa combinada serão simplesmente a soma dos valores anteriores à fusão ($ 30 + $ 10 = $ 40 milhões), pois nenhum valor foi criado ou destruído. Da mesma maneira, o valor de face da dívida total é agora de $ 16 milhões. No entanto, vamos supor que o desvio padrão dos retornos dos ativos da empresa combinada seja de 40%. Esse valor é mais baixo que os apresentados pelas duas empresas individuais em razão do efeito da diversificação.

Então, qual é o impacto dessa fusão? Para descobrir, calculamos o valor do capital próprio após a fusão. Com base em nossa discussão, as informações relevantes são:

	Empresa combinada
Valor de mercado dos ativos	$ 40 milhões
Valor de face de dívidas tipo desconto puro	$ 16 milhões
Vencimento da dívida	3 anos
Desvio padrão do retorno dos ativos	40%

Mais uma vez, podemos calcular os valores do capital próprio e da dívida:

	Empresa combinada
Valor de mercado do capital próprio	$ 26,646 milhões
Valor de mercado da dívida	$ 13,354 milhões

O que podemos notar é que essa fusão é uma péssima ideia, pelo menos para os acionistas! Antes da fusão, as ações dessas duas empresas separadas valiam um total de $ 20,424 + 7,001 = $ 27,425 milhões, comparado com apenas $ 26,646 milhões após a fusão; então, a fusão fez com que $ 27,425 − 26,646 = $ 0,779 milhão, ou quase $ 1 milhão, do valor do capital próprio virasse fumaça.

Para onde foi o $ 1 milhão do capital próprio? Foi para os credores. Os títulos de dívida das empresas valiam $ 9,576 + 2,999 = $ 12,575 milhões antes da fusão e $ 13,354 milhões após a fusão, um ganho de exatos $ 0,779 milhão. Portanto, essa fusão não criou nem destruiu valor algum, mas passou valores dos acionistas para credores.

Nosso exemplo mostra que fusões puramente financeiras não são vantajosas e também mostra o porquê. A diversificação funciona no sentido da redução da volatilidade dos retornos dos ativos da empresa. A redução do risco beneficia os credores, fazendo com que haja uma probabilidade menor de inadimplência. Às vezes, isso é chamado de efeito de "cosseguro". Essencialmente, por meio da fusão, as empresas asseguram as dívidas uma da outra. Assim, as dívidas se tornam menos arriscadas e podem aumentar de valor. Se o valor dos títulos de dívida apresentar aumento e não houver aumento líquido dos valores de ativos, então o capital próprio deve apresentar redução em seu valor. Portanto, as fusões puramente financeiras são boas para os credores, mas não para os acionistas.

Outra maneira de ver essa questão é que, em razão de o capital próprio ser uma opção de compra, uma redução na variância dos retornos do ativo subjacente tem que reduzir seu valor. A redução do valor no caso de uma fusão puramente financeira tem uma interpretação interessante. A fusão torna a inadimplência (e, portanto, a falência) algo com *menor* probabilidade de acontecer. Isso é obviamente positivo a partir da perspectiva do credor, mas por que isso seria ruim para os acionistas? A resposta é simples: o direito de ir à falência é uma opção valiosa para o acionista. Uma fusão puramente financeira reduz o valor dessa opção.

Opções e orçamento de capital

Agora, abordaremos duas questões referentes ao orçamento de capital. O que mostraremos é que, no caso de uma empresa alavancada, os acionistas preferem um projeto de VPL baixo a um de VPL alto. Após, trataremos do fato de que talvez eles prefiram até mesmo um projeto de VPL *negativo* a um projeto de VPL positivo.

Como de costume, ilustraremos esses pontos primeiramente com um exemplo. Seguem as informações básicas da empresa:

Valor de mercado dos ativos	$ 20 milhões
Valor de face de dívidas tipo desconto puro	$ 40 milhões
Vencimento da dívida	5 anos
Desvio padrão do retorno dos ativos	50%

A taxa sem risco é de 4%. Como já fizemos várias vezes, podemos calcular os valores de mercado do capital próprio e da dívida:

Valor de mercado do capital próprio	$ 5,744 milhões
Valor de mercado da dívida	$ 14,256 milhões

Essa empresa tem um grau de alavancagem bastante alto: o índice dívida/capital próprio com base nos valores de mercado é de $ 14,256/5,744 = 2,48, ou 248%. Esse valor é alto, mas não sem precedentes. Observe que, nesse caso, a opção está fora do dinheiro; como resultado, o *delta* é 0,547.

A empresa tem dois investimentos mutuamente excludentes sob consideração. Os projetos afetam tanto o valor de mercado dos ativos da empresa quanto o desvio padrão do retorno dos ativos da empresa, conforme apresentado a seguir:

	Projeto A	Projeto B
VPL	$ 4	$ 2
Valor de mercado de ativos da empresa ($ 20 + VPL)	$ 24	$ 22
Desvio padrão do retorno dos ativos da empresa	40%	60%

Qual é o melhor projeto? É evidente que o Projeto A tem o VPL mais alto, mas, por enquanto, a preocupação está na mudança do desvio padrão do retorno dos ativos da empresa. Um projeto reduz esse valor, enquanto outro o eleva. Para ver qual dos projetos os acionistas preferem, precisamos recorrer aos nossos já conhecidos cálculos:

	Projeto A	Projeto B
Valor de mercado do capital próprio	$ 5,965	$ 8,751
Valor de mercado da dívida	$ 18,035	$ 13,249

Há uma diferença drástica entre os dois projetos. O Projeto A beneficia tanto os acionistas quanto os credores, mas a maior parte dos ganhos vai para os credores. O Projeto B tem um impacto enorme no valor do capital próprio e ainda reduz o valor da dívida. Com certeza, os acionistas preferem o Projeto B.

Quais são as implicações de nossa análise? Basicamente, descobrimos duas coisas. Primeiro, quando o capital próprio tem um *delta* consideravelmente menor que 1, qualquer valor gerado irá parcialmente para os credores. Segundo, os acionistas têm um forte incentivo para aumentar a variância do retorno dos ativos da empresa. Mais especificamente, os acionistas terão uma forte preferência por projetos que aumentem a variância, e não por projetos que a diminuam, mesmo se isso gerar um VPL mais baixo.

Consideremos um último exemplo. Segue um conjunto diferente de valores:

Valor de mercado dos ativos	$ 20 milhões
Valor de face de dívidas tipo desconto puro	$ 100 milhões
Vencimento da dívida	5 anos
Desvio padrão do retorno dos ativos	50%

A taxa sem risco é de 4%, de modo que os valores do capital próprio e da dívida são:

Valor de mercado do capital próprio	$ 2,012 milhões
Valor de mercado da dívida	$ 17,988 milhões

Observe que a diferença em relação ao nosso exemplo anterior é que o valor de face da dívida é agora de $ 100 milhões, portanto a opção está muito fora do dinheiro. O *delta* é de apenas 0,24, de modo que a maior parte de qualquer valor gerado irá para os credores.

A empresa tem um investimento sob análise que deve ser aceito agora ou nunca. O projeto afeta tanto o valor de mercado dos ativos da empresa quanto o desvio padrão do retorno dos ativos da empresa, conforme apresentado a seguir:

VPL do projeto	–$ 1 milhão
Valor de mercado dos ativos da empresa ($ 20 milhões + VPL)	$ 19 milhões
Desvio padrão do retorno dos ativos da empresa	70%

Portanto, o projeto possui um VPL negativo, mas aumenta o desvio padrão do retorno dos ativos da empresa. Se a empresa aceitar o projeto, o resultado será:

Valor de mercado do capital próprio	$ 4,834 milhões
Valor de mercado da dívida	$ 14,166 milhões

Esse projeto mais que dobra o valor do capital próprio! Mais uma vez, o que estamos vendo é que os acionistas têm um grande incentivo para aumentar a volatilidade, principalmente quando a opção está muito fora do dinheiro. O fato é que os acionistas têm relativamente pouco a perder, pois o provável desfecho é a falência. Como resultado, há uma forte motivação para fazer uma grande aposta, mesmo se ela tiver um VPL negativo. É um pouco como gastar seu último real com um bilhete de loteria. Embora seja um investimento ruim, não há muitas outras opções!

22.11 Investimento em projetos e opções reais

Vamos revisar de forma breve o conteúdo sobre orçamento de capital apresentado em capítulos anteriores. Começamos analisando projetos em que as previsões para fluxos de caixa futuros eram feitas na Data 0. O fluxo de caixa esperado em cada período futuro era descontado com uma taxa com risco adequada, resultando em um cálculo do VPL. Para projetos independentes, um VPL positivo significava aprovação, e um VPL negativo significava rejeição. Essa abordagem tratava o risco por meio da taxa de desconto.

Posteriormente, consideramos a análise por árvores de decisão, uma abordagem que lida com o risco de um modo mais sofisticado. Observamos que a empresa tomará decisões operacionais e de investimentos ao longo da vida de um projeto. Avaliamos um projeto hoje, supondo que as decisões futuras serão as melhores. No entanto, não sabemos como elas realmente serão, pois há ainda muitas informações a serem descobertas. A capacidade de uma empresa postergar suas decisões operacionais e de investimentos até a liberação das informações é uma opção. Agora, ilustraremos essa opção por meio de um exemplo.

EXEMPLO 22.6 Opções e orçamento de capital

A Companhia de Petróleo Pós-Sal está considerando a aquisição de um campo de petróleo em uma área profunda do litoral. O vendedor anunciou a área por $ 10.000 e está ansioso por uma venda imediata. Os custos iniciais de perfuração são de $ 500.000. A Pós-Sal prevê que 10.000 barris de petróleo possam ser extraídos a cada ano por muitas décadas. Como a data de esgotamento está tão distante e é tão difícil de ser estimada, a empresa vê o fluxo de caixa do petróleo como uma perpetuidade. Com os preços do petróleo a $ 50 por barril e custos de extração a $ 46 por barril, a empresa antecipa uma margem líquida de $ 4 por barril. É esperado que os preços do petróleo acompanhem a inflação; por isso, a empresa supõe que seu fluxo de caixa por barril seja sempre de $ 4 em termos reais. A taxa de desconto real apropriada é de 10%. A empresa tem créditos fiscais suficientes de anos ruins e não precisará pagar impostos sobre os lucros que obtiver do campo de petróleo. A Pós-Sal deve comprar a área?

(continua)

(continuação)

O VPL do campo de petróleo para a Pós-Sal é de:

$$-\$\,110.000 = -\$\,10.000 - \$\,500.000 + \frac{\$\,4 \times 10.000}{0{,}10}$$

De acordo com essa análise, a Pós-Sal não deve adquirir a área.

Embora essa abordagem use as técnicas padrão de orçamento de capital deste e de outros livros, na verdade, ela é inadequada para essa situação. Para observar isso, considere a análise de João Torto, um consultor da Pós-Sal. Ele concorda que é *esperado* que o preço do petróleo aumente nos mesmos níveis da taxa de inflação. No entanto, ele observa que o próximo ano será bastante perigoso para os preços do petróleo. Por um lado, a OPEP está considerando um acordo de longo prazo que aumentaria os preços do petróleo para $ 65 por barril em termos reais por muitos anos. Por outro lado, a Nacional Motores anunciou recentemente que os carros que usam uma mistura de areia e água como combustível estão sendo testados atualmente. Torto argumenta que o petróleo terá por muitos anos o preço de $ 35 por barril em termos reais se esse avanço for bem-sucedido. As informações completas sobre esses dois pontos serão divulgadas em exatamente 1 ano.

Se os preços do petróleo aumentarem para $ 65 por barril, o VPL do projeto será de:

$$\$\,1.390.000 = -\$\,10.000 - \$\,500.000 + \frac{(\$\,65 - \$\,46) \times 10.000}{0{,}10}$$

No entanto, se os preços do petróleo caírem para $ 35 por barril, o VPL do campo de petróleo será ainda mais negativo do que já é atualmente.

O Sr. Torto faz duas recomendações ao conselho de administração da Pós-Sal. Ele diz que:

1. A compra da área deve ser realizada.
2. A decisão sobre a perfuração deve ser postergada até que as informações sobre o novo acordo da OPEP e sobre o novo automóvel da Nacional Motores sejam divulgadas.

O consultor explica suas recomendações ao conselho de administração primeiro supondo que a área já tenha sido adquirida. Ele argumenta que, sob essa suposição, a decisão sobre a perfuração deve ser adiada. Segundo, ele investiga a suposição de que a área deva ser antes adquirida. Essa abordagem de examinar a segunda decisão (efetuar ou não a perfuração) supondo que a primeira decisão (adquirir a área) já tenha sido tomada também foi utilizada em nossa apresentação anterior sobre árvores de decisão. Vamos prosseguir com a análise do Sr. Torto.

Suponha que a área já tenha sido adquirida. Se a área já foi adquirida, a perfuração deveria ser iniciada imediatamente? Se a perfuração for iniciada imediatamente, o VPL será de –$ 110.000. Se a decisão sobre a perfuração for adiada até que novas informações sejam divulgadas em 1 ano, a escolha ideal poderá ser feita no momento.

Se os preços caírem para $ 35 por barril, a Pós-Sal não deve efetuar a perfuração. Em vez disso, a empresa deve abandonar o projeto, perdendo apenas o preço de $ 10.000 pago pela aquisição da área. Se os preços do petróleo subirem para $ 65, a perfuração deve ser iniciada.

O Sr. Torto salienta que, com o adiamento, a empresa investirá os $ 500.000 dos custos da perfuração apenas se os preços do petróleo aumentarem. Portanto, com adiamento, a empresa pode economizar $ 500.000 caso os preços do petróleo caiam. O consultor conclui que, após a aquisição da área, a decisão sobre a perfuração deve ser postergada.[14]

---

[14] Há três efeitos diferentes atuando aqui. Primeiro, a empresa evita os custos da perfuração no caso de preços baixos do petróleo postergando a decisão. Esse é o efeito discutido pelo Sr. Torto. Segundo, o valor presente do pagamento de $ 500.000 é menor quando a decisão é adiada, mesmo se a perfuração ocorrer no futuro. Terceiro, a empresa perde 1 ano de fluxos de entrada de caixa em razão do adiamento. Os dois primeiros efeitos apoiam adiar a decisão. O terceiro efeito apoia a perfuração imediata. Nesse exemplo, o primeiro efeito tem uma relevância muito maior que os outros efeitos. Portanto, o Sr. Torto evitou abordar o segundo e terceiro efeitos em sua apresentação.

A área deveria ser adquirida, em primeiro lugar? Sabemos que, se a aquisição foi realizada, o ideal é postergar a decisão sobre a perfuração até que novas informações sejam divulgadas. Visto que conhecemos a decisão ideal quanto à perfuração, a área deveria ser comprada? Mesmo sem saber a probabilidade exata de que os preços do petróleo subam, o Sr. Torto ainda acredita que a área deva ser comprada. O VPL do projeto com preços do petróleo a $ 65 por barril é de $ 1.390.000, enquanto o custo da área é de apenas $ 10.000. O Sr. Torto acredita que a elevação de preço do petróleo é possível, mas não é, de forma alguma, provável. Ainda assim, ele argumenta que o possível alto retorno certamente vale o risco.

Esse exemplo apresenta uma abordagem que é similar à nossa análise por árvore de decisão da empresa Solar Equipamentos em um capítulo anterior. Nesta seção, nosso objetivo é discutir esse tipo de decisão de um ponto de vista das opções. Quando a Pós-Sal adquire a área, ela está, na verdade, adquirindo uma opção de compra. Ou seja, após a compra da área, a empresa tem uma opção para comprar um campo de petróleo ativo por um preço de exercício de $ 500.000. De fato, normalmente não se deve exercer uma opção de compra imediatamente.[15] Nesse caso, a empresa deve adiar o exercício da opção até que as informações relevantes que envolvem os preços futuros do petróleo sejam divulgadas.

Esta seção aponta um problema sério do orçamento de capital clássico: os cálculos do VPL normalmente ignoram a flexibilidade que as empresas reais apresentam. Em nosso exemplo, as técnicas padrão geraram um VPL negativo para a compra da área. Ainda assim, dando à empresa a opção de alterar sua política de investimentos de acordo com as novas informações, a compra da área pode ser facilmente justificada.

Incentivamos o leitor a procurar por opções ocultas nos projetos. Como há vantagem em ter opções, se os gestores ignorarem a opção de flexibilidade nos cálculos de orçamento de capital, eles investirão menos nos projetos de suas empresas.

Resumo e conclusões

Este capítulo serve de introdução para o conteúdo sobre opções.

1. As opções mais conhecidas são as opções de venda (*put*) e as opções de compra (*call*). Essas opções dão ao titular o direito de vender ou de comprar ações por um preço de exercício. As opções americanas podem ser exercidas a qualquer momento até a data de vencimento, incluindo a própria data de vencimento. As opções europeias podem ser exercidas apenas na data de vencimento.

2. Mostramos que a estratégia de comprar uma ação e uma opção de venda equivale à estratégia de comprar uma opção de compra e um título de dívida com cupom zero. A partir disso, a relação de paridade foi estabelecida:

$$\text{Valor da ação} + \text{Valor da opção de venda} - \text{Valor da opção de compra} = \text{Valor presente do preço de exercício}$$

---

[15] Na verdade, é possível demonstrar que uma opção de compra de uma ação que não paga dividendos *nunca* deve ser exercida antes do vencimento. No entanto, no caso de ações que pagam dividendos, exercer a opção antes da data ex-dividendo pode ser o ideal. A analogia se aplica ao nosso exemplo de uma opção em ativos reais. A empresa receberia fluxos de caixa do petróleo antes se a perfuração começasse imediatamente. Isso equivale à vantagem de exercer uma opção de compra de uma ação prematuramente para obter o dividendo. No entanto, em nosso exemplo, esse efeito do dividendo é superado, em grande escala, pelas vantagens de esperar.

3. O valor de uma opção depende de vários fatores:
   a. O preço do ativo subjacente.
   b. O preço de exercício.
   c. A data de vencimento.
   d. A variabilidade dos retornos do ativo subjacente.
   e. A taxa de juros dos títulos de dívida sem risco.

   O modelo Black-Scholes pode determinar o preço intrínseco de uma opção a partir desses cinco fatores.

4. Grande parte da teoria de Finanças Corporativas pode ser representada em termos de opções. Neste capítulo, discutimos que:
   a. Uma ação pode ser representada como uma opção de compra da empresa.
   b. Os acionistas aumentam o valor de sua opção de compra elevando o risco de sua empresa.
   c. Os projetos reais possuem opções ocultas que aumentam o valor.

QUESTÕES CONCEITUAIS

1. **Opções** O que é uma opção de compra? E uma opção de venda? Sob quais circunstâncias é vantajoso comprar cada uma delas? Qual delas tem maior lucro *potencial*? Por quê?

2. **Opções** Complete a frase a seguir para cada um destes investidores:
   a. Um comprador de opções de compra.
   b. Um comprador de opções de venda.
   c. Um vendedor (lançador) de opções de compra.
   d. Um vendedor (lançador) de opções de venda.

   "O (comprador/vendedor) de uma opção de (venda/compra) (paga/recebe) uma quantia de dinheiro pelo(a) (direito/obrigação) de (comprar/vender) um ativo específico a um preço fixo por um determinado período de tempo."

3. **Opções americanas e europeias** Qual é a diferença entre uma opção americana e uma opção europeia?

4. **Valor intrínseco** O que é valor intrínseco de uma opção de compra? E de uma opção de venda? Como interpretamos esses valores?

5. **Preço da opção** Você observa que as ações da Pastel S/A estão subindo para $ 50 por ação. As opções de compra com um preço de exercício de $ 35 estão sendo negociadas a $ 10. O que está errado? Descreva como você pode aproveitar essa precificação incorreta se as opções expirarem hoje.

6. **Opções e risco da ação** Se o risco de uma ação aumentar, o que provavelmente acontecerá com o preço das opções de compra da ação? E com os preços das opções de venda? Por quê?

7. **Risco da opção** Verdadeiro ou falso? O risco não sistemático de uma ação é irrelevante para avaliar a ação, pois ele pode ser diversificado; portanto, ele também é irrelevante para avaliar uma opção de compra da ação. Explique.

8. **Preço da opção** Suponha que uma determina ação esteja sendo negociada atualmente por $ 30 por ação. Se uma opção de venda e uma opção de compra estiverem disponíveis com preços de exercício de $ 30, qual você acha que será negociada por um valor maior? Explique.

9. **Preço da opção e taxas de juros** Suponha que a taxa de juros de títulos do Tesouro inesperadamente suba. Com tudo o mais permanecendo igual, qual é o impacto nos valores de opções de compra? E nos valores de opções de venda?

10. **Passivos contingentes** Nos EUA, quando você faz um empréstimo estudantil, normalmente o credor recebe uma garantia do governo dos EUA, o que significa que o governo norte-americano fará qualquer pagamento que você não fizer. Esse é apenas um exemplo das diversas garantias de empréstimo feitas pelo governo dos EUA. Garantias como essas não aparecem nos cálculos de gastos governamentais ou em valores oficiais de déficit. Por que não? Elas deveriam aparecer?

11. **Opções e datas de vencimento** Qual é o impacto de alongar o prazo até o vencimento no valor de uma opção? Explique.

12. **Opções e volatilidade do preço de ações** Qual o impacto de um aumento na volatilidade dos retornos da ação subjacente no valor de uma opção? Explique.

13. **Seguro como uma opção** Uma apólice de seguro é considerada análoga a uma opção. A partir do ponto de vista do titular da apólice, que tipo de opção é uma apólice de seguro? Por quê?

14. **Capital próprio como opção de compra** Diz-se que os acionistas de uma empresa alavancada podem ser vistos como titulares de uma opção de compra dos ativos da empresa. Explique o que essa afirmação significa.

15. **Avaliação de opções e VPL** Você é o diretor-presidente das Indústrias Titã e acabou de receber um grande número de opções no plano de remuneração com opções de compra de ações da empresa. A empresa tem disponíveis dois projetos mutuamente excludentes. O primeiro projeto tem um VPL alto e reduzirá o risco total da empresa. O segundo projeto tem um VPL baixo e aumentará o risco total da empresa. Você tinha decidido aceitar o primeiro projeto e, em seguida, você se lembrou de seu plano de opções de compra de ações. Como essa lembrança pode afetar sua decisão?

16. **Paridade** Você encontrou uma opção de venda e uma opção de compra com o mesmo preço de exercício e vencimento. O que você sabe sobre os preços relativos dessas opções? Comprove sua resposta e forneça uma explicação intuitiva.

17. **Paridade** Uma opção de venda e uma opção de compra apresentam o mesmo vencimento e preço de exercício. Se elas têm o mesmo preço, qual delas está dentro do dinheiro? Comprove sua resposta e forneça uma explicação intuitiva.

18. **Paridade** Uma das coisas que a paridade nos mostra é que, se houver três itens do conjunto formado por ação, opção de compra, opção de venda e título do Tesouro, o quarto item do conjunto pode ser sintetizado ou replicado usando os outros três. Por exemplo, como podemos replicar uma ação usando uma opção de compra, uma opção de venda e um título do Tesouro?

QUESTÕES E PROBLEMAS

BÁSICO
(Questões 1-17)

1. **Modelo binomial de precificação de opções** Os títulos do Tesouro atualmente trazem retorno de 4,8%. A ação das Indústrias Nina atualmente está sendo negociada a $ 63. Não há a possibilidade de a ação valer menos que $ 61 em 1 ano.

    a. Qual é o valor de uma opção de compra com um preço de exercício de $ 60? Qual é o valor intrínseco?

    b. Qual é o valor de uma opção de compra com um preço de exercício de $ 50? Qual é o valor intrínseco?

    c. Qual é o valor de uma opção de venda com um preço de exercício de $ 60? Qual é o valor intrínseco?

2. **Cotações de opções** Use as informações de cotações de opções apresentadas para responder às perguntas a seguir. No momento, cada ação é negociada a $ 83.

Opção e fechamento na BM&FBOVESPA	Vencimento	Preço de exercício	De compra Vol.	De compra Último	De venda Vol.	De venda Último
RWJL						
	Março	80	230	2,80	160	0,80
	Abril	80	170	6	127	1,40
	Julho	80	139	8,05	43	3,90
	Outubro	80	60	10,20	11	3,65

a. As opções de compra estão dentro do dinheiro? Qual é o valor intrínseco de uma opção de compra da RWJL S/A?

b. As opções de venda estão dentro do dinheiro? Qual é o valor intrínseco de uma opção de venda da RWJL S/A?

c. Duas das opções estão claramente avaliadas incorretamente. Quais são elas? No mínimo, a que valor as opções com preços incorretos deveriam ser negociadas? Explique como você poderia obter lucro a partir da precificação incorreta em cada caso.

3. **Cálculo dos resultados** Use as informações de cotações das opções apresentadas para responder às perguntas a seguir. No momento, cada ação é negociada por $ 114.

Opção e fechamento na BM&FBOVESPA	Vencimento	Preço de exercício	De compra Vol.	De compra Último	De venda Vol.	De venda Último
Macrosoftware						
	Fevereiro	110	85	7,60	40	0,60
	Março	110	6	8,80	22	1,55
	Maio	110	22	10,25	11	2,85
	Agosto	110	3	13,05	3	4,70

a. Suponha que você compre 10 contratos da opção de compra Fevereiro 110. Quanto você pagará, sem considerar comissões?

b. Na parte (a), suponha que a ação da Macrosoftware esteja sendo negociada a $ 140 por ação na data de vencimento. Quanto valerá o seu investimento em opções? E se o preço da ação final for de $ 125? Explique.

c. Suponha que você compre 10 contratos da opção de venda Agosto 110. Qual será seu ganho máximo? Na data de vencimento, a ação da Macrosoftware está sendo negociada a $ 104. Quanto valerá o seu investimento em opções? Qual será seu ganho líquido?

d. Na parte (c), suponha que você *venda* 10 contratos das opções de venda Agosto 110. Qual será seu ganho ou perda líquidos se a ação da Macrosoftware estiver sendo negociada a $ 103 no vencimento? E a $ 132? Qual é o preço de equilíbrio – ou seja, o preço da ação final que resulta em lucro zero?

4. **Modelo binomial de precificação de opções** O preço da ação da Ervino S/A será de $ 74 ou $ 96 no final do ano. As opções de compra estão disponíveis com 1 ano até a data de vencimento. Os títulos do Tesouro atualmente fornecem retorno de 5%.

a. Suponha que o preço atual da ação da Ervino seja de $ 80. Qual é o valor da opção de compra se o preço de exercício for de $ 70 por ação?

b. Suponha que o preço de exercício seja de $ 90 na parte (a). Qual é o valor da opção de compra nesse caso?

5. **Modelo binomial de precificação de opções** O preço da ação da Lara S/A será de $ 50 ou $ 70 no final do ano. As opções de compra estão disponíveis com 1 ano até a data de vencimento. Os títulos do Tesouro atualmente fornecem retorno de 5%.

a. Suponha que o preço atual da ação da Lara seja de $ 62. Qual é o valor da opção de compra se o preço de exercício for de $ 35 por ação?

b. Suponha que o preço de exercício seja de $ 60 na parte (a). Qual é o valor da opção de compra nesse caso?

6. **Paridade** Uma ação está sendo negociada atualmente por $ 38. Uma opção de compra com preço de exercício de $ 40 é vendida por $ 3,80 e expira em 3 meses. Se a taxa de juros sem risco for de 2,6% ao ano, com capitalização contínua, qual será o preço de uma opção de venda com o mesmo preço de exercício?

7. **Paridade** Uma opção de venda que expira em 6 meses com preço de exercício de $ 65 é negociada por $ 4,89. A ação atualmente está avaliada em $ 61, e a taxa sem risco é de 3,6% ao ano, com capitalização contínua. Qual é o preço de uma opção de compra com o mesmo preço de exercício?

8. **Paridade** Uma opção de venda e uma opção de compra com preço de exercício de $ 85 e data de vencimento em 3 meses são negociadas por $ 2,40 e $ 5,09, respectivamente. Se a taxa sem risco for de 4,8% ao ano, com capitalização contínua, qual será o preço corrente da ação?

9. **Paridade** Uma opção de venda e uma opção de compra com preço de exercício de $ 55 e data de vencimento em 2 meses são negociadas por $ 2,65 e $ 5,32, respectivamente. Se a ação atualmente é avaliada em $ 57,30, qual é a taxa de juros anual com capitalização contínua?

10. **Black-Scholes** Quais são os preços de uma opção de compra e uma opção de venda com as características a seguir?

    Preço da ação = $ 57
    Preço de exercício = $ 60
    Taxa sem risco = 6% ao ano, com capitalização contínua
    Vencimento = 3 meses
    Desvio padrão = 54% ao ano

11. **Black-Scholes** Quais são os preços de uma opção de compra e uma opção de venda com as características a seguir?

    Preço da ação = $ 93
    Preço de exercício = $ 90
    Taxa sem risco = 4% ao ano, com capitalização contínua
    Vencimento = 5 meses
    Desvio padrão = 62% ao ano

12. *Delta* Quais são os *deltas* de uma opção de compra e uma opção de venda com as características a seguir? O que o *delta* da opção demonstra para você?

    Preço da ação = $ 67
    Preço de exercício = $ 70
    Taxa sem risco = 5% ao ano, com capitalização contínua
    Vencimento = 9 meses
    Desvio padrão = 49% ao ano

13. **Black-Scholes e valor do ativo** Você possui um terreno em Búzios, no Rio de Janeiro, que atualmente está sem uso. Recentemente, terrenos semelhantes foram vendidos por $ 1,1 milhão. Nos últimos 5 anos, o preço dos terrenos na área aumentou 12% ao ano, com um desvio padrão anual de 25%. Há pouco tempo, um comprador entrou em contato com você para obter uma opção para comprar o terreno nos próximos 12 meses por $ 1,25 milhão. A taxa de juros sem risco é de 5% ao ano, com capitalização contínua. Quanto você deve cobrar pela opção?

14. **Black-Scholes e valor do ativo** No problema anterior, suponha que você quisesse ter a opção de vender o terreno ao comprador em 1 ano. Considerando que todos os fatores permaneçam os mesmos, descreva o tipo de transação que ocorreria hoje. Qual é o preço para a transação hoje?

15. **Valor de opções no tempo** Você recebeu as informações a seguir sobre as opções de uma determinada ação:

Preço da ação	= $ 83
Preço de exercício	= $ 80
Taxa sem risco	= 6% ao ano, com capitalização contínua
Vencimento	= 6 meses
Desvio padrão	= 53% ao ano

    a. Qual é o valor intrínseco da opção de compra? E da opção de venda?
    b. Qual é o valor descontado da opção de compra? E da opção de venda?
    c. Entre a opção de compra e a opção de venda, qual tem maior componente de valor do tempo? Você esperaria que isso fosse, em geral, verdadeiro?

16. **Avaliação neutra ao risco** Uma ação está atualmente avaliada em $ 73. Ela terá seu valor elevado ou diminuído em 15% no próximo ano. Há uma opção de compra da ação com preço de exercício de $ 70 e data de vencimento em 1 ano. Se a taxa sem risco for de 8%, qual será o valor neutro ao risco da opção de compra?

17. **Avaliação neutra ao risco** No problema anterior, suponha que a taxa sem risco seja de apenas 5%. Qual será o valor neutro ao risco da opção agora? O que acontece com as probabilidades neutras ao risco de um aumento do preço da ação e de uma redução do preço da ação?

INTERMEDIÁRIO
(Questões 18-29)

18. **Black-Scholes** Uma opção de compra expira em 6 meses. O preço da ação subjacente é de $ 75, e o retorno da ação tem um desvio padrão de 30% ao ano. A taxa sem risco é de 4% ao ano, com capitalização contínua. Se o preço de exercício for de $ 0, qual será o preço da opção de compra?

19. **Black-Scholes** Uma opção de compra tem preço de exercício de $ 80 e vence em 6 meses. A ação atualmente está avaliada em $ 84, e a taxa sem risco é de 5% ao ano, com capitalização contínua. Qual será o preço da opção de compra se o desvio padrão da ação for de 0% ao ano?

20. **Black-Scholes** Uma ação está atualmente avaliada em $ 35. Uma opção de compra com vencimento em 1 ano tem preço de exercício de $ 50. A taxa sem risco é de 7% ao ano, com capitalização contínua, e o desvio padrão do retorno da ação é infinitamente grande. Qual é o preço da opção de compra?

21. **Capital próprio como uma opção** A Queimassol Protetores tem uma emissão de títulos de dívida com cupom zero em circulação com um valor de face de $ 25.000 que vence em 1 ano. O valor de mercado atual dos ativos da empresa é de $ 26.300. O desvio padrão do retorno dos ativos da empresa é de 38% ao ano, enquanto a taxa anual sem risco é de 5% ao ano, com capitalização contínua. Com base no modelo Black-Scholes, qual é o valor de mercado do capital próprio e da dívida da empresa?

22. **Capital próprio como uma opção e VPL** Suponha que a empresa no problema anterior esteja considerando dois investimentos mutuamente excludentes. O Projeto A tem um VPL de $ 1.200, enquanto o Projeto B tem um VPL de $ 1.600. Como resultado da escolha do Projeto A, o desvio padrão dos retornos dos ativos da empresa aumentará para 55% ao ano. Se a empresa optar pelo Projeto B, o desvio padrão cairá para 34% ao ano.

    a. Qual será o valor do capital próprio e da dívida da empresa se o Projeto A for escolhido? E se o Projeto B for escolhido?

b. Qual projeto teria a preferência dos acionistas? Você consegue relacionar sua resposta com a regra do VPL?

c. Suponha que os acionistas e os credores sejam, de fato, o mesmo grupo de investidores. Isso afetaria sua resposta para (b)?

d. O que este problema sugere sobre os incentivos dos acionistas?

23. **Capital próprio como uma opção** A Pingo de Gelo Produtos Térmicos tem uma emissão de títulos de dívida com cupom zero em circulação com um valor de face de $ 30.000 que vence em 1 ano. O valor corrente de mercado dos ativos da empresa é de $ 36.400. O desvio padrão dos retornos dos ativos da empresa é de 53% ao ano, enquanto a taxa sem risco é de 5% ao ano, com capitalização contínua. Com base no modelo Black-Scholes, qual é o valor de mercado do capital próprio e da dívida da empresa? Qual é o custo da dívida da empresa com capitalização contínua?

24. **Fusões e capital próprio como uma opção** Suponha que a Queimassol e a Pingo de Gelo dos problemas anteriores tenham decidido se fundir. Como as duas empresas apresentam vendas sazonais, o retorno dos ativos da empresa combinada terá um desvio padrão de 29% ao ano.

    a. Qual é a soma do valor do capital próprio nas duas empresas existentes? E o valor da dívida?

    b. Qual é o valor do capital próprio combinado da nova empresa? E o valor da dívida?

    c. Qual foi o ganho ou a perda para os acionistas? E para os credores?

    d. O que aconteceu com o valor aos acionistas nesse caso?

25. **Capital próprio como uma opção e VPL** Uma empresa tem uma única emissão de títulos de dívida com cupom zero em circulação que vence em 10 anos com um valor de face de $ 15 milhões. O valor atual dos ativos da empresa é de $ 13,4 milhões, e o desvio padrão do retorno dos ativos da empresa é de 39% ao ano. A taxa sem risco é de 6% ao ano, com capitalização contínua.

    a. Qual é o atual valor de mercado do capital próprio da empresa?

    b. Qual é o atual valor de mercado da dívida da empresa?

    c. Qual é o custo da dívida com capitalização contínua da empresa?

    d. A empresa dispõe de um novo projeto. O projeto tem um VPL de $ 1.200.000. Se a empresa assumir o projeto, qual será o novo valor de mercado do capital próprio? Suponha que a volatilidade permaneça inalterada.

    e. Supondo que a empresa assuma o novo projeto sem tomar aportes adicionais de fundos por empréstimo, qual é o novo custo da dívida com capitalização contínua? O que está acontecendo?

26. **Modelo binomial de precificação de opções** João está interessado em comprar uma opção de compra europeia de ações da Linhas Aéreas do Sul S/A, cuja ação não paga dividendos, com preço de exercício de $ 75 e data de vencimento em 1 ano. Atualmente, as ações da Aéreas do Sul são negociadas a $ 78. Em um ano, João sabe que a ação da Aéreas do Sul será negociada a $ 93 ou $ 65. Além disso, João pode tomar empréstimos e emprestar valores com taxa efetiva anual sem risco de 2,5%.

    a. Qual deveria ser o valor da opção de compra hoje?

    b. Se não houver opções da ação sendo negociadas atualmente, há alguma maneira de criar uma opção de compra sintética com rendimentos idênticos aos da opção de compra descrita? Se houver, como você faria isso?

    c. Quanto custa a opção de compra sintética? Esse valor é maior, menor ou igual ao preço da opção de compra verdadeira? Isso é coerente?

27. **Modelo binomial de precificação de opções** Roberto deseja comprar uma opção de venda europeia de ações da BioLabs S/A, cuja ação não paga dividendos, com preço de exercício de $ 40 e data de vencimento em 6 meses. Atualmente, a ação da BioLabs está sendo negociada a $ 30, e Roberto espera que o preço da ação suba para $ 60 ou caia para $ 15 em 6 meses. Além disso, Roberto pode tomar empréstimo e emprestar valores com taxa efetiva anual sem risco de 5%.

   a. Qual deveria ser o valor da opção de venda hoje?

   b. Se não houver opções da ação sendo negociadas atualmente, há alguma maneira de criar uma opção de venda sintética com rendimentos idênticos aos da opção de venda descrita? Se houver, como você faria isso?

   c. Quanto custa a opção de venda sintética? Esse valor é maior, menor ou igual ao preço da opção de venda verdadeira? Isso é coerente?

28. **Modelo binomial de precificação de opções** As Indústrias Cem Marca S/A precisam comprar ouro em 3 meses para usar em suas operações. A administração da Cem Marca estimou que, se o preço do ouro subisse para mais de $ 1.530 por onça, a empresa entraria em processo de falência. O preço atual do ouro é de $ 1.450 por onça. O diretor financeiro da empresa acredita que o preço do ouro subirá para $ 1.605 por onça ou cairá para $ 1.340 por onça nos próximos 3 meses. A administração deseja eliminar todos os riscos de a empresa ir à falência. A Cem Marca pode tomar empréstimos e emprestar valores com taxa efetiva anual sem risco de 6,5%.

   a. A empresa deve comprar uma opção de compra ou uma opção de venda de ouro? Para evitar a falência, que preço de exercício e prazo até o vencimento a empresa gostaria que essa opção apresentasse?

   b. Qual seria o valor de uma opção como essa no mercado?

   c. Se não houver opções de ouro sendo negociadas atualmente, há alguma maneira de a empresa criar uma opção sintética com rendimentos idênticos aos da opção descrita? Se houver, como a empresa faria isso?

   d. Quanto custa a opção sintética? Esse valor é maior, menor ou igual ao preço da opção verdadeira? Isso é coerente?

29. **Black-Scholes e custo de *collar*** Diz-se que um investidor passa a ser parte de um *collar* se comprar o ativo, comprar uma opção de venda do ativo que está *fora do dinheiro* e vender uma opção de compra do ativo que está *fora do dinheiro*. As duas opções devem ter o mesmo prazo até o vencimento. Suponha que Maria deseja comprar um *collar* da Cinencasa uma ação que não paga dividendos, com data de vencimento em 6 meses. Ela gostaria de que a opção de venda e a opção de compra tivessem preços de exercício de $ 55 e $ 95, respectivamente. O preço atual da ação da Cinencasa é de $ 70. Além disso, Maria pode tomar empréstimos e emprestar valores com taxa sem risco com capitalização contínua de 7% ao ano, e o desvio padrão anual do retorno da ação é de 50%. Use o modelo Black-Scholes para calcular o custo total do *collar* que Maria está interessada em comprar. Qual é o efeito do *collar*?

DESAFIO (Questões 30-38)

30. **Avaliação da dívida e prazo até o vencimento** As Indústrias Abacaxis têm uma emissão de título de dívidas com cupom zero que vence em 2 anos com valor de face de $ 50.000. O valor atual dos ativos da empresa é de $ 29.000, e o desvio padrão do retorno dos ativos é de 60% ao ano.

   a. Suponha que a taxa sem risco seja de 5% ao ano, com capitalização contínua. Qual é o valor de um título de dívida sem risco com o mesmo valor de face e vencimento do título de dívida da empresa?

   b. Qual seria o preço que os credores teriam que pagar por uma opção de venda dos ativos da empresa com preço de exercício igual ao valor de face da dívida?

c. Com as respostas de (a) e (b), qual é o valor da dívida da empresa? Qual é o retorno com capitalização contínua da dívida da empresa?

d. A partir de uma análise do valor dos ativos das Indústrias Abacaxis e do fato de que a dívida deve ser paga em 2 anos, parece provável que a empresa se torne inadimplente. Os gestores contataram os credores e propuseram um plano em que a empresa pagaria o mesmo valor de face da dívida, mas esse pagamento não seria feito nos próximos 5 anos. Qual é o valor da dívida sob o plano proposto? Qual é o novo retorno com capitalização contínua da dívida? Explique o porquê de isso acontecer.

31. **Avaliação da dívida e variância de ativos** A Brasinhas S/A tem um título de dívida com cupom zero que vence em 5 anos com valor de face de $ 60.000. O valor atual dos ativos da empresa é de $ 57.000, e o desvio padrão dos retornos de seus ativos é de 50% ao ano. A taxa sem risco é de 6% ao ano, com capitalização contínua.

    a. Qual é o valor de um título de dívida sem risco com o mesmo valor de face e vencimento do título de dívida atual?

    b. Qual é o valor de uma opção de venda dos ativos da empresa com preço de exercício igual ao valor de face da dívida?

    c. Com as respostas de (a) e (b), qual é o valor da dívida da empresa? Qual é o retorno com capitalização contínua da dívida da empresa?

    d. Suponha que a empresa possa reestruturar seus ativos de modo que o desvio padrão dos retorno de seus ativos suba para 60% ao ano. O que acontece com o valor da dívida? Qual é o novo retorno com capitalização contínua da dívida? Relacione suas respostas de (c) e (d).

    e. O que acontece com os credores se a empresa reestruturar seus ativos? O que acontece com os acionistas? De que modo isso cria um problema de agência?

32. **Precificação binomial de opções e avaliação de empresas** A Construtora Real S/A, uma construtora financiada por capital próprio e dívidas, está iniciando um novo projeto. Se o projeto for bem-sucedido, em um ano, o valor da empresa será de $ 280 milhões, mas, se o projeto fracassar, a empresa valerá apenas $ 190 milhões. O valor corrente da construtora é de $ 230 milhões, número que inclui as perspectivas para o novo projeto. A construtora tem uma emissão de títulos de dívida com cupom zero em circulação que vence em 1 ano com valor de face de $ 260 milhões. Os títulos do Tesouro que vencem em 1 ano geram retorno da taxa efetiva anual de 7%. A empresa não paga dividendos.

    a. Use o modelo binomial de precificação de opções para encontrar o valor corrente da dívida e do capital próprio da construtora.

    b. Suponha que a construtora tenha 500.000 ações em circulação. Qual é o preço por ação da empresa?

    c. Compare o valor de mercado da dívida da construtora com o valor presente de uma dívida de mesmo montante que é sem risco e que tem 1 ano até o vencimento. A dívida da empresa vale mais, menos ou o mesmo que a dívida sem risco? Isso é coerente? Quais são os fatores que podem causar a diferença entre os dois valores?

    d. Suponha que, em vez do projeto citado, a administração da Construtora decida realizar um projeto ainda mais arriscado. O valor da empresa subirá para $ 315 milhões ou cairá para $ 175 milhões até o final do ano. Inesperadamente, a administração concluiu que o valor da empresa hoje permanecerá sendo de exatamente $ 230 milhões se esse projeto arriscado for substituído pelo projeto menos arriscado. Use o modelo binomial de precificação de opções para determinar os valores da dívida e do capital próprio da empresa se ela optar por realizar esse novo projeto. Qual projeto tem a preferência dos credores?

33. **Black-Scholes e dividendos** Além dos cinco fatores discutidos neste capítulo, os dividendos também afetam o preço de uma opção. O modelo de precificação de opções Black-Scholes com dividendos é:

$$C = S \times e^{-dt} \times N(d_1) - E \times e^{-Rt} \times N(d_2)$$
$$d_1 = [\ln(S/E) + (R - d + \sigma^2/2) \times t]/(\sigma \times \sqrt{t})$$
$$d_2 = d_1 - \sigma \times \sqrt{t}$$

Todas as variáveis são as mesmas que as do modelo Black-Scholes sem dividendos, exceto pela variável d, que é o retorno em dividendos, com capitalização contínua, gerado pela ação.

   a. Qual efeito você acha que o retorno em dividendos terá sobre o preço de uma opção de compra? Explique.
   b. Uma ação está avaliada atualmente em $ 93, o desvio padrão de seus retornos é de 50% ao ano, e a taxa sem risco é de 5% ao ano, com capitalização contínua. Qual é o preço de uma opção de compra com preço de exercício de $ 90 e vencimento em 6 meses se a ação tiver um retorno em dividendos de 2% ao ano?

34. **Paridade e dividendos** A condição de paridade é alterada quando há o pagamento de dividendos. A fórmula da paridade ajustada a dividendos é:

$$S \times e^{-dt} - P = E \times e^{-Rt} + C$$

Nessa fórmula, d é novamente o retorno em dividendos com capitalização contínua.

   a. Qual efeito você acha que o retorno em dividendos terá sobre o preço de uma opção de venda? Explique.
   b. A partir da questão anterior, qual é o preço de uma opção de venda com o mesmo preço de exercício e vencimento que a opção de compra?

35. *Delta* **da opção de venda** No capítulo, observamos que o *delta* para uma opção de venda é $N(d_1) - 1$. Isso é o mesmo que $-N(-d_1)$? (*Dica:* sim, mas por quê?)

36. **Modelo de precificação de opções de venda Black-Scholes** Use o modelo Black-Scholes de precificação de opções de compra, a paridade e a questão anterior para mostrar que o modelo Black-Scholes para avaliar diretamente uma opção de venda pode ser escrito conforme apresentado a seguir:

$$P = E \times e^{-Rt} \times N(-d_2) - S \times N(-d_1)$$

37. **Black-Scholes** Uma ação está atualmente avaliada em $ 50. Ela nunca pagará um dividendo. A taxa sem risco é de 12% ao ano, com capitalização contínua, e o desvio padrão dos retornos da ação é de 60%. Uma opção de compra europeia da ação tem preço de exercício de $ 100, e não há data de vencimento, o que significa que ela é perpétua. Com base no modelo Black-Scholes, qual é o valor da opção de compra? Você nota um paradoxo aqui? Em sua opinião, há uma maneira de desviar desse paradoxo?

38. *Delta* Você compra uma opção de compra e vende uma opção de venda com o mesmo preço de exercício e data de vencimento. Qual é o *delta* da sua carteira? Por quê?

DOMINE O EXCEL!

Além dos botões de rotação e das barras de rolagem, há diversos outros controles no Excel. Para essa tarefa, você precisa elaborar uma planilha do modelo de precificação de opções Black-Scholes usando vários desses controles.

   a. Os botões são sempre usados em conjunto. O uso deles permite que você examine uma opção e a planilha use essa entrada. Nesse caso, você precisa criar dois botões, um para uma opção de compra e outro para uma opção de venda. Ao usar a planilha, se você clicar na opção de compra, a planilha calculará um preço da opção de compra, ao passo que, se você clicar na opção de venda, ela calculará o preço da opção de venda. Observe que a célula B20 está vazia na próxima planilha. Essa célula deve ter seu nome trocado. Os nomes das células devem ser "Preço da opção de compra" e "Preço da opção de venda". Na célula de preço, apenas o preço da opção de compra ou opção de venda será exibido, dependendo de qual botão está selecionado. Para o botão, use o botão sob Controles de Formulário.

b. Uma Caixa de Combinação (*Combo Box*) usa um menu suspenso com valores inseridos pelo desenvolvedor da planilha. Uma vantagem da Caixa de Combinação é que o usuário pode escolher valores do menu suspenso (*Drop Down*) ou inserir outro valor se for necessário. Nesse caso, você deseja criar uma Caixa de Combinação para o preço da ação e uma Caixa de Combinação separada para o preço de exercício. No lado direito da planilha, são apresentados valores para o menu suspenso. Esses valores devem ser criados em uma matriz antes da Caixa de Combinação ser inserida. Para criar uma Caixa de Combinação ActiveX, vá em Desenvolvedor, Inserir e selecione Caixa de Combinação do menu Controles ActiveX. Após posicionar a Caixa de Combinação, clique com o botão direito do mouse na caixa, selecione Propriedades e insira a LinkedCell, que é a célula em que você deseja que o resultado seja exibido, e a ListFillRange, que é o intervalo que contém a lista de valores a serem exibidos no menu suspenso.

c. Em comparação com uma Caixa de Combinação, uma Caixa de Listagem (*List Box*) permite que o usuário role pela lista de possíveis valores que são predeterminados pelo desenvolvedor da planilha. Nenhum outro valor pode ser inserido. É necessário criar uma Caixa de Listagem para a taxa de juros usando a matriz da taxa de juros do lado direito da planilha. Para adicionar uma Caixa de Listagem, vá em Desenvolvedor, Inserir e escolha Caixa de Listagem sob Controles ActiveX. Para inserir a célula vinculada e a matriz dos valores, será preciso ir em Propriedades da Caixa de Listagem. Para isso, clique com o botão direito do mouse na Caixa de Listagem e selecione a opção Propriedades do menu. É importante salientar que, para editar tanto a Caixa de Combinação quanto a Caixa de Listagem, você precisará se certificar de que o Modo de Design esteja selecionado na guia Desenvolvedor.

MINICASO

Opções das Indústrias Silva

Você atualmente está trabalhando para as Indústrias Silva. A empresa, que abriu seu capital há 5 anos, trabalha no desenvolvimento, na produção e na distribuição de equipamentos de iluminação e produtos especializados no mundo todo. Devido a eventos recentes, Marcos Silva, presidente das Indústrias Silva, está preocupado com o risco da empresa e, por isso, pediu sua assistência.

Em sua conversa com Marcos, você explicou a ele que o modelo de precificação de ativos sugere que o risco de mercado das ações da empresa é o fator determinante de seu retorno esperado. Embora Marcos concorde com isso, ele argumenta que a carteira dele é formada somente por ações e opções das Indústrias Silva. Então, ele está preocupado com o risco total, ou desvio padrão dos retornos das ações da empresa. Além disso, apesar de ele ter calculado o desvio padrão dos retornos das ações da empresa nos últimos 5 anos, ele gostaria de uma estimativa dessa volatilidade para o futuro.

Marcos diz que você pode encontrar a volatilidade estimada da ação para períodos futuros por meio do cálculo do desvio padrão implícito nos contratos de opções em ações da empresa. Ao examinar os fatores que afetam o preço de uma opção, todos os fatores, exceto o desvio padrão da ação, podem ser diretamente observados no mercado. Marcos faz essa afirmação porque, se você pode observar todos os fatores das opções, exceto o desvio padrão, pode simplesmente resolver o modelo Black-Scholes e encontrar o desvio padrão implícito.

Para ajudá-lo a encontrar o desvio padrão implícito da ação da empresa, Marcos forneceu os preços de quatro opções de compra que expiram em 6 meses. A taxa sem risco é de 4%, e o preço atual da ação é de $ 68.

Preço de exercício	Preço da opção
$ 65	$ 18,73
70	15,69
75	11,06
80	7,36

1. Quantas volatilidades diferentes você esperaria encontrar para a ação?

2. Infelizmente, descobrir o desvio padrão implícito não é tão fácil quanto Marcos sugere. Na verdade, não há uma solução direta para o desvio padrão da ação mesmo se tivermos todas as outras variáveis para o modelo Black-Scholes. Mesmo assim, Marcos ainda deseja que você faça a estimativa do desvio padrão implícito da ação. Para isso, elabore uma planilha usando a função Solver do Excel para calcular as volatilidades implícitas de cada uma das opções.

3. Todas as volatilidades implícitas para as opções são as mesmas? (*Dica:* não.) Quais são as razões possíveis para que haja diferentes volatilidades para essas opções?

4. Após discutir a importância da volatilidade nos preços das opções, seu chefe menciona que ele já ouviu falar do VIX. O que é o VIX e o que ele representa? Talvez seja necessário visitar o *site* da CBOE em www.cboe.com para responder à pergunta.

5. Ao acessar o *site* da CBOE, procure pelas cotações de opções do VIX. O que a volatilidade implícita de uma opção do VIX representa?

Opções e Finanças Corporativas

EXTENSÕES E APLICAÇÕES

23

Quando os preços das ações caem, o valor das opções de compra de ações para funcionários pode ser drasticamente reduzido. Nesses casos, a opção pode acabar profundamente fora do dinheiro, ou seja, com o preço da ação muito abaixo do preço de exercício correspondente. Em março de 2009, o preço de exercício médio das opções de compra de ações para funcionários cujos titulares eram trabalhadores não executivos da Google era de $ 521. Na ocasião, o preço da ação da Google estava em cerca de $ 308, fazendo com que as opções valessem muito pouco. Em consequência, a Google "reprecificou" — ou baixou o preço de exercício das opções — para $ 308. No entanto, da mesma forma que o mercado de ações como um todo, o preço da ação da Google disparou. No início de 2010, cada opção propiciou um lucro de aproximadamente $ 280, o que significa que os funcionários da Google ganharam mais de $ 2 bilhões.

Para ficar por dentro dos últimos acontecimentos na área de finanças, visite **www.rwjcorporatefinance.blogspot.com**.

23.1 Opções de ações para executivos (*stock options*)

Por que opções?

A remuneração dos executivos é, normalmente, formada de uma remuneração base mais alguns ou todos os elementos apresentados a seguir:

1. Remuneração de longo prazo.
2. Bônus anuais.
3. Contribuições para aposentadoria.
4. Opções.

O componente final da remuneração, opções, é, sem sombra de dúvida, a maior parte da remuneração total de muitos executivos importantes. O Quadro 23.1 lista os 10 diretores-presidentes que receberam as maiores remunerações em opções de compra de ações no período 2007-2008 nos Estados Unidos. A relação está em termos do *valor de face* das opções outorgadas. Esse valor é o número de opções vezes o preço atual da ação.

Saber o valor de face de uma opção não permite automaticamente que determinemos o valor de mercado da opção. Também precisamos saber o preço de exercício antes de avaliar a opção com o modelo Black-Scholes ou o modelo binomial. No entanto, o preço de exercício normalmente é estabelecido com o mesmo valor do preço de mercado da ação na data que o executivo recebe as opções. Na próxima seção, avaliamos as opções sob o pressuposto de que o preço de exercício é igual ao preço de mercado.

QUADRO 23.1 10 maiores remunerações em opções de 2011-2012*

Empresa	Diretor-presidente	Número de opções outorgadas (em milhares)	Preço de exercício médio ponderado	Valor da remuneração em opções outorgadas (em milhões de $)[†]
Oracle Corp.	J. Ellison	7.000	$ 32,43	$ 227,01
The Coca-Cola Co.	M. Kent	904	68,71	62,13
CBS Corp.	L. Moonves	1.900	26,48	50,31
Chevron Corp.	J. Watson	420	107,73	45,25
Honeywell International Inc.	D. Cote	700	59,87	41,91
Johnson & Johnson Corp.	W. Weldon	629	65,37	41,11
The Travelers Companies Inc.	J. Fishman	668	61,32	40,94
Medco Health Solutions Inc.	D. Snow	581	64,14	37,30
Procter & Gamble Co.	R. McDonald	523	67,52	35,29
General Dynamics Corp.	J. Johnson	450	74,81	33,70

*Baseado nas informações arquivadas na SEC das 200 maiores empresas industriais e de serviços dos Estados Unidos para o exercício fiscal de 10/03/2011-29/02/2012. Inclui megaoutorgas que foram anualizadas ao longo de seus respectivos períodos de carência para posse dos direitos (*vesting periods*).
[†]Em dólares. O valor da remuneração em opções outorgadas equivale ao número de opções vezes o preço da ação.
FONTE: Pearl Meyer & Partners.

As opções de compra de ações da empresa cada vez mais estão sendo concedidas a executivos como uma alternativa ao aumento da remuneração base.[1] Alguns dos motivos para o uso de opções são:

1. As opções fazem com que os executivos compartilhem dos mesmos interesses que os acionistas. Com o alinhamento dos interesses, é mais provável que os executivos tomem decisões que beneficiem os acionistas.

2. As opções permitem que a empresa baixe a remuneração-base do executivo. Isso evita pressões sobre a moral dos colaboradores da empresa causadas pela disparidade entre remuneração dos executivos e salários de outros funcionários.

3. As opções colocam o pagamento do executivo em risco em vez de garanti-lo independentemente do desempenho da empresa.

4. As opções, se bem estruturadas, podem ser uma maneira eficiente do ponto de vista tributário para pagar funcionários. Nos Estados Unidos, se um executivo recebe opções para comprar ações da empresa e as opções estiverem "no dinheiro", ou seja, com o preço de exercício igual ao preço da ação, elas não são consideradas rendimento tributável para o funcionário. As opções só são tributadas quando forem finalmente exercidas, se for o caso. No Brasil a RFB entende que a concessão de opções é uma forma de remuneração e, como tal, tributável, o que era contestado por alguns afirmando que planos de opções não são uma remuneração, mas um incentivo ao funcionário; nesse caso, a tributação aconteceria por ganho de capital, quando o funcionário exercesse a opção e vendesse a ação com lucro, devendo a tributação ocorrer como ganho de capital. Por outro lado, a CVM exige a classificação das opções outorgadas como remuneração, e alguns alegam que essa classificação é meramente contábil; de fato, a opção é apenas um direito contingente a ser exercido se dentro do dinheiro, não um rendimento propriamente dito. Além do mais, ainda que o valor das opções possa ser precificado, ele não pode ser realizado, pois as opções não podem ser negociadas. Entretanto, se o plano de opções for caracterizado como uma fuga à tributação, a empresa concedente corre risco de ser autuada pela RFB.

---

[1] Entretanto, a partir da crise dos mercados financeiros com início em 2007-2008, algumas empresas brasileiras abandonaram em parte o seu programa de opções, adotando o pagamento em ações restritas. A razão é que muitos executivos viram suas opções "virar pó" com a crise. A vantagem das ações restritas é que, ainda que a ação da empresa tenha uma grande queda de valor, o executivo ainda recebe ações que podem ser mantidas em carteira, aguardando melhoria das condições de mercado.

Os desafios do incentivo de longo prazo no Brasil*

Quando comparamos as práticas internacionais de incentivo de longo prazo e buscamos aplicá-las no Brasil, precisamos ponderar um conjunto maior de dimensões que nem sempre estão muito alinhadas. A avaliação de estratégias de remuneração de longo prazo no mercado local deve ser feita de maneira sistêmica, contemplando todas as dimensões detalhadas a seguir, neste caso, aplicadas a um programa de *Stock Options*:

1. Tributária

   A questão tributária do uso de opções foi esclarecida recentemente no mercado brasileiro. Não havia clareza se a despesa relativa aos Programas de Opções poderia ser considerada despesa operacional das empresas e, consequentemente, dedutível para fins de apuração tributária. A Lei nº 12.973, de 13 de maio de 2014, definiu o tratamento que deve ser dado, e a despesa pode ser dedutível e considerada remuneração. Desta forma, passam a incidir todos os encargos trabalhistas da legislação brasileira (Brasil, 2014).[2]

2. Trabalhista

   O aspecto trabalhista é importante, na medida em que tratamos de um mecanismo de reconhecimento, que quando utilizado de maneira discricionária pela companhia, pode ensejar alguma reclamação de isonomia. Isso significa a potencial possibilidade de um funcionário desligado vir a requerer um tratamento idêntico a outro. Para mitigação desse risco, é importante ter uma regra de concessão clara e menos discricionária.

3. Contábil

   Quando da contabilização dessa despesa, conforme as regras contábeis, faz-se o cálculo do valor justo na data de concessão, que passa a ser o valor alocado de despesa durante o prazo de carência. Dado que não há um mecanismo de atualização desse valor (ou marcação a mercado) quando da eventual situação de opções fora do dinheiro, pode ocorrer de a companhia continuar a alocar despesas mesmo na situação de um valor justo muito inferior ao calculado na data de concessão. Obviamente, o oposto também poderia ocorrer, uma valorização maior que a calculada, e, eventualmente, uma "vantagem" na alocação de uma despesa inferior. Entretanto, em condições de opções com alta volatilidade, pode ocorrer um descasamento do valor efetivamente concedido daquele que foi calculado no momento da concessão.

4. Eficiência do mecanismo para a companhia

   Esta dimensão já é uma combinação das variáveis anteriores. Quando da definição de uma estratégia de incentivo de longo prazo, as companhias buscam aumentar o alinhamento de interesses entre executivos e a própria companhia. Em casos de programas de opções com alta volatilidade, podem ocorrer diferenças nas dimensões contábil e tributária, em situações de opções fora do dinheiro. Nesses casos, pode ocorrer o descasamento entre o valor da despesa que a companhia arca e o efetivo "ganho" que o beneficiário percebe. Essa não é uma situação desejável, e, por isso, muitas empresas optam por migrar de planos de opções para plano de ações. Nessa situação, apesar das dimensões poderem ser iguais, a percepção de ganho pelo beneficiário pode ser diferente. Quando há a concessão de ações, a percepção é de que ainda reside um valor, mesmo com volatilidade.

5. Percepção de ganho para o beneficiário

   Esta última dimensão não é quantitativa. Ao contrário, é bastante abstrata e trata de tentar entender o que os executivos valorizam mais quando se trata da remuneração. De maneira geral, quando é oferecido "mais risco" para os executivos, a resposta inicial pode até ser positiva. Mas, no decorrer do tempo, em situações de volatilidade, a tendência é a busca da mitigação desse risco. Assim, as opções podem passar a ser vistas como mecanismos

---

* Material cedido pelo Instituto Educacional BM&FBOVESPA. Acesse: www.bmfbovespa.com.br/educacional.
[2] Em discussões no CARF (Conselho Administrativo de Recursos Fiscais) envolvendo incidência de tributos sobre tais planos, houve decisões que aceitaram como não remuneratórios os planos que simultaneamente eram de adesão facultativa, eram onerosos para o beneficiário e o beneficiário assumia algum risco.

que "não têm valor", pois, estando no risco, não há garantia de ganho. A partir desse momento, o efeito de retenção, tão desejado pelas companhias, fica em risco. Por isso, é muito importante avaliar de maneira mais detalhada o perfil do profissional que será alvo desse mecanismo. As práticas de remuneração de longo prazo no Brasil são relativamente recentes, e, assim, o entendimento do funcionamento das *Stock Options* talvez não seja ainda amplo.

EXEMPLO 23.1 Opções da Starbucks

As opções de compra de ações não são somente restritas aos executivos de alto escalão. A rede de cafeterias Starbucks concedeu opções até mesmo a seus funcionários de nível mais baixo. Segundo seu fundador, Howard Schultz, "Embora fôssemos uma empresa de capital fechado, concedíamos opções de compra de ações a todos os funcionários da empresa, dos altos administradores aos baristas, de acordo com o nível de remuneração-base. Assim, por meio de seus esforços, eles poderiam ajudar a tornar a Starbucks cada vez mais bem-sucedida e, se a Starbucks um dia abrisse seu capital, as opções deles poderiam valer uma boa quantia de dinheiro no futuro".

Avaliação da remuneração dos executivos

Nesta seção, avaliamos opções de compra de ações para os executivos. Não é surpresa que a complexidade do pacote de remuneração completo, muitas vezes, torna a avaliação uma tarefa difícil. O valor econômico das opções depende de fatores como a volatilidade da ação subjacente e os termos exatos da outorga da opção.

Tentamos estimar o valor econômico das opções dos executivos listados no Quadro 23.1. Para isso, aplicamos a fórmula Black-Scholes de cálculo do preço da opção apresentada no Capítulo 22. É evidente que não temos conhecimento de muitos fatores dos planos específicos; portanto, o máximo que podemos esperar é uma estimativa bruta. Questões simples, como exigir que o executivo mantenha a opção por um determinado período de tempo (o prazo de bloqueio antes do exercício), podem reduzir consideravelmente o valor de uma opção padrão. Outra observação igualmente importante é que a fórmula Black-Scholes deve ser modificada se a ação pagar dividendos e não poderá mais ser aplicada se a volatilidade da ação estiver variando aleatoriamente com o tempo. Intuitivamente, uma opção de compra de uma ação que paga dividendos vale menos que uma opção de compra de uma ação que não paga dividendos: com tudo o mais permanecendo igual, os dividendos diminuirão o preço da ação. Mesmo assim, vamos ver o que podemos fazer.

EXEMPLO 23.2 Opções da United Express Corporation

Segundo as informações arquivadas para o exercício fiscal de 2011, Rich Pettit, o presidente da United Express Corporation, recebeu 1,662 milhão em opções de ações. O preço de exercício médio das opções era de $ 50,99, e vamos supor que todas as opções tenham sido outorgadas no dinheiro. Também vamos presumir que as opções expirem em 5 anos e que a taxa sem risco seja de 5%. Essas informações implicam que:

1. O preço da ação (S) é igual ao preço de exercício (E), $ 50,99.
2. A taxa sem risco (R) é igual a 0,05.
3. O intervalo de tempo (t) é igual a 5.

Além disso, a volatilidade da ação (σ) é dada como 37,46% ao ano, o que implica que a variância (σ^2) é igual a $(0,3746)^2 = 0,1403$.

Agora temos informações suficientes para estimar o valor das opções de Rich Pettit usando o modelo Black-Scholes:

$$C = SN(d_1) - Ee^{-Rt}N(d_2)$$

$$d_1 = \frac{(R + \tfrac{1}{2}\sigma^2)t}{\sqrt{\sigma^2 t}} = 0{,}7173$$

$$d_2 = d_1 - \sqrt{\sigma^2 t} = -0{,}1204$$

$$N(d_1) = 0{,}7634$$

$$N(d_2) = 0{,}4521$$

$$e^{-Rt} = 0{,}7788$$

$$C = \$\,50{,}99 \times 0{,}7634 - \$\,50{,}99 \times (0{,}7788 \times 0{,}4521) = \$\,20{,}97$$

Como o Sr. Pettit recebeu opções de 1,662 milhão de opções de compra de ações e cada opção vale $ 20,97, o valor de mercado dessas opções pelos cálculos mostrados é de 1,662 milhão × $ 20,97 = $ 34,9 milhões.

O Quadro 23.2 mostra o valor das outorgas de opções, assim como os valores correntes das opções, conforme informações arquivadas por cada empresa. A maioria dessas empresas usa o método Black-Scholes para avaliar as opções, mas elas levam em consideração as características especiais de seus planos e de suas ações, inclusive se elas pagam ou não dividendos. Como pode ser visto, esses valores informados, ao mesmo tempo em que são elevados para os padrões normais, são consideravelmente menores que os valores das outorgas correspondentes.

Os valores que calculamos no Quadro 23.2 são os valores econômicos das opções se elas fossem negociadas no mercado. A verdadeira questão é: estamos falando sobre o valor para quem? Esses são os custos das opções para a empresa? Ou são os valores das opções para os executivos?

Suponha que uma empresa calcule o valor justo de mercado das opções da mesma maneira que fizemos no Quadro 23.2. A título de ilustração, assuma que as opções estão dentro do dinheiro e valem $ 25 cada. Suponha também que o diretor-presidente seja titular de 1 milhão de tais opções, com um valor total de $ 25 milhões. Essa é a quantia pela qual as opções seriam negociadas nos mercados financeiros e que operadores e investidores estariam dispostos a pagar por elas.[3] Se a empresa fosse muito grande, não seria algo irracional para ela ver esse valor

QUADRO 23.2 Valor das 10 maiores outorgas em opções de 2011-2012 nos Estados Unidos*

Empresa	Diretor-presidente	Valor da outorga de opções (em milhões de US$)[†]	Volatilidade anual das ações, %	Valor das opções conforme relatado (em milhões de $)[‡]
Oracle Corp.	J. Ellison	$ 227,01	30%	$ 62,81
CBS Corp.	L. Moonves	50,31	41	16,45
Walt Disney Co.	R. Iger	28,37	28	10,38
Chevron Corp.	J. Watson	45,25	31	10,08
Hewlett-Packard Co.	M. Whitman	31,74	41	9,97
Medco Health Solutions Inc.	D. Snow	37,30	25	9,93
Honeywell International Inc.	D. Cote	41,91	28	9,17
The Coca-Cola Co.	M. Kent	62,13	19	8,67
General Dynamics Corp.	J. Johnson	33,70	30	7,11
Procter & Gamble Co.	R. McDonald	35,29	16	6,41

*Baseado nas informações arquivadas na SEC pelas 200 maiores empresas industriais e de serviços dos Estados Unidos, para o exercício fiscal de 2011-2012. Inclui megaoutorgas que foram anualizadas ao longo de seus respectivos períodos de carência para posse dos direitos.
[†]O valor da remuneração das opções outorgadas equivale ao número de opções vezes o preço da ação.
[‡]O valor da opção é o valor segundo a declaração FAS 123(R) arquivado por cada empresa. Para megaoutorgas do ano anterior, o valor segundo a fórmula Black-Scholes na data da outorga é usado quando o valor "As Reported" não estava disponível. As outorgas são anualizadas ao longo de seus respectivos períodos de carência para posse dos direitos.
FONTE: Pearl Meyer & Partners.

---

[3] Nesse exemplo, ignoramos a diluição com bônus de subscrição (*Warrants*). Consulte o Capítulo 24 para mais informações sobre a diluição.

como o custo de conceder opções ao seu presidente. É evidente que, em retorno, a empresa esperaria que o presidente melhorasse o valor da empresa para seus acionistas para muito mais do que esse montante. Como vimos, talvez a principal finalidade das opções seja alinhar os interesses dos administradores com os interesses dos acionistas da empresa. No entanto, sob nenhuma circunstância o valor de $ 25 milhões é necessariamente uma medida exata do que as opções valem para o diretor-presidente.

Como exemplo, suponha que o diretor-presidente da ABC tenha opções de compra de 1 milhão de ações com preço de exercício de $ 30 por ação e que o preço atual da ação da ABC seja de $ 50. Se as opções fossem exercidas hoje, elas valeriam $ 20 milhões (uma subestimação de seu valor de mercado). Além disso, suponha que o diretor-presidente possua $ 5 milhões em ações da empresa e $ 5 em outros ativos. O diretor-presidente claramente tem uma carteira pessoal não diversificada. Pelos padrões da teoria moderna da carteira, ter 25/30, ou cerca de 83%, de suas riquezas pessoais em uma ação e nas opções dessa ação é desnecessariamente arriscado.

Embora o diretor-presidente seja considerado uma pessoa com grande fortuna pela maioria dos padrões, as variações no preço da ação geram impacto no bem-estar econômico do profissional. Se o preço cair de $ 50 para $ 30 por ação, o valor de exercício atual das opções de 1 milhão de ações cai de $ 20 milhões para zero. Desconsiderando o fato de que as opções, se tivessem mais tempo até o vencimento, poderiam não perder todo esse valor, ainda assim observamos um alarmante declínio na fortuna líquida do diretor-presidente de $ 30 milhões para $ 8 milhões ($ 5 milhões em outros ativos mais as ações que agora valem $ 3 milhões). No entanto, essa é a finalidade de conceder opções e ações ao diretor-presidente – ou seja, fazer com que a fortuna do diretor-presidente aumente e diminua acompanhando o valor da empresa. É por isso que a empresa exige que o executivo mantenha suas opções por ao menos um determinado período em vez de deixar que o executivo as venda para realizar seu valor.

A implicação disso é que, quando as opções são uma grande parcela do valor líquido da fortuna de um executivo, o valor total da posição para o executivo é menor que o valor de mercado. Em termos puramente financeiros, um executivo pode ficar mais satisfeito com $ 5 milhões em dinheiro do que com $ 20 milhões em opções; pelo menos ele poderia diversificar sua carteira pessoal.

23.2 Avaliação de empresas em estágio inicial

Rafael Simões não era um estudante de MBA comum. Desde sua infância, ele tinha uma ambição: abrir um restaurante que vendesse carne de jacaré. Ele entrou para uma escola de negócios porque percebeu que, embora conhecesse 101 maneiras de cozinhar a carne de jacaré, não tinha as habilidades da área de negócios necessárias para administrar um restaurante. Rafael era extremamente focado, e cada disciplina do curso só era importante para ele na medida em que pudesse contribuir para levar à frente o seu sonho.

Quando estava estudando sobre empreendedorismo, começou a desenvolver um plano de negócios para seu restaurante, que agora chamava de Alameda do Jacaré. Ele pensou sobre *marketing*, captação de capital e como lidar com os futuros funcionários. Rafael até mesmo dedicou muito tempo ao desenvolvimento da instalação física do restaurante. Seguindo um caminho contrário aos conselhos do professor da aula de empreendedorismo, ele projetou o restaurante no formato de um jacaré, em que a porta da frente estava na boca do animal. É evidente que seu plano de negócios não estaria completo sem projeções financeiras. Após muito considerar, ele chegou às projeções apresentadas no Quadro 23.3.

O quadro inicia com as projeções de venda, que começam em $ 300.000 no primeiro ano, até estabilizar-se em $ 1 milhão ao ano. Os fluxos de caixa das operações são apresentados na próxima linha, embora não incluamos os cálculos intermediários necessários para passar da Linha (1) para a Linha (2). Após a subtração da necessidade de capital de giro, o quadro mostra os fluxos de caixa líquidos na Linha (4). Inicialmente, os fluxos de caixa líquidos são negativos,

QUADRO 23.3 Projeções financeiras para o Alameda do Jacaré

	Ano 1	Ano 2	Ano 3	Ano 4	Todos os anos futuros
(1) Vendas	$ 300.000	$ 600.000	$ 900.000	$ 1.000.000	$ 1.000.000
(2) Fluxos de caixa das operações	–100.000	–50.000	+75.000	+250.000	+250.000
(3) Aumento na necessidade de capital de giro	50.000	20.000	10.000	10.000	0
(4) Fluxos de caixa líquidos [(2) – (3)]	–$ 150.000	–$ 70.000	$ 65.000	$ 240.000	$ 250.000
Valor presente de fluxos de caixa líquidos nos Anos 1 a 4 (descontados a 20%).			–$ 20.255		
Valor presente do valor residual $\left[\dfrac{\$250.000}{0,20} \times \dfrac{1}{(1,20)^4}\right] =$			+$ 602.816		
Valor presente do restaurante			$ 582.561		
– Custo da construção			–700.000		
Valor presente líquido do restaurante			–$ 117.439		

como é muito comum nos casos de empresas em estágio inicial, mas eles se tornam positivos a partir do Ano 3. No entanto, o restante do quadro revela a triste verdade. Os fluxos de caixa do restaurante geram um valor presente de $ 582.561, supondo uma taxa de desconto de 20%. Infelizmente, o custo da construção é maior, avaliado em $ 700.000, implicando um valor presente líquido negativo de –$ 117.439.

As projeções indicam que o sonho da vida do Rafael pode não se tornar realidade. Ele não espera conseguir captar o capital necessário para abrir seu restaurante; e se ele conseguisse obter os fundos, o restaurante provavelmente fracassaria de qualquer maneira. Rafael conferiu os números várias vezes esperando em vão descobrir um erro numérico ou uma omissão de redução de custos que tiraria seu empreendimento do vermelho. Na verdade, ele viu que, no máximo, suas previsões eram generosas: uma taxa de desconto de 20% e uma construção que dure para sempre são visões otimistas.

Somente quando Rafael cursou a disciplina sobre estratégia empresarial é que ele percebeu o valor oculto de seu empreendimento. Nessa disciplina, o professor afirmou repetidamente a importância de posicionar uma empresa para aproveitar novas oportunidades. Embora Rafael não tivesse notado a relação no início, ao final, ele percebeu as implicações para o Alameda do Jacaré. Suas projeções financeiras estavam baseadas em expectativas. Havia 50% de chance de a carne de jacaré ser mais popular do que ele pensava, caso no qual os fluxos de caixa realizados excederiam as projeções. Havia também 50% de chance de a carne ser menos popular, o que levaria os fluxos realizados a ser menores que as projeções.

Se o restaurante tivesse uma baixa rentabilidade, ele provavelmente fecharia em poucos anos, pois Rafael não optaria por perder dinheiro para sempre. No entanto, se o restaurante apresentasse uma boa rentabilidade, ele poderia ser expandido. Com a carne de jacaré sendo popular em um local, provavelmente também mostraria ser popular em outros locais. Assim, ele percebeu duas opções: abandonar sob más condições e expandir sob boas condições. Embora as duas opções possam ser avaliadas de acordo com os princípios do capítulo anterior, focamos a opção de expansão, pois ela é, provavelmente, muito mais vantajosa.

Rafael pensou que, por mais que pessoalmente ele gostasse de carne de jacaré, a resistência dos clientes em algumas regiões do país condenaria o Alameda do Jacaré. Por isso, ele desenvolveu uma estratégia de atender apenas em regiões em que a carne de jacaré já seja relativamente popular. Ele prevê que, apesar de poder expandir rapidamente se o primeiro restaurante for bem-sucedido, o mercado determinaria o limite a não mais do que 30 restaurantes.

Rafael acredita que essa expansão ocorrerá em 4 anos a partir de agora. Ele supõe que precisará de 3 anos de operação do primeiro restaurante para (1) fazer com que o restaurante inicial funcione bem e (2) obter informações suficientes para determinar um valor preciso do restaurante. Se o primeiro restaurante for suficientemente bem-sucedido, ele precisará de outro ano para obter aportes de capital de outros. Assim, ele estará pronto para construir as 30 unidades adicionais por volta do 4º ano.

Rafael avaliará sua empresa, incluindo a opção de expandir, de acordo com o modelo Black-Scholes. A partir do Quadro 23.3, vemos que cada unidade custa $ 700.000, implicando um custo total das 30 unidades adicionais de $ 21.000.000 (= 30 × $ 700.000). O valor presente dos fluxos de entrada dessas 30 unidades é de $ 17.476.830 (= 30 × $ 582.561), segundo o quadro. No entanto, como a expansão ocorrerá por volta do 4º ano, esse cálculo de valor presente é do ponto de vista daqui a 4 anos, no futuro. O valor presente visto a partir de hoje é de $ 8.428.255 [= $ 17.476.830/(1,20)^4], supondo uma taxa de desconto de 20% ao ano. Portanto, Rafael vê seu potencial negócio de restaurantes como uma opção, em que o preço de exercício é de $ 21.000.000 e o valor do ativo subjacente é de $ 8.428.255. A opção está atualmente fora do dinheiro, um resultado que segue do valor negativo de um restaurante comum, conforme calculado no Quadro 23.3. É claro que Rafael espera que a opção passe a estar dentro do dinheiro dentro de 4 anos.

Rafael precisa de mais três parâmetros para usar o modelo Black-Scholes: R, a taxa de juros com capitalização contínua; t, o prazo até o vencimento; e σ, o desvio padrão dos retornos do ativo subjacente. Rafael usa o retorno de um título de dívida com cupom zero de 4 anos, que supomos, naquele momento, ser de 3,5%, como a estimativa da taxa de juros. O prazo até o vencimento é de 4 anos. A estimativa do desvio padrão é um pouco mais complicada de ser definida, pois não há dados históricos sobre restaurantes de carne de jacaré. Rafael descobriu que o desvio padrão médio anual dos retornos de restaurantes de capital aberto é de 35%. Como o Alameda do Jacaré é um novo empreendimento, ele imagina que o risco nesse caso seja um tanto maior. Ele encontrou o dado de que o desvio padrão médio anual para restaurantes que abriram seu capital nos últimos anos é de 0,45. O restaurante de Ralph é ainda mais novo, então ele usa um desvio padrão de 50%.

Agora há dados suficientes para avaliar o empreendimento. O valor de acordo com o modelo Black-Scholes é de $ 1.454.269. Os cálculos são apresentados no Quadro 23.4. É evidente que Rafael deve começar seu restaurante piloto antes de poder usufruir de sua opção. Portanto, o valor líquido da opção de compra mais o valor presente líquido negativo do restaurante piloto é de $ 1.336.830 (=$ 1.454.269 – $ 117.439). Como esse valor é grande e positivo, Rafael decide manter seu sonho do Alameda do Jacaré. Ele sabe que a probabilidade de o restaurante fracassar é maior que 50%. Mesmo assim, a opção de expandir é significativa o suficiente para que seu negócio do restaurante tenha valor. Além disso, se ele precisar de aportes de capital de outros, provavelmente conseguirá atrair os investidores necessários.

Essa conclusão leva ao surgimento de um paradoxo. Se Rafael abordar investidores para que eles invistam em um único restaurante sem possibilidade de expansão, ele provavelmente não conseguirá atrair capital. Afinal, o Quadro 23.3 mostra um valor presente líquido de –$ 117.439. No entanto, se Rafael pensar mais alto, ele provavelmente conseguirá atrair todo o capital que precisar. Porém, na verdade, isso não é, de maneira alguma, um paradoxo. Pensando mais alto, Rafael estará oferecendo aos investidores a opção – não a obrigação – de expandir.

O exemplo que escolhemos pode parecer banal; incluímos características evidentemente não convencionais para deixá-lo mais interessante. No entanto, se você acha que as situações de negócio envolvendo opções não são usuais ou importantes, afirmamos enfaticamente que essa visão é muito equivocada. A noção de opções embutidas está no centro dos negócios. Há dois resultados possíveis para praticamente qualquer ideia de negócio. De um lado, o negócio pode fracassar, caso em que os dirigentes provavelmente tentarão fechá-lo da maneira mais econômica. Do outro lado, o negócio pode prosperar, caso em que os dirigentes tentarão expandi-lo. Portanto, basicamente, todos os negócios têm a opção de abandonar e a opção de expandir. Você pode ter lido especialistas alegando que a abordagem do valor presente líquido para o orçamento de capital é errada ou incompleta. Embora críticas desse tipo, muitas vezes, irritem o mundo das finanças, os especialistas definitivamente têm um argumento válido. Se praticamente todos os projetos apresentam opções embutidas, somente uma abordagem como a que descrevemos pode ser adequada. Ignorar as opções é uma atitude que provavelmente levará a uma grave subavaliação.

QUADRO 23.4 Avaliação de uma empresa em estágio inicial (Alameda do Jacaré) como uma opção

Fatos

1. O valor de um único restaurante é negativo, como indicado pelo cálculo do valor presente líquido do Quadro 23.3 que resultou em –$ 117.439. Portanto, o restaurante não seria financiado se não houvesse a possibilidade de expansão.

2. Se o restaurante piloto for bem-sucedido, Rafael Simões planeja criar mais 30 restaurantes por volta do Ano 4. Isso nos leva às seguintes observações:
   a. O custo total de 30 unidades é de $ 21.000.000 (=30 × $ 700.000).
   b. O valor presente dos fluxos de caixa futuros no Ano 4 é de $ 17.476.830 (=30 × $ 582.561).
   c. O valor presente desses fluxos de caixa hoje é de $ 8.428.255 [=$ 17.476.830/(1,20)^4].

   Aqui, supomos que os fluxos de caixa do projeto sejam descontados a 20% ao ano.
   Portanto, o negócio é essencialmente uma opção de compra em que o preço de exercício é de $ 21.000.000 e o ativo subjacente vale $ 8.428.255.

3. Rafael Simões estima que o desvio padrão do retorno anual da ação do Alameda do Jacaré seja de 50%.

Parâmetros do modelo Black-Scholes:

$$S \text{ (preço da ação)} = \$ 8.428.255$$
$$E \text{ (preço de exercício)} = \$ 21.000.000$$
$$t \text{ (prazo até o vencimento)} = 4 \text{ anos}$$
$$\sigma \text{ (desvio padrão)} = 50\%$$
$$R \text{ (taxa de juros com capitalização contínua)} = 3,5\%$$

Cálculo do modelo Black-Scholes:

$$C = SN(d_1) - Ee^{-Rt}N(d_2)$$
$$d_1 = [\ln(S/E) + (R + 1/2\sigma^2)t]/\sqrt{\sigma^2 t}$$
$$d_2 = d_1 - \sqrt{\sigma^2 t}$$
$$d_1 = \left[\ln\frac{8.428.255}{21.000.000} + \left(0,035 + \frac{1}{2}(0,50)^2\right)4\right]/\sqrt{(0,50)^2 \cdot 4} = -0,27293$$
$$d_2 = -0,27293 - \sqrt{(0,50)^2 \cdot 4} = -1,27293$$
$$N(d_1) = N(-0,27293) = 0,3925$$
$$N(d_2) = N(-1,27293) = 0,1015$$
$$C = \$ 8.428.255 \times 0,3925 - \$ 21.000.000 \times e^{-0,035 \times 4} \times 0,1015$$
$$= \$ 1.454.269$$

Valor do negócio, incluindo custo do restaurante piloto = $1.454.269 – $117.439
$$= \$1.336.831$$

23.3 Mais sobre o modelo binomial

Até aqui, neste capítulo, analisamos duas aplicações de opções: remuneração dos executivos e decisões sobre empresas em estágio inicial. Em ambos os casos, avaliamos uma opção usando o modelo Black-Scholes. Embora esse modelo seja, com razão, bem difundido, ele não é a única abordagem existente para a avaliação de opções. Como mencionado no capítulo anterior, o modelo de dois estados, ou modelo binomial, é uma abordagem alternativa e – em alguns casos – superior para a avaliação. As próximas seções deste capítulo discutem duas aplicações do modelo binomial.

Óleo para aquecimento

Exemplo com duas datas Vejamos a situação de Anthony Meyer, um distribuidor típico de óleo para aquecimento nos Estados Unidos, cujo negócio consiste em comprar óleo para aquecimento como atacadista e revendê-lo aos consumidores a um preço mais alto. A maior parte de sua receita provém das vendas durante o inverno. Hoje, dia 1º de setembro, quando ainda é verão nos Estados Unidos, o óleo para aquecimento é negociado por $ 2,00 o galão (cerca de 3,8 litros). É claro que esse preço não é fixo. Os preços do óleo sofrerão uma variação do dia 1º de setembro até o dia 1º de dezembro, época em que os clientes provavelmente farão suas grandes compras de óleo para aquecimento em preparação para o inverno que estará, então, para começar em alguns dias. Vamos simplificar a situação supondo que o Sr. Meyer acredite que os preços do óleo serão ou de $ 2,74, ou de $ 1,46 em 1º de dezembro. A Figura 23.1 retrata esse possível movimento dos preços. Essa variação dos preços em potencial representa uma grande incerteza, pois o Sr. Meyer não sabe qual dos dois possíveis preços ocorrerá na realidade. No entanto, essa variabilidade dos preços não traz muito risco, visto que ele pode passar as mudanças de preços para seus clientes. Ou seja, ele cobrará mais de seus clientes se precisar pagar $ 2,74 por galão do que se esse preço for de $ 1,46.

Certamente, o Sr. Meyer está evitando o risco, passando-o a seus clientes. Talvez porque cada um deles seja pequeno demais para negociar um acordo melhor, os clientes aceitam o risco. Esse não é o caso da CECO, uma grande concessionária de energia elétrica de sua região. A CECO abordou o Sr. Meyer com a seguinte proposta: a concessionária gostaria de comprar *até* 6 milhões de galões de óleo dele a $ 2,10 por galão no dia 1º de dezembro.

Embora essa proposta represente uma grande quantidade de óleo, tanto o Sr. Meyer quanto a CECO sabem que ele pode esperar perder dinheiro com ela. Se os preços subirem para $ 2,74 por galão, a concessionária comprará com satisfação todos os 6 milhões de galões por apenas $ 2,10 por galão, certamente criando um prejuízo para o distribuidor. No entanto, se os preços do óleo caírem para $ 1,46 por galão, a concessionária não comprará óleo algum. Afinal, por que a CECO pagaria $ 2,10 por galão ao Sr. Meyer quando ela pode comprar a quantidade de óleo que quiser por $ 1,46 por galão no mercado à vista? Em outras palavras, a CECO está solicitando uma *opção de compra* de óleo de aquecimento. Para compensar o Sr. Meyer pelo risco de perda, as duas partes concordam que a CECO pagará a ele $ 1.000.000 iniciais pelo direito de comprar até 6 milhões de galões a $ 2,10 por galão.

Trata-se de um acordo justo? Embora pequenos distribuidores possam avaliar uma proposta como essa por intuição, podemos avaliá-la de modo mais quantitativo usando o modelo binomial descrito no capítulo anterior. Naquele capítulo, afirmamos que problemas de opções podem ser resolvidos mais facilmente assumindo a *precificação neutra ao risco*. Na abordagem utilizada, primeiro observamos que o óleo subirá 37% (=$ 2,74/$ 2,00 − 1) ou cairá −27% (=$ 1,46/$ 2,00 − 1) de 1º de setembro a 1º de dezembro. Podemos pensar que esses dois números são possíveis retornos do negócio de óleo para aquecimento. Além disso, apresentamos dois termos novos: u e d.[4] Definimos aqui u como $1 + 0,37 = 1,37$ e d como $1 − 0,27 = 0,73$.[5] Usando a metodologia do capítulo anterior, avaliamos o contrato nas duas etapas a seguir.

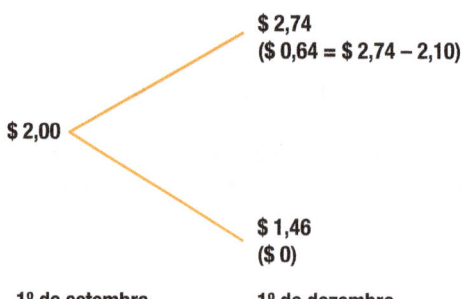

O preço do óleo para aquecimento no dia 1º de dezembro será de $ 2,74 ou $ 1,46. Como o preço no dia 1º de setembro é de $ 2,00, dizemos que $u = 1,37$ (=$ 2,74/$ 2,00) e $d = 0,73$ (=$ 1,46/$ 2,00). O prejuízo por galão para o Sr. Meyer (ou, o que é equivalente, o ganho por galão da CECO) de $ 0,64 no estado de alta ou $ 0 no estado de baixa é mostrado entre parênteses.

FIGURA 23.1 Movimento dos preços do óleo para aquecimento de 1º de setembro até 1º de dezembro nos Estados Unidos em um exemplo com duas datas.

---

[4] Usamos u, de *up*, para o movimento de alta de preços e d, de *down*, para o movimento de baixa de preços.

[5] Como veremos mais tarde, u e d são coerentes com o desvio padrão de 0,63 do retorno anual do negócio com óleo de aquecimento.

Etapa 1: Determinar as probabilidades neutras ao risco Determinamos a probabilidade de um aumento no preço, de modo que o retorno esperado do óleo seja exatamente igual à taxa sem risco. Supondo uma taxa de juros nominal anual de 8%, que implica uma taxa de 2% sobre os próximos 3 meses, podemos resolver a probabilidade de um aumento da maneira a seguir:[6]

2% = Probabilidade de aumento × (0,37) + (1 − Probabilidade de aumento) × (−0,27)

Resolvendo essa equação, chegamos ao resultado de que a probabilidade de aumento é de aproximadamente 45%, implicando que a probabilidade de queda é de 55%. Em outras palavras, se a probabilidade de um aumento do preço é de 45%, o retorno esperado do óleo para aquecimento é de 2%. De acordo com o que dissemos no capítulo anterior, essas são as possibilidades coerentes com um mundo de neutralidade ao risco. Ou seja, sob neutralidade ao risco, o retorno esperado de qualquer ativo seria igual à taxa de juros sem risco. Ninguém exigiria um retorno esperado acima da taxa sem risco, pois as pessoas neutras ao risco não precisam ser compensadas por correr riscos.

Etapa 2: Avaliar o contrato Se o preço do óleo subir para $ 2,74 em 1º de dezembro, a CECO desejará comprar óleo do Sr. Meyer a $ 2,10 por galão. O Sr. Meyer perderá $ 0,64 por galão, porque ele compra óleo no mercado à vista a $ 2,74 por galão, apenas para revendê-lo à CECO a $ 2,10 por galão. Essa perda de $ 0,64 é apresentada entre parênteses na Figura 23.1. Por outro lado, se o preço de mercado do óleo para aquecimento cair para $ 1,46 por galão, a CECO não comprará óleo algum do Sr. Meyer. Ou seja, a CECO não gostaria de pagar $ 2,10 por galão a ele quando a concessionária poderia comprar o produto no mercado à vista a $ 1,46 por galão. Portanto, podemos dizer que o Sr. Meyer não ganha nem perde se o preço cair para $ 1,46. O ganho ou a perda nula está entre parênteses sob o preço de $ 1,46 na Figura 23.1. Além disso, como mencionado anteriormente, o Sr. Meyer recebe $ 1.000.000 de início.

Dados esses números, o valor do contrato do Sr. Meyer pode ser calculado assim:

$$[\underbrace{0{,}45 \times (\$\,2{,}10 - \$\,2{,}74) \times 6\text{ milhões} + 0{,}55 \times 0]/1{,}02}_{\text{Valor da opção de compra}} + \$\,1.000.000 = -\$\,694.118 \quad (23.1)$$

Como no capítulo anterior, estamos avaliando uma opção usando uma precificação neutra ao risco. Os fluxos de caixa de −$ 0,64 (=$ 2,10 − $ 2,74) e $ 0 por galão são multiplicados pelas suas probabilidades neutras ao risco. Toda a primeira parte da Equação 23.1 é descontada a 1,02, pois os fluxos de caixa dessa parte acontecem em 1º de dezembro. O valor de $ 1.000.000 não sofre descontos porque o Sr. Meyer recebe-o hoje, 1º de setembro. Como o valor presente do contrato é negativo, seria mais inteligente se o Sr. Meyer rejeitasse o contrato.

Como já afirmado, o distribuidor vendeu uma opção de compra para a CECO. A primeira parte da equação anterior, que equivale a −$ 1.694.118, pode ser vista como o valor dessa opção de compra. É um número negativo, porque a equação representa a opção do ponto de vista do Sr. Meyer. Portanto, o valor da opção de compra seria de +$ 1.694.118 para a CECO. Por galão, o valor da opção para a CECO é de:

$$[0{,}45\,(\$\,2{,}74 - \$\,2{,}10) + 0{,}55 \times 0]/1{,}02 = \$\,0{,}282 \quad (23.2)$$

A Equação 23.2 mostra que a CECO ganhará $ 0,64 (=$ 2,74 − $ 2,10) por galão no estado de alta, pois a concessionária pode comprar óleo para aquecimento que vale $ 2,74 por apenas $ 2,10 sob o contrato. Em contrapartida, o contrato não valerá nada para a CECO no caso de baixa, pois ela não pagará $ 2,10 pelo óleo que é vendido por apenas $ 1,46 no mercado à vista. Com o uso da precificação neutra ao risco, a fórmula nos mostra que o valor da opção de compra de um galão de óleo para aquecimento é de $ 0,282.

Exemplo com três datas Embora o exemplo anterior englobe diversos aspectos do mundo real, ele tem um problema. Ele assume que o preço do óleo para aquecimento possa assumir apenas dois valores em 1º de dezembro. É evidente que isso não é algo plausível: o óleo, essen-

---

[6] Para simplificar, ignoramos tanto os custos de armazenamento quanto uma rentabilidade adequada.

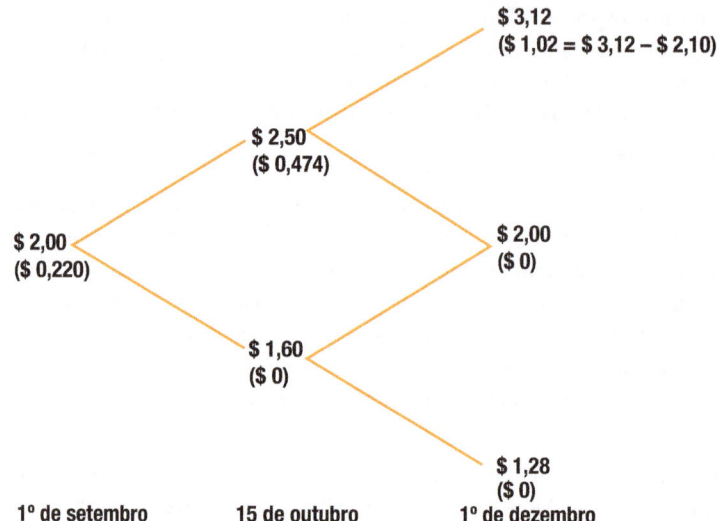

A figura mostra os preços de um galão de óleo para aquecimento em três datas, dados $u = 1,25$ e $d = 0,80$. Há três preços possíveis para o óleo para aquecimento em 1º de dezembro. Para cada um desses três preços, calculamos o preço no dia 1º de dezembro de uma opção de compra de um galão de óleo para aquecimento com preço de exercício de $ 2,10. Esses números estão entre parênteses. Os preços das opções de compra em datas anteriores eram determinados pelo modelo binomial e também são apresentados entre parênteses.

FIGURA 23.2 Movimento dos preços do óleo para aquecimento em um modelo com três datas.

cialmente, pode passar a ter qualquer valor, na realidade. Embora o problema pareça ser muito grande em um primeiro momento, na verdade, ele pode ser corrigido com facilidade. Tudo que precisamos fazer é acrescentar mais intervalos no período de 3 meses de nosso caso.

Por exemplo, considere a Figura 23.2, que mostra o movimento do preço do óleo para aquecimento sobre dois intervalos de 1½ mês cada.[7] Conforme apresentado na figura, o preço será de $ 2,50 ou $ 1,60 em 15 de outubro. Tratamos o valor de $ 2,50 como o preço no estado de *alta* e $ 1,60 como o preço no estado de *baixa*. Assim, o óleo para aquecimento tem retornos de 25% (=$ 2,50/$ 2,00 – 1) e –20% (=$ 1,60/$ 2,00 – 1) para esses dois estados.

Supomos a mesma variabilidade enquanto seguimos de 15 de outubro a 1º de dezembro. Ou seja, com o preço de $ 2,50 em 15 de outubro, o preço em 1º de dezembro será de $ 3,12 (=$ 2,50 × 1,25) ou $ 2 (=$ 2,50 × 0,80). Da mesma forma, com o preço de $ 1,60 em 15 de outubro, o preço em 1º de dezembro será de $ 2 (=$ 1,60 × 1,25) ou $ 1,28 (=$ 1,60 × 0,80). Essa suposição de variabilidade constante é bastante plausível, pois a quantidade de informações novas que afetam o óleo para aquecimento (ou a maioria das *commodities* ou dos ativos) provavelmente será similar à quantidade do mês anterior.

Observe que há três preços possíveis para o dia 1º de dezembro, mas há dois preços possíveis para o dia 15 de outubro. Além disso, observe que há dois caminhos para um preço de $ 2 em 1º de dezembro. O preço poderia subir para $ 2,50 em 15 de outubro antes de cair novamente para $ 2 em 1º de dezembro. Outra possibilidade seria o preço cair para $ 1,60 em 15 de outubro antes de subir novamente para $ 2 em 1º de dezembro. Em outras palavras, o modelo tem simetria, em que um movimento para cima seguido por um movimento para baixo resulta no mesmo preço no dia 1º de dezembro que um movimento para baixo seguido de um movimento para cima.

Como avaliamos a opção da CECO nesse exemplo com três datas? Aplicamos o mesmo procedimento usado no exemplo com duas datas, embora agora precisemos de uma etapa a mais em razão dos dados adicionais.

---

[7] Embora não seja aparente à primeira vista, veremos mais adiante que o movimento dos preços da Figura 23.2 é coerente com o movimento dos preços da Figura 23.1.

Etapa 1: Determinar as probabilidades neutras ao risco Como fizemos no exemplo com duas datas, determinamos qual seria a probabilidade de um aumento no preço de modo que o retorno esperado do óleo para aquecimento fosse exatamente igual à taxa sem risco. No entanto, neste caso, trabalhamos com um intervalo de 1½ mês. Supondo uma taxa de juros nominal anual de 8%, que implica uma taxa de 1% sobre um intervalo de 1½ mês,[8] podemos resolver a probabilidade de um aumento da maneira a seguir:

$$1\% = \text{Probabilidade de aumento} \times (0,25) + (1 - \text{Probabilidade de aumento}) \times (-0,20)$$

Resolvendo a equação, chegamos ao resultado de que a probabilidade de aumento é de 47%, implicando que a probabilidade de queda é de 53%. Em outras palavras, se a probabilidade de um aumento é de 47%, o retorno esperado do óleo para aquecimento é de 1% para cada intervalo de 1½ mês. Novamente, essas probabilidades são determinadas sob a suposição de precificação neutra ao risco.

Observe que as probabilidades de 47% e 53% se referem tanto ao intervalo de 1º de setembro a 15 de outubro quanto ao intervalo de 15 de outubro a 1º de dezembro. Isso acontece porque o retorno no estado de alta é de 25%, enquanto no estado de baixa é de −20% para cada um dos intervalos. Assim, a equação anterior deve ser aplicada para cada um dos intervalos separadamente.

Etapa 2: Avaliar a opção em 15 de outubro Como indicado na Figura 23.2, a opção para a CECO valerá $ 1,02 por galão em 1º de dezembro se o preço do óleo para aquecimento tiver subido para $ 3,12 nessa data. Ou seja, a CECO pode comprar óleo do Sr. Meyer a $ 2,10 no momento em que teria que pagar $ 3,12 no mercado. No entanto, a opção não terá valia alguma no dia 1º de dezembro se o preço de um galão de óleo para aquecimento estiver em $ 2 ou $ 1,28 na data. Nesse caso, a opção está fora do dinheiro, pois o preço de exercício de $ 2,10 está acima tanto de $ 2 quanto de $ 1,28.

Com esses preços da opção em 1º de dezembro, podemos calcular o valor da opção de compra em 15 de outubro. Se o preço de um galão de óleo para aquecimento estiver em $ 2,50 em 15 de outubro, a Figura 23.2 nos mostra que a opção de compra valerá $ 1,02 ou $ 0 em 1º de dezembro.

Portanto, se o preço do óleo para aquecimento for de $ 2,50 em 15 de outubro, o valor da opção de compra de um galão do produto naquela data será de:

$$[0,47 \times \$\,1,02 + 0,53 \times 0]/1,01 = \$\,0,474$$

Aqui, estamos avaliando uma opção usando a mesma abordagem de precificação neutra ao risco que usamos no exemplo com duas datas. Esse valor de $ 0,474 é apresentado entre parênteses na Figura 23.2.

Queremos ainda avaliar a opção em 15 de outubro se o preço estiver em $ 1,60 na data. No entanto, o valor nesse caso evidentemente é de zero, conforme indicado por este cálculo:

$$[0,47 \times \$\,0 + 0,53 \times \$\,0]/1,01 = 0$$

Tal resultado se torna óbvio ao olharmos a Figura 23.2. A partir da figura, vemos que a opção de compra deve ficar fora do dinheiro no dia 1º de dezembro se o preço do óleo para aquecimento for de $ 1,60 em 15 de outubro. Portanto, a opção de compra deve ter valor nulo em 15 de outubro se o preço do óleo for de $ 1,60 na data.

Etapa 3: Avaliar a opção em 1º de setembro Na etapa anterior, vimos que o preço da opção de compra em 15 de outubro seria de $ 0,474 se o preço de um galão de óleo para aquecimento fosse de $ 2,50 na data. Da mesma maneira, o preço da opção em 15 de outubro seria de $ 0 se o óleo estivesse sendo negociado a $ 1,60 na data. A partir desses valores, podemos calcular o valor da opção de compra no dia 1º de setembro:

$$[0,47 \times \$\,0,474 + 0,53 \times \$\,0]/1,01 = \$\,0,220$$

---

[8] Para simplificar, não consideramos os juros compostos.

Observe que esse cálculo é completamente análogo ao cálculo do valor da opção na etapa anterior, bem como ao cálculo do valor da opção no exemplo com duas datas que apresentamos anteriormente. Em outras palavras, a mesma abordagem é aplicada independentemente do número de intervalos usado. Como veremos mais adiante, podemos passar a ter muitos intervalos, o que produz um maior realismo, mantendo, ainda assim, a mesma metodologia básica.

O cálculo anterior nos forneceu o valor da opção de um galão de óleo para aquecimento para a CECO. Agora, estamos preparados para calcular o valor do contrato para o Sr. Meyer. Tendo em vista os cálculos da equação anterior, o valor do contrato pode ser escrito como:

$$-\$\,0{,}220 \times 6.000.000 + \$\,1.000.000 = -\$\,320.000$$

Ou seja, o Sr. Meyer está emitindo uma opção com o valor de $ 0,220 para cada um dos 6 milhões de galões de óleo de aquecimento. Em troca, ele está recebendo apenas $ 1.000.000 de início. No geral, ele está perdendo $ 320.000. Evidentemente, o valor do contrato para a CECO é o contrário. Portanto, o valor para a concessionária é de $ 320.000.

Extensão para muitas datas   Vimos o contrato entre a CECO e o Sr. Meyer usando um exemplo com duas datas e um exemplo com três datas. O caso com três datas é mais realista, pois mais possibilidades de movimentos dos preços são apresentadas. No entanto, por que parar em apenas três datas? Se passarmos a ter 4 datas, 5 datas, 50 datas, 500 datas e assim por diante, devemos obter um cenário ainda mais realista. Observe que, à medida que avançamos para mais datas, estamos simplesmente encurtando o intervalo entre as datas sem aumentar o período de tempo geral de 3 meses (1º de setembro a 1º de dezembro).

Por exemplo, imagine um modelo com 90 datas dentro dos 3 meses. Nesse caso, cada intervalo tem aproximadamente um dia de duração, pois há cerca de 90 dias em um período de 3 meses. A suposição de dois resultados possíveis no modelo binomial é mais plausível em um intervalo de 1 dia que em intervalo de 1½ mês, isso sem mencionar um intervalo de 3 meses. Certamente, poderíamos chegar a um realismo ainda maior com intervalos de, digamos, 1 hora ou 1 minuto.

Como ajustamos o modelo binomial para acomodar aumentos no número de intervalos? Duas fórmulas simples relacionam u e d ao desvio padrão do retorno do ativo subjacente:[9]

$$u = e^{\sigma/\sqrt{n}} \quad \text{e} \quad d = 1/u$$

em que σ é o desvio padrão do retorno anualizado do ativo subjacente (óleo para aquecimento, no caso) e n é o número de intervalos dentro de 1 ano.

Quando criamos o exemplo do óleo para aquecimento, assumimos que o desvio padrão anualizado do retorno do produto fosse de 0,63 (ou 63%). Como há 4 trimestres em um ano, $u = e^{0{,}63/\sqrt{4}} = 1{,}37$ e $d = 1/1{,}37 = 0{,}73$, como mostrado no exemplo com duas datas da Figura 23.1. No exemplo com três datas da Figura 23.2, em que cada intervalo tem duração de 1½ mês, $u = e^{0{,}63/\sqrt{8}} = 1{,}25$ e $d = 1/1{,}25 = 0{,}80$. Portanto, o modelo binomial pode ser colocado em prática se o desvio padrão do retorno do ativo subjacente puder ser estimado.

Afirmamos anteriormente que o valor estimado da opção de compra de um galão de óleo para aquecimento era de $ 0,282 no modelo com duas datas e $ 0,220 no modelo com três datas. Por que o valor da opção de compra muda ao aumentarmos o número de intervalos, enquanto o período de tempo de 3 meses é mantido (de 1º de setembro a 1º de dezembro)? Calculamos o valor da opção de compra para vários intervalos de tempo no Quadro 23.5.[10] O realismo aumenta com o número de intervalos, porque a restrição de apenas dois resultados possíveis é mais plausível em intervalos mais curtos do que em intervalos mais longos. Assim, o valor da opção de compra quando há 99 intervalos ou infinitos intervalos é provavelmente mais realista que o valor quando há, digamos, 1 ou 2 intervalos.

---

[9] Consulte o livro de John C. Hull, *Options, Futures, and Other Derivatives*, 8ª ed. (Upper Saddle River, NJ: Prentice Hall, 2011), para obter uma derivação dessas fórmulas.

[10] Nesta discussão, usamos intervalos e datas. Para manter a clareza da terminologia, lembre-se de que o número de intervalos é sempre um a menos que o número de datas. Por exemplo, se um modelo apresenta duas datas, ele tem apenas um intervalo

QUADRO 23.5 Valor de uma opção de compra de um galão de óleo para aquecimento

Número de intervalos*	Valor da opção de compra
1	$ 0,282
2	0,220
3	0,244
4	0,232
6	0,228
10	0,228
20	0,228
30	0,228
40	0,228
50	0,226
99	0,226
Infinidade, pelo modelo Black-Scholes	0,226

No exemplo, o valor da opção de compra de acordo com o modelo binomial varia à medida que o número de intervalos aumenta. No entanto, o valor da opção de compra rapidamente converge com o valor do modelo Black-Scholes. O modelo binomial, então, mesmo com apenas alguns intervalos, mostrou-se uma boa aproximação do modelo Black-Scholes.
*O número de intervalos é sempre um a menos que o número de datas.

No entanto, um fenômeno muito interessante pode ser observado a partir do quadro. Embora o valor da opção de compra se altere com o aumento do número de intervalos, uma convergência acontece rapidamente. O valor da opção de compra com 6 intervalos é quase idêntico ao valor com 99 intervalos. Assim, um pequeno número de intervalos parece ser eficaz para o modelo binomial. Seis intervalos em um período de 3 meses implica que cada intervalo tenha 2 semanas de duração. É claro que a suposição de que o óleo para aquecimento possa assumir apenas 2 preços em 2 semanas é simplesmente irrealista. O paradoxo é que essa suposição irrealista, ainda assim, gera um preço de opção de compra realista.

O que acontece quando o número de intervalos vai ao infinito, implicando que a duração do intervalo cai para zero? Pode ser comprovado matematicamente que, no final, chegaremos ao valor do modelo Black-Scholes. Esse valor também é apresentado no Quadro 23.5. Portanto, podemos argumentar que o modelo Black-Scholes é a melhor abordagem para avaliar a opção para o óleo de aquecimento. Ele também é relativamente simples de ser aplicado. É possível usar uma calculadora para avaliar opções com o método Black-Scholes, enquanto normalmente precisamos usar um programa computacional com o modelo binomial. No entanto, como mostrado no Quadro 23.5, os valores do modelo binomial, mesmo com relativamente menos intervalos, são bastante próximos ao valor do modelo Black-Scholes. Assim, embora o método Black-Scholes economize tempo, ele não afeta a estimativa de valor de maneira relevante.

Nesse ponto, parece que o modelo Black-Scholes é preferível ao modelo binomial. Quem não gostaria de economizar tempo e ainda obter um valor levemente mais preciso? Porém, não é sempre assim. Há diversas situações em que o modelo binomial é uma opção melhor que o modelo Black-Scholes. Uma dessas situações é discutida na próxima seção.

23.4 Decisões de fechamento e reabertura

Alguns dos primeiros e mais importantes exemplos de opções especiais ocorreram nas indústrias de recursos naturais e mineração.

Avaliação de uma mina de ouro

A mina de ouro Woe Is Me foi fundada em 1882 em um dos veios de ouro mais ricos do oeste dos Estados Unidos. Após 30 anos, em 1912, a mina se esgotou; porém, ocasionalmente, ela é reaberta, dependendo do preço do ouro. Atualmente, não há extração de ouro na Woe Is Me, mas sua ação ainda é negociada em bolsa sob o *ticker* WOE. A WOE não tem dívidas, e, com cerca de 20 milhões de ações em circulação, seu valor de mercado (preço da ação vezes o número de ações em circulação) excede o montante de $ 6 bilhões. A empresa possui cerca de 160 acres de terra ao redor da mina e uma licença do governo para extrair ouro no local por 100 anos. No entanto, a terra no deserto tem um valor de mercado de apenas alguns milhares de dólares. A WOE possui títulos de alta liquidez e outros ativos que valem cerca de $ 30 milhões. O que poderia explicar o fato de uma empresa com $ 30 milhões em ativos e uma mina de ouro fechada e sem fluxo de caixa ter o valor de mercado que a WOE possui?

A resposta está nas opções que a WOE possui implicitamente na forma de uma mina de ouro. Suponha que o preço do ouro atual seja de aproximadamente $ 1.300 por onça (cerca de 28,35 gramas). É claro que é por isso que a mina está fechada. Cada onça de ouro extraída custa $ 1.400 e pode ser vendida por apenas $ 1.300, com um prejuízo de $ 100 por onça. Provavelmente, se o preço do ouro tivesse um aumento, a mina poderia ser reaberta. O custo de reabrir a mina é de $ 20 milhões; quando ela está aberta, produz 50.000 onças por ano. Geólogos acreditam que a quantidade de ouro da mina é essencialmente ilimitada, e a WOE tem o direito de realizar a extração pelos próximos 100 anos.

Sob os termos de sua licença, a WOE não pode estocar ouro e deve vender a cada ano todo o ouro que extrair durante o respectivo ano. O fechamento da mina, que custa $ 10 milhões, requer que os equipamentos sejam mantidos em condições de uso e que precauções ambientais sejam executadas. Vamos nos referir aos $ 20 milhões necessários para abrir a mina como o custo de entrada, ou investimento, e aos $ 10 milhões para fechá-la como custo de fechamento, ou abandono. (Não podemos evitar o custo de abandono simplesmente mantendo a mina aberta e não operante.)

A partir de uma perspectiva financeira, a WOE é, na realidade, um pacote de opções sobre o preço do ouro disfarçado como uma empresa e uma mina. A opção básica é uma opção de compra sobre o preço do ouro em que o preço de exercício é o custo de extração de $ 1.400. A opção é complicada por ter uma taxa de exercício de $ 20 milhões – o custo de abertura – sempre que for exercida e uma taxa de fechamento de $ 10 milhões quando for abandonada. Ela também é complicada pelo fato de ser uma opção perpétua, sem vencimento.

Decisões de abandono e abertura

Antes de avaliar a opção implícita da WOE, é bom vermos o que podemos dizer apenas aplicando o senso comum. Para começar, a mina deveria ser aberta apenas quando o preço do ouro estiver suficientemente acima do custo de extração de $ 1.400 por onça. Como a abertura da mina custa $ 20 milhões, ela não deveria ser aberta se o preço do ouro estiver apenas levemente acima de $ 1.400. Se o preço do ouro for de $ 1.401, por exemplo, a mina não seria aberta, pois o lucro de $ 1 por onça significa $ 50.000 por ano (=50.000 × $ 1/onça). Isso não chegaria nem perto de cobrir os custos de abertura de $ 20 milhões. No entanto, mais relevante ainda é o fato de que a mina provavelmente não seria aberta se o preço subisse para $ 1.450 por onça, embora um lucro de $ 50 por onça – $ 2.500.000 por ano – pagasse os custos de abertura de $ 20 milhões a alguma taxa de desconto razoável. A razão é que aqui, assim como em todos os problemas relacionados a opções, a volatilidade (neste caso, a volatilidade do ouro) tem um papel significativo. Como o preço do ouro é volátil, o preço deve subir significativamente acima de $ 1.400 por onça para que seja vantajoso abrir a mina. Se o preço quando a mina for aberta estiver muito próximo ao preço de extração de $ 1.400 por onça, como $ 1.450, por exemplo, abriríamos a mina sempre que o preço subisse para mais de $ 1.450. Infelizmente, estaríamos operando com prejuízo ou enfrentando uma decisão de fechamento sempre que o ouro baixasse novamente $ 50 por onça (ou apenas 3%) para $ 1.400.

A volatilidade estimada do retorno do ouro é de cerca de 25% ao ano. Isso significa que um só desvio padrão anual nos movimentos do preço do ouro é de 25% de $ 1.300 (ou $ 325) ao ano. Com esse valor de movimento aleatório no preço do ouro, certamente um limite de, por exemplo, $ 1.405 é muito baixo para abrir a mina. Uma lógica similar se aplica à decisão de fechamento. Se a mina abrir, claramente a manteremos aberta enquanto o preço do ouro estiver acima do preço de extração de $ 1.400 por onça, pois estaremos obtendo lucro de cada onça extraída. Porém, não a fecharemos simplesmente quando o preço do ouro cair para um valor menor que $ 1.400 por onça. Vamos tolerar um prejuízo operacional, pois o ouro pode subir novamente para mais de $ 1.400. Se optássemos por fechar a mina, pagaríamos o custo de abandono de $ 10 milhões, apenas para pagar mais $ 20 milhões do custo de reabrir a mina se o preço voltasse a subir.

Resumindo, se a mina estiver atualmente fechada, então ela será aberta – com um custo de $ 20 milhões – sempre que o preço do ouro estiver *suficientemente* acima do preço de extração de $ 1.400 por onça. Se a mina estiver atualmente em operação, então ela será fechada – com um custo de $ 10 milhões – sempre que o preço do ouro estiver *suficientemente* abaixo do preço de extração de $ 1.400 por onça. O problema da WOE é encontrar os dois preços limites para abrir uma mina fechada e fechar uma mina aberta. Respectivamente, chamamos esses preços de p_{abrir} e p_{fechar}, em que:

$$p_{abrir} > \$ 1.400/\text{onça} > p_{fechar}$$

Em outras palavras, a WOE abrirá a mina se a opção do preço do ouro estiver suficientemente dentro do dinheiro e fechará a mina se a opção estiver suficientemente fora do dinheiro.

Sabemos que quanto mais volátil for o preço do ouro, mais longe p_{abrir} e p_{fechar} estarão de $ 1.400 por onça. Também sabemos que quanto maior for o custo de abrir a mina, mais alto será o p_{abrir}; assim como quanto maior for o custo de abandonar a mina, mais baixo será o p_{fechar}. Curiosamente, também devemos esperar que o p_{abrir} seja mais alto se o custo de abandono aumentar. Afinal, se custar mais para abandonar a mina, a WOE precisará ter mais certeza de que o preço permanecerá acima do custo de extração quando decidir abrir a mina. Caso contrário, a WOE enfrentará a difícil decisão entre abandonar a mina e operar com prejuízo se o preço passar a ser inferior a $ 1.400 por onça. Da mesma maneira, o aumento do custo de abertura da mina fará com que a WOE fique mais relutante quanto a fechar uma mina aberta. Como resultado, o p_{fechar} será mais baixo.

Os argumentos anteriores nos permitem reduzir o problema de avaliar a WOE a dois estágios. Primeiro, temos que determinar os preços limites, p_{abrir} e p_{fechar}. Segundo, tendo encontrado as melhores escolhas para esses limites, devemos determinar o valor de uma opção de ouro que é exercida por um custo de $ 20 milhões quando o preço do ouro subir para um valor maior que o p_{abrir} e que é abandonada por um custo de $ 10 milhões sempre que o preço do ouro for menor que o p_{fechar}.

Quando a mina é aberta – ou seja, quando a opção é exercida –, o fluxo de caixa anual é igual à diferença entre o preço do ouro e o preço de extração de $ 1.400 por onça vezes 50.000 onças. Quando a mina é fechada, ela não gera fluxo de caixa.

O diagrama a seguir descreve as decisões disponíveis em cada momento:

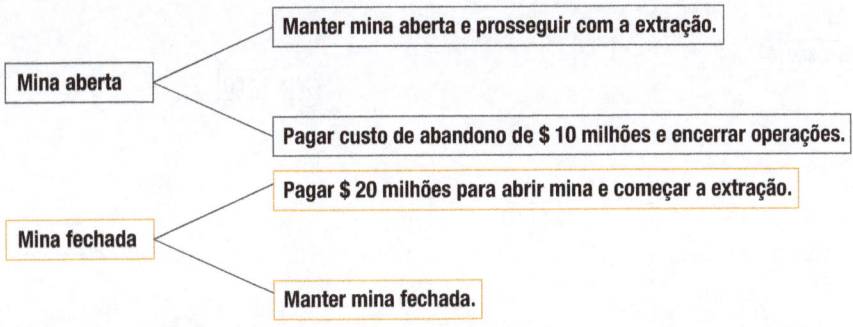

Como determinamos os valores críticos de p_{abrir} e p_{fechar} e, depois, o valor da mina? É possível obter uma boa aproximação usando as ferramentas que já desenvolvemos.

Avaliação da mina de ouro simples

Segue o que deve ser feito para determinar o p_{abrir} e o p_{fechar} e para avaliar a mina.

Etapa 1 Encontrar a taxa de juros sem risco e a volatilidade. Assumimos uma taxa de juros semestral de 3,4% e uma volatilidade de 25% ao ano para o ouro.

Etapa 2 Construir uma árvore binomial e preenchê-la com preços de ouro. Por exemplo, suponha que distribuamos as etapas da árvore com 6 meses de intervalo. Se a volatilidade anual é de 25%, u é igual a $e^{0,25/\sqrt{2}}$, que resulta em aproximadamente 1,19. O outro parâmetro, d, é 0,84 (=1/1,19). A Figura 23.3 ilustra a árvore. Começando com o preço corrente de $ 1.300, o primeiro aumento de 19% eleva o preço para $ 1.551 em 6 meses.

A primeira queda de 16% diminui o preço para $ 1.089. As etapas subsequentes são mais 19% ou menos 16% do preço anterior. A árvore abrange os 100 anos da permissão, sendo 200 etapas de 6 meses.

Usando nossa análise da seção anterior, calculamos agora as probabilidades ajustadas ao risco para cada etapa. Tendo em vista uma taxa de juros semestral de 3,4%, temos:

$$3,4\% = \text{Probabilidade de aumento} \times 0,19 + (1 - \text{Probabilidade de aumento}) \times -0,16$$

Resolvendo a equação, obtemos uma probabilidade de aumento de 0,55, implicando que a probabilidade de queda é de 0,45. Essas probabilidades são as mesmas para cada intervalo de 6 meses. Em outras palavras, se a probabilidade de um aumento é de 0,55, o retorno esperado do ouro é de 3,4% para cada intervalo de 6 meses. Essas probabilidades são determinadas sob a suposição da precificação neutra ao risco. Em outras palavras, se os investidores forem neutros ao risco, estarão satisfeitos com um retorno esperado igual à taxa sem risco, pois o risco adicional do ouro não será motivo de preocupação.

Etapa 3 Agora ligamos o computador e deixamos que ele simule, digamos, 5.000 caminhos possíveis por meio da árvore. Em cada nó, o computador tem uma probabilidade de 0,55 de escolher um movimento "para cima" no preço e uma probabilidade correspondente

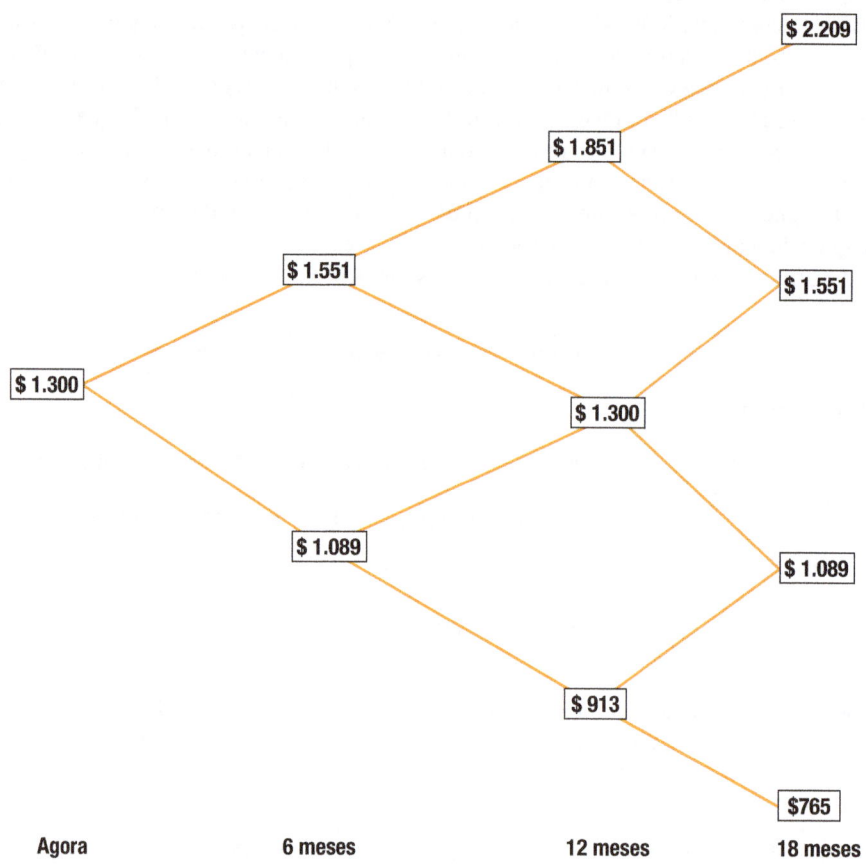

As etapas da árvore binomial estão em intervalos de 6 meses. Para cada etapa, u é igual a 1,19 e d é igual a 0,84. Observe que u e d estão arredondados para duas casas decimais.

FIGURA 23.3 Árvore binomial para preços do ouro.

de 0,45 de escolher um movimento "para baixo" no preço. Um caminho típico pode ser representado por se o preço subiu ou caiu a cada período de 6 meses nos próximos 100 anos; seria uma lista como:

cima, cima, baixo, cima, baixo, baixo, . . . , baixo

O primeiro "cima" significa que o preço subiu de $ 1.300 para $ 1.551 nos primeiros 6 meses, o segundo "cima" significa que, novamente, o preço subiu no segundo semestre do ano de $ 1.551 para $ 1.851, e assim por diante, terminando com um movimento para baixo no último semestre do ano 100.

Com 5.000 caminhos assim, teremos uma boa amostra de todas as possibilidades futuras para os movimentos do preço do ouro.

Etapa 4 Em seguida, consideramos alternativas possíveis para os preços limites, p_{abrir} e p_{fechar}. Para p_{abrir}, deixamos que as possibilidades sejam:

$$p_{abrir} = \$\ 1.500 \text{ ou } \$\ 1.600 \text{ ou } \ldots \text{ ou } \$\ 2.900$$

No total, 15 valores. Para p_{fechar}, deixamos que as possibilidades sejam:

$$p_{fechar} = \$\ 1.300 \text{ ou } \$\ 1.200 \text{ ou } \ldots \text{ ou } \$\ 400$$

No total, 10 valores.

Escolhemos essas alternativas por elas parecerem razoáveis e porque incrementos de $ 100 para cada também parecem sensatos. Porém, para sermos precisos, deveríamos deixar os preços limites mudarem à medida que avançamos pela árvore e chegamos mais perto do final de 100 anos. Presume-se, por exemplo, que, se decidíssemos abrir a mina quando resta 1 ano da licença, o preço do ouro deveria ser, ao menos, alto o bastante para cobrir os custos de abertura de $ 20 milhões durante esse ano. Como extraímos 50.000 onças por ano, abriremos a mina no ano 99 apenas se o preço do ouro for, no mínimo, $ 400 mais alto que o preço de extração, ou $ 1.800.

Embora isso vá se tornar importante no final da permissão, usar um limite constante não deve ter um impacto tão grande no valor com 100 anos pela frente. Portanto, continuaremos com nossa aproximação dos preços limites constantes.

Etapa 5 Calculamos o valor da mina para cada par de alternativas de p_{abrir} e p_{fechar}. Por exemplo, se $p_{abrir} = \$\ 2.200$ e $p_{fechar} = \$\ 1.100$, usamos o computador para manter registros dos fluxos de caixa se abríssemos a mina sempre que ela estivesse anteriormente fechada e o preço do ouro subisse para $ 2.200 e se fechássemos a mina sempre que ela estivesse anteriormente aberta e o preço do ouro caísse para $ 1.100. Fazemos isso para cada um dos 5.000 caminhos que simulamos na Etapa 3.

Por exemplo, considere o caminho ilustrado na Figura 23.4 (p. 818):

cima, cima, baixo, cima, cima, baixo, baixo, baixo, baixo

Como pode ser observado a partir da figura, o preço atinge um pico de $ 2.209 em 2½ anos, apenas para cair para $ 1.089 nos próximos 4 intervalos de 6 meses. Se $p_{abrir} = \$\ 2.200$ e $p_{fechar} = \$\ 1.100$, a mina será aberta quando o preço atingir $ 2.209, tornando necessário um custo de $ 20 milhões. No entanto, a empresa pode vender 25.000 onças de ouro por $ 2.209 por onça na época, produzindo um fluxo de caixa de $ 20,225 milhões [=25.000 ($ 2.209 – $ 1.400)]. Quando o preço cair para $ 1.851 depois de 6 meses, a empresa vende mais 25.000 onças, gerando um fluxo de caixa de $ 11.275 milhões [=25.000 ($ 1.851 – $ 1.400)]. O preço continua a cair, chegando a $ 1.300 após 1 ano. Nesse momento, a empresa passa por um momento de fluxos de saída de caixa, pois os custos de produção são de $ 1.400 por onça. Em seguida, o preço cai para $ 1.089. Como esse preço está abaixo do p_{fechar} de $ 1.100, a mina é fechada por um custo de $ 10 milhões. É claro que o preço do ouro apresentará variações nos anos seguintes, o que possibilita aberturas e fechamentos posteriores da mina.

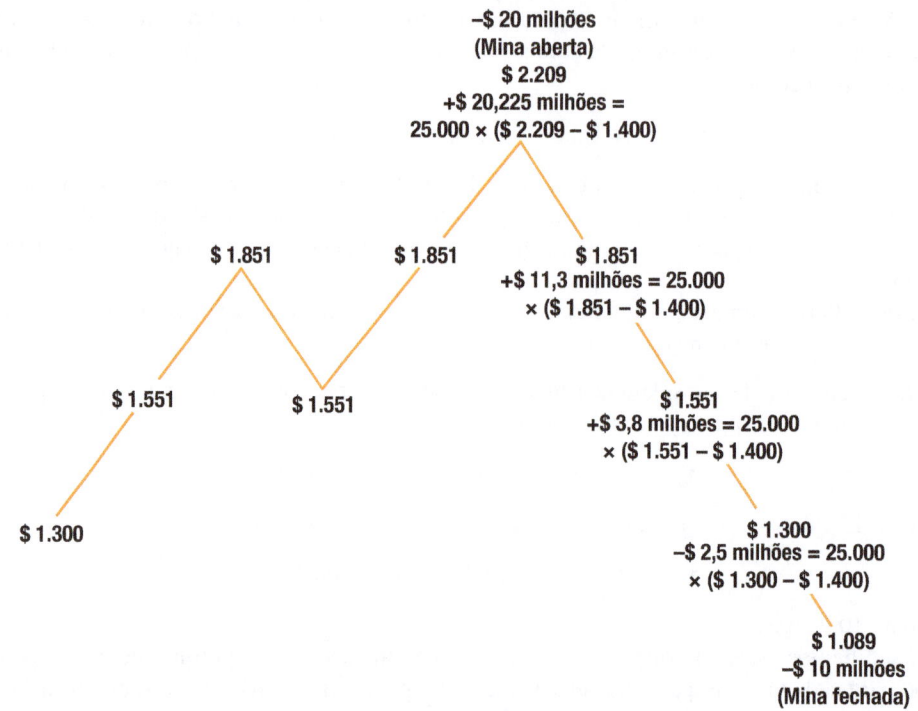

Imagine que esse caminho seja um dos 5.000 caminhos de preço simulados para o ouro. Como o p_{abrir} = $ 2.200 e o p_{fechar} = $ 1.100, a mina é aberta quando preço atingir o valor de $ 2.209. O fechamento da mina acontece quando o preço cair para $ 1.089.

FIGURA 23.4 Caminho possível para o preço do ouro.

Esse caminho é apenas uma possibilidade. Ele pode ou não acontecer em qualquer um dos 5.000 caminhos da simulação. Para cada um dos 5.000 caminhos que o computador simulou, temos uma sequência de fluxos de caixa anuais usando um p_{abrir} de $ 2.200 e um p_{fechar} de $ 1.100. Calculamos o valor presente de cada um desses fluxos de caixa à taxa de juros de 3,4%. A soma de todos os valores presentes dos fluxos de caixa resulta no valor presente da mina de ouro para um caminho.

Em seguida, obtemos o valor presente médio da mina de ouro considerando todos os 5.000 caminhos simulados. Esse número é o valor esperado da mina seguindo uma política de abrir a mina sempre que o preço do ouro atingir o valor de $ 2.200 e fechá-la sempre que o preço for de $ 1.100.

Etapa 6 A etapa final é comparar os diferentes fluxos de caixa descontados esperados da Etapa 5 para as possíveis alternativas de p_{abrir} e p_{fechar} e escolher o mais alto. Essa é a melhor estimativa do valor esperado da mina. Os valores para p_{abrir} e p_{fechar} correspondentes a tal estimativa são os pontos nos quais abrir uma mina fechada e fechar uma mina aberta.

Conforme mencionado na Etapa 4, há 15 valores diferentes para o p_{abrir} e 10 valores diferentes para o p_{fechar}, implicando 150 (=15 × 10) pares diferentes. Considere o Quadro 23.6, que mostra os valores presentes associados aos 20 melhores pares. O quadro indica que o melhor par é p_{abrir} = $ 2.900 e p_{fechar} = $ 1.200, com valor presente de $ 6,629 bilhões. Esse valor representa o valor presente médio de 5.000 simulações, todas assumindo os valores anteriores de p_{abrir} e p_{fechar}. O próximo melhor par é p_{abrir} = $ 2.200 e p_{fechar} = $ 1.300, com valor presente de $ 6,557 bilhões. O terceiro melhor par tem um valor presente um pouco menor, e assim por diante.

É evidente que nossa estimativa de valor da mina é de $ 6,629 bilhões, o valor presente do melhor par de alternativas. A capitalização de mercado (preço × número de ações em circula-

QUADRO 23.6 Avaliação da mina de ouro Woe Is Me (WOE) para as 20 melhores alternativas de p_{abrir} e p_{fechar}

p_{abrir}	p_{fechar}	Valor estimado da mina de ouro (em milhões de $)
$ 2.900	$ 1.200	$ 6.629
2.200	1.300	6.557
2.000	1.000	6.428
2.000	1.200	6.288
1.800	1.400	6.168
2.900	500	6.140
2.800	500	6.103
2.900	900	6.055
3.000	1.100	6.054
2.600	900	6.050
2.600	600	6.038
3.000	500	6.033
1.900	1.400	5.958
2.100	700	5.939
2.300	500	5.934
2.200	1.400	5.928
1.800	800	5.895
2.300	600	5.892
2.400	1.100	5.862
1.900	500	5.855

Em nossa simulação, a WOE abre a mina sempre que o preço do ouro ultrapassar o p_{abrir} e fecha a mina sempre que o preço do ouro cair para um valor menor que o p_{fechar}.

ção) da WOE deve alcançar esse valor se o mercado fizer as mesmas suposições que fizemos. Observe que o valor da empresa é bastante alto usando um cenário de opções. No entanto, como afirmado anteriormente, a WOE pareceria uma empresa sem valor se uma abordagem de fluxo de caixa descontado comum fosse usada. Isso acontece porque o preço do ouro inicial de $ 1.300 é abaixo do preço de extração de $ 1.400.

O exemplo que apresentamos não é fácil nem no plano conceitual, nem na implementação. Porém, o trabalho adicional envolvido em compreender completamente esse exemplo vale o esforço, pois ele ilustra o tipo de modelagem que acontece realmente em departamentos de Finanças Corporativas do mundo real.

Além disso, o exemplo ilustra os benefícios da abordagem binomial. Simplesmente calculamos os fluxos de caixa associados a cada uma das diversas simulações feitas, descontamos os fluxos de caixa de cada simulação e calculamos os valores presentes médios das simulações. Como o modelo Black-Scholes não é compatível com simulações, ele não pode ser usado para esse tipo de problema. Além dessa, há diversas outras situações em que o modelo binomial é mais adequado que o modelo Black-Scholes. Por exemplo, é bem conhecido o fato de que o modelo Black-Scholes não consegue lidar adequadamente com opções com pagamentos de dividendos anteriores à data de vencimento. O modelo também não avalia de maneira satisfatória uma opção de venda americana. Em contrapartida, o modelo binomial consegue lidar facilmente com as duas situações. Portanto, todo estudante de Finanças Corporativas deve conhecer bem os dois modelos. O modelo Black-Scholes deve ser usado sempre que apropriado, pois seu uso é mais simples que o do modelo binomial. No entanto, para as situações mais complexas, em que o modelo Black-Scholes não é aplicável, o modelo binomial se torna uma ferramenta necessária.

Resumo e conclusões

As opções reais, difundidas nos negócios, não podem ser tratadas pela análise do valor presente líquido. O Capítulo 7 avaliou opções reais por meio de árvores de decisão. Tendo em vista o que trabalhamos no capítulo anterior, agora podemos avaliar opções reais de acordo com o modelo Black-Scholes e o modelo binomial.

Neste capítulo, descrevemos e avaliamos quatro tipos diferentes de opções:

1. Opções de ações para executivos, que tecnicamente não são opções reais.
2. Opção embutida em uma empresa em estágio inicial.
3. Opção em contratos de negócios simples.
4. Opção de fechar e reabrir um projeto.

Tentamos manter a apresentação simples e direta de um ponto de vista da matemática envolvida. A abordagem binomial para a precificação de opções do Capítulo 22 foi estendida neste capítulo a vários períodos. Esse ajuste nos aproxima do mundo real, pois a suposição de apenas dois preços no final de um intervalo é mais plausível somente quando o intervalo é curto.

QUESTÕES CONCEITUAIS

1. **Opções de compra de ações para funcionários** Por que as empresas emitem opções para executivos se elas custam mais para a empresa do que valem para o executivo? Por que simplesmente não oferecem dinheiro e dividem a diferença? Não seria mais vantajoso tanto para a empresa quanto para o executivo?

2. **Opções reais** Quais são as duas opções que muitos negócios apresentam?

3. **Análise de projetos** Por que um cálculo limitado ao valor presente líquido normalmente subestima o valor de uma empresa ou de um projeto?

4. **Opções reais** As empresas concessionárias de energia frequentemente enfrentam a decisão de construir novas plantas que queimam óleo, gás ou ambos. Se tanto o preço do óleo quanto o do gás são altamente voláteis, quão valiosa é a decisão de construir uma planta que pode queimar óleo ou gás? O que acontece com o valor dessa opção à medida que a correlação entre os preços de óleo e gás aumenta?

5. **Opções reais** Sua empresa é proprietária de um terreno vago em uma área suburbana. Qual é a vantagem de esperar para desenvolver o terreno?

6. **Opções reais** A Áurea Mineradora comprou uma mina de ouro, mas o custo de extração está atualmente muito alto para que a mina seja lucrativa. Na terminologia das opções, que tipo de opção a empresa possui sobre essa mina?

7. **Opções reais** Você está discutindo com seu colega sobre opções reais. Durante a discussão, seu colega afirma que "a análise de opções reais não faz sentido, pois ela diz que uma opção real de um empreendimento com risco vale mais que uma opção real de um empreendimento seguro". Que resposta você daria a essa afirmação?

8. **Opções reais e orçamento de capital** Sua empresa atualmente usa técnicas tradicionais de orçamento de capital, inclusive o valor presente líquido. Após tomar conhecimento sobre a análise de opções reais, seu chefe decide que a empresa deve usar essa análise em vez do valor presente líquido. Como você avaliaria essa decisão?

9. **Seguro como uma opção** O seguro, seja adquirido por uma empresa ou por uma pessoa, é, essencialmente, uma opção. Que tipo de opção é uma apólice de seguro?

10. **Opções reais** Se uma empresa tiver competidores, de que maneira a análise de opções reais seria alterada?

Capítulo 23 Opções e Finanças Corporativas: Extensões e Aplicações **821**

QUESTÕES E PROBLEMAS

BÁSICO
(Questões 1-5)

1. **Opções de compra de ações para funcionários** Gastão Levin é o diretor-presidente da empresa Riacho da Montanha S/A. O conselho de administração concedeu ao Sr. Levin 30.000 opções de compra tipo europeias das ações da empresa, dentro do dinheiro, que estão sendo negociadas atualmente a $ 50 por ação. A ação não paga dividendos. As opções vencerão em 5 anos, e o desvio padrão dos retornos da ação é de 56%. Os títulos do Tesouro que vencem em 5 anos atualmente pagam uma taxa de juros de 6% com capitalização contínua.

    a. Use o modelo Black-Scholes para calcular o valor das opções de compra de ações.

    b. Você é o consultor financeiro do Sr. Levin. Ele deve optar entre o pacote de ações anteriormente mencionado e um bônus imediato de $ 750.000. Se ele é neutro ao risco, qual seria sua recomendação?

    c. Qual seria sua resposta para (b) se o Sr. Levin fosse avesso ao risco e não pudesse vender as opções antes do vencimento?

2. **Opções de compra de ações para funcionários** Jorge Lazaro foi nomeado o novo diretor-presidente da Sininho Fitness Center S/A. Além do honorário anual de $ 410.000, o contrato de 3 anos determina que sua remuneração incluirá 15.000 opções de compra tipo europeias das ações da empresa, no dinheiro, que vencem em 3 anos. O preço atual das ações é de $ 37 por ação, e o desvio padrão dos retornos da ação da empresa é de 65%. A empresa não paga dividendos. Os títulos do Tesouro que vencem em 3 anos pagam uma taxa de juros de 5% com capitalização contínua. Suponha que os pagamentos anuais de honorários do Sr. Lazaro ocorram no final do ano e que esses fluxos de caixa devam ser descontados a uma taxa de 9%. Usando o modelo Black-Scholes para calcular o valor das opções de compra de ações, determine o valor total do pacote de remuneração na data em que o contrato é assinado.

3. **Modelo binomial** A Gás Rede S/A recebeu a proposta de vender até 20 milhões de litros de gasolina em 3 meses pelo preço de $ 0,96423 por litro. A gasolina está sendo vendida atualmente no mercado atacadista por $ 0,8718 por litro e tem um desvio padrão de 58%. Se a taxa sem risco é de 6% ao ano, qual é o valor dessa opção?

4. **Opções reais** A Webber S/A é um conglomerado com uma divisão imobiliária que possui o direito de construir um prédio comercial em um terreno no centro da cidade de Duque de Caxias no próximo ano. A construção do prédio custaria $ 25 milhões. Em razão da baixa demanda por escritórios na região do centro, um prédio comercial vale atualmente cerca de $ 23,5 milhões. Se a demanda aumentasse, o prédio teria o valor de $ 26,8 milhões em 1 ano. Se a demanda diminuísse, o mesmo prédio comercial teria o valor de apenas $ 22 milhões em 1 ano. A empresa pode tomar empréstimos e aplicar valores com taxa efetiva anual sem risco de 4,8%. Um concorrente local nos negócios imobiliários ofereceu recentemente $ 750.000 pelo direito de construir um prédio comercial no terreno. A empresa deve aceitar essa oferta? Use um modelo de dois estágios para avaliar a opção real.

5. **Opções reais** O Jet Black é um conglomerado internacional com uma divisão de petróleo que está atualmente concorrendo em um leilão pelo direito de fazer a perfuração para obter petróleo bruto em um grande lote em 1 ano. O preço de mercado atual do petróleo bruto é de $ 93 por barril, e acredita-se que o lote contenha 435.000 barris de petróleo. Se encontrado, o custo de extração do petróleo seria de $ 75 milhões. Os títulos do Tesouro dos Estados Unidos que vencem em 1 ano pagam uma taxa de juros de 4% com capitalização contínua, e o desvio padrão dos retornos do preço do petróleo bruto é de 50%. Use o modelo Black-Scholes para calcular o lance máximo que a empresa estará disposta a fazer no leilão.

INTERMEDIÁRIO
(Questões 6-8)

6. **Opções reais** A Sardano & Filhos é uma grande empresa de capital aberto que está considerando arrendar um armazém. Uma das divisões da empresa é especialista em produtos de aço, e esse armazém é o único local da área adequado para as operações da empresa. O preço atual do aço é de $ 670 por tonelada. Se o preço do aço cair nos próximos 6 meses, a empresa comprará 500 toneladas de aço e produzirá 55.000 hastes de aço. O custo de fabricação de cada haste de aço será de $ 18, e a empresa planeja vender as hastes por $ 29 cada. A produção e a venda das hastes de aço acontecerão em apenas alguns dias. Se o preço do aço subir ou permanecer o mesmo, não será lucrativo implantar o projeto, e a empresa deixará que o arrendamento expire, sem produzir as hastes de aço. Os títulos do Tesouro que vencem em 6 meses pagam uma taxa de juros de 4,5% com capitalização contínua, e o desvio padrão dos retornos sobre o aço é de 45%. Use o modelo Black-Scholes para determinar o montante máximo que a empresa deve se dispor a pagar pelo arrendamento.

7. **Opções reais** A Verão Limpo S/A fabrica filtros de piscinas. A empresa está decidindo se deve ou não implementar o uso de uma nova tecnologia para seus filtros. Em um ano, a empresa saberá se a nova tecnologia é aceita no mercado. Se a demanda pelo novo filtro for alta, o valor presente dos fluxos de caixa em um ano será de $ 14,3 milhões. Por outro lado, se a demanda for baixa, o valor dos fluxos de caixa em um ano será de $ 8 milhões. O valor do projeto hoje, sob essas suposições, é de $ 12,9 milhões, e a taxa sem risco é de 6%. Suponha que, em 1 ano, se a demanda pela nova tecnologia for baixa, a empresa possa vender a tecnologia por $ 9,4 milhões. Qual é o valor da opção de abandono?

8. **Modelo binomial** Há uma opção de venda europeia de uma ação que vence em 2 meses. O preço da ação é de $ 73, e o desvio padrão dos retornos da ação é de 70%. A opção tem um preço de exercício de $ 80, e a taxa anual de juros sem risco é de 5%. Qual é o preço atual da opção de venda usando etapas de 1 mês?

DESAFIO
(Questões 9-10)

9. **Modelo binomial** No problema anterior, suponha que o tipo de exercício da opção seja americano em vez de europeu. Qual é o preço da opção agora? (*Dica:* como você encontrará o valor da opção se ela pode ser exercida com antecedência? Quando você exerceria a opção antes de seu vencimento?)

10. **Opções reais** Você está discutindo a compra de uma opção de um prédio comercial com preço de exercício de $ 63 milhões. O prédio está atualmente avaliado em $ 60 milhões. A opção permitirá que você compre o prédio em 6 meses ou em 1 ano a partir de hoje. Em 6 meses, o pagamento de aluguel acumulado dos escritórios do prédio no valor de $ 900.000 será feito aos proprietários. Se você exercer a opção de compra em 6 meses, receberá o pagamento de aluguel acumulado; caso contrário, o pagamento será feito aos proprietários atuais. Um segundo pagamento de aluguel acumulado de $ 900.000 será feito em um ano com os mesmos termos de pagamento. O desvio padrão do valor do prédio é de 30%, e a taxa anual sem risco é de 6%. Qual é o preço atual da opção usando etapas de 6 meses? (*Dica:* o valor do prédio em 6 meses será reduzido pelo pagamento de aluguel acumulado se você não exercer a opção no momento.)

MINICASO

Opções de compra de ações para funcionários da Cozinhas Exóticas

Após terminar seu MBA, você assumiu um cargo executivo na Cozinhas Exóticas S/A, uma rede de restaurantes que abriu seu capital ano passado. A especialidade dos restaurantes da empresa são os pratos principais exóticos, com o uso de ingredientes como carne de jacaré, javali e avestruz. Uma das suas preocupações era sobre o ramo do restaurante ser muito arriscado. No entanto, após uma investigação (uma *due diligence*), você descobriu uma visão equivocada comum no setor de restaurantes. É um pensamento bastante difundido que 90% dos novos restaurantes fecham em 3 anos; porém, dados recentes sugerem que a taxa de falência está mais perto de 60% em 3 anos. Portanto, é um negócio arriscado, embora não seja tão arriscado quanto pensado anteriormente.

Durante seu processo de entrevistas, um dos benefícios mencionados foi as opções de ações para funcionários. Com a assinatura de seu contrato de trabalho, você recebeu opções com preço de exercício de $50 de 10.000 ações da empresa. Como é bastante comum, suas opções de ações possuem um período de carência para posse dos direitos de 3 anos e vencimento em 10 anos, o que significa que você não pode exercer as opções por 3 anos e que as perderá se exercê-las antes de cumprido esse período. Após o período de carência para posse dos direitos, você poderá exercer as opções a qualquer momento. Portanto, as opções de compra de ações para funcionários são europeias (e sujeitas a prescrição de direitos) nos primeiros 3 anos e americanas após esse tempo. Evidentemente, você não pode vender as opções nem participar de qualquer tipo de acordo de *hedge*. Se deixar a empresa após o período de carência para posse dos direitos das opções, você deve exercê-las dentro de 90 dias ou abandoná-las.

A ação da Cozinhas Exóticas está sendo negociada atualmente por $ 38,15 cada, um leve aumento em relação ao preço de oferta inicial do ano passado. Não há opções de ações da empresa sendo negociadas no mercado. Tendo em vista que a empresa abriu seu capital há apenas cerca de 1 ano, você está relutando quanto a usar os retornos históricos para estimar o desvio padrão do retorno da ação. No entanto, você estimou que o desvio padrão anual médio das ações da empresa de restaurantes é de cerca de 55%. Como a Cozinhas Exóticas é uma rede de restaurantes mais nova, você decidiu usar um desvio padrão de 60% em seus cálculos. A empresa é relativamente jovem, e o seu estatuto estabelece que não haverá pagamento de dividendos nos próximos 10 anos. Um título do Tesouro que vence em 3 anos tem um retorno de 3,8%, enquanto um título do Tesouro que vence em 10 anos tem um retorno de 4,4%.

1. Você está tentando avaliar suas opções. Qual seria o valor mínimo que você atribuiria? E qual seria o valor máximo que você atribuiria?

2. Suponha que, em 3 anos, a ação da empresa esteja sendo negociada por $60. Nessa época, você deve manter as opções ou exercê-las imediatamente? Quais são alguns dos fatores determinantes mais importantes para tomar uma decisão como essa?

3. Suas opções, como a maioria das opções de ações para funcionários, não podem ser transferidas ou negociadas. Essas características afetam de modo significativo o valor das opções? Por quê?

4. Por que você acha que as opções de compra de ações para funcionários normalmente possuem um período de carência para posse dos direitos? Por que elas devem ser exercidas logo após você deixar a empresa mesmo que já tenha decorrido o período de carência para posse dos direitos?

5. Uma prática controversa referente às opções de compra de ações para funcionários é a reprecificação. O que acontece é que a empresa passa por uma queda no preço de suas ações, o que deixa as opções de compra de ações para funcionários muito fora do dinheiro. Em casos assim, muitas empresas "reprecificam" ou "derrubam" as opções, o que significa que a empresa mantém os termos originais da ação intactos, mas baixam o preço de exercício. Os proponentes da reprecificação argumentam que, como a opção muito provavelmente não terminará dentro do dinheiro em razão do declínio do preço da ação, a força motivacional é perdida. Os oponentes argumentam que a reprecificação é, essencialmente, um prêmio pelo fracasso. Como você avaliaria esse argumento? Como a possibilidade de reprecificação afeta o valor de uma opção de compra de ações para funcionários no momento em que ela é concedida?

6. Como observamos anteriormente, grande parte da volatilidade do preço da ação de uma empresa provém dos riscos sistemáticos, ou seja, dos riscos do mercado como um todo. Tais riscos estão além do controle de uma empresa e de seus executivos e funcionários. Quais são as implicações desse fato para as opções de compra de ações para executivos e funcionários? Tendo em vista sua resposta, você pode recomendar uma melhoria sobre as opções tradicionais de compra de ações para executivos e funcionários?

24 Bônus de Subscrição e Títulos Conversíveis

Para ficar por dentro dos últimos acontecimentos na área de finanças, visite **www.rwjcorporatefinance.blogspot.com.**

Em março de 2011, a Immofinanz Group, uma empresa austríaca de investimentos imobiliários, anunciou a precificação de uma nova emissão de títulos de dívida. A empresa vendeu €515 milhões em títulos de dívida, com cupom de juros de 4,25% e vencimento em 2013. Talvez você fique surpreso com o fato de que o retorno até o vencimento na emissão foi de 4,29%, consideravelmente menor do que o retorno dos outros títulos de dívida em circulação da empresa. Então, como a Immofinanz pôde emitir títulos de dívida com um retorno prometido tão baixo?

A resposta é que esses títulos de dívida eram conversíveis em ações da Immofinanz Group por um preço de € 4,12 por ação. As ações da Immofinanz estavam sendo negociadas por € 3,10 quando os títulos de dívida foram emitidos. Portanto, a conversão não era imediatamente lucrativa, mas poderia ser em algum momento futuro se o preço da ação subisse. Assim, esses títulos de dívida conversíveis são, na essência, títulos com cupom baixo e com uma opção de compra anexada cujos titulares são os detentores dos títulos.

Como se avalia um instrumento financeiro que é a combinação de títulos de dívida e de opções de compra? Este capítulo explora esse e outros assuntos.

24.1 Bônus de subscrição

Os bônus de subscrição, também conhecidos como *warrants* e opções não padronizadas,[1] são títulos que concedem aos titulares o direito, mas não a obrigação, de comprar diretamente ações de uma empresa por um preço fixo durante um determinado período de tempo. Cada bônus de subscrição especifica o número de ações que o titular pode comprar, o preço de exercício e a data de vencimento.

A partir dessa descrição de bônus de subscrição, fica claro que eles são semelhantes a opções de compra. As diferenças quanto às características contratuais entre os bônus de subscrição e as opções de compra negociadas nas bolsas de valores são pequenas. Por exemplo, os bônus têm prazos mais longos para vencimento. Na verdade, alguns bônus são perpétuos, isto é, eles nunca expiram.

Nos Estados Unidos, os *warrants* são chamados de *equity kickers*, pois são emitidos em combinação com títulos de dívida de emissão privada.[2] Na maior parte dos casos, os bônus de subscrição são anexados aos títulos de dívida na emissão. A escritura de emissão estabelecerá se os bônus podem ser destacados dos títulos de dívida, ou seja, se eles podem ser vendidos separadamente. De maneira geral, é permitido que o bônus seja destacado imediatamente.

Por exemplo, a AIG International emitiu *warrants* no dia 19 de janeiro de 2011. Cada acionista recebeu 0,533933 *warrants* para cada ação que possuía, e cada *warrant* concedeu ao

---

[1] O termo *warrant* já foi muito utilizado no Brasil. Há algum tempo é usado "bônus de subscrição", como previsto nos Artigos 75 a 79, da Lei n° 6.404/76. Neste texto, utilizaremos os dois termos e também apenas bônus. O leitor deve estar atento, pois muitas vezes a imprensa que cobre o mercado financeiro se refere à "emissão de bônus no exterior"; nesse caso, trata-se de algo completamente diferente: a emissão de títulos de dívida no exterior, em que "bônus" se refere a títulos de dívida, *bonds*.

[2] Os bônus de subscrição também são emitidos com títulos de dívida distribuídos publicamente e em novas emissões de ações. Eles normalmente são protegidos para desdobramentos de ações e dividendos, assim como acontece com as opções de compra.

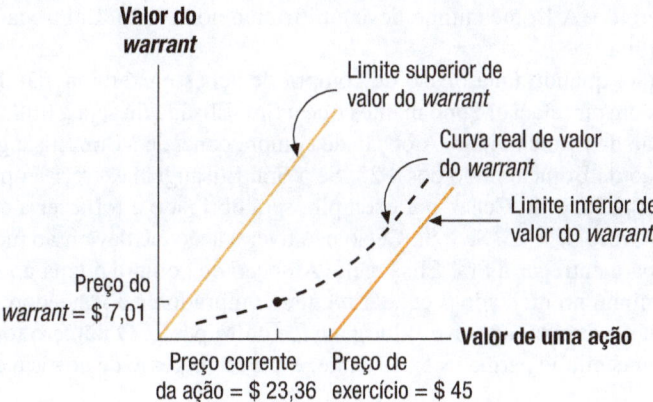

FIGURA 24.1 *Warrants* da AIG em 9 de setembro de 2011.

titular o direito de comprar uma ação pelo preço de exercício de $ 45. A data de vencimento dos *warrants* é dia 19 de janeiro de 2021. No dia 9 de setembro de 2011, a ação da AIG International fechou a $ 23,36, enquanto o preço de um *warrant* era de $ 7,01.

A relação entre o valor dos *warrants* da AIG e o preço de suas ações pode ser vista como algo semelhante à relação entre uma opção de compra e o preço da ação, tal como descrita em um capítulo anterior. A Figura 24.1 representa a relação para os *warrants* da AIG. O limite inferior do valor dos *warrants* é zero se o preço da ação da AIG estiver abaixo de $ 45. Se o preço da ação da AIG subir para um valor acima de $ 45, o limite inferior é o preço da ação menos $ 45. O limite superior é o preço da ação da AIG. Um *warrant* para comprar uma ação não pode ser vendido a um preço acima daquele da ação subjacente.

O preço dos *warrants* da AIG estava acima do limite inferior no dia 9 de setembro de 2011. Os fatores que determinam quanto do preço do *warrant* está acima do limite inferior são os seguintes:

1. A variância dos retornos da ação da AIG;
2. O prazo até o vencimento;
3. A taxa de juros sem risco;
4. O preço da ação da AIG;
5. O preço de exercício.

Esses fatores são os mesmos que determinam o valor de uma opção de compra.

24.2 Diferença entre bônus de subscrição e opções de compra

Do ponto de vista do titular, os bônus de subscrição são semelhantes a opções de compra de ações. Assim como uma opção de compra, um bônus concede a seu titular o direito de comprar ações a um determinado preço. Os bônus normalmente apresentam uma data de vencimento, embora eles sejam emitidos, na maioria das vezes, com prazos até o vencimento mais longos do que os das opções. Do ponto de vista da empresa, no entanto, um bônus é muito diferente de uma opção de compra de ações da empresa.

A diferença mais importante entre opções de compra e bônus de subscrição é que as opções de compra são emitidas por indivíduos, enquanto os bônus são emitidos por empresas. Quando um bônus é exercido, uma empresa deve emitir novas ações. Portanto, todas as vezes que um bônus é exercido, o número de ações em circulação aumenta.

Para exemplificar, suponhamos que a Bomcaminho S/A emita um bônus de subscrição concedendo aos titulares o direito de comprar uma ação por $ 25. Além disso, suponhamos que o bônus seja exercido. A Bomcaminho deve emitir uma nova ação. Em troca dessa ação, ela recebe $ 25 do titular.

Por outro lado, quando uma opção de compra de ações é exercida, não há alteração no número de ações em circulação. Suponhamos que a Sra. Elisângela seja a titular de uma opção de compra de ação da Bomcaminho. A opção de compra concede à Sra. Elisângela o direito de comprar uma ação da Bomcaminho por $ 25. Se a Sra. Elisângela exercer a opção de compra, um vendedor da opção, o Sr. Celso, por exemplo, será obrigado a fornecer a ela uma ação da Bomcaminho em troca de $ 25. Se o Sr. Celso não tiver a ação ele deve ir ao mercado de ações e comprar uma para entregar à Sra. Elisângela. A opção de compra é uma aposta no valor da ação da Bomcaminho no mercado secundário entre compradores e vendedores. Quando uma opção de compra é exercida, um investidor ganha, e outro perde. O número total de ações em circulação da Bomcaminho permanece constante, e não há ingresso de novos recursos financeiros na empresa.

EXEMPLO 24.1

Bônus de subscrição e valor da empresa Para exemplificar como os bônus afetam o valor da empresa, imaginemos que Gustavo e a Rosana sejam dois investidores que compraram juntos seis onças (cerca de 170 gramas) de platina. Ao realizar a compra, Gustavo e Rosana contribuíram cada um com metade do custo, que, suponhamos, foi de $ 500 por onça (portanto, cada um contribuiu com $ 1.500). Eles abriram uma empresa cujo único ativo é a platina e a chamaram de GR S/A, emitindo duas ações. Cada ação representa metade do direito à platina. Assim, Gustavo possui uma ação, enquanto Rosana possui a outra. Eles formaram uma empresa cujo único ativo é a platina adquirida.

Uma opção de compra é emitida Suponhamos que Gustavo decida posteriormente vender para Fabíola uma opção de compra de sua ação. A opção de compra concederá a Fabíola o direito de comprar a ação de Gustavo por $ 1.800 durante o próximo ano. Se o preço da platina ultrapassar o valor de $ 600 por onça, a empresa valerá mais de $ 3.600, e cada ação valerá mais de $ 1.800. Se Fabíola decidir exercer sua opção, Gustavo deverá entregar sua ação e receber $ 1.800.

De que maneira a empresa seria afetada pelo exercício da opção? A resposta é que o número de ações permaneceria o mesmo. Ainda haveria duas ações: uma que pertenceria a Rosana, e outra que pertenceria agora a Fabíola. Se o preço da platina tivesse aumentado para $ 700 por onça, cada ação valeria $ 2.100 (=$ 4.200/2). Se Fabíola tivesse exercido sua opção a esse preço, ela teria um ganho de $ 300.

Em vez disso, um bônus de subscrição é emitido Se um bônus for emitido, a história é outra. Suponhamos que Gustavo não venda uma opção de compra a Fabíola. Em vez disso, Gustavo e Rosana fazem uma reunião de acionistas. Na reunião, eles votam a favor da emissão de um bônus pela GR S/A e pela sua venda a Fabíola. O bônus concederá a Fabíola o direito de receber uma ação da empresa pelo preço de exercício de $ 1.800.[3] Se Fabíola decidir exercer o bônus, a empresa emitirá outra ação, que será entregue a ela em troca de $ 1.800.

Considerando-se a perspectiva de Fabíola, a opção de compra e o bônus *parecem* equivalentes. Os preços de exercício do bônus e da opção de compra continuam os mesmos $ 1.800. Para Fabíola, continua sendo vantajoso exercer o bônus quando o preço da platina ultrapassar o valor de $ 600 por onça. No entanto, mostraremos que Fabíola tem lucro menor no caso do bônus devido à diluição.

A GR Company também deve considerar a diluição. Suponhamos que o preço da platina suba para $ 700 por onça e Fabíola exerça seu bônus. Então, duas coisas acontecerão:

1. Fabíola pagará $ 1.800 para a empresa.

---

[3] A venda do bônus de subscrição traz dinheiro para a empresa. Aqui, supomos que a receita da venda imediatamente saia da empresa com a distribuição de um dividendo em dinheiro para Gustavo e Rosana. Isso simplifica a análise, pois a empresa com bônus, então, tem o mesmo valor total que a empresa sem bônus.

2. A empresa emitirá uma ação, que entregará a Fabíola. Essa ação representará o direito a um terço do valor em platina da empresa.

Com a contribuição de $ 1.800 da Fabíola para a empresa, o valor da empresa aumenta.
Agora, a empresa vale:

Novo valor da empresa = Valor da platina + Contribuição de Fabíola para a empresa
= $ 4.200 + $ 1.800
= $ 6.000

Considerando que Fabíola tem direito a um terço do valor da empresa, sua ação vale $ 2.000 (=$ 6.000/3). Exercendo o bônus de subscrição, ela ganha $ 2.000 − $ 1.800 = $ 200. O Quadro 24.1 detalha esses dados.

QUADRO 24.1 Efeito de uma opção de compra e de um bônus de subscrição na GR S/A*

Valor da empresa se	Preço da platina por ação	
	$ 700	$ 600
Sem bônus de subscrição		
Ação de Gustavo	$ 2.100	$ 1.800
Ação de Rosana	2.100	1.800
Empresa	$ 4.200	$ 3.600
Opção de compra		
Direito de Gustavo	$ 0	$ 1.800
Direito de Rosana	2.100	1.800
Direito de Fabíola	2.100	0
Empresa	$ 4.200	$ 3.600
Com bônus de subscrição		
Ação de Gustavo	$ 2.000	$ 1.800
Ação de Rosana	2.000	1.800
Ação de Fabíola	2.000	0
Empresa	$ 6.000	$ 3.600

* Se o preço da platina for de $ 700, o valor da empresa será igual ao valor de seis onças de platina mais o montante por à empresa por Fabíola. Esse valor é de $ 4.200 + $ 1.800 = $ 6.000.

Diluição Por que Fabíola ganha apenas $ 200 no caso do bônus de subscrição, mas ganha $ 300 no caso da opção de compra? A resposta está na diluição, ou seja, na criação de uma nova ação. No caso da opção de compra, ela contribui com $ 1.800 e recebe uma das duas ações em circulação. Ou seja, ela recebe uma ação que vale $ 2.100 (= 1/2 × $ 4.200). O ganho de Fabíola é de $ 300 (=$ 2.100 − $ 1.800). Reescrevemos esse ganho da seguinte maneira:

Ganho do exercício da opção de compra

$$\frac{\$\ 4.200}{2} - \$\ 1.800 = \$\ 300 \qquad (24.1)$$

No caso do bônus, Fabíola contribui com $ 1.800 e recebe uma ação recém-criada. Com isso, ela possui uma das três ações em circulação. Como o valor de $ 1.800 permanece na empresa, a ação da Fabíola vale $ 2.000 [(=$ 4.200 + $ 1.800)/3]. O ganho da investidora passa a ser de $ 200 (=$ 2.000 − $ 1.800). Reescrevemos esse lucro da seguinte maneira:

Ganho do exercício do bônus de subscrição

$$\frac{\$\ 4.200 + \$\ 1.800}{2 + 1} - \$\ 1.800 = \$\ 200 \qquad (24.2)$$

(continua)

> *(continuação)*
>
> Os bônus de subscrição também afetam os números contábeis. Tanto os bônus quanto (como veremos) as debêntures conversíveis aumentam o número de ações. Isso faz com que o lucro líquido seja dividido entre mais ações, diminuindo, assim, os lucros por ação. As empresas com emissões de bônus e debêntures conversíveis relatam os lucros como *lucro básico por ação* e *lucro diluído por ação*.[4] O primeiro é o lucro dividido pelo número de ações em circulação, e o segundo é o lucro dividido pelo número de ações que resultará do exercício dos bônus e das debêntures conversíveis.

Como a empresa pode prejudicar os titulares de bônus de subscrição

Consideremos que a empresa de platina de Gustavo e Rosana, tenha emitido um bônus de subscrição para Fabíola que está dentro do dinheiro e prestes a expirar. Uma das maneiras pelas quais Gustavo e Rosana podem prejudicar a Fabíola é pagando a eles mesmos um grande dividendo. Isso poderia ser feito com recursos resultantes de um elevado lucro na venda de uma quantidade significativa de platina. Assim, o valor da empresa cairia, e o bônus valeria muito menos.

24.3 Precificação de bônus de susbrição e o modelo Black-Scholes

Nesta seção, mostraremos os ganhos do exercício de uma opção de compra e de um bônus de subscrição em termos mais gerais. O ganho sobre uma opção de compra pode ser escrito assim:

Ganho com o exercício de uma só opção de compra

$$\underbrace{\frac{\text{Valor da empresa líquido da dívida}}{\#}}_{\text{(Valor de uma ação)}} - \text{Preço de exercício} \qquad (24.3)$$

A Equação 24.3 generaliza a Equação 24.1. Definimos o *valor da empresa líquido do endividamento* como seu valor total menos o valor de sua dívida. Em nosso exemplo, o valor total da empresa é de $ 4.200, e não há dívida. O símbolo # representa o número de ações em circulação, que é dois no exemplo. O quociente da esquerda é o valor de uma ação. O ganho sobre um bônus de subscrição pode ser escrito assim:

Ganho com o exercício de um bônus de subscrição

$$\underbrace{\frac{\text{Valor da empresa líquido da dívida} + \text{Preço de exercício} \times \#_w}{\# + \#_w}}_{\text{(Valor de uma ação após o exercício do bônus de subscrição)}} - \text{Preço de exercício} \qquad (24.4)$$

A Equação 24.4 generaliza a Equação 24.2. O numerador no lado esquerdo é o valor da empresa, líquido da dívida, *após* o exercício do bônus de subscrição. É a soma do valor da empresa, líquido da dívida, *antes* do exercício do bônus mais a receita que a empresa recebe desse exercício. A receita equivale ao produto do preço de exercício multiplicado pelo número de bônus. O número de bônus aparece como $\#_w$. (Nossa análise usa a suposição plausível de que todos os bônus dentro do valor dinheiro serão exercidos.) Observe que $\#_w = 1$ em nosso exemplo numérico. O denominador, $\# + \#_w$, é o número de ações em circulação *após* o exercício dos bônus. O quociente da esquerda é o valor de uma ação após o exercício. Se rearranjarmos os termos, podemos reescrever a Equação 24.4 como:[5]

---

[4] *Primary basis* e *fully diluted basis*.

[5] Para derivar a Fórmula 24.5, separamos o "preço de exercício" na Equação 24.4, que gera:

$$\frac{\text{Valor da empresa líquido da dívida}}{\# + \#_w} - \frac{\#}{\# + \#_w} \times \text{Preço de exercício}$$

Se rearranjarmos os termos, obtemos a Fórmula 24.5.

Ganho com o exercício de um bônus de subscrição

$$\frac{\#}{\# + \#_w} \times \left(\frac{\text{Valor da empresa líquido da dívida}}{\#} - \text{Preço de exercício}\right) \qquad (24.5)$$

(Ganho com uma opção de compra de uma empresa sem bônus de subscrição)

A Fórmula 24.5 relaciona o ganho de um bônus de subscrição com o ganho de uma opção de compra. Observe que a parte da equação entre parênteses é a Equação 24.3. Portanto, o ganho com o exercício de um bônus é uma proporção do ganho com o exercício de uma opção de compra de uma empresa sem bônus. A proporção $\#/(\# + \#_w)$ é o quociente entre o número de ações da empresa sem bônus e o número de ações após todos os bônus terem sido exercidos. Esse quociente deve sempre ser menor do que 1. Portanto, o ganho com um bônus deve ser menor que o ganho com uma opção de compra idêntica de uma empresa sem bônus. Observe que $\#/(\# + \#_w) = 2/3$ em nosso exemplo. Esse resultado explica o motivo de Fabíola ganhar $ 300 com sua opção de compra, enquanto ganha apenas $ 200 com seu bônus.

O exemplo implica que o modelo Black-Scholes deve ser ajustado para bônus de subscrição. Quando uma opção de compra é emitida para Fabíola, sabemos que o preço de exercício é de $ 1.800 e que o prazo até o vencimento é de um ano. Embora não tenhamos apresentado o preço da ação, a variância da ação ou a taxa de juros, poderíamos facilmente ter fornecido esses dados para obter uma situação mais realista. Assim, seria possível usar o modelo Black-Scholes para avaliar a opção de compra de Fabíola.

Suponhamos que o bônus de subscrição seja emitido para Fabíola amanhã. Sabemos o número de bônus que serão emitidos, a data de vencimento do bônus e o preço de exercício. Com a nossa suposição de que a receita do bônus seja imediatamente paga como um dividendo, podemos usar o modelo Black-Scholes para avaliar o bônus. Primeiramente, calculamos o valor de uma opção de compra idêntica. O preço do bônus é o preço da opção de compra multiplicado pelo quociente $\#/(\# + \#_w)$. Como mencionado anteriormente, esse quociente é 2/3 em nosso exemplo.

24.4 Títulos de dívida conversíveis

Um **título de dívida conversível** é similar a um título de dívida com bônus de subscrição. A diferença mais importante é que um título de dívida com bônus pode ser separado em títulos diferentes, enquanto um título de dívida conversível não apresenta essa possibilidade. Um título de dívida conversível concede ao titular o direito de trocá-lo por um determinado número de ações a qualquer momento até a data de vencimento do título de dívida, inclusive.[6]

Nos Estados Unidos, ações preferenciais frequentemente podem ser convertidas em ações ordinárias. Lá, uma ação preferencial conversível é o mesmo que um título de dívida conversível, exceto pelo fato de ela ter uma data de vencimento com prazo infinito.

Taxa de conversão (ou conversibilidade), preço de conversão e prêmio de conversão são termos bem conhecidos no mercado. Só o nome dos termos já seria suficiente para entender os conceitos. No entanto, preço de conversão e prêmio de conversão supõem implicitamente que o título de dívida esteja sendo negociado ao par. Se o título estiver sendo negociado a outro preço, os termos têm pouco significado. Em contrapartida, a taxa de conversão pode ter uma interpretação significativa independentemente do preço do título de dívida.

Para exemplificar essas ideias, consideremos os títulos de dívida conversíveis emitidos pela empresa de perfuração marítima Transocean. Os títulos foram oferecidos para venda em dezembro de 2007 com data de vencimento para 2037. A taxa de conversão dos títulos de dívida era de 5,931. Essa taxa significa que o preço de conversão era de $ 1.000/5,931 = $ 168,61. Em setembro de 2011, a ação da Transocean estava sendo negociada a aproximadamente $ 55, de modo que esse preço implicava um prêmio de conversão de 206,6%.

---

[6] No Brasil, debêntures conversíveis em ações têm sido utilizadas em grandes empréstimos do BNDES para empresas, que assim já "securitiza" os seus créditos. Muitas dessas emissões são de conversão obrigatória. Isso efetivamente as torna uma participação indireta no capital da tomadora, o que é referido na literatura como *backdoor equity*. Ver seção 24.7 adiante.

É claro que a característica de conversão pode ser combinada com outras opções anexadas a um título de dívida. Por exemplo, consideremos os títulos conversíveis da Immofinanz Group que discutimos no início deste capítulo. O motivo de a empresa ter emitido esses títulos conversíveis era recomprar duas emissões de títulos de dívida em circulação. Essas duas emissões, com vencimento em 2014 e 2017, apresentavam preços de conversão de € 14,68 e € 9,26. A ação da Immofinanz estava sendo negociada aproximadamente a € 3,10 em março de 2011; portanto, era improvável que o preço da ação atingisse o preço de conversão de qualquer uma dessas emissões de títulos de dívida.

Infelizmente para a Immofinanz, os dois títulos de dívida também tinham uma opção de venda que permitia aos detentores exigir que a empresa recomprasse os títulos pelo valor de face no início de 2012. No entanto, as duas emissões também tinham opção de resgate antecipado, o que possibilitou que a Immofinanz recomprasse as duas emissões.

EXEMPLO 24.2

Conversíveis No dia 8 de junho de 2010, a Microsoft captou $ 1,15 bilhão por meio da emissão de debêntures subordinadas conversíveis[7] com cupom zero e vencimento em 2013. Cada título de dívida poderia ser convertido em 29,9434 ações ordinárias da Microsoft a qualquer momento antes do vencimento. O número de ações para cada título de dívida (29,9434, neste exemplo) é chamado de **taxa de conversão**.

Os operadores do mercado de títulos também falam em **preço de conversão** do título de dívida. Esse preço é calculado como o quociente entre o valor de face do título de dívida e a taxa de conversão, ou conversibilidade. Como o valor de face de cada título de dívida da Microsoft era de $ 1.000, o preço de conversão era de $ 33,40 (= $ 1.000/29,9434). Se um credor efetuasse a conversão, ele entregaria um título de dívida com valor de face de $ 1.000 e receberia em troca 29,9434 ações ordinárias da Microsoft. Portanto, a conversão equivale a pagar $ 33,40 por ação ordinária recebida da Microsoft.

Quando a Microsoft emitiu seus títulos de dívida conversíveis, sua ação estava sendo negociada a $ 25,11 cada. O preço de conversão de $ 33,40 era 33% mais alto que o preço então corrente da ação. Esse valor de 33% é referido como **prêmio de conversão**. Ele é reflexo do fato de a opção de conversão dos títulos de dívida da Microsoft estar *fora do dinheiro*, o que significa que a conversão imediata não seria lucrativa. Esse prêmio de conversão é bastante típico.

Os conversíveis quase sempre têm proteção contra desdobramentos e recompras de ações. Assim, se a ação da Microsoft sofresse um desdobramento de duas por uma, a taxa de conversão aumentaria de 29,9434 para 59,8868.

24.5 Valor dos títulos de dívida conversíveis

O valor de um título de dívida conversível pode ser descrito em termos de três componentes: valor do título de dívida pura, valor de conversão e valor da opção. A seguir, examinaremos esses três elementos.

Valor do título de dívida não conversível

O valor do título de dívida pura é o preço pelo qual os títulos seriam negociados se não pudessem ser convertidos em ações. O valor dependerá do nível geral de taxas de juros e do risco de inadimplência. Suponhamos que as debêntures puras emitidas pela empresa de perfurações oceânicas Oceandoor tenham sido avaliadas como A e que os títulos de dívida dessa categoria tenham sido precificados para proporcionar um retorno de 4% por seis meses. Além disso, vamos supor que os cupons semestrais sejam de $ 33,75, o valor do principal seja de $ 1.000 e o vencimento seja de 16 anos. O valor do título de dívida pura dos títulos conversíveis da Oceandoor pode ser determinado por meio do desconto a 4% do cupom semestral de $ 33,75 e do valor do principal:

---

[7] No original *convertible subordinated debentures*.

$$\text{Valor do título de dívida pura} = \sum_{t=1}^{32} \frac{\$\,33{,}75}{1{,}04^t} + \frac{\$\,1.000}{(1{,}04)^{32}}$$
$$= \$\,33{,}75 \times \text{VPA}(0{,}04,\,32) + \frac{\$\,1.000}{(1{,}04)^{32}}$$
$$= \$\,603{,}23 + \$\,285{,}06$$
$$= \$\,888{,}29$$

O valor do título de dívida pura de um título de dívida conversível é um valor mínimo. O preço dos títulos de dívida conversíveis da Oceandoor não poderia ser menor do que o valor do título de dívida pura.

A Figura 24.2 ilustra a relação entre o valor do título de dívida pura e o preço da ação. Na Figura 24.2, fomos um tanto confiantes e assumimos implicitamente que o título de dívida conversível não corre risco de inadimplência. Nesse caso, o valor do título de dívida pura não depende do preço da ação, sendo, então, representado por uma linha reta.

Valor de conversão

O valor dos títulos de dívida conversíveis depende do valor de conversão. O **valor de conversão** é o quanto os títulos valeriam se fossem imediatamente convertidos em ações aos preços atuais. Normalmente, calculamos o valor de conversão pela multiplicação do número de ações que será recebido quando o título de dívida for convertido pelo preço corrente da ação.

No dia 9 de setembro de 2011, cada título de dívida conversível da Oceandoor poderia ser convertido em 29,9434 ações da empresa. A ação da Oceandoor estava sendo negociada a $ 25,74 nesse dia. Portanto, o valor de conversão era de 29,9434 × $ 25,74 = $ 770,74. Um conversível não pode ser negociado a preço inferior ao seu valor de conversão. A arbitragem evita que isso aconteça. Se o conversível da Oceandoor estivesse sendo negociado por menos que $ 770,74, investidores comprariam os títulos de dívida, converteriam esses títulos em ações e venderiam as ações. O lucro seria a diferença entre o valor das ações vendidas e o valor de conversão do título de dívida.

Portanto, os títulos de dívida conversíveis apresentam dois valores mínimos: o valor do título de dívida pura e o valor de conversão. O valor de conversão é determinado pelo valor da ação subjacente da empresa. Isso é ilustrado na Figura 24.2. Conforme o valor da ação aumenta ou diminui, o valor de conversão também aumenta ou diminui, acompanhando a variação. Quando o valor da ação da Oceandoor aumentou em $ 1, o valor de conversão de seus títulos de dívida conversíveis aumentou em $ 29,9434.

Valor da opção

O valor de um título de dívida normalmente excederá tanto o valor do título de dívida quanto o valor de conversão.[8] Isso ocorre porque os titulares de conversíveis não precisam fazer a conversão imediatamente. Em vez disso, se os titulares esperarem, eles poderão aproveitar o que for maior no futuro: o valor do título de dívida pura ou o valor de conversão. A opção de espera é valiosa e aumenta tanto o valor do título de dívida pura quanto o valor de conversão.

Quando o valor da empresa é baixo, o valor dos títulos de dívida conversíveis é mais significativamente influenciado por seu valor subjacente como dívida pura. No entanto, quando o valor da empresa é muito alto, o valor dos títulos de dívida conversíveis é determinado principalmente por seu valor de conversão subjacente. Isso é ilustrado na Figura 24.3.

A parte inferior da figura nos mostra que o valor de um título de dívida conversível é o máximo dentre seu valor de título de dívida pura e seu valor de conversão mais seu valor de opção:

Valor do título de dívida conversível = O maior entre (Valor do título de dívida pura, Valor de conversão) + Valor da opção

---

[8] A exceção mais plausível seria se a conversão fornecesse ao investidor um dividendo muito maior do que os juros disponíveis antes da conversão. A estratégia ideal, nesse caso, seria efetuar a conversão imediatamente, implicando que o valor de mercado do título de dívida seria exatamente igual ao valor de conversão. Outras exceções ocorrem quando a empresa está inadimplente ou os credores são forçados a fazer a conversão.

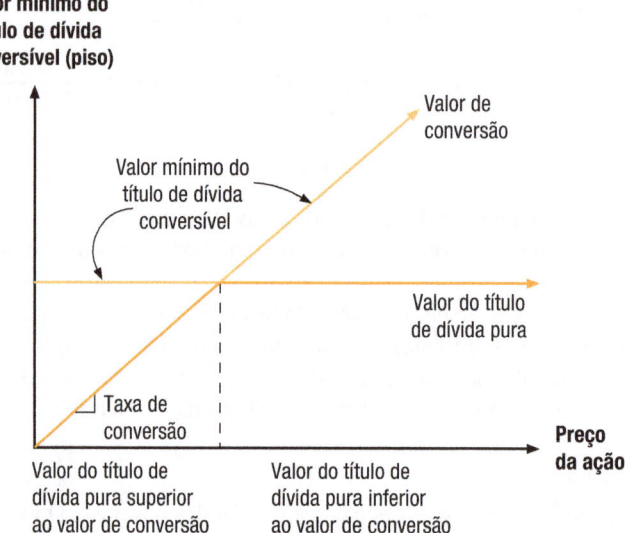

Conforme mostrado, o valor mínimo, ou piso, de um título de dívida conversível pode ser tanto o seu valor como título de dívida pura quanto seu valor de conversão, o que for maior.

FIGURA 24.2 Valor mínimo de um título de dívida conversível *versus* valor da ação para uma determinada taxa de juros.

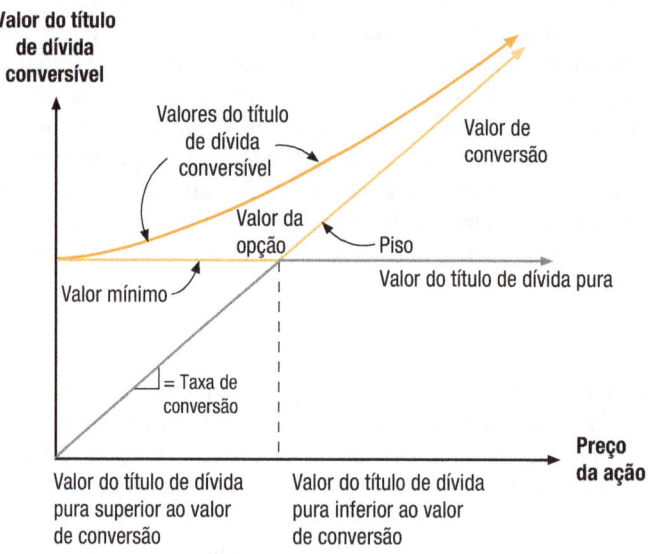

Conforme mostrado, o valor de um título de dívida conversível é a soma de seu valor mínimo e de seu valor de opção.

FIGURA 24.3 Valor de um título de dívida conversível *versus* valor da ação para uma determinada taxa de juros.

EXEMPLO 24.3

Conversão Suponhamos que a Muiton S/A tenha em circulação 1.000 ações e 100 títulos de dívida. Cada título tem um valor de face de $ 1.000 no vencimento. Eles são títulos de dívida tipo desconto e não pagam cupons. No vencimento, cada título pode ser convertido em dez ações novas.

Em que circunstâncias torna-se vantajoso para os titulares de títulos de dívida conversíveis da Muiton fazer a conversão no vencimento?

Se os titulares efetuarem a conversão, eles receberão 100 × 10 = 1.000 ações. Como já havia 1.000 ações, o número total de ações em circulação passará a ser de 2.000 ações. Assim, credores que fizeram a conversão serão proprietários de 50% do valor da empresa, que chamamos de V. Se eles não efetuarem a conversão, receberão $ 100.000 ou V, o valor que for menor. A escolha para os titulares da dívida da Muiton é óbvia. Eles devem fazer a conversão se 50% de V for um valor superior a $ 100.000. Essa relação será verdadeira sempre que V for maior do que $ 200.000. Ilustramos essa relação a seguir:

Resultados para os credores conversíveis e acionistas da Muiton S/A

	(1) $V \leq 100.000$	(2) $100.000 < V \leq 200.000$	(3) $V > 200.000$
Decisão:	Credores não efetuarão a conversão	Credores não efetuarão a conversão	Credores efetuarão a conversão
Credores de dívida conversível	V	$ 100.000	0,5V
Acionistas	0	V − $ 100.000	0,5V

24.6 Motivos para emitir bônus de subscrição e títulos conversíveis

Provavelmente não exista outra área das Finanças Corporativas que confunda mais os profissionais de mercado do que aquela que diz respeito aos motivos para a emissão de dívidas conversíveis. Com o objetivo de distinguir verdades de mitos, apresentamos um argumento estruturado. Começamos comparando dívida conversível com dívida pura. Depois disso, comparamos dívida conversível com capital próprio. Em cada comparação, procuramos saber em quais situações é vantajoso para a empresa ter dívidas conversíveis e em quais situações é desvantajoso tê-las.

Dívida conversível *versus* dívida pura

A dívida conversível paga taxas de juros menores do que uma dívida pura idêntica. Por exemplo, se a taxa de juros é de 10% na dívida pura, a taxa de juros da dívida conversível pode ser de 9%. Os investidores aceitarão uma taxa de juros mais baixa em um conversível em razão do ganho em potencial da conversão.

Imaginemos uma empresa que considere seriamente tanto dívida conversível quanto dívida pura e que, por fim, decida emitir conversíveis. Em quais circunstâncias essa decisão beneficiaria a empresa e em quais circunstâncias ela a prejudicaria? A seguir, consideramos as duas situações.

O preço da ação posteriormente sobe, de modo que a conversão passa a ser indicada Com certeza, a empresa fica satisfeita quando presencia um aumento no valor de suas ações. No entanto, o benefício seria ainda maior se anteriormente tivesse sido feita uma emissão de dívida pura em vez de conversível. Embora a empresa tenha pago uma taxa de juros mais baixa do que a taxa que teria pagado com a dívida pura, ela foi obrigada a vender aos titulares dos conversíveis uma parte do patrimônio a um valor abaixo do preço de mercado.

O preço da ação posteriormente cai ou não sobe o suficiente para justificar a conversão A empresa detesta ver uma queda no valor de suas ações. No entanto, se o preço da ação cair, a empresa ficará satisfeita com o fato de ter emitido dívida conversível em vez de dívida pura. Isso acontece porque a taxa de juros da dívida conversível é mais baixa. Como a conversão não é realizada, nossa comparação das taxas de juros já é suficiente.

Resumo Em comparação com o caso da dívida pura, a empresa é mais prejudicada com a emissão de dívida conversível se a ação subjacente aumentar de valor. A empresa fica em uma situação mais vantajosa com a emissão de dívida conversível se a ação subjacente diminuir de

QUADRO 24.2 Casos favorável e desfavorável a emissão de títulos de dívida conversíveis (TDCs)

	Se o preço das ações da empresa posteriormente cair	Se o preço das ações da empresa posteriormente aumentar
Títulos de dívida conversíveis (TDCs)	Conversão não realizada em razão do preço baixo da ação.	Conversão realizada em razão do preço alto da ação.
Comparados a:		
Títulos de dívida pura	Os TDCs proporcionam um financiamento barato, pois a taxa de cupom é mais baixa.	Os TDCs proporcionam um financiamento caro, pois os títulos são convertidos, causando uma diluição do capital próprio existente.
Ação	Os TDCs proporcionam um financiamento caro, pois a empresa poderia ter emitido ações a preços mais altos.	Os TDCs proporcionam um financiamento barato, pois a empresa emite ações a preços altos quando títulos de dívida são convertidos.

valor. Em um mercado eficiente, não podemos prever o preço futuro da ação. Portanto, não podemos afirmar que os conversíveis dominam ou são dominados pela dívida pura.

Dívida conversível *versus* ações

Agora, imaginemos uma empresa que estava considerando seriamente tanto a dívida conversível quanto a emissão de ações e que finalmente decide emitir conversíveis. Em quais circunstâncias essa decisão beneficiaria a empresa e em quais circunstâncias ela prejudicaria a empresa? A seguir, consideramos essas duas situações.

O preço da ação posteriormente sobe, de modo que a conversão passa a ser indicada

A empresa fica em uma situação mais vantajosa por ter emitido anteriormente dívida conversível em vez de ações. Para visualizar isso, considere o caso da Oceandoor. A empresa poderia ter emitido ações por $ 25,74. Em vez disso, com a emissão de dívida conversível, a empresa receberá efetivamente um valor muito superior por uma ação com a conversão.

O preço da ação posteriormente cai ou não sobe o suficiente para justificar a conversão

Nenhuma empresa deseja ver uma queda do preço de suas ações. No entanto, considerando que o preço sofreu uma queda, a empresa estaria em uma situação melhor se tivesse emitido ações anteriormente em vez de um conversível. A empresa teria se beneficiado da emissão de ações acima de seu último preço de mercado. Ou seja, a empresa teria recebido um montante maior que o valor subsequente da ação. No entanto, a queda do preço da ação não afetou o valor do conversível, porque o valor do título de dívida pura atua como um piso.

Resumo Em comparação com a emissão de ações, a empresa tem mais vantagens com a emissão de dívida conversível se a ação subjacente tiver, na sequência, um aumento de valor. Ela fica em uma situação pior com a emissão de dívida conversível se, na sequência, sua ação tiver diminuição de valor. Não é possível prever o preço futuro da ação em um mercado eficiente. Portanto, não podemos afirmar que emitir conversíveis é melhor ou pior que emitir ações. A análise anterior está resumida no Quadro 24.2.

Modigliani-Miller (MM) observaram que, se não considerarmos impostos e custos de falência, é indiferente para a empresa emitir ações ou dívidas. A relação MM é bastante geral. Essa lógica poderia ser ajustada para mostrar que é indiferente para a empresa emitir conversíveis ou outros instrumentos. Para economizar espaço (e a paciência dos leitores), omitimos uma prova completa e extensa da relação MM em um mundo de conversíveis. No entanto, nossos resultados são perfeitamente coerentes com o argumento MM. Agora, voltamo-nos para o mundo real dos conversíveis.

O mito do "almoço grátis"

A discussão anterior sugere que emitir um título de dívida conversível não é melhor nem pior do que emitir outros instrumentos. Infelizmente, muitos executivos de empresas caem na armadilha do argumento de que emitir uma dívida conversível é, na realidade, mais vantajoso do que emitir instrumentos alternativos. Essa é uma explicação do tipo "almoço grátis", em relação à qual somos muito críticos.

EXEMPLO 24.4

Os conversíveis são sempre a melhor opção? O preço da ação da RW S/A é de $ 20. Vamos considerar que essa empresa possa emitir debêntures subordinadas, a 10%. Além disso, ela também pode emitir títulos de dívida conversíveis, a 6%, com um valor de conversão de $ 800. O valor de conversão significa que os titulares podem converter um título de dívida conversível em 40 ações (=$ 800/$ 20).

Um tesoureiro que acredita em "almoços grátis" poderá alegar que os títulos de dívida conversíveis devem ser emitidos porque representam uma fonte de financiamento de custo mais baixo do que os títulos de dívida subordinados ou as ações. Ele argumentará que, se a empresa tiver um mau desempenho, e o preço não ultrapassar $ 20, os credores conversíveis não efetuarão a conversão dos títulos em ações. Nesse caso, a empresa terá obtido um financiamento por dívidas a taxas inferiores às de mercado ao juntar aos títulos opções sem valor. Por outro lado, se a empresa tiver um bom desempenho e o preço da ação subir para $ 25 ou mais, os titulares de conversíveis efetuarão a conversão. A empresa emitirá 40 ações. Em troca, ela receberá um título de dívida com valor de face de $ 1.000, implicando um preço de conversão de $ 25. A empresa terá emitido ações a $ 25 cada, ou a um valor 20% acima do preço de $ 20 que estava prevalecendo quando os títulos de dívida conversíveis foram emitidos. Isso permite que ela diminua seu custo de capital próprio. Portanto, o tesoureiro afirmará com satisfação que, independentemente de a empresa apresentar um bom ou um mau desempenho, os títulos de dívida conversíveis são a forma mais barata de financiamento.

Embora esse argumento possa parecer bastante plausível à primeira vista, há, na verdade, um equívoco. O tesoureiro está comparando o financiamento por conversíveis com o *financiamento por dívida pura* no caso de queda do valor da ação. No entanto, ele compara o financiamento por conversíveis *com o financiamento por ações* no caso de aumento do valor da ação. Essa mistura de comparações é inadequada. Em contraste, nossa análise do Quadro 24.2 foi adequada, pois examinamos tanto os aumentos quanto as quedas no valor das ações ao comparar um conversível com cada instrumento alternativo. O resultado que encontramos demonstrou que nenhuma alternativa isoladamente foi superior em *ambas* as situações de alta e baixa no mercado.

O mito do "almoço caro"

Suponha que apoiemos o argumento do tesoureiro, comparando (1) financiamento com conversível e dívida pura quando o valor da ação aumenta e (2) financiamento com conversível e capital próprio quando o valor da ação diminui.

A partir do Quadro 24.2, podemos ver que a dívida conversível é mais cara que a dívida pura quando o preço da ação posteriormente sobe. A obrigação da empresa de vender aos titulares de conversíveis uma porção do patrimônio a um preço abaixo do preço de mercado anula a taxa de juros mais baixa de um conversível.

Também a partir do Quadro 24.2, podemos ver que a dívida conversível é mais cara do que o capital próprio quando o preço da ação posteriormente cai. Se a empresa tivesse emitido ações, teria recebido um preço mais alto do que seu valor posterior. Portanto, o mito do "almoço caro" implica que uma dívida conversível é uma forma inferior de financiamento. É claro que não aprovamos nenhum dos dois argumentos, seja o do "almoço grátis", seja o do "almoço caro".

Uma conciliação

Em um mercado financeiro eficiente, entendemos que não há nem "almoço grátis", nem "almoço caro". Os títulos de dívida conversíveis não podem ser nem mais baratos, nem mais caros que outros instrumentos. Um título de dívida conversível é um pacote formado por dívida pura e uma opção de compra de ações. A diferença entre o valor de mercado de um título de dívida conversível e o valor de um título de dívida pura é o preço que os investidores pagam pela opção de compra. Em um mercado eficiente, esse é um preço justo.

Em geral, se uma empresa apresentar bom desempenho, emitir títulos de dívida conversíveis será pior do que emitir títulos de dívida pura e será melhor do que emitir ações. Em contrapartida, se uma empresa apresentar mau desempenho, emitir títulos de dívida conversíveis será melhor do que emitir títulos de dívida pura e pior do que emitir ações.

24.7 Por que bônus de subscrição e títulos conversíveis são emitidos?

Com base em estudos, sabe-se que as empresas que emitem títulos de dívida conversíveis são diferentes de outras empresas. Entre as diferenças, estão as seguintes:

1. As classificações de risco dos títulos de dívida das empresas que fazem uso de conversíveis são mais baixas do que as de outras empresas.[9]
2. Os títulos conversíveis tendem a ser usados por empresas menores com altos índices de crescimento e maior alavancagem financeira.[10]
3. Os conversíveis normalmente são subordinados e sem garantia.

O tipo de empresa que usa conversíveis fornece dicas da razão de eles serem emitidos. A seguir, apresentamos algumas explicações coerentes.

Casamento de fluxos de caixa

Se o financiamento é caro, faz sentido emitir títulos cujos fluxos de caixa coincidam com os da empresa. Uma empresa nova, arriscada e (assim ela espera) em crescimento pode preferir emitir títulos de dívida conversíveis ou títulos de dívida com bônus de subscrição, pois eles acarretarão custos de juros iniciais mais baixos. Quando a empresa for bem-sucedida, os conversíveis (ou os bônus) serão convertidos. Isso causa uma diluição cara, mas ocorre quando a empresa pode arcar com isso.

Sinergia de riscos

Outro argumento a favor dos títulos de dívida conversíveis e dos títulos de dívida com bônus de subscrição é que eles são úteis quando for muito caro avaliar o risco da empresa que fará a emissão. Suponha que você esteja avaliando um novo produto de uma empresa em estágio inicial (uma *start-up*). O novo produto é um vírus geneticamente modificado que pode aumentar a produção das plantações de milho em climas mais frios, mas que também pode causar câncer. Avaliar adequadamente esse tipo de produto é uma tarefa complicada. Portanto, o risco da empresa é difícil de ser determinado: ele pode ser alto ou baixo. Se você tivesse certeza de que o risco da empresa fosse alto, poderia estabelecer o preço dos títulos de dívida para um retorno alto, de, digamos, 15%. Se ele fosse baixo, você poderia estabelecer o preço para um retorno menor, de, digamos, 10%.

Os títulos de dívida conversíveis e os títulos de dívida com bônus podem proporcionar certa proteção contra erros de avaliação do risco. Esses instrumentos apresentam dois componentes: títulos de dívida pura e opções de compra da ação subjacente. Se a empresa vier a ser de baixo risco, o componente de título de dívida pura terá um valor alto, e a opção de compra terá um valor baixo. No entanto, se a empresa vier a ser de alto risco, o componente de título de dívida pura terá um valor baixo, e a opção de compra terá um valor alto. O Quadro 24.3 ilustra isso.

---

[9] E. F. Brigham, "An Analysis of Convertible Debentures: Theory and Some Empirical Evidence", *Journal of Finance*, v.21, 1966.

[10] W. H. Mikkelson, "Convertible Calls and Security Returns", *Journal of Financial Economics*, v.9, sept. 1981.

QUADRO 24.3 Caso hipotético de retornos de títulos de dívida conversíveis*

	Risco da empresa	
	Baixo	Alto
Retorno do título de dívida pura	10%	15%
Retorno do título de dívida conversível	6	7

* Os retornos dos títulos de dívida pura refletem o risco de inadimplência. Os retornos de conversíveis não são sensíveis a esse risco.

Contudo, embora o risco tenha efeitos sobre o valor que se cancelam em conversíveis e títulos de dívida com bônus de subscrição, o mercado e o comprador, ao avaliar esses títulos, ainda assim devem fazer uma avaliação do potencial da empresa, e não é claro que o esforço envolvido seja muito menor que o necessário para um título de dívida pura.

Custos de agência

Os títulos de dívida conversíveis podem resolver os problemas de agência relacionados a captação de dinheiro. Em um capítulo anterior, mostramos que os títulos de dívida pura são como títulos de dívida sem risco menos uma opção de venda dos ativos da empresa. Isso cria um incentivo para que os credores forcem a empresa a empreender atividades de menor risco. Em contraste, os titulares de ações têm incentivos para aceitar projetos de alto risco. Os projetos de alto risco com valor presente líquido negativo transferem riquezas dos credores para os acionistas. Se esses conflitos não puderem ser resolvidos, a empresa pode ser forçada a recusar oportunidades lucrativas de investimentos. No entanto, como os títulos de dívida conversíveis possuem um componente de capital próprio, uma expropriação menor de riquezas pode ocorrer quando dívidas conversíveis são emitidas em vez de dívidas puras.[11] Em outras palavras, os títulos de dívida conversíveis reduzem os custos de agência. Uma consequência é que títulos de dívida conversíveis têm cláusulas protetoras para os credores (*covenants*) menos restritivas que os títulos de dívida pura no mundo real. Evidências empíricas parecem apoiar isso.

Capital próprio indireto

Uma teoria popular de conversíveis analisa a emissão de conversíveis como um financiamento por capital próprio de forma indireta (*backdoor equity*).[12] A ideia básica é que empresas novas, pequenas e de alto crescimento normalmente não conseguem emitir dívida em condições razoáveis em razão dos altos custos decorrentes da percepção do risco de dificuldades financeiras. Por outro lado, os proprietários podem não estar dispostos a emitir ações se os seus preços atuais estiverem muito baixos.

Lewis, Ragalski e Seward examinaram as teorias da sinergia de riscos e do financiamento por capital próprio de forma indireta. Eles encontraram evidências para as duas teorias.

24.8 Política de conversão

Ainda não abordamos um aspecto importante dos títulos de dívida conversíveis. Frequentemente, as empresas emissoras têm uma opção de compra dos títulos de dívida que emitiram. Os arranjos típicos para o exercício pelo emissor da opção de compra de um título de dívida conversível são simples. Quando a opção de compra é exercida pelo emissor, o titular tem cerca de 30 dias para escolher entre as seguintes opções:

1. Converter o título de dívida em ações pela taxa de conversão.

---

[11] A. Barnea, R. A. Haugen e L. Senbet, *Agency Problems and Financial Contracting*. New York: Prentice Hall, 1985, Capítulo VI.

[12] J. Stein, "Convertible Bonds as Backdoor Equity Financing", *Journal of Financial*, v.32, 1992. Consulte também C. Lewis, R. J. Ragalski e J. K. Seward, "Understanding the Design of Convertible Debt", *The Journal of Applied Corporate Finance*, 1998. Ver também http://www.nber.org/papers/w4028.pdf.

2. Resgatar o título de dívida e receber o preço da opção de compra em dinheiro.

O que os credores devem fazer? É óbvio que, se o valor de conversão do título de dívida for maior que o preço da opção de compra, certamente a conversão é melhor que a renúncia; se o valor da conversão for menor que o preço da opção call, a renúncia é melhor que a conversão. Se o valor de conversão for maior que o preço da opção de compra, diz-se que a opção de recompra **força a conversão**.

O que os gestores financeiros devem fazer? O exercício do resgate de títulos de dívida não altera o valor da empresa como um todo. No entanto, uma política de resgate ótima pode beneficiar os acionistas à custa dos credores. Como estamos falando da divisão de uma pizza de tamanho fixo, a política de resgate ideal é simples: faça o que os credores não gostariam que você fizesse.

Os credores adorariam se os acionistas resgatassem os títulos de dívida quando o valor de mercado dos títulos estivesse abaixo do preço da opção de compra. Assim, os acionistas estariam entregando um valor extra aos credores. Por outro lado, se o valor dos títulos de dívida ultrapassasse o preço da opção de compra, os credores adorariam se os acionistas não resgatassem os títulos, pois, assim, poderiam reter um ativo valioso.

Resta uma única política. Essa é a política que maximiza valor para o acionista e minimiza valor para o credor:

> **Resgate o título de dívida quando seu valor for igual ao preço da opção de compra.**

É intrigante o fato de as empresas nem sempre resgatarem os títulos de dívida conversíveis quando o valor de conversão atinge o preço da opção de compra. Ingersoll analisou as políticas de resgate de 124 empresas entre 1968 e 1975 nos EUA.[13] Ele descobriu que, na maioria dos casos, a empresa esperou o valor de conversão ser muito mais alto que o preço da opção de compra para resgatar os títulos de dívida. Na mediana, as empresas esperaram até que o valor de conversão de seus títulos de dívida fosse 44% mais alto do que o preço da opção de compra. Isso não chega nem perto de nossa estratégia ideal. Por quê?

Uma das razões é que, se as empresas tentam implantar a estratégia ótima, ela pode não ser realmente ótima. Lembre-se de que os credores têm 30 dias para tomar a decisão entre converter títulos de dívida em ações ou renunciar aos títulos pelo preço da opção de recompra em dinheiro. Em 30 dias, o preço da ação poderia cair, forçando o valor de conversão a estar abaixo do preço da opção de compra. Nesse caso, o conversível está "fora do dinheiro", e a empresa está dando dinheiro. A empresa estaria pagando um valor mais alto por ações que valem muito menos. Tendo em vista essa possibilidade, as empresas normalmente esperam até que o valor de conversão esteja consideravelmente mais alto do que o preço da opção de compra antes de exercer a opção de resgate.[14] Isso faz sentido.

---

[13] Consulte J. Ingersoll, "An Examination of Corporate Call Policies on Convertible Securities", *Journal of Finance*, may 1977. Consulte também M. Harris e A. Raviv, "A Sequential Signalling Model of Convertible Debt Call Policy", *Journal of Finance*, dec. 1985. Harris e Raviv (1985) descrevem um equilíbrio de sinalização que condiz com o resultado de Ingersoll (1977). Eles mostraram que os gestores com informações favoráveis postergarão os resgates para evitar quedas dos preços das ações.

[14] Consulte P. Asquith, "Convertible Bonds Are Not Called Late", *Journal of Finance* (set. 1995). Por outro lado, o mercado de ações normalmente reage de maneira negativa ao anúncio o exercício de uma opção de compra. Como exemplo, consulte A. K. Singh, A. R. Cowan e N. Nayar, "Underwritten Calls of Convertible Bonds", *Journal of Financial Economics*, mar. 1991 e M. A. Mazzeo e W. T. Moore, "Liquidity Costs and Stock Price Response to Convertible Security Calls", *Journal of Business*, jul. 1992. Ederington, Caton e Campbell testaram diversas teorias sobre o momento ideal de exercício da opção de compra de conversíveis. Eles encontraram evidências coerentes com a teoria anterior de uma "margem de segurança" para os 30 dias. Eles também concluíram que o exercício de opções de compra de conversíveis "dentro do dinheiro" são altamente improváveis se os dividendos a serem recebidos (após a conversão) ultrapassarem o juros pagos pela empresa. Para maiores informações, consulte L. H. Ederington, G. L. Caton e C. J. Campbell, "To Call or Not to Call Convertible Debt", *Financial Management* (Primavera, 1997, hemisfério norte).

Caso da Light S/A*

Com prazo de 5 anos de vencimento e com amortização mensal, as debêntures foram subscritas com TJLP mais 4% ao ano. Pelas regras, o BNDES tem a opção de converter até 50% dos papéis em participação acionária na Light. A participação do banco, ao final da operação, não poderá ultrapassar 30% do capital total da distribuidora. No caso de o BNDES optar pelo teto de 30%, a EDF permanecerá com 65% do capital total, o que limitaria a participação dos minoritários a 5%.

O preço de conversão das debêntures tomou por base o valor patrimonial do lote de 1.000 (mil) ações de emissão da emissora em 30 de dezembro de 2005, correspondente a R$ 11,334.

Em julho de 2005, o BNDESPAR subscreveu 727.268 títulos, no valor total de R$ 734.929. Em 16 de maio de 2007, o BNDESPar exerceu o direito conferido por 654.541 bônus de subscrição de emissão da Light S/A, os quais se encontravam vinculados às debêntures emitidas pela Light SESA. Em contrapartida, o BNDESPAR recebeu 61.700.307.365 ações de emissão da Light S/A, que representavam 31,4% do capital social da companhia. Posteriormente, em 19 de outubro de 2007, o BNDESPar exerceu o direito conferido por 72.727 bônus de subscrição. Em contrapartida, o BNDESPAR recebeu 6.855.610.655 ações de emissão da Light S/A, que representam 2,3% do capital social da companhia.

Caso da Minerva S/A*

O volume da operação foi fixado em R$ 200 milhões conversíveis em ações com remuneração fixada a 100% do CDI.

A emissão das debêntures do frigorífico atraiu atenção do mercado por resgatar o mecanismo de debêntures conversíveis, praticamente esquecido nos últimos anos.

Os investidores poderão converter as debêntures em ações voluntariamente ou de forma compulsória na data de vencimento dos títulos – que tem prazo de quatro anos – a um preço entre R$ 6,00 e R$ 8,00. A conversão voluntária, porém, só pode ocorrer pelo preço máximo.

Caso da Iochpe-Maxion S/A

Em 2011, a Iochpe-Maxion anunciou a aquisição da empresa norte-americana Hayes Lemmerz por US$ 725 milhões, o que tornou a Iochpe-Maxion a maior fornecedora de rodas para veículos no mercado norte-americano. Em seguida, ela anunciou também a aquisição do grupo mexicano Galaz, por US$ 195 milhões, perfazendo um total de US$ 925 milhões nas duas aquisições. Antes de realizar as ofertas, a Iochpe-Maxion contratou com um consórcio de bancos brasileiros um "contrato guarda-chuva" de cerca de US$ 900 milhões, inicialmente em linhas externas em empréstimo-ponte de dois anos, e prazo total de 10 anos.

Em 2012, no início do ano, o empréstimo ponte foi concluído conforme previsto em contrato, pois o fechamento das operações ocorreu somente naquele momento. No final daquele ano, a empresa optou por substituir o empréstimo-ponte por linhas de longo prazo "definitivas", então o empréstimo-ponte foi quebrado em duas partes. Uma no exterior com prazo de sete anos e a outra parte no valor de R$ 1,24 bilhão contratada no mercado doméstico. Ao final de 2014, essa parte era formada por três emissões de debêntures, como mostrado a seguir.

Em 2013, a empresa fez duas emissões de debêntures: uma de debêntures simples, no valor de R$ 1,24 bilhão, com vencimento em nove anos e, posteriormente, uma de debêntures conversíveis em ações, no valor de R$ 320 milhões, sendo a primeira oferta dessa natureza desde a captação realizada em 2011, pela Minerva Foods, com conversão obrigatória no vencimento das debêntures, ou à opção dos acionistas. Essa emissão da Minerva atraiu a atenção do mercado por ter resgatado o mecanismo de emissão pública debêntures conversíveis, algo um pouco esquecido nos últimos anos. A emissão de R$ 320 milhões foi feita em troca de parte da emissão de R$ 1,14 bilhão.

---

* Os casos Light e Minerva foram cedidos pelo Instituto Educacional BM&FBOVESPA. Acesse www.bmfbovespa.com.br/educacional.

As captações da Iochpe-Maxion no mercado interno visavam tanto a substituir a dívida em moeda estrangeira quanto a melhorar os custos de captação. Embora a empresa pudesse tomar recursos diretamente junto aos bancos, os custos eram maiores do que a colocação direta de dívida junto a investidores. As captações também teriam reduzido custos fiscais em relação à captação externa. As operações foram conduzidas no âmbito da Instrução CVM 476, que, com seu processo simplificado de emissão, também contribuiu para reduzir custos.

A emissão de R$ 1,24 bilhão em debêntures simples foi feita a um custo equivalente à taxa DI mais 3,25% ao ano. As debêntures conversíveis foram colocadas a 99% da taxa DI, prazo de cinco anos e valor unitário de R$ 1 mil, com cláusula de conversão em 33 ações por debênture. Isso equivalia a um preço de conversão de R$ 30,303030 com prêmio de 14,21% sobre a cotação média dos papéis da companhia na bolsa nos últimos 20 dias antes da aprovação da operação. No dia anterior ao anúncio, as ações haviam fechado a R$ 26,28.

Na época, o custo da empresa para captações de cinco anos estava em torno de 2,00 a 2,50 % acima da taxa DI. A inclusão da opção de conversão efetivamente reduziu o custo de captação no momento da emissão, o que está de acordo com o que afirmamos antes, na Seção 24.6 deste Capítulo. Isso teve um preço: o risco de diluição para os acionistas da empresa. Caso a companhia viesse a fazer uma oferta de ações ao longo dos cinco anos do prazo das debêntures, os debenturistas fariam a conversão a R$ 30,303030 se o preço da emissão fosse maior, ou ao preço da emissão, se menor.

O valor captado com a emissão das debêntures conversíveis, R$ 320 milhões (a 6ª emissão), foi utilizado para recomprar parte da emissão de debêntures simples da emissão de R$ 1,24 bilhão, que, com essa troca, teve seu saldo reduzido para R$ 920 milhões. Com essa recompra, o custo total da captação teve redução.

Em 2014, a Iochpe-Maxion fez nova emissão, de R$ 570 milhões (a 7ª emissão), em duas séries, uma novamente no valor de R$ 320 milhões e outra no valor de R$ 250 milhões. Nessa emissão as debêntures não eram conversíveis, mas trouxeram como atrativo para as duas séries a inclusão de 32 bônus de subscrição por debênture. Elas também foram colocadas a 99% da taxa DI e prazo de 5 anos. A primeira série dessa emissão, a de R$ 320 milhões, foi oferecida em troca das debêntures conversíveis da emissão do ano anterior, aquela também de R$ 320 milhões.

A segunda série da emissão de 2014, a no valor de R$ 250 milhões, foi feita contra pagamento em dinheiro (dinheiro novo). Ao valor captado de R$ 250 milhões, a empresa adicionou 50 milhões em recursos de seu próprio caixa. Com isso, resgatou 300 milhões do saldo da emissão de R$ 1,24 bilhão, reduzindo à metade o valor inicialmente captado à taxa DI mais 3,25%. O saldo das emissões ficou então em R$ 920 milhões, sendo R$ 320 milhões a 99% da taxa DI, e com bônus de subscrição e R$ 600 milhões à taxa DI mais 3,25%. No caso de exercício dos bônus de subscrição, a diluição em relação à quantidade de ações de então seria de aproximadamente 11%.

Entre uma emissão e outra, a cláusula restritiva (*covenant*) para o índice Dívida/Lajida (Ebitda) ficou mais favorável à empresa em relação à oferta de 2013, quando não podia superar 3,3 vezes. No fim de 2013, o limite estava em 3,2 vezes. Na emissão de 2014, o limite de endividamento foi contratado em 3,75 vezes, permitindo então um limite adicional de quase R$ 300 milhões de endividamento, considerando os números da companhia no final de 2013.

Os 32 bônus de subscrição por debênture que acompanharam as debêntures da 7ª emissão (tanto da primeira quanto da segunda série), passaram a circular, independentemente das debêntures subscritas, no dia útil imediatamente subsequente à data de liquidação. Os 32 bônus permitem subscrever cada ação por R$ 31,25 (=R$1.000,00/32). No pregão do dia anterior na BM&FBOVESPA, as ações da empresa haviam fechado a R$ 23,67.

Nenhuma debênture conversível da emissão de 2013 foi convertida até o final de 2014, e nenhum bônus de subscrição da emissão de 2014 foi exercido até aquele momento. As ações da empresa em nenhum momento desde as duas emissões chegaram ao valor de conversão. Até aquele momento, o resultado das captações para a empresa foi um financiamento vantajoso. A Iochpe-Maxion efetuou a captação da 6ª e 7ª emissões a uma taxa inferior à taxa de mercado para o mesmo prazo, e os acionistas não haviam sofrido diluição. Entretanto, naquele momento os debenturistas ainda podiam aguardar quatro anos para que a cotação das ações da Iochpe--Maxion tornasse valioso o exercício dos bônus de subscrição.

O caso da Iochpe-Maxion traz vários elementos que se encaixam no que tratamos até aqui. Entre esses podemos destacar:

Clientela: Dentre as razões consideradas pela companhia, esteve presente a consideração de que a inclusão de bônus de subscrição atrairia dois tipos de investidores, os que preferem renda fixa e os que preferem renda variável. A renda fixa, atendida pelas debêntures, e a renda variável, atendida pelos bônus de subscrição. A debênture conversível não atende aos dois mercados, pois não há uma opção que possa ser destacada da debênture, a conversão acompanha a debênture. O bônus de subscrição atende à finalidade, pois acompanha a debênture somente na data de sua colocação no mercado, sendo negociável de forma independente a partir do dia seguinte. Ou seja, com o bônus de subscrição, no momento da colocação o debenturista tem dois ativos, um de renda fixa e outro de renda variável. Ele pode manter os dois, vender aquele que menos o atrai ou vender ambos. Em outras palavras, a emissão atendeu a duas clientelas, visando com isso dar mais visibilidade aos papéis, com vistas à melhora de liquidez para os debenturistas.

Diluição   A diluição dos acionistas com uma nova emissão foi o risco que eles tiveram que aceitar para obter um custo de dívida menor. No momento da decisão, provavelmente os acionistas perceberam que a redução de aproximadamente 3% a.a. ao longo dos cinco anos da captação poderia ser em boa parte transformada em dividendos ou retida para o serviço da dívida. É provável que, ainda que intuitivamente, tanto os acionistas quanto os subscritores tenham tomado a decisão de emissão e a decisão de subscrição em um processo que poderia ser modelado por um modelo binomial, como os que tratamos nos capítulos anteriores. Os acionistas têm duas perspectivas: a) diluição de sua participação com novas emissões de ações; e b) não diluição de sua participação por não ser atingido o valor para conversão no horizonte das captações. Esse modelo diria que o resultado de sua avaliação foi que a probabilidade de não diluição no período de cinco anos era suficientemente maior que a probabilidade de diluição. Para os debenturistas o modelo diria que a opção de conversão teria boas perspectivas de ficar dentro do dinheiro ao longo do horizonte das debêntures. Dois elementos contribuíam para o valor da opção: o prazo relativamente longo (cinco anos) e uma taxa de juros relativamente baixa, de aproximadamente 2% ao ano. Esse valor supõe a diferença entre a taxa de mercado então vigente para a empresa, 2 a 2,5% acima da taxa DI, e a taxa da captação, 0,01% abaixo da taxa DI. Isso está de acordo com o que afirmamos na Seção 24.7 deste capítulo, especialmente na seção que trata da sinergia de riscos.

Hierarquia das fontes de financiamento e oportunidade: A tomada de empréstimos em moeda estrangeira junto ao consórcio de bancos e a sua substituição posterior por dívida captada junto a investidores no mercado interno, combinada com a decisão de não emitir ações, confirma duas constatações: a) a tendência de as empresas privilegiarem a captação por dívidas, quando os recursos gerados internamente são insuficientes para seu plano de investimentos; b) a oportunidade: as escolhas levam em conta as oportunidades oferecidas no mercado no momento da decisão de captação (também referidas como "janelas de mercado").

Gestão de passivos: As empresas realizam ajustes das captações com o passar do tempo, na busca da melhoria do perfil e do custo de seus passivos. Isso ocorre na medida em que identificam novas oportunidades de mercado, o que as empresas chamam de "gestão de passivos" (*liability management*). O exemplo da Iochpe-Maxion ilustra isso claramente.

Os quadros a seguir apresentam as principais características das emissões obtidas dos Comunicados ao Mercado da Iochpe-Maxion e disponíveis no seu *site*.

IOCHPE-MAXION: 6ª EMISSÃO DE DEBÊNTURES, CONVERSÍVEIS EM AÇÕES
Resumo das características da emissão e das debêntures conversíveis

Conversibilidade. Debêntures conversíveis em ações ordinárias, nominativas e sem valor nominal, de emissão da Companhia, a qualquer tempo, exceto em dia de assembleia geral de acionistas da Companhia e exceto pela Data de Vencimento, até a efetiva quitação de todas as obrigações pecuniárias previstas na Escritura de Emissão ("Período de Conversão"). A conversão ocorre de acordo com a fórmula:

(continua)

(continuação)

Quantidade de Ações = VN/Preço de Conversão por Ação, onde:

"Quantidade de Ações" = quantidade de Ações em que cada Debênture poderá ser convertida, desconsiderando-se as frações;

"VN" = Valor Nominal de cada uma das Debêntures; e

"Preço de Conversão por Ação" significa:
  (i) R$ 30,303030, correspondente a 114,21% da média dos preços de fechamento por Ação dos 20 pregões da BM&FBOVESPA imediatamente anteriores à data da RCA Preliminar; ou
  (ii) caso, ocorra qualquer emissão de Ações pela Companhia, para subscrição pública ou particular, exceto se tal emissão decorrer do exercício de plano de opção de compra de ações, o Preço de Conversão por Ação passará a ser o menor valor entre: (a) o preço de emissão por ação da emissão; ou (b) o Preço de Conversão por Ação Original.

Ajuste da quantidade de ações: Cada Debênture corresponde a 33 ações. Essa quantidade: (i) será automaticamente ajustada por qualquer bonificação, desdobramento ou grupamento de ações, ou redução de capital com cancelamento de ações, a qualquer título, que vier a ocorrer a partir da Data de Emissão; e (ii) não será ajustada por proventos pagos ou a serem pagos às ações, tais como dividendos, juros sobre o capital próprio ou quaisquer outras distribuições de lucros.

Espécie. Quirografária, nos termos do artigo 58 da Lei das Sociedades por Ações.

Data de Emissão. 1º de abril de 2013 ("Data de Emissão").

Prazo e Data de Vencimento. Ressalvadas as hipóteses de resgate antecipado, de conversão das Debêntures em Ações, e/ou de vencimento antecipado das obrigações decorrentes das Debêntures, o prazo das Debêntures é de cinco anos, contados da Data de Emissão, vencendo-se, em 1º de abril de 2018 ("Data de Vencimento").

Repactuação Programada. Não haverá repactuação programada.

Resgate Antecipado Facultativo. Exceto pelo disposto no item 3.16 do Aviso ao Mercado, a Companhia não poderá, voluntariamente, realizar o resgate antecipado facultativo de qualquer das Debêntures.

Amortização Antecipada Facultativa. A Companhia não poderá, voluntariamente, realizar a amortização antecipada facultativa de qualquer das Debêntures.

Oferta Facultativa de Resgate Antecipado. A Companhia poderá realizar, a qualquer tempo, oferta facultativa de resgate antecipado, total ou parcial, das Debêntures em circulação.

Aquisição Facultativa. A Companhia poderá, a qualquer tempo, adquirir Debêntures em circulação, desde que observe o disposto no artigo 55, parágrafo 3º, da Lei das Sociedades por Ações e na regulamentação aplicável da CVM.

FONTE: *AVISO AO MERCADO DE OFERTA PÚBLICA DE DISTRIBUIÇÃO, DE DEBÊNTURES CONVERSÍVEIS EM AÇÕES, DA ESPÉCIE QUIROGRAFÁRIA, DA SEXTA EMISSÃO DE IOCHPE-MAXION S.A.* Em 27.03.2013. Disponível em http://iochpe.mediagroup.com.br/Content/upload/arquivo/PT/Comunicado_ao_Mercado_6a_Emissao_Debenture.pdf

---

IOCHPE-MAXION: 7ª EMISSÃO DE DEBÊNTURES, COM BÔNUS DE SUBSCRIÇÃO
Resumo das características da emissão, das debêntures não conversíveis e dos bônus de subscrição

Valor Total da Emissão. Mínimo de R$ 250.000.000,00 e máximo de R$ 570.000.000,00.

Quantidade. Mínimo de 250.000 Debêntures e máximo de 570.000 Debêntures.

Valor Nominal Unitário. R$ 1.000,00, na Data de Emissão ("Valor Nominal Unitário").

Séries. Até duas séries; até 320.000 Debêntures da Primeira Série e 250.000 Debêntures da Segunda Série.

Conversibilidade. As Debêntures não serão conversíveis em ações de emissão da Companhia.

Bônus de Subscrição. Cada Debênture faz jus, como vantagem adicional, a 32 bônus de subscrição de emissão da Companhia, com as características previstas na Escritura de Emissão ("Bônus de Subscrição"). Os Bônus de Subscrição são títulos autônomos e desvinculados das Debêntures e circularão independentemente das Debêntures a partir do dia útil imediatamente subsequente à Data de Integralização, não estando sujeitos a deliberações de Debenturistas ou a qualquer dos eventos de resgate antecipado, vencimento antecipado ou aquisição das Debêntures previstos na Escritura de Emissão, devendo permanecer válidos e em pleno vigor desde a Data de Emissão até a respectiva data de exercício ou 1º de abril de 2019, o que ocorrer primeiro.

Espécie. Quirografária, nos termos do artigo 58 da Lei das Sociedades por Ações, sem garantia e sem preferência.

Data de Emissão. 1º de abril de 2014 ("Data de Emissão").

Prazo e Data de Vencimento. Ressalvadas as hipóteses de resgate antecipado, de dação em pagamento de Debêntures para pagamento do preço de emissão das ações objeto dos Bônus de Subscrição e/ou de vencimento antecipado das obrigações decorrentes das Debêntures, o prazo das Debêntures é de cinco anos, contados a partir da Data de Emissão, vencendo em 1º de abril de 2019 ("Data de Vencimento").

Repactuação Programada. Não haverá repactuação programada.

Resgate Antecipado Facultativo. Exceto pelo disposto no item 5.17 do Aviso ao Mercado, a Companhia não poderá, voluntariamente, realizar o resgate antecipado facultativo de qualquer das Debêntures.

Amortização Antecipada Facultativa. A Companhia não poderá, voluntariamente, realizar a amortização antecipada facultativa de qualquer das Debêntures.

Oferta Facultativa de Resgate Antecipado. A Companhia poderá, a seu exclusivo critério, realizar, a qualquer tempo, oferta facultativa de resgate antecipado, total ou parcial, das Debêntures em Circulação.

Aquisição Facultativa. A Companhia poderá, a qualquer tempo, adquirir Debêntures em Circulação, desde que observe o disposto no artigo 55, parágrafo 3º, da Lei das Sociedades por Ações e na regulamentação aplicável da CVM.

FONTE: AVISO AO MERCADO DE OFERTA PÚBLICA DE DISTRIBUIÇÃO DE DEBÊNTURES SIMPLES, NÃO CONVERSÍVEIS EM AÇÕES, DA ESPÉCIE QUIROGRAFÁRIA, COM BÔNUS DE SUBSCRIÇÃO, DA SÉTIMA EMISSÃO DE IOCHPE-MAXION S.A. Em 03.04.2014. Disponível em: http://iochpe.mediagroup.com.br/Content/upload/arquivo/PT/20140403_REPUBLICAÇÃO%20DO%20AVISO%20AO%20MERCADO,%20PUBLICADO%20EM%2027%20DE%20MARÇO%20DE%202014.pdf

Resumo e conclusões

1. Um bônus de subscrição concede ao titular o direito de comprar ações a um preço de exercício por um determinado período. Normalmente, os bônus são emitidos na forma de um pacote com títulos de dívida em colocação privada. Depois disso, eles são destacados e passam a ser negociados de forma separada.

2. Um título de dívida conversível é uma combinação de um título de dívida pura e uma opção de compra. O titular pode renunciar ao título de dívida em troca de ações.

3. Os títulos de dívida conversíveis e os bônus de subscrição são como opções de compra. No entanto, há algumas diferenças importantes:

    a. Os bônus de subscrição e os títulos conversíveis são emitidos por empresas. As opções de compra são negociadas entre investidores individuais.

        i. Os bônus normalmente são emitidos em emissões privadas e combinados a um título de dívida. Na maior parte dos casos, os bônus podem ser destacados imediatamente após a emissão. Em algumas situações, os bônus são emitidos com ações preferenciais, com ações ordinárias ou em planos de remuneração de executivos.

        ii. Os títulos conversíveis normalmente são títulos de dívida que podem ser convertidos em ações ordinárias.

        iii. As opções de compra são vendidas separadamente por investidores individuais (chamados de *lançadores* de opções de compra).

    b. Os bônus de subscrição e as opções de compra são exercidos em dinheiro. O titular de um bônus paga um valor em dinheiro à empresa e recebe novas ações dessa empresa. O titular de uma opção de compra paga um valor em dinheiro a outra pessoa em troca de ações. Quando alguém converte um título de dívida, ele é trocado por ações. Consequentemente, os títulos de dívida com bônus e os títulos de dívida conversíveis causam efeitos diferentes no fluxo de caixa e na estrutura de capital de uma empresa.

    c. Os bônus de subscrição e os conversíveis geram diluição para os acionistas existentes. Quando bônus são exercidos e títulos de dívida são convertidos, a empresa deve emitir novas ações. A porcentagem de participação dos acionistas existentes diminuirá. Quando opções de compra são exercidas, não há emissão de novas ações.

4. Muitos argumentos, plausíveis e não plausíveis, são defendidos para emitir títulos de dívida conversíveis e títulos de dívida com bônus de subscrição. Uma linha de pensamento plausível para tais títulos tem relação com o risco. Os conversíveis e os títulos de dívida com bônus são associados a empresas de alto risco. Os credores podem se proteger de várias maneiras contra o risco dessas empresas:

    a. Eles podem exigir retornos altos.

b. Eles podem conceder um empréstimo menor ou simplesmente negar qualquer empréstimo a empresas cujo risco seja difícil de avaliar.

c. Eles podem impor restrições rígidas à dívida.

Outra boa maneira de se proteger contra o risco é emitir títulos de dívida com opções de participação no capital próprio. Isso concede aos credores a chance de se beneficiar dos riscos e reduz os conflitos entre credores e acionistas em relação ao risco.

5. Um determinado problema intriga os pesquisadores em Finanças: os títulos de dívida conversíveis normalmente apresentam cláusulas de resgate antecipado. As empresas parecem postergar a opção de compra de conversíveis até que o valor de conversão ultrapasse consideravelmente o preço da opção de compra. Do ponto de vista dos acionistas, a política de resgate ideal seria resgatar os conversíveis quando o valor de conversão fosse igual ao preço da opção de compra.

QUESTÕES CONCEITUAIS

1. **Bônus de subscrição e opções** Qual é a principal diferença entre um bônus e uma opção de compra negociada no mercado?

2. **Bônus de subscrição** Explique os limites dos preços de bônus a seguir:
   a. Se o preço da ação estiver abaixo do preço de exercício do bônus, o limite inferior do preço do bônus é zero.
   b. Se o preço da ação estiver acima do preço de exercício do bônus, o limite inferior do preço do bônus é a diferença entre o preço da ação e o preço de exercício.
   c. O limite superior do preço de qualquer bônus é o valor corrente da ação da empresa.

3. **Títulos de dívida conversíveis e volatilidade da ação** Suponha que você esteja avaliando um título de dívida conversível e com opção de resgate antecipado. Se a volatilidade do preço da ação aumentar, de que maneira isso afetará o preço do título de dívida?

4. **Valor do título de dívida conversível** O que acontece com o preço de um título de dívida conversível se as taxas de juros aumentarem?

5. **Diluição** O que é diluição e por que ela ocorre quando bônus de subscrição são exercidos?

6. **Bônus de subscrição e conversíveis** O que está errado com a visão simplificada de que é mais barato emitir um título de dívida com um bônus ou com uma cláusula de conversível porque o cupom exigido é mais baixo?

7. **Bônus de subscrição e conversíveis** Por que as empresas emitem títulos de dívida conversíveis e títulos de dívida com bônus?

8. **Títulos de dívida conversíveis** Por que os títulos de dívida conversíveis não são automaticamente convertidos em ações antes do vencimento?

9. **Títulos de dívida conversíveis** Em que momento uma empresa deveria forçar a conversão de títulos conversíveis? Por quê?

10. **Avaliação de bônus de subscrição** Um bônus que vence em seis meses concede a seu titular o direito de comprar dez ações da empresa emissora por um preço de exercício de $ 31 por ação. Se o preço de mercado atual da ação é de $ 15 por ação, o bônus não terá valor?

QUESTÕES E PROBLEMAS

BÁSICO
(Questões 1-9)

1. **Preço de conversão** Um título de dívida conversível apresenta uma taxa de conversão de 24,6. Qual é o preço de conversão?

2. **Taxa de conversão** Um título de dívida conversível apresenta um preço de conversão de $ 61,50. Qual é a taxa de conversão do título?

3. **Prêmio de conversão** A Eckely emitiu títulos de dívida com taxa de conversão de 17,5. Se o preço da ação no momento da emissão dos títulos era de $ 48,53, qual era o prêmio de conversão?

4. **Títulos de dívida conversíveis** A Hanona Produtos Domésticos recentemente emitiu $ 2 milhões em debêntures conversíveis com cupom de 8%. Cada título de dívida conversível tem um valor de face de $ 1.000. Além disso, cada título de dívida pode ser convertido em 21,5 ações a qualquer momento antes do vencimento. O preço da ação é de $ 37,15, e o valor de mercado de cada título é de $ 1.070.

   a. Qual é a taxa de conversão?

   b. Qual é o preço de conversão?

   c. Qual é o prêmio de conversão?

   d. Qual é o valor de conversão?

   e. Se o preço da ação aumentar $ 2, qual será o novo valor de conversão?

5. **Valor do bônus de subscrição** Um bônus concede a seu titular o direito de comprar três ações a um preço de exercício de $ 53 por ação. O preço atual de mercado da ação é de $ 58. Qual é o valor mínimo do bônus?

6. **Valor do título de dívida conversível** Um analista recentemente lhe informou que, na emissão de títulos de dívida conversíveis de uma empresa, existia um dos conjuntos de relações apresentados a seguir:

	Cenário A	Cenário B
Valor de face do título de dívida	$ 1.000	$ 1.000
Valor de título de dívida pura do título de dívida conversível	900	950
Valor de mercado do título de dívida conversível	1.000	900

   Considere que os títulos de dívida estejam disponíveis para conversão imediata. Quais dos dois cenários você acredita ser o mais provável? Por quê?

7. **Valor do título de dívida conversível** A Centro dos Esportes emitiu títulos de dívida conversíveis com preço de conversão de $ 51. Os títulos de dívida podem ser convertidos imediatamente. O preço atual da ação da empresa é de $ 44 cada. O preço de mercado atual dos títulos de dívida conversíveis é de $ 990. O valor de título de dívida pura dos títulos de dívida conversíveis não é conhecido.

   a. Qual é o preço mínimo dos títulos de dívida conversíveis?

   b. Explique a diferença entre o preço de mercado corrente de cada título de dívida conversível e o valor da ação em que cada um pode ser convertido imediatamente.

8. **Títulos de dívida conversíveis** Você possui um título de dívida conversível e resgatável com taxa de conversão de 24,25. No momento, cada ação é negociada por $ 48. A empresa emitente do título de dívida anunciou uma recompra dos títulos a um preço de $ 110. Quais são suas opções? O que você deve fazer?

9. **Valor do bônus de subscrição** A General Modems possui bônus de cinco anos negociados no mercado. Cada bônus concede ao titular o direito de comprar uma ação ao preço de exercício de $ 55.

   a. Suponha que cada ação esteja sendo negociada por $ 51. Qual é o limite inferior do preço do bônus? Qual é o limite superior?

   b. Considere que cada ação esteja sendo negociada por $ 58. Qual é o limite inferior do preço do bônus? Qual é o limite superior?

10. **Títulos de dívida conversíveis** A Bernanke S/A acabou de emitir um título de dívida conversível e resgatável de 30 anos com uma taxa de cupom anual de 6%. O título de dívida tem preço de conversão de $ 93. A ação da empresa está sendo negociada a $ 28. O titular do título de dívida é obrigado a converter se o valor de conversão do título for maior ou igual a $ 1.100. O retorno exigido sobre um título de dívida não conversível idêntico é de 7%.

    a. Qual é o valor mínimo do título de dívida?

    b. Se o preço da ação subisse 11% ao ano para sempre, quanto tempo levaria para que o valor de conversão do título de dívida ultrapassasse os $ 1.100?

INTERMEDIÁRIO
(Questões 10-13)

11. **Títulos de dívida conversíveis** Rodrigo Santos é o presidente da Construtora Isner e possui 950.000 ações da empresa. A empresa atualmente tem em circulação 6 milhões de ações e títulos de dívida conversíveis com valor de face de $ 40 milhões. O preço de conversão dos títulos de dívida conversíveis é de $ 38, enquanto o preço atual da ação é de $ 45.

    a. Qual é a porcentagem de ações da empresa que o Sr. Santos possui?

    b. Se a empresa decidir resgatar os títulos de dívida conversíveis e forçar a conversão, qual será a porcentagem de ações da empresa que o Sr. Santos possuirá? Ele não tem títulos de dívida conversível.

12. **Bônus de subscrição** A Survivor, uma empresa financiada somente por capital próprio, possui oito ações em circulação. Ontem, os ativos da empresa consistiam em nove onças (cerca de 255 gramas) de platina, que atualmente vale $ 1.750 por onça. Hoje, a empresa emitiu ao Sr. Wilson um bônus pelo valor justo de $ 1.750. O bônus concede ao Sr. Wilson o direito de comprar uma única ação da empresa por $ 2.000 e pode ser exercido apenas em sua data de vencimento, em um ano. A empresa usou a receita da emissão para comprar imediatamente mais uma onça de platina.

    a. Qual era o preço de uma ação *antes* de o bônus ser emitido?

    b. Qual era o preço de uma ação imediatamente *após* o bônus ser emitido?

    c. Suponha que a platina esteja sendo negociada a $ 1.950 por onça na data de vencimento do bônus. Qual será o valor de uma ação na data de vencimento do bônus?

13. **Bônus de subscrição** A estrutura de capital da Empresas Ricketti consiste em 20 milhões de ações e 1,5 milhão de bônus. Cada bônus concede a seu titular o direito de comprar uma ação a um preço de exercício de $ 19. O preço corrente da ação é de $ 25, e cada bônus vale $ 7. Qual será o novo preço da ação se todos os titulares de bônus decidirem exercer seus bônus hoje?

DESAFIO
(Questões 14-16)

14. **Cálculos de conversíveis** Você foi contratado para avaliar um novo título de dívida conversível e resgatável de 20 anos. O título de dívida apresenta uma taxa de cupom de 5,8% pagável anualmente. O preço de conversão é de $ 150, enquanto a ação atualmente é negociada a $ 32,20. Espera-se que o preço da ação aumente 12% ao ano. O título de dívida dá a emissora a opção de compra a $ 1.150, mas, com base em experiências anteriores, a opção não será exercida a menos que o valor de conversão seja de $ 1.250. O retorno exigido desse título é 9%. Que valor você atribuiria a esse título?

15. **Valor do bônus de subscrição** A Superior Clamps possui uma estrutura de capital que consiste em 7 milhões de ações e 900.000 bônus. Cada bônus concede a seu titular o direito de comprar uma ação nova a um preço de exercício de $ 25. Os bônus são do tipo europeu e vencerão em um ano. O valor de mercado dos ativos da empresa é de $ 165 milhões, e a variância anual dos retornos dos ativos da empresa é de 0,20. Os títulos do Tesouro que vencem em um ano pagam uma taxa de juros com capitalização contínua de 7%. A empresa não paga dividendos. Utilize o modelo Black-Scholes para determinar o valor de um bônus.

16. **Valor do bônus de subscrição** A estrutura de capital da Ômega Linhas Aéreas consiste em 2,7 milhões de ações e em títulos de dívida com cupom zero com valor de face de $ 18 milhões que vencem em 6 meses. A empresa acabou de anunciar que emitirá bônus com preço de exercício de $ 95 e vencimento em seis meses para captar recursos e pagar sua dívida que está para vencer. Cada bônus pode ser exercido apenas no vencimento e concede ao titular o direito de comprar uma ação nova. A empresa usará a receita da emissão de bônus para comprar títulos do Tesouro imediatamente. As informações do balanço patrimonial a valores de mercado mostra que a empresa terá ativos que valerão $ 240 milhões após o anúncio. A empresa não paga dividendos. O desvio padrão do retorno dos ativos da empresa é de 50%, e os títulos do Tesouro que vencem em seis meses pagam 6% ao ano. Quantos bônus a empresa deve emitir hoje para poder ter uma receita de emissão suficiente para pagar a obrigação da empresa em seis meses?

Derivativos e Seus Riscos 25

O preço do combustível para aviação pode influenciar consideravelmente a lucratividade de uma companhia aérea. Com o aumento dos preços do combustível em 2008, o produto se tornou a maior despesa de muitas companhias aéreas, representando cerca de 40% dos custos operacionais. A Southwest Airlines inovou ao fazer *hedge* de seus custos com combustível por meio de diversas ferramentas financeiras sofisticadas para gerenciar os riscos associados aos custos voláteis do combustível (como contratos de futuros de óleo para aquecimento, *swaps* de combustível para aviação e opções de compra). Durante os períodos de aumento dos preços do combustível, a Southwest foi, com frequência, uma dentre as poucas companhias aéreas lucrativas, economizando milhões de dólares por meio de *hedges*.

No terceiro trimestre de 2011, o custo do combustível para aviação caiu drasticamente, o que pareceu ser bom para o setor aeronáutico. No entanto, para as companhias aéreas que fazem *hedge* dos custos com combustíveis, essa prática pode custar caro quando o preço diminui. Naquele trimestre, a Southwest Airlines anunciou um prejuízo de $ 140 milhões devido, em grande parte, a uma perda de $ 262 milhões com *hedges*. Essa perda foi o primeiro prejuízo em um trimestre em mais de dois anos e apenas o segundo prejuízo em mais de 18 anos. Porém, a Southwest não foi a única. No mesmo período, a United Continental perdeu $ 56 milhões com seus *hedges*, ao mesmo tempo em que a Delta perdeu $ 220 milhões.

Neste capítulo, exploramos diversos contratos de derivativos que permitem aos gestores de empresas o controle de seus riscos. Além disso, também explicamos como o uso de instrumentos de *hedge* pode ser uma faca de dois gumes, algo que essas companhias aéreas aprenderam da pior forma. Trataremos dos derivativos no mercado brasileiro no próximo capítulo.

Para ficar por dentro dos últimos acontecimentos na área de finanças, visite **www.rwjcorporatefinance.blogspot.com**.

25.1 Derivativos, *hedge* e risco

O nome *derivativo* é autoexplicativo. Um derivativo é um instrumento financeiro cujos resultados e valores são derivados ou dependem de outro elemento. Comumente, fazemos referência a esse elemento do qual o derivativo depende como o *primitivo* ou o *subjacente*. Por exemplo, no Capítulo 22, estudamos como as opções, que são um derivativo, funcionam. O valor de uma opção de compra depende do valor da ação subjacente sobre a qual a opção foi lançada. Na verdade, as opções de compra são exemplos um tanto quanto complicados de derivativos. A grande maioria dos derivativos é mais simples do que as opções de compra. Muitos são contratos de futuros, contratos a termo ou os chamados *swaps*. Estudaremos detalhes de cada um desses derivativos.

Por que as empresas usam os derivativos? A resposta é que os derivativos são ferramentas para alterar a exposição da empresa ao risco. Foi dito, certa vez, que os derivativos são para as finanças o que os bisturis são para a cirurgia. O uso dos derivativos permite que a empresa corte e descarte partes não desejadas da exposição ao risco e até mesmo que transforme exposições de modo que tenham formas diferentes. Um dos pontos centrais da área de Finanças é que o risco é indesejável. Nos capítulos sobre risco e retorno, afirmamos que as pessoas optariam por títulos com risco somente se o retorno esperado o compensasse. Da mesma forma, uma empresa aceitará um projeto de alto risco apenas se o retorno desse projeto compensá-lo. Não é de surpreender, então, que as empresas normalmente estejam em busca de formas de reduzir o seu risco. Quando a empresa reduz sua exposição ao risco com derivativos, diz-se que ela está fazendo **hedge**. O uso de *hedge* visa a neutralizar o risco da empresa, bem como o risco de um projeto, por meio de uma ou mais operações nos mercados financeiros.

Os derivativos também podem ser usados simplesmente para alterar ou até mesmo aumentar a exposição de uma empresa ao risco. Quando isso acontece, a empresa está **especulando** na movimentação de algumas variáveis econômicas – aquelas que estão subjacentes ao derivativo. Por exemplo, se uma empresa comprar um derivativo cujo valor aumentará se as taxas de juros aumentarem, e se ela não tiver exposição a alterações nas taxas de juros, ela estará especulando que as taxas de juros aumentarão e gerarão um lucro em sua posição de derivativos. Usar derivativos para pôr em prática uma opinião sobre se as taxas de juros ou outra variável econômica aumentarão ou diminuirão de valor é o oposto de fazer *hedge*, é incrementar o risco. Especular com base em suas percepções da economia e usar derivativos para obter lucro se a percepção se mostrar correta não é necessariamente uma atitude errada. Contudo, o especulador deve sempre ter em mente que ferramentas afiadas fazem cortes profundos: se as opiniões nas quais a posição de derivativos estiver baseada acabarem se mostrando incorretas, as consequências podem ser caras. A teoria dos mercados eficientes ensina o quão difícil é prever o que os mercados farão. A maioria das experiências malsucedidas com derivativos não ocorreu devido a seu uso como instrumentos de *hedge* e neutralização de riscos; mas a seu uso como especulação. Devemos lembrar também que, pela legislação societária brasileira, o cumprimento do estatuto da empresa é dever fiduciário dos seus gestores, e o estatuto define o objeto social. Se o estatuto de sua empresa informar aos acionistas que o objeto social é a produção de salsichas, e você tentar fazer resultado especulando com operações de tesouraria, você estará descumprindo seu dever fiduciário.

25.2 Contratos a termo

Podemos começar nossa discussão sobre o *hedge* considerando os contratos a termo. Provavelmente você tenha lidado com contratos a termo durante toda a sua vida sem perceber. Suponha que você vá a uma livraria no dia 1º de fevereiro para comprar o livro *Hábitos alimentares dos ricos e famosos*. O caixa avisa que o livro está esgotado no momento, mas registra seu número de telefone, dizendo que fará um novo pedido para você. Segundo ele, o livro custará $ 10,00. Caso você concorde no dia 1º de fevereiro que, ao receber a ligação do caixa, irá até a livraria para retirar o livro contra o pagamento de $ 10,00, você e o caixa estabelecem um **contrato a termo**. Ao concordar em comprar o livro em uma data posterior, você está *comprando* um contrato a termo no dia 1º de fevereiro. Na linguagem de *commodities*, você estará aceitando a entrega ao retirar o livro. O livro é chamado de **instrumento para entrega física**.

O caixa, agindo em nome da livraria, está vendendo um contrato a termo (também podemos dizer que ele está lançando um contrato a termo). A livraria concordou em entregar o livro pelo preço predeterminado de $ 10,00 assim que ele chegar. O ato de entregar o livro a você é chamado de **fazer a entrega**. O Quadro 25.1 ilustra a compra do livro. Observe que o acordo foi firmado em 1º de fevereiro. O preço, bem como as condições de venda, são determinados nessa data. Nesse caso, a venda ocorrerá quando o livro chegar. Em outros casos, uma data definida de venda seria estabelecida. No entanto, *não* há entrega de dinheiro no dia 1º de fevereiro; isso só acontece quando o livro chegar.

QUADRO 25.1 Ilustração da compra de um livro como um contrato a termo

1º de fevereiro	Data de chegada do livro
Comprador	
O comprador concorda em:	Comprador:
1. Pagar o preço da compra de $ 10,00.	1. Paga o preço da compra de $ 10,00.
2. Receber o livro quando ele chegar.	2. Recebe o livro.
Vendedor	
O vendedor concorda em:	Vendedor:
1. Entregar o livro quando ele chegar.	1. Entrega o livro.
2. Aceitar o pagamento de $ 10,00 quando o livro chegar.	2. Aceita o pagamento de $ 10,00.

Embora contratos a termo possam ter parecido elementos incomuns antes de você começar a estudar este capítulo, agora é possível notar que eles são bastante recorrentes. Muitos negócios de sua vida pessoal provavelmente envolveram contratos a termo. Da mesma forma, contratos a termo são firmados com muita frequência nos negócios. Sempre que uma empresa encomenda um item que não pode ser entregue imediatamente, estará fazendo um contrato a termo. Em alguns casos, principalmente quando o pedido é pequeno, um acordo verbal é suficiente. No entanto, em outros casos, especialmente quando o pedido é grande, um contrato escrito será necessário.

Observe que um contrato a termo não é uma opção. Tanto o comprador quanto o vendedor são obrigados a cumprir com os termos do contrato. Já o comprador de uma opção *escolhe* exercer ou não exercer a opção.

Um contrato a termo deve ser comparado a uma **transação à vista** – ou seja, uma operação em que a troca é imediata. Se o livro estivesse na prateleira da livraria, sua compra seria uma transação à vista.

25.3 Contratos de futuros

Uma variante do contrato a termo acontece no âmbito das bolsas de valores. Os contratos realizados em bolsas são normalmente chamados de **contratos de futuros**. A **BM&FBOVESPA** é a bolsa de futuros no Brasil; há diversas bolsas de futuros nos EUA e em outros lugares, e outras ainda estão sendo formadas. A CME Group é uma das maiores, combinando a antiga Chicago Mercantile Exchange (CME, Bolsa de Mercadorias de Chicago) e a Chicago Board of Trade (CBT, Câmara de Comércio de Chicago). No entanto, as duas ainda são plataformas de negociação separadas. Outras bolsas importantes incluem a London International Financial Futures and Options Exchange (LIFFE, Bolsa Internacional de Futuros Financeiros e Opções de Londres). A New York Mercantile Exchange (NYM, Bolsa Mercantil de Nova York) atualmente também é de propriedade da CME.

A cadeia do agronegócio talvez seja a principal atividade econômica brasileira. Os gestores de empresas brasileiras ligadas ao agronegócio precisam acompanhar diariamente o preço das *commodities* agrícolas, que têm cotação internacional, e os mercados futuros são a principal referência. O Quadro 25.2, (p. 851) fornece uma listagem parcial do *Wall Street Journal* para determinados contratos de futuros. Analisando os contratos do milho na parte esquerda do quadro, observe que os contratos são negociados na CBT; um contrato se refere à entrega de 5 mil *bushels*[1] de milho, e os preços estão avaliados em centavos por *bushel*. Na primeira coluna, são apresentados os meses em que os contratos vencem.

Para o contrato do milho com vencimento em março, o primeiro número da linha é o preço de abertura (617,75 centavos por *bushel*), o número seguinte é o preço máximo do dia (618,75) e o posterior é o preço mínimo do dia (600,50). O *preço de ajuste* (*settle*) é o quarto número

---

[1] Medida de volume de mercadorias secas. O peso de um *bushel* varia conforme a mercadoria.

(605,00) e equivale, essencialmente, ao preço de fechamento do dia. Para fins de marcação a mercado, esse é o número usado. A variação, listada a seguir, é o movimento do preço de ajuste desde a sessão de negócios anterior (−13,00 centavos). Por fim, são apresentados os *contratos em aberto* (*Open interest*), 480.793, o número de contratos em circulação no final do dia.

Para perceber o quão grandes podem ser os negócios de futuros, veja os contratos de títulos do Tesouro dos EUA da CBT (sob o título *Interest Rate Futures*). Um contrato se refere a títulos do Tesouro dos EUA de longo prazo com um valor de face de $ 100 mil. O número total de contratos em aberto para todos os vencimentos é de 641.743 (616.423 + 25.320) contratos. Portanto, o valor de face total em aberto era de $ 64,17 bilhões somente para esse tipo de contrato!

Embora estejamos discutindo contratos de futuros, vamos primeiro analisar um contrato a termo. Suponhamos que você tenha lançado um contrato a termo sobre o trigo para setembro por $ 4,07. A partir de nossa discussão sobre contratos a termo, isso significaria que você concordaria em entregar um número específico de *bushels* de trigo por $ 4,07 por *bushel* em uma determinada data mais tarde, no mês de setembro.

Um contrato de futuros se diferencia de um contrato a termo em alguns aspectos. Primeiro, o vendedor pode escolher o dia do mês de entrega em que deseja entregar o trigo – ou seja, o mês de setembro. Isso dá ao vendedor uma flexibilidade que ele não teria com um contrato a termo. Quando o vendedor decidir efetuar a entrega, ele notifica a câmara de compensação da bolsa. Então, a câmara de compensação notifica uma pessoa que comprou um contrato de trigo para setembro para que ela fique pronta para aceitar a entrega nos próximos dias. Embora cada bolsa selecione o comprador de uma maneira diferente, o comprador normalmente é escolhido de modo aleatório. Como há um número alto de compradores a todo o momento, o comprador selecionado pela câmara de compensação para aceitar a entrega muito provavelmente não comprou originalmente o contrato do vendedor que fará a entrega.

Segundo, os contratos de futuros são negociados em uma bolsa, enquanto os contratos a termo normalmente são negociados fora de uma bolsa. Em razão disso, de modo geral, há um mercado líquido de contratos de futuros. Um comprador pode zerar sua posição de futuros efetuando uma venda. Um vendedor, por sua vez, pode zerar sua posição de futuros com uma compra. Se um comprador de um contrato de futuros não vender subsequentemente seu contrato, ele deve aceitar a entrega.

Terceiro e mais importante, os preços dos contratos de futuros são **marcados a mercado** diariamente. Ou seja, suponhamos que o preço caia para $ 4,05 no fechamento de sexta-feira. Como todos os compradores perderam dois centavos por *bushel* nas suas posições nesse dia, cada um deles deve transferir os dois centavos por *bushel* a seus corretores dentro de 24 horas, que, subsequentemente, remetem a receita à câmara de compensação. Todos os vendedores ganharam dois centavos por *bushel* nas suas posições nesse dia, portanto cada um deles recebe dois centavos por *bushel* de seus corretores. Em seguida, os corretores dos vendedores são pagos pela câmara de compensação. Como há um comprador para cada vendedor, a câmara de compensação fica em equilíbrio todos os dias.

Agora, suponhamos que o preço aumente para $ 4,12 no fechamento da segunda-feira seguinte. Cada comprador recebe sete centavos ($ 4,12 − $ 4,05) por *bushel*, e cada vendedor deve pagar sete centavos por *bushel*. Por fim, suponhamos que, na segunda-feira, um vendedor notifique seu corretor sobre a intenção de efetuar a entrega.[2] O preço da entrega será de $ 4,12, que é o valor de fechamento da segunda-feira.

Evidentemente, há muitos fluxos de caixa em contratos de futuros. No entanto, quando a poeira baixar, o *preço líquido* para o comprador deve ser o preço no qual ele comprou originalmente. Ou seja, uma pessoa que efetua a compra com o preço de fechamento de quinta-feira, de $ 4,07, e é chamada a receber a entrega na segunda-feira paga dois centavos por *bushel* na sexta-feira, recebe sete centavos por *bushel* na segunda-feira e aceita a entrega por $ 4,12. A saída de caixa líquida do comprador por *bushel* é de −$ 4,07 (=−$ 0,02 + $ 0,07 − $ 4,12), que é o preço pelo qual ele firmou o contrato na quinta-feira (nossa análise não considera o valor do dinheiro no tempo). De modo contrário, uma pessoa que efetua a venda com o preço de fecha-

---

[2] Ele efetuará a entrega na quarta-feira, dois dias depois.

QUADRO 25.2 Dados sobre contratos de futuros nos EUA referentes ao dia 22 de novembro de 2011, terça-feira.

Fonte: Publicado no *The Wall Street Journal*.

> ### Ilustração de um exemplo que envolve a marcação a mercado em contratos de futuros na CBT, em Chicago
>
> Tanto o comprador quanto o vendedor originalmente fazem a transação com o preço de fechamento de quinta-feira. A entrega acontece com o preço de fechamento de segunda-feira.*
>
> | | Quinta-feira, 19 de setembro | Sexta-feira, 20 de setembro | Segunda-feira, 23 de setembro | Entrega (notificação feita pelo vendedor na segunda-feira) |
> |---|---|---|---|---|
> | Preço de fechamento | $ 4,07 | $ 4,05 | $ 4,12 | |
> | Comprador | Adquire contrato de futuros pelo preço de fechamento de $ 4,07/*bushel*. | Deve pagar dois centavos/*bushel* à câmara de compensação em um dia útil. | Recebe sete centavos/*bushel* da câmara de compensação em um dia útil. | Paga $ 4,12 por *bushel* e recebe os grãos em dois dias úteis. |
> | O comprador paga o valor líquido de −$ 4,07 (=−$ 0,02 + $ 0,07 − $ 4,12), que equivale ao valor que ele pagaria se tivesse adquirido um contrato a termo por $ 4,07/*bushel*. | | | | |
> | Vendedor | Vende contrato de futuros pelo preço de fechamento de $ 4,07/*bushel*. | Recebe dois centavos/*bushel* da câmara de compensação dentro de um dia útil. | Paga sete centavos/*bushel* à câmara de compensação dentro de um dia útil. | Recebe $ 4,12 por *bushel* e entrega os grãos em dois dias úteis. |
> | O vendedor recebe o valor líquido de $ 4,07 (=$ 0,02 − $ 0,07 + $ 4,12), que equivale ao valor que ele receberia se tivesse vendido um contrato a termo por $ 4,07/*bushel*. | | | | |
>
> *Para simplificar, consideramos que o comprador e o vendedor (1) fizeram a transação inicial ao mesmo tempo e (2) encontraram-se no processo de entrega. No mundo real, é muito improvável que isso aconteça, visto que a câmara de compensação atribui o recebimento da entrega de maneira aleatória ao comprador.

mento de quinta-feira, de $ 4,07, e notifica seu corretor sobre fazer a entrega na segunda-feira recebe dois centavos por *bushel* na sexta-feira, paga sete centavos por *bushel* na segunda-feira e realiza a entrega por $ 4,12. A entrada de caixa líquida do vendedor por *bushel* é de $ 4,07 (=$ 0,02 − $ 0,07 + $ 4,12), que é o preço pelo qual ele firmou o contrato na quinta-feira.

Esses detalhes estão apresentados no quadro com a ilustração do exemplo. Para simplificar, consideraremos que o comprador e o vendedor que fizeram a transação inicial no fechamento de quinta-feira tenham encontrado-se no processo de entrega.[3] O foco do exemplo é que o pagamento líquido do comprador de $ 4,07 por *bushel* equivale ao valor que ele pagaria se comprasse um contrato a termo por $ 4,07. De modo semelhante, o recebimento líquido do vendedor de $ 4,07 por *bushel* equivale ao valor que ele receberia se vendesse um contrato a termo por $ 4,07 por *bushel*. A única diferença é quanto aos momentos em que os fluxos de caixa ocorrem. O comprador de um contrato a termo sabe que fará um único pagamento de $ 4,07 na data de vencimento. Ele não terá que se preocupar com qualquer outro fluxo de caixa durante o período até o vencimento. Por outro lado, embora os fluxos de caixa para o comprador de um contrato de futuros resultem também em exatamente $ 4,07, não se sabe antecipadamente qual será o comportamento dos fluxos de caixa durante o período até vencimento.

A cláusula de marcação a mercado em contratos de futuros tem dois efeitos. O primeiro é com relação a diferenças no valor presente líquido. Por exemplo, uma grande queda no preço imediatamente após a compra significa uma saída de caixa imediata para o comprador de um contrato de futuros. Embora a saída de caixa líquida de $ 4,07 permaneça a mesma de um contrato a termo, o valor presente das saídas de caixa é maior para o comprador de um contrato de futuros. É claro que o valor presente das saídas de caixa é menor para o comprador de um

---

[3] Como mencionado anteriormente, é muito improvável que isso ocorra no mundo real.

contrato de futuros se um aumento no preço seguir-se à compra.[4] Embora esse efeito pudesse ser relevante em certas situações teóricas, parece ter uma importância bastante limitada no mundo real.[5]

O segundo efeito é que a empresa deve ter liquidez suplementar para administrar uma súbita saída de caixa antes da data de vencimento. Esse risco adicional pode tornar os contratos de futuros menos atraentes.

Uma pergunta frequente dos estudantes é: "Por que os gestores de bolsas mercantis arruinariam contratos perfeitos com essas bizarras cláusulas de marcação a mercado?". Na verdade, a razão é muito boa. Considere o contrato a termo do Quadro 25.1, que trata do exemplo da livraria. Suponha que o público perca rapidamente o interesse no livro *Hábitos alimentares dos ricos e famosos*. No momento em que a livraria entrar em contato com o comprador, outros estabelecimentos podem ter reduzido o preço do livro para $ 6,00. Como o contrato a termo era de $ 10,00, o comprador tem um incentivo para não aceitar a entrega do contrato a termo. Por outro lado, se o livro se tornar um item de sucesso vendido a $ 15,00, a livraria pode simplesmente não ligar para o comprador.

Os contratos a termo, como já mencionado, apresentam uma grande imperfeição. Qualquer alteração no preço do instrumento para entrega física fará com que uma das partes tenha um incentivo para inadimplir o contrato. Há vários exemplos de inadimplência no mundo real. Um caso famoso envolveu a Coca-Cola. No início do século XX, quando a empresa estava começando, a Coca-Cola firmou contratos para fornecimento de xarope de cola com seus engarrafadores e distribuidores por um preço constante *para sempre*. É evidente que a inflação subsequente faria com que a Coca-Cola perdesse grandes somas de dinheiro se honrasse os contratos. Após muitas querelas jurídicas, a Coca-Cola e seus engarrafadores adicionaram uma *cláusula de reajuste com base na inflação* no contrato. Outro caso famoso envolveu a Westinghouse. Parece que a empresa prometeu entregar urânio a certas geradoras por um preço fixo. O preço do urânio disparou na década de 1970, fazendo com que a Westinghouse perdesse dinheiro a cada entrega. A Westinghouse não cumpriu seus contratos. As geradoras entraram na justiça, mas recuperaram valores extremamente menores que os valores devidos pela Westinghouse.

Em um contrato de futuros, as cláusulas de marcação a mercado minimizam a chance de inadimplência. Se o preço subir, o vendedor terá um incentivo para não cumprir o contrato a termo. No entanto, ao pagar à câmara de compensação, o vendedor de um contrato de futuros tem poucos motivos para ser inadimplente. Se o preço cair, o mesmo argumento pode ser aplicado ao comprador. Como as mudanças no valor do ativo subjacente são reconhecidas diariamente, não há acúmulo de perdas, e o incentivo à inadimplência torna-se menor.

Em razão dessa questão da inadimplência, os contratos a termo, em geral, envolvem pessoas e instituições que se conhecem e que apresentam laços de confiança. Porém, como W. C. Fields disse: "Confie em todo mundo, mas sempre corte as cartas do baralho". Os advogados ganham belas quantias para escrever contratos a termo que supostamente não podem ser quebrados, mesmo entre amigos. Aí entra a marcação a mercado dos mercados de futuros. O aspecto genial do sistema de marcação a mercado é que ele pode evitar a inadimplência nas situações em que é mais provável que ela ocorra – entre investidores que não se conhecem. Os livros didáticos de décadas atrás que tratam sobre contratos de futuros normalmente apresentavam afirmações como: "Nunca houve grandes inadimplências em bolsas mercantis". Após a inadimplência da Hunt Brothers em contratos de prata nos anos de 1970, nenhum livro pode mais afirmar isso. Contudo, a taxa de inadimplência extremamente baixa dos contratos de futuros é realmente impressionante.

---

[4] A direção é inversa para o vendedor de um contrato de futuros. No entanto, o ponto geral de que o valor presente líquido dos fluxos de caixa pode ser diferente entre contratos a termo e contratos de futuros também é válido para os vendedores.

[5] Consulte J. C. Cox, J. E. Ingersoll e S. A. Ross, "The Relationship between Forward and Future Prices", *Journal of Financial Economics*, 1981.

25.4 Hedge

Agora que já determinamos como os contratos de futuros funcionam, falemos sobre o *hedge*. Há dois tipos de *hedge*, o *hedge* de compra e o *hedge* de venda. Primeiro, abordaremos o *hedge* de venda.

> **EXEMPLO 25.1** *Hedge* de futuros
>
> Em junho, Bernard Abelman, um fazendeiro do Centro-Oeste dos EUA, prevê uma colheita de 50 mil *bushels* de trigo no final de setembro. Ele tem duas alternativas.
>
> 1. *Lançar contratos de futuros de sua colheita prevista.* No dia 1º de junho, o contrato de setembro para trigo está sendo negociado a $ 3,75. Ele faz a operação apresentada a seguir:
>
> | Data da operação | Operação | Preço por *bushel* |
> |---|---|---|
> | 1º de junho | Lança 10 contratos de futuros para setembro | $ 3,75 |
>
> Ele observa que os custos com transporte para o ponto de entrega em Chicago são de 30 centavos/*bushel*. Portanto, o preço líquido por *bushel* é de 3,45 = $ 3,75 − $ 0,30.
>
> 2. *Colher o trigo sem lançar contratos de futuros.* Como alternativa, o Sr. Abelman poderia colher o trigo sem o benefício de um contrato de futuros. O risco seria relativamente alto nesse caso, pois não se sabe qual será o preço à vista em setembro. Se o preço subir, ele terá lucro. Porém, se o preço cair, ele terá prejuízo.
>
> Dizemos que a segunda estratégia é uma proteção sem *hedge*, pois não há a tentativa de usar os mercados de futuros para reduzir o risco. De modo contrário, a primeira estratégia envolve um *hedge*. Ou seja, a posição no mercado de futuros compensa o risco de uma posição na *commodity* física, real.
>
> Embora o *hedge* possa parecer sensato para você, é bom mencionar que nem todas as pessoas fazem *hedge*. É possível que o Sr. Abelman dispense o *hedge* por pelo menos dois motivos.
>
> Primeiro, ele pode simplesmente não conhecer a prática do *hedge*. Descobrimos que nem todos os que atuam com negócios entendem o conceito do *hedge*. Muitos executivos nos disseram que não desejam usar os mercados de futuros para fazer *hedge* de seus estoques, pois os riscos são muito altos. No entanto, nós discordamos. Embora haja grandes flutuações de preços nesses mercados, fazer *hedge,* na verdade, reduz o risco de manter estoques.
>
> Segundo, o Sr. Abelman pode ter alguma percepção especial ou alguma informação relevante de que o preço da mercadoria subirá. Nesse caso, não seria inteligente fixar um preço de $ 3,75 se ele espera que o preço à vista esteja acima disso em setembro.
>
> O *hedge* da primeira estratégia é chamado de **hedge de venda** (*short hedge*), pois o Sr. Abelman reduz o risco que corre *vendendo* um contrato de futuros. O *hedge* de venda é muito comum nos negócios. Ele ocorre sempre que alguém espera receber um estoque ou esteja retendo um estoque. O Sr. Abelman está antecipando a colheita de grãos. Um fabricante de farinha e óleo de soja pode ter grandes quantidades já pagas de soja em grãos. No entanto, não se pode prever quais serão os preços a serem recebidos pela farinha e pelo óleo, pois ninguém sabe quais serão os preços de mercado quando eles forem produzidos. O fabricante pode lançar contratos de futuros sobre seus produtos para fixar os preços das vendas. Uma petrolífera pode deter grandes estoques de petróleo para serem processados como óleo para aquecimento. A empresa poderia vender contratos de futuros de óleo para aquecimento para fixar o preço da venda. Um banqueiro de hipotecas pode reunir hipotecas lentamente antes de vendê-las em grande quantidade a outra instituição financeira. Os movimentos das taxas de juros afetam o valor das hipotecas enquanto elas estão "no estoque". O banqueiro de hipotecas poderia vender contratos de futuros de títulos do Tesouro para contrabalançar esse risco de taxa de juros (voltaremos a discutir esse último exemplo mais adiante neste capítulo).

EXEMPLO 25.2 Mais sobre *hedge*

No dia 1º de abril, a Companhia Química da Lua S/A contratou a venda de produtos petroquímicos ao governo para entrega futura. As datas de entrega e os preços foram fixados. Como o petróleo é o componente básico do seu processo de produção, a Química da Lua precisará ter grandes quantidades de petróleo disponíveis. Há duas maneiras para que a empresa obtenha o petróleo:

1. *Comprar o petróleo conforme a necessidade.* Essa é uma posição sem *hedge*, pois, no dia 1º de abril, a empresa não sabe os preços que terá que pagar posteriormente pelo petróleo. O petróleo é uma *commodity* bastante volátil, portanto a Química da Lua está correndo um risco considerável. A chave para esse risco é que o preço das vendas para o governo já foi fixado. Portanto, a Química da Lua não pode repassar os maiores custos ao cliente.

2. *Comprar contratos de futuros.*[6] A empresa pode comprar contratos de futuros com meses de vencimento correspondentes às datas em que a empresa precisa de estoques. Os contratos de futuros fixam o preço de compra para a Química da Lua. Como há um contrato de futuros para o petróleo bruto para cada mês nas bolsas internacionais, selecionar o contrato de futuros certo não é difícil. Muitas outras *commodities* apresentam um número menor de contratos por ano, o que frequentemente torna necessária a compra de contratos para entrega antes do mês de produção.

Como mencionado anteriormente, a Química da Lua está interessada em fazer *hedge* do risco de flutuação dos preços do petróleo, pois ela não pode repassar aumentos nos custos para o consumidor. Suponhamos, como alternativa, que a Química da Lua não estivesse negociando produtos petroquímicos em um contrato fixo para o governo e, em vez disso, que os produtos petroquímicos estivessem sendo vendidos ao setor privado pelos preços em vigor. O preço dos produtos petroquímicos deve variar acompanhando diretamente os preços do petróleo, visto que o petróleo é um dos seus principais componentes dos produtos petroquímicos. Como os aumentos nos custos provavelmente seriam repassados aos consumidores, a Química da Lua não optaria por fazer *hedge* nesse caso. Em vez disso, é provável que a empresa escolhesse a primeira estratégia, comprando o petróleo conforme necessário. Se o preço do petróleo aumentar entre 1º de abril e, digamos, 1º de setembro, a Química da Lua passará a considerar que seus insumos tornaram-se mais caros. No entanto, em um mercado competitivo, provavelmente suas receitas também seriam mais elevadas.

A segunda estratégia é chamada de **hedge de compra** (*long hedge*), pois o operador *compra* um contrato de futuros para reduzir o risco. Em outras palavras, a pessoa ou empresa assume uma posição comprada (*long position*) no mercado de futuros. Em geral, uma empresa institui um *hedge* de compra quando está comprometida com vendas a preços fixos. Um tipo de situação envolve contratos firmados e assinados com clientes, como a que a Química da Lua tinha com o governo. Em algumas situações, a empresa não pode repassar com facilidade os custos aos consumidores ou simplesmente não quer fazer isso. Por exemplo, um grupo de estudantes abriu um açougue chamado *What's Your Beef* perto da Universidade da Pensilvânia no final da década de 1970.[7] Essa foi uma época de preços voláteis para o consumidor, especialmente em alimentos. Tendo em mente que seus colegas estudantes estavam muito atentos aos seus orçamentos, os proprietários concordaram em manter constantes os preços dos alimentos independentemente da movimentação dos preços em qualquer direção. Eles conseguiram fazer isso por meio da compra de contratos de futuros em várias *commodities* agrícolas.

---

[6] Como alternativa, a empresa poderia comprar o petróleo no dia 1º de abril e armazená-lo. Isso eliminaria o risco da variação dos preços, pois os custos da empresa com petróleo seriam fixados com a compra imediata. No entanto, essa estratégia teria menos valor que a segunda estratégia na situação usual em que a diferença entre o contrato de futuros com cotação do dia 1º de abril e o preço à vista no mesmo dia é menor que os custos de armazenamento.

[7] Normalmente, um nome incomum de empresa é usado neste livro como uma indicação de que se trata de uma empresa fictícia. Porém, neste caso, a história é real.

25.5 Contratos de futuros de taxa de juros

Nesta seção, discutimos os contratos de futuros de taxa de juros. Nossos exemplos lidam com contratos de futuros de títulos do Tesouro dos EUA em razão da sua alta popularidade. Começamos precificando os títulos do Tesouro dos EUA e os contratos a termo de títulos do Tesouro dos EUA. As diferenças entre contratos a termo e contratos de futuros são exploradas. Em seguida, apresentamos exemplos de *hedge*.

Precificação de títulos do Tesouro dos EUA

Como mencionado anteriormente, um título do Tesouro dos EUA paga juros semestrais ao longo de sua vida, enquanto o valor de face do título é pago no vencimento. Considere um título de vinte anos com cupom de 8% que é emitido no dia 1º de março. O primeiro pagamento está previsto para ocorrer em seis meses, ou seja, 1º de setembro. O valor do título pode ser determinado conforme apresentado a seguir:

Precificação de título do Tesouro dos EUA

$$P_{TT} = \frac{\$40}{1+R_1} + \frac{\$40}{(1+R_2)^2} + \frac{\$40}{(1+R_3)^3} + \cdots + \frac{\$40}{(1+R_{39})^{39}} + \frac{\$1.040}{(1+R_{40})^{40}} \quad (25.1)$$

Como o título com cupom de 8% paga juros de $ 80 ao ano, o cupom semestral é de $ 40. Tanto o principal quanto o último cupom semestral são pagos no vencimento. Como mencionado em um capítulo anterior, o preço do título do Tesouro, P_{TT}, é determinado mediante o desconto de cada um dos fluxos de caixa do título à taxa à vista para cada vencimento. Em razão dos pagamentos serem semestrais, cada taxa à vista é expressa em semestres. Ou seja, imagine uma estrutura a termo horizontal em que o retorno efetivo anual é de 8% para todos os vencimentos. Como as taxas à vista, R, são expressas em semestres, cada uma delas é $(\sqrt{1,08} - 1) \times 100 = 3,92\%$. Os pagamentos de cupons ocorrem a cada seis meses, portanto há 40 taxas à vista em um período de 20 anos.

Precificação de contratos a termo

Agora, imagine um contrato *a termo* em que, no dia 1º de março, você concorda em comprar um título do Tesouro dos EUA de 20 anos com cupom de 8% em seis meses (em 1º de setembro). Assim como com quaisquer contratos a termo, você pagará pelo título no dia 1º de setembro, não em 1º de março. Tanto os fluxos de caixa do título emitido em 1º de março quanto do contrato a termo que você compra nesse mesmo dia são apresentados na Figura 25.1. Os fluxos de caixa do título começam exatamente seis meses antes que os fluxos de caixa do contrato a termo. Se comprar o título, você o pagará em dinheiro no dia 1º de março (Data 0). O primeiro pagamento de cupom ocorre em 1º de setembro (Data 1). O último pagamento de cupom ocorre na Data 40, juntamente com o valor de face de $ 1.000. Se comprar o contrato a termo, você pagará $P_{\text{CONT.TERMO}}$, o preço do contrato a termo, no dia 1º de setembro (Data 1). No momento em que pagar o contrato a termo, você receberá um título novo do Tesouro dos EUA. Para esse, o primeiro cupom a ser recebido ocorre em 1º de março do ano seguinte (Data 2). O último pagamento de cupom ocorre na data 41, juntamente com o valor de face de $ 1.000.

Dadas as 40 taxas à vista, a Equação 25.1 apresentou como precificar um título do Tesouro dos EUA. De que maneira, então, precificamos o contrato a termo de um título do Tesouro dos EUA? Assim como vimos anteriormente que a análise do valor presente líquido pode ser usada para precificar títulos de dívida, agora mostraremos que a análise do valor presente líquido também pode ser usada para precificar contratos a termo. Com base nos fluxos de caixa do contrato a termo da Figura 25.1, o preço do contrato a termo deve satisfazer a equação apresentada a seguir:

$$\frac{P_{\text{CONT. TERMO}}}{1+R_1} = \frac{\$40}{(1+R_2)^2} + \frac{\$40}{(1+R_3)^3} + \frac{\$40}{(1+R_4)^4} + \cdots + \frac{\$40}{(1+R_{40})^{40}} + \frac{\$1.040}{(1+R_{41})^{41}} \quad (25.2)$$

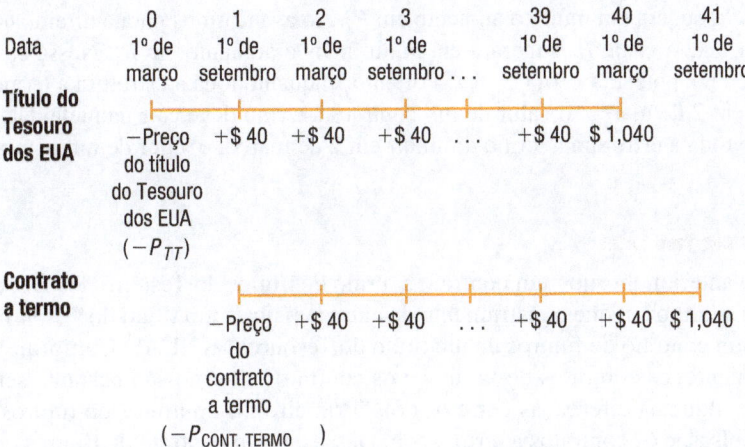

FIGURA 25.1 Fluxos de caixa para um título do Tesouro dos EUA e para um contrato a termo de um título do Tesouro dos EUA.

O lado direito da Equação 25.2 desconta todos os fluxos de caixa do instrumento para entrega (o título do Tesouro dos EUA a ser emitido em 1º de setembro) de volta à Data 0 (1º de março). Como o primeiro fluxo de caixa acontece na Data 2 (1º de março do ano seguinte), ele é descontado por $1/(1+R_2)^2$. O último fluxo de caixa de $ 1.040 ocorre na Data 41, portanto é descontado por: $1/(1+R_{41})^{41}$. O lado esquerdo representa o custo do contrato a termo na Data 0. Como o pagamento efetivo ocorre na Data 1, ele é descontado por $1/(1 + R_1)$.

Uma pergunta frequente entre os estudantes é: "Por que estamos descontando tudo de volta à Data 0 quando estamos, na verdade, pagando o contrato a termo no dia 1º de setembro?". A resposta é simples. Aplicamos na Equação 25.2 as mesmas técnicas que aplicamos a todos os problemas com relação a orçamento de capital: queremos colocar tudo em valores de hoje (da Data 0). Tendo em vista que as taxas à vista são conhecidas no mercado, os operadores devem ter o mesmo nível de trabalho para precificar um contrato a termo pela Equação 25.2 que teriam para precificar um título do Tesouro dos EUA por meio da Equação 25.1.

Os contratos a termo são semelhantes aos próprios títulos de dívida subjacentes. Se toda a estrutura a termo das taxas de juros subir inesperadamente no dia 2 de março, o título do Tesouro dos EUA emitido no dia anterior deve diminuir de valor. Essa relação pode ser observada na Equação 25.1. Um aumento em cada uma das taxas à vista diminui o valor presente de cada cupom. Por isso, o valor do título deve cair. De modo contrário, uma queda na estrutura a termo das taxas de juros aumenta o valor do título.

A mesma relação também se aplica a contratos a termo, como podemos observar ao reescrevermos a Equação 25.2 da maneira apresentada a seguir:

$$P_{\text{CONT. TERMO}} = \frac{\$40 \times (1 + R_1)}{(1 + R_2)^2} + \frac{\$40 \times (1 + R_1)}{(1 + R_3)^3} + \frac{\$40 \times (1 + R_1)}{(1 + R_4)^4}$$
$$+ \cdots + \frac{\$40 \times (1 + R_1)}{(1 + R_{40})^{40}} + \frac{\$1.040 \times (1 + R_1)}{(1 + R_{41})^{41}} \qquad (25.3)$$

Obtivemos a Equação 25.3 multiplicando os dois lados da Equação 25.2 por $(1 + R_1)$. Se toda a estrutura a termo das taxas de juros subir inesperadamente no dia 2 de março, o *primeiro* termo do lado direito da Equação 25.3 deve diminuir de valor.[8] Ou seja, tanto R_1 quanto R_2 terão um aumento de valor. No entanto, R_2 é parte de um termo *ao quadrado*, $1/(1 + R_2)^2$; portanto, um

---
[8] Estamos assumindo que cada taxa à vista é alterada na mesma quantia. Por exemplo, suponha que no dia 1º de março $R_1 = 5\%$, $R_2 = 5,4\%$ e $R_3 = 5,8\%$. Supondo que todas as taxas aumentem em 1/2% no dia 2 de março, R_1 passa a ser 5,5% (5% + 1/2%), R_2 passa a ser 5,9% e R_3 passa a ser 6,3%.

aumento em R_2 supera em muito o aumento em R_1. Ao avançarmos para a direita, um aumento em qualquer taxa à vista, R_i, superará em muito mais o aumento em R_1. Nesse caso, R_i entra na fórmula com a potência i, $1/(1 + R_i)^i$. Portanto, enquanto toda a estrutura a termo aumentar igualmente em 2 de março, o valor de um contrato a termo deve cair naquela data. De modo contrário, se toda a estrutura a termo diminuir em 2 de março, o valor de um contrato a termo deve subir.

Contratos de futuros

A discussão anterior abordou um contrato a termo de títulos do Tesouro dos EUA – ou seja, um contrato a termo em que o instrumento de entrega física é um título do Tesouro dos EUA. E quanto a um contrato de futuros de um título do Tesouro dos EUA?[9] Conforme mencionado anteriormente, os contratos de futuros e os contratos a termo são bastante semelhantes, embora haja algumas diferenças entre os dois. Primeiro, os contratos de futuros são negociados em bolsas, e os contratos a termo, não. Nesse caso, o contrato de futuros de um título do Tesouro dos EUA é negociado na CBT. Segundo, os contratos de futuros normalmente permitem que o vendedor faça a entrega em determinado período de tempo, enquanto contratos a termo costumam solicitar a entrega em um dia específico. O vendedor de um contrato de futuros de título do Tesouro dos EUA pode escolher fazer a entrega em qualquer dia útil do mês de entrega.[10]

Terceiro, os contratos de futuros estão sujeitos à convenção de marcação a mercado, enquanto os contratos a termo não estão. Os operadores de futuros de títulos do Tesouro devem aderir a essa convenção. Quarto, de modo geral, há um mercado líquido para contratos de futuros permitindo que contratos sejam rapidamente zerados. Ou seja, um comprador pode vender seu contrato de futuros a qualquer momento, assim como um vendedor pode comprar de volta seu contrato de futuros também a qualquer momento. De modo contrário, em razão de os mercados a termo normalmente serem muito ilíquidos, os operadores não conseguem zerar rapidamente suas posições. A popularidade do contrato de futuros de títulos do Tesouro dos EUA produziu uma liquidez ainda mais alta que de outros contratos de futuros. As posições nesse tipo de contrato podem ser liquidadas com muita facilidade.

Esta discussão não tem o objetivo de ser uma lista completa das diferenças entre o contrato a termo e o contrato de futuros de títulos do Tesouro dos EUA. Em vez disso, ela tem como foco mostrar que os dois contratos compartilham de características fundamentais, isto é, embora haja diferenças, os dois instrumentos devem ser vistos como variações da mesma espécie, não como espécies diferentes. Assim, a precificação da Equação 25.3, que é exata para o contrato a termo, deve ser uma boa aproximação para o contrato de futuros.

Hedge em futuros de taxa de juros

Agora que temos os detalhes institucionais básicos, estamos prontos para analisar exemplos de *hedge* usando contratos de futuros e contratos a termo de títulos do Tesouro dos EUA. Como o contrato de futuros de *T-Bonds* é extremamente popular, enquanto o contrato a termo é negociado apenas esporadicamente, nossos exemplos tratam de contratos de futuros.

EXEMPLO 25.3 *Hedge* de taxa de juros

Ron Cooke é dono de um banco especializado em hipotecas. No dia 1º de março, ele firmou contratos para empréstimos no dia 1º de maio, totalizando $ 1 milhão, com vários proprietários de residências. Os empréstimos são hipotecas de 20 anos com cupom de 12%, que é a taxa de juros em vigor no momento para empréstimos hipotecários. Assim, as hipotecas são feitas por seu valor ao par. Embora os proprietários de residências não fossem usar o termo, podemos dizer que o Sr. Cooke está comprando um *contrato a termo* de hipotecas.

---

[9] Os contratos de futuros de títulos de dívida também são chamados de *contratos de futuros de taxa de juros*.

[10] A entrega ocorre dois dias após a notificação do vendedor à câmara de compensação de sua intenção de realizar a entrega.

Ou seja, no dia 1º de março, o Sr. Cooke concorda em conceder $ 1 milhão em empréstimos aos seus tomadores no dia 1º de maio em troca do principal e juros que eles pagarão a cada mês nos próximos 20 anos.

Como muitos banqueiros de hipotecas, ele não pretende desembolsar o valor de $ 1 milhão de seus próprios recursos. Em vez disso, ele pretende vender os títulos das hipotecas a uma companhia de seguros. Assim, a companhia de seguros é a instituição que realmente emprestará os recursos e receberá o principal e os juros nos próximos vinte anos. O Sr. Cooke não tem uma companhia de seguros específica em mente no momento. Ele planeja visitar os departamentos de hipotecas de companhias de seguros nos próximos 60 dias para vender títulos de hipotecas a uma ou várias delas. O prazo que ele estabelece para fazer a venda é o dia 30 de abril, pois os devedores esperam receber os recursos no dia seguinte.

Vamos supor que o Sr. Cooke venda as hipotecas à Acme Insurance Co. no dia 15 de abril. Que preço a Acme pagará pelos títulos de dívida?

Talvez você pense que, obviamente, a companhia de seguros pagará $ 1 milhão pelos títulos relativos aos empréstimos. No entanto, vamos considerar que as taxas de juros ultrapassassem o valor de 12% até 15 de abril. A companhia de seguros comprará cada hipoteca com desconto. Por exemplo, suponha que e a companhia de seguros concorde em pagar apenas $ 940.000 pelas hipotecas. Como o banqueiro concordou em emprestar $ 1 milhão aos tomadores, ele precisará tirar o valor restante de $ 60.000 (=$ 1 milhão − $ 940.000) do seu próprio bolso.

Outra situação se formaria se as taxas de juros caíssem para menos de 12% até 15 de abril. Nesse caso, as hipotecas poderiam ser vendidas com prêmio. Se a companhia de seguros comprar as hipotecas por $ 1,05 milhão, o banqueiro de hipotecas lucrará um valor de $ 50.000 (=$ 1,05 milhão − $ 1 milhão).

Como Ron Cooke não é capaz de prever as taxas de juros, ele gostaria de evitar o risco. O risco é resumido no Quadro 25.3.

Percebendo o risco de taxa de juros, uma pergunta que os estudantes podem fazer é a seguinte: "O que o banqueiro recebe desse empréstimo para compensar o risco que está correndo?". Ora, o Sr. Cooke quer vender os títulos hipotecários à companhia de seguros para obter duas comissões. A primeira é uma *comissão de originação*, que é paga ao banqueiro pela companhia de seguros no dia 15 de abril – ou seja, na data em que a carteira de empréstimos é vendida. Em alguns locais, o padrão dessa taxa é 1% do valor do empréstimo, que, no caso, é $ 10.000 (=1% × $ 1 milhão). Além disso, o Sr. Cooke atuará como um agente de cobrança da companhia de seguros. Por realizar esse serviço, ele receberá todos os meses um pequeno percentual do saldo devedor do empréstimo. Por exemplo, se ele receber uma comissão de 0,03% sobre o total da carteira a cada mês, ele receberá $ 300 (=0,03% × $ 1 milhão) no primeiro mês. À medida que o saldo devedor do empréstimo diminuir, ele receberá um valor menor.

QUADRO 25.3 Efeitos das alterações de taxas de juros para Ron Cooke, banqueiro de hipotecas

	Taxa de juros da hipoteca em 15 de abril	
	Acima de 12%	**Abaixo de 12%**
Preço de venda para a Acme Insurance Company	Abaixo de $ 1 milhão (supomos o valor de $ 940.000).	Acima de $ 1 milhão (supomos o valor de $ 1,05 milhão).
Efeito para o banqueiro	Ele perde, porque deve conceder empréstimos no valor de $ 1 milhão aos tomadores.	Ele ganha, porque concede empréstimos no valor de apenas $ 1 milhão aos tomadores.
Perda ou ganho de caixa	Perda de $ 60.000 (=$ 1 milhão − $ 940.000).	Ganho de $ 50.000 (=$ 1,05 milhão − $ 1 milhão).

A taxa de juros no dia 1º de março, data em que o contrato de mútuo foi firmado com os tomadores, era de 12%. O dia 15 de abril é a data em que as hipotecas foram vendidas à Acme Insurance Company.

(continua)

(continuação)

Embora o Sr. Cooke receba comissões lucrativas com a carteira de empréstimos, ele corre risco de taxa de juros. Se as taxas de juros aumentarem após o dia 1º de março, ele perderá dinheiro; por outro lado, se as taxas de juros caírem após esse dia, ele terá lucro. Para fazer *hedge* desse risco, ele lança contratos de futuros de títulos do Tesouro dos EUA para junho em 1º de março. Assim como no caso das hipotecas, os contratos de futuros de títulos do Tesouro dos EUA diminuem de valor se as taxas de juros aumentarem. Como ele *lança* esses contratos, esses contratos gerarão caixa se caírem de valor. Portanto, com um aumento na taxa de juros, a perda sofrida nas hipotecas é compensada pelo ganho no mercado de futuros. De modo contrário, os contratos de futuros de títulos do Tesouro dos EUA aumentam de valor se as taxas de juros caírem. Por lançar os contratos, ele sofre perdas quando as taxas caem. Com uma queda na taxa de juros, a perda sofrida nos mercados de futuros é contrabalançada pelo lucro obtido nas hipotecas.

Os detalhes dessa operação de *hedge* estão apresentados no Quadro 25.4. A coluna da esquerda é chamada de "Mercados à vista", pois o negócio no mercado de hipotecas é operado fora de uma bolsa. A coluna da direita mostra as operações inversas no mercado de futuros. Considere a primeira linha. O banqueiro firma um contrato a termo no dia 1º de março. Simultaneamente, ele lança contratos de futuros de títulos do Tesouro. Ele lança 10 contratos, pois o instrumento de entrega de cada contrato é de $ 100.000 em títulos. O total é $ 1 milhão (=10 × $ 100.000), valor equivalente ao das hipotecas. O Sr. Cooke prefere lançar contratos de futuros de títulos do Tesouro para maio. Nesse caso, os títulos seriam entregues mediante o contrato de futuros no mesmo mês em que são disponibilizados os empréstimos. Como não há um contrato de futuros de título do Tesouro dos EUA para maio, o Sr. Cooke se aproxima ao máximo por meio de contratos para junho.

QUADRO 25.4 Ilustração da estratégia de *hedge* para Ron Cooke, banqueiro de hipotecas

	Mercados à vista	Mercados de futuros
1º de março	O banqueiro de hipotecas firma contratos a termo para emprestar $ 1 milhão a 12% por 20 anos. Os empréstimos serão efetivados no dia 1º de maio. Nenhuma transação de dinheiro ocorre no dia 1º de março.	O banqueiro lança 10 contratos de futuros de títulos do Tesouro dos EUA para junho.
15 de abril	A carteira de empréstimos é vendida à Acme Insurance Co. O banqueiro receberá o preço da venda da Acme no dia 1º de maio, dia da efetivação dos empréstimos.	O banqueiro recompra todos os contratos de futuros.
Se as taxas de juros aumentarem:	A carteira de empréstimos é vendida a um preço abaixo de $ 1 milhão. O banqueiro *perde*, pois recebe menos que o valor de $ 1 milhão que ele deve entregar aos tomadores.	Cada contrato de futuros é recomprado por um preço abaixo do preço da venda, o que resulta em *lucro*. O lucro do banqueiro no mercado de futuros compensa a perda no mercado à vista.
Se as taxas de juros diminuírem:	A carteira de empréstimos é vendida a um preço acima de $ 1 milhão. O banqueiro *ganha*, pois recebe mais do que o valor de $ 1 milhão que ele deve conceder aos devedores.	Cada contrato de futuros é recomprado por um preço acima do preço da venda, o que resulta em *perda*. O ganho no mercado à vista contrabalança o prejuízo do banqueiro no mercado de futuros.

Se mantido até o vencimento, o contrato de junho obrigaria o banqueiro de hipotecas a entregar os títulos do Tesouro nesse mês. O risco de taxa de juros acaba no mercado à vista quando a carteira de empréstimos é vendida. Nesse momento, o risco de taxa de juros deve ser liquidado no mercado de futuros. Para tanto, o Sr. Cooke zera sua posição nos contratos de futuros assim que a carteira de empréstimos é vendida à Acme Insurance.

Conforme mostrado em nosso exemplo, o risco é reduzido de forma evidente por meio de uma operação inversa no mercado de futuros. Isso significa que o risco é completamente eliminado? O risco seria totalmente eliminado se as perdas nos mercados à vista fossem *exatamente* compensadas pelos ganhos nos mercados de futuros e vice-versa. É improvável que isso aconteça, pois os títulos das hipotecas e os títulos do Tesouro não são instrumentos idênticos. Primeiro, os títulos das hipotecas podem apresentar vencimentos diferentes daqueles dos títulos do Tesouro. Segundo, os títulos do Tesouro têm um fluxo de pagamentos diferente dos títulos das hipotecas. O principal é pago apenas no vencimento no caso dos títulos do Tesouro, enquanto, nas hipotecas, o principal é pago todos os meses. Como as hipotecas pagam o principal continuamente, esses instrumentos apresentam um prazo *efetivo* até o vencimento menor que o dos títulos do Tesouro com o mesmo vencimento.[11] Terceiro, os títulos das hipotecas apresentam um risco de inadimplência, enquanto os títulos do Tesouro não apresentam esse risco. A estrutura a termo aplicável a instrumentos com risco de inadimplência pode sofrer alterações mesmo quando a estrutura a termo para ativos sem risco permanece constante. Quarto, as hipotecas podem ser liquidadas antecipadamente e, por isso, podem ter um *vencimento esperado* menor do que os títulos do Tesouro com o mesmo vencimento.

Como os títulos de hipotecas e os títulos do Tesouro não são instrumentos idênticos, eles também não são afetados de maneira idêntica pelas taxas de juros. Se os títulos do Tesouro forem menos voláteis do que os das hipotecas, os consultores financeiros poderão orientar o Sr. Cooke a lançar mais do que 10 contratos futuros de títulos do Tesouro. De modo contrário, se os títulos forem mais voláteis, o consultor poderá afirmar que menos de dez contratos de futuros é suficiente. Um quociente ótimo entre contratos de futuros e títulos de hipotecas reduzirá o risco o máximo possível. No entanto, como as movimentações de preços dos títulos de hipotecas e dos títulos do Tesouro não apresentam uma *correlação perfeita*, a estratégia de *hedge* do Sr. Cooke não é capaz de eliminar todo o risco.

A estratégia apresentada anteriormente é chamada de *hedge de venda*, pois o Sr. Cooke vende contratos de futuros para reduzir o risco. Embora se trate de um contrato de futuros de taxa de juros, esse *hedge* de venda é análogo a *hedges* de venda de contratos de futuros agrícolas ou de metais. No início deste capítulo, afirmamos que pessoas e empresas fazem *hedges* de venda para compensar flutuações em preços de estoques. Assim que o Sr. Cooke fizer um contrato para emprestar dinheiro a tomadores, as hipotecas efetivamente se tornarão o seu estoque. Ele lança um contrato de futuros para compensar as flutuações dos preços de seu estoque.

Agora, analisemos um exemplo em que um banqueiro de hipotecas estabelece um *hedge* de compra.

EXEMPLO 25.4 *Hedge* de venda *versus hedge* de compra

Margareth Boswell é outra banqueira de hipotecas. Sua empresa enfrenta problemas parecidos com os da empresa do Sr. Cooke. No entanto, ela procura resolver os problemas por meio do uso de **compromissos antecipados**, uma estratégia que é o oposto da estratégia do Sr. Cooke. Ou seja, ela promete repassar empréstimos a uma instituição financeira *antes* de arranjar tomadores. No dia 1º de março, a empresa da Sra. Boswell concordou em vender títulos de hipotecas à companhia de seguros No-State Insurance Co. O acordo especifica que ela deve entregar os títulos hipotecários com cupom de 12% e valor de face de $ 1 milhão à No-State no dia 1º de maio. A No-State está comprando as hipotecas por seus valores de face, o que implica que a companhia pagará $ 1 milhão à Sra. Boswell em 1º de maio. Até o dia 1º de março, a Sra. Boswell não tinha assinado contratos com tomadores. Nos dois meses seguintes, ela sairá à procura de pessoas que queiram tomar recursos mediante hipotecas com início no dia 1º de maio.

(continua)

---

[11] Como alternativa, podemos dizer que as hipotecas apresentam uma duração (*duration*) menor do que os títulos do Tesouro dos EUA com o mesmo vencimento. Uma definição precisa de duração é fornecida mais adiante neste capítulo.

(continuação)

Assim como no caso do Sr. Cooke, taxas de juros oscilantes afetarão a Sra. Boswell. Se as taxas de juros caírem antes que ela assine com um tomador, o tomador exigirá um prêmio no empréstimo com cupom de 12%. Ou seja, o devedor receberá mais do que o valor de face no dia 1º de maio.[12] Como a Sra. Boswell recebe o valor de face da companhia de seguros, ela deve cobrir a diferença.

De modo contrário, se as taxas de juros subirem, um empréstimo com cupom de 12% terá um desconto. Ou seja, o devedor receberá menos do que o valor de face no dia 1º de maio. Como a Sra. Boswell recebe o valor de face da companhia de seguros, a diferença torna-se lucrativa para ela.

Os detalhes são apresentados no Quadro 25.5. Assim como ocorreu com o Sr. Cooke, a Sra. Boswell considera o risco um ônus. Portanto, ela protege seu compromisso antecipado com uma operação nos mercados de futuros. Como ela *perde* no mercado à vista se as taxas de juros caírem, ela *compra* contratos de futuros para reduzir esse risco. Quando as taxas de juros caem, há um aumento no valor de seus contratos de futuros. O ganho no mercado de futuros compensa a perda no mercado à vista. Por outro lado, ela ganha nos mercados à vista quando as taxas de juros sobem. Quando isso acontece, o valor de seus contratos de futuros diminui, e isso é contrabalançado com o ganho nos mercados à vista.

Chamamos essa estratégia de *hedge* de compra, pois a Sra. Boswell anula o risco do mercado à vista comprando um contrato de futuros. Embora haja o envolvimento de um contrato de futuros de taxa de juros, esse *hedge* de compra é análogo a *hedges* de compra de contratos de futuros agrícolas ou de metais. No início deste capítulo, argumentamos que pessoas e empresas fazem *hedges* de compra quando vendem mercadorias a preço fixo. Após firmar o compromisso antecipado com a No-State Insurance, a Sra. Boswell fixou seu preço de venda. Ela compra um contrato de futuros para anular a flutuação dos preços de suas matérias-primas – ou seja, das hipotecas.

QUADRO 25.5 Ilustração do compromisso antecipado para Margaret Boswell, banqueira de hipotecas

	Mercados à vista	Mercados de futuros
1º de março	A banqueira firma um contrato a termo (um compromisso antecipado) para entrega de $ 1 milhão em hipotecas à companhia No-State Insurance. A companhia de seguros pagará o valor de face dos empréstimos no dia 1º de maio à Sra. Boswell. Os tomadores deverão receber seus recursos da banqueira no dia 1º de maio. As hipotecas serão empréstimos de 20 anos com cupom de 12%.	A banqueira compra 10 contratos de futuros de títulos do Tesouro para junho.
15 de abril	A banqueira contrata hipotecas de 20 anos com cupom de 12%. Ela promete aos tomadores que eles receberão os fundos no dia 1º de maio.	A banqueira vende todos os contratos de futuros.
Se as taxas de juros aumentarem:	A banqueira firma hipotecas com desconto para os tomadores. A banqueira *ganha*, pois recebe o valor de face da companhia de seguros.	Os contratos de futuros são vendidos a um preço abaixo do preço de compra, resultando em *perda*. O prejuízo da banqueira no mercado de futuros é contrabalançado com o ganho no mercado à vista.
Se as taxas de juros diminuírem:	Os empréstimos aos tomadores são firmados com um prêmio. A banqueira *perde*, pois recebe apenas o valor de face da companhia de seguros.	Os contratos de futuros são vendidos a um preço acima do preço de compra, resultando em *ganho*. O ganho da banqueira no mercado de futuros contrabalança a perda no mercado à vista.

---

[12] Outra possibilidade seria a hipoteca continuar com seu valor de face se uma taxa de cupom abaixo de 12% fosse usada. No entanto, isso não é feito, pois a companhia de seguros deseja comprar apenas hipotecas a 12%.

25.6 *Hedge* de duração

A última seção abordou o risco de alterações na taxa de juros. Agora queremos explorar esse risco de forma mais precisa. Em especial, queremos mostrar que o conceito de duração (*duration*) é um dos principais determinantes do risco de taxa de juros. Começamos analisando o efeito das movimentações da taxa de juros nos preços de títulos de dívida.

Caso dos títulos de dívida com cupom zero

Imaginemos um mundo em que a taxa de juros exigida para qualquer vencimento seja de 10%. Um título de dívida com valor de face de $ 100, tipo desconto puro e com prazo de um ano, pagará $ 110 no vencimento. Um mesmo título de dívida com prazo de cinco anos paga $ 161,05 no vencimento. Esses dois títulos de dívida valem $ 100, tendo em vista a análise a seguir:[13]

Valor do título de dívida tipo desconto puro com prazo de um ano

$$\$\,100 = \frac{\$\,110}{1{,}10}$$

Valor do título de dívida tipo desconto puro com prazo de cinco anos

$$\$\,100 = \frac{\$\,161{,}05}{(1{,}10)^5}$$

Qual título de dívida terá uma alteração maior quando houver uma movimentação nas taxas de juros? Para obter essa informação, calculamos o valor desses títulos de dívida quando as taxas de juros são de 8 ou 12%. Os resultados são apresentados no Quadro 25.6. Como podemos ver, o título de dívida de cinco anos apresenta mais oscilações no preço que o título de dívida de um ano. Ou seja, ambos os títulos valem $ 100 quando as taxas de juros são de 10%. O título de dívida de cinco anos tem mais valor do que o título de dívida de um ano quando as taxas de juros são de 8% e menos valor que o título de dívida de um ano quando as taxas de juros são de 12%. Nós dizemos que o título de dívida de cinco anos está sujeito a uma maior volatilidade de preços. Essa afirmação, que foi mencionada de modo passageiro em uma seção anterior do capítulo, não é difícil de ser compreendida. A taxa de juros no denominador, $1 + R$, é elevada à quinta potência para um título de dívida de cinco anos e apenas à primeira potência para o título de dívida de um ano. Assim, o efeito de uma taxa de juros oscilante é aumentado para o título de dívida de cinco anos. A regra geral é:

> **A porcentagem de alteração no preço de títulos de dívida tipo desconto puro de longo prazo é maior do que a porcentagem de alteração no preço de títulos de dívida tipo desconto puro de curto prazo.**

QUADRO 25.6 Valor de um título de dívida tipo desconto puro em função da taxa de juros

Taxa de juros	Título de dívida tipo desconto puro de um ano	Variação	Título de dívida tipo desconto puro de cinco anos	Variação
8%	$ 101,85 = $110/1,08	+1,85%	$ 109,61 = $161,05/(1,08)⁵	+9,61%
10%	$ 100,00 = $110/1,10	0,00%	$ 100,00 = $161,05/(1,10)⁵	0,00%
12%	$ 98,21 = $110/1,12	−1,79%	$ 91,38 = $161,05/(1,12)⁵	−8,62%

Para uma determinada alteração da taxa de juros, um título de dívida tipo desconto puro de cinco anos apresenta mais flutuação no preço do que um título de dívida tipo desconto puro de um ano. A variação foi calculada em relação ao valor de face.

---

[13] Como alternativa, poderíamos ter escolhido títulos de dívida que pagassem $ 100 no vencimento. Seus valores seriam de $ 90,91 (= $ 100/1,10) e $ 62,09 [= $ 100/(1,10)⁵]. No entanto, as comparações que desenvolveremos em seguida serão facilitadas se ambos os títulos de dívida apresentarem o mesmo preço inicial.

Caso de dois títulos de dívida com o mesmo vencimento, porém com cupons diferentes

O exemplo anterior abordou títulos de dívida tipo desconto puro com vencimentos diferentes. Agora, queremos ver o efeito dos cupons diferentes sobre a volatilidade dos preços. Para neutralizar o efeito dos vencimentos diferentes, utilizamos dois títulos de dívida com cupons diferentes, porém com o mesmo vencimento.

Consideremos um título de dívida de cinco anos com cupom de 10% e um título de dívida de cinco anos com cupom de 1%. Quando as taxas de juros são de 10%, os títulos de dívida são precificados da seguinte maneira:

Valor do título de dívida de cinco anos com cupom de 10%

$$\$100 = \frac{\$10}{1,10} + \frac{\$10}{(1,10)^2} + \frac{\$10}{(1,10)^3} + \frac{\$10}{(1,10)^4} + \frac{\$110}{(1,10)^5}$$

Valor do título de dívida de cinco anos com cupom de 1%

$$\$65,88 = \frac{\$1}{1,10} + \frac{\$1}{(1,10)^2} + \frac{\$1}{(1,10)^3} + \frac{\$1}{(1,10)^4} + \frac{\$101}{(1,10)^5}$$

Qual título de dívida terá maior alteração em *termos percentuais* se as taxas de juros variarem?[14] Para descobrir, primeiro calculamos o valor desses títulos de dívida quando as taxas de juros são de 8 ou 12%. Os resultados são apresentados no Quadro 25.7. Conforme esperávamos, o título de dívida com cupom de 10% sempre é negociado com um valor maior do que o título de dívida com cupom de 1%. Além disso, também conforme esperávamos, cada título de dívida vale mais quando a taxa de juros é de 8% em vez de 12%.

QUADRO 25.7 Valor de títulos de dívida com cupons a diferentes taxas de juros

Taxa de juros	Título de dívida de cinco anos com cupom de 10%
8%	$\$107,99 = \frac{\$10}{1,08} + \frac{\$10}{(1,08)^2} + \frac{\$10}{(1,08)^3} + \frac{\$10}{(\$1,08)^4} + \frac{\$110}{(1,08)^5}$
10%	$\$100,00 = \frac{\$10}{1,10} + \frac{\$10}{(1,10)^2} + \frac{\$10}{(1,10)^3} + \frac{\$10}{(1,10)^4} + \frac{\$110}{(1,10)^5}$
12%	$\$92,79 = \frac{\$10}{1,12} + \frac{\$10}{(1,12)^2} + \frac{\$10}{(1,12)^3} + \frac{\$10}{(1,12)^4} + \frac{\$110}{(1,12)^5}$

Taxa de juros	Título de dívida de cinco anos com cupom de 1%
8%	$\$72,05 = \frac{\$1}{1,08} + \frac{\$1}{(1,08)^2} + \frac{\$1}{(1,08)^3} + \frac{\$1}{(1,08)^4} + \frac{\$101}{(1,08)^5}$
10%	$\$65,88 = \frac{\$1}{1,10} + \frac{\$1}{(1,10)^2} + \frac{\$1}{(1,10)^3} + \frac{\$1}{(1,10)^4} + \frac{\$101}{(1,10)^5}$
12%	$\$60,35 = \frac{\$1}{1,12} + \frac{\$1}{(1,12)^2} + \frac{\$1}{(1,12)^3} + \frac{\$1}{(1,12)^4} + \frac{\$101}{(1,12)^5}$

Calculamos a porcentagem das mudanças de preços para ambos os títulos quando a taxa de juros passa de 10 para 8% e de 10 para 12%.

	Título de dívida com cupom de 10%	Título de dívida com cupom de 1%
Taxa de juros passa de 10% para 8%:	$7,99\% = \frac{\$107,99}{\$100} - 1$	$9,37\% = \frac{\$72,05}{\$65,88} - 1$
Taxa de juros passa de 10% para 12%:	$-7,21\% = \frac{\$92,79}{\$100} - 1$	$-8,39\% = \frac{\$60,35}{\$65,88} - 1$

---

[14] Os títulos de dívida apresentam preços iniciais diferentes. Assim, estamos interessados nas mudanças percentuais de preços, não nas mudanças absolutas de preços.

Como se pode ver, o título de dívida com cupom de 1% apresenta uma percentagem maior de aumento no preço que o título de dívida com cupom de 10% quando a taxa de juros diminui. Da mesma forma, o título de dívida com cupom de 1% apresenta uma percentagem maior de queda no preço que o título de dívida com cupom de 10% quando a taxa de juros aumenta. Assim, dizemos que a percentagem de mudanças de preços do título de dívida com cupom de 1% é maior do que a percentagem de mudanças de preços do título de dívida com cupom de 10%.

Duração

A pergunta, claro, é: "Por quê?". Somente poderemos responder a essa pergunta após explorarmos um conceito chamado de **duração**. Começamos com a observação de que qualquer título de dívida com cupom é, na verdade, uma combinação de títulos de dívida tipo desconto puro. Por exemplo, o título de dívida de cinco anos com cupom de 10% é formado de cinco títulos de dívida tipo desconto puro:

1. Um título de dívida tipo desconto puro que paga $ 10 ao final do primeiro ano.
2. Um título de dívida tipo desconto puro que paga $ 10 ao final do segundo ano.
3. Um título de dívida tipo desconto puro que paga $ 10 ao final do terceiro ano.
4. Um título de dívida tipo desconto puro que paga $ 10 ao final do quarto ano.
5. Um título de dívida tipo desconto puro que paga $ 110 ao final do quinto ano.

Da mesma forma, o título de dívida de cinco anos com cupom de 1% é formado de cinco títulos de dívida tipo desconto puro. Como a volatilidade dos preços de um título de dívida tipo desconto puro é determinada por seu vencimento, gostaríamos de determinar o vencimento médio dos cinco títulos de dívida tipo desconto puro que formam um título de dívida de cinco anos com cupom. Esse ponto leva ao conceito de duração.

Calculamos o vencimento médio em três etapas. Para o título de dívida com cupom de 10%, temos:

1. *Calcular o valor presente de cada pagamento.* Isso é feito da seguinte maneira:

Ano	Pagamento	Valor presente do pagamento a 10%
1	$ 10	$ 9,091
2	10	8,264
3	10	7,513
4	10	6,830
5	110	68,302
		$ 100,00

2. *Expressar o valor presente de cada pagamento em termos relativos.*
Calculamos o valor relativo de cada pagamento como a razão entre o valor presente do pagamento e o valor do título de dívida. O valor do título de dívida é de $ 100. Obtemos os valores a seguir:

Ano	Pagamento	Valor presente do pagamento	Valor relativo = Valor presente do pagamento / Valor do título de dívida
1	$ 10	$ 9,091	$ 9,091/$ 100 = 0,09091
2	10	8,264	0,08264
3	10	7,513	0,07513
4	10	6,830	0,06830
5	110	68,302	0,68302
		$ 100,00	1,0

A maior parte do valor relativo, 68,302%, ocorre no quinto ano, pois o principal é pago nesse momento.

3. *Ponderar o vencimento de cada pagamento por seu valor relativo:*

$$4,1699 = 1 \text{ ano} \times 0,09091 + 2 \text{ anos} \times 0,08264 + 3 \text{ anos} \times 0,07513$$
$$+ 4 \text{ anos} \times 0,06830 + 5 \text{ anos} \times 0,68302$$

Há muitas maneiras de calcular o vencimento médio de um título de dívida. Fizemos o cálculo ponderando o vencimento de cada pagamento por seu valor presente. Chegamos ao resultado de que o vencimento *efetivo* do título de dívida é 4,1699 anos. A *duração* é uma palavra normalmente usada para vencimento efetivo. Assim, a duração do título de dívida é de 4,1699 anos. Observe que a duração é expressa em unidades de tempo.[15]

Como o título de dívida de cinco anos com cupom de 10% apresenta uma duração de 4,1699 anos, sua porcentagem de flutuações de preços deve ser a mesma de um título de dívida com cupom zero com duração de 4,1699 anos.[16] Por sua vez, o título de dívida de cinco anos com cupom de 1% apresenta uma duração de 4,8740 anos. Como o título de dívida com cupom de 1% tem duração maior do que o título de dívida com cupom de 10%, ele deve estar sujeito a maiores flutuações de preços do que o com cupom de 10%. Essa constatação é a mesma que encontramos antes. Em geral, dizemos o seguinte:

> **A porcentagem de mudanças de preços de um título de dívida com alta duração é maior que a porcentagem de mudanças de preços de um título de dívida com baixa duração.**

Uma última pergunta: Por que o título de dívida de 1% tem uma duração maior do que o título de dívida de 10%, embora eles tenham o mesmo prazo até vencimento de cinco anos? Como mencionado anteriormente, a duração é uma média dos prazos dos fluxos de caixa do título de dívida ponderada pelo valor presente de cada fluxo de caixa. O título de dívida com cupom de 1% recebe apenas $ 1 em cada um dos quatro primeiros anos. Assim, as ponderações aplicadas do primeiro ao quarto ano na fórmula da duração serão baixas. De modo contrário, o título de dívida com cupom de 10% recebe $ 10 para cada um dos quatro primeiros anos. Com isso, as ponderações aplicadas do primeiro ao quarto ano na fórmula da duração serão mais altas.

Casamento de passivos com ativos

Anteriormente, neste capítulo, argumentamos que as empresas podem fazer *hedge* operando com futuros. Como algumas empresas estão sujeitas ao risco de taxas de juros, mostramos como elas podem fazer *hedge* com contratos de futuros de taxas de juros. As empresas também podem fazer *hedge* do risco de taxas de juros casando passivos com ativos. A ideia para esse método de *hedge* decorre da nossa discussão sobre duração.

---

[15] A fórmula matemática para a duração é:

$$\text{Duração} = \frac{\text{VP}(FC_1)1 + \text{VP}(FC_2)2 + \ldots + \text{VP}(FC_T)T}{\text{VP}}$$

e

$$\text{VP} = \text{VP}(FC_1) + \text{VP}(FC_2) + \cdots + \text{VP}(FC_T)$$

$$\text{VP}(FC_T) = \frac{FC_T}{(1+R)^T}$$

em que FC_T é o fluxo de caixa a ser recebido no tempo T e R é a taxa de desconto corrente.

Além disso, observe que, em nosso exemplo numérico, descontamos cada fluxo de caixa a uma taxa de 10%. Isso foi feito porque queríamos calcular a duração do título de dívida antes que ocorresse uma alteração na taxa de juros. Após uma alteração na taxa para, digamos, 8 ou 12%, todas as nossas três etapas precisariam refletir a nova taxa de juros. Em outras palavras, a duração de um título de dívida se define em função da taxa de juros corrente.

[16] Na verdade, essa relação se mantém com exatidão apenas no caso de uma alteração única em uma curva de retornos plana (horizontal), em que a mudança na taxa à vista ocorre de forma idêntica para todos os vencimentos.

EXEMPLO 25.5 Uso da duração

O Banco do Pântano S/A apresenta o balanço patrimonial ao valor de mercado descrito a seguir:

Banco do Pântano S/A Balanço patrimonial a valores de mercado		
	Valor de mercado	**Duração**
Ativos		
Aplicações no mercado interbancário	$ 35 milhões	0
Empréstimos garantidos por recebíveis	500 milhões	3 meses
Empréstimos para formação de estoques	275 milhões	6 meses
Empréstimos industriais	40 milhões	2 anos
Hipotecas	150 milhões	14,8 anos
	$ 1 bilhão	
Passivo e patrimônio líquido		
Contas correntes e contas de poupança	$ 400 milhões	0
Certificados de depósito bancário	300 milhões	1 ano
Empréstimos de longo prazo	200 milhões	10 anos
Patrimônio líquido	100 milhões	
	$ 1 bilhão	

O banco tem $ 1 bilhão em ativos e $ 900 milhões em passivos. Seu patrimônio líquido é a diferença entre os dois valores: $ 100 milhões (= $ 1 bilhão − $ 900 milhões). Tanto o valor de mercado como a duração de cada item são mostrados no balanço patrimonial apresentado aqui. As aplicações no mercado interbancário e as contas correntes e contas de poupança têm duração zero. Isso acontece porque os juros pagos nesses instrumentos se ajustam imediatamente às taxas de juros oscilantes na economia.

Os gestores do banco acham que as taxas de juros provavelmente apresentarão mudanças mais rápidas nos próximos meses. Como eles não sabem a direção da movimentação, estão preocupados que o banco esteja vulnerável às taxas oscilantes. Portanto, optam por solicitar que um consultor, João Alves, determine uma estratégia de *hedge*.

Para começar, o Sr. Alves calcula a duração dos ativos e dos passivos:[17]

Duração dos ativos

$$2{,}56 \text{ anos} = 0 \text{ anos} \times \frac{\$ 35 \text{ milhões}}{\$ 1 \text{ bilhão}} + \tfrac{1}{4} \text{ ano} \times \frac{\$ 500 \text{ milhões}}{\$ 1 \text{ bilhão}} \quad (25.4)$$

$$+ \tfrac{1}{2} \text{ ano} \times \frac{\$ 275 \text{ milhões}}{\$ 1 \text{ bilhão}} + 2 \text{ anos} \times \frac{\$ 40 \text{ milhões}}{\$ 1 \text{ bilhão}}$$

$$+ 14{,}8 \text{ anos} \times \frac{\$ 150 \text{ milhões}}{\$ 1 \text{ bilhão}}$$

Duração dos passivos

$$2{,}56 = 0 \text{ anos} \times \frac{\$ 400 \text{ milhões}}{\$ 900 \text{ milhões}} + 1 \text{ ano} \times \frac{\$ 300 \text{ milhões}}{\$ 900 \text{ milhões}} + 10 \text{ anos} \times \frac{\$ 200 \text{ milhões}}{\$ 900 \text{ milhões}} \quad (25.5)$$

A duração dos ativos, 2,56 anos, é igual à duração dos passivos. Por isso, o Sr. Alves opina que o banco está imune ao risco de taxa de juros.

(continua)

---

[17] Observe que a duração de um grupo de itens é uma média da duração dos itens individuais ponderada pelo valor de mercado de cada item. Trata-se de um passo que simplifica o cálculo e aumenta significativamente a praticidade da duração.

(continuação)

Para se certificar, o banco busca uma segunda opinião, chamando a consultora Gabriela Hermes. A Sra. Hermes afirma que é incorreto simplesmente casar durações, pois o total dos ativos é de $ 1 bilhão, enquanto o total de passivos é de apenas $ 900 milhões. Se tanto os ativos quanto os passivos apresentam a mesma duração, a mudança de preço de um *real* dos ativos deve ser igual à mudança de preço de um real dos passivos. No entanto, a mudança de preço *total* será maior para os ativos do que para os passivos, pois há mais ativos que passivos no banco. O banco estará imune ao risco de taxa de juros somente quando a duração dos passivos for maior do que a duração dos ativos. A Sra. Hermes informa que a relação a seguir deve se manter para que o banco permaneça **imunizado**, ou seja, imune ao risco de taxa de juros:

$$\text{Duração dos ativos} \times \text{Valor de mercado dos ativos} = \text{Duração dos passivos} \times \text{Valor de mercado dos passivos} \quad (25.6)$$

Ela afirma que o banco não deve fazer com que a duração dos passivos e a duração dos ativos sejam *iguais*. Em vez disso, por meio da Equação 25.6, o banco deve casar a duração dos passivos com a duração dos ativos. A consultora sugere duas formas de estabelecer esse casamento.

1. *Aumentar a duração dos passivos sem alterar a duração dos ativos.* A Sra. Hermes argumenta que a duração dos passivos poderia ser aumentada para:

$$\text{Duração dos ativos} \times \frac{\text{Valor de mercado dos ativos}}{\text{Valor de mercado dos passivos}} = 2{,}56 \text{ anos} \times \frac{\$ 1 \text{ bilhão}}{\$ 900 \text{ milhões}}$$
$$= 2{,}84 \text{ anos}$$

   Assim, a Equação 25.6 passa a ser:

$$2{,}56 \times \$ 1 \text{ bilhão} = 2{,}84 \times \$ 900 \text{ milhões}$$

2. *Diminuir a duração dos ativos sem alterar a duração dos passivos.* Como alternativa, a Sra. Hermes afirma que a duração dos ativos poderia ser diminuída para:

$$\text{Duração dos passivos} \times \frac{\text{Valor de mercado dos passivos}}{\text{Valor de mercado dos ativos}} = 2{,}56 \text{ anos} \times \frac{\$ 900 \text{ milhões}}{\$ 1 \text{ bilhão}}$$
$$= 2{,}30 \text{ anos}$$

   Assim, a Equação 25.6 passa a ser:

$$2{,}30 \times \$ 1 \text{ bilhão} = 2{,}56 \times \$ 900 \text{ milhões}$$

Embora concordemos com a análise da Sra. Hermes, o descasamento atual do banco era pequeno. No mundo real, já ocorreram enormes descasamentos de valores em instituições financeiras, especialmente envolvendo associações de poupança e empréstimos. As associações de poupança e empréstimos frequentemente investiam grandes parcelas de seus ativos em hipotecas. As durações dessas hipotecas certamente eram de mais de dez anos. Grande parte dos fundos disponíveis para empréstimos de hipotecas era financiada por créditos de curto prazo, principalmente das contas de poupança. Como já mencionamos, a duração desses instrumentos é relativamente pequena. Uma instituição financeira de poupança nessa situação enfrenta grande risco de taxa de juros, pois qualquer aumento nas taxas de juros reduziria em grande escala o valor das hipotecas no ativo. Como um aumento nas taxas de juros reduziria muito pouco o valor dos passivos, o patrimônio da empresa sofreria uma queda.[18] Nos EUA, com os aumentos das taxas de juros na maior parte das décadas de 1960 e 1970, muitas associações

---

[18] No Brasil, esse descasamento também pode ocorrer com a Caderneta de Poupança e os financiamentos habitacionais. Não ocorrem descasamentos de taxas, porque as taxas cobradas nos financiamentos são pós-fixadas. Entretanto, há, sem dúvida, um descasamento de prazos entre captação e aplicação de recursos.

de poupanças e empréstimos viram o valor de mercado de seu patrimônio se aproximar de zero.[19]

A duração e as estratégias de imunização com base nela podem ser aplicadas a outras áreas de Finanças. Por exemplo, muitas empresas montam fundos de pensão para cumprir com as obrigações para com seus aposentados. Se os ativos de um fundo de pensão forem investidos em títulos do Tesouro e outros títulos de renda fixa, a duração dos ativos pode ser calculada. Da mesma forma, a empresa vê as obrigações de aposentadorias como algo análogo aos pagamentos de juros de uma dívida. A duração desses passivos também pode ser calculada. O gestor de um fundo de pensão normalmente escolheria ativos para o fundo de pensão de modo que a duração dos ativos fosse casada com a duração dos passivos. Assim, as mudanças nas taxas de juros não afetariam o valor líquido do fundo de pensão.

As companhias de seguro de vida recebem prêmios hoje e são legalmente obrigadas a fornecer benefícios por morte no futuro. Os atuários consideram esses benefícios futuros análogos aos pagamentos de juros e principal de títulos de renda fixa. A duração desses benefícios esperados pode ser calculada. As companhias de seguros normalmente investem em títulos de dívida cujas durações são casadas com duração dos benefícios futuros por morte.

O negócio de uma empresa de arrendamento mercantil é relativamente simples. A empresa emite dívidas para comprar ativos, que são arrendados. Os pagamentos dos arrendamentos apresentam uma duração, assim como a dívida. As empresas de arrendamento mercantil frequentemente estruturam o financiamento de dívida de modo que a duração da dívida seja casada com a duração do arrendamento mercantil. Se a empresa não utilizasse essa estratégia, o valor de mercado de seu patrimônio poderia ser eliminado por uma rápida mudança nas taxas de juros.

25.7 Contratos de *swap*

Swaps são parentes próximos dos contratos a termo e contratos de futuros. Eles são acordos entre duas contrapartes para trocar fluxos de caixa ao longo do tempo. Há uma enorme flexibilidade quanto às formas que os *swaps* podem assumir, mas os três tipos básicos são *swaps de taxa de juros*, *swaps de moedas* e *swaps de crédito* (também mais conhecido pelo nome em inglês, *Credit Default Swap*, ou CDS). Muitas vezes, esses tipos são combinados quando os juros recebidos em uma moeda são trocados ("*swapados*") por juros em outra moeda.

Swaps de taxa de juros

Assim como no caso de outros derivativos, os *swaps* são ferramentas que as empresas podem usar para alterar facilmente suas exposições ao risco e seus balanços patrimoniais.[20]

Consideremos uma empresa que captou recursos pela emissão de títulos de dívida e registra na sua contabilidade a obrigação de pagar a dívida em 10 anos com principal de $ 100 milhões e taxa de cupom de 9% paga anualmente. Sem considerar a possibilidade de recomprar antecipadamente os títulos de dívida emitidos, a empresa espera pagar cupons de $ 9 milhões todos os anos por 10 anos e realizar um pagamento balão de $ 100 milhões ao final dos 10 anos. Suponhamos que a empresa esteja preocupada com essa grande obrigação fixa em seus livros. Talvez a empresa esteja em um negócio cíclico, em que as suas receitas variam

---

[19] Na verdade, o valor de mercado do patrimônio poderia facilmente ser negativo no exemplo. No entanto, as associações de poupanças e empréstimos do mundo real apresentam um ativo que não está incluso em nosso balanço patrimonial ao valor de mercado: a capacidade de gerar empréstimos novos e lucrativos. Esse fator deve aumentar o valor de mercado de uma instituição financeira de poupança para um valor acima de seus empréstimos ativos menos sua dívida existente.

[20] De acordo com as normas de contabilidade internacional adotadas no Brasil (IFRS), a forma como os derivativos aparecem nos relatórios financeiros pode ser específica ao tipo e às obrigações e aos direitos decorrentes do derivativo. Ver os pronunciamentos do Comitê de Pronunciamentos Contábeis CPC 38 – Instrumentos Financeiros: Reconhecimento e Mensuração (Comitê de Pronunciamentos Contábeis, 2009a), CPC 39 – Instrumentos Financeiros: Apresentação (Comitê de Pronunciamentos Contábeis, 2009b) e CPC 40 (R1) – Instrumentos Financeiros: Evidenciação (Comitê de Pronunciamentos Contábeis, 2012).

e poderiam possivelmente cair a um ponto em que seria difícil cumprir com os pagamentos da dívida.

Além disso, suponhamos que a empresa receba grande parte de sua receita com o financiamento das compras de seus produtos. Por exemplo, um fabricante pode ajudar seus clientes a financiarem a compra de seus produtos por meio de uma subsidiária de arrendamento mercantil ou uma subsidiária financeira. Geralmente, os financiamentos de compras são feitos por prazos curtos e embutem algum prêmio sobre a taxa de juros de curto prazo vigente. Isso faz com que a empresa tenha receitas que aumentam e diminuem acompanhando as taxas de juros, enquanto seus custos de captação permanecem relativamente fixos.

O que realmente preferiria a empresa seria ter uma dívida com taxa flutuante em vez de uma dívida com taxa fixa. Assim, se as taxas de juros aumentassem, a empresa teria que pagar um valor maior pela dívida, mas lucraria mais pelo financiamento de seus produtos. Um *swap* de taxa de juros é ideal nessa situação.

É evidente que a empresa também poderia simplesmente recorrer aos mercados de capital para tomar emprestado $ 100 milhões a uma taxa de juros variável e usar o produto desse empréstimo para liquidar o empréstimo tomado à taxa fixa. Embora isso seja possível, em geral essa opção é cara, sendo necessária a contratação de uma nova captação e a recompra da dívida existente. A facilidade de entrar em um *swap* é a vantagem inerente do *swap*.

Esse *swap* em particular seria um que trocasse a obrigação fixa por um contrato para pagar uma taxa flutuante. A cada ano, a empresa concordaria em pagar um cupom com base na taxa de juros vigente no momento em troca da concordância de uma contraparte em pagar o cupom fixo devido pela empresa.

A referência comum para contratos com taxa flutuante é a chamada LIBOR. A taxa do mercado interbancário de Londres (*London Interbank Offered Rate* – LIBOR) é a taxa que a maioria dos bancos internacionais cobra de outros bancos por empréstimos denominados em dólar no mercado de Londres. A LIBOR é normalmente usada como a taxa de referência para um contrato com taxa flutuante e, dependendo da avaliação de crédito do devedor, a taxa pode variar de LIBOR a LIBOR mais um ponto ou mais sobre a LIBOR.

Se considerarmos que a nossa empresa tem uma classificação de crédito que requer pagar a LIBOR mais 50 pontos base, então, com o *swap*, ela trocaria a obrigação fixa de 9% pela obrigação de pagar a LIBOR vigente no momento mais 50 pontos base. O Quadro 25.8 apresenta como seriam os fluxos de caixa desse *swap*. No quadro, partimos do pressuposto de que a LIBOR inicia em 8%, sobe por três anos para 11% e depois cai para 7%. Como mostra o quadro, a empresa deveria pagar um cupom de 8,5% × $ 100 milhões = $ 8,5 milhões no Ano 1, $ 9,5 milhões no Ano 2, $ 10,5 milhões no Ano 3 e $ 11,5 milhões no Ano 4. A queda acentuada para 7% baixa os pagamentos anuais para $ 7,5 milhões depois disso. Em troca, a empresa recebe o pagamento fixo de $ 9 milhões todos os anos.

Na verdade, em vez de pagamentos integrais do *swap*, os fluxos de caixa seriam liquidados por diferenças. Como a empresa está pagando um valor variável e recebendo um valor fixo – que usa para pagar o credor –, no primeiro ano, por exemplo, a empresa deve $ 8,5 milhões, e sua contraparte, que paga um valor fixo, deve a ela $ 9 milhões. Assim, a empresa receberia um pagamento líquido de $ 0,5 milhão. Como a empresa deve pagar a seu credor $ 9 milhões, mas

QUADRO 25.8 *Swap* para transformar uma obrigação fixa em flutuante: fluxos de caixa (em milhões de $)

	Cupons									
Ano	1	2	3	4	5	6	7	8	9	10
A. Swap										
Obrigação fixa	9	9	9	9	9	9	9	9	9	9
LIBOR, flutuante	−8,5	−9,5	−10,5	−11,5	−7,5	−7,5	−7,5	−7,5	−7,5	−7,5
B. Empréstimo original										
Obrigação fixa	−9	−9	−9	−9	−9	−9	−9	−9	−9	−109
Efeito líquido	−8,5	−9,5	10,5	11,5	7,5	7,5	7,5	7,5	7,5	−107,5

recebe um pagamento líquido do *swap* de $ 0,5 milhão, ela tem uma saída de caixa efetiva apenas da diferença, $ 8,5 milhões. A cada ano, a empresa efetivamente pagaria apenas a LIBOR mais 50 pontos base.

Além disso, observe que toda a operação pode ser realizada sem qualquer alteração nos termos da obrigação original. De fato, por meio do *swap*, a empresa encontrou uma contraparte que está disposta a pagar sua obrigação com taxa fixa em troca de a empresa pagar uma obrigação com taxa flutuante.

Swaps de moedas

Os *swaps* de moeda também são chamados de *swaps* de taxas de câmbio e *swaps* cambiais no Brasil (*currency swaps* ou *FX swaps*, no mercado internacional). Esses *swaps* são trocas de obrigações de pagar fluxos de caixa em uma moeda por obrigações de pagar fluxos de caixa em outra moeda.

Os *swaps* de moedas aparecem como um meio natural para fazer *hedge* do risco de comércio internacional. Por exemplo, vamos supor que uma empresa brasileira venda uma grande quantidade de sua linha de produtos no mercado alemão. Com isso, todos os anos, a empresa pode esperar ter receitas da Alemanha em euros. Mais adiante neste livro, estudaremos a área de finanças internacionais; no momento, podemos apenas observar que, como as taxas de câmbio flutuam, a empresa estará sujeita a um risco considerável.

Se a empresa produz seus produtos no Brasil e os exporta para a Alemanha, ela deve pagar seus funcionários e fornecedores em reais. Porém, ela recebe parte de sua receita em euros. A taxa de câmbio entre real e euro sofre alterações ao longo do tempo. Quando ocorre uma apreciação do euro, as receitas alemãs valem mais reais, mas, quando ocorre uma depreciação do euro, elas valem menos reais. Suponhamos que a empresa possa esperar vender 100 milhões de euros em produtos a cada ano na Alemanha. Se a taxa de câmbio for de 3,50 reais por euro, a empresa recebe 350 milhões de reais. Porém, se a taxa de câmbio cair para 3 reais por euro, a empresa receberia apenas 300 milhões de reais por seus 100 milhões de euros. Naturalmente, a empresa gostaria de se proteger contra essas oscilações das moedas.

Para isso, ela pode fazer um *swap* de moedas. Mais adiante, veremos quais poderiam ser os termos exatos de um *swap* de moedas. Por enquanto, podemos presumir que o *swap* seja de cinco anos a um termo fixo de 100 milhões de euros por 350 milhões de reais por ano. Assim, independentemente do que acontecer com a taxa de câmbio entre euros e reais nos próximos cinco anos, enquanto a empresa gerar 100 milhões de euros por ano com a venda de seus produtos, ela trocará esse valor por 350 milhões de reais a cada ano.

Swaps de crédito (CDS)

Um *swap* de crédito[21] (CDS, *Credit Default Swap*), assemelha-se a um seguro contra uma perda por inadimplência no pagamento de um título de dívida. Assim como no caso de outros *swaps*, uma pessoa envolvida em um CDS é chamada de contraparte. Sempre há duas contrapartes em um CDS. Normalmente, em um CDS, a Contraparte 1 efetua pagamentos periódicos à Contraparte 2. Em troca, a Contraparte 2 concorda em pagar o valor de face de um título de dívida de uma determinada emissão se ocorrer inadimplência. A Contraparte 1 é chamada de *comprador de proteção*, enquanto a Contraparte 2 é chamada de *vendedor de proteção*. O pagamento periódico é conhecido como *spread* do CDS.

Por exemplo, suponhamos que a Companhia Mizuno deseje tomar emprestado $ 200 milhões do Banco do Pacífico e esteja disposta a pagar um *spread* de 50 pontos base (*bps*)[22] sobre a LIBOR. O Banco do Pacífico está interessado na operação, mas não pode justificar um empréstimo tão grande a uma só empresa e os riscos de crédito que o acompanham. Entretanto,

---

[21] O nome *swap* de crédito é amplamente utilizado no Brasil. Talvez o nome mais adequado devesse ser "*swap* do risco de inadimplência".

[22] *bps* = *basis points*. Um ponto base equivale a 1/100 de 1%, ou, de outra forma, 100 pontos base equivalem a 1%, portanto aqui se trata de uma variação de 0,50% na taxa LIBOR.

o Banco do Pacífico poderia comprar proteção ao custo de um *spread* de 40 *bps* do CDS e contratar o empréstimo. A Companhia Continental de Seguros seria a contraparte do Banco do Pacífico. Com isso, caso a Companhia Mizuno se torne inadimplente, a Continental pagará o valor de face da obrigação. Em troca, a Continental receberá $ 800.000 por ano (40 *bps* × $ 200 milhões) por um prazo específico de, digamos, 5 anos.

Nesse simples exemplo, os termos do CDS são claros e precisos. Na prática, não há uma bolsa de valores ou um modelo organizado. Cada contraparte tentará negociar para chegar ao melhor acordo possível.

Precificação de *swaps* Ainda não abordamos a questão de como o mercado estabelece os preços de *swaps* – sejam *swaps* de taxa de juros, *swaps* de crédito ou *swaps* de moeda. No exemplo que passou taxas fixas para taxas flutuantes e no *swap* de moedas, apenas mencionamos alguns aspectos. Não vamos entrar em detalhes sobre como a precificação é feita, mas podemos destacar os pontos mais importantes.

Os *swaps*, como as operações a termo e de futuros, são essencialmente operações de soma zero, o que significa que, em ambos os casos, o mercado estabelece os preços em um nível justo para que nenhuma parte obtenha uma vantagem ou perda significativa no momento em que o acordo é firmado. Por exemplo, no *swap* de moedas, a taxa de *swap* é uma média da expectativa do mercado de qual será a taxa de câmbio ao longo da vida do *swap*. No *swap* de taxa de juros, as taxas são determinadas como a taxa flutuante e a taxa fixa justas para o credor, levando em consideração a avaliação de crédito das contrapartes. Na verdade, podemos precificar os *swaps* de modo justo após sabermos como precificar contratos a termo. Em nosso exemplo do *swap* de taxa de juros, a empresa trocou a LIBOR mais 50 *bps* por uma taxa fixa de 9% sobre um principal de $ 100 milhões. Isso equivale a uma série de contratos a termo que se estendem ao longo da vida do *swap*. No Ano 1, por exemplo, tendo feito o *swap*, a empresa estará na mesma posição que estaria se tivesse vendido um contrato a termo que permitisse ao comprador receber LIBOR mais 50 *bps* sobre $ 100 milhões em troca de um pagamento fixo de $ 9 milhões (9% de $ 100 milhões). Da mesma forma, o *swap* de moedas também pode ser visto como uma série de contratos a termo. Em um *swap* de crédito, a taxa de *swap* é uma expectativa do mercado da taxa de inadimplência para um título de dívida específico e em um determinado período de tempo.

Derivativos exóticos

Até o momento, tratamos dos elementos básicos dos mercados de derivativos: *swaps*, opções, contratos a termo e contratos de futuros. Os **derivativos exóticos** são as complicadas combinações desses elementos cujos resultados, muitas vezes, surpreendem os compradores.

Um dos tipos mais interessantes de derivativos exóticos é o chamado *inverse floater*.[23] Em nosso exemplo de *swap* que permitiu que uma obrigação fixa se tornasse flutuante, os pagamentos flutuantes variavam com a LIBOR. Um título de dívida com taxa flutuante inversa flutua de maneira inversa à flutuação de uma taxa como a LIBOR. Por exemplo, o título com taxa variável pode pagar uma taxa de juros de 20% menos a LIBOR. Se a LIBOR for de 9%, então, o título com taxa variável inversa paga 11%, e, se a LIBOR subir para 12%, os pagamentos com taxa inversa cairiam para 8%. É evidente que o comprador de um título de dívida com taxa flutuante inversa lucra com a inversão se a taxa de juros cair.

Tanto os títulos de dívida com taxa flutuante quanto os títulos de dívida com taxa flutuante inversa apresentam versões mais "turbinadas", os *superfloaters* e os *superinversers*, que flutuam mais do que 1 ponto para uma flutuação de 1 ponto na taxa de juros. Como exemplo de um título de dívida com taxa flutuante inversa potencializado, considere um título de dívida com taxa flutuante que pague taxa de juros de 30% menos o *dobro* da LIBOR. Quando a LIBOR for de 10%, o título com taxa inversa paga:

---

[23] Título de dívida com taxa flutuante que varia de forma inversa à variação de uma taxa de referência.

$$30\% - 2 \times 10\% = 30\% - 20\% = 10\%$$

Se a LIBOR cair em 3%, para 7%, o retorno da taxa inversa sobe em 6%, de 10 para 16%:

$$30\% - 2 \times 7\% = 30\% - 14\% = 16\%$$

Há casos em que os derivativos são combinados com opções para limitar o impacto das taxas de juros. Os instrumentos mais importantes desse tipo são chamados *caps* e *floors*. Um *cap* estabelece um limite máximo, um teto, no impacto de um aumento nas taxas de juros. Um *floor*, por outro lado, estabelece um limite mínimo, um piso, abaixo do qual a taxa de juros não tem mais impacto.

Para exemplificar o efeito desses instrumentos, consideremos uma empresa que tomou um empréstimo de curto prazo e que está preocupada com a possibilidade de as taxas de juros subirem. Por isso, se usar a LIBOR como taxa de juros de referência, a empresa pode comprar um *cap* de 7%. O *cap* paga a diferença à empresa entre a LIBOR e 7% de um principal caso a LIBOR ultrapasse os 7%. Enquanto a LIBOR estiver abaixo de 7%, o titular do *cap* não recebe pagamentos.

Com a compra do *cap*, a empresa tem a garantia de que, se as taxas de juros ultrapassarem o valor de 7%, ela não terá que pagar uma taxa acima de 7%. Suponhamos que as taxas de juros subam para 9%. Enquanto a empresa estiver envolvida com o empréstimo de curto prazo e pagando taxas de 9%, esse valor é compensado pelo *cap*, que pagará a diferença entre 9% e o limite de 7% à empresa. Para qualquer LIBOR acima de 7%, a empresa recebe a diferença entre a LIBOR e 7%, e, como consequência, o custo do seu empréstimo fica limitado a um máximo de 7%.

Por outro lado, consideremos uma financeira que concede empréstimos de curto prazo e que está preocupada com a possibilidade de queda das taxas de juros e, consequentemente, de queda de suas receitas. A empresa poderia comprar um *floor* para se proteger contra essas quedas. Se o limite desse *floor* é de 7%, então o instrumento pagará a diferença entre 7% e a LIBOR sempre que a LIBOR estiver abaixo de 7% e não fará pagamento algum se a LIBOR estiver acima dessa porcentagem. Assim, se as taxas de juros caírem para 5%, por exemplo, enquanto a empresa estiver recebendo apenas 5% de suas atividades de empréstimo, o *floor* estará pagando a diferença entre 7 e 5%, ou um adicional de 2%. Com a compra do *floor*, a empresa tem a garantia de que não receberá menos de 7% da combinação entre o *floor* e suas atividades de concessão de empréstimos.

Abordamos apenas uma pequena parte das alternativas disponíveis no setor de derivativos (nos EUA). Os derivativos são elaborados para atender às necessidades do mercado, e o único limite aplicável é a imaginação humana. Não há uma área em que seja necessário levar mais a sério o princípio que prega que é do comprador o dever de prestar atenção no que compra[24] do que a área dos mercados de derivativos, principalmente no caso dos derivativos exóticos. Se os *swaps* são os elementos básicos dos mercados de derivativos, os *caps* e *floors* são os elementos básicos dos derivativos exóticos. Como vimos, eles possuem um valor evidente como instrumentos de *hedge*. Porém, os derivativos realmente exóticos têm sido foco de muita atenção, atenção essa mais pelos resíduos indesejados deixados do que pelos tipos de acordos em si mesmos. Não analisaremos isso detalhadamente. Basta dizer que alguns desses derivativos são tão voláteis e imprevisíveis, que alguns participantes de mercado os apelidaram de "lixo tóxico".

---

[24] O aviso em latim *caveat emptor* é, às vezes, mencionado para indicar isso, avisando que o risco é do comprador e que isso faz parte do "pacote" negociado.

QUADRO 25.9 Uso de derivativos: resultados de pesquisa nos EUA

Porcentagem das empresas que usam derivativos	
2010	71%
2009	79

Para quais classes de ativos você usa derivativos?		
	2010	2009
Taxas de juros	65%	68%
Câmbio	62	58
Crédito	13	13
Energia	19	13
Commodities	23	22
Ações	13	9

Você tem expectativa de mudança no seu uso de derivativos?				
	2010		2009	
	Aumento	Redução	Aumento	Redução
Taxas de juros	19%	15%	13%	20%
Câmbio	20	8	31	6
Crédito	4	4	2	13
Energia	11	7	5	9
Commodities	16	6	12	10
Ações	6	7	7	6

Você usa uma estratégia de gestão integrada de riscos ou faz hedge de transações ou de exposições específicas a moedas?		
	2010	2009
Hedge do risco total	31,8%	21,1%
Hedge de transações	34,1	47,4
Hedge de exposições a moedas específicas	34,1	31,6

Fonte: Adaptado de *Treasury & Risk Management* (março de 2010 e março de 2011).

25.8 Uso de derivativos na prática

Como os derivativos em geral não aparecem nas demonstrações contábeis na mesma forma que os outros ativos ou passivos,[25] é muito mais difícil observar o uso de derivativos por empresas do que o seu uso de dívidas bancárias, por exemplo. Muito do nosso conhecimento sobre o uso de derivativos nas empresas provém de pesquisas acadêmicas. A maioria das pesquisas relata que o uso de derivativos parece variar de forma ampla entre grandes empresas de capital aberto. As empresas maiores têm uma probabilidade muito maior de uso de derivativos do que as empresas menores. O Quadro 25.9 mostra que, para as empresas que usam derivativos, os derivativos de moeda estrangeira e taxa de juros são os mais frequentes.

A visão predominante é que os derivativos podem ser muito úteis para reduzir a variabilidade dos fluxos de caixa das empresas, o que, em troca, reduz os diversos custos associados a dificuldades financeiras. Contudo, é algo intrigante o fato de empresas maiores usarem derivativos com mais frequência do que empresas menores, tendo em vista que as primeiras tendem a apresentar menor variabilidade de fluxos de caixa que as últimas. Além disso, algumas pesquisas relatam que as empresas ocasionalmente usam derivativos para especular sobre os preços futuros, e não apenas para fazer *hedge* de riscos.

---

[25] No Brasil, a CVM emitiu instruções específicas para a apresentação de informações sobre instrumentos financeiros derivativos em nota explicativa às demonstrações financeiras. Ver Capítulo 26, seção 26.13.

No entanto, a maioria das evidências é coerente com a teoria de que os derivativos são usados com mais frequência por empresas para as quais possíveis custos com dificuldades financeiras são altos e o acesso aos mercados de capitais é restrito.

Resumo e conclusões

1. As empresas utilizam o *hedge* para reduzir o risco. Este capítulo apresentou diversas estratégias de *hedge*.

2. Um contrato a termo é um acordo entre duas partes para a venda de um item mediante pagamento em dinheiro em uma data futura. O preço é estabelecido no momento da assinatura do contrato. No entanto, o dinheiro troca de mãos entre as partes apenas na data da entrega do item. Os contratos a termo, em geral, não são negociados em bolsas de valores organizadas.

3. Os contratos de futuros também são acordos para entrega futura. Eles apresentam certas vantagens, como a liquidez, que os contratos a termo não têm. Uma característica incomum dos contratos de futuros é a convenção de marcação a mercado. Se o preço de um contrato de futuros vier a cair em determinado dia, todos os compradores do contrato devem pagar um valor em dinheiro à câmara de compensação. Nesse caso, cada vendedor do contrato recebe dinheiro da câmara de compensação. Se o preço subir, a situação se inverte. A convenção de marcação a mercado evita que ocorra inadimplência nos contratos de futuros.

4. Separamos os *hedges* em dois tipos: os *hedges* de venda e os *hedges* de compra. Uma pessoa física ou empresa que vende um contrato de futuros para reduzir o risco está instituindo um *hedge* de venda. Os *hedges* de venda, em geral, são adequados para pessoas ou empresas que mantém estoques de produtos. Uma pessoa física ou empresa que compra um contrato de futuros para reduzir o risco está instituindo um *hedge* de compra. Os *hedges* de compra, em geral, são usados por empresas que têm contratos de venda de bens a preços fixos.

5. Um contrato de futuros de taxa de juros utiliza um título de dívida como o instrumento de entrega física. Em razão de sua popularidade, trabalhamos com contratos de futuros de título do Tesouro dos EUA. Mostramos que os contratos de futuros de título do Tesouro dos EUA podem ser precificados com o mesmo tipo de análise de valor presente líquido usado para precificar os próprios títulos do Tesouro dos EUA.

6. Muitas empresas estão sujeitas ao risco de taxa de juros. Elas podem reduzir esse risco fazendo *hedge* com contratos de futuros de taxa de juros. Assim como no caso de outras *commodities*, um *hedge* de venda envolve a venda de um contrato de futuros. As empresas dedicadas à compra de títulos hipotecários ou de outros títulos de dívida tendem a instituir *hedges* de venda. Um *hedge* de compra envolve a compra de um contrato de futuros. As empresas que vendem títulos hipotecários ou outros títulos de dívida a um preço fixo tendem a instituir *hedges* de compra.

7. A *duração* mede o vencimento médio de todos os fluxos de caixa de um título de dívida. Os títulos com alta duração apresentam uma alta variabilidade de preço. As empresas, muitas vezes, tentam fazer o casamento da duração de seus ativos com a duração de seus passivos.

8. Os *swaps* são acordos para trocar fluxos de caixa dentro de certo prazo. O primeiro grande tipo é o *swap* de taxa de juros, em que um padrão de pagamentos de cupom, como pagamentos fixos, é trocado por outro, como cupons que acompanham a variação da LIBOR. O segundo grande tipo é o *swap* de moedas, em que um acordo é firmado para trocar pagamentos denominados em uma moeda por pagamentos denominados em outra moeda dentro de certo prazo.

QUESTÕES CONCEITUAIS

1. **Estratégias de *hedge*** Se uma empresa estiver negociando contratos de futuros sobre madeira como uma estratégia de *hedge*, o que é certo quanto à exposição da empresa aos preços da madeira?

2. **Estratégias de** *hedge* Se uma empresa estiver comprando opções de compra de futuros de carne suína como uma estratégia de *hedge*, o que é certo quanto à exposição da empresa aos preços da carne suína?

3. **Contratos a termo e contratos de futuros** Qual é a diferença entre um contrato a termo e um contrato de futuros? Por que você acha que os contratos de futuros são muito mais comuns? Há alguma situação em que você preferiria usar contratos a termo em vez de contratos de futuros? Explique.

4. *Hedge* **de** *commodities* A Borbulhas de Óleo S/A, uma grande produtora de petróleo, gostaria de fazer *hedge* contra as movimentações adversas no preço do petróleo, visto que ele é a principal fonte de receita da empresa. O que a empresa deve fazer? Cite ao menos dois motivos para o fato de que provavelmente não será possível atingir um perfil de risco completamente neutro em relação aos preços do petróleo.

5. **Fontes de risco** Uma empresa produz um produto que consome muita energia e usa gás natural como sua fonte energética. A concorrência, por sua vez, usa principalmente petróleo. Explique o porquê de essa empresa estar exposta às flutuações dos preços tanto do petróleo quanto do gás natural.

6. *Hedge* **de** *commodities* Se uma fabricante de produtos têxteis desejasse fazer *hedge* contra as movimentações adversas no preço do algodão, ela poderia comprar contratos de futuros sobre algodão ou opções de compra de contratos de futuros sobre algodão. Quais seriam os prós e os contras das duas abordagens?

7. **Opção** Explique o motivo de uma opção de venda de um título de dívida ser conceitualmente o mesmo que uma opção de compra sobre taxas de juros.

8. *Hedge* **de taxas de juros** Uma empresa tem uma grande emissão de títulos de dívida com vencimento em um ano. Quando o vencimento chegar, a empresa fará uma nova emissão. As taxas de juros atuais são atraentes, e a empresa está preocupada com a possibilidade de elevação das taxas no próximo ano. Nesse caso, quais são algumas das estratégias de *hedge* que a empresa poderá colocar em prática?

9. *Swaps* Explique o porquê de um *swap* ser efetivamente um conjunto de contratos a termo. Suponha que uma empresa entre em um acordo de *swap* com um operador de *swaps*. Descreva a natureza do risco de inadimplência que as duas partes enfrentam.

10. *Swaps* Suponha que uma empresa entre em um *swap* de taxa de juros fixa para flutuante com um operador de *swaps*. Descreva os fluxos de caixa que acontecerão como resultado do *swap*.

11. **Exposição a operações** *versus* **exposição econômica** Qual é a diferença entre a exposição em transações e a exposição econômica? Qual delas pode ser protegida por *hedge* com maior facilidade? Por quê?

12. *Hedge* **do risco da taxa de câmbio** Se uma empresa brasileira exporta seus produtos ao Japão, como ela usaria um contrato de futuros sobre o iene japonês para fazer *hedge* de seu risco da taxa de câmbio? Ela compraria ou venderia futuros de iene? A maneira como a taxa de câmbio é cotada no contrato de futuros faz diferença?

13. **Estratégias de** *hedge* Descreva uma estratégia de *hedge* com contratos de futuros que possa ser levada em consideração para as situações a seguir:

    a. Uma concessionária de energia térmica que está preocupada com seus custos, que estão cada vez mais altos.

    b. Uma fábrica de doces que está preocupada com seus custos, que estão cada vez mais altos.

    c. Um fazendeiro produtor de milho que teme que a colheita deste ano seja mais alta do que nunca em todo o país.

    d. Uma fábrica de filmes fotográficos que está preocupada com seus custos, que estão cada vez mais altos.

e. Uma produtora de gás natural que acredita que haverá excesso de oferta no mercado este ano.

f. Um banco cujas receitas provêm totalmente de empréstimos hipotecários residenciais de longo prazo com taxa fixa.

g. Um fundo de ações que investe em ações de primeira linha e que está preocupado com uma queda no mercado de ações.

h. Uma importadora brasileira que compra facas militares suíças e que pagará seu pedido em seis meses em francos suíços.

i. Uma exportadora do ramo de equipamentos de construção que assinou contrato de venda de alguns guindastes a uma construtora alemã e que usa grande parte de componentes importados, pagos em dólares. A empresa receberá o pagamento em euros em três meses.

14. *Swaps* Em maio de 2004, a Sysco Corporation, distribuidora de alimentos e produtos relacionados a alimentação (que não deve ser confundida com a Cisco Systems), anunciou que havia contratado um *swap* de taxa de juros. O *swap* de taxa de juros efetivamente converteu a taxa de juros de uma dívida de $ 100 milhões da empresa com taxa de juros de 4,6% por um pagamento com taxa variável, que seria a LIBOR de seis meses menos 0,52%. Por que a Sysco fez uso de um contrato de *swap*? Em outras palavras, por que a Sysco simplesmente não emitiu títulos de dívida com taxa flutuante, visto que o efeito líquido de emitir títulos com taxa fixa e depois fazer um *swap* seria criar um título de dívida com taxa de juros variável?

15. **Estratégias de *hedge*** William Santiago está interessado em entrar no negócio de importação/exportação. Durante uma visita recente a seus consultores financeiros, ele disse: "Se fizermos tudo corretamente, é o negócio mais seguro que existe. Fazendo *hedge* de todas as nossas operações no mercado de futuros de câmbio, podemos eliminar todo o risco". Você concorda com a avaliação do Sr. Santiago sobre fazer *hedge*? Por quê?

16. **Estratégias de *hedge*** Heitor Campos é estudante e está planejando passar um ano nos EUA. Seu planejamento é chegar aos EUA em oito meses. Ele está preocupado com a desvalorização do real em relação ao dólar nos próximos oito meses. Ele quer ter uma posição em futuros de câmbio para fazer *hedge* desse risco. Qual deve ser a posição de *hedge* de Heitor? Considere que a taxa de câmbio entre real e dólar dos EUA seja cotada como real/dólar.

QUESTÕES E PROBLEMAS

1. **Cotações de futuros** Consulte o Quadro 25.2 para responder a esta pergunta. Suponha que você compre um contrato de futuros de cacau para março de 2012, no dia 22 de novembro de 2011, pelo preço de fechamento do dia. Qual será seu lucro ou perda se os preços do cacau passarem a ser $ 2.431 por tonelada no vencimento?

   BÁSICO
   (Questões 1-8)

2. **Cotações de futuros** Consulte o Quadro 25.2 para responder a esta pergunta. Suponhamos que no dia 22 de novembro de 2011 você venda cinco contratos de futuros de prata para março de 2012 pelo preço de fechamento do dia. Qual será seu lucro ou perda se os preços da prata passarem a ser $ 31,39 por onça no vencimento? E se os preços da prata forem de $ 30,86 por onça no vencimento?

3. **Resultados de opções de venda e de compra** Suponha que um gestor financeiro compre opções de compra de 50 mil barris de petróleo com preço de exercício de $ 95 por barril. Simultaneamente, o gestor vende uma opção de venda de 50 mil barris de petróleo com o mesmo preço de exercício de $ 95 por barril. Considere os ganhos e perdas resultantes se os preços do petróleo forem de $ 90, $ 92, $ 95, $ 98 e $ 100. O que você pode observar sobre o perfil dos resultados?

4. **Marcação a mercado** Você tem 10 contratos de futuros de ouro, firmados com um preço inicial de $ 1.580 por onça, em que cada contrato representa 100 onças. Nos próximos

quatro dias de negócios, o ouro fecha o dia em $ 1.587, $ 1.582, $ 1.573 e $ 1.584, respectivamente. Calcule os fluxos de caixa ao final de cada dia de negócios e o lucro ou prejuízo total ao final do período de negócios.

5. **Marcação a mercado** Você faz a venda a descoberto de 25 contratos de futuros de gasolina, a um preço inicial de $ 2,46 por galão, em que cada contrato representa 42 mil galões. Nos próximos quatro dias de negócios, a gasolina fecha o dia em $ 2,42, $ 2,47, $ 2,50 e $ 2,56, respectivamente. Calcule os fluxos de caixa ao final de cada dia de negócios e o lucro ou prejuízo total ao final do período de negócios.

6. **Duração** Qual é a duração de um título de dívida com três anos até o vencimento e um cupom de 7% pago anualmente se o título de dívida estiver sendo negociado ao seu valor de face?

7. **Duração** Qual é a duração de um título de dívida com quatro anos até o vencimento e um cupom de 8% pago anualmente se o título de dívida estiver sendo negociado ao seu valor de face?

8. **Duração** O balanço patrimonial a valor de mercado a seguir é, supostamente, o balanço de um banco:

Ativos/Passivos	Valor de mercado (em milhões de $)	Duração (em anos)
Títulos públicos	$ 31	0
Contas a receber	590	0,20
Empréstimos de curto prazo	340	0,65
Empréstimos de longo prazo	98	5,25
Empréstimos hipotecários	485	12,85
Depósitos à vista	645	0
Certificados de depósito bancário	410	1,60
Financiamentos de longo prazo	336	9,80
Capital próprio	153	N/A

a. Qual é a duração dos ativos?

b. Qual é a duração dos passivos?

c. O banco está imune ao risco de taxa de juros?

INTERMEDIÁRIO (Questões 9-15)

9. **Hedge com futuros** Consulte o Quadro 25.2 para responder a esta pergunta. Para isso, considere: um *bushel* de milho = 25,40 kg.

Suponhamos que hoje seja o dia 22 de novembro de 2011 e que sua empresa, que produz cereal matinal, precisa de 60.000 sacas de 60 quilos de milho para março de 2012 em razão de uma promoção que está programada. Você gostaria de fixar seus custos hoje, pois está preocupado que os preços do milho possam subir até março.

a. Como você poderia usar contratos de futuros de milho para fazer *hedge* de sua exposição ao risco? Efetivamente, a qual preço você estaria fixando com base no preço de fechamento do dia?

b. Suponhamos que o preço do milho seja de $ 6,13 por *bushel* em março. Qual será o lucro ou perda de sua posição de futuros? Explique como sua posição de futuros eliminou sua exposição ao risco de preço no mercado do milho.

10. **Swaps de taxa de juros** As empresas ABC e XYZ precisam captar fundos para pagar melhorias de bens de capital em suas instalações de produção. A ABC é uma empresa bem estabelecida com uma classificação de crédito excelente no mercado de dívidas; ela pode captar recursos com taxa fixa de 11% ou com taxa flutuante de LIBOR + 1%. A XYZ é uma empresa nova, ainda em estágio inicial, sem um histórico de crédito forte. Ela pode tomar recursos à taxa fixa de 10% ou à taxa flutuante de LIBOR + 3%.

a. Há alguma opção para a ABC e a XYZ se beneficiarem por meio de um *swap* de taxa de juros?

b. Suponhamos que você tenha acabado de ser contratado por um banco como operador do mercado de *swaps* e seu chefe tenha mostrado-lhe as informações sobre as taxas de empréstimo para suas clientes, as empresas ABC e XYZ. Descreva como você poderia reunir essas duas empresas em um *swap* de taxa de juros que beneficiaria as duas empresas e geraria um lucro de 2% para o banco.

11. Duração Tiago e Alice Barboza têm um filho que entrará na faculdade em 10 anos. As despesas da instituição no valor de $ 30 mil deverão ser pagas no começo de cada ano dos quatro anos que o filho pretende passar na faculdade. Qual é a duração desse passivo para o casal se eles tiverem a possibilidade de tomar emprestado e emprestar à taxa de juros de mercado de 9%?

12. Duração Qual é a duração de um título de dívida com dois anos até o vencimento se esse título tiver um cupom de 7% pago semestralmente e a taxa de juros de mercado for de 5%?

13. Precificação de um contrato a termo O preço a termo (F) de um contrato sobre um ativo sem custos de carregamento e sem rendas provenientes da posse do ativo (*convenience yield*) é o preço à vista do ativo (S_0) multiplicado por 1 mais a taxa de juros apropriada entre o início do contrato e a data da entrega do ativo. Derive essa relação comparando os fluxos de caixa que resultam das duas estratégias a seguir:

Estratégia 1: Comprar prata no mercado à vista hoje e mantê-la por um ano. (*Dica*: Não use seu próprio dinheiro para comprar a prata.)

Estratégia 2: Manter uma posição longa de um contrato a termo de prata para entrega em um ano. Suponha que a prata seja um ativo sem custos de carregamento e sem rendas provenientes da posse da prata.

14. Precificação de um contrato a termo Você firma um contrato a termo para a compra de um título de dívida com cupom zero de 10 anos que será emitido em um ano. O valor de face do título de dívida é de $ 1.000, e as taxas de juros de 1 ano e 11 anos são 5 e 7%, respectivamente.

a. Qual é o preço a termo de seu contrato?

b. Suponha que as taxas de juros de 1 ano e 11 anos tenham sofrido uma queda inesperada de 2%. Qual é o novo preço do contrato a termo?

15. Precificação de um contrato a termo Hoje de manhã, você firmou um contrato para comprar, em seis meses, um título de um ano do Tesouro. O título tem um valor de face de $ 1.000. Use as taxas de juros à vista listadas a seguir para responder às perguntas:

Prazo	TEFa
6 meses	3,61%
12 meses	4,05
18 meses	4,73
24 meses	5,42

a. Qual é o preço a termo desse contrato?

b. Suponha que, logo após você ter comprado o contrato a termo, todas as taxas tenham subido 30 pontos base. Por exemplo, a taxa de seis meses aumentou de 3,61% para 3,91%. Qual é o preço de um contrato a termo idêntico ao seu, porém com essas alterações de taxa?

16. Engenharia financeira Suponha que opções de compra e contratos a termo sobre carvão estivessem disponíveis, mas que as opções de venda estivessem indisponíveis. Demonstre como um engenheiro financeiro poderia sintetizar uma opção de venda usando os contratos disponíveis. O que sua resposta indica sobre a relação geral entre opções de venda, opções de compra e contratos a termo?

DESAFIO (Questão 16)

MINICASO

Hipotecas Reis

Jessica Reis recentemente recebeu seu diploma de MBA e decidiu ingressar na área de títulos hipotecários. Em vez de trabalhar para outros, ela decidiu abrir a sua própria corretora. Um de seus primos, Gustavo, consultou-a sobre um possível empréstimo com hipoteca da casa que está construindo. A casa estará pronta em três meses, e ele precisará de um empréstimo mediante hipoteca nesse momento. Gustavo quer um empréstimo mediante hipoteca pelo prazo de 25 anos no valor de $ 500 mil com taxa fixa e prestações mensais.

Jessica concordou em emprestar o dinheiro a Gustavo em três meses com a taxa de mercado vigente de 5,50%. Como Jessica ainda está no começo da carreira, ela não tem o valor de $ 500 mil disponível para o empréstimo; assim, ela contatou Mario Tavares, presidente da MT Companhia de Seguros, para lhe oferecer seu crédito hipotecário para venda daqui a três meses. Mario concordou em comprar a hipoteca dentro de três meses, mas ele não está disposto a estabelecer um preço para a os direitos sobre a hipoteca. Em vez disso, ele concordou por escrito em comprá-los à taxa de mercado vigente no momento da compra (ou seja, em três meses). Há contratos de futuros de títulos do Tesouro disponíveis para entrega em três meses. Um contrato de títulos do Tesouro é para $ 100 mil de valor de face em títulos.

1. Qual é a prestação mensal da hipoteca de Gustavo?
2. Qual é o risco mais importante que Jessica corre nesse contrato?
3. Como Jessica pode fazer *hedge* desse risco?
4. Suponha que, nos próximos três meses, a taxa de juros de mercado aumente para 6,2%.
    a. Quanto Mario estará disposto a pagar pela hipoteca?
    b. O que acontecerá com o valor dos contratos de futuros de títulos do Tesouro? Qual posição terá aumento de valor, a longa ou a curta?
5. Suponha que, nos próximos três meses, a taxa de juros de mercado caia para 4,6%.
    a. Quanto Mario estará disposto a pagar pela hipoteca?
    b. O que acontecerá com o valor dos contratos de futuros de títulos do Tesouro? Qual posição terá aumento de valor, a longa ou a curta?
6. Há algum risco que Jessica possa correr ao usar contratos de futuros de títulos do Tesouro para fazer *hedge* de seu risco de taxa de juros?

Derivativos no Mercado Brasileiro 26

> Quem se volta para o ano de 2008 e revisita os casos da Aracruz e da Sadia talvez conclua que empresas não deveriam se envolver em contratos de derivativos. Essas duas companhias, agora extintas, tiveram prejuízos bilionários, com enorme destruição de patrimônio dos acionistas, construído ao longo de décadas. Segundo Silveira, 2009,[1] uma análise realizada cinco dias antes e dez dias depois da notícia dos problemas mostra que a Aracruz e a Sadia perderam 72% e 60% de seu valor, algo da ordem de R$ 6,9 bilhões e R$ 3,9 bilhões, respectivamente. Entretanto, como já alertamos no capítulo anterior, derivativos devem ser usados por empresas para fazer *hedge* de suas posições nos seus negócios definidos no seu estatuto social. Ambas as empresas foram destruídas porque parecem ter assumido posições especulativas; talvez buscassem resultados de tesouraria com derivativos em vez de utilizá-los como defesa de suas posições na operação. Elas ficaram expostas a grandes perdas com variações cambiais que acabaram assumindo direção contrária à de suas apostas. Posições especulativas dão vida ao mercado de derivativos, mas devem ser assumidas por empresas constituídas para operar e fazer resultados com esse tipo de operações, nunca por empresas que têm objeto social voltado para outros mercados em atividades da economia real, não em atividades financeiras.
>
> Neste capítulo, abordamos os contratos de derivativos disponíveis na BM&FBOVESPA.[2] Começamos com um breve histórico das bolsas no Brasil, em seguida apresentamos detalhes da operação do mercado de derivativos na bolsa e por fim exploramos os detalhes das principais operações de derivativos na BM&FBOVESPA.

26.1 Breve histórico das bolsas brasileiras

As origens dos mercados de derivativos no Brasil remontam ao início do século XX, quando da fundação, em 1917, da Bolsa de Mercadorias de São Paulo – BMSP. Eram negociados, junto com diversas *commodities* à vista, contratos a termo de produtos agropecuários, em particular algodão, café e boi gordo. No final dos anos 1970, foi criado o Sistema Nacional de Compensação de Negócios a Termo, no qual se registravam e se liquidavam as operações com derivativos. Ainda nos anos de 1970, as Bolsas de Valores de São Paulo, a BOVESPA, e do Rio de Janeiro, a BVRJ, iniciaram a negociação de contratos de opções sobre ações. Já a negociação de futuros começou, no Brasil, em 1984, na Bolsa Brasileira de Futuros (fundada pela BVRJ) e, em 1986, pela Bolsa Mercantil & de Futuros (fundada pela BOVESPA).

A fusão operacional com a BMSP, em 1991, e a incorporação da Bolsa Brasileira de Futuros, em 1997, consolidaram o papel da Bolsa de Mercadorias & Futuros, BM&F, como o principal centro de negociação de derivativos no Brasil.

---

[1] Ver Silveira, A.D.S. *Sete erros*: parte II: os equívocos cometidos pelas companhias que aproveitam o boom dos IPOs. Disponível em: <http://www.capitalaberto.com.br/temas/sete-erros-parte-ii/>.

[2] Este capítulo foi elaborado com base em materiais cedidos e com o suporte do Instituto Educacional BM&FBOVESPA (Acesse www.bmfbovespa.com.br/educacional). A concepção e o conteúdo finais são de responsabilidade do autor.

Inicialmente constituídas como associações civis sem fins lucrativos, a BOVESPA e a BM&F transformaram-se em sociedades anônimas em 2007, passando a denominar-se, respectivamente, Bovespa Holding S.A. (que incorporou também a *clearing* de ações, denominada Câmara Brasileira de Liquidação e Custódia – CBLC) e BM&F S.A. (da qual fazia parte sua *clearing* de derivativos). Conforme visto no Capítulo 9, em 2008, ambas as instituições se integraram, gerando a BM&FBOVESPA S.A. – Bolsa de Valores, Mercadorias e Futuros.

A atual bolsa possui mercados organizados para uma variada gama de produtos, nos quais se podem negociar ações, títulos privados e públicos, moedas e contratos derivativos sobre ações, *commodities* e outros ativos financeiros, como índices, taxas e moedas. Para a liquidação das operações realizadas nesses mercados e em outros mercados de balcão, a BM&FBOVESPA conta com suas *clearings*.

26.2 Funcionamento dos mercados de derivativos brasileiros

A BM&FBOVESPA tem dois mercados de atuação: o mercado de bolsa e o mercado de balcão.

Mercado de Bolsa é a denominação do conjunto de mercados administrados pela BM&FBOVESPA nos quais se realizam operações com contratos derivativos padronizados e liquidados pela contraparte central (a chamada *clearing*)[3].

Mercado de Balcão é a denominação do mercado de operações com contratos não padronizados, ou seja, de *swap*, a termo e de opção flexível que permitem definições importantes entre as partes. Essas operações podem ser registradas na Câmara de Derivativos com garantias e para as quais, então, fica prevista a atuação da Câmara como contraparte central garantidora da liquidação. A Câmara admite também o registro de operações do Mercado de Balcão (contratos de *swap*, a termo e de opções flexíveis) na modalidade sem garantia, as quais não são incluídas na compensação e na liquidação multilaterais.

Segmentos de atuação Os mercados administrados pela BM&FBOVESPA podem ser divididos em segmentos de atuação do mercado. Os dois principais são: **Bovespa**, no qual são negociados títulos emitidos pelas empresas que captam recursos para seus investimentos, e **BM&F**, no qual elas podem fazer a gestão de seus riscos. Investidores, em geral, buscam oportunidades de investimentos para rentabilizar seus ativos também nesses mercados. Além desses segmentos, a bolsa também tem os segmentos de atuação: Câmbio, Mercado de Carbono, leilões, entre outros. Uma empresa pode se beneficiar dos serviços oferecidos nos dois principais segmentos:

Segmento Bovespa Se a empresa necessita de recursos para investir, uma das fontes para financiamento é a emissão de valores mobiliários – por exemplo, novas ações, que serão adquiridas por investidores que posteriormente poderão negociar as ações no segmento Bovespa.

Segmento BM&F Se a empresa precisa importar matéria-prima e está correndo o risco de uma desvalorização cambial, uma das possibilidades para gerenciar o risco é comprar contratos futuros de dólar no segmento BM&F.

26.3 Benefícios e riscos no uso de derivativos

Os derivativos propiciam importantes benefícios aos que atuam na produção de diversos bens ou na prestação de serviços. Com derivativos, procura-se mitigar a incerteza dos preços futuros, uma das maiores preocupações nos negócios. Veja-se, por exemplo, a agropecuária e o setor financeiro.

Agropecuária Trata-se de uma atividade produtiva que se assemelha a um verdadeiro jogo de incertezas, com elevado risco financeiro. A produção tem forte dependência dos fatores climáti-

---

[3] Câmara de compensação. Utilizamos *clearing* e câmara de compensação de forma indistinta e com o mesmo significado ao longo do texto, com preferência para *clearing* por ser a forma usual de referir a câmara de compensação.

cos; algumas culturas e/ou criações permanecem no campo sem apresentar retorno por prolongados períodos (devido ao próprio processo de maturação ou de crescimento); a comercialização é difícil devido ao perecimento dos produtos, bem como à volatilidade dos preços na hora da venda.

Setor financeiro O mercado de taxa de câmbio, em regime de livre flutuação, reflete forças econômicas internas e externas e a relação entre ambas, dificultando o planejamento e a execução da atividade industrial quando há insumos importados ou quando o produto é exportado. Os preços de títulos financeiros também oscilam muito, e as taxas de juros apresentam muita volatilidade, adicionando riscos extras na atividade de intermediação financeira, que se traduzem em maiores custos para o usuário final do crédito.

Os derivativos podem trazer muitos benefícios, entre os quais:

Otimização de recursos O uso de contratos futuros está associado à otimização de recursos. A possibilidade de fixar preços (de compra de insumos ou de venda de produtos) antecipadamente permite ajustar planos, rever metas e calibrar estratégias, evitando desperdício e racionalizando o uso do armazenamento (nos mercados agropecuários e de produtos industriais, produtores, operadores, etc., não precisam de longos períodos de armazenamento à espera de "bons preços" para fazer a negociação de seus estoques).

Redução de custos de financiamento A negociação de contratos futuros para gerir o risco da exposição financeira a variações cambiais ou de taxa de juros está no cerne do barateamento dos custos de financiamento tanto para doadores (que podem cobrar taxas menores devido à redução do risco) como para tomadores de recursos (que podem garantir toda ou parte da renda necessária para liquidar os empréstimos).

Liquidez dos mercados físicos e de futuros A atuação de **arbitradores**, que operam simultaneamente nos mercados à vista e de futuros visando a aproveitar desalinhamentos temporários entre os preços desses mercados, e de **especuladores**, interessados em obter ganhos assumindo riscos, facilita a execução das operações de *hedge*. Com isso, aumenta-se o número de negócios em ambos os mercados, sem que ocorra a substituição do mercado físico pelo futuro. Historicamente, menos de 1% dos contratos futuros é liquidado por entrega física do produto (agropecuário ou financeiro).

Os derivativos constituem uma maneira eficiente de administrar o risco da variação de preços de muitas *commodities* e instrumentos financeiros. Contudo, deve-se atentar para alguns fatores de alerta:

Risco de crédito A negociação de contratos futuros pressupõe a assunção de obrigações e direitos (p. ex., pagamento e recebimento de ajustes diários) que, de algum modo, geram um novo risco de crédito, o qual é coberto com as garantias exigidas no início da operação. Ainda que usualmente reduzido e controlado por Câmaras de Compensação (*clearings*), esse risco e seus possíveis desdobramentos (tais como margens de garantia adicionais, etc.) devem ser adequadamente provisionados por quem negocia esse tipo de contrato.

Risco operacional Mesmo tendo controlado o risco de crédito, inerente à negociação de contratos derivativos, as partes de um contrato futuro devem avaliar o risco operacional na execução de compras e vendas.

Alavancagem A compra e a venda de contratos futuros pode ser feita muito facilmente com custo reduzido imobilizando temporariamente ativos de alta liquidez como margens de garantia. Ganhos e perdas na forma de ajustes diários podem representar quantias muito grandes de dinheiro. Dito de outro modo, a alavancagem das operações com contratos futuros é elevada. Afirma-se, com razão, que o grau de alavancagem dos contratos futuros é o mais alto entre todos os tipos de investimento.

Pelas razões apontadas, os agentes que utilizam derivativos devem ser cautelosos e adotar mecanismos de controle e auditoria, visando a evitar incorrer em riscos desnecessários ou fora do limite de tolerância estabelecido pela alta administração da empresa. Tanto no Brasil como em outros países, normas precisas para a contabilização e a divulgação de informações ainda estão em desenvolvimento. É conveniente a adoção de medidas de divulgação e acompanhamento das transações, especialmente dos cenários para seus efeitos, como determinam as normas IFRS.[4]

26.4 Operacionalização do mercado de derivativos na BM&FBOVESPA

O número de contratos negociados com derivativos na BM&FBOVESPA teve um crescimento médio de aproximadamente 25% ao ano entre 2005 e 2013. Ao longo desse período, o volume de negócios tem acompanhado os altos e os baixos das economias nacional e mundial.

Os negócios são realizados em sistema eletrônico de negociação. A plataforma PUMA *Trading System* BM&FBOVESPA, discutida no Capítulo 9, também está disponível para os participantes detentores de direito de negociação de derivativos.

Os horários dos pregões são definidos pela Bolsa (por meio de sua Diretoria de Operações) para funcionar simultaneamente aos mercados dos EUA, visando a favorecer apreçamento e arbitragens. No *site* da BM&FBOVESPA, os horários podem ser consultados clicando nos *links* Regulação/Horários de Negociação.

Duas fases de negociação precedem e sucedem a negociação dentro do pregão normal. São elas: a fase pré-abertura, destinada a facilitar a identificação dos preços de abertura, e a fase dos horários conhecidos como "*After Hour*" e "Negociação Estendida", cuja origem está associada à necessidade de facilitar a participação de investidores estrangeiros nos mercados brasileiros.

Pré-abertura Denomina-se "fase de pré-abertura" o período que antecede a abertura dos negócios, no qual se aceita apenas o registro de ofertas. Essa fase tem por objetivo fazer com que a abertura dos negócios seja processada de forma transparente, sob as mesmas regras adotadas para o *fixing*.[5]

After Hour e Negociação Estendida Em alguns mercados, é permitida a negociação fora do horário normal, o que é conhecido como "*after hours*". Essas operações fazem parte do pregão do dia seguinte. Em alguns mercados, permite-se a chamada "negociação estendida". Os negócios desse período são liquidados em D+0 junto com as demais operações do dia.

No *site* da BM&FBOVESPA, podem ser consultadas as datas de **Liquidação Financeira** (LF) e de **Último Dia de Negociação** (UDN) dos contratos derivativos. Para os contratos futuros agropecuários e de energia, além das datas de vencimento, há informações do **mês presente** e do período para liquidação por entrega, a chamada liquidação física, quando assim o contrato permitir.

Os preços de ajuste são apurados por procedimentos diferenciados para:

- Contratos Financeiros;
- Contratos Agropecuários;
- *Cross Listing*[6] de contratos com outras bolsas.

---

[4] Os Pronunciamentos Técnicos CPC 38, 39 e 40, do Comitê de Pronunciamentos Contábeis (2009a, 2009b, 2012a), aprovados pela Deliberação CVM nº 604, de 19.11.2009, tratam do reconhecimento e da mensuração, da apresentação e da evidenciação de instrumentos financeiros nos demonstrativos financeiros publicados no Brasil (Comissão de Valores Mobiliários, 2009). A Instrução CVM nº 475, de 4.12.2008, dispõe sobre a apresentação de informações sobre instrumentos financeiros em nota explicativa específica e torna obrigatória a divulgação do quadro demonstrativo de análise de sensibilidade de cenários para derivativos. A norma da CVM estabelece que as notas explicativas devem ser escritas em "[...]linguagem clara, objetiva e concisa[...]" e "[...]devem permitir aos usuários avaliar a relevância dos instrumentos financeiros, especialmente os instrumentos financeiros derivativos para a posição financeira e os resultados da companhia, bem como a natureza e extensão dos riscos associados a tais instrumentos." (Comissão de Valores Mobiliários, 2008).

[5] Ver Capítulo 9.

[6] Listagem cruzada de ativos em duas bolsas. É um acordo que permite que investidores negociem contratos ou produtos disponíveis na bolsa parceira diretamente nas plataformas de negociação da bolsa local. Para cada caso, há regras e condições específicas que devem ser atendidas pelos investidores e intermediadores locais.

Preço de ajuste Em função de as características dos contratos futuros preverem a liquidação diária dos valores ganhos e perdidos pelas partes, é preciso apurar diariamente o preço de ajuste para cada vencimento de cada contrato futuro negociado na Bolsa. Com essa finalidade, a Bolsa adota critérios ligeiramente diferenciados,[7] conforme o contrato, para o cálculo desses preços.

Um exemplo de contrato de futuros é o contrato de índice Ibovespa. O funcionamento do contrato se dá da seguinte forma: o preço de ajuste do índice é a média aritmética ponderada dos negócios realizados em 15 minutos de negociação, das 17h30min às 17h45min, exceto no dia do vencimento. Na data de vencimento, o preço de ajuste será o índice de liquidação (média aritmética do Índice Bovespa nas últimas 3 horas de negociação do mercado à vista na BM&FBOVESPA mais a chamada de fechamento do mercado à vista).

Lotes mínimos A negociação de contratos futuros ocorre em lotes mínimos de um, cinco ou dez contratos, dependendo do grau de liquidez dos mercados: a Bolsa determina os grupos de contratos que se enquadram em cada faixa. Esse procedimento facilita a montagem de estratégias e evita que elas sejam inviabilizadas pela interferência de terceiros comprando ou vendendo uma pequena quantidade de contratos.

A BM&FBOVESPA adota vários procedimentos operacionais que estão orientados a propiciar segurança aos participantes, a dar transparência às operações e a limitar o risco de crédito derivado de tentativas de manipulação e de outras práticas que, mesmo não sendo intencionais possam afetar o bom andamento do mercado.

Dentre essas medidas, destaca-se a fixação de *túneis de preço*.

Túneis de preço Os túneis de preço são constituídos por limites dentro dos quais é admitida a negociação de contratos, a definição de tamanho máximo de ofertas e as variações mínimas na apregoação entre uma oferta e outra. Por critérios de controle de risco, a Bolsa pode modificar os valores e os limites estabelecidos.

O PUMA Trading System BM&FBOVESPA conta com dois tipos de túnel de preço: o **Túnel de Rejeição**, na entrada da oferta no livro de ofertas, e o **Túnel de Leilão**, no momento de fechamento do negócio. Ambos são aprimoramentos da norma que permite a negociação dentro de limites de oscilação intradiário e agregam segurança aos negócios.

Túnel de Rejeição O objetivo do túnel de rejeição é diminuir a ocorrência de erros operacionais, evitando a inclusão de ofertas errôneas no sistema de negociação. As ofertas de compra e de venda inseridas no sistema de negociação que estiverem fora do túnel de rejeição são automaticamente recusadas pelo sistema.

Túnel de Leilão Em geral, é mais estreito que o túnel de rejeição. Quando atingido o parâmetro definido, há acionamento automático de processo de leilão.

O funcionamento dos túneis de preços é mostrado na Figura 26.1.

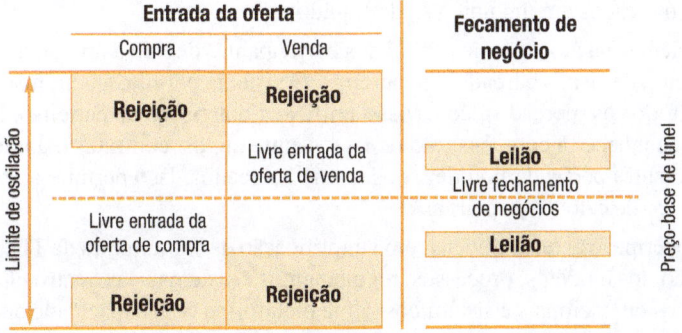

FIGURA 26.1 Funcionamento dos túneis de preço.

---

[7] Cálculo de média de preços no final do pregão, leilão no final do pregão ou arbitragem de um preço por critérios técnicos.

Leilões Ao longo do dia de funcionamento do pregão, são realizados leilões que se originam em caso de:

- Ausência de negócios na fase de pré-abertura do pregão;
- Cotação fora dos limites aceitáveis (ação do túnel);
- Casos especiais (para detalhes e exemplos de casos especiais, consulte o regulamento de operações).

Liquidez mínima Outro procedimento que tem por objetivo fazer com que todos os negócios vão para leilão é a negociação não continua, também conhecida por liquidez mínima. O preço determinado no mecanismo de leilão resulta de um procedimento de *fixing*.[8]

Etapa de pós-negociação Complementa a negociação dos contratos derivativos na BM&FBOVESPA. É uma importante etapa do ciclo operacional, constituída por produtos e serviços oferecidos pela Bolsa. Nessa etapa, a *clearing* exerce um papel fundamental e atua principalmente nos mercados de Bolsa.

Clearing BM&FBOVESPA A *clearing* é a câmara de liquidação que atua como contraparte central garantidora de todas as operações com contratos derivativos realizadas nos mercados de Bolsa da BM&FBOVESPA e daquelas realizadas no mercado de balcão, registradas na modalidade com garantia. Também é responsável pelos mecanismos de gerenciamento e contenção de riscos das posições de cada participante.

A BM&FBOVESPA iniciou, em agosto de 2014, as atividades da *Clearing* BM&FBOVESPA, uma nova infraestrutura de pós-negociação que passou a integrar em uma única plataforma os mercados de derivativos de bolsa e de balcão, de ações e de renda fixa privada, de câmbio pronto e de títulos públicos federais. Até então, todos estes mercados utilizavam *clearings* separadas.

Além da unificação das quatro *clearings* existentes, passou a funcionar um sistema considerado um dos mais modernos e seguros sistemas de administração de riscos quando de sua implantação: o CORE (*Closeout Risk Evaluation*). Segundo a BM&FBOVESPA, a *Clearing* BM&FBOVESPA trouxe mais robustez e competitividade aos mercados financeiros do Brasil. Ainda segundo a Bolsa, a implantação da *Clearing* BM&FBOVESPA gerou importantes benefícios para o mercado, como:

- Padronização de regras e procedimentos, unificação de sistemas e maior automatização de processos, com consequente redução de custos relacionados aos diversos processos de *clearing* e *back-office*. A redução de custos beneficia tanto os participantes do mercado quanto a Bolsa;
- Maior eficiência na gestão de caixa dos participantes como resultado da unificação dos processos de liquidação das quatro *clearings* e da compensação de débitos e créditos dos diferentes mercados em um único saldo líquido;
- Maior eficiência na alocação de capital dos participantes devido à implantação de um sistema de cálculo de riscos baseado em carteiras. O sistema permite a administração de riscos comuns a todos os mercados, com visão unificada dos riscos de carteiras. Esse sistema é capaz de reconhecer a compensação de riscos entre ativos, contratos e garantias distintos, e com diferentes perfis de liquidez, dos quatro mercados. Isso permite a definição de um modelo único de cálculo de margens.
- Ampla modernização tecnológica, com simplificação da "arquitetura de TI", harmonização e integração dos modelos, processos, regulamentos e sistemas das quatro *clearings* e redução de riscos operacionais e sistêmicos. Uma plataforma com capacidade de processamento projetada para suportar o crescimento dos mercados durante as próximas duas décadas

---

[8] Ver mais detalhes sobre *fixing* no Capítulo 9.

substituiu todos os sistemas de *clearing* antigos. O sistema inclui plano de continuidade de negócios e de recuperação de desastre, ambos mais robustos que os anteriores.

Os processos implantados em 2014 acentuam as características da BM&FBOVESPA como uma Bolsa multiativos e multimercados (mercados de bolsa e de balcão) verticalmente integrada, que atua como central depositária de ativos, câmara de compensação e liquidação e contraparte central. A BM&FBOVESPA, desde a fusão da Bovespa com a BM&F (2008), administrava quatro câmaras de compensação. Essas câmaras foram estruturadas e organizadas com foco no tipo de produto, e não no tipo de processo. Com o IPN (Projeto de Integração da Pós-Negociação) e a criação de uma única Câmara, passou a haver apenas uma estrutura de participantes, um conjunto de processos operacionais e de regras, uma janela de liquidação e um sistema de administração de riscos e de garantias.

A integração das atividades de pós-negociação exige um grande salto em termos de tecnologia e de eficiência. Poucas Bolsas no mundo adotam o modelo de negócio de estrutura vertical adotado pela BM&FBOVESPA, modelo que se tornou mais valorizado após a crise de 2008.

A *clearing* implementa mecanismos de mitigação de riscos por meio da imposição de limites operacionais à atuação de seus participantes:

- Limites de concentração de posições – mitigar risco de liquidez;
- Limites de oscilação de preços – mitigar o risco de distorção de preços.

Para a mitigação dos riscos de mercado e de liquidez inerentes às operações de venda de ativos durante o processo de execução de garantias são aplicados deságios, ou descontos, sobre os valores de mercado das garantias, descontos esses definidos pelo Comitê de Risco para cada categoria de ativo. A imposição de tais restrições permite à *clearing* limitar o volume de garantias por tipo de ativo financeiro e por emissor.

Margens de garantias   Outro elemento importante no funcionamento dos mercados derivativos e na atuação da *clearing* é o sistema de margens de garantia aplicável a clientes, participantes e membros de compensação. É um dos elementos fundamentais da dinâmica operacional dos mercados futuros, pois assegura o cumprimento das obrigações assumidas pelos participantes perante *clearing*.

Para assegurar a integridade do mercado, a BM&FBOVESPA reavalia diariamente as garantias necessárias. O nível das garantias exigidas dos agentes de compensação é estabelecido de acordo com os riscos efetivamente incorridos nas posições detidas pelos investidores e sob sua responsabilidade.

O total de margem exigido para as posições detidas por um investidor é obtido pelo cálculo de dois componentes:

- *Margem de prêmio*: corresponde ao custo de liquidação da carteira de um investidor.
- *Margem de risco*: corresponde ao valor adicional necessário à liquidação da carteira de um investidor no caso de uma variação adversa nos preços de mercado.

Ao calcular as margens, essas informações são enviadas ao sistema de garantias, que verifica a situação do investidor. Caso o valor de garantias depositado não seja suficiente para cobrir a margem requerida, o sistema de garantias automaticamente lança um débito na conta do investidor para que as exigências sejam respeitadas.

A chamada margem de garantia ocorre diariamente após a especificação de todos os negócios realizados pelo participante na data, tomando por base a *posição de fechamento* do dia anterior. A *clearing* acompanha continuamente sua exposição ao risco de crédito dos participantes por meio do monitoramento do risco intradiário, que lhe permite realizar antecipações de chamada de margem, ao longo do dia (em D+0), reduzindo sua exposição a riscos.

Fatores primitivos de risco   O modelo de controle do risco de operações com derivativos foi desenvolvido pela BM&FBOVESPA. O conjunto de Fatores Primitivos de Risco (FPRs) do

Sistema de Risco BM&FBOVESPA, que representa variáveis financeiras que influenciam diretamente a formação dos preços dos ativos negociados na Bolsa, compreende:

- Preços dos mercados à vista;
- Estruturas a termo de taxas de juros. Para os contratos da BM&FBOVESPA, são consideradas as estruturas a termo em reais (curva de taxa pré) e em dólares (curva de cupom cambial);
- Nível de volatilidade dos mercados, fator de risco presente em contratos de opção.

Os "cenários de stress"[9] podem ser oriundos tanto de análises técnicas/estatísticas como de análises de *Extreme Value Theory* (EVT), como de avaliações subjetivas sobre a conjuntura dos mercados.

A principal fonte de risco da *clearing* é a possibilidade de inadimplemento ou atraso dos participantes aos quais são atribuídas as operações com garantia da *clearing* – os Membros de Compensação. Na medida em que atua como contraparte central das operações registradas, a *clearing* torna-se responsável pelas posições dos inadimplentes perante os membros adimplentes. A fim de mitigar o risco de contraparte, a *clearing* adota modelo de cobertura de riscos, por meio de mecanismos de gerenciamento de riscos, que compreendem a exigência de depósito de margem de garantia, a definição de uma estrutura de salvaguardas adicionais, a imposição de limites para o tamanho de posições em aberto e para a oscilação de preços, entre outros.

Liquidação financeira Para liquidação financeira de contratos derivativos não agropecuários, considera-se dia útil o dia em que há pregão na BM&FBOVESPA para negócios com contratos derivativos e mercadorias registrados na Câmara. Os dias não úteis são aqueles em que não há pregão na BM&FBOVESPA.

Para efeito de liquidação financeira decorrente de contratos agropecuários, considera-se dia útil o dia em que: (i) há pregão na BM&FBOVESPA para negócios com contratos derivativos e mercadorias, registrados na Câmara; e (ii) não é feriado bancário na praça de Nova York ou na praça de São Paulo. A primeira liquidação financeira após a ocorrência de feriados consecutivos – em São Paulo e/ou em Nova York – envolve os resultados de todos os pregões ocorridos desde a última data com liquidação financeira na Câmara.

26.5 Contratos derivativos negociados na BM&FBOVESPA

Os **derivativos financeiros** são utilizados por pessoas e empresas que pretendam se proteger do risco das oscilações de câmbio, juros e índices, entre outros. Alguns negócios estão expostos a variações cambiais, e é preciso se proteger com estratégias de *hedge* utilizando contratos futuros de taxa de câmbio. O mesmo é valido para empresas expostas a variações nas taxas de juros, que podem se proteger com contratos futuros de DI, e as expostas à inflação, que podem se proteger com contratos futuros de índices de inflação.

Os **derivativos de** *commodities* atendem à necessidade de comercialização de determinadas mercadorias. Devem ser utilizados por pessoas e empresas que pretendam se proteger do risco de preço de seus produtos e matérias-primas. Com os derivativos de *commodities*, é possível garantir a fixação dos preços de determinadas mercadorias que sofrem impactos diretos de fatores externos, como clima, condições de solo e pragas, por exemplo.

Minicontratos Os minicontratos de futuros representam uma fração dos contratos-padrões e permitem a realização de operações com a mesma transparência e a agilidade características dos mercados de derivativos. Com os minicontratos da BM&FBOVESPA, o acesso ao mecanismo de proteção de preço (*hedge*) é mais simplificado, a custos operacionais baixos. Os valores

---

[9] O Comitê de Riscos elabora periodicamente cenários nos quais se testam as máximas perdas que poderiam ser sofridas pelos detentores de posições nos mercados derivativos.

são menores e acessíveis a investidores e a empresas de qualquer porte. Para começar a operar minicontratos, basta também fazer um cadastro em uma corretora.

Opções flexíveis, swaps e contratos a termo Esses produtos também são utilizados para realização de *hedge* por instituições financeiras e não financeiras. Alguns produtos também são chamados de *derivativos exóticos*, por permitirem certa flexibilidade em relação à padronização dos elementos dos contratos, a critérios das partes que estão negociando.

Em maio de 2014, os produtos derivativos da BM&FBOVESPA estavam divididos em quatro grandes grupos:

I. Derivativos financeiros;
II. Derivativos de *commodities*;
III. Minicontratos;
IV. Contratos de balcão.

A seguir, são detalhados os derivativos que compõem cada grupo.

Derivativos financeiros No final de 2014, os derivativos financeiros eram constituídos por contratos de taxas de juros, taxas de câmbio, índices e títulos de dívida externa. O Quadro 26.1 apresenta o detalhamento dos contratos então disponíveis.

QUADRO 26.1 Contratos de derivativos financeiros na BM&FBOVESPA

Taxas de juro	Índice	Taxas de câmbio	Títulos da dívida externa
• Cupom Cambial	• Ibovespa	• Dólar	• A-Bond
• Cupom de IGP-M	• IBrX-50	• Dólar australiano (AUD)	• Global Bonds
• Cupom de IPCA	• IGP-M	• Dólar canadense (CAD)	• US T-Note
• DI1	• IPCA	• Dólar da Nova Zelândia (NZD)	
• *Swap* Cambial – SCC	• BVMF FTSE/JSE Top40	• Euro (EBR)	
• OC1	• BVMF Hang Seng	• Euro (EUR)	
• Cupom Cambial – DCO	• BVMF MICEX	• Franco suíço (CHF)	
• *Swap* Cambial – SCS	• BVMF SENSEX	• Iene (JPY)	
	• BVMF S&P 500	• Iuan (CNY)	
		• Libra esterlina (GBP)	
		• Libra turca (TRY)	
		• Peso chileno (CLP)	
		• Peso mexicano (MXN)	
		• Rande da África do Sul (ZAR)	

Derivativos de commodities Os contratos derivativos de *commodities* cobriam as seguintes mercadorias: açúcar, boi gordo, café arábica, etanol, milho, ouro, petróleo e soja. O Quadro 26.2 detalha os contratos existentes.

QUADRO 26.2 Contratos de derivativos de *commodities* na BM&FBOVESPA

Açúcar	Boi gordo	Café arábica	Etanol
• Açúcar cristal com liquidação financeira	• Boi gordo com liquidação financeira	• Café arábica	• Etanol anidro carburante
			• Etanol hidratado com liquidação financeira
Milho	**Ouro**	**Petróleo**	**Soja**
• Base de preço do milho	• Ouro	• Minicontrato futuro de petróleo	• Soja com liquidação financeira
• Milho com liquidação financeira			• Mini soja cme

Minicontratos Os minicontratos futuros são uma fração dos contratos-padrões e permitem o acesso mais simplificado ao mecanismo de proteção de preço (*hedge*) a custos operacionais baixos. O Quadro 26.3 apresenta os minicontratos existentes no final de 2014.

QUADRO 26.3 Minicontratos de derivativos de *commodities* na BM&FBOVESPA

Financeiros
Mini de Dólar (WDO)
Mini de Euro
Mini Ibovespa

Contratos de balcão Eram três os produtos para negociação no Mercado de Balcão Organizado: contratos a termo, *swaps* e contratos de opções flexíveis.

Conheça as características e os detalhes dos contratos derivativos negociados na BM&FBOVESPA. Acesse http://www.bmfbovespa.com.br e escolha Mercados > Mercadorias e Futuros > Derivativos > Contratos.

QUADRO 26.4 Contratos de derivativos de balcão na BM&FBOVESPA

Opções flexíveis	Swaps	Termo
• BOVA11	• Swaps	• Metais
• FIND11		• Moedas
• GOVE11		
• Ibovespa		
• IBrX-50		
• ISUS11		
• Metais		
• Soja em grão a granel		
• Taxas de câmbio		
• Taxa de juro *spot*		

Daremos maior ênfase aos contratos de taxas de juros. A próxima seção trata do assunto.

26.6 Contratos de futuros de taxa de juros

O conjunto de derivativos de juros é responsável por parte significativa no volume negociado na Bolsa de Valores Mercadorias e Futuros (BM&FBOVESPA). O mais importante instrumento desse conjunto é o contrato de DI-1, o contrato de futuros de DI de um dia. Esse produto é característico do mercado brasileiro e possui especificidades que tornam sua operacionalidade e suas formas de cálculos únicas e diferentes dos derivativos de juros negociados em outras Bolsas no mundo, conforme veremos a seguir.

Além dos futuros de DI de um Dia, também são negociados, na BM&FBOVESPA, contratos futuros de cupom cambial, de cupom de DI × IGP-M e de cupom de IPCA (Índice de Preços ao Consumidor Amplo). Adicionalmente, negociam-se opções sobre IDI (Índice de Depósito Interfinanceiro) e contratos futuros sobre títulos da dívida externa e registram-se *swaps* com variáveis referenciadas em taxas de juros.

O Contrato Futuro de DI de Um Dia é um contrato desenhado para negociar a taxa de juros acumulada nos Depósitos Interfinanceiros – DI de um dia de prazo. Esses depósitos são realizados entre as instituições financeiras para troca de reservas no curtíssimo prazo e usualmente acompanham as oscilações da "Taxa Selic" formada nas operações de curtíssimo prazo com títulos públicos. Ambas as taxas constituem um importante referencial para as demais taxas de juros do mercado brasileiro.

QUADRO 26.5 Características do contrato Futuro DI-1

Resumo do contrato futuro de DI de um dia	
Item	**Descrição**
Objeto de negociação	A taxa de juro efetiva até o vencimento do contrato, definida para esse efeito pela acumulação das taxas diárias de DI no período compreendido entre a data de negociação, inclusive, e o último dia de negociação do contrato, inclusive.
Unidade de negociação	PU multiplicado pelo valor em reais de cada ponto, estabelecido pela Bolsa.
Cotação	Taxa de juros efetiva anual, base 252 dias úteis, com até três casas decimais.
Meses de vencimento	Os quatro primeiros meses subsequentes ao mês em que a operação for realizada e, a partir daí, os meses que se caracterizam como de início de trimestre (janeiro, abril, julho e outubro).
Último dia de negociação	Dia útil anterior à data de vencimento.
Data de vencimento	Primeiro dia útil do mês de vencimento.
Liquidação no vencimento	Na data do vencimento, as posições em aberto, após o último ajuste, serão liquidadas financeiramente pela Bolsa, mediante o registro de operação de natureza inversa (compra ou venda) à da posição, na mesma quantidade de contratos, pela cotação (preço unitário) de 100.000 pontos. Os resultados financeiros da liquidação serão movimentados no dia útil subsequente à data de vencimento.

No Brasil, os derivativos de juros são utilizados principalmente pelos agentes do mercado financeiro para proteger investimentos em títulos públicos pós-fixados, em ativos gerados no financiamento ao consumidor, e outros. Empresas e investidores de diversos portes, impulsionados pela necessidade de se manterem competitivos em suas áreas de atuação, têm aumentado consideravelmente a utilização dessa ferramenta para a gestão do risco de mercado.

A cotação do contrato é feita em taxa de juros efetiva anual, base 252 dias úteis, com até três casas decimais. Porém, o registro da operação é feito pelo seu Preço Unitário, conhecido como PU, sendo esse expresso com duas casas decimais.

Por convenção, no seu vencimento, o contrato futuro de DI de um dia tem um PU de 100.000 pontos, sendo cada ponto igual a R$1,00. O valor futuro do contrato no vencimento equivale a 100.000 pontos, ou R$100.000,00. Negociam-se taxas de juros efetivas, i, para o período de n dias úteis até cada vencimento de contratos. O valor futuro do contrato no vencimento, 100.000 pontos, trazido para valor presente, à taxa de juros efetiva, i, define o Preço Unitário (PU) do contrato em reais na data da negociação. Isto é:

$$PU = \frac{100.000}{\left(1 + \frac{i}{100}\right)^{n/252}}$$

EXEMPLO 26.1

O Banco da Praça vende 500 contratos de futuros de DI de um dia pela taxa de 9,25%, faltando 85 dias úteis para seu vencimento. Qual é o PU de registro da operação?

Como no vencimento o contrato de futuros vale 100.000 pontos, esse valor de registro surge ao responder à seguinte pergunta: qual é o montante de dinheiro que, se aplicado à taxa de 9,25% a.a. por 85 dias úteis, permitiria obter R$100.000 no vencimento do contrato?

Resposta:[10]

$$PU = \frac{100.00}{\left(1 + \frac{9,25}{100}\right)^{85/252}} = 97.060,01$$

---
[10] Para uma explicação do cálculo do PU, veha no Exemplo 8.11, no Capítulo 8, página 269.

Por essa fórmula, podemos deduzir que a taxa de juros *i* e o PU têm comportamentos inversamente proporcionais. O aumento da taxa de juros leva a uma queda do PU, já que a base de desconto cresce. O inverso também se aplica, uma queda na taxa de juros aumenta o PU.

Comprar PU ou vender taxa? O fato de o PU variar de forma inversa com a variação da taxa permite-nos fazer referência à negociação de PU ou à negociação de taxa. Como compramos ativos que acreditamos que vão aumentar de valor e vendemos ativos que acreditamos que vão diminuir de valor, podemos dizer que, ao vender PU, estamos comprando taxa ou, ao comprar PU, estamos vendendo taxa. No mercado brasileiro, é comum a referência à compra ou à venda de taxa. Ao negociar um **taxa**, gera-se um PU em posição contrária ao que for negociado em pregão:

- A compra de taxa gera um PU vendido.
- A venda de taxa gera um PU comprado.

Utilizando o exemplo anterior, o fato de o Banco da Praça ficar "vendido em taxa" de 9,25% a.a. resulta no registro de uma posição comprada, expressa em PU, de 97.060,01 pontos.

EXEMPLO 26.2

O Banco do Campo comprou taxa de 9,23% com 100 contratos futuros de DI de um dia, faltando 81 dias úteis para seu vencimento. O que podemos concluir a partir dessas informações?

O Banco do Campo está vendido em PU, sendo esse igual a:

$$PU = \frac{100.000}{\left(1 + \frac{9,23}{100}\right)^{81/252}} = 97.202,13 \text{ pontos}$$

Como negociou 100 contratos, o valor de sua posição vendida em PU é de R$9.720.213,00.

O Quadro 26.7 apresenta as informações de negociação do Contrato Futuro de DI1 para os vencimentos em aberto em 07 de novembro de 2014. Nesse quadro, incluímos o número de dias úteis para cada vencimento, informação que não é divulgada pela BM&FBOVESPA.[11] As legendas A, B, C... também foram incluídas.

Os meses de vencimento correspondentes aos códigos de vencimento dos contratos (coluna A do Quadro 26.7) são informados no Quadro 26.6. A data de vencimento é o primeiro dia útil do mês de vencimento. Por exemplo, o contrato Z14 referente ao mês de vencimento de dezembro de 2014 vence no dia 01/12/2014, uma segunda-feira.

QUADRO 26.6 Códigos dos meses de vencimento do contrato DI-1

Código	Mês	Código	Mês	Código	Mês
F	Janeiro	G	Fevereiro	H	Março
J	Abril	K	Maio	M	Junho
N	Julho	Q	Agosto	U	Setembro
V	Outubro	X	Novembro	Z	Dezembro

---

[11] Uma forma prática para encontrar o número de dias até um vencimento é usar a função "DIATRABALHO" do Microsoft Excel. Para obter o número de dias úteis entre duas datas, deve-se inserir a data inicial, a data final e uma lista de feriados. A função retorna o número de dias úteis entre as duas datas. Uma fonte que informa dias de feriados é disponibilizada pela Anbima em <http://www.anbima.com.br/feriados/feriados.asp>. Sugerimos o uso da tabela completa denominada "feriados.xls".

QUADRO 26.7 Contratos futuros de DI-1 negociados no dia 07/11/2014*

A Código vencimento	B Contratos em aberto[a]	C Núm. negócios	D Contratos negociados	E Volume financeiro (R$)	F Preço de ajuste[b]	G Taxa de ajuste (a.a.)	H Número de saques[c]	I Preço de ajuste anterior[d]
Z14	547.604	10	4.665	463.397.962	99.335,04	11,08	16	99.335,68
F15	2.974.575	57	65.166	6.412.147.824	98.396,85	11,31	38	98.399,34
G15	208.155	39	41.765	4.071.752.949	97.493,66	11,45	59	97.492,61
H15	12.715	11	15.115	1.461.758.908	96.710,05	11,57	77	96.713,76
J15	1.590.946	263	59.290	5.676.130.464	95.736,19	11,73	99	95.737,40
N15	1.174.901	244	39.530	3.677.489.978	93.036,21	12,04	160	93.048,98
V15	312.563	36	3.870	348.923.649	90.168,04	12,29	225	90.178,59
F16	1.673.237	2.766	162.100	14.178.504.766	87.503,52	12,39	288	87.499,48
J16	269.868	34	750	63.701.651	84.938,45	12,51	349	84.955,15
N16	518.706	321	11.495	946.456.825	82.376,22	12,59	412	82.395,83
V16	175.887	180	3.730	297.579.962	79.800,80	12,66	477	79.850,13
F17	1.414.610	7.201	225.249	17.447.945.150	77.509,10	12,65	539	77.549,07
J17	44.737	7	360	27.095.612	75.250,96	12,64	602	75.262,80
N17	112.514	32	905	66.133.494	73.079,62	12,66	663	73.126,84
V17	31.710	2	360	25.536.479	70.864,05	12,68	727	70.950,97
F18	537.226	2.726	67.940	4.672.784.771	68.845,53	12,68	788	68.937,38
J18	31.855	2	1.805	120.804.865	66.854,52	12,69	849	66.920,79
N18	273.560	145	9.310	603.612.572	64.917,80	12,68	912	64.997,70
V18	11.999	3	510	32.172.214	63.022,40	12,66	976	63.105,71
F19	148.367	1.027	9.490	579.919.280	61.268,09	12,63	1.038	61.354,54
J19	4.388	1	90	5.374.265	59.561,58	12,62	1.099	59.666,98
N19	6.057	28	590	34.043.423	57.878,83	12,60	1.161	57.999,13
V19	9.735	8	350	19.650.630	56.136,45	12,59	1.227	56.303,83
F20	66.376	265	2.065	112.262.247	54.595,13	12,54	1.291	54.716,84
J20	2.225	1	105	5.578.905	53.013,41	12,55	1.353	53.142,46
N20	12.225	1	110	5.688.793	51.500,10	12,55	1.414	51.636,37
V20	3.180	2	115	5.774.392	49.937,22	12,56	1.479	50.159,27
F21	520.409	5.555	141.205	6.842.975.017	48.613,74	12,51	1.542	48.770,33
J21	190	0	0	0	47.238,26	12,51	1.603	47.404,57
N21	105	0	0	0	45.882,32	12,52	1.664	46.055,62
F22	18.965	109	695	29.791.091	43.201,26	12,52	1.793	43.390,87
N22	55	0	0	0	40.795,40	12,51	1.917	40.970,39
F23	196.060	442	4.300	163.957.944	38.467,70	12,50	2.044	38.632,66
N23	640	0	0	0	36.318,27	12,49	2.169	36.466,85
F24	32.745	9	50	1.688.444	34.271,97	12,49	2.293	34.406,46
F25	46.729	327	5.075	152.508.214	30.463,13	12,48	2.547	30.571,38
F29	10	0	0	0	19.075,97	12,48	3.550	19.170,88

* Extraído do quadro disponível em: http://www2.bmf.com.br/pages/portal/bmfbovespa/boletim1/BoletimOnline1.asp?caminho=&pagetype=pop&Acao=BUSCA&cboMercadoria=DI1.
[a] Contratos em aberto na abertura do dia.
[b] PU de ajuste calculado com base na taxa de ajuste.
[c] Número de dias úteis até o vencimento.
[d] PU de ajuste do último dia de negociação anterior, atualizado para a data de 07/11/2014.

Vamos agora extrair alguns dados das colunas A, F, G e H do Quadro 26.7. Mudamos o código de vencimento para o mês de vencimento.

A Vencimento	F Preço de ajuste	G Taxa de ajuste (a.a.)	H Dias úteis até o vencimento
Dez/14	99.335,04	11,08%	16
Jan/15	98.396,85	11,31%	38
Fev/15	97.493,66	11,45%	59
Mar/15	96.710,05	11,57%	77
Abr/15	95.736,19	11,73%	99

O quadro nos mostra que um fluxo de caixa de R$100.000,00 a ser recebido dentro de 16 dias úteis vale 99.335,04 quando descontado à taxa de 11,08% e que um valor de R$100.000,00 a ser recebido em 99 dias úteis vale hoje 95.736,19 quando descontado à taxa de 11,73%. Representamos isso no quadro a seguir:

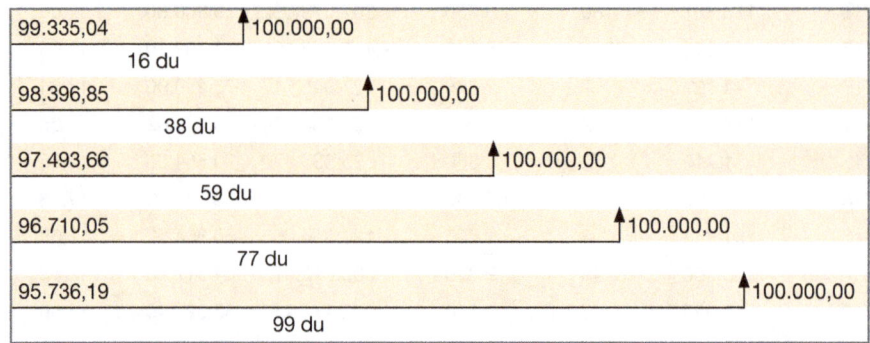

Podemos também ler esses dados da seguinte forma: em 7 de novembro de 2014, para um fluxo de caixa a ser recebido no primeiro dia útil de dezembro de 2014, era exigida uma taxa de 11,08%. Para um fluxo de caixa a ser recebido no primeiro dia útil de abril de 2015, era exigida uma taxa de 11,73%. Representamos isso no quadro a seguir.

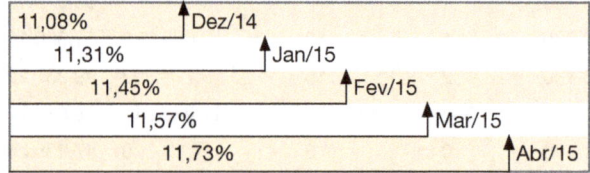

Taxas a termo (forward)

O quadro anterior mostra que o vencimento Dez/14 não inclui nenhum dia do mês de dezembro, só o vencimento ocorre no primeiro dia útil de dezembro. Da mesma forma, o vencimento Jan/15 não inclui nenhum dia de janeiro, só o vencimento ocorre no primeiro dia útil de janeiro, e o mesmo ocorre para todos os vencimentos. O primeiro vencimento, Dez/14, contém somente dias de novembro. O vencimento Jan/15 contém dias de novembro e de dezembro. A diferença de dias úteis entre os vencimentos Dez/14 e Jan/15 corresponde ao número de dias úteis do mês de dezembro de 2014.

Entre o PU de 99.335,04 e o PU de 98.396,85, há 22(=38−16) dias úteis. Também podemos dizer que, entre a taxa exigida de 11,08% e a taxa exigida de 11,31%, há uma diferença de 22 dias.

Observe que a taxa de 11,08% é a taxa do período de 16 dias e que a taxa de 11,31% é a taxa do período de 38 dias. Para que não ocorram arbitragens entre vencimentos, é necessário que a taxa de 11,31% seja uma composição de taxas que inclua a taxa acumulada de 11,08% até o 16º dia útil.

A pergunta que surge então é: qual é a taxa do período de 22 dias úteis de dezembro de 2014 que, composta com a taxa de 16 dias úteis do mês de novembro de 2014, resulta em uma taxa composta de 11,31%? Esta última é a taxa para o período de 38 dias úteis que compreende o prazo restante do mês de novembro e todo o mês de dezembro.

Podemos calcular essa taxa (uma taxa implícita) por dois caminhos: ou pela razão entre PUs, ou pela composição de taxas:

a. Pela razão entre PUs:

$$\text{Taxa de dezembro 2014:} \left[\left(\frac{99.335,04}{98.396,85}\right)^{252/38-16} - 1\right] = 0,1148$$

b. Pela composição de taxas:

$$\text{Taxa de dezembro 2014:} \left[(1+i_{16du}) \times (1+i_{22du}) - 1\right] =$$

$$(1+i_{38})^{38/252} = (1+i_{16})^{16/252} \times (1+i_{22})^{22/252}$$

$$(1,1131)^{38/252} = (1,1108)^{16/252} \times (1+i_{22})^{22/252}$$

$$\left(\frac{(1,1131)^{38/252}}{(1,1108)^{16/252}}\right)^{252/22} - 1 = i_{22} = 0,1148$$

Vimos, por dois caminhos, que a taxa exigida para o mês de dezembro de 2014 era de 11,48%. Em nossa opinião, a razão entre PUs permite um cálculo mais direto, mas, se você preferir raciocinar em termos de taxas, o segundo caminho também traz a resposta, como visto.

A taxa exigida no dia 7 de novembro de 2014 para o prazo futuro de 22 dias úteis de dezembro de 2014 era, portanto, de 11,48%. Essa é a **taxa a termo**, ou taxa *forward*, para dezembro de 2014 implícita nos negócios com taxas à vista (taxas *spot*) no encerramento dos negócios de futuros de DI-1 naquela data.

O ajuste diário

Para a apuração do valor do ajuste diário (coluna F do Quadro 26.7) das posições em aberto em contratos de DI-1, são obedecidos os critérios a seguir:

a. Inversão da natureza das posições em PU:

As operações de compra e de venda, originalmente contratadas em taxa, são transformadas em operações de venda e de compra, respectivamente, em PU.

b. Apuração do ajuste diário:

As posições em aberto ao final de cada pregão, depois de transformadas em PU, são ajustadas com base no preço de ajuste do dia, estabelecido conforme regras da Bolsa, com liquidação financeira (pagamento dos débitos e recebimento dos ganhos) no dia útil subsequente (D+1).

O ajuste diário é calculado até a data de vencimento, inclusive, de acordo com as seguintes fórmulas:

b.1. ajuste das operações realizadas no dia (coluna F):

$$AD_t = (PA_t - PO) * M * N$$

b.2. ajuste das posições em aberto no dia anterior (coluna I):

$$AD_t = [PA - (PA_{t-1} * fc_t)] * M * N$$

onde:

AD$_t$ = valor do ajuste diário, em reais, referente à data t
PA$_t$ = preço de ajuste do contrato na data t para o vencimento respectivo
M = valor, em reais, de cada ponto de PU, estabelecido pela BM&FBOVESPA
N = número de contratos
PA$_{t-1}$ = preço de ajuste do contrato na data $t-1$ para o vencimento respectivo
fc$_t$ = fator de correção do dia t, definido pela seguinte fórmula:

$$\text{fc}_t = \prod_{j=1}^{n}\left(1 + \frac{\text{DI}_{t-j}}{100}\right)^{1/252}$$

Onde:

n = número de dias de saque-reserva (dia útil para fins de operações praticadas no mercado financeiro, conforme estabelecido pelo Conselho Monetário Nacional, coluna H) entre o último dia de negociação e o dia do ajuste

PO = preço da operação, em PU, calculado da seguinte forma, após o fechamento do negócio:

$$\text{PO} = \text{PU} = \frac{100.000}{\left(1 + \dfrac{i}{100}\right)^{n/252}}$$

onde:

i = taxa de juros negociada
n = número de saques-reserva (coluna H), compreendido entre a data de negociação, inclusive, e a data de vencimento do contrato, exclusive
DI$_{t-j}$ = taxa de DI, referente ao j-ésimo dia útil anterior ao dia a que o ajuste se refere, com até seis casas decimais. Na hipótese de haver mais de uma taxa de DI divulgada para o intervalo entre dois dias de negociação consecutivos, essa taxa representará a acumulação de todas as taxas divulgadas

Na data de vencimento do contrato, o preço de ajuste será 100.000.

Se, em determinado dia, a taxa de DI divulgada pela Cetip se referir a um período (número de dias) distinto do considerado na correção do preço de ajuste, a BM&FBOVESPA poderá arbitrar uma taxa, a seu critério, para aquele dia específico.

O valor do ajuste diário (AD$_t$), se positivo, será creditado ao comprador da posição em PU (vendedor original em taxa) e debitado ao vendedor da posição em PU (comprador original em taxa). Caso o valor seja negativo, será debitado ao comprador da posição em PU e creditado ao vendedor da posição em PU.

EXEMPLO 26.3

Suponha que o Banco do Campo tenha realizado a venda de 500 contratos futuros de DI de 1 dia, com vencimento em 85 dias úteis, a 13,25%, o que gerou uma posição **comprada em PU de 95.889,89 pontos**. No final do dia, a taxa de ajuste foi de 13,27%, o que gerou um ajuste negativo para o Banco do Campo no dia da operação. Nos três dias seguintes, a taxa de ajuste fechou em queda, como mostram os dados do quadro a seguir. Quais foram os ajustes diários dessa operação?

	Dias úteis*	Taxa de ajuste	Ajuste do dia	Taxa DI do dia	Ajuste do PU da operação ou do PU do dia anterior	Ajuste diário (AD)
Dia 1	85	13,27%	95.884,18	0,0511%	95.889,89	−2.855,63
Dia 2	84	13,23%	95.942,90	0,0509%	95.933,18	4.860,47
Dia 3	83	13,10%	96.026,54	0,0509%	95.991,73	17.404,15
Dia 4	82	13,01%	96.098,35	0,0508%	96.075,32	11.466,52

* Dias úteis até o vencimento do contrato.

Dia 1

AD = (PU de Ajuste do Dia 1 − PU da Operação) × N° de contratos × Valor do Ponto
AD = (95.884,18 − 95.889,89) × 500 × R$1,00
AD = −R$2.855,63

O agente que está vendido em taxa (comprado em PU) **paga** ajuste diário.

Dia 2

AD = (PU de Ajuste do Dia 2 − PU de Ajuste do Dia Anterior Corrigido) × N° de contratos × Valor do Ponto
AD = 95.942,90 − [95.884,18 × (1 + 0,0511%)] × 500 × R$1,00
AD = (95.942,90 − 95.933,18) × 500 × R$1,00
AD = + R$4.860,47

O agente que está vendido em taxa (comprado em PU) **recebe** ajuste diário.

Dia 3

AD = (PU de Ajuste do Dia 3 − PU de Ajuste do Dia Anterior Corrigido) × N° de contratos × Valor do Ponto
AD = 96.026,54 − [95.942,90 × (1 + 0,0509%)] × 500 × R$1,00
AD = (96.026,54 − 95.991,73) × 500 × R$1,00
AD = +R$17.404,15

O agente que está vendido em taxa (comprado em PU) **recebe** ajuste diário.

Dia 4

AD = (PU de Ajuste do Dia 4 − PU de Ajuste do Dia Anterior Corrigido) × N° de contratos × Valor do Ponto
AD = 96.098,35 − [96.026,54 × (1 + 0,0509%)] × 500 × R$1,00
AD = (96.098,35 − 96.075,42) × 500 × R$1,00
AD = +R$11.466,52

O agente que está vendido em taxa (comprado em PU) **recebe** ajuste diário.

O ajuste do preço do dia anterior (PU a n dias do vencimento) é realizado pela taxa do DI desse dia. Esse ajuste considera que uma aplicação realizada no dia anterior, à taxa DI desse dia, deve ser corrigida para o dia seguinte por essa taxa. Em seguida, esse valor corrigido é comparado com o PU de fechamento do dia (PU a $n-1$ dias do vencimento). Se nada ocorrer no mercado no dia, o PU de fechamento será o PU do dia anterior, corrigido pela taxa DI do dia anterior. Com a movimentação das taxas do dia, o PU de fechamento será maior ou menor que o PU do dia anterior, corrigido, o que gera o ajuste diário.

Isso pode ser escrito assim:

$$AD_t = \left\{ PA_t - \left[PA_{t-1} \times (1 + DI_{t-1})^{1/252} \right] \right\} \times M \times N$$

onde:
AD_t = valor do ajuste diário, em R$, no dia t
PA_t = PU de ajuste no dia t
PA_{t-1} = PU de ajuste no dia $t-1$
DI_{t-1} = taxa do DI de 1 dia no dia $t-1$, no formato anual
M = valor em R$ de cada ponto de PU (= R$1,00)
N = número de contratos

QUADRO 26.8 Resumo dos efeitos da variação de taxas de juros sobre o contrato DI-1

	Aumento da taxa	Queda da taxa
Comprado em taxa (vendido em PU)	Ajuste positivo	Ajuste negativo
Vendido em taxa (comprado em PU)	Ajuste negativo	Ajuste positivo

Liquidação no vencimento No vencimento, o contrato de DI de 1 dia vale R$100.000,00. Entretanto, o PU pelo qual um contrato é negociado é corrigido diariamente pela taxa do DI-Cetip de um dia para calcular o preço de ajuste corrigido (e, assim, o ajuste diário). Quando chegar ao vencimento, o PU original terá sido corrigido pela taxa DI-Cetip acumulada entre o dia da negociação e o dia que antecede o dia de vencimento, inclusive, que é o último dia de negociação do contrato. No dia vencimento, portanto, o PU terá sido corrigido inclusive pela taxa DI do dia anterior ao vencimento e pode estar acima ou abaixo dos 100 mil pontos. Veja o exemplo a seguir.

EXEMPLO 26.4

O Banco da Serra comprou um contrato futuro de DI, com 21 dias úteis para o vencimento, por uma taxa de juros de 9,31% a.a. O PU da operação de compra foi de:

$$PU = \frac{100.000}{\left(1 + \frac{9,31}{100}\right)^{21/252}} = 99.260,93$$

Suponha que a taxa de juros DI acumulada nesses 21 dias tenha sido de 9,50% a.a. Com isso, a instituição financeira (que está comprada em taxa de juros e vendida em PU) ganha R$759,15, pois, no vencimento, efetua a operação inversa e vende por R$100.759,15 um título cujo valor no vencimento é de R$100.000,00.

$$PU = 99.260,93 \times \left(1 + \frac{9,50}{100}\right)^{21/252} = 100.759,15$$

Quem ficou vendido em taxa de juros e comprado em PU tem uma perda financeira de R$759,15, pois, no vencimento, compra por R$100.759,15 um título cujo valor no vencimento é de R$ 100.000,00.

Taxas implícitas no PU de DI-1

Ao analisar o PU de ajuste do mercado futuro de DI de um dia, é possível calcular a taxa de juros implícita negociada para o período que vai do dia da negociação até o vencimento do contrato.

Para tanto, basta dividir 100.000 pontos pelo PU de ajuste e compor a taxa para o período desejado.

Veja exemplos de cálculo pela tabela:

Vencimento	PU de ajuste	Dias úteis (nº de saques)	Taxa Implícita no período (a.a.)
set	97.490,20	58	**11,68%**
out	96.711,09	77	**11,57%**
jan	94.298,74	139	**11,23%**
abr	92.071,48	200	**10,97%**

Vencimento setembro

$$i_{anual} = \left[\left(\frac{100.000}{97.490,20}\right)^{252/58} - 1\right] \times 100 = 11,68\%$$

Vencimento outubro

$$i_{anual} = \left[\left(\frac{100.000}{96.711,09}\right)^{252/77} - 1\right] \times 100 = 11,57\%$$

Vencimento janeiro

$$i_{anual} = \left[\left(\frac{100.000}{94.298,74}\right)^{252/139} - 1\right] \times 100 = 11,23\%$$

Vencimento abril

$$i_{anual} = \left[\left(\frac{100.000}{92.071,48}\right)^{252/200} - 1\right] \times 100 = 10,97\%$$

Liquidação no vencimento e ajuste diário

Um detalhe importante que deriva da mecânica de apuração dos ajustes diários é que o valor do fluxo de caixa dos ajustes diários deve coincidir com o ganho ou a perda do contrato futuro contabilizados no vencimento.

Para analisar tal fato, suponha a negociação de um contrato futuro de DI1 a cinco dias do seu vencimento pela taxa de 13,48%. O comprador desse contrato ficou vendido em um PU de:

$$PU = \frac{100.000,00}{(1+0,1348)^{5/252}} = 99.749,41$$

Esse valor deve ser corrigido pelas taxas DI-Cetip até o vencimento para se apurarem ganhos ou perdas:

$$PU = 99.749,41 \times (1+0,13)^{1/252} \times (1+0,14)^{1/252} \times (1-0,15)^{1/252} \times (1+0,14)^{1/252} \times (1+0,13)^{1/252} = 100.005,55$$

No vencimento, quem ficou comprado em taxa e vendido em PU teve ganho de R$5,55 no mercado futuro. Observe que o contrato foi negociado por uma taxa de 13,48% e que a média (geométrica) das taxas DI-Cetip nesses cinco dias foi de:

$$\left[(1+0,13) \times (1+0,14) \times (1+0,15) \times (1+0,14) \times (1+0,13)\right]^{1/5} - 1 = 13,80\%$$

Para determinar o ganho ou a perda, basta multiplicar o PU inicial pela taxa média (geométrica) observada e compará-la com o valor teórico de R$100.000,00 no vencimento. Isto é:

$$99.749,41 \times 1,1380^{5/252} - 100.000 = 5,59$$

Ajustes diários no *hedge*

Cada um dos resultados anteriores poderia ter sido obtido detalhando os ajustes diários ao longo dos 14 dias. Veja, por exemplo, o detalhe da movimentação financeira do *hedge* para uma compra de taxa realizada a 16,00% (por 14 dias úteis) supondo que a taxa acumulada verificada no período foi de 16,10%. O quadro a seguir apresenta os cálculos; ele não leva em consideração o fato de o ajuste diário, calculado em *t*, ser pago no dia útil seguinte, $t + 1$.

Ajustes diários nos 14 dias úteis da posição						
	Taxa DI Cetip ao dia (%)	Juros ao ano (%)	PU ajustado	PU de mercado	Ajuste diário	Ajuste acumulado
14	0,0592	16,08	–	99.178,83	–	–
13	0,0598	16,26	99.237,54	99.240,00	(2,46)	(2,46)
12	0,0603	16,41	99.299,35	99.300,00	(0,65)	(3,11)
11	0,0611	16,64	99.359,88	99.400,00	(40,12)	(43,23)
10	0,0604	16,43	99.460,73	99.400,00	60,73	17,50
9	0,0594	16,14	99.460,04	99.450,00	10,04	27,54
8	0,0587	15,94	99.509,07	99.500,00	9,07	36,61
7	0,0587	15,94	99.558,41	99.600,00	(41,59)	(4,98)
6	0,0587	15,94	99.658,47	99.680,00	(21,53)	(26,52)
5	0,0585	15,88	99.738,51	99.700,00	38,51	12,00
4	0,0584	15,85	99.758,32	99.800,00	(41,68)	(29,68)
3	0,0584	15,85	99.858,28	99.850,00	8,28	(21,40)
2	0,0586	15,91	99.908,31	99.850,00	58,31	36,92
1	0,0594	16,14	99.908,51	99.940,00	(31,49)	5,43
0	–	0,00	99.999,36	100.000,00	(0,64)	4,79

A taxa de 16,10% é a taxa média, então temos:

$$1,008328 \times 99.178,83 = 99.178,83 \times 1,1610^{14/252} = 100.004,78.$$

Chegamos a um valor ligeiramente diferente devido ao processo de arredondamento e truncamento de casas decimais. Sempre que for simulada uma estratégia, deve-se atentar para a possibilidade de erros desse tipo. Na BM&FBOVESPA, os ajustes diários são apurados considerando o PU com duas casas decimais.

Operações de *hedge* e arbitragem com contratos de futuros DI-1

Os mercados de futuros de taxa de juros podem ser utilizados para a proteção de ativos e passivos de renda fixa com relação a movimentos desfavoráveis da taxa de juros. O uso dos contratos futuros de DI de um dia exige uma análise cuidadosa que evidencie claramente a situação que se quer proteger (ativa ou passiva, prefixada ou pós-fixada) para tirar adequado proveito do instrumento de proteção. De forma simplificada, podemos caracterizar os cenários e estratégias básicas apresentados no Quadro 26.9.

QUADRO 26.9 Cenários e estratégias para renda fixa com contrato Futuro DI–1

Posição (mercado à vista)	Risco	Estratégica (mercado futuro)
Ativa pós-fixada	Queda da taxa de juros	Vender taxa = ficar comprado em PU. Se a taxa do juro cair, o retorno da aplicação ou o empréstimo concedido será prejudicado. Ao iniciar a operação no mercado futuro, define-se uma taxa de juro transformando a posição original em prefixada.
Passiva pós-fixada	Alta da taxa de juros	Comprar taxa = ficar vendido em PU. Se a taxa do juro subir, os encargos referentes à dívida contraída aumentarão. Ao iniciar a operação no mercado futuro, define-se uma taxa de juro transformando a posição original em prefixada.

(continua)

QUADRO 26.9   *Continuação*

Posição (mercado à vista)	Risco	Estratégica (mercado futuro)
Ativa prefixada	Alta da taxa de juros	Comprar taxa = ficar vendido em PU. Se a taxa do juro subir, a aplicação ou empréstimo concedido deixará de ser atrativo frente às outras alternativas do mercado. Ao final da operação no mercado futuro, a posição original terá sido remunerada por uma taxa pós-fixada (desconhecida no momento da operação).
Passiva prefixada	Queda da taxa de juro	Vender taxa = ficar comprado em PU. Se a taxa do juro cair, a dívida contraída se tornará cara face às outras alternativas do mercado. Ao final da operação no mercado futuro, a posição original terá gerado encargos de juro calculados por uma taxa pós-fixada (desconhecida no momento da operação).

Detentores de uma posição prefixada no mercado à vista podem tentar transformar a operação original em uma com rendimentos pós-fixados. Para conseguir isso, é preciso realizar as operações em momentos muito particulares do mercado.

QUADRO 26.10   Resumo de estratégias para renda fixa com contrato Futuro DI-1

Posição (mercado à vista)	Risco	Estratégia (mercado de futuros)
Ativa prefixada	Alta da taxa de juros	Comprar taxa = ficar vendido em PU
Passiva prefixada	Queda da taxa de juros	Vender taxa = ficar comprado em PU
Ativa pós-fixada	Queda da taxa de juros	Vender taxa = ficar comprado em PU
Passiva pós-fixada	Alta da taxa de juros	Comprar taxa = ficar vendido em PU

EXEMPLO 26.5

Um lote de 1.000 LTNs, com 21 dias úteis de prazo até seu vencimento, foi adquirido a R$ 992.170,00 (i. e., com uma taxa de desconto de 9,89% a.a.)[12], pode ser transformado em um título que "rende" a taxa DI de um dia da CETIP. Isso é possível com a compra de um contrato de futuros na BM&FBOVESPA com vencimento exatamente em 21 dias úteis pelo mesmo preço. Veja a seguir o resultado, supondo que a taxa DI acumulada nesses 21 dias úteis seja 10,0% ao ano.

Para a estratégia envolvendo 1.000 LTNs, o número de contratos futuros a ser comprado é determinado por:

$$\text{Número de contratos} = \frac{\text{Posição em LTN no vencimento}}{\text{Valor do contrato futuro de DI} -1 \text{ no vencimento}}$$

$$\text{Número de contratos} = \frac{1.000.000}{100.000} = 10 \text{ contratos}$$

QUADRO 26.11   Estratégias de *hedge* de LTN com contrato de futuro DI-1

	Posição inicial	Posição final
Compra de 1.000 LTNs	R$ 992.170,00	R$ 1.000.000,00
Posição comprada de futuros	992.170 pontos	$PU = 992.170 \times \left(1 + \frac{10}{100}\right)^{21/252} = 100.081,70$
Estratégia combinada	R$ 992.170,00	R$ 1.000.081,70
Rentabilidade	9,89% (prevista)	$i = \left[\left(\frac{100.081,70}{99.217,00}\right)^{252/21} - 1\right] \times 100 = 10\% \text{ (realizada)}$

(continua)

---
[12] Arredondamos a taxa; verifique que a taxa é 9,89222% a.a.

(continuação)

No vencimento, a posição em LTNs é liquidada pelo valor de face, e o ganho do período é a taxa do papel, a taxa de compra das LTNs, 9,89%.

Posição em LTN			
Taxa de compra	Preço de compra	Valor no vencimento	Retono da posição em LTNs
9,89%	992.171,66	1.000.000,00	9,89%

Na estratégia de combinação do lote de 1.000 LTNs com uma posição no mercado de futuros, a taxa do mercado futuro poderá movimentar-se para mais ou para menos entre o momento da compra das LTNs e o momento da operação no mercado futuro. O quadro a seguir apresenta algumas hipóteses de movimento de taxas tanto no momento da aquisição da posição quanto na taxa acumulada no vencimento.

Posição no mercado de futuro DI-1						
Cenário	Taxa de compra	Pontos na aquisição	Taxa acumulada no vencimento	Pontos no vencimento	Ganho (perda) DI-1	Retorno LTN + DI-1
A	9,89%	992.171,66	10,00%	1.000.083,38	83,38	10,00%
B	9,88%	992.179,19	9,95%	1.000.053,07	53,07	9,96%
C	9,86%	992.194,24	9,83%	999.977,24	(22,76)	9,86%
D	9,91%	992.156,62	9,95%	1.000.030,32	30,32	9,93%
E	9,93%	992.141,57	9,83%	999.924,16	(75,84)	9,79%

Demonstramos a seguir os cálculos realizados. Tomemos como exemplo a última linha do quadro.

À taxa de 9,93% para 21 dias, a posição adquirida é de:

$$992.141,57 = \frac{1.000.000}{\left(1+\frac{9,93}{100}\right)^{21/252}} = \text{Pontos adquiridos}$$

No vencimento, os pontos adquiridos resultam da correção diária pelo DI de um dia. Supomos que a taxa acumulada ao final de 21 dias tenha sido de 9,83%. No vencimento, a posição vale:

$$992.141,57\left(1+\frac{9,83}{100}\right)^{21/252} = 999.924,16 = \text{Pontos no vencimento}$$

No vencimento, o contrato futuro de DI-1 vale 100.000 pontos. Como foram adquiridos 10 contratos, a posição vale 1.000.000 ou R$1.000.000,00. Assim, o resultado da operação de futuros no Cenário E é de:

Resultado da oposição no vencimento = 999.924,16 − 1.000.000,00 = −75,84

O detentor da posição terá ajuste negativo de R$75,84 para toda a posição (10 contratos):

O retorno final, quando somamos os resultados em LTNs (R$1.000.000,00) e mercado de futuros DI−1 (−75,84), reduziu o retorno que seria obtido somente com a posição em LTNs.:

$$\text{Rentabilidade} = \left\{\left[\frac{1.000.000-75,84}{992.170,00}\right]^{252/21}-1\right\}\times 100 = 9,79\%$$

Entretanto, nos cenários A, B e D, a posição em futuros melhorou a rentabilidade da operação em LTN, como mostra o quadro.

Nesse exemplo, mostramos que, se a volatilidade das taxas é baixa, pode não ser recomendável realizar o *hedge*. Observe que, como o risco de taxas de juros da posição em LTN é baixo, os prêmios da posição em DI–1 também são baixos.

A estratégia para transformar uma posição ativa prefixada em uma pós-fixada só poderá ser realizada quando o mercado futuro oferecer condições apropriadas.

- A taxa do mercado de futuros é inferior à da posição à vista: a estratégia só deve ser montada caso se espere melhora substancial das taxas no mercado de futuros.
- A taxa do mercado de futuros é superior à da posição à vista: a estratégia deve melhorar a rentabilidade da posição ativa, a menos que o mercado de futuros inverta a tendência.

Usos mais frequentes do DI

A compra ou a venda de contratos futuros para efeitos de *hedge* obedece a estratégias de *hedge* decididas em função de posições ativas e passivas. Observe as mudanças mostradas no Quadro 26.12.

QUADRO 26.12 Estratégias de *hedge* de taxa com contrato Futuro DI-1

Posição de mercado à vista		Risco	Estratégia (mercado futuro)
Ativa	Passiva		
Prefixada	Pós-fixada	Alta da taxa de juro	Comprar taxa = ficar vendido em PU. Se a taxa do juro subir, os encargos referentes à dívida contraída aumentarão. A operação no mercado futuro permite prefixar uma taxa para a ponta passiva, determinando, assim, no início da estratégia, o *spread* das posições combinadas.
Prefixada	Prefixada	Não há	–
Pós-fixada	Pós-fixada	Não há	–
Pós-fixada	Prefixada	Queda da taxa de juro	Vender taxa = ficar comprado em PU. Se a taxa do juro cair, o retorno da aplicação ou o empréstimo concedido será prejudicado. A operação no mercado futuro permite prefixar uma taxa para a ponta ativa, determinando, assim, no início da estratégia, o *spread* das posições combinadas.

As operações especulativas realizadas neste mercado, em geral, visam a potencializar os ganhos de uma posição. A decisão de comprar ou vender taxa dependerá da tendência esperada para a taxa de juro. Alguns exemplos são mostrados no Quadro 26.13.

QUADRO 26.13 Estratégias de *hedge* de taxa com contrato Futuro DI-1

Posição de mercado à vista		Expectativa (sobre a taxa de juro)	Estratégia (mercado futuro)
Ativa	Passiva		
Prefixada	Prefixada	Alta	Comprar taxa = ficar vendido em PU. A operação no mercado futuro permite usufruir de eventuais altas da taxa de juro, aumentando o *spread* das posições combinadas.
Pós-fixada	Pós-fixada	Baixa	Vender taxa = ficar comprado em PU. A operação no mercado futuro permite fixar uma taxa (a da operação no mercado futuro) que proporcionará ganhos caso a tendência de queda se confirme, melhorando o *spread* das posições combinadas.

As estratégias especulativas, contudo, podem levar a resultados negativos, com piora do *spread*, caso as expectativas não sejam confirmadas.

Resultados do *hedge* no mercado de DI

Ao negociar uma taxa de juros no mercado futuro de DI na BM&FBOVESPA, obtém-se uma posição expressa em PU referente a um valor nocional de R$100.000 no vencimento.

Diariamente, as posições em aberto são corrigidas pela taxa de juros do DI de um dia da CETIP antes de apurar o ajuste diário. O resultado final de um *hedge* será obtido comparando R$100.000,00 com o PU original corrigido pela taxa de juros acumulada no período da operação.

EXEMPLO 26.6

Veja os resultados que poderão ocorrer sobre uma posição **vendida em PU a 99.178,83 pontos** (comprada à taxa de 16%) a 14 dias úteis da data do vencimento do contrato futuro, supondo que a taxa acumulada do DI foi de:

a. 15,75% a.a. ou 0,0581% a.d.
   No final do período, o PU de nossa posição será definido por:

$$99.178,83 \times 1,00058114 = 99.178,83 \times 1,008165 = 99.988,60$$

Esse valor é inferior ao valor de liquidação previsto no contrato.
   Neste caso, a queda da taxa de juros obrigou o vendedor de PU a pagar 99.988,60 − 100.000,00 = R$11,40 por contrato, valor que foi realizado diariamente no processo de ajustes diários que aqui não estamos apresentando para simplificar.

b. 16,00% a.a. ou 0,0589% a.d.
   No final do período, o PU de nossa posição será definido por:

$$99.178,83 \times 1,00058914 = 99.178,83 \times 1,008280 = 100.000,00$$

que é o mesmo valor de liquidação previsto no contrato.
   Nesta situação, nada se ganha ou se perde, pois a posição foi aberta buscando proteção para um nível de taxa de juros que foi o exatamente verificado.

c. 16,40 % a.a. ou 0,0603% a.d.
   No final do período, o PU de nossa posição será definido por:

$$99.178,83 \times 1,00060314 = 99.178,83 \times 1,008475 = 100.019,38$$

Esse valor é superior ao valor de liquidação previsto no contrato. Neste caso, o aumento da taxa de juros levou ao recebimento de 100.019,38 − 100.000 = R$19,38 por contrato, valor que foi realizado diariamente no processo de ajustes diários que aqui não estamos apresentando para simplificar.

Apresentamos a seguir alguns exemplos de resultados com diferentes estratégias com títulos pré e pós-fixados.

1. No caso de o investidor esperar até o vencimento do título:

   Pós-fixados Nos títulos que seguem a Selic (p. ex., a LFT), se o juro de mercado cair, o investidor receberá menos do que ganharia se tivesse comprado um título prefixado ou até mesmo um juros menor do que a inflação no período.
   Os títulos que combinam inflação e juros prefixados (p. ex., a NTN-B), a parcela de remuneração prefixada, como o próprio nome diz, não muda se o juro de mercado subir, resultando eventualmente em uma remuneração menor do que a que seria obtida com um título pós-fixado puro.

   Prefixados Se os juros de mercado subirem ou a inflação for maior do que a projetada quando o título foi comprado, o investidor resgata um valor menor do que se tivesse investido em um título pós-fixado.

2. No caso de o investidor resgatar antecipadamente o título:

Pós-fixados Nos títulos que seguem a Selic (por exemplo, a LFT), o juros de mercado pode ter caído em relação à data do investimento, trazendo um resultado menor do que o indicado naquele momento.

Nos títulos que combinam inflação e juros prefixados (por exemplo, as NTN-B), pode ocorrer uma rentabilidade maior ou menor do que a prevista na hora da aplicação, tanto pelas flutuações na taxa de juros de mercado como pela variação da expectativa de inflação dos agentes financeiros.

Prefixados Pode ocorrer uma rentabilidade maior ou menor do que a prevista na hora em que se investiu, em função da variação da taxa de juros praticada no mercado na hora do saque.

Vértices da curva de juros

No mercado brasileiro, a curva de retornos[13] pode ser calculada tendo por base os títulos negociados no mercado à vista, bem como os contratos futuros de taxa de juro. São chamados **vértices** da curva os vencimentos em que há cotações de mercado para os títulos com retornos com as características dos retornos da curva.

A curva de retornos é um instrumento básico que orienta os agentes nas aplicações em títulos de renda fixa, pois revela a expectativa do mercado com relação ao comportamento da taxa de juros a termo (*forward*) e sua relação com a taxa de juros à vista (*spot*). Ela também se soma aos fatores que orientam as tesourarias de bancos no estabelecimento de taxas para suas operações passivas (captações) e ativas (empréstimos e financiamentos).

Nem todos os vencimentos da curva têm cotações verificadas no mercado. Então, para sua construção, é necessária a utilização de técnicas de interpolação e extrapolação das cotações verificadas nos negócios efetivados em mercado. As datas em que as informações de mercado existem são os vértices da curva.

26.7 Estrutura temporal, inflação e taxas de juros no Brasil: instrumentos para gestão e análise das taxas de juros

Entender o significado da estrutura temporal das taxas de juros e a sua estruturação é fundamental para uma boa gestão dos títulos de dívida.

A **taxa à vista**, ou taxa *spot*, é um retorno exigido no momento da cotação de um fluxo de caixa futuro único no período compreendido entre o momento da sua cotação e a data de seu vencimento. Já a **taxa a termo**, ou *forward*, é uma taxa exigida hoje para um período entre duas datas futuras do período até o vencimento do fluxo de caixa futuro. Assim, cada taxa à vista resulta da composição das taxas a termo exigidas entre períodos intermediários do período até o vencimento do fluxo de caixa. Mostramos a diferença entre as duas taxas a seguir.

Para construir uma curva de juros, é preciso reunir informações de taxas pagas por título com diversos vencimentos e montar uma tabela, como se exemplifica a seguir, no Quadro 26.14, com valores fictícios. Suponha que as seguintes taxas vigorem hoje para os prazos de um a cinco anos.

QUADRO 26.14 Dados para montagem da estrutura temporal das taxas de juros

Ano	Taxa
1	7,00%
2	8,00%
3	9,00%
4	9,50%
5	9,75%

---

[13] Ver o Capítulo 8. Veja a seção "A distinção entre a estrutura a termo de taxas de juros e a curva de retornos", adiante, na página 907.

As taxas apresentadas no Quadro 26.14 acumulam fatores de taxa (para capitalização de hoje até o vencimento ou para cálculo do valor presente de um fluxo de caixa no vencimento), conforme a coluna "Fator de taxa no vencimento" do Quadro 26.15 a seguir. Os fatores de taxa no vencimento são obtidos pelo fator de taxa à vista capitalizada pelo número de períodos.

A taxa a termo (forward). Uma importante utilidade derivada da observação das taxas de juros correntes que formam a estrutura a termo de taxas de juros é que elas fornecem informação sobre taxas futuras: as chamadas taxas a termo implícitas ou taxas *forward* implícitas.

QUADRO 26.15 Determinação das taxas a termo a partir dos fatores de taxas à vista*

Ano	Número de períodos	Taxa à vista (spot)	Fator de taxa no vencimento	Fator de taxa entre vencimentos	Taxa a termo (forward)
Ano 1	1	7,00%	1,0700		
Ano 2	2	8,00%	1,1664	1,09009	9,01%
Ano 3	3	9,00%	1,2950	1,11028	11,03%
Ano 4	4	9,50%	1,4377	1,11014	11,01%
Ano 5	5	9,75%	1,5923	1,10756	10,76%

Considere que estamos no momento 0. O vencimento "Ano 1" se dá dentro de exatamente um ano, e assim por diante (veja o Capítulo 4, página 110).

O fator de taxa do Ano 2 resulta da composição do fator de taxa à vista desse vencimento, 8%, pelo número de períodos até esse vencimento, 2:

$$(1,08)^2 = 1,1664$$

Entretanto, no primeiro ano, o retono deve ser de 7%, pois essa é a taxa praticada no mercado para um ano; se diferente fosse, haveria arbitragens. Logo, temos:

$$1,07 \times (1 + r_{1 \to 2}) = 1,1664$$

onde $r_{1 \to 2}$ é a taxa de juros entre o final do período 1 e o final do período 2. Fazendo o cálculo, vemos que essa taxa é 9,01%, como mostrado no Quadro 26.15. Essa taxa entre os vencimentos correspondentes aos anos 1 e 2 é a *taxa a termo* do Ano 2. Assim, enquanto a taxa à vista para o segundo vencimento é 8%, a taxa a termo do período 2 é 9,01%.

O fator de taxa do Ano 3 resulta da composição do fator de taxa à vista desse vencimento, 9%, pelo número de períodos até esse vencimento, 3:

$$(1,09)^3 = 1,2950$$

No segundo ano, o retono deve ser de 8% a.a., pois essa é a taxa praticada no mercado para dois anos. Logo, temos:

$$1,1664 \times (1 + r_{2 \to 3}) = 1,2950$$

onde $r_{2 \to 3}$ é a taxa de juros entre o final do período 2 e o final do período 3. Fazendo o cálculo, vemos que essa taxa é 11,03%, como mostrado no Quadro 26.15. Essa taxa entre os vencimentos correspondentes aos anos 2 e 3 é a *taxa a termo* do Ano 3. Assim, enquanto a taxa à vista para o terceiro vencimento é 9% a.a., a taxa a termo do período 3 é 11,03%. Repetindo os cálculos, até o quinto vencimento, temos as demais taxas a termo. Derivações mais complexas podem ser realizadas a partir da informação oferecida pela estrutura a termo de taxas de juro.

Observe que as taxas à vista são taxas negociadas de hoje até determinado vencimento, e as taxas a termo são taxas negociadas para um período que inicia em data futura.

A estrutura a termo de taxas de juros é muito utilizada na teoria e na prática dos mercados; às vezes é chamada de estrutura a termo, de curva de retornos, e também pelo nome em inglês *yield curve*. Entretanto, curva de retornos e a estrutura a termo de taxas de juros correspondem a procedimentos diferentes de determinar uma curva de juros. Nós nos deteremos nisso na próxima seção deste capítulo.

Se, ao usar apenas as taxas de juros praticadas em uma data qualquer, podemos inferir as taxas (implícitas) futuras, cabe perguntarmos qual é a necessidade de um mercado futuro de taxas de juro. Embora a função de promover a descoberta de preços possa ser realizada pela **curva de retornos**, ela não propicia a facilidade operacional dos mercados futuros.

É possível fixar taxas futuras **operando títulos de diferentes prazos**, mas não é fácil nem barato administrar esse *hedge*.

No mercado brasileiro, a **estrutura a termo da taxa de juros** pode ser calculada tendo por base títulos sem cupom negociados no mercado à vista, bem como os contratos futuros de taxa de juros – em ambos os casos, referida a datas específicas, os chamados vértices.

Às vezes, é conveniente ou necessário apurar a estrutura a termo de taxas com referência a **outros vértices**. Se, por exemplo, houver informação de taxas no mercado *spot* de títulos para prazos de 30, 60, 90 e 120 dias úteis, poderá interessar apurar as taxas para 21, 42, 63, 84 e 105 dias.

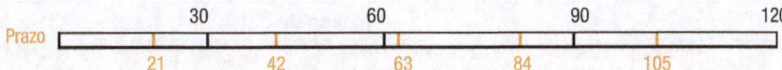

A forma da estrutura a termo de taxas de juros depende principalmente das expectativas dos participantes do mercado em relação às taxas de juros futuras e da aversão ao risco por parte dos investidores. É importante lembrar que, devido ao número finito de ativos e derivativos disponíveis, não é possível determinar uma taxa de juros para cada prazo possível, mas apenas para determinados prazos. A determinação das taxas para prazos intermediários deve ser realizada por meio do método de interpolação julgado mais adequado.

Os métodos de interpolação mais utilizados no mercado são:

- Interpolação linear
- Interpolação log-linear
- *Splines* cúbicas

Quando a diferença entre a taxa curta e a taxa longa é muito grande, a curva revela uma desconfiança dos agentes com relação à taxa do longo prazo. Questões estruturais ou de expectativa dos agentes quanto aos agentes emissores de dívida para o longo prazo os levam a exigir um prêmio muito alto para carregar títulos longos. As discrepâncias entre a taxa de curto e a de longo prazo também podem indicar um "erro" que deverá ser corrigido pelo próprio mercado no futuro. Se estiverem muito altas, então deverão cair e, se estiverem muito baixas, deverão subir. Em outras palavras, pode ocorrer que as tendências das taxas *forward* estejam refletindo a situação econômica do momento.

A distinção entre a estrutura a termo de taxas de juros e a curva de retornos

Às vezes, não é muito clara a diferença entre os conceitos de *estrutura a termo das taxas de juros* e *curva de retornos* (às vezes a curva de retornos é referida como *curva de rendimentos*. A literatura de Finanças também, às vezes, não é muito clara e, quando consultamos o título *term structure of interest rates*, o que encontramos, muitas vezes, é a discussão da *yield curve*. Alguns empregam os dois conceitos de forma indiferente, outros os distinguem. Neste livro, nós já tratamos dessa diferença conceitual na Seção 8.5, Capítulo 8. Aqui, desenvolvemos um exemplo.[14]

---

[14] Ver, por exemplo, Grandville, O. *Bond pricing and portfolio analysis*: protecting investors in the long run. Cambridge: MIT, 2001 e Choudhry, M. *Analysing and interpreting the yield curve*. Singapore: Wiley, 2004.

EXEMPLO 26.7

Suponha que sejam negociados no mercado títulos com cupom para os prazos de um até cinco anos. Todos os títulos têm valor de face de 1.000,00, e seus cupons são apresentados no quadro a seguir.

Prazo em anos	Cupom anual
1	8,00%
2	8,30%
3	8,60%
4	8,80%
5	8,70%

Os fluxos de caixa de cada título são mostrados no quadro seguinte:

Prazo do título	Fluxos de caixa				
	Ano 1	2	3	4	5
1 ano	1.080,00				
2 anos	83	1.083,00			
3 anos	86	86	1.086,00		
4 anos	88	88	88	1.088,00	
5 anos	87	87	87	87	1.087,00

Suponha que seja conhecida a estrutura a termo para o mesmo período.

Estrutura a termo das taxas de juros	
Prazo em anos	Taxa à vista
1	12,35%
2	12,65%
3	12,68%
4	12,62%
5	12,58%

Conhecidas as taxas à vista, podemos calcular o PU de cada papel, o valor que um investidor estaria disposto a pagar para ter rendimentos às taxas exigidas para cada vencimento.

Valor presente de cada fluxo às taxas à vista dos anos:					
1	2	3	4	5	PU = Soma no Ano 0
961,28					= 961,28
73,88	853,43				= 927,30
76,55	67,77	759,08			= 903,40
78,33	69,35	61,51	676,34		= 885,52
77,44	68,56	60,81	54,08	601,07	= 861,96

Sabendo o valor do investimento no Ano 0, podemos calcular a TIR de cada fluxo de caixa, que alguns autores associam ao retorno até o vencimento (*yield to maturity*) de cada título. Algumas vezes, no caso de cupons semestrais, o retorno até o vencimento é relatado como uma taxa nominal igual a duas vezes a TIR semestral, o que, nesse caso, faz o retorno até o vencimento ser diferente da TIR do fluxo de caixa do papel (ver o Exemplo 26.8 a seguir).

PU = investimento inicial	Fluxos de caixa					TIR = retorno até o vencimento
	Ano 1	2	3	4	5	
−961,28	1.080,00					12,35%
−927,30	83,00	1.083,00				12,64%
−903,40	86,00	86,00	1.086,00			12,67%
−885,52	88,00	88,00	88,00	1.088,00		12,62%
−861,96	87,00	87,00	87,00	87,00	1.087,00	12,59%

A TIR dos títulos com prazos de vencimento na curva desejada determina a curva de retornos (*yield curve*) desses vencimentos. Veja a seguir a comparação entre a estrutura a termo e a curva de retornos para o exemplo; neste caso, como os vencimentos são anuais, a TIR e o retorno até o vencimento coincidem.

Estrutura a termo das taxas de juros		Curva de retornos	
Prazo em anos	Taxa à vista	Prazo em anos	TIR
1	12,35%	1	12,35%
2	12,65%	2	12,64%
3	12,68%	3	12,67%
4	12,62%	4	12,62%
5	12,58%	5	12,59%

Observe que a estrutura a termo das taxas de juros e a curva de retornos mostram quase a mesma coisa. A diferença conceitual entre as duas é que a estrutura a termo se baseia em títulos tipo desconto puro, enquanto a curva de retornos se baseia nos retornos de títulos de cupom fixo. É o que escrevemos na Seção 8.5, Capítulo 8, quando lá tratamos da estrutura a termo de taxas de juros e da curva de retornos.

EXEMPLO 26.8

Apresentamos a seguir um exemplo adicional (adaptado de Choudry, 2004). Esse autor apresenta o exemplo de *gilts*[15] britânicos com vencimentos de meio ano até cinco anos, com cupons semestrais expressos na forma nominal anual e valor de mercado conforme o próximo quadro.

Vencimento	Anos para o vencimento	Cupom anual	Preço
Set-99	0,5	5,0%	99,5146
Mar-00	1,0	10,0%	103,5322
Set-00	1,5	7,0%	100,8453
Mar-01	2,0	6,5%	99,6314
Set-01	2,5	8,0%	102,4868
Mar-02	3,0	10,5%	108,4838
Set-02	3,5	9,0%	104,2325
Mar-03	4,0	7,3%	98,1408
Set-03	4,5	7,5%	98,3152
Mar-04	5,0	8,0%	100,0000

(continua)

---

[15] Os *gilts* são títulos de dívida emitidos pelos governos britânico e irlandês, embora o termo também inclua emissões de autoridades britânicas locais e algumas ofertas para o público estrangeiro.

(continuação)

Os fluxos de caixa de cada título e a TIR e o retorno até o vencimento (*YTM*), conforme relatados, são apresentados no próximo quadro.

Semestres	1	2	3	4	5	6	7	8	9	10		
PU					Fluxos de caixa						TIR %	YTM %
−99,5146	105,00										5,51	6,00
−103,5322	5,00	105,00									3,15	6,30
−100,8453	3,50	3,50	103,50								3,20	6,40
−99,6314	3,25	3,25	3,25	103,25							3,35	6,70
−102,4868	4,00	4,00	4,00	4,00	104,00						3,45	6,90
−108,4838	5,25	5,25	5,25	5,25	5,25	105,25					3,65	7,30
−104,2325	4,50	4,50	4,50	4,50	4,50	4,50	104,50				3,80	7,60
−98,1408	3,65	3,65	3,65	3,65	3,65	3,65	3,65	103,65			3,93	7,85
−98,3152	3,75	3,75	3,75	3,75	3,75	3,75	3,75	3,75	103,75		3,98	7,95
−100,0000	4,00	4,00	4,00	4,00	4,00	4,00	4,00	4,00	4,00	104,00	4,00	8,00

Obseve que, nessa forma de apresentação, o retorno até o vencimento (YTM) foi apresentado em taxa nominal, exceto para o primeiro título (taxa arredondada para 6%), para o qual a TIR e a taxa à vista se confundem.

A partir dos retornos até o vencimento, podem ser calculadas as taxas à vista (*spot*) teóricas para cada vencimento.

Título com prazo de um semestre:
Este título não tem cupons intermediários, então, nesse caso:

Taxa à vista para o prazo 1 = *YTM* = 6,00% (taxa arredondada).

Título com prazo de dois semestres:
Este título tem cupom anual de 10%, o que significa que seu cupom semestral é de 5,00.
Conhecidos o valor presente do título com dois semestres e a taxa para o primeiro semestre, podemos calcular a taxa à vista para o prazo 2:

$$= 103{,}5322 = \frac{5}{(1{,}03)} + \frac{105}{\left(1 + \frac{1}{2}i_2\right)^2}$$

Desenvolvendo os cálculos, encontramos a taxa à vista para o prazo 2.

$$\frac{1}{2}i_2 = 0{,}03154$$

$$i_2 = 0{,}06308, \text{ ou } 6{,}308\%$$

Título com prazo de três semestres:
Este título tem cupom anual de 7%, o que significa que o cupom semestral é de 3,50.
Conhecido o valor presente do título com três semestres e as taxas para o primeiro e o segundo semestres, podemos calcular a taxa à vista para o prazo 3:

$$= 103{,}5322 = \frac{3{,}50}{(1{,}03)} + \frac{105}{(1{,}03154)^2} + \frac{105}{\left(1 + \frac{1}{2}i_3\right)^3}$$

Desenvolvendo os cálculos, encontramos a taxa à vista para o prazo 3.

$$\frac{1}{2}i_3 = 0{,}032035$$

$$i_3 = 0{,}06407, \text{ ou } 6{,}407\%$$

Continuando essa técnica de cálculo, conhecida como *bootstraping*, calculamos as demais taxas à vista para todos os vencimentos, conforme mostra o quadro seguinte.

Vencimento	Anos para o vencimento	Cupom	Retorno até o vencimento	Taxa à vista teórica
Set-99	0,5	5,0%	6,00%	6,000%
Mar-00	1,0	10,0%	6,30%	6,308%
Set-00	1,5	7,0%	6,40%	6,407%
Mar-01	2,0	6,5%	6,70%	6,720%
Set-01	2,5	8,0%	6,90%	6,936%
Mar-02	3,0	10,5%	7,30%	7,394%
Set-02	3,5	9,0%	7,60%	7,712%
Mar-03	4,0	7,3%	7,80%	7,908%
Set-03	4,5	7,5%	7,95%	8,069%
Mar-04	5,0	8,0%	8,00%	8,147%

Fonte: Adaptado de CHOUDRY, 2004, p. 130.

Nesse exemplo mostramos como, a partir da curva das taxas de retorno até o vencimento, podem ser inferidas as respectivas taxas à vista. A primeira determina a curva de retornos, a segunda, a estrutura a termo de taxas de juros. Aqui, vemos de forma mais clara que o retorno até o vencimento e a taxa à vista podem ser diferentes. Note que, nesse exemplo, os retornos até o vencimento e as taxas à vista são expressos como o dobro da TIR e o dobro da taxa à vista, respectivamente, ambas em bases semestrais. Note, entretanto, que todos os cálculos foram realizados em bases semestrais. Somente a divulgação das taxas foi feita em base nominal anual.

Assim, a **curva de retornos**, ou *yield curve*, é uma curva construída com a TIR de **títulos com cupom** negociados no mercado. É importante notar que *essa curva não pode ser usada para descontar fluxos de caixa a valor presente*. Conhecida a curva de retornos, o procedimento de *bootstraping* permite obter as taxas à vista até o vencimento. *São as taxas à vista que podem ser utilizadas para descontar um fluxo de caixa único em um momento futuro*. As taxas à vista formam a estrutura a termo de taxas de juros. De forma recíproca, ***títulos sem cupom e sem risco*** (tipo desconto puro) são os títulos que determinam a **estrutura a termo de taxas de juros**.

Para efeitos práticos:

1. Se há títulos sem risco, tipo desconto puro, as taxas que determinam o PU desses títulos são as taxas à vista (*spot*) para vários vencimentos, que permitem, junto com procedimentos de interpolação entre vencimentos, formar a estrutura a termo de taxas de juros. São essas as taxas que são utilizadas para precificar quaisquer fluxos na curva.

2. Se não há títulos sem cupom, então será necessária uma etapa anterior para determinar a estrutura a termo. Será necessário construir uma curva de retornos até o vencimento (*yield to maturity*), ou TIRs, se os cupons coincidirem com os prazos da escala, para formar a curva de retornos (*yield curve*). A curva de retornos define uma série temporal de taxas internas de retorno. Em seguida, aplica-se o passo 1 para se obter a estrutura a termo de taxas de juros, cujas taxas à vista serão passíveis de uso para precificar quaisquer fluxos na curva.

Inflação implícita e arbitragem entre curvas

Da exposição anterior, é possível estruturar a curva de juros de qualquer título ou investimento com base na sua equação de precificação e considerando estimativas para as respectivas variáveis. Os modelos de precificação se baseiam no conceito da não arbitragem como premissa elementar. Em outras palavras, caso apareçam oportunidades de arbitragem entre as curvas (seja possível obter retornos pelas diferenças dos valores das expectativas), os agentes do mercado financeiro atuarão de forma a obter esse retorno, o que terá como efeito igualar as expectativas e anular a possibilidade de arbitragem.

Essa premissa é importante, pois apresenta a possibilidade de cálculo da inflação implícita por meio da gestão e da análise de produtos derivativos, como os *swaps*.

Uma característica importante dos *swaps* é que duas contrapartes assumem ao mesmo tempo, uma contra a outra, uma posição ativa e passiva. Assim, considerando a premissa da não arbitragem, o resultado na data da operação deve ser nulo.

Considere um *swap* Pré × IPCA (adiante detalhamos os *swaps*). Na data da operação teríamos:

$$(1+i)^{\frac{du}{252}} = \frac{E(IPCA_t)}{IPCA_0} \times (1+C_{IPCA})^{\frac{du}{252}}$$

onde:

i = taxa pré baseada na ETTJ da BM&F
$E(IPCA_t)$ = expectativa do IPCA na data de vencimento do contrato
$IPCA_0$ = IPCA na data inicial
C_{IPCA} = cupom de IPCA

Nessa operação, temos duas curvas de juros: a curva da taxa prefixada e a curva do IPCA. Na data zero da operação, essas variáveis estão equilibradas e alinhadas. No entanto, a tendência é que, com o tempo, até o vencimento da operação, essas taxas passem a oscilar de acordo com as expectativas e os cenários econômicos. Se considerarmos que o IPCA é um indicador da inflação, ao captar essa movimentação em relação à taxa prefixada, teremos uma boa expectativa da inflação implícita considerada pelo mercado.

De uma forma mais detalhada, os agentes possuem uma expectativa em relação à inflação, que, nesse caso, estamos considerando ser expressa pelo IPCA. Contudo, observe que a metodologia pode ser utilizada também para outros tipos de *swaps*. De acordo com essa expectativa, eles precificam o IPCA de acordo com a equação abaixo:

$$(1+C_{IPCA})^{\frac{du}{252}} = \frac{(1+i)^{\frac{du}{252}}}{\frac{E(IPCA_t)}{IPCA_0}}$$

Efetuando algumas manipulações algébricas nessa equação, podemos encontrar a expressão do conceito da inflação implícita:

$$\frac{E(IPCA_t)}{IPCA_0} = \frac{(1+i)^{\frac{du}{252}}}{(1+C_{IPCA})^{\frac{du}{252}}}$$

Outro elemento importante a destacar é que o cupom de IPCA também está contido no apreçamento das NTN-Bs. O princípio da não arbitragem é válido para todos os mercados nas quais exista uma curva de juros. Assim, a inflação implícita com base no IPCA, por exemplo, também pode ser obtida dos negócios do mercado de NTN-Bs. Para isso, calcula-se o quociente entre a remuneração de um título prefixado e a taxa de juros real (em IPCA) de uma NTN-B de prazo equivalente.

A curva de retornos mostra a relação entre as taxas de juros à vista (*spot*) e as taxas a termo (*forward*). Essa relação mostra a expectativa dos agentes a respeito do comportamento das taxas de juros futuras. Embora essa abordagem seja aparentemente simples, há discussões teóricas e muitos estudos sobre a informação revelada pela curva de retornos.

As características peculiares do mercado futuro de DI de 1 dia em relação às práticas de outros mercados nas quais a maior parte das discussões teóricas se baseia, não impedem a obtenção de informações para a derivação das curvas de juro. Talvez apenas exijam esforços e métodos de cálculo diferentes.

Embora a estrutura a termo das taxas de juros possa ser entendida como um produto "derivado" do mercado futuro, há situações em que essa estrutura oferece informação para realização de estratégias avançadas, vinculadas à gestão do risco de carteiras de títulos. Isso é importante, pois, de uma forma geral, apesar de os títulos de renda fixa – em especial, os títulos públicos – serem considerados pelo mercado uma das opções de investimento mais seguras, é preciso lembrar que não existe investimento sem risco, seja de crédito ou de taxas de juros. Até mesmo governos podem estar, e estão, sujeitos a episódios de inadimplência, e existem incertezas inerentes ao tipo de título e às suas variações em relação a expectativas das taxas de juros de mercado.

26.9 Operações de *swap* no Brasil

Duas empresas podem estabelecer um acordo entre si, ou com a intermediação de uma instituição financeira, para trocar as suas posições de risco através de um *swap*, termo que, em inglês, significa troca ou permuta. Um contrato de *swap* representa um acordo no qual as **contrapartes** trocam fluxos futuros de caixa baseados em **parâmetros** (com as respectivas **variáveis**), **valor de referência** e **prazo**. A **valorização** do contrato tem base na regra de formação do parâmetro.

Um *swap* se assemelha a uma operação composta por dois contratos a termo, negociado em mercado de balcão (OTC – *over the counter*). A parte vendedora de um desses contratos (referenciado em uma variável) é a compradora do outro (referenciado na outra variável). Os valores e o prazo, bem como as condições de liquidação, são fixados pelas partes, Dessa forma, são contratos sem padronização, sendo assim derivativos do tipo "caso a caso" (***taylor made***). Esses contratos podem ser registrados ou na BM&FBOVESPA, ou na Cetip.

Exemplos de *swap*s:

1. *Swap* DI1 × DOL – Trocam-se fluxos de caixa indexados ao DI por fluxos indexados à variação cambial mais uma taxa de juros negociada entre as partes.
2. *Swap* PRÉ × DI1 – Trocam-se fluxos de caixa indexados a uma taxa prefixada em reais por fluxos indexados a uma taxa em DI.
3. *Swap* IBOVESPA × DI – Trocam-se fluxos de caixa indexados ao retorno do Ibovespa mais uma taxa de juros negociada entre as partes por fluxos indexados a uma taxa em DI ou vice-versa.
4. *Swap* IGP-M × DI – Trocam-se fluxos de caixa indexados ao "retorno" do IGP-M mais uma taxa de juros negociada entre as partes por fluxos indexados a uma taxa em DI ou vice-versa.

Vários tipos de *swap* são encontrados no mercado financeiro mundial. O mais importante deles, com maior volume de negociação, é o **swap de taxas de juro**, e em seguida está o **swap de moedas** (este último não é negociado no mercado financeiro brasileiro). Existem também **swaps de índices**, **swaps de commodities** e outros. A diferença, basicamente, é a forma de cálculo dos fluxos de caixa, a qual depende dos indexadores utilizados nos parâmetros do contrato.

Swap de taxas de juros Contrato entre dois agentes que trocam indexadores associados a seus ativos ou passivos e baseados em duas taxas de juros diferentes. Alguns tipos de taxas de juros no mercado brasileiro utilizados em *swaps* são: Taxa prefixada (PRÉ), Taxa de Depósito Interfinanceiro de Um Dia (DI1), Taxa de Juros de Longo Prazo (TJLP), Taxa Referencial (TR) e Taxa SELIC.

Swap de índices Contrato entre duas partes que trocam fluxos, sendo um deles associado ao "retorno" de um índice de preços ou de um índice de ações, ou até mesmo de uma ação ou carteira de ações (*stock basket*). Alguns tipos de índices utilizados no mercado brasileiro e exemplos de *swaps* são: IGP-M (Índice Geral de Preços de Mercado), IPC-Fipe (Índice de Preços ao Consumidor), INPC (Índice Nacional de Preços ao Consumidor), Ibovespa.

Swap de commodities Contrato entre duas instituições que trocam fluxos, sendo um deles associado à variação de preço de uma *commodity*.

Swap DI × Pré

No mercado financeiro brasileiro, os *swaps* DI × Pré e Dol × Pré podem ser considerados exemplos de *swap fixed-for-floating*, em que a taxa é repactuada diariamente e a liquidação é feita no dia subsequente. Nesse derivativo, trocam-se fluxos calculados pela taxa acumulada do DI da Cetip (Taxa Média de Depósitos Interfinanceiros de Um Dia, definida e divulgada pela Câmara de Custódia e Liquidação da Cetip) por fluxos calculados por uma taxa prefixada, determinada no início da operação. Veja um exemplo, a seguir.

EXEMPLO 26.9

O Banco Delta pactuou financiamento para outra instituição financeira à taxa DI. Por outro lado, captou R$ 10 milhões corrigidos à taxa fixa de 18% a.a. em reais pelo prazo de um ano. Para o banco Delta, o risco da operação é a possibilidade de as taxas de juros caírem. Nesse caso, o seu passivo estaria fixo e o seu ativo poderia perder valor. Esse risco foi administrado pelo banco contratando um *swap* PRÉ × DI, com prazo de um ano, sendo a ponta ativa atrelada à taxa pré de 18,5% e a passiva, a 100% do DI.

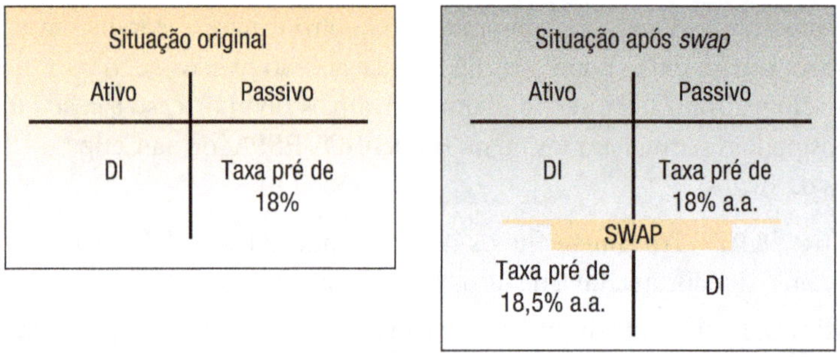

Situação original		Situação após *swap*	
Ativo	Passivo	Ativo	Passivo
DI	Taxa pré de 18%	DI	Taxa pré de 18% a.a.
		SWAP	
		Taxa pré de 18,5% a.a.	DI

FIGURA 26.2 O *swap* PRÉ × DI.

Com a operação de *swap*, o banco eliminou o risco de taxa de juros e conseguiu fixar, antecipadamente, um *spread* de 0,5%. Suponha que ao taxa DI acumulada no ano tenha sido de 17%. O resultado final do *swap* é:

Posição original:		
Ponta ativa em CDI	10.000.000 × (1 + 0,17)	= R$ 11.700.000,00
Ponta passiva em pré	10.000.000 × (1 + 0,18)	= R$ 11.800.000,00
Resultado da situação original		= (R$ 100.000,00)

Com o *swap*, temos:		
Ponta passiva em CDI	10.000.000 × (1 + 0,170)	= R$ 11.700.000,00
Ponta ativa em pré	10.000.000 × (1 + 0,185)	= R$ 11.850.000,00
Swap (Pré × DI)		= R$ 150.000,00
Resultado da operação mais o *swap*		= R$ 50.000,00

A estratégia teria propiciado um ganho de R$ 50.000,00 para o Banco Delta. O resultado do *swap* compensa a diferença verificada nos juros acumulados entre as duas variáveis da operação original.

Observe que, mesmo se as taxas de juros subissem para 19% no acumulado do ano, o resultado das operações seria positivo e igual a R$ 50.000,00. Sem a utilização do *swap*, nesse caso, o banco ganharia R$ 100.000,00. No entanto, na liquidação do *swap*, pagaria R$ 50.000,00, que resulta de calcular 10.000.000 × (1,185 − 1,190), tornando o resultado global da estratégia igual a R$ 50.000,00.

Swap DOL × Pré

Em uma operação de *swap* Dol × Pré, duas partes pactuam a troca da variação do dólar (PTAX 800[16] de venda ou de compra) mais uma taxa de juros (cupom cambial) por uma taxa prefixada. Este *swap* é utilizado, por exemplo, por empresas interessadas em hedgear o valor de uma importação, na qual estão expostas à variação cambial e desejam trocá-la por exposição em taxa prefixada. Veja o exemplo, a seguir.

EXEMPLO 26.10

A empresa T&T tem créditos concedidos no valor de R$ 10 milhões, e esse ativo está prefixado a 17% a.a. A empresa quer transformá-lo em "variação cambial +10% a.a." sem movimentação de caixa. Para isso, contrata um *swap* com o Banco Gamma, ficando ativa em "variação cambial + 10% a.a." e passiva em "17% a.a.", ao passo que o Banco Gamma fica ativo em "17% a.a." e passivo em "variação cambial + 10% a.a.".[17] No vencimento do contrato, sobre o valor referencial, serão aplicadas as duas curvas de juros, e a parte que ficar com o ativo maior que o passivo recebe o ajuste positivo.

Admitindo que, no final da operação, após 30 dias corridos (ou 21 dias úteis), a variação cambial foi de 2% (no período), teríamos este resultado (veja a Figura 26.3):

Posição original da empresa T&T

$$\text{Ativo em PRE} = 10.000.000,00 \times \left(\frac{17}{100}+1\right)^{\frac{21}{252}} = R\$\ 10.131.696,11$$

Os fluxos do *swap* para a empresa T&T mostram:

$$\text{Ponta passiva em PRE} = 10.000.000,00 \times \left(\frac{17}{100}+1\right)^{\frac{21}{252}} = R\$\ 10.131.696,11$$

$$\text{Ponta ativa em DOL} = 10.000.000,00 \times 1,02 \times \left(\frac{10}{100} \times \frac{30}{360}+1\right) = R\$\ 10.285.000,00^{18}$$

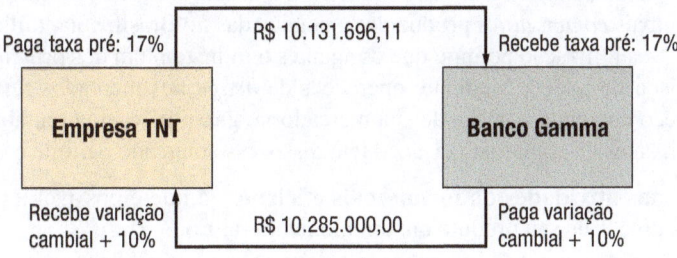

FIGURA 26.3 O swap DOL × Pré.
A empresa receberá do banco o valor de R$ 153.303,89 (resultado de R$ 10.285.000,00 − R$ 10.131.696,11), pois a variação cambial mais 10% ficou além dos 17% estipulado pela taxa pré.

---

[16] PTAX 800 é uma das telas de informações do sistema SISBACEN, do Banco Central do Brasil, que originalmente divulgava a taxa de câmbio (compra e venda) verificada no mercado no dia anterior e que passou a ser conhecida como Ptax. Mais recentemente, o Banco Central do Brasil alterou a sistemática de definição da Ptax realizando quatro consultas durante o funcionamento do mercado de câmbio, de forma a impedir que a Ptax seja determinada no encerramento dos negócios por operações de mercado realizadas exclusivamente para definir a Ptax. É a taxa do dia anterior (a Ptax) que é utilizada para contratação e a liquidação de contratos indexados à variação cambial, como os contratos futuros de dólar na BM&FBOVESPA.

[17] Como o banco fica em posição cambial passiva, ele provavelmente atuará na ponta compradora no mercado de futuros de dólar, buscando eliminar o risco cambial da posição passiva.

[18] Os juros em dólar são calculados no formato de juros simples, em prazos 30/360.

26.10 Derivativos agropecuários

A agricultura e a pecuária são as mais antigas atividades econômicas realizadas pelo homem. Muito dependentes de fatores climáticos e das próprias características dos cultivos e da criação, os empreendimentos agrícolas e pecuários, mais bem referidos em conjunto como agropecuários, produzem resultados financeiros sempre bastante incertos. A variabilidade dos preços associada a esses problemas está nos fundamentos que originaram os mercados derivativos.

Na agropecuária, à semelhança de outros processos produtivos, os resultados são influenciados por diversos riscos, dentre os quais se destacam:

- Risco Operacional: refere-se à possibilidade de o volume de produção esperada não se concretizar devido a eventos relacionados ao clima (tais como seca, excesso de chuva e geadas) ou a outros, como pragas, falhas de equipamentos ou erros humanos durante o período de produção. Alguns desses riscos podem ser cobertos com seguros específicos.
- Risco de Crédito: surge na contratação entre partes, sendo expresso pela possibilidade de uma delas não honrar o compromisso assumido (pagamento em dinheiro ou entrega do produto/serviço). As garantias exigidas por ocasião da contratação de uma operação visam, fundamentalmente, à cobertura desse risco.
- Risco Legal: decorre dos problemas e das perdas que podem ocorrer por uma interpretação inadequada da aplicabilidade de normas legais, tributárias, regulamentos ou termos contratuais. A adoção de boas práticas de produção e a busca constante pela qualidade são os aliados mais importantes na mitigação deste risco.
- Risco de Preço: representa a possibilidade de os preços oscilarem em sentido contrário ao interesse do agente no momento da comercialização do produto. Para gerenciar este risco, os agentes do agronegócio contam com os contratos derivativos como seu principal instrumento.

Os contratos derivativos se consolidaram como ferramenta da moderna gestão do risco de preços na agropecuária ao oferecer variadas alternativas de uso conforme o perfil do gestor, a situação específica enfrentada e o tipo de risco assumido.

Os contratos futuros agropecuários listados na BM&FBOVESPA constituem importante instrumento na gestão das empresas envolvidas com a produção, comercialização ou transformação das principais *commodities* produzidas e negociadas no Brasil: soja, milho, carne, café, açúcar e álcool. Sua utilização permite que os agentes minimizem um dos principais riscos que enfrentam: **o risco de preço**. Mediante operações de *hedge* nos mercados futuros, o agente pode fixar o preço de venda/compra de sua mercadoria, garantindo uma rentabilidade, considerada razoável, antes da comercialização. Além disso, esse mercado permite que os agentes:

- **Planejem suas atividades de forma mais eficiente**, já que é possível ter uma ideia do cenário dos preços de seu produto em um momento futuro.
- **Utilizem a posição em futuros como "colateral" de garantia de empréstimos**: clientes que provarem ter adequada cobertura do risco de preço podem obter crédito a taxas reduzidas.
- **Viabilizem** o financiamento mediante emissão de títulos privados, como a **Cédula de Produto Rural (CPR)** e, em alguns casos, permitam que os agentes amenizem os custos dessa fonte de recursos.

Formação do preço futuro no mercado agropecuário   A análise de formação dos preços futuros deve ser diferenciada no caso de o objeto ser um ativo de investimento ou de consumo. Os próprios nomes os definem. Enquanto o primeiro tipo é caracterizado pelo fato de o investidor mantê-lo em sua carteira por razões de investimento (exemplos: títulos ou ações), o segundo é mantido pelo agente para consumo na produção (exemplos: *commodities* agropecuárias, como café e açúcar). Nesse sentido, alguns conceitos que afetam a formação do peço futuro no mercado agropecuário são fundamentais para o entendimento da formação do preço.

Renda de conveniência (*convenience yield*)   Para os ativos de consumo, como as *commodities* agrícolas, as arbitragens que podem ser realizadas no mercado financeiro precisam ser reformuladas.

Nos mercados financeiros, se o preço futuro for menor que o preço à vista:

$$F_0 < S_0 \times (1 + r + a)^T$$

onde:

F_0 = preço futuro
S_0 = preço presente
r = taxa de juro
a = custo de custódia
T = prazo do contrato

O agente vende o bem, investe o montante recebido, economiza o custo de armazenamento e compra contrato futuro. Em T, na liquidação do contrato, ele compra o ativo ao preço futuro utilizando o valor investido. Além de receber a *commodity*, melhora sua posição em:

$$S_0 \times (1 + r + a)^T - F_0$$

Tal situação não durará muito tempo, pois o preço à vista tende a cair pelo aumento da quantidade ofertada, e o preço futuro tende a aumentar pelo aumento da quantidade demandada de contratos futuros.

Se o preço futuro for maior que o preço à vista nos mercados financeiros, temos:

$$F_0 > S_0 \times (1 + r + a)^T$$

A desigualdade também será logo eliminada, pois, com a atuação dos arbitradores, o preço à vista da *commodity* subirá pelo aumento de sua quantidade demandada, e o preço futuro cairá pelo aumento da quantidade ofertada de contratos futuros.

Para *commodities* não financeiras, não é possível verificar tais relações de arbitragem. Os agentes que usam ativos de consumo em seu processo produtivo não realizariam a venda à vista e a compra simultânea de contratos futuros, já que não podem utilizar contratos futuros no seu processo de consumo! Existem, portanto, **benefícios da posse** da *commodity*. Esse benefícios são conhecidos na literatura como *renda de conveniência*.

Quanto maior for a possibilidade de escassez futura da *commodity* (ou quanto menores forem os níveis de estoque), maior será a **renda de conveniência**. A situação inversa ocorre caso o mercado tenha garantida a disponibilidade do produto em um momento futuro.

Considere a situação em que existe escassez de oferta de produto no mercado e na qual a empresa necessita de uma quantidade desse bem com urgência. Ao possuir o bem, o problema é facilmente resolvido, fato que não ocorreria se tivesse contratos futuros em vez da *commodity* em si. Devemos lembrar que os contratos de futuros são contratos com vencimento em data futura e podem ter liquidação financeira, ou seja, não garantem a entrega física da mercadoria. Seu principal objetivo é a gestão do risco de preço.

Considerando os custos de armazenamento a como uma proporção do preço da *commodity* e y como a renda de conveniência, os preços futuros são definidos como:

$$F_0 \times (1 + y)^T = S_0 \times (1 + r + a)^T + e$$

ou

$$F_0 = S_0 \times [(1 + r + a)/(1 + y)]^T + e$$

em que e é um componente de erro.

Caso o custo de armazenamento fosse expresso em valor nominal (e não como uma proporção do valor do ativo), a fórmula seria:

$$F_0 \times (1 + y)^T = (S_0 + A) \times (1 + r)^T$$

ou

$$F_0 = (S_0 + A) \times [(1 + r)/(1 + y)]^T$$

onde A é o valor presente do custo de armazenamento.

Custos de carregamento Os custos de carregamento exercem papel importante para a determinação do relacionamento entre preços à vista e preços futuros e/ou entre preços futuros de contratos com sucessivos vencimentos. Define-se custo de carregamento, c, como o custo total para carregar uma mercadoria até uma data futura, T. Ou seja:

$$\begin{aligned}&\text{Custo de armazenamento }(a)\\&+\text{ Custo de seguro }(s)\\&+\text{ Custo de transporte }(t)\\&+\text{ Custo com comissões }(o)\\&+\text{ Custo de financiamento }(i)\\&=\textbf{ Custo de carregamento}\end{aligned}$$

Veja, na tabela a seguir, o custo de carregar o açúcar por 42 dias úteis no dia 12/07/XX.

Custo de carregamento para o açúcar no dia 12/07/XX	
Item	US$/sc
Preço à vista	8,90*
Custo financeiro de 12% ao ano	0,17**
Armazenamento e seguro (US$0,20/mês)	0,40
Reserva contra quebra de peso (1/16%)/mês	0,01***
Transporte (Santos-Ribeirão Preto)	0,70
Preço futuro – 07/XX	**9,20******

* Cotação à vista em US$: R$27,04/(R$3,0371/US$)
** $8,9 \times [(1 + 12\%)^{42/252} - 1]$
*** US$8,90 $\times$ (1/16)% $\times$ 2 meses
**** Em geral, os prêmios não excedem os custos de carregamento e, não raro, ficam ligeiramente abaixo deles (este exemplo é um caso).

O conceito de base Base é a diferença entre o preço de uma *commodity* no mercado físico e sua cotação no mercado futuro.

$$\textbf{Base} = \textbf{Preço à vista} - \textbf{Preço futuro}$$

Normalmente, a base reflete:

- Custos de transporte entre o mercado local e o ponto de entrega especificado no contrato;
- Diferenças de qualidade do produto em relação ao objeto de negociação do contrato futuro;
- Juros projetados até o vencimento do contrato futuro;
- Condições locais de oferta e demanda, estrutura de mercado;
- Custos de estocagem, manuseio e impostos.

A base pode ser *negativa* ou *positiva*, refletindo, respectivamente, o fato de o preço local ser *menor* ou *maior* do que a cotação no mercado de futuros. Ela pode ser calculada diariamente pela diferença entre o preço na Bolsa para o contrato com vencimento mais próximo e o preço na região, como um valor médio em um período maior (semana, mês, por exemplo) ou com qualquer outra periodicidade (inclusive, várias vezes ao dia).

O risco de base

Os cálculos relativos à diferença de preços entre o mercado à vista e o mercado de futuros permitem, por exemplo, que um produtor saiba que o preço da soja, em sua região, costuma se manter, durante o mês de março, R$1,50 abaixo da cotação do vencimento em maio no mercado futuro da BM&FBOVESPA. Nesse caso, ele teria que levar em conta essa diferença ao fazer suas operações de *hedge*. No entanto, trata-se de um cálculo estimativo. A base também pode variar, criando o chamado **risco de base**. Uma das funções mais importantes dos mercados futuros é o *hedging*. No entanto, uma operação de *hedge* no mercado futuro não elimina todos os riscos, permanecendo o risco de base.

O conceito de base é importante, porque pode afetar o resultado final do *hedge*. Por exemplo, se os preços no mercado físico e futuro oscilarem na mesma proporção, o *hedger* vai pagar ajustes no mercado futuro quando o preço deste subir, mas recuperará o valor pago ao vender o produto (a um preço maior) no mercado à vista. Porém, dependendo do comportamento da base, em algumas situações, ele poderá ter desembolsos no mercado futuro, mas não recuperará totalmente esses valores com a venda no mercado físico. Essa situação é chamada de **enfraquecimento da base**; ela gera um resultado abaixo do esperado. Em outras situações, no entanto, pode ocorrer que o preço no mercado físico se eleve mais do que no mercado futuro, causando o que se chama de **fortalecimento da base**. Nesse caso, o resultado final seria melhor do que o esperado.

Em geral, quando se fala em "base", a referência é a diferença entre o preço à vista e o preço do contrato futuro de vencimento mais próximo. Todavia, existe uma base para cada vencimento de contrato futuro com contratos em aberto, e essa base pode diferir ao longo do tempo, dependendo do ativo subjacente e dos meses de vencimento considerados.

A seguir, apresentamos exemplos de atuação do *hedger* no mercado agropecuário.

Exemplos de *hedge* de venda e de compra com base constante O exemplo a seguir mostra um *hedge* perfeito de venda, no mercado da soja, no qual a base fica constante.

EXEMPLO 26.11

Em dezembro, um produtor de soja, que espera colher 18.000 sacos de soja em abril ao custo de US$14,00/saco, decide fazer *hedge* de sua produção no mercado futuro da BM&FBOVESPA vendendo 40 contratos futuros para maio a US$21,00.[19] O produtor sabe que, historicamente, a base média em maio tem sido de –US$2,00/saco.

Se a base média se mantiver constante, o produtor terá um resultado líquido esperado de US$19,00/saco. De outro modo, eventuais oscilações da base abrem a possibilidade de ele se beneficiar de um eventual fortalecimento da base entre o momento atual e o encerramento da posição. Por outro lado, pode obter um preço final menor que US$19,00/saca, caso a base se enfraqueça.

A posição foi tomada para maio, porque o produtor pensa em vender a soja no mercado físico em abril – lembre-se de que o vencimento do contrato ocorre no 9º dia útil anterior a 01/05. Essa é uma prática normal, a de se fazer o *hedge* para os contratos com data de vencimento logo em seguida e o mais próximo possível daquela em que será efetuada a negociação no mercado físico.

Em abril, o produtor vende sua soja no mercado local ao preço de US$18,50/saco, quando a cotação nos mercados futuros é de US$20,50/saco. O quadro a seguir mostra o resultado da operação realizada.

Resultado da operação de *hedge* de venda com base constante			
Mês (1)	Mercado físico (2)	Mercado futuro (3)	Base (4) US$/saco
Dezembro		Vende 40 contratos de soja para maio a US$21,00/saco	–US$2,00/saco
Abril	Vende 18 mil sacos no mercado local a US$18,50/saco	Compra 40 contratos de soja para maio a US$20,50/saco	–US$2,00/saco
Resultado	Vende a US$18,50/saco	Recebe US$0,50/saco	Sem variação na base

O resultado final da operação é obtido adicionando-se, na última linha, o resultado da coluna (2) mais o resultado da coluna (3). Isto é: US$18,50 + US$0,50 = US$ 19,00/saco, conforme desejado pelo produtor.

---

[19] O contrato futuro de soja da BM&FBOVESPA vence no 9º dia útil anterior ao 1º dia do mês de vencimento e é negociado em lotes de 450 sacos de 60 kg.

Esse tipo de cobertura é denominado "cobertura perfeita", porque a base se manteve constante, o que raramente acontece na vida real. Na prática, podem existir fatos que afetem o mercado e que se reflitam na Bolsa, causando modificações na diferença entre o preço futuro e o preço local. Isso modifica o resultado do *hedge*.

Podemos dar outro exemplo de um *hedge* perfeito, ou, melhor dizendo, de um *hedge* de compra com base constante.

EXEMPLO 26.12

Imagine um frigorífico que, em abril, tenha acertado um contrato de fornecimento de carne para uma rede de supermercados em julho do mesmo ano. Em abril, a cotação nos mercados futuros para entrega em julho era de R$56,00/@.[20] A base para julho está prevista em R$4,00 acima do preço futuro. Como esse resultado era satisfatório diante do compromisso assumido, o frigorífico decide comprar contratos futuros.

Agora, suponha que, em julho, quando foi comprar o boi gordo, o preço na região era de R$57,00/@, enquanto sua cotação no mercado futuro era de R$53,00/@ (base permaneceu constante). O resultado final da operação é mostrado no quadro a seguir:

Resultado da operação de *hedge* de compra com base constante			
Mês (1)	Mercado físico (2)	Mercado futuro (3)	Base (4)
Abril		Compra 10 contratos de boi gordo para julho a R$56,00/@	R$4,00
Julho	Compra 3.300 arrobas no mercado local R$57,00/@	Vende 10 contratos de boi gordo para julho a R$53,00/@	R$4,00
Resultado	Compra a R$57,00/@ no mercado local	Desencaixa R$3,00/@ de ajuste diário	Sem variação na base

O resultado final da operação é obtido adicionando-se, na linha do resultado, a coluna (2) mais a coluna (3), resultando no líquido por arroba de R$57,00 + R$3,00 = R$60,00/@, proporcionando ao frigorífico a proteção necessária.

Hedge de compra com risco de base

Examinaremos, nesta seção, um exemplo de *hedge* de compra com enfraquecimento da base.

Imaginemos a mesma situação apresentada no quadro anterior, porém com enfraquecimento da base. O resultado final da operação é obtido adicionando-se, na linha do resultado do quadro a seguir, a coluna (2) mais a coluna (3), resultando no líquido por arroba de R$56,00 + R$3,00 = R$59,00. Nesse caso, o preço caiu tanto na Bolsa quanto na região, porém, nesta última, caiu mais, enfraquecendo a base e favorecendo mais o comprador no mercado físico, que, no final das contas, gastará menos para adquirir a matéria-prima, reduzindo a diferença entre os preços.

Resultado de *hedge* de compra com enfraquecimento da base			
Mês (1)	Mercado físico (2)	Mercado futuro (3)	Base (4)
Abril		Compra 10 contratos de boi gordo para julho a R$56,00/@	R$4,00
Dezembro	Compra 3.300 arrobas no mercado local R$56,00/@	Vende 10 contratos de boi gordo para julho a R$53,00/@	R$3,00
Resultado	Compra a R$56,00/@ no mercado local	Paga R$3,00/@ de ajuste diário	−R$1,00 (enfraquecimento)

---

[20] @ é o símbolo de "arroba", uma medida de peso usada para o mercado de boi gordo. De uma forma simples, 1 arroba equivale a, aproximadamente, 15 kg. Para uma definição mais técnica, sugere-se o uso das fórmulas para o cálculo:

- Peso em @ = (Peso vivo x Rendimento da carcaça em %) / 15

- Rendimento da carcaça em % = (Peso da carcaça no frigorífico em kg / Peso vivo na fazenda em kg) × 100

Hedge de venda com risco de base

As estratégias envolvendo *hedge* de venda (cobertura *short*) podem ser úteis para diferentes tipos de usuários. Delas podem se beneficiar: produtores rurais, frigoríficos, torrefadores e outros tipos de empresas envolvidas tanto na compra como na venda de matérias-primas.

A seguir, mostraremos um exemplo de *hedge* de venda, em que os preços locais diminuem mais do que proporcionalmente aos preços na Bolsa, causando enfraquecimento da base. Para isso, serão considerados os mesmos dados do Exemplo 26.12, do produtor de soja, apenas supondo que o preço no mercado local tenha baixado muito mais do que no mercado futuro, conforme mostra o quadro a seguir.

Resultado do *hedge* de venda com enfraquecimento da base			
Mês (1)	Mercado físico (2)	Mercado futuro (3)	Base (4) US$/saca
Dezembro		Vende 40 contratos de soja para maio a US$21,00/saco	−US$2,00/saco
Abril	Vende 18.000 sacos no mercado local a US$17,50/saco	Compra 40 contratos de soja para maio a US$20,50/saco	−US$3,00/saco
Resultado	Vende a US$17,50/saco	Recebe US$0,50/saco	−US$1,00/saco

O resultado final da operação é obtido adicionando, na linha do resultado, a coluna (2) mais a coluna (3), com o que se chega ao resultado líquido por tonelada, igual a US$17,50 + US$0,50 = US$18,00/saco, resultado líquido da venda por saca US$1,00 abaixo do desejado pelo produtor.

Em um *hedge* de venda, o vendedor almeja que a base se fortaleça durante o período de cobertura para obter ganhos adicionais. Entretanto, mesmo ocorrendo enfraquecimento da base, em geral, o resultado será uma situação final melhor do que se o produtor não tivesse procurado a proteção nos mercados futuros. No exemplo apresentado, a situação final com a venda dos 18.000 sacos de soja resultou em um número abaixo do esperado, porém melhor para o produtor que recebeu US$18,00/saco. Esse valor é superior a US$17,50/saco, que é o valor que ele receberia sem fazer o *hedge*.

Quando um comprador ou vendedor entra no mercado de futuros, elimina a maior parte dos riscos, porém continua se defrontando com os riscos de base. Apesar de estes variarem menos do que os preços do mercado físico, é importante avaliar continuamente o comportamento dos mesmos, de forma a se tirar proveito de eventuais flutuações favoráveis.

A administração do risco de base nas estratégias de *hedge* é um fator crucial para o sucesso de qualquer operação realizada em mercados futuros. Mesmo tendo um bom conhecimento da mecânica do funcionamento desses mercados de Bolsa e das peculiaridades de cada contrato futuro, o *hedger* deve estar atento às implicações derivadas da variação da base. Acompanhar sua evolução diariamente para, assim, escolher o momento mais adequado pra abrir ou encerrar uma operação é uma atitude diferenciadora na gestão de riscos, que pode aumentar a eficácia do *hedge*.

26.11 Derivativos negociados fora de Bolsa no Brasil

Os bancos também oferecem derivativos de balcão no Brasil. São diversos os produtos negociados, como o termo de moedas (*forward*), o NDF (*non deliverable forward*) e opções e suas diversas combinações que criam operações a termo ou de futuros sintéticos. Há produtos com barreira e produtos com gatilho que podem tornar complexa a avaliação dos derivativos negociados. Não detalharemos aqui esses derivativos. Nesta seção, listamos alguns exemplos de produtos oferecidos para proteção de operações de câmbio.

NDF (*non deliverable forward*)   Contrato de compra e de venda de certo valor em moeda estrangeira, a uma taxa determinada para liquidação a termo, em data futura. Não há caixa envolvido no momento da contratação. Não há entrega de moeda no vencimento; o contrato é liquidado por diferença.

Termo de moedas (*forward*) Contrato de compra e de venda de certo valor em moeda estrangeira, a uma taxa determinada para liquidação a termo, em data futura. Não há caixa envolvido no momento da contratação.

Termo de moedas (*forward*) com gatilho Contrato de compra ou de venda de certo valor em moeda estrangeira, a uma taxa determinada para liquidação a termo, em data futura. Inclui opções que fazem com que não ocorra ajuste negativo para o tomador, desde que, durante a vigência da operação, a moeda objeto não seja negociada abaixo de determinado valor em uma modalidade desse contrato ou não seja negociada acima de determinado valor em outra modalidade desse contrato.

Termo de moedas (*forward*) limitado Contrato de compra ou de venda de certo valor em moeda estrangeira, para entrega a termo, limitado a um percentual da exposição cambial. Consiste na combinação de contratos de opções, uma opção de compra e uma opção de venda de mesmo preço de exercício, com uma tendo uma fração do percentual da outra, conforme a proteção buscada.

Opção de compra com gatilho Contrato de opção de compra de certo valor em moeda estrangeira que passa a ter valor se, durante o contrato, a moeda negociada atingir determinada taxa definida no contrato. A taxa assim definida é o gatilho, e o contrato pode prever um gatilho de entrada ou de saída, ou ambos.

Opção de compra com limitador Contrato de opção de compra de certo valor em moeda estrangeira à taxa de exercício que deixa de ter valor se a moeda negociada atingir determinada taxa superior definida no contrato. Como o risco do vendedor é limitado à taxa de saída, o prêmio pago pelo comprador é menor, diminuindo o custo da operação de proteção (mas a proteção é limitada também).

Opção de venda com gatilho Contrato de opção de venda de certo valor em moeda estrangeira que passa a ter valor se, durante o contrato, a moeda negociada atingir determinada taxa definida no contrato. A taxa assim definida é o gatilho, e o contrato pode prever um gatilho de entrada ou de saída, ou ambos.

Opção de venda com limitador Contrato de opção de venda de certo valor em moeda estrangeira à taxa de exercício que deixa de ter valor se, durante o contrato, a moeda negociada atingir determinada taxa superior à definida no contrato. Como o risco do vendedor é limitado à taxa de saída, o prêmio pago pelo comprador é menor, diminuindo o custo da operação de proteção (mas a proteção é limitada também).

Zero Cost Collar Contrato a termo (*forward*) montado com opções para compra ou para venda de certo valor em moeda estrangeira, sem valor em uma faixa entre uma taxa inferior ou outra taxa superior, definidas no contrato. O comprador somente recebe ou paga diferença de taxa para taxas fora da faixa, conforme esteja se protegendo de um aumento ou de uma queda na taxa de câmbio.

Os contratos de derivativos de balcão apresentam dois riscos: o risco de liquidez (as contrapartes só saem do contrato mediante acordo) e o risco de crédito, pois uma contraparte poderá inadimplir. De modo geral, os bancos exigem garantias para mitigar o risco de crédito, enquanto o comprador do *hedge* fica com o risco de crédito do banco.

26.12 Derivativos e tributação

A regulamentação tributária brasileira inclui os rendimentos provenientes de operações com derivativos. Além da tributação sobre rendimentos com operações com derivativos, as autoridades monetárias podem utilizar o IOF, o Imposto sobre Operações Financeiras, para tornar menos atrativas algumas operações com contratos de derivativos financeiros registrados em mercados de bolsa ou balcão. Isso pode ocorrer em momentos em que a negociação de taxas de câmbio, ou de taxa de juros em moedas estrangeiras, tenha a suposta tendência de valorizar ou desvalorizar o câmbio em sentido oposto ao objetivado pela política monetária ou cambial do momento.

Nas operações junto a instituições financeiras, pode ocorrer a retenção dos tributos na fonte. Nas operações em bolsa, as entidades autorizadas a registrar contratos de derivativos financeiros fornecem aos contribuintes as informações para a apuração da base de cálculo de tributos sobre operações com contratos derivativos por meio dos intermediários e de participantes habilitados.

A tributação altera os resultados líquidos das diferentes estratégias. Investidores e empresas devem utilizar assessores fiscais para orientação tributária em cada situação e operação em particular.

26.13 Derivativos e governança

Divulgação de derivativos

A Instrução CVM nº 475, de 17.12.2008, e a Deliberação CVM nº 550, de 17.10.2008,[21] determinaram a apresentação de informações sobre instrumentos financeiros derivativos em nota explicativa específica nas demonstrações financeiras, com a divulgação de um quadro demonstrativo de análise de sensibilidade das posições em derivativos (Comissão de Valores Mobiliários, 2008, 2008a).

Visitamos o *site* da WEG S/A, uma indústria brasileira fabricante de motores, equipamentos e componentes elétricos, e extraímos de suas informações trimestrais referentes ao 3º trimestre de 2014[22] o quadro 26.16 de que tratam as normas da CVM. O quadro é apresentado na Seção 26, Instrumentos Financeiros, página 46 do ITR da WEG. Segundo o relatório, o quadro apresenta em reais os efeitos "caixa e despesa" dos resultados dos instrumentos financeiros em cada cenário.

QUADRO 26.16 Derivativos – Notas explicativas – Cenários

Operações de *Non Deliverable Forwards* – NDF:

Risco	Valor nacional (em milhares)	Cotação	Valor de mercado Em 30/09/14 Cotação média	Em R$ Mil	Cenário possível 25% Cotação	Em R$ mil	Cenário remoto 50% Cotação	Em R$ mil
Alta do dólar	1.100	US$/AUD	1,0263	149	1,2829	(447)	1,5395	(1.367)
Queda do dólar	9.508	US$/ZAR	11,3958	1.115	8,5469	(4.633)	5,6979	(10.381)
Queda do dólar	76	US$/AUD	1,1439	(11)	0,8579	(35)	0,5720	(81)
Total dólar	**10.684**			**1.253**		**(5.115)**		**(11.829)**
Alta do euro	338	EUR/ZAR	14,3741	2	17,9676	(260)	21,5612	(519)
Queda do euro	106	EUR/ZAR	14,3508	(17)	10,7631	(98)	7,1754	(179)
Queda do euro	148	EUR/AUD	1,4296	(12)	1,0722	(99)	0,7148	(211)
Total euro	**592**			**(27)**		**(457)**		**(909)**
TOTAL				**1.226**		**(5.572)**		**(12.738)**

Operações de SWAP:

Risco	Valor nacional (Em milhões)	Valor de mercado em 30/09/14 Cotação	Em R$ mil	Cenário possível 25% Cotação	Em R$ mil	Cenário remoto 50% Cotação	Em R$ mil
Queda da Euribor	EUR 10,0	juros 0,72% a.a.	(9.579)	juros 0,54% a.a.	(10.042)	juros 0,36% a.a.	(10.505)
Queda da Libor	US$ 17,1	juros 0,83% a.a.	(174)	juros 0,63% a.a.	(234)	juros 0,42% a.a.	(295)
Alta do CDI	R$ 200,0	juros 11,76% a.a.	(706)	juros 14,52% a.a.	(6.767)	juros 17,41% a.a.	(11.596)
Queda do dólar	US$ 100	2,4510	12.211	1,8383	(37.963)	1,2255	(90.072)
TOTAL			**1.752**		**(55.006)**		**(112.468)**

Fonte: Weg (2014).

---

[21] Ver Legislação e Regulamentação, disponível em: <http://www.cvm.gov.br>.

[22] Para maiores informações, consulte ITR-3T-2014-WEG, disponível em http://www.weg.net/ri/informacoes-financeiras/resultados-trimestrais.

As companhias abertas devem divulgar informações qualitativas e quantitativas sobre todos os seus instrumentos financeiros, reconhecidos ou não como ativo ou passivo em seu balanço patrimonial. A nota explicativa deve segregar instrumentos financeiros derivativos especulativos daqueles destinados à proteção de exposição a riscos.

São considerados instrumentos financeiros derivativos para os fins da norma contratos com os contratos a termo, *swaps*, opções, futuros, *swaptions*, *swaps* com opção de arrependimento, opções flexíveis, derivativos embutidos em outros produtos, operações estruturadas com derivativos, derivativos exóticos e todas as demais operações com derivativos, independentemente da forma como sejam contratados.

Conforme Nota Explicativa da CVM,[23] a norma visou a atender à necessidade de as demonstrações contábeis fornecerem informações que permitam aos seus usuários avaliar adequadamente o risco inerente às operações das empresas.

A Instrução exige a divulgação de três cenários: um cenário mais provável, ou de ocorrência esperada na avaliação da administração, um cenário com variação adversa de, pelo menos, 25% na variável de risco considerada e um último cenário de variação adversa de, pelo menos, 50% na variável de risco considerada.

Governança do processo decisório em derivativos

Encerramos este capítulo com algumas recomendações para o processo decisório nas empresas em estratégias com derivativos. As considerações trazidas no início deste capítulo indicam como é importante nas empresas um processo de governança estruturado para a área de derivativos. Já afirmamos que derivativos devem ser usados por empresas para fazer *hedge* de posições decorrentes de negócios definidos no seu estatuto social. Aqui, trazemos algumas contribuições que a prática mostra como importantes para a gestão do uso de derivativos para *hedge*:

- Esse é um tema que exige especialistas. Use derivativos, mas não exponha a empresa a riscos que não são próprios do negócio. Não busque fazer resultados assumindo riscos que não são do negócio.
- Tenha claros o apetite e a tolerância a riscos[24] definidos pela alta administração da empresa.
- Avalie os contratos propostos pelo vendedor. Examine os efeitos de diferentes cenários de preços e taxas com o auxílio de planilhas. Submeta os contratos ao serviço jurídico da empresa.
- Discuta com a contraparte os resultados do exercício de cálculos em diferentes cenários. Verifique se os resultados do cenário mais desfavorável, no caso de inversão de tendências, estão dentro da tolerância a riscos definida pela alta administração.
- Ainda que os limites e as operações estejam dentro da sua alçada e previstas na norma interna para contratação de derivativos, discuta a estratégia escolhida e os resultados possíveis nos diferentes cenários.
- Não se precipite; avalie a estratégia mais adequada olhando cenários de médio e longo prazos. Procure estudar comportamentos passados dos ativos no mercado em situações semelhantes, porém não os tome como indicação de resultados futuros.
- Apresente suas estratégias em reunião de diretoria, leve o caso ao Conselho de Administração sempre que uma situação de maior risco estiver em pauta ou uma estratégia nova estiver sendo considerada.

---

[23] Nota Explicativa à Instrução CVM n° 475, de 17 de dezembro de 2008 (Comissão de Valores Mobiliários, 2008).

[24] O apetite ao risco pode ser entendido como uma visão de alto nível dos riscos aceitáveis pelos acionistas e o grau de exposição aceitável. A tolerância ao risco pode ser vista como a variação aceitável em torno dos limites estabelecidos. Dentro dos riscos e exposições aceitáveis, os limites de tolerância são "gatilhos" para atuação do Conselho de Administração. Indicadores de riscos e indicaores da efetividade dos *hedges* devem ser acompanhados pelo Conselho de Administração.

- Complete as boas práticas de governança: registre em relatórios e atas as premissas consideradas, as principais discussões e as decisões tomadas.

Resumo e conclusões

1. O mercado brasileiro oferece vários tipos de derivativos. Este capítulo apresentou diversas estratégias de *hedge* com derivativos financeiros e agropecuários, negociados na BM&FBOVESPA e no mercado brasileiro em geral. Focaram-se especialmente o mercado de futuros DI-1 e a curva de juros.

2. Salientamos que os contratos de derivativos devem ser utilizados por empresas para realizar *hedge*, nunca para especulação. A especulação traz liquidez aos mercados de derivativos, porém é atividade de empresas financeiras, constituídas para operar e fazer resultados com esse tipo de operações.

3. Os mercados administrados pela BM&FBOVESPA podem ser divididos em segmentos de atuação do mercado; o segmento Bovespa e o segmento BM&F são os dois principais. Os derivativos são negociados no segmento BM&F.

4. Os negócios na BM&FBOVESPA são realizados em sistema eletrônico de negociação. A plataforma PUMA *Trading System* BM&FBOVESPA é o sistema eletrônico de negociação desenvolvido pela Bolsa.

5. A negociação de contratos futuros ocorre em lotes mínimos de um contrato, cinco contratos ou dez contratos, dependendo do grau de liquidez dos mercados; a Bolsa determina os grupos de contratos que se enquadram em cada faixa.

6. Mercado de Balcão é a denominação do mercado de operações com contratos de *swap*, a termo e de opção flexível, registrados na *Clearing* BM&FBOVESPA e para as quais está prevista a atuação dessa câmara como contraparte central garantidora da liquidação.

7. Os minicontratos de futuros representam uma fração dos contratos padrão. Os valores são menores e acessíveis a investidores e a empresas de qualquer porte.

8. Abordamos a importância e as principais características de atuação da *Clearing* BM&FBOVSEPA, sua forma de gestão de riscos da pós-negociação e parâmetros de referência.

9. O mais importante instrumento do conjunto de derivativos financeiros da BM&FBOVESPA é o contrato de DI-1, o contrato de futuros de DI de um dia. Além dos futuros de DI de um dia, também são negociados, na BM&FBOVESPA, contratos futuros de cupom cambial, de cupom de DI × IGP-M e de cupom de IPCA (Índice de Preços ao Consumidor Amplo). Também há negócios com opções sobre IDI (Índice de Depósito Interfinanceiro) e contratos futuros sobre títulos da dívida externa e são registrados *swaps* com variáveis referenciadas em taxas de juro.

10. Discutimos a diferença entre a estrutura a termo de taxas de juros, formada a partir de taxas à vista e títulos sem risco, tipo desconto puro, e a curva de retornos (*yield curve*) formada pelas taxas de retorno até o vencimento (TIR) de fluxos de caixa de títulos sem risco, com cupons, negociados no mercado.

11. Mostramos como as taxas a termo (*forward*) podem ser obtidas por meio da estrutura a termo de taxas de juros e usamos as cotações do mercado de futuros de DI-1 para calcular taxas a termo implícitas nas taxas de ajuste dos contratos de DI-1.

12. Vários *swaps* são negociados no mercado brasileiro. Entre os principais estão o DI-Pré e o DI-Dol. Há também *swaps* de índices e de *commodities*.

13. Apresentamos alguns exemplos de estratégias no uso de derivativos agropecuários no Brasil e as características específicas desse mercado.

14. Encerramos o capítulo com sugestões de governança do processo decisório no uso de derivativos nas empresas.

QUESTÕES CONCEITUAIS

1. Quais são os principais derivativos negociados na BM&FBOVESPA?
2. O uso de derivativos pode trazer vários benefícios para as empresas. Que benefícios são esses?
3. Os contratos de derivativos podem trazer vários riscos. Quais são os principais riscos dos contratos de derivativos?
4. O sistema de negociação de derivativos da BM&FBOVESPA apresenta duas fases de negociação, a fase de pré-abertura e a fase *After Hour* e Negociação Extendida. O que vem a ser cada uma dessas fases?
5. Cite e explique o que são Fatores Primitivos de Risco no mercado de futuros.
6. Explique por que comprar ou vender taxa implica assumir uma posição inversa vendida ou comprada em PU.
7. No processo de construção da estrutura a termo de taxas de juros, o que são os vértices da curva?
8. Explique a importância da renda de conveniência para os derivativos agropecuários.
9. Defina o conceito de base e explique a importância do risco de base para os derivativos agropecuários.
10. Qual é a diferença conceitual entre estrutura a termo de taxas de juros e a curva de retornos?
11. Defina taxa à vista, taxa a termo e taxa de retorno até o vencimento.
12. Em que consiste o procedimento *bootstraping*?

QUESTÕES E PROBLEMAS

BÁSICO (Questões 1-8)

1. Um banco tomou R$100 milhões por 1 dia a uma taxa DI de 9,9% a.a. Quanto teve que pagar ao emprestador no dia seguinte?
2. Qual é a estratégia que deve ser adotada no mercado futuro para proteger uma posição ativa pós-fixada no mercado à vista?
3. Qual é o risco para um agente que possui dívidas atreladas a uma taxa de juros pós-fixada?
4. Você vendeu um contrato futuro de DI a uma taxa de 10,02% a.a., a 60 dias úteis do seu vencimento. O que se pode concluir quanto à sua posição no mercado financeiro antes de vender o contrato? Você estava comprado ou vendido em taxa?
5. Quando dizemos "é um tipo de *swap* no qual os agentes desejam fazer *hedge* de uma exposição à variação cambial trocando-a por uma exposição em taxa prefixada", estamos nos referindo a qual *swap*?
6. Avalie se a afirmativa está correta ou incorreta, justificando sua resposta: *Uma trading de soja que contrata a compra a preço fixo do produtor incorre no risco de alta no momento da aquisição do produto.*
7. Avalie se a afirmativa está correta ou incorreta, justificando sua resposta: *Uma empresa exportadora de grãos que fixou o preço da exportação incorre no risco de alta no momento da aquisição do produto.*
8. Avalie se a afirmativa está correta ou incorreta, justificando sua resposta: *Se não há diferenças entre a taxa de juros de curto e longo prazo, o formato da curva de retornos é horizontal.*

INTERMEDIÁRIO (Questões 9-15)

9. Com base no Quadro 26.7, calcule:
   a. A taxa a termo para o mês de dezembro/14
   b. A taxa a termo para o mês de janeiro/15
   c. A taxa a termo para o mês de fevereiro/15
10. Ainda com base no Quadro 26.7, suponha que as taxas para os quatro primeiro vencimentos tenham caído 0,05% cada uma. Calcule o PU de ajuste para cada vencimento. O que aconteceu com os PUs em relação àqueles reportados no Quadro 26.7?

11. Suponha que as taxas para os quatro primeiro vencimentos tenham se elevado em 0,05% cada uma. Calcule o PU de ajuste para cada vencimento. O que aconteceu com os PUs em relação àqueles reportados no Quadro 26.7?

12. Você comprou no pregão de hoje 100 contratos de DI. Hoje faltam 63 dias úteis para o vencimento desses contratos, e a taxa no momento da operação era de 14,40% a.a.. No fechamento do mercado de hoje, o PU de ajuste divulgado pela BM&FBOVESPA foi de 96.800,00 pontos. Qual é o valor do ajuste diário por contrato? Qual é o valor total do ajuste da posição. Você receberá o valor do ajuste ou pagará o valor do ajuste?

13. Em maio, um frigorífico planeja as compras de boi gordo que fará em julho no Mato Grosso do Sul. Para não ficar exposto ao risco de variação do preço, o frigorífico faz um *hedge* de compra para o vencimento em julho do mercado futuro da BM&FBOVESPA a R$ 85,00/@. No fim de julho, o frigorífico compra os animais necessários no local de origem (MS), onde a base é igual a –R$2,00/@, e encerra sua posição no mercado futuro. No local de formação de preços do mercado futuro, o preço à vista, no fim de julho, era de R$ 90,00/@. Nesse contexto, pergunta-se: qual é o preço à vista (em R$/@) pago ao pecuarista no local de origem (MS) e qual é o total dos ajustes diários ganhos ou pagos no mercado futuro?

14. Um cafeicultor de Patrocínio-MG quer garantir o preço de venda de seu café. Por isso, vende, em dezembro, 10 contratos futuros de café, com vencimento em março, a US$ 120,00/saca. Em março, vende seu produto, no mercado físico, a US$ 124,00/saca. Também nesse dia, faz a liquidação de sua posição no mercado futuro por reversão a US$ 126,00/saca. Qual foi o resultado total da operação por saca?

15. Admita que, certo dia, os contratos futuro de DI de um dia da BM&FBOVESPA estejam sendo negociados a 9,80% a.a. para o primeiro vencimento, julho/X (com vencimento em 13 dias úteis), a 10,25% a.a. para agosto/X (com vencimento em 34 dias) e a 10,4% a.a. para setembro/X (com vencimento em 54 dias). Qual é a taxa de juros a termo (*forward*) que seria negociada por quem precisar fixar taxa para o mês de agosto?

16. Qual é a melhor estratégia (das relacionadas a seguir) a ser adotada se, no mercado futuro, as taxas dos três primeiros vencimentos em aberto são, respectivamente, 9,00% (com vencimento em 17 dias úteis), 10% (com vencimento em 38 dias) e 11,50% (com vencimento em 59 dias) e há uma clara tendência de a taxa de juros subir nos vencimentos longos (de 42 dias úteis ou mais) e permanecer constante nos vencimentos curtos?

DESAFIO
(Questões 16-20)

17. Suponha que a empresa XYZ tenha um montante de R$ 5 milhões indexado ao DI, a ser recebido daqui a 30 dias corridos. Ela deseja trocar esse indexador por variação cambial mais uma taxa de juros de 10% a.a. Para tanto, negocia um *swap* com um banco no dia 30/04, ficando ativo em dólar mais 10% a.a. e passivo em 100% do DI. Passados 30 dias corridos dessa operação, como devemos calcular a posição atual desse agente?

18. O Banco da Horta assume *swap* IGP-M mais cupom de 5% ao ano *versus* 100% do DI com o Banco Tesoureiro, com valor referencial de R$ 1 milhão, no dia 01/07, para vencimento em um ano. Ele receberá a rentabilidade calculada pelo parâmetro do IGP-M e pagará a rentabilidade associada a 100% da variação do DI. Suponha que, na data de registro do *swap* (dia 30/06), o número índice divulgado pela FGV tenha sido de 286,8430. Já na data de vencimento do *swap*, o número índice foi de 314,4190. Com relação ao DI, considere uma variação acumulada no período de 19%. Quais são os resultados que o *swap* apresentará para o Banco da Horta?

19. Um lote de 1.000 LTNs com 21 dias úteis de prazo a decorrer, adquirido a R$ 985,00 (i.e., com uma taxa de desconto de 19,89% a.a.) pode ser transformado em um título que "renderia" à taxa DI de um dia da CETIP se pudesse ser comprado um contrato futuro na BM&FBOVESPA com vencimento exatamente em 21 dias úteis pelo mesmo preço. Estruture a operação.

20. Suponha uma empresa que deva tomar recursos emprestados dentro de 21 dias úteis, no valor de R$ 10.000.000,00, para pagamento 21 dias úteis depois dessa data. No mercado futuro, a taxa de juros implícita negociada para vencimento dentro de 21 dias úteis é de 16,00% e de 17,00% para vencimento em 42 dias úteis. Qual é a taxa de juros a termo (*forward*) negociada no mercado de futuros, na data de hoje, para empréstimos de 21 dias daqui a 21 dias?

MINICASO

Juros futuros longos têm leve alta com eleição e cenário externo*

Frederico é o gestor financeiro de uma empresa e, após ler a notícia do dia de hoje, ficou preocupado com o cenário econômico.

> SÃO PAULO (14.10.2014) – Sem a volatilidade dos pregões recentes, os juros futuros mais longos subiram levemente nesta terça-feira na BM&F. Uma pesquisa divulgada ontem à noite mostrou os candidatos a presidente da República em empate técnico – o que, dado o papel central de pesquisa e boatos sobre os negócios, já ensejaria uma alta das taxas locais hoje.
>
> Ao quadro doméstico, somou-se uma onda de aversão ao risco, desencadeada por dados fracos da economia da zona do euro (queda de 1,8% da produção industrial na zona do euro agosto ante junho), que levou os investidores a se abrigar no dólar e nas taxas dos títulos do Tesouro americano (Treasuries). A taxa da T-note de 10 anos desceu para 2,20%, o menor nível desde 18 de junho de 2013.
>
> E, quando a aversão ao risco dá as cartas, os juros longos locais abandonam a correlação positiva com os Treasuries. Já nos primeiros negócios, sobretudo sob impacto do ambiente externo, o DI para janeiro de 2021 subiu até a máxima de 11,31%.
>
> O ritmo de alta desacelerou ainda pela manhã quando sobrevieram boatos de nova pesquisa, que será divulgada amanhã, e que traz um candidato à frente na pesquisa. Mesmo assim, o DI janeiro/2021 terminou o pregão em alta, a 11,24% (ante 11,17% ontem). Já o DI janeiro/2017 praticamente não saiu do lugar, passando de 11,77% para 11,76%. Com isso, o diferencial entre as taxas desses dois contratos – a principal medida hoje da inclinação da curva a termo – está em −0,52 ponto percentual.

Frederico ficou preocupado porque, há dois anos, fechou um empréstimo com taxa pós-fixada no valor de R$ 25 milhões. O empréstimo tem 10 anos de prazo, com pagamentos de juros trimestrais e amortização da dívida com um pagamento balão de 30% do principal em três anos e o saldo dividido em pagamentos anuais nos restantes sete anos. O empréstimo corresponde ao projeto de expansão da unidade de produção de peças para a indústria automobilística. Devido às características desse projeto, grandes variações no valor do empréstimo podem comprometer a viabilidade financeira. Esse foi um ponto muito questionado pelo conselho de administração da empresa na oportunidade do empréstimo, razão pela qual ele entendia ser fundamental um empréstimo prefixado. Entretanto, o *spread* para a taxa pós-fixada era sensivelmente mais atrativo, e a taxa prefixada estava cotada a 11,50% ao ano. Frederico foi convencido pela Diretoria, acompanhada pelo Conselho de Administração, de que realmente o cenário tendia a ser favorável para empréstimos pós-fixados e optou-se por correr esse risco. Frederico procurou você, que é um consultor financeiro. Avalie a situação e responda às questões a seguir:

1. Diante o cenário apresentado, qual é o risco financeiro mais importante ao qual Frederico e a alta administração da empresa decidiram expor os resultados da empresa quando foi decidida a tomada do empréstimo com taxa pós-fixada?

2. Com as novas notícias, Frederico decidiu propor ao Conselho de Administração da empresa a mitigação desse risco e está avaliando a possibilidade de fazer um *hedge* da posição no mercado futuro do DI da BM&FBOVESPA. Como consultor financeiro, você avalia que realmente essa poderia ser uma estratégia de *hedge* eficaz? Justifique sua resposta.

3. Considerando os dados apresentados, a estratégia proposta deveria consistir na compra ou na venda de contratos no mercado futuro? Os vencimentos de contratos de longo prazo disponíveis não coincidem exatamente com os vencimentos da dívida. Entretanto, Frederico considera que, ainda assim, assumir uma posição em mercados futuros mitigaria em grande parte o risco de variação de taxas de juros. Com os vencimentos disponíveis no momento, qual é o valor dos PUs dos contratos a considerar?

4. Com os dados de hoje do mercado futuro do DI da BM&FBOVESPA, o cenário pós-fixado era a melhor opção por ocasião da tomada do empréstimo? Na sua opinião, é correto analisar uma decisão tomada no passado, conhecendo a evolução do cenário posterior ao momento da tomada da decisão?

5. Ao optar por operações nos mercado futuros, quais são os principais pontos com que Frederico deve se preocupar para fazer a gestão da posição do *hedge*?

6. Caso o mercado confirme a tendência de elevação da taxa de juros de longo prazo, qual será o impacto para a gestão financeira da posição de *hedge* estruturada por Frederico?

7. Caso o mercado reverta a tendência de elevação da taxa de juros de longo prazo, qual será o impacto para a gestão financeira da posição de *hedge* estruturada por Frederico nesse momento?

8. Frederico conjetura que, no momento, o mercado futuro talvez possa não ser a melhor opção e pede que você apresente outra possível solução para inverter a taxa do empréstimo para taxa prefixada. Estruture e apresente uma solução, considerando os cenários possíveis e destacando os principais agentes envolvidos. Qual é o produto a ser recomendado nesse caso?

9. Elabore um quadro comparativo destacando, pelo menos, uma vantagem e desvantagem de cada uma das duas opções de política de *hedge* que Frederico poderia apresentar ao Conselho de Administração da empresa.

---

* Minicaso adaptado de notícia do *Valor Econômico* publicada por Perez (2014). Disponível em: <http://www.valor.com.br/financas/3735166/juros-futuros-longos-tem-leve-alta-com-eleicao-e-cenario-externo>.

Planejamento e Finanças de Curto Prazo

27

No final do primeiro trimestre de 2014, o ano da Copa no Brasil, os gestores de dois setores-chave da economia brasileira manifestavam preocupações com estoques, o setor da construção civil e o setor automobilístico. Noticiava-se que, nas montadoras, os estoques de veículos haviam subido de 37 dias de venda em fevereiro para 48 dias em março, com a queda de 2,1% das compras no varejo no primeiro trimestre; 30 dias de estoques era, então, considerado o número adequado. Na mesma ocasião, na área da construção civil, as incorporadoras de capital aberto haviam registrado um primeiro trimestre fraco em relação ao Valor Geral de Vendas (VGV) lançado. Os estoques do setor tendiam a crescer ao longo do ano, devido ao elevado volume de entregas previsto. Campanhas para acelerar a venda de estoques foram lançadas, com benefícios como viagens e prêmios para os compradores. Neste capítulo, exploraremos o tempo entre a adição de um bem ao estoque e a sua venda, verificando como isso pode ser um elemento importante no planejamento financeiro de longo prazo. Sabe-se que ele recebe particular atenção de empresas como as do setor automobilístico e da construção civil. Os estoques são um dos fatores importantes para a gestão do capital de giro. Ao final do segundo trimestre de 2013, a Gerdau S/A, empresa brasileira que é o maior fabricante de aços longos nas Américas – segundo no mundo – e um dos líderes globais em aços para o setor automotivo, informou que várias ações para melhora da eficiência das suas operações haviam resultado na redução no uso de capital de giro na ordem de R$ 1,1 bilhão no segundo trimestre daquele ano. Esse dinheiro, que resultou principalmente da redução de estoques, pode ser utilizado para novos investimentos e para melhoria da estrutura de capital da empresa.

Para ficar por dentro dos últimos acontecimentos na área de finanças, visite www.rwjcorporatefinance.blogspot.com.

Domine a habilidade de solucionar os problemas deste capítulo usando uma planilha. Acesse Excel Master no *site* www.grupoa.com.br, procure pelo livro e clique em Conteúdo *Online*.

Temos descrito muitas decisões das finanças de longo prazo, tais como as do orçamento de capital, da política de dividendos e da estrutura de capital. Neste capítulo, começaremos a tratar das finanças de curto prazo, que dizem respeito, sobretudo, à análise das decisões que afetam os ativos e os passivos circulantes.

Com frequência, o termo *capital circulante líquido* está associado à tomada de decisões financeiras de curto prazo. Como descrevemos nos capítulos anteriores, o capital circulante líquido é a diferença entre os ativos e os passivos circulantes. Também é comum a gestão financeira de curto prazo ser chamada de *administração do capital de giro*, ou *administração do circulante*; esses termos são sinônimos, entretanto capital circulante líquido e capital de giro são conceitos distintos, como veremos adiante.

Não existe uma definição universal que seja aceita para finanças de curto prazo. A diferença mais importante entre finanças de curto e de longo prazo está na distribuição dos fluxos de

Você tem interesse em uma carreira nas finanças de curto prazo? Visite o *site* da Associação de Profissionais do Setor Financeiro (Association for Financial Professionals – AFP): www.afponline.org.

caixa no tempo. As decisões financeiras de curto prazo, em geral, envolvem entradas e saídas de caixa que ocorrem no prazo de um ano. Por exemplo, uma empresa toma decisões financeiras de curto prazo quando encomenda matéria-prima, paga à vista e prevê receber em até um ano o caixa da venda dos produtos acabados. Já as decisões financeiras de longo prazo estão envolvidas quando uma empresa compra uma máquina especial que reduzirá os custos operacionais nos próximos cinco anos.

Quais tipos de perguntas se classificam sob o título geral de finanças de curto prazo? Para citar apenas algumas:

1. Quanto deve ser mantido em caixa (em depósitos à vista em um banco) para pagar as contas?
2. Quanto a empresa deve tomar emprestado no curto prazo?
3. Quanto crédito deve ser concedido aos clientes?

Neste capítulo, apresentaremos os elementos básicos das decisões financeiras de curto prazo. Em primeiro lugar, discutiremos as atividades operacionais da empresa. Em seguida, identificaremos algumas políticas financeiras alternativas para financiar essas atividades. Por último, destacaremos os elementos básicos de um plano financeiro para o curto prazo e descreveremos produtos financeiros para o financiamento das atividades que fazem parte desse plano.

27.1 No caminho do caixa e do capital de giro

Nesta seção, examinaremos os componentes do caixa e do capital circulante à medida que eles mudam de um ano para outro. Já discutimos diversos aspectos desse assunto nos Capítulos 2 e 3. Examinaremos brevemente partes daquela discussão relacionadas a decisões financeiras de curto prazo, tendo como objetivo descrever as atividades operacionais de curto prazo da empresa e seu impacto sobre o caixa e o capital de giro.

Para começar, lembre-se de que os *ativos circulantes são* compostos pelo caixa e por outros ativos que se espera converter em caixa durante o ano. Esses ativos são apresentados no balanço patrimonial em ordem de liquidez contábil – a facilidade e o tempo necessário para que possam ser convertidos em caixa. Quatro itens importantes encontrados na seção de ativos circulantes de um balanço patrimonial são: caixa e equivalentes, aplicações em ativos financeiros (títulos mobiliários negociáveis), contas a receber e estoques.

De maneira similar aos seus investimentos em ativos circulantes, as empresas têm vários tipos de obrigações de curto prazo, chamadas de *passivos circulantes*. No passivo circulante, estão obrigações que exigem pagamento em dinheiro dentro de um ano (ou dentro do ciclo operacional, se ele for maior do que um ano). Os três principais itens encontrados no passivo circulante são: contas a pagar aos fornecedores, despesas a pagar (incluindo as provisões para salários, impostos e contribuições) e as dívidas por empréstimos, financiamentos e por emissão de instrumentos financeiros (debêntures, notas promissórias) com vencimento em até um ano.

Como queremos nos concentrar nas variações de caixa, começaremos definindo o caixa em termos dos outros elementos do balanço patrimonial. Isso nos permite isolar a conta representativa de caixa e explorar o impacto das decisões operacionais e financeiras da empresa sobre o caixa. A identidade básica do balanço patrimonial pode ser escrita assim:

$$\text{Capital circulante líquido} + \text{Ativo não circulante} = \text{Passivo não circulante} + \text{Patrimônio líquido} \quad (27.1)$$

O capital circulante líquido é o Caixa mais outros ativos circulantes menos o passivo circulante, ou seja:

Capital circulante líquido = (Caixa + Outros ativos circulantes) − Passivo circulante (27.2)

Se substituirmos o capital circulante líquido na equação básica do balanço patrimonial pela forma expressa na Equação 27.2 e reorganizarmos um pouco as coisas, vemos que o caixa é:

$$\text{Caixa} = \text{Passivo não circulante} + \text{Patrimônio líquido} + \text{Passivo circulante} \\ - \text{Ativo circulante exceto o Caixa} - \text{Ativo não circulante} \quad (27.3)$$

Isso nos mostra em termos gerais que algumas atividades aumentam o caixa e outras o diminuem. Podemos listar essas diversas atividades por meio de um exemplo da seguinte maneira:

Atividades que aumentam o caixa

Aumento do passivo não circulante (tomar empréstimos a longo prazo)

Aumento do patrimônio líquido (emitir novas ações)

Aumento do passivo circulante (obter um empréstimo com prazo de 90 dias)

Diminuição do ativo circulante além de caixa (vender estoques mediante pagamento à vista)

Diminuição do ativo não circulante (vender uma propriedade com prazo de pagamento inferior a um ano)

Atividades que diminuem o caixa

Diminuição do passivo não circulante (pagar uma dívida de longo prazo)

Diminuição do patrimônio líquido (recomprar algumas ações)

Diminuição do passivo circulante (pagar um empréstimo com prazo de 90 dias)

Aumento do ativo circulante exceto caixa (comprar estoques)

Aumento do ativo não circulante (comprar uma propriedade)

Observe que as duas listas são opostas. Por exemplo, obter um empréstimo ou emitir um título de dívida de longo prazo (como uma debênture) aumentará o caixa (pelo menos até que o dinheiro seja gasto). Entretanto, o pagamento de um título de dívida de longo prazo diminui o caixa.

Atividades que aumentam o caixa são chamadas de *fontes de caixa*. As atividades que diminuem o caixa são chamadas de *usos do caixa*. Conforme a lista apresentada, vemos que as fontes de caixa sempre envolvem o aumento de uma conta do passivo (ou do patrimônio líquido) ou a diminuição de uma conta do ativo. Isso faz sentido, porque o aumento do passivo significa que se levantou dinheiro por meio de empréstimos ou pela venda de um direito de participação no capital na empresa. Uma diminuição em um ativo significa que um ativo foi vendido ou liquidado de alguma forma. Em ambos os casos, existe um fluxo de entrada de caixa.

Os usos do caixa são exatamente o inverso. Eles envolvem a diminuição de um passivo por meio de seu pagamento ou o aumento dos ativos por meio da compra de alguma coisa. As duas atividades exigem que a empresa gaste caixa.

EXEMPLO 27.1 Fontes e usos

Façamos uma rápida verificação da sua compreensão dos conceitos de fontes e usos: se as contas a pagar subirem em $ 100, isso indica uma fonte ou um uso? E se as contas a receber subirem $ 100?

As contas a pagar correspondem ao que devemos aos fornecedores, logo, elas são uma dívida de curto prazo. Se esse item aumentar em $ 100, nós estamos tomando dinheiro emprestado, o que representa uma *fonte* de caixa. As contas a receber são aquilo que nossos clientes nos devem, de modo que um aumento de $ 100 significa que emprestamos dinheiro aos clientes, portanto esse é um *uso* do caixa.

O mesmo princípio de fontes e usos recomenda que se faça a distinção entre capital de giro (CDG) e capital circulante líquido (CCL). Por uma lógica simples de construção das contas do balanço, o valor de um é sempre igual ao valor do outro, e você pode pensar: por que essa distinção? A questão que se apresenta é: do que estamos falando? De fontes de recursos ou de usos de recursos?

Se olharmos para as contas circulantes, a diferença entre ativo circulante e passivo circulante – a diferença entre usos e fontes circulantes – é o CCL. Espera-se que essa diferença seja positiva, se for importante termos mais a receber do que a pagar no curto prazo. Do ponto de vista contábil, haverá mais direitos do que obrigações no curto prazo. Contudo, caso tenhamos mais a receber, caso tenhamos mais dinheiro aplicado em estoques e nas contas a receber de clientes do que dinheiro que devemos para fornecedores, isso se deve ao fato de termos emprestado mais dinheiro do que tomamos emprestado no curto prazo. De onde veio esse dinheiro? É aí que aparece o capital de giro.

Você já deve ter ouvido falar que as empresas podem ter problemas e até quebrar por falta de capital de giro, ou seja, elas podem ter problemas financeiros por falta de fontes de recursos para as operações. Permanece a pergunta: de onde vêm esses recursos?

Lembremos da Equação 27.1:

$$\text{Capital circulante líquido} + \text{Ativo não circulante} = \text{Passivo não circulante} + \text{Patrimônio líquido}$$

Se substituirmos o CCL pelo CDG (como argumentamos antes, os dois valores são exatamente iguais) e rearranjarmos os termos, podemos escrever a Equação 27.1 assim:

$$\text{Capital de giro} = (\text{Passivo não circulante} + \text{Patrimônio líquido}) - \text{Ativo não circulante} \quad (27.4)$$

A Equação 27.4 nos mostra que os recursos aportados pelos sócios (patrimônio líquido) e os recursos captados por empréstimos e financiamentos de longo prazo (passivo não circulante) – que não estejam comprometidos com o financiamento do ativo não circulante – estão disponíveis para financiar o giro das operações. São esses recursos que constituem o capital de giro. O capital de giro financia os estoques e as contas a receber que não têm financiamento suficiente dos fornecedores e de outras contas operacionais do passivo circulante.

Uma advertência é necessária: o fato de que necessariamente se verifica a igualdade CDG = CCL não significa que todo o uso de recursos nas contas circulantes é atendido pelo CDG. Dificilmente isso ocorre. Por que, então, CCL = CDG?

A necessidade de financiamento dos ativos circulantes operacionais que exceder ao financiamento obtido com passivos circulantes operacionais e que não for atendida pelo CDG deverá ser financiada por empréstimos de curto prazo, logo, deverá ser aportada por empréstimos bancários.

O "saldo devedor" dos usos de curto prazo é, então, "fechado" por empréstimos bancários, que, se de curto prazo, serão contabilizados no passivo circulante. Assim, invertendo um pouco o argumento, podemos dizer que a diferença entre os usos operacionais e a soma das fontes operacionais de curto prazo mais os empréstimos bancários de curto prazo será "fechada" com o CDG disponível.

O CCL é o ativo circulante menos passivo circulante. Como o passivo circulante é formado pelas contas representativas de fontes operacionais de curto prazo mais empréstimos de curto prazo, necessariamente, CCL = CDG. Conforme o raciocínio exposto no Capítulo 3, os empréstimos bancários de curto prazo constituem a "variável de fechamento" nesse caso.

Constata-se assim que, para analisar a decisão de financiamento e avaliar a possibilidade de a empresa poder vir a enfrentar custos com dificuldades financeiras (ver o Capítulo 17), é necessário, antes de tomar decisões operacionais relativas a vendas e estoques, negociar prazos com fornecedores e clientes[1] (e ter políticas de vendas e de crédito definidas).

Uma visão integrada do capital de giro

A Figura 27.1 evidencia a distinção entre o capital circulante líquido (CCL) – o uso de recursos não financiados pelo passivo circulante – e o capital de giro (CDG) – fonte de recursos para o giro das operações. A figura separa a parte de cima e a parte do baixo do balanço patrimonial para mostrar a diferença dos conceitos referentes a fontes e usos, além de expor por construção e lógica que: CCL = CDG.

---

[1] O que dependerá do poder de negociação com clientes e fornecedores e do grau de acirramento da concorrência.

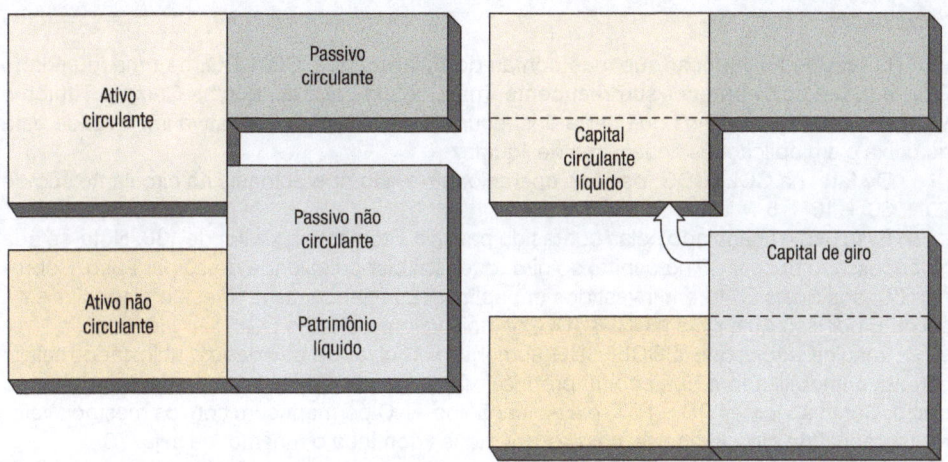

FIGURA 27.1 Circulante: usos e fontes.

EXEMPLO 27.2 — Capital de giro e capital circulante líquido

Considere o balanço patrimonial da CCL&CDG S/A apresentado no Quadro 27.1:

QUADRO 27.1 Balanço patrimonial da CCL&CDG S/A

Ativo circulante	200	Passivo circulante	130
Caixa	10	Fornecedores	60
Títulos e valores mobiliários	20	Salários e contribuições	30
Contas a receber de clientes	90	Impostos sobre vendas	25
Estoques	60	Outras contas operacionais	12
Impostos a recuperar	15	Outras contas não operacionais	3
Outras contas não operacionais	5		
Ativo não circulante	**100**	**Passivo não circulante**	**90**
Ativo imobilizado	100	Financiamentos de longo prazo	90
		Patrimônio líquido	80
Ativo total	**300**	**Passivo e PL**	**300**

No balanço patrimonial da CCL&CDG S/A, temos:

Parte de cima do balanço:
Ativo circulante (AC) = 200
Passivo circulante (PC) = 130
AC – PC = Capital circulante líquido (CCL) = 200 – 130 = 70

Parte de baixo do balanço:
Passivo não circulante (PNC) = 90
Patrimônio líquido (PL) = 80
Ativo não circulante (ANC) = 100
Fontes não circulantes = PNC+PL = 90 + 80 = 170
Usos não circulantes = ANC = 100
Fontes – Usos = 170 – 100 = 70
CDG = 90 + 80 – 100 = 170 – 100 = 70

Observe que a CCL&CDG S/A conta com $ 170 na sua base de recursos de longo prazo e utiliza somente $ 100 para financiar o ativo imobilizado. Assim, há um saldo de $ 70,00 para financiar o circulante.

(continua)

(continuação)

O fato de se verificar que, nas contas do balanço da CCL&CDG, há uma igualdade CCL = CDG pode parecer surpreendente, mas, observando as contas Caixa e Títulos e Valores mobiliários, vemos que parte dos recursos não aplicados no ativo imobilizado está no caixa e em aplicações financeiras de liquidez.

De fato, na CCL&CDG, os usos operacionais e não operacionais no circulante são de 90 + 60 + 15 + 5 = 170.

Esse uso é financiado pelas contas do passivo circulante no valor de 130. Nota-se que foi necessário buscar 40 no capital de giro, que tem disponibilidade de 70 para uso. Sobraram 30, dos quais 20 foram investidos em aplicações financeiras e 10 estão disponíveis no caixa. É por isso que, para a CCL&CDG, os dois valores (CDG e CCL) são idênticos.

Imagine agora que a CCL&CDG aumente seu nível de atividades, utilizando melhor seu ativo imobilizado e seu capital próprio, não tomando novos financiamentos de longo prazo. Como as fontes PL + PNC e a aplicação no ANC permanecem com os mesmos valores, o capital de giro disponível para as operações continua o mesmo, ou seja, 70.

Como resultado de melhorias operacionais e concedendo maior prazo para os clientes, a CCL&CDG teve um aumento de 50% em algumas contas do ativo (contas a receber de clientes, estoques e impostos a recuperar), mas só conseguiu obter mais 30% em algumas fontes operacionais (fornecedores, salários e contribuições e impostos sobre a produção).

O CCL da CCL&CDG na nova situação é de 262 − 192 = 70.

QUADRO 27.2 Balanço patrimonial da CCL&CDG S/A com aumento das operações

Ativo circulante	262	Passivo circulante	192
Caixa	10	Empréstimos de curto prazo	36
Títulos e valores mobiliários	0	Fornecedores	78
Contas a receber de clientes	135	Salários e contribuições	30
Estoques	90	Impostos sobre vendas	33
Impostos a recuperar	22	Outras contas operacionais	12
Outras contas não operacionais	5	Outras contas não operacionais	3
Ativo não circulante	100	Passivo não circulante	90
Ativo imobilizado	100	Financiamentos de longo prazo	90
		Patrimônio líquido	80
Ativo total	362	Passivo e PL	362

Continuamos a verificar a igualdade CCL = CDG = 70, porque foi consumido o valor antes aplicado em títulos e valores mobiliários (20) e foram tomados empréstimos de curto prazo (36) para cobrir o aumento no volume de operações.

Observe que, como a empresa aumentou suas operações, ela teve que consumir suas reservas financeiras e tomar novos empréstimos de curto prazo. Apesar dessas mudanças nas contas circulantes, tanto o CCL quanto o CDG continuaram com o mesmo valor.

O exemplo da CCL&CDG mostra que devemos prestar atenção ao capital de giro, olhar para as contas não circulantes para, então, tomar decisões operacionais, pois são os recursos do patrimônio líquido e das dívidas de longo prazo que excedem aos utilizados no ativo não circulante que estarão disponíveis para o financiamento das operações. Se o CDG for insuficiente, novos aportes de recursos financeiros serão necessários.

O nível das atividades só altera o capital de giro de forma lenta pela realização dos lucros a serem incorporados ao patrimônio líquido ou disponíveis para financiar as operações enquanto não distribuídos aos sócios ou acionistas.

As alterações nas contas circulantes são ajustadas por investimento de tesouraria – quando há sobras de caixa – ou por empréstimos de curto prazo – quando há falta de caixa.

Nossa recomendação, por enquanto, é: preste atenção ao capital de giro! Voltaremos a esse ponto em seguida.

27.2 Ciclo operacional e ciclo financeiro

As principais preocupações nas finanças de curto prazo são as atividades operacionais e financeiras correntes da empresa. No caso de uma empresa típica de produção, essas atividades correntes podem consistir na seguinte sequência de eventos e decisões:

Evento	Decisão
1. Compra de matéria-prima	1. Quanto de estoque deve ser encomendado?
2. Pagamento em dinheiro	2. Tomar um empréstimo ou usar os saldos de caixa?
3. Fabricação do produto	3. Que tecnologia de produção escolher?
4. Venda dos produtos	4. Conceder ou não crédito a um determinado cliente?
5. Cobrança das vendas	5. Como cobrar?

Essas atividades criam sequências de fluxos de entradas e de saídas de caixa. Esses fluxos de caixa são incertos e não sincronizados. Eles não são sincronizados porque, por exemplo, a saída de caixa para pagamento da compra de matéria-prima não acontece ao mesmo tempo em que ocorre o recebimento do caixa pela venda dos produtos. Eles são incertos porque não é possível prever com exatidão as vendas e os custos futuros (e também porque os clientes podem inadimplir).

Definição dos ciclos operacional e financeiro

Podemos começar com um caso simples. Um dia, que chamaremos de dia 0, compramos $ 1.000 em estoques a prazo. Pagamos a conta 30 dias depois, e, após outros 30 dias, alguém compra nosso estoque de $ 1.000 por $ 1.400. O nosso comprador só pagará dentro de outros 45 dias. Podemos resumir esses eventos de forma cronológica da seguinte maneira:

Dia	Atividade	Efeito sobre o caixa
0	Aquisição de estoque	Nenhum
30	Pagamento do estoque	–$ 1.000
60	Venda do estoque a prazo	Nenhum
105	Recebimento pela venda	+$ 1.400

O ciclo operacional Existem vários fatos a ser observados em nosso exemplo. De início, o ciclo completo, do momento em que adquirimos o estoque até o momento em que recebemos o dinheiro, leva 105 dias. Isso é chamado de **ciclo operacional (CO)**.

Como ilustramos, o ciclo operacional é o tempo necessário para adquirir o estoque, processá-lo, vendê-lo e receber o pagamento das vendas. Esse ciclo tem dois componentes distintos. Um deles diz respeito ao tempo necessário para adquirir, processar e vender o estoque. Esse período, que no nosso exemplo é de 60 dias, é chamado de **prazo médio de estocagem (PME)**. O segundo considera o tempo para receber pela venda, o que dá 45 dias no nosso exemplo. Isso é chamado de prazo médio das contas a receber, ou **prazo médio de recebimento (PMR)**.

Com base em nossas definições, o ciclo operacional é a soma dos prazos de estocagem e de recebimento:

Ciclo operacional = Prazo médio de estocagem + Prazo médio de recebimento
105 dias = 60 dias + 45 dias   (27.5)

O ciclo operacional descreve a forma como um produto se movimenta entre as contas dos ativos circulantes. O produto começa a vida como estoque, depois é convertido em contas a receber quando vendido e, finalmente, é convertido em caixa quando recebemos o pagamento das vendas. Observe que, a cada etapa, o ativo se move para mais perto do caixa.

O ciclo financeiro Em seguida, deve-se notar que os fluxos de caixa e outros eventos que ocorrem não são sincronizados. Por exemplo, não pagamos realmente o estoque antes de 30 dias após sua aquisição. Esse período de 30 dias é chamado de **prazo médio de pagamento** ou prazo médio de contas a pagar (PMP). Após, gastamos o caixa no dia 30, mas não o recebemos antes do dia 105. De algum modo, temos de conseguir financiamento para os $ 1.000 durante 105 – 30 = 75 dias. Esse prazo é chamado de **ciclo financeiro** (CF).[2]

Assim, o ciclo financeiro é o número de dias decorridos até o recebimento do dinheiro pela venda, medido desde o momento em que se pagou pelos estoques. Observe que, com base em nossas definições, o ciclo financeiro é a diferença entre o ciclo operacional e o prazo médio de pagamento:

$$\text{Ciclo financeiro} = \text{Ciclo operacional} - \text{Prazo médio de pagamento}$$
$$75 \text{ dias} = 105 \text{ dias} - 30 \text{ dias} \tag{27.6}$$

A Figura 27.2 descreve as atividades operacionais de curto prazo e os fluxos de caixa de uma empresa típica de produção por meio de uma **linha do tempo dos fluxos de caixa**. A linha do tempo dos fluxos de caixa ilustra o ciclo operacional e o ciclo financeiro. Nessa figura, a necessidade de administração financeira de curto prazo é sugerida pela defasagem entre os fluxos de entrada e saída de caixa. Isso está relacionado às durações do ciclo operacional e do prazo médio de pagamento.

A defasagem entre os fluxos de entrada e de saída de caixa de curto prazo pode ser compensada com empréstimos (o desconto de duplicatas é muito utilizado pelas pequenas e médias empresas) ou mantendo-se uma reserva de liquidez na forma de dinheiro disponível ou de instrumentos financeiros (recursos aplicados em títulos negociáveis ou em fundos de investimento). Além disso, a defasagem também pode ser diminuída por mudanças nos prazos de estocagem, de recebimento e de pagamento. Essas são as opções de gestão que discutiremos nas próximas seções e nos capítulos subsequentes.

A Amazon.com, livraria e varejista da Internet, oferece um exemplo interessante da importância da gestão do ciclo financeiro. Em agosto de 2011, o valor de mercado da Amazon.com era mais alto (na verdade, bem mais de 100 vezes) do que o da Barnes & Noble, o rei das livrarias não virtuais nos Estados Unidos.

Como pode a Amazon.com ter um valor tão mais alto? Existem vários motivos, mas a gestão do curto prazo é um fator. Em 2010, a Amazon renovou seu estoque cerca de 10 vezes, três vezes mais rápido do que a Barnes & Noble, de modo que seu prazo médio de estocagem foi mais curto. Mais surpreendente ainda é o fato de a Amazon cobrar do cartão de crédito do cliente quando envia um livro, recebendo, em geral, da administradora do cartão de crédito no prazo de um dia. Isso significa que a Amazon tem um ciclo financeiro *negativo*! De fato, em 2010, o ciclo financeiro da empresa foi de *menos* 69 dias. Nessa situação, cada venda gera um fluxo de entrada de caixa que pode ser colocado em uso imediatamente.

Aprenda mais sobre terceirização de administração de contas em **www.businessdebts.com** e **www.opiglobal.com**.

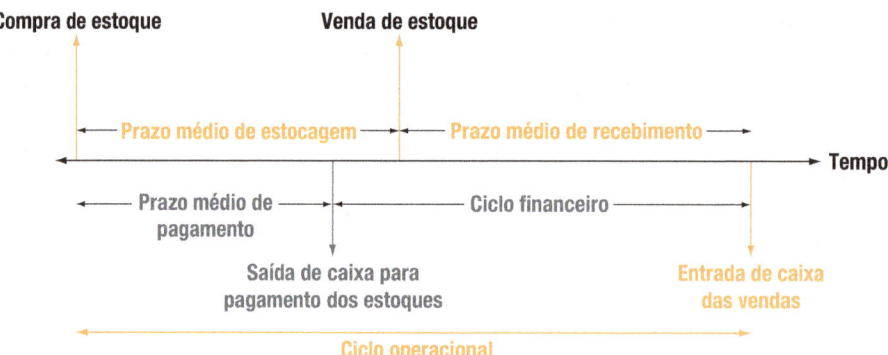

O ciclo operacional é o período entre a compra de estoque e o recebimento de dinheiro das vendas.
O ciclo financeiro é o período entre o momento em que pagamos com caixa e o momento em que recebemos em caixa.

FIGURA 27.2 Linha do tempo dos fluxos de caixa e atividades operacionais de curto prazo de uma empresa típica de produção.

---

[2] Também chamado de *ciclo de caixa*.

A Amazon não é a única empresa com ciclo financeiro negativo. Consideremos a fabricante de aviões Boeing. Em 2010, a Boeing teve um prazo médio de estocagem de 145 dias e um prazo de recebimento de 36 dias, de modo que seu ciclo operacional durava longos 182 dias (o dia adicional é devido a erros de arredondamento). O ciclo financeiro da Boeing parece ser longo, certo? Errado. A Boeing tinha um prazo médio de pagamento de 235 dias, de modo que seu ciclo financeiro foi de *menos* 53 dias!

O ciclo operacional e o organograma da empresa

Antes de examinarmos em mais detalhes os ciclos operacional e financeiro, é importante verificarmos as funções das pessoas envolvidas na gestão dos ativos e passivos circulantes de uma empresa. Como ilustra o Quadro 27.3, a gestão financeira do curto prazo de uma grande empresa envolve vários gestores financeiros e não financeiros. Examinando o Quadro 27.3, vemos que a venda a prazo envolve pelo menos três gestores de áreas diferentes: o gerente de crédito, o gerente de *marketing* e o gerente de controladoria. Desses três, apenas dois se reportam ao diretor financeiro (a função de *marketing* geralmente está associada ao diretor de *marketing*). Assim, existe a possibilidade de conflitos, sobretudo quando cada um dos diferentes gerentes se concentra em apenas uma parte do todo. Por exemplo, se o *marketing* está tentando conseguir uma conta nova, ele pode querer oferecer condições de crédito mais liberais como um incentivo às vendas, todavia isso pode aumentar o estoque de contas a receber da empresa ou a sua exposição ao risco de inadimplência, o que pode resultar em conflitos entre as diferentes áreas.

Cálculo dos ciclos operacional e financeiro

Em nosso exemplo, as durações dos diferentes prazos eram óbvias, contudo, se tivermos apenas as informações das demonstrações contábeis, teremos de trabalhar um pouco mais. Adiante, ilustramos os cálculos.

Para começar, precisamos determinar diversas coisas, tais como os prazos médios para vender o estoque e para receber o caixa das vendas. Começamos reunindo algumas informações do balanço patrimonial (em milhares), tais como:

Item	Inicial	Final	Média
Estoque	$ 2.000	$ 3.000	$ 2.500
Contas a receber	1.600	2.000	1.800
Contas a pagar	750	1.000	875

QUADRO 27.3 Gestores que lidam com questões financeiras de curto prazo

Título do gestor	Atividades relacionadas à gestão financeira do curto prazo	Ativos/passivos influenciados
Gerente financeiro	Recebimento, centralização do caixa, desembolsos, investimentos de curto prazo, empréstimos a curto prazo, relações bancárias	Caixa, instrumentos financeiros (títulos negociáveis), empréstimos a curto prazo
Gerente de crédito	Monitoramento e controle das contas a receber; decisões sobre a política de crédito	Contas a receber
Gerente de *marketing*	Decisões sobre a política de crédito	Contas a receber
Gerente de compras	Decisões sobre compras, fornecedores, negociação de termos de pagamento	Estoques, contas a pagar
Gerente de produção	Definição das programações de produção e da necessidade de materiais	Estoques, contas a pagar
Gerente de contas a pagar	Decisões sobre as políticas de pagamento e descontos	Contas a pagar
Gerente de controladoria	Informação contábil sobre os fluxos de caixa, conciliação das contas a pagar, conferência entre pagamentos e contas a receber	Contas a receber, contas a pagar

Além disso, a partir da demonstração de resultados do exercício mais recente, podemos obter os seguintes números (em milhares):

Vendas líquidas	$ 11.500
Custo das mercadorias vendidas	8.200

Agora, é necessário calcular alguns indicadores financeiros. No Capítulo 3, tratamos de alguns detalhes desses indicadores, entretanto, aqui, apenas os definiremos e usaremos quando necessário.

O ciclo operacional   Antes de tudo, precisamos do prazo médio de estocagem. Gastamos $ 8,2 milhões em estoque (nosso custo das mercadorias vendidas). Nosso estoque médio foi de $ 2,5 milhões. Assim, giramos o estoque $ 8,2/2,5 vezes durante o ano:[3]

$$\text{Giro do estoque} = \frac{\text{Custo das mercadorias vendidas}}{\text{Estoque médio}}$$

$$= \frac{\$\ 8,2\ \text{milhões}}{2,5\ \text{milhões}} = 3,28\ \text{vezes}$$

De modo geral, isso mostra que compramos e vendemos nosso estoque 3,28 vezes durante o ano. Ainda significa que mantemos nosso estoque durante:

$$\text{Prazo médio de estocagem} = \frac{365\ \text{dias}}{\text{Giro do estoque}}$$

$$= \frac{365}{3,28} = 111,3\ \text{dias}$$

Assim, o prazo médio de estocagem é de 111 dias. Em outras palavras, o estoque ficou parado 111 dias antes de ser vendido.[4]

Da mesma maneira, as contas a receber atingiram uma média de $ 1,8 milhão, e as vendas foram de $ 11,5 milhões. Supondo que todas as vendas foram a prazo, o giro de contas a receber é:[5]

$$\text{Giro de contas a receber} = \frac{\text{Vendas a prazo}}{\text{Média das contas a receber}}$$

$$= \frac{\$\ 11,5\ \text{milhões}}{1,8\ \text{milhões}} = 6,4\ \text{vezes}$$

Se girarmos as contas a receber 6,4 vezes, o prazo médio de recebimento será:

$$\text{Prazo médio de recebimento} = \frac{365\ \text{dias}}{\text{Giro de contas a receber}}$$

$$= \frac{365}{6,4} = 57\ \text{dias}$$

O prazo médio de recebimento é também chamado de *dias em contas a receber* ou *prazo médio de contas a receber*. Seja qual for o nome, ele mostra que nossos clientes levaram perto de 57 dias para pagar.

O ciclo operacional é a soma dos prazos médios de estocagem e de recebimento:

Ciclo operacional = Prazo médio de estocagem + Prazo médio de recebimento
= 111 dias + 57 dias = 168 dias

---

[3] Observe que, ao calcular o giro do estoque, usamos a *média* do estoque em vez de usarmos o estoque final, como fizemos no Capítulo 3. Ambas as abordagens são usadas na prática. Para praticarmos o uso de médias, manteremos essa abordagem ao calcularmos os diversos indicadores neste capítulo.

[4] Esse indicador é idêntico ao prazo médio de estocagem discutido no Capítulo 3.

[5] Se menos de 100% de nossas vendas fossem a prazo, precisaríamos apenas de um pouco mais de informação, a saber: as vendas a prazo durante o ano. Consulte o Capítulo 3 para mais informações sobre esse indicador.

Isso mostra que decorrem 168 dias entre o momento em que adquirimos os estoques e, depois de vendê-los, o momento em que recebemos o dinheiro das vendas.

O ciclo financeiro Agora, é preciso saber qual é o prazo médio de pagamento. A partir das informações anteriores, sabemos que a média das contas a pagar foi de $ 875.000, e o custo das mercadorias vendidas foi de $ 8,2 milhões. Nosso giro de contas a pagar é:

$$\text{Giro de contas a pagar} = \frac{\text{Custo das mercadorias vendidas}}{\text{Média de contas a pagar}}$$

$$= \frac{\$ 8,2 \text{ milhões}}{0,875 \text{ milhão}} = 9,4 \text{ vezes}$$

Nosso prazo médio de pagamento é:

$$\text{Prazo médio de pagamento} = \frac{365 \text{ dias}}{\text{Giro de contas a pagar}}$$

$$= \frac{365}{9,4} = 39 \text{ dias}$$

Assim, levamos em média 39 dias para pagar nossas contas.

Por fim, o ciclo financeiro é a diferença entre o ciclo operacional e o prazo médio de pagamento:

$$\text{Ciclo financeiro} = \text{Ciclo operacional} - \text{Prazo médio de pagamento}$$
$$= 168 \text{ dias} - 39 \text{ dias} = 129 \text{ dias}$$

Dessa maneira, existe uma defasagem de 129 dias entre o momento em que pagamos pelas mercadorias e o momento em que recebemos pelas vendas.

EXEMPLO 27.3 — Ciclos operacional e financeiro

Você reuniu as seguintes informações sobre a Companhia Paga-Mas-Demora:

Item	Inicial	Final
Estoque	$ 5.000	$ 7.000
Contas a receber	1.600	2.400
Contas a pagar	2.700	4.800

As vendas a prazo do ano que findou foram de $ 50.000, e o custo das mercadorias vendidas foi de $ 30.000. Quanto tempo é preciso para que a Paga-Mas-Demora receba suas contas a receber? Quanto tempo a mercadoria permanece na empresa até ser vendida? Quanto tempo a empresa leva para pagar suas contas?

Em primeiro lugar, podemos calcular os três índices de giro:

$$\text{Giro de estoques} = \$ 30.000/6.000 = 5 \text{ vezes}$$
$$\text{Giro de contas a receber} = \$ 50.000/2.000 = 25 \text{ vezes}$$
$$\text{Giro de contas a pagar} = \$ 30.000/3.750 = 8 \text{ vezes}$$

Usamos esses giros para obter os diversos prazos médios:

$$\text{Prazo médio de estocagem} = 365/5 = 73 \text{ dias}$$
$$\text{Prazo médio de recebimento} = 365/25 = 14,6 \text{ dias}$$
$$\text{Prazo médio de pagamento} = 365/8 = 45,6 \text{ dias}$$

Nota-se que a Paga-Mas-Demora recebe uma venda em 14,6 dias, o estoque permanece na empresa por 73 dias e as contas são pagas 46 dias após as compras. Como o ciclo operacional é a soma dos prazos médios de estocagem e de recebimento, temos: 73 + 14,6 = 87,6 dias. Já o ciclo financeiro é a diferença entre o ciclo operacional e o prazo médio de pagamento: 87,6 − 45,6 = 42 dias.

Interpretando o ciclo financeiro

Os exemplos mostram que o ciclo financeiro depende dos prazos médios de estocagem, de recebimento e de pagamento. Ele aumenta à medida que os prazos de estocagem e de recebimento tornam-se mais longos e diminui quando a empresa pode adiar pagamentos e, assim, aumentar o prazo médio de pagamento.

Ao contrário da Amazon.com, a maioria das empresas tem um ciclo financeiro positivo e, portanto, elas precisam de capital de giro para financiar os estoques e as contas a receber. Quanto maior o ciclo financeiro, maior o financiamento necessário; se a empresa não tiver capital de giro suficiente, terá que buscar novos aportes financeiros na forma de empréstimos de curto prazo.

As alterações no ciclo financeiro da empresa quase sempre são monitoradas, pois constituem uma forma de aviso antecipado. Um ciclo em crescimento pode indicar que a empresa tem problemas para movimentar o estoque ou para receber por suas vendas. Tais problemas podem ser mascarados, pelo menos parcialmente, por um aumento no ciclo de contas a pagar, de modo que ambos os ciclos devem ser monitorados.

A ligação entre o ciclo financeiro da empresa e sua lucratividade pode ser compreendida se nos lembrarmos de que um dos fatores básicos da lucratividade e do crescimento de uma empresa é seu giro do ativo total, o qual é definido como Vendas/Ativo total. No Capítulo 3, vimos que quanto mais alto for esse índice, maior será o retorno dos ativos (ROA) e o retorno do patrimônio líquido (ROE). Logo, mantidos os demais valores inalterados, quanto menor for o ciclo financeiro, mais baixo será o investimento da empresa em estoques e contas a receber. Como resultado, o ativo total da empresa é menor, e o giro total é maior.

Exame dos ciclos operacional e financeiro

Em 2011, a revista *CFO* publicou uma pesquisa sobre o capital de giro de vários setores nos EUA. Os resultados dessa pesquisa destacam as fortes diferenças entre os ciclos financeiro e operacional de diversos setores. O quadro a seguir mostra quatro diferentes setores e os ciclos médios operacional e financeiro de cada um deles. Desses quatro, o setor de transporte aéreo é o que tem os ciclos mais curtos, assim como tem um prazo médio de estocagem curto. O setor de varejo, que inclui as lojas Dollar General e Bon-Ton, tem um prazo de recebimento igual a zero.

	Prazo médio de recebimento (em dias)	Prazo médio de estocagem (em dias)	Ciclo operacional (em dias)	Prazo médio de contas a pagar (em dias)	Ciclo financeiro (em dias)
Transporte aéreo	10	7	17	18	–1
Biotecnologia	64	49	113	14	99
Produtos alimentícios	25	39	64	26	38
Varejo	0	62	62	26	36

As lojas de varejo têm quase o mesmo ciclo operacional das empresas de produtos alimentícios. Contudo, podemos ver uma diferença fundamental no fato de que a indústria de varejo não tem prazo de recebimento e de que seu prazo médio de estocagem é muito maior. O prazo médio de estocagem é necessário nesse setor para manter as prateleiras cheias, mas, devido à tendência de os clientes pagarem à vista, as empresas do setor têm uma quantidade pequena ou nula de contas a receber.

Já estudamos que os ciclos operacional e financeiro podem variar bastante de acordo com o setor, mas esses ciclos também podem ser diferentes em empresas do mesmo setor. A seguir, são apresentados os ciclos operacional e financeiro de algumas empresas de informática e produtos eletrônicos. Como é possível ver, existem diferenças: a Apple e a Dell têm os melhores ciclos operacionais e financeiros do setor. De fato, a Dell, há muito tempo, é conhecida como líder na administração do ativo circulante. Tanto a Imation quanto a Diebold têm prazos médios de estocagem muito maiores.

	Prazo médio de recebimento (em dias)	Prazo médio de estocagem (em dias)	Ciclo operacional (em dias)	Prazo médio de contas a pagar (em dias)	Ciclo financeiro (em dias)
Apple	31	6	37	67	–30
Dell	39	8	47	67	–20
Imation	65	51	116	55	61
Diebold	52	58	110	28	82

Por meio do exame de todas as partes dos ciclos, pode-se verificar se a empresa está tendo um desempenho bom ou ruim. Observando os ciclos operacionais da Imation e Diebold, eles parecem bastante similares, entretanto a Diebold tem um maior prazo médio de estocagem, enquanto a Imation tem um maior prazo médio de pagamento.

Ao examinar os ciclos operacional e financeiro, considere que eles são, na verdade, indicadores financeiros. Como qualquer indicador financeiro, eles serão afetados pelas características da empresa e do setor. Por isso, tome cuidado em sua interpretação. Examinando a Imation e a Diebold, observamos que as duas empresas têm um prazo médio de estocagem aparentemente longo. É algo ruim? Talvez não. Essas empresas têm um modelo de negócios diferente do praticado pela Apple e pela Dell e, como resultado, não são comparáveis em matéria de níveis de estoque.

27.3 Alguns aspectos da política financeira de curto prazo

A política financeira de curto prazo de uma empresa reflete-se pelo menos de duas maneiras:

1. *O tamanho do investimento da empresa em ativos circulantes*: é costumeiro medi-lo em relação ao nível das receitas operacionais totais da empresa. Uma política financeira de curto prazo flexível ou acomodativa manteria um índice relativamente alto entre ativos circulantes e vendas. Já uma política financeira de curto prazo restritiva implicaria um índice baixo.
2. *O financiamento dos ativos circulantes*: é medido como a proporção entre as dívidas de curto prazo e as dívidas de longo prazo. Uma política financeira de curto prazo restritiva significa uma alta proporção de dívidas de curto prazo em relação ao financiamento de longo prazo, e uma política flexível significa menos dívidas de curto prazo e mais dívidas de longo prazo.

O tamanho do investimento de uma empresa em ativos circulantes

As políticas financeiras de curto prazo flexíveis incluem ações tais como:

1. Manutenção de grandes saldos de caixa e instrumentos financeiros negociáveis.
2. Grandes investimentos em estoque.
3. Concessão de condições liberais de crédito, o que resulta em um alto nível de contas a receber.

Políticas financeiras de curto prazo restritivas incluem:

1. Saldos de caixa baixos e nenhum investimento em instrumentos financeiros negociáveis.
2. Pequenos investimentos em estoque.
3. Nenhuma venda a prazo ou conta a receber.

A determinação do nível ideal de investimento em ativos correntes exige que se identifiquem os diferentes custos das políticas de financiamento de curto prazo alternativas. O objetivo é efetuar um balanço entre os custos de uma política restritiva e os custos de uma política flexível para chegar ao melhor resultado.

Os investimentos em ativos circulantes são mais altos com uma política financeira de curto prazo flexível e são mais baixos com uma política restritiva. Por conseguinte, as políticas flexíveis são caras, uma vez que exigem maior investimento para financiar caixa e instrumentos financeiros, estoques e contas a receber. Contudo, fluxos de entrada de caixa futuros são mais altos com uma política flexível.

As vendas são estimuladas pelo uso de uma política de crédito liberal aos clientes. Um montante grande de estoque ("mercadorias na prateleira") permite entrega rápida aos clientes e aumenta as vendas.[6] Além disso, a empresa talvez possa cobrar preços mais altos pela entrega rápida e pelas condições liberais de crédito que resultam das políticas flexíveis, que também podem resultar em um número menor de paralisações da produção em virtude da escassez de estoques.[7]

A gestão dos ativos circulantes pode ser vista como algo que envolve a ponderação entre os custos que aumentam e os custos que diminuem com o nível de investimento. Os custos que sobem ao se aumentar o nível de investimento em ativos circulantes são chamados de **custos de carregamento**. Os custos que diminuem ao se aumentar o nível de investimento em ativos circulantes são chamados de **custos de falta**.

Os custos de carregamento são divididos em dois tipos. O primeiro é um custo de oportunidade, porque a taxa de retorno sobre os ativos circulantes é baixa em comparação à taxa sobre outros ativos. O segundo é o custo para manter o valor econômico do item, como, por exemplo, o custo de se armazenar o estoque.

Os custos de falta são incorridos quando o investimento em ativos circulantes é baixo. Se a empresa ficar sem caixa, ela será forçada a resgatar investimentos financeiros que mantenha como reserva. Nesse cenário, se ela não puder realizar com facilidade ou não dispuser de instrumentos financeiros negociáveis, ela talvez tenha que tomar empréstimos ou deixar de pagar uma obrigação. Essa situação é chamada de *falta de caixa*. Uma empresa pode também perder clientes se ficar sem estoque ou se não puder estender crédito a eles.

Existem dois tipos de custos de falta:

1. *Custos de transação ou de pedido*: são aqueles incorridos quando se procura obter dinheiro (tarifas, comissões, tributos sobre empréstimos ou custos de corretagem, por exemplo) ou repor estoques (custos de configuração de produção, por exemplo).

2. *Custos relacionados à falta de reservas de segurança*: são os custos de vendas perdidas, de perda da confiança do cliente e de interrupção das programações de produção.

A Figura 27.3 (p. 944) explica a natureza básica dos custos de carregamento e dos custos de falta. O custo total de se investir em ativos circulantes é determinado pela soma dos custos de carregamento e dos custos de falta. O ponto mínimo da curva de custo total (AC*) reflete o saldo ótimo de ativos circulantes. A curva é, em geral, bastante plana no ponto mínimo, sendo difícil, quando não impossível, encontrar de forma precisa o equilíbrio ótimo entre os custos de carregamento e os de falta – por isso, uma escolha próxima ao ponto ótimo é satisfatória.

Se os custos de carregamento são baixos ou se os custos de falta são altos, a política ideal exige um ativo circulante considerável – quer dizer, uma política flexível é a ideal (isso é mostrado na parte do meio da Figura 27.3).

Se os custos de carregamento são altos ou se os custos de falta são baixos, uma política restritiva é a ideal, ou seja, a política ideal exige um ativo circulante moderado (isso é mostrado na parte inferior da Figura 27.3).

Opler, Pinkowitz, Stulz e Williamson examinaram os determinantes da manutenção de caixa e investimentos financeiros em títulos negociáveis de empresas de capital aberto nos EUA.[8]

---

[6] Isso se aplica a alguns tipos de produtos acabados.

[7] Isso se aplica aos estoques de matéria-prima, mas não aos de produtos acabados.

[8] Tim Opler, Lee Pinkowitz, René Stulz e Rohan Williamson, "The Determinants and Implications of Corporate Cash Holdings", *Journal of Financial Economics*, v.52, 1999.

> ### Determinantes da manutenção de ativos líquidos pelas empresas
>
> | Empresas com alto investimento em ativos líquidos | Empresas com baixo investimento em ativos líquidos |
> |---|---|
> | Oportunidades de alto crescimento | Oportunidades de baixo crescimento |
> | Investimentos de alto risco | Investimentos de baixo risco |
> | Pequenas empresas | Grandes empresas |
> | Empresas com baixa qualidade de crédito | Empresas com alta qualidade de crédito |
>
> As empresas manterão mais ativos líquidos (ou seja, caixa e instrumentos financeiros) para se assegurar de que poderão continuar a investir quando seus fluxos de caixa forem baixos em relação às oportunidades de investimento com VPL positivo. Empresas com acesso fácil ao mercado de capitais manterão menos ativos líquidos.
>
> FONTE: Tim Opler, Lee Pinkowitz, René Stulz e Rohan Williamson, "The Determinants and Implications of Corporate Cash Holdings", *Journal of Financial Economics* 52 (1999).

Eles encontraram evidências de que as empresas se comportam de acordo com o modelo estático descrito antes. O estudo se concentrou apenas nos ativos líquidos (i.e., caixa e instrumentos financeiros), de tal forma que os custos de carregamento são os custos de oportunidade de se manter ativos de liquidez, e os custos de falta são os riscos de não possuir caixa quando existem boas oportunidades de investimento.

Políticas alternativas de financiamento para ativos circulantes

Na seção anterior, examinamos o nível de investimentos em ativos circulantes. Nesta seção, voltaremos nossa atenção para o nível de passivos circulantes, supondo que o investimento em ativos circulantes seja o nível ideal.

Um modelo ideal Em uma economia ideal, os ativos de curto prazo sempre podem ser financiados com dívidas de curto prazo, e os ativos de longo prazo podem ser financiados com dívidas de longo prazo e capital próprio. Nessa condição, o capital de giro é sempre igual a zero.

Imagine um caso simples de uma companhia armazenadora que opera silos de grãos. Essa companhia compra os grãos após a colheita, armazena-os e vende-os durante o ano. Ela tem estoques altos após a colheita e acaba com estoques baixos antes da próxima colheita.

Suponha que essa empresa utilize financiamentos bancários com prazos menores do que um ano para financiar a compra dos grãos e que esses financiamentos sejam pagos com o resultado da venda dos grãos.

Essa situação é apresentada na Figura 27.4 (p. 945). Presume-se que o ativo de longo prazo aumente ao longo do tempo, enquanto o ativo circulante aumenta ao final da colheita e diminui durante o ano. O ativo de curto prazo acaba em zero pouco antes da nova colheita e é financiado por dívidas de curto prazo. O ativo de longo prazo é financiado por dívidas de longo prazo e capital próprio. O capital circulante líquido (ativo circulante menos passivo circulante) é sempre igual a zero.

Diferentes estratégias de financiamento de ativos circulantes Não se pode esperar que o ativo circulante chegue a zero no mundo real, pois um nível de vendas que aumenta ao longo do tempo resulta em algum investimento permanente em ativos circulantes. Uma empresa em crescimento pode ver-se tendo uma necessidade permanente tanto de ativos circulantes quanto de ativos não circulantes. Essa necessidade total de ativos exibirá saldos ao longo do tempo, refletindo: (1) uma tendência geral de crescimento, (2) variação sazonal em torno da tendência e (3) flutuações imprevisíveis dia a dia e mês a mês (Figura 27.5, p. 945). Não tentamos mostrar as variações imprevisíveis dia a dia e mês a mês nas necessidades de ativos totais.

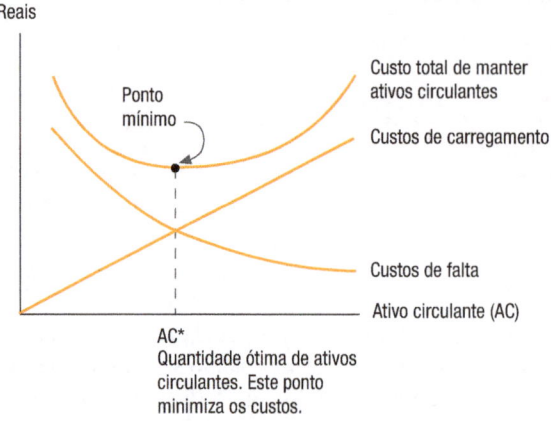

Política flexível

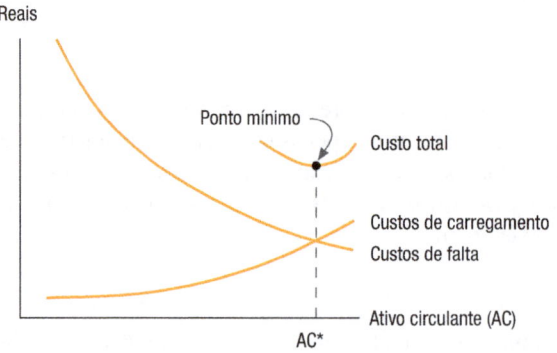

Política restritiva

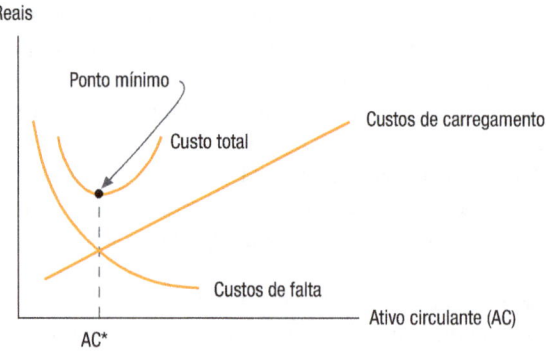

Os *custos de carregamento* sobem ao se aumentar o nível de investimento em ativos circulantes. Eles incluem tanto os custos de oportunidade quanto os custos de se manter o valor econômico de um ativo. Os *custos de falta* diminuem ao se aumentar o nível de investimento em ativos circulantes. Eles incluem custos de transação e custos relativos à escassez de ativos correntes (p. ex., escassez de caixa).

FIGURA 27.3 Custos de carregamento e custos de falta.

Agora examinemos como essa necessidade de ativos é financiada. Considere a estratégia na qual o financiamento de longo prazo cobre além das necessidades de ativos totais, mesmo em picos sazonais (estratégia *F* da Figura 27.6). A empresa terá caixa excedente disponível para investir em ativos financeiros quando as necessidades de ativos totais caírem em relação aos

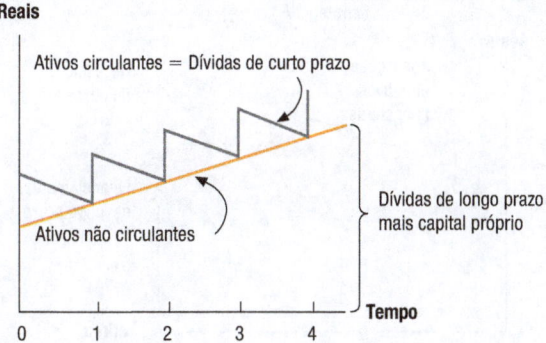

Em um mundo ideal, o capital de giro será sempre zero, porque os ativos de curto prazo são financiados por dívidas de curto prazo.

FIGURA 27.4 Política financeira em uma economia ideal.

picos. Como essa abordagem implica um grande investimento em ativos circulantes não caixa e excedentes de caixa de curto prazo, ela é considerada uma estratégia flexível.

Quando o financiamento de longo prazo não cobre as necessidades de ativos totais, a empresa deve tomar emprestado no curto prazo para suprir o déficit. Essa estratégia restritiva é indicada com a letra *R* na Figura 27.6.

Qual é melhor?

Qual é o montante de empréstimos de curto prazo mais apropriado? Não existe uma resposta definitiva. Várias considerações devem ser incluídas em uma análise adequada:

1. *Reservas de caixa*: a estratégia de financiamento flexível implica reservas de caixa e poucos empréstimos de curto prazo. Essa estratégia reduz a probabilidade de que a empresa passe por problemas financeiros. As empresas nessa situação não precisam se preocupar tanto com o cumprimento de obrigações recorrentes de curto prazo, pois têm capital de giro para as operações. Porém, o capital de giro não utilizado em estoques e contas a receber será utilizado na forma de caixa e ativos financeiros; tais investimentos são, no máximo, investimentos de valor presente líquido zero.

2. *Casamento de prazos*: a maioria das empresas financia os estoques com empréstimos bancários de curto prazo e o ativo não circulante com financiamentos de longo prazo. As empresas evitam financiar o ativo não circulante com empréstimos de curto prazo. Esse tipo de desencontro de prazos exigiria financiamentos frequentes e, por isso, é arriscado, visto que as taxas de juros de curto prazo são mais voláteis do que as taxas de prazo maior.

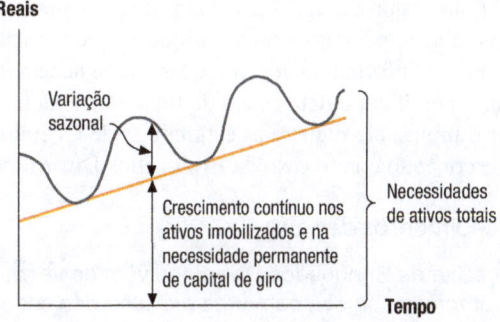

FIGURA 27.5 Necessidades de ativos totais ao longo do tempo.

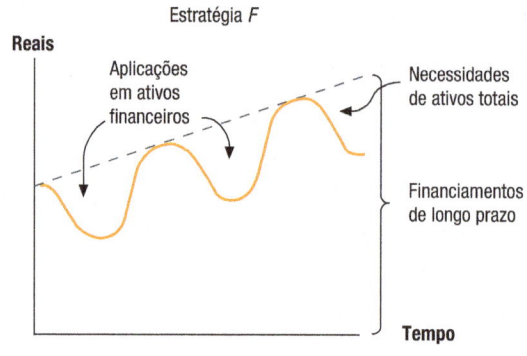

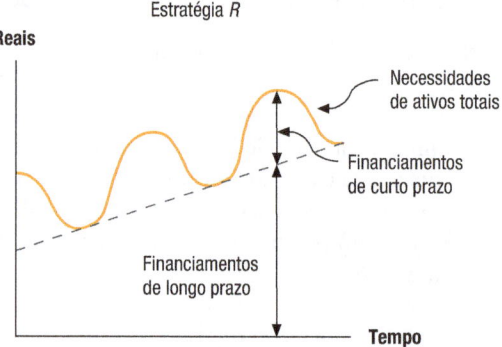

A Estratégia F sempre implica um excedente de caixa no curto prazo e um grande investimento em caixa, equivalentes de caixa e aplicações em ativos financeiros. A Estratégia R usa financiamento de longo prazo apenas para as necessidades permanentes de ativos imobilizados e de capital de giro e empréstimos de curto prazo para o financiamento das variações sazonais de ativos circulantes.

FIGURA 27.6 Políticas alternativas de financiamento de ativos.

3. *Estrutura a termo*: As taxas de juros de curto prazo normalmente são menores do que as de longo prazo. Logo, seria mais caro depender de financiamento de longo prazo em comparação ao financiamento de curto prazo. Entretanto, isso pode ser diferente no caso de a empresa ter acesso a alguma forma incentivada de empréstimos de longo prazo, como é o caso das linhas oferecidas pelo BNDES, ou, no caso de empresas brasileiras, ter acesso direto a recursos tomados no exterior. Nesses casos, isso pode permitir à empresa compor fontes de recursos de longo prazo a taxas inferiores às dos empréstimos de curto prazo.

27.4 Orçamento financeiro de curto prazo

Esta seção apresenta a vinculação com documentos do Word.

O orçamento de caixa é uma das principais ferramentas do planejamento financeiro para o curto prazo. Ele permite que o gestor financeiro identifique as necessidades (e as oportunidades) financeiras para o curto prazo, informa ao gestor a quantidade necessária de empréstimos para o curto prazo e serve para identificar a defasagem de fluxo de caixa na linha do tempo. A ideia do orçamento de caixa é simples: ele registra as estimativas de recebimentos e desembolsos de caixa. Exemplificamos o conceito com o caso da Brinquedos Divertidos.

EXEMPLO 27.4 Recebimentos de caixa

Todas as entradas de caixa da Brinquedos Divertidos vêm da venda de brinquedos. O orçamento de caixa da empresa começa com uma previsão de vendas por trimestre para o próximo ano:

	Primeiro trimestre	Segundo trimestre	Terceiro trimestre	Quarto trimestre
Vendas (em milhões de $)	$ 100	$ 200	$ 150	$ 100

O planejamento da Brinquedos Divertidos começa no dia 1º de julho. As vendas são sazonais e costumam ser muito altas no segundo trimestre devido às férias. A empresa vende a crédito para lojas de departamentos, e o caixa não é gerado imediatamente pelas vendas, mas depois, por meio de cobranças de contas a receber. A empresa tem um prazo de recebimento de 90 dias, e, assim, 100% das vendas são recebidas no trimestre seguinte. Temos, então:

$$\text{Recebimentos} = \text{Vendas do trimestre anterior}$$

Essa relação implica que:

$$\text{Contas a receber no final do trimestre anterior} = \text{Vendas do trimestre anterior} \quad (27.7)$$

Suponha que as vendas no trimestre anterior tenham sido de $ 100 milhões. Partindo da Equação 27.7, sabemos que as contas a receber totalizaram $ 100 milhões no final do trimestre anterior e que os recebimentos totalizaram $ 100 milhões no trimestre atual. As vendas de $ 100 milhões do primeiro trimestre do ano fiscal atual são adicionadas às contas a receber, mas subtraem-se $ 100 milhões em recebimentos. Assim, a Brinquedos Divertidos encerrou o primeiro trimestre com $ 100 milhões em contas a receber. A relação básica é:

$$\text{Contas a receber finais} = \text{Contas a receber iniciais} + \text{Vendas} - \text{Recebimentos}$$

O Quadro 27.4 mostra os recebimentos de caixa da Brinquedos Divertidos para os próximos quatro trimestres. Embora os recebimentos sejam, aqui, a única fonte de caixa, não é sempre que isso ocorre. Algumas outras fontes de caixa possíveis são vendas de ativos, receitas de investimento e financiamentos de longo prazo.

QUADRO 27.4 Fontes de caixa (em milhões de $)

	Primeiro trimestre	Segundo trimestre	Terceiro trimestre	Quarto trimestre
Vendas	$ 100	$ 200	$ 150	$ 100
Recebimentos de caixa	100	100	200	150
Contas a receber iniciais	100	100	200	150
Contas a receber finais	100	200	150	100

Saídas de caixa

A seguir, consideraremos os desembolsos de caixa. Eles podem ser divididos em quatro categorias básicas, conforme mostrado no Quadro 27.5.

1. *Pagamentos de contas a pagar*: os pagamentos por mercadorias ou serviços, matéria-prima, por exemplo. Em geral, são feitos após a compra. As compras dependerão da previsão de vendas. No caso da Brinquedos Divertidos, suponha que:

$$\text{Pagamentos} = \text{Compras do trimestre anterior}$$
$$\text{Compras} = 1/2 \text{ previsão de vendas do próximo trimestre}$$

2. *Salários, impostos e outras despesas*: esta categoria inclui todos os outros custos normais da empresa que exigem saídas efetivas de caixa. A depreciação quase sempre é vista como um custo normal dos negócios, mas não exige fluxo de saída de caixa.

3. *Gastos de capital*: estes são os pagamentos de caixa para aquisição de ativos imobilizados. A Brinquedos Divertidos planeja um grande gasto de capital para o quarto trimestre.

4. *Financiamentos de longo prazo*: esta categoria abrange os pagamentos de juros e principal de dívidas de longo prazo e os pagamentos de dividendos e juros sobre capital próprio aos acionistas.

Os fluxos de saída de caixa projetados totais são mostrados na última linha do Quadro 27.5.

QUADRO 27.5 Desembolsos de caixa (em milhões de $)

	Primeiro trimestre	Segundo trimestre	Terceiro trimestre	Quarto trimestre
Vendas	$ 100	$ 200	$ 150	$ 100
Compras	100	75	50	50
Usos de caixa				
Pagamentos de contas a pagar	50	100	75	50
Salários, impostos e outras despesas	20	40	30	20
Gastos de capital	0	0	0	100
Despesas de financiamentos de longo prazo: juros e dividendos	10	10	10	10
Desembolsos de caixa totais	$ 80	$ 150	$ 115	$ 180

QUADRO 27.6 Saldo de caixa (em milhões de $)

	Primeiro trimestre	Segundo trimestre	Terceiro trimestre	Quarto trimestre
Recebimento de caixa total	$ 100	$ 100	$ 200	$ 150
Desembolso de caixa total	80	150	115	180
Fluxo de caixa líquido	20	(50)	85	(30)
Saldo de caixa acumulado	20	(30)	55	25
Saldo de caixa mínimo	5	5	5	5
Sobra de caixa ou financiamento necessário	15	(35)	50	20

O saldo de caixa

O saldo líquido de caixa é apresentado no Quadro 27.6, e um grande fluxo líquido de saídas de caixa é previsto para o segundo trimestre. Essa alta saída de caixa não é causada pela incapacidade de se obter lucro, mas pela demora em receber pelas vendas, o que resulta em uma insuficiência de caixa acumulada de $ 30 milhões no segundo trimestre.

A Brinquedos Divertidos estabeleceu um saldo de caixa mínimo de $ 5 milhões para facilitar suas transações, proteger-se contra imprevistos e manter saldos médios nos bancos comerciais, com o que a empresa terá uma insuficiência de caixa no segundo trimestre igual a $ 35 milhões.

27.5 Plano financeiro de curto prazo

A Brinquedos Divertidos tem um problema de financiamento no curto prazo. Ela não consegue atender aos fluxos de saída de caixa previstos no segundo trimestre usando fontes internas. Suas opções de financiamento incluem (1) empréstimos para capital de giro com garantia de recebíveis, (2) empréstimos para capital de giro com garantia de recebíveis e (3) outras fontes.

Empréstimos bancários para capital de giro

O modo mais fácil de financiar faltas temporárias de caixa é conseguir empréstimos bancários de curto prazo para capital de giro. Os bancos oferecem linhas de empréstimo para empresas, que chamam genericamente de *produtos* para atender a necessidades de capital de giro. Há os chamados *produtos de prateleira* e os *produtos estruturados*. Os produtos de prateleira são modalidades de empréstimo comuns à rede bancária comercial, como: desconto de duplicatas, desconto de cheques, antecipação de recebíveis de cartão de crédito, capital de giro (o produto capital de giro), adiantamento sobre contratos de câmbio e outros. Os produtos estruturados são constituídos por operações especialmente montadas para determinada necessidade. Em geral, os produtos são partes de linhas de crédito. As linhas de crédito geralmente são da modalidade "não garantida", ou seja, cada pedido de empréstimo pode ser objeto de análise para concessão.

Linhas de crédito garantidas são aquelas em que os bancos assumem o compromisso de conceder um empréstimo quando a empresa o necessitar; nesse caso, há cobrança pela concessão da garantia de empréstimos.

O primeiro passo para uma empresa ter um empréstimo bancário é abrir uma conta corrente em um banco comercial e obter um limite de crédito calculado pelo banco com base nas informações cadastrais da empresa. Um **limite de crédito** é estabelecido pelos bancos como a exposição máxima que o banco está disposto a correr com as operações daquela empresa. Um limite de crédito é, portanto, a soma de todas as linhas que um banco está disposto a conceder a uma determinada empresa e varia conforme as condições de mercado e a situação econômica e financeira da empresa. Conforme o porte, o faturamento e a linha de negócios da empresa, os bancos podem oferecer várias linhas de crédito. O limite de crédito é composto, em geral, por linhas não garantidas. Ao concedê-los para uma empresa, o banco não se obriga a fornecer o crédito quando a empresa necessitar.

Uma linha de crédito é um acordo no qual um banco aceita fornecer empréstimos a uma empresa até um montante determinado dentro do seu limite de crédito. As condições estabelecidas pelos bancos para linhas de crédito de curto prazo variam segundo a classificação de risco da empresa atribuída pelo banco e incluem diferentes tipos de garantias, como hipotecas, aval, fiança e penhor.

No Brasil, os bancos oferecem linhas de crédito garantidas, cobrando uma comissão tanto para a concessão da linha quanto para a manutenção da linha enquanto não utilizada. Se a empresa sacar o valor disponibilizado ou parte dele, ela paga os juros contratados sobre o valor utilizado em vez da comissão de manutenção. Esses juros geralmente são estabelecidos como um percentual da taxa DI, que é a taxa dos depósitos interfinanceiros (Ver Capítulo 26).

A razão de uma empresa pagar uma comissão de compromisso para ter uma linha de crédito assegurada é ter um seguro para garantir que o banco fornecerá crédito se este se mostrar necessário (exceto no caso de alguma variação na qualidade de crédito do mutuário). Além disso, a empresa precisa ter uma reserva de liquidez diante de uma situação imprevista.

Um limite de crédito para uma empresa pode ser composto, por exemplo, pelas seguintes linhas de crédito: a) sublimite para operações de empréstimos de capital de giro sem garantia de recebíveis; b) sublimite para operações de empréstimos de capital de giro com garantia de recebíveis; c) sublimite para operações de câmbio (com sublimites para operações de importação e de exportação); d) sublimite para operações de investimento em ativos fixos, com repasses de recursos do BNDES.

Suponha que uma empresa tenha uma receita operacional líquida de $ 50 milhões. Um banco talvez estabeleça o limite de crédito dessa empresa em 20% desse valor (os bancos evitam ser os únicos credores de um negócio). O limite de crédito da empresa nesse banco seria de $ 10 milhões e poderia estar assim distribuído:

Linhas de crédito	$ Milhões
Operações de capital de giro, sem garantia de recebíveis:	1,00
Operações de capital de giro, com garantia de recebíveis:	3,50
Operações de câmbio – exportação (ACC e ACE[9]):	2,50
Operações de câmbio – importação:	2,00
Operações de investimento (repasses do BNDES):	1,00
Limite de crédito	10,00

Financiamento de contas a receber O financiamento das contas a receber envolve dois tipos de operações: empréstimos com garantia de recebíveis e operações de desconto de recebíveis. Recebíveis são títulos de crédito emitidos pelo vendedor (como duplicatas e letras de câmbio) ou emitidos por adquirentes de bens e serviços em favor do vendedor (como cheques e notas promissórias).

---

[9] ACC: Adiantamento sobre contrato de câmbio. ACE: Adiantamento sobre cambiais entregues.

Nas operações com garantia de recebíveis, a carteira de recebíveis ou determinado valor em recebíveis é entregue ao banco como garantia de empréstimos tomados.

No desconto de recebíveis, como o de duplicatas, o valor do recebível é antecipado. O desconto pode ser realizado com ou sem direito de regresso por parte do banco financiador. O direito de regresso é o direito do banco de cobrar do financiado a quantia adiantada caso o recebível não seja pago no vencimento. No caso de a operação ser feita sem direito de regresso, o banco corre o risco e não cobrará do tomador o valor antecipado no caso de inadimplência do sacado. São raras as operações sem direito de regresso.

Empréstimos para capital de giro com garantia de recebíveis

Desconto de duplicatas: é a operação mais comum e mais simples de empréstimo para capital de giro. Em uma operação de desconto, o banco antecipa o valor de face de uma duplicata, descontando os juros desse valor. Se a empresa descontar uma duplicata de $ 10.000,00 com prazo de vencimento de 30 dias a uma taxa de desconto de 1,85% a.m., o banco cobrará juros antecipados de $ 185,00 (1,85% de $ 10.000,00) e creditará $ 9.815,00 para a empresa (antes, deduzirá do valor descontado o imposto sobre operações financeiras e pode cobrar uma tarifa pela operação, o que aumenta o custo efetivo total da operação[10]).

Antecipação de recebíveis de cartão de crédito: nas vendas a prazo para o consumidor com o uso de cartões de crédito, as administradoras de cartões efetuam o crédito para o vendedor em datas fixas mensais ou em um prazo fixo após a venda (30 dias após a venda, por exemplo). Cada venda gera um direito a receber pagamentos da administradora de cartões. A antecipação de recebíveis de cartões de crédito é uma operação de empréstimo dos bancos comerciais ou da própria administradora para quem um percentual dessas vendas é antecipado na forma de desconto ou de crédito rotativo.

Antecipação de cheques (pré-datados): trata-se da mesma modalidade de empréstimos de antecipação de recebíveis de cartões de crédito, agora antecipando o valor de cheques *pré-datados* por vendas a prazo. O cheque é uma ordem de pagamento à vista, assim, o cheque pré-datado funciona com base na confiança do emitente de que o vendedor não apresentará o cheque antes do prazo acordado. Entretanto, o cheque pré-datado tornou-se uma das formas mais populares de venda a crédito no Brasil, pelas características de praticidade da operação.

Conta empresarial (crédito rotativo): esta é uma modalidade de crédito rotativo em que a empresa e o banco formalizam um acordo de crédito. Com isto, a empresa pode sacar empréstimos livremente até um determinado percentual do valor de recebíveis depositados em cobrança ou custódia no banco. O valor da linha de crédito é fixado previamente, e a empresa deposita recebíveis em um valor superior ao do limite da linha, por exemplo 125% ou 130% do limite em cheques pré-datados, recebíveis de cartão, duplicatas ou títulos para cobrança eletrônica. À medida que os recebíveis são pagos pelos sacados, a linha se reduz, e, para manter o valor da linha, a empresa deve depositar novos recebíveis.

Vendor: modalidade de crédito para financiamento das vendas de uma empresa. A empresa vendedora toma uma linha de crédito em um banco, e este financia diretamente os compradores da empresa. A garantia da operação é do vendedor, mediante uma carta de fiança. Os compradores pagam o custo da operação. Os juros para os compradores podem ser iguais, maiores ou menores do que os juros da linha tomada pelo vendedor. Se maiores ou menores, o vendedor recebe ou paga a diferença ao banco, o que é chamado de *equalização de taxas*. Nessa modalidade, a empresa vendedora tem uma qualidade de crédito melhor que a dos seus compradores, o que lhe permite repassar custos de financiamento menores para seus compradores. Por isso, pode ser instrumento alavancador de vendas, pois o vendedor oferece o produto e o financiamento.

Compror: modalidade de crédito para financiamento das compras de uma empresa. A empresa compradora toma uma linha de crédito em um banco, e ele financia diretamente os vende-

---

[10] Isso se aplica a todas as operações de crédito.

dores da empresa. Nessa modalidade, o comprador tem qualidade de crédito melhor do que a dos seus vendedores. Com o repasse de linhas de crédito a baixo custo para seus vendedores, a compradora obtém maiores prazos de pagamento.

Empréstimos para capital de giro sem garantia de recebíveis

Antes que ocorram vendas, as empresas têm necessidade de capital de giro para atender a necessidades correntes, como a compra de estoques, o pagamento de salários e contribuições trabalhistas, o pagamento de tributos ou para necessidades emergenciais de caixa. Sem vendas, não há recebíveis de vendas. Por isso, os bancos também têm produtos de empréstimos de curto e curtíssimo prazo não vinculados a vendas. Nesse caso, são exigidas garantias reais, como hipoteca e penhor, ou pessoais, como aval e fiança, podendo contar com recebíveis ou estoques em geral como garantia adicional.

Capital de giro: é a denominação geral da operação mais comum e mais simples de empréstimo para capital de giro, sem garantia de recebíveis de vendas. Um empréstimo para capital de giro é feito com base em um contrato de empréstimo (um mútuo[11], como é também chamado no meio financeiro). Atualmente, os bancos têm produtos pré-aprovados, em que o empresário saca um empréstimo para capital de giro nos terminais eletrônicos ou pelo gerenciador financeiro fornecido pelo banco, podendo restituir o empréstimo em prestações mensais fixas. Este tipo de empréstimo pode ser utilizado para compra de estoques, pagamento de salários, impostos e outras despesas correntes, antes da venda dos produtos.

Cheque especial empresarial: é uma modalidade semelhante ao cheque especial para pessoa física, adaptado para o cliente pessoa jurídica. É um limite de saque em conta devedora em que os bancos exigem que a movimentação seja avisada com um dia de antecedência. Trata-se de modalidade de empréstimo compromissado para atender a necessidades emergenciais de caixa detectadas antes que ocorram.

Hot money: modalidade de empréstimo por curtíssimo prazo para atender a faltas de caixa detectadas no dia. Destina-se a cobrir saldos de caixa por motivos de falhas no planejamento de caixa ou por recebimentos planejados que não se efetivaram. É um financiamento não compromissado, com prazos entre 1 a 10 dias. O custo é atrelado à taxa DI. Torna-se uma operação de custo efetivo total elevado face à incidência de IOF e tarifas da operação.

Carteira de operações Como parte da avaliação do custo e das condições para concessão de uma linha de crédito ou de outro contrato de financiamento, os bancos consideram a carteira de negócios que o tomador mantém com o banco. A folha de pagamento da empresa é muito disputada pelos bancos. Quando a empresa deposita os salários dos seus empregados em um banco, as reservas correspondentes ficam mais tempo no banco, pois os correntistas irão sacar seus salários ao longo do mês. A folha de pagamento permite também aos bancos oferecer cartões de crédito, seguros, planos de saúde e planos de aposentadoria complementar aos correntistas. Na negociação do custo de um empréstimo, além da análise do risco de crédito do tomador, um elemento importante é a reciprocidade comercial oferecida pelo tomador ao banco.

Outras fontes de capital de giro Empresas com acesso ao mercado de capitais podem obter recursos para capital de giro com a emissão de notas promissórias ou debêntures. Empresas exportadoras têm acesso a produtos do mercado de câmbio, como o Adiantamento sobre Contratos de Câmbio (ACC) e o pré-pagamento de exportações. O primeiro consiste no adiantamento de recursos em reais correspondentes a uma venda de moeda estrangeira pelo exportador, para entrega a termo. O segundo consiste em antecipações em moeda estrangeira por conta de futuras exportações.

Saldo médio Ainda como parte das condições para concessão de uma linha de crédito ou de outro contrato de financiamento, os bancos podem exigir que as empresas mantenham certa quan-

---

[11] Mútuo: um contrato em que uma das partes empresta coisa fungível à outra, e a outra liquida o contrato mediante entrega da mesma coisa. Exemplos: sementes de milho por sacas de milho, dinheiro por dinheiro.

tidade de dinheiro depositada na conta corrente. Isso é chamado de **saldo médio**, o qual é uma parte do dinheiro da empresa que é mantida no banco em contas com juros baixos ou sem juros.

Garantias para linhas de crédito

Os bancos e outras instituições financeiras quase sempre exigem garantias para conceder empréstimos, tanto de curto quanto de longo prazo. Essas garantias assumem a forma de garantias reais e de garantias fidejussórias (garantias com base em fé, confiança). As primeiras, as reais, são constituídas por hipoteca, penhor, alienação fiduciária de bens móveis e imóveis e caução de títulos. Também podem consistir em contas a receber ou estoques. As garantias fidejussórias são o aval e a fiança.

Operações de fomento comercial (*Factoring*)

Na sua forma original, o *factoring* envolve a venda das contas a receber. O comprador, denominado *factor*, deve cobrar as contas a receber. Ele assume o risco total pelas contas inadimplentes. As empresas de *factoring* são sociedades mercantis com o objetivo de prestar serviços e dar assistência e suporte ao segmento da pequena e média empresa, bem como comprar direitos creditórios resultantes das vendas mercantis desse segmento. A Resolução nº 2.144 do Conselho Monetário Nacional e a Lei nº 9.249/1995 caracterizam *factoring* como a "prestação cumulativa e contínua de serviços de assessoria creditícia, mercadológica, gestão de crédito, seleção de riscos, administração de contas a pagar e a receber, compra de direitos creditórios resultantes de vendas mercantis a prazo ou de prestação de serviços". *Factoring*, portanto, é uma atividade empresarial, não é parte do sistema financeiro, do sistema bancário.

Na prática do mercado brasileiro, observa-se que as empresas de *factoring* geralmente não assumem o risco de crédito das contas a receber, como seria de se esperar. O que parece ocorrer é o simples adiantamento dos valores a receber, especialmente de cheques pré-datados. Embora o vendedor não precise reembolsar os cheques ou recebíveis não pagos pelos sacados, geralmente o acordo de *factoring* prevê a "troca" do recebível não pago por outro que cubra o valor inadimplido. Outro aspecto a notar é que o mercado das empresas de *factoring* geralmente é constituído por empresas com menor acesso ao sistema bancário convencional, especialmente por problemas cadastrais.

Financiamento de estoques

Como o nome sugere, um financiamento de estoques utiliza o estoque como garantia. Alguns tipos comuns de financiamentos de estoques são:

1. *Penhor de estoques*: modalidade de empréstimo em que a garantia é dada pela penhora de todos os estoques do tomador. A propriedade dos estoques é do tomador, e, em caso de inadimplência, o credor tem o direito de solicitar mercadorias em estoque para saldar a obrigação.
2. *Alienação fiduciária*: modalidade semelhante ao penhor de estoques, com a diferença de que a propriedade dos estoques é do credor e, em caso de inadimplência, o credor tem o direito de buscar a mercadoria especificada no contrato. O financiamento de automóveis é feito por meio de alienação fiduciária.
3. *Financiamento com garantia de estoques em armazém depositário*: uma empresa especializada em gestão de estoques (armazenadora) atua como agente de controle do estoque para o financiador. Comum em operações de financiamento rural, em que a safra de grãos pode ser financiada com garantia dos grãos armazenados em uma cooperativa. O armazenador atua como "fiel depositário", com obrigações tipificadas em lei. Ele pode emitir títulos conhecidos como *warrants*, com direitos negociáveis sobre os estoques.

27.6 O capital de giro e o crescimento sustentável

No Capítulo 3, ao construirmos um balanço patrimonial projetado, constatamos que o crescimento pode trazer a necessidade de financiamento adicional. Denominamos esse montante adicional Necessidade de Aporte Financeiro (NAF). Voltamos a esse tema, agora com a finalidade de analisar a política financeira praticada por uma empresa. O objetivo é avaliar a tendência do comportamento do endividamento quando a variável de fechamento escolhida é o endividamento de curto prazo.

Para essa análise, é preciso considerar que a forma de apresentação das contas circulantes no balanço patrimonial não distingue entre ativos e passivos circulantes da operação e ativos e passivos circulantes de outra natureza. Vamos então segregar as contas circulantes em contas operacionais e contas não operacionais. O quadro a seguir apresenta exemplos de contas operacionais do circulante:

Contas operacionais do circulante	
Ativo circulante	**Passivo circulante**
• Caixa mínimo • Contas a receber de clientes • Estoques • Créditos de tributos sobre a produção • Adiantamentos a fornecedores	• Fornecedores • Salários, encargos e provisões para 13º, férias e rescisões • Obrigações tributárias sobre a produção • Adiantamentos de clientes • Provisões para aluguéis, energia, água, comunicações e outras despesas recorrentes

O próximo quadro apresenta exemplos de contas não operacionais do circulante:

Contas não operacionais do circulante	
Ativo circulante	**Passivo circulante**
• Aplicações e instrumentos financeiros • Contas a receber de vendas de ativos não operacionais • Outros créditos não operacionais	• Duplicatas descontadas[12] • Outros empréstimos de curto prazo • Imposto de Renda e Contribuição Social sobre o Lucro Líquido • Parcelas a vencer no curto prazo de empréstimos e financiamentos de longo prazo • Dividendos declarados • Outras obrigações não operacionais

Em seguida, definimos:

Ativo Circulante Operacional (ACO): soma das contas operacionais do Ativo Circulante.

Passivo Circulante Operacional (PCO): soma das contas operacionais do Passivo Circulante.[13]

A diferença entre os usos operacionais e as fontes operacionais é geralmente referida como Necessidade de Capital de Giro:

$$\text{Necessidade de Capital de Giro (NCG)} = ACO - PCO \qquad (27.8)$$

A necessidade de capital de giro deve ser suprida por fontes que não fazem parte do ciclo operacional. A fonte de recursos para financiar o circulante vem daquela parte da estrutura de capital que chamamos de **capital de giro**. Se o capital de giro for insuficiente para atender ao financiamento do circulante, haverá a necessidade de aportes financeiros (NAF), a que referi-

---

[12] A conta "Duplicatas descontadas" (também referida como "Títulos descontados") é parte do Passivo Circulante, e não do Ativo Circulante como conta redutora, como era classificada antes da adoção da contabilidade internacional. O desconto de duplicatas é *passivo circulante não operacional* (também é referido como *passivo circulante financeiro*). Isso pode causar alguma dúvida, pois, às vezes, o desconto de duplicatas é confundido com uma venda desses recebíveis. Sob as normas IFRS, se não houver a transferência de todos os riscos e benefícios da propriedade de um recebível, a empresa cedente deve mantê-lo no ativo até seu recebimento e, no caso do desconto, tratar o valor recebido na operação de desconto como empréstimo. A essência da transação é que deve ser retratada contabilmente, trata-se de empréstimo com garantia de duplicatas (Comitê de Pronunciamentos Contábeis, 2009a).

[13] Alguns autores definem como Ativo Circulante Cíclico (ACC) e Passivo Circulante Cíclico (PCC). Preferimos explicitar o caráter operacional.

mos no Capítulo 3. De um modo geral, as empresas suprem essa necessidade com **empréstimos de curto prazo**. Há várias formas de empréstimos de curto prazo oferecidos pela rede bancária para suprir faltas de capital de giro, como as mostradas neste capítulo.

Suponha o caso da Metalúrgica da Serra. Usaremos seus balanços patrimoniais para desenvolver os conceitos aqui apresentados. O resumo dos balanços patrimoniais para os anos de 2011, 2012 e 2013 da Metalúrgica da Serra S/A é apresentado a seguir:

METALÚRGICA DA SERRA S/A Balanço patrimonial							
Ativo				Passivo e patrimônio líquido			
	2011	2012	2013		2011	2012	2013
Ativo circulante	**164**	**239**	**506**	**Passivo circulante**	**145**	**176**	**374**
Caixa e bancos	4	2	3	Fornecedores	51	53	66
Aplicações financeiras	9	4	13	Salários e encargos	15	12	15
Contas a receber	73	148	348	Obrigações sociais e trabalhistas	7	9	11
Impostos a recuperar	11	12	32	Obrigações tributárias	15	17	18
Adiantamentos a fornecedores	16	11	22	Imposto de renda	1	2	1
Estoques	51	62	88	Empréstimos e financiamentos	42	35	96
				Duplicatas descontadas	10	45	162
				Adiantamentos de clientes	4	3	5
Ativo não circulante	**144**	**142**	**163**	**Passivo não circulante**	**17**	**10**	**32**
				Empréstimos e financiamentos	17	10	32
				Patrimônio líquido	**146**	**195**	**263**
Imobilizado	225	248	301	Capital integralizado	165	165	165
Depreciação	–81	–106	–138	Reserva de lucros (prejuízo)	–19	30	98
Ativo total	**308**	**381**	**669**	**Passivo total e patrimônio líquido**	**308**	**381**	**669**

A seguir, extraímos as contas operacionais do circulante e os seus totais em cada exercício.

Ativo circulante operacional				Passivo circulante operacional			
	2011	2012	2013		2011	2012	2013
Caixa e bancos	4	2	3	Fornecedores	51	53	66
Contas a receber de clientes	73	148	348	Salários e encargos	15	12	15
Impostos a recuperar	11	12	32	Obrigações sociais e trabalhistas	7	9	11
Adiantamentos a fornecedores	16	11	22	Obrigações tributárias	15	17	18
Estoques	51	62	88	Adiantamentos de clientes	4	3	5
ACO	**155**	**235**	**493**	**PCO**	**92**	**94**	**115**

Vemos que a evolução da necessidade de capital de giro da Metalúrgica da Serra foi a seguinte:

	2011	2012	2013
ACO	155	235	493
PCO	92	94	115
NCG	**63**	**141**	**378**

A NCG da Metalúrgica da Serra está crescendo de maneira rápida, mais do que dobrando a cada exercício. Ela está necessitando cada vez mais de capital de giro. Vamos, então, examinar a evolução do capital de giro da Metalúrgica da Serra nesses exercícios.

Mostramos antes, neste capítulo, que o capital de giro tem origem na "parte de baixo do balanço".[14] O capital de giro tem origem no conjunto das fontes não circulantes, o Passivo Não Circulante e o Patrimônio Líquido. Vamos chamar esse conjunto de Fontes Permanentes (FP). Para a Metalúrgica da Serra, temos:

	2011	2012	2013
Passivo não circulante	17	10	32
Patrimônio líquido	146	195	263
FP	**163**	**205**	**295**

Parte dos financiamentos permanentes foi utilizada para financiar o Ativo Não Circulante (ANC). Se do valor do FP subtrairmos o valor utilizado para financiar o ANC, teremos o valor dos financiamentos permanentes disponíveis para o capital de giro (CDG).

	2011	2012	2013
FP	163	205	295
ANC	144	142	163
CDG	**19**	**63**	**132**

De imediato, descobrimos que a Metalúrgica da Serra não tem tido capital de giro suficiente para atender às suas necessidades de financiamento dos ativos circulantes nos três exercícios avaliados, como resume o quadro a seguir:

	2011	2012	2013
CDG	19	63	132
NCG	63	141	378
CDG-NCG	**(44)**	**(78)**	**(246)**

Essa diferença gera uma necessidade de aportes financeiros, a NAF antes referida. A Metalúrgica da Serra está tomando dinheiro emprestado no curto prazo, e isso é evidenciado pelas contas não operacionais do circulante.

Definimos como:

Ativo Circulante Não Operacional (ACN) a soma das demais contas do Ativo Circulante, não classificadas como operacionais.

Passivo Circulante Não Operacional (PCN) a soma das demais contas do Passivo Circulante, não classificadas como operacionais.[15]

---

[14] Adotamos a abordagem da "escola francesa", popularizada no Brasil especialmente por Michel Fleuriet, bastante adequada às necessidades de análise da realidade financeira das empresas brasileiras. Ver: Fleuriet, M; Kehdy, R.; Blanc, G. *O modelo Fleuriet*: a dinâmica financeira das empresas brasileiras. Rio de Janeiro: Campus, 2003. Fleuriet, M.; Kienast, P. *Comment assurer la bonne marche financière de son entreprise*. Paris: L'Usine, 1982. Brusterie, H. *Tiésorerie d'entreprise*. Paris: Dalloz, 1997. Levasseur, M. *Gestion de Trésorerie*. Paris: Economica, 1979.

[15] Outros autores classificam essas contas como Ativo Circulante Financeiro (ACF) e Passivo Circulante Financeiro (PCF). Preferimos classificar como Não Operacional, por um lado, para evidenciar a natureza das contas em relação às operações e, por outro, porque nem toda conta não operacional é de natureza financeira.

Os balanços patrimoniais da Metalúrgica da Serra nos mostram:

	2011	2012	2013
Aplicações financeiras	9	4	13
ACN	**9**	**4**	**13**

	2011	2012	2013
Imposto de renda	1	2	1
Empréstimos e financiamentos	42	35	96
Duplicatas descontadas	10	45	162
PCN	**53**	**82**	**259**

A diferença entre os usos não operacionais e as fontes não operacionais mostra como a empresa se financia com fontes não operacionais, especialmente empréstimos de curto prazo.

	2011	2012	2013
ACN	9	4	13
PCN	53	82	259
ACN-PCN	**(44)**	**(78)**	**(246)**

A diferença entre a NCG e o CDG também é referida na literatura financeira brasileira como *Tesouraria* (T) ou *Saldo de Tesouraria* (ST). Acompanharemos essa prática e nos referiremos à NAF para o circulante também como **Saldo de Tesouraria**:

$$\text{NAF (circulante)} = \text{Saldo de Tesouraria (ST)} = \text{CDG} - \text{NCG} \tag{27.9}$$

O Saldo de Tesouraria pode ser calculado por três diferentes caminhos, cada um evidenciando um foco. Apresentamos as três formas de cálculo e, em seguida, faremos uma explanação:

a) Foco no capital de giro
b) Foco no financiamento de curto prazo
c) Foco na estrutura de capital

Saldo de Tesouraria com foco no capital de giro: O cálculo da diferença entre CDG e NCG evidencia o hiato entre o uso de recursos nas operações e as disponibilidades da empresa para financiar esse nível de operações. Esse hiato exige aportes financeiros. Para a Metalúrgica da Serra, as necessidades de aportes financeiros são crescentes. Temos a seguinte evolução do Saldo de Tesouraria:

	2011	2012	2013
CDG	19	63	132
NCG	63	141	378
ST	**(44)**	**(78)**	**(246)**

Saldo de Tesouraria com foco no financiamento de curto prazo: A diferença entre as contas não operacionais do circulante é outra forma de calcular a NAF como Saldo de Tesouraria. Esta forma de cálculo evidencia as táticas utilizadas pela empresa para suprir os aportes financeiros necessários pela falta de capital de giro. Se nos referirmos ao Capítulo 3, observamos que, na Metalúrgica da Serra S/A, a "variável de fechamento" lá referida é o endividamento de curto prazo, mostrado no PCN.

$$ST = ACN - PCN \tag{27.10}$$

	2011	2012	2013
ACN	9	4	13
PCN	53	82	259
ST (NAF)	(44)	(78)	(246)

Saldo de Tesouraria com foco na estrutura de capital: As Figuras 27.4 e 27.5 mostraram que a necessidade de ativos para as operações inclui ativos imobilizados e ativos "permanentes" no circulante. Não, não há equívoco de redação aqui. Há um nível permanente de contas a receber e estoques a financiar. Uma conta recebida deve ser reposta por outra conta a receber de nova venda, um item do estoque vendido é reposto por outro item para manter o nível do estoque. Logo, a necessidade de capital de giro é permanente (com variações relativas a sazonalidades). Constata-se, assim, que tanto o ativo imobilizado quanto a NCG exigem financiamentos permanentes, o que podemos rotular como Necessidade Total de Financiamentos Permanentes (NTFP). Com a definição de NTFP e FP, temos uma terceira forma de calcular as necessidades de aportes financeiros para o circulante. A terceira forma é dada pela diferença entre os Financiamentos Permanentes (FP) e a Necessidade Total de Financiamentos Permanentes (NTFP).

$$ST = FP - NTFP \tag{27.11}$$

Para a Metalúrgica da Serra, temos:

	2011	2012	2013
FP	163	205	295
NTFP	207	283	541
ST	(44)	(78)	(246)

Essa forma de cálculo dirige a atenção para a estrutura de capital escolhida para financiar os ativos totais da operação. Ela evidencia que os eventuais problemas de capital de giro resultam das decisões de financiamento de longo prazo da empresa.

Crescimento sustentável *versus* efeito tesoura

No Capítulo 3, mostramos que a **taxa de crescimento sustentável** pode ser calculada pela relação $ROE \times b / (1 - ROE \times b)$, em que b é a taxa de retenção de lucros. Essa é a taxa de crescimento que permite manter estável a estrutura de capital. Vamos agora analisar a situação em que o crescimento segue uma tendência **não sustentável**. Apresentamos dois índices com foco no circulante:

O índice NCG/Vendas; e,

O índice CDG/Vendas.

O que importa avaliar é a evolução conjunta dos dois índices. Quando o índice NCG/Vendas cresce de forma mais rápida do que o índice CDG/Vendas, a Necessidade de Aportes Financeiros (NAF) é crescente. Se a variável de fechamento para essa NAF crescente for o endividamento de curto prazo, dificuldades financeiras podem se manifestar e estas também se tornam crescentes. Nessa situação, a empresa poderá apresentar o chamado "efeito tesoura", pela forma do gráfico da evolução conjunta dos dois índices (ver o Gráfico 27.1 e a Figura 27.7 adiante). Antes de apresentar esse efeito, precisamos apresentar o comportamento das vendas da Metalúrgica da Serra. O quadro a seguir apresenta a demonstração de resultados para os exercícios de 2011, 2012 e 2013.

METALÚRGICA DA SERRA Demonstração de Resultados do Exercício			
	2011	2012	2013
RECEITA LÍQUIDA DE VENDAS	754	925	1.238
(CUSTO DOS PRODUTOS VENDIDOS)	(289)	(346)	(531)
LUCRO OPERACIONAL BRUTO	465	579	707
(Despesas de Vendas, Gerais e Administrativas)	(498)	(449)	(501)
LUCRO (PREJUÍZO) OPERACIONAL	(33)	130	206
(IR e CSLL = 34%)	11	(44)	(70)
Créditos fiscais do exercício anterior		11	
(IR e CSLL)		(33)	(70)
Lucro (prejuízo) líquido		97	136
Distribuição de resultados (50%)		49	68
Lucros retidos		49	68

Com os dados das vendas, construímos o quadro a seguir:

METALÚRGICA DA SERRA			
	2011	2012	2013
Vendas	850	1.029	1.392
CDG	19	63	132
NCG	63	141	378
ST	(44)	(78)	(246)
CDG/Vendas	2,24%	6,12%	9,48%
NCG/Vendas	7,41%	13,70%	27,16%
ST/Vendas	–5,18%	–7,58%	–17,67%

Com um pouco de criatividade, as linhas de tendência para os gráficos da evolução NCG/Vendas e CDG/Vendas podem ser representadas pela figura de uma tesoura, como mostra a Figura 27.7. Daí o nome "efeito tesoura", de quando essas duas linhas "abrem" dada a diferença nas taxas de crescimento dos dois índices.

O "efeito tesoura" se manifesta quando a NAF é suprida por endividamento de curto prazo que cresce de maneira desproporcional na estrutura de capital. Para manter a estrutura de capital, é necessário que os aportes de capital próprio acompanhem os aportes de dívida, e, se os acionistas não querem realizar novos aportes de capital, a taxa de retenção de lucros b será o limitador do crescimento sustentável, como vimos anteriormente.

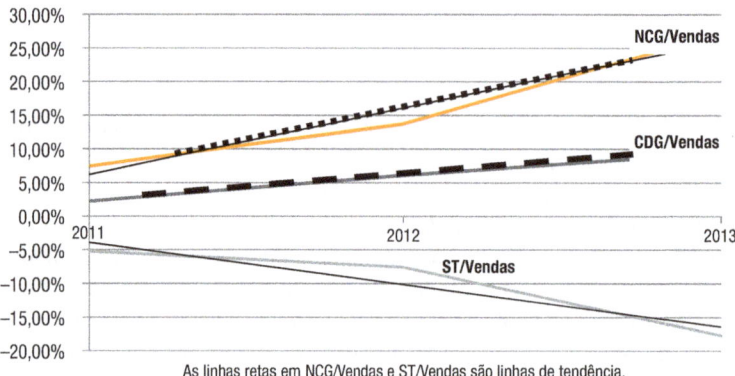

GRÁFICO 27.1 Evolução das relações NCG/Vendas, CDG/Vendas e ST/Vendas para a Metalúrgica da Serra.

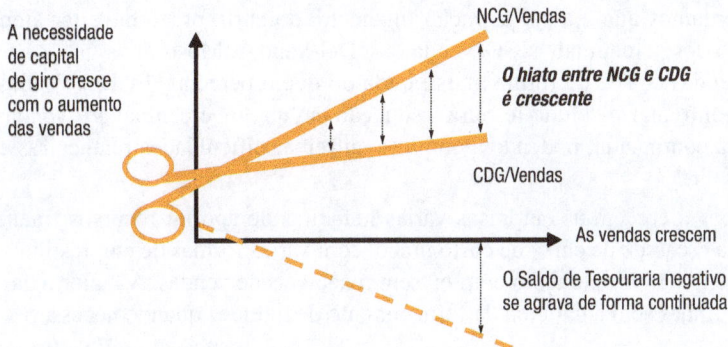

O aumento continuado de vendas em uma empresa com ciclo financeiro positivo é acompanhado pelo aumento nas necessidades de financiamento dessas vendas. Se a formação de capital de giro não acompanhar essa necessidade, a empresa pode enfrentar dificuldades financeiras. O "efeito tesoura" é uma forma didática de mostrar a evolução desse descompasso.

FIGURA 27.7 O efeito tesoura.

Como nota final desta seção, deve-se reconhecer que a escolha entre financiamento de curto prazo ou de longo prazo está associada às oportunidades de financiamento a baixo custo. Uma empresa com acesso a eventuais fontes de baixo custo poderia apresentar maior endividamento de curto prazo. Para essa empresa, isso não seria um sintoma de dificuldades financeiras. Entretanto, é preciso prestar atenção à evolução desse endividamento.

Resumo e conclusões

1. Este capítulo apresentou a administração das finanças do curto prazo, que envolve o ativo e o passivo circulantes. Rastreamos e examinamos as fontes e os usos do caixa a curto prazo à medida que eles apareceram nas demonstrações financeiras da empresa. Vimos como o ativo e o passivo circulantes surgem nas atividades operacionais de curto prazo e estudamos o ciclo financeiro da empresa. Na perspectiva contábil, as finanças de curto prazo envolvem o capital circulante líquido. Na perspectiva financeira, envolvem o capital de giro.

2. A administração de fluxos de caixa de curto prazo envolve a minimização de custos. Os dois custos principais são os custos de carregamento (os juros e custos relacionados incorridos ao se manter muitos investimentos em ativos circulantes, tais como caixa) e os custos de falta (os custos de ficar sem ativos circulantes). O objetivo de administrar as finanças e o planejamento de curto prazo é encontrar a ponderação ideal entre esses custos.

3. Em uma economia ideal, a empresa poderia prever seus usos e fontes de caixa de curto prazo, e o capital de giro não seria necessário. No mundo real, o capital de giro oferece uma reserva que permite à empresa cumprir suas obrigações em andamento. O administrador financeiro busca o nível ideal de cada um dos ativos circulantes.

4. Destacamos, ainda, a importância da distinção entre fontes e usos quando nos referimos ao capital de giro ou ao capital circulante líquido. Mostramos que o capital de giro é constituído pelo excedente dos fundos de longo prazo (dívida e capital próprio) não comprometido com o financiamento do ativo imobilizado. Esse excedente deve estar disponível para financiar as operações correntes.

5. Apresentamos a relação entre capital de giro (CDG) e necessidade de capital de giro (NCG) e mostramos que, quando a necessidade de capital de giro é superior ao capital de giro disponível para financiar as operações, são necessários aportes financeiros para financiar o circulante. Associamos essas necessidades de financiamento ao conceito de NAF apresentado no Capítulo 3 e ao conceito de Saldo de Tesouraria (ST), muito utilizado no Brasil.

6. Argumentamos que a administração financeira do curto prazo deve ter atenção para a evolução dos percentuais NCG/Vendas e CDG/Vendas. Mostramos que, se o percentual NCG/Vendas cresce de forma mais rápida do que o percentual CDG/Vendas, a empresa pode enfrentar o "efeito tesoura", situação em que o percentual ST/Vendas agrava-se de forma continuada, podendo a empresa enfrentar dificuldades financeiras e, eventualmente, falir.

7. Os bancos oferecem às empresas várias maneiras de aportar recursos financeiros para atender à escassez de caixa de curto prazo, com várias formas de empréstimos bancários, que podem incluir operações com ou sem recebíveis de vendas. A maioria das modalidades é de linhas sem a garantia de fornecimento de liquidez quando necessário.

8. O administrador financeiro pode usar o orçamento de caixa para identificar as necessidades financeiras de curto prazo. O orçamento de caixa informa ao administrador o montante necessário ou possível de empréstimos no curto prazo. As empresas têm várias maneiras de obter fundos para cobrir qualquer insuficiência de curto prazo, incluindo linhas de crédito com ou sem garantia.

QUESTÕES CONCEITUAIS

1. **Ciclo operacional** Quais são algumas características de uma empresa com um ciclo operacional longo?

2. **Ciclo financeiro** Quais são algumas características de uma empresa com um ciclo financeiro longo?

3. **Fontes e usos** Do ano que terminou há pouco, você obtete as seguintes informações sobre a Poli S/A:
   a. Foram pagos dividendos de $ 200.
   b. As contas a pagar aumentaram em $ 500.
   c. As compras de ativos imobilizados custaram $ 900.
   d. Os estoques aumentaram em $ 625.
   e. O passivo não circulante diminuiu em $ 1.200.

   Rotule cada item como fonte ou uso do caixa e descreva seu efeito sobre o saldo de caixa da empresa.

4. **Custo do ativo circulante** A Manufatura Garcia S/A instalou um sistema de estoques *just-in-time* (JIT). Descreva o efeito que isso pode ter sobre os custos de carregamento, os custos de falta e o ciclo operacional da empresa.

5. **Ciclos operacional e financeiro** É possível que o ciclo financeiro de uma empresa seja maior do que seu ciclo operacional? Explique por quê.

6. **Custos de falta** Quais são os custos de falta? Descreva-os.

7. **Razões da existência de capital circulante líquido** Em uma economia ideal, o capital circulante líquido é sempre igual a zero. Por que o capital circulante líquido pode ser positivo em uma economia real?

Use as seguintes informações para responder às Questões 8–12: No mês passado, a Linhas Aéreas Céu Azul anunciou que esticaria seu prazo de pagamento de contas de 30 para 45 dias. O motivo dado foi que a companhia queria "controlar os custos e otimizar o fluxo de caixa". Esse prazo mais longo de pagamento entrará em vigor para todos os seus 4 mil fornecedores.

8. **Ciclos operacional e financeiro** Qual impacto essa alteração na política de contas a pagar tem sobre o ciclo operacional da Céu Azul? E sobre seu ciclo financeiro?

9. **Ciclos operacional e financeiro** Qual impacto o anúncio teve sobre os fornecedores da Céu Azul?

10. **Ética nos negócios** É ético que grandes empresas aumentem de maneira unilateral seus prazos médios de pagamento, sobretudo ao lidar com fornecedores menores?

11. **Prazo médio de pagamento** Por que todas as empresas não aumentam seus prazos médios de pagamento para diminuir seus ciclos financeiros?

12. **Prazo médio de pagamento** A Céu Azul aumentou seu prazo médio de pagamento para "controlar os custos e otimizar o fluxo de caixa". Qual é exatamente o benefício de caixa que a empresa tem com essa mudança?

13. **Capital de giro (CDG) e capital circulante líquido (CCL)** Explique a diferença entre capital de giro e capital circulante líquido. Por que, sendo seus valores iguais, deve-se considerá-los conceitos diferentes?

14. **Necessidade de capital de giro (NCG)** Defina NCG em termos de contas operacionais circulantes. A NCG é fonte ou uso de recursos nas operações?

15. **Saldo de Tesouraria (ST) e NAF "circulante"** Associe os conceitos de CDG e NCG e explique o conceito de Saldo de Tesouraria em termos de necessidade de aportes financeiros para o circulante.

16. **Efeito tesoura** Associe os percentuais CDG/Vendas e NCG/Vendas e explique o conceito de "efeito tesoura". Por que o administrador financeiro deve ter atenção para a evolução conjunta dos percentuais CDG/Vendas e NCG/Vendas?

QUESTÕES E PROBLEMAS

1. **Variação no caixa** Indique o impacto das seguintes ações empresariais sobre o caixa, usando as letras *A* para aumento, *D* para diminuição ou *N* quando não ocorre variação:

    BÁSICO
    (Questões 1-11)

    a. Pagamento de dividendos com os fundos recebidos de uma emissão de dívida.
    b. Compra e pagamento de imóveis com dívidas de curto prazo.
    c. Compra de estoque a prazo.
    d. Pagamento de um empréstimo bancário de curto prazo.
    e. Pagamento antecipado dos impostos do próximo ano.
    f. Recompra de ações preferenciais.
    g. Vendas feitas a prazo.
    h. Pagamento de juros sobre a dívida de longo prazo.
    i. Recebimento de pagamentos de vendas anteriores.
    j. Redução do saldo das contas a pagar.
    k. Pagamento de dividendos.
    l. Compra e pagamento de suprimentos para a produção com a tomada de dívida de curto prazo.
    m. Pagamento de contas de energia e água.
    n. Compra de matéria-prima para estoque com pagamento em dinheiro.
    o. Emissão e colocação no mercado de títulos mobiliários.

2. **Equação do caixa** O valor do patrimônio líquido da Machado S/A é de $ 13.205. As dívidas de longo prazo totalizam $ 8.200. O capital circulante líquido além do caixa é $ 2.205. O ativo não circulante é $ 18.380. Quanto caixa a empresa possui? Se o passivo circulante for de $ 1.630, de quanto é o ativo circulante?

3. **Variações no ciclo operacional** Aponte o efeito dos seguintes itens sobre o ciclo operacional. Use a letra *A* para indicar aumento, *D* para diminuição e *N* para nenhuma variação.

    a. A média de contas a receber aumenta.
    b. O prazo para pagamento em vendas a crédito oferecido aos clientes é aumentado.
    c. O giro de estoque sobe de 3 para 6 vezes.
    d. O giro de contas a pagar aumenta de 6 para 11 vezes.
    e. O giro de contas a receber aumenta de 7 para 9 vezes.
    f. Os pagamentos aos fornecedores são acelerados.

4. **Variações nos ciclos** Indique o impacto dos seguintes itens sobre os ciclos financeiro e operacional, respectivamente. Use a letra *A* para indicar aumento, *D* para diminuição e *N* para nenhuma variação.

   a. As condições dos descontos financeiros oferecidos aos clientes tornam-se menos favoráveis.
   b. Os descontos financeiros oferecidos pelos fornecedores aumentam, de modo que os pagamentos são feitos antes.
   c. Um número maior de clientes começa a pagar à vista em vez de pagar a prazo.
   d. A compra de matéria-prima é menor do que o normal.
   e. Uma porcentagem maior de compras de matéria-prima é paga a prazo.
   f. Mais produtos acabados são produzidos para estoque, e não sob encomenda.

5. **Cálculo dos recebimentos de caixa** A Litzenberger S/A projetou os seguintes montantes de vendas trimestrais para o próximo ano:

	T1	T2	T3	T4
Vendas	$ 740	$ 810	$ 780	$ 940

   a. As contas a receber no início do ano são de $ 310. A empresa tem um prazo médio de recebimento de 45 dias. Calcule os recebimentos de caixa de cada um dos quatro trimestres completando o seguinte quadro:

	T1	T2	T3	T4
Contas a receber inicial				
Vendas				
Recebimentos de caixa				
Contas a receber final				

   b. Refaça (a) considerando um prazo médio de recebimento de 60 dias.
   c. Refaça (a) considerando um prazo médio de recebimento de 30 dias.

6. **Cálculo dos ciclos** Considere as seguintes informações da demonstração contábil da Gelo Buldogue S/A:

Item	Inicial	Final
Estoque	$ 17.385	$ 19.108
Contas a receber	13.182	13.973
Contas a pagar	15.385	16.676
Vendas líquidas	$ 178.312	
Custo das mercadorias vendidas	140.382	

   Calcule os ciclos operacional e financeiro. Como você interpreta sua resposta?

7. **Cálculo de pagamentos** A Produtos Loureiro projetou as seguintes vendas para o próximo ano (Ano 1):

	T1	T2	T3	T4
Vendas	$ 620	$ 555	$ 705	$ 780

As vendas do ano seguinte (Ano 2) estão projetadas para ser 15% maiores em cada trimestre.

a. Calcule os pagamentos aos fornecedores supondo que a Loureiro faça pedidos trimestrais iguais a 30% das vendas projetadas para o trimestre seguinte. Suponha que a empresa pague à vista. Qual é o prazo médio de pagamento neste caso?

	T1	T2	T3	T4
Pagamento de contas	$	$	$	$

b. Refaça (a) considerando um prazo médio de pagamento de 90 dias.

c. Refaça (a) considerando um prazo médio de pagamento de 60 dias.

8. **Cálculo de pagamentos** As compras da Thakor S/A junto a seus fornecedores em um trimestre são iguais a 75% das vendas previstas para o próximo trimestre. O prazo médio de pagamento é de 60 dias. Os salários, impostos e outras despesas são de 20% das vendas, e os juros e dividendos são de $ 73 por trimestre. Não estão planejados gastos de capital.

As vendas trimestrais projetadas são estas:

	T1	T2	T3	T4
Vendas	$ 1.320	$ 1.490	$ 1.380	$ 1.190

As vendas do primeiro trimestre do próximo ano são projetadas a $ 1.450. Calcule os desembolsos de caixa da empresa completando a tabela a seguir:

	T1	T2	T3	T4
Pagamento de contas				
Salários, impostos e outras despesas				
Despesas de financiamento de longo prazo (juros e dividendos)				
Total				

9. **Cálculo de recebimentos de caixa** A seguir, temos o orçamento de vendas da Schmidt S/A para o primeiro trimestre de 2013:

	Janeiro	Fevereiro	Março
Orçamento de vendas	$ 234.800	$ 249.300	$ 271.000

As vendas a prazo são recebidas da seguinte maneira:

    65% no mês da venda.

    20% no mês seguinte à venda.

    15% no segundo mês após a venda.

O saldo de contas a receber ao final do trimestre anterior foi de $ 106.800, dos quais $ 76.300 foram das vendas não recebidas de dezembro.

a. Calcule as vendas de novembro.

b. Calcule as vendas de dezembro.

c. Calcule os recebimentos de caixa das vendas de cada mês entre janeiro e março.

10. **Cálculo do orçamento de caixa** Considere os seguintes números importantes do orçamento da Campos S/A para o segundo trimestre de 2013:

	Abril	Maio	Junho
Vendas a prazo	$ 547.200	$ 570.240	$ 630.720
Compras a prazo	211.680	252.720	288.450
Desembolsos de caixa			
Salários, impostos e outras despesas	57.240	69.422	72.432
Juros	16.416	16.416	16.416
Compra de equipamentos	119.520	131.040	0

A empresa prevê que 5% de suas vendas a prazo nunca serão recebidas, 35% de suas vendas serão recebidas no mês da venda e os 60% restantes serão recebidos no mês seguinte. As compras a prazo serão pagas no mês seguinte à compra.

Em março de 2013, as vendas a prazo foram de $ 302.400, e as compras a prazo foram de $ 224.640. Usando essas informações, complete o seguinte orçamento de caixa:

	Abril	Maio	Junho
Saldo de caixa inicial	$ 403.200		
Recebimentos de caixa			
Recebimento de caixa das vendas a prazo			
Caixa total disponível			
Desembolsos de caixa			
Compras			
Salários, impostos e outras despesas			
Juros			
Compra de equipamentos			
Desembolso de caixa total			
Saldo de caixa final			

11. **Fontes e usos** A seguir, estão os balanços patrimoniais mais recentes da Chaleiras Campesinas S/A. Excluindo a depreciação acumulada, determine se cada item foi uma fonte ou um uso do caixa e indique o montante:

CHALEIRAS CAMPESINAS S/A		
Balanço patrimonial		
	2011	2012
Ativo		
Caixa	$ 48.180	$ 45.815
Contas a receber	100.155	105.413
Estoques	83.600	89.716
Imóveis, fábrica e equipamentos	225.992	249.086
Menos: depreciação acumulada	(77.194)	(85.579)
Total do ativo	$ 380.733	$ 404.451
Passivo e patrimônio líquido		
Contas a pagar	$ 72.522	$ 50.396
Provisões para salários e outras	10.980	9.840
Passivo não circulante	49.500	45.000
Capital social	25.000	30.000
Reserva de lucros	222.731	269.215
Total do passivo e do patrimônio líquido	$ 380.733	$ 404.451

12. Orçamento de caixa O orçamento de vendas da sua empresa para o próximo ano se baseia em uma taxa de crescimento trimestral de 10%, sendo que a projeção de vendas para o primeiro trimestre é de $ 225 milhões. Além dessa tendência básica, os ajustes de sazonalidade dos quatro trimestres são de 0, −$ 16, −$ 8 e $ 21 milhões, respectivamente. Em geral, 50% das vendas podem ser recebidas no mesmo trimestre, e 45% delas podem ser recebidas no trimestre seguinte. As vendas restantes são dívidas em mora, que têm baixa contábil no segundo trimestre após a venda. O saldo inicial das contas a pagar é $ 104 milhões. Supondo que todas as vendas sejam a prazo, calcule os recebimentos de caixa das vendas de cada trimestre.

INTERMEDIÁRIO
(Questões 12-15)

13. Cálculo do orçamento de caixa A Lince S/A estimou as seguintes vendas (em milhões) para os próximos quatro trimestres:

	T1	T2	T3	T4
Vendas	$ 105	$ 90	$ 122	$ 140

As vendas do primeiro trimestre do ano seguinte são projetadas em $ 120 milhões. As contas a receber no início do ano são de $ 34 milhões. A empresa tem um prazo médio de recebimento de 45 dias.

A Lince S/A compra dos fornecedores em um trimestre o equivalente a 45% das vendas previstas para o próximo trimestre, e os fornecedores são pagos em 36 dias. Os salários, impostos e outras despesas custam 30% das vendas. Os juros e dividendos são de $ 6 milhões por trimestre.

Para o segundo trimestre, está planejado um desembolso de capital de $ 40 milhões. Por último, o saldo de caixa inicial é de $ 32 milhões, e a empresa deseja manter um saldo mínimo de $ 15 milhões.

a. Complete o orçamento de caixa para a Lince S/A:

LINCE S/A Orçamento de caixa (em milhões de $)				
	T1	T2	T3	T4
Meta para o saldo de caixa	$ 15			
Entrada de caixa líquida				
Saldo de caixa final				
Saldo de caixa mínimo	15			
Sobra (falta) de caixa cumulativa				

b. Suponha que a Lince S/A possa financiar a curto prazo todos os fundos necessários à taxa de 3% por trimestre e possa investir todo o excedente de fundos em ativos financeiros de curto prazo a uma taxa de 2% por trimestre. Prepare um plano financeiro de curto prazo preenchendo a programação a seguir. Qual é o custo de caixa líquido (juros totais pagos menos os juros totais recebidos) para o ano?

LINCE S/A Plano financeiro de curto prazo (em milhões de $)				
	T1	T2	T3	T4
Meta para o saldo de caixa	$ 15			
Entrada de caixa líquida				
Novas aplicações financeiras de curto prazo				
Receita das aplicações financeiras de curto prazo				
Aplicações financeiras de curto prazo resgatadas				
Novos empréstimos de curto prazo				
Juros sobre empréstimos de curto prazo				
Amortização de empréstimos de curto prazo				
Saldo de caixa final				
Saldo de caixa mínimo	15			
Sobra (falta) de caixa cumulativa				
Aplicações financeiras de curto prazo inicial				
Aplicações financeiras de curto prazo final				
Dívida de curto prazo inicial				
Dívida de curto prazo final				

14. **Política de administração de caixa** Refaça o Problema 13 considerando o seguinte:

   a. A Lince S/A mantém um saldo de caixa mínimo de $ 20 milhões.

   b. A Lince S/A mantém um saldo de caixa mínimo de $ 10 milhões.

   Com base em suas respostas para (a) e (b), você acha que a empresa pode aumentar seus lucros alterando sua política de gestão do caixa? Existem outros fatores que também precisariam ser considerados? Explique.

15. **Política financeira de curto prazo** A Compressores Cleveland e a Pnew York Pneumática são empresas de produção concorrentes. Suas demonstrações financeiras são:

COMPRESSORES CLEVELAND Balanço patrimonial		
	2012	2011
Ativo		
Ativo circulante:		
Caixa	$ 13.862	$ 16.339
Contas a receber líquidas	23.887	25.778
Estoques	54.867	43.287
Ativo circulante total	$ 92.616	$ 85.404
Ativo não circulante:		
Bens imóveis, fábrica e equipamentos	101.543	99.615
Menos: Depreciação acumulada	(34.331)	(31.957)
Ativo não circulante líquido	$ 67.212	$ 67.658
Despesas antecipadas	1.914	1.791
Outros ativos	13.052	13.138
Total dos ativos	$ 174.794	$ 167.991
Passivo e patrimônio líquido		
Passivo circulante:		
Contas a pagar	$ 6.494	$ 4.893
Empréstimos	10.483	11.617
Despesas a pagar	7.422	7.227
Tributos a pagar	9.924	8.460
Passivo circulante total	34.323	32.197
Dívidas de longo prazo	22.036	22.036
Passivo total	$ 56.359	$ 54.233
Patrimônio líquido:		
Capital social	38.000	38.000
Capital integralizado	12.000	12.000
Lucros retidos	68.435	63.758
Patrimônio líquido total	118.435	113.758
Total do passivo e patrimônio líquido	$ 174.794	$ 167.991

COMPRESSORES CLEVELAND Demonstração de resultados 2012	
Receitas:	
De vendas	$ 162.749
Outras receitas	1.002
Receita total	$ 163.751
Despesas:	
Custo das mercadorias vendidas	103.570
Despesas administrativas e de vendas	28.495
Depreciação	2.274
Despesa total	$ 134.339
Lucros antes de impostos	29.412
Impostos	14.890
Lucros líquidos	$ 14.522
Dividendos	$ 9.845
Reserva de lucros	$ 4.677

PNEW YORK PNEUMÁTICA Balanço patrimonial		
	2012	2011
Ativo		
Ativo circulante:		
Caixa	$ 3.307	$ 5.794
Contas a receber líquidas	22.133	26.177
Estoques	44.661	46.463
Ativo circulante total	$ 70.101	$ 78.434
Ativo não circulante:		
Bens imóveis, fábrica e equipamentos	31.116	31.842
Menos: Depreciação acumulada	(18.143)	(19.297)
Ativo não circulante líquido	$ 12.973	$ 12.545
Despesas antecipadas	688	763
Outros ativos	1.385	1.601
Total dos ativos	$ 85.147	$ 93.343
Passivo e patrimônio líquido		
Passivo circulante:		
Contas a pagar	$ 5.019	$ 6.008
Empréstimos bancários	645	3.722
Despesas a pagar	3.295	4.254
Tributos a pagar	4.951	5.688
Passivo circulante total	$ 13.910	$ 19.672
Patrimônio líquido:		
Capital social	20.576	20.576
Capital integralizado	5.624	5.624
Reserva de lucros	46.164	48.598
Menos: Ações em tesouraria	(1.127)	(1.127)
Patrimônio líquido total	$ 71.237	$ 73.671
Total do passivo e patrimônio líquido	$ 85.147	$ 93.343

PNEW YORK PNEUMÁTICA Demonstração de resultados 2012	
Receitas	
De vendas	$ 91.374
Outras receitas	1.067
Receita total	$ 92.441
Despesas:	
Custo das mercadorias vendidas	59.042
Despesas administrativas e de vendas	18.068
Depreciação	1.154
Despesa total	$ 78.264
Lucros antes de impostos	14.177
Impostos	6.838
Lucros líquidos	$ 7.339
Dividendos	$ 4.905
Reserva de lucros	$ 2.434

Com base nas informações apresentadas, responda:

a. Como é financiado o ativo circulante de cada empresa?

b. Qual delas investe mais em ativo circulante? Por quê?

c. Qual empresa tem maior chance de incorrer em custos de carregamento e qual tem mais chance de incorrer em custos de falta? Por quê?

16. **Necessidade de capital de giro (NCG) e Saldo de Tesouraria (ST)** A Companhia dos Parafusos apresenta o balanço patrimonial a seguir:

Ativo		Passivo e patrimônio líquido	
Ativo circulante	**181**	**Passivo circulante**	**168**
Caixa mínimo	11	Fornecedores	25
Contas a receber de clientes	68	Salários e contribuições trabalhistas	15
Impostos sobre produção a recuperar	23	Impostos sobre produção a pagar	17
Adiantamentos a fornecedores	15	Empréstimos e financiamentos	35
Estoques	52	Duplicatas descontadas	45
Outras contas não operacionais a receber	12	Adiantamentos de clientes	7
		Férias, 13º, FGTS e outras obrigações trabalhistas	12
		Outras contas não operacionais a pagar	12
		Passivo não circulante	46
Ativo não circulante	154	Patrimônio líquido	121
Ativo total	335	Passivo e PL total	335

Com base nas informações do balanço patrimonial da Companhia dos Parafusos, responda:

a. Identifique as contas operacionais do circulante e calcule ACO, PCO, ACN e PCN.

b. Mostre que a necessidade de capital de giro (NCG) é de 93, compare com a disponibilidade de capital de giro e verifique que a necessidade de aportes financeiros (NAF) para o ativo circulante é de 80. Verifique que esse valor também pode ser obtido pela comparação entre ACN e PCN.

c. A NAF para o circulante é chamada de Saldo de Tesouraria (ST) e é de: ST = –80. Mostre que o mesmo valor resulta da comparação entre as necessidades totais de financiamentos permanentes (que podemos rotular como NTFP) e os financiamentos permanentes (FP). A NTFP é a soma da NCG e do ativo não circulante. FP é a soma do passivo não circulante e do patrimônio líquido. Por que incluímos a NCG entre as necessidades de financiamento permanente?

d. Como mostrado, o Saldo de Tesouraria pode ser obtido de três formas: ACN – PCN. CDG – NCG e FP – NTFP. O que cada uma das fórmulas de cálculo evidencia?

e. O Saldo de Tesouraria é negativo, mas não podemos dizer que a empresa esteja ou possa entrar na situação descrita pelo "efeito tesoura", pois só temos a posição de suas contas ao final de um exercício. O que caracterizaria a situação financeira da empresa com "efeito tesoura"?

DOMINE O EXCEL!

Adelaide Petersen, tesoureira da Produtos de Madeira S/A, recebeu de Josué Pinheiro, o presidente, um pedido para preparar um memorando com o saldo de caixa final detalhado da empresa para os próximos três meses. Você encontra as estimativas relevantes para o período na tabela a seguir.

	Julho	Agosto	Setembro
Vendas a prazo	$ 1.275.800	$ 1.483.500	$ 1.096.300
Compras a prazo	765.480	890.160	657.780
Desembolsos de caixa:			
Salários, impostos e outras despesas	348.600	395.620	337.150
Juros	29.900	29.900	29.900
Equipamentos	0	158.900	96.300
Recebimentos de vendas a prazo:			
No mês da venda	35%		
No mês seguinte à venda	60%		
Nunca recebidas	5%		
Vendas a prazo em junho:	$ 1.135.020		
Compras a prazo em junho	$ 681.012		
Saldo de caixa inicial	$ 425.000		

Todas as compras a prazo são pagas no mês seguinte à compra.

a. Complete o orçamento de caixa da Produtos de Madeira para os próximos três meses.

b. Adelaide sabe que o orçamento de caixa se tornará um relatório padrão a ser completado antes de cada trimestre. Para ajudar a reduzir o tempo de preparação do relatório trimestral, ela gostaria de ter um memorando com as informações apropriadas em Excel vinculadas a ele. Prepare um memorando para Josué que será atualizado automaticamente quando os valores forem alterados no Excel.

MINICASO

Administração do capital circulante da manufatura Cardoso

A Manufatura Cardoso contratou você para trabalhar na recém-criada tesouraria. A Cardoso é uma pequena empresa que produz caixas de papelão customizadas em uma variedade de tamanhos para diferentes compradores. André Cardoso, o proprietário, trabalha nas áreas de vendas e produção. No momento, a empresa coloca todas as contas a receber em uma pilha e todas as contas a pagar em outra. Um contador que trabalha meio expediente aparece periodicamente e analisa as pilhas. Como o sistema está desorganizado, a área de finanças tem muito trabalho pela frente, e por isso você foi contratado.

Atualmente, a empresa tem um saldo de caixa de $ 210.000 e, no terceiro trimestre, planeja comprar um novo maquinário a um custo de $ 390.000. A compra do maquinário será feita à vista por causa do desconto oferecido. André quer manter um saldo de caixa mínimo de $ 135.000 para se proteger contra imprevistos. Todas as vendas para os clientes e todas as compras dos fornecedores são feitas a prazo, e nenhum desconto é oferecido ou recebido.

A empresa teve as seguintes vendas em cada trimestre do ano precedente:

	T1	T2	T3	T4
Vendas brutas	$ 1.102.000	$ 1.141.000	$ 1.125.000	$ 1.063.000

Após a realização de pesquisas e discussões com os clientes, você fez uma projeção de que as vendas aumentem 8% por trimestre no próximo ano. Espera-se que as vendas do primeiro trimestre do ano subsequente também aumentem a uma taxa de 8%. Você calcula que a Cardoso tenha um prazo médio de recebimento de 57 dias e um saldo de contas a receber de $ 675.000. Contudo, 10% do saldo de contas a receber é de uma empresa que acabou de entrar em falência, portanto, é provável que essa quantia nunca seja recebida.

Você calculou também que a Cardoso faz encomendas a cada trimestre, as quais correspondem a 50% das vendas brutas projetadas para o trimestre seguinte. Os fornecedores são pagos em 53 dias. Os salários, impostos e outras despesas totalizam 25% das vendas brutas. A empresa paga juros trimestrais de $185.000 sobre sua dívida de longo prazo. Por fim, os empréstimos de curto prazo necessários são feitos em um banco local. Esse banco cobra 1,2% por trimestre sobre todos os empréstimos de curto prazo, e a empresa mantém aplicações no mercado monetário que pagam 0,5% por trimestre sobre todos os depósitos de curto prazo.

André pediu que você preparasse um orçamento de caixa e um plano financeiro de curto prazo para a empresa de acordo com as políticas atuais. Ele também pediu que você organizasse planos adicionais com base em variações em diversos dados de entrada.

1. Use os números fornecidos para completar o orçamento de caixa e o plano financeiro de curto prazo.
2. Refaça o orçamento de caixa e o plano financeiro de curto prazo considerando que a Cardoso alterará seu saldo mínimo de caixa para $ 90.000.
3. Refaça o orçamento de vendas considerando uma taxa de 11% e outra de 5% de crescimento nas vendas. Considere uma meta para o saldo de caixa de $ 135.000.
4. Supondo que a empresa mantenha sua meta para o saldo de caixa em $ 135.000, que taxa de crescimento nas vendas tornaria desnecessário o financiamento de curto prazo? Para responder a esta questão, talvez você precise fazer uma planilha e utilizar a função "Solver".

28 Gestão do Caixa

Para ficar por dentro dos últimos acontecimentos na área de finanças, visite www.rwjcorporatefinance.blogspot.com.

Quando surgem notícias sobre a situação financeira de uma empresa, geralmente é porque ela está ficando com pouco caixa. Porém, esse não era o caso de muitas empresas no início de 2012. Por exemplo, dois dos maiores saldos de caixa pertenciam às gigantes da tecnologia Cisco e Microsoft, que possuíam saldos próximos de $ 48,5 bilhões e $ 59,4 bilhões, respectivamente. Ainda mais alto era o saldo de caixa da Google: quase $ 49,3 bilhões, somando cerca de $ 151 por ação! Outras empresas também tinham grandes quantias em caixa. A General Electric (GE) tinha um saldo de $ 131,4 bilhões. Mas nenhuma chegava perto do banco investidor Goldman Sachs, com um caixa acumulado de $ 308 bilhões. Por que empresas como essas possuem tais acúmulos de disponibilidades? Neste capítulo, descobriremos a resposta ao examinarmos a gestão do caixa.

O objetivo básico da gestão de caixa é manter o investimento em caixa o mais baixo possível enquanto a empresa permanece operando de maneira eficiente e eficaz. Em geral, esse objetivo se resume ao ditado "receber cedo e pagar tarde". Assim sendo, discutiremos maneiras de acelerar os recebimentos e administrar os desembolsos de caixa.

Além disso, as empresas devem investir o caixa ocioso de forma temporária, podendo fazer isso com a compra de títulos negociáveis e com aplicações financeiras de curto prazo. Como discutimos em diversos pontos, títulos podem ser comprados e vendidos no mercado financeiro, e os bancos oferecem vários fundos de investimento em títulos de renda fixa. Como regra, espera-se que títulos de renda fixa tenham pouco risco de inadimplência, e, se esses títulos forem títulos públicos, eles também são altamente negociáveis. Existem diferentes tipos desses chamados títulos do mercado monetário, e examinaremos alguns dos mais importantes. É importante lembrar que o investimento para gestão do caixa não deve incluir ações ou derivativos, pois são títulos de renda variável, o que colocaria em risco o caixa da empresa (nos EUA as empresas investem em ações preferenciais, mas lá, como visto no Capítulo 19, as preferenciais são um tipo de título de renda fixa).

28.1 Motivos para manter saldos de caixa

John Maynard Keynes, em seu livro clássico *The General Theory of Employment, Interest, and Money*, identificou três motivos para manter liquidez na forma de caixa: a especulação, a precaução e a transação. Discorreremos sobre esses motivos a seguir.

Os motivos especulação e precaução

O **motivo especulação** diz respeito à necessidade de se manterem saldos de caixa para poder aproveitar, por exemplo, compras vantajosas que apareçam ou taxas de juros atraentes e, no caso das empresas com atuação internacional, flutuações favoráveis da taxa de câmbio.

Para a maioria das empresas, uma reserva de capacidade de tomar emprestado e reservas em títulos negociáveis podem ser um meio para atender ao motivo especulação. Assim, pode haver um motivo especulativo para manter liquidez, mas não necessariamente para reter caixa na forma de disponibilidades. Pense nisso desta maneira: se você tiver um cartão de crédito com um limite de crédito grande, é provável que aproveite todas as barganhas incomuns que aparecerem sem ter que carregar dinheiro.

Isso também vale, em menor grau, para o **motivo precaução**, que é a necessidade de manter uma reserva financeira como segurança. Mais uma vez, há motivos para manter liquidez, agora por precaução. Entretanto, dado que o valor dos instrumentos do mercado monetário é relativamente certo e que instrumentos como os títulos públicos são altamente líquidos, também não há real necessidade de se manterem quantidades substanciais de dinheiro por motivos de precaução.

O motivo transação

É necessário ter caixa para satisfazer o **motivo transação**, a necessidade de ter saldo disponível para pagar as contas. As necessidades relacionadas às transações vêm das atividades normais de desembolso e de cobrança da empresa. O desembolso de caixa inclui o pagamento de salários e honorários, obrigações sociais, dívidas comerciais e financeiras, impostos, juros e dividendos.

O caixa é recebido das vendas de produtos e serviços, da venda de ativos e de novos financiamentos. As entradas de caixa (recebimentos) e as saídas de caixa (desembolsos) não estão sincronizadas perfeitamente, e um nível de caixa é necessário para servir de colchão de liquidez.

Mesmo com transferências eletrônicas de fundos e outros mecanismos de pagamento "sem papel" e de alta velocidade que continuam sendo desenvolvidos, a demanda de caixa para transações não desaparecerá. Mesmo que ela desapareça, ainda haverá uma demanda por liquidez e a necessidade de administrá-la com eficiência.

Saldos médios

Os saldos médios são outro motivo para reter saldos de caixa. Como discutimos no capítulo anterior, saldos de caixa podem ser mantidos nos bancos comerciais para remunerar parte dos serviços bancários que a empresa recebe. Uma exigência de saldo médio mínimo pelos bancos pode impor um limite menor para o nível de caixa de que uma empresa efetivamente dispõe.

Custos de manter saldos de caixa

Quando uma empresa mantém caixa além do mínimo necessário, ela incorre em um custo de oportunidade. O custo de oportunidade do caixa excedente (mantido em moeda ou em depósitos bancários) é a renda que poderia ser obtida com o próximo melhor uso – por exemplo, juros que poderiam ser obtidos com aplicações financeiras, como num investimento em títulos negociáveis ou em fundos de investimento em renda fixa.

Em virtude do custo de oportunidade para manter saldos de caixa, por que uma empresa reteria caixa excedente ao saldo médio mínimo negociado com um banco? A resposta é que um saldo de caixa deve ser mantido para fornecer a liquidez necessária para as transações – o pagamento de contas. Se a empresa mantiver um saldo de caixa muito baixo, poderá ficar sem dinheiro. Se isso acontecer, talvez a empresa tenha de levantar caixa no curto prazo. Isso pode envolver, por exemplo, o resgate de aplicações financeiras ou de títulos negociáveis ou a tomada de empréstimos bancários.

A venda de títulos negociáveis ou o resgate de aplicações financeiras podem ter baixo custo, mas empréstimos envolvem diversos custos. Por outro lado, como já afirmamos, manter saldos de caixa tem um custo de oportunidade. Para determinar o saldo de caixa apropriado, a empresa deve avaliar os benefícios de manter saldos de caixa em relação aos custos disso. Trataremos desse assunto com mais detalhes nas seções seguintes.

Gestão de caixa *versus* gestão da liquidez

Antes de continuarmos, devemos observar que é importante distinguir entre a gestão do caixa e um assunto mais geral, a gestão da liquidez. A distinção é fonte de confusão, porque a palavra *caixa* é usada, na prática, de duas maneiras. Antes de tudo, ela tem seu sentido literal, o caixa real, ou seja, o dinheiro disponível para uso. Entretanto, os gestores financeiros com frequência usam o termo para se referir à soma da posição de caixa com a posição de investimentos financeiros e títulos negociáveis da empresa; isso, algumas vezes, é chamado de *equivalentes de caixa* ou *quase-caixa*.[1] Em nossa discussão sobre as situações de caixa de várias empresas no início do capítulo, o que descrevíamos, na verdade, era a soma do caixa total junto com o total dos equivalentes de caixa.

Indo direto ao ponto: a distinção entre gestão da liquidez e gestão do caixa é que a primeira diz respeito à otimização da quantidade de ativos líquidos que uma empresa deve ter, sendo um aspecto particular das políticas da administração de ativos circulantes que discutimos no capítulo anterior; e a segunda está muito mais relacionada à otimização dos mecanismos de cobrança e de desembolso de caixa, assunto no qual nos concentraremos neste capítulo.

Como norma geral, a empresa precisa buscar um equilíbrio entre 1) os benefícios da manutenção de saldos de caixa para transações suficientes para evitar riscos de insolvência e 2) os custos de oportunidade de retornos baixos com essa estratégia. Uma política de gestão de caixa sensata é manter saldo suficiente para cumprir as obrigações que possam surgir no curso normal dos negócios e, por motivos de precaução, investir parte do caixa excedente em instrumentos financeiros do tipo "mantidos para negociação". Quaisquer outros excedentes devem ser investidos no negócio ou distribuídos aos investidores.[2]

Reservas bancárias

Um conceito fundamental para entendermos a administração do caixa no Brasil é o conceito de **reservas bancárias**, as quais são os recursos imediatamente disponíveis mantidos pelos bancos junto ao Banco Central do Brasil. Todas as transações entre bancos e as transações bancárias de organizações não financeiras e pessoas físicas são realizadas mediante a transferência de titularidade de reservas. Todos os pagamentos e recebimentos somente se realizam por meio de reservas bancárias. A característica principal das reservas bancárias é que elas constituem recursos disponíveis de imediato.

No dia a dia da atividade bancária, os bancos fazem e recebem pagamentos, concedem empréstimos e tomam dinheiro no mercado, e as entradas e saídas de caixa decorrentes dessas atividades podem fazer com que alguns bancos apresentem sobra de reservas, enquanto outros terão falta de reservas.

Para ajustar sua posição de reservas no Banco Central, os bancos negociam reservas entre si de forma a suprir necessidades opostas. De modo geral, o sistema estará sempre com sobras ou falta de reservas. Nessa situação, o Banco Central atua para que as taxas de juros não oscilem para cima ou para baixo por causa das faltas e sobras de caixa no sistema e, dessa forma, ele tem o poder de influenciar a taxa de juros do mercado de reservas bancárias.[3]

As taxas Selic e DI

A taxa de juros de mercado que o Banco Central tem condições de influenciar diretamente é a taxa Selic. O nome Selic decorre de todas as transações com títulos públicos serem realizadas em reser-

---

[1] Nos demonstrativos contábeis conforme as normas IFRS, isso geralmente é apresentado sob o título "Instrumentos Financeiros". Os instrumentos financeiros são segregados nos demonstrativos em "Instrumentos Financeiros Mantidos para Negociação" e "Instrumentos Financeiros Mantidos até o Vencimento". Ver Pronunciamentos Contábeis CPC 38, 39 e 40 (Comitê de Pronunciamentos Contábeis, 2009a, 2009b, 2012).

[2] Há algumas evidências de que a governança corporativa tem certo papel nos saldos de caixa das empresas norte-americanas. Jarrad Harford, Sattar A. Mansi e William F. Maxwell, em "Corporate Governance and Firm Cash Holdings in the U.S.", *Journal of Financial Economics,* 2008, vol. 87, iss. 3, pp. 535–55, acreditam que empresas com sistemas de governança corporativa mais fracas têm reservas de caixa menores. A combinação de caixa excedente e de governança fraca leva a mais gastos de capital e mais aquisições. No Brasil, os excedentes são objeto do § 6º do artigo 202 da Lei das S/A, que determina que os lucros não destinados ao orçamento de capital, ou para reservas legais, estatutárias ou de contingência, deverão ser distribuídos aos acionistas como dividendos (Brasil, 1976).

[3] Ver Processo de definição da taxa de juros em Banco Central (Brasil). Processo de definição de taxa de juros. In: *Relatório de Inflação,* jun. 1999. Disponível em: <www.bcb.gov.br/htms/relinf/port/1999/06/ri199906anp.pdf>.

vas imediatamente disponíveis e de o registro dessas transações ser realizado pelo Sistema Especial de Liquidação e de Custódia (Selic), um sistema gerido pelo Banco Central do Brasil, operado em parceria com a Anbima e que funciona como depositário central dos títulos públicos. Todos os negócios com títulos públicos são registrados no Selic. A taxa média dos negócios praticados no dia no mercado secundário de títulos públicos divulgada pelo Selic é, então, chamada de taxa Selic.

A taxa Selic é direcionada pelas decisões do comitê de política monetária, o Copom, que, em reuniões a cada 45 dias, divulga a meta para a taxa Selic, ou taxa Selic-meta. A taxa Selic é a taxa básica, ou taxa de referência, para o custo do dinheiro no mercado monetário.

A outra taxa de mercado importante para a gestão do caixa e da liquidez é a taxa DI. Como discutido antes, ao longo do dia os bancos apresentam tendência de sobra ou de falta de caixa e precisam vender ou comprar títulos públicos para buscar reservas ou aplicar reservas, respectivamente. Nesse caso, é usual afirmar que as transações com reservas são lastreadas por títulos públicos. Entretanto, em vez de vender e comprar títulos públicos, o sistema bancário pode trocar reservas mediante a compra e a venda de títulos privados de própria emissão – nesse caso, o Certificado de Depósito Interfinanceiro (CDI). O CDI é semelhante a um CDB, o Certificado de Depósito Bancário, que é um instrumento de captação dos bancos junto ao público, enquanto o CDI é transacionado exclusivamente entre instituições financeiras.

Costuma-se dizer que o mercado DI é a "última saída" para equilibrar a tesouraria de um banco, ou seja, é a última melhor alternativa para investir reservas ociosas por um dia útil e a última melhor oportunidade de captar reservas no caso de sua falta ao final do dia. Por essa razão, a taxa DI é considerada o custo de oportunidade do dinheiro no mercado monetário.

A taxa DI é a taxa mais importante para a gestão do caixa e da liquidez. Como regra geral do seu negócio, os bancos captarão reservas a taxas inferiores à taxa DI e investirão reservas a taxas superiores à taxa DI (exceções a essa regra podem ocorrer por razões de oportunidade de cada banco e da situação geral de liquidez do sistema financeiro).

Ao você realizar aplicações financeiras em um banco, ele lhe oferecerá um percentual da taxa DI. Percentuais comuns estão entre 90 e 99% da taxa DI. Por exemplo, se a taxa DI para determinado prazo está, no momento, a 7,80% ao ano e você fizer uma aplicação financeira atrelada à taxa DI, digamos, a 95% da taxa DI, o seu retorno (bruto) seria de 7,41% anuais no período. A forma de cotar a taxa em percentual ao ano não significa que essa seja a taxa anual ou que o prazo da operação seja de um ano. Para qualquer prazo, seja para um dia útil ou para três anos, a taxa DI (assim como a taxa Selic) será cotada no formato de taxa efetiva anual (TEFa).

Para cada período, haverá uma taxa DI diferente. A curva de taxas DI começa com a taxa para um dia útil, dois dias úteis, três dias úteis e vai até n dias úteis, onde n é o prazo máximo em dias úteis para o qual taxas DI são negociadas e podem ser representadas na curva.

No Brasil, para uma boa gestão do caixa e da liquidez, para um bom planejamento financeiro de curto prazo, é necessário acompanhar a tendência da curva de taxas DI. A Figura 28.1 a seguir repete a curva que já mostramos no Capítulo 8, agora com as taxas verificadas no mercado financeiro no dia 30 de setembro de 2014.

A Figura 28.1 indica que, em 30 de setembro de 2014, a precificação de um empréstimo ou aplicação de caixa para fevereiro de 2016 tomaria como referência a taxa de 12,98% ao ano – empréstimos terão sido contratados a taxas acima da curva, enquanto aplicações financeiras de empresas e pessoas físicas terão sido contratadas a taxas abaixo ou até a curva. A taxa DI para fevereiro de 2013 era de 10,75% ao ano, mas contratos com vencimento em fevereiro de 2016 tomaram como referência a taxa de 12,98% ao ano.

Data de transação e data de liquidação financeira

No mercado financeiro brasileiro, é comum a data de disponibilização de reservas ser diferente da data da transação. A data de liquidação é identificada como $D+n$ ou D_n, onde D é a data da transação e n é o número de dias úteis até a disponibilização das reservas, a data de liquidação financeira. Assim:

$D+0$ ou D_0: reserva disponível no mesmo dia da transação.
$D+1$ ou D_1: reserva disponível no dia útil seguinte ao da transação.

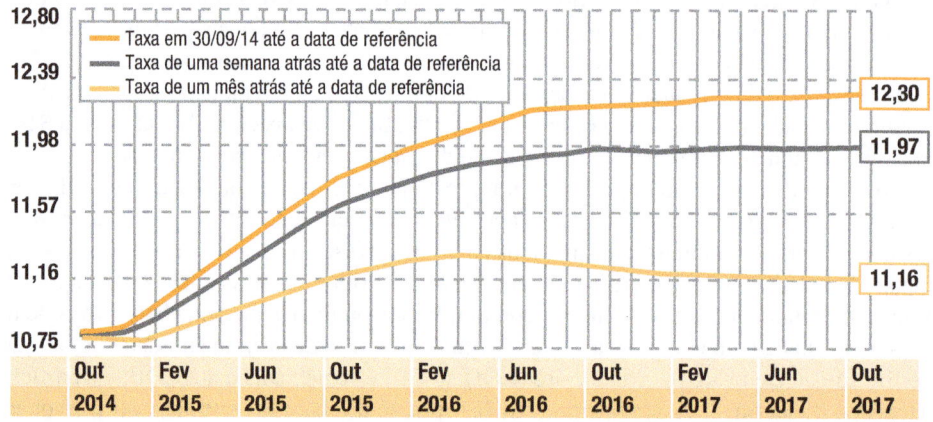

FIGURA 28.1 Taxa DI.

Fonte: Valor Econômico (2014).

$D+2$ ou D_2: reserva disponível no segundo dia útil após o da transação.

$D+n$ ou D_n: reserva disponível dentro de n dias úteis da data da transação.

Aqui, n é o número de dias úteis de *float* de pagamento e recebimento conforme você esteja realizando um pagamento ou recebendo um pagamento de outra parte. Veremos o que é *float* em seguida.

Exemplos de datas de liquidação financeira em negócios usuais

Os negócios com ações na BM&FBOVESPA são liquidados em $D+3$. Isso significa que, se você comprar ou vender ações na bolsa de valores, sua conta corrente será debitada ou creditada no terceiro dia útil após a data da compra ou da venda.

No mercado de câmbio, as taxas anunciadas para compra e para venda de moeda estrangeira, no mercado comercial, são taxas para liquidação financeira em $D+2$. Isso significa que, se sua empresa é uma exportadora e você vender hoje a moeda estrangeira relativa a uma exportação que sua empresa realizou ou realizará, a taxa cotada no mercado de câmbio para essa transação é a taxa para liquidação financeira em dois dias úteis.

O Sistema de Pagamentos Brasileiro – SPB[4]

A gestão do caixa utiliza sistemas de pagamento. O Sistema de Pagamentos Brasileiro (SPB) é composto por entidades, sistemas e procedimentos relacionados com o processamento e a liquidação de operações de transferência de fundos, de operações com ativos financeiros, com valores mobiliários e com moeda estrangeira.

Integram o SPB os serviços de compensação de cheques, de compensação e liquidação de ordens eletrônicas de débito e de crédito, de transferência de fundos e de outros ativos financeiros, de compensação e de liquidação de operações com títulos e valores mobiliários, de compensação e de liquidação de operações realizadas em bolsas de mercadorias e de futuros,

---

[4] Ver Banco Central (Brasil). Visão geral do sistema de pagamentos brasileiro. Disponível em: <http://www.bcb.gov.br/?spbvisger>.

dentre outros. Esses serviços são chamados coletivamente de entidades operadoras de **Infraestruturas do Mercado Financeiro** (IMF).

Os chamados **arranjos de pagamento** são constituídos pelo conjunto de regras e procedimentos que disciplinam a prestação de determinado serviço de pagamento ao público aceito por mais de um recebedor, mediante acesso direto pelos usuários finais, pagadores e recebedores.

As **instituições de pagamento** são pessoas jurídicas não financeiras que prestam serviços de pagamento, tais como gerir conta de pagamento, emitir instrumento de pagamento, credenciar para aceitação desses instrumentos, fazer remessa de fundos e outras atividades previstas em lei.

O SPB tem alto grau de automação, com meios eletrônicos para transferência de fundos e liquidação de obrigações. Uma das principais estruturas do SPB é o sistema STR, operado pelo BCB, um sistema de liquidação bruta em tempo real no qual há a liquidação final de todas as obrigações financeiras no Brasil. Participam do STR as instituições financeiras, as câmaras de compensação e liquidação e a Secretaria do Tesouro Nacional.

No STR, as transferências interbancárias de fundos são liquidadas em tempo real, em caráter irrevogável e incondicional. Todas as transferências de fundos entre as contas dos participantes do STR são condicionadas à existência de saldos suficientes de recursos na conta do participante emitente da transferência.

A **entrega contra pagamento** é o princípio observado em todos os sistemas de compensação e de liquidação de títulos e valores mobiliários.

Em pagamentos de varejo, são utilizados, basicamente, cinco instrumentos de pagamento:

- Moeda manual;
- Cheque;
- Transferência de crédito;
- Débito direto e crédito direto; e
- Cartões de pagamento – débito, crédito, pré-pago e *private label*.

Os instrumentos de pagamento são utilizados por meio dos chamados "canais de distribuição", conforme o Quadro 28.1

Infraestrutura do sistema de pagamentos brasileiro

O SPB é integrado pelos serviços de compensação de cheques, de compensação e liquidação de ordens eletrônicas de débito e de crédito, de transferência de fundos e de outros ativos financeiros, de compensação e de liquidação de operações com títulos e valores mobiliários, de compensação e de liquidação de operações realizadas em bolsas de mercadorias e de futuros, dentre outros. Essas entidades são chamadas coletivamente de Infraestruturas do Mercado Financeiro (IMF). O Quadro 28.2 apresenta as infraestruturas integrantes do sistema no ano de 2014. Veja também o Comunicado Bacen nº 25.164, de 23 de janeiro de 2014 (Banco Central, 2014c).

A Figura 28.2 apresenta uma visão geral do relacionamento entre as infraestruturas do mercado financeiro.

QUADRO 28.1 Instrumentos de pagamento e canais de distribuição

Instrumentos de pagamento	Cheque	Transferência de crédito DOC Cobrança TED	Débito direto	Cartões de pagamento
Canais de distribuição	Físico	ATM Internet Agências e postos de atendimento Telefone		POS Internet Telefone Outros

Fonte: Adaptado de Banco Central (2014d).

QUADRO 28.2 Infraestruturas do mercado financeiro do Sistema de Pagamentos Brasileiro

Tipo	Infraestrutura		Características
Sistemas de transferência de fundos	STR	Sistema de Transferência de Reservas	Liquidação em tempo real de operações do Selic e outras câmaras, TED e outros pagamentos críticos, diretamente a partir de contas de participantes no Banco Central do Brasil.
	CIP-Sitraf	Câmara Interbancária de Pagamentos – Sistema de Transferência de Fundos	Liquidação de Transferência Eletrônicas Disponíveis (TED) com valor unitário inferior a R$ 1 milhão.
	CIP-Siloc	Câmara Interbancária de Pagamentos – Sistema de Liquidação Diferida das Transferências Interbancárias de Ordens de Crédito	Compensação e liquidação de boletos de pagamentos de até R$ 250 mil, de cartões de pagamento e de Documento de Crédito (DOC).
	Compe	Centralizadora da Compensação de Cheques	Compensação e liquidação de cheques até R$ 250 mil.
	Cielo	Sistema de Liquidação Financeira Multibandeiras	Compensação e liquidação das transações de cartões de pagamento da bandeira Visa capturadas pelo credenciador Cielo.
	Rede	Sistema de Liquidação Doméstica da Redecard	Compensação e liquidação das transações de cartões de pagamento capturadas pelo credenciador Rede.
Sistemas de compensação, liquidação, registro e depósito de ativos	Selic	Sistema Especial de Liquidação e de Custódia	Compensação e liquidação de títulos públicos federais.
	BM&FBOVESPA – Derivativos	Câmara de Derivativos da BM&FBOVESPA	Compensação e liquidação de contratos derivativos de futuros, opções e *swaps*.
	BM&FBOVESPA – Câmbio	Câmara de Câmbio da BM&FBOVESPA	Compensação e liquidação de operações interbancárias de câmbio.
	BM&FBOVESPA – Ativos	Câmara de Ativos da BM&FBOVESPA	Compensação e liquidação de títulos públicos federais.
	BM&FBOVESPA – Ações	Câmara de Ações da BM&FBOVESPA	Compensação e liquidação de ações e outros títulos privados.
	Cetip	Cetip S.A. Mercados Organizados	Compensação e liquidação de títulos privados, títulos estaduais e municipais e derivativos.
	CIP-C3	Câmara Interbancária de Pagamentos – Central de Cessão de Crédito	Registro e liquidação de operações de cessão de crédito.

Fonte: Banco Central (2013).

Instrumentos de pagamento no Brasil

A administração do caixa e a liquidez pressupõem conhecimento dos instrumentos de pagamento utilizados no Brasil. O texto que apresentamos a seguir foi compilado com informações do Banco Central do Brasil, disponíveis na guia "Sistema de pagamentos brasileiro, Instrumentos de pagamento, Uso dos instrumentos de pagamento". Os dados informados foram extraídos em janeiro de 2013 e estavam atualizados até 2008.

Transferências de crédito As transferências de crédito interbancárias efetuadas por não bancos compreendem as transferências eletrônicas disponíveis (TED) por conta de cliente, os documentos de crédito (DOC), as transferências especiais de crédito (TEC) e as movimentações interbancárias relacionadas com os bloquetos de cobrança. Também são relevantes as transferências de crédito intrabancárias, isto é, as transferências realizadas entre contas mantidas em um mesmo banco.

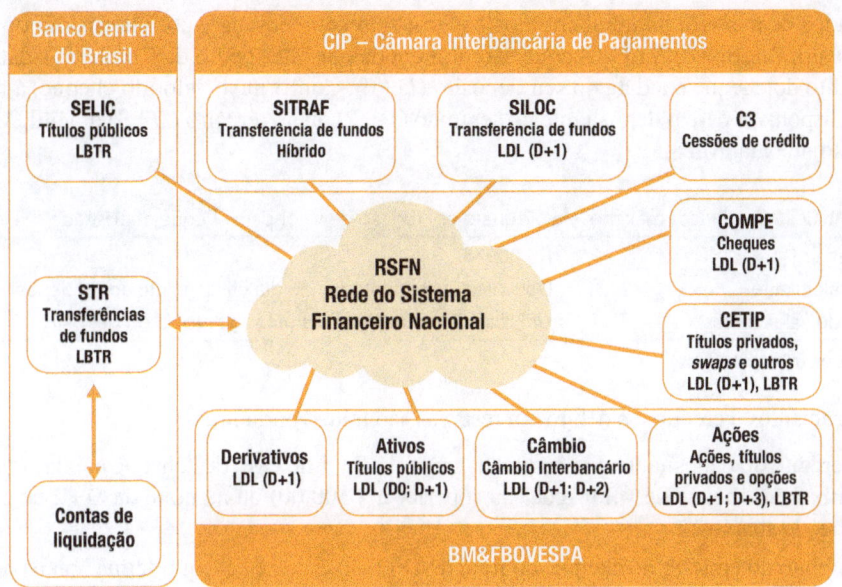

FIGURA 28.2 Visão geral das instituições do mercado financeiro.

Fonte: Banco Central (2014e).

A transferência de crédito feita por intermédio da TED ou da TEC é disponibilizada para o favorecido no mesmo dia. No caso do DOC, os recursos são disponibilizados para o favorecido, para saque, no dia útil seguinte ($D+1$). A transferência de crédito relacionada com bloqueto de cobrança, cuja liquidação interbancária também ocorre em $D+1$, é colocada à disposição do favorecido em prazo menor ou maior, conforme acordo entre ele e seu banco. Nas transferências intrabancárias, o crédito para o favorecido é feito simultaneamente com o débito na conta do remetente dos fundos.

O pagamento por transferência de crédito pode ser feito nos caixas das agências bancárias ou por intermédio de canais eletrônicos de acesso, como as máquinas de atendimento automático (ATM), a Internet (*internet banking*) e, mais recente, o telefone celular (*mobile banking*). Os bloquetos de cobrança contêm código de barras, que possibilita a leitura óptica de seus dados (*optical character recognition* – OCR). Quaisquer que sejam o modo e o meio utilizados para dar início à transferência de crédito, a movimentação de fundos é sempre feita de forma eletrônica. Embora a liquidação interbancária ocorra na manhã de $D+1$, vários bancos, como era a praxe antes da existência da TED, consideram que os recursos foram transferidos para o favorecido na noite do dia anterior ($D+0$). No caso da TED, a liberação dos fundos para o favorecido ocorre em poucos minutos após a emissão da correspondente ordem pelo remetente.

Cheques O cheque continua sendo um importante instrumento de pagamento no Brasil, embora tenha havido redução em seu uso nos últimos anos devido a sua substituição por instrumentos eletrônicos.

Com formato e características básicas padronizados, as folhas de cheque contêm registros magnéticos que possibilitam a leitura automática de seus dados (*magnetic ink character recognition* – MICR). O cheque, algumas vezes, é entregue ao beneficiário para ser sacado em data futura (cheque pré-datado), situação na qual ele funciona como instrumento de crédito. No Brasil, as contas de depósito à vista são as únicas movimentáveis por cheques. A liquidação interbancária dos cheques é feita em $D+1$, conforme seu valor. Os cheques de valor igual ou superior ao VLB-Cheque (valor referencial atualmente fixado em R$ 250 mil) são liquidados de maneira bilateral entre os bancos, sem compensação, por intermédio do STR.[5] Os de valor inferior ao VLB-Cheque são liquidados por intermédio da Compe.[6] A data-base do crédito do cheque é a data do seu depósito ($D+0$). Conforme o valor do cheque, a reserva estará disponível para o depositante no segundo ($D+2$) ou no terceiro ($D+3$) dia útil. Mostramos isso no Quadro 28.3:

QUADRO 28.3 Prazos máximos de bloqueio em função de valor para cheque depositado

Valor limite	R$ 299,99
Até o valor limite	Dois dias úteis, contados do dia útil seguinte ao do depósito.
Acima do valor limite	Um dia útil, contado do dia útil seguinte ao do depósito.

Fonte: Banco Central (2011a).

Os lançamentos a crédito e a débito em reservas são feitos, portanto:

- A crédito do depositante do cheque, na noite de $D+1$ no caso de "cheque acima" ("cheque acima" é o cheque de valor igual ou superior a $ 300,00) ou na noite de $D+2$ no caso de "cheque abaixo"; e
- A débito do emissor do cheque, ao final de $D+0$ no caso de "cheque acima" ou na noite de $D+1$ no caso de "cheque abaixo".

Cartões de crédito No Brasil, o titular do cartão de crédito não paga encargos financeiros quando as compras de mercadorias e serviços são pagas na primeira data de vencimento seguinte. O prazo médio entre a data da compra e a do vencimento é próximo de 28 dias, segundo informações de empresas do setor.

A quantidade de cartões de crédito evoluiu de 53,5 milhões (média de 1 cartão para cada 3,4 habitantes) em 2004 para 137,8 milhões em 2008 (média de 1 cartão para cada 1,4 habitante), com variação da ordem de 157,6% no período (média de 26,7% ao ano). Em 2008, foram efetuados cerca de 2,5 bilhões de transações no valor global de $ 217,9 bilhões, com valor médio de $ 86 por transação. No período de 2004 a 2008, as transações com cartão de crédito cresceram 101,2% em quantidade (média de 19,1% ao ano).

Cartões de débito Os cartões de débito podem ser utilizados, sobretudo, em caixas automáticos para saque de dinheiro ou em estabelecimentos comerciais que contem com máquinas apropriadas para a realização de transferências eletrônicas de fundos a partir do ponto de venda (*electronic funds transfer from the point of sale* – EFTPOS). Os principais produtos são o Visa Electron, da Visa, o Maestro, da Mastercard e o Cheque Eletrônico, da TecBan. Assim como os cartões de crédito, os cartões de débito com tarja magnética estão sendo, aos poucos, substituídos por unidades dotadas de microprocessador (*chip*).

O débito na conta do titular do cartão é, como regra, feito no momento do pagamento, enquanto o crédito na conta do estabelecimento comercial é feito em determinado prazo, maior ou menor conforme o contrato estabelecido com a administradora do cartão.

Cartões de loja (*retailer cards*) Em geral, os cartões de loja, emitidos por grandes redes varejistas, só podem ser usados nas lojas da rede emissora. A utilização do cartão de loja implica

---

[5] O sistema de transferência de reservas (STR) é um sistema de transferência de fundos com liquidação bruta em tempo real (LBTR) pertencente e operado pelo Banco Central do Brasil, que funciona com base em ordens de crédito – isto é, somente o titular da conta a ser debitada pode emitir a ordem de transferência de fundos (Banco Central, 2014f).

[6] A centralizadora da compensação de cheques (Compe) liquida cheques de valor inferior ao VLB-Cheque (R$ 250 mil). A compensação ocorre por meio da troca da imagem digitalizada e dos outros registros eletrônicos do cheque. Participam obrigatoriamente instituições titulares de conta Reservas Bancárias. O Banco do Brasil S.A. executa os trabalhos da Compe, com troca da imagem digital e compensação eletrônica de todas as obrigações (Banco Central, 2014g).

postergação do pagamento (algumas vezes, o emissor do cartão admite o parcelamento da obrigação sem encargos financeiros explícitos). No vencimento, o devedor quase sempre precisa voltar ao estabelecimento comercial e utilizar dinheiro em espécie ou outro instrumento de pagamento (cheque ou cartão de débito) para liquidar sua obrigação.

Cartões com valor armazenado (*charge cards*) O cartão com valor armazenado, também conhecido como cartão pré-pago, é utilizado para pagamento de serviços específicos relacionados, sobretudo, ao uso de telefones e aos meios de transporte públicos ou compras de pequeno valor.

Atualmente, no caso das contas de telefone, o mais comum é que os emissores sejam as próprias concessionárias dos serviços públicos, e a aquisição do cartão é feita em pequenos estabelecimentos comerciais credenciados. Nessa situação, os serviços são pré-pagos, e o cartão, quando esgotado seu limite de utilização, é descartado.

Já em relação aos meios de transporte, o cartão é emitido por instituição bancária, que o carrega com certo valor para utilização pelo cliente nos estabelecimentos comerciais credenciados. Esse tipo de cartão pode ser recarregado várias vezes, observando-se, em cada uma delas, o valor limite de recarga fixado pelo emissor. Nesse formato, o cartão com valor armazenado ainda se encontra em fase embrionária no Brasil, sendo utilizado no âmbito de projetos pioneiros desenvolvidos pela Visa e pela Mastercard.

Débitos diretos O débito automático em conta ou débito direto é utilizado para pagamentos recorrentes, isto é, pagamentos que observam certa periodicidade, tais como os referentes aos serviços de água, energia e telefone. Nesses casos, mediante iniciativa do prestador do serviço, beneficiário do pagamento, o valor da obrigação é debitado direta e automaticamente na conta bancária do devedor, com a autorização prévia dele. Essa autorização é concedida por tempo indeterminado, com validade, portanto, enquanto não for revertida.

O Quadro 28.4, disponibilizado pelo Banco Central do Brasil, com dados até 2011, mostra a participação relativa dos instrumentos de pagamento no Brasil.

Canais de atendimento

As transações com instrumentos financeiros podem ser realizadas por meio de vários canais de atendimento disponibilizados pela rede bancária. O Quadro 28.5 apresenta um resumo (em milhões) de transações realizadas por meio dos diferentes canais de atendimento disponíveis em 2011. Observa-se que o acesso remoto por meio da Internet em 2011 já representava 36% da quantidade de transações no sistema. Os terminais de autoatendimento (ATM) dos bancos representaram 26% das transações, enquanto as transações em agências bancárias representaram 25% do volume de transações. Correspondentes bancários, centrais de atendimento e telefones celulares representaram, respectivamente, 9, 4 e 1% das transações.

QUADRO 28.4 Uso dos instrumentos de pagamento no Brasil*

Instrumentos de pagamentos interbancários	Quantidade de transações (em milhões)						2006–2011 (%)
	2006	2007	2008	2009	2010	2011	
Total	6.174	6.819	7.709	8.167	9.417	10.626	72
Cheque	1.622	1.449	1.373	1.233	1.109	999	−38
Cartão de débito*	1.428	1.700	2.097	2.309	2.929	3.554	149
Cartão de crédito*	1.814	2.160	2.520	2.777	3.321	3.860	113
Débito direto	1,3	0,7	0,6	0,5	0,1	0	−100
Transferência de crédito	1.309	1.509	1.718	1.848	2.058	2.213	69

* Considerando apenas transações com liquidação interbancária, como cheque, débito direto e transferência de crédito.
Fonte: Banco Central (2011).

QUADRO 28.5 Quantidade de transações por canal de acesso

Canal de acesso	2006	2007	2008	2009	2010	2011	(%)
Acesso remoto (Internet, home e office banking)	5.107	6.413	7.309	8.358	10.593	12.830	151
ATM	7.158	7.553	8.235	8.124	8.558	9.262	29
Agências – postos tradicionais	5.427	5.598	5.844	6.501	7.481	8.717	61
Correspondentes bancários	1.806	2.166	2.318	2.591	2.905	3.174	76
Centrais de atendimento (call center)	1.246	1.607	1.636	1.613	1.562	1.362	9
Telefones celulares e PDA (wireless)	48	37	65	96	61	196	308

Fonte: Banco Central (2011).

EXEMPLO 28.1 Gestão do caixa e instrumentos de pagamento em uma empresa brasileira

Este exemplo relata os tipos de instrumentos de pagamento utilizados por uma empresa brasileira de grande porte que vende tanto para grandes redes de supermercados quanto para pequenas redes e mercados de bairro. Ela possui várias unidades de produção no Brasil e no exterior. Os seguintes percentuais para os meios de pagamento eram utilizados em janeiro de 2013.

Contas a receber:

	Grandes redes	Pequenas redes e comércio de bairro
Crédito em conta	50%	
Boleto bancário		50%

Contas a pagar:

Crédito em conta	65%
Débito automático (água, energia, comunicações)	19,3%
Boleto bancário	15%
Cheques	0,7%

Prazos médios de recebimento das vendas

Grandes redes	45 dias
Pequenas redes e comércio de bairro	7 ou 14 dias

Caixa central Nessa empresa, a tesouraria da controladora tem o papel de caixa central (também chamado de caixa-mãe). Funciona da seguinte forma: cada subsidiária tem uma conta movimento relativa ao seu CNPJ por meio da qual realiza todos os seus recebimentos e pagamentos e que funciona como uma conta de saldo zero no grupo de empresas. O caixa excedente ao final do dia é transferido para o caixa central, que também funciona como central de recursos para suprir as faltas de caixa das subsidiárias. A receita de remuneração de recursos excedentes e o custo de recursos tomados são transferidos mediante rateio para as contas de resultado das subsidiárias, conforme geração e uso de caixa. Uma parte, um *spread*, é retida ou cobrada pela tesouraria para cobertura do seu custo de estrutura. Na tesouraria, o caixa excedente resultante das operações diárias é aplicado em fundos com rendimento atrelado à taxa DI ou fundos de

CDBs, com liquidez diária. No caso de faltas de caixa, a tesouraria realiza descontos e antecipação de recebíveis a taxas já pré-negociadas junto à rede bancária.

Para desenvolvimento das estratégias de investimentos e de estrutura de capital, essa empresa realiza aplicações e captações financeiras de médio e longo prazos por meio de operações estruturadas.

Nas subsidiárias dessa empresa, localizadas no exterior, em cada país, o esquema se repete na moeda local. As necessidades e as sobras de caixa nos diferentes países são ajustadas por meio de empréstimos entre companhias.

A estrutura de contas utilizada por essa empresa, compreendendo as contas de saldo zero e a conta central, é fornecida pelos bancos. O controle e as transferências de sobras e coberturas de faltas de caixa em cada conta de saldo zero são realizados de forma centralizada pela tesouraria da controladora do grupo que funciona como o "piloto de reservas" de um banco.

Tanto as operações de aplicação de excedentes de caixa da empresa quanto as operações de antecipação e desconto de recebíveis para suprimento de falta de caixa são pré-negociadas com os bancos. Isso elimina a necessidade de negociação caso a caso, tornando o fluxo de usos e suprimentos de caixa uma atividade quase automática.

28.2 O *float*

A administração do caixa é feita com a gestão de disponibilidades em reservas bancárias. Só reservas bancárias pagam contas. Como vimos, a data de movimento de reservas bancárias pode não coincidir com a data do registro de um pagamento ou de um recebimento. Uma forma de entender melhor a defasagem entre a data do registro de uma operação e a data da sua efetiva liquidação financeira em reservas bancárias é usar o conceito de *float* e os pagamentos e recebimentos em cheques. Usaremos o pagamento e o recebimento de cheques para ilustrar a gestão das defasagens entre pagamentos e recebimentos, ou a gestão do *float*.

Como você já deve saber, caso use cheques para movimentar sua conta corrente, a quantia de dinheiro que você tem de acordo com seu talão de cheques pode ser muito diferente da quantia de dinheiro que seu banco acha que você tem. O motivo é que alguns cheques emitidos ainda não foram apresentados ao banco para pagamento. O mesmo vale para uma empresa. O saldo de caixa que uma empresa mostra em seus registros é chamado de *saldo contábil* ou *saldo de livros* da empresa. Esse saldo representa as transações realizadas. O saldo mostrado em sua conta bancária como disponível para gastar é chamado de *saldo disponível, saldo recebido* ou apenas *saldo*.

A diferença entre o saldo disponível e o saldo contábil é chamada de **float** e representa o efeito líquido dos cheques em processo de *compensação* (que estão passando pelo sistema bancário ou que ainda não foram depositados) ou de transações que foram realizadas na data D para liquidação em $D + n$, onde n é o número de dias a decorrer desde a transação e $D + n$ é a data de disponibilização de reservas bancárias.

Em nossa discussão anterior, vimos que os saldos disponíveis são os saldos em reservas bancárias, disponíveis para imediata movimentação. Assim, podemos resumir afirmando que o **período de *float*** é determinado pelo período entre a data da transação e a data da disponibilização de reservas bancárias para livre movimentação.

Float de desembolso

Para facilitar a discussão do *float*, usaremos o exemplo do cheque. O cheque é uma forma de pagamento ainda muito utilizada, embora seu uso como instrumento de pagamento venha caindo. Os cheques emitidos por uma empresa geram *float de desembolso*, causando uma diminuição no saldo contábil da empresa, mas nenhuma alteração em seu saldo disponível até que sejam compensados. Por exemplo, suponha que, no momento, a Indústrias Mecânicas General (IMG) tenha $ 100.000 depositados no banco. Em 8 de junho, ela compra matéria-prima e paga com um cheque de $ 100.000. Como resultado, o seu saldo contábil é reduzido em $ 100.000.

Porém, o banco da IMG não saberá sobre esse cheque até que lhe seja apresentado para pagamento em um determinado dia, como 14 de junho. Até o cheque ser apresentado, o saldo disponível da empresa será $ 100.000 maior do que seu saldo contábil. Em outras palavras, temos:

Posição da IMG antes de 8 de junho:

$$Float = \text{saldo disponível da empresa} - \text{saldo contábil da empresa}$$
$$= \$ 100.000 - 100.000$$
$$= \$ 0$$

Posição da IMG entre 8 e 14 de junho:

$$Float \text{ de desembolso} = \text{saldo disponível da empresa} - \text{saldo contábil da empresa}$$
$$= \$ 100.000 - 0$$
$$= \$ 100.000$$

Enquanto o cheque está sendo compensado, a IMG tem no banco um saldo de $ 100.000. Ela pode ter benefícios desse caixa durante esse período; por exemplo, o saldo disponível poderia estar investido de modo temporário em um fundo de renda fixa e, portanto, renderia juros nesse período. Retomaremos esse assunto mais tarde.

Float de cobrança e *float* líquido

Os cheques recebidos pela empresa criam *float de cobrança*, o qual aumenta os saldos contábeis, mas não muda de imediato os saldos disponíveis. Suponha que a IMG receba um cheque de um cliente no valor de $ 100.000 em 8 de outubro. Assuma, como antes, que a empresa tenha $ 100.000 depositados em seu banco e um *float* zero. Ela contabiliza o recebimento do cheque e aumenta seu saldo contábil de $ 100.000 para $ 200.000. Entretanto, o caixa adicional não estará disponível para a IMG até que deposite o cheque e seu banco disponibilize as reservas correspondentes aos $ 100.000. Isso ocorrerá em 14 de outubro. Enquanto isso, a situação do caixa da IMG refletirá um *float* de cobrança de $ 100.000. Podemos resumir a situação da IMG anterior a 8 de outubro da seguinte forma:

$$Float = \text{saldo disponível da empresa} - \text{saldo contábil da empresa}$$
$$= \$ 100.000 - 100.000$$
$$= \$ 0$$

Situação da IMG entre 8 e 14 de outubro:

$$Float \text{ de cobrança} = \text{saldo disponível da empresa} - \text{saldo contábil da empresa}$$
$$= \$ 100.000 - 200.000$$
$$= -\$ 100.000$$

Em geral, atividades de pagamento de uma empresa podem gerar *float* de desembolso, e suas atividades de cobrança podem gerar *float* de cobrança. O efeito líquido é o *float* líquido, ou seja, a soma do total de *floats* de cobrança e de desembolso. O *float* líquido, em determinado momento, é a diferença geral entre o saldo disponível da empresa e seu saldo contábil. Se ele for positivo, o *float* de desembolso da empresa excederá seu *float* de cobrança e o saldo disponível excederá o saldo contábil. Se o saldo disponível for menor do que o saldo contábil, a empresa tem um *float* de cobrança líquido.

A gestão do caixa exige que a empresa se preocupe com seu *float* líquido e com o saldo disponível mais do que com seu saldo contábil. Se um administrador financeiro sabe que seus pagamentos não movimentarão reservas antes de vários dias, ele pode manter um saldo de caixa mais baixo na conta corrente do que seria possível de outra maneira. Isso eventualmente pode gerar muito dinheiro. Essa é uma razão por que muitas empresas estabelecem dias fixos no mês para efetuar pagamentos a seus fornecedores.

Vejamos o exemplo da ExxonMobil. A média das vendas diárias dessa empresa é de $ 1 bilhão. Se os recebimentos da ExxonMobil pudessem ser agilizados em um único dia, ela poderia liberar até $ 1 bilhão para investimento. A uma taxa diária modesta de 0,01%, os juros ganhos estariam na ordem de $ 100.000 por dia.

EXEMPLO 28.2   Como ficar sem dívidas

Suponha que você tenha $ 5.000 em depósitos. Um dia, você faz um cheque de $ 1.000 para pagamento de livros e também deposita um cheque de $ 2.000 na sua conta corrente. Quais são seus *floats* de desembolso, de cobrança e líquido?

Após emitir o cheque de $ 1.000, você tem um saldo de $ 4.000 em sua conta, mas o banco mostra $ 5.000 enquanto o cheque não é apresentado e compensado. A diferença é um *float* de desembolso de $ 1.000.

Depois de depositar o cheque de $ 2.000, você tem um saldo de $ 6.000. Seu saldo disponível não aumenta até que o cheque seja compensado. Isso resulta em um *float* de cobrança de –$ 2.000. Seu *float* líquido é a soma dos *floats* de cobrança e de desembolso, ou seja, –$ 1.000.

No todo, você tem $ 6.000 em sua conta. O banco mostra um saldo de $ 7.000, mas apenas $ 5.000 estão disponíveis, pois seu depósito não foi compensado. A discrepância entre seu saldo disponível e seu saldo contábil é o *float* líquido (–$ 1.000). Isso é ruim para você, porque, se você fizer outro cheque de $ 5.500, não haverá fundos suficientes para cobri-lo, e ele pode ser devolvido. Esse é o motivo pelo qual os gestores financeiros precisam se preocupar mais com os saldos disponíveis do que com os saldos contábeis.

Administração do *float*

A administração do *float* envolve o controle das entradas de caixa de cobranças de contas a receber e dos desembolsos de caixa de contas a pagar. O objetivo na cobrança é agilizar os recebimentos e reduzir a defasagem entre o momento em que os clientes pagam suas contas e o momento em que o caixa se torna disponível como reserva bancária de livre movimentação. O objetivo no desembolso de caixa é controlar os pagamentos e minimizar os custos da empresa associados à realização dos pagamentos.

Os prazos totais da cobrança ou do desembolso podem ser divididos em três partes: prazo de envio, prazo do processamento e prazo para disponibilidade.

1. O *prazo de envio* é a parte do processo de cobrança e desembolso em que documentos de cobrança, assim como eventuais pagamentos em cheques, passam pelo sistema postal ou pelo serviço de remessa de documentos da empresa, desde o seu envio até a sua efetiva recepção pela área responsável.
2. O *prazo de processamento* é o tempo necessário para que um cheque ou um boleto de cobrança seja apresentado no sistema bancário e processado.
3. O *prazo para disponibilidade* se refere ao tempo entre a data em que o sistema bancário recebe um pagamento e a data em que disponibiliza a reserva na conta da empresa.

A agilização das cobranças envolve a redução de um ou mais desses componentes. A diminuição dos desembolsos envolve o aumento de um deles. Descreveremos alguns procedimentos para administrar a cobrança e o desembolso mais tarde. Primeiro, discutiremos como o *float* é medido.

Medição do *float* O tamanho do *float* depende dos valores e do prazo envolvido. Por exemplo, suponha que você envie um cheque de $ 500 para outro Estado todos os meses. São necessários seis dias nos correios para que o cheque chegue a seu destino (o prazo dos correios) e um dia para o recebedor ir ao banco (o prazo do processamento). Suponha que o banco do recebedor leve dois dias para disponibilizar os cheques de outro Estado (prazo para disponibilidade). O prazo total é de 6 + 1 + 2 = 9 dias.

Nesse caso, qual é a média de seu *float* de desembolso diário? Existem duas formas equivalentes de calcular a resposta. Na primeira, você tem um *float* de $ 500 por nove dias. Por isso, é possível dizer que o *float* total é 9 × $ 500 = $ 4.500. Assumindo um mês com 30 dias, a média do *float* diário é $ 4.500/30 = $ 150.

Na segunda forma, seu *float* de desembolso é $ 500 por 9 dias do mês e zero nos outros 21 dias (de novo, assumindo um mês de 30 dias). Portanto, a média de seu *float* diário é:

$$\begin{aligned}\text{Média do } float \text{ diário} &= (9 \times \$\,500 + 21 \times \$\,0)/30 \\ &= 9/30 \times \$\,500 + 21/30 \times \$\,0 \\ &= \$\,4.500/30 \\ &= \$\,150\end{aligned}$$

Isso significa que, em média, em um dia normal, seu saldo contábil é $ 150 menor do que seu saldo disponível, representando um *float* médio de desembolso de $ 150.

As coisas só são um pouco mais complicadas quando há vários desembolsos ou recebimentos. Para ilustrar, considere que a Conceito S/A receba dois itens a cada mês da seguinte maneira:

Quantia	Prazo de processamento e disponibilidade	*Float* total
Item 1: $ 5.000	× 9	= $ 45.000
Item 2: $ 3.000	× 5	= $ 15.000
Total: $ 8.000		$ 60.000

A média do *float* diário é igual a:

$$\text{Média do } float \text{ diário} = \frac{Float \text{ total}}{\text{Total de dias}} \qquad (28.1)$$
$$= \frac{\$\,60 \text{ mil}}{30} = \$\,2 \text{ mil}$$

Assim, em um dia normal, há $ 2 mil não recebidos e não disponíveis.

Outra maneira de ver isso é calcular a média de recebimentos diários e multiplicar pelo prazo médio ponderado.

A média de recebimentos diários é:

$$\text{Média de recebimentos diários} = \frac{\text{Total de recebimentos}}{\text{Total de dias}} = \frac{\$\,8 \text{ mil}}{30} = \$\,266{,}67$$

Do total de recebimentos de $ 8 mil, $ 5 mil, ou 5/8 do total, têm o prazo de nove dias. Os outros 3/8 têm o prazo de cinco dias. Deste modo, o prazo médio ponderado é:

$$\begin{aligned}\text{Prazo médio ponderado} &= (5/8) \times 9 \text{ dias} + (3/8) \times 5 \text{ dias} \\ &= 5{,}625 + 1{,}875 = 7{,}50 \text{ dias}\end{aligned}$$

Por conseguinte, a média do *float* diário é:

$$\begin{aligned}\text{Média do } float \text{ diário} &= \text{Média de recebimentos diários} \times \text{Prazo médio ponderado} \\ &= \$\,266{,}67 \times 7{,}50 \text{ dias} = \$\,2 \text{ mil}\end{aligned} \qquad (28.2)$$

Alguns detalhes Ao medir o *float*, existe uma diferença importante a ser observada entre o *float* de cobrança e o de desembolso. Definimos *float* como a diferença entre o saldo de caixa disponível da empresa e seu saldo contábil. Com um desembolso, o saldo contábil da empresa diminui quando o cheque é enviado, de modo que o prazo dos correios é um componente importante no *float* de desembolso. Entretanto, com uma cobrança, o saldo contábil da empresa não aumenta até que o valor do cheque seja disponibilizado em reservas, já que o prazo de envio – nesse caso o prazo dos correios – não é um componente do *float* de cobrança.

Isso não significa que esse prazo não seja importante. A questão é: quando o *float* de cobrança é calculado, o prazo dos correios não deve ser levado em conta. Já quando o prazo total de recebimento é considerado, o prazo dos correios é um componente importante (no caso do mercado norte-americano, que usa muito o cheque como forma de pagamento, o prazo dos correios é crucial para o cálculo do *float*).

Do mesmo modo, quando falamos sobre o prazo para disponibilidade, o tempo necessário para compensar um cheque não é, de fato, fundamental. No Brasil, conforme apresentamos antes neste capítulo, cheques de valor de R$ 300 ou mais devem estar disponíveis até 2 dias úteis após a data do depósito. Cheques de valor abaixo de R$ 300 devem estar disponíveis em até 3 dias úteis após o depósito.

O prazo de disponibilidade das reservas decorrentes do depósito de cheques varia conforme o país. Nos EUA, por exemplo, o prazo de disponibilidade depende dos bancos. Nos Estados Unidos, os bancos têm cronogramas de disponibilidade com base na hora do depósito e em outros fatores. Além disso, o prazo para disponibilidade pode ser uma questão de negociação entre o banco e o cliente.

No caso dos cheques emitidos, o que importa é a data de débito da conta do emissor, não a data da disponibilidade para o recebedor.

Custo do *float* O custo básico do *float* de cobrança para a empresa é o custo de oportunidade de não conseguir usar o caixa. No mínimo, a empresa poderia ganhar juros sobre o caixa se ele estivesse disponível para investimento.

Suponha que a Companhia Bambo tenha uma média de recebimentos diários de $ 1.500 e uma postergação média ponderada de dois dias para recebimento das reservas bancárias para livre movimentação. Podemos dizer que o *float* diário é 2 × $ 1.500 = $ 3.000. Isso significa que, em um dia normal, há $ 3.000 que não estão rendendo juros. Ainda, suponha que a Bambo pudesse eliminar todo o *float*. Qual seria a vantagem? Se a eliminação do *float* custar $ 2.000, qual será o VPL para fazer isso?

O Quadro 28.6 ilustra a situação da Bambo. Considere que ela inicie com um *float* zero. No dia 1, a Bambo recebe e deposita um cheque de $ 1.500. O caixa estará disponível depois de dois dias, ou seja, no dia 3. Ao final do dia 1, o saldo contábil é $ 1.500 maior do que o saldo disponível, de modo que o *float* é $ 1.500. No dia 2, a empresa recebe e deposita outro cheque. Ela recebe dois dias depois, no dia 4. Ao final do dia 2, há dois cheques não recebidos, e os registros mostram um saldo de $ 3.000. No entanto, o banco ainda mostra um saldo disponível zero, e o *float* é $ 3.000. No dia 3, a Bambo recebe e deposita outro cheque de $ 1.500. Entretanto, ela já conta com as disponibilidades em reservas de $ 1.500 do cheque do dia 1. As mudanças no saldo contábil e no saldo disponível são idênticas (+$ 1.500). Dessa maneira, o *float* permanece $ 3.000. O mesmo acontece todos os dias após o dia 3. Portanto, o *float* permanece $ 3.000 para sempre.[7]

O Quadro 28.6 mostra o que acontece se o *float* for eliminado em um dia *t* no futuro. Após o *float* ser eliminado, os recebimentos diários ainda são de $ 1.500. A empresa recebe no mesmo dia, porque os recebimentos diários ainda são de $ 1.500. Como delineia o Quadro 28.7, a única mudança ocorre no primeiro dia, no qual, como sempre, a Bambo recebe $ 1.500 com a venda feita dois dias antes. Como o *float* acabou, ela também recebe as vendas feitas dois dias

QUADRO 28.6 Composição do *float*

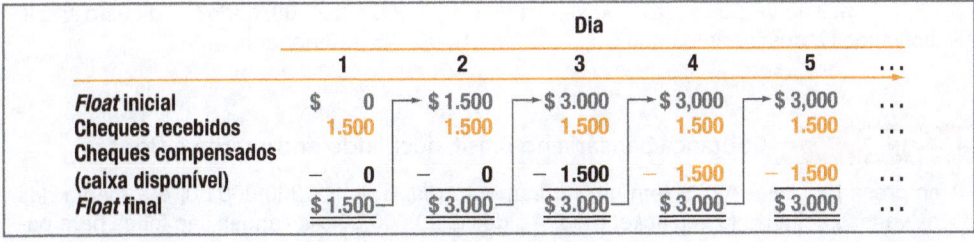

---

[7] Às vezes, esse *float* permanente também é chamado de *float de estado permanente*.

QUADRO 28.7 Efeito da eliminação do *float*

	Dia			
	t	*t* + 1	*t* + 2	...
Float inicial	$ 3.000	$ 0	$ 0	...
Cheques recebidos	1.500	1.500	1.500	...
Cheques compensados (caixa disponível)	−4.500	−1.500	−1.500	...
Float final	$ 0	$ 0	$ 0	...

antes, um dia antes e naquele mesmo dia, $ 3.000 adicionais. Portanto, o total de recebimentos no dia *t* é $ 4.500 em vez de $ 1.500.

O que vemos é que a Bambo gera $ 3.000 extras no dia *t* ao acabar com o *float*. A cada dia subsequente, a empresa recebe $ 1.500 em caixa, assim como fazia antes de ele ser eliminado. Logo, a única modificação nos fluxos de caixa com a eliminação são esses $ 3.000 adicionais que entram logo. Nenhum outro fluxo de caixa é afetado, de modo que a Bambo está $ 3.000 mais rica.

Em outras palavras, o VP da eliminação do *float* é igual ao *float* total. A Bambo poderia pagar esse montante como dividendo, investi-lo em ativos que rendam juros ou fazer o que quisesse com ele. Se a eliminação do *float* custar $ 2.000, o VPL será $ 3.000 − 2.000 = $ 1.000. Portanto, a empresa deveria eliminá-lo.

EXEMPLO 28.3 Redução do *float*: Parte I

Em vez de eliminar o *float*, imagine que a Bambo possa reduzi-lo para um dia. Qual é o máximo que a empresa deveria estar disposta a pagar por isso?

Se a Bambo puder reduzir o *float* de dois para um dia, então o montante dele cairá de $ 3.000 para $ 1.500. Conforme nossa discussão anterior, vemos logo que o VP dessa ação é igual à redução de $ 1.500 no *float*. A empresa deveria estar disposta a pagar até $ 1.500.

EXEMPLO 28.4 Redução do *float*: Parte II

Suponha que redução de *float* custe $ 130 por ano em valores de fim ano. Considere uma taxa de desconto de 8%. Imagine que a Bambo, a empresa do Exemplo 28.3, esteja considerado eliminar o *float* a esse custo anual. A Bambo deve optar por esse custo para eliminar o *float*? Qual é o VPL do investimento? Como você interpreta essa taxa de desconto? Qual é o máximo por ano que a Bambo poderia aceitar como custo de eliminação do *float*?

O VP para a Bambo ainda é de $ 1.500. Os $ 130 equivalem a um pagamento anual para sempre para redução do *float*. Assim, o custo é perpétuo, e seu VP é de 130/0,08 = $ 1.625. O VPL é de $ 1.500 − $ 1.625 = −$ 125. Portanto, nesse caso, a eliminação do *float* não é um bom negócio.

Ignorando a possibilidade de cheques devolvidos, a taxa de desconto aqui é muito semelhante à taxa de remuneração de um fundo de renda fixa de curto prazo.

O máximo que a empresa estaria disposta a incorrer para eliminar o *float* é uma taxa que resultasse em um VPL zero. Esse VPL zero ocorre quando a renda da aplicação de $ 1.500 é igual ao VP dos custos, ou seja, quando $ 1.500 = C/0,08, onde C é o custo anual. Resolvendo C, descobrimos que C = 0,08 × $ 1.500 = $ 120 por ano.

EXEMPLO 28.5 Cobrança bancária no Brasil: decidindo entre tarifa e *float*

A empresa brasileira Alpha tem um faturamento diário de R$ 360.000,00, e a média das suas vendas unitárias (o seu *ticket* médio) é de R$ 20.000,00. As vendas são feitas para pagamento único, com prazo médio de 60 dias, e todas as suas duplicatas são recebidas por meio de cobrança bancária, com troca eletrônica de arquivos.

A administração da Alpha está tentando baixar seus custos, e o banco ofereceu as seguintes alternativas para remunerar o custo das cobranças: tarifa de R$ 4,00 por título cobrado ou 1 dia de float para o resultado da cobrança. Ajude o gestor financeiro a decidir se:
a. O caixa da Alpha apresenta sobras e o banco remunera essas sobras a 95% do DI (suponha que a taxa DI de 7% a.a. para o prazo médio das aplicações da Alpha, prazo esse que é inferior a 180 dias);
b. A Alpha pode, em metade do ciclo operacional, ser tomadora de empréstimos de curto prazo para capital de giro e, na outra metade do tempo, ser aplicadora líquida de caixa, nas mesmas condições da alternativa "a". O banco oferece para os prazos em que a Alpha toma recursos uma linha de crédito para capital de giro com um custo efetivo total (CET) de 20% a.a.

Solução

Se a Alpha vende, em média, R$ 360.000,00 por dia e suas vendas médias têm o valor de R$ 20.000,00, então ela envia 18 duplicatas por dia para o banco cobrar. Isso significa que, se a Alpha pagar ao banco R$ 4,00 por duplicata, ela terá um custo diário de R$ 72,00.

Se a Alpha optar pelo *float* e for aplicadora de recursos, a rentabilidade bruta diária que ela teria seria de 0,0255% a.d., conforme demonstramos a seguir:

$$\text{Custo de oportunidade diário} = [(1+7,00/100)^{1/252} - 1] \times 100 \times 0,95$$
$$= 0,0269\% \times 0,95$$
$$= 0,0255\% \text{ por dia}$$

Em reais: $0,0255\%/100 \times R\$ 360.000,00 = R\$ 91,83$.

Porém, devemos lembrar que, sobre juros recebidos de aplicações financeiras, há incidência do Imposto de Renda Retido na Fonte (IRRF). O prazo das aplicações da Alpha é inferior a 180 dias, então a alíquota é de 22,50%. Logo o rendimento líquido diário da Alpha será de

$$R\$ 91,83 - (0,225 \times R\$ 91,83) = R\$ 71,17$$

R$ 71,17 é o valor dos juros diários líquidos que a Alpha obteria em um dia de investimento do valor diário de suas cobranças. Este é o custo de oportunidade que a Alpha terá se optar por um dia de *float*.

Por outro lado, se a Alpha tiver falta de capital de giro e necessitar buscar empréstimos, ao custo efetivo total anual de 20% a.a., então, para suprir a falta por um dia de recursos no valor de R$ 360.000,00, a Alpha pagará:

$$\text{Custo diário de } R\$ 360.000,00 = [(1+20,00/100)^{1/252} - 1] \times 100$$
$$= 0,0724\% \text{ por dia}$$

Em reais: $0,0724\%/100 \times R\$ 360.000,00 = R\$ 260,55$

Na hipótese "a", em que a empresa tem sobras de caixa, um dia float tem um custo de oportunidade de R$ 71,17, ou R$ 3,95 por título.

Hipótese "a"	Rendimento diário de R$ 360.000,00:	R$ 71,17
	Custo de oportunidade por título:	R$ 71,17/18 = R$ 3,95

Se a Alpha for uma empresa com sobras de caixa, parece que a escolha será indiferente entre o custo do *float* de 1 dia (crédito em *D*+1) ou a tarifa, pois as duas opções têm valores praticamente iguais, embora o custo de oportunidade seja R$ 0,05 inferior ao custo de tarifa. Como os valores são muito próximos, deveriam ser feitas melhores simulações, mas, por ora, escolheríamos abrir mão de R$ 3,95 para não pagar R$ 4,00. Lembre, ainda, que R$ 0,05 é um acréscimo de 1,23% sobre R$ 3,95; em grandes volumes de cobrança, isso pode fazer muita diferença.

Se em metade do tempo a Alpha é aplicadora de caixa e na outra metade precisa de empréstimos de curto prazo, ela deve optar pela tarifa, como mostramos a seguir.

Hipótese "b"	Custo financeiro diário de R$ 360.000,00:	R$ 260,55
	Custo financeiro diário, por título:	(R$ 260,55) = R$ 14,47

(continua)

> *(continuação)*
>
> A cada dia que a empresa for tomadora de recursos, o atraso em um dia na disponibilização de reservas trará uma despesa de juros de R$ 14,47 por título. Portanto, vale a pena pagar R$ 4,00 para poupar R$ 14,47.
>
> Observe que, neste exemplo, consideramos que a Alpha realiza vendas a prazo para pagamento em uma única vez. Se as suas vendas fossem parceladas, o valor disponível para *float* deveria ser dividido pelo número de parcelas, e o custo de cobrança por título deverá ser multiplicado pelo número de parcelas. Se o *float* fizer parte do cálculo do preço do serviço de cobrança, o banco poderá oferecer uma combinação entre *float* e tarifa para remunerar o serviço. Em geral, com a redução das taxas de juros, o *float* vem perdendo importância como instrumento de negociação de tarifas. O exemplo, entretanto, mostra que é necessário montar uma planilha para analisar uma oferta de preços de serviços bancários.

Questões éticas e legais O administrador de caixa deve trabalhar com saldos de caixa disponíveis nos bancos e não com o saldo contábil da empresa (que reflete o que foi depositado, mas não o que foi recebido). Aqui, é interessante discutir o que acontece em outros mercados. Nos EUA, a prática do uso de cheques é acompanhada por demoras em trânsito em correios e maior prazo na compensação de cheques pelo sistema bancário. Parece que alguns bancos norte-americanos podem não ter procedimentos de controle e contábeis suficientes e bons para ter total conhecimento do uso dos fundos não recebidos. Isso pode ter como consequência estratégias para tirar proveito do tempo entre a emissão de um cheque e sua apresentação para pagamento e levanta algumas questões éticas e legais para as empresas. Esse é o motivo para os autores norte-americanos trazerem algumas considerações.

Por exemplo, em maio de 1985, Robert Fomon, diretor da E. F. Hutton (um grande banco de investimentos) admitiu culpa em 2 mil processos de fraudes com o uso de meios postais e telegráficos em um esquema que a empresa operou de 1980 a 1982. Os funcionários da E. F. Hutton emitiram cheques no total de centenas de milhões de dólares sobre valores depositados em cheques e com caixa ainda não recebido. Na época, a receita foi investida em ativos do mercado monetário de curto prazo. Esse tipo sistemático de emissão de cheques acima do saldo (ou saque a descoberto, como também é chamado) não é legal nem ético. A princípio, isso não é uma prática disseminada entre as corporações norte-americanas. Além disso, as ineficiências do sistema bancário norte-americano que a Hutton estava explorando foram, em grande parte, eliminadas.

De sua parte, a E. F. Hutton pagou uma multa de $ 2 milhões, reembolsou ao governo (o Departamento de Justiça dos Estados Unidos) $ 750.000 e destinou outros $ 8 milhões em restituição aos bancos prejudicados. Devemos observar que a principal questão na ação contra a Hutton não foi a administração de seu *float*, mas sua prática de emitir cheques sem qualquer motivo econômico além de explorar o *float*.

Apesar das penalidades rígidas para a emissão de cheques acima do saldo, a prática parece ainda continuar no mercado norte-americano. Em abril de 2008, o FirstMerit Bank, de Ohio, teve uma perda de $ 4,1 milhões quando um cliente emitiu $ 824 milhões em cheques durante um período de 21 meses.

Transferência eletrônica de dados: o fim do *float*?

A transferência eletrônica de dados (EDI, *electronic data interchange*) é um termo geral para a crescente prática de troca eletrônica e direta de informações entre todos os tipos de negócios. Um uso importante do EDI, também chamado EDI financeiro ou Fedi (*financial electronic data interchange*), é a transferência eletrônica de informações financeiras e de fundos entre as partes, eliminando, assim, as faturas e os cheques em papel, as remessas e o manuseio.

Há algum tempo, já é possível o débito automático de suas contas a pagar diretamente em sua conta corrente, e as empresas podem realizar o pagamento dos funcionários depositando o salário diretamente em suas contas. De modo geral, o EDI permite que um vendedor envie uma fatura de forma eletrônica para um comprador, com isso evitando os correios (e fraudes!). Em seguida, o comprador pode autorizar o pagamento, o qual também ocorre por meio eletrônico.

Por meio do sistema de compensação eletrônica, o banco credita a conta do vendedor ou transfere os fundos para a conta do vendedor em um banco diferente.

O efeito líquido é que o período necessário para iniciar e concluir uma transação de negócios diminui de modo considerável, e grande parte daquilo que normalmente vemos como *float* reduz-se de forma drástica ou é eliminado. À medida que o uso do FEDI aumentar (e certamente aumentará), a administração do *float* evoluirá para as questões que cercam a troca de informações computadorizadas e as transferências de fundos.

Uma das desvantagens do EDI (e FEDI) é que ele é um sistema caro e complexo. Contudo, com o crescimento da Internet, uma nova forma de EDI surgiu: o comércio pela Internet. Nos EUA, as empresas também estão se ligando a fornecedores e clientes importantes por meio de *extranets*, que são redes comerciais que ampliam a rede interna de uma empresa. Por causa dos problemas de segurança e da falta de padronização, o comércio eletrônico e as *extranets* não eliminarão em breve a necessidade do EDI. Na verdade, provavelmente esses sejam sistemas complementares que serão usados em conjunto em situações futuras.

Veremos no próximo capítulo que esse processo já está muito avançado no Brasil, a exemplo da NF-e, a Nota Fiscal Eletrônica do projeto SPED – Sistema Público de Escrituração Digital. Em termos de sistemas de cobrança e pagamento eletrônico, o Brasil está na fronteira do desenvolvimento. Nos Estados Unidos, verificam-se as mesmas práticas avançadas de operações eletrônicas utilizadas no Brasil, mas isso parece ainda não ser tão generalizado quanto se esperaria.

28.3 Cobrança e concentração de caixa

Pela discussão precedente, sabemos que os prazos de cobrança trabalham contra a empresa. Com todos os outros fatores iguais, uma empresa adotará procedimentos para agilizar as cobranças e, portanto, diminuir os prazos de recebimento. Ademais, mesmo após o recebimento do caixa, as empresas precisam ter procedimentos para convergir ou concentrar esse caixa onde ele possa ser melhor utilizado. A seguir, discutiremos alguns procedimentos comuns de cobrança e concentração de caixa.

Componentes do prazo de recebimento

Descrevemos a seguir as partes básicas do processo de cobrança. Nesse caso, o tempo gasto em trânsito e processamento em cada parte do processo de cobrança até a efetiva disponibilização do caixa depende de onde estão localizados os clientes e os bancos com os quais a empresa trabalha, bem como da eficiência com que a empresa realiza as suas cobranças.

Uma vez que o comprador efetua o pagamento da cobrança, o prazo de disponibilização de reservas de uma cobrança típica no Brasil pode varia entre a disponibilização imediata, em $D+0$, até três dias após, em $D+3$. Se, no dia do vencimento ($D+0$), o cliente pagar por crédito direto ao vendedor, a disponibilidade será imediata, em $D+0$. Se a cobrança é conduzida por meio do sistema bancário, a cobrança será tratada como DOC, e o crédito estará disponível em $D+1$. Se o cliente pagar com cheque, a liberação do pagamento recebido pelo banco ocorrerá em $D+2$ ou $D+3$, conforme o valor. O processo de cobrança no Brasil é muito simples, e a disponibilidade de reservas para livre movimentação pode ser imediata para grandes valores e de, no máximo, três dias úteis para pequenos valores, como detalha o Quadro 28.8. A disponibilização das reservas resultantes das atividades de cobrança de uma empresa em um determinado banco também pode ser negociada, o que veremos em seguida.

Cobrança

A forma como uma empresa receberá de seus clientes dependerá, em grande parte, da natureza dos negócios. O caso mais simples seria o de uma padaria. A maioria dos clientes paga no balcão em dinheiro, cartão de crédito ou, ainda, em cheque (quase em desuso no Brasil para pequenos valores), portanto não há problemas com prazo de envio. Normalmente, o dinheiro recebido é depositado no banco de relacionamento, e a empresa terá algum meio de antecipar os recebíveis de cartão de crédito antes de seu pagamento pelos clientes.

QUADRO 28.8 Prazo de recebimento de cobranças no Brasil

Pagamento é efetuado em D_0	
Forma de pagamento	Disponibilidade de caixa para o vendedor em:
Crédito em conta	D_0
DOC	D_1
Cheque ≥ $ 300,00	D_2
Cheque < $ 300,00	D_3

Uma das formas de cobrança que está se tornando comum é o pagamento pré-autorizado. Com esse sistema, o valor do pagamento e as datas de vencimento são fixados com antecedência. Na data aprovada, o montante cobrado é transferido automaticamente da conta bancária do cliente para a conta bancária da empresa, eliminando os prazos de cobrança. A mesma abordagem é usada pelas empresas que têm terminais *online*: os POS (*point of sale*). Isso significa que, mesmo em vendas feitas por telefone, se for utilizado cartão de débito, o dinheiro é transferido imediatamente para a conta da empresa vendedora.

Uma nota sobre o funcionamento do sistema de cobrança nos EUA   Agora que você já tem uma ideia do funcionamento dos sistemas eletrônicos de cobrança de títulos e pagamento e recebimentos em funcionamento no Brasil, que tal ter uma ideia de como ainda funciona o sistema em grande parte dos negócios nos EUA? Você acha que o sistema de pagamentos brasileiro é mais avançado ou menos avançado do que o sistema norte-americano? Vá até o Capítulo 32 e veja como funciona o sistema de pagamentos por cheque nos EUA.

28.4 Administração dos desembolsos de caixa

Do ponto de vista da empresa, a dilação no prazo de desembolsos é desejável, visto que o objetivo é reduzir os desembolsos de caixa. Para tanto, a empresa pode desenvolver algumas estratégias, como estabelecer datas fixas na semana ou no mês para fazer o pagamento de fornecedores. O *aumento* do *float* de remessa, do *float* de processamento e do *float* de disponibilidade sobre cheques que emitem são procedimentos comuns de empresas nos EUA, mas de mais difícil prática no Brasil. As empresas também desenvolveram procedimentos para minimizar o caixa retido para fins de pagamento. Nesta seção, discutiremos os procedimentos mais comuns.

Aumento do *float* de desembolso

As táticas de maximização do *float* de desembolso são discutíveis tanto do ponto de vista ético quanto do ponto de vista econômico. Em primeiro lugar, como discutiremos no próximo capítulo, os termos de pagamento geralmente oferecem descontos, que podem ser substanciais, para o pagamento antecipado. Em geral, os descontos são muito maiores do que qualquer economia possível com o "jogo do *float*". Em segundo lugar, é pouco provável que os fornecedores possam ser enganados por tentativas de diminuir os desembolsos para pagá-los. As consequências negativas do mau relacionamento com os fornecedores podem ser caras.

Controle de desembolsos

Vimos que maximizar o *float* de desembolso não é uma boa prática comercial. Entretanto, uma empresa ainda desejará comprometer o mínimo de caixa possível com os desembolsos. Por isso, as empresas desenvolveram sistemas para a administração eficiente do processo de desembolso de caixa. A ideia geral desses sistemas é não ter em depósitos à vista nos bancos mais do que o montante mínimo necessário para pagar as contas. Adiante, trataremos de algumas abordagens para a realização desse objetivo.

Contas de saldo zero   Com **contas de saldo zero**, a empresa mantém uma ou mais contas movimento coordenadas com fundos de investimento de curto prazo em renda fixa ou outras aplicações de curtíssimo prazo, por exemplo operações compromissadas. A forma mais comum

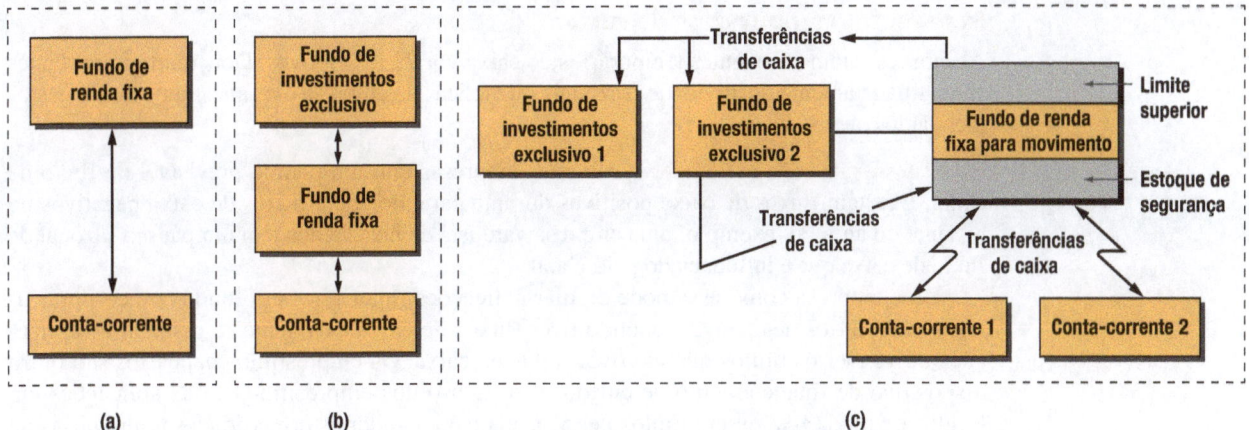

FIGURA 28.3 Gestão de caixa com contas de saldo zero e aplicações financeiras.

é o uso de fundos de renda fixa de curto prazo, com aplicações e resgates automáticos. Isso é mostrado na Figura 28.3A. A Figura 28.3B é representação de duas contas de investimento: um fundo de renda fixa com aplicações e resgates automáticos e um fundo exclusivo destinado a aplicações de maior prazo. O primeiro atende às necessidades de aplicação de saldos diários e de cobertura das saídas de caixa diárias, o segundo atende a necessidades de formação de caixa para compromissos alguns meses à frente, como: pagamento de empréstimos, dividendos e investimentos em ativos fixos. A Figura 28.3C representa o caso em que são utilizados um ou mais fundos de investimento de curto prazo com resgates e aplicações automáticos, vinculados a uma ou mais contas correntes para usos específicos, ou a diferentes empresas de um grupo empresarial. Um fundo exclusivo pode alimentar o fundo de curto prazo sempre que seu saldo atinge um nível mínimo, definido conforme a exigência de caixa diária. Esse fundo pode ter um limite superior, que determina a transferência de recursos para fundos exclusivos com destinações específicas. Pode haver mais de um fundo exclusivo, cada um com destinações específicas.

Pagamentos programados   Nesse sistema, a empresa paga todos os seus compromissos em dias fixos do mês. Por exemplo, somente efetua pagamentos na sexta-feira. Ou, todas as contas recebidas entre os dias 1 e 15 são pagas no primeiro dia útil após o dia 25 e as contas recebidas entre os dias 16 e 31 são pagas no primeiro dia útil após o dia 5. Entretanto, como já referimos, isso dependerá do poder de barganha junto aos fornecedores e do grau de concorrência.

28.5 Investimento do caixa ocioso

Se uma empresa tiver excedentes temporários de caixa, ela poderá investir em fundos de investimento com carteiras de títulos de curto prazo. Como mencionamos várias vezes, o mercado de ativos financeiros de curto prazo é chamado de *mercado monetário*, no qual são negociados ativos financeiros com prazo de vencimento de um ano ou menos.

A maioria das grandes empresas administra os seus próprios caixas realizando operações por meio de bancos e utiliza fundos de renda fixa do mercado monetário administrados pelos bancos. Muitas utilizam fundos exclusivos. Um fundo de investimentos exclusivo é um fundo que investe em ativos financeiros de curto prazo em troca de uma taxa de administração. Essa taxa é a remuneração pela experiência profissional e pela diversificação fornecida pelo administrador do fundo. O fundo exclusivo tem como único cotista a empresa instituidora. A empresa poderá definir a política de investimentos do fundo.

Entre os muitos fundos de investimento do mercado monetário, alguns são especializados em clientes corporativos. Alguns fundos fazem parte dos planos em que o banco aplica todo excedente de caixa disponível no fechamento de cada dia de negócio e os investe para a empresa no fundo de resgate automático.

Excedentes temporários de caixa

As empresas têm excedentes temporários de caixa por vários motivos. Dois muito importantes são o financiamento de atividades sazonais ou cíclicas da empresa e o financiamento de gastos planejados ou possíveis.

Atividades sazonais ou cíclicas Algumas empresas têm um padrão previsível de fluxo de caixa. Elas têm fluxos de caixa positivos durante parte do ano e fluxos de caixa negativos no restante do ano. Por exemplo, uma empresa varejista de brinquedos tem um padrão sazonal de fluxo de caixa que é influenciado pelo Natal.

Uma empresa como essa pode efetuar aplicações financeiras em fundos ou comprar títulos mobiliários negociáveis quando tiver fluxos de caixa excedentes e resgatar as aplicações ou vender os títulos quando tiver faltas de caixa. Os empréstimos bancários são outro dispositivo de financiamento de curto prazo. O uso dos empréstimos e das aplicações em fundos de renda fixa ou em títulos negociáveis para atender às necessidades temporárias de financiamento é apresentado na Figura 28.4. Nesse caso, a empresa obedece a uma política intermediária entre a política flexível e a política restritiva para o capital de giro, como vimos no capítulo anterior.

Gastos planejados ou possíveis Com frequência, as empresas acumulam investimentos temporários em títulos ou em aplicações em fundos de investimento a fim de fornecer o caixa para um programa de construção de fábricas, pagamento de parcelas de empréstimos, dividendos ou outro gasto grande. Assim, elas podem emitir títulos de dívida e ações antes que o caixa seja necessário, investir a receita em títulos negociáveis e aplicações de curto prazo e, em seguida, vender os títulos mobiliários ou resgatar suas aplicações em fundos de renda fixa para atender às necessidades de caixa desses gastos. As empresas ainda podem enfrentar a possibilidade de ter uma grande saída de caixa. Um exemplo óbvio envolveria a possibilidade de perder uma grande ação judicial. Acumular excedentes de caixa poderia ser uma preparação para esse tipo de contingência.

Aplicações financeiras de curto prazo

Dado o fato de que uma empresa terá caixa ocioso em algum momento, é importante conhecer a variedade de aplicações financeiras baseadas em títulos de curto prazo disponíveis para investimento. As características mais importantes de títulos de curto prazo são o vencimento, o risco de inadimplência, a negociabilidade e a tributação.

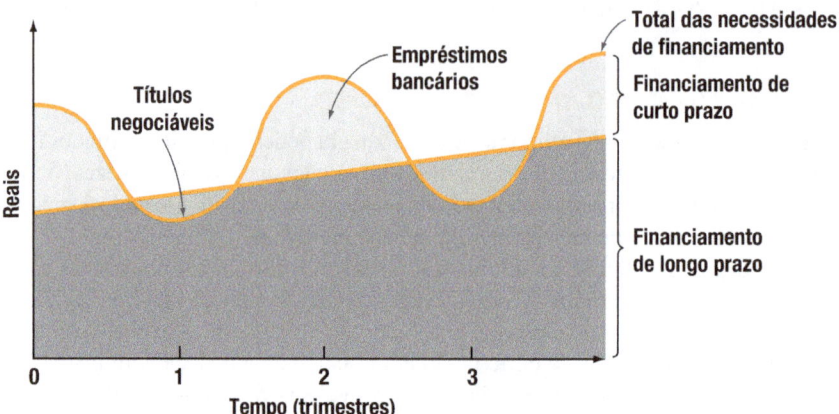

Tempo 1: há um fluxo de caixa excedente. A demanda sazonal por ativos é baixa. O fluxo de caixa excedente é investido em títulos públicos e fundos de renda fixa.

Tempo 2: há um fluxo de caixa deficitário. A demanda sazonal por ativos é alta. O déficit financeiro é financiado pelo resgate de aplicações financeiras e por empréstimos bancários.

FIGURA 28.4 Demandas de caixa sazonais.

Vencimento Com base no Capítulo 8, sabemos que, para determinada variação no nível das taxas de juros, os preços dos títulos com prazos maiores ou a rentabilidade de fundos de investimento com esse perfil de investimento mudarão mais do que aqueles dos títulos com prazos menores. Como consequência, as empresas que investem em títulos de longo prazo aceitam correr riscos maiores do que aquelas que investem em títulos com prazos menores.

Esse tipo de risco é chamado de *risco da taxa de juros*. Muitas vezes, as empresas limitam seus investimentos em títulos negociáveis àqueles com prazos inferiores a 90 dias e a fundos de investimento com títulos de curto prazo para evitar o risco de perdas de valor com mudanças nas taxas de juros. É evidente que o retorno esperado dos títulos com vencimento de curto prazo é menor do que o retorno esperado dos títulos com vencimentos maiores.

Risco de inadimplência O *risco de inadimplência* se refere à probabilidade de os juros e o principal não serem pagos nos montantes prometidos nas datas devidas (ou não serem pagos de modo algum). No Capítulo 8, observamos que diversas agências de classificação de riscos de crédito, como a Moody's Investors Service e a Standard and Poor's, compilam e publicam classificações de vários títulos corporativos e títulos públicos. Essas classificações estão associadas ao risco de inadimplência. Alguns títulos têm risco de inadimplência insignificante, como é o caso dos títulos emitidos pelo Tesouro brasileiro ou pelo Tesouro dos Estados Unidos. Em virtude das finalidades de investimento do caixa corporativo ocioso, as empresas devem evitar investir em títulos com risco de inadimplência que as exponham a perdas de caixa, considerando que aplicações e investimentos financeiros com risco não fazem parte do estatuto de uma empresa não financeira e, portanto, não estão no mandato dos gestores. As aplicações financeiras de caixa de que tratamos aqui são aplicações conservadoras para rentabilizar e preservar o caixa da companhia.

Negociabilidade A *negociabilidade* diz respeito à facilidade de conversão de um ativo em caixa. Portanto, negociabilidade e liquidez têm quase o mesmo significado. Alguns instrumentos do mercado monetário são muito mais negociáveis do que outros. No alto da lista, estão os títulos públicos emitidos pelo Tesouro, os quais podem ser comprados e vendidos com baixos custos de transação e de forma rápida.

Tributos No Brasil, os rendimentos de juros sobre aplicações financeiras são tributáveis na fonte como tributação definitiva ou são adicionados ao lucro das operações para determinação do imposto de renda. Os rendimentos de alguns títulos são isentos de tributos para pessoas físicas. Sobre os rendimentos de aplicações financeiras em qualquer aplicação em prazo inferior a 30 dias incide o IOF, o Imposto sobre Operações de Crédito, Câmbio e Seguro ou relativas a Títulos e Valores Mobiliários. A incidência do tributo ocorre até o 29º dia da aplicação em alíquotas decrescentes, desde 96% do rendimento para resgate após um dia a 0% para resgates a partir do 30º dia.

Nas operações de empréstimos ou financiamentos, também há incidência de IOF. Quando encerramos esta edição, as operações de empréstimos e financiamentos eram tributadas em 0,38% sobre o valor total da operação e em 0,0041% ao dia (1,50% em 365 dias) sobre o saldo devedor diário. O IOF diário incide até o 365º dia da operação. Assim, em operações com prazos superiores, não incide IOF no saldo que ultrapasse o 365º dia da operação.

Nas operações de mútuos intercompanhias também há incidência de IOF, e as estratégias de gestão de caixa centralizado precisam levar isso em consideração.

Alguns tipos diferentes de títulos do mercado monetário

Em geral, os títulos do mercado monetário são títulos de curto prazo altamente negociáveis. Na maioria das vezes, eles têm baixo risco de inadimplência. São emitidos pelos governos, como o do Brasil e o dos Estados Unidos, por bancos nacionais e estrangeiros (como os CDB – certificados de depósito bancário) e por empresas (como as notas promissórias – *commercial paper* – e as debêntures). Existem muitos tipos, por isso apresentaremos apenas os mais comuns.

Os **títulos públicos federais** são passivos do Tesouro Nacional e têm a finalidade de captar recursos para o financiamento da dívida pública e das atividades do governo federal. São ativos de renda fixa que se constituem em opção de investimento para pessoas físicas e jurídicas e apresentam várias opções de prazos e indexadores. De modo geral, os títulos públicos federais têm elevada liquidez. O investimento nesses títulos constitui oportunidade de remunerar excedentes de caixa com disponibilidade quase imediata. Há custos de transação e administração de carteira.

As características dos principais títulos emitidos pelo Tesouro Nacional brasileiro foram apresentadas no Capítulo 8.

As notas promissórias negociáveis em mercado (aqui também conhecidas como *commercial papers*) são títulos de curto prazo emitidos por empresas para captar recursos de curto prazo ou para servir de "ponte" para estruturas de dívida de mais longo prazo. Em geral, a nota promissória não tem garantias. Os vencimentos variam de algumas semanas a 180 dias (as emitidas no mercado brasileiro) e 270 dias (as emitidas no mercado norte-americano).

Não existem mercados secundários especialmente ativos para as notas promissórias. Como consequência, a negociabilidade pode ser baixa, e as empresas que emitem notas promissórias podem recomprá-las antes do vencimento. O risco de inadimplência dessas notas depende da força financeira do emitente. A Moody's e a S&P publicam classificações de qualidade para notas promissórias. Essas classificações de risco de crédito para títulos de dívida foram apresentadas no Capítulo 8 na seção "Classificação de risco de títulos de dívida".

Confira as taxas de curto prazo *online* em www.bloomberg.com.

Nos mercados norte-americano e internacional, os certificados de depósito (CD – *certificate of deposit*) são empréstimos de curto prazo do público para os bancos comerciais. Os mais comuns são os certificados jumbo, aqueles acima de $ 100.000. Existem mercados ativos para esses certificados com vencimentos de 3, 6, 9 e 12 meses. O instrumento correspondente no Brasil é o certificado de depósito bancário (CDB). A seguir, são apresentados alguns títulos de emissão privada mais comuns no mercado brasileiro.

Operações compromissadas São investimentos em títulos de dívida (como títulos do Tesouro) em que um banco ou corretora de valores firma um acordo de recompra. Um investidor compra certa quantia de títulos de Tesouro de um corretor de títulos de dívida e, simultaneamente, concorda em vendê-los de volta posteriormente por um preço mais alto determinado. O acordo de recompra envolve um prazo muito curto de um dia para o outro ou de poucos dias.

Certificado de depósito bancário (CDB) O CDB é um título de crédito que representa dívida de uma instituição financeira para com pessoas físicas e jurídicas não financeiras. Rende somente juros prefixados ou tem rendimento pós-fixado constituído por uma parte em juros prefixados e outra pela correção do principal e juros por um indexador, ou somente por um indexador, como os CDB que pagam um percentual da taxa DI. O fundo garantidor de crédito (FGC) assegura um total de até $ 250.000,00 por investidor em cada banco.

Títulos vinculados a direitos creditórios originados em negócios imobiliários Letras de crédito imobiliário (LCI), certificado de recebíveis imobiliários (CRI) e letra hipotecária (LH).

Títulos vinculados a direitos creditórios originados em negócios de agentes da cadeia do agronegócio Certificado de depósito agropecuário (CDA), o *warrant* agropecuário (WA), o certificado de direitos creditórios do agronegócio (CDCA), a letra de crédito do agronegócio (LCA) e o certificado de recebíveis do agronegócio (CRA) e a cédula de produto rural (CPR).

Letras financeiras (LF) São uma espécie de debênture emitida por bancos que não conta com respaldo do fundo garantidor de crédito (FGC). O seu prazo mínimo de vencimento é de dois anos. São isentas do recolhimento de depósitos compulsórios, o que permite oferecer retorno maior que um CDB.

Cédula de crédito bancário (CCB) Título de crédito emitido por qualquer pessoa física ou jurídica não financeira. Tem como credor uma instituição financeira. Pode ter como lastro imóveis, recebíveis de vendas, valores mobiliários, aplicações financeiras e outros ativos financeiros.

Fundos de investimento No mercado brasileiro, para o gestor de caixa, mais importante do que os títulos mobiliários disponíveis para negociação no mercado monetário são os fundos de investimento geridos por bancos comerciais e por bancos de investimento, que montam carteiras constituídas por esses títulos e vendem cotas dos fundos para pessoas físicas e empresas. Os fundos de investimento constituem importante instrumento de aplicação de recursos, tanto para pessoas físicas quanto para empresas. Os fundos de investimento são carteiras de ativos administradas por gestores especializados. Os fundos de investimento e os fundos de investimento em cotas de fundos de investimento são regulados pela Instrução CVM 409 (Comissão de Valores Mobiliários, 2004). e, conforme a composição de seu patrimônio, são classificados de forma geral em:

- Fundos de curto prazo
- Fundos referenciados
- Fundos de renda fixa
- Fundos de ações
- Fundos cambiais
- Fundos de dívida externa
- Fundos multimercado

Há outros fundos, com regulação própria, que não abordaremos aqui.

Dada sua importância como instrumentos de captação e alocação da poupança do público, os fundos têm forte regulação.

Os investimentos em fundos devem ser antecedidos de análise cuidadosa do prospecto, da classificação de risco e do regulamento do fundo. O caixa de empresas somente deve ser aplicado em fundos constituídos por instrumentos de renda fixa, com mínimo risco. É importante que o mandato dos gestores financeiros especifique os níveis de risco e as características dos títulos admissíveis para investimento do caixa da empresa.

Mais estratégias de gestão do caixa

As empresas podem utilizar várias estratégias para otimizar o ciclo financeiro. Entre essas, podemos citar os empréstimos a fornecedores para alongamento do prazo médio de pagamento (PMP), a venda de contas a receber para fundos de direitos creditórios, a centralização da gestão de recursos, o uso de instrumentos financeiros para centralização de caixa e o uso de operações paralelas com aplicações de fundos em bancos no exterior combinado com empréstimos de bancos da mesma rede nos países onde a empresa atua. Abordaremos brevemente cada uma dessas estratégias.

Crédito a fornecedores. Esta é uma estratégia que pode ser adotada por empresas com alta qualidade de crédito. Empresas com grande capacidade de compra podem buscar reduzir o ciclo financeiro mediante o alongamento do prazo de pagamento a fornecedores. Uma possibilidade é a empresa valer-se de operações de crédito a fornecedores, uma operação que também é referida como *compror*. Nesse tipo de operação, a tomadora de crédito é a empresa compradora, que repassa a linha de crédito para seus fornecedores com custos altamente competitivos. Por exemplo, uma empresa pode querer alongar o prazo de pagamento a seus fornecedores de 30 para 60 dias. Os fornecedores teriam custos elevados para alongar o prazo de crédito para a empresa compradora, e essa, então, obtém linha de crédito junto a bancos de primeira linha, a taxas muito próximas da taxa DI. Os fornecedores usam essa linha ao custo de captação da empresa compradora, que alonga o seu prazo de pagamento aos fornecedores e, por consequência, reduz o seu ciclo financeiro. O objetivo é a redução da necessidade de capital de giro.

Venda de contas a receber para fundos de direitos creditórios. Nesta estratégia, a empresa, busca reduzir o ciclo financeiro e a necessidade de capital de giro e, ao mesmo tempo, mantém o prazo médio de contas a pagar de seus clientes (lembre que o prazo de contas a pagar dos clientes é o seu prazo médio de contas a receber, que é eliminado com essa estratégia). O uso de um Fundo de Investimento em Direitos Creditórios, FIDC, é uma possibilidade. É verdade que essa operação pode ser interpretada mais como uma operação de gestão do balanço do que propriamente como uma operação de gestão do ciclo financeiro. A venda de contas a receber para um FIDC geralmente é realizada sem direito de regresso. Isso quer dizer que as contas inadimplidas não serão reembolsadas ao fundo pela emitente. Como a emitente vende o risco de crédito para o FIDC, os valores vendidos saem do balanço e vão direto para o caixa. Isso reduz a aparente necessidade de capital de giro da vendedora. Mas isso é apenas parte da história, pois a emissora deve subscrever cotas subordinadas no FIDC, cotas essas que absorverão os prejuízos ao final. Entretanto, como o FIDC pode comprar continuadamente novas contas a receber da emissora, para esta, a estratégia parece funcionar razoavelmente bem.

Central de recursos. Na estratégia de central de recursos, uma unidade de um grupo empresarial, geralmente a controladora (*holding*), funciona como um "banco". O caixa excedente das controladas é transferido para a controladora, e a unidade geradora de caixa é remunerada pela central como se uma aplicação financeira tivesse realizada. Quando as controladas precisam de recursos, para capital de giro ou para investimentos, a centralizadora de caixa repassa os recursos necessários e cobra uma taxa de "empréstimo" da tomadora. Essa estratégia permite à centralizadora de caixa negociar melhor a remuneração para recursos excedentes e obter melhores taxas de captação quando novos aportes financeiros se fazem necessários. Uma dificuldade nessa estratégia é a incidência de tributos sobre mútuos entre empresas do mesmo grupo empresarial.

Gestão de caixa centralizado com uso de instrumentos financeiros. Nesta estratégia, uma unidade de um grupo é a centralizadora de caixa, como na estratégia de central de recursos. A diferença na estratégia está em a centralizadora emitir instrumentos financeiros isentos de tributos sobre operações no mercado secundário. Os títulos são comprados pelas unidades com excedentes de caixa. Quando uma unidade detentora de títulos necessita de recursos, vende títulos para a central de recursos. Essa estratégia só é possível quando o mercado oferece títulos que permitem transações sem a incidência de tributos ou com incidência menos onerosa de tributos em relação a outras estratégias.

Operações de aplicação financeira combinada com empréstimos Essa é uma estratégia possível para empresas com atuação multinacional. Quando uma empresa tem unidades em vários países, o que ocorre com várias empresas brasileiras, a tesouraria vê-se diante do problema do financiamento das operações das unidades externas em diferentes países. Essas empresas, pelo volume de transações e por terem receitas em moeda estrangeira, têm certa facilidade em realizar grandes captações de recursos no mercado internacional, geralmente mediante a emissão de títulos de dívida (*bonds*). Geralmente, essas captações são feitas mediante a emissão de dívida no mercado internacional. A questão é: como distribuir os recursos captados para financiar as atividades em diferentes países? Uma solução que as empresas têm encontrado é manter em aplicações financeiras no exterior os recursos assim captados. A escolha dos bancos que receberão as captações é feita de acordo com a atuação desses bancos nas jurisdições em que a emissora tem unidades de negócio. Assim, as agências locais em cada jurisdição podem conceder empréstimos às controladas no exterior mediante garantia dos depósitos da controladora. Isso permite uma engenharia financeira em que as controladas conseguem captar recursos a custos muito inferiores aos que teriam que pagar no mercado onde atuam. No Capítulo 32, discutimos um pouco mais essa estratégia.

É importante salientar que quaisquer estratégias de gestão de caixa devem ser estruturadas com base na essência e na racionalidade econômica e dentro do ordenamento permitido pelas normas fiscais. O cuidado tem o objetivo de não criar situações que possam caracterizar evasão fiscal, o que acabaria por inviabilizar a estratégia de gestão de caixa. Este é um campo em que os financistas devem se valer de tributaristas.

Resumo e conclusões

Neste capítulo, examinamos a gestão de caixa e da liquidez. Vimos que:

1. Uma empresa mantém saldos em caixa para realizar transações e remunerar os bancos por diversos serviços prestados.
2. As reservas bancárias são a efetiva disponibilidade de caixa para livre movimentação em bancos.
3. A diferença entre o saldo disponível de uma empresa e seu saldo contábil é o *float* líquido da empresa.

4. O *float* é reflexo de alguns pagamentos realizados pela empresa e de alguns pagamentos recebidos pela empresa que ainda não sensibilizaram as suas reservas em conta corrente. O administrador financeiro sempre deve trabalhar com os saldos de caixa, e não com o saldo contábil da empresa.

5. O *float* no Brasil tende a ser o resultado de negociação com bancos, em substituição às tarifas de prestação de serviços, em especial, na cobrança de títulos, uma vez que todos os pagamentos realizados estão quase imediatamente disponíveis. Entretanto, ineficiências no processo de pagamento e recebimento também podem resultar em *float*, e a gestão do caixa precisa levar isso em conta.

6. Em geral, as empresas preferem administrar a cobrança e o desembolso de caixa de maneira a encurtar os prazos de recebimentos e aumentar os prazos de pagamentos.

7. Por causa das atividades sazonais e cíclicas, para ajudar a financiar os gastos planejados ou os de reserva de contingência, as empresas retêm temporariamente um excedente de caixa. O mercado monetário oferece uma variedade de meios possíveis para investir esse caixa ocioso.

QUESTÕES CONCEITUAIS

1. **Administração de caixa** É possível que uma empresa tenha muito caixa? Por que os acionistas se importariam se uma empresa acumulasse grandes quantidades de caixa?

2. **Administração de caixa** Quais opções estão disponíveis para uma empresa se ela acreditar que tem muito caixa? E se acreditar que tem pouquíssimo caixa?

3. **Problemas de agência** Acionistas e credores estão de acordo sobre a quantidade de caixa que deve ser mantida por uma empresa?

4. **Gestão do caixa *versus* gestão da liquidez** Qual é a diferença entre a gestão do caixa e a gestão da liquidez?

5. **Investimentos de curto prazo** Por que uma empresa não deve investir o caixa excedente por um prazo de poucos dias em uma carteira formada por títulos de longo prazo?

6. ***Floats* de cobrança e de desembolso** O que uma empresa preferiria: um *float* de cobrança líquido ou um *float* de desembolso líquido? Por quê?

7. ***Float*** Suponha que uma empresa tenha um saldo contábil de $ 2 milhões. Ao consultar o caixa eletrônico, o administrador de caixa descobre que o saldo no banco é de $ 2,5 milhões. Qual é a situação aqui? Se esta é uma situação recorrente, qual é o dilema ético?

8. **Investimentos de curto prazo** Para cada um dos títulos negociáveis de curto prazo apresentados aqui, forneça um exemplo das possíveis desvantagens que o investimento tem para atender aos objetivos de administração de caixa de uma empresa:
   a. Títulos do Tesouro brasileiro.
   b. Ações.
   c. Certificado de depósito bancário.
   d. Notas promissórias (título mobiliário).
   e. Títulos de crédito de vendas.
   f. Operações compromissadas.

9. **Problemas de agência** Às vezes, afirma-se que o caixa excedente retido por uma empresa pode agravar os problemas de agência (discutidos no Capítulo 1) e, de modo geral, reduzir os incentivos para a maximização do valor para o acionista. Como você analisaria essa questão?

10. **Uso do caixa excedente** Uma opção que uma empresa pode ter para usar o caixa excedente é pagar logo seus fornecedores. Quais são as vantagens e as desvantagens desse uso do caixa excedente?

11. **Uso do caixa excedente** Outra opção disponível é reduzir a dívida pendente da empresa. Quais são as vantagens e as desvantagens desse uso do caixa excedente?

12. *Float* (Aviso: não tente fazer isso no Brasil!) Uma prática comum que, infelizmente, ocorre ainda nos Estados Unidos funciona mais ou menos assim: suponha que você esteja sem dinheiro em sua conta bancária, porém o armazém local, como conveniência para você, que é cliente, troca um cheque seu de $ 200 por dinheiro. Você solicita ao armazém que deposite o cheque no dia seguinte. Ao ser depositado, esse cheque voltará, a menos que se faça alguma coisa. Para evitar isso, você vai até o armazém no dia seguinte e troca o cheque de ontem por outro cheque de $ 200. Enquanto isso, você pega esses $ 200 e os deposita no banco. Você repete esse processo todos os dias e, ao fazer isso, garante que nenhum cheque volte. Por fim, algum dinheiro cairá do céu e você poderá cobrir seus cheques pendentes.

    Para tornar isso interessante, suponha que você esteja certo de que nenhum cheque voltará. Assumindo que isso seja verdade e ignorando qualquer questão legal (visto que a situação descrita se trata de emissão de cheques sem fundos), existe algo não ético nesse comportamento? Se você disser que sim, por quê? Em particular, quem é prejudicado?

QUESTÕES E PROBLEMAS

BÁSICO
(Questões 1-8)

1. **Cálculo do *float*** Em um mês normal, a Companhia Jeremias recebe 140 cheques no total de $ 124.000. Eles costumam levar quatro dias para serem apresentados aos bancos e compensados. Qual é a média do *float* diário?

2. **Cálculo do *float* líquido** A cada dia útil, uma empresa emite cheques no total de $ 17.000 para pagar seus fornecedores. O prazo normal para apresentação e compensação dos cheques é de quatro dias. Nesse meio tempo, a empresa recebe pagamentos de seus clientes todos os dias na forma de cheques, totalizando $ 28.500. Os valores dos pagamentos estão disponíveis para a empresa após dois dias.

    a. Calcule o *float* de desembolso, o *float* de cobrança e o *float* líquido da empresa.

    b. Como você responderia à parte (a), se os valores recebidos estivessem disponíveis em um dia em vez de em dois?

3. **Custos do *float*** A Vinícola Pé Roxo Ltda. recebe cerca de $ 16.000 em cheques por dia. Em geral, o prazo de apresentação e compensação é de três dias. A taxa de juros atual é de 0,018% por dia.

    a. Qual é o *float* da empresa?

    b. Qual é o máximo que a Pé Roxo estaria disposta a pagar hoje para eliminar seu *float*?

    c. Qual é a taxa diária máxima que a empresa estaria disposta a pagar para eliminar totalmente seu *float*?

4. ***Float* e prazo médio ponderado** Um conhecido seu, que mora nos Estados Unidos, vai à agência de correios uma vez por mês e pega dois cheques: um de $ 11.000 e outro de $ 3.400. O cheque de maior valor leva quatro dias para ser compensado, e o de menor leva cinco dias.

    a. Qual é o *float* total para o mês?

    b. Qual é a média do *float* diário?

    c. Qual é a média de recebimentos diários e qual é o prazo médio ponderado?

5. **VPL e prazo de recebimento** Sua empresa tem uma filial nos Estados Unidos, cujo valor médio dos recebimentos é de $ 117. Um banco local o contatou para oferecer um serviço de concentradoras de cheques que diminuirá seu prazo total de recebimentos em dois dias. Sua filial recebe 6.500 cheques por dia. A taxa de juros diária é de 0,15%. Se o banco cobrar uma taxa de $ 160 por dia, o projeto das concentradoras deve ser aceito? Qual seria a economia anual líquida se o serviço fosse aceito?

6. **Uso do prazo médio ponderado** Um empresa de vendas a varejo processa 5.700 cheques por mês. Desses, 60% são de valor inferior a $ 299,90, e 40% são de valor superior a $ 299,90. Os cheques de valor inferior são processados em quatro dias, já os cheques de valor superior são processados em três dias.

   a. Qual é a média do *float* de cobrança diário? Como você interpreta sua resposta?

   b. Qual é o prazo médio ponderado? Use o resultado para calcular a média do *float* diário.

   c. Quanto a empresa deveria estar disposta a pagar para eliminar o *float*?

   d. Se a taxa de juros for de 7% ao ano, calcule o custo diário do *float*.

   e. Quanto a empresa deveria estar disposta a pagar para reduzir o *float* médio ponderado em 1,5 dia?

7. **Valor do prazo** A Casa do Lápis Ltda. emite cheques a cada duas semanas no valor médio de $ 58.000, que levam por volta de sete dias para serem apresentados e compensados. Quanto a empresa pode ganhar em juros anualmente se tiver um prazo de sete dias para resgate da aplicação em um fundo de investimentos que paga 0,015% de juros por dia? Ignore os efeitos dos juros correspondentes.

8. **VPL e redução do *float*** A Companhia Casa de Livros tem um contrato com o Banco da Praça por meio do qual o banco processa $ 3,2 milhões em recebimentos por dia e exige um saldo médio de $ 350.000. A empresa está pensando em cancelar o contrato e dividir sua região de atuação no Sul do país para que dois outros bancos gerenciem seus negócios. Os bancos A e B processam cada um $ 1,6 milhão em recebimentos por dia, e ambos exigem um saldo médio de $ 190.000. O administrador financeiro da empresa espera que esses recebimentos sejam antecipados em um dia se a região Sul for dividida. A empresa deve mudar para o novo sistema? Qual será a economia líquida anual? Suponha que a taxa de retorno após imposto de renda em aplicações de renda fixa seja de 5% ao ano. Suponha que a taxa de juros sobre títulos do tesouro seja de 5% ao ano.

INTERMEDIÁRIO
(Questões 9-10)

9. **Receber em D_0 ou receber em D_1** Sua empresa tem um número médio diário de 30 cobranças, com valor médio de R$ 9.000,00. Você está negociando com seu banco a remuneração do serviço de cobrança. O banco lhe ofereceu duas possibilidades: tarifa de cobrança de R$ 10,00 por título e disponibilização das reservas em D_0 ou tarifa de R$ 3,00 e disponibilização das reservas em D_1. Você pode aplicar o caixa excedente a 0,0269% ao dia (7% a.a.). Suponha que sua empresa tenha excedente de caixa. Qual é o custo do serviço de cobrança com disponibilidade em D_0 se remunerado somente por tarifa? Qual é o custo do serviço de cobrança com disponibilidade em D_1 se remunerado somente por tarifa? Qual é a rentabilidade de um dia a ser obtida com a reserva disponível recebida da cobrança? Se as alternativas apresentadas fossem as únicas alternativas, por qual você deveria optar?

10. **Receber em D_0 ou receber em D_1** Usando os dados da Questão 9, suponha agora que, em 50% do prazo de cobrança, sua empresa tenha que recorrer a empréstimos ao custo efetivo total diário de 0,0657% (taxa anualizada de 18% a.a.). Nos outros 50% do tempo, você pode aplicar o caixa excedente a 0,0269% ao dia (7% a.a.). Você deveria optar por pagar R$ 10,00 para ter reservas disponíveis em D_0 ou pagar R$ 3,00 para ter reservas disponíveis em D_1?

APÊNDICE 28A **Como determinar a meta para o saldo da caixa**

APÊNDICE 28B **Ações preferenciais de taxa ajustável, ações preferenciais de taxa de leilão e certificados de depósito com taxa flutuante.**

Para acessar os apêndices deste capítulo, cadastre-se no *site* do Grupo A (www.grupoa.com.br) e procure pela página deste livro. Clique em conteúdo online.

29 Administração de Crédito e de Estoques

Para ficar por dentro dos últimos acontecimentos na área de finanças, visite **www.rwjcorporatefinance.blogspot.com**.

Em 11 de março de 2011, um *tsunami* devastador atingiu o Japão. Era de se esperar que ocorressem problemas nos negócios nas áreas próximas, mas as consequências foram muito mais extensas. Em 17 de março, a General Motors anunciou o fechamento da sua unidade em Shreveport, em Louisiana, EUA, devido à escassez de peças causada pelo *tsunami*. Outras montadoras tiveram problemas semelhantes. A Nissan anunciou que quatro unidades na América do Norte seriam fechadas por várias semanas em virtude da falta de peças. Por sua vez, a Honda anunciou uma redução no expediente de suas sete unidades norte-americanas de oito para quatro horas para conservar as peças. Um analista estimou que a oferta de novos carros nos Estados Unidos seria afetada até o verão daquele ano. Esses relatos mostram que a falta de estoques pode causar grandes problemas para os negócios. Por outro lado, o excesso de estoques também não é desejável. Neste capítulo, discorremos sobre formas que as empresas podem utilizar para chegar a um nível ideal de estoques. Também abordaremos a gestão do crédito e das contas a receber. Começaremos por esse tema.

29.1 Crédito e contas a receber

Quando uma empresa vende bens e serviços, ela pode solicitar o pagamento na data da venda ou um pagamento antecipado, ou, ainda, pode conceder crédito aos seus clientes, permitindo algum prazo para pagamento. Nas próximas seções, daremos uma ideia do que está envolvido na decisão da empresa de conceder crédito aos seus clientes. Conceder crédito é fazer um investimento em um cliente, um investimento que está ligado à venda de um bem[1] ou serviço.

Por que as empresas concedem crédito? É importante dizer que nem todas fazem isso, mas a prática é bastante comum. O motivo óbvio é que oferecer crédito é uma maneira de estimular as vendas. Os custos associados à concessão de crédito não são pequenos. Em primeiro lugar, existe a probabilidade de que o cliente não pague e, em segundo lugar, a empresa tem que assumir os custos de carregamento das contas a receber. Por isso, a decisão sobre a política de crédito envolve uma ponderação entre os benefícios de um aumento de vendas e os custos da concessão de crédito.

Na perspectiva contábil, quando o crédito é concedido, uma conta a receber é criada. As contas a receber incluem o crédito para outras empresas, chamado de *crédito comercial*, e o crédito concedido aos consumidores, chamado de *crédito ao consumidor*. Grande parte do ativo das empresas assume a forma de contas a receber, de modo que elas representam um grande investimento de recursos financeiros por parte das empresas (nos EUA, por exemplo, esse valor atinge um sexto do ativo para o setor industrial).

---

[1] O Pronunciamento Técnico CPC 30 (R1) define: "O termo 'bens' inclui bens produzidos pela entidade com a finalidade de venda e bens comprados para revenda, tais como mercadorias compradas para venda no atacado e no varejo, terrenos e outras propriedades mantidas para revenda" (Comitê de Pronunciamentos Contábeis, 2012b).

Componentes da política de crédito

Se uma empresa decidir dar crédito aos seus clientes, ela deverá estabelecer procedimentos para a concessão de crédito e para a cobrança das vendas. Em específico, ela deverá lidar com os seguintes componentes da política de crédito:

1. **Condições de venda:** as condições de venda determinam como a empresa se propõe a vender seus bens e serviços. Uma decisão básica é se ela exigirá pagamento à vista ou concederá crédito aos compradores. Se ela conceder crédito, as condições de venda especificarão (talvez de modo implícito) o prazo de crédito, um possível desconto por pagamento antecipado e o prazo para tal, bem como o tipo de instrumento de crédito.

2. **Análise de crédito:** ao conceder crédito, a empresa determina quanto esforço despenderá tentando distinguir entre clientes que pagarão e clientes que não pagarão. As empresas usam várias técnicas e procedimentos para determinar a probabilidade de os clientes não pagarem, e o conjunto dessas técnicas é chamado de análise de crédito.

3. **Política de cobrança:** após a concessão do crédito, a empresa tem um problema em potencial: o problema de receber o dinheiro das vendas, para o qual deve criar uma política de cobrança.

A seguir, trataremos desses componentes da política de crédito que, em conjunto, formam a decisão de conceder crédito.

Fluxos de caixa da concessão de crédito

Em um capítulo anterior, descrevemos o prazo médio de recebimento como o tempo necessário para receber o pagamento de uma venda. Existem vários eventos que ocorrem durante esse período. Esses eventos podem ser ilustrados com a sequência mostrada na Figura 29.1. Observe que a disponibilização do caixa das vendas é o último evento (se o comprador pagar).

Como indica nossa linha do tempo, a sequência típica de eventos quando uma empresa concede crédito é, em geral, a seguinte: (1) um pedido de compra a crédito é recebido, a análise

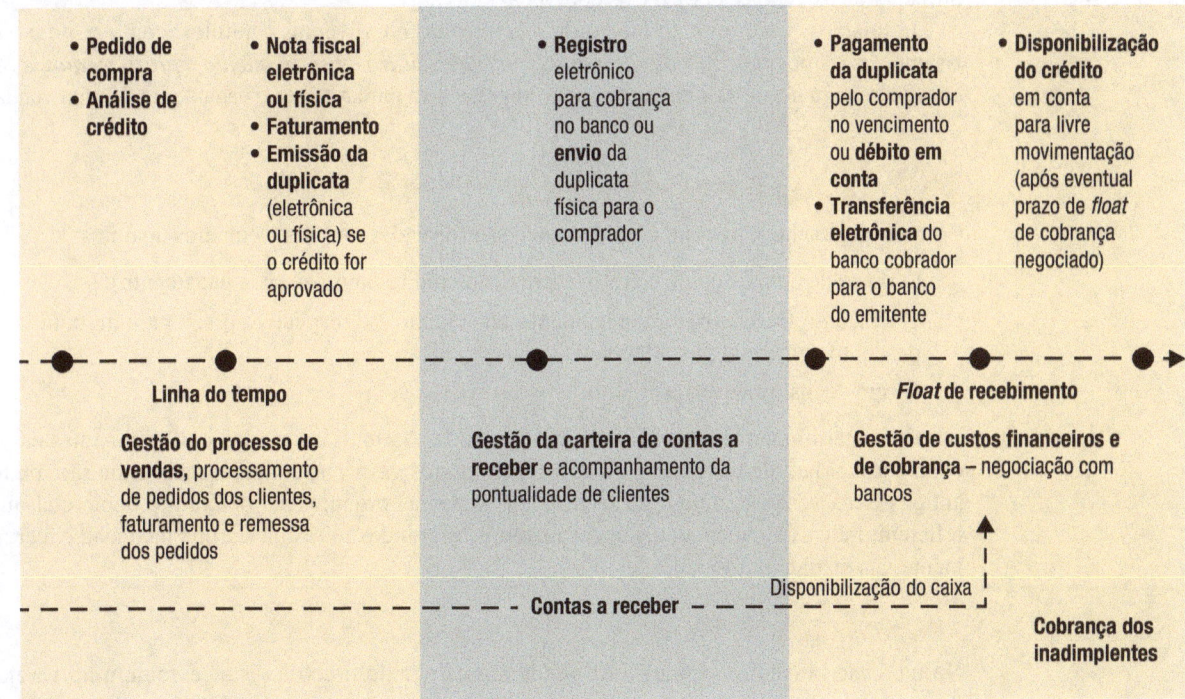

FIGURA 29.1 Eventos e fluxo de caixa da concessão de crédito.

de crédito do comprador é realizada e, se o crédito for aprovado, a venda a prazo é realizada, (2) após o processamento interno do pedido, é emitida a nota fiscal eletrônica ou física, as duplicatas são enviadas para cobrança por via eletrônica ou física, (3) a empresa compradora paga no vencimento ou é realizado o débito em sua conta se previamente autorizado e (4) o valor da cobrança é creditado na conta da empresa vendedora (após eventual período de *float* de cobrança negociado com o banco). Se o comprador não pagar no vencimento, inicia-se o processo de cobrança de inadimplentes.

Com base em nossas discussões anteriores, é necessário reduzir o tempo em que o capital de giro fica "preso" no ciclo financeiro; a redução do prazo de recebimento das vendas é um dos caminhos. A redução do prazo de recebimento inclui tornar ágil o processo interno de gestão das vendas e a remessa postal ou registro eletrônico da cobrança, bem como fazer o acompanhamento da adimplência dos clientes. Outras providências, como processar com agilidade eventuais cheques recebidos e negociar com bancos para evitar a concessão de prazos de *float* de cobrança, contribuem para encurtar o prazo de disponibilização do caixa das vendas. Na discussão a seguir, nós nos concentraremos naquilo que provavelmente é o principal fator determinante do prazo de recebimento: a política de crédito.

O investimento em contas a receber

O investimento de qualquer empresa em suas contas a receber depende do montante das vendas a prazo e do prazo médio de recebimento (PMR). Se o PMR é de 30 dias, em uma data qualquer, haverá 30 dias em vendas pendentes de recebimento. Se a média de vendas a prazo for de $ 1.000 por dia, as contas a receber da empresa serão iguais a 30 dias × $ 1.000 por dia = $ 30.000.

Como discutimos no Capítulo 27, é necessário financiar esse volume de contas a receber com o crédito obtido dos fornecedores e o capital de giro.

Como ilustra nosso exemplo, as contas a receber de uma empresa serão, a princípio, iguais à média das vendas diárias multiplicada pelo prazo médio de recebimento:

$$\text{Contas a receber} = \text{Média das vendas diárias} \times \text{PMR} \qquad (29.1)$$

Dessa maneira, o investimento de uma empresa em contas a receber depende dos fatores que influenciam as vendas a prazo e as cobranças.

Já falamos sobre o prazo médio de recebimento em diversos capítulos, como o 3 e o 27. Usamos os termos *prazo médio de contas a receber*, *prazo de recebimento* e *prazo médio de recebimento* para nos referir ao prazo que a empresa leva para receber o pagamento de uma venda.

29.2 Condições de venda

Como exposto antes, as condições de venda são formadas por três elementos distintos:

1. O prazo de concessão de crédito (o prazo do crédito ou prazo para pagamento).
2. O desconto financeiro para pagamento antecipado e o respectivo prazo para desconto e o desconto comercial por fidelidade.
3. O tipo de instrumento de crédito.

Em determinado setor, as condições de venda são mais ou menos uniformes, mas essas condições variam de um setor para outro. Em muitos casos, as condições de venda são muito antigas e, na verdade, datam de séculos. Os sistemas organizados de crédito comercial que refletem práticas atuais podem ser comparados às grandes feiras da Europa medieval e, certamente, já existiam muito antes.

A forma básica

No mercado brasileiro, a prática da venda a prazo "pelo preço à vista" é comum no varejo. Por exemplo, um lojista pode lhe oferecer a condição de pagar em duas parcelas, a 30 e a 60 dias, pelo preço à vista. Se você quiser pagar à vista, geralmente não será oferecido desconto nenhum. Nas operações entre empresas, algumas empresas em posição de barganha vendem somente "à vista" para pagamento em 7 ou 14 dias. De um modo geral, a venda a prazo inclui juros pela dilação do recebimento das vendas, mas esses juros não são explicitamente mostrados como juros, e sim como uma mudança na margem de lucro nas vendas. É comum o preço à vista já ter a margem para venda em condições a prazo, ou seja, o custo de vender a prazo é atribuído de forma uniforme ao preço de tabela. Descontos ou juros embutidos no preço têm formas de contabilização específica, sendo recomendada a leitura dos pronunciamentos contábeis emitidos pelo CPC.

O modo mais fácil de entender as condições de venda é usar um exemplo.

EXEMPLO 29.1

O departamento de vendas de uma empresa, ao calcular os preços de venda, trabalha com uma taxa de juros de 2% ao mês. Para a condição de pagamento em duas vezes, em 30 e em 60 dias da data de compra, a tabela de vendas poderia ser escrita assim.

Preço à vista: $ 1.040,00

Condições de venda: em 2 vezes de $ 520,00 ("sem juros").

O que ocorre de fato: Com uma calculadora financeira, vemos que um valor presente de $ 1.000,00 para pagamento em duas parcelas mensais sem entrada, à taxa de juros de 2% ao mês, é equivalente ao valor futuro de $ 1.040,40.

O departamento de vendas calculou o valor futuro de $ 1.000,00 a 2% a.m., em dois períodos, e dividiu o valor futuro em duas parcelas.

O concorrente poderia oferecer um preço à vista um pouco menor, de $ 1.030,00, também para ser pago em duas vezes "sem juros" de $ 515,00. O concorrente calculou a anuidade equivalente ao valor presente de $ 1.000 em duas parcelas, com taxa de juros de 2% a.m. O valor da anuidade é $ 515,05.

Prazo do crédito

O **prazo do crédito**, ou prazo para pagamento, é a duração básica da concessão de crédito. Ele varia muito de um setor para outro. No mercado brasileiro, ele pode estar entre 30 e 120 dias, mas observa-se também a prática de prazos de 7, 14 e 28 dias. Se for oferecido um desconto para pagamento antecipado, o prazo do crédito terá dois componentes: o prazo efetivo do crédito e o prazo do desconto.

O prazo efetivo do crédito é o tempo que o cliente tem para pagar. O prazo do desconto é o prazo durante o qual o desconto poderá ser aproveitado pelo comprador. Se um crédito é concedido para 30 dias com desconto para pagamento até o $10^º$ dia, então o prazo efetivo do crédito é de 30 dias e o prazo do desconto é de 10 dias.

A data da fatura A data de emissão da fatura é o início do prazo do crédito. A **fatura** é uma comprovação, por escrito, dos bens enviados ao comprador. A data da fatura é a data da emissão da **nota fiscal**.[2] Em geral, é a data da saída da mercadoria do estoque do vendedor e sua remessa para o comprador, *não* a data em que o comprador recebe as mercadorias, exceto quando o comprador realiza a compra nas dependências do vendedor.

---

[2] A nota fiscal e a respectiva fatura somente podem ser emitidas quando o vendedor transfere o risco da mercadoria vendida para o comprador. A emissão da nota fiscal ou da nota fiscal/fatura constitui o reconhecimento de receita do vendedor para fins contábeis e fiscais. Dito de outra forma, na maioria dos negócios, o vendedor somente pode reconhecer receita quando transfere o risco da mercadoria para a parte compradora. Conforme o CPC 30 (R1), a receita deve ser reconhecida quando, entre outras condições, tenham sido transferidos para o comprador os riscos e benefícios mais significativos inerentes à propriedade dos bens e for provável que benefícios econômicos futuros (que possam ser confiavelmente mensurados) fluam para a entidade. Sobre o reconhecimento de receitas, recomendamos a leitura do Pronunciamento Técnico CPC 30 (R1), (Comitê de Pronunciamentos Contábeis, 2012b).

Existem muitas outras formas para acordos de compra e venda. Por exemplo, o prazo do crédito pode ter início no *recebimento das mercadorias*. Nesse caso, o prazo do crédito começa quando o cliente receber o pedido. Isso pode ser usado quando o cliente está em uma localização remota.

Outra forma é o faturamento mensal, em data no final do mês, em que todas as vendas feitas durante determinado mês são faturadas como tendo sido feitas no final desse mês. Isso é útil para um comprador que faz compras habituais ao longo do mês. Um vendedor poderia faturar todas as compras do mês no último dia útil e ainda conceder ao comprador um desconto de, por exemplo, 2% se o pagamento for feito até o 10° dia do mês seguinte. A data para faturamento mensal pode ser um dia diferente, por exemplo, o dia 25. O faturamento quinzenal é outra variação.

A cobrança só na alta estação também é usada para incentivar fora da estação as vendas de produtos sazonais. Um produto vendido no verão (como o bronzeador) pode ser enviado em julho com as condições de pagamento em janeiro. A fatura poderia ser emitida em julho com prazo de crédito de 180 dias para pagamento em janeiro, e um desconto poderia ser oferecido para pagamento antecipado. Essa prática incentiva os compradores a encomendarem com antecedência.

Duração do prazo de crédito   Vários fatores influenciam a duração do prazo de crédito. Dois importantes são o prazo médio de estocagem (PME) e o ciclo operacional do nosso *cliente*. Mantidas iguais as demais variáveis, quanto menores o PME e o ciclo operacional forem, menor será o prazo de crédito.

No Capítulo 27, vimos que o ciclo operacional apresenta dois componentes: o prazo médio de estocagem e o prazo médio de recebimento. Para nosso cliente, o prazo médio de estocagem que nos interessa é o tempo necessário para que ele adquira de nossa empresa o item de seu estoque que lhe fornecemos e depois o processe e venda. O prazo médio de recebimento do nosso cliente é o tempo necessário até que ele receba pelas *suas* vendas. Observe que o prazo do crédito que oferecemos ao nosso comprador é componente do seu prazo de contas a pagar.

Ao conceder crédito, financiamos uma parte do ciclo operacional de nosso cliente e, dessa forma, diminuímos o ciclo financeiro dele (consulte a Figura 27.2). Se nosso prazo de crédito exceder o prazo médio de estocagem do nosso cliente, não apenas financiaremos as compras de estoque dele, mas também parte de suas contas a receber. E mais, se nosso prazo de crédito exceder a duração do ciclo operacional de nosso cliente, estaríamos, em tese, financiando outros itens dos negócios dele, além da compra e da venda imediata de nossa mercadoria. O motivo é que o nosso comprador teria, de fato, um empréstimo vindo de nós que se estenderia para além da revenda da mercadoria e ele poderia usar esse crédito para outras finalidades. Por isso, a duração do ciclo operacional do comprador quase sempre é citada como um limite máximo apropriado ao prazo de crédito a ser concedido a esse comprador.

Existem vários outros fatores que influenciam o prazo do crédito. Muitos deles também influenciam os ciclos operacionais de nosso cliente. Portanto, eles são assuntos relacionados. Entre os mais importantes, estão:

1. *Perecibilidade e valor como garantia*: itens perecíveis têm um giro rápido e um valor como garantia baixo. Por consequência, os prazos de crédito são mais curtos para esses bens. Por exemplo, no caso de um atacadista de alimentos que vende frutas e verduras, ele poderia faturar para pagamento em sete dias. Contudo, joias poderiam ser vendidas a lojistas para pagamento em quatro meses.

2. *Demanda do consumidor*: produtos bem estabelecidos no mercado têm um giro mais rápido. Os produtos mais recentes ou de pouca saída têm prazos de crédito mais longos para incentivar os compradores. Além disso, como vimos, os vendedores podem preferir conceder prazos de crédito mais longos para as vendas fora da estação (quando a demanda é baixa).

3. *Custo, lucratividade e padronização*: mercadorias mais baratas tendem a ter prazos de crédito mais curtos. O mesmo vale para mercadorias e matérias-primas mais ou menos padronizadas. Esse tipo de mercadoria tende a ter margens menores e giro maior, ambos levando a prazos de crédito mais curtos. No entanto, existem exceções, como as concessionárias de automóveis, que pagam pelos carros quando eles são recebidos da montadora.

4. *Risco de crédito*: quanto maior for o risco de crédito do comprador, mais curto será o prazo de crédito (supondo que o crédito seja concedido).
5. *Tamanho da conta*: se a conta for pequena, o prazo de crédito poderá ser mais curto, porque administrar as contas pequenas é mais caro e os clientes, individualmente, são menos importantes.
6. *Concorrência*: quando o vendedor está em um mercado altamente competitivo, prazos de crédito mais longos podem ser oferecidos como forma de atrair os clientes.
7. *Tipo de cliente*: um único vendedor pode oferecer diversas condições de crédito a diferentes compradores. Por exemplo, um atacadista de alimentos pode fornecer artigos para armazéns, padarias e restaurantes. Cada grupo teria condições de créditos diferentes. De forma geral, os vendedores quase sempre têm clientes no atacado e no varejo, cotando diferentes condições para os dois tipos.

Descontos

Como já estudamos, os descontos também podem fazer parte das condições de venda. No Brasil, as empresas praticam dois tipos de desconto: o desconto financeiro e o desconto comercial. O desconto financeiro é um desconto condicionado ao pagamento até determinada data. É um desconto contingente, que depende de pagamento pontual ou antecipado. O desconto comercial ocorre antes do faturamento, é uma redução no preço da venda, não um desconto sobre o preço faturado.

O **desconto financeiro**, ou desconto condicional, incide sobre o valor da fatura ou da parcela e é contingente à ocorrência do pagamento até uma data definida. A data pode ser definida como a data de vencimento ou data anterior. O objetivo é estimular a adimplência pela quitação do débito no vencimento ou pela quitação antecipada. A prática contribui para reduzir o ciclo financeiro do vendedor e para poupar custos de cobrança de contas inadimplentes. Do ponto de vista contábil, o desconto condicional é classificado em contas de resultado como despesa financeira na vendedora e como receita financeira na compradora.

O **desconto comercial**, ou desconto incondicional, é uma redução do preço de venda que ocorre antes da emissão da nota fiscal de venda. Pode resultar de promoções de vendas, de negociação com o comprador ou de crédito relativo a compras anteriores (nesse caso, também chamado de bônus) como recompensa de fidelidade. Para controlar esses descontos, as empresas contabilizam o valor bruto da venda e lançam os descontos comerciais em conta de descontos comerciais concedidos. Parece que nem todas adotam esse procedimento, mas a Receita Federal só considera descontos incondicionais as parcelas redutoras do preço de venda quando constarem da nota fiscal de venda e não dependerem de evento posterior à emissão da nota fiscal.[3]

Um motivo pelo qual os descontos são oferecidos é acelerar a cobrança das contas a receber. Isso terá o efeito de reduzir o montante do crédito oferecido, e a empresa deve ponderar o ganho com a redução desse montante com o custo trazido com os descontos.

> #### Um exemplo prático
> Uma indústria brasileira de artigos de consumo de massa trabalha com as seguintes condições para lojistas:
>
> - Preços de referência de tabela: preços para pagamento em 90 dias;
> - Descontos para pagamentos antecipados em prazo inferior a 90 dias;
> - Desconto condicional de até 7% para pagamento pontual no vencimento contratado.
> - Acréscimo de custo financeiro para compras com prazos de pagamento superiores a 90 dias.
>
> Todas as condições são negociadas no momento do pedido.

---
[3] Orientação da SRF disponível em Brasil. Receita Federal. *Lucro operacional 2014*. Brasília, 2013. Disponível em: <http://www.receita.fazenda.gov.br/publico/perguntao/dipj2014/Capitulo_VIII_LucroOperacional2014.pdf>.

Observe que, quando um desconto financeiro é oferecido, o comprador obtém um crédito gratuito durante o período de desconto. O comprador só paga pelo crédito obtido após o desconto expirar. Veja-se, por exemplo, uma venda com prazo de 30 dias e com a condição de desconto de 2% para pagamento em até 10 dias. Nesse caso, um comprador sensato poderá pagar em 10 dias para utilizar o máximo possível o crédito gratuito ou pagará em 30 dias para usar o dinheiro no prazo mais longo possível, abrindo mão do desconto. Entretanto, observe que, quando abre mão do desconto, o comprador obtém crédito não por 30, mas por 20 dias, e é por esse prazo que o custo de pagar o valor integral deve ser considerado.

Outro motivo para os descontos financeiros é que eles são uma forma de cobrar preços maiores do cliente a quem foi concedido crédito. Nesse sentido, os descontos financeiros são uma maneira conveniente de cobrar pelo crédito concedido aos clientes, pois, ao não aproveitar o desconto, o comprador estará pagando mais do que pagaria se aproveitasse o desconto. Porém, se estabelecer o preço à vista igual ao preço de vendas a prazo, o vendedor estará incluindo o custo financeiro de seu maior prazo de crédito no preço à vista, levando o comprador a optar pelo crédito na compra.

Considere a venda de eletrodomésticos. Em vez de vender um eletrodoméstico a $ 850,00, um varejista pode vender a $ 1.000,00 para pagamento à vista ou em 10 vezes de $ 100,00 "sem juros". Com o uso de uma calculadora financeira, vemos que a taxa de juros mensal é de 3,07% ao mês e que a taxa equivalente anual é de 43,74%. É claro que é preciso ter acesso à planilha de custos do vendedor para efetuar esse cálculo. O vendedor poderia alegar que trabalha com margem suficiente para poder "praticar um só preço" e acompanhar a concorrência.

Descontos e tributação A condição generalizada de descontos para pagamento antecipado praticada nos EUA não é uma prática comum no mercado brasileiro. Em geral, parece que as empresas brasileiras não têm essa prática em razão dos diversos tributos que incidem sobre o valor faturado, das diferentes situações para a tributação dos lucros da empresa e da alocação dos tributos sobre o desconto entre vendedor – que preferirá o desconto comercial – e comprador – que preferirá o desconto financeiro para ter os créditos correspondentes. Incentivos fiscais e créditos fiscais podem diminuir por algum tempo a carga de tributos para a vendedora e, assim, também pode ocorrer que algumas empresas tenham uma política de descontos e outras não.

Custo do crédito Em uma condição de pagamento em 30 dias, com a opção de desconto de 2% para pagamento até o 10º dia, o pagamento antecipado dá ao cliente apenas 2% de desconto, e isso pode parecer pouco. O incentivo seria significativo para o pagamento antecipado? A resposta é sim, pois a taxa de juros implícita é bastante alta.

Para saber o porquê de um desconto ser tão importante, calcularemos o custo para o comprador pelo não pagamento antecipado. Para isso, descobriremos a taxa de juros que o comprador está de fato pagando pelo crédito comercial. Suponha que a compra seja de $ 1.000. O comprador pode pagar $ 980 em 10 dias ou aguardar outros 20 dias e pagar $ 1.000. Está evidente que ele está tomando emprestado $ 980 por 20 dias e que paga $ 20 de juros sobre o "empréstimo". Qual é a taxa de juros?

Esses juros são calculados como em um desconto comum de fluxos de caixa, como discutido no Capítulo 4. Com $ 20 de juros sobre os $ 980 emprestados, a taxa é de $ 20/980 = 2,0408%. Isso parece ser baixo, mas lembre-se de que essa é a taxa pelo período de 20 dias. De forma simplificada, um ano tem 365/20 = 18,25 desses períodos, e, portanto, não aceitando o desconto, o comprador está pagando uma taxa efetiva anual (TEFa) em torno de:

$$\text{TEFa} = 1,020408^{18,25} - 1 = 45\% \text{ a.a.}$$

Do ponto de vista do comprador, essa é uma fonte cara de financiamento!

Do ponto de vista do vendedor, como a taxa de juros é muito alta aqui, é pouco provável que ele se beneficie com o pagamento antecipado pelo comprador. Ignorando a possibilidade de inadimplência, a decisão de um cliente de dispensar o desconto que lhe é oferecido quase sempre está a favor do vendedor.

Descontos comerciais Em algumas circunstâncias, o desconto não é, de fato, um incentivo para o pagamento antecipado, mas é um *desconto comercial*: um desconto dado rotineiramente para alguns tipos de compradores. Por exemplo, veja-se o caso de faturamento mensal e prazo para pagamento com desconto de 2% até o 10º dia do mês seguinte. Nesse caso, o pagamento da conta deve ser feito até o 10º dia do mês seguinte, e, após isso, ela estará vencida. Com isso, na prática, o prazo do crédito e o período de desconto são iguais, e não há recompensa pelo pagamento antes da data de vencimento. Assim, se a compra é de $ 1.000,00, o comprador pode pagar $ 980,00 até o 10º dia e, após isso, terá que pagar $ 1.000,00. Em outras palavras, caso não seja paga no vencimento, há uma "multa" de 2,041% (20,00/980,00).

O desconto financeiro e o PMR Um desconto financeiro incentiva o pagamento antecipado, logo ele diminui o prazo de recebimento e, com todos os outros fatores iguais, reduz o investimento em contas a receber da empresa vendedora.

Por exemplo, suponha que, no momento, uma empresa realize suas vendas na condição de pagamento a 30 dias e tenha um prazo médio de recebimento (PMR) de 30 dias. Se ela oferecer um desconto de 2% para pagamento em 10 dias, talvez 50% dos clientes (em termos de volume de compras) venham a pagar em 10 dias. Os clientes restantes ainda levarão uma média de 30 dias para pagar. Qual será o novo PMR? Se as vendas anuais da empresa forem de $ 15 milhões (antes dos descontos), o que acontecerá ao investimento em contas a receber?

Se metade dos clientes levar 10 dias para pagar e metade levar 30 dias, o novo prazo médio de recebimento será de:

$$\text{Novo PMR} = 0{,}50 \times 10 \text{ dias} + 0{,}50 \times 30 \text{ dias} = 20 \text{ dias}$$

Portanto, o PMR cai de 30 para 20 dias. A média das vendas diárias é de $ 15 milhões/365 = $ 41.096 por dia. Assim, o valor investido em contas a receber cairá $ 41.096 × 10 = $ 410.960.

Instrumentos de crédito

O **instrumento de crédito** é a evidência básica da obrigação do comprador. A maior parte do crédito comercial é oferecida em *conta aberta* (*crédito rotativo*). Isso significa que os únicos instrumentos formais da venda a crédito são o **pedido** e a **fatura**, que é enviada com as mercadorias e é assinada pelo cliente como evidência do recebimento delas. A vendedora e seus clientes registram a venda e as compras em seus respectivos livros contábeis. Junto com a fatura, ou em data posterior, a empresa vendedora pode emitir **duplicatas** para cobrança direta ou por meio de um banco. As duplicatas de faturas de vendas são títulos de crédito, o que permite transacioná-las no mercado financeiro, pois representam obrigações de pagamento do sacado.

No Brasil, a prática corrente é emitir duplicatas da fatura para serem apresentadas para aceite ou pagamento do comprador. A duplicata, como o nome já sugere, é uma cópia da fatura, um documento com os elementos necessários para caracterizá-la como título de crédito negociável. A fatura não deve ser confundida com a **nota fiscal** que é extraída na venda. A fatura é uma relação do que o vendedor fez ou entrega ao comprador e dos valores correspondentes e pode incluir várias notas fiscais, também podendo existir a figura da **nota fiscal-fatura**. A figura da duplicata e seu uso no crédito comercial como título de crédito é uma criação da prática brasileira.

Paulatinamente, está sendo adotada no Brasil a **Nota Fiscal Eletrônica** (NF-e). A emissão de NF-e pode ser integrada com os sistemas de gestão empresarial (*ERP*, na sigla em inglês) das empresas. Isso permite que todo o processo de emissão da nota fiscal, fatura e duplicatas para cobrança já seja, em grande parte, realizado de forma eletrônica integrada. Nas grandes empresas, esse processo já é totalmente integrado. O sistema de emissão de cobranças geralmente está integrado ao sistema gerenciador da conta corrente da empresa em um banco. O banco recebe e registra a cobrança de forma eletrônica e também pode apresentar da mesma forma a cobrança ao comprador. Se o comprador tiver optado pelo sistema DDA, **Débito Direto Autorizado**, isso completa o ciclo da cobrança eletrônica integrada sem a emissão de documentos físicos.

A NF-e é um documento eletrônico gerado pela empresa vendedora por meio de um arquivo eletrônico assinado digitalmente, que contém as informações fiscais da operação comercial. Esse arquivo eletrônico é transmitido pela Internet para a Secretaria da Fazenda (SF) de jurisdição do contribuinte. A SF fará uma pré-validação do arquivo e devolverá um protocolo de recebimento (Autorização de Uso), sem o qual não poderá haver o trânsito da mercadoria. No início de 2015, a Receita Federal divulgava que o valor de NF-e autorizadas era de 10,836 bilhões (apuração em 18/01/2015), e o número de emissores era de 1.089 milhão (apuração em 12/01/15. Ver http://www,nfe.fazenda.gov.br/portal/inforEspecialistas.aspx.

A empresa vendedora emite e assina digitalmente um arquivo eletrônico com as informações fiscais da operação comercial. O arquivo eletrônico corresponde à Nota Fiscal Eletrônica (NF-e) e é transmitido pela Internet para a Secretaria da Fazenda de jurisdição do contribuinte, que faz uma pré-validação do arquivo e devolve um protocolo de recebimento a **Autorização de Uso**, sem o qual não poderá haver o trânsito da mercadoria.

A NF-e também é transmitida para a Receita Federal, que é o repositório de todas as NF-e emitidas. Nas operações interestaduais, é feita a transmissão para a Secretaria de Fazenda de destino da operação e Suframa, no caso de mercadorias destinadas às áreas incentivadas.

Para acompanhar o trânsito da mercadoria, é impressa uma representação gráfica simplificada da Nota Fiscal Eletrônica, intitulado **DANFE**, o Documento Auxiliar da Nota Fiscal Eletrônica, em papel comum, em única via, que contém impressa, em destaque, a chave de acesso para consulta da NF-e na Internet e um código de barras bidimensional que facilita a captura e a confirmação de informações da NF-e pelas unidades fiscais.

O DANFE *não é uma nota fiscal* nem substitui uma nota fiscal, servindo apenas como instrumento auxiliar para consulta da NF-e, pois contém a chave de acesso da NF-e.

Se o comprador não for emissor de NF-e, ele pode escriturar os dados contidos no DANFE para a escrituração da NF-e, e a validade é vinculada à efetiva existência da NF-e nos arquivos das administrações tributárias envolvidas no processo, comprovada por meio da emissão da Autorização de Uso. Se o comprador é emitente de NF-e, realizará a escrituração a partir das NF-e emitidas e recebidas.

A NF-e é parte de um projeto maior, o SPED – Sistema Público de Escrituração Digital –, organizado pela Receita Federal do Brasil, e inclui: escrituração contábil digital (ECD), escrituração fiscal digital (EFD) e a NF-e. Também inclui outros projetos, como EFD-Contribuições, e-Lalur, EFD-Social e Central de Balanços. Para mais informações sobre o SPED, sugerimos consultar o *site* http://www1.receita.fazenda.gov.br/.

A duplicata A duplicata é mercantil quando tem origem em uma transação de mercadorias e é de prestação de serviços quando a sua causa for uma prestação de serviços. A duplicata é uma "cópia" da fatura e é um título de crédito. A duplicata pode ser, e geralmente é, o instrumento de cobrança. Porém, para uma mesma venda, não pode ser emitido mais de um título de crédito. Se o comprador entregou um cheque ou assinou uma nota promissória, o vendedor não poderá emitir e fazer circular uma duplicata.

As duplicatas, assim como os títulos de crédito em geral, podem ter vencimento determinado, com data certa fixa ou vencimento a termo de uma data de referência, por exemplo, a 90 dias da data de embarque. O vencimento também pode ser à vista (ou "na apresentação") ou a "dias de vista" (p. ex., pagamento a 30 dias da data de apresentação da cobrança ao comprador). A norma legal que dispõe sobre a duplicata é a Lei n$^{\circ}$ 5.474, de 18 de julho de 1968.

Para muitos varejistas, o cheque pré-datado pode ser o instrumento de crédito por excelência. Entretanto, cada vez mais a venda a prazo no varejo é realizada por meio de cartões de crédito.

29.3 Análise da política de crédito

Nesta seção, veremos com mais detalhes os fatores que influenciam a decisão de conceder crédito. A concessão de crédito só faz sentido se o seu VPL for positivo. Por isso, precisamos dirigir nossa atenção para o VPL da decisão de conceder crédito.

Efeitos da política de crédito

Ao avaliar a política de crédito, existem cinco fatores básicos a serem considerados:

1. *Efeitos sobre a receita*: se a empresa conceder crédito, os fluxos de caixa da receita sofrerão um adiamento, pois alguns clientes aproveitam o crédito oferecido e pagam mais tarde. Entretanto, se a empresa conceder crédito, talvez possa cobrar um preço mais alto e ainda aumentar a quantidade vendida. Assim, a receita total poderá aumentar.
2. *Efeitos do custo*: se a empresa conceder crédito, os fluxos de caixa de suas receitas poderão demorar mais, entretanto os seus custos com vendas não terão seus prazos alterados por isso. Não importa se vende à vista ou a prazo, a empresa terá de adquirir ou produzir a mercadoria (e pagar por ela).
3. *O custo dos empréstimos*: quando a empresa concede crédito, ela precisa ter recursos para financiar as contas a receber resultantes. Como consequência, o custo dos empréstimos de curto prazo para a empresa será um fator a considerar na decisão de conceder crédito.[4]
4. *A probabilidade de não pagamento*: se a empresa conceder crédito, uma porcentagem dos compradores a prazo não pagará. Isso não ocorrerá se a empresa vender somente à vista.
5. *O desconto financeiro*: quando a empresa oferece um desconto financeiro como parte de suas condições de crédito, alguns clientes optarão por antecipar o pagamento e aproveitar o desconto, reduzindo em parte a receita de vendas.

Avaliação de uma política de crédito proposta

Para ilustrar como a política de crédito pode ser analisada, começaremos com um caso simples. A Gafanhoto Software (GaSoft) existe há dois anos e é uma das várias empresas bem-sucedidas que desenvolvem programas para computadores. No momento, a GaSoft vende somente à vista.

Ela está avaliando a solicitação de alguns de seus grandes clientes para alterar sua política atual para uma política de concessão de um mês (30 dias) para pagamento. Para analisar essa proposta, definimos os seguintes itens:

P = Preço por unidade

v = Custo variável por unidade

Q = Quantidade atual vendida por mês

Q' = Quantidade vendida de acordo com a nova política

R = Retorno mensal exigido

Por enquanto, ignoramos a opção de descontos e a possibilidade de inadimplência. Além disso, ignoramos os impostos, porque eles não afetam nossas conclusões aqui.

VPL da mudança de políticas Para ilustrar o VPL da mudança de políticas de crédito, suponha que tenhamos os seguintes dados para a GaSoft:

P = $ 49

v = $ 20

Q = 100

Q' = 110

---

[4] O custo de empréstimos de curto prazo não é o retorno que deve ser exigido sobre as contas a receber, embora seja comum que se presuma isso. Como sempre, o retorno exigido de um investimento depende do risco do investimento, e não da fonte de financiamento. O custo *do comprador* para tomar emprestado a curto prazo é o que estaria mais próximo da taxa correta (porque a taxa estaria ajustada ao risco do comprador). Manteremos a hipótese implícita de que o vendedor e o comprador têm o mesmo custo para tomar emprestado recursos de curto prazo. Em qualquer um dos casos, os prazos nas decisões de crédito serão curtos. Portanto, um erro pequeno na taxa de desconto dos fluxos de caixa não terá um grande efeito sobre o VPL estimado.

Se o retorno exigido (R) for 2% ao mês, a GaSoft deve fazer essa mudança?

No momento, a empresa tem vendas mensais de $P \times Q = \$ 4.900$. Os custos variáveis de cada mês são $v \times Q = \$ 2.000$, de modo que o fluxo de caixa mensal dessa atividade é:

$$\text{Fluxo de caixa da política antiga} = (P - v)Q \\ = (\$ 49 - 20) \times 100 \\ = \$ 2.900 \quad (29.2)$$

É óbvio que esse não é o fluxo de caixa total da GaSoft, mas é tudo o que precisamos examinar, pois os custos fixos e outros componentes do fluxo de caixa são os mesmos com ou sem a mudança.

Se a GaSoft mudar sua condição de venda para pagamento em 30 dias, a quantidade vendida aumentará para $Q' = 110$. As receitas mensais aumentarão para $P \times Q'$, e os custos serão de $v \times Q'$. O fluxo de caixa mensal na nova política será de:

$$\text{Fluxo de caixa da nova política} = (P - v)Q' \\ = (\$ 49 - 20) \times 110 \\ = \$ 3.190 \quad (29.3)$$

Voltando ao Capítulo 6, sabemos que o fluxo de caixa incremental relevante é a diferença entre os fluxos de caixa novo e antigo:

$$\text{Entrada de caixa incremental} = (P - v)(Q' - Q) \\ = (\$ 49 - 20) \times (110 - 100) \\ = \$ 290$$

Isso mostra que o benefício de alterar as políticas é, por mês, igual ao lucro bruto por unidade vendida ($P - v = \$ 29$), multiplicado pelo aumento nas vendas ($Q' - Q = 10$). Portanto, o valor presente dos fluxos de caixa incrementais futuros é:

$$VP = [(P - v)(Q' - Q)]/R \quad (29.4)$$

Para a GaSoft, esse valor presente é:

$$VP = (\$ 29 \times 10)/0{,}02 = \$ 14.500$$

Observe que tratamos o fluxo de caixa mensal como uma perpetuidade, porque o mesmo benefício será atingido a cada mês para sempre.

Agora que conhecemos o benefício da mudança, qual é o custo? Existem dois componentes que devem ser considerados. Um deles leva em consideração a quantidade vendida que aumentará de Q para Q'. Com isso, a GaSoft terá de produzir $Q' - Q$ mais unidades a um custo de $v(Q' - Q) = \$ 20 \times (110 - 100) = \$ 200$. O segundo componente diz respeito às vendas que seriam recebidas neste mês de acordo com a política atual ($P \times Q = \$ 4.900$) que não serão recebidas. Conforme a nova política, as vendas feitas no mês não serão recebidas antes de 30 dias. O custo da mudança é a soma desses dois componentes:

$$\text{Custo da mudança} = PQ + v(Q' - Q) \quad (29.5)$$

Para a GaSoft, esse custo seria de $\$ 4.900 + \$ 200 = \$ 5.100$.

Juntando tudo isso, vemos que o VPL da mudança é:

$$\text{VPL da mudança} = -[PQ + v(Q' - Q)] + [(P - v)(Q' - Q)]/R \quad (29.6)$$

Para a GaSoft, o custo da mudança é de $\$ 5.100$. Como visto, o benefício é de $\$ 290$ por mês para sempre. A 2% por mês, o VPL é:

$$VPL = -\$ 5.100 + 290/0{,}02 \\ = -\$ 5.100 + 14.500 \\ = \$ 9.400$$

Logo, a mudança é muito lucrativa.

> **EXEMPLO 29.2 Melhor lutar do que mudar**
>
> Suponha que uma empresa esteja pensando em mudar da condição de vendas à vista para vendas para pagamento em 30 dias, mas a quantidade vendida não deve mudar. Qual é o VPL da mudança? Explique.
>
> Neste caso, $Q' - Q$ é zero, de modo que o VPL é apenas $-PQ$. Isso evidencia que há um retardamento dos recebimentos em um mês para sempre, sem benefício algum por isso. Entretanto, se esse for um movimento dos demais concorrentes, talvez a empresa tenha que acompanhá-lo.

Uma aplicação do ponto de equilíbrio Com base na discussão feita até o momento, a principal variável da GaSoft é $Q' - Q$, o aumento nas vendas unitárias. O aumento projetado de 10 unidades é apenas uma estimativa, de modo que existe certo risco de previsão. Nessas circunstâncias, é natural perguntar: quanto de aumento nas vendas unitárias é necessário para atingir o ponto de equilíbrio?

Antes, o VPL da mudança era definido como:

$$\text{VPL} = -[PQ + v(Q' - Q)] + [(P - v)(Q' - Q)]/R$$

Podemos calcular o ponto de equilíbrio definindo um VPL zero e calculando $(Q' - Q)$:

$$\text{VPL} = 0 = -[PQ + v(Q' - Q)] + [(P - v)(Q' - Q)]/R$$
$$Q' - Q = PQ/[(P - v)/R - v] \tag{29.7}$$

Para a GaSoft, o aumento das vendas no ponto de equilíbrio é:

$$Q' - Q = \$4.900/(29/0{,}02 - 20)$$
$$= 3{,}43 \text{ unidades}$$

Isso prova que a mudança é uma boa ideia, desde que a GaSoft esteja confiante de que pode vender pelo menos 3,43 unidades a mais por mês.

29.4 Política de crédito ótima

Até agora, discutimos como calcular o valor presente líquido de uma mudança na política de crédito. Não discutimos o montante ótimo de crédito nem a política de crédito ótima. Em princípio, o montante ótimo de crédito é determinado pelo ponto no qual os fluxos de caixa incrementais do aumento nas vendas são exatamente iguais aos custos incrementais do aumento no investimento em contas a receber.

A curva do custo total do crédito

O custo-benefício de conceder ou não crédito é fácil de identificar, mas é difícil de quantificar com exatidão. Como resultado, só é possível descrever uma política de crédito ótima.

Para começar, os custos de carregamento associados à concessão de crédito assumem três formas:

1. O retorno exigido das contas a receber.
2. As perdas decorrentes das dívidas não pagas.
3. Os custos da administração do crédito e da cobrança dos créditos concedidos.

Já foram discutidos a primeira e a segunda forma de custo. A terceira, o custo da administração do crédito, consiste nas despesas associadas à gestão do departamento de crédito. As empresas que não concedem crédito não têm esse departamento nem essa despesa. Esses três custos aumentarão à medida que a política de crédito for mais liberal.

Se uma empresa tiver uma política de crédito muito restritiva, todos os custos associados serão baixos. Nesse caso, a empresa terá uma "falta" de crédito, e um custo de oportunidade, a perda de possíveis lucros adicionais das vendas a prazo que não serão realizadas, porque o crédito será negado. Esse benefício perdido viria de duas fontes: do aumento na quantidade que seria vendida (Q' menos Q) e (possivelmente) de um preço mais alto. Os custos de oportunidade diminuem à medida que a política de crédito é mais liberal.

A soma dos custos de carregamento e de oportunidade de determinada política de crédito é chamada de **curva do custo total do crédito**. Traçamos essa curva na Figura 29.2. Como é ilustrado, existe um ponto no qual o custo total do crédito é minimizado. Esse ponto corresponde ao montante ótimo de crédito ou, de modo equivalente, ao investimento ótimo em contas a receber.

Se a empresa conceder mais crédito, de modo que o custo do crédito ultrapasse esse mínimo, o fluxo de caixa líquido adicional de novos clientes não cobrirá os custos de carregamento do investimento em contas a receber. Se o nível das contas a receber estiver abaixo desse montante, a empresa renunciará a valiosas oportunidades de lucro.

Em geral, os custos e benefícios da concessão de crédito dependerão das características de cada empresa e setor. Com todos os outros fatores iguais, é provável que empresas com (1) excesso de capacidade, (2) baixos custos operacionais variáveis e (3) clientes antigos concedam crédito de forma mais generosa do que outras empresas. Veja se você consegue explicar o porquê de cada uma dessas características contribuir para uma política de crédito mais liberal.

Organização da função de crédito

As empresas que concedem crédito têm a responsabilidade de administrar um departamento de crédito. As empresas que administram por conta própria as suas operações de crédito assumem todo o risco de inadimplência (diz-se que fazem autosseguro). Elas têm como alternativa contratar um seguro de crédito de uma companhia de seguros. A seguradora oferece cobertura para as contas a receber até um limite de valor predefinido. Como é esperado, as contas a receber com melhor classificação de risco de crédito merecem maiores limites de seguro. Esse tipo de seguro é importante, sobretudo para os exportadores, e há determinados tipos de exportações que têm seguro com alguma forma de apoio governamental.

Empresas de grande porte costumam conceder crédito por meio de uma **subsidiária financeira**, que cuida da função de crédito para a empresa controladora. As montadoras de automóveis são um exemplo. Elas vendem para as concessionárias de automóveis, que, por sua vez, vendem para os clientes. A subsidiária financeira, geralmente um banco controlado pela montadora, financia o estoque de automóveis da concessionária, bem como os clientes que compram os automóveis.

Por que uma empresa optaria por criar uma empresa separada para cuidar da função de crédito? Existem vários motivos, mas um dos principais é separar a produção e o financiamento dos produtos da empresa para fins de administração, financiamento e demonstrações de resultados. Por exemplo, a subsidiária financeira pode realizar captações de recursos em seu próprio

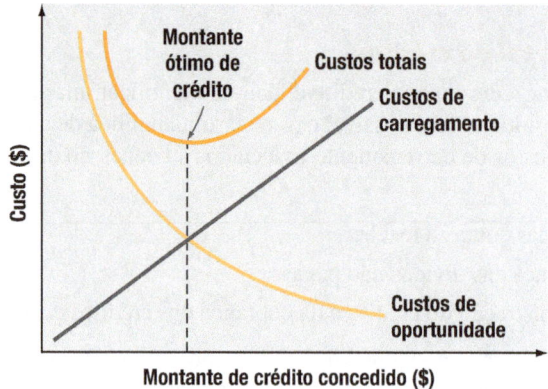

Os *custos de carregamento* são os fluxos de saídas de caixa que devem ser incorridos quando o crédito é concedido. Eles estão relacionados de forma positiva ao montante de crédito concedido.
Os *custos de oportunidade* são as vendas perdidas que resultam da recusa de crédito. Esses custos diminuem quando o crédito é concedido.

FIGURA 29.2 Os custos da concessão de crédito.

nome, usando suas contas a receber como garantia. Em geral, ela tem uma classificação de crédito melhor do que a empresa controladora. Isso permite que a empresa tenha um custo de dívida geral mais baixo do que aquele que teria se a produção e o financiamento estivessem juntos.

29.5 Análise de crédito

Até agora, concentramo-nos na determinação das condições de crédito. Depois que uma empresa resolve conceder crédito aos clientes, ela deve definir as diretrizes para determinar quem poderá ou não comprar a crédito. A *análise de crédito* se refere ao processo de decidir se será ou não concedido crédito a um determinado cliente. Para isso, são necessárias duas etapas: reunir informações importantes e determinar a qualidade de crédito do comprador.

A análise de crédito é importante, pois as possíveis perdas em contas a receber podem ser substanciais. As empresas informam em seus balanços patrimoniais o montante de contas que estimam não receber. Essa divulgação é feita como "provisão para riscos de crédito" na forma de redução do valor de contas a receber de clientes. Algumas vezes, são relatados valores substanciais em risco de crédito.

Quando o crédito deve ser concedido?

Imagine que uma empresa esteja tentando decidir se concede ou não crédito a um cliente. Essa decisão pode ficar complicada. A resposta depende do que acontecerá se o crédito for negado. O cliente pagará à vista? Ou ele não fará a compra em hipótese alguma? Para evitar essas e outras dificuldades, usaremos alguns casos especiais para ilustrar os pontos principais.

Uma venda única Começaremos avaliando o caso mais simples. Um cliente novo deseja comprar uma unidade a prazo a um preço P por unidade. Se o crédito for negado, o cliente não fará a compra. Além disso, vamos considerar que, se o crédito for concedido, em um mês, o cliente fará ou não o pagamento. A probabilidade de o segundo evento ocorrer é π. Nesse caso, a probabilidade (π) pode ser interpretada como a porcentagem dos novos clientes que não pagarão. A empresa não tem clientes que compram de forma repetida, logo, a rigor, essa é uma venda única. Por fim, o retorno exigido sobre as contas a receber é R por mês, e o custo variável é v por unidade.

A análise aqui é objetiva. Se a empresa negar o crédito, o fluxo de caixa incremental será zero. Se ela conceder o crédito, gastará v (o custo variável) neste mês e esperará receber $(1 - \pi)P$ no mês seguinte. O VPL da concessão de crédito será:

$$\text{VPL} = -v + (1 - \pi)P/(1 + R) \qquad (29.8)$$

Para a GaSoft, esse VPL é:

$$\text{VPL} = -\$\,20 + (1 - \pi) \times 49/1{,}02$$

Com uma taxa de 20% de inadimplência, por exemplo, isso resulta em:

$$\text{VPL} = -\$\,20 + 0{,}80 \times 49/1{,}02 = \$\,18{,}43$$

Por conseguinte, o crédito deve ser concedido. Observe que dividimos por $(1 + R)$ aqui em vez de R, porque, agora, consideramos que essa é uma transação única.

O exemplo traz uma questão importante. Ao conceder crédito a um novo cliente, a empresa arrisca seu custo variável (v). Entretanto, ela pode obter o preço total (P). Portanto, para um cliente novo, o crédito pode ser concedido mesmo que a probabilidade de inadimplência seja alta. Nesse caso, a probabilidade no ponto de equilíbrio pode ser determinada definindo o VPL como zero e calculando π:

$$\text{VPL} = 0 = -\$\,20 + (1 - \pi) \times 49/1{,}02$$
$$1 - \pi = \$\,20/49 \times 1{,}02$$
$$\pi = 58{,}4\%$$

A GaSoft deve conceder crédito desde que haja $(1 - 0{,}584) = 41{,}6\%$ ou mais chance de recebimento. Isso explica o motivo de as empresas com *markups* mais altos tenderem a ter condições de crédito mais flexíveis.

Essa porcentagem (58,4%) é a probabilidade máxima de inadimplência aceitável para um cliente *novo* da GaSoft. Se um cliente antigo, que paga à vista, quisesse mudar para a condição de venda a crédito, a análise seria diferente, e a probabilidade máxima de inadimplência aceitável seria muito menor.

A diferença importante é que, se concedermos o crédito a um cliente antigo, arriscaremos o preço total das vendas (*P*), pois é isso que recebemos se não concedermos o crédito. Se concedermos o crédito a um cliente novo, arriscaremos apenas nosso custo variável.

Negócios repetidos Um segundo e importante fator a ser lembrado é a possibilidade de negócios repetidos. Podemos explicar isso ampliando o exemplo da venda única. Aqui é importante atentar para os pressupostos: um cliente novo que paga na primeira vez, permanecerá cliente para sempre e nunca deixará de pagar.

Se a empresa conceder crédito, ela gastará *v* neste mês. No mês seguinte, ela nada terá se o cliente não pagar ou terá *P* se o cliente pagar. Se o cliente pagar, ele comprará outra unidade a prazo, e a empresa gastará *v* novamente. Portanto, a entrada de caixa líquida do mês será $P - v$. A cada mês subsequente, esse mesmo $P - v$ ocorrerá conforme o cliente pagar o pedido do mês anterior e fizer outro pedido.

Concluímos que, em um mês, a empresa receberá $ 0 com probabilidade π. No entanto, com probabilidade $(1 - \pi)$, a empresa terá um cliente novo permanente. O valor do cliente novo é igual ao valor presente de $(P - v)$ a cada mês para sempre:

$$VP = (P - v)/R$$

Logo, o VPL da concessão de crédito é:

$$VPL = -v + (1 - \pi)(P - v)/R \qquad (29.9)$$

Para a GaSoft, ele é:

$$\begin{aligned}VPL &= -\$20 + (1 - \pi) \times (49 - 20)/0{,}02 \\ &= -\$20 + (1 - \pi) \times 1.450\end{aligned}$$

Mesmo que a probabilidade de inadimplência seja de 90%, o VPL é:

$$VPL = -\$20 + 0{,}10 \times 1.450 = \$125$$

A GaSoft deve conceder crédito, a menos que a inadimplência seja quase certa. O motivo é que custa apenas $ 20 para descobrir quem é um bom cliente e quem não é. Um bom cliente vale $ 1.450, de modo que a GaSoft pode se dar ao luxo de ter algumas inadimplências.

É provável que o exemplo de negócios repetidos exagere a probabilidade de inadimplência aceitável, mas ilustra que, com frequência, a melhor maneira de fazer a análise de crédito é simplesmente conceder crédito a quase todos os clientes. O exemplo também destaca que a possibilidade de negócios repetidos é uma consideração crucial. Nesses casos, o mais importante é controlar o montante de crédito oferecido de início a qualquer cliente, para que a possível perda seja limitada. O montante pode aumentar com o tempo.[5] Quase sempre, o melhor modo de prever se a pessoa pagará ou não no futuro é saber se ela pagou no passado.

Informações de crédito

Existem várias fontes para uma empresa que deseja informações de crédito sobre os clientes. As fontes de informações mais usadas para avaliar a capacidade das empresas de obter crédito incluem:

1. *Demonstrações financeiras*: a empresa pode pedir ao cliente para fornecer demonstrações financeiras, como balanços patrimoniais e demonstrações de resultado do exercício. Os padrões

---

[5] Parece que essa forma de encarar o crédito é muito bem compreendida por eventuais estelionatários. Aqueles com vivência na área de crédito talvez tenham visto situações em que uma empresa inicia compras em pequenas quantidades, obtém crédito e paga rigorosamente em dia. Vai aumentando as compras, sempre pagando em dia, até obter linhas de crédito de alto montante junto a vários fornecedores. Grandes volumes de compras são feitos, seguidos de inadimplência. Ao visitar o comprador para ver o que ocorre, os fornecedores encontram armazéns vazios!

mínimos e as regras práticas que se baseiam em indicadores financeiros, como aqueles discutidos no Capítulo 3, podem ser usados como base para a concessão ou a recusa de crédito.

2. *Relatórios de crédito sobre o histórico de pagamento do cliente em outras empresas*: algumas organizações vendem informações sobre a qualidade e o histórico de crédito das empresas comerciais. No Brasil, várias empresas prestam esse tipo de serviço, como SPC (https://www.spcbrasil.org.br/), Serasa-Experian (http://www.serasaexperian.com.br/), Dun & Bradstreet (http://www.dnb.com.br/), Crivo-Transunion (http://www.crivo.com.br/), Boa Vista (http://www.boavistaservicos.com.br/) e outras. Há classificações e informações disponíveis para um vasto número de empresas, incluindo as muito pequenas, e informações sobre crédito ao consumidor.

3. *Bancos*: respeitado o sigilo bancário, os bancos podem oferecer alguma assistência aos clientes empresariais para obter informações sobre a capacidade de crédito de outras empresas.

4. *O histórico de pagamento do cliente na empresa*: a forma mais simples de obter informações relacionadas à probabilidade de que os clientes não paguem é examinar se eles pagaram as obrigações passadas (e em quanto tempo).

Avaliação e classificação de crédito

Não há fórmulas mágicas para avaliar a probabilidade de um cliente não pagar. A princípio, os clássicos **cinco Cs do crédito** são os fatores básicos a serem avaliados:

1. *Caráter*: disposição do cliente em cumprir com suas obrigações de crédito (o seu histórico de adimplência).
2. *Capacidade*: capacidade do cliente para cumprir as suas obrigações de crédito, com o seu fluxo de caixa operacional.
3. *Capital*: reservas e capacidade financeiras do cliente.
4. *Colateral*: ativos que podem ser oferecidos como garantia para o caso de inadimplência.
5. *Condições*: condições econômicas gerais e na linha de negócios do cliente.

O **escore de crédito** (*credit scoring*) é um processo para determinar uma classificação numérica para o consumidor com base em informações coletadas. O crédito é concedido ou recusado com base no escore. Por exemplo, uma empresa pode classificar um consumidor em uma escala de 1 (muito ruim) a 10 (muito bom) em cada um dos cinco Cs do crédito usando todas as informações disponíveis sobre o cliente. Uma classificação de crédito poderia ser calculada somando-se essas notas. Com base na sua experiência, uma empresa poderia optar por conceder crédito apenas aos consumidores com uma classificação, por exemplo, acima de 30.

Empresas como as administradoras de cartão de crédito desenvolveram modelos estatísticos para a classificação de crédito. Todas as características relevantes e legalmente observáveis de um grande conjunto de clientes são estudadas para encontrar seu histórico de inadimplência. De acordo com os resultados, é possível determinar as variáveis que melhor preveem se um cliente pagará, para depois calcular uma classificação de crédito baseada nessas variáveis.

Como os modelos e os procedimentos de classificação de crédito determinam quem está e quem não está qualificado para receber crédito, não é surpresa que eles sejam tema de regulação. Em particular, os tipos de informações demográficas e históricas que podem ser usados na decisão de crédito são limitados.

29.6 Política de cobrança

A política de cobrança é o último elemento da política de crédito. Ela envolve o monitoramento de contas a receber, para detectar problemas e para obter o pagamento das contas atrasadas.

Monitoramento de contas a receber

Para controlar os pagamentos dos clientes, a maioria das empresas monitora as contas pendentes de pagamento. Uma organização controlará seu prazo médio de recebimento (PMR) o tempo todo. Se ela tiver negócios sazonais, o PMR flutuará durante o ano, mas aumentos inesperados do PMR são motivos de preocupação. Pode ser que ou todos os clientes estejam levando mais tempo para pagar, ou alguma porcentagem das contas a receber esteja com sérios problemas de atraso.

O monitoramento das contas a receber pode ser uma parte muito importante das operações da empresa. Por exemplo, em janeiro de 2011, quando a varejista Target anunciou a venda de $ 6,7 bilhões de sua carteira de contas a receber de cartões de crédito, as ações da empresa aumentaram em 0,6%, enquanto, no mesmo dia, o Índice de Varejo do S&P caiu 0,2%.

O **relatório por idade das contas a receber** é outra ferramenta básica para o monitoramento das contas a receber. Para prepará-lo, o departamento de crédito classifica as contas por idade.[6] Suponha que uma empresa tenha $ 100.000 em contas a receber. Algumas dessas contas têm apenas alguns dias, mas outras estão pendentes há algum tempo. A seguir, temos um exemplo de um relatório por idade de contas a receber:

Relatório por idade das contas a receber		
Idade da conta	Montante	Porcentagem do valor total das contas a receber
0 a 10 dias	$ 50.000	50%
11 a 60 dias	25.000	25
61 a 80 dias	20.000	20
Mais de 80 dias	5.000	5
	$ 100.000	100%

Se essa empresa tiver um prazo de crédito de 60 dias, 25% de suas contas estarão atrasadas. Se isso é um problema sério ou não, dependerá da natureza das cobranças e dos clientes da empresa. As contas além de determinada idade quase nunca são recebidas. O monitoramento da idade das contas é importante nesses casos.

Empresas com vendas sazonais apresentam porcentagens que variam durante o ano no relatório por idades. Se as vendas do mês atual são muito altas, o total de contas a receber também aumentará acentuadamente. Isso significa que as contas mais antigas, como porcentagem do total de contas a receber, tornam-se menores e podem parecer menos importantes. Algumas empresas aprimoram o relatório por idades para ter uma ideia de como ele deve mudar com os picos e vales das vendas.

Esforço de cobrança

Uma empresa pode usar a seguinte sequência de procedimentos para os clientes cujos pagamentos estão vencidos:

1. Ela envia uma carta de cobrança ao cliente informando a condição de conta vencida.[7]
2. Ela telefona para o cliente.
3. Ela usa uma empresa de cobrança.
4. Ela aciona o cliente na justiça.

Às vezes, uma empresa pode recusar a concessão de crédito adicional aos clientes até que os atrasos sejam resolvidos. Isso pode irritar um cliente bom, o que indica um possível conflito entre a área de cobranças e a área de vendas.

No pior cenário possível, o cliente pede recuperação judicial ou entra em falência. Quando isso acontece, a empresa que concede crédito é apenas outro credor provavelmente não garanti-

---

[6] Os relatórios por idade das contas a receber são usados em outras áreas da empresa, como no controle de estoques.

[7] Muitas empresas enviam essa carta diretamente do seu departamento jurídico, o que pode causar certo impacto para o devedor, mas também pode irritar um devedor que simplesmente esqueceu de pagar a conta, o que pode levar à perda de um cliente. Boas maneiras são importantes também no processo de cobrança.

do (não ter garantias é o mais usual). Muitas empresas optam por vender suas contas a receber vencidas a empresas especializadas em assumir o risco de crédito e efetuar as cobranças. Essas vendas são feitas com descontos que, às vezes, podem ser muito grandes.

29.7 Gestão de estoques

De forma semelhante às contas a receber, os estoques representam um investimento significativo para muitas empresas. Para uma operação industrial normal, os estoques quase sempre excedem 15% do ativo. Para um varejista, os estoques representariam mais de 25% do ativo. Revendo o que foi apresentado no Capítulo 27, sabemos que o ciclo operacional de uma empresa é formado por seu prazo médio de estocagem e seu prazo médio de recebimento. Esse é o motivo pelo qual consideramos a política de crédito e a política de estoques em um mesmo capítulo. Além disso, as políticas de crédito e de estoques são usadas para incentivar as vendas, e as duas devem estar coordenadas para garantir que o processo de aquisição e venda de estoques, bem como o recebimento das vendas, ocorra tranquilamente. Por exemplo, alterações na política de crédito destinadas a estimular as vendas devem ser acompanhadas por um adequado planejamento dos estoques.

O administrador financeiro e a política de estoques

Apesar do tamanho do investimento em estoques em uma empresa comum, o administrador financeiro não terá o controle principal sobre a gestão dos estoques. Em vez disso, outras áreas funcionais, como compras, produção e *marketing*, compartilham a autoridade para a tomada de decisão no que diz respeito aos estoques. A gestão de estoques tem se tornado cada vez mais uma área especializada com características próprias, e é comum que a administração financeira apenas contribua para a decisão. Por esse motivo, consideraremos apenas alguns fundamentos de estoques e da política de estoques.

Um *site* interessante é o da Society for Inventory Management Benchmarking Analysis. Ver em www.simba.org.

Tipos de estoque

Para uma indústria, o estoque normalmente é classificado em três categorias. A primeira categoria é a *matéria-prima*, que é aquilo que a empresa usa como ponto de partida de seu processo de produção. A matéria-prima pode ser algo tão básico como minério de ferro para um produtor de aço ou algo tão sofisticado como unidades de disco para um fabricante de computadores.

O segundo tipo é o *estoque em processo*. Como o nome sugere, ele é o produto não acabado. O tamanho dessa parte do estoque depende muito da duração do processo de produção. Para um fabricante de estruturas para aviões, o estoque em processo pode ser grande. O terceiro e último tipo de estoque são os *bens acabados*, ou seja, os produtos prontos para embarque ou venda.

Existem três fatores a serem lembrados quando se trata de tipos de estoque. O primeiro deles diz respeito aos nomes dos diferentes tipos, que podem ser um pouco confusos, pois a matéria-prima de uma empresa pode ser o produto acabado de outra. Por exemplo, voltando ao nosso produtor de aço, o minério de ferro seria uma matéria-prima, e o aço seria o produto final. A operação de estampagem de um painel de automóvel terá o aço como sua matéria-prima e os painéis de automóvel como seus bens acabados, já uma montadora de automóveis terá os painéis como matéria-prima e os automóveis como produtos acabados.

O segundo fator a ser lembrado está relacionado aos diversos tipos de estoque que podem ser bastante diferentes em termos de liquidez. As matérias-primas com características de *commodities* ou relativamente padronizadas podem ser facilmente convertidas em caixa. O estoque em processo, porém, pode ser bastante ilíquido e ter pouco mais do que o valor de sucata. Como sempre, a liquidez dos bens acabados depende da natureza do produto.

Por fim, uma distinção muito importante entre produtos acabados e outros tipos de estoque é que a demanda pelo item de estoque que se torna parte de outro item, em geral, é chamada de *demanda derivada* ou *dependente*, pois a necessidade da empresa por esses tipos de estoque depende de sua necessidade de ter itens acabados. Já a demanda final dos bens acabados da empresa não é derivada da demanda por outros itens de estoque, de modo que, às vezes, diz-se que ela é *independente*.

Custos do estoque

Como tratado no Capítulo 27, existem dois tipos básicos de custos associados ao ativo circulante em geral e ao estoque em particular. O primeiro tipo é o *custo de carregamento*. Aqui, o custo de carregamento representa todos os custos diretos e de oportunidade de se manterem estoques disponíveis. Esse custo inclui:

1. Custos de armazenagem e controle.
2. Seguros e impostos.
3. Prejuízos devidos a obsolescência, deterioração ou furto.
4. Custo de oportunidade do capital do montante investido.

A soma desses custos pode ser enorme; nos EUA, avalia-se que possa variar de 20 a 40% do valor do estoque por ano.

Outro tipo de custo associado ao estoque é o *custo de falta*. Esse é o custo associado a ter disponível um estoque inadequado às necessidades. Os seus dois componentes são: os custos de renovação de estoque e os custos relacionados às reservas de segurança. Dependendo do ramo da empresa, os custos de renovação de estoque ou custos de pedido são os custos de se fazer pedidos aos fornecedores ou os custos da montagem de uma fase de produção. Os custos relacionados às reservas de segurança são as perdas de oportunidade, como as vendas perdidas e a perda de clientes, resultantes de estoques inadequados.

Há uma ponderação básica a ser feita na gestão de estoques, visto que os custos de carregamento aumentam com os níveis de estoque, enquanto os custos de falta ou renovação de estoques diminuem com os níveis de estoques. Portanto, o objetivo básico da gestão de estoques é minimizar a soma desses dois custos – na próxima seção, apresentaremos formas de atingir esse objetivo.

Para se ter uma ideia da importância de equilibrar os custos de carregamento com os custos de falta, veja-se o caso da Kimberly-Clark, a conhecida fabricante de produtos como os lenços Kleenex e as fraldas Huggies. No quarto trimestre de 2010, a empresa fez um corte na produção em comparação ao mesmo período no ano anterior. Infelizmente, a empresa subestimou a demanda e abriu mão de um lucro no trimestre estimado em $ 20 milhões.

29.8 Técnicas de gestão de estoques

Como já foi descrito, o objetivo da gestão de estoques está voltado para a minimização dos custos. Nesta seção, discutiremos três técnicas que variam de simples até muito complexas.

A abordagem ABC

A abordagem ABC é uma abordagem simples para a gestão do estoque, cuja ideia básica é dividir o estoque em três (ou mais) grupos. O raciocínio básico é que uma pequena parte do estoque em termos de quantidade poderia representar uma grande parte em termos de valor do estoque. Por exemplo, essa situação existiria para um fabricante que usa alguns componentes caros e de alta tecnologia e alguns materiais básicos e baratos na produção de seus produtos.

A Figura 29.3 ilustra uma comparação ABC de itens em relação à porcentagem do valor de estoque representada em cada grupo *versus* a porcentagem dos itens de estoque em cada grupo. De acordo com a Figura 29.3, o Grupo A constitui apenas 10% do estoque por contagem de itens, mas representa mais da metade do valor do estoque. Portanto, os itens do Grupo A são monitorados de perto, e os níveis de estoque são mantidos relativamente baixos. No outro extremo, itens básicos de estoque também existem, tais como porcas e parafusos, porém, como eles são importantes, mas baratos, grandes quantidades são pedidas e mantidas em estoque. Esses seriam os itens do Grupo C. O Grupo B é formado pelos itens intermediários.

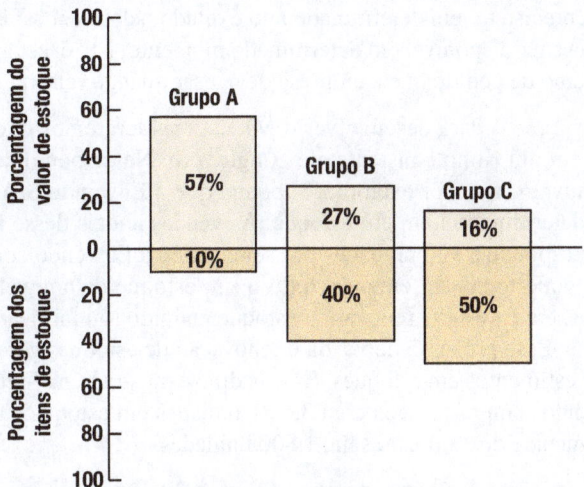

FIGURA 29.3 Análise ABC de estoques.

O modelo do lote econômico

O modelo do lote econômico (MLE) é a abordagem mais conhecida para estabelecer um nível ótimo de estoques, de modo explícito. A ideia básica é ilustrada na Figura 29.4, que assinala os diversos custos associados a manter estoques (no eixo vertical) em relação aos níveis de estoques (no eixo horizontal). Como mostrado, os custos de carregamento de estoques aumentam e os custos de renovação de estoques diminuem à medida que os níveis de estoques aumentam. O que foi estudado no Capítulo 27 e a nossa discussão sobre a curva do custo total do crédito neste capítulo já nos tornam familiar a forma geral da curva de custo total do estoque. Com o MLE, tentaremos localizar o ponto do custo mínimo total Q^*.

Em seguida, abordaremos um ponto importante, que é o fato de que o custo real do estoque em si não está incluído no custo de gestão de estoques. O motivo é que o volume *total* de esto-

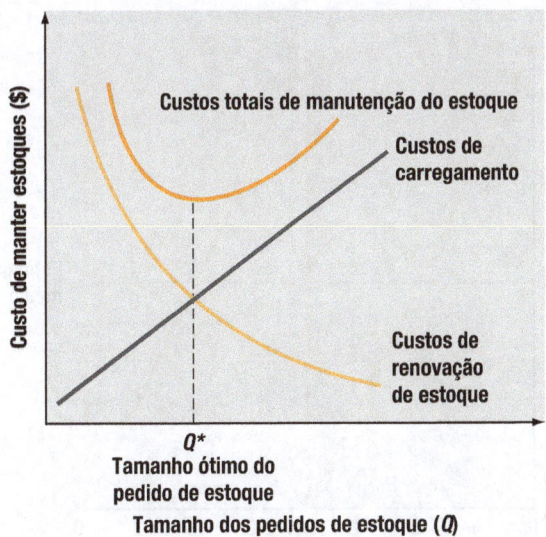

Os custos de renovação de estoques são maiores quando a empresa mantém uma pequena quantidade de estoques. Os custos de carregamento são maiores quando há uma grande quantidade de estoque disponível. Os custos totais são a soma dos custos de carregamento e de renovação de estoque.

FIGURA 29.4 Custos de manter estoques.

ques que a empresa precisa ter em determinado ano é ditado pelas vendas. Estamos analisando quanto a empresa deve ter disponível em determinado momento; isto é, estamos tentando determinar qual é o tamanho de pedido que a empresa deve usar quando renovar o estoque.

Esgotamento de estoque Para desenvolver o MLE, consideraremos que o estoque da empresa seja vendido em um ritmo constante até atingir zero. Nesse ponto, a empresa renova o estoque até algum nível ideal. Por exemplo, suponha que a Euwendo S/A comece hoje com 3.600 unidades de determinado item em estoque. As vendas anuais desse item são de 46.800 unidades, o que corresponde a 900 unidades por semana. Se a Euwendo conseguir vender 900 unidades de seu estoque todas as semanas, todo o seu estoque disponível terá sido vendido após quatro semanas, e a Euwendo renovará o estoque pedindo (ou fabricando) outros 3.600 e começará novamente. Esse processo de venda e renovação de estoques gera um padrão "dente de serra" para os investimentos em estoques. Esse padrão é mostrado na Figura 29.5. Conforme essa figura, a Euwendo sempre começa com 3.600 unidades em estoque e acaba em zero. Em média, o estoque é metade de 3.600, ou seja, 1.800 unidades.

Os custos de carregamento De acordo com a Figura 29.4, pressupõe-se que os custos de carregamento sejam diretamente proporcionais aos níveis de estoque. Suponha que Q seja a quantidade de estoque que a Euwendo pede a cada vez (3.600 unidades). Chamamos isso de *quantidade de renovação de estoques*. Por conseguinte o estoque médio seria $Q/2$, ou 1.800 unidades. Se tomarmos CC como o custo anual de carregamento por unidade, o total dos custos de carregamento da Euwendo será de:

$$\text{Total dos custos de carregamento} = \text{Estoque médio} \times \text{Custos de carregamento por unidade}$$
$$= (Q/2) \times \text{CC} \qquad (29.10)$$

No caso da Euwendo, se os custos de carregamento fossem de $ 0,75 por unidade ao ano, o valor dos custos de carregamento resultaria do produto do estoque médio de 1.800 por $ 0,75, ou $ 1.350 por ano.

Os custos de falta Por enquanto, focaremos apenas os custos de renovação de estoque. Em suma, presumimos que a empresa nunca esteja com pouco estoque, de modo que os custos relacionados às reservas de segurança não são importantes – mais tarde, voltaremos a esse ponto.

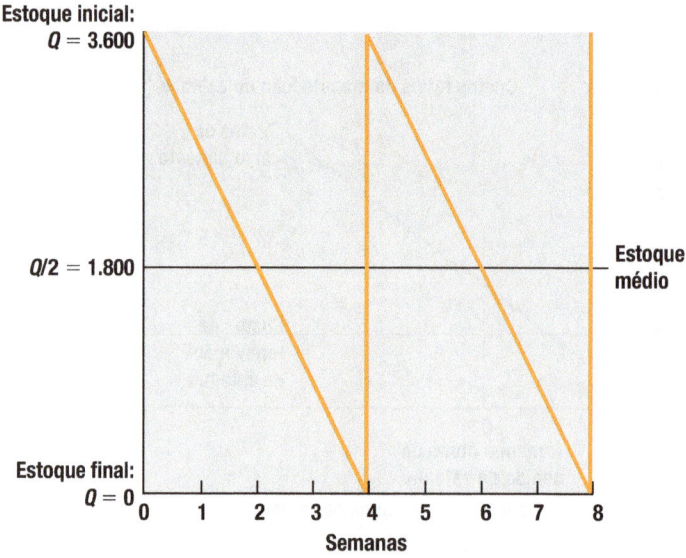

A Euwendo S/A começa com um estoque de 3.600 unidades.
A quantidade cai para zero ao final da quarta semana.
O estoque médio é $Q/2 = 3.600/2 = 1.800$ ao longo do período.

FIGURA 29.5 Estoque mantido pela Euwendo S/A.

É costume partir do princípio de que os custos de renovação de estoques são fixos. Em outras palavras, toda vez que fazemos um pedido, existem custos fixos associados a esse pedido (lembre-se de que o custo do estoque em si não é considerado aqui). Suponha que T represente o total de vendas unitárias por ano. Se a empresa pedir Q unidades de cada vez, ela terá de fazer um total de T/Q pedidos. Para a Euwendo, as vendas anuais são de 46.800, e o tamanho do pedido é de 3.600. Assim, a Euwendo faz um total de 46.800/3.600 = 13 pedidos por ano. Se F for o custo fixo por pedido, o custo total de renovação de estoque no ano será:

Custo total de renovação de estoque = Custo fixo por pedido × Número de pedidos
$$= F \times (T/Q) \quad (29.11)$$

Para a Euwendo, os custos de pedido poderiam ser de $ 50 por pedido, de modo que o custo total de renovação de estoque para 13 pedidos seria de $ 50 × 13 = $ 650 por ano.

Os custos totais Os custos totais associados à manutenção do estoque são a soma dos custos de carregamento e dos custos de renovação de estoque:

Custos totais = Custos de carregamento + Custos de renovação
$$= (Q/2) \times CC + F \times (T/Q) \quad (29.12)$$

Nosso objetivo é encontrar o valor de Q, isto é, a quantidade de renovação de estoques que minimize esse custo. Para fazer isso, calculamos os custos totais para diferentes valores de Q. No que diz respeito à Euwendo, temos custos de carregamento (CC) de $ 0,75 ao ano por unidade, custos fixos (F) de $ 50 por pedido e um total de vendas unitárias (T) de 46.800 unidades. Com esses números, alguns custos totais possíveis são apresentados a seguir (confirme alguns deles para praticar!).

Quantidade de renovação de estoque (Q)	Custos de carregamento (Q/2 × CC)	+	Custos de renovação de estoque (F × T/Q)	=	Custos totais
500	$ 187,5		$ 4.680,0		$ 4.867,50
1.000	375,0		2.340,0		2.715,00
1.500	562,5		1.560,0		2.122,50
2.000	750,0		1.170,0		1.920,00
2.500	**937,5**		**936,0**		**1.873,50**
3.000	1.125,0		780,0		1.905,00
3.500	1.312,5		668,6		1.981,10

Analisando os números, vemos que os custos totais começam em quase $ 5.000 e diminuem até um pouco menos de $ 1.900. A quantidade que minimiza o custo é 2.500.

Para encontrar essa quantidade, observe de novo a Figura 29.4. Nota-se que o ponto mínimo ocorre exatamente onde as duas linhas se cruzam. Nesse ponto, os custos de carregamento e de renovação de estoque são iguais. Para os tipos específicos de custos que consideramos aqui, isso sempre é verdade, de modo que é possível encontrar o ponto mínimo apenas definindo esses custos iguais entre si e calculando Q^*:

Custos de carregamento = Custos de renovação de estoque
$$(Q^*/2) \times CC = F \times (T/Q^*) \quad (29.13)$$

Com um pouco de álgebra, chegamos a:

$$Q^{*2} = \frac{2T \times F}{CC} \quad (29.14)$$

Para calcular Q^*, extraímos a raiz quadrada de ambos os lados da equação para encontrar:

$$Q^* = \sqrt{\frac{2T \times F}{CC}} \quad (29.15)$$

A quantidade de renovação de pedido que minimiza o custo total de estoque é chamada de **lote econômico**. Para a Euwendo S/A, o lote econômico é:

$$Q^* = \sqrt{\frac{2T \times F}{CC}}$$
$$= \sqrt{\frac{(2 \times 46.800) \times \$50}{0,75}}$$
$$= \sqrt{6.240.000}$$
$$= 2.498 \text{ unidades}$$

Assim, para a Euwendo, o lote econômico é composto por 2.498 unidades. Nesse nível, confirme que os custos de renovação de estoque e os custos de carregamento são ambos de $ 936,75.

EXEMPLO 29.3   Custos de carregamento

A Sapatos Silva começa cada período com 100 pares de tênis de caminhada em estoque, o qual é esgotado a cada período, e um novo pedido é feito. Se o custo anual de carregamento por par de tênis for de $ 3, quais serão os custos totais de carregamento?

Os estoques sempre começam com 100 itens e terminam em zero, de modo que o estoque médio é de 50 itens. A um custo anual de $ 3 por item, os custos totais de carregamento são de $ 150.

EXEMPLO 29.4   Custos de renovação de estoque

No Exemplo 29.3, suponha que a Sapatos Silva venda um total de 600 pares de tênis por ano. Quantas vezes por ano ela renova o estoque? Suponha que o custo de renovação de estoque seja de $ 20 por pedido. Quais são os custos totais de renovação de estoque?

A empresa pede 100 itens de cada vez. As vendas totais são de 600 itens por ano, de modo que ela renova o estoque seis vezes por ano, ou seja, mais ou menos a cada dois meses. Os custos de renovação seriam 6 pedidos $\times$ $ 20 por pedido = $ 120.

EXEMPLO 29.5   O MLE

Com base nos dois exemplos anteriores, qual deve ser o tamanho do pedido que a Sapatos Silva deve fazer para minimizar os custos? Com que frequência ela renovará o estoque? Quais são os custos totais de carregamento e de renovação do estoque? E os custos totais?

Sabemos que 600 é o número total de pares de tênis para o ano (T). O custo de renovação de estoque (F) é de $ 20 por pedido, e o custo de carregamento (CC) é de $ 3 por unidade por ano. Podemos calcular o MLE para a empresa da seguinte maneira:

$$\text{MLE} = \sqrt{\frac{2T \times F}{CC}}$$
$$= \sqrt{\frac{(2 \times 600) \times \$20}{3}}$$
$$= \sqrt{8.000}$$
$$= 89,44 \text{ unidades}$$

Como a Sapatos Silva vende 600 pares por ano, ela renovará o estoque 600/89,44 = 6,71 vezes. Os custos totais de renovação de estoque serão de $ 20 $\times$ 6,71 = $ 134,16. O estoque médio será de 89,44/2 = 44,72. Os custos de carregamento serão de $ 3 $\times$ 44,72 = $ 134,16, iguais aos custos de renovação de estoque. Assim, os custos totais são de $ 268,32.

Extensões do modelo do lote econômico

Temos assumido que a empresa deixará seu estoque chegar a zero e, em seguida, fará novo pedido. Na realidade, ela fará isso antes que o estoque acabe por dois motivos. O primeiro diz respeito ao fato de que, se a empresa mantiver sempre pelo menos algum estoque disponível, minimizará o risco de falta e a consequente perda de vendas e de clientes. O segundo é que, quando um novo pedido é feito, é preciso algum tempo até que o estoque chegue. Assim, para encerrar nossa discussão sobre o MLE, examinaremos duas extensões desse modelo: os estoques de segurança e os pontos de renovação de pedidos.

Estoques de segurança O *estoque de segurança* é o nível mínimo de estoque que uma empresa mantém. Os estoques são renovados sempre que o nível cai até o nível do estoque de segurança. A parte superior da Figura 29.6 evidencia como um estoque de segurança pode ser incorporado ao modelo do lote econômico. Observe que a adição desse estoque significa que a empresa não esgota seu estoque até zero. Exceto por isso, a situação aqui é idêntica àquela descrita na discussão sobre o MLE.

Pontos de renovação de pedidos Levando em conta o tempo da entrega, uma empresa fará os pedidos antes que os estoques cheguem a um nível crítico. Os *pontos de renovação* são os momentos nos quais a empresa faz seus pedidos de estoque. Esses pontos estão na metade da Figura 29.6. Como mostrado, os pontos de renovação de pedidos ocorrem em um número fixo de dias (ou semanas ou meses) antes que os estoques cheguem a zero.

Um dos motivos para que uma empresa mantenha um estoque de segurança é o prazo incerto para entrega. Assim, podemos unir as discussões sobre o ponto de renovação de pedido e o estoque de segurança na parte inferior da Figura 29.6. O resultado é um MLE generalizado, no qual a empresa faz o pedido antes das necessidades previstas e também mantém um estoque de segurança.

Gestão dos estoques de demanda derivada

O terceiro tipo de técnica de gestão de estoques é usado para administrar os estoques com demanda derivada. Como foi dito antes, a demanda por alguns tipos de estoque é derivada ou dependente das outras necessidades de estoque. Um bom exemplo é dado pela indústria automobilística, na qual a demanda por produtos acabados depende da demanda do consumidor, dos programas de *marketing* e de outros fatores relacionados às projeções de unidades a serem vendidas. Dessa forma, a demanda por itens de estoque, como pneus, baterias, faróis e outros componentes, é determinada pelo número de automóveis planejados. O planejamento das necessidades de materiais e a gestão de estoques *just-in-time* são dois métodos para administrar os estoques dependentes da demanda.

Planejamento das necessidades de materiais Os especialistas em produção e estoque desenvolveram sistemas computadorizados para os pedidos e/ou a programação da produção de tipos de estoques puxados pela demanda. Esses sistemas são classificados com o título geral de **planejamento das necessidades de materiais** (**MRP** – *Materials Requirement Planning*). A ideia básica do MRP consiste em, após a definição dos níveis de estoque de bens acabados, determinar quais níveis de estoque em processo devem existir para atender à necessidade de bens acabados. Desse ponto em diante, é possível calcular a quantidade de componentes que deve estar disponível. Essa capacidade de programação inversa, que parte do estoque de bens acabados, vem da natureza dependente dos estoques de produtos em processo e de componentes. O MRP é importante sobretudo para produtos complicados, para os quais é necessária uma variedade de componentes para criar o produto acabado.

Gestão de estoques *just-in-time* A gestão de estoques *just-in-time* (JIT) é uma abordagem moderna para administrar estoques dependentes. O objetivo do modelo JIT é minimizar esses estoques, com isso maximizando o giro. A abordagem começou no Japão e é parte fundamental da filosofia de fabricação japonesa. Como o nome sugere, o objetivo básico do JIT é ter disponível apenas o estoque necessário para atender às necessidades de produção imediatas.

A. Estoques de segurança

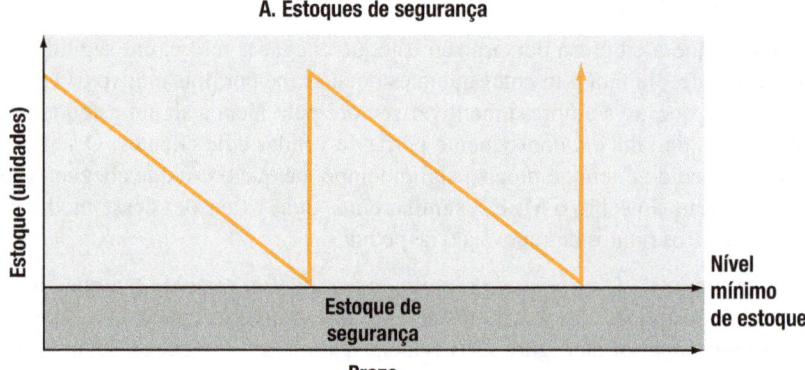

Com um estoque de segurança, a empresa faz novos pedidos quando o estoque chega a um nível mínimo.

B. Pontos de renovação de pedidos

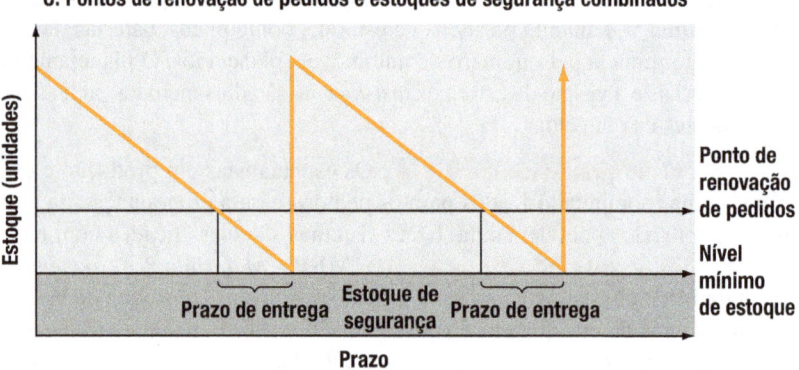

Quando há demora ou incerteza no prazo de entrega ou de produção, a empresa faz novo pedido quando o estoque chega ao ponto de renovação.

C. Pontos de renovação de pedidos e estoques de segurança combinados

Ao combinar os estoques de segurança com os pontos de renovação de pedidos, a empresa mantém um estoque para se proteger contra eventos imprevistos.

FIGURA 29.6 Estoques de segurança e pontos de renovação de pedidos.

O resultado do sistema JIT é que os estoques são pedidos e renovados com frequência. Para que esse sistema funcione e para evitar falta, é preciso um alto grau de cooperação entre os fornecedores. Muitas vezes, os fabricantes japoneses têm um grupo pequeno e bem integrado de fornecedores com os quais eles trabalham para atingir a coordenação necessária. Esses fornecedores fazem parte do grupo industrial (*keiretsu*) de um grande fabricante (como a Toyota). Cada grande fabricante tende a ter seu próprio *keiretsu*. Além disso, é útil ter os fornecedores por perto, uma situação comum no Japão.

O *kanban* é parte integrante do sistema de estoque JIT, o qual é, às vezes, chamado de *sistema kanban*. O significado literal de *kanban* é "cartão" ou "aviso", mas, em termos gerais, um *kanban* é um sinal para um fornecedor enviar mais estoque. Por exemplo, o *kanban* pode literalmente ser um cartão fixado em uma gaveta de peças. Quando um operário usa as peças daquela gaveta, o cartão é destacado e encaminhado de volta ao fornecedor, que fornece um lote de reposição.

Um sistema de estoque JIT é uma parte importante de um processo de planejamento de produção maior. Uma discussão completa desse assunto mudaria o foco de Finanças para Administração de Produção e Operações, por isso encerraremos aqui.

Resumo e conclusões

Este capítulo abordou os fundamentos da política de crédito e de estoques. Os principais tópicos discutidos incluem:

1. *Os componentes da política de crédito*: abordamos as condições de venda, a análise de crédito e a política de cobrança. Dentro do assunto geral das condições de venda, foram descritos o prazo do crédito, o desconto comercial e o desconto financeiro, o período de desconto e o instrumento de crédito.

2. *Análise da política de crédito*: desenvolvemos os fluxos de caixa da decisão de conceder crédito e mostramos como essa decisão pode ser analisada com a abordagem do VPL. O VPL da concessão de crédito depende de cinco fatores: os efeitos sobre a receita, os efeitos do custo, o custo dos empréstimos, a probabilidade de não pagamento e o desconto financeiro.

3. *Política de crédito ótima*: o montante ótimo de crédito que a empresa deve oferecer depende das condições competitivas sob as quais a empresa opera. Essas condições determinarão os custos de carregamento associados à concessão de crédito e os custos de oportunidade das vendas perdidas que resultam da recusa de oferecer crédito. A política de crédito ótima minimiza a soma desses dois custos.

4. *Análise de crédito*: analisamos a decisão de conceder crédito a determinado cliente. Vimos que duas considerações são muito importantes: o custo relativo ao preço de venda e a possibilidade de negócios repetidos.

5. *Política de cobrança*: a política de cobrança determina o método de monitoramento da idade das contas a receber e a maneira de lidar com as contas vencidas. Descrevemos como um relatório por idade das contas a receber pode ser preparado e quais os procedimentos que uma empresa poderia usar para cobrar as contas vencidas.

6. *Tipos de estoque*: descrevemos os diferentes tipos de estoque e como eles diferem em termos de liquidez e demanda.

7. *Custos do estoque*: os dois custos básicos de estoque são o de carregamento e o de renovação de estoque. Discutimos como a gestão de estoques envolve uma ponderação entre esses dois custos.

8. *Técnicas de gestão de estoques*: discorremos sobre a abordagem ABC e a abordagem do modelo do lote econômico (MLE) para a gestão de estoques. Também abordamos de modo sucinto o planejamento das necessidades de materiais (MRP) e a gestão do estoque *just-in-time* (JIT).

QUESTÕES CONCEITUAIS

1. **Instrumentos de crédito** Descreva cada um dos seguintes itens:
   a. Letra de câmbio à vista.
   b. Letra de câmbio a prazo.
   c. Aceite bancário.
   d. Nota promissória.
   e. Duplicata mercantil.

2. **Formas de crédito comercial** Em qual forma o crédito comercial parece ser oferecido com maior frequência no Brasil? Qual é o instrumento de crédito mais comum nessas vendas?

3. **Custos de contas a receber** Quais são os custos de carregamento associados às contas a receber? Quais são os custos associados à não concessão de crédito? Como chamamos a soma dos custos para os diferentes níveis de contas a receber?

4. **Cinco Cs do crédito** Quais são os cinco Cs do crédito? Explique por que cada um é importante.

5. **Duração do prazo de crédito** Quais são alguns fatores que determinam a duração do prazo do crédito? Por que a duração do ciclo operacional do comprador quase sempre é considerada um limite máximo na duração do prazo do crédito?

6. **Duração do prazo do crédito** Em cada um dos pares a seguir, indique qual empresa provavelmente teria um prazo de crédito mais longo e explique seu raciocínio.
   a. A empresa *A* vende uma cura milagrosa para a calvície, e a empresa *B* vende topetes postiços.
   b. A empresa *A* é especializada em produtos para proprietários, e a empresa *B* é especializada em produtos para inquilinos.
   c. A empresa *A* vende para clientes com um giro de estoque de 10 vezes, e a Empresa *B* vende para clientes com um giro de estoque de 20 vezes.
   d. A empresa *A* vende frutas frescas, e a empresa *B* vende frutas em conserva.
   e. A empresa *A* vende e instala carpetes, e a empresa *B* vende tapetes.

7. **Tipos de estoque** Quais são os diferentes tipos de estoque? Quais são as diferenças entre eles? Por que se diz que alguns tipos têm demanda dependente, enquanto outros têm demanda independente?

8. **Estoque *just-in-time*** Se uma empresa muda para um sistema de gestão de estoques JIT, o que ocorrerá ao giro de estoque? O que acontecerá ao giro do ativo total? E ao retorno sobre o patrimônio líquido (ROE)? *Dica*: Lembre-se da equação da análise DuPont no Capítulo 3.

9. **Custos de estoque** Se os custos de carregamento de estoque de uma empresa forem de $ 5 milhões por ano e seus custos fixos de pedido forem de $ 8 milhões por ano, você acha que ela mantém muito ou pouco estoque? Por quê?

10. **Prazo médio de estocagem** Pelo menos parte dos lucros da Dell pode ser atribuída à sua gestão de estoques. Usando o estoque *just-in-time*, a empresa mantém um estoque de vendas de 3 a 4 dias. Concorrentes como a Hewlett-Packard e a IBM tentaram competir com as políticas de estoque da Dell, mas ficaram para trás. Em um setor no qual o preço dos componentes de PC continua diminuindo, a empresa tem uma vantagem competitiva evidente. Por que você diria que é vantagem da Dell ter um prazo médio de estocagem tão curto? Se isso é valioso, por que todos os outros fabricantes de PC não mudam para essa abordagem?

QUESTÕES E PROBLEMAS

BÁSICO
(Questões 1-12)

1. **Descontos financeiros** Você faz um pedido de 500 unidades para estoque a um preço unitário de $ 135. O fornecedor oferece prazo de pagamento de 30 dias e desconto de 1% para pagamento em até 10 dias.

    a. Quanto tempo você tem para pagar até que a conta vença? Se você aceitar o período completo, quanto deverá pagar?

    b. Qual é o desconto oferecido? Em quanto tempo você deve pagar para obter o desconto? Se você aceitar o desconto, quanto pagará?

    c. Se você não aceitar o desconto, quanto de juros implícitos pagará? Quantos dias de crédito você receberá?

2. **Tamanho das contas a receber** A Surfista da Areia Ltda. tem vendas anuais de $ 34 milhões. O prazo médio de recebimento é de 33 dias. Qual é o investimento médio em contas a receber mostrado no balanço patrimonial?

3. **PMR e contas a receber** A Kyoto Boy Ltda. vende previsões de rentabilidade de títulos mobiliários japoneses. Suas condições de crédito são de pagamento em 30 dias com opção de desconto de 2% para pagamento até o 15º dia. Devido à experiência, 65% de todos os clientes aceitarão o desconto.

    a. Qual é o prazo médio de recebimento da empresa?

    b. Se a empresa vender 1.300 previsões todos os meses a $ 1.700 cada uma, qual será o valor médio de contas a receber no balanço patrimonial?

4. **Tamanho das contas a receber** A Arrumabem Ltda. tem vendas semanais a prazo de $ 27.500 e um prazo médio de recebimento de 27 dias. O custo de produção é 75% do preço de venda. Qual é o valor médio das contas a receber?

5. **Condições de venda** Uma empresa oferece condições de pagamento em 30 dias e desconto de 1% para pagamento até o 10º dia. Qual a taxa de juros anual efetiva que a empresa ganha quando um cliente não aproveita o desconto? Sem fazer qualquer cálculo, explique o que acontecerá a essa taxa efetiva se:

    a. O desconto mudar para 2%.

    b. O prazo do crédito aumentar para 60 dias.

    c. O período de desconto aumentar para 15 dias.

6. **PMR e giro de contas a receber** A Badaladas Ltda. tem um prazo médio de recebimento de 36 dias. Sua média de investimento diário em contas a receber é de $ 58.300. Quais são as vendas a prazo anuais? Qual é o giro de contas a receber?

7. **Tamanho das contas a receber** A Fragrâncias Essência Ltda. vende 4.900 unidades de sua coleção de perfumes todos os anos a um preço unitário de $ 495. Todas as vendas são feitas a prazo para pagamento em 40 dias, e um desconto de 1% é oferecido para pagamento até o 10º dia. O desconto é aceito por 40% dos clientes. Qual é o valor das contas a receber da empresa? Em reação às vendas de seu principal concorrente, a Perfume de Gambá, a Essência está pensando em mudar sua política de crédito para pagamento em 30 dias, com opção de desconto de 2% até o 10º dia, a fim de preservar sua participação de mercado. Como essa mudança de política afetará as contas a receber?

8. **Tamanho das contas a receber** A Guanabara S/A vende com prazo de 30 dias para pagamento. Suas contas estão em média seis dias atrasadas. Se as vendas a prazo anuais forem de $ 9,3 milhões, qual será o montante de contas a receber no balanço patrimonial da empresa?

9. **Avaliação da política de crédito** A Peças Aéreas é um atacadista que armazena componentes de motor e equipamento de testes para a indústria de aviões comerciais. Um

novo cliente fez um pedido de oito motores à turbina de alta derivação que aumentam a economia de combustível. O custo variável é de $ 2,4 milhões por unidade, e o preço a prazo é de $ 2,625 milhões cada. O crédito é concedido por um período e, em virtude da experiência histórica, o pagamento de 1 de cada 200 pedidos nunca é recebido. O retorno exigido é de 2,9% por mês.

   a. Considerando que seja um pedido único, ele deve ser atendido? O cliente não comprará se o crédito não for concedido.

   b. Qual é a probabilidade de inadimplência no ponto de equilíbrio da parte (a)?

   c. Suponha que os clientes que paguem tornem-se clientes repetidos e façam o mesmo pedido a cada período para sempre. Suponha também que esses clientes antigos nunca deixem de pagar. O pedido deve ser atendido? Qual é a probabilidade de inadimplência no ponto de equilíbrio?

   d. Descreva, em termos gerais, o motivo pelo qual as condições de crédito serão mais liberais quando pedidos repetidos forem uma possibilidade.

10. **Avaliação da política de crédito** A Lilos Ltda. está pensando em mudar sua atual política de vendas somente à vista. A nova condição de venda seria para pagamento do valor integral da compra em um mês. Com base nas seguintes informações, determine se a empresa deve ou não continuar. Descreva a formação das contas a receber nesse caso. O retorno exigido é de 0,95% por mês.

	Política atual	Nova política
Preço unitário	$ 720	$ 720
Custo unitário	$ 495	$ 495
Vendas unitárias mensais	1.100	1.140

11. **MLE** A Indústrias Vermelhante usa 1.700 conjuntos de chaves comutadoras por semana e, em seguida, pede outros 1.700. Se o custo de carregamento relevante por conjunto for de $ 7 e o custo fixo do pedido for de $ 725, a política de estoques da empresa será ótima? Por quê?

12. **MLE** A loja Trektrônica começa cada semana com 750 *phasers* no estoque. Esse estoque é esgotado e renovado todas as semanas. Se o custo de carregamento por *phaser* for de $ 65 por ano e o custo fixo do pedido for de $ 395, qual será o custo de carregamento total? Qual é o custo de renovação de estoque? A Trektrônica deve aumentar ou diminuir o tamanho do pedido? Descreva uma política de estoques ótima para a empresa em termos de tamanho e frequência de pedidos.

INTERMEDIÁRIO (Questões 13-16)

13. **Derivação do MLE** Prove que, quando os custos de carregamento e de renovação de estoque são como os descritos neste capítulo, o MLE deve ocorrer no ponto em que ambos os custos são iguais.

14. **Avaliação da política de crédito** A Senna S/A está pensando em mudar sua política atual de vendas somente à vista. A nova condição seria para vendas com pagamento em um período pelo valor integral da compra. Levando em conta as seguintes informações, determine se a empresa deve ou não continuar com a proposta. O retorno exigido é de 2,5% por mês.

	Política atual	Nova política
Preço unitário	$ 104	$ 108
Custo unitário	$ 47	$ 47
Vendas unitárias mensais	3.240	3.295

15. **Avaliação da política de crédito** No momento, a Tempos Felizes realiza vendas somente à vista. A empresa está pensando em mudar para a condição de pagamento em 30 dias pelo valor à vista. De acordo com as seguintes informações, o que você recomendaria? O retorno exigido é de 0,95% por mês.

	Política atual	Nova política
Preço unitário	$ 295	$ 302
Custo unitário	$ 230	$ 234
Vendas unitárias mensais	1.105	1.125

16. **Política de crédito** A loja de bicicletas Eixos Prateados decidiu oferecer crédito a seus clientes durante a época de vendas da primavera. A empresa esperava vender 600 bicicletas. O custo médio de aquisição de uma bicicleta é de $ 525. O proprietário sabe que apenas 96% dos clientes pagarão. Para identificar os 4% restantes, a empresa está pensando em recorrer a uma agência de crédito. A taxa inicial cobrada por esse serviço é de $ 750, com uma taxa adicional de $ 10 por relatório individual. A empresa deve contratar o serviço?

17. **Quantidade no ponto de equilíbrio** No Problema 14, qual é a quantidade de ponto de equilíbrio para a nova política de crédito?

DESAFIO
(Questões 17-22)

18. *Markup* **de crédito** Ainda em relação ao Problema 14, qual é o preço por unidade no ponto de equilíbrio que deve ser cobrado de acordo com a nova política de crédito? Considere que, na nova política, o número de vendas seja de 3.400 unidades e que todos os outros valores permaneçam iguais.

19. *Markup* **de crédito** No Problema 15, qual é o preço por unidade no ponto de equilíbrio de acordo com a nova política de crédito? Suponha que todos os outros valores permaneçam iguais.

20. **Estoques de segurança e ponto de renovação de pedidos** A Sachê Ltda. espera vender 700 de seus ternos de grife a cada semana. A loja abre sete dias por semana e espera vender o mesmo número de ternos todos os dias. A empresa tem um MLE de 500 ternos e um estoque de segurança de 100 ternos. Depois que um pedido é feito, são necessários três dias para que a empresa receba os ternos. Quantos pedidos a empresa faz por ano? Assuma que é manhã de segunda-feira, antes de a loja abrir, e que uma remessa de ternos acaba de chegar. Quando a empresa fará seu próximo pedido?

21. **Avaliação da política de crédito** A Motores Solares fabrica motores solares para tratores-reboques. Dada a economia de combustível, foram feitos pedidos de 125 unidades por clientes que pediram venda a prazo. O custo variável é de $ 11.400 por unidade, e o preço de venda a prazo é de $ 13.000 cada. O crédito é concedido por um período. O retorno exigido é de 1,9% por mês. Se a Motores Solares conceder crédito, a empresa espera que 30% dos clientes se tornem clientes repetidos e façam o mesmo pedido a cada período para sempre e que os clientes restantes façam pedidos únicos. O crédito deve ser concedido?

22. **Avaliação da política de crédito** Suponha que a probabilidade de inadimplência seja de 15% no problema anterior. Os pedidos devem, agora, ser atendidos? Considere que o número de clientes repetidos seja afetado pelas inadimplências. Em outras palavras, espera-se que 30% dos clientes que pagam tornem-se clientes repetidos.

MINICASO

Política de crédito nas indústrias Braga

Patrícia Albuquerque, presidente das Indústrias Braga, vem explorando maneiras de melhorar o desempenho financeiro da empresa. A Braga fabrica e vende equipamentos de escritório para varejistas. O crescimento da empresa foi lento nos últimos anos, mas, com a expansão da economia, parece que as vendas podem aumentar mais no futuro. Patrícia pediu que André Pereira, o tesoureiro da empresa, examinasse a política de crédito da Braga e verificasse se uma política de crédito diferente ajudaria a aumentar a lucratividade.

No momento, a empresa tem uma política de vendas para pagamento em 30 dias. Assim como em qualquer venda a prazo, as taxas de inadimplência são sempre uma preocupação. Devido ao processo de seleção e cobrança da Braga, a taxa de inadimplência das vendas a prazo é de apenas 2,1% no momento. André examinou a política de crédito da empresa em relação a outros fornecedores e concluiu que havia três opções disponíveis: (1ª) tornar mais liberal a concessão de crédito; (2ª) aumentar o prazo de crédito para pagamento em 45 dias; (3ª) combinar a política de crédito liberal com a extensão do prazo de crédito para 45 dias.

O lado positivo é que cada uma das três políticas consideradas aumentaria as vendas. As três políticas têm a desvantagem de aumentar as taxas de inadimplência, os custos administrativos das contas a receber e o prazo de recebimento. O efeito da alteração na política de crédito afetaria todas essas variáveis em diferentes graus. André preparou o seguinte quadro, destacando o efeito sobre cada uma dessas variáveis:

	Vendas anuais (em milhões)	Taxa de inadimplência (em % das vendas)	Custos administrativos (em % das vendas)	Prazo médio de recebimento
Política atual	$ 116	1,90%	1,60%	38 dias
Opção 1	130	2,60	2,40	41
Opção 2	129	2,20	1,90	51
Opção 3	132	2,50	2,10	49

Os custos variáveis da Braga com a produção são de 45% das vendas, e a respectiva taxa de juros anual efetiva é de 6%. Qual política de crédito a empresa deve adotar? Observe também que, na Opção 2, a taxa de inadimplência e os custos administrativos estão abaixo dos da Opção 3. Isso é plausível? Por quê?

APÊNDICE 29A — Mais sobre a análise da política de crédito

Para acessar o apêndice deste capítulo, cadastre-se no *site* do Grupo A (www.grupoa.com.br) e procure pela página deste livro.

Fusões, Aquisições e Desinvestimentos[1]

30

Em março de 2011, a AT&T fez uma oferta de $ 39 bilhões para comprar a operadora de celular rival T-Mobile. Muitos observadores mencionaram que a principal razão para a aquisição proposta era que, em breve, a AT&T não teria capacidade suficiente para lidar com a rede 4G. A AT&T apresentou outras razões para a aquisição, incluindo a eficiência de combinar as estações rádio base das duas empresas, a eliminação de canais de controle redundantes, o que liberaria um espaço de espectro extra, e o fato de que os usuários teriam acesso a redes e recursos de ambas as empresas. No geral, a AT&T estimava uma economia de custos de $ 39 bilhões, começando com uma economia de $ 3 bilhões no terceiro ano da aquisição. É claro que nem todos concordaram com a aquisição. Em junho de 2011, a concorrente Sprint apresentou uma moção junto à Comissão de Comunicações Federal (dos Estados Unidos) para bloquear a aquisição proposta.

Como empresas como a AT&T determinam se uma aquisição é uma boa ideia? Este capítulo explora as razões pelas quais as fusões devem acontecer – e, tão importante quanto, as razões pelas quais não devem acontecer.

Para ficar por dentro dos últimos acontecimentos na área de finanças, visite www.rwjcorporatefinance.blogspot.com.

30.1 Formas básicas de aquisição

As aquisições seguem uma das três formas básicas: (1) fusão ou incorporação, (2) aquisição de ações e (3) aquisição de ativos.

Fusão ou incorporação

Uma **incorporação** refere-se à absorção de uma empresa por outra. A empresa adquirente mantém seu nome e sua identidade e adquire todos os ativos e passivos da empresa adquirida. Depois de uma incorporação, a empresa adquirida deixa de existir como uma entidade de negócios separada.

Uma **fusão** é o mesmo que uma incorporação, exceto que uma empresa totalmente nova é criada. Em uma fusão, a empresa adquirente e a adquirida encerram sua existência legal anterior e se tornam parte de uma nova empresa.

EXEMPLO 30.1 Princípios básicos da incorporação

Suponha que a Empresa A adquira a Empresa B em uma incorporação. Além disso, suponha que os acionistas da Empresa B recebam uma ação da Empresa A em troca de duas ações da Empresa B. Do ponto de vista jurídico, os acionistas da Empresa A não são diretamente afetados pela incorporação. No entanto, as ações da Empresa B deixam de existir. Em uma fusão, os acionistas das empresas A e B trocam suas ações pelas da nova empresa (p. ex., Empresa C).

---

[1] Este tema é referido também como "combinação de negócios". Ver CPC 15.

Por causa das semelhanças entre incorporações e fusões, iremos nos referir a ambos os tipos de reorganização como fusões. Aqui estão dois pontos importantes sobre fusões e incorporações:

1. Uma incorporação é legalmente simples e não custa tanto quanto outras formas de aquisição. Ela evita a necessidade de transferir a titularidade de cada ativo individual da empresa adquirida para a empresa adquirente.

2. Os acionistas de cada empresa devem aprovar a incorporação.[2] Normalmente, dois terços dos proprietários de ações devem votar em favor de sua aprovação. Além disso, os acionistas da empresa adquirida têm *direito a um laudo de avaliação*. Isso significa que eles podem reivindicar que a empresa adquirente compre suas ações por um valor justo. Muitas vezes, a empresa adquirente e os acionistas dissidentes da empresa adquirida não conseguem concordar a respeito de um valor justo, o que resulta em processos judiciais dispendiosos.

Aquisição de ações

Uma segunda maneira de adquirir outra empresa é comprar o capital votante dela com dinheiro, ações ou outros títulos mobiliários. Esse processo pode começar como uma oferta privada da administração de uma empresa para outra. Em algum ponto, a oferta é levada diretamente aos acionistas da empresa vendedora, muitas vezes, por uma oferta de aquisição. Uma **oferta de aquisição** é uma oferta pública para comprar ações de uma empresa-alvo.[3] Ela é feita por uma empresa diretamente aos acionistas de outra empresa. A oferta é comunicada aos acionistas da empresa-alvo por anúncios públicos, como publicidade em jornais. Às vezes, uma correspondência geral dirigida diretamente aos acionistas é utilizada em uma oferta de aquisição. Nos Estados Unidos, entretanto, uma correspondência geral é difícil, pois os nomes e endereços dos acionistas registrados no livro de acionistas normalmente não estão disponíveis. Isso não ocorre no Brasil por duas razões: 1) em todas as transações com ações, as partes devem ser identificadas e 2) os serviços de custódia são feitos por bancos que detêm os dados dos acionistas para o pagamento de proventos.

Os seguintes fatores estão envolvidos na escolha entre uma aquisição de ações e uma fusão:

1. Em uma aquisição de ações, assembleias de acionistas não precisam acontecer e não é necessária uma votação. Se os acionistas da empresa-alvo não gostarem da oferta, não precisam aceitá-la nem oferecer suas ações.

2. Em uma aquisição de ações, a empresa que dá o lance pode negociar diretamente com os acionistas da empresa-alvo via oferta de aquisição. A administração e o conselho de administração da empresa-alvo são ignorados. No Brasil, uma Oferta Pública de Aquisição (OPA) deve ser publicada, acompanhada de laudo de avaliação da empresa-alvo.

---

[2] Nos Estados Unidos, as fusões entre empresas exigem o cumprimento de leis locais. Em praticamente todos os Estados, os acionistas de cada empresa precisam dar sua aprovação. No Brasil essa legislação é federal e válida em todo o país. Aqui, no tocante às Sociedades Anônimas, é de competência da Assembleia Geral de Acionistas a deliberação acerca da "*transformação, fusão, incorporação e cisão da companhia*" (art. 122, inc. VIII, da Lei das S/A). Há uma série de procedimentos a serem seguidos por força de lei em processos de incorporação, seja de uma sociedade de responsabilidade limitada, seja de uma sociedade por ações, de capital aberto ou fechado. A incorporação é um processo relativamente simples; certamente, mais simples que a fusão.

[3] A edição norte-americana trabalha o conceito de oferta pública de aquisição de ações dentro de um ambiente de mercado regulado. Essas transações, apesar de existentes, não são tão habituais no mercado brasileiro. Operações de aquisição no Brasil, em sua grande maioria, acontecem de forma privada e são anunciadas ao mercado após sua assinatura. Entretanto, caso a operação de compra privada resulte em troca de controle de companhia aberta, o artigo 254-A da Lei das S/A determina que seja realizada oferta pública de aquisição de ações (OPA) com direito a voto dos demais acionistas, pelo valor mínimo de 80% do valor pago por ação integrante do bloco de controle adquirido. Isso é reflexo do reconhecimento de que a ação integrante de bloco de controle tem um prêmio, exatamente na garantia de controle da companhia. Em geral, as ofertas públicas têm como objetivo a aquisição de controle de uma empresa aberta, cujo capital votante esteja disseminado no mercado. No Brasil, as ofertas públicas são reguladas pela Lei das S/A nos artigos 257 e seguintes, seguindo procedimentos não muito distintos dos aqui descritos (Brasil, 1976).

3. Nos Estados Unidos, os gestores-alvo, muitas vezes, resistem à aquisição. Em tais casos, lá, a aquisição de ações contorna a objeção da administração da empresa-alvo. A resistência da administração da empresa-alvo, muitas vezes, torna o custo da aquisição de ações maior que o custo por fusão. A resistência da administração é um fato que se observa no mercado norte-americano; no mercado brasileiro, o papel da administração é menos preponderante que o do controlador. De acordo com a legislação brasileira, qualquer pessoa natural ou jurídica, ou grupo de pessoas, agindo em conjunto ou representando um mesmo interesse, que atingir participação, direta ou indireta, que corresponda a 5% ou mais de espécie ou classe de ações representativas do capital de companhia aberta deve informar tal fato à companhia, que deve comunicar tal fato ao mercado.[4]

4. Frequentemente, uma minoria de acionistas resiste a uma oferta de aquisição e, por isso, a empresa-alvo não pode ser completamente absorvida. Essa é uma realidade importante com casos de oferta pública para fechamento de capital, por exemplo, mas não necessariamente para aquisição de controle.

5. A absorção completa de uma empresa por outra requer uma incorporação. Muitas aquisições de ações terminam com uma incorporação formal.

Aquisição de ativos

Uma empresa pode adquirir outra comprando todos os seus ativos. A empresa vendedora não necessariamente desaparece, pois sua "aparência" pode ser mantida.[5] Uma votação formal dos acionistas-alvo é exigida em uma aquisição de ativos nos Estados Unidos; no Brasil, o Conselho de Administração pode ter poderes para comprar e vender ativos. Uma vantagem aqui é que, embora o adquirente, muitas vezes, fique com uma minoria de acionistas em uma aquisição de ações, isso não acontece em uma aquisição de ativos. Acionistas minoritários, muitas vezes, representam problemas, como obstruções. Contudo, a aquisição de ativos envolve a transferência de titularidade de ativos individuais, o que pode ser dispendioso. No Brasil, na aquisição de ativos, a adquirente não "assume o CNPJ" da adquirida, pois só compra ativos, e com isso tem, em tese, menor risco de sucessão de obrigações da vendedora (exceto por eventual risco de fraude a credores, se a vendedora passar por grandes dificuldades financeiras). Caso a compra de ativos envolva a transferência de uma linha de negócios que seja possível configurar como fundo de comércio ou estabelecimento, haverá, todavia, sucessão de obrigações trabalhistas, assim como responsabilidade subsidiária com relação a tributos devidos pela empresa vendedora relativos ao negócio transferido. Essa hipótese ocorrerá se a vendedora mantiver suas atividades. Poderá ocorrer sucessão integral se a vendedora vier a encerrar suas atividades em menos de seis meses após a venda.[6]

Esquema de classificação

Os analistas do mercado financeiro normalmente têm classificado as aquisições em três tipos:

1. *Aquisição horizontal*: Aqui, a adquirente e a adquirida são do mesmo setor. A aquisição da T-Mobile proposta pela AT&T, que mencionamos no início do capítulo, seria uma aquisição horizontal.

2. *Aquisição vertical*: Uma aquisição vertical envolve empresas em diferentes etapas do processo produtivo. Por exemplo, a aquisição pela operadora de TV a cabo Comcast da rede de televisão NBC Universal em 2010 foi uma aquisição vertical. Outra aquisição vertical em 2010 foi a compra da Sun Microsystems pela Oracle. A aquisição deu à Oracle a propriedade da linguagem de programação Java, bem como a capacidade de mover seu negócio essencialmente de *software* para *hardware* (a Sun Microsystems era a quarta maior fabricante do mundo de servidores de computadores na época).

---

[4] Ver art. 12 da Instrução CVM nº 358 (Comissão de Valores Mobiliários, 2002).
[5] Em outras palavras, o CNPJ da vendedora não é adquirido pela compradora.
[6] Nos termos do artigo 133 do Código Tributário Nacional (Brasil, 1966).

3. *Aquisição conglomerada*: A empresa adquirente e a empresa adquirida não estão relacionadas uma à outra. As aquisições conglomeradas são populares na área de tecnologia. Por exemplo, em 2011, a Google tinha adquirido mais de 140 empresas desde 2003. E, apesar de você poder conhecer o sistema operacional Android da Google para celulares, pode não estar ciente de que a Google adquiriu a Android em 2005.

Observação sobre tomadas de controle (*takeovers*)

Tomada de controle é um termo geral e impreciso que se refere à transferência de controle de uma empresa de um grupo de acionistas para outro.[7] Uma empresa que tenha decidido adquirir outra normalmente é chamada de **ofertante**. A ofertante oferece pagar dinheiro ou títulos para obter as ações ou os ativos de outra empresa. Se a oferta for aceita, a **empresa-alvo** abrirá mão do controle de seus ativos, ou seus acionistas de suas ações, em favor da ofertante em troca de uma contraprestação contratualmente negociada entre as partes[8] (pelas ações, pelas dívidas, ou pelo dinheiro da empresa-alvo).[9]

As tomadas de controle podem ocorrer por aquisições, disputas por procurações e fechamento de capital. Portanto, as tomadas de controle abrangem um conjunto mais amplo de atividades que as aquisições, conforme representado na Figura 30.1.

Se uma tomada de controle for realizada por uma aquisição, ela será por incorporação, oferta de ações ou compra de ativos. Em incorporações e ofertas de aquisição, a empresa adquirente receberá as ações com direito a voto da empresa adquirida.

As *disputas por procurações*[10] também podem resultar em tomadas de controle. As disputas por procurações ocorrem quando um grupo de acionistas tenta obter assentos no conselho

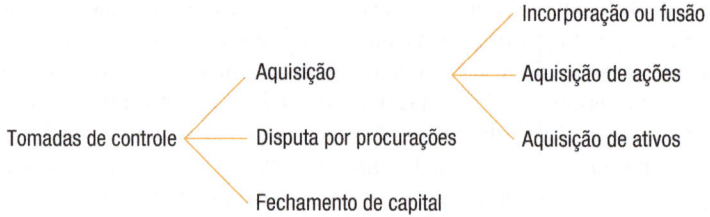

FIGURA 30.1 Variedades de tomadas de controle.

---

[7] *Controle* normalmente pode ser definido como ter a possibilidade de indicar a administração da empresa e conduzir seus negócios. Em uma sociedade por ações com sistema de administração composto de diretoria e conselho de administração, *controle* pode ser definido como a possibilidade de indicar a maioria (ou obter, de outra forma, o voto majoritário) do conselho de administração.

[8] No original, "...in exchange for *consideration*..."; o itálico é do original. *Journal of Finance* (abril de 2007), focam o processo de tomada de controle e a cadeia de negociações e oferta competitiva.

[9] Audra L. Boone e J. Harold Mulherin em "How Are Firms Sold?", *Journal of Finance* (abril de 2007), focam o processo de tomada de controle e a cadeia de negociações e oferta competitiva.

[10] Vide Instrução Normativa nº 481/09 da CVM com relação a "*proxy machinery*" (pedido de procurações feito pela administração da companhia de forma a obter maioria em assembleia) e "*proxy contest*" (pedido de procurações de um acionista aos demais, para assegurar posição em assembleia) (Comissão de Valores Mobiliários, 2009). Em março de 2014, houve um pedido público de procurações, no mercado de valores mobiliários brasileiro, iniciada pelos acionistas da Oi para impedir que a holding Telemar Participações, na qual estão reunidos os controladores da Oi, votasse em assembleia cuja ordem do dia era a aprovação da fusão entre Telemar Participações e Oi. A discordância dos acionistas minoritários era que a Telemar Participações tinha dívidas líquidas que somavam R$ 4,5 bilhões, as quais seriam transferidas para a nova sociedade fruto da fusão. A viabilidade de a Telemar Participações votar na referida assembleia, ante o possível conflito de interesses, foi decidida pelo colegiado da Comissão de Valores Mobiliários (CVM), fundamentando que, a princípio, não haveria flagrante benefício para a Telemar Participações caso a operação fosse concluída, sendo permitido o voto. Aliás, o primeiro pedido público de procurações nos termos da resolução da CVM foi feito em junho de 2010 pela Polo Capital, na época gestora de recursos e detentora de 0,85% do capital da Brasil Telecom (BrT). Ela lançou um *pedido público de procurações* para que os acionistas da empresa rejeitassem proposta de incorporação pela Telemar Norte Leste (Oi).

de administração. Uma *procuração* é uma autorização escrita para um acionista votar com as ações de outro acionista. Em uma disputa por procurações, um grupo de acionistas dissidentes solicita procurações para outros acionistas.

Em *transações de fechamento de capital*,[11] um pequeno grupo de investidores compra todas as ações de uma empresa de capital aberto. O grupo normalmente inclui membros da administração atual e alguns investidores. As ações da empresa são retiradas da bolsa de valores e não podem mais ser compradas no mercado. No mercado brasileiro, nos termos do § 4º do artigo 4º da Lei das S.A (Brasil, 1976). e da Instrução Normativa nº 361/02 da CVM (Comissão de Valores Mobiliários, 2002), somente o acionista controlador, ou a própria Companhia, podem iniciar processos de fechamento de capital. Não tendo o acionista minoritário essa prerrogativa, este não seria, aqui, um instrumento apropriado para tomada de controle.

No mercado brasileiro, temos um exemplo interessante de uma sequência de negócios que envolveram diversas operações do tipo das antes descritas. Em grandes dificuldades financeiras decorrentes de posições em derivativos que lhe trouxeram grandes prejuízos em 2007, a Sadia foi "socorrida" pela Perdigão, e da fusão das duas empresas resultou uma nova empresa, BRF- -BR Foods. O CADE[12] na sua análise do processo de fusão determinou que, para preservar a concorrência no mercado, a BRF se desfizesse de alguns ativos (marcas e plantas industriais). Esses ativos foram adquiridos pela MARFRIG S.A., que pagou os ativos com permuta de outros ativos (plantas industriais e marcas) que possuía na Argentina e uma parte em dinheiro. O negócio fazia muito sentido para as duas empresas; a BRF não tinha ativos na Argentina e a MARFRIG fortalecia sua unidade Seara, de derivados de aves e suínos, e aumentava sua carteira de marcas e produtos de varejo. Pouco depois, a MARFRIG vendeu sua unidade Seara para a JBS, em troca de assunção de dívidas da MARFRIG pela JBS. Dessa vez, o negócio fazia sentido para os dois grupos, porque a MARFRIG reduziu seu então elevado nível de endividamento e a JBS passou a ter participação no mercado de produtos derivados de aves e suínos, área em que tinha então baixa participação no mercado brasileiro. Aqui, inicialmente temos um exemplo de fusão Sadia + Perdigão = BRF e, posteriormente, temos dois casos de venda de ativos, venda de ativos com permuta e dinheiro, no caso da venda de ativos da BRF para a MARFRIG, e venda em troca de dívidas da MARFRIG para a JBS.

30.2 Sinergia

A seção anterior discutiu as formas básicas de aquisição. Agora, examinaremos por que as empresas são adquiridas. (Embora a seção anterior indicasse que aquisições e fusões têm diferentes definições, essas diferenças não serão importantes nesta e em muitas das seções seguintes. Portanto, salvo indicação contrária, iremos nos referir a aquisições de maneira genérica).

Muito do nosso raciocínio aqui pode ser organizado em torno das quatro perguntas a seguir:

1. Existe um motivo racional para fusões? Sim. Em uma palavra: *sinergia*.

    Suponha que a empresa A esteja pensando em adquirir a empresa B. O valor da empresa A é V_A, e o valor da empresa B é V_B. (É razoável supor que, para empresas de capital

---

[11] De acordo com a Instrução Normativa nº 361/02 da CVM, é obrigatória a OPA para cancelamento de registro de companhia listada na bolsa de valores (Comissão de Valores Mobiliários, 2002).

[12] O Conselho Administrativo de Defesa Econômica (CADE) é uma autarquia federal vinculada ao Ministério da Justiça, com sede e foro no Distrito Federal, que tem como missão zelar pela livre concorrência no mercado, sendo responsável por investigar e decidir, em última instância, sobre a matéria concorrencial, como também por fomentar e disseminar a cultura da livre concorrência, conforme a Lei nº 12.529/11 (Brasil, 2011). Até o momento final da edição deste livro, a referida lei, em seu art. 88, posteriormente alterado pela Portaria Interministerial nº 994/20 (Brasil, 2012), obrigava que fossem submetidas ao CADE as operações em que, cumulativamente, (i) pelo menos um dos grupos envolvidos tivesse registrado, no último balanço, faturamento bruto anual ou volume de negócios total no País, no ano anterior à operação, equivalente ou superior a R$ 750.000.000,00 e (ii) pelo menos um outro grupo envolvido na operação tivesse registrado, no último balanço, faturamento bruto anual ou volume de negócios total no País, no ano anterior à operação, equivalente ou superior a R$ 75.000.000,00.

aberto, V_A e V_B possam ser determinados pela observação dos preços das ações em circulação no mercado.) A diferença entre o valor da empresa resultante (V_{AB}) e a soma dos valores das empresas como entidades separadas é a sinergia da aquisição:

$$\text{Sinergia} = V_{AB} - (V_A + V_B)$$

Assim, a sinergia ocorre se o valor da empresa resultante depois da fusão for maior que a soma do valor da empresa adquirente e do valor da empresa adquirida antes da fusão.

2. De onde essa força mágica, a sinergia, vem?

Aumentos no fluxo de caixa criam valor. Definimos ΔFC_t como a diferença entre os fluxos de caixa na data t da empresa resultante e a soma dos fluxos de caixa das duas empresas separadas. Partindo dos capítulos sobre orçamento de capital, sabemos que o fluxo de caixa em qualquer período t pode ser escrito assim:

$$\Delta FC_t = \Delta Rec_t - \Delta Despesas_t - \Delta Impostos_t - \Delta\text{Necessidades de capital}_t$$

em que ΔRec_t é a receita incremental da aquisição, $\Delta Despesas_t$ são as despesas incrementais da aquisição, $\Delta Impostos_t$ são os impostos incrementais da aquisição e ΔNecessidades de capital$_t$ é o novo investimento incremental necessário para capital de giro e para ativos imobilizados.

Decorre da nossa classificação de fluxos de caixa incrementais que as possíveis fontes de sinergia se encaixam em quatro categorias básicas: aumento de receita, redução de despesas, impostos menores e necessidades de capital menores.[13] As melhorias em ao menos uma dessas quatro categorias criam sinergias. Cada uma dessas categorias será discutida em detalhes na próxima seção.

Além disso, muitas vezes, são dados motivos para fusões nos quais não se esperam melhorias em qualquer dessas quatro categorias. Esses "maus" motivos para fusões serão discutidos na Seção 30.4.

3. Como esses ganhos sinérgicos são compartilhados?

Em geral, a empresa adquirente paga um prêmio pela empresa adquirida, ou alvo. Por exemplo, se as ações da empresa-alvo estiverem sendo negociadas a $ 50, a adquirente pode ter que pagar $ 60 por ação, implicando um prêmio de $ 10, ou 20%. O ganho para a empresa-alvo nesse exemplo é de $ 10. Suponha que a sinergia da fusão seja $ 30. O ganho para a empresa adquirente, ou ofertante, seria $ 20 (=$ 30 − $ 10). A ofertante, na verdade, perderia se a sinergia fosse menor que o prêmio de $ 10. Um tratamento mais detalhado desses ganhos ou perdas será trazido na Seção 30.6.

4. Existem outros motivos para uma fusão além da sinergia? Sim.

Conforme dissemos, a sinergia é a fonte dos benefícios para os acionistas. No entanto, os *gestores* (e os controladores) provavelmente vejam uma potencial fusão de maneira diferente. Mesmo se a sinergia da fusão for menor que o prêmio pago à empresa-alvo, os gestores da empresa adquirente ainda podem se beneficiar. Por exemplo, as receitas da empresa resultante depois da fusão quase certamente serão maiores do que as da ofertante antes da fusão. Os gestores poderão receber uma remuneração maior uma vez que estejam

---

[13] Muitos motivos são dados por empresas para justificar fusões e aquisições. Quando duas empresas se fundem, os conselhos de administração das duas adotam um *acordo de fusão*. O acordo de fusão entre a U.S. Steel e a Marathon Oil é típico. Ele lista os benefícios econômicos que os acionistas podiam esperar da fusão (as palavras-chave foram marcadas em itálico):

"A U.S. Steel acredita que a aquisição da Marathon lhe oferece uma oportunidade atraente de *diversificação* no ramo da energia. Os motivos para a fusão incluem – mas não estão restritos a – o fato de que a consumação da fusão permitirá que a U.S. Steel consolide *créditos tributários* da Marathon, também contribuindo para *maior eficiência* e aumentando a capacidade de gerenciar o capital ao permitir a movimentação de caixa entre a U.S. Steel e a Marathon. Adicionalmente, a fusão eliminará a possibilidade de conflitos de interesse entre os acionistas minoritários e majoritários e aumentará a flexibilidade da gestão. A aquisição dará aos acionistas da Marathon um prêmio substancial sobre preços históricos de mercado para suas ações. Contudo, esses acionistas não continuarão a partilhar as perspectivas futuras da empresa."

administrando uma empresa maior (os controladores, por sua vez, podem eventualmente extrair maiores rendas de controle).[14] Além do aumento de remuneração, os gestores geralmente têm maiores prestígio e poder ao administrar uma empresa maior. De modo oposto, os gestores da empresa-alvo podem perder seus empregos depois da aquisição (no caso dos controladores, esses podem perder rendas de controle). Eles poderiam muito bem se opor a uma tomada de controle mesmo que seus acionistas fossem se beneficiar do prêmio. Essas questões serão discutidas em mais detalhes na Seção 30.9.

30.3 Fontes de sinergia

Nesta seção, discutiremos as fontes de sinergia.[15]

Aumento de receitas

Uma empresa combinada pode gerar receitas maiores que duas empresas separadas. As receitas aumentadas podem advir de ganhos de *marketing*, benefícios estratégicos e poder de mercado.

Ganhos de *marketing* Muito frequentemente, alega-se que, devido ao *marketing* melhorado, as fusões e aquisições podem aumentar as receitas operacionais. As melhorias podem ser feitas nas seguintes áreas:

1. Programação de mídia e esforços de propaganda ineficientes.
2. Uma rede de distribuição fraca.
3. Um mix de produtos desequilibrado.

Benefícios estratégicos Algumas aquisições prometem um benefício *estratégico*, que é mais uma opção do que uma oportunidade normal de investimento. Por exemplo, imagine que uma empresa de máquinas de costura adquira uma empresa de computadores. A empresa estará bem posicionada se os avanços tecnológicos permitirem máquinas de costura acionadas por computadores no futuro.

Michael Porter utilizou as palavras *cabeça de praia* para denotar os benefícios estratégicos do ingresso em uma nova indústria.[16] Ele utiliza o exemplo da aquisição da Charmin Paper Company pela Procter & Gamble como uma cabeça de praia que permitiu que a Procter & Gamble desenvolvesse um conjunto altamente inter-relacionado de produtos de papel – fraldas descartáveis, toalhas de papel, produtos de higiene feminina e papel higiênico.

Poder de mercado ou de monopólio Uma empresa pode adquirir outra para reduzir a concorrência. Assim, os preços podem ser aumentados, gerando lucros de monopólio. No entanto, as fusões que reduzem a concorrência não beneficiam a sociedade, e, no Brasil, o CADE pode recusá-las.[17]

---

[14] Podem obter benefícios derivados da posição, como o acesso a círculos de informação, contatos, ofertas de negócios que podem ser explorados pela rede de relações do controlador, sedes empresariais em áreas de prestígio, aviões para uso da alta administração e outros benefícios derivados da posição e com maior possibilidade de diluição de custos em empresas maiores.

[15] Matthew Rhodes-Kropf e David Robinson, em "The Market for Mergers and the Boundaries of the Firm", *Journal of Finance*, jun. 2008, abordam uma questão relacionada sobre quem compra quem. Ao contrário da sabedoria convencional, eles argumentam que não parece que empresas com valor de mercado relativamente alto tendam a comprar empresas com valores relativamente baixos. Em vez disso, eles mostram que as empresas tendem a se unir com outras empresas que tenham índices similares.

[16] M. Porter, *Competitive Advantage*. Nova York: Free Press, 1998.

[17] Como exemplo, em 2004, o CADE determinou o desfazimento da operação em que "Nestlé Brasil subscreveu novas ações emitidas em decorrência de aumento de capital da Garoto, seguida de resgate, pela sociedade, das ações então detidas por acionistas controladores", em virtude de que haveria "eficiências insuficientes para compensar dano à concorrência e garantir a não redução do bem-estar do consumidor" (Ato de Concentração nº 08012.001697/2002-89), (Brasil, 2004).

Redução de custos

Uma empresa combinada pode operar de forma mais eficiente que duas empresas separadas. Quando o Bank of America concordou em adquirir a Security Pacific, as despesas menores foram citadas como a principal razão. Uma fusão pode aumentar a eficiência operacional das seguintes formas:

Economia de escala   Economia de escala significa que o custo médio de produção cai à medida que o nível de produção aumenta. A Figura 30.2 ilustra a relação entre o custo por unidade e tamanho para uma empresa comum. Como pode ser visto, o custo médio primeiro cai e depois sobe. Em outras palavras, a empresa passa por economias de escala até que o seu tamanho ótimo seja alcançado. Deseconomias de escala surgem depois disso.

Embora a natureza precisa das economias de escala não seja conhecida, ela é um benefício óbvio de fusões horizontais. A frase *distribuir despesas administrativas* (*spreading overhead*) é frequentemente utilizada em conexão com as economias de escala. Isso se refere ao compartilhamento de instalações centrais, como sedes corporativas, alta administração e sistemas de computadores.

Economias de integração vertical   Economias operacionais podem ser obtidas a partir de combinações verticais, assim como de combinações horizontais. O principal objetivo das aquisições verticais é tornar mais fácil a coordenação de atividades operacionais intimamente relacionadas. Provavelmente seja por isso que a maioria das empresas de produtos de corte de madeira em florestas também possui serrarias e carregadeiras. Como o petróleo é utilizado para fazer plásticos e outros produtos químicos, a fusão DuPont-Conoco foi motivada pela necessidade da DuPont de ter um suprimento regular de petróleo. As economias de integração vertical provavelmente explicam por que a maioria das companhias aéreas possui aviões. Elas também explicam por que algumas empresas aéreas compraram hotéis e empresas de aluguel de carros.

Transferência de tecnologia   A transferência de tecnologia é outro motivo para uma fusão. Um fabricante de automóveis pode adquirir uma companhia de aeronaves se a tecnologia aeroespacial puder melhorar a qualidade automotiva. Essa transferência de tecnologia foi a motivação por trás da fusão da General Motors e da Hughes Aircraft.

Recursos complementares   Algumas empresas adquirem outras para melhorar a utilização de recursos existentes. Uma loja de equipamentos de esqui se fundindo com uma loja de equipamentos de tênis terá vendas equilibradas tanto no inverno quanto no verão; desse modo, haverá melhor uso da capacidade de ambas as lojas.

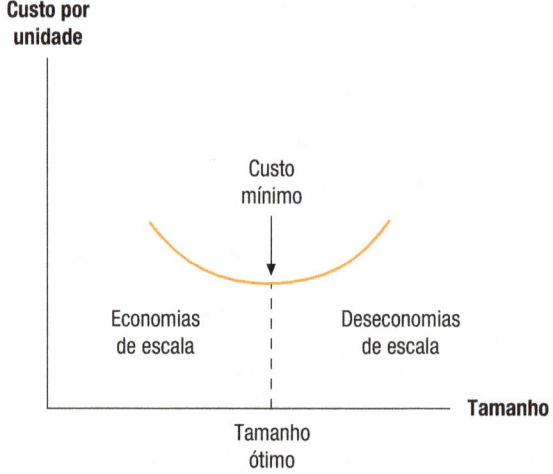

FIGURA 30.2   Economias de escala e tamanho ótimo da empresa.

Eliminação de administração ineficiente   Uma mudança na administração, muitas vezes, pode aumentar o valor da empresa. Alguns gestores gastam demais em privilégios e projetos de sua estimação, o que os faz alvo de uma tomada de controle. Por exemplo, a aquisição alavancada da RJR Nabisco foi instituída principalmente para dar um basta no comportamento extravagante do diretor-presidente Ross Johnson. Alternativamente, os gestores atuais podem não entender condições de mercado em mudança ou novas tecnologias, fazendo com que, para eles, seja difícil abandonar velhas estratégias. Embora o conselho de administração devesse substituir esses gestores, ele, muitas vezes, não consegue agir de forma independente. Assim, pode-se precisar de uma fusão para fazer as substituições necessárias.

Michael C. Jensen cita a indústria petrolífera como um exemplo de ineficiência de gestão.[18] No fim dos anos 1970, as mudanças na indústria petrolífera incluíam expectativas de preços de petróleo mais baixos, custos de exploração e desenvolvimento maiores e taxas de juros reais mais altas. Como resultado dessas mudanças, reduções substanciais na exploração e no desenvolvimento eram necessárias. No entanto, muitos gestores de empresas petrolíferas foram incapazes de reduzir o tamanho de suas empresas. Empresas interessadas em aquisições buscaram empresas petrolíferas para reduzir os níveis de investimento dessas. Por exemplo, T. Boone Pickens, da Mesa Petroleum, tentou comprar três empresas petrolíferas – Unocal, Phillips e Getty – para implantar uma administração mais frugal. Embora ele não tenha conseguido fazer as aquisições, suas tentativas estimularam a administração existente a reduzir gastos em exploração e desenvolvimento, gerando ganhos enormes para os acionistas dessas empresas, inclusive para ele.

As fusões e aquisições podem ser vistas como parte do mercado de trabalho para altos executivos. Michael Jensen e Richard Ruback têm utilizado a frase "mercado de controle corporativo", em que diferentes equipes de executivos competem pelo direito de gerir atividades corporativas.[19]

Ganhos de impostos

A redução de tributos pode ser um incentivo poderoso para algumas aquisições. Essa redução pode vir de:

1. Uso de prejuízos fiscais.
2. Uso de capacidade de endividamento não utilizada.
3. Uso de fundos excedentes.

Prejuízos operacionais líquidos   Uma empresa com uma divisão rentável e uma não rentável terá um encargo fiscal baixo, porque prejuízos de uma divisão contrabalançam receitas da outra. Contudo, se as duas divisões forem, na verdade, empresas separadas, a empresa rentável não poderá utilizar os prejuízos da não rentável para reduzir seu lucro tributável. Desse modo, nas circunstâncias certas, uma fusão pode diminuir tributos.

Considere o Quadro 30.1, que mostra a receita antes da tributação, os impostos e a receita após a tributação das Empresas *A* e *B*. A Empresa *A* lucra $ 200 no Estado 1, mas perde dinheiro no Estado 2. A empresa paga impostos no Estado 1, mas não tem direito a um abatimento de impostos no Estado 2. De modo inverso, a Empresa *B* obtém lucro no Estado 2, mas não no Estado 1. Essa empresa paga impostos somente no Estado 2. O quadro mostra que o encargo fiscal combinado das duas empresas separadas é sempre $ 68, independentemente de qual situação ocorra.

---

[18] M. C. Jensen, "Agency Costs of Free Cash Flow, Corporate Finance, and Takeovers", *American Economic Review*, 1986.
[19] M. C. Jensen e R. S. Ruback, "The Market for Corporate Control: The Scientific Evidence", *Journal of Financial Economics*, v.11, 1983.

QUADRO 30.1 Efeito tributário da fusão das Empresas A e B

	Antes da fusão				Depois da fusão	
	Empresa A		Empresa B		Empresa AB	
	Se estado 1	Se estado 2	Se estado 1	Se estado 2	Se estado 1	Se estado 2
Lucro tributável	$ 200	–$ 100	–$ 100	$ 200	$ 100	$ 100
Impostos	68	0	0	68	34	34
Lucro líquido	$ 132	–$ 100	–$ 100	$ 132	$ 66	$ 66

Nenhuma empresa poderá deduzir seus prejuízos antes da fusão. A fusão permite que os prejuízos de A compensem os lucros tributáveis de B, e vice-versa.

Contudo, as duas últimas colunas do quadro mostram que, depois de uma fusão, a empresa resultante pagará impostos de apenas $ 34. Os impostos diminuem depois da fusão, porque a perda em uma divisão contrabalança o ganho na outra.

A mensagem desse exemplo é que as empresas precisam ter lucros tributáveis para aproveitar os prejuízos potenciais. Esses prejuízos, muitas vezes, são chamados de *prejuízos operacionais líquidos*. As fusões, às vezes, podem juntar prejuízos e lucros. No entanto, existem duas qualificações para o exemplo anterior:

1. A legislação fiscal dos Estados Unidos permite que empresas com períodos alternados de lucros e prejuízos compensem impostos de lucros passados com créditos fiscais de prejuízos presentes ou os impostos de lucros futuros com créditos fiscais de prejuízos presentes. As regras contábeis dos Estados Unidos a respeito são complicadas, porém lá geralmente uma empresa que foi lucrativa em exercícios anteriores e tenha tido um prejuízo no ano corrente pode obter restituição de impostos de renda pagos nos *dois anos anteriores* e pode *manter créditos de prejuízos fiscais por 20 anos*. Assim, uma fusão para explorar benefícios fiscais não utilizados deve oferecer economias de impostos além e acima do que pode ser conseguido pelas empresas por meio do simples aproveitamento de créditos de prejuízos fiscais.[20]

    No Brasil, até 30% do lucro oferecido à tributação podem ser abatidos contra prejuízos acumulados em anos fiscais passados, respeitado o limite legal.[21] Os prejuízos fiscais podem ser *mantidos indefinidamente*. Entretanto, no caso de fusões e aquisições, os lucros devem ser gerados no CNPJ[22] da adquirida, que deve ser mantido para que haja possibilidade de aproveitamento dos créditos fiscais.

2. A Receita Federal dos Estados Unidos pode rejeitar uma aquisição se a finalidade principal dela for evitar tributos federais. Esse é um dos paradoxos do Código Tributário Federal dos Estados Unidos.

    A Receita Federal do Brasil também pode desconsiderar transações caso entenda que não houve propósito negocial, mas puramente o intuito de evitar impostos.

Capacidade de endividamento Existem ao menos dois casos em que as fusões permitem o aumento do endividamento e um benefício fiscal maior. No primeiro caso, a alvo tem muito pouco endividamento, e a adquirente pode injetar-lhe a dívida que falta. No segundo caso, ambas têm níveis ótimos de endividamento. Nesse caso, uma fusão leva à redução de risco, gerando maior capacidade de endividamento e um maior benefício fiscal. Trataremos de um caso por vez.

---

[20] Segundo a Lei de Reforma Tributária de 1986 dos Estados Unidos, a possibilidade de uma empresa manter créditos fiscais decorrentes de resultados negativos (e outros créditos fiscais) é limitada quando mais que 50% das ações mudam de mãos ao longo de um período de três anos.

[21] A norma tributária brasileira permite a compensação de prejuízos fiscais independentemente de prazo, observado em cada período de apuração o limite de 30% do lucro líquido ajustado. (Quando da edição deste livro, o tema era normatizado pelo seguinte quadro legal e normativo: Lei nº 8.981, de 1995 (Brasil, 1995), art. 42, com as alterações da Lei nº 9.065, de 1995 (Brasil, 1995), art. 15; e art. 35 da IN SRF nº 11, de 1996 (Brasil, 1996)).

[22] Cadastro Nacional da Pessoa Jurídica (CNPJ). O CNPJ compreende as informações cadastrais das entidades de interesse das administrações tributárias da União, dos Estados, do Distrito Federal e dos Municípios. A administração do CNPJ compete à Secretaria da Receita Federal do Brasil (RFB).

Caso 1: Capacidade não utilizada de endividamento   No Capítulo 17, mostramos que toda empresa tem capacidade de assumir certa quantia de endividamento. Essa capacidade de endividamento é benéfica, porque uma dívida maior leva a um benefício fiscal maior. Mais formalmente, toda empresa pode endividar-se até certo valor antes de os custos marginais de dificuldades financeiras igualarem o benefício fiscal marginal do endividamento. Essa capacidade de endividamento é uma função de muitos fatores, e talvez o mais importante seja o risco da empresa. Empresas com alto risco geralmente não conseguem tomar emprestado tanto quanto as com baixo risco. Por exemplo, uma concessionária de serviços públicos ou um supermercado, ambos com baixo risco, podem ter um quociente maior de Dívida/Valor da empresa do que uma empresa de tecnologia.

Algumas empresas, por alguma razão, têm menos dívidas do que o nível ótimo. Talvez os gestores sejam avessos ao risco, ou talvez eles simplesmente não saibam como avaliar a capacidade de endividamento de forma adequada. É ruim para uma empresa ter muito poucas dívidas? A resposta é sim. Como dissemos, o nível ótimo de endividamento ocorre quando o custo marginal das dificuldades financeiras iguala o benefício fiscal marginal do endividamento. Muito poucas dívidas reduzem o valor da empresa.

É aí que entram as fusões. Uma empresa com pouco ou nenhum endividamento é um alvo convidativo. Uma adquirente poderia aumentar o nível de endividamento da alvo depois da aquisição para criar um benefício fiscal maior.

Caso 2: Capacidade aumentada de endividamento   Voltemos aos princípios da teoria moderna de carteiras, conforme apresentado no Capítulo 11. Considere duas ações em diferentes setores, sendo que ambas têm o mesmo risco, o desvio padrão. Uma carteira com essas duas ações tem risco menor que qualquer uma delas separadamente. Em outras palavras, a carteira de duas ações é um tanto diversificada, ao passo que cada ação por si só é completamente não diversificada.[23]

Agora, em vez de um indivíduo comprando as duas ações, considere uma fusão entre duas empresas. Como o risco da empresa resultante é menor do que o de cada uma separadamente, os bancos estarão dispostos a emprestar mais dinheiro à empresa resultante do que o total que emprestariam às duas empresas separadamente. Em outras palavras, a redução de risco gerado pela fusão leva a uma capacidade de endividamento maior.

Por exemplo, imagine que cada empresa possa tomar emprestado $ 100 sozinha antes da fusão. Talvez a empresa resultante após a fusão possa tomar emprestado $ 250. A capacidade de endividamento foi aumentada em $ 50 (= $ 250 − $ 200).

Lembre-se de que o endividamento gera um benefício fiscal. Se o endividamento subir depois da fusão, os impostos cairão. Isto é, simplesmente por causa do pagamento maior de juros depois da fusão, o encargo tributário da empresa resultante deve ser menor que a soma dos encargos tributários das duas empresas separadas antes da fusão. Em outras palavras, a capacidade aumentada de endividamento a partir de uma fusão pode reduzir tributos.

Resumindo, primeiro consideramos o caso em que a alvo tinha muito pouca alavancagem. A adquirente poderia injetar mais dívida na empresa alvo, gerando um benefício fiscal maior. A seguir, consideramos o caso em que a alvo e a adquirente começaram com níveis ótimos de endividamento. Mesmo aqui, uma fusão leva a mais endividamento. Isto é, a redução de risco a partir da fusão cria uma capacidade maior de endividamento e, portanto, um benefício fiscal maior.

Sobras de caixa   Uma peculiaridade na legislação tributária envolve as sobras de caixa.[24] Considere uma empresa que tenha *fluxo de caixa livre*. Isto é, que tenha fluxo de caixa disponível depois do pagamento de todos os impostos e depois de todos os projetos de valor presente

---

[23] Embora a diversificação seja mais facilmente explicada considerando-se ações em diferentes setores, o fundamental é que os retornos das duas ações não estão perfeitamente correlacionados – uma relação que deveria ocorrer mesmo para ações do mesmo setor.

[24] Essas considerações se aplicam ao mercado norte-americano. É importante salientar a diferença entre os raciocínios nesse mercado e os aplicáveis ao mercado brasileiro, haja vista a abundância de livros e artigos norte-americanos disponíveis sobre o assunto para o leitor brasileiro.

COM A PALAVRA, OS EXECUTIVOS:
Michael C. Jensen, sobre fusões e aquisições

Análises e evidências econômicas indicam que tomadas de controle, LBOs* e reestruturações de empresas têm um papel importante em ajudar a economia a se ajustar às grandes mudanças competitivas das duas últimas décadas. A competição entre diferentes equipes de gestão e estruturas organizacionais alternativas pelo controle de ativos corporativos possibilitou que vastos recursos econômicos se movimentassem mais rapidamente para o seu uso com mais alto valor. No processo, foram gerados benefícios substanciais para a economia como um todo, bem como para os acionistas. Os ganhos gerais para os acionistas das empresas vendedoras com fusões, aquisições, aquisições alavancadas e outras reestruturações corporativas no período de 12 anos de 1977-1988 totalizaram mais de $ 500 bilhões em dólares de 1988. Estimo que os ganhos para os acionistas das empresas compradoras sejam de ao menos $ 50 bilhões para o mesmo período. Esses ganhos equivaleram a 53% do total de dividendos em dinheiro (avaliados em dólares de 1988) pagos aos investidores pelo setor corporativo inteiro no mesmo período.

As fusões e aquisições são uma resposta a novas tecnologias ou condições de mercado que requeiram uma mudança estratégica na direção ou no uso de recursos de uma empresa. Comparado à administração corrente, um novo proprietário é, muitas vezes, mais capaz de realizar uma grande mudança na estrutura organizacional existente. Alternativamente, as aquisições alavancadas trazem uma mudança organizacional ao criar incentivos empresariais para a administração e ao eliminar os centralizados obstáculos burocráticos para flexibilidades de manobra que são inerentes a grandes empresas de capital aberto.

Os conflitos de interesse entre acionistas e gestores sobre a distribuição do fluxo de caixa livre da empresa são reduzidos quando os gestores têm uma participação substancial na empresa. Os incentivos da administração estarão focados na maximização do valor da empresa em vez de em construir impérios – muitas vezes, por meio de aquisições de diversificação mal concebidas –, sem consideração para com o valor para o acionista. Por fim, o reembolso de dívidas exigido substitui a arbitrariedade da gestão na decisão de pagamento de dividendos e a tendência de reter caixa demais. Assim, são criados aumentos substanciais de eficiência.

Michael C. Jensen é professor de Administração de Empresas da escola Jesse Isidor Straus (em Nova York), emérito da Universidade de Harvard. Um notável estudioso e pesquisador, é famoso por sua análise inovadora da empresa moderna e de suas relações com seus acionistas.

---
* Sigla de *leveraged buyout*, ou seja, aquisição alavancada por dívida.

---

líquido positivo terem sido financiados. Nessa situação, ela pode, além de investir em títulos, distribuir dividendos ou recomprar ações.

Já vimos em nossa discussão anterior da política de dividendos que, nos Estados Unidos, um dividendo adicional aumentará o imposto de renda para alguns investidores.[25] Lá, os investidores pagam impostos mais baixos em uma recompra de ações.[26] Contudo, uma recompra de ações não é uma opção permitida pela legislação tributária norte-americana se a única finalidade for evitar impostos sobre dividendos.

Em vez disso, a empresa pode usar suas sobras de caixa para fazer aquisições. Aqui, os acionistas da empresa adquirente evitam os impostos que pagariam sobre um dividendo,[27] e nenhum imposto é pago pela adquirente sobre dividendos recebidos da empresa adquirida. Note, entretanto, que esse "incentivo" não existe no Brasil, onde a distribuição de dividendos é isenta de impostos.

Redução das necessidades de capital

Anteriormente neste capítulo, afirmamos que, devido a economias de escala, as fusões podem reduzir custos operacionais. Além disso, as fusões também podem reduzir as necessidades de capital. Os contadores normalmente dividem o capital em dois componentes: capital imobilizado e capital de giro.

---

[25] Lembre-se de que, no Brasil, dividendos não são tributados.

[26] Nos Estados Unidos, um dividendo é renda tributável para todos os beneficiários sujeitos ao pagamento de imposto de renda. Uma recompra cria uma obrigação fiscal apenas para aqueles que escolheram vender (e com lucro).

[27] A situação, na verdade, é um pouco mais complexa: os acionistas da empresa-alvo devem pagar impostos sobre seus ganhos de capital. Esses acionistas provavelmente irão exigir da adquirente um prêmio para compensar essa tributação.

Quando duas empresas se fundem, os gestores provavelmente encontrarão instalações duplicadas. Por exemplo, se ambas as empresas tinham suas sedes próprias, todos os executivos da empresa resultante poderiam ser deslocados para um prédio-sede, permitindo que a outra sede seja vendida. Algumas fábricas também podem ser redundantes. Ou duas empresas do mesmo setor que se fundissem poderiam consolidar suas áreas de pesquisa e desenvolvimento, permitindo que algumas instalações de P&D fossem vendidas.

O mesmo vale para o capital de giro. Os índices Estoque/Vendas e Caixa/Vendas, muitas vezes, diminuem conforme o tamanho da empresa aumenta. Uma fusão possibilita a realização dessas economias de escala, permitindo uma redução na necessidade de capital de giro.

30.4 Dois efeitos colaterais financeiros de aquisições

Crescimento de lucros

Uma aquisição pode criar a aparência de crescimento de lucros, talvez fazendo com que investidores pensem que a empresa vale mais do que vale na realidade. Consideremos duas empresas, a Global S/A e a Regional S/A, como representado nas primeiras duas colunas do Quadro 30.2. Como pode ser visto, o lucro por ação é de $ 1 para ambas as empresas. No entanto, a ação da Global é negociada a $ 25, implicando um índice de Preço/Lucro (P/L) de 25 (=$ 25/$ 1). Em contraste, a Regional é negociada a $ 10, implicando um índice P/L de 10. Isso significa que um investidor da Global paga $ 25 para obter $ 1 de lucro, ao passo que um investidor da Regional recebe o mesmo $ 1 de lucro sobre um investimento de apenas $ 10. Os investidores estão tendo um negócio melhor com a Regional? Não necessariamente. Talvez se espere que o lucro da Global cresça mais rápido que o da Regional. Se for esse o caso, um investidor da Global esperará receber um lucro alto em anos posteriores, compensando o lucro baixo no curto prazo. De fato, o Capítulo 9 argumenta que o principal determinante do índice P/L de uma empresa é a expectativa do mercado para a taxa de crescimento dos lucros da empresa.

Agora, imaginemos que a Global adquira a Regional sem que a fusão gere valor. Se o mercado for esperto, perceberá que a empresa resultante vale a soma dos valores das empresas separadas. Nesse caso, o valor de mercado da empresa resultante será $ 3.500, que é igual à soma dos valores das empresas separadas antes da fusão.

Nesses valores, a Global adquirirá a Regional trocando 40 de suas ações por 100 ações da Regional, de modo que a Global terá 140 ações em circulação depois da fusão.[28] O preço das ações da Global permanece a $ 25 (=$ 3.500/140). Com 140 ações em circulação e $ 200 de lucro depois da fusão, a Global aufere $ 1,43 (=$ 200/140) por ação depois da fusão. Seu índice P/L se torna 17,5 (=$ 25/$ 1,43), uma queda dos 25 antes da fusão. Esse cenário é representado pela terceira coluna do Quadro 30.2.

QUADRO 30.2 Posições financeiras da Global S/A e da Regional S/A

	Global S/A antes da fusão	Regional S/A antes da fusão	Global S/A depois da fusão	
			O mercado é "esperto"	O mercado é "enganado"
Lucro por ação	$ 1,00	$ 1,00	$ 1,43	$ 1,43
Preço por ação	$ 25,00	$ 10,00	$ 25,00	$ 35,71
Índice Preço/Lucro	25	10	17,5	25
Número de ações	100	100	140	140
Lucro total	$ 100	$ 100	$ 200	$ 200
Valor total	$ 2.500	$ 1.000	$ 3.500	$ 5.000

Razão de troca: 1 ação da Global por 2,5 ações da Regional.

---

[28] Esse quociente implica uma troca justa, pois uma ação da Regional é negociada a 40% (=$ 10/$ 25) do preço de uma da Global.

Por que o P/L caiu? O P/L da empresa resultante será uma média do P/L alto da Global e do P/L baixo da Regional antes da fusão. Isso é senso comum, se você pensar bem. O P/L da Global deveria cair quando ela adquire uma nova divisão com crescimento baixo.

Consideremos agora a possibilidade de que o mercado esteja enganado. Como acabamos de dizer, a aquisição permite que a Global aumente seu lucro por ação de $ 1 para $ 1,43. Se o mercado estiver enganado, pode confundir o aumento de 43% no lucro por ação com um crescimento real. Nesse caso, o índice Preço/Lucro da Global pode não cair depois da fusão. Suponha que o P/L da Global permaneça em 25. O valor total da empresa resultante aumentará para $ 5.000 (=$ 25 × $ 200), e o preço da ação da Global aumentará para $ 35,71 (=$ 5.000/140). Isso está refletido na última coluna do quadro.

Isso é mágica de crescimento de lucros. Podemos esperar que essa mágica funcione no mundo real? Os gestores de uma geração anterior certamente pensavam que sim, com empresas como LTV Industries, ITT e Litton Industries tentando entrar no jogo do P/L nos anos 1960. Contudo, olhando para trás, parece que não tiveram muito sucesso. Todos esses operadores desapareceram com poucas substituições, se alguma. Parece que o mercado é muito esperto para ser tão facilmente enganado.

Diversificação

A diversificação é, muitas vezes, mencionada como um benefício da aquisição de uma empresa por outra. Anteriormente neste capítulo, observamos que a U.S. Steel incluiu a diversificação como um benefício em sua aquisição da Marathon Oil. Na época da aquisição, a U.S. Steel era uma empresa rica em caixa, com mais de 20% de seus ativos em caixa e títulos disponíveis para venda. Não é incomum ver empresas com sobras de caixa articulando uma necessidade de diversificação.

No entanto, nosso argumento é que a diversificação, por si só, pode não produzir aumentos no valor*. Para ver isso, lembre-se daquela parte da variabilidade dos retornos de um negócio, que pode ser atribuída ao que é específico para o negócio, chamada de risco *não sistemático*.

Como você deve lembrar-se do Capítulo 11, da nossa discussão do CAPM, o risco não sistemático pode ser conceitualmente diversificado por meio de fusões. Contudo, o investidor não precisa que empresas amplamente diversificadas, como a General Electric, eliminem o risco não sistemático. Os acionistas podem diversificar mais facilmente que as empresas, simplesmente comprando ações de diferentes empresas. Por exemplo, os acionistas da U.S. Steel poderiam ter comprado ações na Marathon se acreditassem que haveria ganhos de diversificação ao fazê-lo. Portanto, a diversificação por meio da fusão de conglomerados pode não beneficiar os acionistas.[29]

A diversificação pode produzir ganhos para a empresa adquirente somente se uma destas três coisas for verdadeira:

1. A diversificação diminui a variabilidade não sistemática a custos menores do que os por ajustes dos investidores em suas carteiras pessoais. Isso parece muito improvável.
2. A diversificação reduz o risco e, com isso, aumenta a capacidade de endividamento. Essa possibilidade foi mencionada anteriormente neste capítulo.
3. Alocações internas de capital ou de força de trabalho forem melhores em empresas diversificadas do que de outra forma.

30.5 Custo para acionistas com a redução de riscos

Consideramos dois efeitos colaterais financeiros de fusões na seção anterior. A fusão por qualquer desses dois motivos não necessariamente destruirá o valor. Melhor dizendo, é apenas improvável que a fusão por essas duas razões vá aumentar valor. Nesta seção, examinaremos um

---

* Entretanto, para empresas brasileiras, a diversificação pode, sim, criar valor. Para mais detalhes, veja o Cap. 32, p. 1123, deste livro.

[29] Vários estudiosos têm argumentado que a diversificação pode *reduzir* o valor da empresa ao enfraquecer o foco corporativo, um ponto a ser desenvolvido em uma seção posterior deste capítulo.

subproduto de aquisições que, na verdade, deve destruir o valor, ao menos do ponto de vista dos acionistas. Como veremos, as fusões aumentam a segurança dos títulos de dívida, elevando o valor deles e prejudicando os acionistas.

No Capítulo 11, consideramos um indivíduo adicionando um título depois de outro, todos de risco igual, a uma carteira. Vimos que, desde que os retornos dos títulos não fossem positivamente correlacionados uns aos outros, o risco dessa carteira caía à medida que o número de títulos aumentava. Em uma palavra, essa redução de riscos era reflexo da *diversificação*. A diversificação também acontece em uma fusão. Quando duas empresas se fundem, a volatilidade de seu valor combinado normalmente é menor que suas volatilidades como entidades separadas.

Contudo, há um resultado surpreendente aqui. Ao passo que um indivíduo se beneficia da diversificação de carteiras, a diversificação a partir de uma fusão, na verdade, pode prejudicar os acionistas. O motivo é que os credores provavelmente ganhem com a fusão, pois seu endividamento agora está "assegurado" por duas empresas, não apenas uma. Acontece que esse ganho para os credores se dá à custa dos acionistas.

Caso base

Considere um exemplo em que a Empresa *A* adquira a Empresa *B*. O painel I do Quadro 30.3 mostra os valores presentes líquidos da Empresa *A* e da Empresa *B* antes da fusão nos dois estados possíveis da economia. Como a probabilidade de cada estado é de 0,50, o valor de mercado de cada empresa é a média de seus valores nos dois estados. Por exemplo, o valor de mercado da Empresa *A* é:

$$0,5 \times \$\,80 + 0,5 \times \$\,20 = \$\,50$$

Agora, imagine que a fusão das duas empresas não gere sinergia. A Empresa *AB* resultante terá um valor de mercado de $ 75 (=$ 50 + $ 25), a soma dos valores da Empresa *A* e da Empresa *B*. Imagine ainda que os acionistas da Empresa *B* recebam ações em *AB* iguais ao valor de mercado só da Empresa *B*, de $ 25. Em outras palavras, a Empresa *B* não recebe um prêmio. Como o valor de *AB* é $ 75, os acionistas da Empresa *A* têm um valor de $ 50 (=$ 75 − $ 25) depois da fusão – exatamente o que tinham antes dela. Portanto, a fusão não faz diferença para os acionistas das Empresas *A* e *B*.

Ambas as empresas têm dívidas

Alternativamente, imagine que a Empresa *A* tenha uma dívida com um valor nominal de $ 30 em sua estrutura de capital, como mostrado no painel II do Quadro 30.3. Sem uma fusão, a Empresa *A* ficará inadimplente em sua dívida no Estado 2, pois o valor dela nesse estado é $ 20, menos que o valor nominal da dívida, de $ 30. Como consequência, a Empresa *A* não pode pagar o valor inteiro da sua obrigação; os credores recebem apenas $ 20 nesse estado. Os credores levam em conta a possibilidade de inadimplência avaliando a dívida a $ 25 (=0,5 × $ 30 + 0,5 × $ 20).

A dívida da Empresa *B* tem um valor nominal de $ 15. A Empresa *B* ficará inadimplente no Estado 1, pois o valor dela nesse estado é $ 10, menos que o valor nominal da sua dívida, de $ 15. O valor de mercado da dívida da Empresa *B* é $ 12,50 (=0,5 × $ 10 + 0,5 × $ 15). Decorre daí que a soma do valor de mercado da dívida da Empresa *A* e do valor da dívida da Empresa *B* é $ 37,50 (=$ 25 + $ 12,50).

Agora, vejamos o que acontece depois da fusão. A Empresa *AB* vale $ 90 no Estado 1 e $ 60 no Estado 2, implicando um valor de mercado de $ 75 (= 0,5 × $ 90 + 0,5 × $ 60). O valor nominal da dívida na empresa resultante é $ 45 (=$ 30 + $ 15). Como o valor da empresa é maior que $ 45 em qualquer estado, os credores sempre recebem o total de seus créditos. Assim, o valor de mercado da dívida é seu valor nominal de $ 45. Esse valor é $ 7,50 maior que a soma dos valores das duas dívidas antes da fusão, que recém descobrimos ser $ 37,50. Portanto, a fusão beneficia os credores.

E quanto aos acionistas? Como o capital próprio da Empresa *A* valia $ 25 e o da Empresa *B* valia $ 12,50 antes da fusão, suporemos que a Empresa *AB* emita duas ações para os acionistas da

QUADRO 30.3 Fusões com troca de ações

	VPL		
	Estado 1	Estado 2	Valor de mercado
Probabilidade	0,5	0,5	
I. Caso base (nenhuma dívida na estrutura de capital das duas empresas)			
Valores antes da fusão:			
Empresa A	$ 80	$ 20	$ 50
Empresa B	10	40	25
Valores depois da fusão:*			
Empresa AB	$ 90	$ 60	$ 75
II. Dívida com valor nominal de $ 30 na estrutura de capital da Empresa A			
Dívida com valor nominal de $ 15 na estrutura de capital da Empresa B			
Valores antes da fusão:			
Empresa A	$ 80	$ 20	$ 50
Dívida	30	20	25
Capital próprio	50	0	25
Empresa B	$ 10	$ 40	$ 25
Dívida	10	15	12,50
Capital próprio	0	25	12,50
Valores depois da fusão:†			
Empresa AB	$ 90	$ 60	$ 75
Dívida	45	45	45
Capital próprio	45	15	30

Os valores das dívidas das Empresas A e B sobem depois da fusão. Os valores das ações das Empresas A e B caem depois da fusão.

*Os acionistas da Empresa A recebem $ 50 em ações da Empresa AB. Os acionistas da Empresa B recebem $ 25 em ações da Empresa AB. Portanto, a fusão não faz diferença para os acionistas de ambas as empresas.

†Os acionistas da Empresa A recebem ações da Empresa AB valendo $ 20. Os acionistas da Empresa B recebem ações da Empresa AB valendo $ 10. Os ganhos e prejuízos a partir da fusão são:

Prejuízo para os acionistas da Empresa A: $ 20 − $ 25 = −$ 5
Prejuízo para os acionistas da Empresa B: $ 10 − $ 12,50 = −$ 2,50
Ganho combinado para os credores em ambas as empresas: $ 45,00 − $ 37,50 = $ 7,50

Empresa A para cada ação emitida para os da Empresa B. O capital próprio da Empresa AB é $ 30; assim, os acionistas da Empresa A obtêm ações valendo $ 20, e os da Empresa B obtêm ações valendo $ 10. Os acionistas da Empresa A perdem $ 5 (=$ 20 − $ 25) a partir da fusão. Similarmente, os acionistas da Empresa B perdem $ 2,50 (=$ 10 − $ 12,50). O prejuízo total para os acionistas de ambas as empresas é $ 7,50, exatamente o ganho para os credores a partir da fusão.

Há muitos números nesse exemplo. O ponto é que os credores ganham $ 7,50 e os acionistas perdem $ 7,50 a partir da fusão. Por que ocorre essa transferência de valor? Para entender o que está acontecendo, observe que, quando as duas empresas estão separadas, a Empresa B não garante a dívida da Empresa A. Isto é, se a Empresa A ficar inadimplente em sua dívida, a Empresa B não ajuda os credores da Empresa A. No entanto, depois da fusão, os credores podem valer-se dos fluxos de caixa de A e B. Quando uma das divisões da empresa resultante falhar, os credores podem ser pagos a partir dos lucros da outra. Essa garantia mútua, que é chamada de *efeito de cosseguro*, torna a dívida menos arriscada e com valor maior do que antes.

Não há um benefício líquido para a empresa como um todo. Os credores ganham o efeito de cosseguro, e os acionistas perdem esse valor. Algumas conclusões gerais emergem da análise anterior:

1. As fusões normalmente ajudam os credores. O tamanho do ganho para os credores depende da redução na probabilidade de falência depois da combinação. Isto é, quanto menos arriscada for a empresa resultante, maiores serão os ganhos para os credores.

2. O valor do prejuízo dos acionistas é a quantia que os credores ganham.
3. A conclusão 2 se aplica às fusões sem sinergias. Na prática, muito depende do tamanho das sinergias.

Como os acionistas podem reduzir seus prejuízos advindos do efeito de cosseguro?

O efeito de cosseguro eleva o valor para os credores e diminui o valor para os acionistas. No entanto, existem ao menos duas formas pelas quais os acionistas podem reduzir ou eliminar o efeito de cosseguro. Primeiro, os acionistas da Empresa A poderiam recomprar sua dívida *antes* da data de anúncio da fusão e reemitir uma quantia igual de dívida depois da fusão. Como a dívida é recomprada ao preço baixo pré-fusão, esse tipo de transação de refinanciamento pode neutralizar o efeito de cosseguro para os credores.

Além disso, note que a capacidade de endividamento da empresa resultante provavelmente aumentará, pois a aquisição reduz a probabilidade de dificuldades financeiras. Portanto, a segunda alternativa dos acionistas é simplesmente emitir mais dívidas depois da fusão. Um aumento na dívida depois da fusão terá dois efeitos, mesmo sem a ação anterior de recompra de dívida. O benefício fiscal dos juros da nova dívida aumenta o valor da empresa, conforme discutido em uma seção anterior deste capítulo. Além disso, um aumento na dívida depois da fusão aumenta a probabilidade de dificuldades financeiras, reduzindo ou eliminando, assim, o ganho dos credores com o efeito de cosseguro.

30.6 VPL de uma fusão

As empresas normalmente utilizam a análise do VPL ao fazer aquisições. A análise é relativamente simples quando o pagamento for em caixa. Ela se torna mais complexa quando o pagamento for em ações.

Caixa disponível

Suponha que a Empresa A e a Empresa B tenham valores como entidades separadas de $ 500 e $ 100, respectivamente. Ambas são empresas totalmente financiadas por capital próprio. Se a Empresa A adquirir a Empresa B, a Empresa AB resultante terá um valor combinado de $ 700 devido a sinergias de $ 100. O conselho de administração da Empresa B indicou que a venderá se forem oferecidos $ 150 em dinheiro.

A Empresa A deve adquirir a Empresa B? Supondo que a Empresa A financie a aquisição com seus próprios lucros retidos, seu valor depois da aquisição será:[30]

$$\begin{aligned}\text{Valor da Empresa } A \text{ depois da aquisição} &= \text{Valor da empresa resultante} - \text{Caixa pago} \\ &= \$\,700 - \$\,150 \\ &= \$\,550\end{aligned}$$

Como a Empresa A valia $ 500 antes da aquisição, o VPL dos acionistas dela é:

$$\$\,50 = \$\,550 - \$\,500 \qquad (30.1)$$

Supondo que haja 25 ações na Empresa A, cada ação dela vale $ 20 (=$ 500/25) antes e $ 22 (=$ 550/25) depois da fusão. Esses cálculos são mostrados na primeira e terceira colunas do Quadro 30.4. Examinando a elevação no preço das ações, concluímos que a Empresa A deve fazer a aquisição.

---

[30] A análise será essencialmente a mesma se novas ações forem emitidas. No entanto, a análise irá diferir se novas dívidas forem emitidas para custear a aquisição por causa do benefício fiscal da dívida. Uma abordagem de valor presente ajustado (VPA) seria necessária aqui.

QUADRO 30.4 Custo da aquisição: Caixa *versus* ações ordinárias

	Antes da aquisição		Depois da aquisição: Empresa A		
	(1)	(2)	(3)	(4)	(5)
				Razão de troca de ações[†]	Razão de troca de ações[†]
	Empresa A	Empresa B	Caixa*	(0,75:1)	(0,6819:1)
Valor de mercado (V_A, V_B)	$ 500	$ 100	$ 550	$ 700	$ 700
Número de ações	25	10	25	32,5	31,819
Preço por ação	$ 20	$ 10	$ 22	$ 21,54	$ 22

*Valor da Empresa A depois da aquisição: Caixa

$$V_A = V_{AB} - \text{Caixa}$$
$$\$ 550 = \$ 700 - \$ 150$$

[†]Valor da Empresa A depois da aquisição: Ações ordinárias

$$V_A = V_{AB}$$
$$\$ 700 = \$ 700$$

Falamos anteriormente sobre a sinergia e o prêmio de uma fusão. Também podemos avaliar o VPL de uma fusão para a adquirente:

VPL de uma fusão para a adquirente = Sinergia − Prêmio

Como o valor da empresa resultante é $ 700 e os valores pré-fusão de A e B eram $ 500 e $ 100, respectivamente, a sinergia é $ 100 [=$ 700 − ($ 500 + $ 100)]. O prêmio é $ 50 (=$ 150 − $ 100). Portanto, o VPL da fusão para a adquirente é:

VPL da fusão para empresa A = $ 100 − $ 50 = $ 50

É importante fazer uma ressalva. Este livro tem persistentemente argumentado que o valor de mercado de uma empresa é a melhor estimativa de seu valor verdadeiro. No entanto, precisamos ajustar nossa análise ao discutir fusões. Se o preço real da Empresa A *sem a fusão* for $ 500, o valor de mercado da Empresa A pode, na verdade, estar acima de $ 500 quando as negociações de fusão acontecerem. Isso ocorre porque o preço de mercado, então, refletirá a possibilidade de que a fusão ocorra. Por exemplo, se a probabilidade de que a fusão ocorra for 60%, o preço de mercado da Empresa A será:

	Valor de mercado da Empresa A com fusão	×	Probabilidade de fusão	+	Valor de mercado da Empresa A sem fusão	×	Probabilidade de não haver fusão
$ 530 =	$ 550	×	0,60	+	$ 500	×	0,40

Os gestores subestimariam o VPL da fusão na Equação 30.1 se o preço de mercado da Empresa A fosse utilizado. Desse modo, eles enfrentam a difícil tarefa de avaliar sua própria empresa sem a aquisição.

Ações

É claro que a Empresa A poderia comprar a Empresa B com ações em vez de com dinheiro. Infelizmente, a análise não é tão simples aqui. Para lidar com esse cenário, precisamos saber quantas ações estão em circulação na Empresa B. Presumimos que haja 10 ações em circulação, conforme indicado na Coluna 2 do Quadro 30.4.

Suponha que a Empresa A troque 7,5 de suas ações por todas as 10 ações da Empresa B. Chamamos isso uma razão de troca de 0,75:1. O valor de cada ação da Empresa A antes da aquisição é $ 20. Como 7,5 × $ 20 = $ 150, essa troca *parece* ser equivalente à compra da Empresa B em dinheiro por $ 150.

Isso está incorreto: O custo real para a Empresa A é maior que $ 150. Para entender, observe que a Empresa A tem 32,5 (=25 + 7,5) ações em circulação depois da fusão. Os acionistas da Empresa B possuem 23% (=7,5/32,5) da empresa resultante. Sua participação está avaliada em $ 161 (=23% × $ 700). Como esses acionistas recebem ações na Empresa A valendo $ 161, o custo da fusão para os acionistas da Empresa A deve ser de $ 161, e não $ 150.

Esse resultado é mostrado na Coluna 4 do Quadro 30.4. O valor de cada ação da Empresa A depois de uma transação de ação por ação é de apenas $ 21,54 (=$ 700/32,5). Descobrimos anteriormente que o valor de cada ação é $ 22 depois de uma transação de dinheiro por ação. A diferença é que o custo da transação de ação por ação para a Empresa A é maior.

Esse resultado não intuitivo ocorre porque a razão de troca de 7,5 ações da Empresa A por 10 ações da Empresa B estava baseada nos preços *pré-fusão* das duas empresas. No entanto, como as ações da Empresa A sobem depois da fusão, os acionistas da Empresa B recebem mais que $ 150 em ações da Empresa A.

Qual deveria ser a razão de troca a fim de que os acionistas da Empresa B recebam apenas $ 150 em ações da Empresa A? Começaremos definindo α, a proporção de ações na empresa resultante que os acionistas da Empresa B possuem. Como o valor da empresa resultante é $ 700, o valor dos acionistas da Empresa B depois da fusão é:

Valor dos acionistas da Empresa B após a fusão
$$\alpha \times \$\ 700$$

Definindo $\alpha \times \$\ 700 = \$\ 150$, descobrimos que $\alpha = 21{,}43\%$. Em outras palavras, os acionistas da Empresa B receberão ações valendo $ 150 se obtiverem 21,43% da empresa após a fusão.

Agora, determinaremos o número de ações emitidas para os acionistas da Empresa B. A proporção, α, que os acionistas da Empresa B têm na empresa resultante pode ser expressa desta maneira:

$$\alpha = \frac{\text{Novas ações emitidas}}{\text{Ações antigas} + \text{Novas ações emitidas}} = \frac{\text{Novas ações emitidas}}{25 + \text{Novas ações emitidas}}$$

Inserir nosso valor de α na equação resulta em:

$$0{,}2143 = \frac{\text{Novas ações emitidas}}{25 + \text{Novas ações emitidas}}$$

Calculando a incógnita, temos:

$$\text{Novas ações} = 6{,}819 \text{ ações}$$

O total de ações em circulação depois da fusão é 31,819 (=25 + 6,819). Como 6,819 ações da Empresa A são trocadas por 10 ações da Empresa B, a razão de troca é 0,6819:1.

Os resultados com a razão de troca de 0,6819:1 são mostrados na Coluna 5 do Quadro 30.4. Como agora há 31,819 ações, cada uma vale $ 22 (=$ 700/31,819), exatamente o que vale na transação de dinheiro por ação. Assim, dado que o conselho de administração da Empresa B venderá sua empresa por $ 150, essa é a razão de troca justa, não a razão de 0,75:1 mencionada anteriormente.

Dinheiro *versus* ações

Nesta seção, examinamos os acordos em dinheiro e em ação por ação. Nossa análise leva à seguinte pergunta: Quando os ofertantes querem pagar com dinheiro e quando querem pagar com ações? Não existe uma fórmula fácil; a decisão depende de algumas variáveis, e talvez a mais importante seja o preço das ações da ofertante.

No exemplo do Quadro 30.4, o preço de mercado por ação da Empresa A antes da fusão era $ 20. Suponhamos agora que, na época, os gestores da Empresa A acreditassem que o preço "real" fosse $ 15; em outras palavras, que os gestores acreditassem que suas ações estavam supervalorizadas. É provável que os gestores tenham uma visão diferente da do mercado? Sim, muitas vezes, os gestores têm mais informações do que o mercado. Afinal, eles lidam com clientes, fornecedores e funcionários diariamente e provavelmente têm informações privadas.

Agora, imagine que os gestores da Empresa A estejam pensando em adquirir a Empresa B com dinheiro ou com ações. A supervalorização não teria qualquer impacto sobre os termos da fusão em um acordo em dinheiro; a Empresa B ainda receberia $ 150 em caixa. No entanto, a supervalorização teria um grande impacto em um acordo de ação por ação. Embora a Empresa B receba o valor de $ 150 de ações de A conforme calculado a preços de mercado, os gestores da Empresa A sabem que o valor real das ações é menos que $ 150.

Como a Empresa A deve pagar pela aquisição? Claramente, a Empresa A tem um incentivo para pagar com ações, pois terminaria dando menos que $ 150 em valor. Essa conclusão pode parecer meio cínica, pois a Empresa A está, de alguma forma, tentando trapacear os acionistas da Empresa B. Contudo, a teoria e as evidências empíricas sugerem que é mais provável que as empresas façam aquisições com ações quando suas próprias ações estão supervalorizadas.[31]

A história não é tão simples. Assim como os gestores da Empresa A pensam estrategicamente, os gestores da Empresa B provavelmente também irão pensar dessa forma. Suponha que, nas negociações de fusão, os gestores da Empresa A pressionem para um acordo de ação por ação. Isso pode alertar os gestores da Empresa B de que a Empresa A está superprecificada. Talvez os gestores da Empresa B peçam melhores condições do que a Empresa A esteja oferecendo no momento. Alternativamente, a Empresa B pode resolver aceitar dinheiro ou nem mesmo vender.

E, assim como a Empresa B aprende com o desenrolar das negociações, o mercado também aprende. Evidências empíricas mostram que o preço de ações da adquirente geralmente cai no anúncio de um acordo de ação por ação.[32]

Contudo, essa discussão não implica que erros nunca sejam cometidos. Por exemplo, considere a fusão de ação por ação em janeiro de 2001 entre a AOL, um provedor de serviços de Internet, e a Time Warner (TW), uma empresa de mídia. Embora o negócio fosse apresentado como uma fusão de iguais e a empresa resultante agora seja chamada Time Warner, a AOL parece, em retrospecto, ter sido a adquirente. A fusão foi uma das maiores de todos os tempos, com uma capitalização de mercado combinada entre as duas empresas de cerca de $ 350 bilhões no momento do anúncio, em janeiro de 2000. (O atraso de cerca de um ano entre o anúncio da fusão e sua conclusão foi devido à revisão regulatória.) Também é considerado um dos piores negócios de todos os tempos, com a Time Warner tendo valor de mercado de cerca de $ 38 bilhões no meio de 2011.

A AOL estava em uma posição precária na época da fusão, fornecendo serviços de Internet de banda estreita quando os consumidores estavam ávidos pela banda larga. Além disso, ao menos em retrospecto, as ações das empresas do setor de Internet estavam superprecificadas. O negócio permitiu que a AOL oferecesse suas ações inflacionadas como moeda para uma empresa de fora do setor de tecnologia e, por isso, não tão superprecificada, se é que assim estava. Se a TW tivesse examinado o negócio dessa forma, poderia simplesmente tê-lo cancelado. (Alternativamente, poderia ter demandado caixa, embora seja improvável que a AOL tivesse os recursos financeiros para pagar dessa forma.)

Assim como os gestores da TW não compreenderam todas as implicações da fusão desde o princípio, parece que o mercado fez o mesmo. O preço das ações da TW subiu mais de 25% em relação ao mercado na semana seguinte ao anúncio da fusão.

30.7 Tomadas de controle amigáveis *versus* hostis

As fusões são geralmente iniciadas pela empresa adquirente, e não pela adquirida. Desse modo, a adquirente precisa decidir comprar outra empresa, selecionar as táticas para efetuar a aquisição, determinar o preço mais alto que está disposta a pagar, definir um preço inicial de lance

---
[31] As ideias teóricas básicas são apresentadas em S. Myers e N. Majluf, "Corporate Financing and Investment Decisions When Firms Have Information That Investors Do Not Have", *Journal of Financial Economics* (1984).

[32] Por exemplo, consulte G. Andrade, M. Mitchell e E. Stafford, "New Evidence and Perspectives on Mergers", *Journal of Economic Perspectives* (primavera de 2001 – Hemisfério Norte); e R. Heron e E. Lie, "Operating Performance and the Method of Payment in Takeovers", *Journal of Financial and Quantitative Analysis* (2002).

e fazer contato com a empresa-alvo. Muitas vezes, o diretor-presidente da empresa adquirente simplesmente liga para o diretor-presidente da empresa alvo e propõe uma fusão. Se a alvo for receptiva, uma fusão terminará por acontecer. Claro que pode haver muitas reuniões, com negociações sobre preço, condições de pagamento e outros parâmetros. O conselho de administração da empresa-alvo geralmente tem de aprovar a fusão. Já nas aquisições, como o relacionamento é direto com o acionista, o processo não passa necessariamente pelo conselho da adquirida. Algumas vezes, o conselho da ofertante também precisa dar sua aprovação. Por fim, uma manifestação afirmativa pelos acionistas é necessária. Mas, no fim das contas, uma aquisição que proceda dessa forma é vista como *amigável*.

É claro que nem todas as aquisições são amigáveis. A administração da alvo pode resistir à fusão, em cujo caso a adquirente precisa decidir se deve ir atrás da fusão e, caso afirmativo, quais táticas usar. Enfrentando resistência, a adquirente pode começar comprando algumas ações da alvo em segredo. Essa posição é, muitas vezes, chamada de *ponto de apoio*. A Lei de Williams (dos Estados Unidos), aprovada em 1968 e um dos marcos da legislação da época, exige que a adquirente dê entrada em um *Schedule 13D* na SEC dentro de 10 dias a partir do momento em que atingir a posição de 5% das ações na alvo. A adquirente deve fornecer nesse inventário informações detalhadas, incluindo suas intenções e sua posição na alvo. O sigilo termina nesse ponto, pois a adquirente deve declarar que planeja adquirir a alvo. O preço das ações da alvo provavelmente subirá depois do registro, com o novo preço das ações refletindo a possibilidade de que a alvo seja comprada com um prêmio. No entanto, as adquirentes, muitas vezes, aproveitarão ao máximo esse atraso de 10 dias, comprando tantas ações quantas possíveis ao preço baixo pré-registro durante esse período.

No Brasil, qualquer pessoa natural ou jurídica – ou ainda, grupo de pessoas agindo em conjunto ou representando um mesmo interesse – que adquirir, alienar ou atingir participação, direta ou indireta, que corresponda a 5% ou mais de espécie ou classe de ações (ainda que por meio de empréstimo de ações), ou de direitos sobre as ações, deverá comunicar à companhia a alteração em sua participação imediatamente após a operação. Também estão igualmente obrigadas à comunicação das mesmas informações as pessoas ou os grupos de pessoas representando um mesmo interesse, titulares de 5% ou mais da espécie ou classe de ações, ou de direitos sobre as ações, a cada vez que a referida participação se eleve ou se reduza em 5% do total da espécie ou classe de ações.

Embora a adquirente possa continuar a comprar ações no mercado, é improvável que uma aquisição seja efetuada dessa maneira. Em vez disso, é mais provável que a adquirente faça uma *oferta de aquisição* em algum ponto (uma oferta feita diretamente aos acionistas para comprar ações a um prêmio acima do valor de mercado corrente). A oferta de aquisição pode especificar que a adquirente comprará todas as ações que lhe forem oferecidas. Alternativamente, a oferta pode declarar que a adquirente comprará todas as ações até, digamos, 50% do número de ações em circulação. Se mais ações forem oferecidas, ocorrerá um rateio. Por exemplo, se, no caso extremo, todas as ações forem oferecidas, cada acionista poderá vender uma ação para cada duas oferecidas. A adquirente também pode dizer que aceitará as ações oferecidas somente se um número mínimo de ações tiver sido ofertado. No Brasil, temos o mesmo tratamento em casos de oferta pública de aquisição voluntária, como é o caso aqui tratado.[33]

Segundo a Lei de Williams, uma oferta de aquisição deve ser mantida em aberto por, no mínimo, 20 dias. No mesmo sentido apresenta-se a Lei das S.A., em seu art. 258, V (Brasil, 1976). Esse prazo dá tempo à empresa-alvo para responder. Por exemplo, ela pode querer informar seus acionistas para não oferecerem suas ações. Ela pode divulgar declarações à imprensa criticando a oferta. A empresa-alvo também pode encorajar outras empresas a entrar no processo de oferta.

Em algum ponto, a oferta de aquisição termina. Nesse momento, a adquirente descobre quantas ações foram oferecidas. A adquirente não necessariamente precisa de 100% das ações para obter o controle da empresa-alvo. Em algumas empresas, uma posição de mais ou menos

---

[33] As ofertas públicas de aquisição (OPA) são reguladas pela Instrução CVM nº 361/02 (Comissão de Valores Mobiliários, 2002).

20% pode ser suficiente para o controle.[34] Em outras, a percentagem necessária para o controle é muito maior. *Controle* é um termo vago, mas você pode pensar nele operacionalmente como controle sobre o conselho de administração.[35] Os acionistas elegem os membros do conselho de administração, que, por sua vez, indicam os gestores.[36] Se a adquirente conseguir ações suficientes para eleger a maioria dos membros do conselho de administração, eles podem indicar os gestores que ela deseja, e o controle efetivo, muitas vezes, pode ser conseguido com menos que uma maioria. Desde que alguns dos membros originais do conselho de administração votem com a adquirente, uns poucos membros novos podem dar à adquirente uma maioria efetiva. O controle também pode ser exercido com um acordo de acionistas.

Às vezes, assim que a adquirente consegue o controle efetivo, propõe uma fusão para obter as poucas ações restantes que ainda não possui. A transação agora é amigável, pois o conselho de administração irá aprová-la. As fusões desse tipo, muitas vezes, são chamadas de *fusões de limpeza* (*cleanup mergers*).

Uma oferta de aquisição não é a única maneira de obter o controle de uma empresa-alvo *hostil*. Alternativamente, a adquirente pode continuar a comprar mais ações no mercado até que o controle seja obtido. Essa estratégia, muitas vezes chamada de *varredura de ruas* (*street sweep*), não é muito utilizada por causa da dificuldade de comprar ações suficientes para obter o controle. Além disso, como mencionado, as ofertas de aquisição, muitas vezes, permitem que a adquirente devolva as ações oferecidas se menos ações que o número desejado forem oferecidas. Em contraste, as ações compradas no mercado não podem ser devolvidas.

Outro meio de obter o controle é uma *disputa por procurações* (*proxy fight*) – um procedimento envolvendo votação na assembleia de acionistas. As eleições para assentos no conselho de administração normalmente são realizadas na assembleia anual de acionistas, que no Brasil deve ocorrer em até quatro meses após o final do exercício fiscal da empresa.

No Brasil, a Instrução Normativa n° 481/09 da CVM regula a "*proxy machinery*" (pedido de procurações feito pela administração da companhia de forma a obter maioria em assembleia) e "*proxy contest*" ou "*proxy fight*" (pedido de procurações de um acionista aos demais para assegurar posição em assembleia), fixando os procedimentos e informações que devem constar no pedido público de procuração (Comissão de Valores Mobiliários, 2009).

Depois de comprar ações da empresa-alvo, a adquirente indica uma lista de candidatos para concorrer com os conselheiros atuais. A adquirente geralmente contrata um procurador, que contata os acionistas antes da assembleia, promovendo a lista dissidente. Se os candidatos da adquirente obtiverem a maioria dos lugares no conselho de administração, ela controlará a empresa. E, como com as ofertas de aquisição, o controle efetivo pode, muitas vezes, ser conseguido com menos que a maioria. A adquirente pode apenas querer alterar algumas políticas específicas da empresa, como o seu orçamento de capital ou o seu programa de diversificação. Ou pode simplesmente querer substituir a administração. Se alguns dos membros originais do conselho simpatizarem com os planos da adquirente, uns poucos membros novos podem dar para a adquirente uma maioria efetiva.

Por exemplo, no início de 2011, o ativista corporativo Carl Icahn ofereceu $ 17 por ação à Mentor Graphics, mas sua oferta foi rejeitada pelo conselho de administração. Icahn já possuía cerca de 14,7% das ações da Mentor na época. Logo depois de a empresa rejeitar a oferta, adiantou sua assembleia anual de acionistas em seis semanas. Em conformidade com o estatuto da empresa, essa mudança deu aos acionistas apenas 10 dias para submeter uma lista alternativa ao conselho

---

[34] De acordo com o art. 15, § 2° da Lei das S.A., a companhia pode ter o capital social composto por até 50% de ações preferenciais, possibilitando a situação em que o controle se consolidará com 25% do total de ações emitidas mais uma (Brasil, 1976).

[35] No Brasil, o termo não é tão vago. Ele diz respeito ao número de ações com direito a voto: controlador é aquele acionista, ou grupo de acionistas que, esteja vinculado por acordo de voto e detenha um percentual igual ou superior a 50% das ações com direito a voto mais uma, o que permite eleger a maioria dos membros dos conselhos de administração.

[36] No Brasil, há que se considerar a predominância do controlador, com o que o conselho de administração pode ser um órgão meramente homologatório.

de administração. Em resposta, Icahn anunciou planos de uma disputa por procurações com uma submissão de três potenciais novos membros do conselho. A decisão de mudar a assembleia de acionistas também afetava interesses do fundo de *hedge* Casablanca Capital, que possuía 5,5% da Mentor Graphics. A Casablanca anunciou que também poderia preparar uma batalha por procurações. No final, os três indicados de Icahn foram eleitos para o conselho de administração da Mentor.

Enquanto as fusões terminam com a adquirente possuindo todas as ações da alvo, o vencedor em uma disputa por procurações não ganha ações adicionais. A recompensa para o vencedor da batalha por procurações é simplesmente a elevação do preço de suas ações se suas políticas se provarem efetivas. Na verdade, só a ameaça de uma disputa por procurações já pode elevar os preços das ações, pois a administração atual pode melhorar as operações para evitar a disputa. Por exemplo, em 2011, a empresa de gestão de informações Iron Mountain evitou uma disputa por procurações com o fundo de *hedge* Elliott Management concordando em apoiar um dos indicados da Elliott para seu conselho. Adicionalmente, a Iron Mountain concordou em distribuir cerca de $ 2,2 bilhões para acionistas nos dois anos seguintes, sendo $ 1,2 bilhão como dividendos e recompras de ações durante o ano seguinte. O preço das ações da Iron Mountain aumentou 3% depois do anúncio.

30.8 Táticas defensivas

Nos Estados Unidos, os gestores da empresa-alvo frequentemente resistem às tentativas de tomada de controle. As medidas para anular uma tomada de controle podem beneficiar os acionistas da empresa-alvo se a empresa ofertante elevar seu preço de oferta ou outra empresa fizer um lance. Alternativamente, a resistência pode simplesmente refletir interesses próprios à custa dos acionistas. Isto é, os gestores da empresa-alvo podem combater uma tomada de controle para preservar seus empregos. Algumas vezes, a administração resiste enquanto melhora as políticas da empresa. Os acionistas podem se beneficiar nesse caso, mesmo se a tomada de controle falhar.

Nesta seção, descreveremos diversas maneiras como os gestores das empresas-alvo resistem a tomadas de controle. Diz-se que uma empresa está "em jogo" se um ou mais ofertantes estiverem interessados em adquiri-la no momento. É útil separar as táticas defensivas antes de uma empresa estar em jogo das táticas depois de ela estar em jogo.

Dissuasão de tomadas de controle antes de a empresa estar em jogo

Contratos sociais O contrato social se refere aos artigos de incorporação e estatutos sociais governando uma empresa.[37] Entre outras disposições, nos Estados Unidos, o estatuto social de uma empresa estabelece condições permitindo uma tomada de controle. Lá, as empresas frequentemente emendam os contratos sociais para tornar as aquisições mais difíceis. Como exemplo, considere as duas emendas a seguir:

1. *Conselho escalonado*: Em um conselho de administração não escalonado, os acionistas elegem todos os conselheiros a cada ano, ou seja, a totalidade dos membros do conselho pode ser substituída a cada ano. Em um conselho escalonado (*classified board* ou *staggered board*), apenas uma fração do conselho é eleita a cada ano, com mandatos durando vários anos. Por exemplo, um terço do conselho pode ser eleito a cada ano, com mandatos durando três anos. Os conselhos escalonados aumentam o tempo que uma adquirente precisa para obter maioria de lugares no conselho. No exemplo anterior, a adquirente pode obter apenas um terço dos assentos necessários para controle no primeiro ano após a aquisição. Outro ano deve se passar antes que a adquirente possa controlar dois terços. Portanto, a adquirente pode não conseguir mudar a administração tão rapidamente quanto gostaria. No entanto, alguns argumentam que os conselhos escalonados não são necessariamente efetivos, pois os conselheiros antigos, muitas vezes, escolhem votar com a adquirente. O uso de

---

[37] Ronald Masulis, Cong Wang e Fei Xie em "Corporate Governance and Acquirer Returns", *Journal of Finance*, ago. 2007, observam que as empresas adquirentes com mais disposições antitomada de controle recebem retornos do mercado de ações menores do que no caso oposto.

conselhos escalonados nos Estados Unidos tem caído nos últimos anos. Em 2005, cerca de 53% das empresas no S&P 500 tinham conselhos escalonados. Essa percentagem caiu para cerca de 28% em 2011.

No Brasil, o uso da estratégia do conselho escalonado não é possível, já que o art. 122 da Lei das S.A. determina que a assembleia geral tem o poder privativo de reformar o estatuto social e eleger ou destituir, a qualquer tempo, os administradores da companhia. Assim, quem tiver maioria na assembleia poderá destituir a qualquer momento o conselho e eleger novos conselheiros, assim como alterar o próprio estatuto.

2. *Disposições supermajoritárias*: Os estatutos sociais determinam a percentagem necessária de ações com direito a voto para aprovar transações importantes, como as fusões e incorporações. Uma disposição supermajoritária (*supermajority provision*) no estatuto social significa que essa percentagem está acima de 50%. As maiorias de dois terços são comuns, embora o número possa ser muito maior. Uma disposição supermajoritária claramente aumenta a dificuldade de aquisição diante de uma administração hostil. Muitos estatutos sociais com disposições supermajoritárias têm também o que é conhecido como uma cláusula *board out*. Aqui, a supermaioria não se aplica se o conselho de administração aprovar a fusão. Essa cláusula garante que a disposição impeça apenas as tomadas de controle hostis.

Paraquedas dourados (*Golden parachutes*) Este termo divertido se refere às indenizações generosas oferecidas aos altos executivos no caso de uma tomada de controle. O argumento é que os paraquedas dourados irão deter as tomadas de controle ao aumentar o custo de aquisição. No entanto, alguns especialistas salientam que o efeito de dissuasão acaba não sendo importante, pois o pacote de indenização, mesmo que generoso, provavelmente seja uma pequena parte do custo de aquisição de uma empresa. Além disso, alguns argumentam que os paraquedas dourados, na verdade, *aumentam* a probabilidade de uma tomada de controle. O raciocínio aqui é que a administração tem uma tendência natural a resistir a qualquer tomada de controle por causa da possibilidade de perda do emprego. Uma indenização grande suaviza o golpe de uma tomada de controle, reduzindo a inclinação à resistência pela administração. Por exemplo, soube-se que, quando a aquisição da NBC Universal pela Comcast foi finalizada, Jeff Zucker, diretor-presidente e presidente da NBC Universal, seria despedido, mas receberia de $ 30 a $ 40 milhões.

Pílulas de veneno (*Poison pills*) A pílula de veneno é uma tática de defesa sofisticada que Martin Lipton, um conhecido advogado de Nova York, desenvolveu no início dos anos 1980. Desde então, inúmeras variantes surgiram, portanto não existe uma definição única de uma pílula de veneno. Por exemplo, em 2010, a varejista JCPenney implementou uma pílula de veneno para afastar uma potencial aquisição. O fundo de *hedge* Pershing Square Capital Management adquiriu 16,5% das ações da empresa, e o Vornado Realty Trust, 9,9%. A pílula de veneno faria efeito se a Pershing adquirisse mais ações da empresa ou se a Vornado ou qualquer outra empresa adquirisse mais que 10% das ações da Penney. Se qualquer dessas opções acontecesse, todos os acionistas, exceto a adquirente, receberiam o direito de comprar novas ações por metade do preço. Na época, a Penney tinha cerca de 200 milhões de ações em circulação. Se a Pershing e a Vornado adquirissem mais ações, em outras palavras, cerca de 26% da empresa (52 milhões de ações), todos os acionistas, *exceto a ofertante*, teriam comprado uma nova ação para cada uma possuída anteriormente. Se todos os acionistas usassem essa opção, a JCPenney teria sido obrigada a emitir 148 milhões (=0,74 × 200 milhões) de novas ações, levando seu total a 348 milhões. O preço da ação teria caído, pois a empresa estaria vendendo as ações por metade do preço. A percentagem da empresa da ofertante teria caído de 26% para 14,9% (=52 milhões/348 milhões). Uma diluição dessa magnitude faz com que alguns críticos argumentem que as pílulas de veneno sejam insuperáveis.

No mercado brasileiro, a pílula de veneno verificada com maior frequência consiste na obrigação de realização de oferta pública de aquisição de ações assim que o acionista adquirir determinado percentual de ações da companhia por valor superior ao de uma OPA por troca de controle.[38]

---

[38] Conforme Carvalhosa, M. As *Poison Pills* Estatuárias na Prática Brasileira: alguns aspectos de sua Legalidade. In: Castro, R. R. M.; Aragão, L. dos S. de. *Direito Societário:* desafios atuais. São Paulo: Quartier Latin, 2009, p. 25.

Dissuasão de uma tomada de controle depois de a empresa estar em jogo

Recompra direcionada (*greenmail*) e *standstill*[39] Os gestores podem organizar uma *recompra direcionada* para evitar uma tentativa de tomada de controle. Em uma recompra direcionada, a empresa compra de volta suas próprias ações de uma potencial ofertante, normalmente a um prêmio substancial, com a condição de que a vendedora se comprometa a não adquirir a empresa por um período especificado. Os críticos desses pagamentos os rotulam de *greenmail*.

Um *acordo de standstill* ocorre quando a adquirente, mediante uma comissão, concorda em limitar suas participações na empresa-alvo. Como parte do acordo, a adquirente, muitas vezes, compromete-se a oferecer à alvo um direito de preferência (*right of first refusal*) no caso de a adquirente vender suas ações. Esse comprometimento impede que o bloco de ações caia nas mãos de outra possível adquirente.

EXEMPLO 30.2 Defesas contra tomadas de controle

Suponha que, em 2 de abril de 2012, a Torrance Oil Inc., uma grande refinaria de petróleo independente, tivesse 28 milhões de ações em circulação e que o preço das ações da empresa tivesse fechado o dia anterior a $ 49,25 por ação na Bolsa de Valores de Nova York. Suponha ainda que, em 2 de abril, o conselho de administração da Torrance tenha tomado duas decisões:

1. O conselho aprovou o acordo da administração com a família Strauss, do Canadá, para comprar, por $ 51 a ação, os 2,6 milhões de ações da Strauss na Torrance. Isso era parte do acordo de *greenmail* que terminou com a tentativa da família Strauss de controlar a Torrance.

2. O conselho autorizou a empresa a recomprar 7,5 milhões de ações (27% das ações em circulação). O conselho estabeleceu simultaneamente que um plano de ações para funcionários fosse financiado com 4,9 milhões de ações da Torrance.

   Essas duas ações tornaram a Torrance invulnerável a tentativas de tomada de controle não amigáveis. De fato, a empresa estava vendendo cerca de 20% de seu capital no plano de ações para funcionários. Anteriormente, a Torrance havia posto em prática uma disposição que dizia que 80% dos acionistas têm de aprovar uma tomada de controle. O preço das ações da Torrance caiu em $ 0,25 ao longo dos dois dias seguintes. Como essa movimentação provavelmente pode ser explicada por um erro aleatório, não há evidência de que as ações da Torrance tenham reduzido o valor para os acionistas.

O *greenmail* tem sido uma parte divertida do léxico financeiro desde sua primeira aplicação, no fim dos anos 1970. Desde então, especialistas têm tecido inúmeras considerações sobre sua natureza ética ou antiética. O *greenmail* tem reduzido-se nos últimos anos, talvez por duas razões. Primeira, o Congresso (dos Estados Unidos) impôs uma tributação sobre os lucros do *greenmail*. Segunda, a lei sobre o *greenmail* atualmente é indefinida, fazendo com que os beneficiários se preocupem com potenciais ações judiciais.

Cavaleiro branco e escudeiro branco Uma empresa enfrentando uma oferta de fusão não amigável pode combinar de ser adquirida por uma ofertante amigável, normalmente chamada de *cavaleiro branco* (*white knight*). O cavaleiro branco pode ser favorecido simplesmente porque está disposto a pagar um preço de compra maior. Alternativamente, ele pode se comprometer a não despedir funcionários e gestores ou a não vender divisões.

Em vez disso, a administração pode desejar que se evite qualquer aquisição. Uma terceira parte, chamada de *escudeiro branco* (*white squire*), pode ser convidada a fazer um investimento

---

[39] No mercado brasileiro, não temos termos correspondentes para *greenmail* e *standstill*. Talvez pudéssemos traduzir *greenmail* por "acordo com propina", pois, na essência, a gestão da alvo paga para a ofertante desistir, ou "acordo com chantagem ao acionista" (em francês, há traduções como "*chantage*" para *greenmail*), e um *standstill* poderia ser traduzido como um "acordo de parada".

significativo na empresa, sob a condição de que vote com a administração e não compre ações adicionais.

Os cavaleiros brancos podem, muitas vezes, aumentar o montante pago à alvo. Por exemplo, no fim de 2009, a Nunavut Iron Ore fez uma oferta hostil de tomada de controle à Baffinland Iron Mines, oferecendo US$ 0,08 por ação. A Baffinland procurou um cavaleiro branco e encontrou a gigante de mineração europeia ArcelorMittal, que ofereceu € 1,10 por ação. Por fim, após várias outras rodadas de lances, a Nunavut e a ArcelorMittal uniram forças para um lance de € 1,50, que foi aceito.

Recapitalizações e recompras A administração-alvo, muitas vezes, emitirá dívidas para pagar um dividendo[40] – uma transação chamada de *recapitalização alavancada*. Uma *recompra de ações*, na qual a dívida é emitida para recomprar ações, é uma transação similar. As duas transações evitam tomadas de controle de diversas maneiras. Primeiro, o preço da ação pode subir, talvez por causa do benefício fiscal aumentado resultante de um endividamento maior. Uma subida no preço da ação torna a aquisição menos atraente para a ofertante. Contudo, o preço só subiria se o nível de endividamento da empresa antes da recapitalização estivesse abaixo do nível ótimo. Assim, uma recapitalização alavancada não é recomendável para todas as empresas-alvo. Consultores indicam empresas com baixo endividamento, mas com fluxos de caixa estáveis, como candidatas ideais para recapitalizações. Segundo, como parte da recapitalização, a administração pode emitir novas ações que lhe proporcionem maior controle de voto que antes da recapitalização. O aumento no controle torna uma tomada de controle hostil mais difícil. Terceiro, as empresas com muito caixa em seus balanços, muitas vezes, são vistas como alvos atraentes. Como parte da recapitalização, a alvo pode utilizar seu caixa para pagar um dividendo ou recomprar ações, reduzindo o charme da empresa como candidata a uma tomada de controle.

Ofertas excludentes de aquisição das próprias ações Uma *oferta excludente* (*exclusionary self-tender*) é o oposto de uma recompra direcionada. Aqui, a empresa faz uma oferta de aquisição de um dado montante das próprias ações ao mesmo tempo em que *exclui* da recompra acionistas específicos.

Em um caso especialmente célebre, a Unocal, uma grande petrolífera integrada, fez uma oferta de aquisição de 29% de suas ações enquanto excluía seu maior acionista, a Mesa Partners II (dirigida por T. Boone Pickens). A oferta de aquisição própria da Unocal era de $ 72 por ação, o que estava $ 16 acima do preço vigente de mercado. Ela foi pensada para derrotar a tentativa de tomada de controle da Unocal pela Mesa pela transferência, na realidade, de patrimônio da Mesa para outros acionistas da Unocal.

É de se ressaltar o efeito do mecanismo utilizado nesse exemplo, ou seja, a distribuição arbitrária de parte do patrimônio da companhia para uma parte dos acionistas, em prejuízo exclusivamente ao acionista majoritário, a Mesa (e, quem sabe, à empresa em si, pela sua possível descapitalização). Esse mecanismo, assim como seu oposto, a recompra direcionada, constitui, de fato, transferências de valor entre acionistas usando mecanismos de mercado.

No Brasil, a legislação, em princípio, impede tais mecanismos ao estabelecer a obrigatoriedade de as aquisições de ações de própria emissão seguirem um programa aprovado pelo conselho de administração e divulgado para o mercado. Tratamos, em linhas gerais, do que dispõe a legislação brasileira sobre o assunto na seção a seguir.

Aquisição de ações de própria emissão no Brasil A Instrução CVM nº 10, de 14 de fevereiro de 1980, em vigor, disciplina a aquisição por companhias abertas de ações de sua própria emissão, para cancelamento ou permanência em tesouraria, e respectiva alienação (Comissão de Valores Mobiliários, 1980). As compras devem ser realizadas no prazo limite de um ano após a aprovação do programa. A ata de deliberação do conselho de administração que autorizar a aquisição ou a alienação de ações deve ser publicada de imediato nos jornais nos quais a compa-

---

[40] No Brasil, esse movimento somente poderia ocorrer se a empresa tivesse lucros do exercício não distribuídos, lucros acumulados ou reserva de lucros; ou reserva de capital, em casos específicos (ver arts. 200 e 201 da LSA), (Brasil, 1976).

nhia efetuar as suas comunicações. As ações recompradas devem ser canceladas ou mantidas em tesouraria para posterior alienação. O número de ações em tesouraria não pode ultrapassar em 10% o número das ações em circulação no mercado.

O artigo 30 da Lei das S/A (Brasil, 1976) proíbe a companhia de negociar com as próprias ações, exceto nos casos previstos no artigo e disciplinados na Instrução CVM nº 10 (Comissão de Valores Mobiliários, 1980). A lei refere a *compras* e *aquisições*. Além das normas para compra das próprias ações, a lei distingue as formas de *resgate*, *amortização* e *reembolso* de ações. O art. 44 da LSA determina que o estatuto ou a assembleia geral extraordinária pode autorizar a aplicação de lucros ou reservas no resgate ou na amortização de ações (Brasil, 1976).

O *resgate* consiste no pagamento do valor das ações para retirá-las definitivamente de circulação, com redução ou não do capital social.

A *amortização* consiste na distribuição aos acionistas, a título de antecipação e sem redução do capital social, de quantias que lhes poderiam tocar em caso de liquidação da companhia. Ela pode ser integral ou parcial e abranger todas as classes de ações ou só uma delas.

O resgate e a amortização que não abrangerem a totalidade das ações de uma mesma classe devem ser feitos mediante *sorteio*. Salvo disposição do estatuto social em contrário, o resgate de ações de uma ou mais classes só poderá ser efetuado se for aprovado por acionistas que representem, no mínimo, a metade das ações das classes atingidas. Tal aprovação deve ser feita em assembleia especial convocada para deliberar o assunto.

O *reembolso* é definido no art. 45 da LSA (Brasil, 1976) como a operação em que, nos casos previstos em lei, a companhia paga o valor de suas ações aos acionistas dissidentes de uma deliberação da assembleia geral (direito de retirada). O valor de reembolso poderá ser pago à conta de lucros ou reservas, exceto a legal. As ações reembolsadas poderão ficar em tesouraria pelo prazo de até 120 dias, a contar da publicação da ata da assembleia. Se, nesse prazo, não forem substituídos os acionistas cujas ações tenham sido reembolsadas à conta do capital social, este será considerado reduzido no montante correspondente, devendo a administração convocar a assembleia geral dentro de 5 dias para tomar conhecimento da redução.

Reestruturações de ativos Além de alterar a estrutura de capital, as empresas podem vender ativos existentes e comprar novos para evitar uma tomada de controle. As empresas alvo geralmente vendem (ou desinvestem) ativos por dois motivos. Primeiro, uma empresa-alvo pode ter reunido uma miscelânea de ativos em diferentes linhas de negócios, com os diversos segmentos se ajustando mal uns aos outros. É possível criar valor colocando-se essas divisões em empresas separadas. Os acadêmicos, muitas vezes, enfatizam o conceito de *foco corporativo*. A ideia aqui é que as empresas funcionam melhor focando esses poucos negócios que realmente conhecem. Uma subida no preço da ação após um desinvestimento reduzirá o apelo de uma alvo para uma ofertante.

O segundo motivo é a ofertante poder estar interessada em uma divisão específica da empresa-alvo. O interesse da ofertante pode ser reduzido com a venda dessa divisão. Embora essa estratégia possa evitar uma fusão, ela pode prejudicar os acionistas da empresa-alvo se a divisão valer mais para a alvo que para a compradora. Especialistas frequentemente falam sobre vender as *joias da coroa* ou seguir uma *política de terra arrasada*.

Enquanto algumas empresas-alvo desinvestem ativos existentes, outras compram novos. Geralmente, duas razões são dadas aqui. Primeira razão, a ofertante pode gostar da empresa-alvo como está. A aquisição de um negócio não relacionado torna a alvo menos atraente para a adquirente. Contudo, uma ofertante sempre pode vender o novo negócio, assim, a compra provavelmente não é uma defesa forte. Segunda razão, a legislação antitruste foi elaborada para proibir fusões que reduzam a concorrência. Nos Estados Unidos a lei antitruste é executada pelo Departamento de Justiça (DOJ) e pela Comissão Federal de Comércio (FTC) dos Estados Unidos; no Brasil pelo Conselho Econômico de Defesa do Consumidor, o CADE. Uma empresa-alvo pode comprar uma empresa sabendo que essa nova divisão apresentará problemas antitruste para a ofertante. No entanto, essa estratégia pode não ser eficaz, pois, em suas informações para os órgãos reguladores e operadores da lei, a ofertante pode declarar sua intenção de vender o negócio não relacionado.

30.9 As fusões agregam valor?

Na Seção 30.2, afirmamos que há sinergia se o valor da empresa resultante depois da fusão for maior que a soma do valor da empresa adquirente e do valor da empresa adquirida antes da fusão. A Seção 30.3 forneceu várias fontes de sinergia em fusões, sugerindo que as fusões *podem* criar valor. Agora, queremos saber se as fusões realmente criam valor na prática. Essa é uma pergunta empírica e deve ser respondida por evidências empíricas.

Há várias formas de mensurar a criação de valor, mas muitos acadêmicos favorecem os *estudos de eventos*. Esses estudos estimam retornos anormais de ações na (e perto da) data de anúncio da fusão. Um *retorno anormal* geralmente é definido como a diferença entre o retorno de uma ação e o retorno de um índice de mercado ou de um grupo de ações de controle. Esse grupo de controle é utilizado para tirar o efeito de influências do mercado ou do setor para o retorno da ação.

Considere o Quadro 30.5, que apresenta os retornos perto dos dias de anúncio das fusões nos Estados Unidos. O retorno percentual anormal médio ao longo de todas as fusões de 1980 a 2001 é 1,35%. Esse número combina os retornos tanto na empresa adquirente quanto na adquirida. Como 1,35% é positivo, o mercado acredita que as fusões, em média, criam valor. Os outros três retornos na primeira coluna também são positivos, implicando criação de valor nos diferentes subperíodos. Muitos outros estudos acadêmicos forneceram resultados similares. Portanto, segundo essa coluna, parece que as sinergias mencionadas na Seção 30.3 aparecem no mundo real.

Todavia, a próxima coluna nos diz algo diferente. Ao longo de todas as fusões de 1980 a 2001, a variação monetária agregada no período em torno do dia do anúncio da fusão é de −$ 79 bilhões. Isso significa que o mercado está, em média, *reduzindo* o valor combinado das ações das empresas adquirente e adquirida em torno da data de anúncio da fusão. Embora a diferença entre as duas colunas possa parecer confusa, existe uma explicação. Apesar de a maioria das fusões ter criado valor, aquelas envolvendo empresas muito grandes perderam valor. O retorno percentual anormal é uma média não ponderada na qual os retornos de todas as fusões são tratados igualmente. Um retorno positivo aqui reflete todas aquelas pequenas fusões que criaram valor. Contudo, os prejuízos em algumas grandes fusões fazem com que a variação monetária agregada seja negativa.

Mas ainda há mais. O restante da segunda coluna indica que os prejuízos monetários agregados ocorreram somente no período de 1998 a 2001. Ao passo que houve prejuízos de −$ 134 bilhões nesse período, houve ganhos de $ 12 bilhões de 1980 a 1990. Uma interpolação do quadro indica que houve ganhos de $ 44 bilhões (=$ 134 − $ 90) de 1991 até 1997. Portanto, parece que algumas grandes fusões perderam uma grande quantidade de valor entre 1998 e 2001.

Os resultados em um quadro como o Quadro 30.5 devem ter implicações importantes para a política pública, pois o Congresso dos Estados Unidos está sempre se perguntando se as fusões devem ser encorajadas ou desencorajadas. Contudo, os resultados naquele quadro são, infelizmente, ambíguos. Por um lado, pode-se focar a primeira coluna, dizendo que as fusões, em média, criam valor. Os defensores dessa visão podem argumentar que os grandes prejuízos nas poucas grandes fusões foram acasos improváveis de ocorrer de novo. Por outro lado, não

QUADRO 30.5 Retornos percentuais e monetários de fusões nos Estados Unidos

Período de tempo	Ganho ou prejuízo na fusão (Empresas adquirida e adquirente)		Ganho ou prejuízo para empresas adquirentes	
	Retorno anormal percentual	Ganho ou prejuízo monetário agregado	Retorno anormal percentual	Ganho ou prejuízo monetário agregado
1980–2001	1,35%	−$ 79 bilhões	1,10%	−$ 220 bilhões
1980–1990	2,41	$ 12 bilhões	0,64	−$ 4 bilhões
1991–2001	1,04	−$ 90 bilhões	1,20	−$ 216 bilhões
1998–2001	0,29	−$ 134 bilhões	0,69	−$ 240 bilhões

FONTE: Modificado de Sara Moeller, Frederik Schlingemann e René Stulz, "Wealth Destruction on a Massive Scale? A Study of Acquiring-Firm Returns in the Recent Merger Wave", *Journal of Finance* (abril de 2005), Quadro 1.

podemos ignorar facilmente o fato de que, pelo período inteiro, as fusões mais destruíram que criaram valor. Um defensor dessa posição poderia citar a velha máxima: "Exceto pela I Guerra Mundial e pela II Guerra Mundial, o século XX foi bastante pacífico".

Antes de prosseguirmos, cabe fazer algumas considerações finais. Os leitores podem se incomodar com o fato de os retornos anormais serem tomados apenas perto do momento da aquisição, bem antes de todo o impacto da aquisição ser revelado. Os acadêmicos examinam retornos de longo prazo, mas têm um carinho especial com os retornos de curto prazo. Se os mercados forem eficientes, o retorno de curto prazo fornece uma estimativa não tendenciosa do efeito total da fusão. Os retornos de longo prazo, embora capturem mais informações sobre uma fusão, também refletem o impacto de muitos eventos não relacionados à fusão.

Retornos para as ofertantes

Os resultados anteriores combinavam os retornos para ambos, ofertantes e alvos. Os investidores querem separar as ofertantes das alvos. As colunas 3 e 4 do Quadro 30.5 fornecem retornos apenas das empresas adquirentes. A terceira coluna mostra que os retornos percentuais anormais das ofertantes foram positivos pelo período inteiro da amostra e para cada um dos subperíodos individuais – um resultado similar ao de ofertantes e alvos combinados. A quarta coluna indica os prejuízos em termos monetários agregados, sugerindo que as grandes fusões foram piores que as pequenas. O padrão temporal desses prejuízos monetários agregados para as ofertantes é apresentado na Figura 30.3. Novamente, os grandes prejuízos ocorreram de 1998 a 2001, com o maior prejuízo em 2000.

Avancemos algumas décadas e imaginemos que você seja o diretor-presidente de uma empresa. Nessa posição, você certamente será confrontado com potenciais aquisições. As evidências no Quadro 30.5 e na Figura 30.3 o encorajam a fazer aquisições ou não? Novamente, a evidência é ambígua. Por um lado, você poderia focar as médias na Coluna 3 do quadro, pro-

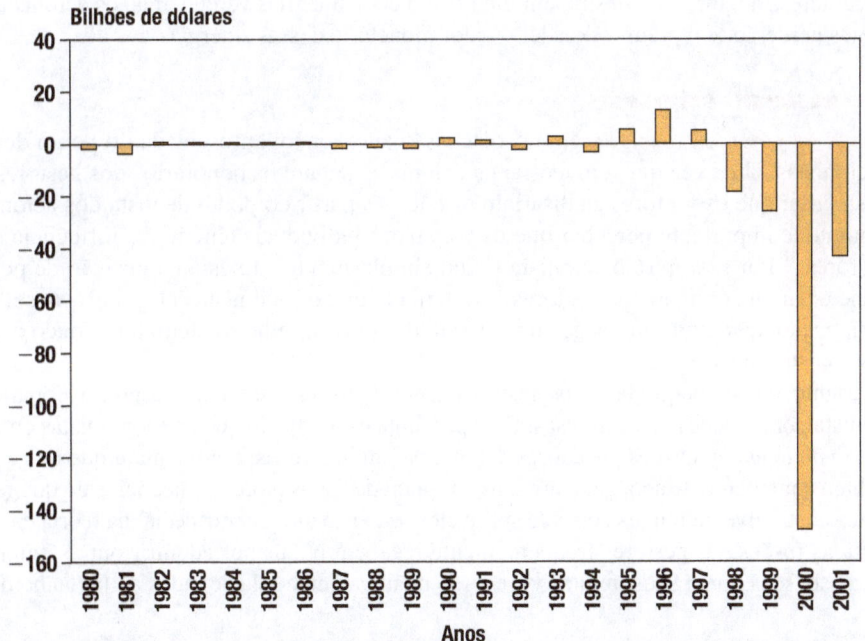

O gráfico mostra o ganho ou prejuízo, em termos monetários, agregado para todas as empresas adquirentes em cada ano de 1980 a 2001 nos Estados Unidos.

FIGURA 30.3 Ganho ou prejuízo anual monetário agregado para os acionistas de empresas adquirentes nos Estados Unidos.

FONTE: Extraído da Figura 1, Sara Moeller, Frederik Schlingemann e René Stulz, "Wealth Destruction on a Massive Scale? A Study of Acquiring-Firm Returns in the Recent Merger Wave", *Journal of Finance* (abril de 2005).

vavelmente aumentando seu apetite por aquisições. Por outro lado, a Coluna 4 do quadro, bem como a figura, poderia fazê-lo refletir.

Empresas-alvo

Embora as evidências recém-apresentadas para a entidade resultante e a ofertante sozinhas sejam ambíguas, a evidência para as alvo é clara. As aquisições beneficiam os acionistas da alvo. Considere o quadro a seguir, que mostra o *prêmio* de fusão mediano em períodos diferentes nos Estados Unidos:[41]

Período	1973–1998	1973–1979	1980–1989	1990–1998
Prêmio	42,1%	47,2%	37,7%	34,5%

O prêmio é a diferença entre o preço de aquisição por ação e o preço das ações pré-aquisição da alvo dividida pelo preço das ações pré-aquisição da alvo. O prêmio médio é bastante alto para o período inteiro da amostra e para as diversas subamostras. Por exemplo, a ação de uma alvo que era negociada a $ 100 por ação antes da aquisição e que seja adquirida posteriormente a $ 142,1 gera um prêmio de 42,1%. Claramente, os acionistas de qualquer empresa cujas ações estão sendo negociadas a $ 100 adorariam poder vender suas participações a $ 142,1 por ação.

Embora outros estudos possam fornecer estimativas diferentes do prêmio médio, todos mostram prêmios positivos. Portanto, podemos concluir que as fusões beneficiam os acionistas-alvo. Essa conclusão leva a, pelo menos, duas implicações. Primeira, devemos ser um tanto céticos com gestores de empresas alvo que resistirem a tomadas de controle. Esses gestores podem alegar que o preço da ação da alvo não reflete o valor real da empresa ou podem dizer que a resistência induzirá a ofertante a aumentar seu lance. Esses argumentos poderiam ser verdadeiros em certas situações, mas também podem dar cobertura a gestores que estejam simplesmente com medo de perder seus empregos depois da aquisição. Segunda, o prêmio cria um obstáculo para a empresa adquirente. Mesmo em uma fusão com sinergias verdadeiras, os acionistas adquirentes perderão se o prêmio exceder o valor monetário dessas sinergias.

Gestores *versus* acionistas

Gestores de empresas ofertantes
A discussão anterior foi apresentada do ponto de vista dos acionistas. Uma vez que, em teoria, os acionistas pagam os honorários dos gestores, podemos pensar que os gestores analisariam as coisas a partir do ponto de vista dos acionistas. No entanto, é importante perceber que os acionistas individuais têm pouca influência sobre os gestores.[42] Por exemplo, o acionista típico simplesmente não está na posição de pegar o telefone e dar sua opinião aos gestores.[43] É verdade que os acionistas elegem o conselho de administração, que monitora os gestores. Contudo, um conselheiro eleito tem pouco contato com acionistas individuais.

Portanto, é justo perguntar se os gestores agem de forma totalmente responsável para com o acionista por seus atos nas empresas. Essa pergunta é o cerne do que os economistas chamam de *teoria da agência*. Os pesquisadores dessa área, muitas vezes, argumentam que os gestores trabalham com menos afinco, ganham mais e tomam decisões piores de negócios do que fariam se os acionistas tivessem mais controle sobre eles. E existe um lugar especial na teoria da agência para as fusões. Os gestores frequentemente recebem bônus por adquirir outras empresas. Além disso, seus honorários, muitas vezes, são positivamente relacionados ao tamanho de sua

---

[41] Extraído de: Gregor Andrade, Mark Mitchell e Erik Stafford, "New Evidence and Perspectives on Mergers", *Journal of Economic Perspectives* (primavera de 2001 – Hemisfério Norte), Tabela 1.

[42] Esse raciocínio vale para os Estados Unidos, mercado em que reina o poder dos executivos na gestão e controle das empresas, porém pode ser estendido para o mercado brasileiro, onde predominam os acionistas controladores na gestão, pois nesse caso também os controladores podem prestar pouca atenção aos acionistas individuais.

[43] Em aparente contradição, no Brasil, isso ocorre com minoritários com participações importantes, que, sim, levantam o telefone e fazem ponderações, sugestões e reclamações ao controlador.

empresa. E, por fim, o prestígio dos gestores também está atrelado ao tamanho da empresa. Como o tamanho da empresa aumenta com as aquisições, os gestores estão dispostos a considerar aquisições favoravelmente, talvez até mesmo as com um VPL negativo.

Um estudo fascinante[44] comparou empresas em que os gestores recebiam muitas opções em ações de sua própria empresa como parte de seu pacote de remuneração com as em que os gestores não as recebiam. Como os valores de opção sobem e descem juntamente com o preço da ação da empresa, os gestores que recebem as opções têm um incentivo para se abster de fusões com VPLs negativos. O artigo relatava que as aquisições por empresas em que os gestores recebiam muitas opções (chamadas de *remuneração baseada em ações* no relatório) criavam mais valor que as por empresas em que eles recebiam poucas ou nenhuma opção.

A teoria da agência também pode explicar por que os maiores fracassos de fusão envolveram empresas de grande porte. Os gestores que possuem uma pequena fração das ações de sua empresa têm menos incentivo para se comportarem responsavelmente, porque a maior parte de qualquer prejuízo é arcada por outros acionistas. Os gestores de empresas de grande porte provavelmente tenham uma participação de menor percentagem nas ações de sua empresa que os de empresas de pequeno porte (é muito caro comprar uma grande percentagem de uma empresa de grande porte). Portanto, os fracassos de fusão de grandes adquirentes podem ser devidos à pequena percentagem de participação acionária dos seus gestores.

Um capítulo anterior deste texto discutiu a hipótese do fluxo de caixa livre. A ideia aqui é que os gestores podem gastar apenas o que têm. Os gestores de empresas com um fluxo de caixa baixo provavelmente ficarão sem caixa antes de esgotarem os bons investimentos (aqueles de VPL positivo). De maneira inversa, os gestores de empresas com um fluxo de caixa alto provavelmente terão dinheiro em caixa mesmo depois que todos os bons investimentos tenham sido realizados. Os gestores são recompensados por crescimento, portanto os com fluxo de caixa acima do necessário para bons projetos têm um incentivo para gastar o restante do caixa em projetos ruins (aqueles com VPL negativo). Um artigo testou essa conjetura, descobrindo que "empresas ricas em caixa têm mais probabilidade de tentar aquisições que outras empresas (...) ofertantes ricos em caixa destroem sete centavos em valor para cada unidade monetária em caixa possuída (...) consistente com as evidências do retorno das ações, as fusões em que a ofertante é rica em caixa são seguidas por declínios anormais no desempenho operacional".[45]

A discussão anterior considerou a possibilidade de alguns gestores serem vilões – mais interessados em seu próprio bem-estar que no de seus acionistas. Contudo, um artigo recente admite a ideia de que outros gestores foram mais tolos que vilões. Malmendier e Tate[46] classificaram certos diretores-presidentes como excessivamente confiantes, seja porque recusaram exercer as opções de ações de sua própria empresa quando era racional fazê-lo, seja porque a imprensa os tenha retratado como confiantes ou otimistas. Os autores acreditam que esses gestores excessivamente confiantes têm mais probabilidade de fazer aquisições que outros. Além disso, o mercado de ações reage mais negativamente a anúncios de aquisições quando o diretor-presidente adquirente é excessivamente confiante.

Gestores de empresas-alvo Nossa discussão anterior focou os gestores de empresas adquirentes, descobrindo que eles, algumas vezes, fazem mais aquisições do que deveriam. No entanto, isso é apenas metade da história. Os acionistas de empresas-alvo podem ter as mesmas dificuldades para controlar seus gestores. Embora haja muitas formas com que os gestores de empresas-alvo possam colocar seus interesses à frente dos interesses de seus acionistas, duas parecem se destacar. Primeira, dissemos anteriormente que, como os prêmios são positivos, as tomadas de controle são benéficas para os acionistas da alvo. Contudo, se os gestores correm o risco de ser demitidos depois que suas empresas forem adquiridas, podem resistir a essas

---

[44] Sudip Datta, Mai Iskandar-Datta e Kartik Raman, "Executive Compensation and Corporate Acquisition Decisions", *Journal of Finance*, dec. 2001.
[45] De Jarrad Harford, "Corporate Cash Reserves and Acquisitions", *Journal of Finance*, dec. 1999, pág. 1969.
[46] Ulrike Malmendier e Geoffrey Tate, "Who Makes Acquisitions? CEO Overconfidence and the Market's Reaction", artigo não publicado, Universidade de Stanford, dec. 2003.

tomadas de controle.[47] As táticas empregadas para resistir a tomadas de controle, geralmente chamadas de táticas de defesa, foram discutidas em uma seção anterior deste capítulo. Segunda, os gestores que não conseguem evitar uma tomada de controle podem negociar com a ofertante, obtendo um bom negócio para eles próprios à custa de seus acionistas.

Considere o trabalho fascinante de Wulf sobre as *fusões de iguais* (MOEs de *merger of equals*, em inglês).[48] Alguns acordos são anunciados como MOEs, principalmente porque ambas as empresas têm participação e representação iguais no conselho de administração da entidade resultante. AOL e Time Warner, Daimler-Benz e Chrysler, Morgan Stanley e Dean Witter e Fleet Financial Group e BankBoston geralmente são considerados exemplos de MOEs. Apesar disso, os especialistas no assunto apontam que, em qualquer acordo, uma empresa normalmente é "mais igual" que a outra. Isto é, a alvo e a ofertante normalmente podem ser diferenciadas na prática. Por exemplo, a Daimler-Benz normalmente é classificada como ofertante, e a Chrysler, como alvo em sua fusão.

Wulf descobriu que, em MOEs, as empresas-alvo têm percentagem menor dos ganhos da fusão, mensurados por retornos anormais perto da data de anúncio, do que em outras fusões. E a percentagem dos ganhos indo para a empresa-alvo está negativamente relacionada à representação dos diretores e conselheiros dela no conselho de administração pós-fusão. Essas e outras descobertas levaram Wulf a concluir: "Elas [as descobertas do artigo] sugerem que os diretores-presidentes trocam o prêmio por poder em fusões de iguais".

30.10 Formas tributárias de aquisições

Nos Estados Unidos, se uma empresa compra outra, a transação pode ser tributável ou isenta de impostos. Em uma *aquisição tributável*, considera-se que os acionistas da empresa adquirida venderam suas ações, e seus ganhos ou prejuízos de capital realizados serão tributados. Em uma transação tributável, o *valor estimado* dos ativos da empresa vendedora pode ser reavaliado, conforme explicaremos a seguir.

Em uma *aquisição isenta de impostos*, considera-se que os acionistas vendedores tenham trocado suas antigas ações por novas de igual valor e que não tenham tido ganhos ou perdas de capital. Em uma aquisição isenta de impostos, os ativos não são reavaliados.

EXEMPLO 30.3 Impostos

Suponha que, há 15 anos, Bill Evans tenha aberto a Samurai Machinery (SM) Corp, que adquiriu fábrica e equipamentos ao custo de $ 80.000. Esses foram os únicos ativos da SM, e a empresa não tem dívidas. Bill é o único proprietário da SM e possui todas as ações. Para fins fiscais, os ativos da SM foram depreciados utilizando o método de linha reta ao longo de 10 anos e não têm valor residual. A despesa de depreciação anual foi de $ 8.000 (=$ 80.000/10). O maquinário não tem valor contábil hoje (i.e., foi baixado na contabilidade). Contudo, por causa da inflação, o valor justo de mercado do maquinário é $ 200.000. Como consequência, a S. A. Steel Company ofertou $ 200.000 por todas as ações em circulação da Samurai.

Transação isenta de impostos Se Bill Evans receber ações da S. A. Steel valendo $ 200.000, a Receita Federal dos Estados Unidos tratará a venda como uma transação isenta de impostos. Assim, Bill não terá de pagar impostos sobre qualquer ganho recebido pelas ações. Além disso, a S. A. Steel terá direito à mesma dedução de depreciação permitida à Samurai Machinery. Como o ativo já foi completamente depreciado, a S. A. Steel não terá direito a qualquer dedução por depreciação.

Se Bill Evans declarou a SM por $ 80.000 há 15 anos, seu ganho de capital será o valor do ativo que está recebendo em contraprestação pela venda menos o seu valor original corrigido.

---

[47] No entanto, como afirmado anteriormente, os gestores podem resistir a tomadas de controle para aumentar o preço de oferta, e não para impedir a fusão.

[48] Julie Wulf, "Do CEOs in Mergers Trade Power for Premium? Evidence From 'Mergers of Equals' ", *Journal of Law, Economics, and Organization* (primavera de 2004 – Hemisfério Norte).

Assim, mesmo que Bill Evans receba ações da S.A. Steel pela aquisição de suas ações na SM, se o valor das ações recebidas for maior do que o valor das entregues, deverá pagar tributos sobre o ganho de capital.[49]

Transação tributável Se a S. A. Steel pagar $ 200.000 em dinheiro para a Samurai Machinery, a transação será tributável, com as seguintes consequências:

1. No ano da aquisição, Bill Evans precisa pagar impostos sobre a diferença entre o preço da aquisição de $ 200.000 e a contribuição inicial dele para a empresa, de $ 80.000. Assim, sua renda tributável é $ 120.000 (=$ 200.000 − $ 80.000).

2. A S. A. Steel pode *escolher reconhecer* o valor do maquinário. Nesse caso, a S. A. Steel poderá depreciar o maquinário a partir de uma base de cálculo inicial de $ 200.000. Se a S. A. Steel depreciar em linha reta por 10 anos, a depreciação será de $ 20.000 (=$ 200.000/10) ao ano.
    Se a S. A. Steel escolher reconhecer o maquinário, deverá tratar o lançamento de $ 200.000 como uma receita imediatamente tributável.[50]

3. Se a S. A. Steel escolher não reconhecer, não há aumento na depreciação. Assim, a depreciação permanece em zero nesse exemplo. Além disso, como não há lançamento, a S. A. Steel não precisa reconhecer qualquer receita tributável adicional.
    Como os benefícios fiscais da depreciação ocorrem lentamente ao longo do tempo e a receita tributável é reconhecida imediatamente, a adquirente geralmente escolhe não reconhecer o valor do maquinário em uma transação tributável.

Como o reconhecimento não é permitido para transações isentas de impostos e geralmente não é escolhido para as tributáveis, a única diferença real de tributação entre os dois tipos de transações diz respeito à tributação dos acionistas vendedores. Eles podem diferir os tributos na situação de isenção de impostos, mas devem pagá-los imediatamente em uma situação tributável, de modo que a transação isenta de impostos tem consequências fiscais melhores. As implicações fiscais para ambos os tipos de transações são mostradas no Quadro 30.6.

QUADRO 30.6 Consequências fiscais da aquisição da Samurai Machinery pela S. A. Steel Company

Comprador ou vendedor	Tipo de aquisição	
	Aquisição tributável	Aquisição isenta de impostos
Bill Evans (vendedor)	Tributação imediata sobre $ 120.000 ($ 200.000 − $ 80.000)	Imposto sobre ganhos de capital não é pago até que Evans venda ações da S. A. Steel
S. A. Steel (comprador)	S. A. Steel pode escolher reconhecer os ativos: 1. Os ativos da Samurai são reconhecidos até $ 200.000 (com vida útil de 10 anos). A despesa de depreciação anual é $ 20.000. 2. Tributação imediata sobre o reconhecimento de ativos de $ 200.000. Alternativamente, a S. A. Steel pode escolher não reconhecer os ativos. Aqui não há depreciação adicional nem tributação imediata. Normalmente, as adquirentes escolhem *não* reconhecer os ativos.	Nenhuma depreciação adicional

A S. A. Steel adquire a Samurai Machinery por $ 200.000, que é o valor de mercado do equipamento da Samurai. O valor contábil do equipamento é $ 0. Bill Evans começou a Samurai Steel há 15 anos com uma contribuição de $ 80.000.
As consequências fiscais de uma aquisição isenta de impostos são melhores que as de uma aquisição tributável, pois o vendedor não paga qualquer tributação imediata neste segundo tipo.

---

[49] No Brasil, o fisco avaliará o ganho de capital de Bill Evans com a transação baseado no valor histórico, ou contábil, de sua propriedade. Uma forma muito comum de diminuir essa tributação é a capitalização de reservas que a companhia tenha (geralmente contábeis), aumentando o investimento do vendedor e, consequentemente, diminuindo a base de cálculo do ganho de capital.

[50] Tecnicamente, a Samurai Machinery paga esse imposto. No entanto, como a Samurai agora é uma subsidiária da S. A. Steel, esta última é a contribuinte efetiva.

Tributação em fusões e aquisições no Brasil

a. Tributação na pessoa jurídica

Embora as questões fiscais e tributárias sejam por demais complexas para serem abordadas em todos os seus detalhes aqui, podemos afirmar que, em linhas muito gerais, o que interessa é o aproveitamento de créditos fiscais e tributários. Em uma aquisição ou fusão no Brasil, os créditos tributários da empresa-alvo somente serão mantidos e passíveis de aproveitamento pela adquirente se o CNPJ da empresa-alvo for mantido, isto é, se a empresa adquirida/incorporada for mantida como entidade operacional separada dentro do conglomerado adquirente.

Créditos de ICMS e outros tributos seguem regras próprias de aproveitamento, enquanto créditos de prejuízos fiscais somente podem ser aproveitados até o limite anual de 30% do lucro tributável do exercício, apresentado pela detentora dos créditos originais. A regra é: os créditos fiscais e tributários são do CNPJ e somente podem ser aproveitados pelo próprio CNPJ. Se a empresa adquirida não gerar lucros, não gerará benefícios fiscais de prejuízos anteriores. Os créditos fiscais gerados em uma empresa não podem ser aproveitados pelas outras empresas do grupo empresarial.

> **EXEMPLO 30.4** — A *Empresa X* adquiriu a *Empresa Y*
>
> Y tem créditos fiscais no valor de $ 10.000. O CNPJ de Y foi preservado, e Y agora é uma empresa operacional controlada integral de X.
>
> No exercício, X produziu um lucro de $ 50.000, e Y produziu um lucro de $ 1.000,00. O quadro a seguir resume a tributação do lucro de X e Y.
>
> | | Lucro | Benefício fiscal | Lucro tributável | IR + CSLL (34%) |
> |---|---|---|---|---|
> | X | 50.000 | 0 | 50.000 | 17.000 |
> | Y | 1.000 | 30% (−300) | 700 | 238 |
> | A + B | | | | 17.238 |
>
> Observe que, se não houvesse a restrição de manutenção dos créditos fiscais na *Empresa Y* e fosse permitida a consolidação de lucros e créditos fiscais, a *Empresa X+Y* teria um lucro consolidado de $ 51.000 e poderia aproveitar 30% desse lucro para fins de créditos fiscais, com o que aproveitaria 0,34 x 0,30 x 51.000 = $ 5.202,00, mais de 50% dos créditos tributários de Y. Como isso é vedado pela RFB, X+Y aproveitará apenas $ 102,00, restando para os próximos exercícios $ 9.898,00 em créditos fiscais.
>
> Entretanto, X poderá reforçar o capital de Y inclusive com a transferência de ativos produtivos, de forma a aumentar as operações e os lucros de Y com o fim de aproveitar os créditos tributários. Mas isso pode não ser tão fácil como apresentado. Transações que se caracterizem como voltadas unicamente para obter ganhos fiscais podem ser impugnadas pela Receita Federal do Brasil (RFB).

b. Tributação na pessoa física

Suponha que você fosse acionista de Y. Y era uma sociedade por ações de capital aberto, e, antes do anúncio da aquisição, as ações de Y eram negociadas a $ 8,00. Após o anúncio, as ações passaram a ser negociadas a $ 12,00, o que refletia a oferta de 100% de *tag along*[51]

---

[51] Sobre *tag along*, ver BM & FBOVESPA. Bolsa de Valores (São Paulo). Empresas com Tag Along. São Paulo, 2014. Disponível em: <http://www.bmfbovespa.com.br/cias-listadas/consultas/empresas-com-tag-along.aspx?idioma=pt-br>.

para os acionistas fora do bloco de controle. Você comprou sua participação acionária a $ 5,00 alguns anos antes. Você deverá pagar imposto de renda sobre o ganho de capital? Isso depende da forma da aquisição.

***Aquisição em dinheiro*:** Nessa forma, o adquirente lhe pagará $ 12,00 por ação, e você pagou $ 5,00 por essas ações. Portanto, você auferiu um ganho de capital de $ 7,00 por ação. Se você tinha 10.000 ações, teve um ganho de capital de $ 70.000 e pagará imposto de renda sobre esse ganho agora realizado.

***Aquisição com troca de ações*:** Suponha que, em vez de pagar a aquisição em dinheiro para os acionistas, a *Empresa X* tenha pago com suas próprias ações. Suponha, para facilitar os cálculos, que as ações da *Empresa X* tenham sido avaliadas em $ 24,00 cada uma para fins de troca. Você então recebeu uma ação de *X* para cada duas que possuía em *Y*. Você agora tem 5.000 ações de *X*, e sua posição acionária vale

$$5.000 \times \$ 24,00 = \$ 70.000,00$$

Em outras palavras, neste caso, *X* lhe pagou exatamente o mesmo valor nas duas formas. Porém, agora você não terá nenhum imposto a pagar, pois sua posição acionária apenas mudou de nome, você *não realizou* a venda. Você terá que pagar imposto de renda sobre o ganho de capital, se houver, quando *realizar a venda* da posição (ou de parte dela). Nesta opção você tem a tributação postergada, mas, ao fim terá que pagar a tributação sobre o ganho de capital, caso houver.

30.11 Contabilização de aquisições[52]

Anteriormente neste texto, mencionamos que as empresas mantêm dois conjuntos distintos de livros contábeis: os livros dos acionistas, ou a contabilidade societária, e os livros fiscais, ou a contabilidade fiscal.[53] A seção anterior dizia respeito aos efeitos de aquisições na contabilidade fiscal. Consideremos agora a contabilidade societária. Quando uma empresa adquire outra, o comprador utiliza o método de aquisição para justificar a aquisição.

O **método de aquisição** requer que os ativos da empresa adquirida sejam reconhecidos por seu valor justo de mercado na contabilidade da empresa adquirente. Isso permite que a empresa adquirente estabeleça uma nova base de custo para os ativos adquiridos.

Em uma compra, um termo de contabilização chamado *ágio por expectativa de rentabilidade futura* (*goodwill*) pode ser criado. O **ágio** pode ser o excedente do preço de compra acima da soma dos valores justos de mercado dos ativos individuais adquiridos, ou a diferença menor paga na compra em relação ao valor dos ativos. O ágio por expectativa de rentabilidade futura ocorre por pagamento acima do valor dos ativos, na expectativa de que tal valor seja recuperado pela operação dos ativos adquiridos. Outra forma de ágio é o de *ganho por compra vantajosa*, que ocorre quando a adquirente paga menos do que o valor dos ativos adquiridos, calculado pela projeção da rentabilidade futura da operação desses ativos.

---

[52] Para o caso brasileiro, recomendamos a leitura do Pronunciamento Técnico CPC 15 (R1), Combinação de Negócios, (Comitê de Pronunciamentos Contábeis, 2011). Esse pronunciamento é a tradução do *International Financial Reporting Standard 3 Business Combinations* (*IFRS* 3) (eIFRS, 2014). Esse pronunciamento trata da contabilização societária. O reconhecimento na contabilidade fiscal é definido pela Receita Federal do Brasil.

[53] O livro fiscal no Brasil é conhecido como Lalur, o Livro de Apuração do Lucro Real, e é destinado à apuração extracontábil do lucro real sujeito à tributação pelo imposto de renda em cada período de apuração. A IN RFB nº 1.422, de 19 de dezembro de 2013 (Brasil, 2013), estabeleceu que o Lalur deve ser apresentado por meio da Escrituração Contábil Fiscal (ECF), também chamada de SPED-Contábil, com o nome de *e-Lalur* (Brasil, 2012).

> **EXEMPLO 30.5** Aquisições e contabilização
>
> Suponha que a Empresa *A* adquira a Empresa *B*, criando uma nova empresa, *AB*. As posições financeiras da Empresa *A* e da Empresa *B* na data da aquisição são mostradas no Quadro 30.7. O valor contábil da Empresa *B* na data da aquisição era $ 10 milhões. Essa é a soma de $ 8 milhões em edificações e $ 2 milhões em caixa. Contudo, um avaliador afirma que a soma dos valores justos de mercado dos edifícios individualizados é $ 14 milhões. Com $ 2 milhões em dinheiro, a soma dos valores de mercado dos ativos individualizados na Empresa *B* é $ 16 milhões. Isso representa o valor a ser recebido se a empresa for liquidada vendendo os ativos individualizados separadamente. No entanto, o todo muitas vezes vale mais que a soma das partes em negócios. A Empresa *A* paga $ 19 milhões em dinheiro para a Empresa *B*. Essa diferença de $ 3 milhões (=$ 19 milhões − $ 16 milhões) é o ágio. Ele representa o aumento do valor ao ter a empresa como um negócio continuado. A Empresa *A* captou $ 19 milhões em novas dívidas para financiar a aquisição.
>
> O total de ativos da Empresa *AB* aumenta para $ 39 milhões. Os prédios da Empresa *B* aparecem no novo balanço patrimonial com seu valor de mercado atual. Isto é, o valor de mercado dos ativos da empresa adquirida se torna parte do valor contábil da nova empresa. Contudo, os ativos da empresa adquirente (Empresa *A*) permanecem com seu antigo valor contábil. Eles não são reavaliados para mais quando a nova empresa é criada.
>
> O excedente do preço de compra acima da soma dos valores justos de mercado dos ativos individualizados adquiridos é de $ 3 milhões. Esse montante é reconhecido como ágio. Os analistas geralmente ignoram o ágio por ele não ter consequências para o fluxo de caixa. A cada ano, a empresa deve avaliar o valor de seu ágio. Se o valor cair, o montante do ágio no balanço patrimonial deve ser diminuído nesse valor – isso é chamado na linguagem contábil de *redução ao valor recuperável*, e também é referido pelo equivalente em inglês, *impairment*.[54] Caso contrário, nenhuma redução de valor é necessária.
>
> **QUADRO 30.7** Contabilização de aquisições: Compra ($ em milhões)
>
> | Empresa *A* | | | | Empresa *B* | | | | Empresa *AB* | | | |
> |---|---|---|---|---|---|---|---|---|---|---|---|
> | Caixa | $ 4 | Patrimônio líquido | $ 20 | Caixa | $ 2 | Patrimônio líquido | $ 10 | Caixa | $ 6 | Dívida | $ 19 |
> | Terreno | 16 | | | Terreno | 0 | | | Terreno | 16 | Patrimônio líquido | 20 |
> | Prédios | 0 | | | Prédios | 8 | | | Prédios | 14 | | |
> | | | | | | | | | Ágio | 3 | | |
> | Total | $ 20 | | $ 20 | Total | $ 10 | | $ 10 | Total | $ 39 | | $ 39 |
>
> Quando o método de aquisição é utilizado, o valor dos ativos da empresa adquirida (Empresa *B*) aparecem nos balanços da empresa resultante por seu valor justo de mercado.

30.12 Fechamento de capital e aquisições alavancadas

As transações de fechamento de capital e as aquisições alavancadas têm muito em comum com as fusões, e vale a pena discuti-las neste capítulo. Uma empresa de capital aberto *fecha o capital* quando um grupo privado (nos Estados Unidos, esse grupo geralmente é formado pela administração existente) compra as ações da empresa que estão em circulação no mercado. Como consequência, as ações da empresa saem do mercado (se as ações eram negociadas em bolsa, sua listagem é cancelada) e não são mais negociadas. Assim, em transações de fechamento de capital, os acionistas de empresas com capital aberto são forçados a aceitar dinheiro por suas ações.

No Brasil, para certos tipos de aquisição, o proponente deve fazer uma Oferta Pública de Aquisição, OPA, em que manifesta o seu compromisso de adquirir uma quantidade específica

---

[54] Para o caso brasileiro, ver Comitê de Pronunciamentos Contábeis. Pronunciamento Técnico CPC nº 1(R1), de 6 de agosto de 2010. Redução ao valor Recuperável de ativos. Rio de Janeiro, 2010. Disponível em: <http://www.cpc.org.br/CPC/Documentos-Emitidos/Pronunciamentos/Pronunciamento?Id=2>.

de ações a um preço e prazo determinados, respeitando determinadas condições. As normas de aquisição de controle estão estabelecidas no art. 257 da LSA (Brasil, 1976) e na Instrução CVM nº 361 (Comissão de Valores Mobiliários, 2002). Há também a possibilidade de ofertas públicas voluntárias, que são realizadas sem que uma norma específica obrigue a sua realização.

Tanto as OPAs obrigatórias quanto as voluntárias devem observar as normas estabelecidas na Instrução CVM nº 361/02 (Comissão de Valores Mobiliários, 2002).

A Instrução CVM nº 361/20 (Comissão de Valores Mobiliários, 2002) distingue as seguintes modalidades de ofertas públicas de aquisição no Brasil:

> I – OPA para cancelamento de registro: é a OPA obrigatória, realizada como condição do cancelamento do registro para negociação de ações nos mercados regulamentados de valores mobiliários;
>
> II – OPA por aumento de participação: é a OPA obrigatória, realizada em consequência de aumento da participação do acionista controlador no capital social de companhia aberta;
>
> III – OPA por alienação de controle: é a OPA obrigatória, realizada como condição de eficácia de negócio jurídico de alienação de controle de companhia aberta;
>
> IV – OPA voluntária: é a OPA que visa à aquisição de ações de emissão de companhia aberta que não se deva realizar segundo os procedimentos específicos estabelecidos para qualquer OPA obrigatória;
>
> V – OPA para aquisição de controle de companhia aberta: é a OPA voluntária de que trata o art. 257 da Lei nº 6.404/76 (Brasil, 1976); e
>
> VI – OPA concorrente: é a OPA formulada por um terceiro, que não o ofertante ou pessoa a ele vinculada, e que tenha por objeto ações abrangidas por OPA já apresentada para registro perante a CVM ou por OPA não sujeita a registro cujo edital já tenha sido publicado.
>
> OPA: Oferta pública de aquisição

As transações de fechamento de capital são frequentemente *aquisições alavancadas* (*leveraged buyout*, ou LBOs, na sigla em inglês). Em uma aquisição alavancada, o preço da oferta em dinheiro é financiado com grandes montantes de dívida. Parte do apelo das LBOs é que esse arranjo exige pouco capital próprio. Esse capital próprio geralmente é fornecido por um pequeno grupo de investidores, alguns dos quais provavelmente sejam gestores da empresa sendo comprada.

Os acionistas vendedores são, invariavelmente, pagos com um prêmio acima do preço de mercado em uma LBO, da mesma maneira que em uma fusão. Como em uma fusão, a adquirente lucra somente se a sinergia criada for maior que o prêmio. A sinergia é muito plausível em uma fusão de *duas* empresas, e delineamos vários tipos de sinergia anteriormente neste capítulo. Contudo, é mais difícil explicar a sinergia em uma LBO, pois somente *uma* empresa está envolvida.

Duas razões geralmente são dadas para a criação de valor em uma LBO. Primeira, o endividamento adicional proporciona ganhos fiscais, o que, como os capítulos anteriores sugeriram, leva a um aumento no valor da empresa. A maioria das LBOs se centra em empresas com lucros estáveis e com endividamento de baixo a moderado. A LBO pode simplesmente aumentar o endividamento da empresa até seu nível ótimo.

A segunda fonte de valor vem da eficiência aumentada e é, muitas vezes, explicada em termos de "abordagem da cenoura e do porrete" (*the carrot and the stick*). Os gestores se tornam proprietários em uma LBO, o que lhes dá um incentivo para trabalhar duro. Esse incentivo normalmente é chamado de cenoura, e as cenouras em algumas LBOs, eram enormes. Por exemplo, considere a LBO da HCA, uma empresa hospitalar baseada em Nashville. Em 2007, um consórcio de investimentos liderado por KKR, Bain Capital LLC e o Dr. Thomas Frist, que fundou a HCA em 1968, comprou a HCA por $ 33 bilhões. Por causa da natureza alavancada da transação, o grupo de investidores só colocou $ 5,3 bilhões e fez um empréstimo do restante. Em 2010, a HCA pagou um dividendo de $ 4,3 bilhões aos investidores da LBO. Então, em

2011, a empresa abriu seu capital novamente, levantando cerca de $ 3,79 bilhões. Na IPO, o grupo de investidores da LBO recebeu cerca de $ 1 bilhão, o que significava que todo o capital que o grupo havia investido na HCA lhe fora devolvido. É claro que isso não foi tudo o que os investidores receberam. Depois da LBO, eles ainda mantinham em torno de $ 11 bilhões em ações da HCA! E essa não era a primeira LBO da HCA. Em 1989, um grupo incluindo o filho do Dr. Frist fechou o capital da HCA em uma LBO avaliada em $ 5,1 bilhões. Quando eles abriram o capital da empresa em 1992, auferiram um ganho de 800%.

Os pagamentos de juros do alto endividamento constituem o porrete. Grandes pagamentos de juros podem facilmente transformar uma empresa rentável antes de uma LBO em uma não rentável depois dela. A administração precisa fazer alterações, seja por meio de aumentos de receitas ou de reduções de custos, para manter a empresa "no azul". A teoria da agência, um tópico mencionado anteriormente neste capítulo, sugere que os gestores podem ser esbanjadores com um grande fluxo de caixa livre. Os pagamentos de juros reduzem esse fluxo de caixa, forçando os gestores a reduzir o desperdício.

Embora seja fácil mensurar os benefícios fiscais adicionais de uma LBO, é difícil dimensionar os ganhos de aumento de eficiência. No entanto, esse aumento de eficiência é considerado no mínimo tão importante quanto o benefício fiscal na explicação do fenômeno das LBOs.

Pesquisas acadêmicas sugerem que as LBOs têm, em média, criado valor. Primeiro, os prêmios são positivos, como o são em fusões, implicando que os acionistas vendedores são beneficiados. Segundo, estudos indicam que as LBOs que ao final abrem o capital geram altos retornos para o grupo dos gestores. Por fim, outros estudos mostram que o desempenho operacional aumenta depois da LBO. No entanto, não podemos confiar completamente na criação de valor, porque os pesquisadores têm dificuldade de obter dados sobre as LBOs que não abrem o capital. Se essas LBOs em geral destruírem valor, o exemplo das empresas com abertura de capital seria um exemplo tendencioso. Independentemente do desempenho médio das empresas empreendendo uma LBO, podemos ter certeza de uma coisa: por causa da grande alavancagem envolvida, o risco é enorme.

30.13 Desinvestimentos

Este capítulo disse respeito principalmente às aquisições, mas também vale a pena considerar o seu oposto, os desinvestimentos. Os desinvestimentos ocorrem em diferentes formas, e a mais importante será discutida a seguir.

Venda

O tipo mais básico de desinvestimento é a *venda* de uma divisão, de uma unidade de negócios, de um segmento ou de um conjunto de ativos para outra empresa. O comprador geralmente, mas nem sempre, paga com caixa. Inúmeras razões são dadas para vendas. Em primeiro lugar, em uma seção anterior deste capítulo, consideramos as vendas de ativos uma defesa contra tomadas de controle hostis. Foi salientado naquela seção que as vendas, muitas vezes, melhoram o foco corporativo, levando a um valor geral maior para o vendedor. Esse mesmo raciocínio se aplica quando a venda da empresa não está em jogo. Em segundo lugar, as vendas de ativos fornecem o caixa necessário para empresas com pouca liquidez. Em terceiro lugar, muitas vezes, argumenta-se que a escassez de dados sobre segmentos individuais de negócios torna difícil a avaliação de empresas grandes e diversificadas. Os investidores podem descontar do valor total da empresa essa falta de transparência. Os desinvestimentos melhoram o perfil de uma empresa, tornado sua avaliação mais fácil. Contudo, esse argumento é inconsistente com a eficiência de mercado, pois implica que as empresas grandes e diversificadas tenham suas ações negociadas abaixo de seu valor real. Em quarto lugar, as empresas podem simplesmente querer vender divisões não rentáveis. No entanto, as divisões não rentáveis provavelmente terão valores baixos para qualquer um. Uma divisão só deve ser vendida caso seu valor seja maior para o comprador do que para o vendedor.

Tem havido um bom volume de pesquisas sobre desinvestimentos, e os acadêmicos chegaram a duas conclusões. A primeira delas é que estudos de eventos mostram que os retornos das ações do vendedor são positivos perto da época do anúncio da venda, sugerindo que elas criem valor para o vendedor. E a segunda é que as aquisições, muitas vezes, são vendidas mais adiante. Por exemplo, Kaplan e Weisbach[55] descobriram que mais de 40% das aquisições foram posteriormente desinvestidas, um resultado não refletido em fusões. O tempo médio entre a aquisição e o desinvestimento era cerca de sete anos.

Distribuição de capital em ações de controlada

Em uma distribuição de capital em ações de controlada, também chamada de cisão (*spin-off*), uma controladora transforma uma divisão em uma entidade separada e distribui ações nessa entidade para os acionistas da controladora. As cisões diferem das vendas em ao menos duas formas. Primeira, a controladora não recebe caixa pela cisão: as ações são enviadas gratuitamente aos acionistas. Segunda, os acionistas iniciais da divisão cindida são os mesmos acionistas da controladora. Em contraste, em uma venda, o comprador provavelmente será outra empresa. Contudo, como as ações da divisão são negociadas publicamente depois da cisão, as identidades dos acionistas mudarão com o tempo. Trata-se de uma forma de distribuição de capital em ações de controlada, resultante de uma divisão que é transformada em uma subsidiária integral, e cujo capital é integralizado por ativos cindidos da controladora.

Ao menos quatro motivos geralmente são dados para uma cisão. Primeiro, da mesma forma que em uma venda, a cisão pode aumentar o foco corporativo. Segundo, como a divisão cindida agora é negociada publicamente, o fato de agora ser uma empresa de capital aberto exige que informações adicionais sejam divulgadas – de modo que os investidores podem achar mais fácil avaliar a matriz e a subsidiária após a cisão. Terceiro, as empresas muitas vezes remuneram os executivos com ações além de dinheiro. A ação age como um incentivo: o bom desempenho dos gestores leva a aumentos de preço das ações. No entanto, antes da cisão, os executivos podem receber ações somente na empresa matriz. Se a divisão for pequena em relação à empresa inteira, a movimentação de preço nas ações da matriz será menos relacionada ao desempenho da divisão do gestor do que ao desempenho do restante da empresa. Portanto, os gestores da divisão podem ver pouca relação entre seu empenho e a valorização das ações. Depois da cisão, o gestor pode receber ações da subsidiária. O empenho do gestor deve impactar diretamente na movimentação de preço das ações da subsidiária. Quarto, as consequências fiscais de uma cisão podem ser melhores que as de uma venda, pois a controladora não recebe caixa em uma cisão.

Captação de recursos com emissão de ações de controlada

Em uma captação de recursos com emissão de ações de controlada (*carve-out*), a empresa transforma uma divisão em uma entidade separada e, a seguir, vende ações da divisão ao público. Aqui também a divisão é transformada em uma subsidiária integral, e seu capital é integralizado por ativos cindidos da controladora. Geralmente, a controladora retém grande participação na divisão. Essa transação é similar à cisão, e os três primeiros benefícios listados para cisões também se aplicam a uma abertura de capital de controlada. No entanto, a grande diferença é que a empresa recebe dinheiro com essa operação, mas não recebe com uma cisão. O receber caixa pode tanto ser bom quanto ruim. Por um lado, muitas empresas precisam de caixa. Michaely e Shaw[56] observam que empresas grandes e rentáveis são mais propensas a realizar abertura de capital de controladas, ao passo que as pequenas e não rentáveis tendem a realizar cisões. Uma interpretação é que as empresas geralmente preferem o caixa que vem com uma abertura. Contudo, empresas pequenas e não rentáveis têm dificuldades para emitir ações. Elas precisam recorrer a uma cisão, na qual as ações da subsidiária são meramente dadas a seus próprios acionistas.

---

[55] Steven Kaplan e Michael Weisbach, "The Success of Acquisitions: Evidence from Divestitures", *Journal of Finance*, mar. 1992.

[56] Roni Michaely e Wayne Shaw, "The Choice of Going Public: Spin-offs vs. Carve-outs", *Financial Management* (outono de 1995 – Hemisfério Norte).

Infelizmente, também existe um lado ruim para o caixa, conforme a hipótese do fluxo de caixa livre. Isto é, empresas com caixa excedente ao necessário para projetos de orçamento de capital rentáveis podem gastá-lo em projetos não rentáveis. Allen e McConell[57] verificaram que o mercado de ações reage positivamente a anúncios de abertura de capital de controladas se o caixa for utilizado para reduzir dívidas. O mercado reage de forma neutra se o caixa for utilizado para projetos de investimento.

Ações de monitoramento

Nos Estados Unidos, uma controladora pode emitir ações de monitoramento (*tracking stocks*) para "rastrear" o desempenho de uma divisão específica sua. Por exemplo, se a ação de monitoramento pagar dividendos, o tamanho do dividendo dependerá do desempenho da divisão. Contudo, embora as "rastreadoras" sejam negociadas separadamente das ações da controladora, a subsidiária monitorada é uma divisão da controladora. Em contraste, a subsidiária se separa da controladora em uma cisão.

A primeira ação de monitoramento emitida estava ligada ao desempenho da EDS, uma subsidiária da General Motors. Posteriormente, grandes empresas, como a Walt Disney e a Sony, emitiram rastreadoras. No entanto, poucas empresas emitiram ações de monitoramento nos últimos anos, e as controladoras têm retirado do mercado a maioria das emitidas anteriormente.

Talvez o maior problema com as ações de monitoramento seja sua falta de direitos de propriedade claramente definidos. Um contador otimista pode aumentar os lucros de uma determinada divisão, levando a dividendos maiores. Um contador pessimista terá o efeito inverso. Embora os contadores afetem os lucros das empresas normais, uma alteração nos lucros não irá impactar diretamente os dividendos.

Resumo e conclusões

1. Uma empresa pode adquirir outra de diversas formas. As três formas legais de aquisição são fusão e incorporação, aquisição de ações e aquisição de ativos. As fusões e incorporações são as menos dispendiosas do ponto de vista jurídico, mas exigem um voto de aprovação pelos acionistas. A aquisição de ações não requer uma votação dos acionistas e normalmente é feita via oferta de aquisição. Contudo, é difícil obter 100% de controle com uma oferta de aquisição. A aquisição de ativos é comparativamente dispendiosa, pois exige uma transferência mais difícil de propriedade de ativos.

2. A sinergia de uma aquisição é definida como o valor da empresa resultante (V_{AB}) menos o valor das duas empresas como entidades separadas (V_A e V_B):

$$\text{Sinergia} = V_{AB} - (V_A + V_B)$$

Os acionistas da empresa adquirente ganharão se a sinergia da fusão for maior que o prêmio.

3. Os benefícios possíveis de uma aquisição advêm de:
   a. Aumento de receitas.
   b. Redução de custos.
   c. Impostos mais baixos.
   d. Redução das necessidades de capital.

4. Os acionistas podem não se beneficiar de uma fusão que seja feita apenas para conseguir diversificação ou aumento de lucros. E a redução em riscos resultante de uma fusão pode, na verdade, ajudar os credores e prejudicar os acionistas.

---

[57] Jeffrey Allen e John McConnell, "Equity Carve-outs and Managerial Discretion", *Journal of Finance*, feb. 1998.

5. Diz-se que uma fusão é amigável quando os gestores da alvo a apoiam. Diz-se que uma fusão é hostil quando os gestores da alvo não a apoiam. Parte da linguagem mais divertida das finanças provém das táticas de defesa em batalhas de tomada de controle hostis. *Pílulas de veneno*, *paraquedas dourados*, *joias da coroa* e *greenmail* são termos que descrevem várias táticas contra uma tomada de controle.

6. A pesquisa empírica sobre fusões e aquisições é extensa. Na média, os acionistas das empresas adquiridas se saem muito bem. O efeito das fusões sobre os acionistas das empresas adquirentes é menos claro.

7. As fusões e aquisições envolvem regras tributárias e de contabilização complicadas. As fusões e aquisições podem ser transações tributáveis ou isentas de impostos. Em uma transação tributável, cada acionista vendedor deve pagar impostos sobre a apreciação de capital das ações. Se a empresa adquirente escolher reconhecer os ativos no seu balanço, surgem implicações tributárias adicionais. No entanto, as empresas adquirentes geralmente não escolhem reconhecer os ativos com fins fiscais. Os acionistas vendedores não pagam tributos no momento de uma aquisição isenta de impostos. O método de aquisição é utilizado para justificar fusões e aquisições.

8. Em uma transação de *fechamento de capital*, um grupo de adquirente, normalmente incluindo a administração da empresa, compra todas as ações dos outros acionistas. As ações da empresa não são mais negociadas publicamente. Uma *aquisição alavancada* é uma transação de fechamento de capital financiada por alta alavancagem.

QUESTÕES CONCEITUAIS

1. **Contabilização de fusões** Explique o método de contabilização de aquisição para fusões. Qual é o efeito nos fluxos de caixa? E sobre o LPA?

2. **Conceitos de fusão** Indique se você pensa que as seguintes declarações relativas a tomadas de controle são verdadeiras ou falsas. Em cada caso, forneça uma breve explicação para sua resposta.
   a. Em uma fusão de concorrentes, as tomadas de controle criam monopólios que irão aumentar os preços dos produtos, reduzir a produção e prejudicar os consumidores.
   b. Os gestores, por vezes, agem em seu próprio interesse e, na realidade, podem não prestar contas aos acionistas. As tomadas de controle podem refletir uma administração desertora.
   c. Em um mercado eficiente, as tomadas de controle não ocorreriam, pois o preço de mercado refletiria o valor real das empresas. Assim, as empresas ofertantes não teriam justificativa para pagar prêmios acima dos preços de mercado para empresas-alvo.
   d. Os operadores de mercados e os fundos de investimento, tendo horizontes de tempo extremamente curtos, são influenciados por suas percepções do que outros operadores do mercado estarão pensando sobre perspectivas de ações e não avaliam as tomadas de controle com base em fatores fundamentais. Portanto, eles venderão ações em empresas-alvo, apesar do valor real das empresas.
   e. As fusões são uma forma de evitar tributos, pois permitem que a empresa adquirente lance nos seus livros o valor dos ativos da empresa adquirida.
   f. As análises de aquisições frequentemente focam o valor total das empresas envolvidas. Uma aquisição, todavia, normalmente afetará os valores relativos de ações e títulos, bem como seu valor total.

3. **Raciocínio da fusão** Explique por que a diversificação por si só provavelmente não seja uma boa razão para uma fusão.

4. **Cisão corporativa** Em julho de 2011, a rede de restaurantes de fast-food Wendy's/Arby's anunciou que tinha vendido seus restaurantes Arby's e voltaria a se chamar Wendy's. A Arby's foi comprada pela empresa de *private equity* Roark Capital Group. A Arby's era

a 11ª rede de restaurantes comprada pela Roark. Por que uma empresa cindiria uma divisão? Existe a possibilidade de sinergia inversa?

5. **Pílulas de veneno** As pílulas de veneno são boas ou más para os acionistas? Como você acha que as empresas adquirentes podem contornar as pílulas de veneno?

6. **Fusões e impostos** Qual é a determinante básica da situação fiscal em uma fusão? Uma LBO seria tributável ou não? Explique.

7. **Economias de escala** O que significa dizer que uma fusão irá tirar vantagem das economias de escala disponíveis? Suponha que a Geradora da Costa Sul do Atlântico e a Geradora da Amazônia estejam localizadas em diferentes fusos horários. Ambas operam a 60% da capacidade, exceto em períodos de pico, quando operam a 100% da capacidade. Os períodos de pico começam às 9h e às 17h do horário local e duram cerca de 45 minutos. Explique por que uma fusão entre a Costa Sul e a Amazônia poderia fazer sentido.

8. **Tomadas de controle hostis** Que tipos de ações a administração de uma empresa poderia adotar para combater um lance de aquisição hostil de uma ofertante indesejada? Como os acionistas da empresa-alvo se beneficiam das táticas de defesa da sua equipe de gestão? Como os acionistas da empresa-alvo são prejudicados por essas ações? Explique.

9. **Ofertas de fusão** Suponha que uma empresa na qual você possua ações tenha atraído duas ofertas de tomada de controle. Faria algum sentido para a administração da sua empresa favorecer a menor oferta? A forma de pagamento afeta a sua resposta?

10. **Lucro da fusão** Os acionistas da empresa adquirente parecem se beneficiar pouco das tomadas de controle. Essa descoberta é um enigma? Quais são algumas das razões dadas para isso?

QUESTÕES E PROBLEMAS

BÁSICO
(Questões 1-10)

1. **Cálculo de sinergia** A Ovo S/A ofereceu $ 340 milhões em dinheiro por todas as ações ordinárias na Clara & Cia. Com base em informações de mercado recentes, a Clara vale $ 317 milhões como operação independente. Se a fusão faz sentido econômico para a Ovo, qual é o valor estimado mínimo dos benefícios sinérgicos a partir da fusão?

2. **Balanços patrimoniais para fusões** Considere as seguintes informações pré-fusão sobre a Empresa *X* e a Empresa *Y*:

	Empresa *X*	Empresa *Y*
Total de lucros	$ 90.000	$ 52.200
Ações em circulação	46.800	36.000
Valores por ação:		
De mercado	$ 53	$ 19
Contábil	$ 21	$ 9

Suponha que a Empresa *X* adquira a Empresa *Y* pagando dinheiro por todas as ações em circulação a um prêmio de fusão de $ 5 por ação. Supondo que nenhuma das empresas tenha dívidas antes ou depois da fusão, construa o balanço patrimonial pós-fusão da Empresa *X*, presumindo o uso do método de contabilização de compra.

3. **Balanços patrimoniais para fusões** Suponha que os balanços patrimoniais a seguir representem valores contábeis. O valor justo de mercado dos ativos não circulantes da João S/A é igual ao valor contábil. A Maria S/A paga $ 15.000 pela João e levanta os fundos necessários por meio de uma emissão de dívida de longo prazo. Construa um balanço patrimonial pós-fusão presumindo que a Maria compre a João e que o método de contabilização de compra seja utilizado.

Maria S/A			
Ativos circulantes	$ 18.000	Passivo circulante	$ 5.100
Ativos não circulantes líquidos	33.000	Dívida de longo prazo	9.300
		Patrimônio líquido	36.600
Total	$ 51.000	Total	$ 51.000
João S/A			
Ativos circulantes	$ 3.500	Passivo circulante	$ 2.100
Ativos não circulantes líquidos	8.900	Dívida de longo prazo	1.400
		Patrimônio líquido	8.900
Total	$ 12.400	Total	$ 12.400

4. **Incorporação de fundo de comércio (*goodwill*)** No problema anterior, suponha que o valor justo de mercado dos ativos não circulantes da João seja $ 15.000 *versus* o valor contábil de $ 8.900 mostrado. A Maria S/A paga $ 23.000 pela João e levanta os fundos necessários por meio de uma emissão de dívida de longo prazo. Construa agora o balanço patrimonial pós-fusão, presumindo que o método de contabilização de compra seja utilizado.

5. **Balanços patrimoniais para fusões** As Empresas Silva S/A adquiriram a Mineração Tudouro em uma transação de fusão. Construa o balanço patrimonial da nova corporação se a fusão for tratada como uma compra para fins de contabilização. O valor de mercado dos ativos não circulantes da Tudouro é $ 5.800, e os valores de mercado para os ativos circulantes e outros são os mesmos que os valores escriturais. Suponha que a S/A emita $ 13.800 em uma nova dívida de longo prazo para financiar a aquisição. Os balanços patrimoniais a seguir representam os valores escriturais pré-fusão das duas empresas:

Empresas Silva S/A			
Ativos circulantes	$ 8.600	Passivo circulante	$ 5.200
Outros ativos	1.800	Dívida de longo prazo	3.700
Ativos não circulantes líquidos	15.800	Patrimônio líquido	17.300
Total	$ 26.200	Total	$ 26.200
Mineração Tudouro			
Ativos circulantes	$ 2.500	Passivo circulante	$ 2.300
Outros ativos	850	Dívida de longo prazo	0
Ativos não circulantes líquidos	5.800	Patrimônio líquido	6.850
Total	$ 9.150	Total	$ 9.150

6. **Incorporação de fundo de comércio (*goodwill*)** No problema anterior, construa o balanço patrimonial para a nova corporação presumindo que a transação seja tratada como uma compra para fins de contabilização. O valor de mercado dos ativos não circulantes da Tudouro é $ 5.800, os valores de mercado para os ativos circulantes e outros são os mesmos que os valores escriturais. Suponha que a Silva S/A emita $ 10.500 em uma nova dívida de longo prazo para financiar a aquisição.

7. **Pagamento em dinheiro *versus* pagamento em ações** A Penas S/A está analisando a possível aquisição da Companhia do Poleiro. Ambas as empresas não possuem dívidas. A Penas acredita que a aquisição aumentará seu fluxo de caixa anual total após a tributação a $ 1,1 milhão indefinidamente. O valor de mercado atual da Poleiro é $ 45 milhões, e o da Penn é $ 62 milhões. A taxa de desconto apropriada para os fluxos de caixa incrementais é 12%. A Penn está tentando decidir se deve oferecer 40% de seu capital investido ou $ 48 milhões em dinheiro aos acionistas da Poleiro.

   a. Qual é o custo de cada alternativa?
   b. Qual é o VPL de cada alternativa?
   c. Qual alternativa a Penas deveria escolher?

8. **LPA, P/L e fusões** Os acionistas da Companhia da Flanela S/A votaram a favor de uma oferta de aquisição da Seda & Companhia. As informações sobre cada empresa são dadas aqui:

	Companhia da Flanela	Seda & Companhia
Índice P/L	6,35	12,70
Ações em circulação	73.000	146.000
Lucros	$ 230.000	$ 690.000

Os acionistas da Companhia da Flanela receberão uma ação do capital investido da Seda & Companhia por cada três ações que detenham na Flanela.

   a. Qual será o LPA da Seda depois da fusão? Qual será o índice P/L se o VPL da aquisição for zero?

   b. Qual é o valor da sinergia entre essas duas empresas para a Seda? Explique como sua resposta pode estar em conformidade com a decisão de ir em frente com a tomada de controle.

9. **Raciocínio de fusão** A Companhia Nuclear de Energia (CNE) é uma empresa de geração que fornece eletricidade para a área central do vale do Pintado. Acontecimentos recentes em sua Geradora Nuclear 3 foram desencorajadores. Diversos acionistas expressaram preocupação em relação às demonstrações contábeis do último ano.

Demonstração de resultados do exercício ($ em milhões)		Balanço patrimonial do encerramento do exercício ($ em milhões)	
Receita	$ 110	Ativos	$ 400
Incentivo	50	Dívida	300
Outras despesas	30	Patrimônio líquido	100
Juros	30		
Lucro líquido	$ 0		

Recentemente, um grupo próspero de investidores ofereceu-se para comprar metade dos ativos da CNE a um valor justo de mercado. A administração recomenda que essa oferta seja aceita, pois "Acreditamos que nossa competência no setor de energia pode ser mais bem explorada pela CNE se vendermos nossos ativos de geração e transmissão de eletricidade e entrarmos no negócio de telecomunicações. Embora o negócio de telecomunicações seja mais arriscado do que o de concessionária pública para fornecimento de eletricidade, também é potencialmente muito rentável".

A administração deveria aprovar essa transação? Por quê?

10. **Dinheiro *versus* ações como pagamento** Considere as seguintes informações pré-fusão sobre uma empresa ofertante (Empresa *O*) e uma empresa-alvo (Empresa *A*). Suponha que ambas as empresas não possuam dívidas não liquidadas.

	Empresa O	Empresa A
Ações em circulação	4.800	1.200
Preço por ação	$ 36	$ 24

A Empresa *O* estimou que o valor dos benefícios sinérgicos da aquisição da Empresa *A* é $ 9.500.

   a. Se a Empresa *A* estiver disposta a ser adquirida por $ 30 a ação em dinheiro, qual é o VPL da fusão?

   b. Qual será o preço por ação da empresa resultante pressupondo as condições em (a)?

c. Na parte (a), qual é o prêmio da fusão?

d. Suponha que a Empresa *A* seja favorável a uma fusão por uma troca de ações. Se *O* oferecer quatro de suas ações por cada cinco ações da *A*, qual será o preço por ação da empresa resultante?

e. Qual é o VPL da fusão, pressupondo as condições em (d)?

11. **Dinheiro *versus* ações como pagamento** No Problema 10, os acionistas da Empresa *A* se dão melhor com a oferta em dinheiro ou a em ações? A qual quociente de troca de ações *O* para ações *A* as duas ofertas teriam o mesmo peso para os acionistas da *A*?

INTERMEDIÁRIO
(Questões 11-16)

12. **Efeitos de uma troca de ações** Considere as seguintes informações pré-fusão sobre a Empresa *A* e a Empresa *B*:

	Empresa *A*	Empresa *B*
Total de lucros	$ 2.100	$ 700
Ações em circulação	900	300
Preço por ação	$ 60	$ 17

Suponha que a Empresa *A* adquira a Empresa *B* via troca de ações a um preço de $ 18 por cada ação do capital investido de *B*. Tanto *A* quanto *B* não possuem dívidas não liquidadas.

a. Qual será o lucro por ação, LPA, da Empresa *A* depois da fusão?

b. Qual será o preço por ação da Empresa *A* depois da fusão se o mercado analisar incorretamente seu crescimento de lucros reportados (i.e., o índice P/L não muda)?

c. Qual será o índice P/L da empresa pós-fusão se o mercado analisar corretamente a transação?

d. Se não houver ganhos de sinergia, qual será o preço das ações de *A* após a fusão? Qual será o índice P/L? O que sua resposta para o preço das ações lhe diz sobre o montante que *A* deu de lance por *B*? Foi muito alto? Muito baixo? Explique.

13. **VPL de fusões** Mostre que o VPL de uma fusão pode ser expresso como o valor dos benefícios sinérgicos, ΔV, menos o prêmio da fusão.

14. **VPL de fusões** A Voos Noturnos S/A está analisando a possível aquisição da Restaurantes Pãoligeiro. Nenhuma das empresas tem dívidas. As previsões da Voos Noturnos mostram que a compra aumentaria seu fluxo de caixa anual pós-tributação para $ 390.000 indefinidamente. O valor de mercado atual da Pãoligeiro é $ 7 milhões. O valor de mercado atual da Voos Noturnos é $ 22 milhões. A taxa de desconto apropriada para os fluxos de caixa incrementais é 8%. A Voos Noturnos está tentando decidir se deve oferecer 30% de suas ações ou $ 9 milhões em dinheiro à Pãoligeiro.

a. Qual é a sinergia da fusão?

b. Qual é o valor da Pãoligeiro para a Voos Noturnos?

c. Qual é o custo de cada alternativa para a Voos Noturnos?

d. Qual é o VPL de cada alternativa para a Voos Noturnos?

e. Qual alternativa a Voos Noturnos deveria utilizar?

15. **VPL de fusões** A Varejão S/A tem um valor de mercado de 400 milhões e 30 milhões de ações em circulação. A Lojão S/A tem um valor de mercado de 160 milhões e 18 milhões de ações em circulação. A Varejão está pensando em adquirir a Lojão. O diretor financeiro da Varejão conclui que, com as sinergias, a empresa resultante valerá 590 milhões, e a Lojão pode ser adquirida com um prêmio de 15 milhões.

a. Se a Varejão oferecer 12 milhões de ações em troca dos 18 milhões de ações da Lojão, qual será o preço da ação da Varejão após a aquisição?

b. Qual quociente de troca entre as duas ações tornaria o valor da oferta em ações equivalente a uma oferta em dinheiro de 175 milhões?

16. **Fusões e valor para os acionistas** A Bentley S/A. e a Rolls S/A estão pensando em uma fusão. Os estados possíveis da economia e o valor de cada empresa nesses estados são mostrados aqui:

Estado	Probabilidade	Bentley	Rolls
Boom	0,70	$ 290.000	$ 260.000
Recessão	0,30	$ 110.000	$ 80.000

A Bentley atualmente tem uma emissão de títulos de dívida com um valor nominal de $ 125.000. A Rolls é uma empresa financiada totalmente por capital próprio.

a. Qual é o valor de cada empresa antes da fusão?

b. Quais são os valores do endividamento e do capital próprio de cada empresa antes da fusão?

c. Se as empresas continuarem a operar separadamente, quais são os valores totais das empresas, do capital próprio e do endividamento?

d. Qual seria o valor da empresa resultante? Qual seria o valor do endividamento e do capital próprio da empresa resultante?

e. Existe uma transferência de riqueza nesse caso? Por quê?

f. Suponha que o valor nominal da dívida da Bentley fosse $ 90.000. Isso afetaria a transferência de riqueza?

DESAFIO
(Questões 17-18)

17. **Cálculo do VPL** A Plantas S/A está pensando em fazer uma oferta para comprar a Companhia das Palmeiras. O vice-presidente de finanças da Plantas coletou as seguintes informações:

	Plantas	Palmeiras
Índice P/L	14,5	10
Ações em circulação	1.500.000	750.000
Lucro	$ 4.200.000	$ 960.000
Dividendos	1.050.000	470.000

A Plantas também sabe que os analistas esperam que os lucros e dividendos da Palmeira cresçam a uma taxa constante de 4% ao ano. A administração da Plantas acredita que a aquisição da Palmeira trará à empresa algumas economias de escala que aumentarão sua taxa de crescimento a 6% ao ano.

a. Qual é o valor da Palmeiras para a Plantas?

b. Qual seria o ganho da Plantas com essa aquisição?

c. Se a Plantas fosse oferecer $ 20 em dinheiro por cada ação da Palmeira, qual seria o VPL da aquisição?

d. Qual é o máximo que a Plantas estaria disposta a pagar em espécie por ação do capital investido da Palmeiras?

e. Se a Plantas oferecesse 225.000 de suas ações em troca do capital investido em circulação da Palmeira, qual seria o VPL?

f. A aquisição deveria ser tentada? Caso afirmativo, deveria ser como em (c) ou em (e)?

g. Os consultores financeiros externos da Plantas acham que a taxa de crescimento de 6% é otimista demais e que uma taxa de 5% é mais realista. Como isso altera suas respostas anteriores?

18. **Fusões e valor para os acionistas** A Sorvetes Chocolate S/A e a Sorvetes Baunilha S/A concordaram em se fundir e formar a Sorvetes Mistura Gira-Gira. Ambas as empresas são exatamente iguais, exceto por estarem localizadas em cidades diferentes. O valor de final

de exercício de cada empresa é determinado pelo clima, conforme mostrado abaixo. Não haverá sinergia para a fusão.

Clima	Probabilidade	Valor
Chuvoso	0,1	$ 250.000
Ameno	0,4	425.000
Quente	0,5	875.000

As condições climáticas em cada cidade são independentes daquelas na outra. Além disso, cada empresa tem uma dívida de $ 425.000. Suponha que nenhum prêmio seja pago na fusão.

a. Quais são os valores possíveis da empresa resultante?

b. Quais são os valores possíveis dos valores de endividamento no encerramento do exercício e valores de ações depois da fusão?

c. Mostre que os credores ficam melhor e os acionistas ficam pior na empresa resultante do que ficariam se as empresas continuassem separadas.

MINICASO

Fusão Golfe Passarinho–Golfe Híbrido

A Golfe Passarinho S/A tem estado em negociações de fusão com a Companhia de Golfe Híbrido nos últimos seis meses. Depois de diversas rodadas de negociações, a discussão é sobre uma oferta de $ 352 milhões em dinheiro pela Golfe Híbrido. Ambas as empresas têm nichos de mercado no setor dos clubes de golfe e acreditam que uma fusão irá resultar em sinergias significativas devido às economias de escala em produção e comercialização, bem como poupança significativa em despesas gerais e administrativas.

Bruno Passarinho, o diretor financeiro da Passarinho, tem sido fundamental nas negociações de fusão. Bruno preparou as demonstrações contábeis projetadas a seguir para a Golfe Híbrido presumindo que a fusão aconteça. As demonstrações contábeis incluem todos os benefícios sinérgicos a partir da fusão.

	2012	2013	2014	2015	2016
Vendas	$ 512.000.000	$ 576.000.000	$ 640.000.000	$ 720.000.000	$ 800.000.000
Custos de produção	359.200.000	403.200.000	448.000.000	505.600.000	564.000.000
Depreciação	48.000.000	51.200.000	52.800.000	53.120.000	53.600.000
Outras despesas	51.200.000	57.600.000	64.000.000	72.320.000	77.600.000
LAJIR	$ 53.600.000	$ 64.000.000	$ 75.200.000	$ 88.960.000	$ 104.800.000
Juros	12.160.000	14.080.000	15.360.000	16.000.000	17.280.000
Receita tributável	$ 41.440.000	$ 49.920.000	$ 59.840.000	$ 72.960.000	$ 87.520.000
Impostos (40%)	16.576.000	19.968.000	23.936.000	29.184.000	35.008.000
Lucro líquido	$ 24.864.000	$ 29.952.000	$ 35.904.000	$ 43.776.000	$ 52.512.000

Bruno também está ciente de que a divisão da Golfe Híbrido exigirá investimentos todos os anos para operações continuadas, juntamente com fontes de financiamento. O quadro a seguir descreve os investimentos necessários e as fontes de financiamento:

	2012	2013	2014	2015	2016
Investimentos:					
Capital de giro	$ 12.800.000	$ 16.000.000	$ 16.000.000	$ 19.200.000	$ 19.200.000
Ativos não circulantes	9.600.000	16.000.000	11.520.000	76.800.000	4.480.000
Total	$ 22.400.000	$ 32.000.000	$ 27.520.000	$ 96.000.000	$ 23.680.000
Fontes de financiamento:					
Nova dívida	$ 22.400.000	$ 10.240.000	$ 10.240.000	$ 9.600.000	$ 7.680.000
Retenção de lucros	0	21.760.000	17.280.000	17.280.000	16.000.000
Total	$ 22.400.000	$ 32.000.000	$ 27.520.000	$ 26.880.000	$ 23.680.000

A direção da Passarinho acha que a estrutura de capital da Golfe Híbrido não é a ideal. Se a fusão acontecer, a Golfe Híbrido aumentará imediatamente sua alavancagem com uma emissão de dívida de $ 71 milhões, que seria seguida por um pagamento de dividendos de $ 96 milhões à Passarinho. Isso aumentará o índice dívida/patrimônio líquido da Golfe Híbrido de 0,50 para 1,00. A Passarinho também poderá utilizar uma compensação futura por perda fiscal de $ 16 milhões, em 2013 e 2014, das operações anteriores da Golfe Híbrido. Espera-se que o valor total da Golfe Híbrido seja $ 576 milhões em cinco anos, e a empresa terá $ 192 milhões em dívidas nesse momento.

As ações da Passarinho atualmente são negociadas a $ 94 por ação, e a empresa tem 11,6 milhões de ações em circulação. A Golfe Híbrido tem 5,2 milhões de ações em circulação. Ambas as empresas podem fazer empréstimos a uma taxa de juros de 8%. A taxa sem risco é de 6%, e o retorno esperado no mercado é de 13%. Bruno acredita que o custo corrente de capital para a Passarinho seja 11%. O *beta* para as ações da Golfe Híbrido com sua estrutura de capital atual é 1,30.

Bruno pede que você analise os aspectos financeiros da potencial fusão. Responda especificamente às seguintes perguntas:

1. Suponha que os acionistas da Golfe Híbrido concordem com um preço de fusão de $ 68,75 por ação. A Passarinho deveria prosseguir com a fusão?
2. Qual é o preço mais alto por ação que a Passarinho poderia pagar à Golfe Híbrido?
3. Suponha que a Passarinho não esteja disposta a pagar em dinheiro pela fusão, mas considere uma troca de ações. Qual quociente de troca tornaria as condições de fusão equivalentes ao preço de fusão original de $ 68,75 por ação?
4. Qual é o quociente de troca mais alto que a Passarinho poderia pagar e ainda realizar a fusão?

Dificuldades Financeiras 31

No dia 16 de fevereiro de 2011, a famosa livraria Borders Group começou um novo capítulo: o Capítulo 11 do Título 11 do *Bankruptcy Code*[1] dos EUA, sob o qual a empresa entrou com o pedido de proteção judicial contra falência. A empresa enfrentou uma grande competição com suas concorrentes no mercado, Amazon.com e Barnes & Noble. Durante o processo de recuperação judicial, a empresa planejou fechar cerca de 200 de suas 462 lojas e alterar seu foco para *e-books* e produtos diferenciados. Os maiores credores sem garantia da empresa eram editoras. Na realidade, um valor combinado de $ 182 milhões era devido às seis maiores editoras, que esperavam receber como retorno 25 centavos por dólar. Naturalmente, a Borders não foi a única. A Honolulu Symphony Orchestra entrou em processo de proteção contra falência sob o Capítulo 11 para reorganizar sua situação financeira em 2009, mas foi obrigada a passar para o Capítulo 7, que trata de liquidação, em fevereiro de 2011. Os ativos a serem então leiloados incluíam dois pianos de cauda, um cravo e 11 instrumentos de percussão. Nem a pizza escapou. A Round Table Pizza, que prometia servir a "última pizza honesta", e a pizzaria Giordano's da cidade de Chicago, lar da "mundialmente famosa" pizza de prato fundo, solicitaram proteção contra falência com um intervalo de apenas uma semana entre uma e outra em fevereiro de 2011.

Esses processos de reorganização e recuperação judicial são exemplos de empresas que passaram por sérias dificuldades financeiras: esse será o assunto deste capítulo. Uma empresa com fluxo de caixa insuficiente para cumprir com obrigações financeiras exigidas em contrato, como os pagamentos de juros, encontra-se em dificuldades financeiras. Uma empresa que fica inadimplente em um pagamento exigido pode ser forçada a liquidar seus ativos, mas o que acontece com mais frequência é que uma empresa inadimplente buscará reorganizar sua estrutura financeira. A reestruturação financeira envolve substituir dívidas financeiras antigas por novas por meio

Para ficar por dentro dos últimos acontecimentos na área de finanças, visite **www.rwjcorporatefinance.blogspot.com**.

---

[1] O termo *bankruptcy* tem sido, em geral, traduzido como "falência", entretanto a tradução do termo não é tão direta, pois pode referir-se a situações diferentes: 1) a liquidação de empresas (essa talvez a mais próxima à figura da falência), 2) a reorganização financeira de empresas, 3) a solução de problemas financeiros de pessoas físicas, de agricultores familiares e de pescadores, de devedores militares, das finanças de municípios e entidades municipais e de devedores estrangeiros sujeitos às leis norte-americanas e 4) a distribuição de ativos de corretoras falidas. Enquanto no Brasil o termo "falência" refere-se a uma decisão judicial específica que determina o encerramento definitivo de uma empresa e a liquidação dos seus ativos, o termo *bankruptcy* nos EUA geralmente refere-se à situação em que uma empresa solicita a proteção do *Bankruptcy Code* para reorganizar suas finanças, mais parecido com o que no Brasil denominamos *recuperação judicial*. Em algumas situações, entretanto, o que se descreve não é propriamente a situação de uma empresa em dificuldades financeiras e que necessita de recuperação, mas de uma estratégia preventiva, mais caracterizada como uma *reorganização*, figura não presente no direito falimentar brasileiro. Para a edição brasileira, fizemos uso de *Bankruptcy Basics* (United States Courts, 2011) e do *Title 11 Bankruptcy* e *Appendix* do *United States Code*. O *Chapter 11 – REORGANIZATION* que trata da reorganização e o *Chapter 7 – LIQUIDATION*, que trata da liquidação de empresas são capítulos do *Title 11* (United States, 2014). Neste capítulo utilizamos "recuperação judicial" como tradução de *bankruptcy*, porém, dependendo da situação descrita no texto original, utilizamos "falência" em algumas passagens.

> de acordos privados ou de recuperação judicial. Os acordos privados são acertos voluntários para reestruturar a dívida de uma empresa, tais como alongar prazos de pagamento ou reduzir o valor de dívidas, ou ambos. Se não for possível chegar a um acordo privado, normalmente é necessário buscar a recuperação judicial.
>
> Na primeira parte deste capítulo, tratamos do processo de recuperação judicial (*bankruptcy*) nos EUA, que, além de abordar procedimentos específicos àquele mercado, traz a abordagem geral do tema. Na segunda parte, trataremos do processo de recuperação judicial no Brasil.
>
> Antes de avançar, é necessário alertar o leitor: esse é um tema essencialmente jurídico. Embora a questão econômica de fundo seja a mesma em diferentes jurisdições legais, a forma como as leis nacionais tratam do tema pode ser muito diferente. Os comentários que seguem se referem à lei de falências norte-americana. Ao final, acrescentaremos elementos relativos à legislação brasileira.

Primeira parte: considerações gerais sobre recuperação judicial e práticas nos Estados Unidos

31.1 O que são dificuldades financeiras?

O conceito de **dificuldade financeira** é surpreendentemente difícil de ser definido com precisão. Um dos motivos dessa complexidade é a variedade de eventos que ocorrem com as empresas em dificuldades financeiras. A lista de eventos é praticamente infinita, mas seguem aqui alguns exemplos:

- Reduções de dividendos
- Fechamentos de unidades
- Prejuízos
- Demissões
- Renúncias de presidentes de empresas
- Grande queda nos preços de ações

A dificuldade financeira é uma situação em que os fluxos de caixa operacionais da empresa não são suficientes para cumprir com todas as obrigações correntes (como dívidas comerciais ou despesas de juros), e a empresa é forçada a adotar uma ação corretiva.[2]

As dificuldades financeiras podem levar uma empresa a ficar inadimplente em seus contratos e levar a uma reestruturação financeira entre a empresa e seus credores e acionistas. Normalmente, a empresa é forçada a tomar atitudes que não seriam tomadas caso houvesse fluxo de caixa suficiente.

Nossa definição de dificuldade financeira pode ser ampliada de certo modo fazendo-se um paralelo com o conceito de insolvência. A insolvência é definida no *Black's Law Dictionary* como:[3]

---

[2] A definição apresentada é semelhante à usada por Karen Wruck em "Financial Distress, Reorganization, and Organizational Efficiency", *Journal of Financial Economics*, v. 27, 1990, p. 425.

[3] *Black's Law Dictionary*, 5ª ed. (St. Paul, MN: West Publishing Company), p. 716.

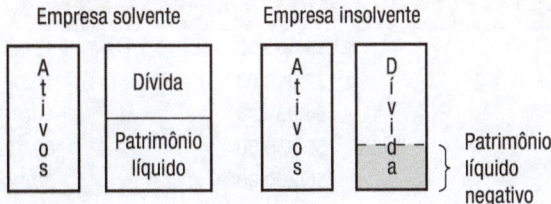

A. Insolvência por falta de capital

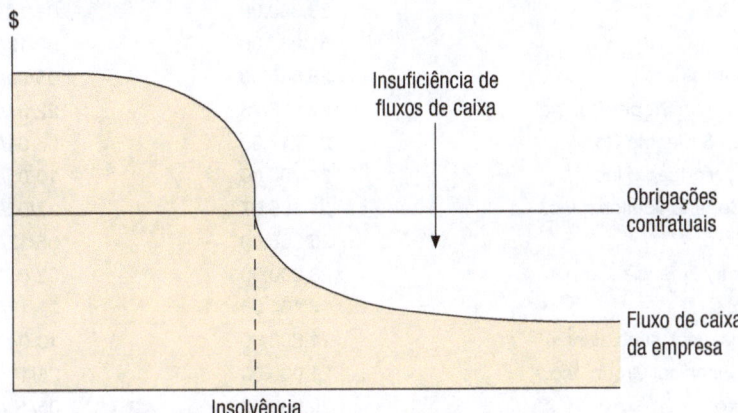

B. Insolvência por falta de fluxos

A insolvência por falta de capital ocorre nos casos em que o valor dos ativos de uma empresa é menor do que o valor de suas obrigações. Isso implica patrimônio líquido negativo. A insolvência por falta de fluxos ocorre nos casos em que os fluxos de caixa da empresa são insuficientes para cobrir pagamentos exigidos em contratos.

FIGURA 31.1 Insolvência.

Impossibilidade de pagar as dívidas; falta de meios para pagar as dívidas. Tal como a condição dos ativos e passivos de uma pessoa para quem os ativos disponíveis imediatamente não seriam suficientes para liquidar passivos

O Dicionário Aurélio (Ferreira, 1999) registra para insolvência:[4]

Qualidade ou situação de insolvente. *Insolvente*: Que ou quem não pode pagar o que deve.

Essas definições apresentam dois núcleos gerais: capital e fluxos.[5] Os dois modos de pensar sobre a insolvência são representados na Figura 31.1. A insolvência por falta de capital ocorre nos casos em que a empresa apresenta patrimônio líquido negativo; o valor de seus ativos é menor que o valor das suas dívidas. A insolvência por falta de fluxos, por sua vez, ocorre nos casos em que os fluxos de caixa operacionais são insuficientes para cumprir com as obrigações correntes. A insolvência por falta de fluxos se refere à impossibilidade de pagar obrigações. De modo geral, a insolvência pode levar à recuperação judicial. Alguns dos maiores exemplos de recuperações judiciais que aconteceram nos Estados Unidos são apresentados no Quadro 31.1.

---

[4] Ferreira, A. B. H. Novo Aurélio Século XXI: o dicionário da língua portuguesa. Rio de Janeiro: Nova Fronteira, 1999.

[5] Edward Altman foi uma das primeiras pessoas a fazer a distinção entre insolvência baseada em capital e insolvência baseada em fluxos. Consulte Edward Altman, *Corporate Financial Distress: A Complete Guide to Predicting, Avoiding, and Dealing with Bankruptcy*, 2ª ed. (Nova York: John Wiley & Sons, 1993).

QUADRO 31.1 As maiores recuperações judiciais nos Estados Unidos

Empresa	Passivos (em milhões de $)	Data do pedido
1 Lehman Brothers Holdings, Inc.	$ 613.000,00	15/09/2008
2 General Motors Corp.	172.810,00	10/06/2009
3 CIT Group, Inc.	64.901,20	10/11/2009
4 Conseco, Inc.	56.639,30	02/12/2002
5 Chrysler, Ltd.	55.200,00	30/04/2009
6 Worldcom, Inc.	45.984,00	21/07/2002
7 MF Global Holdings Ltd.	39.683,92	31/10/2011
8 Refco, Inc.	33.300,00	05/10/2005
9 Enron Corp.	31.237,00	02/12/2001
10 Delta Air Lines, Inc.	28.546,00	05/09/2005
11 General Growth Properties, Inc.	27.293,73	22/04/2009
12 Pacific Gas & Electric Co.	25.717,00	06/04/2001
13 Thornburg Mortgage, Inc.	24.700,00	10/05/2009
14 Charter Communications, Inc.	24.185,67	27/03/2009
15 Calpine Corp.	23.358,00	05/12/2005
16 New Century Financial Corp.	23.000,00	02/04/2007
17 UAL Corp.	22.164,00	02/12/2002
18 Texaco, Inc. (incl. subsidiárias)	21.603,00	10/04/1987
19 Capmark Financial Group, Inc.	21.000,00	25/10/2009
20 Delphi Corp.	20.903,00	05/10/2005

Fonte: Fornecida por Edward I. Altman, NYU Salomon Center, Stern School of Business.

31.2 O que acontece quando há dificuldades financeiras?

Em junho de 2008, a General Motors (GM) divulgou uma receita líquida no segundo trimestre de $ 15 milhões negativos. A empresa também perdeu dinheiro em 2005 e 2007 e, posteriormente, continuou a perder participação no mercado norte-americano para concorrentes como a Toyota, a BMW e a Honda. O valor do patrimônio passou a ser negativo em 2006, e o preço de sua ação caiu de $ 50, no final de 2003, para cerca de $ 1, em 2009. Os compradores de automóveis tinham bons motivos para se preocupar quanto a comprar carros da GM. A GM lutou para aumentar as vendas, cortou custos, tentou vender ativos (como a linha Hummer), esgotou sua capacidade de tomar empréstimos bancários e buscou mais financiamentos de longo prazo. Era muito claro que a GM passava por dificuldades financeiras. No dia 1º de junho de 2009, a GM entrou com um pedido de recuperação judicial. Seis semanas depois, ela saiu do estado de recuperação judicial, e suas ações passaram a ser negociadas na maior IPO do mundo na época, em novembro de 2010. A maior parte das ações era de propriedade do Tesouro dos Estados Unidos no que foi um dos maiores socorros a uma empresa privada realizado pelo mesmo Tesouro.

As empresas administram as dificuldades financeiras de diversas maneiras. Entre as medidas que elas utilizam estão as seguintes:

1. Venda de grandes ativos;
2. Fusão com outra empresa;
3. Redução de gastos de capital e de pesquisas e desenvolvimento;
4. Emissão de novos títulos;
5. Negociação com bancos e outros credores;
6. Troca de dívidas por ações;
7. Solicitação de recuperação judicial.

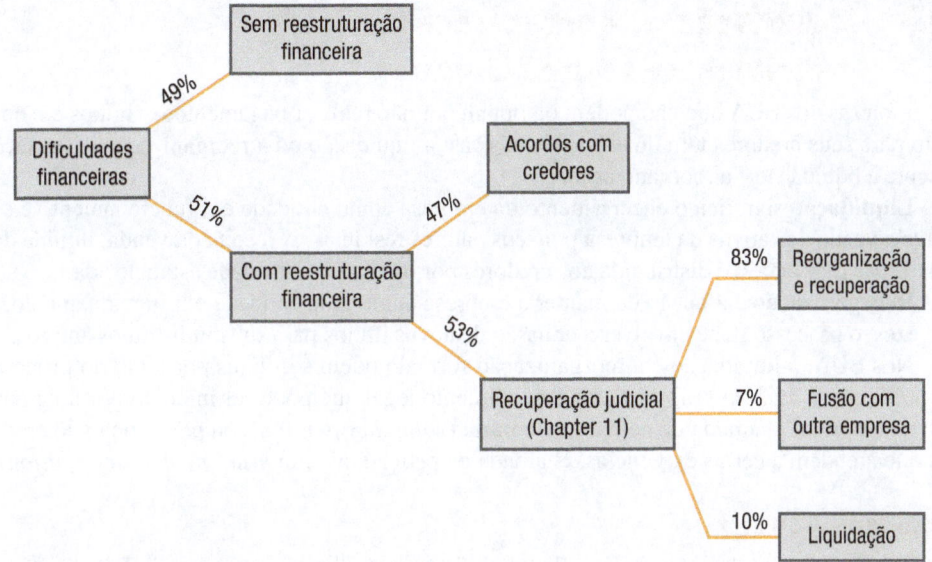

FIGURA 31.2 O que acontece quando há dificuldades financeiras (EUA).

Fonte: Adaptado de Karen H. Wruck, "Financial Distress, Reorganization, and Organizational Efficiency", *Journal of Financial Economics* 27 (1990), Figura 2. Consulte também Stuart C. Gilson, Kose John e Larry H. P. Lang, "Troubled Debt Restructurings: An Empirical Study of Private Reorganization of Firms in Default", *Journal of Financial Economics* 27 (1990); e Lawrence A. Weiss, "Bankruptcy Resolution: Direct Costs and Violation of Priority of Claims", *Journal of Financial Economics* 27 (1990).

Os itens (1), (2) e (3) dizem respeito aos ativos da empresa. Os itens (4), (5), (6) e (7) envolvem o lado direito do balanço patrimonial da empresa e são exemplos de reestruturação financeira. As dificuldades financeiras podem envolver tanto uma reestruturação de ativos quanto uma reestruturação financeira (ou seja, mudanças nos dois lados do balanço patrimonial).

Algumas empresas podem até se beneficiar de dificuldades financeiras ao reestruturar seus ativos. Por exemplo, uma alta alavancagem pode fazer com que o comportamento da empresa mude, forçando-a a abandonar negócios não relacionados com seu negócio principal. Uma empresa alavancada terá aumentado consideravelmente sua dívida, e, como consequência, seu fluxo de caixa pode não ser suficiente para cobrir pagamentos exigidos, fazendo com que a empresa possa ser forçada a vender negócios não ligados ao seu objeto. Para algumas empresas, as dificuldades financeiras podem trazer novos modelos organizacionais e novas estratégias operacionais. No entanto, neste capítulo, daremos atenção à reestruturação financeira.

Nos EUA, a reestruturação financeira pode ocorrer por meio de acordos privados ou em uma reorganização sob a proteção contra falências do Capítulo 11 do Título 11 do Código de Falências dos EUA. A Figura 31.2 apresenta como grandes empresas de capital aberto dos EUA com dificuldades financeiras se movem no processo de recuperação. Aproximadamente metade das reestruturações financeiras foi realizada por meio de acordos privados. A maioria das grandes empresas de capital aberto (cerca de 83%) que solicita proteção contra falência pelo Capítulo 11 consegue se reorganizar e continuar em operação.[6]

As dificuldades financeiras podem servir como sistema de "alerta inicial" que indica problemas. As empresas com mais dívidas apresentarão dificuldades financeiras antes das empresas com menos dívidas. As empresas que apresentam dificuldades financeiras antes terão mais tempo para estabelecer acordos privados e se reorganizar. As empresas com baixa alavancagem também podem passar por dificuldades financeiras depois e, em muitos casos, ser forçadas a recorrer à liquidação.

---

[6] No entanto, menos de 20% do todo (empresas abertas ou fechadas) que passa pelo processo de proteção judicial contra falência sob o Chapter 11 tem sucesso na reorganização.

31.3 Liquidação e reorganização judicial nos Estados Unidos

As empresas dos EUA que não podem ou optam por não realizar pagamentos exigidos em contrato para seus credores têm duas opções básicas: a liquidação ou a reorganização. Esta seção discute a liquidação e a reorganização.[7]

Liquidação significa o encerramento da empresa como entidade em funcionamento e envolve a venda dos ativos da empresa por seus valores residuais. A receita da venda, líquida dos custos das transações, é distribuída aos credores por ordem de prioridade estabelecida.

Reorganização é a opção de manter a empresa como uma entidade em funcionamento, e, às vezes, o processo pode envolver a emissão de novos títulos para substituir títulos antigos.

Nos EUA, a liquidação e a reorganização formal podem ser feitas por meio do processo de *bankruptcy*. Lá, *bankruptcy* é um procedimento legal que pode ser iniciado por uma petição da empresa, chamada de petição voluntária (*voluntary petition*), ou por petição de credores que atendem a certas exigências, chamada de petição involuntária (*involuntary petition*).

Liquidação judicial

O Capítulo 7 do *Bankruptcy Reform Act of 1978* trata da liquidação "direta". Esta é a típica sequência de eventos:

1. Uma petição de liquidação é apresentada a um tribunal federal. Uma empresa pode apresentar uma petição voluntária, ou petições involuntárias podem ser apresentadas contra a empresa.
2. Um administrador judicial (*bankruptcy trustee*) é eleito pelos credores para assumir os ativos da empresa devedora. O administrador tentará liquidar os ativos.
3. Quando os ativos forem liquidados, após o pagamento dos custos administrativos, o resultado será distribuído entre os credores.
4. Se restar algum ativo após as despesas e os pagamentos aos credores, ele será distribuído aos acionistas.

Condições que levam a uma petição involuntária Uma petição de liquidação involuntária pode ser apresentada por credores se as duas condições a seguir forem atendidas:

1. A empresa não está pagando dívidas, não cumpre com as datas de vencimento.
2. Se houver mais de 12 credores, ao menos três com direitos que somem o total de $ 13.475 ou mais deverão se juntar à petição. Se houver menos de 12 credores, será necessário que apenas um credor com direito a $ 13.475 faça a petição.

Prioridade de direitos Após a determinação de liquidação de uma empresa, inicia-se o processo de liquidação. A distribuição da receita da liquidação nos EUA ocorre de acordo com a seguinte ordem de prioridade:

1. Despesas administrativas associadas à liquidação dos ativos da empresa falida,
2. Direitos sem garantia que surgem após a apresentação da petição involuntária,

---

[7] Uma das escolhas mais importantes que uma empresa com problemas financeiros deve fazer é entre liquidar ou reorganizar. Arturo Bris, Ivo Welch e Ning Zhu analisaram em detalhe essa escolha no trabalho "The Costs of Bankruptcy: Chapter 7 Liquidation versus Chapter 11 Reorganization", *Journal of Finance* (junho, 2006). Eles descobriram que:

- Empresas muito pequenas (ou seja, com ativos que valem menos de $ 100.000) são mais propensas a optar pela liquidação do que pela reorganização em comparação com grandes empresas.
- Empresas com um grande número de credores com garantia são mais propensas a optar pela reorganização.
- Empresas com um credor sem garantia, especialmente um banco, são mais propensas a optar pela liquidação.
- Empresas com um grande patrimônio líquido negativo são mais propensas a optar pela reorganização.

3. Remunerações, salários e comissões,
4. Contribuições de planos de benefícios a empregados firmados até 180 dias antes da data da petição,
5. Direitos dos clientes,
6. Direitos tributários,
7. Direitos de credores com e sem garantia,
8. Direitos de acionistas preferenciais,
9. Direitos de acionistas ordinários.

A regra de prioridade na liquidação é a **regra da prioridade absoluta** (*absolute priority rule* – APR).

Uma das ressalvas da lista diz respeito aos credores com garantia. Ativos dados em garantia não estão inclusos na ordem da APR. Se um ativo dado em garantia for liquidado e o caixa obtido for insuficiente para cobrir o montante devido, os credores com garantia se associarão aos credores sem garantia na divisão do valor restante que vier a ser obtido de outros ativos. Por outro lado, se a receita da liquidação da garantia superar o valor do direito garantido, a sobra líquida será utilizada para pagar os credores sem garantia, bem como outras partes.

EXEMPLO 31.1 — APR

A B.O. Drug Company está para ser liquidada. O valor de liquidação da empresa é de $ 2,7 milhões. Títulos de dívida que valem $ 1,5 milhão têm garantia de hipoteca do prédio da sede da B.O. Drug Company, que é vendido por $ 1 milhão; um montante de $ 200.000 é usado para cobrir custos administrativos e outras direitos (tais como benefícios de pensão, direitos de clientes e impostos). Após pagar $ 200.000 para saldar as despesas administrativas prioritárias, o montante disponível para pagar credores com e sem garantia é de $ 2,5 milhões. Esse valor é menor do que o das dívidas da empresa, de $ 4,2 milhões.

Sob a APR, todos os credores devem ser pagos antes dos acionistas, e os credores com garantias hipotecárias têm direito ao $ 1 milhão obtido da venda do prédio da sede da empresa.

O administrador propôs a distribuição a seguir:

Tipo de direito	Direito prioritário	Caixa recebido na liquidação
Títulos de dívida (com garantia de hipoteca)	$ 1.500.000	$ 1.500.000
Debêntures subordinadas	2.500.000	1.000.000
Acionistas ordinários	10.000.000	0
Total	$ 14.000.000	$ 2.500.000
Cálculo da distribuição		
Caixa recebido da venda dos ativos disponíveis		$ 2.500.000
Caixa pago a credores com garantia na venda do bem hipotecado		1.000.000
Disponível para titulares de dívidas e debêntures		$ 1.500.000
Direitos restantes ($ 4.000.000 menos o pagamento de $ 1.000.000 em títulos de dívida com garantia)		$ 3.000.000
Distribuição do valor restante de $ 1.500.000 para cobrir o total restante de $ 3.000.000 em direitos		

Tipo de direito restante	Direitos sobre a receita da liquidação	Capital recebido
Títulos de dívida	$ 500.000	$ 500.000
Debêntures	2.500.000	1.000.000
Total	$ 3.000.000	$ 1.500.000

COM A PALAVRA, OS EXECUTIVOS:

Edward I. Altman*, sobre dificuldades financeiras corporativas e falência

Ao entrarmos no novo milênio, as dificuldades das empresas e a recuperação judicial passaram a ser mais do que apenas uma pequena área da evolução das empresas. De fato, a taxa de recuperações judiciais de empresas nos Estados Unidos chegou a proporções recordes em 2001/2002, com um total de 77 empresas grandes apresentando pedidos de proteção sob o Capítulo 11 do Código de Falências com passivos acima de $ 1 bilhão – um valor sem precedentes. Embora as empresas de telecomunicações tenham "liderado" o caminho, companhias aéreas, empresas siderúrgicas, lojas de varejo e uma grande variedade de setores industriais sucumbiram à combinação de dívidas excessivas e a resultados operacionais fracos. A empresa norte-americana média atualmente corre muito mais risco do que há apenas duas décadas, e as funções dos tribunais de recuperação e especialistas em reestruturação são, agora, mais importantes do que nunca.

As dificuldades financeiras de entidades de capital fechado e de capital aberto, em todo o mundo, são eventos frequentes que apresentam implicações significativas para suas várias partes interessadas. Embora o papel das leis de falência empresarial seja claro – tanto o de fornecer um procedimento legal que permita que empresas com problemas de liquidez temporários se reestruturem e superem as dificuldades e continuem em funcionamento quanto o de fornecer um processo organizado para liquidar ativos em benefício dos credores antes que os valores dos ativos se percam –, as leis de falência apresentam grande variação de país para país. De modo geral, todos concordam que as cláusulas do Capítulo 11 da Lei Federal de Falências dos Estados Unidos, com a Reforma de 1978, trazem maior probabilidade de proteção para os ativos de empresas em processo de recuperação judicial. Também se concorda que elas resultam em uma maior probabilidade de reorganização bem-sucedida do que a probabilidade encontrada em outros países, em que o resultado mais provável é a liquidação da empresa e a venda de seus ativos para atender aos credores. Porém, o processo do US Code normalmente é longo (com média de dois anos, exceto nos casos em que um número suficiente de credores entra em acordo por meio de uma recuperação programada sob o Capítulo 11). Além disso, é caro, e a entidade reorganizada nem sempre consegue evitar dificuldades subsequentes. Se não houver êxito na reorganização, normalmente o processo que segue como consequência é o de liquidação sob o Capítulo 7.

Os processos de recuperação no mundo industrializado fora dos EUA favorecem fortemente os credores preferenciais que ganham controle sobre a empresa e procuram impor uma maior adesão aos contratos de dívida. O processo do Reino Unido, por exemplo, é mais rápido e barato, mas os custos reduzidos podem resultar em liquidações indesejáveis, desemprego e subinvestimento. O novo código de recuperações da Alemanha busca reduzir o poder significativo dos credores com garantia, mas ainda está mais próximo ao sistema do Reino Unido. Nos EUA, os credores e proprietários podem negociar "violações" à "regra da prioridade absoluta" – essa "regra" determina que os credores com a maior preferência sejam pagos por completo antes de qualquer pagamento a credores subordinados ou aos proprietários. (No entanto, as assim chamadas "violações" à regra de prioridade absoluta provaram ser relativamente de baixo valor – algo como menos de 10% do valor da empresa.) Por fim, o sistema dos EUA concede ao tribunal o direito de autorizar financiamentos com dívidas novas, após a petição, normalmente com status superprioritário em relação aos direitos existentes, facilitando, assim, que a empresa continue em operação. Recentemente, a França passou por uma experiência semelhante bem-sucedida.

Uma medida do desempenho do sistema de recuperação judicial dos EUA é a proporção de empresas que se recuperam com êxito. Os resultados dessas últimas nos EUA são mistos, com aproximadamente 83% das grandes empresas apresentando recuperação, mas provavelmente menos de 20% no caso de empresas de menor porte. Além disso, um número considerável de empresas sofre novas dificuldades e volta a solicitar proteção contra falência (Chapter 22[8]).

Independentemente do país, um dos objetivos dos procedimentos de recuperação e de outros acordos é que os credores e outros fornecedores de capital saibam com clareza seus direitos e as recuperações esperadas no caso de uma situação de dificuldades financeiras. Quando esses elementos não estão claros e/ou estão baseados em processos

Reorganização judicial

Nos EUA, a reorganização de empresas ocorre sob o Capítulo 11 da Lei Federal de Falências dos Estados Unidos (em inglês, *Chapter 11 of the Federal Bankruptcy Reform Act of 1978*), emendada pela Lei de Prevenção contra Abusos de Falência e Proteção ao Consumidor de 2005 (*Bankruptcy Abuse Prevention and Consumer Protection Act of 2005*).

O propósito geral de uma petição sob o Capítulo 11 é planejar a reestruturação da empresa com alguma cláusula de pagamento para os credores. Esta é a sequência típica de eventos nos EUA:

---

[8] Referência usual, não oficial, a uma empresa que entrou com pedido de recuperação judicial sob o *Chapter 11* duas vezes.

ultrapassados com resultados arbitrários e possivelmente corruptos, todo o sistema econômico sofre, e o crescimento é refreado. É o caso de muitos países emergentes. A revisão desses sistemas ultrapassados deveria ser uma prioridade.

Além dos benefícios comparativos de diferentes sistemas nacionais de reestruturação, diversas questões teóricas e empíricas intrigantes estão relacionadas à empresa em dificuldades. Entre elas estão as seguintes: a capacidade de endividamento da empresa; os incentivos nas relações gestores-credores-proprietários; a capacidade de prever as dificuldades; os dados e cálculos para estimativas de taxas de inadimplência; o investimento em títulos de empresas em dificuldades; e a avaliação de desempenho após a reorganização.

As dificuldades corporativas têm grande impacto na relação credor-devedor e, junto com o risco do negócio e as considerações tributárias, afetam a estrutura de capital das empresas. Uma das questões centrais é saber quais são os custos *esperados* das dificuldades comparados aos benefícios tributários *esperados* da opção pelo uso de alavancagem – a chamada teoria estática da estrutura de capital. A maioria dos analistas concorda que a soma dos custos diretos (como custos legais) e indiretos está na faixa de 10 a 20% do valor da empresa.

Opinar se assumir riscos excessivos e o superinvestir são ou não exemplos do conflito de interesses entre gestores e credores dependerá da visão que se tenha quanto a quem são os proprietários residuais de uma empresa em crise – os atuais acionistas ou os credores, que muito provavelmente serão os novos proprietários de uma entidade reorganizada. A administração existente tem o direito exclusivo de elaborar o primeiro plano de reorganização dentro de 120 dias da apresentação da petição, com possíveis extensões do prazo de exclusividade. No entanto, seus incentivos e influências podem ser tendenciosos e nem sempre estar de acordo com outros interessados, principalmente com os credores. Limitar essa exclusividade parece ser um fator que aceleraria o processo e restringiria abusos dos gestores.

Modelos de previsão de dificuldades financeiras intrigaram pesquisadores e profissionais da área por mais de 50 anos. Os modelos evoluíram de índices univariados extraídos de demonstrações contábeis a modelos de classificação estatística multivariados, a abordagens baseadas no valor de mercado e direitos contingentes e, por fim, ao uso de técnicas de inteligência artificial. A maioria das grandes instituições financeiras utiliza um ou mais desses tipos de modelos à medida que são introduzidas estruturas de gestão de riscos de crédito mais sofisticadas, às vezes combinando os modelos com estratégias agressivas de carteiras de ativos de crédito. Cada vez mais, os ativos de crédito privado estão sendo tratados como títulos. São feitas estimativas de inadimplência (*default*) e recuperação dado um nível de inadimplência (*recovery given default*) que são os valores críticos para essas avaliações.

Talvez o subproduto mais intrigante das dificuldades financeiras de empresas seja o desenvolvimento de uma classe relativamente nova de investidores, conhecidos como abutres (*vultures*). Esses gestores financeiros especializam-se em títulos de empresas em dificuldades e em situação de inadimplência. Os títulos de dívida inadimplida tiveram lenta evolução desde a Grande Depressão da década de 1930, mas isso evoluiu para mais de 70 especialistas "abutres" institucionais nos Estados Unidos, que, em 2003, gerenciavam ativamente mais de $ 60 bilhões. O tamanho do mercado de títulos de empresas em dificuldades e inadimplentes cresceu de forma drástica nos últimos anos, e, até o final do ano de 2002, as estimativas deste autor indicavam mais de $ 940 bilhões (valor de face) e $ 510 bilhões (valor de mercado), mercados público e privado combinados (principalmente títulos de dívida de empresas de capital aberto inadimplentes ou com dificuldades financeiras e empréstimos bancários privados). O objetivo dos investidores que lidam com dívidas de empresas em dificuldades é obter taxas de retorno anuais de 15 a 25%. Embora esses retornos anuais sejam, às vezes, alcançados, a taxa de retorno anual geral de 1987 a 2002 foi de menos de 10% – semelhante a títulos de dívida de alto retorno e consideravelmente abaixo de retornos do mercado de ações. Mesmo assim, a incrível oferta de opções de investimento em potencial criou um interesse sem precedentes para essa classe de *ativos alternativos*.

---

* *Edward I. Altman ocupa o cargo de Professor de Finanças Max L. Heine na NYU Stern School of Business. Ele é amplamente reconhecido como um dos especialistas mundiais em falências e análise de crédito, bem como em mercados de títulos de dívida de empresas em dificuldades e títulos de dívida de alto retorno.*

---

1. Uma petição voluntária pode ser apresentada pela empresa ou uma petição involuntária pode ser apresentada por três ou mais credores (ou um credor, se houver menos de 12 credores – consulte a seção anterior). A petição involuntária deve alegar que a empresa não está pagando suas dívidas.
2. Normalmente, um juiz federal aprova a petição e estabelece um prazo para a apresentação de provas dos direitos dos credores e acionistas.
3. Na maioria dos casos, a empresa (o "devedor no controle" – *debtor in possession*) continua administrando os negócios.[9]

---

[9] Sob o Chapter 11, a empresa (agora chamada de "devedor no controle") continua em funcionamento. Em muitos casos, a empresa buscará tomar dinheiro novo e usar os recursos captados para pagar credores com garantia e, assim, continuar a operar até que um plano de reorganização seja aprovado.

4. Durante um período de 120 dias, apenas a empresa pode apresentar um plano de reorganização. Se isso acontecer, a empresa tem 180 dias a partir da data do protocolo da petição para obter a aceitação do plano.
5. Os credores e os acionistas são divididos em classes. Uma classe de credores aceita o plano se dois terços da classe (em termos de valor em dólares) e metade da classe (em número) aprovarem o plano.[10]
6. Após a aceitação por parte dos credores, o plano é confirmado pelo tribunal.
7. Pagamentos em dinheiro, propriedade e títulos são feitos a credores e acionistas. O plano pode prever a emissão de novos títulos.

Recentemente, a Seção 363 do Código de Falência dos Estados Unidos foi a notícia. Em uma petição tradicional sob o Chapter 11, o plano de proteção contra falência é apresentado aos credores e acionistas em uma forma parecida com um prospecto. O plano, então, precisa ser aprovado por votação das partes interessadas. A Seção 363 é mais parecida com um leilão. Um ofertante escolhido pela empresa (conhecido como *stalking horse*) faz uma primeira oferta sobre todos os ativos da empresa em processo de petição de recuperação ou sobre parte deles. Depois disso, outros licitantes são convidados a se juntar ao processo na tentativa de produzir a oferta mais alta possível. A principal vantagem da Seção 363 é a velocidade. Como o processo tradicional de recuperação judicial requer a aprovação das partes interessadas, é comum que o processo leve vários anos até que seja concluído, enquanto a Seção 363 normalmente é muito mais rápida. Por exemplo, no meio de 2009, tanto a General Motors quanto a Chrysler aceleraram o processo de recuperação passando por ele em menos de 45 dias com os leilões da Seção 363.

EXEMPLO 31.2 — Capítulo 11

Suponha que a B.O. Drug Co. decida por fazer uma reorganização sob o Chapter 11. Normalmente, os direitos preferenciais são honrados por completo antes de outros direitos receberem qualquer valor. Considere que o valor de "empresa em funcionamento" da B.O. Drug Co. seja de $ 3 milhões e que seu balanço patrimonial seja como o que segue:

Ativos	$ 3.000.000
Passivos	
Títulos garantidos por hipotecas	1.500.000
Debêntures subordinadas	2.500.000
Patrimônio dos acionistas	−1.000.000

A empresa propôs o plano de reorganização a seguir:

Título antigo	Direitos antigos	Direitos novos com o plano de reorganização
Títulos com garantia hipotecária	$ 1.500.000	$ 1.500.000
Debêntures subordinadas	2.500.000	1.500.000

---

[10] Estamos descrevendo os eventos padrão de uma reorganização em um processo de proteção contra falência nos EUA. As petições quase sempre são aceitas, e a regra geral é que um plano de reorganização seja aceito pelo tribunal se todas as classes de credores o aceitarem e seja rejeitado se todas as classes de credores o rejeitarem. No entanto, se uma ou mais (porém, não todas) as classes aceitarem o plano, ele poderá ser imposto. Esse procedimento de imposição acontece se o tribunal de falência considerar que o plano é justo e imparcial e, então, aceitar o plano em nome de todos os credores.

A empresa também propôs uma distribuição de novos títulos em emissão de direitos sob o plano de reorganização:

Título antigo	Título novo sob o plano de reorganização proposto
Títulos com garantia hipotecária	$ 1.000.000 em debêntures preferenciais de 9%
	$ 500.000 em debêntures subordinadas de 11%
Debêntures	$ 1.000.000 em ações preferenciais de 8%
	$ 500.000 em ações ordinárias

No entanto, a empresa enfrentará dificuldades para convencer os credores com garantia (títulos com garantia hipotecária) a aceitar debêntures sem garantia com o mesmo valor de face. Além disso, a empresa pode querer que os acionistas antigos possam reter alguma parte de sua participação. Nem é preciso dizer que isso seria uma violação da regra da prioridade absoluta e que os titulares das debêntures não ficariam satisfeitos.

31.4 Acordo privado ou recuperação judicial: qual é melhor?

Uma empresa em estado de inadimplência precisará reestruturar suas dívidas. Há duas opções para isso: o caminho judicial ou o **acordo privado**. A seção anterior descreveu dois tipos de acordo judicial: a liquidação e a reorganização. Esta seção compara acordos privados com reorganizações judiciais. Os dois tipos de reestruturação financeira envolvem a troca de dívidas antigas por dívidas novas. Normalmente, as dívidas preferenciais são substituídas por dívidas subordinadas, e as dívidas subordinadas são substituídas por ações. Muitas pesquisas acadêmicas recentes descreveram o que acontece em acordos privados e recuperações judiciais.[11]

- Historicamente, metade das reestruturações financeiras ocorreu de maneira privada, mas, recentemente, as recuperações judiciais têm sido predominantes.

- Os aumentos nos preços das ações das empresas que passaram por acordos privados são muito maiores do que os aumentos nos preços das ações de empresas que passaram pelo processo de recuperação judicial.

- Os custos diretos dos acordos privados são muito menores do que os custos de recuperações judiciais.

- A alta administração geralmente perde sua remuneração e, às vezes, seu emprego, tanto em acordos privados quanto em recuperações judiciais.

Esses fatos, quando analisados em conjunto, parecem sugerir que um acordo privado é muito melhor do que uma recuperação judicial. Portanto, a nossa pergunta é: por que as empresas utilizam o processo de recuperação judicial para se reestruturar?

---

[11] Por exemplo, consulte Stuart Gilson, "Managing Default: Some Evidence on How Firms Choose between Workouts and Chapter 11", *Journal of Applied Corporate Finance* (verão de 1991); e Stuart C. Gilson, Kose John e Larry H. P. Lang, "Troubled Debt Restructurings: An Empirical Study of Private Reorganization of Firms in Default", *Journal of Financial Economics* 27 (1990).

> **Regra da prioridade absoluta (APR)**
>
> A regra da prioridade absoluta, nos Estados Unidos, determina que os direitos preferenciais sejam completamente atendidos antes que os direitos subordinados recebam qualquer valor.
>
> **Desvios da regra**
>
> | | |
> |---|---|
> | Acionistas | Expectativa: Nenhum pagamento |
> | | Realidade: Pagamento em 81% dos casos |
> | Credores sem garantia | Expectativa: Pagamento completo após o pagamento de credores com garantia |
> | | Realidade: Violação em 78% dos casos |
> | Credores com garantia | Expectativa: Pagamento completo |
> | | Realidade: Pagamento completo em 92% dos casos |
>
> **Motivos das violações**
>
> Credores preferem evitar as despesas com litígios: os devedores têm uma oportunidade de 120 dias para atrasar pagamentos e prejudicar o valor dos créditos.
>
> Com frequência, os dirigentes possuem parte do capital da empresa e exigem ser compensados.
>
> Os juízes de falência preferem planos consensuais e exercem pressão para que as partes cheguem a um acordo.
>
> Fonte: Lawrence A. Weiss, "Bankruptcy Resolution: Direct Costs and Violation of Priority of Claims", *Journal of Financial Economics* 27 (1990).

A empresa média

Para a empresa média, uma recuperação judicial apresenta mais custos do que um acordo privado, mas, para outras empresas, a recuperação judicial é melhor. A recuperação judicial permite que empresas emitam dívidas com preferência sobre todas as outras dívidas assumidas antes da recuperação. A nova dívida é chamada de dívida do "devedor no controle" (DIP, de *debtor in possession*). Para as empresas que precisam de uma injeção temporária de dinheiro, a dívida do DIP faz com que a reorganização sob uma recuperação judicial seja uma alternativa atraente em comparação com o acordo privado. Além disso, há algumas vantagens fiscais aplicáveis à recuperação judicial. Na recuperação judicial, as empresas não perdem seus créditos de prejuízos fiscais, e o tratamento fiscal do cancelamento de dívidas é melhor na recuperação judicial. Além disso, os juros sobre as dívidas sem garantia anteriores ao pedido de recuperação cessam em casos de recuperação judicial.

Obstruções ao processo de recuperação

A recuperação judicial normalmente é mais vantajosa para os acionistas do que para os credores. O uso da dívida do DIP e a interrupção dos juros sobre dívidas sem garantia assumidas antes do pedido de recuperação favorecem os acionistas e prejudicam os credores. Consequentemente, os acionistas normalmente podem fazer obstruções ao processo de recuperação, na busca de um acordo melhor. A regra da prioridade absoluta, que favorece os credores em detrimento dos acionistas, normalmente é violada em casos de recuperação judicial. Um estudo recente descobriu que, em 81% das recuperações judiciais dos últimos anos, os acionistas obtiveram alguma compensação.[12] Sob o Chapter 11, os credores são, muitas vezes, forçados a abrir

---

[12] Lawrence A. Weiss, "Bankruptcy Resolution: Direct Costs and Violation of Priority of Claims", *Journal of Financial Economics* 27 (1990). No entanto, W. Beranek, R. Boehmer e B. Smith, em "Much Ado about Nothing: Absolute Priority Deviations in Chapter 11", *Financial Management* (1996), descobriram que 33,8% das reorganizações feitas por meio de um processo de falência não pagam valor algum aos acionistas. Eles também salientam que os desvios da regra da prioridade absoluta são esperados, tendo em vista que o código de falência permite que credores abram mão de seus direitos se considerarem que isso é a melhor opção. Uma resposta pode ser encontrada em Allan C. Eberhart e Lawrence A. Weiss, "The Importance of Deviations from the Absolute Priority Rule in Chapter 11 Bankruptcy Proceedings", *Financial Management* 27 (1998).

mão de alguns de seus direitos de preferência para que a administração e os acionistas aceitem uma proposta de acordo.

Complexidade

Uma empresa com estrutura de capital complicada terá mais dificuldades em elaborar um acordo privado. As empresas com credores com garantia e credores comerciais, como Macy's e Carter Hawley Hale, normalmente optarão pela recuperação judicial, pois é muito difícil chegar a um acordo com muitos tipos diferentes de credores.

Falta de informação

Há um conflito de interesses inerente entre acionistas e credores. Esse conflito é agravado quando as duas partes possuem informações incompletas sobre as circunstâncias das dificuldades financeiras. Quando uma empresa apresenta inicialmente uma redução em seus fluxos de caixa, ela talvez não saiba se essa redução é permanente ou temporária. Se a redução for permanente, os credores buscarão uma reorganização ou liquidação judicial. No entanto, se a redução nos fluxos de caixa for temporária, essas medidas poderão ser desnecessárias. Os acionistas procurarão forçar esse ponto de vista. Tal conflito de interesses não é facilmente resolvido.

Esses dois últimos fatores são de grande importância. Eles sugerem que os problemas financeiros serão mais caros (ou mais baratos) se a complexidade for alta (ou baixa) e as informações forem incompletas (ou completas). A complexidade e a falta de informação tornam menos prováveis os acordos de menor custo.

31.5 Recuperação judicial programada[13]

No dia 1º de novembro de 2009, o CIT Group entrou em processo de reorganização sob o Chapter 11 do Código de Falências dos EUA. Na época, a empresa tinha $ 71 bilhões em ativos e $ 65 bilhões em passivos. O esperado para empresas em uma situação como essa seria passar, no mínimo, um ano em processo de recuperação. Porém, o andamento do processo foi diferente com o CIT Group. O plano de reorganização da empresa foi confirmado pelo tribunal de falências no dia 10 de dezembro de 2009, menos de seis semanas após a apresentação da petição!

As empresas normalmente apresentam o pedido de recuperação buscando proteção contra os credores, essencialmente admitindo que não têm os meios para atender a suas obrigações financeiras com sua estrutura atual. Durante o processo, a empresa tenta reorganizar sua situação financeira para superar as dificuldades. A chave desse processo é que, ao final, os credores devem aprovar o plano de reestruturação. O tempo que uma empresa passa sob o Capítulo 11 depende de muitos fatores, mas, normalmente, o fator mais relevante é o tempo que os credores levam para aceitar o plano de reorganização.

A recuperação judicial programada é a combinação de um acordo privado e uma recuperação judicial. Antes de entrar com a petição de recuperação judicial, a empresa apresenta a seus credores um plano de reorganização. Os dois lados negociam um acordo e acertam os detalhes sobre como as finanças da empresa serão reestruturadas durante o processo de recuperação. Feito isso, a empresa reúne os documentos necessários para o tribunal de falências antes de apresentar a petição. Uma recuperação judicial é considerada programada se, juntamente com a apresentação da petição, um plano de reorganização completo com toda a documentação de aprovação dos credores também for apresentado – exatamente o que o CIT Group fez.

O ponto principal do processo de reorganização programada é que as duas partes têm algo a ganhar e algo a perder. Se a recuperação judicial é iminente, pode fazer sentido para os credores acelerar o processo, mesmo que seja provável que eles tenham algum prejuízo financeiro decorrente da reestruturação. A recuperação judicial do CIT Group foi prejudicial tanto para os acionistas quanto para os credores. Sob os termos do acordo, os acionistas foram completamen-

---

[13] John McConnell e Henri Servaes, "The Economics of Prepackaged Bankruptcy", *Journal of Applied Corporate Finance* (1991), descrevem a recuperação judicial programada.

te desconsiderados, e os direitos dos credores foram reduzidos em $ 10,5 bilhões. Ao mesmo tempo, o prazo de vencimento das dívidas da empresa foi estendido por três anos. Uma redução adicional de dívidas ocorreu quando foram perdoados $ 2,3 bilhões recebidos pela empresa sob o plano de resgate do governo dos EUA.

Em outro exemplo de recuperação programada, a famosa produtora de filmes MGM, estúdio por trás de Rocky e James Bond, anunciou uma recuperação judicial programada no dia 3 de novembro de 2010. Sob os termos acertados, os credores Credit Suisse e JPMorgan concordaram em trocar $ 4 bilhões em dívidas vencidas pela maioria das ações da empresa após a recuperação. Durante o processo, a empresa captou mais $ 500 milhões para financiar filmes após a reorganização. Assim como Rocky Balboa levantando da lona, a empresa saiu do processo de recuperação judicial em 10 de dezembro de 2010.

Os acordos de recuperação judicial programada requerem que a maioria dos credores entre em acordo de maneira privada. A recuperação judicial programada não parece funcionar quando há milhares de credores comerciais relutantes, como no caso de uma empresa de varejo como a Macy's ou a Revco D.S.[14]

A principal vantagem da recuperação judicial programada é que ela submete os obstrucionistas ao plano de reorganização. Se uma grande parte dos credores de uma empresa consegue entrar em acordo de modo privado quanto a um plano de reorganização, o problema das obstruções pode ser evitado. A elaboração de um plano de reorganização para a recuperação judicial torna-se mais fácil.[15]

Um estudo feito por McConnell, Lease e Tashjian relata que as recuperações judiciais programadas oferecem muitas das vantagens de uma recuperação judicial, sendo, além disso, mais eficientes. Os resultados apresentados por eles sugerem que o tempo gasto e os custos diretos com a resolução das dificuldades financeiras são menores na recuperação programada se comparados com a recuperação judicial.[16]

31.6 Previsão de falências de empresas: o modelo *z-score*

Muitos credores em potencial usam modelos de classificação de crédito para avaliar possíveis tomadores. A ideia geral é encontrar fatores que permitam que os credores distingam entre os riscos de crédito bons e os riscos de crédito ruins. Mais precisamente, os credores buscam identificar atributos do devedor que possam ser usados para prever inadimplência ou falência.

Edward Altman, professor na New York University, desenvolveu um modelo que utiliza indicadores extraídos de demonstrações contábeis e análise discriminante múltipla para prever riscos de falência de empresas industriais de capital aberto. O modelo resultante é:

$$Z = 3{,}3 \frac{\text{LAJIR}}{\text{Total de ativos}} + 1{,}2 \frac{\text{Capital circulante líquido}}{\text{Total de ativos}}$$

$$+ 1{,}0 \frac{\text{Vendas}}{\text{Total de ativos}} + 0{,}6 \frac{\text{Valor de mercado do capital próprio}}{\text{Valor contábil da dívida}}$$

$$+ 1{,}4 \frac{\text{Reserva de lucros}}{\text{Total de ativos}}$$

Nessa fórmula, Z é um índice de risco de falência.

---

[14] S. Chatterjee, U.S. Dhillon e G.G. Ramirez, em "Resolution of Financial Distress: Debt Restructurings via Chapter 11, Prepacked Bankruptcies and Workouts", *Financial Management* (1996), concluem que empresas que usam acordos de recuperação judicial programada são menores, apresentam uma estrutura financeira melhor e mais dificuldades de liquidez de curto prazo se comparadas com empresas que usam acordos privados ou o Chapter 11.

[15] Durante a recuperação judicial, um plano proposto pode ser imposto sobre uma classe de credores. Um tribunal de falências pode forçar os credores a participarem de uma reorganização se puder ser demonstrado que o plano é "justo e imparcial".

[16] John J. McConnell, Ronald Lease e Elizabeth Tashjian, "Prepacks as a Mechanism for Resolving Financial Distress: The Evidence", *Journal of Applied Corporate Finance*, v.8, 1996.

Um valor de Z menor que 2,675 indica que a empresa tem 95% de chance de se declarar em processo de recuperação dentro de um ano. No entanto, os resultados de Altman mostram que, na prática, valores entre 1,81 e 2,99 devem ser considerados um intervalo de indefinição. Assim, o risco de a empresa ter que buscar recuperação seria sinalizado com Z ≤ 1,81, enquanto a previsão de isso não acontecer seria sinalizada com Z ≥ 2,99. Altman mostra que as empresas em processo de recuperação e as que não estão nesse processo apresentam perfis financeiros muito diferentes um ano antes do pedido de recuperação. Esses indicadores financeiros diferentes, representados no Quadro 31.2, são a intuição fundamental por trás do modelo *z-score*.[17]

QUADRO 31.2 Indicadores contábeis um ano antes do processo de recuperação: empresas industriais

	Indicadores médios um ano antes do processo de recuperação de:	
	Empresas em processo de recuperação	Empresas não em processo de recuperação
$\dfrac{\text{Capital circulante líquido}}{\text{Total de ativos}}$	−6,1%	41,4%
$\dfrac{\text{Reserva de lucros}}{\text{Total de ativos}}$	−62,6%	35,5%
$\dfrac{\text{LAJIR}}{\text{Total de ativos}}$	−31,8%	15,4%
$\dfrac{\text{Valor de mercado do capital próprio}}{\text{Total de passivos}}$	40,1%	247,7%
$\dfrac{\text{Vendas}}{\text{Ativos}}$	150 %	190 %

Fonte: Edward I. Altman, *Corporate Financial Distress and Bankruptcy* (Nova York: John Wiley & Sons, 1993), Quadro 3.1, p. 109.

O modelo *z-score* original de Altman requer que a empresa tenha capital aberto e seja do setor industrial. Há um modelo revisado, também usado por ele, que pode ser aplicado a empresas de capital fechado e não industriais. O modelo resultante é:

$$Z = 6,56 \dfrac{\text{Capital circulante líquido}}{\text{Total de ativos}} + 3,26 \dfrac{\text{Reserva de lucros}}{\text{Total de ativos}}$$
$$+ 1,05 \dfrac{\text{LAJIR}}{\text{Total de ativos}} + 6,72 \dfrac{\text{Valor contábil do capital próprio}}{\text{Total de passivos}}$$

Nessa fórmula, Z < 1,23 indica uma previsão de processo de recuperação; 1,23 ≤ Z ≤ 2,90 indica um intervalo de indefinição; e Z > 2,90 indica que não ocorrerá processo de recuperação.

EXEMPLO 31.3

A U.S. Composite Corporation está tentando aumentar sua linha de crédito com o First National State Bank. O diretor da área de gestão de crédito do banco usa o modelo *z-score* para determinar a avaliação de crédito. A U.S. Composite Corporation não é uma empresa ativamente negociada na bolsa de valores, e os preços de mercado não são sempre confiáveis; portanto, o modelo *z-score* revisado pode ser usado.

O balanço patrimonial e a demonstração de resultados da U.S. Composite Corporation estão apresentados nas Quadros 2.1 e 2.2 do Capítulo 2.

O primeiro passo é determinar o valor de cada variável da demonstração contábil e aplicá-los no modelo *z-score* revisado:

(em milhões de $)

$$\dfrac{\text{Capital circulante líquido}}{\text{Total de ativos}} = \dfrac{275}{1.879} = 0,146$$

(continua)

---

[17] O leitor deve ter presente que os resultados aqui apresentados referem-se ao mercado norte-americano

(continuação)

(em milhões de $)

$$\frac{\text{Reserva de lucros}}{\text{Total de ativos}} = \frac{390}{1.879} = 0{,}208$$

$$\frac{\text{LAJIR}}{\text{Total de ativos}} = \frac{219}{1.879} = 0{,}117$$

$$\frac{\text{Patrimônio líquido}}{\text{Total de passivos}} = \frac{805}{588} = 1{,}369$$

A próxima etapa é calcular o valor revisado de Z:

$$Z = 6{,}56 \times 0{,}146 + 3{,}26 \times 0{,}208 + 1{,}05 \times 0{,}117 + 6{,}72 \times 1{,}369$$
$$= 10{,}96$$

Por fim, concluímos que o valor de Z está acima de 2,9 e que, portanto, a U.S. Composite tem um bom risco de crédito.

Segunda parte: considerações gerais sobre recuperação judicial e falência no Brasil

31.7 O caso brasileiro: recuperação judicial, liquidação e falência de empresas

A Lei Federal nº 11.101, de 9 de fevereiro de 2005,[18] trata dos processos de recuperação judicial, de recuperação extrajudicial e de falência; ela é aplicável a todo o tipo de empresa, exceto às empresas públicas, às empresas de economia mista e às instituições financeiras. A Lei de Falências brasileira prioriza a recuperação judicial e a extrajudicial das empresas que enfrentam dificuldades financeiras para que possam elaborar um projeto de recuperação enquanto mantêm suas atividades. O objetivo da recuperação judicial é social, de preservação da empresa e manutenção dos empregos (Brasil, 2005).

A **falência** é uma das formas de liquidação de uma empresa. A Lei das S/A (artigos 206 a 209 da lei) prevê três formas de liquidação de sociedades por ações (Brasil, 1976).

1. A **liquidação ordinária**, que pode ocorrer: a) pelo término do prazo de duração da sociedade, b) por previsão no estatuto, c) por deliberação da assembleia geral (que pode nomear um liquidante), se não houver previsão no estatuto, pela existência de apenas um acionista (se o mínimo de dois não for constituído em um ano) ou d) pela extinção de sua autorização para funcionar quando exigido.
2. A **liquidação judicial** (inclusive por falência).
3. A **liquidação administrativa** (p. ex., quando o Banco Central decreta a liquidação extrajudicial de uma instituição financeira).

Os pedidos de falência podem ser de iniciativa dos credores, e, então, serão conduzidos no juízo no qual estiver se processando a ação que demandar o pagamento de dívida. Eles também podem ser de iniciativa da própria empresa falida (o denominado pedido de autofalência).

A falência deve ser decretada. Ela é uma situação jurídica que decorre de uma sentença proferida por um juiz de direito. Para uma empresa ou sociedade comercial ter sua falência decretada, ela deve estar inadimplente e não cumprir com uma obrigação. Com a decretação da

---

[18] Veja o inteiro teor da lei no endereço: <http://www.planalto.gov.br/ccivil_03/_ato2004-2006/2005/lei/l11101.htm>.

falência, os bens da falida são alienados para satisfazer seus credores na ordem de prioridade definida pela lei. A falência exige a reunião de credores (o concurso de credores), em que vários processos judiciais de cobrança de dívidas são reunidos em torno do processo para serem decididos pelo juiz que decretou a falência.

A distribuição da receita da liquidação dos créditos na falência de empresas, conforme a Lei de Falências brasileira, obedece à seguinte ordem:

a. Serão considerados créditos extraconcursais e serão pagos com precedência os relativos a:

   I. Remunerações devidas ao administrador judicial e a seus auxiliares e créditos derivados da legislação do trabalho ou decorrentes de acidentes de trabalho relativos a serviços prestados após a decretação da falência;

   II. Quantias fornecidas à massa falida pelos credores;

   III. Despesas com arrecadação, administração, realização do ativo e distribuição do seu produto, bem como custas do processo de falência;

   IV. Custas judiciais referentes às ações e execuções em que a massa falida tenha sido vencida;

   V. Obrigações resultantes de atos jurídicos válidos praticados durante a recuperação judicial ou após a decretação da falência e tributos relativos a fatos geradores ocorridos após a decretação da falência.

b. Em seguida, serão pagos na seguinte ordem de prioridade:

   I. Créditos derivados da legislação do trabalho, até 150 salários mínimos por credor e créditos decorrentes de acidentes de trabalho;

   II. Créditos com garantia real até o limite do valor do bem gravado;

   III. Créditos tributários, independentemente de sua natureza e seu tempo de constituição, excetuadas as multas tributárias;

   IV. Créditos com privilégio especial;

   V. Créditos com privilégio geral;

   VI. Créditos quirografários;

   VII. Multas contratuais e penas pecuniárias por infração das leis penais ou administrativas, inclusive multas tributárias;

   VIII. Créditos subordinados.

Se a empresa falida tiver sido cindida ou tiver bens e direitos transferidos a outros após solicitada sua falência, e se essa for decretada, os efeitos da falência atingem os terceiros e pessoas físicas sem vínculos societários diretos com a falida, mas vinculados pela cisão ou transferência de bens. Essas operações são classificadas como *desvio de patrimônio* da falida nos anos anteriores à quebra.

Se a falência decorrer de dolo, simulação ou fraude contra os interesses dos credores por parte dos administradores da falida, uma das consequências pode ser a chamada *desconsideração da personalidade jurídica*, em que os gestores e controladores perdem a limitação de responsabilidade na entidade jurídica e são pessoal e patrimonialmente responsabilizados por seus atos na falida.

A falência é diferente da insolvência. Insolvência é a situação em que o devedor tem obrigações em valores superiores ao valor dos seus ativos totais. Porém, uma empresa insolvente não está obrigatoriamente falida. Para a empresa estar falida, a sua falência deve ser decretada pelo Poder Judiciário, nos termos da lei. A empresa insolvente pode requerer sua recuperação judicial mediante apresentação de um plano de recuperação; em caso de insucesso do plano de recuperação, pode ser, então, declarada falida.

Anteriormente à Lei nº 11.101 (Brasil, 2005), tinha-se no Brasil a figura da concordata, que era solicitada pelas empresas em situação de insolvência para sustar as ações dos credores. A concordata dava à empresa dois anos para pagar suas dívidas em condições privilegiadas, mediante pagamento de um percentual no primeiro ano e o restante no segundo ano. Com essa possibilidade, alguns empresários poderiam formar elevados estoques e, em seguida, solicitar concordata. A concordata foi extinta com a Lei nº 11.101 (Brasil, 2005) e substituída pelo instituto da recuperação judicial.

Recuperação judicial As empresas podem também solicitar sua recuperação judicial, que funciona como uma proteção contra a decretação da falência. A recuperação judicial no Brasil é similar à reorganização prevista no Chapter 11 do Código de Falências norte-americano. A petição de recuperação judicial é deferida por um juiz, que deve nomear um administrador judicial para o processo de recuperação. Algumas empresas, como no caso das concessionárias de energia elétrica, não podem solicitar recuperação judicial.

O processo de recuperação exige um plano de recuperação, a ser apresentado pelo devedor em juízo no prazo de 60 dias da publicação da decisão que deferir o processamento da recuperação judicial. Após a apresentação do plano de recuperação judicial no processo, qualquer credor poderá manifestar ao juiz sua objeção a ele, por escrito, no prazo de 30 dias contado da publicação da segunda relação de credores. Havendo uma única objeção ao plano de recuperação judicial, seja de qualquer credor, o juiz convocará uma assembleia de credores para deliberar sobre o plano de recuperação. O plano deve ser aprovado em assembleia de credores de acordo com as regras previstas em lei e, posteriormente, ratificado pelo juiz. Se o plano de recuperação for rejeitado pela assembleia de credores, o juiz decretará a falência do devedor. Porém, o juiz pode deferir o plano, ainda que não aprovado pela assembleia de credores, se credores detentores de mais da metade dos créditos o tiverem aprovado, condição essa cumulada com outras exigências da lei. Se o plano de recuperação for aprovado, a sua execução é fiscalizada por um comitê de credores e pelo administrador judicial.

Todas as ações e execuções de dívidas são suspensas pelo prazo de 180 dias após a data do deferimento da recuperação judicial. Findando esse prazo, os credores podem dar continuidade às ações e execuções.

Pode ocorrer que determinados credores desenvolvam manobras para impedir que a empresa cumpra com o plano de recuperação judicial – pois isso lhes permite a satisfação de seus direitos – em conflito de interesses com os demais credores e, em virtude disso, a falência seja decretada. Se isso ficar caracterizado, a decretação da sustação do plano de recuperação e a consequente falência podem ser anuladas, pois teria sido violado o princípio da continuidade da empresa.

Por fim, é preciso considerar a renegociação amigável de dívidas, com parcelamento ou redução de dívidas. Essa será sempre a melhor opção antes de qualquer demanda judicial, pois, como vimos, a recuperação judicial ou a falência geram custos e perdas para a empresa e para os seus credores. Entretanto, pode ser difícil ou até impossível para alguns credores renegociarem seus créditos. Isso acontece quando o credor é um órgão do governo, sociedade de economia mista ou o fisco. Enquanto os primeiros prestam contas ao Tribunal de Contas da União (TCU) dos Estados ou dos municípios e o gestor da credora pode ser responsabilizado por abrir mão de direitos desses entes, no segundo, a autoridade está impedida por lei de abrir mão de receitas. Já os credores privados, que não têm essas limitações, precisam prestar atenção à capacidade de geração de caixa do devedor e talvez possam antecipar uma solução para a devedora e garantir uma parte dos seus direitos antes, ajudando a manter a empresa em funcionamento, para não correr o risco de perder o todo depois, caso uma falência seja decretada.

Plano de recuperação judicial: um exemplo Em sua edição de 09/10/2014, o *Valor Econômico* noticiava que um fabricante de colchões com sede em Guaramirim (SC) havia conseguido aprovar um plano de recuperação judicial em assembleia de credores (Mannes..., 2014).[19] A recuperação judicial teria sido solicitada em dezembro de 2013 e deferida pela Justiça em janeiro de 2014. Segundo a reportagem, as dificuldades financeiras enfrentadas pela empresa teriam como causa:

- Custos financeiros decorrentes de agressivo programa de expansão nos últimos cinco anos, programa que teria colocado a empresa entre as maiores do segmento no país.

---

[19] Ver http://www.valor.com.br/empresas/3727968/mannes-aprova-plano-de-recuperacao-judicial.

- Descasamento de fontes e usos, com aporte de R$ 50 milhões financiados principalmente por linhas de capital de giro, a taxas mais elevadas, para ampliar a matriz e inaugurar filiais em Erechim (RS) e Sorocaba (SP).
- Embora o resultado da expansão tivesse feito o faturamento saltar de R$ 60 milhões para R$ 250 milhões por ano, em meados de 2012, a dívida bruta teria chegado a R$ 140 milhões e consumia R$ 3 milhões por mês entre juros e amortizações.
- A empresa teria recorrido a descontos de duplicatas e adiantamento de recebíveis com fundos de investimento em direitos creditórios (FIDCs), e, em outubro de 2013, 100% das receitas e até vendas ainda não faturadas estavam comprometidas com esses mecanismos.

Os débitos inscritos no processo somavam R$ 80 milhões. Haveria pouco menos de R$ 2 milhões em passivos tributários fora da recuperação judicial, a maior parte já renegociada por meio do chamado "Refis da Copa", com pagamentos de R$ 10 mil por mês. A empresa também teria débitos de ICMS com o governo catarinense, que estavam em negociação.

O plano de recuperação consistia em:

- Prazos de até 138 meses para o pagamento de dívidas;
- Redução de 50% no valor presente das dívidas devido às extensões de prazos e aos índices de correção (o plano de recuperação não estabelecia deságios);
- Prazo de 120 meses, com 18 meses de carência e correção pela TR mais 0,5% ao mês, para as dívidas com garantia real com o Banco do Brasil e o Banrisul;
- Prazo de até 12 meses para pagamento dos débitos trabalhistas, com correção pela TJLP, e 30 dias após a aprovação do plano para as parcelas de até cinco salários mínimos por funcionário;
- Alongamento de prazo em 36 meses contados após 24 meses de carência para o pagamento dos direitos dos credores quirografários com valor até R$ 500 mil e em 120 meses e 18 meses de carência, com correção pela TR mais 4% ao ano, para os de valor superior;
- Aceleração do pagamento a fornecedores, prestadores de serviços e financiadores que mantivessem o crédito para a empresa no período de recuperação;
- Redução de custos com a diminuição do número de gerências e diretorias sem cortes no quadro geral de 1,2 mil funcionários, reajuste de preços e busca do aumento das vendas;
- Venda ou dação em pagamento de imóveis não operacionais em Guaramirim para liquidar a dívida com o Badesc (banco de fomento do governo catarinense);
- Venda de imóveis não operacionais, de equipamentos e da carteira de clientes da fábrica de espumas automotivas em Erechim (prédio alugado). Essas operações eram facultativas e, se não fossem concretizadas, não haveria descumprimento do programa de recuperação;
- Transferência de produção de Erechim para Guaramirim para reduzir custos operacionais.

Após o pedido de recuperação, a empresa teria obtido um novo empréstimo de capital de giro de R$ 6,5 milhões, dando-lhe melhores condições de negociar insumos e matérias-primas.

A dificuldade em sair da recuperação judicial

Desde a publicação da Lei Federal nº 11.101, em 2005 (Brasil, 2005), até maio de 2014, 1.136 empresas haviam recorrido ao instituto da recuperação judicial, com a evolução mostrada na Figura 31.3, a seguir. Dessas, ao menos 590 já deveriam ter então encerrado seu processo de recuperação se seguido o prazo de dois anos concedido pela legislação. Entretanto, até então, apenas 178 haviam tido seu processo encerrado.[20] Vários seriam os motivos para tal, entre os quais o fato de muitas empresas buscarem a recuperação muito tarde, praticamente já à beira da falência e com pequenas pendências judiciais que impediriam o encerramento do processo de recuperação.

---

[20] Levantamento da Serasa Experian. Ver em: Poucas empresas conseguem sair da recuperação judicial. *Valor econômico*, 18 jul. 2014. Disponível em <http://www.valor.com.br/legislacao/3617894/poucas-empresas-conseguem-sair-da-recuperacao-judicial>.

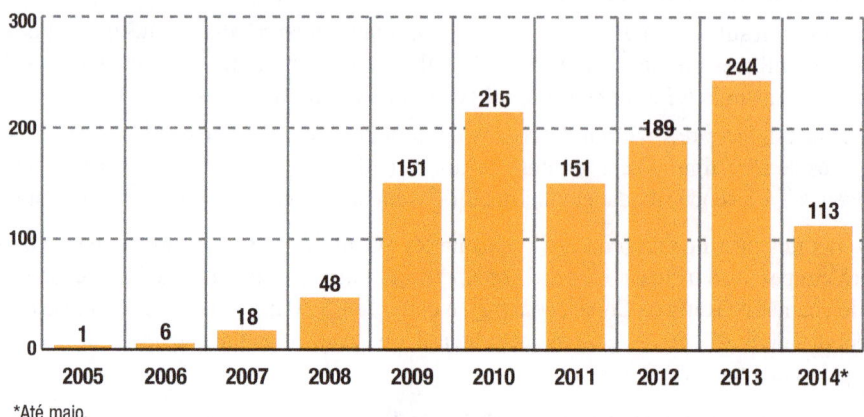

FIGURA 31.3 Evolução do número de pedidos de recuperação judicial autorizados.

Fonte: Valor Econômico e Serasa Experian (2014).

A dificuldade em sair de uma recuperação judicial, segundo especialistas no assunto, teria como motivos:

- Exaustão do capital de giro da empresa em processo de recuperação e ausência de linhas de crédito;
- Poucas comarcas com varas especializadas para aplicar a Lei de Recuperação Judicial;
- O problema do consenso: enquanto apenas um credor tiver reclamações, não será possível obter uma sentença formal de encerramento;
- Longos litígios trabalhistas e fiscais;
- Pequenas questões institucionais que dificultam o término;
- O tempo do Poder Judiciário, entre o protocolo do pedido de encerramento do processo de recuperação e a decisão judicial.

O caso Busscar[21]

A Busscar, de Joinville (SC), era uma das principais montadoras de ônibus do Brasil. No fim dos anos 1990, chegou a responder por 20% do mercado brasileiro de carrocerias de ônibus. Em outubro de 2011, a empresa solicitou recuperação judicial, alegando dificuldades decorrentes da crise financeira internacional de 2008. Em setembro de 2012, foi decretada sua falência. O processo falimentar foi suspenso em novembro de 2013, quando o Tribunal de Justiça (TJ) de Santa Catarina invalidou a terceira assembleia de credores em julgamento de pedido encaminhado pelo Banco Nacional de Desenvolvimento Econômico e Social (BNDES) e anulou a falência decretada em setembro de 2012.

Em 30/09/2014, a Busscar teve sua falência decretada pela segunda vez, envolvendo as oito empresas do grupo. A decisão judicial foi tomada depois que a assembleia de credores rejeitou o novo plano de recuperação judicial, apresentado pela empresa no dia 9 de setembro de 2014.

Conforme noticiado, o número total de credores do grupo chegava a 9 mil, incluindo trabalhadores, bancos e fornecedores, além dos tributos. As dívidas somavam R$ 1,6 bilhão. Os valores dos principais bens que iriam a leilão não cobriam as dívidas. A subsidiária Tecnofibras, fabricante de componentes em plásticos reforçados, a única das oito empresas do grupo que seguia em operação,

---

[21] Ver Justiça de Joinville decreta falência da Busscar. *Valor econômico*, 2 out. 2014. São Paulo, 2014. Disponível em: <http://www.valor.com.br/empresas/3719280/justica-de-joinville-decreta-falencia-da-busscar>.

com cerca de 300 funcionários, foi avaliada em R$ 74 milhões. O parque fabril de carrocerias foi avaliado em R$ 200 milhões. Outros ativos, entre os quais imóveis não operacionais e a Climabuss, fabricante de aparelhos de ar-condicionado para veículos, haviam sido avaliados em R$ 36 milhões. A marca também iria a leilão, mas o total de ativos era muito menor do que o total de passivos.

Processos de falência podem ser muito demorados. Podem se passar 10, 15 e até 20 anos para que alguém comece a receber alguma coisa do que tiver sobrado do processo. Em 2014, o processo de falência do Banco Santos estava prestes a completar dez anos e continuava a ser palco de discordâncias entre os credores e o administrador judicial. Segundo alguns, falências poderiam ser evitadas se as empresas passassem a procurar a recuperação judicial mais cedo. Isso indica que o processo decisório dos credores deveria ser muito rápido para reduzir suas perdas, especialmente nos processos de recuperação judicial.

Resumo e conclusões

Este capítulo analisou o que acontece quando empresas passam por dificuldades financeiras.

1. A situação de dificuldades financeiras acontece quando o fluxo de caixa operacional de uma empresa não é suficiente para cumprir com suas obrigações contratuais. As empresas nessa situação são frequentemente forçadas a adotar uma ação corretiva e a se submeter a uma reestruturação financeira. A reestruturação financeira envolve trocar dívidas antigas por novas.

2. A reestruturação financeira pode ser realizada por meio de acordo privado ou de recuperação judicial. Tal reestruturação pode envolver liquidação ou reorganização. No entanto, o processo de liquidação não é tão comum.

3. Nos Estados Unidos, a liquidação ou a recuperação judicial de empresas são tratadas no Capítulo 7, de liquidação, ou no Capítulo 11, de reorganização, do código de falências (*Title 11 – Bankruptcy;* e *Appendix* do *US Code*). Uma característica fundamental do código de falência dos EUA é a regra da prioridade absoluta (APR). A regra da prioridade absoluta determina que os credores preferenciais sejam completamente pagos antes que os demais credores recebam qualquer valor. No entanto, lá, a regra da prioridade absoluta é frequentemente desrespeitada na prática.

4. Uma nova maneira de efetuar a reestruturação financeira nos EUA é a recuperação judicial programada. Esse tipo de recuperação judicial é a combinação de um acordo privado e uma recuperação judicial.

5. As empresas que estão passando por dificuldades financeiras podem ser identificadas por demonstrações contábeis fora das usuais. O modelo *z-score* consegue identificar algumas diferenças.

6. No Brasil, o procedimento de recuperação judicial foi introduzido pela Lei Federal nº 11.101, de 9 de fevereiro de 2005, que trata dos processos de recuperação judicial, de recuperação extrajudicial e de falência.

7. A prática tem mostrado que é difícil encerrar uma recuperação judicial no Brasil, e algumas das possíveis razões foram apontadas; contudo, isso parece não ser muito diferente nos EUA.

8. Vimos algumas práticas do mercado norte-americano, como a recuperação judicial programada, em que a empresa e os seus credores entram em acordo e montam um plano de recuperação antes de protocolar um pedido de recuperação. O plano de recuperação já é anexado à petição, abreviando o processo. Também vimos a prática da condução do processo com base na Seção 363 do código de falências dos EUA, que torna o processo mais parecido com um leilão, com maior velocidade. Vimos que também nos EUA é comum que o processo de recuperação leve vários anos até que seja concluído. Enquanto isso, um processo conduzido de acordo com a Seção 363 normalmente é muito mais rápido; vimos dois casos que foram concluídos em 45 dias.

QUESTÕES CONCEITUAIS

1. **Dificuldades financeiras** Defina *dificuldades financeiras* usando a abordagem baseada em capital e a abordagem baseada em fluxos.
2. **Dificuldades financeiras** Cite algumas vantagens provenientes das dificuldades financeiras.
3. **Recuperação judicial programada** O que é recuperação judicial programada? Qual é o principal benefício da recuperação judicial programada?
4. **Dificuldades financeiras** Por que as dificuldades financeiras nem sempre fazem com que as empresas sejam fechadas?
5. **Liquidação *versus* reorganização** Qual é a diferença entre liquidação e reorganização?
6. **Prioridades** Compare as prioridades de direitos no caso brasileiro e no caso norte-americano.
7. **Empréstimos para o devedor no controle** O que são empréstimos do devedor no controle? De que maneira os empréstimos do devedor no controle se enquadram na regra de prioridade absoluta nos EUA?
8. **Prioridades de reembolso** Pesquise a legislação brasileira e verifique se a legislação também oferece prioridade de reembolso aos empréstimos à empresa em recuperação, concedidos depois do deferimento do pedido de recuperação judicial.
9. **Recuperação judicial, liquidação e falência** Quais são as características de uma recuperação judicial, de uma liquidação judicial e de uma falência de acordo com a legislação brasileira?
10. **Recupração judicial *versus* acordos privados** Por que um número tão grande de empresas entra com um processo de recuperação judicial se os custos dos acordos privados são tão menores?

QUESTÕES E PROBLEMAS

BÁSICO
(Questões 1-2)

1. **Capítulo 7** Quando a Beacon Computer Company entrou com um pedido de recuperação judicial sob o Capítulo 7 do código de falência dos Estados Unidos, ela apresentava o balanço patrimonial a seguir:

Valor de liquidação		Direitos	
		Crédito comercial	$ 4.800
		Títulos com garantia hipotecária	8.000
		Debêntures preferenciais	10.000
		Debêntures subordinadas	15.000
Total de ativos	$ 28.500	Patrimônio líquido	–9.300

Supondo que não haja custos legais associadas com o processo de recuperação, que proposta de distribuição do valor de liquidação você, como administrador, faria?

2. **Capítulo 11** Quando a Master Printing Company entrou com um pedido de recuperação judicial, ela o fez sob o Capítulo 11 do código de falência dos Estados Unidos. As principais informações são as seguintes:

Ativos		Direitos	
		Títulos com garantia hipotecária	$ 19.000
		Debêntures preferenciais	9.500
		Debêntures subordinadas	7.500
Valor da empresa em funcionamento	$ 27.000	Patrimônio líquido contábil	–9.000

Como administrador, que plano de reorganização você aceitaria?

3. Z-score A Fair-to-Midland Manufacturing, Inc. (FMM) solicitou um empréstimo no True Credit Bank. Jonas Farias, o analista de crédito do banco, obteve as informações apresentadas a seguir a partir das demonstrações contábeis da empresa:

INTERMEDIÁRIO
(Questões 3-4)

Total de ativos	$ 75.000
LAJIR	6.900
Capital circulante líquido	3.400
Patrimônio líquido	19.000
Lucros acumulados	16.800
Vendas	92.000

O preço da ação da FMM é de $ 21, e há 5.000 ações em circulação. Qual é o valor de Z da empresa?

4. Z-score Jonas Farias também recebeu uma solicitação de crédito da empresa de capital fechado Seether Ltda. Uma parte resumida das informações financeiras fornecidas pela empresa é apresentada a seguir:

Total de ativos	$ 63.000
LAJIR	7.900
Capital circulante líquido	4.200
Patrimônio líquido	18.000
Lucros acumulados	16.000
Total de passivos	57.000

Qual é o valor do indicador Z da empresa?

32 Finanças Corporativas Internacionais

Para ficar por dentro dos últimos acontecimentos na área de finanças, visite www.rwjcorporatefinance.blogspot.com.

No fim de 2011, o dólar canadense, ou "loonie", estava sendo negociando perto da paridade, o que significa que um dólar canadense poderia ser trocado por um dólar americano. Entretanto, a taxa de câmbio havia estado volátil durante a última década. Poucos anos antes, em 2002, o dólar canadense estava valendo apenas US$ 0,60, atingindo o valor máximo de US$ 1,29 ao final de 2008. Da mesma forma, o dólar australiano caiu para US$ 0,48 em 2001 e chegou a uma alta de US$ 1,10 em julho de 2011.

Quais foram os efeitos dessas variações na taxa de câmbio? Usando a Austrália como exemplo, considere o caso da aquisição do grupo Foster pela SABMiller. A SABMiller iniciou sua tentativa de aquisição do grupo Foster em junho de 2011. Em setembro de 2011, a empresa aumentou sua proposta em 4%, atingindo US$ 9,9 bilhões de dólares australianos. Embora isso possa ter significado mais dólares australianos para os acionistas da Foster, a variação na proposta, na verdade, foi de US$ 900 milhões a menos em razão das mudanças na taxa de câmbio. De fato, naquele ano, as fusões com empresas estrangeiras e as aquisições de empresas australianas atingiram seu nível mais elevado em quatro anos. Neste capítulo, exploraremos o importante papel desempenhado por moedas e taxas de câmbio nas finanças internacionais, juntamente com vários outros assuntos importantes para o tema.

 Domine a habilidade de solucionar os problemas deste capítulo usando uma planilha. Acesse Excel Master no *site* www.grupoa.com.br, procure pelo livro e clique em Conteúdo *Online*.

As empresas com operações significativas no exterior frequentemente são chamadas de *empresas internacionalizadas* ou *multinacionais*. Essas empresas precisam levar em conta fatores financeiros que não afetam de forma direta as empresas com atuação estritamente nacional. Esses fatores incluem as taxas de câmbio, as diferenças nas taxas de juros de um país para outro, os complexos métodos contábeis para operações no exterior, as alíquotas de impostos estrangeiras e a intervenção de governos estrangeiros.

Os princípios básicos das Finanças Corporativas também se aplicam às empresas com atuação internacional. Assim como as empresas que operam no ambiente nacional, essas empresas buscam investir em projetos que gerem mais valor para os acionistas do que custam e buscam financiamentos ao menor custo possível. Em outras palavras, o princípio do valor presente líquido se mantém para as operações no exterior e no país, embora geralmente seja mais complicado aplicar a regra do VPL aos investimentos no exterior.

Uma das complicações mais significativas das finanças internacionais é o câmbio. Os mercados de câmbio oferecem informações e oportunidades importantes para uma empresa com atuação internacional quando ela toma decisões de orçamento de capital e de financiamento. Verificaremos que as taxas de câmbio, as taxas de juros e as taxas de inflação estão intimamente ligadas. Grande parte deste capítulo explorará a ligação entre essas variáveis financeiras.

No Brasil, observando o comportamento das taxas de câmbio em um período de 5 anos, entre 01.07.2009 e 30.06.2014, a taxa de câmbio do dólar norte-americano, em reais, oscilou entre a taxa mínima de R$ 1,5345/US$ 1,00, verificada no dia 26.07.2011, até a taxa máxima de R$ 2,4457/US$ 1,00, em 22.08.2013.[1] Em 30 de junho de 2014, a taxa foi de R$ 2,2025 /US$ 1,00. Já, em 31.10.2014, a taxa foi de 2,4442, ou seja, uma alta de quase 11% em 4 meses (as taxas aqui referidas são taxas de venda no mercado comercial). Isso mostra que as flutuações da taxa de câmbio são um fator de risco importante a se considerar nas decisões de investimento e financiamento.

Não temos muito a dizer aqui sobre o papel das diferenças culturais e sociais nos negócios internacionais. Tampouco discutiremos as implicações dos diferentes sistemas políticos e econômicos. Esses fatores são de grande importância para os negócios internacionais, mas seria preciso escrever outro livro para que todos os assuntos fossem tratados adequadamente. Dessa maneira, nos concentraremos apenas em algumas considerações estritamente financeiras das finanças internacionais e em alguns aspectos essenciais dos mercados de câmbio.

32.1 Terminologia

Um jargão comum para o aluno de finanças é *globalização*. A primeira etapa da aprendizagem sobre a globalização dos mercados financeiros é a conquista do novo vocabulário. Assim como qualquer área de especialização, as finanças internacionais têm um jargão rico. Iniciamos o assunto, portanto, com um exercício de vocabulário altamente eclético.

Os termos a seguir não têm todos a mesma importância, e os apresentamos de forma alfabética. Optamos por esses termos em particular porque aparecem com frequência na imprensa financeira ou porque ilustram a natureza variada da linguagem das finanças internacionais.

1. Um *American Depositary Receipt* (ADR) é um título mobiliário emitido nos EUA que representa uma ação emitida por companhia de outro país, permitindo que a ação seja negociada nos Estados Unidos. As empresas estrangeiras usam os ADRs, que são emitidos em dólares norte-americanos, para expandir o grupo de seus possíveis investidores nos Estados Unidos. Os ADRs estão disponíveis em duas formas para um número grande e cada vez maior de empresas estrangeiras: os patrocinados que são emitidos por instituição depositária contratada pela empresa emissora, e que são listados em uma bolsa de valores, e aqueles não patrocinados que também são emitidos por uma instituição depositária, mas sem envolvimento da companhia estrangeira emissora. Estes, em geral, são mantidos pelo banco de investimentos *market maker* no mercado de ADR. Ambas as formas estão disponíveis para investidores individuais, mas apenas as emissões de empresas são cotadas diariamente nos jornais.

Acesse www.adr.com para obter mais informações.

2. O *Brazilian Depositary Receipt* (BDR) é um título mobiliário emitido e negociado no Brasil, na forma de certificados de depósito de valores mobiliários de emissão de companhias estrangeiras, regulamentado pela instrução CVM (Comissão de Valores Mobiliários, 2000).

3. O **contrato de câmbio** e o **Adiantamento sobre Contrato de Câmbio** (ACC) são termos comuns para exportadores brasileiros. A legislação cambial brasileira exige que os negócios com moedas estrangeiras sejam realizados com a intervenção de bancos autorizados pelo Banco Central do Brasil a operar no mercado de câmbio. Todos os negócios são registrados no sistema SISBACEN do Banco Central do Brasil. Nas operações de venda de moeda por exportadores, esses podem contratar a venda para um banco com muita antecedência em relação à data de embarque das mercadorias (até 360 dias antes), mediante um contrato de compra e venda de moeda estrangeira para entrega a termo. Feito o contrato, o exportador pode solicitar um adiantamento do valor em reais da operação, chamado Adiantamento sobre Contrato de Câmbio, ou ACC. Um ACC é uma operação de financiamento de capital de giro para exportadores.

4. O *EMBI+* é um índice calculado e divulgado pelo banco de investimentos J.P. Morgan. O índice reflete os retornos verificados em negócios com os títulos com maior liquidez, emitidos em dólares, por países classificados como "emergentes". O *EMBI+* faz parte de outros índices calculados pelo J.P. Morgan, o *EMBI Global* e o *EMBI Global Diversified*, porém

---

[1] Em um período de 20 anos desde o Plano Real, em 1994, as taxas mínimas e máximas (taxas de venda) foram de 0,829, que ocorreu nos dias 14 e 17 de outubro e 9 de novembro de 1994, e 3,9552, que ocorreu no dia 22 de outubro de 2002.

com uma exigência adicional de liquidez. O índice reflete a capitalização de mercado dos títulos que o compõem e é rebalanceado no último dia útil de cada mês. Somente emissões em circulação com valor de face igual ou superior a US$ 500 milhões e vencimento maior do que 2,5 anos fazem parte do *EMBI+*.

5. O **eurobônus** (*eurobond*) é um título de dívida emitido em vários países, mas denominado em uma única moeda, geralmente a moeda do emitente (ou o dólar dos Estados Unidos, no caso de emissões de empresas brasileiras). Esses títulos se tornaram um modo importante de levantar capital para muitas empresas com atuação internacional e governos.[2] Os eurobônus são emitidos sem as restrições que se aplicam às ofertas nacionais, sendo consorciados e negociados principalmente em Londres. A negociação ocorre em qualquer lugar onde haja um comprador e um vendedor.

6. A **euromoeda** (*eurocurrency*) é o dinheiro depositado em um centro financeiro fora do país cuja moeda está envolvida. Por exemplo, os eurodólares – a euromoeda mais usada – são os dólares norte-americanos depositados em bancos fora do sistema bancário dos Estados Unidos. Um depósito em reais fora do Brasil é euromoeda.

7. A ***London Interbank Offered Rate*** (LIBOR) é a taxa que a maioria dos bancos internacionais cobra uns dos outros para empréstimos de eurodólares no *overnight* no mercado londrino. A taxa LIBOR é uma referência na precificação das emissões do mercado financeiro e de outras emissões de dívida de curto prazo, tanto por governos quanto por tomadores corporativos. Com frequência, as taxas de juros são cotadas com um *spread* acima da taxa LIBOR e, portanto, flutuam com a taxa LIBOR.

8. O **spread em pontos-base** é o retorno de um título que excede o retorno de um título padrão (*benchmark*), usualmente um *treasury* de mesmo vencimento. Um ponto base é 1/100 de 1%. Assim, se um título da República do Brasil com vencimento em 2045 é negociado com um *spread* de 187 pontos-base, sua taxa de retorno é 1,87% superior à taxa de retorno pela qual é negociado um *Treasury Bond* com mesmo vencimento emitido pelo Tesouro norte-americano – o *benchmark*, neste caso.

9. Os *swaps* negociados no mercado cambial são de dois tipos básicos: *swap* de taxas de juros e *swap* de moedas. Um *swap* de taxa de juros ocorre quando duas partes trocam fluxos de caixa de pagamentos com taxa flutuante por fluxos de caixa de pagamentos com taxa fixa, ou vice-versa. Os *swaps* de moeda são contratos para entregar uma moeda em troca de outra. Com frequência, os dois tipos de *swap* são usados na mesma transação quando dívidas em diferentes moedas são trocadas.

10. A **taxa cruzada** (*cross rate*) é a taxa de câmbio implícita entre duas moedas quando são cotadas em uma terceira moeda, geralmente o dólar norte-americano.

11. A **taxa de compra** e a **taxa de venda** são taxas de oferta de compra e oferta de venda de moeda pelos bancos autorizados a operar em câmbio no mercado brasileiro. Assim, quando um exportador vende a moeda de uma exportação, vende à taxa de compra dos bancos e um importador, ao comprar moeda para pagar uma importação, paga a taxa de venda dos bancos.

12. Os **títulos estrangeiros** (*foreign bonds*) negociados em países diferentes do país do emissor, ao contrário dos eurobônus, são emitidos por empresas estrangeiras em um único país e, em geral, são denominados na moeda desse país. Com frequência, o país no qual esses títulos são emitidos cria distinções entre eles e os títulos domésticos, incluindo diferenças fiscais, restrições ao montante emitido e regras mais rígidas de divulgação. Em muitos casos, os títulos estrangeiros recebem um apelido relativo ao país em que são emitidos: títulos *Yankee* (Estados Unidos), títulos *Samurai* (Japão), títulos *Rembrandt* (Holanda), títulos *Bulldog* (Grã-Bretanha).

Para obter taxas LIBOR atuais, acesse www.bloomberg.com.

---

[2] Grabbe (1996) relata que o primeiro *eurobond* foi emitido em 1963 em operação coordenada pelo banco britânico S.G. Warburg, em uma captação de recursos para a empresa italiana Autostrada. Os títulos foram emitidos em Londres, eram denominados em dólar dos Estados Unidos, mas não foram registrados sob a legislação norte-americana, nem oferecidos nos Estados Unidos. Grabbe, J. O. *International Financial Markets*. 3rd ed. Englewood: Prentice Hall, 1996.

Por exemplo, se a Petrobras emitir títulos em dólares para venda nos Estados Unidos, estará emitindo títulos *Yankee*; se emitir títulos em ienes para venda no Japão, estará emitindo títulos *Samurai*. Em parte por causa de regulamentações e dos requisitos de divulgação mais rígidos, o mercado de títulos estrangeiros não cresceu com o mesmo vigor que o mercado de eurobônus.

32.2 Mercados de câmbio e taxas de câmbio

Sem dúvida, o **mercado de câmbio** é o maior mercado financeiro do mundo. É o mercado no qual a moeda de um país é trocada pela de outro. A maioria dos negócios ocorre com apenas algumas moedas: o dólar norte-americano (US$), a libra esterlina britânica (£), o iene japonês (¥) e o euro (€). O real também tem sido muito negociado em operações de arbitragem (*carry trades*), especialmente quando a variação das taxas de câmbio do real frente a outras moedas é elevada. O Quadro 32.1 relaciona algumas das moedas mais comuns e seus símbolos.

O mercado de câmbio é um mercado de balcão, de modo que não existe um local único no qual os negociadores se reúnem. Em vez disso, os participantes do mercado estão localizados nos principais bancos comerciais e de investimento do mundo. Eles se comunicam por computadores, telefones e outros dispositivos de telecomunicação. Por exemplo, uma rede de comunicação de transações estrangeiras é mantida pela *Society for Worldwide Interbank Financial Telecommunications* (SWIFT), uma cooperativa belga sem fins lucrativos.

Usando linhas de transmissão de dados, um banco de Nova York pode enviar mensagens para um banco em Londres por meio dos centros regionais de processamento SWIFT.

Os diversos tipos de participantes do mercado de câmbio incluem:

1. Importadores que pagam por bens usando moedas estrangeiras.
2. Exportadores que recebem moeda estrangeira e querem convertê-la para moeda doméstica.
3. Administradores de carteira que compram ou vendem ações e títulos estrangeiros ou compram e vendem ações e títulos brasileiros para investidores estrangeiros (investimento estrangeiro em bolsa).
4. Corretores de câmbio que fecham ordens de compra e de venda de moedas.

ExcelMaster
cobertura
online

Esta seção introduz painéis indicadores (*dashboards*) e sistemas de conexão de dados.

Visite SWIFT em www.swift.com.

QUADRO 32.1 Símbolos de algumas moedas internacionais

País	Moeda corrente	Símbolo	Símbolo cotação*
África do Sul	Rand	R	ZAR
Arábia Saudita	Rial	SR	SAR
Austrália	Dólar	A$	AUD
Brasil	Real	BRL	BRL
Canadá	Dólar	Can$	CAD
China	Yuan (Renminbi)	元	CNY
Cingapura	Dólar	S$	SGD
Dinamarca	Coroa	DKr	DKK
Estados Unidos	Dólar	US$	USD
Índia	Rúpia	Rs	INR
Irã	Rial	RI	IRR
Japão	Iene	¥	JPY
Kuwait	Dinar	KD	KWD
México	Peso	Ps	MXN
Noruega	Coroa	NKr	NOK
Reino Unido	Libra	£	GBP
Suécia	Coroa	SKr	SEK
Suíça	Franco	SF	CHF
UE (zona do euro)	Euro	€	EUR

* Para mais moedas, consulte o site do Banco Central do Brasil em http://www4.bcb.gov.br/pec/taxas/batch/tobmoedas.asp?id=tabmoeda.

5. Negociadores que agem como *market makers* de moedas estrangeiras.
6. Especuladores que tentam lucrar com as variações nas taxas de câmbio.
7. Investidores estrangeiros trazendo investimentos para o Brasil ou comprando empresas brasileiras (investimento externo direto) e remetendo lucros depois.
8. Empresas brasileiras captando empréstimos no exterior e depois fazendo o pagamento de juros e principal.

Taxas de câmbio

Obtenha taxas de câmbio atualizadas por minuto em **www.xe.com** e **www.exchangerate.com**.

Uma **taxa de câmbio** nada mais é do que o preço da moeda de um país expresso na moeda de outro país. Na prática, quase todos os negócios de moedas ocorrem em dólares norte-americanos. Por exemplo, tanto o franco suíço quanto o iene japonês são negociados com seus preços cotados em dólares norte-americanos. As taxas de câmbio mudam constantemente.

Cotações da taxa de câmbio A Figura 32.1 reproduz as cotações de taxas de câmbios do *The Wall Street Journal* em 13.09.2011. A primeira coluna (intitulada "*in US$*") dá o número de dólares necessários para comprar uma unidade de moeda estrangeira nos Estados Unidos. Como essas cotações são divulgadas nos Estados Unidos e o preço das moedas está expresso em dólares, nos Estados Unidos, ele é chamado de *cotação direta* ou *cotação americana*. Por exemplo, o dólar australiano era cotado a 1,0347, o que significa que eram necessários US$ 1,0347 para comprar um dólar australiano naquela data. Acrescentamos dizendo que essa forma correspon-

FIGURA 32.1 Cotações de taxa de câmbio.

Fonte: Reimpresso com permissão do *The Wall Street Journal*, © 2011 Dow Jones & Company, Inc., 13 de setembro de 2011. Todos os direitos reservados em todo o mundo.

de à pergunta: *quantos dólares norte-americanos são necessários* para comprar determinada moeda na data da cotação. Por exemplo, era necessário 0,5955 dólar para comprar 1,00 real e 1,1365 dólar para comprar 1,00 franco suíço.

A segunda coluna ("*per US$* ") mostra a *taxa de câmbio indireta* ou *europeia* (embora a moeda cotada possa não ser europeia). Esse é o valor da moeda estrangeira por dólar norte-americano. Essa forma corresponde à pergunta: *quantas unidades de moeda estrangeira são necessárias para comprar* um dólar na data da cotação. O dólar australiano é cotado aqui a 0,9665, e era possível comprar um dólar norte-americano com 0,9665 dólar australiano na data das cotações apresentadas. Naturalmente, essa segunda taxa de câmbio é apenas a recíproca da primeira (possivelmente com um pequeno erro de arredondamento): 1/1,0347 = 0,9665. A terceira coluna ("*YTD chg*")[3] mostra a variação percentual acumulada no ano no valor do dólar *versus* outra moeda.

A forma direta é a forma como cotamos as taxas no Brasil. Por exemplo, em 30.09.2014, o dólar foi negociado a 2,4510, o que significa que eram necessários R$ 2,4510 para adquirir US$ 1,00 naquela data.

A forma indireta é aquela que expressa quantas unidades de moeda estrangeira compram a moeda nacional. Uma é a recíproca da outra. Quando consultamos um quadro de taxas elaborado em outro país, vemos como indiretas as taxas que naquele país estão cotadas na forma direta. É o caso da cotação do real (0,5955) apresentada na primeira coluna do *Wall Street Jounal* na Figura 32.1.

Também podemos encontrar taxas de câmbio em alguns *sites*. Imagine que você tenha acabado de retornar da sua viagem dos sonhos à Jamaica e ainda sobraram 10.000 dólares jamaicanos. Agora você quer converter o dinheiro em dólares dos Estados Unidos. Quantos dólares dos EUA você terá? Acessamos o *site* www.xe.com em 13.09.2013 e usamos o conversor de moedas para chegar ao resultado. Eis o que descobrimos:

Parece que você saiu da Jamaica quase sem nenhum dinheiro.

EXEMPLO 32.1 Um iene por dólares e um Porsche por reais

Imagine que você tenha US$ 1.000. Com base nas taxas da Figura 32.1, quantos ienes japoneses você poderia comprar? A taxa de câmbio em iene por dólar (segunda coluna) é 77,21. Seus US$ 1.000 resultarão em:

US$ 1.000 × 77,21 ienes por US$ 1 = 77.210 ienes

E se você estivesse pensando em comprar um Porsche que custa € 100.000, quantos reais você teria que ter em setembro de 2011 para comprar € 100.000 e pagar pelo Porsche (sem considerar os impostos de importação)?

A Figura 32.1 não apresenta a taxa Real/Euro. Entretanto, ela apresenta a taxa Reais/Dólar. Então, usaremos a taxa de câmbio em dólares por euro (primeira coluna), que é de 1,3679, e depois calcularemos quantos reais serão necessários para ter esse valor em dólares.

Você precisará de:

€ 100.000 × US$ 1,3679 por € = US$ 136.790

(continua)

---

[3] *Year to date change* (variação no ano até a data).

> *(continuação)*
>
> A taxa de câmbio Real/US$ é de 1,6793, então você precisaria, em 13.09.2011, de:
>
> US$ 136.790 × 1,6793 = R$ 229.711,45
>
> Esse era o valor em reais que você necessitaria ter para adquirir o Porsche. Você também teria que ter mais reais para o frete e os impostos de importação, mas não entraremos nesses detalhes.

O que utilizamos no exemplo do Porsche foi a taxa cruzada entre o real e o euro, usando o dólar como denominador comum.

Taxas cruzadas e arbitragem triangular O uso do dólar norte-americano como denominador comum na cotação das taxas de câmbio reduz muito o número possível de cotações cruzadas. Por exemplo, com as cinco principais moedas, podemos ter 10 taxas de câmbio em vez de apenas quatro.[4] Além disso, o fato de o dólar ser usado tão amplamente diminui as inconsistências nas cotações da taxa de câmbio.

Anteriormente, definimos a taxa cruzada como a taxa de câmbio para uma moeda que não seja o dólar norte-americano expressa em outra moeda que não seja o dólar norte-americano. Por exemplo, suponha que observemos o seguinte para o euro (€) e o franco suíço (SF):

$$\text{€ por US\$ } 1 = 1,00$$
$$\text{SF por US\$ } 1 = 2,00$$

Suponha que a taxa cruzada seja cotada como:

$$\text{€ por SF} = 0,40$$

Qual é a sua opinião?

A taxa cruzada aqui não é consistente com as taxas de câmbio. Para entender, suponha que você tenha US$ 100. Se converter esse valor em francos suíços, você receberá:

$$\text{US\$ } 100 \times \text{SF 2 por US\$ } 1 = \text{SF 200}$$

Se converter esse valor em euros à taxa cruzada, você terá:

$$\text{SF 200} \times \text{€ 0,4 por SF 1} = \text{€ 80}$$

Entretanto, se simplesmente converter seus dólares em euros sem passar pelos francos suíços, você terá:

$$\text{US\$ } 100 \times \text{€ 1 por US\$ } 1 = \text{€ 100}$$

O que percebemos é que, nessa situação, o euro tem dois preços, € 1 por US$ 1 e € 0,80 por US$ 1, dependendo de como obtemos os euros.

Para ganhar dinheiro, queremos comprar na taxa mais baixa e vender na taxa mais alta. O que é importante observar é que, nesse exemplo, os euros são mais baratos se você comprá-los com dólares, já que você tem 1 euro em vez de 0,8. Você deveria proceder da seguinte maneira:

1. Comprar 100 euros por US$ 100.
2. Usar os 100 euros para comprar francos suíços à taxa cruzada. Como é necessário 0,4 euro para comprar um franco suíço, você receberia € 100/0,40 = SF 250.
3. Usar os 250 francos suíços para comprar dólares. Como a taxa de câmbio é de SF 2 por dólar, você receberia SF 250/2 = US$ 125, com um lucro total de US$ 25.
4. Repetir as etapas 1 a 3.

---

[4] Existem quatro taxas de câmbio em vez de cinco porque uma taxa de câmbio envolveria a troca de uma moeda por ela mesma. De modo geral, poderia parecer que se deveriam ter 25 taxas de câmbio com cinco moedas. Existem 25 combinações diferentes, mas, dessas, cinco envolvem o câmbio de uma moeda por ela mesma. Das 20 restantes, metade é redundante, pois elas são apenas recíprocas de outra taxa de câmbio. Das 10 restantes, seis podem ser eliminadas usando um denominador comum.

Essa atividade em particular (talvez não com números tão exagerados) é chamada de *arbitragem triangular*, porque a arbitragem envolve a passagem por três taxas de câmbio diferentes:

Para que oportunidades como essa não ocorram, não é difícil ver que, como um dólar comprará 1 euro ou 2 francos suíços, a taxa cruzada deve ser:

(€ 1/US$ 1)/(SF 2/ US$ 1) = € 1/SF 2

Ou seja, a taxa cruzada deve ser um euro para dois francos suíços. Se fosse outro valor, haveria uma oportunidade de arbitragem triangular.

EXEMPLO 32.2   Fazendo crescer algumas libras

Imagine que as taxas de câmbio para a libra esterlina e para o franco suíço sejam:

Libras por US$ 1 = 0,60
SF por US$ 1 = 2,00

Se a taxa cruzada for de três francos por libra, isso é consistente? Explique como ganhar dinheiro.

     A taxa cruzada deve ser de SF 2,00/£ 0,60 = SF 3,33 por libra. A libra poderia ser comprada por SF 3 em um mercado e vendida a SF 3,33 em outro. Assim, queremos primeiro ganhar alguns francos suíços e, em seguida, algumas libras, para depois vendê-las. Assumindo que temos US$ 100, poderíamos:

1. Trocar dólares por francos US$ 100 × 2 = SF 200.
2. Trocar francos suíços por libras: SF 200/3 = £ 66,67.
3. Trocar libras por dólares: £ 66,67/0,60 = US$ 111,12.

Isso resultaria em um lucro total de US$ 11,12.

Tipos de operações com câmbio   Existem dois tipos básicos de operações no mercado de câmbio: negócios à vista e negócios a termo. Uma **operação de câmbio à vista** (*spot trade*) na prática significa que a transação será concluída ou liquidada em dois dias úteis (liquidação financeira em D_2). A taxa de câmbio à vista também é chamada no mercado brasileiro de taxa de câmbio para entrega "pronta" e, às vezes, também de **taxa spot**. Implicitamente, todas as taxas de câmbio e transações que discutimos até agora se referiam ao mercado à vista.

     Uma **operação a termo** (*forward trade*) é uma operação de câmbio para entrega de moedas em algum momento futuro. A taxa de câmbio que será usada é acertada hoje. Ela é chamada de **taxa de câmbio a termo**. Uma operação a termo normalmente é liquidada em algum momento nos próximos 12 meses.

     Dois esclarecimentos são importantes aqui.

     O primeiro é que, no dia a dia do mercado, às vezes, vemos operações a termo sendo referidas como "câmbio futuro". Entretanto, o chamado "dólar futuro" refere-se ao dólar negociado no mercado de contratos futuros de moeda na BM&FBOVESPA.

     O segundo é que os contratos para entrega de câmbio de exportação, que permitem operações de Adiantamento sobre Contrato de Câmbio (ACC), são operações para entrega de moeda a termo. Entretanto, esses contratos não se realizam com taxas a termo, mas com taxas à vista, com o adiantamento do valor em reais para o exportador a essa taxa. O exportador é que entrega a termo a moeda estrangeira contratada com o banco operador de câmbio.

     Agora, se você observar novamente a Figura 32.1, verá as taxas de câmbio a termo cotadas para algumas das principais moedas. Por exemplo, a taxa de câmbio à vista do franco suíço é SF 1 = US$ 1,1365. A taxa de câmbio a termo para 180 dias (*6-mos forward*) é de SF 1 = US$ 1,1437. Isso significa que você pode comprar um franco suíço hoje por US$ 1,1365 ou pode receber um franco suíço em 180 dias e pagar US$ 1,1437 naquela data.

Observe que o franco suíço é mais caro no mercado a termo (US$ 1,1437 *versus* US$ 1,1365). Como o franco suíço é mais caro para entrega em 180 dias do que hoje, diz-se que ele é vendido com um *prêmio* ou um *ágio* em relação ao dólar. Pelo mesmo motivo, diz-se que o dólar é vendido com um *desconto* ou *deságio* em relação ao franco suíço.

Por que existe o mercado a termo? Uma resposta é que ele permite que empresas e pessoas físicas fixem hoje uma taxa de câmbio para uma data futura, eliminando assim qualquer risco de mudanças desfavoráveis na taxa de câmbio.

Como já mencionamos, é prática padrão no mundo inteiro (com poucas exceções) cotar as taxas de câmbio em relação ao dólar norte-americano. Isso significa que as taxas são cotadas como o valor da moeda por dólar norte-americano. Assim, no caso do real, quando dizemos "a taxa de câmbio deve subir", estamos falando da taxa de câmbio cotada em unidades de real por dólar; se a taxa vai subir, pagaremos ou receberemos mais reais por dólar.

EXEMPLO 32.3 Olhando para o futuro

Suponha que você espere receber um milhão de libras esterlinas em seis meses e feche uma operação a termo para trocar suas libras por dólares. Com base na Figura 32.1, quantos dólares você receberá em seis meses? A libra é vendida com um desconto ou com um prêmio em relação ao dólar?

Na Figura 32.1, a taxa de câmbio à vista e a taxa a termo para 180 dias em dólares por libra são de US$ 1,5862 = £ 1 e US$ 1,5840 = £ 1, respectivamente. Se você espera ter £ 1 milhão em 180 dias, você terá £ 1 milhão × US$ 1,5840 por libra = US$ 1,5840 milhão. Como é mais barato comprar uma libra no mercado a termo do que no mercado à vista (US$ 1,5840 *versus* US$ 1,5862), diz-se que a libra é vendida com um desconto em relação ao dólar.

32.3 Paridade do poder de compra

Agora que discutimos o significado das cotações da taxa de câmbio, podemos fazer uma pergunta óbvia: o que determina o nível da taxa de câmbio à vista? Além disso, como sabemos que as taxas de câmbio mudam com o tempo, podemos fazer uma pergunta relacionada: o que determina a variação das taxas de câmbio? Pelo menos parte da resposta nos dois casos se chama **paridade do poder de compra**, **PPC** (em inglês, PPP, de *purchasing power parity*), a ideia de que a taxa de câmbio se ajusta para manter o poder de compra constante entre as moedas. Como discutiremos a seguir, existem duas formas de PPC, a *absoluta* e a *relativa*.

Paridade do poder de compra absoluta

A ideia básica da *paridade do poder de compra absoluta* é que uma mercadoria amplamente comercializada (uma *commodity*) custa o mesmo independentemente da moeda usada para comprá-la ou de onde ela é vendida. Esse é um conceito bastante direto. Se uma cerveja custa £ 2 em Londres e a taxa de câmbio é de R$ 3,60 por libra, então a cerveja custa £ 2,00 × 3,60 = R$ 7,20 em São Paulo. Em outras palavras, a PPC absoluta diz que R$ 1,00 – quando ajustado para a paridade com a moeda do local onde você estiver – comprará o mesmo número de mercadorias, por exemplo, de *cheeseburgers*, em qualquer lugar do mundo (esse conceito é, algumas vezes, referido como "lei do preço único").

De modo mais formal, digamos que S_0 seja a taxa de câmbio à vista entre a libra esterlina e o real hoje (Tempo 0). Lembre-se de que cotamos as taxas de câmbio como o valor em reais da moeda estrangeira (real por dólar, p. ex.). Digamos que P_{BR} e P_{UK} sejam os preços atuais no Brasil e na Grã-Bretanha, respectivamente, de determinada *commodity* – por exemplo, maçãs. A PPC absoluta simplesmente afirma que:

$$P_{BR} = S_0 \times P_{UK}$$

onde:

P_{BR} = preço no Brasil
P_{UK} = preço na Grã-Bretanha
S_0 = taxa de câmbio R$ /libra esterlina.

Isso nos diz que o preço brasileiro para um item é igual ao preço britânico para o mesmo item multiplicado pela taxa de câmbio.

O raciocínio da PPC é semelhante àquele da arbitragem triangular. Se a PPC não fosse verdadeira, a arbitragem seria possível (em princípio) se, por exemplo, maçãs fossem transferidas de um país para outro. Por exemplo, suponha que as maçãs sejam vendidas em São Paulo por R$ 7,85 cada cesto e que em Londres o preço seja de £ 2,40 pelo mesmo cesto. A PPC absoluta implica:

$$P_{BR} = S_0 \times P_{UK}$$
$$R\$\ 7{,}85 = S_0 \times £\ 2{,}40$$
$$S_0 = R\$\ 7{,}85\ /\ £\ 2{,}40 = 3{,}27\ R\$\ /£$$

Ou seja, a taxa de câmbio à vista implícita é de 3,27 por libra. De modo equivalente, uma libra compra £ 1/R$ 3,27 = £ 0,3058.

Suponha que, em vez disso, a taxa de câmbio fosse de R$ 3,5208 / £ 1 e que um cesto de maçãs ainda custasse R$ 7,85 em São Paulo. Um negociante compraria um cesto de maçãs em São Paulo, mandaria para Londres e o venderia por £ 2,40. Nosso negociante converteria as £ 2,40 em reais à taxa de câmbio vigente de R$ 3,5208, obtendo um total de £ 2,40 × R$ 3,5208 = R$ 8,45. O ganho total seria de 60 centavos por cesto.

Por causa dessa possibilidade de lucros, forças se moveriam para mudar a taxa de câmbio e/ou o preço das maçãs. Em nosso exemplo, as maçãs começariam indo de São Paulo para Londres. A redução do fornecimento de maçãs em São Paulo aumentaria o preço das maçãs aqui, e o aumento do fornecimento na Grã-Bretanha reduziria o preço das maçãs lá.

Além de movimentar as maçãs de um lado para outro, os negociantes de maçãs estariam ocupados convertendo libras em reais para comprar mais maçãs. Essa atividade aumentaria a oferta de libras e, simultaneamente, aumentaria a demanda por reais. É de se esperar que o valor de uma libra caísse em relação ao real. Isso significa que o real estaria se apreciando e, assim, seriam necessários menos reais para comprar uma libra. Podemos esperar que a taxa de câmbio de R$ 3,5208 se reduza até R$ 3,27, que é a taxa de paridade.

Para que a PPC absoluta seja realmente absoluta, vários fatores precisam ser verdadeiros:

1. Os custos de transação no negócio de maçãs – remessa, seguro, perdas e assim por diante – devem ser zero.
2. Não deve haver barreiras para negociar maçãs – nenhuma tarifa, impostos ou outras barreiras políticas.
3. Por fim, uma maçã em São Paulo deve ser idêntica a uma maçã em Londres. Não adianta você mandar maçãs vermelhas para Londres se os ingleses comerem apenas maçãs verdes.

Dado que os custos de transação não são zero e que as outras condições raramente são atendidas, não é surpresa o fato de que a PPC absoluta realmente se aplique apenas a bens comercializáveis (*commodities*) e, mesmo assim, somente àqueles que são muito uniformes.

Por esse motivo, a PPC absoluta não sugere que um Mercedes custe o mesmo que um Ford ou que uma usina de energia nuclear na França custe o mesmo que uma em Nova York. No caso dos automóveis, eles não são idênticos. No caso das usinas, mesmo que fossem idênticas, elas são caras, e sua remessa seria muito difícil. Por outro lado, ficaríamos surpresos em ver uma violação significativa da PPC absoluta para o ouro.

Exemplos de violações da paridade do poder de compra absoluta não são difíceis de encontrar. Por exemplo, no final de 2011, o preço da gasolina era de aproximadamente US$ 0,93 por galão no Kuwait, US$ 3,45 nos Estados Unidos e US$ 8,68 na Grécia. Uma garrafa de dois litros de Coca-Cola custava cerca de US$ 0,78 na África do Sul, US$ 1,48 nos Estados Unidos e US$ 4,06 na Alemanha. E um pão de forma custava em torno de US$ 0,28 na Índia, US$ 1,97 nos Estados Unidos e US$ 6,23 na Espanha.

Paridade do poder de compra relativa

Em termos práticos, evoluiu-se para uma versão relativa da paridade do poder de compra. A *paridade do poder de compra relativa* não nos diz o que determina o nível absoluto da taxa de câmbio. Em vez disso, ela diz o que determina a *variação* na taxa de câmbio ao longo do tempo.

A ideia básica Suponha que, no momento, a taxa de câmbio entre a libra esterlina e o dólar norte-americano seja de S_0 = £ 0,50 por dólar. Suponha também que a taxa de inflação na Grã-Bretanha (h_{UK}) esteja prevista para 10% no próximo ano e que (por enquanto) a taxa de inflação nos Estados Unidos (h_{US}) esteja prevista para zero. Na sua opinião, qual será a taxa de câmbio entre o dólar e a libra esterlina em um ano?

Se você pensar nisso, verá que, no momento, uma libra custa 2,00 dólares (um dólar custa £ 0,50). Com inflação de 10%, os preços na Grã-Bretanha aumentam em 10%, e, assim, esperamos que um dólar que antes comprava £ 0,50 agora compre £ 0,50 × 1,10 = £ 0,55.

Se a taxa de inflação nos Estados Unidos não for zero, será preciso levar em conta as taxas de inflação *relativas* dos dois países. Por exemplo, suponha que a taxa de inflação nos Estados Unidos seja 4%. Agora, serão necessários US$ 1,00 × 1,04 = US$ 1,04 para comprar a mesma quantidade de bens na Grã-Bretanha. Em relação aos preços nos Estados Unidos, os preços na Grã-Bretanha agora aumentarão a uma taxa de 10% − 4% = 6% por ano. Assim, esperamos que os preços em dólar na Grã-Bretanha aumentem em 6% em relação aos preços em dólar e que um dólar, que antes adquiria bens no valor de £ 0,50, agora compre bens no valor de £ 0,50 × 1,06 = £ 0,53.

O resultado Em geral, a PPC relativa afirma que a variação da taxa de câmbio é determinada pela diferença entre as taxas de inflação dos dois países. Para sermos mais específicos, usaremos a seguinte notação:

S_0 = taxa de câmbio à vista atual (tempo 0) (moeda estrangeira por real)
$E(S_t)$ = taxa de câmbio esperada em *t* períodos.
h_{ML} = taxa de inflação na moeda local.
h_{MC} = taxa de inflação na moeda cotada

Com base em nossa discussão anterior, a PPC relativa diz que a variação percentual esperada na taxa de câmbio ao longo do próximo ano, $[E(S_1) - S_0]/S_0$, é:

$$[E(S_1) - S_0]/S_0 \cong h_{MC} - h_{ML} \tag{32.1}$$

Usando os dados do exemplo anterior:

$$[0,53 - 0,50]/0,50 \cong 0,10 - 0,04$$
$$\cong 0,06$$

Em outras palavras, a PPC relativa apenas afirma que a variação percentual esperada na taxa de câmbio é igual à diferença nas taxas de inflação.[5] Se reorganizarmos um pouco isso, teremos:

$$E(S_1) \cong S_0 \times [1 + (h_{MC} - h_{ML})]$$
$$E(S_1) \cong 0,50 \times [1 + (0,10 - 0,04)] \tag{32.2}$$
$$E(S_1) \cong 0,53$$

---

[5] A Equação 32.1 é, na verdade, uma aproximação; a PPC relativa prevê que:

$$\frac{E(S_1)}{S_0} = \frac{1 + h_{MC}}{1 + h_{ML}} \quad \text{e} \quad \frac{E(S_1) - S_0}{S_0} = \frac{E(S_1)}{S_0} - 1$$

será precisamente verdadeiro. Portanto, em nosso exemplo, a mudança na cotação em dólares por libra inglesa seria de:

$$1,058 = \frac{1 + 0,10}{1 + 0,04}$$

ou 5,8% em vez de 6%. Essa é uma aproximação amplamente utilizada, e a utilizamos de tempos em tempos para facilitar a exposição.

Esse resultado faz sentido, mas é preciso ter cuidado ao cotar a taxa de câmbio.

Em nosso exemplo envolvendo a Grã-Bretanha e os Estados Unidos, a PPC relativa nos diz que a taxa de câmbio aumentará em $h_{UK} - h_{US} = 10\% - 4\% = 6\%$ por ano, aproximadamente. Assumindo que a diferença nas taxas de inflação não mude, a taxa de câmbio esperada em dois anos, $E(S_2)$, será:

$$\begin{aligned} E(S_2) &= E(S_1) \times (1 + (0,10 - 0,04)) \\ &= 0,53 \times 1,06 \\ &= 0,562 \end{aligned}$$

Observe que poderíamos ter escrito isso como:

$$\begin{aligned} E(S_2) &= 0,53 \times 1,06 \\ &= 0,50 \times (1,06 \times 1,06) \\ &= 0,50 \times 1,06^2 \end{aligned}$$

Em geral, a PPC relativa diz que a taxa de câmbio esperada em algum momento no futuro, $E(S_t)$, é:

$$E(S_t) \cong S_0 \times [1 + (h_{MC} - h_{ML})]^t \tag{32.3}$$

Como veremos, essa é uma relação muito útil.

Os estudantes podem ter dúvidas no uso correto da Equação 32.3 (e das anteriores que usam o mesmo raciocínio). Usamos h_{ML} para a inflação na moeda local e h_{MC} para a moeda cotada, e, quando tratamos com outras moedas, é preciso decidir qual é uma e qual é outra. Observe que, nos cálculos do exemplo anterior, sob o ponto de vista norte-americano, h_{ML} era a inflação na moeda norte-americana e h_{MC} era a inflação na moeda inglesa. Se tivéssemos realizado o cálculo do ponto de vista britânico, h_{ML} seria a inflação na moeda inglesa e h_{MC} a inflação na moeda norte-americana.

EXEMPLO 32.4 É tudo relativo

Suponha que, no momento, a taxa de câmbio da moeda japonesa para a moeda norte-americana seja de 105 ienes por dólar. Suponha também que a estimativa para a taxa de inflação no Japão ao longo dos três próximos anos será, digamos, de 2% ao ano, enquanto a taxa de inflação nos Estados Unidos será de 6% no mesmo período. Com base na PPC relativa, qual será a taxa de câmbio do iene em relação ao dólar em três anos?

Como a taxa de inflação dos Estados Unidos é mais alta, esperamos que um dólar se deprecie em relação ao iene. A variação da taxa de câmbio será de 2% − 6% = − 4% por ano. Ao longo de três anos, a taxa de câmbio cairá (observe que agora estamos nos colocando do ponto de vista japonês, e, assim, h_{ML} é a inflação japonesa e h_{MC} é a inflação norte-americana).

$$\begin{aligned} E(S_3) &\cong S_0 \times [1 + (h_{ML} - h_{MC})]^3 \\ &\cong 105 \times [1 + (0,02 - 0,06)]^3 \\ &\cong 105 \times [1 + (-0,04)]^3 \\ &\cong 92,90 \end{aligned}$$

Como realmente não esperamos que a PPC absoluta funcione para a maior parte dos produtos, nos concentraremos a seguir na PPC relativa. A partir de agora, quando falarmos de PPC sem outra qualificação, estaremos nos referindo à PPC relativa.

Valorização e desvalorização de moeda Com frequência, ouvimos coisas como "o dólar está mais forte (ou mais fraco) nos mercados financeiros atuais" ou "o dólar deve se valorizar (ou se desvalorizar) em relação à libra". Quando dizemos que o dólar se fortaleceu ou se apreciou, queremos dizer que o valor de um dólar aumentou e, portanto, é preciso mais moeda estrangeira para comprá-lo. No caso do real, se o dólar valoriza, o real se desvaloriza frente ao dólar; a taxa de câmbio real/dólar aumenta, o que significa que será necessário ter mais reais para comprar a mesma quantia em dólares que antes.

O que acontece às taxas de câmbio quando o valor das moedas flutua dependerá de como as taxas de câmbio são cotadas. Como estamos cotando as taxas como unidades de outras moedas por dólar, a taxa de câmbio para qualquer moeda se movimenta na mesma direção da valorização ou desvalorização do dólar: ela aumenta à medida que o dólar se fortalece e cai à medida que o dólar enfraquece.

A PPC relativa nos diz que a taxa de câmbio do real frente ao dólar aumentará se a taxa de inflação dos Estados Unidos for menor do que a do Brasil. Isso acontece porque o valor do real (assim como de qualquer outra moeda estrangeira com inflação maior do que a nos Estados Unidos) é depreciado pela inflação interna e, portanto, enfraquece em relação ao dólar.

32.4 Paridade de taxa de juros, taxas a termo não viesadas e o efeito Fisher Internacional

A próxima questão que precisamos abordar é a relação entre as taxas de câmbio à vista, as taxas de câmbio a termo e as taxas de juros. Para começar, precisamos de algumas notações adicionais:

F_t = taxa de câmbio a termo para a liquidação no momento t
R_{US} = taxa de juros nominal sem risco dos Estados Unidos
R_{MC} = taxa de juros nominal sem risco do país da moeda cotada

Como antes, usaremos S_0 para nos referir à taxa de câmbio à vista. Você pode assumir a taxa nominal sem risco dos Estados Unidos, R_{US}, como a taxa das notas do Tesouro norte-americano.

Arbitragem de juros coberta

Suponha que observemos as seguintes informações sobre as moedas dos EUA e da Suíça no mercado:

S_0 = SF 2,00
F_1 = SF 1,90
R_{US} = 10%
R_{SF} = 5%

em que R_{SF} é a taxa nominal sem risco na Suíça (note que usamos R_{SF} no lugar de R_{MC}). O período é de um ano, de modo que F_1 é a taxa a termo de 360 dias.

Você vê uma oportunidade de arbitragem aqui? Existe uma. Suponha que você tenha US$ 1,00 para investir e deseje um investimento sem risco. Uma opção que você tem é investir o US$ 1,00 em um investimento sem risco nos Estados Unidos, como uma nota do Tesouro norte-americano de 360 dias. Se você fizer isso, em um período, seu US$ 1,00 valerá:

$$\text{Valor de US\$ em um período} = \text{US\$ } 1 \times (1 + R_{US})$$
$$= \text{US\$ } 1,10$$

Como alternativa, você pode fazer um investimento sem risco na Suíça. Para fazer isso, você precisa converter seu US$ 1,00 em francos suíços e, simultaneamente, realizar uma operação a termo para converter os francos em dólares novamente em um ano. As etapas necessárias seriam:

1. Converter seu US$ 1,00 em US$ $1 \times S_0$ = SF 2,00.

2. Ao mesmo tempo, fazer um contrato a termo para converter francos suíços em dólares novamente em um ano. Como a taxa a termo é SF 1,90, você terá US$ 1,00 para cada SF 1,90 que tiver em um ano.

3. Investir seu SF 2,00 na Suíça a R_S. Em um ano, você terá:

$$\text{Valor de SF em um ano} = \text{SF } 2,00 \times (1 + R_{SF})$$
$$= \text{SF } 2,00 \times 1,05$$
$$= \text{SF } 2,10$$

4. Converter seus SF 2,10 em dólares à taxa combinada de SF 1,90 = US$ 1,00. Você terá:

$$\text{Valor de US\$ em um ano} = \text{SF } 2,10/1,90$$
$$= \text{US\$ } 1,1053$$

Observe que o valor em um ano resultante dessa estratégia pode ser escrito como:

$$\text{Valor de US\$ em um ano} = \text{US\$ } 1,00 \times S_0 \times (1 + R_{SF})/F_1$$
$$= \text{US\$ } 1,00 \times 2,00 \times 1,05/1,90$$
$$= \text{US\$ } 1,1053$$

O retorno sobre esse investimento aparentemente é de 10,53%. Isso é maior do que os 10% que obtemos investindo nos Estados Unidos. Como os dois investimentos não têm risco, essa é uma oportunidade de arbitragem.

Para explorar a diferença nas taxas de juros, você precisa tomar um empréstimo, digamos, de US$ 5 milhões e investir esse montante na Suíça. Qual é o lucro total disso? Para descobrir, podemos realizar as etapas descritas anteriormente:

1. Converter os US$ 5 milhões a SF 2,00 = US$ 1 para obter SF 10 milhões.
2. Contratar a troca dos francos suíços por dólares para entrega a termo em um ano, a SF 1,90 para o dólar.
3. Investir os SF 10 milhões por um ano a R_S = 5%. Ao final, você terá SF 10,5 milhões.
4. Em um ano, converte os SF 10,5 milhões em dólares novamente para cumprir com o contrato a termo. Você recebe SF 10,5 milhões/1,90 = US$ 5.526.316.
5. Pagar o empréstimo e os juros. Você deve US$ 5 milhões mais 10% de juros, totalizando US$ 5,5 milhões. Você tem US$ 5.526.316, de modo que seu lucro total é de US$ 26.316, sem risco.

A atividade que ilustramos aqui recebe o nome de *arbitragem de juros coberta*. O termo *coberta* se refere ao fato de que temos um seguro contra uma variação na taxa de câmbio, pois fixamos hoje a taxa de câmbio a termo.

Paridade da taxa de juros

Se assumirmos que oportunidades significativas de arbitragens de juros cobertas não existem, deverá haver alguma relação entre as taxas de câmbio à vista, as taxas de câmbio a termo e as taxas de juros relativas. Para saber o que é essa relação, observe que, de acordo com a Estratégia 1 da discussão anterior, um investimento sem risco nos nos dá $1 + R_{US}$ para cada dólar que investimos. A Estratégia 2, um investimento sem risco na Suíça, dá $S_0 \times (1 + R_{SF})/F_1$ para cada dólar que investimos. Como eles têm de ser iguais para evitar a arbitragem, devem ser:

$$1 + R_{US} = S_0 \times (1 + R_{SF})/F_1$$

Reorganizando um pouco, temos a famosa condição da **paridade da taxa de juros**, PTJ (IRP – em inglês, de *interest rate parity*), agora expressa para taxas de câmbio em geral, por isso, substituímos o subscrito US por ML e o subscrito SF por MC, onde ML representa a moeda local e MC, a moeda cotada:

$$F_1/S_0 = (1 + R_{MC})/(1 + R_{ML}) \qquad (32.4)$$

Existe uma aproximação muito útil para a PTJ que ilustra claramente o que acontece e que não é difícil de lembrar.[6] Se definirmos o prêmio ou o desconto percentual na taxa a termo como $(F_1 - S_0)/S_0$, a PTJ dirá que esse prêmio ou desconto percentual é aproximadamente igual à diferença nas taxas de juros:

$$(F_1 - S_0)/S_0 \cong R_{MC} - R_{ML} \qquad (32.5)$$

---

[6] Aqui observamos que $F_1/S_0 - 1 = (F_1 - S_0)/S_0$ e que $(1 + R_{MC})/(1 + R_{ML})$ é aproximadamente igual a $R_{MC} - R_{ML}$.

De modo geral, a PTJ diz que qualquer diferença nas taxas de juros entre dois países por algum período é compensada pela variação no valor relativo das moedas, eliminando assim todas as possibilidades de arbitragem. Observe que também podemos escrever:

$$F_1 \cong S_0 \times [1 + (R_{MC} - R_{ML})] \tag{32.6}$$

Em geral, se tivermos t períodos em vez de apenas um, a aproximação da PTJ será escrita como:

$$F_t \cong S_0 \times [1 + (R_{MC} - R_{ML})]^t \tag{32.7}$$

EXEMPLO 32.5 Verificação da paridade

Suponha que, no momento, a taxa de câmbio do iene japonês, S_0, em relação ao dólar dos EUA seja de ¥ 120 = US$ 1. Se a taxa de juros nos Estados Unidos for R_{US} = 10% e a taxa de juros no Japão for R_{JP} = 5%, qual deverá ser a taxa a termo para evitar a arbitragem de juros coberta?
Da PTJ, temos que:

$$\begin{aligned} F_1 &\cong S_0 \times [1 + (R_{JP} - R_{US})] \\ &\cong ¥\,120 \times [1 + (0{,}05 - 0{,}10)] \\ &\cong ¥\,120 \times 0{,}95 \\ &\cong ¥\,114 \end{aligned}$$

O iene será vendido com um prêmio em relação ao dólar (por quê?).

Taxas a termo e taxas à vista no futuro

Além da PPC e da PTJ, existe outra relação básica que precisamos discutir. Qual é a ligação entre a taxa a termo e a taxa à vista esperada para uma data futura? A condição das **taxas a termo não viesadas**, TTNv (UFR, em inglês, de *unbiased forward rates*), afirma que a taxa a termo, F_1, é igual à taxa à vista *esperada* para uma data futura, $E(S_1)$:

$$F_1 = E(S_1)$$

Com t períodos, a TTNv seria escrita como:

$$F_t = E(S_t)$$

De modo geral, a condição TTNv diz que, em média, a taxa de câmbio a termo é igual à taxa de câmbio à vista em uma data futura.

Se ignorarmos o risco, a condição TTNv será verdadeira. Suponha que a taxa a termo do iene japonês seja mais baixa do que a taxa à vista para uma data futura em, por exemplo, 10 ienes. Isso significa que todos que desejam converter dólares em ienes no futuro obteriam mais ienes não operando com câmbio a termo. A taxa a termo teria de aumentar para ter alguém interessado em realizar uma operação de câmbio a termo.

Da mesma maneira, na outra ponta da operação, se a taxa a termo fosse sistematicamente mais alta do que a taxa à vista para a data futura, alguém que quisesse converter ienes em dólares teria mais dólares por iene não operando a termo. A taxa de câmbio a termo teria de cair para atrair esses operadores.

Por esses motivos, as reais taxas à vista em datas futuras e as taxas a termo para essas datas devem ser, na média, iguais entre si. Naturalmente, a real taxa à vista em uma data futura qualquer é incerta. A condição TTNv pode não servir se os operadores estiverem dispostos a pagar um prêmio para evitar essa incerteza. Se a condição for verdadeira, a taxa a termo de 180 dias que vemos hoje deve ser um indicador não viesado da taxa de câmbio real em 180 dias.

Montando o quebra-cabeça

Desenvolvemos três relações: PPC, PTJ e TTNv, as quais descrevem a interação entre as principais variáveis financeiras, como taxas de juros, taxas de câmbio e taxas de inflação. Agora, exploraremos as implicações dessas relações como um todo.

Paridade de juros descoberta Para começar, é bom reunir todas as nossas relações do mercado financeiro internacional em um conjunto:

PPC: $E(S_1) \cong S_0 \times [1 + (h_{MC} - h_{ML})]$
PTJ: $F_1 \cong S_0 \times [1 + (R_{MC} - R_{ML})]$
TTNv: $F_1 = E(S_1)$

Começamos combinando a TTNv e a PTJ. Como sabemos que $F_1 = E(S_1)$ da condição TTNv, podemos substituir $E(S_1)$ por F_1 na PTJ.[7] O resultado é:

$$\text{PJD}: E(S_1) \cong S_0 \times [1 + (R_{MC} - R_{ML})] \qquad (32.8)$$

Essa importante relação é chamada de **paridade de juros descoberta**, **PJD** (em inglês, UIP, de *uncovered interest parity*), e ela terá um papel importante em nossa discussão sobre o orçamento internacional de capital a seguir. Com t períodos, a PJD torna-se:

$$E(S_t) \cong S_0 \times [1 + (R_{MC} - R_{ML})]^t \qquad (32.9)$$

O efeito Fisher internacional A seguir, comparamos a PPC e a PJD. Ambas têm $E(S_1)$ no lado esquerdo, de modo que seus lados direitos devem ser iguais. Assim, temos:

$$S_0 \times [1 + (h_{MC} - h_{ML})] = S_0 \times [1 + (R_{MC} - R_{ML})]$$
$$h_{MC} - h_{ML} = R_{MC} - R_{ML}$$

Isso nos diz que a diferença nos retornos entre dois países é simplesmente igual à diferença nas suas taxas de inflação. Reorganizando isso um pouco, temos o **efeito Fisher internacional** (**EFI**):

$$\text{EFI}: R_{ML} - h_{ML} = R_{MC} - h_{MC} \qquad (32.10)$$

O EFI afirma que as taxas *reais* são iguais para todos os países.[8]

A conclusão de que os retornos reais são iguais nos diferentes países é teoria econômica básica. Se os retornos reais fossem mais altos no Brasil do que nos Estados Unidos, por exemplo, o dinheiro sairia dos mercados financeiros norte-americanos para os mercados brasileiros. Os preços dos ativos no Brasil aumentariam, e seus retornos diminuiriam. Ao mesmo tempo, os preços dos ativos nos Estados Unidos cairiam, e seus retornos aumentariam. Esse processo funciona equilibrando os retornos reais.

Dito isso, precisamos observar alguns outros pontos. Antes de mais nada, é preciso lembrar que não abordamos explicitamente o risco em nossa discussão. Podemos chegar a uma conclusão sobre os retornos reais diferente daquela que chegamos antes, especialmente se as pessoas dos diferentes países tiverem critérios e atitudes diferentes em relação ao risco. Em segundo lugar, existem muitas barreiras para a movimentação de dinheiro e de capitais pelo mundo. Os retornos reais podem ser diferentes em dois países por longos períodos se o dinheiro não se movimentar livremente entre eles.

Apesar desses problemas, esperamos que os mercados de capitais se tornem cada vez mais internacionalizados. À medida que isso ocorrer, é provável que todas as diferenças existentes nas taxas reais diminuam. As leis da economia têm pouco a ver com as fronteiras nacionais.

---

[7] Aqui, novamente, estamos lidando com uma aproximação para facilitar a exposição. As equações exatas para isso são as seguintes:

$$\text{PPC}: E(S_1) = S_0 \times \left[\frac{(1 + h_{MC})}{(1 + h_{ML})}\right]$$

$$\text{PTJ}: F_1 = S_0 \times \left[\frac{(1 + R_{MC})}{(1 + R_{ML})}\right]$$

[8] Aqui, nosso resultado aparece em relação à taxa real aproximada, $R - h$ (consulte o Capítulo 6), pois usamos aproximações para PPC e PTJ. Para ter o resultado exato, veja o Problema 18 no final do capítulo.

32.5 Orçamento internacional de capital

Este exemplo aborda a possível decisão de uma empresa brasileira que é proprietária de uma empresa com sede nos EUA (há muitas empresas brasileiras nessa situação). Alguns dos investimentos da empresa brasileira podem ser realizados por suas subsidiárias no exterior.

Suponhamos o exemplo de uma empresa de nome Kihlstrom Equipment, uma empresa com sede nos EUA de propriedade de uma empresa brasileira com atuação internacional, que está avaliando um investimento na Europa. As exportações de brocas da Kihlstrom aumentaram tanto, que a controladora brasileira está pensando em construir um centro de distribuição na França. O projeto custará € 2 milhões para ser lançado. Os fluxos de caixa devem ser de € 0,9 milhão por ano nos próximos três anos.

Suponha que a taxa de câmbio à vista atual para o euro em relação ao dólar seja de € 0,5. Lembre-se de que é a quantidade de euros que pode ser adquirida com um dólar, de modo que um euro vale US$ 1/0,5 = US$ 2. Suponha também que a taxa sem risco nos EUA seja de 5% e que a taxa sem risco na zona do euro seja de 7%. Essas são a taxa de câmbio e as duas taxas de juros observadas nos mercados financeiros, não são taxas estimadas.[9] Considere que o custo médio ponderado de capital (CMPC) em dólares da Kihlstrom para investimentos desse tipo seja de 10%.[10]

A Kihlstrom deve realizar esse investimento? Como sempre, a resposta depende do VPL. Como calculamos o valor presente líquido desse projeto em dólares norte-americanos? Existem duas maneiras básicas de fazer isso:

1. *Abordagem da moeda doméstica do país da empresa investidora*:[11] converta todos os fluxos de caixa em euros para dólares e, em seguida, desconte os fluxos à taxa de 10% para encontrar o VPL em dólares. Para essa abordagem, precisamos ter taxas de câmbio futuras para converter em dólares os fluxos de caixa projetados em euro.

2. *Abordagem da moeda estrangeira*: determine o retorno exigido sobre o investimento em euros e, em seguida, desconte os fluxos de caixa em euros para encontrar o VPL em euros. Então, converta esse VPL em euros para o VPL em dólares. Essa abordagem exige que convertamos, de algum modo, o retorno de 10% exigido em dólares no retorno equivalente a ser exigido em euros.

A diferença entre essas duas abordagens é, basicamente, uma questão de quando convertemos euros em dólares. No primeiro caso, convertemos antes de estimar o VPL. No segundo caso, convertemos após estimar o VPL.

Pode parecer que a segunda abordagem seja superior porque, com ela, só precisamos encontrar um número, a taxa de desconto em euros. Além disso, como a primeira abordagem exige a estimativa das taxas de câmbio para datas futuras, parece haver mais chances de erro na primeira abordagem. No entanto, como ilustraremos a seguir com base em nossos resultados anteriores, as duas abordagens são realmente iguais.

---

[9] Por exemplo, as taxas de juros podem ser as taxas de depósitos de curto prazo do eurodólar e do euro oferecidas por grandes bancos de centros financeiros.

[10] O custo médio ponderado de capital da Kihlstrom é determinado pelo método usual. Suponha que os valores de mercado das dívidas, do capital próprio e dos custos de capital associado sejam:

Dívida	US$500	5%
Capital próprio	US$500	16%
	US$1.000	

com a alíquota tributária da pessoa jurídica igual a 20%. Segue-se o seguinte:

$$\text{CMPC} = \frac{S}{B+S}R_S + \frac{B}{B+S}R_B(1-T_C)$$
$$= \left(\frac{1}{2}\right)16\% + \left(\frac{1}{2}\right)(5\%)(1-0,20)$$
$$= 10\%$$

[11] Note que, neste exemplo, embora a controladora seja brasileira, o investimento está sendo realizado pela sua subsidiária norte-americana.

Método nº 1: abordagem da moeda doméstica do investidor

Para converter os fluxos de caixa futuros do projeto em dólares, utilizaremos a relação da paridade de juros descoberta, ou PJD, para chegar às taxas de câmbio projetadas. Com base em nossa discussão anterior, a taxa de câmbio esperada no momento t, $E(S_t)$, no caso do exemplo, é:

$$E(S_t) = S_0 \times [1 + (R_{\text{€}} - R_{US})]^t$$

em que $R_{\text{€}}$ representa a taxa nominal sem risco na França. Como $R_{\text{€}}$ é 7%, R_{US} é 5%, e a taxa de câmbio atual (S_0) é € 0,5:

$$E(S_t) = 0,5 \times [1 + (0,07 - 0,05)]^t$$
$$= 0,5 \times 1,02^t$$

Portanto, as taxas de câmbio projetadas para o projeto do centro de distribuição de brocas são:

Ano	Taxa de câmbio esperada
1	€ 0,5 × 1,02^1 = € 0,5100
2	€ 0,5 × 1,02^2 = € 0,5202
3	€ 0,5 × 1,02^3 = € 0,5306

Usando essas taxas de câmbio, juntamente com a taxa de câmbio atual, podemos converter em dólares todos os fluxos de caixa em euro (observe que todos os fluxos de caixa deste exemplo estão em milhões):

Ano	(1) Fluxo de caixa em mil €	(2) Taxa de câmbio esperada	(3) Fluxo de caixa em mil US$ (1)/(2)
0	–€ 2,0	€ 0,5000	–US$ 4,00
1	0,9	0,5100	1,76
2	0,9	0,5202	1,73
3	0,9	0,5306	1,70

Para encerrar, calculamos o VPL na forma usual:

$$VPL_{US} = -US\$ 4 + US\$ 1,76/1,10 + US\$ 1,73/1,10^2 + US\$ 1,70/1,10^3$$
$$= US\$ 0,3 \text{ milhão}$$

Portanto, o projeto parece ser lucrativo.

Método nº 2: abordagem da moeda estrangeira

A Kihlstrom exige um retorno nominal de 10% sobre os fluxos de caixa expressos em dólares. Precisamos converter isso em uma taxa adequada aos fluxos de caixa expressos em euros. Com base no efeito Fisher internacional, sabemos que a diferença nas taxas nominais para este caso é:

$$R_{\text{€}} - R_{US} = h_{\text{€}} - h_{US}$$
$$= 7\% - 5\% = 2\%$$

A taxa de desconto apropriada para estimar os fluxos de caixa em euros do projeto da broca é aproximadamente igual a 10% mais 2% extras para compensar a taxa de inflação maior do euro.

Se calcularmos o VPL dos fluxos de caixa em euro a essa taxa, obtemos:

$$VPL = -\text{€} 2 + \text{€} 0,9/1,12 + \text{€} 0,9/1,12^2 + 0,9/1,12^3$$
$$= \text{€} 0,16 \text{ milhão}$$

O VPL desse projeto é de € 0,16 milhão. Esse projeto nos torna € 0,16 milhão mais ricos em euros hoje. Quanto é isso em dólares? Como a taxa de câmbio hoje é de € 0,5, o VPL do dólar para esse projeto é:

$$VPL_{US} = VPL_{\text{€}}/S_0 = \text{€} 0,16/0,5 = US\$ 0,3 \text{ milhão}$$

Esse é o mesmo VPL em dólar que calculamos anteriormente.

Um fator importante a ser percebido em nosso exemplo é que os dois procedimentos de orçamento de capital são, de fato, o mesmo e sempre terão a mesma resposta.[12] Na segunda abordagem, o fato de que estamos fazendo previsões de forma implícita para as taxas de câmbio está oculto. Mesmo assim, a abordagem da moeda estrangeira é um pouco mais fácil em termos de cálculos.

Fluxos de caixa bloqueados

O exemplo anterior presumia que todos os fluxos de caixa após impostos, obtidos do investimento no exterior, poderiam ser transferidos à empresa controladora. Na verdade, podem existir diferenças substanciais entre os fluxos de caixa gerados por um projeto no exterior e o montante que pode ser transferido ou "repatriado" para a empresa controladora.

Uma subsidiária no exterior pode enviar fundos para uma controladora de muitas maneiras, incluindo:

1. Dividendos.
2. Taxas de administração para serviços centralizados (serviços da controladora compartilhados com a controlada).
3. *Royalties* sobre o uso de nomes comerciais e patentes.

Não importa como os fluxos de caixa são repatriados, as empresas com atuação internacional devem prestar atenção às remessas dos resultados de suas operações no exterior, porque elas podem sofrer controles atuais e futuros. Muitos governos são sensíveis à acusação de serem explorados por empresas estrangeiras instaladas em seus territórios. Nesses casos, os governos sentem-se tentados a limitar a capacidade de remessa de fluxos de caixa das empresas estrangeiras. Os funds que não podem ser enviados são referidos como *fundos bloqueados* ou *fundos congelados* (em inglês, *unremitted cash flows* ou *blocked funds*).[13]

O custo do capital para empresas com atuação internacional

No capítulo anterior, foi expresso algum ceticismo com relação aos benefícios da diversificação das empresas. Aqui, é possível sermos mais enfáticos com relação à diversificação em empresas com atuação internacional do que com relação às empresas com atuação exclusivamente nacional. Suponha que barreiras impedissem os cidadãos de um país de manter títulos estrangeiros; os mercados financeiros de diferentes países estariam então segmentados. Suponha, ainda, que as empresas desse país não estivessem sujeitas às mesmas barreiras. Nessa situação, uma empresa envolvida em investimentos internacionais poderia proporcionar diversificação indireta para os acionistas de seu país, o que, de outro modo, esses acionistas não poderiam atingir se investissem apenas dentro de seu país. Isso poderia levar ao rebaixamento do prêmio pelo risco em projetos no exterior. Em geral, se os custos de investir fora do país fossem mais baixos para uma empresa do que para seus acionistas, haveria uma vantagem para a diversificação internacional e essa vantagem se refletiria em uma menor taxa de desconto ajustada ao risco desses projetos.

Alternativamente, se não houvesse barreiras aos investimentos internacionais para os acionistas, eles poderiam obter o benefício da diversificação internacional sozinhos, comprando títulos estrangeiros. Nesse caso, o custo de capital de um projeto para uma empresa em um país

---

[12] Na verdade, existe uma ligeira diferença, porque estamos usando relações aproximadas. Se calcularmos o retorno exigido como $1,10 \times (1 + 0,02) - 1 = 0,122$ (12,2%), teremos exatamente o mesmo VPL. Veja o Problema 18 para obter mais detalhes.

[13] O bloqueio de fundos também pode ocorrer no país no qual são mantidas reservas, como, por exemplo, o bloqueio de fundos do Irã pelos Estados Unidos e por países europeus. Em 03/02/2014, o portal G-1 noticiou que, em função de acordo em 2013, o Irã recebera a primeira parcela de US$ 550 milhões em fundos no exterior anteriormente bloqueados. Seis grandes potências concordaram em dar ao Irã acesso a U$ 4,2 bilhões em receitas de petróleo congeladas no exterior se o país cumprisse o que foi acordado: frear seu programa nuclear, reduzindo a concentração de seu urânio enriquecido para evitar a construção de armas nucleares. Ver: *Irã deve receber 1ª parcela de fundos bloqueados após alívio de sanções*. G1, 3 fev. 2014. Rio de Janeiro, 2014. Disponível em: <http://g1.globo.com/mundo/noticia/2014/02/ira-deve-receber-1-parcela-de-fundos-bloqueados-apos-alivio-de-sancoes.html>.

não dependeria da sua localização: se nesse país ou em outro país. Na prática, manter títulos estrangeiros envolve despesas substanciais. Essas despesas incluem impostos, custos para obtenção de informações e custos de transação. Isso implica que, embora os investidores de um país possam ter liberdade para manter títulos estrangeiros, eles não serão completamente diversificados por meio de investimentos no exterior.

As empresas podem concluir que investimentos internacionais envolvem inerentemente mais riscos políticos do que os investimentos nacionais. O risco extra poderia neutralizar os ganhos da diversificação internacional. Elas poderiam, então, aumentar a taxa de desconto para considerar o risco de expropriação e o risco de controle de remessas de lucros pelas autoridades monetárias do país onde é realizado o investimento.

Essas considerações são, sem dúvida, válidas para grandes empresas norte-americanas, com acesso fácil a fontes de financiamento, tecnologias, processos, pessoas, conhecimento e a força do mercado norte-americano. Já uma empresa brasileira que se internacionaliza pode ter acesso a recursos externos mais competitivos por meio de seus empreendimentos no exterior. Ela pode ter a possibilidade de tirar proveito de ciclos econômicos positivos em outros países quando a economia brasileira passa por dificuldades ou pode vender a países aos quais não poderia a partir do Brasil, com exportações a partir de outros países com acordos bilaterais.

Além dos aspectos financeiros e comerciais mencionados, outros aspectos podem ser trazidos em favor da diversificação internacional pelo fato de a expansão de empresas brasileiras no exterior ocorrer, na maioria das vezes, por meio de aquisições. Isso pode propiciar o acesso a processos, tecnologias e práticas de gestão e operação passíveis de aproveitamento e de disseminação para todo o grupo empresarial. Outra vantagem da diversificação geográfica internacional é a comparação de custos em escala global, o que permite à administração da controladora brasileira ter uma visão mais informada do posicionamento da empresa diante da concorrência global. Ela também pode, eventualmente, integrar-se de forma mais fácil a cadeias produtivas globais. Esses benefícios estratégicos da diversificação internacional de empresas brasileiras parecem compensar o custo de capital do investimento no exterior e trazer valor para os seus acionistas.[14]

32.6 Risco da taxa de câmbio

O **risco da taxa de câmbio** é a consequência natural das operações internacionais em um mundo no qual os valores relativos das moedas sobem e descem. A administração do risco da taxa de câmbio é uma parte importante das finanças internacionais. Como discutiremos a seguir, existem três tipos diferentes de risco da taxa de câmbio ou de exposição: exposição a curto prazo, exposição a longo prazo e exposição à conversão de demonstrações contábeis.

Exposição a curto prazo

As flutuações diárias nas taxas de câmbio criam riscos de curto prazo para as empresas com atuação internacional. A maioria dessas empresas tem contratos para compra e venda de mercadorias no futuro próximo a preços definidos. Quando diferentes moedas estão envolvidas, essas transações têm um elemento extra de risco.

Por exemplo, imagine que você importe macarrão da Itália para revender no Brasil sob a marca Impasta. Seu maior cliente pediu 10.000 caixas de Impasta. Você fez o pedido para seu fornecedor hoje, mas não pagará até que os produtos cheguem em 60 dias. Seu preço de venda é de R$ 36,00 por caixa. Seu custo total é de 8,4 euros por caixa, e a taxa de câmbio é de R$ 2,6291/€ 1,00 no momento. Assim, são necessários R$ 2,6291 para comprar 1 euro.

À taxa de câmbio atual, o custo em reais para atendimento do pedido é € 8,4 × R$ 2,6291/€ = R$ 22,084 por caixa, e o lucro antes de impostos do pedido é de 10.000 × (R$ 36,00 −

---

[14] Khana e Palepu trazem uma visão alternativa sobre a diversificação em mercados emergentes. Ver: Khana, T.; Palepu, K. Why focused strategies may be wrong for emerging markets. *Harvard Business Review*, p. 41-51, jul/aug. 1997.

22,084) = R$ 139.160. Entretanto, a taxa de câmbio em 60 dias provavelmente será diferente, e o lucro dependerá de qual será a taxa de câmbio no momento futuro.

Por exemplo, se a taxa subir para R$ 2,7553/€ 1,00, seu custo será de € 8,4 × R$ 2,7553 = R$ 23,144 por caixa e seu lucro bruto será de R$ 128.554, uma queda de 7,62% em relação ao lucro calculado à taxa de câmbio do dia da compra. O lucro será de R$ 153.175 se a taxa de câmbio cair para R$ 2,4622/€ 1, um aumento de 10,07% em relação ao lucro calculado à taxa de câmbio do dia da compra.

Será que essas taxas para câmbio de reais para euros estão exageradas? Pois são taxas efetivamente verificadas no mercado brasileiro, no período de 6 meses, entre julho de 2012 e janeiro de 2013. Você pode pesquisar essas taxas no *site* do Banco Central do Brasil em http://www4.bcb.gov.br/pec/taxas/port/ptaxnpesq.asp?id_txcotacao.

Porém, talvez na qualidade de importadores, nossa preocupação seja menor se nos dermos conta de que o lucro somente seria zero (estaríamos no ponto de equilíbrio) se a taxa atingisse a cotação de R$ 4,2857/€ 1. Nesse caso, o custo seria de € 8,4 × R$ 4,2857 = R$ 36,00 o mesmo preço da venda. Dada a variação de taxas verificada naquele período, é remota (embora não impossível) a possibilidade de a taxa variar 63% em um período de 60 dias.

Entretanto, um pouco de história recente ajuda a entender melhor o risco associado às taxas de câmbio. No auge da crise de 2008, no segundo semestre daquele ano, a taxa de câmbio do real frente ao euro variou 42%. Em 27 de agosto, a taxa era de R$ 2,38635/€ 1 e atingiu R$ 3,38481/€ 1 no dia 29 de dezembro daquele ano, uma alta de 42% entre as duas datas. Quatro anos depois, em 28 de dezembro de 2012, a taxa do real frente ao euro era de R$ 2,7033/€ 1, uma queda de 20,13% em relação à cotação de 29 de dezembro de 2008, mas uma elevação de 13,28% em relação à taxa verificada no dia 27 de agosto de 2008.

A exposição de curto prazo de nosso exemplo pode ser reduzida ou eliminada de várias maneiras. A forma mais óbvia é fazer um contrato de câmbio a termo (chamado de termo de moedas) para fixar uma taxa de câmbio. Por exemplo, suponha que a taxa a termo de 60 dias seja de R$ 2,682/€ 1. Qual será seu lucro se você fizer um *hedge*? Que lucro você deverá esperar se não fizer um *hedge*?

Se fizer o *hedge*, você comprará € 84.000,00 para entrega em 60 dias e fixará a taxa de câmbio a R$ 2,682/€ 1. Consequentemente, seu custo em reais será fixado em € 8,4 × R$ 2,682/€ 1 = R$ 22,528 por caixa, de modo que seu lucro será de 10.000 × (R$ 36,00 − R$ 22,528) = R$ 134.712,00. Se não fizer o *hedge*, tudo o que você pode fazer será esperar que a taxa de câmbio realmente seja de R$ 2,682/€ 1 em 60 dias, assumindo que a taxa a termo seja um indicador imparcial (em outras palavras, assumindo que a condição TTNv seja verdadeira). Nessa situação, você deveria esperar ganhar R$ 134.712,00.

Alternativamente, se essa estratégia não for possível, você poderia simplesmente pegar emprestado os reais hoje, convertê-los em euro e investir os euros durante 60 dias para ganhar juros. Com base no PTJ, isso equivale a entrar em um contrato a termo.

Exposição a longo prazo

No longo prazo, o valor de uma operação com moeda estrangeira pode flutuar por causa de alterações imprevistas nas condições econômicas relativas. Por exemplo, imagine que tenhamos uma montadora de produtos que exige muita mão de obra e esteja localizada em outro país para aproveitar os salários mais baixos. Ao longo do tempo, as variações inesperadas nas condições econômicas podem aumentar os níveis de salários no exterior até o ponto em que a vantagem de custo seja eliminada ou até mesmo torne-se negativa.

O impacto das variações nos níveis da taxa de câmbio pode ser substancial. Por exemplo, durante 2011, a PepsiCo estimou que teria uma perda de aproximadamente US$ 67 milhões devido a mudanças na taxa de câmbio. O efeito drástico das movimentações da taxa de câmbio sobre a lucratividade é mostrado pelas análises feitas pela Iluka Resources, Ltd., uma mineradora australiana que afirma que um movimento de um centavo na taxa de câmbio do dólar australiano para o dólar norte-americano alteraria seu lucro líquido em US$ 5 milhões.

O *hedging* (a proteção) da exposição de longo prazo é mais difícil do que o *hedging* dos riscos de curto prazo. O motivo é que não existem mercados a termo organizados para essas necessidades de longo prazo. Em vez disso, a principal opção que as empresas têm é tentar coordenar os fluxos de entrada e de saída de caixa em moeda estrangeira. O mesmo acontece com o casamento de ativos e passivos expressos em moeda estrangeira. Por exemplo, uma empresa que vende para um país estrangeiro poderia tentar concentrar suas compras de matéria-prima e despesas trabalhistas nesse país. Desse modo, os valores de suas receitas e custos em moeda estrangeira oscilarão juntos. Provavelmente, os melhores exemplos desse tipo de *hedging* sejam os chamados fabricantes de automóveis transplantados, como BMW, Honda, Mercedes e Toyota, que agora fabricam nos Estados Unidos uma parte substancial dos automóveis que vendem lá, obtendo, assim, certo grau de imunização contra as movimentações das taxas de câmbio.

Por exemplo, a BMW produzia 160.000 automóveis no Estado da Carolina do Sul, nos Estados Unidos, e exportava cerca de 100.000 deles. Quando a BMW exporta os automóveis para a Europa, ela recebe em euros. Quando o dólar se desvaloriza, esses veículos se tornam mais lucrativos para a BMW. Ao mesmo tempo, a BMW exportava cerca de 217.000 automóveis para os Estados Unidos todos os anos. Os custos de fabricação desses automóveis importados são predominantemente em euros, de modo que eles se tornam menos lucrativos quando o dólar se desvaloriza. Juntos, esses lucros e prejuízos tendiam a compensar uns os outros e forneciam à BMW um *hedge* natural.

Do mesmo modo, uma empresa pode reduzir seu risco da taxa de câmbio de longo prazo tomando emprestado no país estrangeiro. As flutuações no valor dos ativos da subsidiária estrangeira serão compensadas, pelo menos parcialmente, pelas alterações no valor dos passivos. Outra forma é captar recursos na moeda das exportações. Grandes empresas brasileiras com significativo volume de negócios no exterior fazem isso: como têm receitas em moeda estrangeira (geralmente em dólar), com frequência captam recursos no exterior, geralmente mediante a emissão de títulos de dívida, na mesma moeda, obtendo prazos e volumes maiores a taxas de juros menores. As receitas na mesma moeda das dívidas mitigam o risco cambial da dívida, e a redução no valor em reais da dívida mitiga reduções de receitas quando o real se valoriza.

Empresas brasileiras que tomam empréstimos ou realizam captações no exterior podem optar pela utilização da contabilidade de *hedge* (o *hedge* de investimento e o *hedge* de fluxo de caixa), conforme a finalidade da utilização dos recursos. A contabilidade de *hedge* permite o registro da variação cambial oriunda da atualização da dívida diretamente no Patrimônio Líquido e na Demonstração dos Resultados Abrangentes, não afetando o resultado do período. Para a contabilidade de *hedge* cumprir sua função de eliminar a volatilidade da variação cambial no resultado, há necessidade de ser demonstrado, por meio de documentação, que o *hedge* é altamente eficaz na compensação das variações. A parte do ganho ou perda resultante determinada como *hedge* efetivo é reconhecida diretamente no Patrimônio Líquido e em Resultados Abrangentes, e não afeta o lucro consolidado. Já a parte inefetiva, aquela relativa ao excedente de ativos ou passivos sem cobertura, é reconhecida no resultado do período e afeta o lucro consolidado. As variações cambiais nos financiamentos não associadas a *hedges* de investimento também são reconhecidas no resultado do período. Ao final, o ganho ou a perda resultante do instrumento de *hedge* reconhecido no Patrimônio Líquido será reconhecido no resultado: a) quando da alienação da operação no exterior, nos casos de *hedge* de investimento, ou b) no momento da liquidação da operação quando se tratar de *hedge* fluxo de caixa.[15]

Exposição à conversão de demonstrações contábeis

Quando uma empresa brasileira calcula seu lucro líquido contábil e o LPA de algum período, ela deve "traduzir" tudo em reais. Isso ocorre em todos os países para as empresas de um país

---

[15] Ver o Pronunciamento Técnico CPC 02 (Comitê de Pronunciamentos Contábeis, 2002), Efeitos das Mudanças nas Taxas de Câmbio e Conversão de Demonstrações Contábeis, e o Pronunciamento Técnico CPC 38 (Comitê de Pronunciamentos Contábeis, 2009), Instrumentos Financeiros: Reconhecimento e Mensuração, em Documentos Emitidos, http://www.cpc.org.br/CPC#.

que tenham investimentos no exterior e pode criar alguns problemas para os contadores quando essas operações forem significativas. Em particular, surgem duas questões:

1. Qual é a taxa de câmbio adequada a ser usada para converter cada registro do balanço patrimonial?
2. Como a contabilidade dos lucros e dos prejuízos da conversão da moeda estrangeira deve ser tratada no balanço patrimonial?

Para ilustrar o problema contábil, suponha que tenhamos fundado uma pequena subsidiária estrangeira em Liliput há um ano. A moeda local é o gulliver, cuja abreviação é GL. No início do ano, a taxa de câmbio era de GL 2 = R$ 1, e o balanço patrimonial em gullivers era este:

Ativos	GL 1.000	Passivos	GL 500
		Patrimônio líquido	500

A dois gullivers por real, o balanço inicial em reais era este:

Ativos	R$ 500	Passivos	R$ 250
		Patrimônio líquido	250

Liliput é um lugar calmo, e nada aconteceu durante o ano. Como resultado, o lucro líquido foi zero (antes de considerar as variações nas taxas de câmbio). No entanto, a taxa de câmbio mudou para 4 gullivers = R$ 1 simplesmente porque a taxa de inflação liliputiana é muito mais alta do que a taxa de inflação no Brasil.

Como nada aconteceu, o balanço patrimonial contábil final em gullivers é igual ao inicial. Entretanto, se o convertermos em reais à nova taxa de câmbio, obtemos:

Ativos	R$ 250	Passivos	R$ 125
		Patrimônio líquido	125

Observe que o valor do patrimônio líquido diminuiu R$ 125, embora não tenha ocorrido nenhuma perda na operação o lucro líquido foi exatamente zero. Apesar do fato de que nada realmente aconteceu, há um prejuízo contábil de R$ 125. Como lidar com esse prejuízo de R$ 125 tem sido uma questão contábil controversa.

Uma forma simples de lidar com esse prejuízo seria informá-lo na demonstração de resultados da controladora. Essa era a prática no Brasil até a adoção do padrão internacional de contabilidade. Durante períodos de taxas de câmbio voláteis, esse tipo de tratamento pode ter um impacto significativo sobre o LPA de uma empresa com filiais ou controladas no exterior. Esse é um fenômeno estritamente contábil, mas, mesmo assim, alguns executivos financeiros não gostam dessas flutuações.

No Brasil, a conversão segue as normas das IFRS. O Pronunciamento Técnico CPC 02, do Comitê de Pronunciamentos Contábeis, é a norma orientadora. Esse pronunciamento trata dos principais pontos que envolvem quais taxas de câmbio devem ser usadas e como reportar os efeitos das mudanças nas taxas de câmbio nas demonstrações contábeis publicadas no Brasil, de acordo com as normas contábeis internacionais (IFRS). Esse pronunciamento é completado por outros pronunciamentos que tratam de temas específicos.

Nas demonstrações contábeis dois conceitos são importantes: o de moeda funcional e o de moeda de apresentação.

A **moeda funcional** é a moeda principal, a moeda do ambiente operacional da empresa que apresenta as demonstrações contábeis. Ela é a moeda do ambiente econômico principal no qual a entidade opera, aquele em que ela principalmente gera e despende caixa. Os seguintes fatores são considerados na determinação da moeda funcional: é a moeda que mais influencia os preços de venda de bens e serviços da empresa (geralmente é a moeda na qual os preços de venda para seus bens e serviços estão expressos e são liquidados); é a moeda do país cujas forças competitivas e regulações mais influenciam na determinação dos preços de venda para seus bens e serviços; é a moeda que mais influencia fatores como mão de obra, matéria-prima e outros custos para o fornecimento de bens ou serviços. A moeda funcional da entidade reflete as transações, os eventos e as condições subjacentes que são relevantes para ela. Uma vez determinada a moeda funcional, ela só é alterada pela ocorrência de mudança nas transações, nos eventos e nas condições subjacentes.

As normas IFRS estabelecem que uma filial ou controlada no exterior (entidade estrangeira) apresente todas as suas transações na moeda funcional, e, em seguida, essas demonstrações são convertidas para a moeda de apresentação ao investidor –, no caso do investidor brasileiro, para reais.[16] O conceito de moeda funcional é a chave para compreender a conversão de demonstrações contábeis em moeda estrangeira. Para você ter uma ideia, a moeda funcional da EMBRAER, uma empresa brasileira e a maior fabricante de aviões médios do mundo, é o dólar norte-americano, pois é nessa moeda que a EMBRAER realiza a maioria dos seus negócios, tanto na compra de partes e componentes para os aviões, quanto na venda dos aviões que produz.

A **moeda de apresentação** é a moeda na qual as demonstrações contábeis são apresentadas. Os resultados e a posição financeira de cada entidade individual no exterior que fizer parte da entidade que reporta a informação devem ser convertidos para a moeda em que controladora apresenta suas demonstrações contábeis consolidadas, que pode ser qualquer moeda. Se a moeda funcional de qualquer unidade no exterior diferir da moeda de apresentação, o Pronunciamento CPC 02 (Comitê de Pronunciamentos Contábeis, 2010) estabelece critérios para a conversão.

A abordagem utilizada para lidar com os lucros e os prejuízos da conversão nos Estados Unidos, que ainda não adotou as normas internacionais, está baseada nas regras estabelecidas no Pronunciamento de Normas de Contabilidade nº 52 (FASB 52) do *Financial Accounting Standards Board* (FASB); esse pronunciamento foi emitido em dezembro de 1981. Em sua maior parte, o FASB 52 exige que todos os ativos e passivos sejam convertidos da moeda da subsidiária para a moeda da controladora usando a taxa de câmbio vigente no momento (*FASB*, 1981).Todos os lucros e prejuízos da conversão são acumulados em um registro especial dentro da seção de patrimônio líquido no balanço patrimonial. Esse registro pode ser rotulado como "ganhos (perdas) de câmbio não realizados" [*unrealized foreing exchange gains (losses)*]. Os valores nos processos de conversão de balanços podem ser substanciais, pelo menos do ponto de vista contábil. Esses lucros e prejuízos não são informados na demonstração de resultados do exercício, na norma FASB. Consequentemente, pelas normas atuais do FASB, o impacto dos lucros e prejuízos da conversão não são reconhecidos explicitamente na receita líquida até que os ativos e os passivos subjacentes sejam vendidos ou liquidados. A norma IFRS também prevê que as variações cambiais lançadas no Patrimônio Líquido e na Demonstração de Resultados Abrangentes não serão reconhecidas na receita líquida até que os ativos e os passivos subjacentes sejam vendidos ou liquidados.

Administração do risco da taxa de câmbio

Para uma grande empresa multinacional, a administração do risco da taxa de câmbio é complicada, porque pode haver muitas moedas diferentes envolvidas em muitas subsidiárias diferentes. É provável que uma variação em alguma taxa de câmbio beneficie algumas subsidiárias e prejudique outras. O efeito líquido em toda a empresa depende de sua exposição líquida.

Por exemplo, suponha que uma empresa tenha duas divisões. A Divisão A compra componentes nos Estados Unidos, em dólares, e vende produtos acabados na Grã-Bretanha, em libras. A Divisão B compra componentes na Grã-Bretanha, em libras, e vende produtos acabados nos Estados Unidos, em dólares. Se essas duas divisões tiverem mais ou menos o mesmo volume em relação aos fluxos de entrada e de saída, toda a empresa terá pouco risco da taxa de câmbio.

Em nosso exemplo, as posições líquidas da empresa em libras e em dólares (os montantes recebidos menos os montantes de saída) são pequenas, e, assim, o risco da taxa de câmbio do grupo como um todo é pequeno. Entretanto, se uma divisão, agindo por conta própria, começasse a fazer *hedging* de seu risco de taxa de câmbio, o risco da taxa de câmbio de todo o grupo aumentaria. Moral da história: as empresas multinacionais precisam conhecer sua posição con-

---

[16] Se você se interessou por este assunto, uma boa referência é o livro: Mackenzie, B. *IFRS 2012:* interpretação e aplicação. Porto Alegre: Bookman, 2013.

solidada em relação a uma moeda estrangeira. Por esse motivo, é provável que a administração do risco da taxa de câmbio seja mais bem conduzida de maneira centralizada.

32.7 Risco político

Um último elemento de risco no investimento no exterior é o **risco político**. Ele se refere às variações no valor que surgem como consequência de atos políticos. Esse não é um problema enfrentado exclusivamente por empresas com atuação internacional. Por exemplo, as alterações em leis e regulamentos fiscais, como benefícios fiscais de redução temporária de impostos, podem beneficiar algumas empresas e prejudicar outras, de modo que o risco político existe tanto no ambiente internacional quanto no ambiente nacional.

Entretanto, alguns países têm maior risco político do que outros. Quando as empresas têm operações nesses países com maior risco, o risco político extra pode levar as empresas a exigir maiores retornos sobre os investimentos no exterior para compensar a possibilidade de bloqueio de fundos, de interrupção das operações básicas e de anulação dos contratos. No caso mais extremo, a possibilidade de confisco total pode ser uma preocupação em países com ambientes políticos relativamente instáveis.

O risco político também depende da natureza dos negócios. Algumas empresas estão menos sujeitas a confiscos porque não são particularmente valiosas nas mãos de um proprietário diferente.

Uma operação de montagem que forneça subcomponentes utilizados apenas pela empresa controladora não seria um alvo interessante para uma nacionalização, por exemplo. Da mesma maneira, uma operação de manufatura que exige o uso de componentes especializados da empresa controladora tem pouco valor sem a cooperação desta.

Os desenvolvimentos de recursos naturais, como mineração de cobre ou perfuração de petróleo, são exatamente o oposto. Depois que a operação está em funcionamento, grande parte do valor está na *commodity*. O risco político desses investimentos é muito maior por esse motivo. Além disso, a questão da "exploração de países menos desenvolvidos" é mais manifesta com esses investimentos, aumentando novamente o risco político.

O risco político pode ter *hedge* de várias maneiras, especialmente quando o confisco ou a nacionalização são uma preocupação. O uso de financiamento local, talvez do governo do país estrangeiro em questão, reduz possíveis prejuízos, pois a empresa pode recusar-se a pagar a dívida no caso de atividades políticas desfavoráveis. Com base em nossa discussão nesta seção, a estruturação de uma operação no exterior de forma a exigir envolvimento significativo da empresa controladora para o seu funcionamento é outra maneira de reduzir o risco político.

32.8 Captação de recursos e gestão do caixa no exterior

Grandes empresas brasileiras acessam o mercado internacional para obter recursos para financiamento de sua estrutura de capital, incluindo projetos de investimento, capital de giro e gestão de passivos, além de financiamentos de crédito comercial (*trade finance*) para operações de importação e exportação.

As principais modalidades de captação no exterior são:

- Emissão de títulos;
- Empréstimos diretos;
- Captação de recursos por subsidiárias no exterior.

As empresas emitem títulos de dívida (*bonds*) denominados em moedas estrangeiras, especialmente o dólar norte-americano, e também podem captar recursos de capital próprio no exterior mediante a emissão de ações em programas de *Depository Receipts*, como os *American Depository Receipts*, ADRs, ou por emissão de ações mediante abertura de capital de suas controladas no exterior.

Além das empresas, também a República Federativa do Brasil busca financiamentos internacionais com a emissão de títulos denominados em moedas estrangeiras, como mostra o

Quadro 32.2 apresentado a seguir e publicado pelo jornal *Valor Econômico* (usamos os dados da edição de 28 de julho de 2014).

QUADRO 32.2 Exemplos de captações de recursos no exterior por empresas brasileiras*

Emissor/Tomador	Data de liquidação	Data do vencimento	Prazo meses	Valor US$ milhões	Cupom/ Custo em %	Retorno em %**	*Spread* pontos-base***
República Federativa do Brasil	01/08/14	27/01/45	366	3.550	5	5,131	187,5
Caixa Econômica Federal (4)	23/07/14	23/07/24	120	500	7,25	7,25	–
Cimpor	17/07/14	17/07/24	120	750	–	5,875	–
Tupy	17/07/14	17/07/24	120	350	6,625	–	–
Klabin	16/07/14	16/07/24	120	500	5,25	–	–
Odebrecht Óleo e Gás (2) (3)	01/07/14	–	–	150	7	7	–
OAS	02/07/14	02/07/21	84	400	8	8	–
Odebrecht	26/06/14	27/06/29	180	500	5,25	5,25	–
Biosev (1)	jun/14	jun/17	36	440	4,4	–	–
JBS	jun/14	jun/24	120	750	5,875	5,875	–
Grupo Votorantim	17/06/14	17/06/24	120	400	4,75	4,89	225
Banco do Brasil (2)	18/06/14	–	–	2.500	9	9	–
Odebrecht Óleo e Gás (2)	17/06/14	–	–	400	7	7	–
Marfrig	jun/14	jun/19	60	850	6,875	6,875	–
Virgolino de Oliveira	13/06/14	13/01/20	67	135	10,875	11	–
BRF Brasil Foods (1)	jun/14	jun/19	60	1.000	–	–	–

Fonte: Captações... (2014). Elaboração: Valor Data.
* Atualizada em 25/07/14.
** No lançamento do título.
*** Sobre o título do Tesouro americano de mesmo prazo.
(1) Empréstimo sindicalizado. (2) Bônus perpétuo. (3) Reabertura de operação. (4) Bônus subordinado.

A modalidade de captação mais comum é a emissão de títulos, modalidade que oferece liquidez aos compradores, pois os títulos podem ser negociados no mercado secundário. A seguir, apresentamos o Quadro 32.3, também publicado pelo jornal *Valor Econômico*, com exemplos das características e das cotações de emissões de títulos brasileiros no mercado internacional.

QUADRO 32.3 Cotações* de títulos emitidos no exterior por empresas brasileiras

Mercado Externo Bônus corporativo

Emissor	Resgate	Preço**	Cupom % ano	Yield % ano	Preço* em jul/14***	Preço* em dez/13***	Preço* em 12 meses
Banco do Brasil	15/04/2024	78,300	6,250	–	77,000	78,375	82,500
Banco do Brasil	20/10/2049	111,750	8,500	6,182	112,100	107,750	110,623
BNDES	26/09/2023	107,800	5,750	4,688	107,700	99,350	–
Bradesco	01/03/2022	–	5,750	–	104,500	98,000	99,950
Itaú	13/05/2023	100,750	5,125	5,017	99,750	92,980	92,750
Petrobras	27/01/2021	103,152	5,375	4,801	104,355	100,021	102,100
Petrobras	20/05/2023	94,595	4,375	5,148	94,050	88,850	91,059
Petrobras	20/05/2043	89,294	5,625	6,447	92,900	84,945	84,023
Vale	15/09/2019	113,323	5,625	2,796	112,940	109,455	108,692
Vale	11/09/2042	99,740	5,625	5,643	98,000	91,550	85,652

Fonte: Cotações (2014). Elaboração: Valor Data.
* Em 11/08/14.
** Preço de compra em centavos de dólar.
*** Fim de período. Cotações às 16h30. Valor Econômico S.A.

Emissão de *bonds*   Os *bonds*, às vezes também chamados de *bônus* no mercado financeiro brasileiro, são títulos mobiliários representativos de dívida assumida pelo emissor e de livre circulação entre investidores do mercado internacional.

O investidor em *bonds* empresta dinheiro ao emissor, a uma determinada taxa de juros (que pode ser fixa ou flutuante) por um prazo fixo. Empresas e governos emitem *bonds* para financiar seus diferentes projetos e atividades. A taxa de juros é paga periodicamente, e os pagamentos periódicos são referidos como *cupons*. O principal e o último cupom devem ser liquidados no vencimento da operação. A taxa de juros pode ser estabelecida com um *spread over Libor* ou um *spread over Treasuries*. No primeiro caso, a taxa de referência é a Libor, no segundo, a taxa de referência é a de títulos do Tesouro norte-americano de mesmo vencimento ou de mesma *duração*. A taxa de cupom é estabelecida na estruturação da operação, e, quando a emissão está circulando no mercado, dependendo da evolução da curva de taxas do mercado ou da evolução do *rating* do emissor, os títulos podem ser negociados com ágio ou deságio. O ágio ou o deságio também podem ocorrer no momento da colocação, e o valor captado e o fluxo de cupons determinam a taxa de retorno até o vencimento (*yield to maturity*) da operação, que será o custo para o emissor. Para o cálculo do custo efetivo da captação para o emissor, é necessário deduzir do valor captado os custos de estruturação e colocação da emissão (*flotation costs*). Assim, para o emissor, o custo da captação é superior ao *yield* para investidor no momento da colocação.

Um exemplo de captação referida aos *Treasuries* é a captação da Gerdau em abril de 2014. Nós reproduzimos o anúncio da operação de captação da Gerdau para gestão de passivos e outros usos. Nessa operação, a Gerdau alongou sua dívida por meio de uma troca de papéis de prazo mais curto por outros de prazo mais longo – no caso, papéis com prazo de 10 anos (Gerdau, 2014).

GERDAU
COMUNICADO AO MERCADO

A Gerdau S.A. anuncia oferta de troca de parte dos Bonds com vencimento em 2017 e juros de 7,250% emitidos pela GTL Trade Finance Inc. e parte dos Bonds com vencimento em 2020 e juros de 7,000% emitidos pela Gerdau Holdings Inc. pela nova emissão de Bonds de responsabilidade conjunta e solidária com vencimento em 2024 no valor total de principal de até US$ 1.250.000.000 de novos Senior Bonds com vencimento em 2024

e

Oferta de Compra à Vista de parte dos Bonds com vencimento em 2017 e juros de 7,250% e parte dos Bonds com vencimento em 2020 e juros de 7,000% no valor total de até US$ 250.000.000

A **Gerdau S.A.** (Bovespa: GGBR, NYSE: GGB, Latibex: XGGB) anuncia que, no dia 10 de abril de 2014, teve início uma oferta de troca de parte dos Bonds com vencimento em 2017 e juros de 7,250% ("Bonds 2017") emitidos pela GTL Trade Finance Inc. ("Emissora dos Bonds 2017") e parte dos Bonds com vencimento em 2020 e juros de 7,000% ("Bonds 2020" e, em conjunto com os Bonds 2017, "Bonds Antigos") emitidos pela Gerdau Holdings Inc. ("Emissora dos Bonds 2020" e, em conjunto com a Emissora dos Bonds 2017, "Emissoras") detidos por Detentores Elegíveis (conforme definido abaixo) pelo valor total de principal de até US$ 1.250.000.000 de uma nova emissão de Senior Bonds com vencimento em 2024 ("Novos Bonds") de emissão conjunta e solidária das Emissoras e com aval das empresas Gerdau S.A., Gerdau Açominas S.A., Gerdau Aços Longos S.A. e Gerdau Aços Especiais S.A. ("Garantidoras") ("Oferta de Troca"), sendo priorizados os Bonds 2017 oferecidos de maneira válida. A Oferta de Troca realizada pela Gerdau segundo os termos está sujeita às condições estabelecidas no prospecto confidencial de oferta datado de 10 de abril de 2014 ("Prospecto da Oferta") e à respectiva *letter of transmittal* (carta de transmissão).

A Oferta de Troca encerrar-se-á às 23:59 (horário de Nova York) do dia 08 de maio de 2014, salvo se houver extensão (tal dia e horário, conforme eventual extensão, "Data de Encerramento"). Os Detentores Elegíveis que ofertarem devidamente seus Bonds Antigos para troca até as 17:00 (horário de Nova York) do dia 24 de abril de 2014, salve se houver extensão (tal dia e horário, conforme eventual extensão, "Data de Participação Antecipada"), farão jus ao Preço Total da Troca (conforme descrito abaixo). Os Detentores Elegíveis que ofertarem devidamente seus Bonds Antigos para troca após a Data de Participação Antecipada, porém anteriormente à Data de Encerramento, inclusive, farão jus ao

Preço da Troca (conforme descrito abaixo), que não inclui o Pagamento por Participação Antecipada (conforme descrito abaixo).

CUSIP/ISIN Nº	Nome do Título	Total Principal em Aberto[1]	Título de Referência Tesouro Estados Unidos	*Spread* fixo em pbs[1]
036120PAB9 / US36120PAB94	Bonds 7,25% com venc. 2017	US$ 1.500.000.000	Tesouro 2,750% venc. Fev/2024	−8
G2440JAE5 / USG2440JAE58 37373UAA2 / US37373UAA25 U37405AA2/ USU37405AA20	Bonds 7,00% com venc. 2020	US$ 1.250.000.000	Tesouro 2,750% venc. Fev/2024	+167

[1] O Título de Referência do Tesouro dos utilizado no estabelecimento do Preço Total da Troca (conforme definido abaixo) para todos os Bonds Antigos é o Título do Tesouro dos Estados Unidos de 2,750% com vencimento em fevereiro de 2024 ("Título Referência do Tesouro").

Adicionalmente, a Gerdau anunciou separadamente uma oferta de compra à vista, segundo os termos e sujeita às condições descritas em uma oferta separada de aquisição com data de 10 de abril de 2014 ("Oferta de Aquisição") de parte dos Bonds Antigos ("Oferta de Compra à Vista"). A Oferta de Compra à Vista considera um pagamento total de até US$ 250.000.000, considerando os Bonds 2017 e os Bonds 2020, com prioridade de recompra dos Bonds 2017.

A Oferta de Compra encerrar-se-á às 23:59 (horário de Nova York) do dia 08 de maio de 2014, salvo se houver extensão (tal dia e horário, conforme eventual extensão, "Data de Encerramento"). Os detentores de Bonds Antigos ("Detentores") que ofertarem devidamente e mantiveram a oferta dos seus Bonds Antigos para compra até as 17:00 (horário de Nova York) do dia 24 de abril de 2014, salvo se houver extensão (tal dia e horário, conforme eventual extensão, "Data da Oferta Antecipada"), farão jus à Remuneração Total (conforme descrito abaixo), que inclui o Pagamento da Oferta Antecipada (conforme definido abaixo), acrescido de juros, cujo pagamento será realizado em relação aos Bonds Antigos ofertados antes da Data da Oferta Antecipada e aceitos pelas Emissoras para compra na data da liquidação, prevista para o terceiro dia útil após a Data da Oferta Antecipada, ou assim que possível após tal data ("Data da Liquidação Antecipada"). Os Detentores que ofertarem devidamente seus Bonds Antigos para compra após a Data da Oferta Antecipada, porém anteriormente à Data de Encerramento, inclusive, farão jus à Remuneração da Oferta de Venda (conforme descrito abaixo), que não inclui o Pagamento da Oferta Antecipada (conforme descrito abaixo).

Nome do Título	Total Principal em Aberto[1]	Limite Máximo de Aceitação	Prioridade na Aceitação[2]	Pagamento pela Oferta Antecipada[3]	*Spread* Fixo	Título Referência do Tesouro dos Estados Unidos	Página de Referência Bloomberg
Bonds 7,25% com venc. 2017	US$ 1.500.000.000	Bonds 2017 Valor Máximo da Oferta	1	US$ 30	+20 pbs	Notas do Tesouro dos de 2,75% e venc. Fev/2024	Bloomberg Monitor Precificação Governo Pág. PX1
Bonds 7,00% com venc. 2020	US$ 1.250.000.000	2020 Bonds Valor Máximo da Oferta	2	US$ 30	+186 pbs	Notas do Tesouro dos de 2,75% e venc. Fev/2024	Bloomberg Monitor Precificação Governo Pág.PX1

[1] Valor inclui $ 0 dos Bonds 2017 detidos pela GTL Trade Finance Inc. e suas afiliadas e $ 10.000.000 dos Bonds 2020 detidos pela Gerdau Holdings Inc. e suas afiliadas.
[2] As Emissoras priorizarão a aceitação dos Bonds 2017 ofertados devidamente de acordo com a Oferta de Compra de Bonds 2017 em detrimento aos Bonds 2020 ofertados de acordo com a Oferta de Compra de Bonds 2020.
[3] O valor por cada US$ 1.000 de principal da série aplicável de Bonds ofertados devidamente e aceitos para compra na Data da Oferta Antecipada incluído na Remuneração Total e excluído da Remuneração da Oferta de Compra para Bonds ofertados após a Data da Oferta Antecipada.

Os detentores que oferecerem seus Bonds Antigos (i) para troca na Oferta de Troca, nos termos do Prospecto da Oferta, ou (ii) na Oferta de Compra à Vista de acordo com a Oferta de Aquisição não poderão oferecer os mesmos Bonds Antigos na outra Oferta de Compra à Vista ou Oferta de Troca, respectivamente.

Este anúncio possui fins exclusivamente informacionais e não representa uma oferta de aquisição nem solicitação de oferta de venda de títulos e valores mobiliários. A Oferta de Troca está sendo oferecida exclusivamente a detentores dos Bonds Antigos: (a) que sejam "compradores institucionais qualificados" ou "QIBs", conforme definição da Regra 144A do *Securities Act* de 1933, conforme alterado "Securities Act"); e (b) "não residentes nos Estados Unidos" ("non-US person"), conforme definido na *Regulation S* do Securities Act, que sejam elegíveis a participar da Oferta de Troca, de acordo com as leis de títulos e valores mobiliários da jurisdição em que se encontrem. Apenas detentores dos Bonds Antigos que tenham preenchido e entregue o certificado de elegibilidade, a quem nos referimos como "Detentores Elegíveis", poderão receber e avaliar o Prospecto da Oferta e participar da Oferta de Troca.

A Oferta de Compra está sendo realizada estritamente de acordo com a Oferta de Aquisição e a respectiva *letter of transmittal* (carta de transmissão). A Oferta de Compra não será destinada a, nem os Emissores aceitarão oferta de Bonds Antigos de, detentores localizados em jurisdições em que tal Oferta de Compra ou o seu aceite não esteja de acordo com as leis de títulos e valores mobiliários ou leis *blue sky* (leis estaduais de proteção contra fraude em emissões de títulos e valores mobiliários) de tal jurisdição.

A Oferta de Troca e os Novos Bonds não foram, nem serão, registrados segundo o Securities Act, ou segundo as leis de títulos e valores mobiliários de qualquer outra jurisdição. Os Novos Bonds não poderão ser oferecidos nos Estados Unidos ou para, ou em nome ou para o benefício de, residentes dos (U.S. persons), exceto para Detentores Elegíveis em atendimento à Regra 144A ou *Regulation S* do Securities Act, conforme o caso. A Oferta de Aquisição e os documentos relacionados a ela não foram, nem serão, registrados segundo o Securities Act, ou segundo as leis de títulos e valores mobiliários de qualquer outra jurisdição.

A Oferta de Troca e os Novos Bonds não foram, nem serão, registrados perante a Comissão de Valores Mobiliários (CVM). A Oferta de Troca e os Novos Bonds não poderão ser ofertados ou vendidos no Brasil, exceto em casos em que tal oferta não constitua uma oferta pública ou distribuição não autorizada perante as leis e regulamentos brasileiros. A Oferta de Troca e os Novos Bonds não serão oferecidos no Brasil.

A Oferta de Troca não será destinada a pessoas localizadas em quaisquer jurisdições em que o seu aceite não esteja de acordo com as leis de títulos e valores mobiliários ou leis *blue sky* (leis estaduais dos Estados Unidos de proteção contra fraude em emissões de títulos e valores mobiliários) de tal jurisdição.

Para mais informações, entre em contato com D.F. King & Co., Inc., o agente de troca e agente de informação da Oferta de Troca e o agente de compra e agente de informação da Oferta de Compra ("Agente de Informação") através do telefone +1-800-207-3158, ou do e-mail gerdau@dfking.com. Os documentos relacionados à Oferta de Troca e à Oferta de Compra estão disponíveis na sede do Agente de Informações, D.F. King & Co., Inc., em 48 Wall Street, 22nd Floor, cidade de Nova York, estado de Nova York 10005, Com: Krystal Scrudato.

Rio de Janeiro, 15 de abril de 2014.

Diretor Vice-Presidente Executivo   Diretor de Relações com Investidores

Em 9 de maio de 2014, a Gerdau anunciou os resultados finais da Oferta de Troca iniciada em 10 de abril de 2014 e encerrada às 23:59, horário de Nova York, de 8 de maio de 2014. O valor total principal de Bonds Antigos trocados correspondeu a cerca de 37,2% do valor total de principal dos Bonds Antigos em circulação no início da Oferta de Troca, sendo US$ 410.753.000 de valor total de principal dos Bonds 2017 e US$ 611.397.000 de valor total de principal dos Bonds 2020.

Captações locais por subsidiárias e controladas no exterior

Empresas brasileiras com subsidiárias ou controladas no exterior podem acessar o mercado local do país onde está a sede da subsidiária ou controlada para obter recursos nas condições desses mercados e com base no *rating* da subsidiária. Um exemplo é o da captação da Marfrig, na Irlanda do Norte. Reproduzimos o Comunicado ao Mercado da MARFRIG S/A no qual anuncia captação de £ 200 milhões pela Moy Park, sua controlada integral na Irlanda do Norte (Marfrig Global Foods S.A., 2014).

MARFRIG S.A.

**EMISSÃO DE SENIOR NOTES – MOY PARK
COMUNICADO AO MERCADO**

São Paulo, 23 de maio de 2014 – A **MARFRIG GLOBAL FOODS S.A**. ("Companhia" ou "Marfrig"), em observância aos termos da Instrução nº 358 da Comissão de Valores Mobiliários ("CVM"), de 03 de janeiro de 2002, comunica aos seus acionistas e ao mercado que, através de sua subsidiária integral Moy Park (Bondco) Plc ("Emissora"), precificou hoje no mercado europeu sua primeira emissão de Senior Notes em libras esterlinas, no valor total de GBP 200 milhões ("Notas") em 7 anos (7NC3), à taxa de juros fixa de 6,25% ao ano.

Esta operação permitiu à Companhia captar recursos de longo prazo junto aos mercados públicos de dívida ao mais baixo custo de sua história, melhorando assim a sua estrutura de capital e custo de financiamento e conforme os objetivos traçados no seu plano "FOCAR PARA GANHAR".

O livro de ordens de alta qualidade incluiu investidores institucionais do Reino Unido, França, Holanda e de diversos outros países da Europa. O rating da operação foi assinalado como B1 pela Moody´s e B com outlook positivo pela S&P.

A S&P atribuiu ainda à Moy Park rating isolado de BB-, dois níveis acima do atual rating da Marfrig Global Foods. A emissão das Notas é garantida pela Moy Park Holdings Europe Ltd., pela Moy Park Ltd. e por algumas de suas afiliadas, não havendo garantia às Notas pela Companhia.

Os recursos destinados à Marfrig serão utilizados para pagamento de endividamento existente. As Notas não foram e não serão registradas na CVM, nem na Comissão de Valores Mobiliários norte-americana (SEC) de acordo com o Securities Act de 1933, conforme alterado. As Notas foram oferecidas e vendidas exclusivamente a investidores institucionais qualificados ("QIB"), conforme a isenção de registro prevista na Regra 144A do U.S. Securities Act.

Este comunicado não constitui uma oferta de venda das Notas nem uma solicitação de oferta para compra das Notas, ou oferta, solicitação ou venda das Notas em qualquer estado ou jurisdição na qual tal oferta, solicitação ou venda seja vedada por lei.

Vice-Presidente de Finanças e DRI
Marfrig Global Foods S.A.

Visão geral do mercado dos Estados Unidos

Cada vez mais, grandes empresas brasileiras têm operações nos Estados Unidos, e pequenos empreendedores também procuram ter uma operação naquele mercado. Nas seções a seguir, apresentamos uma visão geral das práticas de gestão financeira de empresas nos EUA.

Empréstimos bancários no mercado norte-americano[17]   Além de emitir títulos de dívida nos Estados Unidos, a empresa atuando no mercado norte-americano pode tomar dinheiro emprestado de um ou vários bancos. Dois tipos importantes de empréstimos bancários são o empréstimo sindicalizado e as linhas de crédito.

---

[17] Esta seção e a seguinte foram adaptadas de seções apresentadas no Capítulo 15 da edição norte-americana, itens 15.4 *Bank Loans* e 15.5 *International Bonds*.

Syndicated loans **ou empréstimos sindicalizados (consorciados)**   São empréstimos de longo prazo. Bancos de grande porte, como o Citigroup, costumam ter uma demanda de empréstimos muito maior do que podem ou têm interesse em fornecer. Enquanto isso, pequenos bancos regionais têm mais recursos disponíveis do que podem emprestar de forma lucrativa para os seus clientes. Esses bancos menores, basicamente, não conseguem gerar uma quantidade suficiente de empréstimos de boa qualidade com os recursos que têm à disposição. Logo, um banco de grande porte pode montar uma operação de empréstimo para uma empresa ou para um país e vender (repassar) partes desse empréstimo para um consórcio de outros bancos. Na prática, cada banco tem um contrato de empréstimo separado com o tomador. Esse tipo de estrutura de empréstimos é chamado *syndicated loan*.

O *syndicate*, em tese, é composto por um banco líder (*lead arranger*) e por bancos participantes (*participant lenders*). Como o nome sugere, o banco líder toma a iniciativa, criando o relacionamento com o tomador e negociando os detalhes do empréstimo. Os bancos participantes, de forma geral, não estão envolvidos no processo de negociação. O banco líder trabalha com os bancos participantes para determinar as fatias no empréstimo, ficando o líder, em geral, com a maior participação. Enquanto todos os bancos participantes recebem pagamentos de juros e de principal, o líder organizador recebe uma comissão inicial (*up-front fee*) em remuneração por suas responsabilidades adicionais. Um empréstimo sindicalizado pode ser negociado no mercado. Pode ser uma linha de crédito não sacada ("*undrawn*") ou uma linha sacada por uma empresa. Empréstimos sindicalizados são classificados com grau de investimento (*investment grade*) ou alavancados (*levered syndicated loan*). A diferença entre eles é que o primeiro tem a avaliação de uma agência de *rating*, e o segundo, não. A avaliação do risco da emissão por uma agência de *rating* impacta no custo da operação, nos custos de sua estruturação e na velocidade de sua execução.

Lines of credit **(linhas de crédito)**   São constituídas por um limite de crédito, determinando a quantia máxima que o banco está disposto a emprestar à empresa, que poderá tomar emprestado o dinheiro conforme a sua necessidade de recursos financeiros. Se o contrato estabelecer ao banco a obrigação legal de fornecer os recursos, a linha de crédito é chamada *committed line of credit* ou, simplesmente, *committed*. As linhas de crédito *committed* nos Estados Unidos são acordos formais e geralmente envolvem uma *commitment fee* paga pela empresa ao banco (em geral, essa comissão é da ordem de 0,25% por ano sobre o total de fundos assegurados na linha). Para empresas de maior porte, em vez da taxa *prime* do banco, a taxa de juros costuma estar vinculada à taxa do mercado monetário interbancário de Londres, a Libor (*London Interbank Offered Rate*) ou ao custo de captação do banco. Para empresas de porte médio e pequeno, muitas vezes também é exigido um *compensating balance* (saldo médio) no banco. Como exemplo, imagine uma *revolver* (um crédito rotativo) de US$ 75 milhões com *commitment* de três anos, que significa que a empresa poderá tomar emprestado uma parte ou o total dos US$ 75 milhões em qualquer momento durante os próximos três anos e o banco tem a obrigação de liberar o empréstimo. A *commitment fee* é cobrada sobre a parte não utilizada da linha. Suponha que a *commitment fee* seja de 0,20% e que a empresa tome US$ 25 milhões em um dado ano, deixando sem uso US$ 50 milhões da linha. O valor em dólares da *commitment fee* naquele ano seria de US$ 100.000 (= 0,20% × $ 50 milhões), que seria acrescido aos juros sobre os $ 25 milhões tomados da linha. As *lines of credit* podem ser estruturadas como liquidação final (*term sheet*) quando a liquidação da operação ocorre em uma data predeterminada, com o principal pago ao final da operação, ou como uma conta corrente, similar a um cheque especial ou crédito rotativo (*revolver*).

Nos Estados Unidos, pode acontecer que, para garantir que uma linha de curto prazo seja usada efetivamente com finalidades de curto prazo, os bancos exijam que o mutuário zere a linha de crédito e a mantenha nesse nível por algum período durante o ano em geral –, 60 dias (chamado de período de recuperação).

Unsecured loans **(empréstimos não garantidos)**   O modo mais comum de financiar uma falta temporária de caixa é conseguir um empréstimo bancário sem garantias. Empresas que utilizam empréstimos bancários de curto prazo costumam solicitar ao banco uma *noncommitted line of* *credit* ou uma *committed line of credit*. Uma linha *noncommitted* é um acordo informal que permite à empresa tomar emprestado até um limite previamente especificado sem passar pela burocracia habitual. A taxa de juros dessas linhas de crédito normalmente é a taxa *prime* de empréstimos do banco mais uma porcentagem.

Secured loans (linhas de crédito com garantias)   Bancos e outras empresas financeiras frequentemente exigem *garantias* para conceder um empréstimo. Garantias de empréstimos de curto prazo geralmente consistem em ativos da empresa (p. ex., contas a receber ou estoques). No financiamento de contas a receber, os recebíveis podem ser oferecidos como garantia (*assigned*) ou transferidos (*factored*). Na forma *assigned*, o credor não só tem direito sobre as contas a receber, mas também tem direito de regresso contra o tomador. O *factoring* envolve a venda das contas a receber. O comprador, denominado *factor*, deve então cobrar as contas a receber e assume o risco total pelas contas inadimplentes.

Compensating balance (saldo médio)   É um depósito que a empresa mantém no banco em contas com juros baixos ou sem juros. Nos Estados Unidos, um saldo médio geralmente está na ordem de 2 a 5% do montante utilizado. Quando a empresa deixa esses recursos no banco sem receber juros, aumentam os juros efetivos que o banco cobra sobre a linha de crédito. Por exemplo, se uma empresa que toma emprestado US$ 100.000 precisar manter US$ 5.000 como saldo médio, a empresa recebe efetivamente apenas US$ 95.000. Uma taxa de juros contratada a 10% implica pagamentos de juros anuais de US$ 10.000 (=US$ 100.000 × 0,10). A taxa de juros efetiva é, então, de 10,53% (=US$ 10.000/US$ 95.000).

Inventory loan (empréstimo com garantia de estoques)   Como o nome sugere, um empréstimo com garantia de estoques utiliza esse ativo como garantia. Alguns tipos comuns de empréstimos garantidos por estoques são:

1. *Blanket inventory lien* (penhor geral de estoques): dá ao credor a penhora de todo o estoque do tomador.
2. *Trust receipt* (fiel depositário): acordo por meio do qual o tomador é depositário do estoque para o credor. O documento que reconhece o financiamento é chamado de *trust receipt*. A receita das vendas do estoque é transferida imediatamente ao credor.
3. *Field warehouse financing* (financiamento com garantia de estoques em armazém depositário): financiamento no qual uma empresa armazenadora supervisiona o estoque para o credor.

Purchase order financing (empréstimo para financiamento de compras)   O financiamento de compras (também chamado de *PO financing*) é uma forma popular de *factoring* utilizada por empresas de pequeno ou médio portes. Em uma situação típica, uma pequena empresa recebe um pedido de um cliente, mas não tem recursos suficientes para pagar o fornecedor que fabricou o produto. Com o *PO financing*, o *factor* paga o fornecedor. Quando a venda é concluída e o vendedor é pago, o *factor* é reembolsado. Uma taxa de juros típica sobre o *PO financing* é de 3,5% nos primeiros 30 dias e 1,25% a cada dez dias adicionais, o que resulta em uma taxa de juros acima de 40% ao ano!

Outras fontes   Há várias outras fontes de recursos de curto prazo que podem ser usadas pelas empresas no mercado norte-americano. As mais importantes são a emissão de **commercial paper** (notas promissórias vendidas no mercado) e financiamento por meio de **bankers acceptances** (aceites bancários). Também são comuns os **term loans** (empréstimos a prazo), não renováveis, em que cada operação é única.

Commercial paper   Consistem em títulos de curto prazo emitidos por empresas de grande porte e com bons *ratings*. Nos Estados Unidos, em geral, o prazo máximo dessas notas é de 270 dias para operações sem registro na SEC. Para prazos maiores, a operação precisa ser registrada na SEC. Como a empresa coloca esses títulos diretamente junto aos tomadores em operações de mercado e como, em geral, a emissão é garantida com uma linha especial de crédito bancário, a taxa que a empresa obtém quase sempre fica significativamente abaixo da taxa *prime* que o banco cobraria para um empréstimo direto. Não existe um mercado secundário ativo para *commercial papers* nos Estados Unidos, logo sua liquidez é baixa. Geralmente as emissões são recompradas diretamente pelo emissor. O risco de crédito depende do *rating* do emissor, atribuído por uma agência como a Moody's ou a S&P.

Bankers acceptances Consistem em uma garantia de um banco na qual este aceita pagar certo valor (dá garantia ao comprador). Esse tipo de acordo acontece, geralmente, quando o vendedor envia uma *letra* ou um *saque* a um cliente para pagamento. O banco do cliente *aceita* a letra ou o saque, anotando o seu aceite na letra, o que torna o título uma obrigação do banco. Dessa forma, a empresa que compra pode obter um prazo do banco para pagar a conta, e a empresa que vende tem a garantia de pagamento. Obviamente, o banco cobra do seu cliente uma comissão por esse serviço.

Term loan Ou empréstimo a prazo, é um empréstimo bancário com valor e prazo definidos, e com cronograma de pagamentos específico. Tem juros flutuantes e pode ter prazo entre 1 e 10 anos.

Aplicações de caixa

Treasury bills Nos Estados Unidos, são muito utilizadas as *Treasury Bills*, notas do Tesouro que vencem em 30, 90 ou 180 dias. Elas são vendidas por leilão todas as semanas.

Short term tax-exempt securities Ainda nos Estados Unidos, os Estados, os municípios e as agências municipais de habitação e de urbanização podem emitir títulos de dívida de curto prazo isentos de impostos. Como todos são considerados títulos municipais, eles estão isentos dos impostos federais. Os *RAN*, *BAN* e *TAN*, por exemplo, são notas de antecipação de receita, de obrigações e de impostos, respectivamente. Em outras palavras, eles representam empréstimos de curto prazo feitos por entidades municipais como adiantamento de recebimentos de caixa. Esses títulos de curto prazo isentos de impostos têm maior risco de inadimplência do que as emissões do Tesouro e são menos negociáveis. Como os juros estão isentos do imposto de renda federal, o retorno antes de impostos sobre os títulos isentos é mais baixo do que aquele de títulos comparáveis, como as notas do Tesouro. Entretanto, as empresas norte-americanas têm restrições para comprar títulos isentos de impostos para investimento de caixa.

Certificate of deposit – CD Certificados de depósito bancário são títulos representativos de recursos tomados pelos bancos junto ao público. O CD mais comum é *jumbo* CD, um certificado de captação bancária no valor de US$ 100.000 ou mais. Há mercado ativo para CDs com vencimento em 3, 6, 9 e 12 meses.

Repurchase agreement – Repo São operações compromissadas em que um banco ou um corretor vende um título do Tesouro (p. ex., um *treasury bill*) a um investidor, com o compromisso de recomprar o título. O investidor compra o título e, simultaneamente, aceita revendê-lo mais tarde a um preço maior já definido na operação. Essas operações são de curto prazo, um dia (*overnight*) ou poucos dias. São típicos investimentos de caixa temporário.

Preferred stock Nos Estados Unidos, 70 a 80% dos dividendos recebidos por uma empresa e pagos por outra são isentos de tributação. Com isso, os dividendos relativamente altos das ações preferenciais trazem um forte incentivo para esse tipo de investimento. O único problema é que o dividendo é fixo, enquanto o preço das preferenciais pode flutuar mais do que o desejável em um investimento de curto prazo. Uma inovação recente são as *money market preferred stocks*, com dividendo flutuante. O dividendo é determinado com certa frequência (geralmente a cada 49 dias). Por conseguinte, esse tipo de *preferred* tem volatilidade muito menor do que as *preferred* comuns e se tornou um investimento de curto prazo popular para investimento de caixa nos Estados Unidos.

Sistema de pagamentos

Nos Estados Unidos, a maioria dos pagamentos entre empresas é realizada mediante o pagamento em cheques enviados pelos correios. Isso pode parecer um pouco estranho para o leitor acostumado às práticas de processamento eletrônico de cobranças e recebimentos no Brasil, porém lá isso tem sua lógica. Os gestores das empresas norte-americanas apreciam o *float* de pagamento por manter mais caixa durante mais tempo. Essa preferência talvez possa ser questionável, pois, afinal, seus recebimentos também são em cheque, então há um *float* de recebimento.

Lockboxes O uso de cheques e os bancos sem abrangência nacional que caracterizam o sistema bancário nos Estados Unidos levam ao uso de pontos de recolhimento de cheques das unidades da empresa de determinada região. Quando uma empresa recebe seus pagamentos por correio, ela precisa resolver para onde serão enviados os cheques e como eles serão recolhidos e depositados. Lá, uma seleção cuidadosa do número e da localização dos pontos de recolhimento pode reduzir muito o tempo de coleta dos cheques. Muitas empresas usam caixas postais especiais chamadas de *lockboxes* (concentradoras de cheques) para interceptar os pagamentos e agilizar a cobrança.

A Figura 32.2 apresenta um sistema de concentradora de cheques nos Estados Unidos. O processo de cobrança é iniciado quando os clientes enviam seus cheques para uma caixa postal em vez de enviá-los à empresa. A concentradora de cheques é mantida por um banco local. Uma grande corporação norte-americana pode manter mais de 20 concentradoras no país.

Em um sistema típico de concentradoras de cheques, o banco local coleta os cheques várias vezes ao dia e os deposita na conta da empresa. Os detalhes da operação são registrados (em algum formato que possa ser utilizado por sistemas eletrônicos) e enviados à empresa.

Um sistema de concentradoras reduz o prazo dos correios, porque os cheques são recebidos em um correio próximo da região onde está o pagador em vez de serem recebidos na sede da

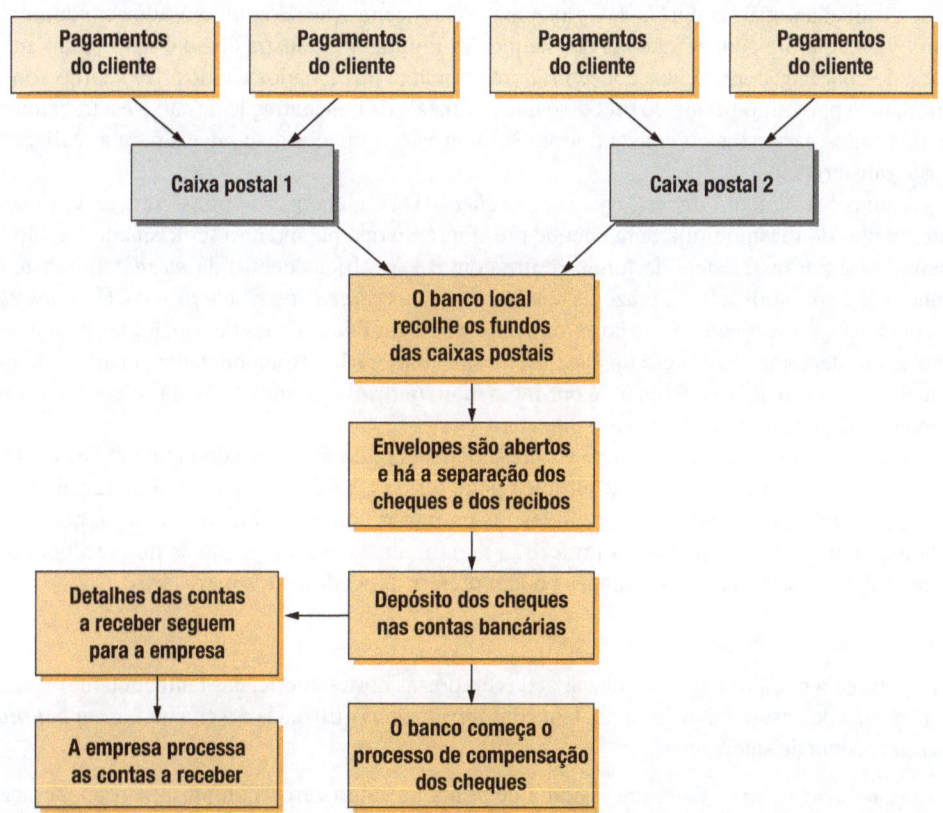

O fluxo começa quando um cliente da empresa envia remessas à caixa postal em vez de enviá-las à empresa. O banco recolhe os cheques recebidos pelos correios muitas vezes por dia. Os cheques, então, são depositados na conta bancária da empresa.

FIGURA 32.2 Visão geral do processamento das concentradoras de cheques nos Estados Unidos.

empresa. A finalidade das concentradoras de cheques é também reduzir o tempo de processamento, pois a empresa não precisa abrir os envelopes e depositar os cheques para o recebimento. No geral, esse sistema deve permitir que a empresa processe, deposite e tenha seus cheques compensados de mais forma rápida do que se ela precisasse receber os cheques em sua sede e entregá-los pessoalmente ao banco para depósito e compensação.

Algumas empresas recorreram à chamada "concentradora eletrônica de cheques" como alternativa às tradicionais concentradoras. Nessa versão eletrônica, os clientes utilizam o telefone ou a Internet para acessar sua conta – a exemplo da conta de seu cartão de crédito em um banco –, examinar suas contas e autorizar o pagamento, sem que haja troca de papel em qualquer um dos lados da operação. Sem dúvida, um sistema de concentradoras eletrônicas é muito superior às formas tradicionais de pagamento de contas, pelo menos da perspectiva do cobrador. A procura por sistemas como esse continua aumentando nos Estados Unidos.

Bancos concentradores de caixa Como já discutido, uma empresa que opera nos Estados Unidos pode ter vários pontos de cobrança, e, como resultado, a cobrança pode acabar em muitos bancos e contas bancárias diferentes. Desse ponto em diante, a empresa precisa de procedimentos para transferir o caixa para suas contas principais. Isso é chamado de **cash concentration** (concentração de caixa).

Ao agrupar de forma periódica suas disponibilidades de caixa, a empresa simplifica muito sua gestão de caixa, reduzindo o número de contas que devem ser controladas. Além disso, com um volume maior de fundos disponíveis, uma empresa pode negociar ou obter taxas melhores para qualquer investimento de curto prazo.

Para estabelecer um sistema de concentração, as empresas utilizam um ou mais bancos concentradores de fundos. O banco concentrador reúne os fundos obtidos dos bancos locais de determinada região geográfica. Os sistemas de concentração são muito usados em conjunto com os sistemas de concentradoras de cheques. A Figura 32.3 mostra como é um sistema integrado de cobrança com bancos concentradores de caixa nos Estados Unidos. De acordo com a figura, uma parte importante do processo de cobrança e de concentração de caixa é a transferência de fundos para o banco concentrador. Existem várias opções disponíveis para a realização dessa transferência.

A mais barata é um *depository transfer check* (DTC), cheque de transferência de fundos entre contas do mesmo titular, um cheque pré-impresso que não precisa ser assinado e é válido apenas para a transferência de fundos entre contas específicas dentro da *mesma* empresa. O dinheiro é disponibilizado no prazo de 1 a 2 dias. As *automated clearinghouse* (ACH), *câmaras de compensação automatizada*, são as versões eletrônicas dos cheques de papel. Elas podem ser mais caras, dependendo das circunstâncias, mas os fundos são disponibilizados no dia seguinte. O meio mais caro de transferência é por meio de *wire transfers*, transferências eletrônicas que oferecem disponibilidade no mesmo dia.

A abordagem escolhida por uma empresa dependerá do número e do tamanho das contas. Por exemplo, uma transferência ACH típica pode ser de US$ 200, enquanto uma transferência *wire transfer* típica seria de vários milhões. As empresas com um número grande de pontos de cobrança e pagamentos pequenos preferirão a via mais barata, enquanto as que recebem um número menor de pagamentos grandes podem preferir procedimentos mais caros.

Gestão de desembolsos de caixa

A importância do *float* na gestão de caixa das empresas norte-americanas também tem seu efeito na gestão de desembolso de caixa. Uma das ferramentas utilizadas é a chamada **zero balance account**, conta de saldo zero.

Contas de saldo zero Com um sistema de conta de saldo zero, a empresa, em cooperação com seus bancos, mantém uma conta principal (*master account*) e um grupo de subcontas. Quando um cheque emitido de uma das subcontas deve ser pago, os fundos necessários são transferidos da conta principal. A Figura 32.4 mostra como esse sistema deve funcionar. Nesse exemplo, a empresa mantém duas contas de desembolso, uma para os fornecedores e outra para a folha de pagamento.

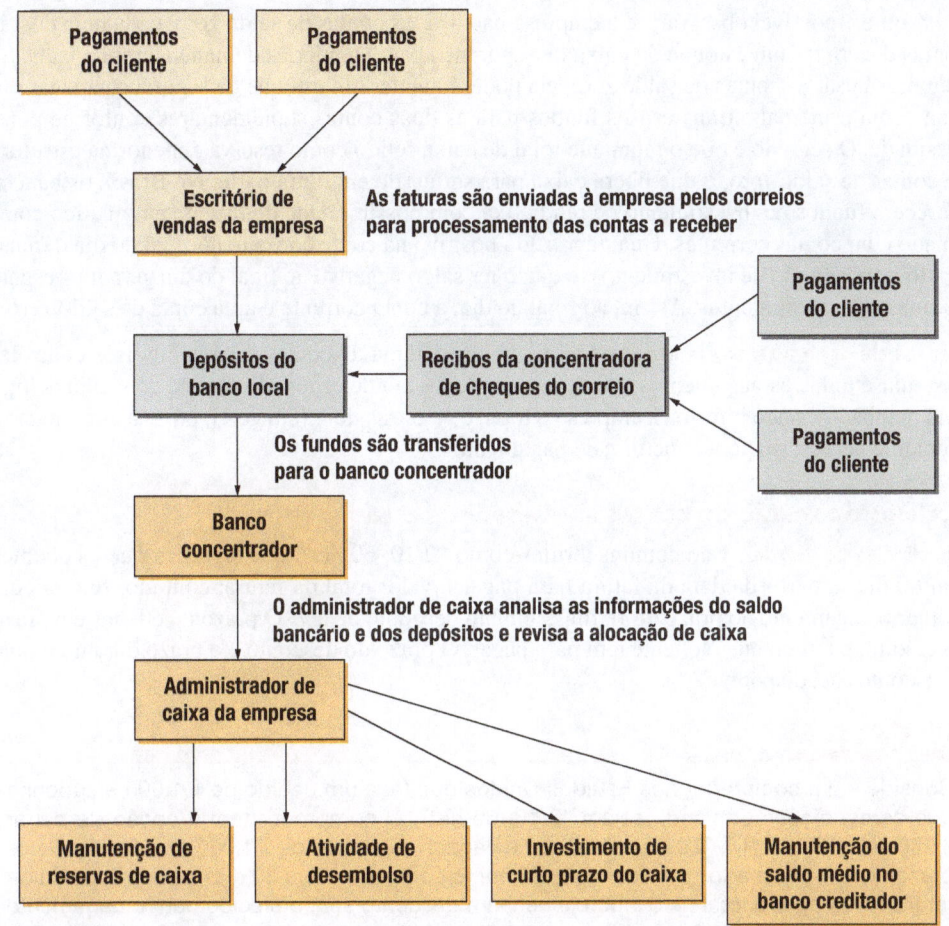

FIGURA 32.3 Bancos concentradores de fundos em um sistema de administração de caixa nos Estados Unidos.

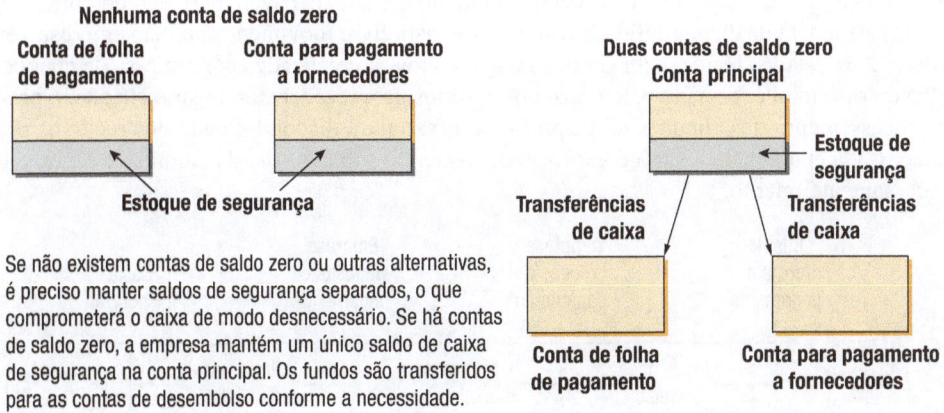

Se não existem contas de saldo zero ou outras alternativas, é preciso manter saldos de segurança separados, o que comprometerá o caixa de modo desnecessário. Se há contas de saldo zero, a empresa mantém um único saldo de caixa de segurança na conta principal. Os fundos são transferidos para as contas de desembolso conforme a necessidade.

FIGURA 32.4 Contas de saldo zero.

Como é possível observar, se a empresa não usar as contas de saldo zero, cada uma dessas contas deverá ter um estoque de caixa de segurança para atender às demandas imprevistas. Se a empresa usar as contas de saldo zero, ela poderá manter um estoque de segurança apenas em uma conta principal e transferir os fundos para as duas contas suplementares conforme a necessidade. O segredo é que o montante total de caixa retido como reserva é menor na estrutura de contas de saldo zero, o que libera caixa para ser usado em outra parte. No Brasil, os bancos oferecem fundos de investimento de renda fixa com possibilidade de resgate automático combinado com contas correntes. Qualquer saldo positivo na conta corrente no final do dia é transferido para o fundo de investimentos, e qualquer saldo negativo ao final do dia gera um resgate no fundo de investimentos. Assim, ao final do dia, a conta corrente é uma conta de saldo zero.

Contas de desembolsos controlados Com um sistema de contas de desembolsos controlados, quase todos os pagamentos que devem ser feitos em determinado dia são conhecidos logo pela manhã. O banco informa à empresa o total, e essa transfere (em geral, por via eletrônica) o montante necessário para cobertura de pagamentos.

Tópicos de gestão de contas a receber nos Estados Unidos

Condições de venda São comuns termos como "2/10, 60 *net*", que significa que os clientes têm 60 dias a partir da data da fatura para pagar o valor total da fatura; contudo, se o cliente efetuar o pagamento no prazo de 10 dias, tem um desconto de 2%. O prazo de 60 dias é o prazo do crédito, o tempo que o cliente tem para pagar. O prazo do desconto é o prazo durante o qual o desconto está disponível.

O site **www.toolkit.com/tools/index.aspx** oferece exemplos de modelos de planejamento de caixa nos Estados Unidos.

Veja informações sobre crédito para pequenas empresas nos Estados Unidos no site **http://www.newyorkfed.org/outreach-and-education/index.html**.

Para discussões e informações sobre gestão de contas a receber nos Estados Unidos, visite **http://www.insidearm.com/**.

> **EXEMPLO 32.6**
>
> Considere um comprador nos Estados Unidos que faça um pedido de $ 1.000 e suponha que as condições de venda sejam "2/10, 60 *net*". O comprador tem a opção de pagar $ 980 = $ 1.000 × (1 − 0,02) em 10 dias ou pagar o valor total de $ 1.000 em 60 dias. Se os prazos forem declarados apenas como 30 *net*, o comprador terá 30 dias a partir da data da fatura para pagar o total de $ 1.000, e nenhum desconto será oferecido para o pagamento antecipado.
>
> Em geral, as condições de crédito no mercado norte-americano são interpretadas da seguinte maneira:
>
> <use esse desconto no preço da fatura> / <se você pagar em tantos dias>,
> <caso contrário, pague o montante total da fatura em tantos dias>
>
> Assim, "5/10, 45 *net*", significa que o comprador pode aproveitar um desconto de 5% no preço total se pagar em 10 dias ou, então, pagar a quantia total em 45 dias.

Componentes do prazo de recebimento. Descrevemos a seguir as partes básicas do processo de cobrança. O prazo total desse processo é contado da data de pagamento pelo comprador (o cliente) até a data da disponibilidade das reservas para livre movimentação pela empresa vendedora. Nos Estados Unidos, em geral, os pagamentos são realizados por remessa de cheques, então o prazo total é formado pelo prazo dos correios para receber e entregar o cheque, o prazo de processamento dos cheques na empresa e o prazo para disponibilidade dos recursos pelo banco. Cada etapa pode levar até vários dias, e o único sob controle da empresa é o prazo de processamento interno.

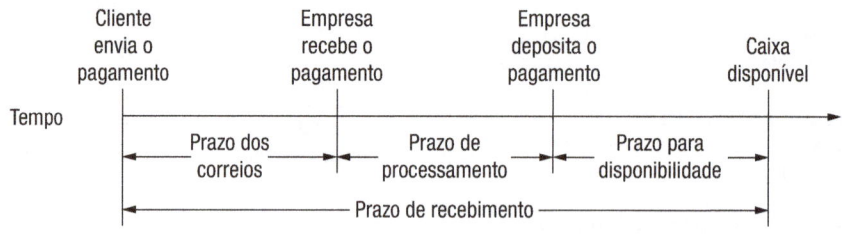

Nesse caso, o tempo gasto em trânsito e processamento em cada parte do processo de cobrança até a efetiva disponibilização do caixa depende de onde estão localizados os clientes e os bancos com os quais a empresa trabalha, bem como da eficiência com que a empresa realiza as suas cobranças.

Como acelerar as cobranças: um exemplo

A decisão de usar ou não o serviço de administração de caixa bancário, incorporando as concentradoras e os bancos concentradores, depende do local em que o cliente da empresa está localizado e da velocidade do sistema do correio norte-americano. Imagine que a empresa Atlantic Corporation, localizada na Filadélfia, esteja considerando a utilização de uma concentradora de cheques. Seu prazo de cobrança costuma levar oito dias.

A empresa realiza negócios na parte sudoeste dos Estados Unidos (Novo México, Arizona e Califórnia). O sistema de concentração de cheques proposto se localizaria em Los Angeles e seria operado pelo Pacific Bank. O banco analisou o sistema de arrecadação de caixa da Atlantic Corporation e concluiu que ela pode diminuir o prazo de cobrança em dois dias. O banco forneceu as seguintes informações sobre a proposta de sistema de concentração de cheques:

Redução no prazo de envio = 1 dia

Redução no prazo de compensação = 0,5 dia

Redução no prazo de processamento na empresa = 0,5 dia

Total = 2 dias

O que se segue também foi analisado:

Juros diários sobre os títulos do tesouro = 0,025%

Número médio de pagamentos diários a concentradoras = 2.000

Valor médio do pagamento = $ 600

Os fluxos de caixa para as operações de cobrança em curso são mostradas no seguinte cronograma de fluxo de caixa:

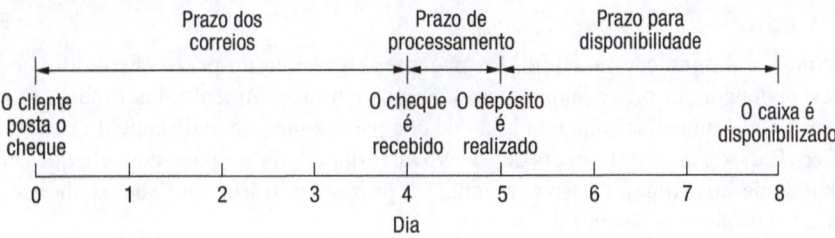

Os fluxos de caixa para as operações de cobrança das concentradoras serão:

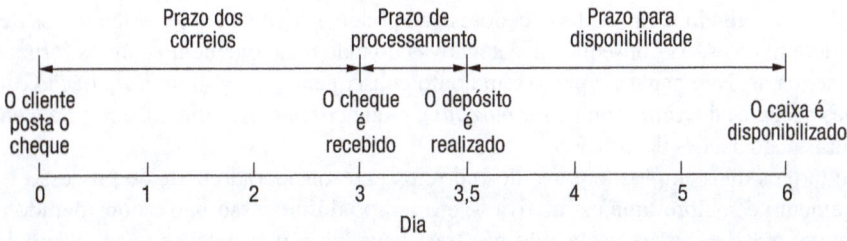

O Pacific Bank concordou em colocar em prática esse sistema concentrador de cheques ao custo de 25 centavos de dólar por cheque processado. A Atlantic Corporation deveria prosseguir com o sistema?

De início, precisamos determinar quais são os benefícios trazidos pelo sistema. A média de cobranças diárias na região sudoeste é de $ 1,2 milhão (=2.000 × $ 600). O prazo de cobrança será reduzido em dois dias, portanto o sistema concentrador de cheques aumentará o saldo de cobranças do banco em $ 1,2 milhão × 2 = $ 2,4 milhões. Em outras palavras, o sistema libera $ 2,4 milhões para a empresa ao reduzir os prazos dos correios, de processamento e de compensação em dois dias. Disso, podemos depreender que $ 2,4 milhões são o VP da proposta.

Para calcular o VPL, é necessário determinar o VP dos custos. Existem várias maneiras de fazer isso. Com 2.000 cheques por dia e $ 0,25 por cheque, o custo diário é de $ 500. Esse custo será uma despesa diária por muito tempo. A uma taxa de juros de 0,025% por dia, o VP é de $ 500/0,00025 = $ 2 milhões. Dessa forma, o VPL é $ 2,4 milhões − $ 2 milhões = $ 400.000, e o sistema parece ser desejável.

De forma alternativa, a empresa Atlantic poderia investir $ 2,4 milhões a 0,025% por dia. Os juros ganhos seriam de $ 2,4 milhões × 0,00025 = $ 600 por dia. O custo do sistema é de $ 500 por dia, então, contratá-lo gerará um lucro de $ 100 por dia. O VP de $ 100 por dia "a perder de vista" é de $ 100/0,00025 = $ 400.000, tal como calculamos antes.

Por fim, um modo mais simples seria considerar que cada cheque é de $ 600 e estará disponível dois dias mais cedo caso o sistema seja utilizado. Os juros sobre $ 600 por dois dias são de 2 × $ 600 × 0,00025 = $ 0,30. O custo é de 25 centavos de dólar por cheque. Nota-se que a Atlantic ganha 5 centavos de dólar em cada cheque (=$ 0,30 − 0,25). Com 2.000 cheques por dia, os lucros são de $ 0,05 × 2.000 cheques = $ 100 por dia, conforme cálculo prévio.

Para obter relatórios sobre crédito de empresas nos Estados Unidos, visite www.creditworthy.com.

EXEMPLO 32.7 Como acelerar as cobranças

No caso do sistema de concentração de cheques proposto à Atlantic Corporation, imagine que a Pacific Bank queira uma comissão fixa de $ 20.000 (paga anualmente) em adição aos $ 25 centavos por cheque. O sistema continua sendo uma boa ideia?

Para responder, temos que calcular o VP da comissão fixa. A taxa de juros diária é de 0,025%. Portanto, a taxa anual é de $1,00025^{365} − 1 = 9,553\%$. O VP da comissão fixa (que é paga todos os dias) é de $ 20.000/0,09553 = $ 209.358. Em função de o VPL sem a comissão ser de $ 400.000, o VPL com a comissão é de $ 400.000 − $ 209.358 = $ 190.642. Continua sendo uma boa ideia adotar o sistema.

Aumento do *float* de desembolso

Como vimos, a diminuição no ritmo dos pagamentos resulta do prazo envolvido na entrega de correspondência, no processamento de cheques e no recebimento dos fundos. O *float* de desembolso pode aumentar com a emissão de cheques de um banco distante do ponto de vista geográfico. Por exemplo, um fornecedor de Nova York poderia ser pago com cheques emitidos de um banco de Los Angeles. Isso aumentaria o prazo necessário para que os cheques sejam compensados no sistema bancário.

As táticas de maximização do *float* de desembolso são discutíveis. Em primeiro lugar, as condições de pagamento quase sempre oferecem um desconto substancial para pagamento antecipado. Em geral, o desconto é muito maior do que qualquer economia possível com um "jogo de *float*". Em segundo lugar, os fornecedores não podem ser enganados por tentativas de diminuir os desembolsos. As consequências negativas do mau relacionamento com os fornecedores podem ser caras. Não pagar no prazo tem como consequência natural uma avaliação ruim por parte das agências de *rating* (ou *credit bureaus*), o que criará mais dificuldades para a empresa em futuras negociações de prazos.

Em termos mais amplos, o prazo dos correios já é considerado parte do processo – a data do pagamento é sempre uma estimativa –, e o tempo do processo não é considerado atraso. Aumentar o prazo de envio de cheques não trará benefícios, pois a data de pagamento é considerada a data de recebimento, e não a data do carimbo postal.

Gestão de caixa internacional

Uma empresa que opera em várias jurisdições pode otimizar o custo de suas fontes de financiamento nas diversas jurisdições com uma gestão coordenada de captações no exterior para uso nas suas diferentes unidades. Um exemplo é utilizar uma captação com *bonds* para gerar *funding* para suas diferentes unidades produtivas em associação com um ou mais bancos de atuação internacional. Uma grande captação pode gerar um depósito remunerado em um banco em Nova York ou Londres. Esse depósito é oferecido como *pledged asset* (ativo ou depósito em garantia), e a agência onde se realizou o depósito dá garantias para empréstimos sacados nas agências desse banco nos diferentes países onde a empresa opera. O formato dessa operação também pode assumir a forma de operações paralelas, em que o depósito no exterior é contraparte de uma operação de empréstimo em um determinado país, uma operação muito praticada no passado, conhecida como *back-to-back loan*.

Vários fatores são considerados nesse tipo de operação –, entre outros, o risco de moeda. Isso faz com que, nessas operações, seja exigido um *pledged asset* em valor superior ao dos empréstimos concedidos. Isso também ocorre no mercado brasileiro com os empréstimos garantidos por recebíveis, em que o valor em recebíveis é superior ao valor dos empréstimos. A redução da avaliação do depósito em relação ao valor dos empréstimos é conhecida como *risk-based haircut*. O valor exigido para o depósito visa a assegurar que a garantia em relação às operações de empréstimo não seja afetada pelos diferentes perfis de exposição de moedas e pelos outros riscos, como o de crédito. Todos os riscos são repassados pelo banco para o cliente. Caso o cliente queira encerrar a operação, há multas por eventual liquidação antecipada da operação.

Veja informações atuais sobre a administração de caixa, inclusive assuntos internacionais, em http://gtnews.afponline.org/.

Instrumento de crédito[18]

Nos Estados Unidos, a empresa vendedora pode exigir que o comprador assine uma nota promissória (*promissory note*), que é um instrumento simples de reconhecimento de dívida e que, lá, pode ser usada quando o pedido é grande, quando não há desconto financeiro ou quando a empresa prevê que possa ter algum problema de recebimento. As notas promissórias não são comuns nos Estados Unidos, mas podem eliminar possíveis disputas futuras sobre a existência da dívida.

Um problema das notas promissórias é que elas são assinadas após a entrega das mercadorias. Uma forma de obter um compromisso de crédito de um cliente norte-americano antes da entrega das mercadorias é providenciar uma letra de câmbio comercial (*commercial draft*). Em geral, a empresa emite uma letra de câmbio exigindo que o cliente pague um montante específico em uma data determinada. A letra é enviada ao banco do cliente com a fatura (*invoice*) da remessa da mercadoria, que somente será entregue ao comprador mediante pagamento ou aceite da letra, se for letra a prazo.

Se for necessário o pagamento imediato da letra, ela é chamada de letra de câmbio à vista (*sight draft*). Se o pagamento imediato não for exigido, é uma *letra de câmbio a prazo* (*time draft*). Quando a letra é apresentada e o comprador a "aceita", significa que o comprador promete pagá-la no futuro. Isso é chamado de aceite comercial (*trade acceptance*), que é enviado de volta para a empresa vendedora. O vendedor pode manter o aceite ou vendê-lo para outra pessoa. Se um banco aceitar a letra, significa que ele está garantindo o pagamento. Dessa forma, a letra torna-se um *aceite bancário* (*bankers acceptance*). Essas práticas são comuns no mercado norte-americano e no comércio internacional, e os aceites bancários são transacionados ativamente no mercado financeiro internacional.

Uma empresa também pode usar uma venda em condições semelhantes à alienação fiduciária (*unconditional sales contract*) como instrumento de garantia de crédito. Com essa forma de venda, a empresa vendedora mantém a propriedade legal dos produtos vendidos até que o cliente tenha concluído o pagamento. Como regra, as vendas na forma de *unconditional sales contract* são pagas em parcelas e têm juros incorporados ao preço.

Organização da função de crédito[19]

Nos Estados Unidos, é comum as empresas optarem por contratar toda ou parte da função de crédito com uma empresa de *factoring*, companhia de seguros ou subsidiária financeira. O Capítulo 27 discutiu o *factoring*, um contrato no qual a empresa vende suas contas a receber para

---

[18] Seção do Capítulo 28 do original.
[19] Seção do Capítulo 28 do original.

a *factor*. Dependendo da especificidade do acordo, a empresa de *factoring* pode ter total responsabilidade pela verificação, autorização e cobrança, assumindo o risco de crédito (isso não ocorre da mesma forma no Brasil). É possível que, nos Estados Unidos, as empresas menores achem esses acordos mais baratos do que administrar um departamento de crédito.

Resumo e conclusões

A empresa com atuação internacional tem uma vida mais complicada do que uma empresa com atuação apenas no âmbito nacional. A administração deve entender a relação que existe entre as taxas de juros, as taxas de câmbio das moedas estrangeiras e a inflação, devendo ter consciência do grande número de diferentes regulamentações dos mercados financeiros e dos aspectos fiscais em cada país. Este capítulo teve como objetivo introduzir resumidamente a algumas das questões financeiras que surgem no investimento no exterior.

Nossa cobertura foi necessariamente breve. Os principais tópicos que discutimos incluem:

1. **Vocabulário básico:** definimos rapidamente alguns termos, como LIBOR e euromoeda.
2. **A mecânica básica das cotações da taxa de câmbio:** discutimos os mercados à vista e a termo e como as taxas de câmbio são interpretadas.
3. **As relações fundamentais entre variáveis financeiras internacionais:**
   a. Paridade do poder de compra (PPC) absoluta e relativa.
   b. Paridade da taxa de juros (PTJ).
   c. Taxas a termo não viesadas (TTNv).

A paridade do poder de compra absoluta afirma que R$ 1,00 ajustado para a paridade deve ter o mesmo poder de compra em cada país. Isso significa que uma laranja custa o mesmo em São Paulo, em Nova York ou em Tóquio.

A paridade do poder de compra relativa significa que a variação percentual esperada nas taxas de câmbio entre as moedas de dois países é igual à diferença em suas taxas de inflação.

A paridade da taxa de juros sugere que a diferença percentual entre a taxa de câmbio a termo e a taxa de câmbio à vista é igual ao diferencial da taxa de juros. Mostramos como a arbitragem de juros coberta força a manutenção dessa relação.

A condição das taxas a termo não viesadas indica que a taxa a termo atual é um bom indicador da taxa de câmbio à vista futura.

4. **Orçamento de capital internacional:** mostramos que as relações básicas do câmbio de moedas implicam duas outras condições:
   a. Paridade de juros descoberta.
   b. O efeito Fisher internacional.

Utilizando essas duas condições, aprendemos como estimar os VPLs em moedas estrangeiras e como converter as moedas estrangeiras em reais para estimar o VPL da forma usual.

5. **Risco político e taxa de câmbio:** descrevemos os diversos tipos de risco da taxa de câmbio e discutimos algumas abordagens mais comuns para administrar o efeito das taxas flutuantes de câmbio sobre os fluxos de caixa e o valor da empresa com atuação internacional. Também discutimos o risco político e algumas maneiras de administrar a exposição a ele.
6. **Mercado financeiro para empresas nos EUA:** descrevemos alguns tipos de instrumentos de captação de recursos no sistema bancário norte-americano e também alguns instrumentos de aplicação de caixa. Também apresentamos com algum detalhe o funcionamento do sistema de contas a receber e contas a pagar de empresas operando nos Estados Unidos, a importância do *float* e o uso generalizado de cheques.

QUESTÕES CONCEITUAIS

1. **Taxas à vista e a termo** Imagine que a taxa de câmbio para o franco suíço seja cotada a SF 1,09 por dólar no mercado à vista e a SF 1,11 por dólar para 90 dias no mercado a termo.

   a. O dólar é vendido com um desconto ou com um prêmio em relação ao franco?

   b. O mercado financeiro espera que o franco se fortaleça em relação ao dólar? Explique.

   c. O que você acha que é verdadeiro sobre as condições econômicas relativas nos EUA e na Suíça?

2. **Paridade do poder de compra** Imagine que a taxa de inflação no México será 3% mais alta do que a taxa de inflação do Brasil nos próximos anos. Com todos os outros fatores iguais, o que acontecerá à taxa de câmbio do peso mexicano em relação ao real? Em qual relação você se fundamenta para dar sua resposta?

3. **Taxas de câmbio** No momento, a taxa de câmbio do dólar australiano para o dólar norte-americano é de A$ 1,40. Se essa taxa de câmbio tiver previsão de aumentar 10% no próximo ano:

   a. O dólar australiano deve ficar mais forte ou mais fraco em relação ao dólar americano?

   b. O que você acha das taxas de inflação relativas dos EUA e da Austrália?

   c. O que você acha das taxas de juros nominais relativas dos EUA e da Austrália? E das taxas reais relativas?

4. **Taxas de câmbio** As taxas de câmbio são necessariamente boas ou ruins para determinada empresa?

5. **Riscos em negócios internacionais** Em determinado momento, a Duracell International confirmou que planejava abrir fábricas de baterias na China e na Índia. A fabricação nesses países permite que a Duracell evite entre 30% e 35% em tarifas de importação, tarifas que tornaram o preço das pilhas alcalinas proibitivo para alguns consumidores. Quais vantagens adicionais a Duracell veria nessa proposta? Quais são alguns dos riscos para a Duracell?

6. **Empresas multinacionais** Dado que muitas multinacionais com sede em vários países têm vendas bem maiores fora de seus mercados domésticos do que dentro deles, qual é a relevância de suas moedas domésticas?

7. **Movimentações da taxa de câmbio** As seguintes afirmações são verdadeiras ou falsas? Explique.

   a. Se o índice geral de preços na Grã-Bretanha aumentar com mais rapidez do que nos Estados Unidos, esperaríamos que a libra se valorizasse em relação ao dólar.

   b. Suponha que você seja um exportador alemão de máquinas-ferramentas e que fature todas as suas vendas em moeda estrangeira. Além disso, suponha que as autoridades monetárias da zona do euro comecem a adotar uma política monetária expansionista. Se é certo que a política do dinheiro fácil resultará em taxas de inflação maiores na zona do euro em relação àquelas de outros países, você deverá usar os mercados a termo para se proteger contra prejuízos futuros resultantes da deterioração do valor do euro.

   c. Se você pudesse estimar com exatidão as diferenças nas taxas de inflação relativas de dois países em um longo período, e os outros participantes do mercado não, você poderia especular com êxito nos mercados de moedas à vista.

8. **Movimentações da taxa de câmbio** Alguns países incentivam as movimentações de suas taxas de câmbio em relação àquelas de outros países como um meio de curto prazo para enfrentar os desequilíbrios comerciais com o exterior. Para cada um dos seguintes cenários, avalie o impacto que o anúncio teria sobre um importador e um exportador brasileiros que fazem negócios com o exterior:

a. Representantes do governo dos Estados Unidos anunciam que estão à vontade com a elevação do euro em relação ao dólar.

b. Autoridades monetárias britânicas anunciam que acreditam que a cotação muito baixa da libra em relação ao dólar foi provocada por especuladores de moeda.

c. O governo brasileiro anuncia que imprimirá bilhões de novos reais e que os injetará na economia como uma tentativa de reduzir a taxa de desemprego do país.

9. **Relações do mercado internacional de capitais** Discutimos cinco relações do mercado internacional de capitais: PPC relativa, PTJ, TTNv, PJD e o efeito Fisher internacional. Quais dessas você esperaria que estivessem mais próximas da realidade? Qual você acha que tem a maior probabilidade de ser violada?

10. **Risco da taxa de câmbio** Se você é um importador que precisa fazer pagamentos em moeda estrangeira três meses após cada entrega recebida e você prevê que a moeda doméstica sofrerá valorização nesse período, há algum valor em fazer *hedge* com sua exposição em moeda estrangeira?

11. **Orçamento internacional de capital** Imagine que você tenha a tarefa de avaliar dois diferentes investimentos em novas subsidiárias para a sua empresa, uma em seu próprio país e a outra em um país estrangeiro. Você calcula os fluxos de caixa dos dois projetos para que sejam idênticos após as diferenças cambiais. Sob que circunstâncias você escolheria investir na subsidiária estrangeira? Dê um exemplo de um país onde determinados fatores possam influenciá-lo a alterar essa decisão e fazer com que você invista em seu próprio país.

12. **Orçamento internacional de capital** Estima-se que o investimento em uma subsidiária estrangeira tenha um VPL positivo após a taxa de desconto utilizada nos cálculos ser ajustada para riscos políticos e quaisquer vantagens da diversificação. Isso significa que o projeto é aceitável? Por quê?

13. **Empréstimos estrangeiros** Se uma empresa brasileira levanta fundos para uma subsidiária na Argentina, quais são as desvantagens de buscar um empréstimo no Brasil? Como você o pagaria?

14. **Investimento estrangeiro** Se os mercados financeiros são naturalmente competitivos e a taxa do eurodólar está acima da taxa oferecida para empréstimos nos Estados Unidos, você imediatamente iria preferir pegar dinheiro emprestado nos Estados Unidos e investir em eurodólares. Isso é verdadeiro ou falso? Explique.

QUESTÕES E PROBLEMAS

BÁSICO
(Questões 1-13)

1. **Uso das taxas de câmbio** Consulte a Figura 32.1 e responda às seguintes questões com base nas cotações apresentadas:

    a. Se você tiver R$ 100, quantos euros você poderá obter?

    b. Quanto vale um euro em reais?

    c. Se você tiver 5 milhões de euros, quantos reais você terá?

    d. O que vale mais: um dólar da Nova Zelândia ou um dólar de Cingapura?

    e. O que vale mais: um peso mexicano ou um peso chileno?

    f. Quantos pesos mexicanos você pode obter por um euro? Como é chamada essa taxa?

    g. Por unidade, qual é a moeda mais valiosa daquelas listadas? E a menos valiosa?

2. **Uso da taxa cruzada** Use as informações da Figura 32.1 para responder às seguintes questões:

    a. Qual moeda você preferiria ter: US$ 100 ou £ 100? Por quê?

    b. Qual moeda você preferiria ter: 100 francos suíços (SF) ou £ 100? Por quê?

    c. Qual é a taxa cruzada para os francos suíços em relação à libra esterlina? E para libras esterlinas em relação ao franco suíço?

3. **Taxas de câmbio a termo** Use as informações da Figura 32.1 para responder às seguintes questões:

   a. Qual é a taxa a termo de seis meses para o iene japonês em ienes por dólar norte-americano? O iene é vendido com prêmio ou com desconto? Explique.

   b. Qual é a taxa a termo de três meses para libras esterlinas em dólares norte-americanos por libra? O dólar é vendido com prêmio ou com desconto em relação à libra? Explique.

   c. O que você acha que acontecerá ao valor do dólar em relação ao iene e à libra com base nas informações da figura? Explique.

4. **Uso das taxas de câmbio à vista e a termo** Suponha que a taxa de câmbio à vista para o dólar canadense seja Can$ 1,06 e que a taxa a termo de seis meses seja Can$ 1,11.

   a. O que vale mais: um dólar norte-americano ou um dólar canadense?

   b. Assumindo que a PPC absoluta seja verdadeira, qual é o custo de uma cerveja Elkhead nos Estados Unidos se o preço no Canadá for Can$ 2,50? Por que, na prática, a cerveja possa ser vendida por um preço diferente nos Estados Unidos?

   c. O dólar norte-americano é vendido com um desconto ou com um prêmio em relação ao dólar canadense?

   d. Para qual moeda se espera uma apreciação?

   e. Qual país você acha que tem maior taxa de juros: Estados Unidos ou Canadá? Explique.

5. **Taxas cruzadas e arbitragem** Suponha que a taxa de câmbio do iene japonês seja de ¥ 85 = US$ 1 e que a taxa de câmbio da libra esterlina seja de £ 1 = US$ 1,53.

   a. Qual é a taxa cruzada em relação ao iene por libra?

   b. Suponha que a taxa cruzada seja de ¥ 131,4 = £ 1. Existe uma oportunidade de arbitragem aqui? Se existir, explique como aproveitar a precificação incorreta.

6. **Paridade da taxa de juros** Use a Figura 32.1 para responder às seguintes questões. Suponha que a paridade da taxa de juros seja verdadeira e que a taxa sem risco de seis meses atual nos Estados Unidos seja de 1,9%. Qual deve ser a taxa sem risco de seis meses na Grã-Bretanha? No Japão? Na Suíça?

7. **Taxas de juros e arbitragem** O tesoureiro de uma grande empresa brasileira atuante nos mercados internacionais tem US$ 30 milhões para investir por três meses. A taxa de juros nos Estados Unidos é de 0,21% por mês. A taxa de juros na Grã-Bretanha é de 0,57% por mês. A taxa de câmbio à vista é £ 0,64, e a taxa a termo de três meses é £ 0,65. Ignorando os custos de transação, em qual país o tesoureiro desejaria investir os fundos da empresa? Por quê?

8. **Taxas de inflação e de câmbio** Suponha que a taxa de câmbio atual do zloty polonês seja Z 3,14 por dólar norte-americano. A taxa de câmbio esperada em três anos é de Z 3,23. Qual é a diferença nas taxas de inflação anuais esperados dos Estados Unidos e da Polônia nesse período? Assuma que a taxa prevista é constante para os dois países. Em qual relação você se fundamenta para dar sua resposta?

9. **Risco da taxa de câmbio** Suponha que sua empresa importe placas-mães para computadores de Cingapura. A taxa de câmbio é fornecida na Figura 32.1. Você acaba de fazer um pedido de 30.000 placas-mães a um custo de 141,30 dólares de Cingapura cada placa. Você pagará a remessa quando ela chegar em 90 dias. Você pode vender as placas-mães em valores indexados ao dólar norte-americano, a US$ 125 cada. Calcule seu lucro em dólares se a taxa de câmbio aumentar ou diminuir 10% nos próximos 90 dias. Qual é a taxa de câmbio no ponto de equilíbrio? Qual é o aumento ou a queda percentual que isso representa em relação ao dólar de Cingapura por dólar norte-americano?

10. **Taxas de câmbio e arbitragem** Suponha que as taxas à vista e a termo de seis meses em coroas norueguesas sejam de Kr 5,61 e Kr 5,72, respectivamente. A taxa sem risco anual nos Estados Unidos é de 3,8%, e a taxa sem risco anual na Noruega é de 5,7%.

a. Existe uma oportunidade de arbitragem aqui? Se houver, como você faria isso?

b. Qual deve ser a taxa a termo de seis meses para evitar a arbitragem?

11. **Efeito Fisher Internacional** Você observa que a taxa de inflação nos Estados Unidos é de 3,9% por ano e que as notas do Tesouro norte-americano rendem, no momento, 5,8% anualmente. Que taxa de inflação você estima que será:

    a. Na Austrália, se os títulos do governo australiano de curto prazo renderem 4% ao ano?

    b. No Canadá, se os títulos do governo canadense de curto prazo renderem 7% ao ano?

    c. Em Taiwan, se os títulos do governo de Taiwan renderem 9% ao ano?

    d. No Brasil, se os títulos públicos emitidos pelo Tesouro renderem 11,50% ao ano?

12. **Taxas à vista *versus* taxas a termo** Suponha que as taxas à vista e a termo de três meses do iene para dólares norte-americanos sejam de ¥ 80,13 e ¥ 78,96, respectivamente.

    a. O iene deve ficar mais forte ou mais fraco?

    b. Qual seria, na sua estimativa, a diferença entre as taxas de inflação dos Estados Unidos e do Japão?

13. **Taxas à vista esperadas** Suponha que a taxa de câmbio à vista do florim húngaro seja HUF 206. As taxas de inflação são de 2,8% ao ano nos Estados Unidos e de 3,7% na Hungria. Que taxa de câmbio você prevê em um ano? Em dois anos? E em cinco anos? Qual relação você está usando?

INTERMEDIÁRIO
(Questões 14-16)

14. **Orçamento de capital** A Lakonishok Equipment, uma empresa com sede nos Estados Unidos, tem uma oportunidade de investimento na Europa. O projeto custa € 19 milhões e deve produzir fluxos de caixa de € 3,6 milhões no ano 1, € 4,1 milhões no ano 2 e € 5,1 milhões no ano 3. A taxa de câmbio à vista atual é de US$ 1,09/€, e a taxa sem risco atual nos Estados Unidos é de 3,1% comparada à da Europa, que é de 2,9%. A taxa de desconto apropriada para o projeto é estimada em 10,5%, o custo de capital nos Estados Unidos para a empresa. Além disso, a estimativa de preço de venda da subsidiária ao final de três anos é de € 12,7 milhões. Qual é o VPL do projeto?

15. **Orçamento de capital** Você está avaliando uma proposta de expansão de uma subsidiária localizada na Suíça. O custo da expansão seria de SF 25 milhões. Os fluxos de caixa do projeto seriam de SF 6,9 milhões por ano para os próximos cinco anos. O retorno exigido em reais é de 12% ao ano, e a taxa de câmbio atual é R$ 2,5347/SF 1,00 e a paridade US$ /SF é de 0,9645. A taxa atual em eurodólares é de 6% ao ano. Ela é de 5% em francos suíços.

    a. Qual é sua projeção acerca das taxas de câmbio para o dólar e para o real com relação ao franco suíço nos próximos quatro anos?

    b. Com base na sua resposta em (a), converta o fluxo projetado em francos suíços em reais e calcule o VPL.

    c. Qual é o retorno exigido sobre os fluxos em francos suíços? Com base na sua resposta, calcule o VPL em francos suíços e, em seguida, converta em dólares norte-americanos e em reais.

16. **Exposição à conversão** A Atreides International tem operações em Arrakis. O balanço patrimonial dessa divisão em solaris de Arrakis apresenta ativos de 34.000 solaris, passivos de 12.000 solaris e patrimônio líquido de 22.000 solaris.

    a. Se a taxa de câmbio for de 1,20 solaris por real, qual será o balanço patrimonial em reais agora?

    b. Assuma que, daqui a um ano, o balanço patrimonial em solaris será exatamente igual ao do início do ano. Se a taxa de câmbio for de 1,40 solaris por real, qual será o balanço patrimonial em reais agora?

    c. Refaça o item (b) assumindo que a taxa de câmbio seja de 1,12 solaris por real.

17. **Exposição à conversão** No problema anterior, assuma que o patrimônio líquido aumente 1.750 solaris devido a reservas de lucros. Se a taxa de câmbio ao final do ano for de 1,24 solaris por real, como ficará o balanço patrimonial?

DESAFIO
(Questões 17-18)

18. **Uso do efeito Fisher Internacional exato** Com base em nossa discussão sobre o efeito Fisher no Capítulo 6, sabemos que a relação real entre uma taxa nominal (R), uma taxa real (r) e uma taxa de inflação (h) pode ser escrita assim:

$$1 + r = (1 + R) / (1 + h)$$

Esse é o efeito Fisher *doméstico*.

   a. Qual é a fórmula não aproximada do efeito Fisher internacional?
   b. Com base em sua resposta para (a), qual é a fórmula exata da PJD? (Dica: lembre-se da fórmula exata da PTJ e use a TTNv.)
   c. Qual é a fórmula exata da PPC relativa? (Dica: combine suas duas respostas anteriores.)
   d. Recalcule o VPL do projeto das brocas da Kihlstrom (discutido na Seção 32.5) usando as fórmulas exatas para a PJD e o efeito Fisher internacional. Verifique se você obtém a mesma resposta das duas maneiras.

DOMINE O EXCEL!

A St. Louis Federal Reserve tem taxas de câmbio históricas em seu *site*, www.stlouisfed.org. Procure no *site* por dados do FRED (Federal Reserve Economic Data –, em tradução livre, "dados econômicos do banco central norte-americano"). Transfira a taxa de câmbio em dólares norte-americanos no decorrer dos últimos cinco anos para as seguintes moedas: reais, dólares canadenses, dólares de Hong Kong, ienes japoneses, peso novo mexicano, won sul-coreano, rupias indianas, francos suíços, dólares australianos e euros. Represente por meio de um gráfico a taxa de câmbio para cada uma dessas moedas de modo que ocupe uma página.

MINICASO

A Iates Litoral expande suas fronteiras

Larissa Dias, a proprietária da Iates Litoral, está em negociação com um distribuidor de iates em Mônaco sobre a venda de iates da empresa na Europa. Jarek Jachowicz, o distribuidor, quer adicionar a Iates Litoral à sua linha atual de varejo. Jarek disse a Larissa que espera vendas no varejo de aproximadamente € 8 milhões por mês. Todas as vendas serão feitas em euros, e Jarek ficará com 5% do valor das vendas como comissão, que serão pagos em euros. Como os iates serão personalizados por pedido, as primeiras vendas ocorrerão em um mês. Jarek pagará o pedido à Iates Litoral 90 dias após sua realização. Esse cronograma de pagamentos continuará enquanto o contrato firmado entre as duas empresas estiver vigente.

Larissa está confiante de que a empresa pode lidar com a produção extra usando suas instalações atuais, mas ela não tem certeza dos possíveis riscos financeiros na venda de seus iates na Europa. Na conversa com Jarek, ela soube que a taxa de câmbio atual é de R$ 3,0572 /€ (US$ 1,2508 /€). Com a taxa de câmbio atual, a empresa gastaria 80% das vendas em custos de produção. Esse número não reflete a comissão de vendas paga a Jarek.

Larissa resolveu pedir que Dan Ervin, o analista financeiro da empresa, prepare uma análise da proposta de exportação. Especificamente, eles fizeram a Dan as seguintes perguntas:

1. Quais são os prós e os contras das vendas em mercados externos? Quais riscos adicionais serão enfrentados pela empresa?
2. O que acontecerá aos lucros da empresa se o real se fortalecer? E se o real se desvalorizar?
3. Ignorando os impostos, quais são os ganhos ou as perdas projetados da Iates Litoral com esse acordo proposto à taxa de câmbio atual de R$ 3,0572 /€? O que acontecerá aos lucros se a taxa de câmbio mudar para R$ 2,85/€? A qual taxa de câmbio a empresa atingirá o ponto equilíbrio?
4. Como a empresa poderia fazer o *hedge* do risco da taxa de câmbio? Quais são as implicações dessa abordagem?
5. Levando em conta todos os fatores, a empresa deve continuar com o projeto de exportação? Por quê?

Referências

AGE da Light delibera emissão de debêntures conversíveis. *Gazeta Mercantil (elaborado por ANDIMA/GEOPE)*, 06 de junho de 2005. Rio de Janeiro, 2005. Disponível em: <http://www.debentures.com.br/informacoesaomercado/noticias.asp?mostra=2161&pagina=-108>. Acesso em: 21 nov. 2014.

ANBIMA. *Código operacional de mercado*, anexo VI, out. 2009. São Paulo, 2009. Disponível em: <http://www.portal.anbima.com.br/Pages/home.aspx>. Acesso em: 17 nov. 2014.

ANBIMA. *Comparativo de valores imobiliários*: volume de emissões primárias e secundárias dos principais valores mobiliários desde 1995. São Paulo, 2014. Disponível em: <http://www.debentures.com.br/dadosconsolidados/comparativovaloresmobiliarios.asp>. Acesso em: 7 jun. 2014.

BANCO CENTRAL (Brasil). *Centralizadora de compensação de cheques – Compe*. Brasília: 2014g. Disponível em: <http://www.bcb.gov.br/htms/novapaginaspb/compe.asp>. Acesso em: 24 nov. 2014.

BANCO CENTRAL (Brasil). Circular nº 3.684, de 20 de novembro de 2013. Disponível em: <http://www.bcb.gov.br/pre/normativos/circ/2013/pdf/circ_3684_v1_O.pdf>. Acesso em: 18 nov. 2014.

BANCO CENTRAL (Brasil). Circular nº 3.685, de 20 de novembro de 2013. Disponível em: <http://www.bcb.gov.br/pre/normativa/circ/2013/pdf/circ_3685_v1_O.pdf>. Acesso em: 18 nov. 2014.

BANCO CENTRAL (Brasil). Comunicado nº 25.164, de 23 de janeiro de 2014. Divulga os sistemas de compensação e de liquidação, depósito centralizado e registro de ativos financeiros e de valores mobiliários em funcionamento no âmbito do sistema de Pagamentos Brasileiro. Brasília, 2014c. Disponível em: <https://www3.bcb.gov.br/normativo/detalharNormativo.do?method=detalharNormativo&N=114004257>. Acesso em: 21 nov. 2014.

BANCO CENTRAL (Brasil). *Diagnóstico do sistema de pagamento de varejo do Brasil*. Brasília, 2014d. p. 37. Disponível em: <http://www.bcb.gov.br/htms/spb/Diagn%C3%B3stico%20do%20Sistema%20de%20Pagamentos%20de%20Varejo%20no%20Brasil.pdf>. Acesso em: 21 nov. 2014.

BANCO CENTRAL (Brasil). *FAQ- Cadastro Informativo de créditos não quitados do setor público federal – Cadin*. Disponível em: <http://www.bcb.gov.br/?CADINFAQ>. Acesso em: 20 nov. 2014.

BANCO CENTRAL (Brasil). *Histórico das taxas de juros*. Brasília, 2014a. Disponível em: <http://www.bcb.gov.br/?COPOMJUROS>. Acesso em: 17 nov. 2014.

BANCO CENTRAL (Brasil). *Histórico das taxas de juros*. Brasília, 2014b. Disponível em: <http://www.bcb.gov.br/pt-br/paginas/default.aspx>. Acesso em: 19 nov. 2014.

BANCO CENTRAL (Brasil). Norma IAS nº 17. Brasília, 2006. Disponível em: <https://www.bcb.gov.br/nor/convergencia/IAS_17_%20Arrendamento_Mercantil.pdf>. Acesso em: 20 nov. 2014.

BANCO CENTRAL (Brasil). Quantidade de transações por canal de acesso. In: *Diagnóstico do sistema de pagamentos de varejo do Brasil – Adendo estatístico*. Tabela 29, p. 18. Brasília, 2011c.

Disponível em: <http://www.bcb.gov.br/htms/spb/Diagnostico-Adendo-2011.pdf>. Acesso em: 21 nov. 2014.

BANCO CENTRAL (Brasil). *Relatório de vigilância do sistema de pagamentos brasileiro 2013*. Brasília, 2013. Disponível em: <http://www.bcb.gov.br/htms/novaPaginaSPB/RELATORIO_DE_VIGILANCIA_SPB2013.pdf>. Acesso em: 21 nov. 2014.

BANCO CENTRAL (Brasil). *Relatório de estabilidade financeira*, v.13, n.1, 69 p., mar. 2014. Disponível em: <http://www.bcb.gov.br/htms/estabilidade/2014_03/refp.pdf>. Acesso em: 18 nov. 2014.

BANCO CENTRAL (Brasil). Resolução nº 4.263, de 5 de setembro de 2013. Disponível em: <http://www.bcb.gov.br/pre/normativos/res/2013/pdf/res_4263_v1_O.pdf>. Acesso em: 18 de nov. 2014.

BANCO CENTRAL (Brasil). *Sistema de transferência de reservas*. Brasília, 2014f. Disponível em: <http://www.bcb.gov.br/?STRGERAL>. Acesso em: 24 nov. 2014.

BANCO CENTRAL (Brasil). Uso dos instrumentos de pagamento no Brasil. In: *Diagnóstico do sistema de pagamentos de varejo do Brasil – Adendo estatístico*. Tabela 3, p. 8. Brasília, 2011b. Disponível em: <http://www.bcb.gov.br/htms/spb/Diagnostico-Adendo-2011.pdf>. Acesso em: 21 nov. 2014.

BANCO CENTRAL (Brasil). *Tabelas de prazos dos cheques compensáveis*. Brasília, 2011a. Disponível em: <http://www.bcb.gov.br/?CHEQUEPRAZO>. Acesso em: 21 nov. 2014.

BANCO CENTRAL (Brasil). *Visão geral das IMFS*. Brasília, 2014e. Disponível em: <http://www.bcb.gov.br/?SPBIMFVISAO>. Acesso em: 21 nov. 2014.

BARROS, L. A.; FAMÁ, R.; SILVEIRA, B. P. *Conceito de taxa livre de risco e sua aplicação no Capital Asset Pricing Model*: um estudo exploratório para o mercado brasileiro. Universidade Federal de Itabujá, 2014. Disponível em: <http://www.iepg.unifei.edu.br/edson/download/taxalivrereiscofama.pdf>. Acesso em: 19 nov. 2014.

BENETTI, C.; DECOURT, R.F.; TERRA, P. R. S. The practice of corporate finance in na emerging Market: preliminar evidence from the Brazilian Survey. In: *Annual Meeting of the Financial Management Association*, Orlando, 2007. Disponível em: <http://www.fep.up.pt/investigacao/cempre/actividades/sem_fin/sem_fin_01_05/PAPERS_PDF/paper_sem_fin_19abr07.pdf>. Acesso em: 20 nov. 2014.

BM&FBOVESPA - BOLSA DE VALORES (São Paulo). São Paulo, 2012. Disponível em: <http://ri.bmfbovespa.com.br/>. Acesso em: 19 nov. 2014.

BM&FBOVESPA - BOLSA DE VALORES (São Paulo). Balcão. São Paulo, 2012. Disponível em: <http://www.bmf.com.br/bmfbovespa/pages/contratos1/contratosProdutosbalcao1.asp>. Acesso em: 20 nov. 2014.

BM&FBOVESPA - BOLSA DE VALORES (São Paulo). *Debêntures listadas*. São Paulo, 2012. Disponível em: <http://www.bmfbovespa.com.br/Shared/Iframe.aspx?tipoNoticia=19&altura=600&idioma=pt-br&url=http://www.bmfbovespa.com.br/rendafixa/FormDetalheDEBEmissaoSelecionada.asp?CodEmi=VALE&CodEsp=DEB81&CodTit=1&NumSeri=1Art1=S&Art2=N>. Acesso em: 19 nov. 2014.

BM&FBOVESPA - BOLSA DE VALORES (São Paulo). *Horários de negociação no mercado de ações (Mercado de Bolsa).* São Paulo, 2014. Disponível em: <http://www.bmfbovespa.com.br>. Acesso em: 17 nov. 2014.

BM&FBOVESPA - BOLSA DE VALORES (São Paulo). *Novo Mercado.* São Paulo, 2014. Disponível em: <http://www.bmfbovespa.com.br/empresas/pages/empresas_segmentos-de-listagem.asp>. Acesso em: 19 nov. 2014.

BM&FBOVESPA - BOLSA DE VALORES (São Paulo). *O que são segmentos de listagem?* São Paulo, 2014a. Disponível em: < http://www.bmfbovespa.com.br/pt-br/servicos/solucoes-para-empresas/segmentos-de-listagem/o-que-sao-segmentos-de-listagem.aspx?=Idioma5pt-br&idioma=pt-br>. Acesso em: 20 nov. 2014.

BM&FBOVESPA - BOLSA DE VALORES (São Paulo). *Séries históricas de cotações.* São Paulo, 2014. Disponível em: <http://www.bmfbovespa.com.br/pt-br/servicos/servicos-de-informacao/sinal-de-informacoes/series-historicas.aspx?idioma=pt-br>. Acesso em: 17 nov. 2014.

BM&FBOVESPA - BOLSA DE VALORES (São Paulo). *Séries históricas do Ibovespa.* São Paulo, 2014. Disponível em: <http://www.bmfbovespa.com.br/home.aspx?idioma=pt-br>. Acesso em: 19 nov. 2014.

BM&FBOVESPA - BOLSA DE VALORES (São Paulo). *Oferta BB – Seguridade.* São Paulo, 2013. Disponível em: < http://www.bmfbovespa.com.br/pt-br/mercados/acoes/ofertas-publicas/BB-Seguridade-050413.aspx?idioma=pt-br>. Acesso em: 20 nov. 2014.

BRASIL. Conselho Administrativo de Defesa Econômica. Portaria interministerial nº994, de 30 de maio de 2012. Brasília, 2012a. Disponível em: <http://www.cade.gov.br/upload/Portaria%20994.pdf>. Acesso em: 21 nov. 2014.

BRASIL. Conselho Administrativo de Defesa Econômica. Ato de concentração nº08012.001697/2002-89, de 4 fevereiro de 2004. Brasília, 2004. Disponível em: <http://www.cade.gov.br/plenario/Sessao_327/Acordaos/Acordao-AC-2002-08012-001697-Garoto-Nestle.pdf>. Acesso em: 21 nov. 2014.

BRASIL. Decreto nº 3.000, de 26 de março de 1999. Regulamenta a tributação, fiscalização, arrecadação e administração do Imposto sobre a Renda e Proventos de Qualquer Natureza. Brasília, 1999. Disponível em: <http://www.receita.fazenda.gov.br/legislacao/decretos/ant2001/1999/dec300099.htm>. Acesso em: 17 nov. 2014.

BRASIL. Decreto-Lei nº 2.287, de 23 de julho de 1986. Altera dispositivos da Lei nº 7.450, de 23 de dezembro de 1985, e dá outras providências. Brasília, 1986. Disponível em: <http://www.planalto.gov.br/ccivil_03/decreto-lei/Del2287.htm>. Acesso em: 20 nov. 2014.

BRASIL. Lei nº 5.172, de 25 de outubro de 1966. Dispõe sobre o Sistema Tributário Nacional e institui normas gerais de direito tributário aplicáveis à União, Estados e Municípios. Brasília, 1966. Disponível em: <http://www.planalto.gov.br/ccivil_03/leis/l5172.htm>. Acesso em: 21 nov. 2014.

BRASIL. Lei nº 6.099, de 12 de setembro de 1974. Dispõe sobre o tratamento das operações de arrendamento mercantil e dá outras providências. Brasília, 1974. Disponível em: <http://www.planalto.gov.br/ccivil_03/leis/l6099.htm>. Acesso em: 20 nov. 2014.

BRASIL. Lei nº 6.385, de 7 de dezembro de 1976. Dispõe sobre o mercado de valores mobiliários e cria a Comissão de Valores Mobiliários. Brasília, 1976. Disponível em <http://www.planalto.gov.br/ccivil_03/leis/l6385.htm>. Acesso em: 14 nov. 2014.

BRASIL. Lei nº 6.404, de 15 de dezembro de 1976. Dispõe sobre as Sociedades por Ações. Brasília, 1976. Disponível em <http://www.planalto.gov.br/ccivil_03/leis/l6404consol.htm>. Acesso em: 14 nov. 2014.

BRASIL. Lei nº 8.981, de 20 de janeiro de 1995. Altera a legislação tributária Federal e dá outras providências. Brasília, 1995b. Disponível em: <http://www.planalto.gov.br/ccivil_03/leis/L8981.htm>. Acesso em: 21 nov. 2014.

BRASIL. Lei nº 9.065, de 20 de junho de 1995. Dá nova redação a dispositivos da Lei nº 8.981, de 20 de janeiro de 1995, que altera a legislação tributária federal, e dá outras providências. Brasília, 1995c. Disponível em: <http://www.planalto.gov.br/ccivil_03/leis/L9065.htm>. Acesso em: 21 nov. 2014.

BRASIL. Lei nº 9.249, de 26 de dezembro de 1995. Altera a legislação do imposto de renda das pessoas jurídicas, bem como da contribuição social sobre o lucro líquido, e dá outras providências. Brasília, 1995a. Disponível em: <http://www.planalto.gov.br/ccivil_03/leis/l9249.htm>. Acesso em: 20 nov. 2014.

BRASIL. Lei nº 9.307, de 23 de setembro de 1996. Dispõe sobre a arbitragem. Brasília, 1996a. Disponível em: <http://www.planalto.gov.br/ccivil_03/leis/l9307.htm>. Acesso em: 17 nov. 2014.

BRASIL. Lei nº 9.430, de 27 de dezembro de 1996. Dispõe sobre a legislação tributária federal, as contribuições para a seguridade social, o processo administrativo de consulta e dá outras providências. Brasília, 1996b. Disponível em: <http://www.planalto.gov.br/ccivil_03/leis/l9430.htm>. Acesso em: 20 nov. 2014.

BRASIL. Lei nº 10.214, de 27 de março de 2001. Dispõe sobre a atuação das câmaras e dos prestadores de serviços de compensação e de liquidação, no âmbito do sistema de pagamentos brasileiro, e dá outras providências. Brasília, 2001. Disponível em: <http://www.planalto.gov.br/ccivil_03/Leis/LEIS_2001/L10214.htm>. Acesso em: 17 nov. 2014.

BRASIL. Lei nº 10.522, de 19 de julho de 2002. Dispõe sobre o Cadastro Informativo doa créditos não quitados de órgãos e entidades federais e dá outras providências. Brasília, 2002. Disponível em: <http://www.planalto.gov.br/ccivil_03/leis/2002/l10522.htm>. Acesso em: 20 nov. 2014.

BRASIL. Lei nº 11.101, de 9 de fevereiro de 2005. Regula a recuperação judicial, a extrajudicial e a falência do empresário e da sociedade empresária. Brasília, 2005. Disponível em: <http://www.planalto.gov.br/ccivil_03/_ato2004-2006/2005/lei/l11101.htm>. Acesso em: 24 nov. 2014.

BRASIL. Lei nº 11.638, de 28 de dezembro de 2007. Altera e revoga dispositivos da Lei nº 6.404, de 15 de dezembro de 1976, e da Lei nº 6.385, de 7 de dezembro de 1976, e estende às sociedades de grande porte disposições relativas à elaboração e divulgação de demonstrações financeiras. Brasília, 2007. Disponível em: <http://www.planalto.gov.br/ccivil_03/_ato2007-2010/2007/lei/l11638.htm>. Acesso em: 14 nov. 2014.

BRASIL. Lei nº 11.941, de 27 de maio de 2009. Brasília, 2009. Disponível em: <http://www.planalto.gov.br/ccivil_03/_ato2007-2010/2009/lei/l11941.htm>. Acesso em: 20 nov. 2014.

BRASIL. Lei nº 12.249, de 11 de junho de 2010. Disponível em: <http://www.planalto.gov.br/ccivil_03/_ato2007-2010/2010/lei/l12249.htm>. Acesso em: 18 de nov. 2014.

BRASIL. Lei nº 12.529, de 30 de novembro de 2011. Estrutura o sistema Brasileiro de Defesa da concorrência; dispõe sobre a prevenção e repressão às infrações contra a ordem econômica; altera a Lei nº 8.137 de 27 de dezembro de 1990, o Decreto-Lei nº 3.689, de 3 de outubro de 1941 – Código de Processo Penal, e a Lei nº 7.347, de 24 de julho de 1985; revoga dispositivos da Lei nº 8.884, de 11 de junho de 1994, e a Lei nº 9.781, de 19 de janeiro de 1999; e dá outras providências. Brasília, 2011. Disponível em: <http://www.planalto.gov.br/ccivil_03/_ato2011-2014/2011/Lei/L12529.htm>. Acesso em: 21 de nov. 2014.

BRASIL. Lei nº 12.973, de 13 de maio de 2014. Brasília, 2014. Disponível em: <http://www.planalto.gov.br/ccivil_03/_ato2011-2014/2014/Lei/L12973.htm>. Acesso em: 20 nov. 2014.

BRASIL. Lei complementar nº 101, de 4 de maio de 2000. Estabelece normas de finanças públicas voltadas para a responsabilidade na gestão fiscal e dá outras providências. Brasília, 2000. Disponível em: <http://www.planalto.gov.br/ccivil_03/leis/lcp/lcp101.htm>. Acesso em: 17 nov. 2014.

BRASIL. Ministério da Fazenda. Capitalização bursátil, em $ bilhões. Desempenho do Mercado de Capitais nos últimos 20 anos. In: *Apresentação do Ministro Mantega sobre desenvolvimento*. São Paulo, 2014. p. 8. Disponível em: <http://www.fazenda.gov.br/area-destaques/apresentacao-do-ministro-mantega-sobre-desenvolvimento>. Acesso em: 18 nov. 2014.

BRASIL. Ministério da Fazenda. Crescimento do mercado de capitais: novos instrumentos de crédito, em R$ bilhões. In: *A importância do crédito para o desenvolvimento nacional*: conselho de desenvolvimento econômico e social – CDES. Brasília, 2014. p.4. Disponível em: <http://www.fazenda.gov.br/divulgacao/apresentacoes/apresentacao-do-ministro-guido-mantega-a-imporancia-do-credito-para-o-desenvolvimento-nacional>. Acesso em: 17 nov. 2014.

BRASIL. Ministério da Fazenda. Operações de crédito no Brasil (2000-2014) em % do PIB. In: *A importância do crédito para o desenvolvimento nacional*: conselho de desenvolvimento econômico e social – CDES. Brasília, 2014. p.3. Disponível em: <http://www.fazenda.gov.br/divulgacao/apresentacoes/apresentacao-do-ministro-guido-mantega-a-imporancia-do-credito-para-o-desenvolvimento-nacional>. Acesso em: 17 nov. 2014.

BRASIL. Procuradoria da Fazenda Nacional. Parecer nº 202/2013. Brasília, 2013a. Disponível em: <http://dados.pgfn.fazenda.gov.br/dataset/pareceres/resource/2022013>. Acesso em: 20 nov. 2014.

BRASIL. Receita Federal. *Alíquotas do Imposto sobre Operações de Crédito, Câmbio e Seguros ou relativas a Títulos ou Valores Mobiliários – IOF*. Brasília, 2014. Disponível em: <http://www.receita.fazenda.gov.br/aliquotas/impcresegcamb.htm>. Acesso em: 17 nov. 2014.

BRASIL. Receita Federal. Instrução normativa SRF nº 11, de 21 de fevereiro de 1996. Dispõe sobre a apuração do imposto de renda e da contribuição social sobre o lucro das pessoas jurídicas a partir do ano-calendário de 1996. Altera a IN SRF nº 14/96, de 15 de março de 1996. Brasília, 1996. Disponível em: <http://www.receita.fazenda.gov.br/legislacao/ins/ant2001/ant1997/1996/insrf01196.htm>. Acesso em: 21 nov. 2014.

BRASIL. Receita Federal. Instrução normativa SRF nº 130, de 10 de novembro de 1999. Brasília, 1999. Disponível em: <http://www.receita.fazenda.gov.br/legislacao/ins/ant2001/1999/in13099.htm>. Acesso em: 18 nov. 2014.

BRASIL. Receita Federal. Instrução normativa SRF nº 162, de 31 de dezembro de 1998. Fixa o prazo de vida útil e taxa de depreciação dos bens que relaciona. Brasília, 1998. Disponível em: <http://www.receita.fazenda.gov.br/legislacao/ins/ant2001/1998/in16298.htm>. Acesso em: 18 nov. 2014.

BRASIL. Receita Federal. Instrução normativa RFB nº 1.397, de 16 de setembro de 2013. Dispõe sobre o Regime Tributário de Transição (RTT) instituído pelo art. 15 da Lei nº 11.941, de 27 de maio de 2009. Alterada pela Instrução Normativa RFB nº 1.422, de 19 de setembro de 2013. Alterada pela Instrução Normativa RFB nº 1.492, de 17 de setembro de 2014. Brasília, 2013b. Disponível em: <http://www.receita.fazenda.gov.br/legislacao/ins/2013/in13972013.htm>. Acesso em: 20 nov. 2014.

BRASIL. Receita Federal. Instrução normativa RFB nº 1.422, de 19 de dezembro de 2013. Dispõe sobre a Escrituração Contábil Fiscal (ECF). Alterada pela Instrução Normativa RFB nº 1.489, de 13 de agosto de 2014. Brasília, 2013. Disponível em: <http://www.receita.fazenda.gov.br/legislacao/ins/2013/in14222013.htm>. Acesso em: 24 nov. 2014.

BRASIL. Receita Federal. Medida Provisória nº 627, de 11 de novembro de 2013. Altera a legislação tributária federal relativa ao Imposto de Renda das Pessoas Jurídicas – IRPJ, à Contribuição Social sobre o Lucro Líquido – CSLL, à Contribuição para o Financiamento da Seguridade Social – COFINS; revoga o Regime Tributário de Transição – RTT, instituído pela Lei nº 11.941, de 27 de maio de 2009; dispõe sobre a tributação da pessoa jurídica domiciliada no Brasil, com relação ao acréscimo patrimonial decorrente de participação em lucros auferidos no exterior por controladas e coligadas e de lucros auferidos por pessoa física residente no Brasil por intermédio de pessoa jurídica controlada no exterior; e dá outras providências. Brasília 2013c. Disponível em: < http://www.receita.fazenda.gov.br/legislacao/mps/2013/mp627.htm>. Acesso em: 20 nov. 2014.

BRASIL. Receita Federal. Resolução do Senado Federal nº 78 de 01 de julho de 2014. Dispõe sobre as operações de crédito interno e externo dos estados, do Distrito Federal, dos municípios e de suas respectivas autarquias e fundações, inclusive concessão de garantias, seus limites e condições de autorização, e dá outras providências. Brasília, 2014. Disponível em: <http://www.senado.gov.br/publicacoes/anais/pdf/Resolucoes/1998.pdf>. Acesso em: 17 nov. 2014.

BRASIL. Sistema Público de Escrituração Digital. E-Lalur. Brasília, c2012b. Disponível em: <http://www1.receita.fazenda.gov.br/outros-projetos/e-lalur.htm>. Acesso em: 24 nov. 2014.

BRASIL. Tesouro Nacional. *Preços e taxas dos títulos públicos disponíveis para compra (tabela)*. Brasília, 2014. Disponível em: <http://www3.tesouro.gov.br/tesouro_direto/consulta_titulos_novosite/consultatitulos.asp>. Acesso em: 17 nov. 2014.

CAPTAÇÕES de recursos no exterior. *Valor Econômico*, 2014. Disponível em: <http://www.valor.com.br/valor-data/internacional/mercado-externo>. Acesso em: 24 nov. 2014.

CAUTELA predomina, mas dólar termina em alta. *Valor econômico*, 13 ago. 2014. Disponível em: <http://www.valor.com.br/financas/3650380/cautela-predomina-mas-dolar-termina-em-alta>. Acesso em: 17 nov. 2014.

CETIP. *Séries históricas*. Rio de janeiro, 2014. Disponível em: <http://estatisticas.cetip.com.br/astec/series_v05/paginas/web_v05_template_informacoes_di.asp?str_Modulo=completo&int_Idioma=1&int_Titulo=6&int_NivelBD=2>. Acesso em: 17 nov. 2014.

CHOUDHRY, M. *Analysing and interpreting the yield curve*. Singapore: Wiley, 2004.

COMISSÃO DE VALORES MOBILIÁRIOS. Deliberação CVM nº 550, de 17 de outubro de 2008. Dispõe sobre a apresentação de informações sobre instrumentos financeiros derivativos em nota explicativa às informações trimestrais – ITR. Rio de Janeiro, 2008a. Disponível em: < http://www.cvm.gov.br/asp/cvmwww/atos/Atos_Redir.asp?Tipo=D&File=\deli\deli550.doc>. Acesso em: 04 dez. 2014.

COMISSÃO DE VALORES MOBILIÁRIOS. Deliberação CVM nº 604, de 19 de novembro de 2009. Aprova os Pronunciamentos Técnicos CPC 38, 39 e 40, do Comitê de Pronunciamentos Contábeis, que tratam do reconhecimento e mensuração, da apresentação e da evidenciação de instrumentos financeiros. Rio de Janeiro, 2009. Disponível em: < www.cvm.gov.br/port/snc/deli604.doc>. Acesso em: 04 dez. 2014.

COMISSÃO DE VALORES MOBILIÁRIOS. Instrução normativa CVM nº 10, de 14 de fevereiro de 1980. Dispõe sobre a aquisição por companhias abertas de ações de sua própria emissão, para cancelamento ou permanência em tesouraria, e respectiva alienação e alterada pela Instrução CVM nº 268/97. Rio de Janeiro, 1980. Disponível

COMISSÃO DE VALORES MOBILIÁRIOS. Instrução CVM nº 168, de 23 de dezembro de 1991. Dispõe sobre operações sujeitas a procedimentos especiais nas Bolsas de Valores. Rio de Janeiro, 1991. Disponível em: <http://www.cvm.gov.br/>. Acesso em: 17 nov. 2014.

COMISSÃO DE VALORES MOBILIÁRIOS. Instrução CVM nº332, de 4 de abril de 2000. Dispõe sobre a emissão e negociação de certificados de depósito de valores imobiliários – BDRs com lastro em valores mobiliários de emissão de companhias abertas, ou assemelhadas, com sede no exterior e revoga as Instruções CVM nºs 255, de 31 de outubro de 1996, e 321, de 10 de dezembro de 1999. Rio de Janeiro, 2000. Disponível em: <www.cvm.gov.br/port/infos/Comunicado_493.asp>. Acesso em: 24 nov. 2014.

COMISSÃO DE VALORES MOBILIÁRIOS. Instrução CVM nº358, de 3 de janeiro de 2002. Rio de Janeiro, 2002a. Disponível em: < http://www.bmfbovespa.com.br/pt-br/regulacao/regulamentos-e-normas/legislacao/instrucoes-cvm.aspx?Idioma=pt-br>. Acesso em: 14 nov. 2014.

COMISSÃO DE VALORES MOBILIÁRIOS. Instrução CVM nº 361, de 5 de março de 2002b. Dispõe sobre o procedimento aplicável às ofertas públicas de aquisição de ações de companhia aberta, o registro das ofertas públicas de aquisição de ações para cancelamento de registro de companhia aberta, por aumento de participação de acionista controlador, por alienação de controle de companhia aberta, para aquisição de controle de companhia aberta quando envolver permuta por valores mobiliários, e de permuta por valores mobiliários, revoga a Instrução CVM nº 229, de 16 de janeiro de 1995,a Instrução CVM nº 299, de 9 de fevereiro de 1999 e a Instrução CVM nº 345, de 4 de setembro de 2000, e dá outras providências. Rio de Janeiro, 2002b. Disponível em: <http://www.cvm.gov.br/port/audi/vers%C3%A3o%20consolidada%20361.pdf>. Acesso em: 21 nov. 2014.

COMISSÃO DE VALORES MOBILIÁRIOS. Instrução CVM nº 391, de 16 de julho de 2003. Dispõe sobre a constituição, o funcionamento e a administração dos Fundos de Investimento em Participações. Rio de Janeiro, 2003b. Disponível em: <www.cvm.gov.br/asp/cvmwww/Atos/Atos/inst/inst391consolid.doc>. Acesso em: 20 nov. 2014.

COMISSÃO DE VALORES MOBILIÁRIOS. Instrução CVM nº 400, de 29 de dezembro de 2003. Dispõe sobre as ofertas públicas de distribuição de valores mobiliários, nos mercados primário ou secundário, e revoga a Instrução CVM nº 13, de 30 de setembro de 1980, e a Instrução CVM nº 88, de 3 de novembro de 1988. Rio de Janeiro: 2003a. Disponível em: <www.cvm.gov.br/asp/cvmwww/Atos/Atos/inst/inst400consolid.doc>. Acesso em: 20 nov. 2014.

COMISSÃO DE VALORES MOBILIÁRIOS. Instrução CVM nº 409, de 18 de agosto de 2004. Dispõe sobre a constituição, a administração, o funcionamento e a divulgação de informações dos fundos de investimento. Rio de Janeiro, 2004. Disponível em: < http://www.cvm.gov.br/asp/cvmwww/Atos/Atos/inst/inst409consolid.doc>. Acesso em: 21 nov. 2014.

COMISSÃO DE VALORES MOBILIÁRIOS. Instrução CVM nº 471, de 8 de agosto de 2008. Dispõe sobre o procedimento simplificado para registro de ofertas públicas de distribuição de valores mobiliários. Rio de Janeiro, 2008. Disponível em: <www.cvm.gov.br/port/infos/inst471.doc>. Acesso em: 20 nov. 2014.

COMISSÃO DE VALORES MOBILIÁRIOS. Instrução CVM nº 475, de 17 de dezembro de 2008. Dispõe sobre a apresentação de informações sobre instrumentos financeiros, em nota explicativa específica, e sobre a divulgação do quadro demonstrativo de análise de sensibilidade. Revoga a Instrução CVM nº 235, de 23 de março de 1995. Rio de Janeiro, 2008. Disponível em: < http://www.cvm.gov.br/asp/cvmwww/atos/Atos_Redir.asp?Tipo=I&File=\inst\inst475.doc>. Acesso em: 04 dez. 2014.

COMISSÃO DE VALORES MOBILIÁRIOS. Instrução CVM nº 476, de 16 de janeiro de 2009. Dispõe sobre as ofertas públicas de valores mobiliários distribuídas com esforços restritos e a negociação desses valores mobiliários nos mercados regulamentados. Rio de Janeiro, 2009a. Disponível em: <http://www.cvm.gov.br/port/infos/inst476.pdf>. Acesso em: 20 nov. 2014.

COMISSÃO DE VALORES MOBILIÁRIOS. Instrução CVM nº 480, de 7 de dezembro de 2009. Dispõe sobre o registro de emissores de valores mobiliários admitidos à negociação em mercados regulamentados de valores mobiliários.

Rio de Janeiro, 2009b. Disponível em: <http://www.cvm.gov.br/port/infos/inst480%20-%20consolidada.pdf>. Acesso em: 20 nov. 2014.

COMISSÃO DE VALORES MOBILIÁRIOS. Instrução normativa nº481, de 17 de dezembro de 2009c. Dispõe sobre informações e pedidos públicos de procuração para exercício do direito de voto em assembleia de acionistas. Rio de Janeiro, 2009c. Disponível em: <www.cvm.gov.br/asp/cvmwww/Atos/Atos/inst/inst481.doc>. Acesso em: 21 nov. 2014.

COMISSÃO DE VALORES MOBILIÁRIOS. Instrução CVM nº 482, de 5 de abril de 2010. Altera e acrescenta artigos à Instrução CVM nº 400, de 29 de dezembro de 2003 e à Instrução CVM nº 476, de 16 de janeiro de 2009. Rio de Janeiro, 2010a. Disponível em: <www.cvm.gov.br/asp/cvmwww/Atos/Atos/inst/inst482.doc>. Acesso em: 20 nov. 2014.

COMISSÃO DE VALORES MOBILIÁRIOS. Instrução CVM nº 488, de 16 de dezembro de 2010. Altera e acrescenta artigos à Instrução CVM nº 400, de 29 de dezembro de 2003, à Instrução CVM nº 476, de 16 de janeiro de 2009, e à Instrução CVM nº 480, de 7 de dezembro de 2009. Rio de Janeiro, 2010b. Disponível em: < http://www.cvm.gov.br/asp/cvmwww/atos/Atos_Redir.asp?Tipo=I&File=\inst\inst488.doc>. Acesso em: 20 nov. 2014.

COMISSÃO DE VALORES MOBILIÁRIOS. Instrução CVM nº527, de 4 de outubro de 2012. Dispõe sobre a divulgação voluntária de informações de natureza não contábil denominadas LAJIDA e LAJIR. Rio de janeiro, 2012. Disponível em: <http://www.cvm.gov.br>. Acesso em: 14 nov. 2014.

COMISSÃO DE VALORES MOBILIÁRIOS. Processo Administrativo nº RJ 2008/2535. Aquisição de ações de própria emissão. Rio de Janeiro, 2008. Disponível em: <http://www.cvm.gov.br/port/descol/respdecis.asp?File=5975-0.HTM>. Acesso em: 20 nov. 2014.

COMITÊ DE PRONUNCIAMENTOS CONTÁBEIS. Orientação técnica OCPC nº6, de 2 de dezembro de 2011. Apresentação de informações financeiras *Pro Forma*. Rio de Janeiro, 2011. Disponível em: <http://www.cpc.org.br/CPC/Documentos-Emitidos/Orientacoes/Orientacao?Id=33>. Acesso em: 18 nov. 2014.

COMITÊ DE PRONUNCIAMENTOS CONTÁBEIS. Pronunciamento técnico CPC nº 2 (R2), de 3 de setembro de 2010. Efeitos das mudanças nas taxas de câmbio e conversão de demonstrações contábeis. Rio de Janeiro, 2010. Disponível em: <http://www.cpc.org.br/CPC/Documentos-Emitidos/Pronunciamentos/Pronunciamento?Id=9>. Acesso em: 24 nov. 2014.

COMITÊ DE PRONUNCIAMENTOS CONTÁBEIS. Pronunciamento técnico CPC nº 6 (R1), de 2 de dezembro de 2010. Rio de Janeiro, 2010. Disponível em: <http://www.cpc.org.br/CPC/Documentos-Emitidos/Pronunciamentos/Pronunciamento?Id=37>. Acesso em: 20 nov. 2014.

COMITÊ DE PRONUNCIAMENTOS CONTÁBEIS. Pronunciamento técnico CPC nº 15 (R1),de 03 de junho de 2011. Rio de Janeiro, 2011. Disponível em: <http://www.cpc.org.br/CPC/Documentos-Emitidos/Pronunciamentos/Pronunciamento?Id=46>. Acesso em: 24 nov. 2014.

COMITÊ DE PRONUNCIAMENTOS CONTÁBEIS. Pronunciamento técnico CPC nº 26, de 2 de dezembro de 2011. Rio de Janeiro, 2011. Disponível em: <http://www.cpc.org.br/CPC/Documentos-Emitidos/Pronunciamentos/Pronunciamento?Id=57>. Acesso em: 18 nov. 2014.

COMITÊ DE PRONUNCIAMENTOS CONTÁBEIS. Pronunciamento técnico CPC nº 30, de 19 de outubro de 2012. Rio de Janeiro, 2012b. Disponível em: <http://www.cpc.org.br/CPC/Documentos-Emitidos/Pronunciamentos/Pronunciamento?Id=61>. Acesso em: 21 nov. 2014.

COMITÊ DE PRONUNCIAMENTOS CONTÁBEIS. Pronunciamento técnico CPC nº 38, de 2 outubro de 2009. Rio de Janeiro, 2009a. Disponível em: <http://www.cpc.org.br/CPC/Documentos-Emitidos/Pronunciamentos/Pronunciamento?Id=69>. Acesso em: 19 nov. 2014.

COMITÊ DE PRONUNCIAMENTOS CONTÁBEIS. Pronunciamento técnico CPC nº 39, de 2 de outubro de 2009. Rio de Janeiro, 2009b. Disponível em: <http://www.cpc.org.br/CPC/Documentos-Emitidos/Pronunciamentos/Pronunciamento?Id=70>. Acesso em: 21 nov. 2014.

COMITÊ DE PRONUNCIAMENTOS CONTÁBEIS. Pronunciamento técnico CPC nº 40, de 1 de junho de 2012. Rio de Janeiro, 2012a. Disponível em: <http://www.cpc.org.br/CPC/Documentos-Emitidos/Pronunciamentos/Pronunciamentos?Id=71>. Acesso em: 21 nov. 2014.

COTAÇÕES de títulos. *Valor Econômico*, 2014. Disponível em: <http://www.valor.com.br/valor-data/internacional/mercado-externo>. Acesso em: 24 nov. 2014.

COWAN, C.; OAK, B. *Rating action*: Moody´s atribuiu rating na escala global e em moeda local Baa2 e Aaa.br na Escala Nacional Brasileira (NSR) para a planejada emissão de debêntures simples quirografárias da Vale; perspectiva estável. São Paulo, 2013. Disponível em: < https://www.moodys.com/research/Moodys-atribuiu-rating-na-escala-global-e-em-moeda-local--PR_289119>. Acesso em: 17 nov. 2014.

DEBENTURES.com.br. [Site]. [2014]. Disponível em: <http://www.debentures.com.br/>. Acesso em: 24 nov. 2014.

DELOITTE. c2014. Disponível em: < http://www2.deloitte.com/br/pt.html>. Acesso em: 20 nov. 2014.

ECONOMÁTICA. São Paulo, 2012. Disponível em: <https://economatica.com/PT/>. Acesso em: 19 nov. 2014.

EMBRAER inicia oferta de troca de títulos. *Valor Econômico*, 29 ago. 2013. Disponível em: <http://www.valor.com.br/empresas/3251550/embraer-inicia-oferta-de-troca-de-titulos>. Acesso em: 19 nov. 2014.

FASB – Financial Accounting Standards Board. Statement nº 52, dec. 1981. Norwalk, 1981. Disponível em: <http://www.fasb.org/summary/stsum52.shtml>. Acesso em: 24 nov. 2014.

FINANÇAS. *Valor Econômico*, 01 out. 2014.

GALESNE, A.; FENSTERSEIFER, J. E.; LAMB, R. *Decisões de investimento da Empresa*. São Paulo: Atlas, 1999. 268 p.

GERDAU. *Comunicado ao mercado*. Rio de Janeiro, 2014. Disponível em: <http://gerdau.infoinvest.com.br/ptb/6060/2014.04.15%20-%20Comunicado%20Bond%2010%20ano%20-%20vers%E3o%20final%20PORT.pdf>. Acesso em: 24 nov. 2014.

IFRS. *Internacional Financial Reporting Standard* 3 (IFRS 3). London, c2014. Disponível em: <http://eifrs.ifrs.org/eifrs/bnstandards/en/2013/ifrs3.pdf>. Acesso em: 24 nov. 2014.

KHANA, T.; PALEPU, K. Why focused strategies may be wrong for emerging markets. Harvard Business Review, p. 41-51, jul/aug. 1997.

MARFRIG GLOBAL FOODS S.A. *Comunicado ao mercado*: emissão de Senior Notes – Moy Park. São Paulo, 2014. Disponível em: <http://ri.marfrig.com.br/port/downloads/comunicados/2014_05_23_Comunicado_ao_Mercado_-_Moy_Park_Bonds_2021_-_PORT_-_FINAL.pdf>. Acesso em: 24 nov. 2014.

MANNES aprova plano de recuperação judicial. *Valor Econômico*, 9 out. 2014. Disponível em: <http://www.valor.com.br/empresas/3727968/mannes-aprova-plano-de-recuperacao-judicial>. Acesso em: 24 nov. 2014.

MOODY´s. *Classificação para títulos emitidos no Brasil em agosto de 2010*. São Paulo, 2010. Disponível em: <https://www.moodys.com/pages/default_br.aspx>. Acesso em: 17 nov. 2014.

NETO, A. A.; LIMA, F. G.; ARAÚJO, A.M.P. Uma proposta metodológica para o cálculo do custo de capital no Brasil. *Revista de Administração*, v.43, n.1, p. 1-27, jan./fev./mar. 2008. Disponível em: <http://www.institutoassaf.com.br/downloads/artigo_rausp_custo_capital_no_brasil.pdf>. Acesso em: 19 nov. 2014.

PEREZ, A. Juros futuros longos têm leve alta com eleição e cenário político. *Valor Econômico*, 14 out. 2014. Disponível em: < http://www.valor.com.br/financas/3735166/juros-futuros-longos-tem-leve-alta-com-eleicao-e-cenario-externo>. Acesso em: 04 dez. 2014.

PERLIN, M. S.; CERETTA, P. S. CAPM e o mercado brasileiro. In: *Anais do Congresso USP de Controladoria e Contabilidade*. São Paulo, 2004. Disponível em: <http://www.congressousp.fipecafi.org/web/artigos42004/173.pdf>. Acesso em: 19 nov. 2014.

POUCAS empresas conseguem sair da recuperação judicial. *Valor Econômico*, 18 jul. 2014. Disponível em: <http://www.valor.com.br/legislacao/3617894/poucas-empresas-conseguem-sair-da-recuperacao-judicial>. Acesso em: 24 nov. 2014.

PWC. c2013-2014. Disponível em: < http://www.pwc.com.br/pt/index.jhtml>. Acesso em: 20 nov. 2014.

SECURITIES AND EXCHANGE COMMISSION (SEC). *Final rule*: offshore offers and sales (Regulation S). United States, 1999. Disponível em: < http://www.sec.gov/rules/final/33-7505.htm>. Acesso em: 20 nov. 2014.

SECURITIES AND EXCHANGE COMMISSION (SEC). *Rule 144*: selling restricted and control securities. United States, [20--?]. Disponível em: < http://www.sec.gov/investor/pubs/rule144.htm>. Acesso em: 20 nov. 2014.

SECURITIES AND EXCHANGE COMMISSION (SEC). Security Act of 1933. United States, 1933. Disponível em: <https://www.sec.gov/about/laws.shtml >. Acesso em: 14 nov. 2014.

SECURITIES AND EXCHANGE COMMISSION (SEC). Security Exchange Act of 1934. United States, 1934. Disponível em: < http://www.sec.gov/about/laws.shtml>. Acesso em: 14 nov. 2014.

UNITED STATES. Office of the Law Revision Counsel. *United States Code*. Washington, 2014. Disponível em: <http://uscode.house.gov/browse/&edition=prelim>. Acesso em: 24 nov. 2014.

UNITED STATES COURTS. *Bankruptcy basics*. 3rd ed. Washington, 2011. Disponível em: <http://www.uscourts.gov/Viewer.aspx?doc=/uscourts/FederalCourts/BankruptcyResources/bankbasics2011.pdf>. Acesso em: 24 nov. 2014.

WEG. *Informações financeiras*. c2011. Disponível em: <http://www.weg.net/ri/informacoes-financeiras/informacoes-cvm/>. Acesso em: 14 nov. 2014.

WEG. *ITR informações trimestrais*. 2014. Disponível em: < http://www.weg.net/ri/wp-content/uploads/2014/10/ITR-3T-2014-WEG.pdf>. Acesso em: 04 dez. 2014.

WORLD FEDERATION OF EXCHANGES. *Equity*: domestic market capitalization (USD millions). London, c2010. Disponível em: <http://world-exchanges.org/statistics/monthly-reports>. Acesso em: 17 nov. 2014.

Glossário

Abordagem da porcentagem de vendas (*Percentage of sales approach*) Protocolo de planejamento financeiro que especifica os itens do balanço patrimonial e da demonstração de resultados como uma proporção das vendas.

Ação (*Stock, Shares of stock*) Direito sobre o capital próprio possuído pelos "titulares residuais" da empresa, os últimos a receber qualquer distribuição de lucros ou ativos. A menor parte dos direitos sobre o patrimônio de uma empresa.

Ação ordinária (*Common stock*) Ação com direitos políticos (direitos de voto).

Ação preferencial (*Preferred stock*) Tipo de ação que geralmente não dá direito a voto e cujos titulares têm certas prioridades sobre os direitos dos acionistas ordinários. No Brasil, os dividendos da preferencial geralmente dependem dos resultados da emissora. Nos Estados Unidos, a ação preferencial tem direito a dividendos fixos que independem de resultados, o que a torna lá um título semelhante a um título de dívida.

Ação sintética (*Synthetic stock*) Combinação de compra de uma opção de compra, venda de uma opção de venda e um investimento à taxa sem risco que imita o retorno sobre a ação subjacente.

Aceitar a entrega (*Taking delivery*) Refere-se ao comprador assumir de fato a posse do ativo acordado em um contrato a termo.

Aceite bancário (*Banker's acceptance*) Garantia de um banco para pagar um título de dívida representativo de uma obrigação de um cliente, para pagamento em uma data futura.

Aceite comercial (*Trade acceptance*) Aceite por uma empresa para pagar um título que representa a obrigação de pagar uma dada soma de dinheiro em uma data futura.

Acionista (*Stockholder*) Titular de ações que representam capital próprio de uma empresa. O termo acionista no Brasil aplica-se tanto a titulares de ações ordinárias quanto a titulares de ações preferenciais. Nos Estados Unidos, em geral, refere-se aos titulares de ações ordinárias de uma empresa.

Ações em Tesouraria (*Treasury stock*) Ações que foram emitidas e recompradas por uma empresa.

Acordo de *standstill* (*Standstill agreement*) Contrato em que a empresa adquirente em uma tentativa de tomada de controle, mediante uma comissão, concorda em limitar suas participações na empresa-alvo.

Acordo privado (*Private workout*) Reestruturação financeira em acordo com credores que ocorre em lugar da recuperação judicial formal.

Aditividade do valor (AV) (*Value additivity – VA – principle*) O valor da empresa é a soma dos valores dos diferentes projetos, divisões ou entidades dela.

ADR, ver *American Depository Receipt*.

Alavancagem caseira (*Homemade leverage*) Ideia de que, desde que pessoas físicas tomem empréstimos (e os concedam) nos mesmos termos que as empresas, elas sozinhas podem duplicar os efeitos da alavancagem das empresas.

Alavancagem financeira (*Financial leverage*) Nível de endividamento que uma empresa usa para financiar seus ativos.

Alavancagem operacional (*Operating leverage*) Grau em que os custos de operações da empresa são fixos ao invés de variáveis. Quanto maiores forem os custos fixos comparados aos variáveis, maior será a alavancagem operacional.

Alienação fiduciária (*Trust receipt*) Dispositivo pelo qual o devedor mantém o estoque em "confiança" para o credor.

Alíquota tributária marginal (*Marginal tax rate*) Alíquota tributária sobre a próxima unidade de lucro.

Alíquota tributária média (*Average tax rate*) Valor total dos tributos sobre lucros, dividido pela receita tributável.

***American Depository Receipt* (ADR)** Título constituído por recibo de custódia de ações, emitido nos Estados Unidos, para representar ações estrangeiras. Permite que a ação estrangeira seja negociada em mercado de balcão ou bolsa de valores nos Estados Unidos.

Análise de cenários (*Scenario analysis*) Análise do efeito de diferentes cenários sobre um projeto, cada um envolvendo diferentes alterações de variáveis.

Análise de crédito (*Credit analysis*) Processo para determinar se um candidato a crédito atende aos padrões da empresa e qual montante de crédito lhe pode ser concedido.

Análise de ponto de equilíbrio (*Break-even analysis*) Análise do nível de vendas em que um projeto cobriria todos os seus custos e despesas e apresentaria zero de lucros.

Análise de sensibilidade (*Sensitivity analysis*) Análise do efeito sobre o projeto quando existe alguma alteração em uma variável crítica, como as vendas ou os custos.

Anuidade (*Annuity*) Uma série regular de fluxos de caixa iguais que dura por um prazo fixo.

Anuidade antecipada (*Annuity due*) Anuidade cujos fluxos de caixa iniciam na data 0, e não na data 1.

Anuidade crescente (*Growing annuity*) Número finito de fluxos de caixa crescentes.

Anuidade ordinária (*Ordinary annuity*) Anuidade cujos fluxos de caixa iniciam na data 1, e não na data 0. Também chamada de anuidade postecipada.

Anuidade postecipada (*Annuity in arrears*) Anuidade cujos fluxos de caixa iniciam na data 1, e não na data 0. Também chamada de anuidade ordinária.

Anúncio de emissão (*Tombstone*) Anúncio que divulga uma oferta pública de títulos. Identifica o emissor, o tipo de título, os coordenadores e instituições intermediárias e onde informações adicionais estão disponíveis.

APT (*APT*) Teoria de precificação por arbitragem.

Aquisição alavancada (*Leveraged buyout – LBO*) Tomada de controle de uma empresa com uso de empréstimos, geralmente por um grupo que inclui algum membro da administração existente.

Aquisição conglomerada (*Conglomerate acquisition*) Aquisição em que a empresa adquirida e a adquirente não são relacionadas, diferentemente de uma aquisição horizontal ou vertical.

Aquisição horizontal (*Horizontal acquisition*) Fusão entre duas empresas produzindo bens ou serviços similares.

Aquisição tributável (*Taxable acquisition*) Aquisição cujos resultados afetam a tributação dos acionistas da empresa adquirida se realizarem ganhos ou perdas de capital.

Aquisição vertical (*Vertical acquisition*) Aquisição em que a empresa adquirida e a adquirente estão em diferentes etapas do mesmo processo de produção.

Arbitragem (*Arbitrage*) Comprar um ativo em um mercado a um preço menor e vender simultaneamente um ativo idêntico em outro mercado a um preço maior. O ganho é realizado sem riscos e com todos os custos já contabilizados.

Arbitragem de juros coberta (*Covered interest arbitrage*) Tomada de empréstimo em um país e investimento em outro para criar um lucro de arbitragem tornado possível por diferenças em taxas de juros, à vista e futuras.

Arbitragem triangular (*Triangular arbitrage*) Realização de três acordos que se compensam simultaneamente para obter um lucro de arbitragem.

Arrendador (*Lessor*) Quem cede o uso dos ativos em um arrendamento.

Arrendamento (*Lease*) Contrato que concede o uso de ativos não circulantes específicos por um período especificado em troca de pagamento, normalmente na forma de aluguel.

Arrendamento alavancado (*Leveraged lease*) Contrato de arrendamento voltado para o aproveitamento de benefícios tributários que envolve um ou mais emprestadores.

Arrendamento direto (*Direct lease*) Arrendamento em que um arrendador compra equipamentos de um fabricante e o arrenda a um arrendatário.

Arrendamento do tipo venda (*Sale-type lease*) Acordo por meio do qual uma empresa arrenda seus próprios equipamentos.

Arrendamento financeiro (*Financial lease*) Arrendamento de longo prazo e não passível de cancelamento que geralmente exige que o arrendatário pague todas as taxas de manutenção.

Arrendamento operacional (*Operating leverage*) Tipo de arrendamento em que o período de contrato é menor que a vida útil dos equipamentos, e o arrendador paga todos os custos de manutenção e reparos.

Arrendatário (*Lessee*) Quem recebe o uso dos ativos em um arrendamento.

Árvores de decisão (*Decision trees*) Representação gráfica de decisões sequenciais alternativas e dos resultados possíveis delas.

Atividades operacionais (*Operating activities*) Atividades como a compra e o pagamento de matérias-primas, a produção e a venda de um produto e o seu recebimento no caixa.

Ativo circulante (*Current asset*) Ativo que está na forma de caixa ou quase caixa ou que se espera converter em caixa nos próximos 12 meses, como um estoque.

Ativo imobilizado (*Fixed asset*) Propriedade de longa duração possuída por uma empresa que é utilizada na produção dos seus lucros. Os ativos fixos tangíveis incluem imóveis, fábricas e equipamentos. Os ativos fixos intangíveis incluem patentes, marcas registradas e reconhecimento dos clientes.

Ativos (*Assets*) Qualquer coisa que a empresa possua que gere benefícios futuros.

Aversão ao risco (*Risk aversion*) Nível de remuneração exigido como prêmio para aceitar uma unidade de risco.

Balanço patrimonial (*Balance sheet*) Demonstração do valor contábil de uma empresa em uma data específica. Ela reflete o fato de que os ativos precisam ser iguais à soma dos passivos e do capital próprio.

Banco concentrador (*Concentration bank*) Nos Estados Unidos, um banco que reúne fundos obtidos de bancos locais.

Bancos de investimento (*Investment banks*) Intermediários financeiros que realizam uma variedade de serviços incluindo assistência na venda de títulos, facilitação de fusões e outras reorganizações corporativas, atuação como corretores para clientes individuais ou institucionais e negociação por conta própria.

Benefício fiscal da depreciação (*Depreciation tax shield*) Porção de um investimento realizado em ativos fixos que pode ser deduzida do lucro tributável.

Bens acabados (*Finished goods*) Uma forma de estoque. São compostos por produtos que estão prontos para envio ou venda.

***Beta* (*Beta*)** Uma medida da sensibilidade do retorno de um título a um risco sistemático.

***Beta* do capital próprio (*Equity beta*)** O *beta* dos ativos ajustado à alavancagem. O *beta* das ações da empresa negociadas publicamente.

***Beta* dos ativos (*Asset beta*)** A sensibilidade do valor dos ativos da empresa a variações no mercado. Também chamado de *beta* não alavancado.

***Beta* não alavancado (*Unlevered beta*)** A sensibilidade do valor dos ativos da empresa à direção dos movimentos do mercado. Também chamado de *beta* dos ativos.

Bloqueio (*Lockup*) Parte de um acordo de subscrição que especifica quanto tempo os que participam dos negócios da empresa (*insiders*) devem aguardar para vender suas ações depois de uma IPO (oferta pública inicial).

BM&FBOVESPA Bolsa de Valores, Mercadorias e Futuros (BM&FBOVESPA S.A.) A bolsa brasileira que negocia ações, títulos de dívida e derivativos e outros títulos mobiliários. Uma das maiores bolsas do mundo em valor de mercado e a líder no continente latino-americano.

Bolsa de Valores de Nova Iorque (*New York Stock Exchange – NYSE*) Maior mercado de ações do mundo em termos de volume em dólares e de valor total das ações listadas.

Bônus de subscrição (*Warrant*) Título que assegura ao titular o direito, mas não a obrigação, de comprar certo número de ações ao preço e no prazo definidos no título, diretamente da empresa emissora. O bônus de subscrição é alienado pela empresa ou atribuído, como vantagem adicional, aos subscritores de suas ações ou debêntures.

Bookbuilding Processo de consulta a participantes do mercado na busca de informações sobre preços e quantidades para uma nova oferta de títulos.

CAE (*Equivalent anual cost – EAC*) Custo anual equivalente.

Caminho aleatório (*Random walk*) Modelo estatístico em que as variações dia a dia no preço das ações são aleatórias; as variações são independentes umas das outras e têm a mesma distribuição de probabilidade.

Capacidade de endividamento (*Debt capacity*) Capacidade de tomar empréstimos. O montante que uma empresa pode tomar emprestado até o ponto em que o valor da empresa não aumente mais.

Capital alavancado (*Leverage equity*) Ações de uma empresa que faz uso de alavancagem financeira. Os titulares de capital alavancado enfrentam os benefícios e os custos do uso da dívida.

Capital circulante líquido (*Net working capital*, em algumas situações também Capital de giro, se fonte de recursos) Uso de recursos no circulante. Ativo circulante menos passivo circulante.

Capital de giro (*Net working capital*, em algumas situações também Capital circulante líquido, se uso de recursos) Fonte de recursos para o circulante. Origens de longo prazo (PL+ PNC) menos aplicações de longo prazo (ANC).

Capital próprio (*Equity*) Participação patrimonial em uma empresa.

Capitalização (*Compounding*) Processo em que os juros devidos num período não são pagos, são reinvestidos. A capitalização baseia-se na ideia de que os juros não recebidos se tornam o principal (*ver* Principal) e, portanto, também obtêm juros em períodos subsequentes. O processo de capitalização para cálculo de um valor futuro é o inverso do processo de desconto para cálculo de um valor presente.

Capitalização contínua (*Continuous compounding*) Juros capitalizados continuamente, em vez de a intervalos fixos.

Capitalização de mercado (*Market capitalization*) Preço corrente da ação de uma empresa multiplicado pelo número de ações em circulação dessa empresa.

CAPM (*Capital asset pricing model*) Modelo de precificação de ativos financeiros.

CAR (*Cumulative abnormal return*) Retorno anormal cumulativo.

Carta-comentário (*Letter of comment*) Comunicação da Comissão de Valores Mobiliários dos Estados Unidos (SEC) à empresa sugerindo alterações em uma demonstração arquivada na SEC.

Carteira (*Portfolio*) Investimento combinado constituído por mais de um ativo como ações, títulos de dívida, ativos mobiliários, entre outros.

Carteira de ações de crescimento (*Growing stok portfolio*) Carteira que tem um índice P/L médio muito superior ao P/L médio de mercado.

Carteira de mercado (*Market portfolio*) Na teoria, um índice ponderado de valores de todos os títulos existentes num mercado. Na prática, um índice como o S&P 500 ou o Ibovespa.

Carteira de valor (*Value portfolio*) Carteira de ações que tem um índice P/L médio muito menor que o do índice de mercado.

Carteira de variância mínima (*Minimum variance portfolio*) Carteira de ativos com risco com a menor variância possível. Por definição, essa carteira também tem o menor desvio padrão possível.

Cavaleiro branco (*White knight*) Novo ofertante amigável em uma disputa hostil de tomada do controle de uma empresa.

CDS (*Credit default swap*) Swap de inadimplência de crédito.

Certificado de depósito (*Certificate of deposit – CD*) Captação de curto prazo de bancos comerciais.

Ciclo de caixa *ver* Ciclo financeiro.

Ciclo financeiro (*Cash cycle*) O tempo médio entre o desembolso e o recebimento de caixa. Na gestão do capital de giro, pode ser visto como o ciclo operacional menos o prazo médio das contas a pagar. Também referido como ciclo de caixa.

Ciclo operacional (*Operating cycle*) Intervalo de tempo entre a chegada dos estoques e a data de recebimento no caixa das contas a receber.

Cláusula de opção (*Call provision*) Cláusula contratual entre uma empresa emissora e os titulares de seus títulos de dívida que dá a ela a opção de resgatar os títulos a um preço predeterminado, antes da data de vencimento.

Cláusula de opção de venda (*Put provision*) Cláusula contratual que dá aos titulares de um título de dívida o direito de vendê-lo de volta ao emissor a um preço predeterminado, antes da data de vencimento.

Cláusula negativa (*Negative covenant*) Cláusula da escritura de emissão ou do título representativo de empréstimo que limita ou proíbe uma ação por parte da empresa tomadora, a fim de proteger o credor.

Cláusula positiva (*Positive covenant*) Cláusula da escritura de emissão ou do título representativo de empréstimo que especifica uma ação que a empresa tomadora deve cumprir, a fim de proteger o credor.

Cláusula protetora (*Protective covenant*) Cláusula da escritura de emissão ou do título representativo de empréstimo que limita ou exija certas ações da empresa devedora durante a duração do empréstimo, para proteger o credor. Também conhecida como cláusula restritiva (ponto de vista do vendedor).

CMPC (*Weighted average cost of capital – WACC*) Custo médio ponderado de capital.

Colocação direta (*Direct placement*) Venda de novos títulos mobiliários diretamente a um comprador ou a poucos compradores, e não ao público. Venda de títulos públicos sem a realização de leilões ou outro tipo de oferta pública.

Colocação privada (*Private placement*) Venda direta de um título de dívida, ou outro título, a um número limitado de investidores. Colocação de ações feita apenas entre os atuais acionistas, no exercício de seu direito de preferência.

Comissão de standby (*Standby fee*) Montante pago a um banco subscritor que concorde em comprar qualquer ação que não esteja subscrita por investidores de mercado em uma oferta pública de títulos mobiliários.

Compromisso antecipado (*Advanced commitment*) Promessa de vender um ativo antes de o vendedor ter programado a aquisição do ativo.

Concentração de caixa (*Cash concentration*) Processo utilizado por uma empresa que movimenta o caixa para uma conta principal depois do recebimento em diferentes unidades.

Concentradora (*Lockbox*) Caixa postal utilizada por empresas nos Estados Unidos para interceptar pagamentos. O dispositivo mais amplamente utilizado nos Estados Unidos para agilizar o recebimento de caixa.

Condições de venda (*Terms of sale*) Condições em que a empresa se propõe a vender seus bens e serviços, ou à vista ou a crédito.

Conjunto de oportunidades (*Opportunity set*) Os pares "retorno esperado-desvio padrão" possíveis que podem ser construídos a partir de um conjunto de ativos. Também chamado de conjunto viável.

Conjunto eficiente (*Efficient set*) Gráfico representando um conjunto de carteiras que maximizam o retorno esperado em cada nível do risco de seus retornos. Também chamado de fronteira eficiente.

Conjunto viável (*Feasible set*) Os melhores pares "retorno esperado-desvio padrão" que podem ser construídos a partir de um conjunto de ativos. Também chamado de conjunto de oportunidades.

Conselho escalonado (*Classified board*, ou *Staggered board*) Nos Estados Unidos, método de votação para o conselho de administração de uma empresa em que apenas uma parte do conselho é eleita a cada ano.

Conservadorismo (*Conservatism*) Desvio da racionalidade em que a pessoa é muito lenta em atualizar suas crenças à vista de novas informações.

Consol (*Consol*) Título de dívida que nunca vence e paga um cupom para sempre.

Consolidação (*Consolidation*) Procedimento de aquisição entre empresas em que a adquirente e a adquirida encerram sua existência legal anterior e se tornam uma empresa inteiramente nova. Ver Fusão.

Conta aberta (*Open account*) Operação de vendas a crédito na qual o único instrumento formal de crédito é a fatura. Ver Crédito rotativo.

Conta de desembolsos controlados (*Controlled disbursement account*) Prática nos Estados Unidos em que o total dos pagamentos em uma conta em um dado dia é limitado, e cujos montantes diários são supridos por outras contas de uma empresa.

Conta de saldo zero (*Zero-balance account – ZBA*) Conta corrente com saldo zero mantido por transferências de fundos de uma conta principal em quantias suficientes apenas para cobrir os cheques apresentados.

Contas a pagar (*Accounts payable*) Dinheiro que a empresa deve aos seus fornecedores.

Contas a receber (*Accounts receivable*) Dinheiro devido à empresa pelos seus clientes.

Contrato a termo (*Forward contract*) Contrato para entrega futura de um ativo a um preço acordado, geralmente negociado no mercado de balcão.

Contrato de futuros (*Futures contract*) Contrato cujos titulares se obrigam a comprar ou vender um ativo a um preço acordado em uma data futura especificada. Os futuros diferem dos contratos a termo por serem padronizados e negociados em bolsa, e por exigir margem e ajuste diário (avaliação diária ao preço do mercado).

Contrato de recompra (*Repurchase agreement – Repo*) Operações de curto prazo, muitas vezes *overnight*, de títulos do governo com um contrato para sua recompra a um preço ligeiramente maior. Ver Operações compromissadas.

Convenção de datas (*Dates convention*) Trata os fluxos de caixa como recebidos em datas exatas – data 0, data 1 e assim por diante –, e não na convenção de fim do ano.

Convenção de fim de ano (*End-of-the-year convention*) Trata os fluxos de caixa como se ocorressem no fim de um ano (ou, alternativamente, no fim de um período).

Conversão forçada (*Forced conversion*) Se o valor de conversão de um título de dívida conversível for maior que o preço da sua opção de compra, a opção de compra pode ser utilizada para forçar a conversão.

Correlação (*Correlation*) Medida estatística padronizada da dependência entre os retornos de duas variáveis aleatórias. Definida como a covariância dividida pelos desvios padrão das duas variáveis.

Correlação serial (*Serial correlation*) Correlação entre uma variável e o valor defasado da mesma variável.

Corretor (*Broker*) Agente de mercado que reúne compradores e vendedores de títulos mobiliários, mas não mantém um estoque próprio de títulos mobiliários.

Cotação direta (*Direct quote*) Preço de uma unidade de moeda estrangeira cotada expresso em unidades de moeda do país de quem cota. Também chamada de cotação americana.

Cotação indireta (*Indirect quote*) Preço de uma unidade monetária do país de quem cota expresso em unidades da moeda estrangeira cotada. Também chamada de cotação europeia.

Covariância (*Covariance*) Medida estatística do grau em que variáveis aleatórias se movem juntas.

Crédito comercial (*Trade credit*) Crédito concedido a outras empresas.

Crédito rotativo Limite de crédito concedido por uma empresa a outras empresas para compras sem análise de crédito até determinado limite. Também é uma modalidade de empréstimo bancário, geralmente com garantia de recebíveis em que, à medida que os recebíveis são liquidados, novos empréstimos podem ser tomados.

Credor (*Creditor*) Pessoa ou instituição que é titular dos direitos sobre uma dívida de uma empresa ou de um indivíduo.

Cum dividend Com dividendos.

Cupom (*Coupon*) Pagamento de juros, por período declarado em um instrumento de dívida.

Curto prazo (*Short run*) Período de tempo em que certos equipamentos e recursos são fixos.

Curva de retorno dos títulos do Tesouro (*Treasury yield curve*) Representação gráfica dos retornos até o vencimento dos títulos do Tesouro com relação ao vencimento.

Custo alocado (*Allocated cost*) Custo advindo do uso de um recurso que é utilizado em múltiplos projetos.

Custo anual equivalente (CAE) (*Equivalent anual cost – EAC*) Anuidade com a mesma vida útil de um ativo e equivalente ao valor presente líquido do custo anual desse ativo.

Custo da dívida (*Cost of debt*) Custo da tomada de empréstimos.

Custo de capital (*Cost of capital*) Taxa mínima de retorno exigido para empreender um projeto. Também chamada de retorno exigido.

Custo de oportunidade (*Opportunity cost*) A alternativa mais valiosa que é abandonada. A taxa de desconto utilizada no cálculo do VPL é uma taxa de juros de oportunidade.

Custo do capital próprio (*Cost of equity*) Retorno exigido sobre a ação da empresa em mercados de capitais. É um custo a partir da perspectiva dos acionistas da empresa.

Custo fixo (*Fixed cost*) Custo que não depende da quantidade de bens ou serviços produzidos durante o período.

Custo irrecuperável (*Sunk cost*) Custo que já ocorreu e não pode ser revertido. Custos desse tipo devem ser ignorados na decisão de aceitar ou rejeitar um projeto.

Custo médio de capital (*Average cost of capital*) A média ponderada dos retornos exigidos pelos titulares das ações ordinárias, das ações preferenciais e da dívida de uma empresa. Também chamado de custo médio ponderado de capital.

Custo médio ponderado de capital (CMPC) (*Weighted average cost of capital -WACC*) Custo médio ponderado das ações ordinárias, das ações preferenciais e da dívida de uma empresa.

Custo variável (*Variable cost*) Custo que varia diretamente com o volume de produção e é zero quando a produção é zero.

Custos de agência (*Agency costs*) Custos de conflitos de interesse entre acionistas, credores e gestores e entre acionistas controladores e não controladores.

Custos de carregamento (*Carrying costs*) Custos que se elevam com os aumento no nível de investimentos em ativos (geralmente refere-se a ativos não circulantes).

Custos de dificuldades financeiras (*Financial distress costs*) Custos legais e administrativos de liquidação ou reorganização (custos diretos); capacidade reduzida de fazer negócios e incentivos para estratégias egoístas, como assumir grandes riscos, subinvestir e esvaziar a propriedade (custos indiretos).

Custos de emissão (*Floatation costs*) Custos incorridos pela empresa para emitir novos títulos mobiliários.

Custos de falência (*Bankruptcy costs*) Termo antigo para custos de dificuldades financeiras.

Custos de falta (*Shortage costs*) Custos que caem com os aumentos no nível de investimento em ativos, geralmente ativos circulantes.

Data de declaração (*Declaration date*) Data em que o conselho de administração divulga a decisão de pagamento de certo montante em dividendos em uma data especificada, a todos os acionistas registrados no livro de acionistas.

Data de registro (*Date of record*) Data em que os titulares de ações de uma empresa registrados no livro de acionistas são designados como destinatários de dividendos ou de direitos a ações.

Data de vencimento (*Expiration date*) Data de vencimento de uma opção.

Data do pagamento (*Date of payment*) Data em que os dividendos são pagos aos acionistas que estavam registrados no livro de acionistas na data de registro.

Data ex-direitos Data a partir da qual a compra de uma ação não tem mais um direito declarado.

Data ex-dividendo (*Ex-dividend date*) Data a partir da qual a compra de uma ação não tem mais o direito a um dividendo declarado.

Dealer Agente de mercado que opera em conta própria, mantém um estoque de ativos e está pronto para comprar e vender esses ativos a qualquer momento.

Debênture (*Debenture*) Nos Estados Unidos, um título de dívida não garantido, geralmente com vencimento de 10 anos ou mais. Uma obrigação de dívida sustentada pelo crédito geral da empresa emissora.

Debênture Título de dívida, de médio e longo prazo, que confere a seu detentor um direito de crédito contra a companhia emissora. Pode ter garantia real, flutuante ou não ter garantias. A sem garantias geralmente é chamada de quirografária.

Declaração de registro (*Registration statement*) Divulga todas as informações pertinentes a respeito de uma empresa que deseja fazer uma oferta pública. Nos Estados Unidos é apresentada à Comissão de Valores Monetários dos Estados Unidos (SEC).

Déficit (*Deficit*) Quantia na qual uma soma de dinheiro é menor que o montante exigido; um excedente de passivos sobre ativos, de perdas sobre lucros ou de despesas sobre receitas.

Demonstração de fluxos de caixa (*Statement of cash flows*) Demonstração contábil que explica a alteração contábil no caixa e equivalentes de uma empresa ao longo do tempo.

Demonstração de resultados (*Income statement*) Demonstração contábil que resume o desempenho de uma empresa ao final de um período especificado.

Demonstração de resultados abrangentes Demonstração de variações que ocorrem no patrimônio líquido durante um período e que resultam de receitas e despesas de realização financeira incerta que são registradas no patrimônio líquido (e não no resultado). As receitas e despesas são incertas porque decorrem de investimentos de longo prazo, sem data prevista de resgate ou outra forma de alienação. Inclui ajustes de reclassificação que não são reconhecidos na demonstração do resultado. Ver CPC-26.

Demonstrações de tamanho comum (*Common-size statements*) Demonstrações contábeis expressas em porcentagens em vez de total em reais para permitir comparações.

Demonstrações de valor adicionado Demonstração que tem por finalidade evidenciar a riqueza criada pela entidade e sua distribuição, durante determinado período. Ver CPC-09.

Demonstrações pro forma Demonstrações que simulam a consolidação das demonstrações contábeis auditadas em períodos anteriores, de adquirente e adquirida, em propostas de aquisição do controle de uma empresa.

Demonstrações projetadas (*Pro-forma statements*) Demonstrações financeiras projetadas para períodos futuros.

Dentro do dinheiro (*In the money*) Descreve uma opção cujo exercício produziria lucro. Fora do dinheiro descreve uma opção cujo exercício não seria lucrativo.

Depreciação (*Depreciation*) Despesa não monetária, como o custo de fábricas ou de equipamentos, que é lançada como despesa para apuração dos lucros. Visa realizar a baixa contábil do custo de um ativo durante sua vida útil estimada.

Depreciação linear (*Straight-line depreciation*) Método de depreciação pelo qual, a cada ano, a empresa deprecia uma proporção constante do investimento inicial menos o valor residual.

Derivativos exóticos (*Exotics*) Combinações complexas de instrumentos derivativos.

Desconto Cálculo do valor presente de um montante futuro. O processo é o inverso da capitalização.

Desconto comercial Redução do preço de venda que ocorre antes da emissão da nota fiscal de venda. Também chamado de desconto incondicional.

Desconto de subscrição (*Underwriting discount*) Nos Estados Unidos, a diferença entre o preço de compra e o preço de oferta do agente subscritor. Uma taxa pelo serviço do sindicato de bancos que realiza a subscrição.

Desconto financeiro (*Cash discount*) Desconto que incide sobre o valor da fatura ou de parcela, e é contingente à ocorrência do pagamento até uma data definida. A data para o devedor aproveitar o desconto pode ser a data de vencimento ou uma data anterior. Também chamado de desconto condicional.

Desdobramento de ações (*Stock split*) Aumento do número de ações em circulação sem alterações no capital investido pelos acionistas.

Desvio padrão (*Standard deviation*) Raiz quadrada da variância. A medida estatística padrão da dispersão de uma amostra.

Dificuldades financeiras (*Financial distress*) Eventos que precedem e incluem a recuperação judicial, como descumprimento de contratos de empréstimo.

Diluição (*Dilution*) Perda no valor patrimonial dos acionistas existentes. Existem vários tipos de diluição: (1) diluição de propriedade, (2) diluição de valor de mercado e (3) diluição de valor contábil e lucros.

Direito de inclusão em oferta (*Appraisal rights*) Direito dos acionistas de uma empresa adquirida que permite que exijam que suas ações sejam compradas por um valor justo pela empresa adquirente.

Direito de subscrição (*Preemptive right*) Direito de subscrever proporcionalmente qualquer nova emissão de ações.

Direitos de mercado (*Marketable claims*) Direitos que podem ser comprados e vendidos em mercados financeiros, como os de acionistas e credores.

Direitos não negociáveis no mercado (*Nonmarketale claims*) Direitos que não podem ser facilmente comprados e vendidos em mercados financeiros, como os do governo e de litigantes em processos.

Disposições supermajoritárias (*Supermajority provisions*) Cláusula de um estatuto social de uma empresa que requer uma porcentagem de votos afirmativos maior que 50% (muitas vezes 66,6%) para aprovar transações importantes, como fusões.

Disputa por procurações (*Proxy contest*) Tentativa de obter o controle de uma empresa pela solicitação de um número suficiente de procurações de acionistas para votar a substituição da administração da empresa.

Distribuição (*Distribution*) Nos Estados Unidos, um tipo de dividendo pago por uma empresa a seus titulares de fontes diferentes do lucro corrente ou de reservas de lucros. No Brasil, somente podem ser distribuídos dividendos de lucros ou reservas de lucros.

Distribuição de frequência (*Frequency distribution*) Organização de dados que mostra quantas vezes certos valores ou intervalos de valores ocorrem.

Distribuição normal (*Normal distribution*) Distribuição de frequência simétrica em forma de sino que pode ser completamente definida por sua média e seu desvio padrão.

Distribuição normal padronizada (*Standardized normal distribution*) Distribuição normal com uma média de 0 e um desvio padrão de 1.

Dívida (*Debt*) Empréstimos, passivos da empresa. Uma obrigação de restituir um montante especificado em um prazo específico.

Dívida de curto prazo (*Short-term debt*) Obrigação com vencimento em um ano ou menos a partir da data em que foi emitida. Algumas vezes é chamada de dívida não financiada.

Dívida de longo prazo (*Long-term debt*) Obrigação com vencimento em mais de um ano a partir da data em que foi emitida.

Dívida não financiada (*Unfunded debt*) Dívida de curto prazo.

Dívida subordinada (*Subordinate debt*) Dívida cujos titulares têm direito de demanda sobre os ativos da empresa somente depois de as demandas dos credores com preferência terem sido satisfeitas.

Dividendo (*Dividend*) Pagamento de lucros em dinheiro feito por uma empresa a seus acionistas. Componente de receita do retorno de um investimento em ações. Nos Estados Unidos, um pagamento em ações também pode ser chamado de dividendo.

Dividendo de liquidação (*Liquidating dividend*) Nos Estados Unidos, pagamento de uma empresa a seus titulares advindo do capital e não dos lucros.

Dividendo em ações (*Stock dividend*) Nos Estados Unidos, pagamento de dividendos na forma de ações e não em dinheiro. Um dividendo em ações vem das ações em tesouraria, aumenta o número de ações em circulação e reduz o valor de cada ação. No Brasil, a distribuição ações de forma gratuita aos acionistas existentes, é chamado de bonificação em ações.

Dividendo extra (*Extra cash dividend*) Dividendo pago além do dividendo regularmente pago.

Dividendos caseiros (*Homemade dividends*) Situação em que um investidor individual pode replicar ou desfazer a política de dividendos de uma empresa reinvestindo os dividendos excedentes ou vendendo ações para receber o fluxo de caixa desejado.

Dividendos cumulativos (*Cumulative dividends*) Nos Estados Unidos, tipo de dividendos de ações preferenciais que têm prioridade sobre os pagamentos de dividendos para ações ordinárias. Os dividendos podem não ser pagos às ações ordinárias até que os dividendos passados de ações preferenciais tenham sido pagos.

Dividendos cumulativos No Brasil, o dividendo que não foi pago durante o exercício, e é automaticamente acumulado para o período seguinte, desde que o direito a dividendos acumulados conste do estatuto social da empresa.

Dividendos por ação (*Dividends per share*) Montante de dinheiro pago aos acionistas expresso em valores monetários por ação.

Dividendos regulares (*Regular cash dividend*) Propensão de os dividendos de uma empresa apresentarem variabilidade menor que seus lucros. Pagamento em dinheiro por uma empresa a seus acionistas, geralmente quatro vezes por ano.

DMM (*designated market marker*) Operador da NYSE designado como formador de mercado. Especialista.

Duração (*duration*) Prazo médio dos fluxos de caixa de um ativo, ponderado pelos valores presentes nos fluxos. Muitas vezes chamada de vencimento efetivo (*efective maturity*).

ECN (*electronic communications network*) Nos Estados Unidos, um tipo de *website* que permite que investidores negociem diretamente entre si.

EDI (*electronic data interchange*) Transferência eletrônica de dados.

Efeito clientela (*Clientele effect*) Argumento segundo o qual as ações atraem clientelas com base no retorno em dividendos ou por questões tributárias.

Efeito de cosseguro (*Coinsurance effect*) Refere-se ao fato de que a fusão de duas empresas diminui a probabilidade de inadimplência para ambas.

Efeito do conteúdo informacional (*Information content effect*) Aumento no preço da ação na sequência da sinalização com dividendos.

Efeito Fisher (*Fisher effect*) A taxa real de juros não varia com a taxa da inflação.

Efeito Fisher internacional (EFI) (*International Fisher effect – IFE*) Afirma que as taxas de juros reais são iguais de país para país.

Efeitos colaterais (*Side effects*) Os efeitos sobre outras partes da empresa decorrentes de um projeto proposto.

EFI (*International Fisher Effect – IFE*) Efeito Fisher internacional.

Eficiência forte (*Strong form efficiency*) Teoria de que o mercado é eficiente com respeito a todas as informações disponíveis, sejam públicas ou privadas. Os preços dos ativos incorporam todas as informações.

Eficiência fraca (*Weak form efficiency*) Teoria de que o mercado é eficiente com respeito às informações históricas de preços. Os preços dos ativos incorporam todas as informações dos preços passados.

Eficiência semiforte (*Semistrong form efficiency*) Teoria de que o mercado é eficiente com respeito a todas as informações disponíveis publicamente. Os preços dos ativos incorporam todas as informações publicamente disponíveis.

EIRELI – Empresa Individual de Responsabilidade Limitada Empresa constituída por uma única pessoa titular da totalidade do capital social, devidamente integralizado, que não poderá ser inferior a 100 (cem) vezes o maior salário-mínimo vigente no País. O titular não responderá com seus bens pessoais pelas dívidas da empresa.

Emissão adicional Num processo de emissão de ações, a opção da empresa emissora de colocar ações adicionais pelo preço de oferta para cobrir demandas de subscrição maiores dos investidores. É limitada a até 20% da quantidade de ações autorizada na emissão, excluído o lote suplementar, e não precisa constar da autorização de emissão.

Emissão com esforços restritos Oferta pública de títulos mobiliários distribuída com esforços restritos são destinadas exclusivamente a número limitado de investidores qualificados.

Emissão pública (*Public issue*) Vendas de títulos mobiliários ao público.

Emissão subsequente de ações (*Seasoned equity offering – SEO e follow-on*) Nova emissão pública de ações por uma empresa que já tem ações no mercado. Também chamada de nova emissão.

Emissão supersubscrita (*Oversubscribed issue*) Os investidores não conseguem comprar todas as ações que desejam, assim, os agentes de subscrição precisam alocar as ações entre os investidores. Isso ocorre quando uma nova emissão é subprecificada.

Emissão suplementar (*Green Shoe*) Num processo de emissão de ações, uma cláusula contratual que dá ao coordenador da subscrição a opção de colocar ações adicionais pelo preço de oferta para cobrir demandas de subscrição maiores dos investidores. É limitada a até 15% da quantidade de ações autorizada na emissão e deve constar da autorização de emissão.

Empresa (*Corporation*) Forma de organização de negócios que é criada como uma "pessoa legal" distinta composta por um ou mais indivíduos reais ou entidades legais.

Empresa individual (*Sole proprietorship*) Empresa que pertence a um único indivíduo. Nos Estados Unidos, não paga tributos sobre lucros da pessoa jurídica, mas tem responsabilidade ilimitada pelas dívidas e obrigações do negócio. No Brasil, na modalidade EIRELI, paga tributos sobre lucros da pessoa jurídica e o proprietário tem responsabilidade limitada.

Empresa-alvo (*Target firm*) Empresa que é o objeto de uma operação de tomada de controle por outra empresa.

Emprestar (*Lend*) Fornecer dinheiro temporariamente sob a condição de que ele ou seu equivalente seja reembolsado, normalmente com uma taxa de juros.

Empréstimo com pagamento parcelado (*Amortized loan*) Requer que o mutuário reembolse partes do montante do empréstimo ao longo do prazo do empréstimo.

Empréstimo sindicalizado (empréstimo consorciado) (*Syndicated loan*) Um empréstimo cujo financiamento vem de vários participantes.

Equação de precificação de Black-Scholes (*Black-Scholes princing equation*) Uma fórmula exata para a precificação de opções. A fórmula requer cinco variáveis: a taxa de juros sem risco, a variância da ação subjacente, o preço de exercício, o preço da ação subjacente e o prazo até o vencimento.

Equity kicker Termo utilizado nos Estados Unidos para se referir a *warrants* oferecidos como incentivo em combinação com títulos de dívida percebidos como de alto risco, emitidos em colocação privada.

Equivalentes de caixa (*Cash equivalents*) Títulos altamente negociáveis e aplicações financeiras de liquidez possuídos por uma empresa. Também chamados de quase-caixa.

Erosão (*Erosion*) Montante do fluxo de caixa que vai para um novo projeto, resultante de vendas de outros produtos da empresa que se transferem para o novo projeto.

Escore de crédito (*Credit scoring*) Determinação da probabilidade de inadimplência ao conceder crédito a clientes.

Escritura de emissão (*Deed of trust* ou *Indenture*) Acordo escrito entre o emissor da dívida corporativa e o credor. Apresenta a data de vencimento, a taxa de juros e outros termos.

Escudeiro branco (*White squire*) Um terceiro em uma tentativa de tomada de controle que é convidado pela empresa-alvo a fazer um investimento significativo nela.

Especular (*Speculating*) Investir em ativos com risco extremamente alto.

Estoque (*Inventory*) Ativo não circulante composto por matérias-primas a serem utilizadas em produção, material em processo e em bens acabados.

Estoque *just-in-time* (*Just-in-time inventory – JIT*) Abordagem de gestão de estoques que enfatiza a minimização do estoque e a maximização do giro.

Estrutura a termo (*Term structure*) Relação entre taxa de juros à vista e vencimentos.

Estrutura de capital (*Capital structure*) Combinação variada de dívidas e de capital próprio mantida por uma empresa.

Estudos de evento (*Event study*) Estudo estatístico que examina o efeito de diferentes eventos sobre os resultados, como anúncios de fusão, sobre os preços.

Eurobônus (*Eurobond*) Título de dívida internacional vendido principalmente em países diferentes do país cuja moeda de emissão é denominada no instrumento.

Eurodólar (*Eurodollar*) Dólar depositado em um banco fora dos Estados Unidos.

Euromoeda (*Eurocurrency*) Qualquer dinheiro depositado em um centro financeiro fora do país cuja moeda denomina o depósito.

Exercer a opção (*Exercising the option*) Ato de comprar ou vender o ativo subjacente por meio de contrato de opção.

Expectativas homogêneas (*Homogeneous expectations*) Ideia de que todos os indivíduos têm as mesmas crenças em relação a retornos futuros esperados, variâncias e covariâncias.

Factoring (*Factor*) Empresa de fomento mercantil que presta serviços de cobrança e fornece recursos a uma empresa industrial ou comercial, geralmente mediante a compra das contas a receber da empresa.

Falência (*Bankruptcy*) Incapacidade de pagar dívidas. A propriedade dos ativos da empresa, por decisão judicial, é transferida dos acionistas para os credores. O termo bankruptcy geralmente é referido a processo semelhante à recuperação judicial.

Falta de caixa (*Cashout*) Refere-se a uma situação em que a empresa fica sem caixa.

Falta de estoque (*Stockout*) Ficar sem estoque.

FASB (*Financial Accounting Standards Board*) Conselho de Padrões de Contabilidade Financeira dos Estados Unidos.

Fator de anuidade (*Annuity factor*) Fator utilizado para calcular o valor presente de um fluxo de pagamentos regulares por um prazo fixo.

Fator de valor presente (*Present value factor*) Fator utilizado para calcular o valor presente de um montante a ser recebido em um período futuro.

Fatura (*Invoice*) Documento emitido por um vendedor com a descrição sucinta de bens ou de serviços fornecidos e enviada ao comprador.

Fazer a entrega (*Making delivery*) Refere-se ao vendedor de um contrato a termo de fato passar ao comprador o ativo acordado no contrato.

Financial Accounting Standards Board (*FASB*) Órgão governamental de contabilidade dos Estados Unidos.

Financiamento com garantia de estoques em armazém depositário (*Field warehouse financing*) Forma de empréstimo com garantia de estoques em que uma empresa armazenadora supervisiona o estoque para o credor.

Financiamento de contas a receber (*Accounts receivable financing*) Empréstimo de curto prazo que envolve a transferência ou a entrega em garantia de contas a receber.

Financiamento de estoques (*Inventory loan*) Empréstimo de curto prazo garantido por estoques. As três formas básicas são penhor de estoque, alienação fiduciária e financiamento com garantia de estoques em armazém depositário.

Financiamento fora do balanço patrimonial (*Off-balance sheet financing*) Financiamento que não é mostrado como um passivo no balanço patrimonial da empresa.

Float **de cobrança** (*Collection float*) Aumento no caixa contábil sem alteração imediata no caixa disponível nos bancos. Gerado principalmente pelos cheques depositados pela empresa que não tenham sido compensados.

Float **de desembolso** (*Disbursement float*) Diminuição no caixa contábil sem alteração imediata na disponibilidade de caixa nos bancos. Gerado principalmente pelos cheques emitidos pela empresa.

Float **de envio** (*Mail float*) Nos Estados Unidos refere-se à parte do processo de cobrança e desembolso em que os cheques transitam pelo sistema postal.

Float **de processamento** (*Processing float*) Refere-se ao tempo que leva para que o depositário de um cheque processe o pagamento e o deposite em um banco para recebimento.

Float Diferença entre o caixa existente no banco e o caixa saldo contábil na empresa. Representa principalmente o efeito líquido de cheques no processo de cobrança ou compensação.

Float **líquido** (*Net float*) Soma do *float* de desembolso e do *float* de recebimento.

Float **negativo** (*Negative float*) O *float* de desembolso da empresa é menor que seu *float* de recebimentos. O saldo contábil é maior que o saldo disponível.

Float **positivo** (*Positive float*) O *float* de desembolso da empresa ultrapassa seu *float* de recebimentos. O saldo disponível ultrapassa o saldo contábil.

Fluxo de caixa (*Cash flow*) Caixa gerado pela empresa e pago a credores e acionistas. Pode ser classificado como (1) fluxo de caixa de operações, (2) fluxo de caixa de variações em ativos não circulantes e (3) fluxo de caixa de variações no capital circulante líquido.

Fluxo de caixa alavancado (*Levered cash flow*) Fluxo de caixa não alavancado menos pagamentos de juros após a tributação.

Fluxo de caixa de operações (*Cash flow from operations*) Fluxo de caixa gerado de atividades empresariais como vendas de bens e serviços.

Fluxo de caixa livre (*Free cash flow*) Fluxo de caixa que está livre para ser distribuído a credores e a acionistas porque não é necessário para investimentos com capital de giro ou ativos fixos.

Fluxo de caixa não alavancado (*Unlevered cash flow*) Fluxo de caixa disponível para acionistas de uma empresa se ela não tiver dívidas.

Fluxo de caixa nominal (*Nominal cash flow*) Fluxo de caixa expresso em moeda corrente.

Fluxo de caixa operacional (*Operating cash flow*) Lucro antes de juros mais depreciações menos tributos. O caixa gerado a partir das operações menos os gastos de capital e as exigências de capital de giro.

Fluxo de caixa para o acionista (FPA) (*Flow to equity – FTE*) Abordagem de avaliação que enfatiza os fluxos de caixa do acionista.

Fluxo de caixa real (*Real cash flow*) Fluxo de caixa expresso em termos de poder de compra, e não em moeda corrente.

Fluxo de caixa total da empresa (*Total cash flow of the firm*) Total de entradas de caixa menos total de saídas de caixa.

Fluxo de ordens (*Order flow*) Fluxo de ordens de clientes para comprar e vender ações.

Fluxos de caixa incrementais (*Incremental cash flows*) Diferença entre os fluxos de caixa da empresa com e sem um projeto.

Fomento mercantil (*Factoring*) Venda das contas a receber de uma empresa a uma empresa conhecida como *factoring*.

Fora do dinheiro (*Out of money*) Descreve uma opção cujo exercício não seria lucrativo. Dentro do dinheiro descreve uma opção cujo exercício produziria lucros.

Forma ao portador (*Bearer form*) Forma de título de dívida sem registro do nome do proprietário. Título ao portador. Quem tiver o título (o portador) é o proprietário. Forma não permitida pela legislação brasileira.

Forma nominativa (*Registered form*) Forma de emissão de títulos em que um sistema registra quem inicialmente possui os títulos e atualiza os registros com as mudanças de titularidade.

FTE (*Flow to equity*) Fluxo de caixa para o acionista.

Fundo de amortização (*Sinking fund*) Conta gerenciada pelo agente fiduciário com a finalidade de quitar títulos de dívida.

Fundo de comércio (*Goodwill*) Excedente do preço de compra sobre a soma dos valores justos de mercado dos ativos individuais adquiridos.

Fusão (*Merger*) Absorção de uma empresa por outra.

GAAP (*Generally accepted accounting principles*) Normas contábeis com base no uso.

Ganhos de capital (*Capital gains*) Variação positiva no valor de um ativo. Um ganho negativo de capital é uma perda de capital.

Garantia (*Collateral*) Ativos que são dados em alguma forma de garantia para pagamentos de dívida.

Gestão do capital de giro (*Working capital management*) Termo utilizado para descrever a gestão financeira de curto prazo.

Gilts Títulos do governo britânico e irlandês.

Giro de contas a pagar (*Payables turnover*) Custo de bens vendidos dividido pela média das contas a pagar. Utilizado para mensurar quão eficientemente uma empresa está gerenciando suas contas a pagar.

Giro de contas a receber (*Receivables turnover ratio*) O total de receitas operacionais dividido pelas contas a receber. Utilizado para mensurar quão eficientemente uma empresa está gerenciando suas contas a receber.

Greenmail Pagamentos a potenciais ofertantes para acabar com tentativas de tomadas de controle não amigáveis.

Grupamento de ações (*Reverse Split*) Um procedimento pelo qual o número de ações em circulação é reduzido, por exemplo, duas ações em circulação são combinadas para criar apenas uma.

Grupos de subscritores (*Brackets*) Ordem hierárquica de bancos envolvidos em uma emissão de títulos mobiliários.

Hedge (*Hedge e Hedging*) Assumir uma posição em dois ou mais títulos que sejam negativamente correlacionados (adotar posições de negócio opostas) para reduzir riscos.

Hedge de compra (*Long hedge*) Proteção do custo futuro de uma aquisição pela compra de um contrato de futuros para proteção contra variações no preço do ativo adquirido.

Hedge de venda (*Short hedge*) Proteção do valor de um ativo possuído por meio da venda de um contrato de futuros.

Hipótese dos mercados eficientes (HME) (*Efficient market hypothesis – EMH*) Afirma que os preços dos títulos refletem integralmente as informações disponíveis. Os investidores que compram títulos de dívida e ações devem esperar obter uma taxa de retorno de equilíbrio. As empresas devem esperar receber o valor justo pelos títulos que vendem.

HME (*Efficient market hypothesis – EMH*) Hipótese dos mercados eficientes.

Identidade DuPont (*DuPont identity*) Afirma que o ROE pode ser expresso como o produto da margem de lucro, giro do ativo total e o multiplicador do capital próprio (um mais o índice Dívida/Patrimônio líquido).

Imunizado (*Immunized*) Imune ao risco de taxa de juros.

Indicadores financeiros (*Financial ratio*) Razão entre duas medidas do *status* ou desempenho da empresa.

Índice de caixa (*Cash ratio*) Caixa dividido pelos passivos circulantes. Utilizado para mensurar a liquidez de curto prazo da empresa.

Índice de cobertura de juros (ICJ) (*Times interest earned – TIE – ratio*) LAJIR dividido pelos juros. Mensura quão bem coberta está a obrigação de juros da empresa.

Índice de endividamento total (*Total debt ratio*) Total de dívidas dividido pelo total de ativos.

Índice de giro do ativo total (*Total asset turnover ratio*) Vendas divididas pelo total de ativos. Utilizado para mensurar quão eficientemente uma empresa está usando seus ativos.

Índice de giro dos estoques (*Inventory turnover ratio*) Razão entre vendas anuais e estoque. Mensura quão rapidamente o estoque é produzido e vendido.

Índice de intensidade de capital (*Capital intensity ratio*) Razão Ativo total/Vendas. Mede a quantia de ativos necessária para gerar um real de vendas.

Índice de liquidez corrente (*Current ratio*) Razão entre Ativo circulante e o passivo circulante. Uma das medidas para mensurar a solvência de curto prazo da empresa.

Índice de liquidez imediata (*Quick ratio*) A razão entre o Ativo circulante menos Estoques e o Passivo Circulante. Outra medida para mensurar a solvência de curto prazo da empresa.

Índice de lucratividade (*Profitability index*) Um dos métodos utilizados para avaliar projetos. É o quociente do valor presente dos fluxos de caixa futuros esperados após o investimento inicial dividido pelo investimento inicial

Índice de Sharpe (*Sharpe ratio*) Prêmio pelo risco de um ativo dividido por seu desvio padrão.

Índice Passivo/Patrimônio líquido (*Liability-to-equity ratio*) Semelhante ao índice Dívida/Patrimônio líquido, mas leva em consideração financiamentos fora do balanço patrimonial, como os arrendamentos.

Índice preço/lucro (P/L) (*Price-earnings – PE – ratio*) Preço corrente de mercado das ações dividido pelo lucro anual corrente por ação. Nos Estados Unidos, aplica-se às ações ordinárias.

Índice valor de mercado/valor contábil (*Market-to-book ratio*) Preço de mercado por ação dividido pelo valor contábil por ação.

Inflação (*Inflation*) Queda no poder de compra de uma unidade monetária.

Informações privilegiadas (*Inside information*) Conhecimento a respeito de uma empresa que não está aberto ao público.

Insolvência (*Bankruptcy*) Situação em que os ativos do devedor são insuficientes para cumprir com suas obrigações. O termo, *Bankruptcy* em alguns contextos, é usado também com o significado de insolvência.

Instrumento de crédito (*Credit instrument*) Documento utilizado por uma empresa que oferece crédito, como uma fatura ou uma duplicata, para documentar o seu direito de crédito.

Instrumento de entrega física (*Deliverable instrument*) O ativo em um contrato a termo que será entregue no futuro a um preço acordado.

Instrumento de responsabilidade limitada (*Limited-liability instrument*) Um título, como uma opção de compra, ou ações, em que tudo o que o titular pode perder é o montante inicial investido no instrumento.

Instrumentos (*Instruments*) Títulos financeiros.

Intervalo de preços (*Trading range*) A ideia de que os investidores preferem que o preço das ações de uma empresa fique dentro de certos limites. Um incentivo para realizar desdobramentos de ações.

Investidores anjos (*Angel investors*) Indivíduos que fornecem o capital inicial para *start-ups*.

Investimentos mutuamente excludentes (*Mutually exclusive investments*) Investimentos em que a aceitação de um projeto impede a de um ou mais projetos alternativos.

IPO (*Initial public offering*) Oferta pública inicial.

Itens que não afetam o caixa (*Noncash item*) Despesa comparada com receita que não afeta diretamente o fluxo de caixa, como a depreciação e os tributos diferidos.

Joias da coroa (*Crown jewls*) Uma tática antitomada de controle em que os principais ativos – as joias da coroa – são vendidos pela empresa quando confrontada com uma ameaça de tomada de controle.

Juros compostos (*Compound interest*) Juros que são obtidos sobre o principal inicial e sobre os juros obtidos sobre o principal inicial em períodos anteriores. Ocorre quando os juros intermediários não são pagos e então são incorporados ao principal.

Juros simples (*Simple interest*) Juros calculados considerando-se apenas o montante principal original. Pressupõem o pagamento dos juros quando devidos.

LAJIR (*Earnings before interest and taxes – EBIT*) Lucro antes de juros e imposto de renda.

Lançador da opção (*Option writer*) O vendedor da opção.

LBO (*Leveraged buyout*) Aquisição alavancada.

Lei do preço único (*Law of one price – LOP*) Uma mercadoria custará o mesmo independentemente de qual moeda for utilizada para adquiri-la.

Lei Sarbanes-Oxley (*Sarbanes-Oxley Act*) – SOX Legislação aprovada pelo Congresso dos Estados Unidos para tentar proteger os investidores daquele país contra abusos das empresas listadas em bolsas norte-americanas. Requer maior divulgação e transparência das empresas listadas em bolsa nos Estados Unidos.

Leilão holandês (*Dutch Auction*) Uma oferta de títulos nos Estados Unidos em que o *underwriter* define o preço da oferta por meio de um leilão. Também é chamado de leilão com preço uniforme, definido como o preço mais alto, obtido entre diferentes ofertas de preço, que garante a colocação completa da emissão.

Letra de câmbio à vista (*Sight draft*) Uma letra de câmbio comercial demandando pagamento imediato, no recebimento da letra.

Letra de câmbio comercial (*Commercial draft*) Uma demanda de pagamento enviada ao banco de um cliente juntamente com a fatura da remessa.

Letra do Tesouro (*Treasury bill*) Dívida governamental de curto prazo e com desconto que vence em menos de um ano.

Letra do Tesouro dos Estados Unidos (*Treasury bill – T-bill*) Nos Estados Unidos, título de dívida do governo de curto prazo, vendido e negociado com desconto, com vencimento em menos de um ano.

LIBOR (*London Interbank Offered Rate*) Taxa Interbancária do mercado de Londres.

Linha característica (*Characteristic line*) A linha relacionando o retorno esperado de um título a diferentes retornos do mercado.

Linha de crédito (*Line of credit*) Um acordo que permite que empresas tomem empréstimos até um limite previamente especificado pelo banco. Pode ser uma linha garantida (acordo formal em que mediante uma comissão de compromisso a empresa pode sacar empréstimos a qualquer momento) ou não garantida (menos formal, com pouca burocracia, em que cada operação dependerá da análise do banco).

Linha do mercado de capitais (*Capital market line*) O conjunto eficiente de todos os ativos, com risco e sem risco, que apresenta ao investidor as melhores oportunidades de investimentos possíveis no mercado de capitais.

Linha do mercado de títulos (LMT) (*Security market line – SML*) Uma linha reta que mostra a relação de equilíbrio entre a quantidade de risco sistemático e taxas de retorno esperadas.

Liquidação (*Liquidation*) Encerramento da empresa em funcionamento, por decisão da assembleia ou por decisão judicial. Envolve a venda de ativos da empresa e a distribuição do dinheiro aos credores e acionistas na ordem de prioridade estabelecida. Nos Estados Unidos, a *Liquidation* é uma forma de encerramento do funcionamento de uma empresa prevista no Chapter 7 do *Bankruptcy Code*.

Liquidez (*Liquity*) Refere-se à facilidade e rapidez de conversão de ativos em dinheiro. Também chamada de negociabilidade.

Livros dos acionistas (*Stockholders' books*) Nos Estados Unidos, conjunto de livros mantidos pela administração da empresa para seu relatório anual que segue as regras do FASB, *Financial Accounting Standards Board*. No Brasil, os demonstrativos contábeis seguem a lei societária e as regras do IFRS. Diferem da contabilidade fiscal, que segue as normas da Receita Federal (SRF no Brasil, IRS nos Estados Unidos).

Livros fiscais (*Tax books*) Conjunto de livros mantido pela administração da empresa para apuração da tributação que segue as regras da Receita Federal. No Brasil, os livros dos acionistas seguem as regras Lei Societária e IFRS e nos Estados Unidos do Financial Accounting Standards Board (FASB); empresas estrangeiras listadas nas bolsas dos Estados Unidos podem reportar em IFRS.

LMT (*Security market line – SML*) Linha do mercado de títulos.

London Interbank Offered Rate (LIBOR) Taxa que os bancos mais atuantes no mercado cobram uns dos outros por grandes empréstimos de eurodólares no mercado de Londres.

Longo prazo (*Long run*) Período longo o suficiente para que, em ciclos com tal educação, todos os custos fixos se tornem variáveis.

Lote fracionário (*Odd-lot*) Unidade de negociação de ações com menos de 100 ações.

Lote padrão (*Round lot*) Unidade de negociação de 100 ações.

Lucro por ação (LPA) (*Earnings per share – EPS*) Lucro líquido dividido pelo número de ações em circulação. Mensura o lucro gerado para cada ação.

Make a market Estar pronto para comprar ou vender um ativo.

Maldição do vencedor (*Winner's curse*) O investidor médio ganha, obtém sua alocação desejada de uma nova emissão de títulos, porque os que entendiam melhor as alternativas a evitaram. Também se refere à possibilidade de o vencedor de uma licitação ser aquele que mais errar o preço.

Marcação a mercado (*Mark to the Market*) Descreve a valorização de um ativo pelo valor pelo qual seria liquidado no mercado naquela data. A valorização de um ativo em mercados futuros com liquidação diária das obrigações e dos direitos dos detentores de posições.

Margem de contribuição (*Contribution margin*) Quantia com que cada venda adicional contribui para o lucro do projeto inteiro.

Margem de lucro (*Profit margin*) Lucro líquido dividido pelas vendas. Mensura quanto lucro é gerado por real de venda.

Margem entre compra e venda (*Bid-ask spread*) Diferença entre os preços de oferta de compra e de venda.

Matérias-primas (*Raw materials*) Uma forma de estoque. Composto por qualquer material que exista no ponto de partida do processo de produção de uma empresa.

MDD (*Dividend discount model – DDM*) Modelo de descontos de dividendos.

Média (*Average*) Geralmente refere-se à média aritmética.

Média (*Mean*) Soma dos valores observados dividida pelo número total de observações, ou a soma dos produtos dos valores projetados por sua probabilidade de ocorrência, para valores projetados.

Média aritmética (*Arithmetic average*) Soma dos valores observados dividida pelo número total de observações, algumas vezes chamada de média.

Média geométrica (*Geometric average*) Retorno capitalizado médio por período.

Mercado de balcão (*Over the conter – OTC – market*) Rede informal de corretores e *dealers* que negocia títulos mobiliários (não é uma bolsa de valores formal).

Mercado de câmbio (*Foreign exchange market*) Mercado em que são feitos negócios de trocas de moedas estrangeiras.

Mercado monetário (*Money Market*) Mercados financeiros para títulos de dívida que são liquidados em curto prazo (geralmente em menos de um ano).

Mercado primário (*Primary market*) Mercado em que novas emissões de títulos são oferecidas ao público. Mercado em que há a captação de recursos pelo emissor.

Mercados secundários (*Secondary markets*) Mercado em que títulos já existentes são comprados e vendidos nos mercados de bolsa ou de balcão. Mercado em que não há a captação de recursos pelo emissor, apenas a troca de titularidade entre investidores.

Meta para o saldo de caixa (*Target cash balance*) Montante ideal de caixa para uma empresa reter. Considera a ponderação entre os custos de oportunidade de reter muito caixa e os custos de falta, decorrentes de reter pouco caixa.

Método de aquisição (*Purchase accounting*) Método de reconhecimento de aquisições em que os ativos da empresa adquirida são reconhecidos por seu valor justo de mercado na contabilidade da empresa adquirente.

Mineração de dados (*Data mining*) Pesquisa de relações em dados, sem o uso de teorias.

MLE (*EOQ, Economic order quantity*) Modelo do lote econômico.

Modelo binomial (*Binomial model*) Método para avaliar opções que se baseia na suposição de que, em cada período, o preço de um ativo só pode assumir um de dois valores estimados como possíveis.

Modelo de descontos de dividendos (MDD) (*Dividend discount model – DDM*) Modelo em que uma empresa é avaliada pelo desconto de seu fluxo futuro esperado de dividendos.

Modelo de mercado (*Market model*) Modelo de um fator para retornos no qual o fator é um índice dos retornos de todo o mercado.

Modelo de pizza da estrutura de capital (*Pie model of capital structure*) Representação visual da empresa que mostra seu valor total como um círculo em fatias, cada uma representando diferentes demandas sobre o valor da empresa. As demandas podem ser do tipo negociáveis no mercado (acionistas e credores) ou não negociáveis no mercado (governo e outros).

Modelo de precificação de ativos financeiros (CAPM) (*Capital asset pricing model*) Teoria de precificação de ativos de equilíbrio que mostra que o retorno esperado de equilíbrio sobre os ativos com risco é uma função de sua covariância com a carteira de mercado.

Modelo do lote econômico (MLE) (*Economic order quantity – EOQ*) Abordagem para estabelecer explicitamente um nível ideal de estoque para determinado nível de operações.

Modelos empíricos (*Empirical models*) Modelos baseados menos na teoria e mais em regularidades e relações observadas na história do mercado.

Modelos fatoriais (*Factor model*) Modelos em que o retorno de cada ação é gerado por fatores comuns derivados de fontes sistemáticas de risco.

Motivo especulação (*Speculative motive*) Necessidade de reter caixa a fim de poder aproveitar oportunidades futuras.

Motivo precaução (*Precautionary motive*) Necessidade de um estoque de caixa de segurança para atuar como uma reserva financeira.

Motivo transação (*Transactions motive*) Necessidade de reter caixa que surge das atividades normais de desembolso e cobrança da empresa.

MRP (*Materials requirements planning*) Planejamento das necessidades de materiais.

Múltiplos (*Multiples*) Outro nome para indicadores de preços.

NAF Necessidade de aporte financeiro.

NASDAQ Rede de computadores de *dealers* de títulos e outros que dissemina cotações de preços de títulos nos Estados Unidos. Utiliza um sistema de mercado com vários operadores.

Necessidade de aporte financeiro (NAF) (*External financing needed – EFN*) Variável de fechamento utilizada para equilibrar demonstrações projetadas.

Negligência (*Shirking*) Tendência a desenvolver menos esforços e trabalho quando o retorno possível é menor.

Negociabilidade (*Liquidity*) Refere-se à facilidade e rapidez de conversão de ativos em dinheiro. Também chamada de liquidez.

Normas contábeis (GAAP) (*Generally accepted accounting principles*) Conjunto comum de conceitos, padrões e procedimentos contábeis pelo qual demonstrações financeiras são preparadas nos Estados Unidos.

Nota (*Note*) Nos Estados Unidos, título de dívida não garantida, geralmente com vencimento em menos de 10 anos.

Nota promissória (*Commercial paper*) Títulos de dívida de curto prazo, sem garantia, emitidos por empresas para financiar seu capital de giro. As emitidas por sociedades anônimas de capital fechado podem ter prazo máximo de 180 dias e as emitidas por sociedades anônimas de capital aberto, podem ter prazo de até 360 dias. Nos Estados Unidos, o vencimento de *commercial paper* pode ser de até 270 dias.

Nota promissória (*Promissory note*) Promessa escrita de pagamento.

NYSE (*New York Stock Exchange*) Bolsa de Valores de Nova Iorque.

Oferta competitiva (*Competitive offer*) Nos Estados Unidos, método de seleção de um *underwriter* para uma nova emissão em que a oferta é alocada ao *underwriter* com a oferta mais alta.

Oferta de direitos (*Rights offers*) Oferta que dá ao atual acionista a oportunidade de manter sua participação proporcional na empresa antes de novas ações serem oferecidas ao público.

Oferta de troca (*Exchange offer*) Ocorre quando uma empresa oferece a troca de ações por dívida, ou vice-versa.

Oferta em dinheiro (*Cash offer*) Nos Estados Unidos, uma emissão pública de ações que é oferecida a todos os investidores interessados, contra pagamento em dinheiro.

Oferta excludente de aquisição (*Exclusionary self-tender*) Nos EUA, oferta em que a empresa faz uma oferta de aquisição de suas próprias ações a um determinado valor, simultaneamente excluindo acionistas específicos.

Oferta negociada (*Negotiated offer*) Nos Estados Unidos, oferta em que empresa emissora negocia um acordo com o *underwriter* para lançar uma nova emissão em vez de buscar ofertas competitivas.

Oferta pública de ações (*General cash offer*) Emissão pública de ações vendida a todos os investidores interessados, e não apenas aos acionistas existentes.

Oferta pública de aquisição – OPA (*Tender offer*) Oferta pública para comprar ações de uma empresa-alvo.

Oferta pública inicial (OPI) (*Initial public offering – IPO*) A primeira venda dos títulos emitidos por uma empresa ao público. Também chamada de primeira oferta pública.

Oferta subsequente (*Seasoned equity offering – SEO*) Emissão de ações por uma empresa que já tem ações no mercado.

Ofertante (*Bidder*) Empresa ou pessoa que tenha feito uma oferta para tomar o controle de uma empresa.

Ofertas excludentes de aquisição (*Exclusionary self-tender*) Nos Estados Unidos, oferta em que a empresa faz uma oferta de aquisição de suas próprias ações a um determinado valor, simultaneamente excluindo acionistas específicos.

Opção (*Option*) Direito de fazer algo, mas não uma obrigação.

Opção americana (*American option*) Contrato de opção que pode ser exercido a qualquer momento até a data de vencimento. Em contraste, uma opção europeia só pode ser exercida na data de vencimento.

Opção de compra (*Call option*) O direito – mas não a obrigação – de comprar o ativo subjacente a um preço determinado, dentro de um prazo especificado.

Opção de compra coberta (*Covered call*) Venda de uma opção de compra sobre um ativo e compra concomitante do mesmo ativo. O equivalente à venda de uma opção de venda sobre o mesmo ativo e ao investimento na taxa sem risco.

Opção de resgate diferida (*Deferred call*) Cláusula que proíbe a empresa de resgatar títulos de dívida de sua emissão, antes de certa data. Durante esse período, diz-se que o título está protegido contra a opção de resgate antecipado.

Opção de venda (*Put option*) O direito – mas não a obrigação – de vender o ativo subjacente a um preço determinado, dentro de um prazo especificado.

Opção de venda protetora (*Protective put*) Compra de um ativo e compra de uma opção de venda do mesmo ativo.

Opção europeia (*European option*) Contrato de opção que pode ser exercido somente na data de vencimento. Em contraste, uma opção americana pode ser exercida a qualquer momento até a data de vencimento.

Opção real (*Real option*) Opção de realizar determinada ação na gestão de um negócio ou como parte de um projeto.

Operação a termo (*Forward trade*) Em uma operação de câmbio, um acordo para compra ou venda baseado em taxas de câmbio estabelecidas hoje para liquidação no futuro.

Operação à vista (*Spot trade*) Em uma operação de câmbio, um acordo hoje para liquidação em dois dias.

Operação compromissada Operação de curto prazo, muitas vezes *overnight*, de venda (compra) de títulos do governo com um contrato para sua recompra (revenda) a um preço ligeiramente maior. *Ver* Contrato de recompra.

Operador designado pelo mercado (*Designated market marker – DMM*) Pessoa designada por uma bolsa de valores para manter um mercado justo e organizado para um grupo de títulos mobiliários. Operador da NYSE designado como formador de mercado. Especialista.

Oportunidade de crescimento (*Growth opportunity*) Oportunidade de investir em um projeto com VPL positivo.

Orçamento de caixa (*Cash budget*) Previsão dos recebimentos e desembolsos de caixa esperados por uma empresa em períodos futuros. É uma ferramenta de planejamento financeiro de curto prazo.

Orçamento de capital (*Capital budgeting*) Processo de tomada de decisão para aceitar ou rejeitar projetos.

OTC (*Over the counter*) Mercado de balcão.

Pagamento balão (*Ballon payment*) Grande pagamento intermediário ou final do fluxo de amortização de um empréstimo.

Paraquedas dourado (*Golden parachute*) Remuneração paga à alta administração quando solicitada a deixar a empresa, como na ocorrência de uma tomada de controle.

Paridade da taxa de juros (PTJ) (*Interest rate parity – IRP*) O diferencial entre taxas de juros entre dois países é guiado pela diferença entre a taxa de câmbio a termo e a taxa de câmbio à vista das moedas dos dois países.

Paridade das opções de compra e de venda (*Put-call parity*) O valor de uma opção de compra europeia equivale ao valor da ação subjacente e uma opção de venda menos o custo do investimento em um ativo sem risco, de modo que o ativo valha o preço de exercício da opção no vencimento.

Paridade de juros descoberta (PJD) (*Uncovered interest parity – UPI*) Afirma que a taxa de câmbio à vista esperada é uma função da taxa de câmbio à vista atual e das taxas de juros dos países emissores das moedas envolvidas.

Paridade do poder de compra (*Purchasing power parity – PPP*) Ideia de que a taxa de câmbio se ajusta para manter o poder de compra constante entre as moedas.

Paridade do poder de compra absoluta (*Absolute purchasing power parity*) Ideia de que uma mercadoria custa o mesmo independentemente da moeda usada para comprá-la ou de onde ela é vendida.

Paridade do poder de compra relativa (PPCR) (*Relative purchasing power parity – RPPP*) Ideia de que a taxa de variação nos níveis de preços em um país com relação ao nível de preços em outro determina a variação na taxa de câmbio entre as moedas dos dois países.

Parte interessada (*Stakeholder*) Qualquer pessoa que não seja titular de ações ou de títulos de dívida e que tenha um potencial direito sobre os fluxos de caixa da empresa.

Participação acionária (*Equity share*) Participação no capital próprio de uma empresa, mediante a titularidade de ações.

Passivo circulante (*Current liability*) Obrigação que exige pagamento em dinheiro dentro de um ano ou dentro do ciclo operacional.

Passivos financeiros (*Liabilities*) Demandas financeiras sobre os ativos de uma empresa na forma de dívida.

Patrimônio líquido (*Stockholders' equity*) Demandas residuais que os acionistas têm contra os ativos de uma empresa. Resulta da diferença entre o total de ativos e o total de obrigações da empresa.

Pedido de registro Documento submetido à CVM por uma empresa que planeja realizar uma emissão de títulos mobiliários no mercado.

Penhor de estoques (*Blanket inventory lien*) Empréstimo com garantias, em que o devedor dá ao credor os estoques da empresa na forma de penhor.

PEPS (*First-in-first out* – FIFO) Primeiro que entra, primeiro que sai. Atribuição do custo do estoque mais antigo na contabilização de receitas.

Período de espera (*Waiting period*) Período durante o qual a Comissão de Valores Monetários examina a declaração de registro de uma empresa. Durante esse período, a empresa pode distribuir um prospecto preliminar.

Período de investimento (*Holding period*) Período durante o qual um indivíduo mantém uma posição em títulos mobiliários.

Período de payback (*Payback period*) Tempo que um projeto leva para retornar seu investimento inicial, sem considerar o valor do dinheiro no tempo.

Período de payback descontado (*Discounted payback period*) Tempo que os fluxos de caixa descontados de um projeto levam para equivaler seu investimento inicial.

Perpetuidade (*Perpetuity*) Sequência constante de fluxos de caixa sem fim.

Perpetuidade crescente (*Growing perpetuity*) Sequência constante de fluxos de caixa sem fim com expectativa de aumento constante por prazo indefinido.

Pílula de veneno (*Poison pill*) Estratégia de uma empresa alvo na tentativa de tomada de controle para tornar suas ações menos atraentes para a empresa que deseja adquiri-la.

Planejamento das necessidades de materiais (*Material requirements panning – MRP*) Sistema de planejamento dos níveis de produtos em processo e matérias-primas que uma empresa precisa manter, baseado nas suas necessidades projetadas de bens acabados.

PMR (*Average collection period – ACP*) Tempo médio necessário para receber uma conta.

Política de cobrança (*Collection policy*) Procedimentos seguidos por uma empresa para cobrar suas contas a receber.

Posto (*Post*) Espaço específico no pregão de uma bolsa no qual as transações de ações listadas ocorrem.

PPC (*Purchasing power parity – PPP*) Paridade do poder de compra.

Prazo do crédito (*Credit period*) Prazo de crédito concedido a um comprador para efetuar o pagamento integral de compras a crédito.

Prazo do desconto (*Discount Period*) Prazo concedido a um comprador para efetuar o pagamento integral de compras a crédito, menos um desconto.

Prazo médio de recebimento (PMR) (*Average collection period – ACP*) Tempo médio necessário para receber uma conta. Também chamado de dias de venda em contas a receber (*day's sales in receivables*).

Prazo para disponibilidade (*Avaiability float*) Refere-se ao tempo necessário para compensar um cheque no sistema bancário.

Preço de conversão (*Convertion price*) Razão entre o valor de face de um título de dívida e a taxa de conversão.

Preço de exercício (*Exercise price*) Preço ao qual a opção de venda ou a opção de compra podem ser exercidas. Também chamado de *Strike price*.

Preço de mercado (*Market price*) Preço corrente a que um título é negociado no mercado.

Preço de oferta (*Offer price*) Preço a que uma emissão de títulos é oferecida ao público.

Preço de oferta de compra (*Bid price*) O que o *dealer* está disposto a pagar por um título.

Preço de oferta de venda (*Ask price*) Preço a que um *dealer* está disposto a vender um título.

Preço de resgate de um título (*Call price of a bond*) Preço a que uma empresa tem o direito de readquirir seus títulos ou debêntures antes da data declarada de vencimento. O preço de resgate é sempre definido igual ou maior que o valor de face.

Preço de subscrição (*Subscription price*) Preço que os acionistas existentes pagam por uma ação em uma oferta de direitos.

Preço limpo (*Clean price*) Preço cotado de um título de dívida.

Preço sujo (*Dirty price*) Preço cotado de um título de dívida incluindo juros acumulados.

Preferência (*Seniority*) Ordem de reembolso. No caso de falência, a dívida com preferência deve ser liquidada na íntegra antes de a dívida subordinada receber qualquer pagamento.

Prêmio de conversão (*Conversion premium*) Quociente entre o preço de conversão menos o preço corrente da ação e o preço corrente da ação.

Prêmio de resgate (*Call premium*) Diferença entre o preço de resgate de um título e seu valor declarado.

Prêmio pela inflação (*Inflation premium*) Remuneração extra exigida pelos credores por causa da inflação.

Prêmio pela liquidez (*Liquidity premium*) Remuneração extra exigida pelos credores por causa da falta de liquidez de um ativo.

Prêmio pela tributação (*Taxability premium*) Remuneração extra exigida pelos credores por causa de tratamento fiscal desfavorável.

Prêmio pelo risco (*Risk premium*) Retorno excedente sobre o ativo com risco; a diferença entre o retorno esperado de um ativo com risco e o retorno de ativos sem risco.

Prêmio pelo risco da taxa de juros (*Interest rate risk premium*) Remuneração extra exigida pelos credores por causa da incerteza acerca das taxas de juros futuras.

Prêmio pelo risco de inadimplência (*Default risk premium*) Remuneração extra exigida pelos credores por causa do risco de inadimplência de um emissor de títulos.

Primeira oferta pública (*Initial public offering – IPO*) Oferta pública inicial (OPI).

Primero a entrar, primeiro a sair (PEPS) (*First in-first out – FIFO*) Método de contabilização de estoques que registra o estoque na ordem em que foi adquirido.

Principal (*Principal*) Valor de um título de dívida que deve ser pago no vencimento, não considerados os juros. Também chamado de valor de face ou valor nominal.

Princípio da separação (*Separation principle*) O princípio de que a escolha de uma carteira pode ser separada em duas tarefas independentes: (1) determinação da carteira de investimentos de títulos com risco, que é um problema puramente técnico, e (2) a escolha pessoal da melhor combinação entre a carteira de títulos com risco e o ativo sem risco.

Private equity Capital próprio investido em empresas de capital fechado por investidores com capacidade de correr riscos e aguardar a maturação do investimento. Também operações de fechamento de capital de empresas de capital aberto.

Privilégio de subscrição de sobras (*Oversubscription privilege*) Permite que os acionistas adquiram ações não subscritas em uma oferta de direitos pelo preço de subscrição.

Probabilidade acumulada (*Cummulative probability*) A probabilidade de que a ocorrência de um evento esteja abaixo de um valor específico em uma distribuição de probabilidades.

Problema de agência (*Agency problem*) Conflito de interesses entre um principal e um agente.

Problema do artigo na gaveta (*File drawer problem*) A publicação de pesquisas favorece resultados não usuais e interessantes o que faz com que a distribuição de publicações sobre certos tópicos possa ser viesada.

Procuração (*Proxy*) Concessão de autoridade por um acionista para transferir seus direitos de voto a outra pessoa.

Produtos em processo (*Work-in-progress*) Forma de estoque. Composto por produtos não acabados.

Projeto independente (*Independent project*) Projeto cuja aceitação ou rejeição independe da aceitação ou rejeição de outros projetos.

Prospecto (*Prospectus*) Documento legal que deve ser dado a cada investidor que pense em adquirir títulos registrados em uma oferta. Descreve os detalhes da empresa e a oferta específica.

Prospecto definitivo Documento informativo com dados da empresa e com as características definitivas de uma emissão que uma empresa publica no momento em que o processo de emissão está completamente definido e tenha obtido todas as aprovações necessárias.

Prospecto preliminar Documento informativo com dados da empresa e com as características de uma emissão que uma empresa publica ao anunciar o pedido de registro na CVM.

Protegido contra a opção de resgate (*Call protected*) Descreve um título de dívida que não pode ser resgatado na data atual.

PTJ (*Interest rate parity – IRP*) Paridade da taxa de juros.

Quirografário (*Unsecured*) Título de dívida sem qualquer garantia além da reputação do emissor.

Racionamento de capital (*Capital rationing*) Caso em que os recursos financeiros são limitados a uma quantia fixa de reais e precisam ser alocados entre projetos concorrentes.

Recapitalização alavancada (*Leveraged recapitalization*) Nos Estados Unidos, uso da dívida para readquirir ações ou pagar dividendos. Utilizada para defesa de tentativas de tomada de controle.

Recompra de ações (*Stock repurchase*) Ocorre quando uma empresa recompra suas próprias ações.

Recompra direcionada (*Targeted repurchase*) Nos Estados Unidos, empresa recompra suas próprias ações de um potencial ofertante, geralmente com um prêmio substancial, para evitar uma tentativa de tomada de controle.

Recompra no mercado (*Open market repurchase*) Nos Estados Unidos, empresa utiliza o mercado para recomprar suas próprias ações sem se revelar como a compradora. No Brasil, para recomprar suas próprias ações a empresa deve anunciar um plano de recompra ao mercado.

Recuperação judicial (*Bankruptcy*) Acordo firmado em juízo entre uma empresa e seus credores, suspendendo o pagamento de dívidas mediante um plano de recuperação. *Ver também* Falência e Insolvência.

Recuperação judicial programada (*Prepackaged bankruptcy*) Processo de recuperação judicial nos Estados Unidos em que os preparativos e o plano de recuperação são acertados com os credores antes do pedido formal de recuperação em juízo.

Red herring (*Arenque vermelho*) Nos Estados Unidos, o primeiro prospecto lançado para prováveis investidores por um *underwriter* de uma nova emissão.

Redes eletrônicas de negociação (*Electronic communications network – ECN*) Nos Estados Unidos, um tipo de *website* que permite que investidores negociem diretamente entre si.

Referência (*Benchmark*) Índice ou média cuja movimentação é considerada um indicador geral da direção do mercado em geral. Utilizada como uma comparação para o desempenho de outra carteira.

Regalias (*Perquisites*) Comodidades de gestão, como um escritório grande, um carro da empresa ou despesas de restaurantes na conta de despesas da empresa.

Registro de prateleira (*Shelf registration*) Procedimento que permite que uma empresa faça um registro resumindo captações planejadas para um período de dois anos e, a seguir, apresente registros curtos quando quiser emitir qualquer dos títulos do registro aprovados para esse período.

Regra da prioridade absoluta (RPA) (*Absolute priority rule – APR*) Estabelece a prioridade dos direitos a créditos em uma liquidação, nos Estados Unidos.

Regulamentação A (*Regulation A*) Nos Estados Unidos, regulamentação de títulos mobiliários que isenta pequenas ofertas públicas (as avaliadas em menos de \$5 milhões) da maior parte das exigências de registro.

Relatório por idade (*Aging schedule*) Compilação de contas a receber por idade da conta, contada a partir da data de seu vencimento.

Reorganização (*Reorganization*) Nos Estados Unidos, outra forma de reestruturação financeira, sob o Chapter 11 do Bankruptcy Code, por uma empresa em dificuldades financeiras. Tanto a estrutura de ativos da empresa quanto sua estrutura financeira são alteradas para refletir seu valor real, com resolução das demandas.

Representatividade (*Representativeness*) Desvio do raciocínio em que uma pessoa acredita que pequenas amostras são representações precisas de distribuições reais.

Reserva de lucros (*Retained earnings*) Lucros que não são pagos como dividendos.

Retorno (*Return*) Lucro em investimentos de capital ou investimentos em títulos mobiliários.

Retorno anormal (*Abnormal return*) Diferença entre o retorno real e o retorno esperado.

Retorno anormal cumulativo (*Cumulative abnormal return – CAR*) Soma das diferenças entre os retornos esperados de uma ação e o seu retorno real.

Retorno até o vencimento (YTM) (*Yield to maturity – YTM*) Taxa de desconto que compara o valor presente dos fluxos de pagamentos de juros e do valor de face no resgate de um título de dívida com o seu preço corrente.

Retorno corrente (*Current yield*) Soma dos cupons que um título de dívida paga num ano, dividida por seu preço corrente de mercado.

Retorno em dividendos (*Dividend yield*) Dividendos por ação divididos pelo preço de mercado da ação.

Retorno em ganhos de capital (*Capital gains yield*) Taxa a que o valor de um investimento cresce.

Retorno esperado (*Expected return*) Média dos retornos possíveis ponderados por suas probabilidades.

Retorno exigido (*Required return*) Taxa mínima de retorno exigido para empreender um projeto. Também chamado de custo de capital.

Retorno monetário total (*Total dollar return*) Soma de dividendos e ganhos ou perdas de capital de um investimento.

Retorno sobre o ativo (ROA) (*Returno on assets – ROA*) Lucro líquido dividido pelo total do ativo do balanço patrimonial. Mede o lucro por unidade monetária em ativos medidos pelo seu valor contábil.

Retorno sobre o patrimônio líquido (ROE) (*Returno on equity – ROE*) Lucro líquido dividido pelo patrimônio líquido no balanço patrimonial. Mede o lucro por unidade monetária em capital próprio médio em valor contábil.

Retornos no período de investimento (*Holding period return*) Taxa de retorno no período em que o investidor manteve o investimento.

Risco da taxa de câmbio (*Exchange rate risk*) Risco que surge da posse de moedas diferentes da moeda do país da entidade quando as taxas de câmbio futuro são incertas.

Risco de inadimplência (*Default risk*) A possibilidade de que juros ou principal não sejam pagos na data de vencimento e/ou no montante prometido.

Risco de inflação (*Inflation risk*) Risco enfrentado pelos investidores devido às incertezas acerca da inflação futura.

Risco de mercado (*Market risk*) Risco sistemático. Esse termo enfatiza o fato de que o risco sistemático influencia em alguma medida todos os ativos no mercado.

Risco de taxa de juros (*Interest rate risk*) A possibilidade de que uma variação na taxa de juros resulte em uma variação no valor de um título.

Risco diversificável (*Diversifiable risk*) Qualquer risco que afete especificamente um único ativo ou um pequeno grupo de ativos. Também chamado de risco exclusivo, idiossincrático ou não sistemático.

Risco idiossincrático (*Idiosyncratic risk*) Risco não sistemático.

Risco não sistemático (*Unsystematic risk*) Qualquer risco que afete especificamente um único ativo ou um pequeno grupo de ativos. Também chamado de risco exclusivo, idiossincrático ou diversificável.

Risco político (*Political risk*) Variações de valor que surgem como consequência de ações de natureza política.

Risco sistemático (*Systematic risk*) Risco que afeta um grande número de ativos em maior ou menor grau. Também é chamado de risco de mercado ou risco comum.

ROA (*Return on assets – ROA*) Retorno sobre os ativos medidos em valor contábil.

Road show Processo de lançamento de uma nova oferta de títulos e solicitação de informações dos potenciais compradores. Normalmente envolve viagens de cidade a cidade.

ROE (*Return on equity – ROE*) Retorno sobre o patrimônio líquido. Em alguns contextos também pode significar retorno sobre o capital próprio.

S&P 500 Indicador do mercado de capitais de grandes empresas dos Estados Unidos.

Saldo médio (*Compensating balance*) Depósito que a empresa mantém em um banco em uma conta com juros baixos ou não remunerada. O objetivo é remunerar em parte empréstimos ou serviços que lhe são prestados pelo banco.

SEC (*Securities and Exchange Commision – SEC*) Comissão de Valores Mobiliários dos Estados Unidos.

Serviço da dívida (*Debt service*) Pagamentos de juros mais reembolsos de principal aos credores, isto é, amortização da dívida.

Simulação de Monte Carlo (*Monte Carlo simulation*) Exercício que gera um grande número de resultados possíveis para um projeto, com base em uma modelagem dos fatores subjacentes que guiam o desempenho do projeto.

Sindicato (*Syndicate*) Nos Estados Unidos, um grupo de bancos de investimento que concorda em cooperar em uma *joint venture* para subscrever uma oferta de títulos para posterior revenda ao público.

Sinergia (*Synergy*) Fator que faz com que o valor de uma empresa combinada depois de uma fusão seja maior que a soma dos valores das empresas pré-fusão.

Sociedade (*Partnership*) Forma de organização de negócios em que dois ou mais coproprietários formam um negócio.

Sociedade sem limitação de responsabilidades para os sócios (*General partnership*) Nos Estados Unidos, forma de organização de negócios em que todos os sócios concordam em fornecer a mesma parte do trabalho e dinheiro e em compartilhar lucros e prejuízos. Cada sócio é responsável pelas dívidas da sociedade.

Sociedades com responsabilidades limitadas para os sócios (*Limited partnership*) Forma de organização de negócios que permite que a responsabilidade de alguns sócios seja limitada pelo montante de caixa com que contribuíram para a sociedade.

Spread **bruto** (*Gross spread*) Nos Estados Unidos, diferença entre o preço de compra do *underwriter* pago à empresa emitente em uma oferta de títulos mobiliários e o preço de oferta do *underwriter* ao público. O *spread* é uma remuneração pelo serviço de subscrição do sindicato de *underwriters*.

Subprecificação (*Underpricing*) Emissão de títulos abaixo do valor justo de mercado.

Subscrição com compromisso firme (*Firm commitment underwriting*) Tipo de subscrição em que um banco de investimentos se compromete a comprar a emissão inteira e assume toda a responsabilidade financeira por qualquer ação não vendida.

Subscrição por melhores esforços (*Best-efforts underwriting*) Oferta em que um banco subscritor concorda em distribuir o máximo possível de uma oferta de ações e retornar ao emissor qualquer ação não vendida.

Subscrição *standby* (*Standby underwriting*) Acordo em um processo de emissão de ações, por meio do qual um banco subscritor concorda em comprar qualquer ação que não seja comprada (sobras) pelos investidores no mercado.

Subscritor (*Underwriter*) Nos Estados Unidos, um banco de investimentos que compra uma emissão de títulos da empresa e a revende aos investidores.

Subsidiária financeira (*Captive finance company*) Subsidiária integral que cuida da função de crédito e financia compras dos clientes da empresa controladora.

Substituição de dívidas (*Debt displacement*) Montante de empréstimos que o arrendamento desloca. As empresas que fazem muitos arrendamentos serão forçadas a reduzir empréstimos.

Swap Acordo entre duas partes para trocar fluxos de caixa ao longo do prazo definido no contrato de *swap*.

Swap **de crédito** (*Credit default swap*) Derivativo que proporciona um seguro contra prejuízos devido à inadimplência em títulos de dívida.

Swap de moedas (*Currency swap*) Acordo para pagar fluxos de caixa em uma moeda e recebê-los em outra.

Swap de taxa de juros (*Interest rate swap*) Acordo para trocar uma série de pagamentos de juros por outra.

Taxa a termo não viesada (TTNv) (*Unbiased forward rate – UFR*) Afirma que a taxa a termo é igual à taxa à vista esperada.

Taxa cruzada (*Cross-rate*) Taxa de câmbio entre duas moedas estrangeiras, ambas cotadas em uma terceira moeda.

Taxa de câmbio (*Exchange rate*) Preço da moeda de um país expresso na moeda de outro. Geralmente, a quantidade de moeda nacional necessária para comprar uma unidade de moeda estrangeira.

Taxa de câmbio a termo (*Forward-exchange rate*) Taxa de câmbio entre duas moedas, para um dia no futuro.

Taxa de câmbio à vista (*Spot exchange rate*) Taxa de câmbio entre duas moedas para liquidação imediata (liquidação financeira dentro de dois dias úteis após a data de transação).

Taxa de conversão (*Conversion rate*) Número de ações por título que um credor receberia se esses títulos fossem convertidos em ações.

Taxa de crescimento interna (*Internal growth rate*) Taxa máxima de crescimento que pode ser atingida sem qualquer espécie de aportes financeiros de fora da operação.

Taxa de crescimento sustentável (*Sustainable growth rate*) É a taxa máxima de crescimento que pode ser atingida com fontes operacionais e novas dívidas, sem novos aportes de capital próprio, ao mesmo tempo em que o índice Dívida/Capital próprio é mantido constante.

Taxa de cupom (*Coupon rate*) Soma dos cupons que um título de dívida paga num ano, dividida pelo valor de face do título.

Taxa de desconto (*Discount rate*) Taxa utilizada para calcular o valor presente de fluxos de caixa futuros.

Taxa de distribuição (*Payout ratio*) Proporção do lucro líquido paga em dividendos. Nos Estados Unidos, como pode ocorrer o pagamento de dividendos em ações, o *payout* refere-se somente a dividendos pagos em dinheiro.

Taxa de distribuição de dividendos (*Dividend payout rate*) Montante de dinheiro pago aos acionistas expresso como um percentual dos lucros.

Taxa de distribuição desejada (*Target payout ratio*) Proporção entre dividendos e lucros de longo prazo de uma empresa.

Taxa de juros (*Interest rate*) Preço pago para tomar dinheiro emprestado.

Taxa de juros a termo (*Forward interest rate*) Taxa periódica de juros sobre um empréstimo, desde uma data futura até outra data futura, adiante.

Taxa de juros à vista (*Spot interest rate*) Taxa periódica de juros sobre um empréstimo, desde o dia da cotação até a data de vencimento do título.

Taxa de juros nominal (*Nominal interest rate*) Taxa de juros não ajustada à inflação.

Taxa de juros nominal anual (*Stated annual interest rate*) Taxa de juros anual sem considerar a capitalização em períodos menores que um ano.

Taxa de juros real (*Real interest rate*) Taxa de juros expressa em termos de produtos reais. A taxa de juros nominal ajustada à taxa de inflação esperada.

Taxa de retenção (*Retention ratio*) Reserva de lucros dividida pelo lucro líquido. Também chamada de taxa de reinvestimento dos lucros.

Taxa efetiva anual (TEFa) (*Effective anual rate – EAR*) Taxa de juros se fosse capitalizada uma vez a cada período de um ano em vez de por vários períodos intermediários durante o ano.

Taxa interna de retorno (TIR) (*Internal rate of return – IRR*) Taxa de desconto na qual o valor presente líquido de um investimento é zero. Um método de avaliação de propostas de gastos de capital.

Taxa percentual anual (TPa) (*Annual percentage rate – APR*) Taxa de juros anual sem considerar capitalizações intermediárias durante o ano. Também chamada de taxa de juros anual nominal.

Taxa sem risco (*Risk-free rate*) Retorno de um ativo sem risco de inadimplência. Geralmente medido usando instrumentos do Tesouro. Uma representação do valor puro do dinheiro no tempo.

TEFa (Effective anual rate – EAR) Taxa efetiva anual.

Teoria da bolha (dos mercados especulativos) (*Bubble theory – of speculative markets*) Procura explicar os preços de títulos quando algumas vezes se movimentam descontroladamente acima de seus valores fundamentais.

Teoria da ordem hierárquica (*Pecking order theory*) Hierarquia das estratégias de financiamento em que o uso do caixa gerado internamente está na parte superior, a emissão de novas ações está na parte inferior e a emissão de novos títulos de dívida está no meio.

Teoria de precificação por arbitragem (APT) (*Arbitrage pricing theory – ATP*) Teoria de equilíbrio de precificação de ativos, derivada a partir de um modelo fatorial e com o uso de diversificação e arbitragem. Mostra que o retorno esperado sobre qualquer ativo arriscado é uma combinação linear de vários fatores.

Teoria estática da estrutura de capital (*Static trade-off theory of capital structure*) Teoria que afirma que a estrutura de capital da empresa é determinada por uma ponderação entre o valor dos benefícios fiscais e os custos das dificuldades financeiras.

TIPS (*Treasury inflation-protected securities – TIPS*) Títulos de dívida do Tesouro norte-americano protegidos da inflação (títulos com correção pela inflação).

TIR (*Internal rate of return – IRR*) Taxa interna de retorno.

TIR incremental (*Incremental IRR*) A TIR sobre o investimento incremental advinda da escolha de um projeto maior em lugar de um menor.

TIR modificada (TIRM) (*Modified IRR – MIRR*) Método de cálculo da TIR que modifica os fluxos de caixa de forma que apenas uma TIR exista. Os fluxos de caixa são ajustados de forma que o seu sinal só mude uma vez.

Título com ágio (*Premium bond*) Se um título de dívida é vendido acima de seu valor de face, diz-se que é vendido com ágio.

Título com deságio (*Discount bond*) Se um título de dívida é vendido abaixo de seu valor de face, diz-se que é vendido com deságio.

Título com grau de investimento (*Investment grade bond*) Dívida classificada como BBB e acima pela Standard & Poor's ou Baa e acima pela Moody's.

Título com opção de venda (*Put bond*) Título de dívida que permite que o titular force o emissor a recomprar o título a um preço determinado.

Título com taxa flutuante (*Floating-rate bond*) Título de dívida com um pagamento de cupom ajustável. Também chamado de *floater*.

Título de cupom fixo (*Level-coupon bond*) Título de dívida com um fluxo de pagamentos de cupons iguais ao longo de sua vida útil.

Título de cupom zero (*Zero cupon bonds*) Título de dívida que não paga juros, título sem cupons.

Título de dívida (*Bond*) Títulos que representam dívida de longo prazo de uma empresa. No uso comum, o termo título de dívida pode referir-se a dívida com e sem garantia.

Título de dívida conversível (*Convertible bond*) Título de dívida que pode ser convertido em outra forma de título, normalmente ações, à escolha do titular a um preço especificado para um período de tempo especificado.

Título de dívida corporativa (*Corporate bond*) Título de dívida emitido por uma empresa.

Título de dívida de alto retorno (*High-yield bond*) Título especulativo emitido por empresas percebidas como de maior risco.

Título de dívida tipo desconto puro (*Pure discount bond*) Títulos que não pagam cupons e só retornam o valor de face no vencimento. São negociados pelo seu valor presente, calculado à taxa de retorno exigida para o título. Também chamados de "*bullets*" ou "*zeros*".

Título do Tesouro (*Treasury bill*) Obrigações de dívida governamental federal de longo prazo.

Título especulativo (*Junk bond*) Título de dívida de grau especulativo emitido por empresas consideradas de maior risco. Algumas vezes referido como um título de dívida de alto retorno *High-yeld bond*.

Título estrangeiro (*Foreign bond*) Título de dívida emitido por devedores estrangeiros no mercado de capitais de um país e tradicionalmente denominado na moeda desse país.

Título resgatável (*Callable bond*) Refere-se a um título que pode se readquirido por iniciativa da empresa emissora, a um preço de resgate definido, antes do vencimento.

Título vinculado a receitas (*Income bond*) Título de dívida em que o pagamento de juros depende de receitas suficientes.

Títulos de dívida do Tesouro protegidos da inflação (*Treasury inflation-protected securities – TIPS*) Títulos da dívida do Tesouro norte-americano protegidos da inflação (títulos com correção pela inflação).

Títulos hipotecários (*Mortage securities*) Obrigação de dívida garantida por hipoteca do imóvel do devedor.

Títulos municipais (*Municipal bonds*) Títulos emitidos por um município.

Títulos públicos (*Government bonds*) Títulos de dívida emitidos por um governo.

Títulos Yankee (*Yankee bonds*) Títulos estrangeiros denominados em dólares emitidos nos Estados Unidos por bancos e empresas estrangeiros.

Tomada de controle (*Takeover*) Termo geral que se refere à transferência de controle de uma empresa de um grupo de acionistas a outro.

Tomada de controle amigável (*Friendly takeover*) Tomada de controle que ocorre com o apoio dos acionistas da empresa adquirida.

Tomada de controle hostil (*Hostile takeover*) Tomada de controle que ocorre contra a vontade dos acionistas da empresa adquirida.

TPA (*Anual percentage rate – APR*) Taxa percentual anual.

Transação à vista (*Cash transaction*) Transação em que pagamento e entrega são imediatos, comparada a um contrato a termo que exige uma entrega e pagamento futuro de um ativo, a um preço acordado.

Transação de fechamento de capital (*Going-private transaction*) As ações de uma empresa que circulam no mercado são substituídas pela titularidade completa do capital por um grupo privado. As ações são retiradas da bolsa de valores e não podem mais ser negociadas no mercado.

Transferência eletrônica (*Wire transfer*) Nos Estados Unidos, uma transferência eletrônica de fundos de um banco para outro que elimina os prazos de envio e compensação de cheques de outros métodos de transferência de dinheiro.

Transferência eletrônica de dados (*Eletronic data Interchange – EDI*) Termo geral que se refere à prática de transferência direta e eletrônica de informações entre quaisquer tipos de negócios.

Tributos diferidos (*Deferred taxes*) Passivo resultante das diferenças entre o lucro contábil e o lucro tributável.

Último a entrar, primeiro a sair (UEPS) (*Last in-first out – LIFO*) Método de contabilização de estoques que atribui ao estoque o preço da última aquisição.

Vaca leiteira (*Cash cow*) Empresa que paga uma proporção substancial dos lucros como dividendos aos acionistas.

Valor ao par (*Par value*) Valor nominal ou de face de ações ou títulos. Para as ações, é um valor relativamente sem importância, exceto para fins contábeis.

Valor composto (*Compound value*) Valor de uma soma investida e seus rendimentos por um ou mais períodos. Também chamado de valor futuro (VF).

Valor contábil (*Book value*) Valor conforme declarado no balanço patrimonial.

Valor contábil por ação (*Book value per share*) Total do patrimônio contábil dividido pelo número de ações em circulação.

Valor da empresa (*Enterprise value*) Custo da aquisição de todas as ações em circulação de uma empresa e a liquidação de toda a sua dívida menos o caixa da empresa.

Valor de conversão (*Conversion value*) O que um título conversível valeria se fosse imediatamente convertido em ações ao preço corrente.

Valor de face (*Face value*) Valor de um título de dívida que aparece em sua face. Também chamado de valor nominal ou principal.

Valor de reposição (*Replacement value*) Custo atual de reposição dos ativos da empresa.

Valor do dinheiro no tempo (*Time value of money*) Preço ou valor alocado no tempo.

Valor futuro (VF) (*Future value – FV*) Valor de uma soma após seu investimento por um ou mais períodos. Também chamado de valor capitalizado ou composto.

Valor justo de mercado (*Fair market value*) Quantia pela qual um ativo seria transacionado entre um comprador e um vendedor dispostos a tal quando ambos têm conhecimento dos fatos relevantes para o ativo.

Valor presente (VP) (*Present value – PV*) Valor de um fluxo de caixa futuro descontado até o dia presente.

Valor presente ajustado (*Adjusted presente value*) Valor presente líquido ajustado a tributos, custos de dificuldades financeiras e outros efeitos financeiros colaterais.

Valor presente líquido (*Net presente value – NPV*) Valor presente dos retornos futuros em dinheiro, descontados pela taxa de juros de mercado apropriada, menos o valor presente do custo do investimento.

Valor registrado (*Carrying value*) Valor contábil.

Valor residual (*Residual value*) Geralmente refere-se ao valor de uma propriedade para um arrendador no momento em que o arrendamento acabar.

Variação no ativo imobilizado (*Change in fixed assets*) Custo de novos ativos imobilizados menos os resultados das vendas de ativos imobilizados, em um período.

Variação no capital circulante líquido (*Change in net working capital*) Variação da diferença entre os ativos circulantes e passivos circulantes, em um período.

Variância (*Variance*) Média dos quadrados dos desvios em relação à média.

Variância da carteira (*Portfolio variance*) Soma ponderada das covariâncias e variâncias dos retornos dos ativos em uma carteira.

Variável de fechamento (*Plug*) Uma variável utilizada para equilibrar um plano financeiro.

VC (*Venture capital*). Financiamento no estágio inicial de jovens empresas buscando crescer rapidamente.

Vencimento (*Maturity*) O número de anos até que o valor de face de um título de dívida seja pago.

Venda a descoberto (*Short sale*) Venda de um título que o investidor não possui, mas tomou emprestado.

Venda com alienação fiduciária (*Conditional sales contract*) Acordo pelo qual a empresa mantém a propriedade legal dos bens até que o cliente tenha concluído o pagamento.

Venda com arrendamento (*Sale and lease-back*) Acordo por meio do qual uma empresa vende seus ativos existentes a uma empresa financeira que, a seguir, arrenda-os para a empresa original. Isso geralmente é feito para gerar caixa.

Venture capital (VC) Financiamento de jovens empresas no estágio inicial, buscando crescimento.

VF (*Future value – FV*) Valor futuro.

Voto múltiplo (*Cumulative voting*) Procedimento por meio do qual todos os conselheiros de administração são eleitos numa única rodada de votações e atribui-se a cada ação tantos votos quantos sejam os membros do conselho. Um acionista pode acumular todos os seus votos ou parte deles em um só candidato a membro do conselho de administração. É procedimento de votação que permite aos acionistas minoritários elegerem conselheiros. No Brasil é previsto no art. 141 da LSA.

Voto por candidato (*Straight voting*) Um procedimento por meio do qual os conselheiros são eleitos um de cada vez, e os acionistas votam com os votos que têm, o que dificulta aos minoritários elegerem candidatos, pois serão minoria em todas as rodadas de votação. No Brasil, a eleição de membros do conselho de administração por minoritários e por acionistas preferenciais é regulada pelo art. 141 da LSA.

VP (*Present value – PV*) Valor presente.

VPL (*Net presente value – NPV*) Valor presente líquido.

VPLOC (Valor presente líquido de oportunidades de crescimento) (*NPVGO model*) Modelo de avaliação da empresa em que o valor presente líquido de novas oportunidades de investimento é explicitamente examinado.

YTM (*Yield to maturity*) Retorno até o vencimento.

Índice

A

Abertura de capital no Brasil, 707
  anúncio da oferta, 710
  definição das características da emissão, 710
  distribuição púbica de ações, 707
  estratégia de acesso gradual, 708
  oferta pública inicial (OPI), 707
  ofertas para investidores residentes no exterior, 710
  pedido de registro de companhia aberta, 707
  período de silêncio, 710
  prazo estimado para registro, 707
  prazo médio de preparação, 707
  processo de emissão, 710
  regulamento de registro de emissores, 708
  regulamento de registro de valores mobiliários, 708
  segmentos de listagem das ações na BM&FBOVESPA, 708
  segmentos especiais de listagem, 708
ABN AMRO, 244-245
Abordagem ABC, 1019-1022
Abordagem da porcentagem de vendas, 65-70
  balanço patrimonial, 65-67
  demonstração de resultados e, 65-67
Abordagem de fluxo de caixa para o acionista (FPA), 599-601
  avaliação, 600-601
  cálculo da taxa de desconto, 600-601
  cálculo do FC_A, 599-601
  comparação entre VPA e CMPC, 601-605
Abordagem de valores comparáveis, 295-300
Abordagem do benefício fiscal, 191-192
Abordagem do modelo de descontos de dividendos, 435
  exemplos de avaliações de empresas no mercado brasileiro, 437
    laudos de avaliação da CVM, 437
  modelo CAPM no mercado brasileiro, 436
Abordagem matricial, 369-370
Abutres, 1089
Ação, 498–509; *ver também* Retorno esperado; Ações preferenciais; Retornos; Preço da Ação
  ação de monitoramento, 1071-1072
  ação sintética, 762-763
  aquisição de, 1034-1035
  características de, 498-504
  classe de, 500-502
  como opções, 776-781
  direitos dos acionistas, 498-502
  dívida conversível, 833-835
  dividendos, 502-504
  em VPL de fusões, 1050-1052
  grandes empresas, 333-335
  outros direitos do (acionista), 500-504
  pequenas empresas, 333-335
  recompra de, 632-635
  resultado de, 758-759
  retorno esperado de, 362
  valor presente de, 283-288
  votação por procuração, 500-502
Accenture, 432-433
Aceite bancário, 952-959, 1009-1010
Aceite comercial, 1009-1010
Acionistas
  como titulares de opção de compra, 777-778
  comportamento dos gestores e, 1062-1063
  desinteresse do, 468-469
  efeito da oferta de direitos do, 701-703
  efeito de cosseguro, 1048-1049
  fluxos de caixa para, 34-35
  minoritários, 499-500, 1034-1035
Ações de crescimento, 479-480
Ações de valor, 479-480
Ações preferenciais, 502-509
  como dívidas, 504-509
  custo das, 440-441
  dividendos, 502-509
  dividendos cumulativos, 502-504
  dividendos não cumulativos, 502-504
  resgatáveis, 504-509
  valor declarado, 502-504
Acordo de fusão, 1037-1038
Acordo privado, 1091-1093
Acordos de *standstill*, 1056-1057
Acordos de subscrição, 702-703
Adelphia Communications, 18-20, 39
Aditividade do valor presente, 137-138
Administração de crédito
  análise de crédito, 1003-1004, 1010-1011, 1014-1018
  condições de venda, 1002-1004
  política de cobrança, 1003-1004
Administração do caixa, 972-973
  bancos concentradores em, 992
  concentradoras de cheques e, 139
  gestão da liquidez *versus*, 973-984
  investimento do caixa ocioso, 992-998
  motivos para manter saldos de caixa, 972-984
Administração do *float*, 985-990
Administração do fluxo de caixa, 37-38
Administração do risco, 1126-1128
Administração financeira
  método de *payback*, 140-141
  objetivo da, 11-14
Administração ineficiente, 1040-1041
Administrador financeiro, 937
Agência Brasileira da Inovação (FINEP), 681
Agência Brasileira de Desenvolvimento Industrial (ABDI), 681
AIG International, 519, 824–825
Alavancagem caseira, 532-533
  avaliação com, 604-605
  beta e, 609-612
  operação, *beta* e, 433-434
  retorno para os acionistas e, 530-532
Alavancagem financeira; *ver também* Empresas alavancadas; Índices de alavancagem
  beta e, 433-435
  escolha entre dívida e capital próprio, 532-534
  pressuposto fundamental sobre, 533-534
  proposição II de M&M sobre, 533-535
  retornos para os acionistas e, 534-542
  risco para os acionistas, 533-535
  valor da empresa, 530-532
Alavancagem operacional, 433-434
Alienação fiduciária, 952-959
Alíquota tributária
  empresa, 678-681
  imposto de alíquota fixa, 30
  média *versus* marginal, 28-32
Alíquota tributária efetiva, 579-580
Alíquota tributária marginal, 28-29
Alíquota tributária média, 28-29
Alíquotas tributárias da pessoa jurídica, 28-29
Amazon, 291-292, 936-937, 1081-1082
American depository receipt (ADR), 1105-1107
AmeriGas Partners, 283
AmeriServe Food Distribution Inc., 252
Amortização, 116-121
  amortização parcial, 118-120
  aplicação de planilha, 119-120
Análise de cenários, 214-214
Análise de crédito, 1003-1004, 1010-1011, 1014-1018
  informação de crédito, 1016-1018
  venda única, 1015-1016
  vendas repetidas, 1015-1017

Análise de demonstrações contábeis, 47-52
  balanços patrimoniais de tamanho comum, 48-49
  demonstrações de resultados de tamanho comum, 49-50
  LAJIDA e LAJIR, 49
    ajustado, 51
    medidas de lucros, 50
      Períodos de capitalização composta, 102
    taxas do mercado financeiro brasileiro, 105
  medidas de gestão de ativos ou de giro, 55-57
Análise de estratégia corporativa
  análise do ponto de equilíbrio, 214-218
  árvores de decisão, 226-228
  simulação de Monte Carlo, 217-222
Análise de hipóteses, 210-211
Análise de indicadores, 51-61
  capitalização de mercado, 59-60
  cobertura de caixa, 54-56
  giro de contas a receber, 56-57
  giro do ativo total, 56-57
  giro dos estoques, 55-56
  identidade DuPont e, 61-63
  indicadores de liquidez, 52-54
  indicadores de solvência de curto prazo, 52-54
  indicadores de solvência de longo prazo, 53-56
  índice de administração de ativo, 55-57
  índice de caixa, 53-54
  índice de cobertura de juros, 54-55
  índice de endividamento total, 53-55
  índice de intensidade de capital, 66-67
  índice de liquidez corrente, 52-54
  índice de liquidez imediata, 53-54
  índice de liquidez seca, 53-54
  índice de lucratividade, 57-59
  índice de retenção, 66-67
  índice financeiro comum, 60-61
  índice preço/lucro, 58-59
  índice valor de mercado/valor contábil, 58-60
  margem de lucro, 57-58
  margem LAJIR, 57-58
  medidas de giro, 55-57
  medidas do valor de mercado, 58-60
  múltiplos do valor da empresa, 59-60
  prazo médio de contas a receber, 56-57
  prazo médio de estocagem, 55-56
  retorno sobre o patrimônio líquido (ROE), 58-59, 61-63
  retorno sobre os ativos (ROA), 57-58
  taxa de distribuição de dividendos, 66-67
  taxa de retenção, 66-67
  valor da empresa, 59-60, 298-300
Análise de opções (opções reais), 221-225
  opção de abandono, 223-225
  opção de expansão, 222-223
  opções de espera, 225
Análise de sensibilidade, 210-214

Análise do ponto de equilíbrio, 214-218
  lucro contábil, 214-217
  políticas de crédito, 1012-1013
  valor presente, 215-218
Análise MOP (melhor, otimista e pessimista), 210-211
ANBIMA (Associação Brasileira das Entidades dos Mercados Financeiro e de Capitais), 697
Anomalias, 475-476
Anuidade, 107, 109-117
  uso de planilha, 113
  valor presente de duas anuidades, 114-116
Anuidade antecipada, 114
Anuidade com outra frequência, 114-115
Anuidade crescente, 107, 115-117
  fórmula do valor presente, 115-116
Anuidade diferida, 113-114
Anuidade ordinária, 114
Anuidade postecipada, 114
Anúncios de emissão de novas ações, 690-691
  ganhos inesperados, 477-479
AOL, 1051-1053, 1064
Aporte de capital; ver também Títulos
Apostas, 474-475
Apple, 5-6, 136-137
APT (teoria de precificação por arbitragem), 412-415
Aquisição de conglomerado, 1035-1037
Aquisição horizontal, 1035-1037
Aquisição isenta de impostos, 1064
Aquisição tributável, 1064
Aquisição vertical, 1035-1037
Aquisições; ver também Desinvestimentos; Aquisições alavancadas; Fusões; Tomadas de controle
  como mercado para controle corporativo, 1040-1041
  consolidações, 1033-1034
  contabilização de, 1067-1068
  crescimento de lucros, 1045-1046
  de ações, 1034-1035
  de ativos, 1034-1035
  diversificação e, 1046
  esquema de classificação, 1035-1037
  fechamento de capital, 1037-1038, 1068-1071
  formas básicas de, 1033-1038
  formas tributárias de, 1064-1067
  fusão ou consolidação, 1033-1035
  horizontal ou vertical, 1035-1037
  keiretsu japonês, 1025-1027
  método de contabilização de compra, 1067-1068
  sinergia das, 1037-1039
  táticas defensivas, 1055-1060
  tomadas de controle, 1035-1038
  transação isenta de impostos, 1064
  transação tributável, 1065-1067
  VPL de uma fusão, 1038-1053
Aquisições alavancadas, 564-565, 1068-1071; ver também Aquisições

Arbitradores, 411-412
Arbitragem, 464-465
  eficiência de mercado e, 464-465, 475-478
  Finanças Comportamentais e, 475-476
  limites à, 475-478
  valor de conversão e, 830-831
Arbitragem de juros coberta, 1115-1117
Arbitragem triangular, 1109-1111
Arrendadores, pagamento de reserva do, 741-742
Arrendamento alavancado, 725-726
Arrendamento direto, 723-724
Arrendamento do tipo venda, 723-724
Arrendamento mercantil (Leasing)
  comprar versus, 724-725
  contabilidade e, 725-730
  custos de operação, 742-743
  deslocamento de dívida e, 735-737
  efeito sobre a dívida, 743-744
  financiamento total, 743-744
  fluxos de caixa de, 730-733
  fluxos de caixa sem risco e, 732-734
  lucro contábil e, 742-744
  maus motivos para, 742-744
  motivos para, 739-743
  pelos fabricantes e arrendadores terceirizados, 743-744
  redução da incerteza pela, 741-743
  vantagens fiscais da, 739-742
Arrendamentos (Lease), 723-724
  ativos frequentemente arrendados, 744-745
  avaliação de, 735-739
  convergência entre IASB e FASB para normas de contabilização, 729
  de capital, 726-727
  dívida e, 732-734
  fundamentos de, 723-724
  impostos e, 727-730
  IRS sobre, 727-730
  mercantil nas demonstrações contábeis do arrendador, 729
  nas demonstrações contábeis do arrendatário, 728
  oferecidos por fabricantes/arrendadores terceirizados, 744-745
  pela norma brasileira (IFRS), 727
  pela norma norte-americana (FASB), 726
    de capital, 726
    contabilização, 726
    Financial Accounting Standards Board (FASB), 726
    financiamento "fora do balanço", 726
    valor residual garantido (VRG), 727
  tipos de, 723-726
  transação de venda e retroarrendamento (leaseback) conforme a norma IFRS, 729
  venda e arrendamento, 725-726
Arrendamentos financeiros, 724-726
Arrendamentos operacionais, 723-725
  características dos, 723-725
  opção de cancelamento, 724-725

Arrendatário, pagamento de reserva do, 741-742
ARs; *ver* Retornos anormais
Árvore binomial, preços do ouro, 816
Associação Brasileira das Entidades dos Mercados Financeiro e de Capitais (ANBIMA), 697
AT&T, 1033-1037
Atividade e pregão, 302
Atividades cíclicas, 993-995
Ativo subjacente, de derivativos, 847-848
Ativos, 22; *ver também* Ativos não circulantes
  aquisição de, para adquirir uma empresa, 1034-1035
  conjunto eficiente formado por dois ativos, 371-376
  correlação entre passivos, 866-869
  corrente, 1-2
  reestruturação, 1058-1060
  risco, retorno excedente, 342-344
  valor contábil de, 23-24
Ativos alternativos, 1089
Ativos não circulantes, 1-2, 121-122, 930-931
  estratégias de financiamento para, 940-941, 943-946
  modelo financeiro ideal, 942-945
  políticas alternativas de financiamento, 942-946
  tamanho do investimento da empresa em, 940-943
  variações em, 33-34
Aumento de receita, sinergia de, 1038-1040
Autocontrole, 643-644
Avaliação
  caso de um período, 89-92
  caso de vários períodos, 92-96, 101
  com alavancagem, 604-605
  de ações de crescimento constante, 285-287
  de ações de crescimento variável, 287-288
  de ações de crescimento zero, 285
  de dívida conversível, 830-833
  de empresa em estágio, 804-807
  incerteza e, 92
  método de custo médio ponderado de capital, 442-446
  neutra ao risco, 770-772
  remuneração/opções dos executivos, 800-805
  taxa de desconto estimada, 604-607
Avaliação de fluxos de caixa diferidos, 101
  fórmula algébrica para, 102
  poder da capitalização composta, 95-97
  valor presente e desconto, 101
Avaliação de loteria, 763-769; *ver também* Modelo Black-Scholes; Fórmula de cálculo do preço das opções
  data de vencimento, 765-766
  determinação dos limites do valor de compra, 763-765
  fatores nos valores da opção de compra, 765-768
  fatores nos valores da opção de venda, 768-769
  limite inferior, 763-765
  limite superior, 764-766
  modelo Binominal; *ver* Modelo de dois estados
  preço da ação, 765-767
  preço de exercício, 765-766
  taxa de juros, 767-768
  título conversível, 831-833
  variabilidade do ativo subjacente, 766-768
Avaliação de título de dívida
  resumo da avaliação, 245-246
  títulos e, 239-243
  valor de face, 239-240
  valor nominal, 239-240
Avaliação de uma mina de ouro, 813-820
  árvore binomial para preços do ouro, 816
  decisões de abandono e abertura, 814-816
Avaliação e classificação de crédito, 1017-1018
Avaliação em estágio inicial, 134
Avaliação neutra ao risco, 770-772
Avaliação por fluxos de caixa descontados, 89, 171-172
  caso de um período, 89-92
  caso de vários períodos, 92-96
  casos especiais de, 191-198
  propostas de corte de custos, 191-194
Avaliados ao preço de mercado, 850-852
Avis Budget Group, 403
Ávores de decisão, 226-228, 786-787

B

Baixa contábil, 22
Balanço patrimonial, 22-25
  abordagem da porcentagem de vendas, 66-69
  definição contábil de, 22
  dívida *versus* patrimônio líquido sobre, 23-24
  exemplo de, 23
  liquidez, 23-24
  modelo da empresa, 1-4
  tamanho comum, 48-49
  valor *versus* custo, 23-25
Banco Nacional de Desenvolvimento Econômico e Social (BNDES), 681
Bancos, informações de crédito de, 1017-1018
Bancos concentradores, 992-992
Bancos de investimento, 682-683, 686-688; *ver também* Subscrição
Bank of America, 22, 47, 302, 1039-1040
BankBoston, 1064
Banqueiros de investimento, 683-684
Barnes & Noble, 936-937, 1081-1082
BASF, 424-425
Beazer Homes USA, 1-2
BellSouth, 244-245
Benefício fiscal, valor presente de, 544-545
Benefício fiscal da depreciação, 191-192
Bens acabados, 1019
Berkshire Hathaway, 500-502
Beta, 345-346, 382-383, 387-388, 404, 406
  alavancagem e, 609-612
  alavancagem financeira e, 433-435
  alavancagem operacional e, 433-434
  arbitragem e, 410-412
  avaliação do projeto, 426
  ciclicidade das receitas, 432-434
  definição, 388-389
  determinantes dos, 432-435
  estabilidade do, 429-432
  estimativa do, 428-433
  exemplos, setor de *software* para computadores, 432-433
  fórmula para, 388-390
  não alavancado, 611-612
  relação linear, 410-412
  retorno esperado, 391-392, 410-412
  risco sistemático e, 403-406
Beta de empresas, 429-431
Beta do setor, uso do, 430-432
Beta dos ativos, 433-435
Betas no mundo real, 429-431
Bloqueio, 686-687
Boeing, 936-937
Bolha dos mercados, 459-460, 474-475, 480-481
Bolha tecnológica, 459-460
Bolsa de mercadorias de Chicago (CME), 849-850
Bolsa de opções de Chicago (CBOE), 834-835, 824
Bolsa de valores de Londres, mercado de investimentos alternativos (AIM), 20-21
Bolsa de valores de Nova Iorque (NYSE), 301-303
  atividade de pregão, 302-303
  classes de ações, 500-502
  membros da, 301-302
  operações, 302
Bolsa de Valores de São Paulo BM&FBOVESPA, 17, 305-319, 884-896
Bolsa internacional de futuros financeiros e opções de Londres (LIFFE), 849-850
Bolsa mercantil de Nova York (NYM), 849-850
Bookbuilding, 683-684
Borders Group, 558-559, 1081-1082
Brackets, 678-681
Burger King, 252

C

Cabeça de praia, 1039-1040
Caixa;
  atividades que aumentam/diminuem o, 930-935
  cálculo do, 364-368
  custos de manutenção, 973-974

demandas de caixa sazonais, 993-994
em VPL de uma fusão, 1048-1050
fontes e usos do, 931-935
gastos planejados ou possíveis, 994-995
investimento do caixa ocioso, 993-998
motivo transação, 973-974
motivos especulação e precaução para manter saldos de caixa, 972-974
motivos para a retenção de, 972-984
no caminho do caixa e do capital circulante, 930-935
saldo médio, 973-974
Câmara de Comércio de Chicago (CBT), 849-850
Câmaras de Compensação Automatizada, 992
Caminho aleatório, 465-466
Campbell Soup Co., 403
Capacidade de endividamento, 1042-1044
anúncio de novas ações e, 691
capacidade aumentada de endividamento, 1042-1043
não utilizada, 1042-1043
Capital circulante líquido, 3-4, 31-33, 181-183, 929-930
acréscimos ao, 33-34
definido, 3-4, 174-176
no caminho, 930-935
variação em, 31-33
Capital de giro, 3-4, 35-36, 173-174 1111-1114
Capital de giro e o crescimento sustentável, 952
crescimento sustentável *versus* efeito tesoura, 957
saldo de tesouraria com foco na estrutura de capital, 957
saldo de tesouraria com foco no capital de giro, 956
saldo de tesouraria com foco no financiamento de curto prazo, 956
Capital interno, custos de emissão e, 449-450
Capital próprio, 23-24
Capitalização anual, 102-103, 107
Capitalização composta, 101
frequência de, 104
poder de, 95-97
por muitos anos, 104-106
semestral, 102-103, 107
trimestralmente, 102-103
valor futuro e, 92-96
Capitalização composta por vários anos, 104-106
Capitalização contínua, 104-107
Capitalização de mercado, 59-60
Capítulo 11, Código de Falências dos EUA, 1081-1087, 1090-1101
Capítulo 7, Código de Falências dos EUA, 1081-1088, 1101
CAPM; *ver* Modelo de precificação de ativos financeiros (CAPM)
Caps, 872-874

Captação de recursos e gestão do caixa no exterior, 1128
captações locais por subsidiárias e controladas no exterior, 1133
emissão de *bonds*, 1130
Gerdau, comunicado ao mercado, 1130
MARFRIG S/A, comunicado ao mercado, 1133
visão geral do mercado dos Estados Unidos, 1133
bankers acceptances, 1136
commercial paper, 1135
compensating balance (saldo médio), 1135
empréstimos bancários no mercado norte-americano, 1133
inventory loan (empréstimo com garantia de estoques)
lines of credit (linhas de crédito), 1134
purchase order financing (empréstimo para financiamento de compras), 1135
secured loans (linhas de crédito com garantias), 1135
syndicated loans, ou empréstimos sindicalizados (consorciados), 1134
term loan, 1136
unsecured loans (empréstimos não garantidos), 1134
aplicações de caixa, 1136
aumento do *float* de desembolso, 1142
certificate of deposit – CD, 1136
gestão de caixa internacional, 1142
instrumento de crédito, 1143
gestão de desembolsos de caixa, 1138
contas de desembolsos controlados, 1140
contas de saldo zero, 1138
organização da função de crédito, 1143
preferred stock, 1136
repurchase agreement – Repo, 1136
short term tax-exempt securities, 1136
sistema de pagamentos, 1136
bancos concentradores de caixa, 1138
lockboxes, 1137
tópicos de gestão de contas a receber nos Estados Unidos, 1140
componentes do prazo de recebimento, 1140
condições de venda, 1140
Treasury bills, 1136
Características das ações ordinárias e preferenciais, 498
ações ordinárias, 505
de companhia fechada, 505
ações preferenciais, 506
BOVESPA MAIS, 508
características de ações preferenciais, 503
ações preferenciais, 504
dívida com característica de capital próprio, 505
dividendos cumulativos, 504
dividendos não cumulativos, 504
valor declarado, 504

conselho fiscal, 503
eleição de conselheiros de administração de empresas no Brasil, 499
classes de ações, 501
dividendos, 502
minoritários e preferenciais, 499
outros direitos, 502
votação em separado, 499
votação por candidato, 500
votação por procuração, 501
voto múltiplo, 499
espécies, classes, preferências e vantagens, 505
ações preferenciais da companhia aberta e fechada, 505
nível 1, 508
nível 2, 508
novo mercado, 507
ações ordinárias nominativas (ON), 507
segmentos especiais de listagem, 506
Caráter, 1017-1018
Carta-comentário, 678-681
Carteira de ações de crescimento, 415
Carteira de equilíbrio de mercado, 385-390
definição de, 385-387
Carteira de mercado, 386-387
definição de risco, 386-389
fator único e, 411-413
retorno esperado da, 389-391
Carteira de valor, 415
Carteira de variância mínima, 372-374
Carteira ótima, 384-386
Carteiras, 367-368
abordagem matricial, 369-370
desvio padrão, 368-370
diversificação e, 407-410
efeito da diversificação, 370-372
extensão para vários ativos, 371-372
modelos de fatores e, 406-410
retorno esperado de, 367-369
risco e retorno para, 367-372
variância, 368-370, 378
Carteiras estilizadas, 415-416
Caso brasileiro: recuperação judicial, liquidação e falência de empresas, 1096
caso Busscar, 1100
desconsideração da personalidade jurídica, 1097
desvio de patrimônio, 1097
liquidação administrativa, 1096
liquidação judicial, 1096
liquidação ordinária, 1096
recuperação judicial, 1097
Caso de referência, 659-660
Cavaleiro branco, 1057-1058
CBS, 14-15
Certificado de depósito bancário (CDB), 996
Certificados de depósito (CDs), 996, 1136
Certificados de participação patrimonial, 2-3
Chevron Texaco, 157-158
Chrysler Corporation, 562-563, 781-782, 1064, 1090

Ciclo financeiro, 935-936, 939; *ver também*
  Ciclo operacional
    cálculo do, 937-938
    definido, 935-937
    em vários setores, 939-941
    interpretação de, 939-940
Ciclo operacional, 935-936, 938; *ver também*
  Ciclo financeiro
    ciclo financeiro cálculo, 937-940
    definido, 935-937
    em vários setores, 939-941
    organograma da empresa, 937
Cinco Cs do crédito, 1017-1018
Cisão, 1070-1071
Cisco Systems, 225, 990-991
CIT Group, 1093
Citigroup, 519
Classificação de crédito, 1017-1018
Classificações de risco de títulos, 251-252
Cláusula *board out*, 1056-1057
Cláusula de emissão suplementar, 684-686, 692
Cláusula de reajuste com base na inflação, 853-854
Cláusula protetora, 514-515, 566-567
  positiva, 514-515
Cláusulas de empréstimo, 567-568
Cláusulas não usuais, em títulos de dívida, 519
Clientela, 647-648
CME Group, 849-850
CMPC; *ver* Método do custo médio ponderado de capital (CMPC)
Cobrança e desembolso de caixa, 945-949, 990-993
  como acelerar as cobranças, 992-993
  componentes do prazo de recebimento, 990-992
  concentradoras de cheques, 991-992
  contas de saldo zero, 992-993
  float de desembolso, 992-993
Cobrança no balcão, 991-992
Coca-Cola, 47, 244-245, 853-854
CoCo Bonds, 519
Código de falência do EUA, 1085, 1090
Coeficientes de correlação serial, companhias selecionadas (2010), 469-470
Collars, 516-517
Colocações privadas, 706-713
Comcast, 500-502, 1035-1037, 1056-1057
Comissão de Valores Mobiliários (CVM), 330-331, 461-462, 681
Comitê de Normas Contábeis, 25
Companhia aberta, 7-8
Companhia Baldwin (exemplo), 173-185
  análise do projeto, 177-182
  cálculo de depreciação, 175
    porcentagem de, 175
    taxas de, 177
  capital de giro, 174
    análise de Meadow, 174
    dados básicos de investimento e receita, 174

    fluxo de caixa, 174
    investimento em estoques, 174
  depreciação acelerada, 184
    coeficientes de, 184
    espécies de, 184
    montante acumulado, 185
  depreciação, 174
    conta de tributos, 174
    lucro real, 174
    para fins fiscais, 175
    para fins regulatórios, 174
    para fins societários, 175
  despesas de juros, 183-185
  fluxos de caixa incrementais, 178-179
  investimentos, 178-180
  lucros e tributos, 179-180
  receitas operacionais e custos, 177
  tributos *versus* livros dos acionistas, 181-182
  valor de recuperação e, 179-180
  valor presente líquido, 181-182
Compaq, 15-16
Comparação das abordagens de VPA e FCA, 601-605
  custos de emissão, 447-450
  exemplo da Eastman, 447-448
  fórmula, 601-602
  impostos da pessoa jurídica e, 548-549
Compromisso firme, 683-684
Compromissos antecipados, 861-863
Concentração de caixa, 992-992
Concentradoras de cheques, 991-992
Concentradoras de cheques eletrônicas, 991-992
Concorrência, 1007-1008
Condições, 1017-1018
Conjunto de oportunidades, 373-374
Conjunto eficiente, 374-375, 379-380
  formado por dois ativos, 371-376
Conjunto eficiente formado por vários títulos, 376
  mercado brasileiro, 379
  MATLAB, 379
Conjunto viável, 373-375
Conoco Phillips, 157-158
Conselho escalonado, 1055-1056
Conservadorismo, 474-475, 478-479, 482-483
Consols, 107, 111
Conta aberta, 1009-1010
Conta de desembolsos controlados, 992-993
Contabilização
  arrendamento e, 725-730
  de aquisições, 1067-1068
  escolhas do gestor no, 483-485
  índice P/L e, 297-298
  mercados eficientes e, 483-485
  método de compra, 1067-1068
  métodos de contratos terminados, 297-298, 483-484
  normas contábeis de, 9, 25–26
Contas a pagar, 930-931, 947-948

Contas a receber, 23, 1002-1004
  giro de contas a receber, 56-57, 938
  prazo médio de recebimento, 591-592, 938, 1004-1005
Contas de saldo zero, 992-993
Contratos a termo, 848-850
  precificação dos, 856-858
Contratos de futuros, 849-854, 857-859
  avaliados ao preço do mercado, 850-852
  listagem do Wall Street Journal, 851
  títulos do Tesouro, 855-857
Contratos de futuros de taxa de juros, 855-863
  ajuste diário, 895-898
  hedge de venda *versus* de compra, 861-863
  hedge em, 858-863
  liquidação no vencimento, 899
  no *hedge*, 900
  operações de *hedge*, 900
  taxas a termo (*forward*), 894-895
  taxas implícitas no PU de DI-1, 898-899
Contratos de *swap*, 868-874
Contratos derivativos, 888-890
  a termo, 889-890
  de balcão, 890
  de *commodities*, 888-889
  financeiros, 888-889
  minicontratos, 888, 890
  negociados na BM&FBOVESPA, 888-890
  swaps, 889-890
  taxas implícitas no PU de DI-1, 898-899
Contratos em aberto, 849-850
Contratos sociais, 1055-1057
  conselho escalonado, 1055-1056
  disposições supermajoritárias, 1055-1057
Controle da empresa, 15-16
  tomadas de controle e, 1053-1055
Controller, 3-5, 937
Correlação, 362, 364-368
  cálculo da, 364-368
  negativa, 367-368, 370-371
  positiva, 367-368
Correlação com ativos, 866-869
Correlação serial, 468-469
Corretores, 301
Costco, 304-320
Cotações internas, 303-304
Covariância, 362, 364-368
  de retornos de títulos, 368-369
  fórmula para, 370-371
Crédito
  cinco Cs do, 1017-1018
  contas a receber e, 1002-1005
  custos da, 1007-1010
  fluxos de caixa de, 1003-1004
Crédito ao consumidor, 1002-1003
Crédito comercial, 1002-1003
Credores (emprestadores), 23-24, 504-509
  fluxo de caixa pago aos, 34-35
  garantias de empréstimos e, 780-782
  opção de compra e, 777-779

1180 Índice

Crescimento
   determinante de, 74-76
   NAF e, 71-72
   política financeira e, 71-76
   taxa de crescimento interno, 71-73, 76
   taxa de crescimento sustentável, 73-76
   valor *versus*, 479-480
Crescimento composto, 94-95
Crescimento constante de dividendos, 285-287
Crescimento de lucros, 288-289
   aquisições e, 1045-1046
Crescimento diferencial de dividendos, 287
Criação de valor, 3-4
   decisões de orçamento de capital, 459-460
   decisões financeiras e, 459-462
Crise financeira de 2008, 351-356
Cronograma de amortização, 117-118
Cupons, 239-240, 512
Cupons de títulos de dívida, 239-240
   semestral, 241-243
Cupons semestrais, 241-243
Curto prazo, 27-28
Curva de rendimentos; *ver* Curva de retornos
Curva de retornos, 907-911
Curva de retornos dos títulos do Tesouro, 264
Curva do custo total de crédito, 1013-1014
Custo da dívida, 439-441
   custo embutido, 439-440
   exemplo da Eastman, 446-447
   política de crédito, 1010-1011
Custo de capital, 424-426, 436-438; *ver também* Taxas de desconto; Retorno exigido; Custo médio ponderado de Capital
   empresa financiada somente por capital estimativa com CAPM, 425-429
   exemplo da Eastman Chemical, 446-448
   linha do mercado de títulos e, 438-439
   para divisões e projetos, 436-440
   para empresas internacionais, 1122-1123
Custo do capital próprio, 534-535
   estimativa do custo do capital e, 426
Custo embutido, 439-440
Custo médio ponderado de lançamento, 448-449
Custos
   de oportunidade e, 171-173
   efeitos colaterais e, 172-173
   fixo ou variável, 212-214
   irrecuperáveis e, 171-172
   relacionados às reservas de segurança, 942-943
   tempo e, 27-28
   valor *versus*, 23-24-25
Custos alocados, 172-174
Custos das novas emissões, 691
   abertura de capital no Brasil, 694
   emissões e tipo de oferta no Brasil, 696
   emissões e valor da oferta no Brasil, 696
   processo de emissão subsequente, 696
      aviso de encerramento da oferta, 697
      bookbuilding, 697
      cronograma da emissão, 697

   prospecto de emissão, 697
   prospecto definitivo, 697
   prospecto preliminar, 697
Custos de agência, 14-15, 563-567, 573-574
   de conversíveis e *warrants*, 837-838
   do capital próprio, 572-576
   estratégias egoístas, 563-567
   financiamento dívida/capital próprio e, 574-575
   fluxos de caixa livres e, 574-576
   política de dividendos elevados e, 644-645
Custos de carregamento, 941-944
   de estoque, 1021-1022
   em custos de crédito, 1013-1014
Custos de configuração de produção, 942-943
Custos de dificuldades financeiras, 560-567; *ver também* Falência
   custos diretos, 560-563
   custos indiretos, 562-564
   sinalização, 570-573
   teoria da ordem hierárquica, 575-579
Custos de emissão, 691
Custos de estoques, 1019-1020
Custos de falência, 559-561
   risco de falência *versus*, 558-561
Custos de falta, 941-944, 1019-1023
Custos de oportunidade, 139, 172-173
   em custos de crédito, 1013-1014
   em fluxos de caixa incrementais, 171-173
   em método do custo anual equivalente, 195-198
Custos de pedido, 942-943
Custos de produção, 433-434
Custos de transação, 942-943
Custos de transação, redução, por arrendamento, 742-743
Custos do período, 27-28
Custos fixos, 212, 433-434
Custos gerais, 1039-1040
Custos irrecuperáveis, 171-172
Custos variáveis, 212
CVM (Comissão de Valores Mobiliários), 697

D

D.D. Ronnelly (DDR), 436-439
Dados EDGAR, 23
Daimler-Benz, 1064
Data da declaração, 620-621
Data da fatura, 1004-1006
Data de vencimento
   de opção de compra, 751
   opção de compra e, 765-766
Data do pagamento, 620-621
Data do registro, 620-621
Data ex-direitos, 700-701
Data ex-dividendo, 620-621
Dealers, 301
Dean Witter, 1064
Debêntures, 509-510, 513

Decisão entre o arrendamento e a compra, 734-735
   análise do VPL, 734-735, 738-739
   fluxos de caixa sem risco, 732-734
   nível ideal de dívida, 733-734
   taxa de desconto e, 734-735
   valor presente dos fluxos de caixa sem risco, 733-734
Decisões de investimento, dividendos e, 644-635
Decisões financeiras, 459-460; *ver também* Planejamento financeiro do curto prazo
   criação de valor e, 459-462
   distribuição no tempo de, 484-485
   projeto do tipo financiamento, 147-148
   teoria da ordem hierárquica, 573-579
Declaração de registro, 675-678
Defesas contra tomadas de controle, 1055-1073
   acordos de *standstill*, 1056-1058
   antes de estar em jogo, 1055-1057
   cavaleiro branco e escudeiro branco, 1057-1058
   contratos sociais como, 1055-1057
   depois de a empresa estar em jogo, 1056-1060
   greenmail, 1056-1058
   oferta de aquisição própria excludente, 1058-1060
   paraquedas dourados, 1056-1057
   pílulas de veneno, 1056-1057
   recapitalização e recompra, 1057-1060
   reestruturação de ativos, 1058-1060
Déficit financeiro, 519-521
Déficit orçamentário federal, 498
Delta, 770-771
Demanda dependente, 1019-1020
Demanda derivada, 1019-1020
Demanda do consumidor, 1006
Demonstração de fluxos de caixa, 32-33, 35-38
Demonstração de resultados, 25-28
   abordagem da porcentagem de vendas, 65-67
   definição contábil, 25
   itens que não afetam o caixa, 27-28
   normas contábeis, 26
   tamanho comum, 49-50
   tempo e custos, 27-28
Demonstrações contábeis
   balanços patrimoniais; *ver* Balanço patrimonial
Demonstrações de tamanho comum, 48
   balanço patrimonial, 48-49
   demonstração de resultados, 49-50
Demonstrações financeiras, 22 *ver também* Balanço patrimonial; Demonstração de resultados; Demonstração de fluxos de caixa
   como instrumento de tomada decisão, 47
   para análise de crédito, 1016-1017
Demonstrações projetadas, 63-65
Depreciação, 27-28, 483-484
   caso Baldwin, 182-185

Índice **1181**

Depreciação acelerada, 297-298
Depreciação linear, 297-298
Derivativos, 847-849
    contratos a termo, 848-850
    contratos de futuros de taxa de juros, 855-863
    contratos de *swap*, 868-874
    contratos futuros, 849-854
    definidos, 847-848
    exóticos, 871-874
    hedge com, 853-856
    hedge com base na duração, 862-869
    uso real de, 872-874
Derivativos, 881-928
    de *commodities*, 888-889
    divulgação de, 923
    e governança, 923-924
    e tributação, 922-923
    financeiros, 888-889
    mercado de, 884-888
    negociados fora do Brasil, 921-922
Derivativos agropecuários, 916-921
    base
        conceito de, 918
        enfraquecimento da, 919
        fortalecimento da, 919
        hedge de compra com risco de, 920-921
        risco de, 918
    custos de carregamento, 918
    formação do preço futuro, 916
    renda de conveniência (*convenience yield*), 917
    risco
        de crédito, 916
        de preço, 916
        legal, 916
        operacional, 916
Derivativos negociados fora da bolsa, 921-922
    NDF (*non deliverable forward*), 921
    opção de compra
        com gatilho, 922
        com limitador, 922
    opção de venda
        com gatilho, 922
        com limitador, 922
    termo de moedas (*forward*), 922
        com gatilho, 922
        com limitador, 922
    Zero Cost Collar, 922
Derivativos no mercado brasileiro, 881-928
    benefícios, 883
        liquidez dos mercados físicos e de futuro, 883
        otimização de recursos, 883
        redução de custos de financiamento, 883
    funcionamento, 882
        mercado de balcão, 882
        mercado de bolsa, 882
    histórico, 881-882
    risco, 883-884
        alavancagem, 883
        de crédito, 883
        operacional, 883
    segmentos de atuação, 882
        BM&F, 882
        Bovespa, 882
Desconto, 97-98
    nominal *versus* real, 187-189
    valor presente e, 96-99
    vários períodos, 98
Desconto comercial, 1009-1010
Desconto de subscrição, 683-684
Desconto financeiro, 1007-1011
Desconto financeiro e o PMR, 1009-1010
Desdobramentos de ações, 484-485, 619-620, 657-658
    caso referência, 659-660
    dividendos de ações e, 657-660
    exemplo de, 657-659
    grupamentos de ações, 657-661
    intervalo de preços e, 659-661
Desembolsos, controle de, 992-993
Desembolsos de caixa, 947-948, 992-993, 1021-1022; *ver também* Cobrança e desembolso de caixa
Desinvestimentos, 1070-1072; *ver também* Aquisições; Fusões
    ações de monitoramento, 1071-1072
    carve-out, 1071-1072
    cisão, 1070-1072
    venda, 1070-1071
Deslocamento de dívida, 735-739
    fundamentos do, 735-737
    níveis ideais de endividamento e, 736-739
Despesas a pagar, 930-931
Despesas com juros, 183-185
Desvio padrão, 342-344, 362
    cálculo do, 364
    de prêmios históricos de risco, 350-351
    de retornos da carteira, 369-372
    em carteira de vários ativos, 377-378
    fórmula, 364-365
Determinação do *delta*, 770-771
Determinação do valor do empréstimo, 770-771
Devedor, 504-509
Devedor no Controle (DNC), dívida, 1092
Diagrama *hockey stick*, 755-756
Dificuldades financeiras, 1081-1084; *ver também* Falência
    como redução de negócios, 562-564
    custos da, 558-561, 598-599
    custos de agência, 563-567
    custos diretos, 560-563
    custos indiretos, 562-564
    custos legais e administrativos, 560-563
    de empresas médias, 1092
    descrição de, 1081-1082
    efeitos fiscais e, 568-570
    estrutura de capital complexa, 1093
    falta de informação e, 1093
    insolvência baseada em capital, 1082-1083
    insolvência baseada em fluxos, 1082-1083
    maiores falências dos EUA, 1084
    modelos de previsão, 1089
    obstruções, 1092
    risco de falência *versus* custos, 558-561
Diluição, 703-704
    da propriedade proporcional, 703-704
    diluição do preço da ação, 703-705
    dividendos *versus* recompras, 635-638
    lucro por ação, 705-706
    por pílulas de veneno, 1056-1057
    valor contábil, 704-706
DIRECTV, 14-15, 283
Direito de subscrição, 502-504
Direito residual, 509-510
Direitos, 1087
Direitos de avaliação, 1034-1035
Direitos dos acionistas, 498-502
Direitos não negociáveis, 570-571
Diretor financeiro, 3-5, 7-10
Disposições supermajoritárias, 1055-1057
Disputa por procuração de votos, 15-16, 500-502, 1035-1037, 1053-1055
Distribuição de despesas gerais, 1039-1040
Distribuição de dividendos, 619-620, 635-636
Distribuição de frequência, 338-341
Distribuição normal, 345-347
Diversificação, 379-383
    aquisições e, 1046-1047
    carteiras de mercado e, 372-373, 407-410
    essência da, 380-383
    informação e, 379-380
    opções e, 781-784
    risco e, 379-381
    risco não sistemático, 408-410
Dívida, 1-2; *ver também* Títulos de dívida; Custo da dívida; Nível ideal de dívida
    ação preferencial como, 504-509
    cláusulas de proteção, 566-568
    consolidação de, 567-568
    conversível *versus* não conversível, 833-834
    custo de, 439-441
    emitida de, 706-716
    nível ideal e fluxos de caixa sem risco 733-734
    patrimônio líquido *versus* 23-24, 509-510, 512, 532-534
    redução de custos da, 566-568
    subsídio fiscal para, 597-598
Dívida sem financiamento, 509-510
Dívida subordinada, 513
Dívidas de longo prazo, 2-3, 504-515
    características, 510-511
    cláusula protetora, 514-515
    de títulos mobiliários, 513
    emissão de títulos de dívida, 706-716
    empréstimos bancários consorciados, 519
    escritura da emissão, 510-515
    fundamentos de, 509-511
    opção de resgate antecipado, 514-515
    padrões de, 519-522
    pagamento da, 513-515
    patrimônio líquido *versus*, 509-510, 512

preferência, 513
termos de, 512-513
tipos de, 516-519
títulos especulativos, 519
Dívidas de longo prazo emitidas por empresas, 509; *ver* Títulos de dívida corporativos;
Dívidas de longo prazo
  cenário brasileiro, 517
    indexadores em emissões de debêntures, 518
    títulos de longo prazo com taxa flutuante, 517
Dividendo constante de crescimento zero, 285
Dividendo de liquidação, 619-620
Dividendo extra, 619-620
Dividendos, 502-504, 619-620; *ver também* Dividendos em dinheiro; Política de dividendos; Dividendos em ações
  ajuste de, 651-653
  avaliação de ações, 285-286
  características do, 502-504
  como substanciais na economia dos EUA, 649-650
  comportamento do preço perto da data ex--dividendo, 621-622
  conteúdo das informações dos, 645-646
  desconto *versus* receita, 170-171
  em ações, 502-504
  empresas com dinheiro suficiente para, 638-643
  empresas sem dinheiro suficiente para pagar dividendos, 636-639
  escolha sobre recompras, 635-648
  evidências da pesquisa sobre, 652-655
  ganhos de capital *versus*, 283-284
  lucros comparados, 291-292
  método de pagamento, 619-622
  método padrão de pagamento, 619-622
  planos de recompra de ações, 635-638
  poucas empresas pagam dividendos, 650-652
  procedimento para o pagamento e cronologia, 620-621
  prós e contras de, 652-653
  resumo de, 655-656
  tipos de, 619-620
  tributação de, 636-638, 642-643
  VPL comparado a, 294-286
Dividendos atrasados, 502-504
Dividendos caseiros, 630-632
Dividendos cumulativos (*cum dividend*), 502-504, 620-621
Dividendos em ações, 484-485, 619-620, 657-658
  caso referência, 659-660
  desdobramentos de ações, 657-661
  exemplo de, 657-659
Dividendos em dinheiro
  cronologia do pagamento, 620-621
  empresas com dinheiro para, 638-643
  empresas sem dinheiro para, 636-639

método padrão de pagamento, 619-622
pagamento da, 619-622
tipos de, 619-620
tributos sobre, 636-638, 642-643
Dividendos na legislação societária brasileira, 623
  assembleia geral, 624
  conselho de administração, 624
  devolução de dividendos, 625
  direito do acionista, 623
  dividendo obrigatório superior ao lucro, 625
  dividendos intercalares, 625
  dividendos intermediários, 625
  existência de lucros, 624
  incapacidade de pagar dividendos, 625
  incentivo aos administradores, 625
  lucros sem destinação, 625
  mínimo estatutário, 623
  mínimo legal obrigatório, 623
  não pagamento de dividendos, 624
  opinião do conselho fiscal, 626
  redução do dividendo obrigatório, 625
  responsabilidade do controlador, 626
  responsabilidade solidária de conselheiros de administração e fiscais, 626
Dividendos não cumulativos, 502-504
Dividendos por ação, 636-638
Dividendos regulares, 619-620
Dodd-Frank
Dun & Bradstreet, 1016-1017
Dupla tributação, 6-8
DuPont Corporation, 62-63, 1040-1041
Duração, 864-867
Dynegy, 38

E

Eastman Chemical Co., 435-436, 446-448
EBay, 291-292
Economias de escala, 1039-1041
EDI financeiro (FEDI), 988-991
Efeito clientela, 649-650
Efeito de cosseguro, 783-784, 1048-1049
Efeito de diversificação, 370-372, 374-375
Efeito do conteúdo informacional, 645-646
Efeito Fisher, 258-261
  efeito Fisher internacional (EFI), 768-769, 1118-1120
Efeito no preço da ação, 700-702
Efeito sobre os acionistas, 701-703
Efeitos do custo, 1010-1011
Efeitos sobre a receita, 1010-1011
Eficiência de mercado
  arbitragem, 464-465, 475-478
  bases da, 462-465
  desafio comportamental para, 473-476
  desafio comportamental para, 475-482
  desvios da racionalidade, 462-465, 474-475
  escolhas contábeis/financeiras e, 483-485

ganhos inesperados, 477-479
preço da ação e nova informação, 488-490
quebras e bolhas, 480-481
racionalidade, 473-475
tamanho e, 478-480
tipos de eficiência, 464-469
valor *versus* crescimento, 479-480
Eficiência na forma forte, 446-468
  evidência de, 473-474
Eficiência na forma semiforte, 446-468
  estudos de eventos, 469-472
  evidência de, 469-474
  fundos mútuos, 472-474
  testes de, 469-472
Emissão, 510-515
  cláusulas de proteção, 514-515
  de títulos mobiliários, 513
  opção de resgate antecipado, 514-515
  pagamento, 513-208
  preferência, 513
  termos de um título, 512-513
Emissão de ações subsequente (SEO), 484-487, 690
Emissão de dívida de longo prazo, 712
  BNDES Finame, 714
  BNDES Finame Agrícola, 715
  clientes, 715
  colocações privadas, 712
  empréstimos de longo prazo, 712
  empréstimos do BNDES, 713
  itens financiáveis, 715
  pré-pagamento de exportação, 712
Emissão pública, 675-681; *ver também* Oferta pública inicial (IPO),
  métodos alternativos, 678-683
  oferta direta, 678-681
  oferta em dinheiro, 682-687
  oferta geral em dinheiro, 678-681
  oferta por garantia firme, 683-684
Emissão pública no Brasil, 677
  anúncio ao mercado (*tombstone*), 679
  brackets, 679
  capital autorizado, 677
  carta-comentário, 678
  declaração de registro, 678
  formulário de referência, 679
  prospecto preliminar (*red herring*), 678
  regulamentação A, 678
  regulamentação do mercado, 677
  SEC (Securities and Exchange Commission), 677
Empresa de capital aberto, 3--11
  individual, 3-5
  objetivos do, 9
  sociedade, 3-6
Empresa financiada somente por capital próprio, custo de capital para, 536
Empresa individual, 3-6
Empresas, 5-8; *ver também* Empresa de capital aberto; Sociedades
  avaliação com R_{CMPC}, 443-446
  características, 6-7

ciclo operacional e organograma, 937
como opção de compra, 777-779
como opção de venda, 778-780
controle, 13-18
controle da empresa, 15-16
desvantagens, 6-7
empresas financiada somente por capital próprio, 536
escolhas com caixa extra, 425-426
estatuto, 5-6
fluxos de caixa com mercados financeiros, 7-10
hipótese do mercado eficiente (HME) e, 462-463
modelo de balanço patrimonial, 1-4
problema de agência e, 13-18
regulamentação da, 16-21
sociedades *versus*, 7-8
titulares de *warrants* e, 827-828
valor de; *ver* Valor da empresa
vantagens da, 6-7
Empresas alavancadas, 433-434
Empresas estrangeiras de capital aberto, 7-8, 1104-1105
Empresas sem dividendos, 291-293
Empresas-alvo, 1035-1037
gestores de, 1063-1064
valor e prêmio de fusão, 1062
Empréstimo
amortização, 116-121
da Stafford, 119-120
em modelo de precificação de opções, 770-771
não garantidos, 948-959
sem risco, 382-384
Empréstimo de margem, 383-384
Empréstimo para estoque, 952-959
Empréstimos a prazo, 706-713
Empréstimos bancários, 519
linha de crédito, 519
Empréstimos como especulação, 519
Empréstimos consorciados, 519
Enron, 18-20, 483-484, 561-562
Equity kickers, 824
Equivalentes de caixa, 973-974
Erosão, 172-173
Escritura de emissão, 510-511
Escritura de hipoteca, 513
Escudeiro branco, 1057-1058
Esforço de cobrança, 1018-1019
Especialistas, 302
Especulação, 847-848
Especulação, mercados eficientes e, 485-488
Esperado, com alavancagem, 531
Estágio capital-semente (ou *seed money*), 673-674
Estatística dos riscos, 342-347
desvio padrão, 345-347
distribuição normal, 345-347
variância, 342-346
Estatutos, 5-6

Estoque, 23
custo de manutenção, 1021-1022
métodos contábeis, 297-298, 483-484
Estoque em processo, 1019
Estoque *just-in-time* (JIT), 1025-1027
Estoques de demanda derivada, 1025-1027
Estoques de segurança, 1024-1026
Estratégia de opção de compra coberta, 762-763
Estratégias de gestão do caixa, 997
central de recursos, 998
crédito a fornecedores, 997
gestão de caixa centralizado com uso de instrumentos financeiros, 998
operações de aplicação financeira combinada com empréstimos, 998
venda de contas a receber para fundos de direitos creditórios, 997
Estrutura a termo, 945-947
Estrutura a termo das taxas de juros, 260-263, 907-911
gráfico de, 262-263
Estrutura de capital, 2-3, 527-528; *ver também* Dificuldades financeiras
acionistas e, 520-523
alavancagem financeira e valor da empresa, 530-532
conceitos básicos de, 527-528
dívida *versus* patrimônio líquido, 527-528, 532-534
efeito dos tributos de pessoa física sobre, 578-583
estabelecimento de, 580-586
índice dívida/capital próprio, 585
limites para o uso de dívida, 558-559
modelo de pizza, 527-528
proposição I de M&M sobre, 532, 550
proposição II de M&M e, 550
tendências recentes em, 520-523
tributos e, 541-545
valor da empresa, 528-529
valor da empresa *versus* participação de acionistas, 528-529
Estudo de caso de abertura de capital, 692-696
Estudos de eventos, 468-469, 471, 488-489, 1058-1060
de eficiência na forma semiforte, 469-471
Esvaziamento da propriedade, 565-566
Ética empresarial, 12-13
Euro Disney, 27-28, 224-225
Eurobônus, 519
Euromoeda, 1105-1107
Excedentes de caixa, 993-995
Excedentes de caixa temporário, 993-995
Exemplo com três datas, 809-811
Exemplo de óleo de aquecimento, 807-810
Exercer a opção, 751
Exóticos, 871-874
Expectativas homogêneas, 386-387
Exposição à conversão, 1012-1128
Exposição a curto prazo, 1122-1124

Exposição a longo prazo, 1123-1126
Extensão para muitas datas, 811-814
ExxonMobil, 13-14, 157-158

F

Falência, 527-528, 558-559; *ver também* Dificuldades financeiras
acordo privado *versus*, 1091-1093
custos de, 597-598
liquidação, 1086-1087
maior nos EUA, 1084
modelo *z-score*, 1094-1102
previsão, 1094-1102
prioridade das reivindicações na, 1086
probabilidade de, 598-599, 635, 857-858, 104, 798
programada, 1093-1095
regra da prioridade absoluta (RPA), 1087, 1092
reorganização, 1088-1091
risco de, 612-613, 798
seção 389-390
Falência da Lehman Brothers, 561-562
Falência da Orange County, 561-562
Falência da Texaco, 562-564
Falência involuntária, 1086
Falta de caixa, 942-943
Falta de estoque, 942-943
Fator de valor presente, 97-98
Fator de valor presente para anuidades, 112
Fator tamanho
em retornos médio, 478-480
tamanho ideal da empresa, 1039-1040
Fatura, 1004-1005
Fazer a entrega, 848-849
Fechamento de capital, 1037-1038, 1068-1071
Federal Reserve Board, 16-18
Federal Trade Commission (FTC), 1039-1040, 1058-1060
Finanças Comportamentais
arbitragem, 475-476
autocontrole e, 643-644
críticos da, 481-483
divergências independentes da racionalidade, 474-475
eficiência do mercado e, 473-476
padrões cíclicos, 465-466
política de dividendos elevados e, 643-645
preços do mercado e, 482-483
problema do documento esquecido 481-483
racionalidade na, 473-475
risco e, 438-483
Finanças Corporativas; *ver também* Finanças Corporativas Internacionais
administrador financeiro, 3-5
mercados eficientes e, 482-490
modelo de balanço patrimonial, 1-4

natureza da, 1-5
objetivo da administração financeira, 12-13
Finanças corporativas internacionais, 1119-1123
   arbitragem de juros coberta 1115-1117
   custo de capital, 1122-1123
   efeito Fisher internacional, 768-769, 1118-1120
   exposição à conversão, 1124-1128
   mercados de câmbio, 1105-1108
   orçamento de capital, 1119-1123
   paridade da taxa de juros, 1116-1118
   paridade de juros descoberta, 1118-1119
   paridade do poder de compra, 1111-1116
   risco da taxa de câmbio, 1122-1128
   risco político, 1126-1144
   taxas a termo e taxas à vista no futuro, 1117-1006
   taxas cruzadas e arbitragem triangular 1109-1111
   taxas de câmbio, 1107-1110
   terminologia, 1105-1107
Financial Accounting Standards Board (FASB), 23-25, 181-182
   Pronunciamento de Normas de Contabilidade nº 13 (FASB 13) "Contabilizações de Arrendamentos", 725-726
   Pronunciamento de Normas de Contabilidade nº 52 (FASB 52), 1126-1128
Financiamento
   estágios de, 673-675
   financiamento inicial, 671-673
   padrões de, 519-522
   venture capital e, 671-673
Financiamento com garantia de estoques, 952-959
Financiamento de contas a receber, 952-959
Financiamento de dívida, subsídios para, 598-599
   empréstimos bancários/consorciados, 519
   tendências recentes na estrutura de capital e, 520-523
Financiamento de longo prazo, 498, 947-948: *ver também* Títulos de dívida; Arrendamento
   déficit financeiro de longo prazo, 520-521
   padrões de, 519-522
   títulos de dívida internacionais, 519-521
Financiamento de ordem de compra, 952-959
Financiamento de primeiro estágio, 674-675
Financiamento de quarto estágio, 674-675
Financiamento de segundo estágio, 674-675
Financiamento de terceiro estágio, 674-675
Financiamento fora do balanço, 725-726
Financiamentos garantidos, 952-959
Fitch Ratings, 16-18
Fleet Financial Group, 1064
Flexibilidade, dividendos *versus* recompra de ações, 635-636
Float, 983-991
   administração do, 985-986
   como medir, 985-987
   custos de, 986-990

EDI e Check 23, 988-991
questões éticas e legais, 988-990
Float de cobrança, 984-985
Float de desembolso, 983-985
   aumento de, 992-993
Float de estado permanente, 987-988
Float líquido, 984-985
Floors, 872-874
   capital interno e, 449-450
   custo médio ponderado de Capital (CMPC), 447-450
   custos de emissão, 607-608
   ideia básica, 447-449
   VPL e, 448-450
Flutuação dos preços, 468-469
Fluxo de caixa de atividades de financiamento, 36-37
Fluxo de caixa de atividades de investimento, 36-37
Fluxo de caixa de atividades operacionais, 32-33, 35-37
Fluxo de caixa distribuível, 35-36
Fluxo de caixa financeiro, 32-36
Fluxo de caixa livre, 35-36, 181-182
Fluxo de caixa nominal, 186-187
Fluxo de caixa operacional (FCO), 35-37
   abordagem de baixo para cima para, 190-191
   abordagem de cima para baixo, 190
   abordagem do benefício fiscal para, 191-192
   definições alternativos para, 189-192
Fluxo de caixa real, 186-187
Fluxo de caixa total da empresa, 35-36
Fluxo de ordens, 302
Fluxos de caixa, 22, 32-33; *ver também* Demonstrações contábeis, Custos de emissão; Fluxos de caixa incrementais; Demonstração de fluxos de caixa
   correlação, emissão de conversíveis e, 836-837
   da concessão de crédito, 1003-1004
   de arrendamento, 730-733
   distribuição no tempo de, 10-11
   dividendo igual a, 629-630
   dividendo inicial maior do que, 629-631
   fluxo de caixa alavancado (FCA), 599-600
   identificação de, 9
   importância da, 7-11
   inflação e, 186-188
   insolvência baseada em fluxos, 1082-1083
   lucro contábil *versus*, 170-172
   níveis ideais de endividamento e, 733-734
   nominal *versus* real, 186-188
   pago a credores, 34-35
   para os acionistas, 34-35
   período de *payback* e, 140
   perpetuidades, 107-108
   risco de, 10-11
   valor presente líquido e, 139
   valor presente sem risco, 732-734

Fluxos de caixa incrementais, 169
   como chave para o orçamento de capital, 170-174
Fluxos de caixa incrementais, 170-171
   custos de lançamento, 172-174
   lucro contábil, 170-172
Fluxos de caixa sem risco
   nível ideal de dívida e, 733-734
   valor presente de, 732-734
Fluxos de saída de caixa, 947-948
Foco corporativo, 1058-1060
Folga financeira, 578-579
Fontes de caixa, 931-935
Ford Motor Company, 47–48, 500-502
Ford Motor Credit (FMC), 1014-1015
Forma ao portador, 512
Forma fraca de eficiência, 464-466
   evidência sobre, 468-470
Forma nominativa, 512
Fórmula da taxa de crescimento sustentável, 74-76
Fórmula de cálculo do preço da opção, 768-777
   avaliação neutra ao risco, 770-772
   delta, 770-771
   modelo Black-Scholes, 771-777
   modelo de dois estados, 769-772
   valor do empréstimo, 770-771
Fronteira eficiente, 374-375
FTE; *ver* Abordagem do fluxo de caixa para o acionista (FTE)
Função de crédito, 1014-1015
Fundação do projeto
   CMPC e, 442-444
   custo de capital para, 436-439
Fundo de amortização, 504-509, 513-515
Fundo de comércio, 1067-1068
Fundo de índice Vanguard, 532-533, 472
Fundo Fidelity Magellan, 344-345
Fundos mútuos, eficiência na forma semiforte e, 472-474
Fundos próprios, 23-24
Fusão de ação por ação, 1051-1052
Fusões, 1033-1034; *ver também* Aquisições; Desinvestimentos; Aquisições alavancadas; Tomadas de controle
   análise do VPL, 1048-1053
   caixa *versus* ações, 1051-1053
   custo para os acionistas, 1046-1049
   fusões com troca de ações, 1047-1048
   maus motivos para, 1046-1047
   opções e, 781-784
   para ações ordinárias, 1050-1052
   para considerações sobre o caixa, 1048-1050
   requisitos reduzidos de capital, 1043-1045
   retornos para licitantes, 1061
   tomadas de controle amigáveis *versus* hostis, 1052-1056
   valor agregado pela, 1058-1064
   vantagens/desvantagens de, 1046-1049
Fusões de iguais (MOEs), 1064
Fusões de limpeza, 1053-1055
FX swaps, 869-871

G

Galleon Group, 18-20
Ganho/perda de capital, 329-332
   dividendos *versus*, 283-284
   rendimento sobre a, 289-290
Ganhos de impostos, 1041-1044
   capacidade de endividamento e, 1042-1043
   de aquisições, 1041-1044
   fundos excedentes, 1043-1044
   perdas operacionais líquidas e, 1041-1043
Ganhos inesperados, 477-479
Gap, 469-470
Garantia, 513, 1017-1018
Garantias de empréstimo, 780-782
Garantidos, 952-959
Gastos de capital, 33-34, 947-948
General Electric (GE), 28-29, 63-64, 170-171
General Motors, 48, 55-56, 562-563, 1002-1003, 1040-1041, 1071-1072, 1084, 1090
General theory of employment, interest, and money (Keynes), 972-973
Gerente de compras, 937
Gerente de contas a pagar, 937
Gerente de crédito, 937
Gerente de produção, 937
Gerente financeiro, 937
Gestão de estoque, 1019-1020
   abordagem ABC, 1019-1022
   administrador financeiro, 1019
   custos de estoque, 1019-1020
   estoque *just-in-time*, 1025-1027
   estoques de demanda derivada, 1025-1027
   modelo MLE, 1020-1027
   planejamento das necessidades de materiais (MRP), 1025-1027
   política de estoques e, 1019
   técnicas para, 1019-1027
   tipos de estoque, 1019-1020
Gestores; *ver também* Gestores financeiros
   fusão potencial e, 1038-1039
   juros dos acionistas e, 14-16
   oferta/empresas-alvo, 1062-1064
   remuneração dos, 14-16
   teoria da representação, 1062
Gestores financeiros, 3-11
   em mercado eficiente, 482-490
   escolhas contábeis/financeiras, 483-485
   habilidades necessárias, 7-10
   política de estoques e, 1019
   prazo de decisão, 484-487
   remuneração dos, 14-16
Gilts, 1105-1107
Giro de contas a pagar, 56-57, 939
Giro de contas a receber, 56-57, 938
Giro do estoque, 55-56, 938
Global Crossing, 483-484
Globalização, 1105-1107
Goldman, Sachs e Co., 7-8, 18-20
Google, 47, 63, 291-292, 297-298, 500-502, 686-687, 1035-1037

Grau de investimento, 706-713
Greenmail, 1056-1058
Grupamento de ações, 660-661
Grupo Jacobs Engineering, 1-2

H

HCA, 1068-1070
Hedge, 368-369
   de compra com risco de base, 920-921
   operações de, 900
   resultados no mercado de DI, 904-905
      pós-fixados, 904-905
      préfixados, 904-905
      vértices da curva de juros, 905
Hedge com base na duração
   correlação entre passivos e ativos, 866-869
   mesmo vencimento, cupons diferentes, 863-874
   título de cupom zero, 862-864
Hedge de futuros, 853-855
Hedges de compra, 855-856, 861-862
Hedges de venda, 854-855, 861-862
   comparados a, 861-863
Hedging, 847-848, 853-856
   duração, 862-869
   futuros de taxa de juros, 858-863
   proteção de prazos, 945-947
Hewlett Packard, 15-16, 296-297
Hipótese de fluxo de caixa livre, 575-576
   custos de agência e, 574-576
   papel nas, 1043-1044
Hipótese dos mercados eficientes (HME) 462-463
   bases da, 462-465
   concepções erradas sobre, 467-469
   concepções erradas sobre a flutuação de preço, 468-469
   concepções erradas sobre o dardo lançado, 467-469
   descrito, 461-464
   desinteresse dos acionistas, 468-469
   eficácia do dardo lançado, 467-469
   evidência do, 468-474
   forma forte, 465-468
   forma fraca, 464-466
   forma semiforte, 465-468
   implicações para a finança corporativa, 482-490
   implicações para investidores e para empresas, 462-463
   pontos de vista diferentes sobre, 481-483
   resumo de, 490-491
História do mercado, prêmio pelo risco do capital, 342-344
Histórico de pagamento do cliente, 1017-1018
Home Depot, 60-61, 294, 403
Honolulu Symphony Orchestra, 1081-1082
Horizonte, 443-444
Hughes Aircraft, 1040-1041

I

Ibbotson SBBI 2012 Classic Yearbook, 332-333
IBM, 296-297
Identidade DuPont, 61–63
   índice de lucratividade, 57-59
   medidas do valor de mercado, 58-61
   medidas dos lucros, 50
   problemas com, 63-64
   uniformização das demonstrações, 47-48
Immofinanz Group, 824, 830-831
Imposto de alíquota fixa, 30
Impostos de pessoa jurídica
   dupla tributação, 6-7
   ideia básica, 541-545
   proposição I de M&M, 545-546
   proposição II de M&M e nível ideal de dívida e fluxos de caixa sem risco, 733-734
   retorno esperado e alavancagem com, 546-549
Incorporação, 1033-1034
Indicadores de liquidez
   índice de caixa, 53-54
   índice de liquidez corrente, 52-53
   índice de liquidez seca, 53-54
Indicadores de lucratividade
   margem de lucro, 57-58
   margem LAJIRDA, 57-58
   retorno sobre ativos, 57-58
   retorno sobre o patrimônio líquido, 58-59
Indicadores de solvência de longo prazo, 53-56
   cobertura de caixa, 54-56
   índice de cobertura de juros, 54-55
   índice de endividamento total, 53-55
Indicadores do valor de mercado, 58-60
   capitalização de mercado, 59-60
   índice de preço/lucro (P/L), 59-60
   índice valor de mercado/valor contábil (M/V), 58-60
   múltiplos do valor da empresa, 59-60
   valor da empresa, 59-60
Indicadores financeiros; *ver* Análise de indicadores
Índice de caixa, 53-54
Índice de cobertura de caixa, 54-55
Índice de cobertura de juros (ICJ), 54-55
Índice de distribuição, 288-289
Índice de distribuição de dividendos, 66-67
Índice de endividamento total, 53-55
Índice de giro do ativo total, 56-57, 75-76
Índice de intensidade de capital, 66-67
Índice de liquidez corrente, 52-53
Índice de liquidez imediata (ou liquidez seca), 53-54
Índice de liquidez seca, 53-54
Índice de lucratividade, 154-156
   aplicação do, 154-156
   projetos independentes, 154-155
   projetos mutuamente excludentes, 154-156
   racionamento de capital, 155-156

Índice de preço/lucro (P/L), 47, 59-60, 295-298
    fatores determinantes, 297-298
    métodos contábeis, 297-298
Índice dívida/capital próprio, 54-55
    deslocamento de dívida e, 520-523
    metas para, 585
Índice Sharpe, 345-346, 350-351
Índice valor de mercado/valor contábil, 58-60
Índice-meta, Índice dívida/capital próprio, 585
Índices de administração de ativo, 55-57
    giro de contas a pagar, 56-57, 939
    giro de contas a receber, 56-57
    giro do ativo total, 56-57
    giro dos estoques, 55-56
    prazo médio de contas a receber, 56-57
    prazo médio de estocagem, 55-56
Índices de alavancagem, 53-56
    cobertura de caixa, 54-56
    índice de cobertura de juros (ICJ), 54-55
    índice de endividamento total, 53-55
Índices de valor da empresa, 298-300
Indiferença, à política de dividendos, 630-631
Indivisibilidades, 156
Indústria de semicondutores, 136-137
Inflação
    fluxo de caixa e, 186-188
    orçamento de capital e, 183-189
    taxa de juros e, 183-187, 256-259
Informação
    caminho aleatório e, 465-466
    em preços do mercado, 465-467, 487-490
    novo, reações a, 462-463, 488-490
    sobre dividendos, conteúdo de, 645-646
Informações de crédito, 1016-1018
    bancos, 1017-1018
    demonstrações financeiras, 1016-1017
    histórico de pagamento, 1017-1018
    relatórios de histórico de crédito, 1016-1017
Informações dos dirigentes, 690-691
Inicial, 673-674
Inovação financeira, 461-462
Insolvência, 1082-1083
    baseada em capital, 1082-1083
    baseada em fluxos, 1082-1083
    definido, 1082-1083
Instrumento de entrega, 848-849
Instrumento de obrigação limitada, 755-756
Instrumentos de crédito, 1009-1010
Integração vertical, 1040-1041
Intel, 136-137, 510-511
International Paper Co., 516-517
Interpolação linear, 774-776
Intervalo de preços, 659-660
Investidores; *ver também* Carteiras
    enganar os, 460
    hipótese do mercado eficiente e, 462-463
    preferências quanto ao retorno de dividendos, 648-649

Investidores anjos, 671-672
Investimento líquido, 288-289
Investimentos; *ver também* Retorno esperado
    valor presente de, 97-98
Investimentos mutuamente excludentes, 145-146
Iron Mountain, 1055-1056
ISDEX, 459-460
Isenção, 1071-1072
Itens que não afetam o caixa, 27-28

J

JC Penney, 1056-1057
Jogo do *float*, 992-993
John Deere, 47
Joias da Coroa, 1058-1060
Juros
    compostos, 92-94
    dedutíveis para fins fiscais, 439-440
    simples, 92-94
Juros sobre juros, 92-94, 102-103

K

Keiretsu, 1025-1027
Kimberly-Clark, 1019-1020
Kroger, 57-58

L

LAJIR (lucro antes de juros e imposto de renda), 25, 50
LAJIRDA (lucros antes dos juros, imposto de renda, depreciação e amortizações), 50, 55-56, 298-299
    margem LAJIRDA, 57-58
LBOs; *ver* Aquisições alavancadas
Lei antitruste, 1058-1060
Lei da Reconciliação Orçamentária de 1993, 28-29
Lei da Reforma Fiscal de 1986, 28-29, 990-991
Lei de compensação de cheques do século XXI; Lei (Check 21), 988-991
Lei de prevenção contra abusos de falência e proteção de 2005, 1088
Lei de Valores Mobiliários de 1934, 16-18
Lei de Williams (1968), 1052-1053
Lei Sarbanes-Oxley ("Sarbox"), 18-21
Leilão com preço uniforme, 684-686
Leilão holandês, 633-634, 683-684
Letra de câmbio a prazo, 1009-1010
Letra de câmbio à vista, 1009-1010
Letra de câmbio comercial, 1009-1010
Letras do Tesouro dos Estados Unidos; *ver* Títulos do Tesouro
Licitantes, 1035-1037
    retornos para, em fusões, 1061-1062
LIFO (o último a entrar é o primeiro a sair), 297-298
Limpeza, 983-984

Linha característica, 387-388, 429-431
Linha de crédito, 519, 948-949
Linha de crédito compromissada, 948-949
Linha de crédito não compromissada, 948-949
Linha de crédito rotativo, 519
Linha do mercado de capitais (LMC), 393-394
Linha do mercado de títulos (LMT), 390-394, 467-468
    custo de capital e, 438-439
    para estimar a taxa de desconto ajustada ao risco, 427
Linha do tempo dos fluxos de caixa, 936-937
Linhas de crédito não garantidas, 948-959
Liquidação, 1086
    liquidação direta, 1086
    por falência, 1086-1087
    prioridade das reivindicações, 1086-1087
Liquidez, 23-24
    determinantes de, 941-943
    gestão do caixa *versus*, 973-984
Livro dos acionistas, 181-182
Livros fiscais, 181-182
LMT; *ver* Linha do mercado de títulos
Lockheed Corporation, 781-782
Longo prazo, 27-28
Lowe's Companies, 60-61
Lucratividade, 1006
Lucro
    definição contábil de, 25
    dividendos e, 291-292
    medidas de, 50
    política de dividendos elevados e, 642-644
Lucro antes de juros e imposto de renda (LAJIR), 25, 50
Lucro contábil arrendamento, 742-744
    comparado aos fluxos de caixa, 170-172
Lucro de arbitragem, 764-765
Lucro líquido, 35-36, 50
Lucro por ação (LPA), 50, 292-293
    preço da ação e, 705-706

M

MACRS (Sistema de Recuperação Acelerada de Custo Modificado), 179-180
Manpower Inc., 53-54
Marathon Oil, 1037-1038, 1046
Margem de contribuição, 215-217
Margem de lucro, 57-58, 75-76
Margem entre compra e venda, 254
Matéria-prima, 1019
Maximização do lucro, 11-12
McDonald's, 331-332
McGraw-Hill, 283
Mecanismo de registro e conformidade de transações (Transactions Report And Compliance Engine - TRACE), 253
Média (de distribuição), 338-341
Medidas de giro, 55-56

Medidas de solvência de curto prazo, 52-54
    índice de caixa, 52-53
    índice de liquidez corrente, 52-53
    índice de liquidez imediata (ou liquidez seca), 53-54
Meio (de distribuição), 338-341
Melhores esforços, 683-684
Membros, 301
Mentor Graphics, 15-16, 1053-1055
Mercado brasileiro, 336
    Ibovespa, 337
    poupança, 337
    taxa DI, 336
    taxa Selic *over*, 337
    taxa Selic, 336
Mercado de capitais eficiente, 461-465
    desafio comportamental para, 473-476
    descrição de, 461-464
    estudos de eventos de, 468-469, 488-489
Mercado de derivativos
    na BM&FBOVESPA, 884-888
    operacionalização, 884-888
        etapa de pós-negociação
            clearing, 886
        fases de negociação, 884
            after hour e negociação estendida, 884
            pré-abertura, 884
        fatores primitivos de risco, 887-888
        leilão, 886
        liquidez mínima, 886
        lotes mínimos, 885
        margens de garantia,
            de prêmio, 887
            de risco, 887
        preço de ajuste, 885
        túneis de preço, 885-886
            de Leilão, 885
            de Rejeição, 885
Mercado híbrido, 301
Mercado para controle corporativo, 1040-1041
Mercado primário, 300-301
Mercado secundário, 300-301
Mercados de ações, 301
    caminho aleatório, 465-466
    capitalização do mercado de ações mundial (2011), 349
    dealers e corretores, 301
    denominação de títulos públicos, contagem de dias e expressão de taxas, 268
        data de emissão, 268
        data de liquidação, 270
        data de pagamento, 270
        data do leilão, 268
        data-base, 270
        fator diário, 268
        prazo e data de vencimento, 270
        preço unitário (PU), 270
        termos relativos a títulos públicos, 268
    formas de liquidação, 313
        CM-TIMS, 314
        compensação e liquidação multilateral, 314

        margem de prêmio, 314
        margem de risco, 314
        saldo bruto, 313
        saldo líquido, 313
        sistema *clearing members*, 314
    índices, 317
        Ibovespa, 317
    leilões, 311
        câmara de liquidação e custódia, 313
        características, 312
        casos especiais, 312
        cotações, 312
        critério, 312
        fixing, 312
        post trading, 313
        prioridades, 312
        procedimentos, 312
        prorrogação, 313
        quantidade negociada, 311
        quantidades menores, 312
    mercados do segmento BOVESPA, 309
        ativos, 309
        direitos de subscrição, 310
        lote padrão, 310
        lotes fracionários, 309
        mercados à vista, 309
        proventos, 309
    negociação, registro e liquidação de títulos públicos, 266
        emissões diretas, 265
        investidores em títulos públicos federais, 265
        lastro, 265
        negociação, 265
        oferta a *dealers*, 265
        oferta pública, 265
        operações compromissadas, 265
        taxa Selic, 265
        Tesouro Nacional e Banco Central do Brasil, 265
    operações da BM&FBOVESPA, 305
        clearing, 305
        panorama e evolução, 306
    operações estruturadas, 272
        certificado de, 272
        estruturas públicas, 273
        mercado de balcão, 273
        negócios com títulos privados, 273
        payoffs, 273
    participantes, 308
        agente autônomo de investimento (AAI), 309
        algorithmic trade, 308
        Back-Office, 309
        corretoras, 309
        Front-Office, 309
        Intermediador, 308
        Middle-Office, 309
        operadores, 308
        Programa de Qualificação Operacional (PQO), 308
        vendors, 308

    pregão e *after-market*, *310*
        call, 311
        horários de negociação, 310
    relatório de, 304-320
    sistemas de negociação e processamento de operações, 306
        acesso direto patrocinado, 307
        acesso intermediário, 307
        BM&FBOVESPA supervisão de mercado (BSM), 307
        câmara de compensação, 307
        canal eletrônico do investidor (CEI), 307
        sinal de informações, 307
        sistema PUMA, 307
    situações especiais, 316
        circuit breaker, 316
        critérios de interrupção, 316
        interrupção técnica, 317
    títulos de dívida corporativa no Brasil, 270
        abstração, 270
        autonomia, 270
        cartularidade, 270
        classificação, 270
        emitidos instituições financeiras, 271
        emitidos por empresas não financeiras, 271
        fundos de investimento, 271
        letras de câmbio, 271
        literalidade, 270
        títulos de dívida, 271
        vinculados à área imobiliária, 271
        vinculados à cadeia do agronegócio, 271
        vinculados a operações de exportação, 271
    títulos de dívida emitidos por empresas brasileiras no exterior, 271
        bônus, 271
        em longo prazo, 271
        em moeda estrangeira, 271
        perpétuos, 271
    títulos públicos brasileiros, 268
        atualização monetária, 268
        pós-fixados, 268
        prefixados, 268
    títulos públicos federais, 265
        dívida pública mobiliária, 265
        Lei de Responsabilidade Fiscal, 265
        mercado doméstico, 265
        títulos soberanos, 265
Mercados de câmbio, 1105-1112
    taxas de câmbio, 1107-1109
    tipos de operações, 1111-1112
Mercados de capitais, retornos históricos, 333-334
Mercados de títulos de dívida, 252-256
    compra e venda de títulos de dívida, 252-253
    cotações de preços dos títulos de dívida, 254-256
    relatórios de, 253-256

Mercados eficientes; *ver também* Eficiência do mercado
    escolhas contábeis/financeiras e, 483-485
    especulação e, 485-488
    implicações para a finança corporativa, 482-490
    preço da ação e informação nova, 462-463
Merrill Lynch, 214, 302, 519
Mesa Partners II, 1058-1060
Mesa Petroleum, 1040-1041
Método conta-gotas, 706-713
Método de compra, 1067-1068
Método de contratos finalizados, 297-298, 483-484
Método de custo médio ponderado de capital (CMPC), 441-443, 600-602
Método do custo anual equivalente, 195-198
Método do período de *payback*, 139-142
    definição da regra, 139-140
    distribuição dos fluxos de caixa no tempo, 140
    método descontado, 141-142
    padrão arbitrário do período de *payback*, 140-141
    pagamentos após o período de *payback*, 140
    perspectiva gerencial, 140-141
    problemas com, 140-141
    regra do período de *payback*, 140
    resumo de, 141-142
Método do valor presente ajustado (VPA), 597-600
    custo médio ponderado de capital *versus*, 601-603
    diretrizes para, 597-599
    efeitos da dívida, 607-608
    exemplo de, 606-610
    financiamento sem taxa de mercado, 609-610
    fórmula para, 597-600
    método de fluxo de caixa do acionista *versus*, 599-601
    subsídio fiscal para a dívida, 597-599
    valor apenas em capital próprio, 607-608
Métodos da porcentagem completada, 297-298, 483-484
Microsoft Corporation, 71-72, 225, 292-293, 297-298, 430-432
Minicasos
    A decisão de arrendar ou comprar na Warf Computadores, 749-750
    A decisão sobre o MBA, 134-135
    A Iates Litoral expande suas fronteiras, 1149-1149
    Aquisição Alavancada da Cheek Products Inc., 617-618
    Avaliação de ações da Ragan Motores, 326-328
    Bunyan Lumber LLC, 236-237
    Companhia Bethesda Mining, 208-209
    Custo de capital da Hubert Informática S/A, 457-458
    Eletrônica Temporal S/A, 667-670
    Emprego na Iates Litoral, 359-361
    Emprego na Iates Litoral, parte 2, 401-402
    Financiando os planos de expansão da Iates Litoral com uma emissão de dívida, 281-282-282
    Fluxos de caixa na Warf Computadores Ltda., 45-46
    Fusão Golfe Passarinho – Golfe Híbrido, 1079-1080
    Goodweek Pneus S/A, 208-209
    Hipotecas Reis, 879-880
    Iates Litoral abre seu capital, 720-722
    Índices e planejamento financeiro na Iates Litoral, 86-88
    Mineradora Goldsmidt, 169
    O modelo de múltiplos fatores de Fama e French e retornos de fundos de investimentos, 422-423
    O seu plano de aposentadoria, 495-497
    Opções das Indústrias Silva, 797-798
    Opções de compra de ações para funcionários da Cozinhas Exóticas, 822-823
    Orçamento de capital da Martins S/A, 595-596
    Política de crédito nas indústrias Braga, 1031-1032
    Recompra de ações da Companhia Patrimonial Santos, 557
Ministério da Fazenda, 681
Mobiliários dos Estados Unidos (SEC), 16-18, 675-678
    declaração de registro, 675-681
    em transações com informações privilegiadas, 473-474
    Schedule 13D, 1052-1053
Modelo binomial, 807-814
    avaliação de contrato de negócios, 808-810
    exemplo com duas datas, 807-810
    exemplo com três datas, 809-812
    extensão para muitas datas, 811-814
    probabilidades neutras ao risco, 808-809
Modelo Black-Scholes, 768-770
    avaliação de estágio inicial, 804-807
    avaliação de uma empresa em estágio inicial, 806-807
    estratégia de duplicação no, 774-776
    fórmula para, 772-773
    modelo de dois estados comparado, 813-814
    não compatível com simulações, 819
    para opções de ações dos executivos, 803-804
    precificação de *warrants*, 827-829
Modelo de descontos de dividendos (MDD), 434-438
    ação com baixo ou sem dividendo, 291-293
    benefício de taxa de retenção, 288-289
    comparação com CAPM, 435-438
    estimativas de parâmetros, 287-293
    na estimativa do prêmio pelo risco de mercado, 427-429
    referente ao ceticismo, 290-292
    retorno total em, 289-291
    taxa de crescimento de uma empresa, 287-289
    taxa de desconto, 289-290
Modelo de dois estados, 769-772
Modelo de fator único, 406-407, 412-413
    carteira de mercado e, 412-413
    retorno esperado de ações individuais, 410-411
Modelo de k fatores, 406
Modelo de mercado, 406
Modelo de pizza, 527-528, 568-570
Modelo de precificação de ativos financeiros (CAPM) 362, 391-392, 412-415
    carteiras de mercado e, 392-393
    estimativa do custo do capital com, 425-427
    linearidade de, 392-393
    MDD comparado a, 435-144
    teoria de precificação por arbitragem, 412-415
Modelo do lote econômico (MLE), 1020-1025
    custos de armazenamento, 1021-1023
    custos de carregamento, 1021-1024
    custos totais, 1022-1025
    esgotamento de estoque, 1021-1022
    estoques de segurança em, 1024-1025
    extensões do, 1024-1027
    renovação de pedidos em, 1024-1027
Modelo *z-score*, 1094-1102
Modelos baseados em riscos, 414-415
Modelos de planejamento financeiro, 47, 63-70
    abordagem da porcentagem de vendas, 65-70
    alertas sobre, 77-78
    demonstrações projetadas, 63-65
    modelo simples, 63-66
    simulação de Monte Carlo, 217-222
    variável de fechamento, 65-66
Modelos empíricos, 414-415
Monitoramento de ações, 1071-1072
Moody's Investor Services, 16-18, 22, 251, 521-523
Morgan Stanley, 1064
Morningstar, 362
Motivo da transação, 973-974
Motivo de precaução, 972-973
Motivos especulativos, 972-973
Motivos para manter saldos de caixa, 972
    canais de atendimento, 981
    caixa central, 982
    data de liquidação financeira, 975
    data de transação financeira, 975
    datas de liquidação financeira em negócios usuais, 976
    infraestrutura do sistema de pagamentos brasileiro, 977

Infraestruturas do Mercado Financeiro (IMF), 976
   arranjos de pagamento, 977
   entrega contra pagamento, 977
   instituições de pagamento, 977
   instrumentos de pagamento e canais de distribuição, 977
   instrumentos de pagamento no Brasil, 978
     cartões com valor armazenado (*charge cards*), 981
     cartões de crédito, 980
     cartões de débito, 980
     cartões de loja (*retailer cards*), 980
     cheques, 980
     débitos diretos, 981
     transferências de crédito, 978
   reservas bancárias, 974
   taxa DI, 974
   taxa Selic, 974
Multinacionais, 1104-1105
Multiplicador do patrimônio líquido, 54-55
Múltiplos, 295-296
Múltiplos do valor da empresa, 59-60
Mutuário, 504-509

N

Não pagamento, probabilidade de, 1010-1011
NASDAQ, 303-304, 459-460
NBC Universal, 1035-1057
Necessidade de aporte financeiro (NAF), 67-68
   crescimento e, 69-76
Negligência, 572-573
Negociabilidade, 994-995
Negociação a termo, 1111-1112
Negociações à vista, 1111-1112
Negócios repetidos, crédito para, 1015-1017
Neutralidade ao risco
   em modelo de dois estados 770-772
   probabilidades na avaliação de opções, 808-809
Nível ideal de dívida
   decisão de arrendamento *versus* decisão de compra e, 736-739
   fluxos de caixa sem risco e, 733-734
NoNo Bonds, 519
Normas Contábeis (GAAP), 9, 23-25
   demonstração de resultados e, 26
   princípio da confrontação, 26
Normas Internacionais de Contabilidade (IFRS), 25
Nota promissória, 952-959, 995-998, 1009-1010
Notas, 509-510, 514-515
Notificação de emissão, 678-680
Nova emissão subsequente, 682-683
Novas emissões; *ver também* Emissão pública
   anúncio de novas ações e valor da empresa, 690-691
   custos de, 691-696
   métodos alternativos de emissão, 682-683

O

O primeiro a entrar é o primeiro a sair (FIFO), 297-298, 483-484
O último a entrar é o primeiro a sair (LIFO), 483-484
Objetivos da administração, 13-14-14-15
Oferta competitiva, 686-687
Oferta de compra, 633-634, 1034-1035, 1052-1053
Oferta de direitos, 678-681, 694-703
   mecanismos de, 694-700
   número de direitos necessários, 699-700
   preço de subscrição, 699-700
   quebra-cabeça dos direitos, 702-704
Oferta em dinheiro, 682-683
Oferta geral em dinheiro, 678-681
Oferta negociada, 686-687
Oferta por garantia firme, 683-684
Oferta pública inicial (IPO), 671-672, 678-681
   bolha tecnológica em, 459-460
   estudo de caso de, 692-696
   prazo de decisão de, 484-487
   preço de oferta, 687-566
   subprecificação, 688-690
   subscrição por leilão holandês, 683-684
   venture capital, 553-674
Ofertas de troca, 571-572
Ofertas excludentes de aquisição das próprias ações, 1058-1060
Opção americana, 751
   fatores que afetam os valores, 766-767
Opção de resgate antecipado, 516-517
Opção de resgate diferida, 514-515
Opção de venda, 755-757
   acionistas e, 778-780
   definido, 754
   empresa expressa como, 778-780
   fatores determinantes do valor de, 768-769
   opção de venda protegida, 761-762
   paridade das opções de compra e de venda, 780-781
   resultados da, 756-759
   valor no vencimento, 755-769
   venda, 756-759
Opção de venda protegida, 761-762
Opção europeia, 821-822, 751
Opções, 751
   código de negociação de opções - Segmento BOVESPA, 752-753
   cotações das opções na BM&FBOVESPA, 759
   opções exóticas (opções flexíveis), 760
   venda de opções na BM&FBOVESPA, 758
Opções, 751; *ver também* Opções de compra; Avaliação de opções; Opção de venda
   ação sintética, 762-763
   ações e título de dívida como, 776-781
   avaliação da, 763-769
   combinações da, 759-764
   cotações, 758-761
   decisões corporativas e, 781-785
   definido, 751
   fusões e diversificação, 781-784
   garantias de empréstimos e, 780-782
   indústrias de recursos naturais e mineração, 813-820
   investimento em projetos reais e, 785-787
   opção de compra, 754-756
   orçamento de capital e, 783-785
   paridade das opções de compra e de venda, 762-763
   terminologia para, 751
   venda de, 756-759
Opções de ações para executivos (*stock options*), 799
   desafios do incentivo de longo prazo no Brasil, 801
     contábil, 801
     eficiência do mecanismo para a companhia, 801
     percepção de ganho para o beneficiário, 801
     trabalhista, 801
     tributária, 801
Opções de ações para executivos, 799-805
   maiores remunerações em opções, 800-803
   modelo Black-Scholes, 803-804
   motivos para o uso, 799-802
Opções de compra, 754-756, 807-808
   ação preferencial, 504-509
   acionistas e, 777-778
   avaliação de, 812-813
   data de vencimento, 765-766
   de títulos de dívida, 514-515
   determinação dos limites do valor de compra, 763-765
   diagrama *hockey stick* de valores, 755-756
   empresa expressa como, 777-779
   estratégia de opção de compra coberta, 762-763
   fatores determinantes do valor, 765-768
   limite inferior, 763-765
   limite superior, 764-765
   paridade das opções de compra e de venda, 762-763
   preço da ação, 765-767
   preço de exercício, 765-766
   resultados da, 755-756, 758-759
   valor no vencimento, 754-756
   variabilidade do ativo subjacente, 766-767
   warrants, 825-828
Opções de espera, 224-225
Opções reais, 221-226
   opção de abandono, 223-225
   opção de expansão, 222-223
   opções de espera, 225
Operações compromissadas, 995-998
Operações de *swap* no Brasil, 913-915

Operadores designados pelo mercado (DMMs), 302
Operadores do pregão, 302
Oportunidades de crescimento, 292-296
　lucros e dividendos comparados, 294-296
Oracle, 1035-1037
Orçamento de caixa, 945-949
Orçamento de capital, 2-3, 136-137, 426-578; ver também Taxa interna de retorno (TIR); Orçamento internacional de capital; Regras de investimento; Valor presente líquido
　criação de valor e, 459-460
　empresas alavancadas, 597-598
　frequência de uso, 157-158
　internacional, 1119-1123
　o método do custo anual equivalente, 195-198
　opções e, 783-785
　prática do, 156-159
　valor presente líquido, 136-139
Orçamento internacional de capital, 1119-1123
　abordagem da moeda doméstica, 1120-1122
　abordagem da moeda estrangeira, 1121-1122
　custo de capital, 1122-1123
　fluxos de caixa bloqueados, 1121-1123
　risco político e, 1126-1144
Organização de negócios; ver também Companhias abertas
　empresa individual, 3-5
　sociedades, 3-6

P

Padronização, 1006
Pagamento balão, 118-119, 514-515
Pagamento de títulos de dívida, 513
Palm, 476-478
Paraquedas dourados, 1056-1057
Paridade da taxa de juros (PTJ), 1116-1118
Paridade das opções de compra e de venda, 762-763
Paridade de juros descoberta (PJD), 1118-1119
Paridade do poder de compra (PPC), 1111-1116
　resultados de, 1113-1116
　valorização e desvalorização da moeda, 58-59
Paridade do poder de compra absoluta, 1112-1114
Paridade do poder de compra relativa, 1113-1116
　ideia básica, 1113-1114
　resultados de, 1113-1116
　valorização e desvalorização da moeda, 58-59
Participação de acionistas
　gestores e, 14-16

　maximização do valor das ações versus, 528-529
Participação no patrimônio, 509-510
Passivos, 22-24
Patrimônio indireto, 837-838
Patrimônio líquido
　custos de; ver Custo do capital próprio
　dívida versus, 23-24, 509-510, 512, 532-534
　prazo de decisão, 484-485
Patrimônio líquido contábil, 23-24
Patrimônio líquido dos acionistas, 22-24
Payday loans, 104
Peach Holdings, 20-21
Penhor de estoques, 952-959
PEPS (primeiro que entra, primeiro que sai), 297-298, 483-484
Perecibilidade, 1006
Período de espera, 678-681
Período de silêncio, 686-687
Períodos de capitalização composta, 102-104
Perpetuidade, 107-108, 599-602
　fórmula do valor presente, 107-108
Perpetuidade crescente, 107-111
　valor presente de, 108-109
Pesquisa de investimento da Value Line, 290-429, 432-433
Pfizer, 57-58
Pílulas de veneno, 1056-1057
Planejamento das necessidades de materiais (MRP), 1025-1027
Planejamento financeiro
　abordagem de Procusto para, 78
　modelo simples de, 63-70
Planejamento financeiro de curto prazo, 3-4, 948-959
　aceite bancário, 952-959
　ciclo financeiro, 935-937
　ciclo operacional, 931-941
　ciclos operacional e financeiro, 931-941
　estratégias diferentes para, 943-947
　financiamento de ativos não circulantes, 940-941
　flexível versus restritivo, 941-942
　gestores que lidam com, 937
　linhas de crédito garantidas, 952-959
　linhas de crédito não garantidos, 948-959
　no caminho do caixa e do capital circulante líquido, 930-935
　nota promissória, 952-959
　origem/fonte dos fundos, 952-959
　política alternativa de ativos não circulantes, 942-947
　tamanho do investimento em ativos, 940-943
Planejamento financeiro empresarial; ver Planejamento financeiro
Plano financeiro de curto prazo, 948
　empréstimos bancários para capital de giro, 948
　　limite de crédito, 948
　　produtos de prateleira, 948
　　produtos estruturados, 948

　empréstimos para capital de giro com garantia de recebíveis, 950
　　antecipação de cheques (pré-datados), 950
　　antecipação de recebíveis de cartão de crédito, 950
　　compror, 950
　　conta empresarial (crédito rotativo), 950
　　desconto de duplicatas, 950
　　vendor, 950
　empréstimos para capital de giro sem garantia de recebíveis, 951
　　capital de giro, 951
　　carteira de operações, 951
　　cheque especial empresarial, 951
　　hot money, 951
　　outras fontes de capital de giro, 951
　　saldo médio, 951
　financiamento de contas a receber, 949
　financiamento de estoques, 952
　operações de fomento comercial (Factoring), 952
PMR; ver Prazo médio de recebimento
Poder de monopólio, 1039-1040
Poder do mercado, 1039-1040
Política de cobrança, 1003-1004, 1017-1019
　monitoramento de contas a receber, 1017-1019
Política de crédito; ver também Administração de crédito
　análise de, 1010-1013
　aplicação do ponto de equilíbrio, 1012-1013
　avaliação de, 1010-1013
　componentes do, 1002-1004
　efeitos de, 1010-1011
　proposta de política de crédito, 1010-1013
　VPL da mudança, 1011-1013
Política de crédito ótima, 1012-1015
　curva do custo total do crédito, 1013-1015
　organização da função de crédito, 1014-1015
Política de dividendos; ver também Política de dividendos elevados
　aspiração por renda corrente e, 642-643
　como substanciais, 649-650
　conteúdo das informações, 645-648
　dividendo maior que o fluxo de caixa, 629-631
　dividendos caseiros, 630-632
　dividendos iguais ao fluxo de caixa, 629-630
　efeito clientela, 647-650
　evidências da pesquisa sobre, 652-655
　finança comportamental e, 643-645
　irrelevância da política, 629-633
　política investimento e, 632-633
　poucas empresas que pagam dividendos, 650-652
　proposição de indiferença, 630-631
　sensata, 656-657
　sinalização e, 645-648
　taxa de crescimento sustentável, 75-76

Política de dividendos elevados
    aspiração por renda corrente e, 642-644
    conteúdo informacional, 645-646
    custos de agência, 644-645
    fatores que apoiam, 642-648
    finança comportamental, 643-645
    sinalização de dividendos, 645-648
Política de terra arrasada, 1058-1060
Política financeira, como determinante de crescimento, 75-76
Políticas de dividendos, 649
    caso brasileiro dos diferentes tipos de *payouts*, 654
Ponto de apoio, 1052-1053
POSCO, 136-137
Prazo de decisão, 484-487
Prazo de envio, 985-986
Prazo de recebimento, como acelerar as cobranças, 992-993
    componentes do, 990-992
Prazo do crédito, 1004-1008
    custo, lucratividade e padronização, 1006-1008
    demanda do consumidor, 1006
    perecibilidade e valor como garantia, 1006
Prazo do processamento, 985-986
Prazo médio de contas a pagar, 935-936, 939
Prazo médio de contas a receber, 56-57, 938, 1004-1005, 1009-1010
    descontos de caixa e, 1007-1011
    monitoramento de, 1017-1019
Prazo médio de estocagem, 55-56, 935-936, 938
Prazo médio de recebimento, 56-57, 935-1005, 1009-1010
    descontos de caixa e, 1007-1011
    monitoramento, 1017-1018
Prazo para disponibilidade, 985-986
Precificação de ativos
    carteiras de estilo, 415-416
    modelos empíricos, 414-415
Precificação de *swaps*, 871-872
Precificação neutra ao risco, 808-809
Preço da ação
    diluição, 703-705
    efeito da oferta de direitos sobre, 700-702
    flutuações, 468-469
    impostos da pessoa jurídica, 549-550
    nova informação e, 462-463
    preço da opção de compra e, 765-767
Preço de conversão, 829-830
Preço de exercício, 751
    valores de opção de compra e, 765-766
Preço de liquidação, 849-850
Preço de oferta, 301, 687-689
Preço de oferta de compra, 193-196, 301
Preço de oferta de venda, 254, 301
Preço de subscrição, 699-700
Preço limpo, 254-256
Preço líquido, 850-853
Preço oferecido, 301
Preço sujo, 254-256
Preços de dívida, 238-247

Preços de mercado
    finança comportamental e, 482-483
    informação em, 487-490
Preços de oferta de compra e de venda, 254
Preferência, 513
Prejuízos operacionais líquidos, 1041-1043
Prêmio de conversão, 829-830
Prêmio de fusão, 1062
Prêmio de resgate, 514-515
Prêmio pela inflação, 260-262
Prêmio pela liquidez, 264-276
Prêmio pela tributação, 264-276
Prêmio pelo risco da taxa de juros, 260-262
Prêmio pelo risco de inadimplência, 263-264
Prêmio pelo risco de mercado, 427-429
    modelo de descontos de dividendos (MDD) e, 427-429
    registro histórico, 427-428
Prêmio pelo risco do capital, 342-344
Prêmio pelo tempo, 764-765
    valor do dinheiro no tempo, uso de planilhas, 100
Prêmios pelo risco
    patrimônio líquido; *ver* Prêmio pelo risco do capital
    perspectivas históricas e internacionais 349-354
Princípio da confrontação, 26
Princípio da separação, 385-386
Prioridade das reivindicações, 1086-1087
Privilégio de subscrição a maior, 702-703
Probabilidades neutras ao risco, 808-811
Problema de agência, 102
Problema de escala, 149-152
Problema do documento esquecido, 481-483
Problemas éticos, uso da flutuação, 988-990
Problemas éticos, uso do *float*, 988-990
Procedimento de imposição, 1090
Procter & Gamble, 285-286, 290-291, 1039-1040
Projeto que não melhora a escala, 611-613
Projetos independentes, 145-146
    índice de lucratividade e, 154-155
    problemas com, 145-146
Projetos mutuamente excludentes, 145-146, 150-151
    aplicações de IL, 154-156
    índice de lucratividade, 154-156
    problema da distribuição no tempo, 151-154
    problema de escala, 149-152
    problemas com, 145-154
Proposição I de M&M, 532-534
    alavancagem caseira, 532-533
    CMPC em, 548-549
    impostos da pessoa jurídica, 545-546
    pressuposto fundamental, 533-534
    proposição II comparada (exemplo), 537-541
    resumo de, 548-549
Proposição II de M&M, 533-541
    impostos da pessoa jurídica e, 548
    interpretação da, 540-543

    proposição I comparada (exemplo) 537-541
    resumo de, 550
    retorno exigido para os acionistas, 534-541
    risco para os acionistas, 636-535
    sistema de recuperação acelerada de custo modificado (MACRS), 179-180
Propostas de corte de custos, 191-193
Prospecto, 678-681
Proteção de prazos, 945-947
Provedores de liquidez suplementar (SLPs), 302
Public Companies Accounting Oversight Board (PCAOB), 18-20
Pure plays, 438-439

Q

Quadro organizacional, 3-4
    ciclo operacional e, 937-940
Quase-caixa, 973-974
Quebra de mercados, 480-481

R

Racionalidade
    desvios da, 462-465, 474-475
    eficiência de mercado e, 462-464, 473-475
Racionamento de capital, 155-156
Reação exagerada, 482-483
Recapitalização, 1057-1058
Recapitalização alavancada, 1057-1058
Recapitulação, 1057-1060
Recebimento das mercadorias, 1006
Receita corrente, 2-3, 930-931
Receita Federal, 181-182
    How to Depreciate Property (Como depreciar propriedades), 182-185
    publicação, 1109-1110
    regras sobre arrendamento, 727-730
Receitas
    ciclicidade das, 432-434
    estimativas de, 792-793
Recompra de ações, 619-620, 632-638, 1057-1058
    distribuição de dividendos, 619-620, 635-636
    flexibilidade de, 635-636
    impostos e, 636-638, 640-642
    para compensação da diluição, 635-638
    razões para, 635-638
    remuneração dos executivos, 635-636
    subvalorização, 636-638
Recompra de ações, 633
    no Brasil, 634
    recompras direcionadas nos EUA, 634
    nos Estados Unidos, 633
Recompra direcionada, 633-634, 1056-1057
Recuperação judicial, 342-344, 559-560, 596-602

Recursos complementares, 1040-1041
    como fonte de sinergia, 1039-1041
    decisões financeiras, 460
    economias de escala, 1039-1040
    eliminação de administração ineficiente, 1040-1041
    integração vertical, 1040-1041
    transferência de tecnologia, 1040-1041
Red herring, 678-681
Redes eletrônicas de negociação (ECNs), 303-304
Redução de custos, 1039-1041
Reestruturação de ativos, 1058-1060
Reestruturação de capital, 1017-1018
Referência, 415
Reforma da Lei Federal de Falências de 1978, 1086, 1088
Regalias, 572-573
Registro de prateleira, 705-713
Registro dos fundos de investimento, 472-474
Regra da Prioridade Absoluta (RPA), 1087 1092
Regra do período de *payback*, 140
Regra do valor presente líquido, 137-138
    decisões de investimento e, 147-149
Regras de investimento, 136-137
    índice de lucratividade, 154-156
    método da TIR, 141-145
    método do período de *payback*, 139-142
    método do período de *payback* descontado, 141-142
    prática do orçamento de capital e, 156-159
    regra do VPL, 136-139
Regulamentação, 16-21, 678-681
    regras de listagem em segmentos diferenciados da BM&FBOVESPA, 17
        BOVESPA MAIS, 17
        nível 1, 17
        nível 2, 17
        novo mercado, 17
Reivindicações do mercado, 570-571
Relação linear, 410-412
Relacionamento de agência, 13-14
Relatório por idade, 1018-1019
Remuneração baseada em ações, 1063
Remuneração dos executivos, 1-2
    avaliação de, 800-805
    dividendos *versus* recompras, 635-638
    remuneração dos administradores, 14-16
Renda corrente, 642-644
Rendimento em dividendos, 289-290, 330-331, 619-620
    preferências do investidor para, 648-649
Renovação de pedidos, 1024-1026
Rentabilidade Efetiva Anual (REA), 102-103
Reorganização, 560-563, 1086
Reorganização judicial, 1088-1091
Representatividade, 474-475, 482-483
Republic National Bank, 244-245
Reserva de lucros, 288-289
Reservas de caixa, 945-946
Reservas de segurança, 942-943
Resgate antecipado, 514-515

Resgates realizados pelo Tesouro dos EUA, 1084
Retorno até o vencimento (YTM)
    cálculo, 247
    de títulos de dívida, 239-240, 244-251
Retorno corrente, 245-246
Retorno em ganhos de capital, 289-290
Retorno esperado
    alavancagem com tributos de pessoa jurídica, 546-549
    beta e, 391-392
    em título individual, 362-394
    em títulos, 425-426
    em uma carteira, 367-
    no mercado, 389-391
    risco e, 389-394
    variância e, 363-365
Retorno exigido, 425-426, 436-438; *ver também* Custo de Capital; Taxas de desconto
    sobre o patrimônio líquido, 534-535
Retorno monetário, 329-331
Retorno monetário total, 330
Retorno sem risco, 342-344, 427-428
Retorno sobre a reserva de lucros, 288-289
Retorno sobre o ativo (ROA), 57-58
Retorno sobre o ativo contábil, 58-59
Retorno sobre o patrimônio líquido (ROE), 58-59, 288-289
Retorno sobre o patrimônio líquido contábil, 58-59
Retorno sobre o valor líquido, 58-59
Retornos; *ver também*, Retorno esperado
    crise financeira de 2008, 351-347
    estatística dos riscos, 342-347
    estatísticas de retorno, 336-344
    excedente, 342-344
    ganhos inesperados e, 477-479
    prêmio pelo risco das ações dos Estados Unidos 349-354
    retornos no período de investimento, 332-338
    retornos percentuais, 330-333
Retornos anormais (ARs), 469-470, 1058-1061
    cumulativo (CARs), 471-472
    novas emissões, 691
Retornos após impostos, 248-249
Retornos esperados do setor, 362
Retornos médios, 346-348
    cálculo, 342-344
    média geométrica, cálculo, 347-348
    médias aritméticas *versus* geométricas, 346-348
    retorno de ações, 342-344
Retornos médios de ações e retornos sem risco, 342
    mercado brasileiro, 343
        COPOM, 343
        global bond, G-bond, 343
        Prêmio pelo risco de ações dos Estados Unidos, 349
        mercado de CDI, 343
        overnight, 343

        treasury bonds, T-bonds, 343
    mercado brasileiro, 351
        capitalização, 354
        instrumentos de crédito, 352
        operações de crédito, 352
Retornos nos períodos de investimento, 332-338
    vantagens, 318
    câmara de arbitragem do mercado (CAM), 307
    central depositária, 315
        serviços aos usuários, 315
    classificação de risco de títulos de dívida no Brasil, 274
        risco global, 274
        risco no Brasil, 274
Retornos percentuais, 330-333
Retornos totais, ano a ano (1926–2011), 338-340
Risco; *ver também* Risco de inadimplência, Derivativos, *Hedge*
    alavancagem e, 533-535
    beta e; *ver betas*
    carteira de mercado e, 386-389
    finança comportamental e, 482-483
    hedge e, 847-848
    idiossincrático, 380-381
    retornos esperados e, 389-394
    risco da taxa de câmbio, 1126-1128
    risco de crédito, 1007-1008
    risco de mercado, 380-381
    risco de projeto, 436-439
    risco político, 774-775, 1126-1128
    sistemático; *ver* Risco sistemático
Risco da taxa de juros, 242-245
    prazo até o vencimento, 243-244
    prêmio de risco, 260-262
Risco de carteira
    empréstimo sem risco e, 382-384
    para um carteira igualmente ponderada, 409-410
Risco de inadimplência, 994-995
    de empréstimos sob garantia, 780-782
    títulos de curto prazo, 994-995
Risco de inflação, 257-258
    títulos indexados à inflação, 257-259
Risco e retorno
    CAPM; *ver* Modelo de precificação de ativos
    ponderação para ações internacionais, 375-376
    prêmio pelo risco do capital; *ver* Prêmio pelo risco do capital
    retornos médios; *ver* Retornos médios
Risco específico, 380-381
Risco não sistemático, 379-381, 1046
    diversificação e, 408-410
Risco sistemático, 379-381
    betas e, 403-406
    diversificação e, 100
RJR Nabisco, 1040-1041
Road show, 683-684
Royal Dutch Petroleum, 475-477

S

Saída de caixa, 947-948
Saldo cobrado, 983-984
Saldo contábil, 983-984
Saldo de caixa, 948-949, 983-984
Saldo disponível, 983-984
Saldos médios, 973-974
Samsung Electronics, 136-137, 157-158
Securities Act of 1933, 16-18
Securities And Exchang Act of 1934, 675-678
Security Pacific, 1039-1040
Séries geométricas, 107-108
Serviço da dívida, 23-24, 33-35
Shell Transport, 475-477
Simulação de Monte Carlo, 217-222
Sinalização
   efeito do conteúdo informacional, 645-646
   sinalização de dívida, 570-573
   sinalização de dividendos, 645-647
Sindicato, 683-684
Sinergia, 172-173, 1037-1039
   aumento de receita, 1038-1040
   benefícios estratégicos, 1038-1040
   custo de redução de, 1039-1041
   fluxos de caixa incrementais e, 172-173
   fontes de, 1038-1045
   ganhos de marketing, 1038-1039
   poder de mercado ou de monopólio, 1039-1040
Sinergia de risco, 720-721
Sistema Automático de Cotações da Associação Nacional de Corretores de Valores (NASDAQ), 303-303-304, 459-460
Sistema Público de Abastecimento de Energia de Washington (Washington Public Power Supply System -WPPSS), 238-239
Sistemas *kanban*, 1025-1027
Small Business Administration, 54-55
Smith Kline Beecham, 476-477
Sobras de caixa, 1043-1044
Sociedade de responsabilidade limitada (LLC), 6-8
Sociedade limitada, 3-5
Sociedade sem limitação de responsabilidades, 3-5
Sociedades, 3-6
   empresas de capital aberto *versus*, 7-8
Sociedades anônimas por ações, 7-8
Sony, 1071-1072
Southwest Airlines, 847-848
Spread, 301
Spread bruto, 683-684
Standard & Poor's, 16-18, 238-239, 251, 428-429, 498, 521-523
   índice S&P 500, 47, 472
   retornos mensais (2008), 351-354
Starbucks, 800-802
Subavaliação, 636-638
Subprecificação de emissões de novas ações, 688-690
Subscrição, 683-684
Subscrição *standby*, 702-703
Subsidiárias financeiras, 1014-1015
Subsídios, 597-598
Subsídios tributários para financiamento de dívida, 597-598
   VPA utilizado com, 608-609
Sun Microsystems, 1035-1037
Swap, 847-848, 868-869
   de *commodities*, 913
   de índices, 913
   de taxa de juros, 913
   DI x Pré, 914
   DOL x Pré, 915
Swaps Cambiais, 870-871
Swaps de inadimplência de crédito, 869-872
Swaps de moeda, 869-871

T

Táticas defensivas, 1055-1060; *ver* Defesas contra tomadas de controle
   acordos de *greenmail* e *standstill*, 1056-1058
   antes de estar em jogo, 1055-1057
   contratos sociais, 1055-1057
   oferta de aquisição própria excludente, 1058-1060
   reestruturação de ativos, 1058-1060
Taxa a termo (*forward*), 905-906, 1117-1119
Taxa à vista (*spot*), 905
Taxa de câmbio a termo, 1111-1112
Taxa de câmbio à vista, 1111-1112
Taxa de conversão, 829-830
Taxa de crescimento interna, 71-73, 76
Taxa de crescimento sustentável, 73-77
Taxa de cupom, 239-240
Taxa de inflação, efeito Fisher e, 258-261
Taxa de juros
   calculando por, 99
   efeito Fisher e, 258-261
   estrutura a termo das, 260-276
   inflação e, 183-187, 256-258
   nominal *versus* real, 183-187, 256-259
   opção de compra e, 767-768
   rendimento efetivo anual, 102-103
   taxa percentual anual, 102-103
Taxa de juros anual nominal (SAIR), 102-103
   taxas efetivas anuais *versus*, 104-106
Taxa de juros no Brasil, 905-913
   arbitragem entre curvas, 911-913
   curva de retornos, 907-911
   estrutura a termo de, 907-911
   inflação implícita, 911-913
   taxa a termo (*forward*), 905-906
   taxa à vista (*spot*), 905
Taxa de juros nominal, 185-186, 256-258
   efeito Fisher e, 258-261
Taxa de juros real, 185-186, 256-258
Taxa de retenção, 66-67, 288-289
Taxa de *standby*, 702-703
Taxa efetiva anual (TEFa), 102-103, 1007-1008
   taxa de juros anual nominal *versus*, 104-106
Taxa flutuante inversa, 871-874
Taxa flutuante turbinada, 872-874
Taxa *forward*, *ver* Taxa a termo
Taxa Interbancária do Mercado de Londres (LIBOR), 516-517, 948-949, 1105-1107
   swaps e, 869-870
Taxa interna de retorno (TIR), 141-145
   análise comparada do VPL, 144-145, 150-152
   incremental, 150-151
   problema da distribuição no tempo, 151-154
   problema de escala, 149-152
   problemas com, 145-149
   projetos independentes e aos mutuamente excludentes, 145-149
   regra básica da TIR, 143-144
   resgatando as qualidades da, 153-154
   resumo das regras gerais, 149
   taxas de retorno múltiplas, 147-148
   TIR modificada (TIRM), 148-149
   TIRs múltiplas, 148-149
   usos de planilhas, 144-145
Taxa percentual anual (TPa), 102-104
Taxa sem risco, 427-428
Taxa *spot*, *ver* Taxa à vista
Taxas a termo não viesadas (TTNv), 1117-1118
Taxas cruzadas, 1105-1107, 1109-1111
Taxas de câmbio, 1107-1108
   arbitragem triangular, 1109-1111
   cotações, 1108-1110
   taxas cruzadas, 1109-1111
   tipos de operações, 1111-1112
Taxas de crescimento, em fórmula de perpetuidade crescente, 108-111
Taxas de desconto, 90, 92, 425-426; *ver também* Custo de capital
   ajustada ao risco, 427
   arrendamento *versus* decisão de compra e, 734-735
   cálculos de, 600-601
   como custo de oportunidade, 139
   estimado, avaliação com, 604-607
   na fórmula de perpetuidade crescente, 108-109
   nominal *versus* real, 187-189
   taxa de pessoa jurídica, 436-438
Taxas de juros de título de dívida, efeito Fisher, 258-261
Taxas futuras à vista, 1117-1119
Tempo, custos e, 27-28
Teoria da bolha, 480-481
Teoria da ordem hierárquica de financiamento, 575-576
   da teoria de trade-off *versus*, 577-578
   financiamento interno e, 577-578
   implicações da, 577-579
   regras da, 576-578
   títulos seguros e, 577-578

Teoria da representação, 1062
Teoria de precificação por arbitragem (APT), 412-415
Teoria do *trade-off* para a estrutura de capital, 568-570
Teoria estática da estrutura de capital, 568-570
Termos de venda, 1002-1011
   custo de crédito, 1007-1010
   data de fatura, 1016-1006
   descontos comerciais, 1009-1010
   descontos de caixa, 1007-1010
   duração do prazo do crédito, 1006-1008
   forma básica, 1004-1005
   instrumentos de crédito, 1009-1011
   período de crédito, 1004-1006
   prazo médio de recebimento, 1009-1010
3Com, 476-478
Tese de Modigliani-Miller; *ver também* Entrada de proposição de M&M sobre a estrutura de capital, 532–533-534
   em ações *versus* dívida, 834-835
   impostos da pessoa jurídica e, 546-547
   interpretação de resultados, 540-543
   resumo (com tributos), 550
   resumo (sem tributos), 541-543
   valor da empresa, 532-533
Tesoureiro, 3-5
The Wall Street Journal, 14-15, 304-320, 851
Time Warner, 1051-1053, 1064
Tipo de consumidor, 1007-1008
TIPS, 257-259
   retornos ano a ano, 338-339
TIR; *Ver* taxa interna de retorno (TIR)
TIR incremental, 150-151
TIR modificada (TIRM), 148-149
Título com ágio, 241-242
Título com opção de venda, 516-517
Título de cupom fixo, 239-240
Título de cupom zero, 246-247
   hedge com base na duração, 862-864
Título sintético do Tesouro dos EUA, 750-764
Títulos; *ver também* Títulos de dívida; Retornos esperados; Retornos; Tipos específicos de títulos
   custos de nova emissões, 598-599
   inovação em, 461-462
   métodos de emissão, 683-686
Títulos a pagar, 930-931
Títulos Bulldog, 519-521
Títulos de capital próprio, 504-509
   características do, 994-995
   negociabilidade, 994-995
   risco de inadimplência, 994-995
   tributos, 994-995
   vencimento, 994-995
Títulos de dívida, 238-239, 509-510; *ver também* Títulos de dívida corporativos; Vencimentos dos títulos de dívida
   características de, 238-240
   compra/venda de, 252-253
   cupom zero, 246-247
   curva de retornos, 263-276
   de títulos mobiliários, 513
   debênture, 513
   desconto, 249-250
   forma ao portador, 512
   fundo de amortização, 513-515
   opções de compra, 514-515
   pagamento de, 513
   prêmio, 241-242
   relatório de preços de, 253-256
   taxa flutuante, 516-517
   termos de, 512-513
   tipos de, 516-519
   título com opção de venda, 516-517
   títulos de dívida internacionais, 519-521
   títulos especulativos, 252
   títulos vinculados a receitas, 516-517
   warrants dos, 516-517
Títulos de dívida brasileiros, 265
   aluguel de ativos, 318
      diversificação, 318
      short selling, 319
Títulos de dívida conversíveis, 516-517, 829-831; *ver também* Warrants
   ação *versus*, 833-835
   "almoço grátis/almoço caro", 834-836
   caso favorável e desfavorável, 834-835
   como patrimônio indireto, 837-838
   custos de agência, 837-838
   fluxos de caixa equivalentes, 836-837
   motivos para emitir, 833-838
   política de conversão, 837-838
   sinergia de risco, 836-837
   título de dívida conversível *versus*, 833-834
   valor da opção, 831-833
   valor de, 830-833
   valor de conversão, 830-832
   valor do título de dívida não conversível, 830-831
Títulos de dívida corporativos, 238-239, 249-251, 504-515
   cláusulas de proteção, 514-515
   de títulos mobiliários, 513
   escritura da emissão, 510-515
   fundamentos de, 509-511
   opção de resgate antecipado, 514-515
   pagamento, 513-208
   preferência, 513
   representativos de capital próprio comparados, 509-510
   retorno esperado, 249-250
   retorno prometido, 249-250
   retornos de, 250-251
   termos de, 512-513
   tipos de, 516-519
Títulos de dívida do Tesouro com proteção contra a inflação (Treasury Inflation-Protected Securities –TIPS), 257-259
Títulos de dívida internacionais, 519-521
Títulos de dívida municipais, 238-239, 248-250
Títulos de receita, 516-517
Títulos de renda fixa, custo de, 439-441
Títulos de taxa flutuante, 516-517
Títulos do mercado monetário, 994-998
Títulos do Tesouro, 248-249
   cotações de preços de, 255-256
   precificação dos, 855-857
Títulos especulativos, 252
Títulos estrangeiros, 519-521
Títulos hipotecários, 513
Títulos individuais
   covariância e correlação, 362
   retorno esperado de, 362, 390-394
   variância e desvio padrão 362
Títulos públicos, 248-252
   municipais (munis), 248-249
   retornos de, 250-251
   títulos do Tesouro, 248-249
Títulos Rembrandt, 519-521
Títulos representativos de dívida, 504-509
Títulos representativos de empréstimos, 2-3
Títulos Samurai, 519-521
Títulos tipo desconto, 240-241
Títulos Yankee, 519-521
T-Mobile, 1033-1037
Tomada de controle hostil, 1053-1055
Tomada de decisão financeira
   em mercados de capital eficientes, 483-485
Tomada e concessão de empréstimos sem risco, 382-384
   risco de carteira e, 382-384
Tomadas de controle, 15-16, 1035-1038; *ver também* Aquisições; Fusões
   amigável *versus* hostil, 1052-1056
   disputas por procuração, 1035-1037
   joias da Coroa, 9-10
   paraquedas dourados e, 1056-1057
   pílulas de veneno, 1056-1057
   táticas defensivas, 1055-1060
   variedades de, 1035-1037
Tomadas de controle amigáveis, 1052-1056
Toyota, 48
Transação em dinheiro, 849-850
Transação isenta de impostos, 1064
Transação tributável, 1065-1067
Transações com informações privilegiadas, 473-474
Transferência de fundos entre contas do mesmo titular, 992
Transferência de tecnologia, 1040-1041
Transferência eletrônica de dados (EDI), 988-991
Transparência, 253
Tributação em fusões e aquisições no Brasil, 1066
   tributação na pessoa física, 1066
   tributação na pessoa jurídica, 1066
Tributário federal dos EUA, seção do código, 564-565, 640-642

Tributos, 28-32; *ver também* Impostos de pessoa jurídica
　alíquotas tributárias da pessoa jurídica, 28-29
　alíquotas tributárias médias *versus* marginais, 28-32
　aquisições e, 1064-1067
　arrendamentos e, 727-730
　diferido, 27-28
　dividendos e, 636-638
　dupla tributação, 6-7
　fluxo de caixa e, 543-545
　operação tributável, 1065-1067
　pessoa física, 578-583, 636-639
　problemas financeiros, 568-571
　títulos de curto prazo, 994-995
Tributos de pessoa física, 578-583; *ver também*, Impostos de pessoa jurídica
　fundamentos de, 578-579
　fundamentos na estrutura de capital 578-583
　resumo de, 642-643
Tributos diferidos, 27-28
Tributos sobre a renda da pessoa física, 579
　tributos de pessoa física sobre a estrutura de capital no Brasil, 581
Tyco, 38

U

U.S. Steel, 47, 1037-1038, 1046
Unilever PLC, 476-477
Unocal, 1058-1060
Uso de planilhas
　amortização de empréstimos, 119-120
　cálculo da TIR, 144-145
　cálculo do valor do dinheiro no tempo, 100
　cálculo do VPL, 138
　preços e retornos de títulos de dívida, 247
　valores presentes de uma anuidade, 113
　VPC com vários fluxos de caixa futuros, 121-122
Usos de caixa, 931-935
Utilização de ativos, 55-56

V

VA Linux, 459-460
Vaca leiteira, 292-293
Valor
　anúncio de novas ações, 690-691
　crescimento *versus*, 479-480
　custo *versus*, 23-25
　definido, 527-528
　direitos de mercado negociáveis/não negociáveis, 570-571
　dívida e, 528-529
　empresa alavancada, 544-547
　empresas iniciantes, 100
　nível ideal de dívida, 568-569
　participação de acionistas *versus*, 528-529
　tese de Modigliani-Miller, 532-533
　troca de dívida/capital próprio, 527-528
　valor presente dos fluxos de caixa futuros, 119-122
　warrants e, 825-828
Valor avaliado, 1064
Valor como garantia, 1006
Valor composto, 89
Valor contábil, 23-24
　diluição do, 704-706
　valor de mercado *versus*, 25, 521-523
Valor da empresa, 59-60
Valor de conversão, 830-832
Valor de mercado, 23-24, 521-523
　valor contábil *versus*, 25, 521-523
Valor do principal, 512
Valor do título de dívida não conversível, 830-831
Valor futuro (VF), 89, 91-93
　capitalização e, 92-96, 104-106
　de um investimento, 93-94
Valor intrínseco, 764-765
Valor líquido, 23-24
Valor nominal, 239-240
　de título de dívida, 239-240
Valor presente (VP), 101
　ações ordinárias, 283-288
　anuidade, 111-112
　avaliação da empresa, 119-122
　benefício fiscal, 544-545
　capitalização contínua e, 107
　consols, 107, 111
　de fluxo de caixa sem risco, 732-734
　de investimento (vários períodos), 97-98
　descontos e, 96-99
　fluxo de caixa alavancado, 600-601
　fórmula (um período), 90
　perpetuidade, 107-108
　ponto de equilíbrio, 215-218
　usos de planilhas, 121-122
Valor presente líquido
　atributos do, 139
　caso de vários períodos, 101-102
　custos de emissão e, 448-450
　de cálculo de arrendamento, 738-739
　de mudança de políticas de crédito, 1011-1013
　decisão de arrendamento *versus* decisão de compra, 734-735
　em análise de sensibilidade, 213
　exemplo do caso Baldwin, 181-182
　fluxos de caixa incrementais, 150-154
　fórmula para, 91, 102
　na simulação de Monte Carlo, 221-222
　nominal *versus* real 188-189
　taxa interna de retorno *versus*, 150-152
　uso do, 136-139
　usos de planilhas, 138
Valor presente líquido de oportunidades de crescimento (VPLOC), 292-293
　empresa vaca leiteira, 292-293
　para empresas do mundo real, 294-295
Valor presente líquido de uma fusão, 1048-1053
　ações ordinárias, 1050-1052
　caixa e, 1048-1050
　caixa *versus* ações ordinárias, 1051-1053
Valor registrado, 23-24
Valor residual, 179-180, 741-742
Valor residual garantido (VRG), 726-727
Valorização e desvalorização da moeda, 1001
Vanguard High Yield Corporate Bond Fund, 250-251
Vantagens tributárias de arrendamento, 739-742
Variação no ativo imobilizado, 33-34
Variação no capital circulante líquido, 31-32
Variância, 342-344, 362, 368-369
　cálculo da, 363-364
　de carteira, 368-370
　em carteira de vários ativos, 377-378
　retorno esperado e, 363-365
Varredura de ruas, 1053-1055
Vencimento, 239-240, 994-995
　títulos de curto prazo, 994-995
Vencimento dos títulos de dívida, 239-240
Venda e arrendamento, 725-726
Venda única, crédito para, 1015-1016
Vendas (desinvestimentos), 1070-1071
Vendas, despesas gerais e administrativas, 27-28
Venture capital, 672-675
　condições econômicas e, 675-678
　estágios de financiamento, 673-675
Venture capital no Brasil, 676
　fundos de investimento em participações, 676
　histórico, 676
　investimentos por modalidades, 677
　investimentos/PIB, 676
　Sociedades de Capital de Risco (SCR), 676
Viacom, 15-16
Volatilidade, 344-345
Volkswagen, 597-598
Votação por procuração, 500-502
Voto múltiplo, 499-500
Voto por candidato, 499-500
VP dos fluxos de caixa sem risco, 733-734
　custo médio ponderado de capital, 548-549
VPL; *ver* valor presente líquido de oportunidades de crescimento (VPLOC); Modelo de valor presente líquido de oportunidade de crescimento; Método do valor presente ajustado (VPA)
VPLOC; *ver* Valor presente líquido de oportunidades de crescimento (VPLOC)
　de empresas do mundo real, 294-295

W

Wall Street Reform and Consumer Protection Act, 1-2
Walmart, 53-54
Walt Disney, 172-173, 244-245, 1071-1072
Warner Brothers, 210-211
Warrants, 516-517, 694-696, 824–825
    ganhos sobre exercício, 828-829
    modelo Black-Scholes, 827-829
    motivos para emitir, 833-838
    opção de compra *versus*, 825-828
    valor da empresa e, 825-828
Warrants e conversíveis, 839
    caso da Light S/A, 841
    caso da Minerva S/A, 841
    experiência brasileira, 839
Westinghouse, 853-854
WorldCom, 18-20, 483-484, 561-562

X

Xerox, 483-484

Y

Yahoo!, 63, 304-320
Yield curve, *ver* Curva de retornos